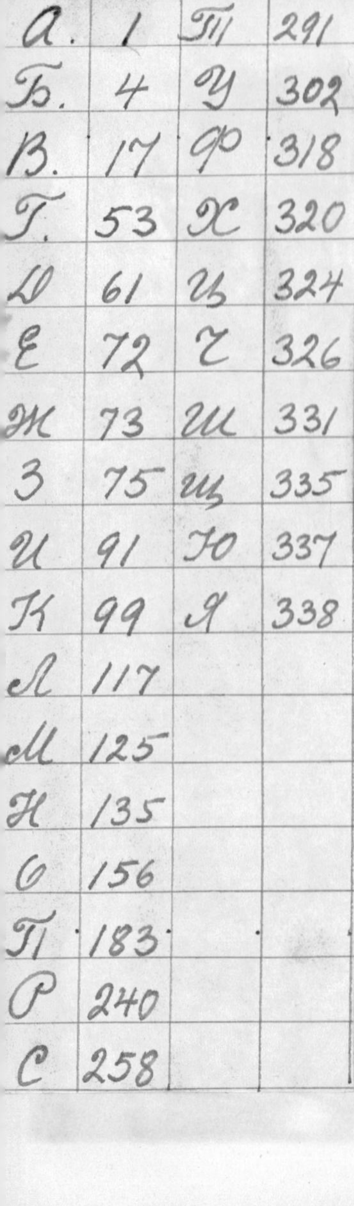

NEW ENGLISH-RUSSIAN
AND
RUSSIAN-ENGLISH
DICTIONARY
(NEW ORTHOGRAPHY)

BY

M. A. O'BRIEN, M.A., PH.D.

THE QUEEN'S UNIVERSITY, BELFAST; MEMBER OF THE ROYAL IRISH ACADEMY

NEW YORK
DOVER PUBLICATIONS

Printed in the United States of America

Preface

This dictionary has been designed to supply the long-felt want of a cheap, handy and thoroughly up-to-date Dictionary of the English and Russian languages.

No effort has been spared to make this work a compendious dictionary of handy size, dealing as completely as possible with the words and phrases of both the written and spoken language of the present time. Special attention has been paid to the following points:

1. The inclusion of all recent words which have gained currency in commerce, science and sport.

2. The inclusion of obsolete words, provincialisms, Americanisms and colloquial expressions which the reader may come across in novels or newspapers or in commercial use.

3. Special attention has been devoted to synonyms. In these cases catchwords in brackets indicate the various shades of meaning; cf. for example under **Shift, Business.**

4. The pronunciation of every English word is indicated by means of a very simple but thoroughly scientific system of phonetic transcription.

5. In both parts very full grammatical details are given, so that the inflection of any word, and in the Russian-English part changes in the accentuation can be seen at a glance.

6. In both parts the accentuation of every Russian word is indicated.

7. In both parts the Perfective and Imperfective Aspects of every Russian verb have been given.

8. As regards Spelling; for English that of the Oxford Stand-

ard Dictionary has been adopted. For Russian the new official Orthography has been used.

In the preparation of this work constant recourse has had to be made to the standard works of lexicographers in both languages. The author gratefully acknowledges his indebtedness to the following works: Pawlowsky: Deutsch-Russisches und Russisch-Deutsches Wörterbuch; Dalj: Толковый словарь живого великорусского языка; Karl Blattner: Taschenwörterbuch der russischen Sprache (Langenscheidt); Koiransky: Deutsch-Russisches und Russisch-Deutsches Taschenwörterbuch (Tauchnitz); The Concise Oxford Dictionary.

M. A. O'Brien.

Предисловие

Наше издание должно заполнить давно уже ощущавшийся пробел — дать дешевый, практичный и вполне современный словарь английского и русского языков.

Мы не жалели труда, чтобы при всей сжатости об'ема дать возможно больше слов и выражений как литературного, так и разговорного языка настоящего времени. Особое внимание обращалось на следуюшие пункты:

1. Внесены все слова современного языка, относящиеся к области коммерции, науки и спорта.

2. Внесены также слова устарелые, провинциализмы, американизмы и выражения разговорной речи, которые могут встречаться при чтении романов, газет и коммерческой переписки.

3. Особое внимание уделено синонимам. Здесь пояснительные слова в скобках указывают на различные оттенки значения слов. Ср. напр. **Shift, Business** и т. п.

4. Произношение каждого английского слова обозначено при помощи весьма простой, но вполне научной системы фонетической трансскрипции.

5. В обеих частях дано множество грамматических деталей, так что флексия каждого отдельного слова, а в русско-английской части и переходы ударения сразу бросаются в глаза.

6. В обеих частях отмечено ударение каждого русского слова.

7. В обеих частях даны форма совершенного и несовершенного вида всех русских глаголов.

8. Правописание английских слов дано по Oxford Standard Dictionary. Русские слова даны по новому оффициальному правописанию.

При обработке материала составитель постоянно пользовался образцовыми словарями обоих языков. В особенности составитель обязан следующим сочинениям: Pawlowsky: Deutsch-Russisches und Russisch-Deutsches Wörterbuch; Даль: Толковый Словарь живого великорусского языка; Karl Blattner: Taschenwörterbuch der russischen Sprache (Langenscheidt); Koiransky: Deutsch-Russisches und Russisch-Deutsches Taschenwörterbuch (Tauchnitz); The Concise Oxford Dictionary.

М. А. О'Брайн.

Сокращения — **Abbreviations**

A. = accusative, винительный падеж.
a. = adjective, имя прилагательное.
abbr. = abbreviation, сокращение.
abstr. = abstract, отвлеченное.
abus. = abusive, бранное слово.
ad. = adverb, наречие.
agr. = agriculture, земледелие.
Am. = Americanism, американизм.
an(at). = anatomy, анатомия.
arch. = architecture, архитектура.
arith. = arithmetic, арифметика.
art. = artistic, искусство.
artic. = article, член.
astr. = astronomy, астрономия.
bib(l). = biblical, библейское.
bot. = botany, ботаника.
c. = conjunction, союз.
cf. = confer = compare, сравни.
chem. = chemistry, химия.
coll. = collective noun, имя собирательное.
comm. = commerce, торговля.
comp. = comparative (degree), сравнительная степень.
cpds. = (in) compounds, в сложных словах.
culin. = culinary, кухня.
D. = dative, дательный падеж.
dent. = dental, зубоврачебное.
dim. = diminutive, уменьшительное.
ec(cl). = ecclesiastical, церковное.
e. g. = exempli gratia (for example), например.
el(ect). = electricity, электричество.
f. = feminine gender, женский род.
fam. = familiar, фамильярное выражение.
fig. = figurative, выражение образное, переносное.
fkl. = folklore, фольклор.
foll. = following, следующее (слово).
fort. = fortification, фортификация.
fpl. = feminine gender plural, женский род множественного числа.
fr. = frequentative, глагол многократного вида.
Fut. = future, будущее время.
G. = genitive, родительный падеж.
geog. = geography, география.
geol. = geology, геология.
geom. = geometry, геометрия.
gpl. = genitive plural, родительный падеж множественного числа.
gramm. = grammar, грамматика.
gsg. = genitive singular, родительный падеж единственного числа.
her. = heraldry, геральдика.
hort. = horticulture, садоводство.
I. = instrumental, творительный падеж.
ich(th). = ichthyology, рыбоводство.
i. e. = (id est) that is, то-есть.
Imp. = imperative (mood), повелительное наклонение.
indecl. = indeclinable, несклоняемое.
Inf. = infinitive (mood), неопределенное наклонение.
int. = interjection, междометие.
Ipf. = imperfect, прошедшее время несовершенное.
iter. = iterative, повторительное.
jur. = jurisprudence, юридич. наука.
leg. = legal, право.
log. = logic, логика.
m. = masculine gender, мужеский род.
mach. = machinery, машиностроительство.
mar. = marine, морское дело.
math. = mathematics, математика.
mech. = mechanics, механика.
med. = medicine, медицина.
met. = metallurgy, металлургия.
mil. = military, военное дело.
min. = mineralogy, mining, минералогия.
mom. = momentancous, однократный.
mpl. = masculine gender plural, мужеский род множественного числа.
mus. = musical, музыка.
N. = nominative, именительный падеж.
n. = neuter gender, средний род.
npl. = neuter gender plural, средний род множественного числа.
num. = numeral, имя числительное.
obs(ol). = obsolete, устарелое слово.
opt. = optics, оптика.
orn(ith). = ornithology, орнитология.
o.s. = oneself, самого себя.
P. = participle, причастие.
paint. = painting, живопись.

parl. = parliamentary, парламент.
pd. = predicative form of the adjective, краткое имя прилагательное.
pdc. = predicative form of the comparative, краткая форма сравнительной степени.
pers. = person, лицо.
Pf. = perfect, прошедшее время совершенное.
phil. = philology, филология.
philos. = philosophy, философия.
phot. = photography, фотография.
phys. = physics, физика.
pl. = plural, множественное число.
poet. = poetry, поэзия.
pop. = popular, народное выражение.
Pp. = past participle, причастие прошедшего времени.
Ppr. = present participle, причастие настоящего времени.
Pr. = prepositive, предложный падеж.
prec. = preceding, предыдущее (слово).
Pres. = present (tense), будущее время.
Pret. = preterite (tense), прошедшее время.
print. = printing, печатание.
prn. = pronoun, местоимение.
prn.dem. = pronoun demonstrative, местоимение указательное.
prn.interr. = pronoun interrogative, местоимение вопросительное.
prn.pers. = pronoun personal, местоимение личное.
prn.poss. = pronoun possessive, местоимение притяжательное.
prn.rel. = pronoun relative, местоимение относительное.
pron. = pronunciation, произношение.
prov. = provincialism, провинциализм.
prp. = preposition, предлог.
rail. = railway, железнодорожное дело.
rel(ig). = religion, религия.
s. = substantive, имя существительное.
s.b. = somebody, кто-либо.
Sc. = Scotch, шотландское наречие.
sg. = singular, единственное число.
sl. = slavonic (ecclesiastic), церковнославянское слово.
s.o. = someone, что-либо.
spl. = substantive plural, имя существительное множественного числа.
sup. = superlative, превосходная степень.
surg. = surgery, хирургия.
tech. = technical, техника.
theat. = theatrical, театр.
theol. = theology, теология.
typ. = typography, типография.
us. = usual, обычно.
V. = vocative, звательный падеж.
va. = verb active, глагол действительного
va.irr. = verb active irregular, неправильный глагол действительного залога. залога.
v.aux. = verb auxiliary, вспомогательный глагол.
vc. = verb common, глагол общего залога.
v.def. = verb definitive, определительный глагол.
v.imp. = verb impersonal, безличный глагол.
v.irr. = verb irregular, неправильный глагол.
vn. = verb neuter, непереходный глагол.
vn.irr. = verb neuter irregular, неправильный глагол среднего залога.
v.pass. = verb passive, страдательный глагол.
vr. = verb reflexive, возвратный глагол.
vrc. = verb reciprocal, взаимный глагол.
vulg. = vulgar, вульгарное выражение.
zool. = zoology, зоология.

Неправильно спрягаемые глаголы
Irregular Verbs

infinitive	stem		present (fut. perf.)	imperative	adj. pres. partic.		adv. pres. partic.	simple past	adj. past participle		adv. past participle
	concr.	abstr.			active	passive			active	passive	
8. бр-а-ть	бр-	бира́-	бер-у́, -р-ёшь, -р-у́т	-р-и́	-ру́щий	—	-р-я́, -р-учи́	бра-л, -ла, -ло, -ли	-а́-вший	-а́-нный	-а-в, -вши
9. стл-а-ть	стл-	стила́-	стел-ю́, сте́л-ешь, -л-ют	-л-и́	сте́лющий	сте́лемый	стел-я́	стла-л, -ла, -ло, -ли	-а́-вший	-а́нный	-а-в, -вши
10. зв-а-ть	зв-	зыва́-	зов-у́, -в-ёшь, -в-у́т	-в-и́	-ву́щий	-в-о́мый	-в-я́	зва-л, -ла, -ло, -ли	-а́-вший	-а́-нный	-а-в, -вши
11. гн=а-ть	гн-	гоня́-	гон-ю́, го́н-ишь, го́н-ят	гон-и́	го́нящий	гон-и́мый	гон-я́	гна-л, -ла, -ло, -ли	гна́-вший	гна́-нный	гна-в, -вши
12. зд-а-ть	зд-	зида́-	зи́жд-у, -жд-ешь, -жд-ут	-жд-и	-ждущий	—	зи́жд-я	зда-л, -ла, -ло, -ли	-а́-вший	-а́-нный	-а-в, -вши
13. мертв=и́-ть	мертв-	мерщвля́-	мерщв-л-ю́, мер-тв-и́шь, -тв-я́т	мер-тв-и́	мертвя́щий	мертв-и́мый	мертв-я́	мертви́-л, -ла, -ло, -ли	мертви́вший	-рщвлён-ный	-ви́-в, -вши
14. тер-е́-ть	тр-	тира́-	тру, тр-ёшь, тр-ут	тр-и	тру́щий	—	—	тёр, -р-ла, -ло, -ли	тёр-ший	тёр-тый	тёр-ши
15. бере́чь	берег-	берега́-	берег-у́, -реж-ёшь, -рег-у́т	-рег-и́	-егу́щий	-ег-о́мый	-ежа́	-рёг, -г-ла́, -ло́, -ли́	-рёг-ший	-режён-ный	-рёг-ши
16. жечь	жг-	жига́-	жг-у, жж-ёшь, жг-ут	жг-и	жгу́щий	—	жгучи́	жёг, жгла, жгло, жгли	жёг-ший	жжённый	жёгши
17. лг-а-ть	лг-	лыга́-	лг-у, лж-ёшь, лг-ут	лг-и	лгу́щий	—	—	лга-л, -ла, -ло, -ли	лга́-вший	лга́-нный	лга-в, -вши
18. влечь	влек-	влека́-	влек-у́, влеч-ёшь, влек-у́т	влек-и́	влеку́щий	влек-о́мый	влеча́	влёк, -к-ла́, -ло́, -ли́	влёк-ший	влеч-ённый	влёкши
19. толо́чь	толк-	толка́-	толк-у́, толч-ёшь, толк-у́т	толк-и́	толку́щий	—	толча́'	толо́к, -локла́, -локло́, -локли́	толо́к-ший	толчён-ный	толо́кши
20. тк-а-ть	тк-	тыка́-	тк-у, тк-ёшь, тк-ут	тк-и	тку́щий	тко́мый	тк-учи́	ткал, -ла, -ло, -ли	тка́-вший	тка́-нный	тка-в, -вши
21. грес-ть (ти́)	греб-	греба́-	греб-у́, -б-ёшь, -б-у́т	-еб-и́	-бу́щий	—	-б-я́	грёб, греб-ла́, -ло́, -ли́	грёб-ший	-бённый	грёбши
22. вес-ть(ти́)	вед-	вод=	вед-у́, -дёшь, -д-у́т	-д-и́	-ду́щий	-до́мый	-д-я́	вёл, вела́, -ло́, -ли́	ве́д-ший	ведённый	вёдши
23. мес-ть(ти)	мет-	мета́-	мет-у́, -т-ёшь, -т-у́т	-т-и́	-ту́щий	—	-т-я́	мёл, мела́, -ло́, -ли́	мёт-ший	метённый	мётши
24. чес-ть	чт-	чита́-	чт-у, чт-ёшь, чт-ут	чт-и	чту́щий	—	чт-я	чёл, чла, чло, чли	чёт-ший	чтённый	чётши
25. вез-ть(ти́)	вез-	воз=	вез-у́, -з-ёшь, -з-у́т	-з-и́	-зу́щий	-зо́мый	-з-я́	вёз, вез-ла́, -ло́, -ли́	вёз-ший	ве́зенный	вёз-ши
26. нес-ть(ти́)	нес-	нос=	нес-у́, -с-ёшь, -с-у́т	-с-и́	-су́щий	-со́мый	-с-я́	нёс, нес-ла́, -ло́, -ли́	нёсший	несённый	нёсши
27. би-ть	би(ь)-	бива́-	бь-ю, бь-ёшь, бь-ют	бе-й	бьющий	—	бия́	бил, -ла, -ло, -ли	би́вший	би́тый	би́вши
28. ры-ть	ры-	рыва́-	ро́-ю, ро́-ешь. ро́-ют	ро-й	ро́ющий	ро́емый	ро́я	рыл, -ла, -ло, -ли	ры́вший	ры́тый	ры́в, -вши
29. пе-ть	пе-	пева́-	по-ю́, по-ёшь, по-ю́т	по-й	пою́щий	—	поючи́	пел, -ла, -ло, -ли	пе́вший	пе́тый	пев, -вши
30. бри-ть	бри-	брива́-	бре́-ю, бре́-ешь, бре́-ют	бре-й	бре́ющий	бре́емый	бре́я	брил, -ла, -ло, -ли	бри́вший	бри́тый	брив, -вши
31. жи-ть	жи(в)-	жива́-	жи-в-у́, -в-ёшь, -в-у́т	-в-и́	-ву́щий	—	живя́, живучи́	жил, -ла, -ло, -ли	жи́вший	жи́тый	жив, -вши
32. ста-ть	ста(н)-	става́-	ста́н-у, -н-ешь, -н-ут	-н-ь	—	—	—	стал, -ла, -ло, -ли	ста́-вший	—	ста-в, -вши

33. ж-а-ть	жм-	жима́-	жм-у, жм-ёшь, жму-т	жм-и	жму́щий	—	жмучи	жал, -ла, -ло, -ли	жа́вший	жа́тый	жав, -вши
34. ж-а-ть	жн-	жина́-	жн-у, жн-ёшь, жн-ут	жн-и	жну́щий	—	жня, жнучи	жал, -ла, -ло, -ли	жа́-вший	жа́тый	жа-в, -вши
35. рас-ти́	раст-	раста́-	раст-у́, -т-ёшь, -т-у́т	-т-и́	-ту́щий	—	-стя́	рос, -сла́, -ло́, -ли́	ро́сший	—	ро́сши
36. клясть	кля(н)-	клина́-	клян-у́, -н-ёшь, -н-у́т	-н-и́	-ну́щий	—	-н-я́	кля-л, -ла́, -ло́, -ли́	-ля́-вший	-ля́-тый	-в, -вши
37. я-ть	им-, ем-	има́-	им-у́, им-ёшь, им-у́т; е́м-л-ю, -л-ешь, -л-ют	им-и́, е́м-ли	иму́щий -лющий	—	— е́м-л-я	я-л, -ла, -ло, -ли	я́-вший	я́-тый	я-в, -вши
38. да-ть	да-	дава́-	да-м, да-шь, да-ст, да-д-и́м, да-д-и́те, да-д-у́т	да-й	—	—	—	да-л, -ла́, -ло́, -ли	да́в-ший	да́-нный	да-в, -вши
39. дава́-ть	—	дава́-	да-ю́, да-ёшь, да-ю́т	дава́-й	даю́щий	дава́-е-мый	дава́-я	дава́-л, -ла, -ло, -ли	дава́-вший	—	дава́вши
40. сл-а-ть	сл-	сыла́-	шл-ю, -л-ёшь, -л-ют	шл-и	шлю́щий	—	шл-ючи	слал, -ла, -ло, -ли	сла́-вший	сла́нный	слав, -вши
41. мы́сл-ить	мысл-	мы-шля́-	мы́шл-ю, мы́сл-ишь, -л-ят	-л-и	-лящий	мысли-мый	—	мы́слил, -ла, -ло, -ли	-сливший	-шленный	-слив, -вши
42. ес-ть	ед-	еда́-	е-м, е-шь, е-ст, ед-и́м, ед-и́те, ед-я́т	ешь	едя́щий	едо́мый	ед-я́	ел, -ла, -ло, -ли	е́вший	е́денный	е́вши
43. лечь	лег-, ляг-	лож-(и́ться)	ля́г-у, ля́ж-ешь, ля́-г-ут	ляг	—	—	—	лёг, -г-ла́, -ло́, -ли́	лёг-ший	—	лёг-ши
44. сес-ть	сед-, сяд-	сад-(и́ться)	ся́д-у, ся́д-ешь, ся́-д-ут	сядь	—	—	—	се-л, -ла, -ло, -ли	се́-вший	—	се́-вши
45. е́х-а-ть	ед-	езд-(ить)	е́д-у, е́д-ешь, е́д-ут	—	е́дущий	—	ед-учи	е́ха-л, -ла, -ло, -ли	е́ха-вший	—	е́хавши
46. беж-а́-ть	бег-	бега́-	бег-у́, беж-и́шь, бе-г-у́т	бег-и́	бегу́щий	—	—	бежа́-л, -ла, -ло, -ли	бежа́-вший	—	бе́жа́в, -вши
47. хот-е́-ть	хот-	—	хочу́, хо́чешь, -чет; plural also: хо-т-и́м, -ти́те, -тя́т	—	хотя́щий	—	—	хоте́л, -ла, -ло, -ли	хоте́вший	—	хоте́в, -вши
48. ид-ти́ *or* ит-ти́	ид-, s. past шед-	ход-(ить)	ид-у́, ид-ёшь, ид-у́т	ид-и́	иду́щий	—	идя́, и́дучи	шёл, шла, -ло, -ли	ше́д-ший	—	ше́д-ши
49. бы-ть	бы-, ес-, буд-	бы́ва́-	ес-мь, -си́, ес-ть, ес-мы́, ес-те́, с-уть	буд-ь	су́щий	—	бу́дучи	был, -ла́, -ло, -ли	бы́-вший	—	бы́вши
50. со-зда́ть	-зда-	-здава́ 39.	fut. со-зи́жд-у, -ж-д-ешь, -д-ут *or* со-зда́м, -да́шь, -да́ст, -дад-и́м, -да-ди́те, -даду́т	сози́ж-ди	—	—	—	со́здал, -ла́, -ло́, -ли	созда́вший	со́зданный	созда́в, -вши
51. шиб-и́ть	шиб-	шиба́-	шиб-у́, -б-ёшь, -б-у́т	шиб-и́	-бу́щий	—	шиб-я́	шиб, -б-ла, -ло, -ли	ши́б-ший	ши́блен-ный	ши́бши
52. га́сн-уть	гасн-	гаса́-	га́сн-у, -н-ешь, -н-ут	га́сн-и	га́снущий	—	—	гас, -с-ла, -ло, -ли	га́с-ший	—	га́с-ши

А. Имя существительное

а) Род имен существительных обозначен лишь в тех случаях, когда он не определяется окончанием, напр. при словах на **-ь.**

б) Имена существительные, употребляемые только во множественном числе, даны в именит. пад. множ. числа и обозначены *pl.* Указан также род и, в случае надобности, родит. пад. Напр. **часы́** *mpl.*; **де́ньги** *fpl.* (*G.* -нег).

в) В случаях изменения звуковой формы слова, напр. выпадения **о** или **е** и т. п., указаны формы родит. пад. единственного или множественного числа, напр. **потоло́к** (*gsg.* -лка́), **ча́шка** (*gpl.* -шек); **па́лец** (*gsg.* -льца).

г) Неправильные формы склонения всегда указаны, напр. **телёнок** (*pl.* -ля́та, -лят).

д) Слова уменьшительные даны лишь, если они образуются неправильно.

Б. Имя прилагательное

а) Имена прилагательные даны в именит. пад. единств. числа мужеского рода. Остальные формы даны лишь, если они образуются неправильно.

б) Неправильные формы сравнительной степени даны дважды: раз при положительной степени прилагательного и вторично как самостоятельные слова там, где им надлежит быть по алфавиту. Напр. **лу́чше** дано при слове **хоро́ший** и еще раз под буквой **л.**

В. Глагол

1. Чтобы сразу было видно, как образуется настоящее время глагола, основа отделена от окончания неопределенного наклонения следующим образом:

а) В глаголах, образующих настоящее время с помощью окончаний **-ешь, -ет, -ем, -ете,** основа отделена от окончания простым тире (-).

б) В глаголах, образующих настоящее время с помощью окончаний **-ишь, -ит, -им, -ите,** основа отделена от окончания двойным тире (=).

A. The Noun

a) The gender of nouns is only given in cases where it is not determined by the ending, e. g. nouns in **-ь.**

b) Nouns used only in the plural are given in the form of the nominative plural and are indicated by *pl.* The gender is also indicated and where necessary the form of the genitive, e. g. **часы́** *mpl.*; **де́ньги** *fpl.* (*G.* -нег).

c) Sound changes, such as the omission of **о** and **е**, etc. are indicated by the form of the genitive singular or genitive plural being given, e. g. **потоло́к** (*gsg.* -лка́); **ча́шка** (*gpl.* -шек); **па́лец** (*gsg.* -льца).

d) Exceptional declensional forms are always specially indicated, e. g. **телёнок** (*pl.* -ля́та, -лят).

e) Diminutives are as a rule only given when they are formed irregularly.

B. The Adjective

a) Adjectives are given under the form of the nominative singular masculine. Other forms are only given when irregular.

b) Irregular comparative forms are given twice, first under the positive and secondly in their proper alphabetical position in the dictionary. For example **лу́чше** will be found both under **хоро́ший** and its proper place in the dictionary under **л.**

C. The Verb

1. To show the formation of the present tense of the verb the stem is shown separated from the ending of the infinitive, as follows:

a) In those verbs in which the present is formed by adding **-ешь, -ет, -ем, -ете** to the stem the latter is separated from the ending by a simple hyphen (-).

b) In those verbs in which to form the present **-ишь, -ит, -им, -ите** are added to the stem, the latter is separated from the ending by a double hyphen (=).

в) В глаголах с окончаниями **-овать** и **-евать** знак + между **о** или **е** и **вать** указывает на то, что **о** переходит в **у** и **е** в **ю** (за исключением **е** после шипящих **ж, ч, ш, щ**, где оно всегда переходит в **у**) и что настоящее время образуется присоединением окончаний **-ешь, -ет, -ем, -ете** к этому **у** или **ю**.

2. Римские цифры после глаголов имеют следующее значение:

Цифра I. обозначает, что первое лицо ед. числа настоящего времени оканчивается на **-у**, а третье лицо множеств. числа на **-ут** (если остальные личные окончания имеют звук **е**) или **-ат** (если остальные личные окончания имеют звук **и**). После шипящих **ж, ч, ш, щ** вместо окончания **-ят** пишется **-ат**.

Цифра II. обозначает, что первое лицо ед. числа настоящ. времени имеет окончание **-ю**, а третье лицо множ. числа **-ют** (при **-е** в остальных лицах) или **-ят** (при **-и** в остальных лицах).

3) Ара ские цифры 1—7 после римских указывают на изменения согласных, на которые оканчивается основа:

1. обозначает что **г, д, з** переходит в **ж**
2. ,, ,, **к, т, ц** ,, ,, **ч**
3. ,, ,, **с, х** ,, ,, **ш**
4. ,, ,, **ст, ск** ,, ,, **щ**
5. ,, ,, **д** ,, **жд**
6. ,, ,, **т** ,, ,, **щ**
7. ,, ,, что после губных **б, в, м, п, ф** перед **е** и **ю** вставляется **л.**

Указанные измения распространяются на все формы настоящего времени и повелительного наклонения глаголов с окончаниями **-ешь, -ет** и т. д.; в глаголах с окончаниями **-ишь, -ит** согласные изменяются лишь в первом лице единств. числа. Напр. **паха́ть — пашу́ — па́шешь**; но: **лете́ть — лечу́ — лети́шь.**

Арабские цифры 8—52 указывают на таблицу неправильных глаго́лов на стр. X и XI. Напр., глагол, отмеченный цифрой 23, спрягается как глагол, указанный в таблице под ном. 23.

Г. Ударение

I. Имя существительное

Переход ударения с одного слога на другой в формах склонения указан в прямых скобках. Где таких указаний нет, ударение всюду падает на один и тот же слог.

c) In the case of verbs ending in **-овать** and **-евать**, a + between the **о** or **е** and **вать** indicates that this **о** is changed to **у** and the **е** to **ю** (except after the sibilants **ж, ч, ш, щ** when it also is changed to **у**) and that the endings **-ешь, -ет, -ем, -ете** are then added to this stem in **у** or **ю** to form the present tense.

2. The Roman numerals after the verbs have the following significance:

I. This indicates that in the present tense the first person singular ends in **-у**, the third person plural in **-ут** if the verb takes the **е**-endings, in **-ят** however if the verb takes the **и**-endings. Instead of **-ят**, **-ат** is used after the sibilants **ж, ч, ш, щ.**

II. This indicates that the first person singular of the present tense ends in **ю**, the third person plural in **-ют** if the verb takes the **е**-endings and in **-ят** if the verb takes the **и**-endings.

3. The Arabic numerals 1 to 7 after the Roman numerals indicate the following changes in the final consonant of the verbal stem:

1. indicates that **г, д, з** are changed to **ж**
2. ,, ,, **к, т, ц** ,, ,, ,, **ч**
3. ,, ,, **с, х** ,, ,, ,, **ш**
4. ,, ,, **ст, ск** ,, ,, ,, **щ**
5. ,, ,, **д** is ,, ,, **жд**
6. ,, ,, **т** ,, ,, ,, **щ**
7. ,, ,, that **л** is inserted after the labials **б, в, м, п, ф** before **е** and **ю.**

Note: The above changes take place in all forms of the present and imperative in the case of verbs taking the **е**-endings, but only in the first person of the present tense in the case of verbs taking the **и**-endings.

The Arabic numerals 8 to 52 refer to the table of irregular verbs on page X and XI. For example a verb marked 23. is to be conjugated like verbs No. 23. in the table.

D. Accentuation

I. The Noun

Variable accentuation in the declensional forms of the noun is indicated by letters enclosed in square brackets. Where no such indication is given the accent remains fixed on the same syllable throughout.

[a] ударение падает на окончания падежей. Напр.:

[a] indicates that the accent falls on the case endings e. g.

sg. **стол, -ла́, -лу́, -ло́м, -ле́**; *pl.* **столы́, -ло́в, -ла́м, -ла́ми, -ла́х.**

[b] ударение остается на том же слоге во всех падежах единств. числа, но переходит на окончание во множ. числе, напр.

[b] indicates that the accent remains on the same syllable throughout the singular but falls on the case endings in the plural, e. g.

sg. **ве́чер, -ра, -ру, -ром, -ре**; *pl.* **вечера́, -ро́в, -ра́м, -ра́ми, -ра́х.**

[c] ударение остается на том же слоге во всех падежах единств. ч. и в именит. пад. множ. числа, но переходит на окончание в косвенных падежах множ. числа. Напр.

[c] indicates that the accent remains on the same syllable throughout the singular and in the nominative plural, but falls on the case endings in the other cases of the plural, e. g.

sg. **вор, -ра, -ру, -ром, -ре**; *pl.* **во́ры, -ро́в, -ра́м, -ра́ми, -ра́х.**

[d] в единств. числе ударение падает на окончание, во множеств. числе на предпоследний слог. Напр.

[d] indicates that in the singular the case endings are accented and in the plural the syllable before the case endings, e. g.

sg. **село́, -ла́, -лу́, -ло́м, -ле́**; *pl.* **сёла, сёл, сёлам, сёлами, сёлах.**

[e] ударение падает на окончание во всех падежах за исключением именит. падежа множ. числа, имеющего ударение на первом слоге. Напр.

[e] indicates that the accent falls throughout on the case endings with the exception of the nominative plural in which it falls on the first syllable, e. g.

sg. **овца́, -цы́, -цу́, -цо́ю, -це́**; *pl.* **о́вцы, ове́ц, овца́м, овца́ми, овца́х.**

[f] ударение падает на окончание во всех падежах кроме именит. пад. множ. числа и винит. пад. единств. числа, где оно падает на первый слог. Напр.

[f] indicates that the accent falls throughout on the case endings with the exception of the nominative plural and accusative singular in which it falls on the first syllable, e. g.

sg. **борода́, -ды́, -де́, бо́роду, -до́ю, -де́**; *pl.* **бо́роды, -ро́д, -да́м, -да́ми, -да́х.**

[g] ударение остается на том же слоге во всех падежах кроме предложного падежа единств. числа после предлогов **в** и **на**, имеющего ударение на окончании. Напр. **мель, на мели́.**

[g] indicates that the position of the accent remains unchanged except in the prepositive singular after the prepositions **в** and **на** when it falls on the ending, e. g. **мель, на мели́.**

II. Глагол

II. The Verb

1) Ударение форм настоящего времени отмечено буквами в прямых скобках следующим образом:

1) The accentuation of the present tense is indicated by letters in square brackets as follows:

[a] Ударение падает на личные окончания. Напр. **брать** 8. [a].

[a] indicates that the personal endings are accented, e. g. **брать** 8. [a]

Pres. **беру́, -рёшь, -рёт, -рём, -рёте, -ру́т.**

[b] Ударение падает на слог, предшествующий личному окончанию. Напр. **вое+вать** II. [b].

[b] indicates that the syllable before the personal endings is accented, e. g. **вое+ва́ть** II. [b]

Pres. **вою́ю, -ю́ешь, -ю́ет, -ю́ем, -ю́ете, -ю́ют.**

[c] в первом лице ед. числа ударение падает на окончание, во всех остальных лицах на слог, предшествующий окончанию. Напр. **дрем-а́ть** II. 7. [c].

[c] indicates that in the first person singular the accent falls on the personal ending and in all other persons on the syllable before the ending, e. g. **дрем-а́ть** II. 7. [c]

Pres. **дремлю́, дре́млешь, -лет, -лем, -лете, -лют.**

2) Ударение форм прошедшего времени обозначено цифрами, стоящими в тех же прямых скобках позади букв, указывающих на ударение форм настоящего времени. Обозначения следующие :

[1.] Ударение падает на последний слог в единств. числе мужеского рода и на предпоследний слог всех остальных форм, напр. **натер-е́ть** 14. [a 1.]

2) The accentuation of the preterite is indicated by numerals following the letters in square brackets which indicate the accentuation of the present, as follows :

[1.] indicates that the accent falls on the last syllable in the masculine singular form but on the second-last in all the other forms, e. g. **натер-е́ть** 14. [a 1.]

Pret. **натёр, –тёрла, –тёрло, –тёрли.**

[2] Ударение падает на последний слог во всех формах, напр. **вес-ти́** 22. [a 2.]

[2.] indicates that the accent falls on the last syllable in all forms, e. g. **вес-ти́** 22. [a 2.]

Pret. **вёл, вела́, вело́, вели́.**

[3.] Ударение падает на последний слог в мужеском и женском роде единств. числа и на предпоследний слог в среднем роде и во можественном числе. Напр. **сви-ть** 27. [a 3.]

[3.] indicates that the accent falls on the last syllable in the masculine and feminine singular and on the second-last syllable in the neuter and plural, e. g. **сви-ть** 27. [a 3.]

Pret. **свил, свила́, сви́ло, сви́ли.**

[4.] Ударение падает на последний слог в единств. числе женского рода и на первый слог во всех остальных формах. Напр. **помер-е́ть** 14. [a 4.]

[4.] indicates that the accent falls on the last syllable in the feminine singular and on the first syllable in all the other forms, e. g. **помер-е́ть** 14. [a 4.]

Pret. **по́мер, померла́, по́мерло, по́мерли.**

Согласные

Палатализованные согласные (как напр. в словах топь, белый, брать, дело, семь, тень, небо, соль, дверь, река, верфь, весь, село, зима) английскому языку чужды и не должны произноситься, даже если в транскрипции буквы б, п, с, д, т и пр. стоят перед и, э, е, ю, я.

Обозначения звуков	Приблизительно соответствующие русские звуки	Английские слова, в которых встречаются эти звуки
б	**соба́ка, бары́ш**	**book, bat, by, buy, able, sob, cab**
в	**вода́, вам**	**vale, gave, have**
г	**год, голос**	**gave, give, go, get, bag, beg**
д	**да, дать**	**do, did, den, had, hid, end**
ж	**жажда, ждать**	**rouge** (рӯж), **exclusion** (иксклӯ'жн)
дж	**джут**	**journal, judge** (джадж), **gem** (джэм), **age** (э̄йдж)
з	**зыбь, зо́лото**	**zeal** (зийл), **zinc** (зингк), **has** (хäз), **amuse** (ăмю̄'з)
й	первая составная часть ю, я; юг, явно	**young** (йанг)
к	**как, куда́, крючо́к**	**cat** (кäт), **king** (кинг), **shrink** (шрингк), **back** (бäк), **book** (бук), **ache** (э̄йк)
л	**ла́мпа, лоб**	**live, love; ale, all**
м	**ма́ло, мать, кому́**	**made, milk, am, him**
н	**на, нос, луна́**	**nap, knob** (ноб), **mane** (мэ̄йн)
нг	звук, не существующий в русск. языке. Органы речи находятся в том же положении, как при произношении звука г, только заднее нёбо опускается, так что звук проходит одновременно через носовую полость и рот	**sing** (синг), **song** (сонг)
п	**пото́м, пар, под**	**pat, pot, pit, park, pink, ape** (э̄йп), **pap**
р	как р в следующих словах, но с меньшей вибрацией: **раз, раб** (После гласной и перед согласной р в английском языке не произносится. Если же следующее слово начинается с гласной, то р произносится, напр.: **they are** = ðэ̄й ā; но: **they are in** = ðэ̄й āр ин)	**rose, rib, rub**
с	**соль, нас**	**sing, song, it's, house**
т	**то, там**	**to, tin, at, it**
у	Согласный звук, обозначаемый этой буквой, в русском языке не встречается, в английском же только перед гласными. При произношении его органы речи принимают положение, необходимое для произношения гласной у, а затем немедленно переходят в положение следующей гласной	**win, water, which** (уич)
ф	**фон, флаг**	**fly, fun, often, laugh** (лāф), **off** (оф)

Обозначения звуков	Приблизительно соответствующие русские звуки	Английские слова, в которых встречаются эти звуки
х	Английский звук, обозначаемый этой буквой, в русском языке не встречается. Его образуют безголосым выдыхом через рот, причем язык и губы уже находятся в положении, необходимом для произнесения следующей гласной	**h**at, **h**ut, **h**it
ч	**ч**ин, **ч**а́сто	whi**ch**, fet**ch** (фэч)
ш	**ш**аг, ме**ш**а́ть	**sh**e, **sh**oe, ha**sh**, hu**sh**, di**sh**
Специальные обозначения		
þ	Звук, обозначаемый этим знаком, в русском языке не встречается. При образовании его язык касается верхних зубов и струя воздуха **без голоса** пропускается через щель между зубами и языком	**th**in, brea**th**
ð	Этот звук образуется так же, но только с **голосом**	**th**ou, **th**is, bro**th**er

Гласные

Обозначения		
ā	как русск. м**а**ть, журн**а́**л, только несколько протяжнее	f**a**ther, promen**a**de
a	Не встречается по-русски. Задняя часть языка несколько приподымается против положения для произнесения обыкновенного а, передняя же часть языка подымается еще выше. Приблизительно как в слов. р**а**бо́та, в**о**да́	b**u**t (бат), c**u**t (кат)
ă	краткий звук, образуемый при положении языка среднем между ā и э. Сходный (только более протяжный) звук в словах печ**а́**ль, сч**а́**стье	h**a**t, b**a**t, c**a**t, h**a**s, h**a**ve
â	встречается только перед р. Произносится менее открыто чем краткое ă. Является обыкновенно полу-долгим звуком, приблизительно как русск. **э́**то	th**e**re, f**a**ir, p**a**ir
ё	краткий, неопределенный гласный звук, как в словах к**а**рандаш, ш**е**луха́	stirr**u**p, iv**o**ry (ай'вёрп)
э	краткое э	b**e**d, b**e**tter
э̄й	долгое э; в конце органы речи принимают положение как при произношении звука и	l**a**te, c**a**me
эй	тот же звук как и предыдущий, но краткий, в слогах без ударения	educ**a**te
ё̄	долгий смешанный гласный звук, не встречающийся в русском языке	f**i**r, g**i**rl
и	краткое и	b**i**t, l**i**ttle
ий	долгое и	b**ea**t, str**ee**t
о	краткое открытое о, почти как в слове г**о́**род, но менее протяжно	n**o**t, h**o**t
ō	долгое открытое о. Как в слове г**о́**род, но протяжнее	s**aw**, h**au**l
о̄у	долгое закрытое о. В конце органы речи принимают положение для произношения звука у	h**o**me, m**oa**n
ӯ	долгое у	p**oo**l.

Consonants

The palatalized sounds (as in топь, бéлый, брать, дело, семь, тень, небо, соль, дверь, рекá, верфь, весь, село, зимá) do not occur in English, and are not so to be pronounced even where in the transcription a б, п, с, д, т etc. occurs before и, э, е, ю, я

Symbol	Approximate Russian equivalent	Examples in which the sound occurs in English
б	собáка, барыш	book, bat, by, buy, able, sob, cab
в	водá, вам	vale, gave, have
г	год, гóлос	gave, give, go, get, bag, beg
д	да, дать	do, did, den, had, hid, end
ж	жáжда, ждать	rouge (рӯж, exclusion (икслӯ'жн)
дж	джут	ournal, judge (джадж), gem (джэм), age (э̄йдж)
з	зыбь, зóлото	zeal (зийл), zinc (зингк), has (хäз), amuse (äмю̄'з)
й	as the first element in ю, я; юг, я́вно	young (йанг)
к	как, кудá, крючóк	cat (кäт), king (кинг), shrink (шрингк), back (бäк), book (бук), ache (э̄йк)
л	лáмпа, лоб	live, love; ale, all
м	мáло, мать, комý	made, milk, am, him
н	на, нос, лунá	nap, knob (ноб), mane (мэ̄йн)
нг	does not occur in Russian. The organs of speech are in the same position as for г, the velum however being lowered, allowing the exploded voice to pass through the nasal cavity and the mouth simultaneously	sing (синг), song (сонг)
п	потóм, пар, под	pat, pot, pit, park, pink, ape (э̄йп), cap
р	like the r in the following but not so strongly trilled: раз, раб (After a vowel and before a consonant the р is silent in English. When the following word begins with a vowel the р is slightly pronounced thus: they are = ðэ̄й ā, but: they are in = ðэ̄й āр ин)	rose, rib, rub
с	соль, нас	sing, song, it's, house
т	то, там	to, tin, at, it
у	The consonantal sound represented by this sign does not occur in Russian, it occurs only before vowel sounds. In its production the speech organs start almost in the position for the vowel у and then pass immediatly to the position of the following vowel	win, water, which (уич)
ф	фон, флаг	fly, fun, often, laugh (лāф), off (ōф)

Symbol	Approximate Russian equivalent	Examples in which the sound occurs in English
х	The English sound represented by this sign does not occur in Russian. It is produced by emitting a voiceless current of breath through the mouth with the tongue and lips already in position for the following vowel	hat, hut, hit
ч	as in Russian чин, ча́сто.	which, fetch (фэч)
ш	шаг, меша́ть	she, shoe, hash, hush, dish
Special Symbols		
þ	The sound represented by this symbol does not occur in Russian. In its production the blade of the tongue is made to touch the back of the upper teeth (or is placed between the two rows of teeth) and a voiceless current of air allowed to stream through the narrowing thus produced	thin, breath
ð	is formed in the same way, but the current of air is voiced	thou, this, brother

Vowel Sounds

Symbol		
ā	as in Russian мать, журна́л but slightly longer	father, promenade
a	does not occur in Russian. The back of the tongue is slightly raised from the position for a and the front of the tongue is often raised as well. Almost as in рабо́та, вода́	but (бат), cut (кат)
ä	a short sound intermediate in tongue position for ā and э. A similar sound (but somewhat longer) in the words печа́ль, сча́стье	hat, bat, cat, has, have
ā̈	occurs only before р. Not as open as the short ä. It is usually only half-long. Approximately the same as in Russian э́то.	there, fair, pair
ё	a short indistinct vowel as in каранда́ш, шелу́ха	stirrup, ivory (ай'вёрп)
э	A short e-sound.	bed, better
э̄й	A long e-sound at the end of which the vocal organs are in the position for the vowel i.	late, came
эй	Same as preceding but first element short. Occurs in unaccented syllables.	educate
ё̄	A long mixed vowel sound. Does not occur in Russian.	fir, girl
и	short i-sound.	bit, little
ий	long i-sound.	beat, street

Phonetic Transcription

Symbol	Approximate Russian equivalent	Examples in which the sound occurs in English
о	Short open o-sound as in го́род but not so long.	not, hot
о̄	Long open o-sound. As in го́род but longer.	saw, haul
о̄у	Long close o-sound. Towords the end the organs of speech are in position for the vowel у.	home, moan
у	Short u-sound.	put, hook
ӯ	Long u-sound.	pool.

Phonetic Transcription

up	а	ago	ё	pool	ӯ	gem	цж	as	з
glass	а̄	fir	ё̄	bed	б	yes	й	thin	þ
bad	ä	fish	и	do	д	young	я	this	ð
side	ай	feet	ий	fun	ф	you	ю	fish	ш
now	ау	not	о	hat	х	kill	к	vision	ж
bed	э	saw	о̄	law	л	church	ч	red	р
bare	ǟ	home	о̄у	man	м	ring	нг	love	в
came	э̄й	put	у	no	н	finger	нгг	we	у
educate	эй	oil	ой	go	г	so	с	wh	ху
				pond	п				

RUSSIAN ALPHABET

		Pronunciation			Pronunciation
а	a	(army)	т	t	(tent)
б	b	(able)	у	oo	(food)
в	v	(vote)	ф	f	(fine)
г	g	(good)	х	h	(like ch in the scotch word loch)
д	d	(dull)	ц	ts	(its)
е	e	(eddy)	ч	ch	(China)
ж	j	(journey)	ш	sh	(sharp)
з	z	(zero)	щ	sch	(ш+ч)
и	e	(east)	ъ		has no sound
й	y	(boy)	ы		the tongue further back than in the word hit, pit.
к	k	(kind)	ь		softens the last consonant of the word
л	l	(last)	э	a	(black)
м	m	(man)	ю	u	(union)
н	n	(name)	я	ya	(yard)
о	o	(omit)			
п	p	(past)			
р	r	(run)			
с	s	(son)			

PART ONE
RUSSIAN—ENGLISH

Russian and English

A

а *c.* and, but, if; **~ и́менно** to wit, "viz."; **~ ты что?** what do you want? || **~!** *int.* ah! well!
абажу́р *s.* lamp-shade.
абба́т/ *s.* abbot || **-и́сса** *s.* abbess || **-ский** *a.* abbatial || **-ство** *s.* abbacy, abbey.
аберра́ция *s.* aberration.
абон/еме́нт *s.* subscription || **-е́нт** *s.* subscriber || **-е́нтка** *s.* (*gpl.* -ток) (lady-) subscriber || **-и́ро+вать** II. *vn.* to subscribe.
абориге́н *s.* aboriginal; (*in pl.*) aborigines *pl.*
абрико́с *s.* apricot.
абсолют/и́зм *s.* absolutism || **-́ный** *a.* absolute.
абстра́ктный *a.* abstract.
абсу́рд *s.* nonsense.
абсце́сс *s.* abscess; boil.
аванга́рд *s.* (*mil.*) vanguard, van.
ава́нс *s.* advance (payment).
аванта́ж *s.* advantage.
авантюри́ст/ *s.* adventurer || **-ка** *s.* (*gpl.* -ток) adventuress.
авари́я *s.* (*comm.*) average, damage by sea.
а́вгуст *s.* August.
август/и́нец *s.* Austin friar || **-е́йший** *a. sup.* (most) august.
авиа́/тор *s.* aviator || **-ция** *s.* aviation.
аво́сь *ad.* perhaps, perchance, it is to be hoped; **на ~** at random || **~** *s.m.* chance, fortune.
авро́ра *s.* the dawn, aurora.
авто- *in cpds.* = auto-.
авто/биогра́фия *s.* autobiography || **-бу́с** *s.* (motor)bus || **-кра́т** *s.* autocrat || **-крати́ческий** *a.* autocratic || **-кра́тия** *s.* autocracy || **-ма́т** *s.* automaton || **-моби́ль** *s.m.* automobile, motor(-car); **грузово́й ~** motor-lorry; **наёмный ~** taxi(-cab) || **-но́мия** *s.* autonomy || **-но́мный** *a.* autonomous.
а́втор/ *s.* author, writer || **-ите́т** *s.* authority || **-ите́тный** *a.* authoritative || **-ство** *s.* authorship.
ага́т *s.* agate.
аге́нда *s.* dance-programme.
аге́нт/ *s.* agent, representative || **-ство** & **-у́ра** *s.* agency.
агит/а́тор *s.* agitator || **-а́ция** *s.* agitation || **-и́ро+вать** II. *vn.* to agitate.
а́гнец *s.* (*gsg.* -нца) (*sl.*) Lamb (of God), the (Sacred) Host.
аго́ния *s.* agony.
агра́рный *a.* agrarian.
агресси́вный *a.* agressive.
агрикульту́ра *s.* agriculture.
агроно́м *s.* (scientific) agriculturist.
ад/ *s.* [b°] hell || **-́ский** *a.* infernal, hellish.
адама́нт *s.* adamant.
адви́з *s.* (*comm.*) advice.
адвока́т *s.* solicitor, lawyer.
адено́иды *s. mpl.* adenoids *pl.*
администра́ция *s.* administration.
адмира́л/ *s.* admiral || **-те́йство** *s.* admiralty, Court of Admiralty.
а́дрес/ *s.* address || **-ный** *a.*, **~ стол** inquiry-office || **-о+ва́ть** II. [b] *va.* (к + *D.*) to address || **~ся** *vr.* (к + *D.*) to apply, to appeal to.
ад'юта́нт/ *s.* adjutant || **-ский** *a.* adjutant's.
а́жио/ *s.* (*comm.*) agio || **-та́ж** *s.* (*comm.*) agiotage, stockbroking.
ажу́рный *a.* transparent; open-work.
аз *s.* [a] (*sl.*) the letter A; **он аза́ не зна́ет** he doesn't know A from B || **~** *prn.* (*sl.*) I.
аза́рт/ *s.* risk, chance; impetuosity, vehemence || **-ный** *a.*, **-ная игра́** game of chance.
азбе́ст/ *s.* asbestos || **-овый** *a.* asbestos.
а́збу/ка *s.* alphabet, ABC || **-чник** *s.*, **-ница** *s.* pupil learning the alphabet; (*Am.*) abecedarian || **-чный** *a.* alphabetical.
азиму́т *s.* azimuth.
азо́т/ *s.* (*chem.*) nitrogen || **-ный** *a.* nitrogenous; **-ная кислота́** nitric acid.
а́ист *s.* stork.
акаде́м/ия *s.* academy || **-и́ческий** *a.* academical || **-ик** *s.* academician.
акваре́ль *s.f.* water-colour.
аква́риум *s.* aquarium.
акведу́к(т) *s.* aqueduct.
аккомпани́ро+вать II. *va.* to accompany.
акко́рд *s.* (*mus.*) accord.
аккумуля́тор *s.* accumulator.
аккура́тный *a.* exact, punctual.
акони́т *s.* (*bot.*) aconite.
акр *s.* acre.
акроба́т/ *s.* acrobat || **-и́ческий** & **-ный** *a.* acrobatic.

аксио́ма *s.* axiom.
акт/ *s.* (*leg.*) proceeding, document, deed; (*theat.*) act || **–ёр** *s.* actor || **–́овый** *a.* documentary; **–́овая за́ла** great hall (of a University) || **–ри́са** *s.* actress.
акти́в/ность *s. f.* activity || **–ный** *a.* active.
актини́ческий *a.* actinic.
аку́ла *s.* shark.
аку́ст/ика *s.* acoustics *pl.* || **–и́ческий** *a.* acoustic(al).
акуше́р/ *s.* accoucheur, obstetrician || **–ка** *s.* midwife || **–ский** *a.* obstetric(al) || **–ство** *s.* obstetrics, midwifery.
акце́нт *s.* accent.
акце́пт/ & **–а́ция** *s.* (*comm.*) acceptance || **–о+ва́ть** II. [b] *va.* to accept (a bill).
акци́з *s.* excise, duty.
акц/ионе́р *s.* shareholder || **–́ия** *s.* share; **~ привилегиро́ванная** preferred share, preference share || **–ионе́рный** *a.*, **–ное о́бщество** joint-stock company.
ала́дьи *s. fpl.* (*G.* -дей) small pancakes (of leavened dough).
а́лгебра/ *s.* algebra || **–и́ческий** *a.* algebraical.
алеба́рд/а *s.* halberd || **–щик** *s.* halberdier.
алеба́стр/ *s.* alabaster || **–овый** *a.* alabaster.
але́-ть II. *vn.* (*Pf.* по-) to redden, to become (bright) red.
алка́ли *s. n. indecl.* (*chem.*) alkali, potash.
алкало́ид *s.* alkaloid.
алк-а́ть I. 2. & **алка́-ть** II. (*Pf.* вз-) to hunger (for, after); to thirst (for, after); (*fig.*) to desire, to long for.
алкого́л/ь *s. m.* alcohol || **–и́зм** *s.* alcoholism || **–и́ческий** *a.* alcoholic.
алкора́н *s.* the Koran.
аллего́р/ия *s.* allegory || **–и́ческий** *a.* allegoric(al).
алле́гри *s.n.indecl.*(charity) masked-ball.
алле́я *s.* alley, avenue (of trees).
аллига́тор *s.* alligator.
аллилу́ия *s&int.* (h)alleluia.
аллитера́ция *s.* alliteration.
аллотро́пия *s.* allotropy.
алма́з/ *s.* diamond || **–ный** *a.* diamond.
ало́й *s.* & **ало́э** *s. indecl.* aloe.
а́лость *s. f.* redness.
алта́рь *s. m.* altar.
алты́н *s.* (formerly) 3 copecks.
алфави́т/ *s.* alphabet || **–ный** *a.* alphabetical.
алхи́м/ик *s.* alchemist || **–и́ческий** *a.* alchemistic || **–ия** *s.* alchemy.
а́лч/ность *s. f.* greed, inordinate desire || **–ный** *a.* greedy, ravenous, eager for || **–у** *cf.* **алка́ть.**
а́лый *a.* scarlet, bright red.
альбатро́с *s.* albatross.
альбино́с *s.* albino.
аль/бо́м *s.* album || **–ко́в** *s.* alcove || **–мана́х** *s.* almanach || **–па́ри** *ad.* (*comm.*) at par.
альт/ *s.* (*mus.*) alto, countertenor || **–и́ст** *s.* countertenor singer || **–и́стка** *s.* (*gpl.* -ток) contralto singer.
альтруи́зм *s.* altruism.
алюми́ний *s.* aluminium.
амальга́ма *s.* amalgam.
амазо́нка *s.* (*gpl.* -нок) riding-habit.
аматёр *s.* amateur.
амба́р/ *s.* warehouse, storehouse || **–щик** *s.* owner *or* manager of a storehouse.
амбасса́да *s.* embassy.
амби́ция *s.* ambition.
а́мбра/ *s.* amber || **–зу́ра** *s.* embrasure, loophole.
амбро́зия *s.* ambrosia.
амбула́нция *s.* field-hospital; ambulance.
амво́н *s.* raised part in front of the altar; chancel.
амети́ст *s.* amethyst.
ами́нь *int.* amen.
аммиа́к *s.* ammonia.
амни́стия *s.* amnesty, general pardon.
амортиза́ция *s.* amortization.
амо́рфный *a.* amorphous.
ампут/а́ция *s.* amputation || **–и́ро+вать** II. *va.* to amputate.
амуни́ция *s.* ammunition; military equipment.
аму́р *s.* Cupid; (*in pl.*) amour, love-affair, intrigue.
амфи́/бия *s.* amphibian || **–теа́тр** *s.* amphitheatre.
ан *c.* (*vulg.*) but, however.
анабапти́ст *s.* anabaptist.
анагра́мма *s.* anagram.
анако́нда *s.* anaconda.
ана́л/из *s.* analysis || **–изи́ро+вать** II. *va.* to analyse || **–и́тика** *s.* analytics || **–ити́ческий** *a.* analytical.
анало́г/ия *s.* analogy, similarity || **–и́ческий** *a.* analogous, similar.
анана́с *s.* pine-apple.
ана́рх/ия *s.* anarchy || **–и́ст** *s.*, **–и́стка** *s.* (*gpl.* -ток) anarchist || **–и́ческий** *a.* anarchical.
анато́м/ия *s.* anatomy || **–и́ческий** *a.* anatomical.
анахоре́т *s.* anchorite.
анахрони́зм *s.* anachronism.
ана́фема *s.* anathema.
анба́р *s.* storeroom, storehouse.
анга́р *s.* hangar; shed.
ангажи́ро+вать II. *va.* to engage, to invite, to ask.
а́нгел/ *s.* angel; **день –а** festival of the anniversary of one's saint, name-day || **–ьский** *a.* angelic.
анекдо́т *s.* anecdote.
ане́ксия *s.* annexion.

анем/и́ческий *a.* anaemic || **–и́я** *s.* anaemia.

анили́н/ *s.* (*chem.*) aniline || **–овый** *a.* aniline.

ани́с/ *s.* anise, aniseed || **–овка** *s.* anisette || **–ный** *a.* of aniseed.

а́нкерный *a.* anchor- || **–ые часы́** *s. mpl. or* **а́нкер** *s.* patent lever-watch.

анома́л/ия *s.* anomaly || **–ьный** *a.* anomalous, abnormal.

анони́мный *a.* anonymous.

антагони́/зм *s.* antagonism || **–ст** *s.* antagonist, opponent.

анте́нна *s.* antenna; aerial.

анти́к/ *s.* antique || **–ва́рий** *s.* antiquarian, antiquary; second-hand bookseller || **–ва́рный** *a.* antiquarian, second-hand.

антимо́ний *s.* antimony.

антипа́т/ия *s.* antipathy, aversion || **–и́ческий** & **–и́чный** *a.* antipathetic.

антипо́ды *s. mpl.* antipodes *pl.*

антите́за *s.* antithesis.

антихри́ст *s.* Antichrist.

анти́чный *a.* antique.

антоло́гия *s.* anthology.

антр/а́кт *s.* entr'acte, pause, interval || **–аци́т** *s.* anthracite || **–епренё́р** *s.* contractor, person who undertakes some enterprise, entrepreneur || **–есо́ль** *s. f.* entresol, low storey between ground and first floor || **–ополо́г** *s.* anthropologist || **–ополо́гия** *s.* anthropology || **–опофа́г** *s.* cannibal.

анфила́да *s.* enfilade; suite of rooms.

анчо́ус *s.* anchovy.

апа́т/ия *s.* apathy || **–и́чный** *a.* apathetic.

апелли́ро+вать II. *vn.* (*leg.*) to appeal.

апелля́ция *s.* appeal.

апельси́н *s.* orange.

аперту́ра *s.* aperture.

аплод/и́ро+вать II. *vn.* (*Pf.* за-) to applaud || **–исме́нты** *s. mpl.* applause, acclamation.

апо/кали́псис *s.* the Apocalypse || **–ло́гия** *s.* apology || **–пле́ксия** *s.* apoplexy || **–пле́ктик** *s.* apoplectic.

апоста́т *s.* apostate.

апо́ст/ол *s.* apostle || **–ольский** *a.* apostolic || **–ро́ф** *s.* apostrophe.

аппара́т *s.* apparatus.

аппети́т *s.* appetite.

апр. (*abbr.*) April.

апре́ль/ *s. m.* April || **–ский** *a.* April.

аппрету́ра *s.* dressing, finishing.

апте́/ка *s.* apothecary's shop, chemist's shop || **–карский** *a.* pharmaceutical || **–карь** *s. m.* [b] (*pl.* -и & -я́) (pharmaceutical) chemist, apothecary, druggist || **–чка** *s.* (*gpl.* -чек) portable medicine-chest || **–чный** *a.* druggist's, pharmaceutical.

арабе́ск/ & **–а** *s.* arabesque.

ара́ва *s.* crowd, multitude.

ара́к *s.* arrack.

аранжи́ро+вать II. *va.* to arrange, to put in order.

ара́п/ *s.* Moor, negro || **–ка** *s.* (*gpl.* -пок) negress || **–ник** *s.* goad, whip.

арб/а́ *s.* a high two-wheeled car || **–итра́ж** *s.* arbitrage || **–у́з** *s.* (water)melon.

аргуме́нт/ *s.* argument, proof || **–и́ро+вать** II. *vn.* to advance an argument.

аре́н/а *s.* arena, scene of conflict || **–да** *s.* rent, lease || **–да́тор** *s.* farmer, tenant, lessee || **–до+ва́ть** II. [b] *va.* (*Pf.* за-) to take a lease of, to farm, to rent.

арест/о+ва́ть II. [b] *va.* (*Pf.* за-) to arrest || **–а́нт** *s.* prisoner.

аристокра́т/ *s.*, **–ка** *s.* (*gpl.* -ток) aristocrat || **–и́ческий** *a.* aristocratic || **–ия** *s.* aristocracy.

арифме́т/ика *s.* arithmetic || **–и́ческий** *a.* arithmetical.

а́рия *s.* (*mus.*) tune, air.

а́рк/а *s.* arch || **–а́да** *s.* arcade || **–а́н** *s.* lasso.

аркти́ческий *a.* arctic.

арлеки́н/ *s.* harlequin, buffoon || **–а́да** *s.* harlequinade.

арм/е́ец *s.* (*gsg.* -е́йца) (regular) soldier || **–е́йский** *a.* army- || **–́ия** *s.* army, troops of the line || **–я́к** *s.* smock-frock.

арома́т/ *s.* aroma, perfume || **–и́ческий** *a.* aromatic.

арсена́л *s.* arsenal.

арсе́ник *s.* arsenic.

арте́ль/ *s. f.* workmen's society || **–ный** *a.* belonging to an Artel || **–щик** *s.*, **–щица** *s.* member of an Artel, (as address) porter.

арте́рия *s.* artery.

артилле́рия *s.* artillery.

арти́ст/ *s.*, **–ка** *s.* (*gpl.* -ток) artist, artiste || **–и́ческий** *a.* artistic.

артишо́к *s.* artichoke.

а́рф/а *s.* harp || **–и́ст** *s.*, **–и́стка** *s.* harpist.

арха/и́зм *s.* archaism, archaic expression || **–и́ческий** *a.* archaic.

арха́нгел/ *s.* archangel || **–ьский** *a.* archangelic.

археоло́г/ *s.* archæologist || **–и́ческий** *a.* archæological || **–ия** *s.* archæology.

архи́в/ *s.* archives *pl.* || **–а́рий** & **–а́риус** *s.* archivist.

архиепи́скоп *s.* archbishop.

архиере́й *s.* bishop; (*bib.*) high priest.

архимандри́т *s.* archimandrite.

архипа́стырь *s. m.* archpriest, prelate.

архипела́г *s.* archipelago.

архите́кт/ор *s.* architect || **–у́ра** *s.* architecture || **–у́рный** *a.* architectural, architectonic.

аршин *s.* a measure of length = 28 inches.
арьергард *s.* (*mil.*) rearguard, rear.
асбест *s.* asbestos.
асептический *a.* aseptic.
аскет *s.* ascetic.
аспид/ *s.* adder; (*min.*) slate || **–ный** *a.*, **–ная доска** a slate.
ассиг/нация *s.* (*obs.*) paper-money, bank-note || **–но+вать** II. [b] *va.* to assign, to allot || **–новка** *s.* assignment, money-order.
ассимил/яция *s.* assimilation || **–иро+вать** II. *va.* to assimilate.
ассоциация *s.* association, society, company.
астер/иск *s.* asterisk || **–оиды** *s. mpl.* the asteroids *pl.*
астма/ *s.* asthma || **–тический** *a.* asthmatic.
астролог/ *s.* astrologist || **–ия** *s.* astrology.
астроном/ *s.* astronomer || **–ический** *a.* astronomical || **–ия** *s.* astronomy.
асфальт/ *s.* asphalt || **–иро+вать** II. [b] *va.* to asphalt.
атак/а *s.* attack || **–о+вать** II [b] *va.* to attack.
атаман/ *s.* hetman; robber chieftain || **–ша** *s.* hetman's wife.
ате/изм *s.* atheism || **–ист** *s.*, **–истка** *s.* (*gpl.* -ток) atheist || **–истический** *a.* atheistic(al).
атлас *s.* atlas (volume of maps).
атлас *s.* atlas (thick silk stuff).
атлет/ *s.* athlete || **–ический** *a.* athletic.
атмосфер/а *s.* atmosphere || **–ический** & **–ный** *a.* atmospherical.
атом/ *s.* atom || **–ический** *a.* atomic.
атонический *a.* atonic.
атрофия *s.* atrophy.
аттест/ат *s.* certificate, testimonial || **–о+вать** II. [b] *va.* to certify, to attest.
ату! *int.* huzza! halloo! tally ho! || **~ его!** seize him!
ау! *int.* ho! he! hallo!
ауд/иенция *s.* audience || **–итор** *s.* legal advisor on a court-martial; judge-advocate; judge lateral || **–итория** *s.* auditorium, lecture-room.
аука-ть II. *vn.* (*Pf.* аукн-уть I.) to halloo, to shout.
аукцион/ *s.* auction || **–атор** *s.* auctioneer.
аул *s.* (Caucasian) village.
афелий *s.* aphelion.
афер/а *s.* business, speculation || **–ист** *s.*, **–истка** *s.* speculator, adventurer.
афиш/а *s.*, *dim.* **–ка** *s.* (*gpl.* -шек) play-bill, poster; programme.
афоризм *s.* aphorism.
аффект *s.* emotion, passion.
ах! *int.* ah! alas!
аханье *s.* groan, groaning.
аха-ть II. *vn.* (*Pf.* ахн-уть I.) to groan, to sob.
ахинея *s.* nonsense, balderdash.
ахроматический *a.* achromatic.
ахти/ *int.* oh! ah! || **–тельный** *a.* wonderful, splendid.
ацетилен *s.* acetylene.
аэро/лит *s.* aerolith, meteorite || **–навт** *s.* aeronaut || **–план** *s.* aeroplane || **–стат** *s.* air-balloon.

Б

б. (*abbr.*) = **бывший, большой.**
ба! ah! pshaw! goodness!
ба/ба *s.* woman, peasant woman, old woman; (*fig.*) coward, poltroon; (*tech.*) ram-block, rammer, pile-driver; **~-яга, яга-~** *s.* the witch || **–бёнка** *s.* (*gpl.* -нок) & **–бёночка** *s.* (*gpl.* -чек) young woman || **–бень** *s. m.* (*gsg.* -бня) dangler after women || **–бий** (-ья, -ье) *a.* woman's, feminine; **бабье лето** St. Martin's summer; (*Am.*) Indian summer (the fine days in late October) || **–бка** *s.* (*gpl.* -бок) grandmother; **повивальная ~** midwife || **–бки** *s. fpl.* upright posts (scaffolding), trestles; **игра в ~** (game of) knuckle-bones || **–бочка** *s.* (*gpl.* -чек) butterfly || **–бушка** *s.* (*gpl.* -шек) grandmother, old woman || **–бьё** *s. coll.* (*fam.*) women.
багаж/ *s.* luggage, baggage || **–ный** *a.*, **–ная квитанция** luggage ticket; **~ вагон** luggage van.
багор *s.* (*gsg.* -гра) purple || **багор** *s.* [a] (*gsg.* -гра) boathook, fishhook, gaff.
багрец *s.* [a] purple colour.
багр=ить II. *va.* to hook fish, to gaff.
багр=ить II. [a] *va.* to dye, to colour purple.
багр/ове-ть II. [b] *vn.* (*Pf.* по-) to become purple, to redden || **–овый** *a.* purple || **–яница** *s.* purple cloak || **–янка** *s.* (*gpl.* -нок) murex || **–янородный** *a.* born in the purple || **–яный** *a.* purple.
бад/ейка *s.* (*gpl.* -еек) small bucket || **–ья** *s.* [a] (well) bucket, fish-tub || **–яжка** *s.* (*gpl.* -жек) toy || **–яжник** *s.* joker, jester.
базальт/ *s.* basalt || **–овый** *a.* (of) basalt.
базар/ *s.* market, bazaar || **–ный** *a.* bazaar-.
базис *s.* basis, base.
байб/ак *s.* [a] marmot; (*fig.*) idler, lounger, sleepyhead || **–ачий** (-ья, -ье) *a.* marmot's.
байдара *s.* coracle (covered with sealskin).

ба́йк/а *s.* frieze, baize || **-овый** *a.* frieze, of frieze.
бак *s.* (*mar.*) forecastle, foc'sle.
бакала́вр *s.* bachelor (of Arts, etc.).
бакале́/йный *a.*, **-йная ла́вка** grocer's shop, grocery establishment || **-я** *s. coll.* groceries (*esp.* dried fruits, fish, caviar, cheese, etc.).
ба́кен *s.* beacon, buoy.
бакенба́рда *s.* (*us. in pl.*) whiskers *pl.*
бакла́га *s.* bottle; tub; billy-can, flask.
бакл/а́н *s.* cormorant || **-у́ша** *s.* flat piece of wood (from which spoons, etc. are carved); **бить -у́ши** *or* **-у́шнича-ть** II. *vn.* to idle.
ба́ковый *a.* (*mar.*) abaft, larboard.
бакте́рия *s.* bacterium.
бал *s.* [b°] (dance) ball; bullet; mark.
балаг/а́н *s.* (market) show, booth || **-а́нщик** *s.* showman, conjurer || **-у́р** *s.* joker, droll fellow || **-у́р=ить** II. *vn.* to chatter, to tell yarns || **-у́рка** *s.* (*gpl.* -рок) female joker.
бала́карь *s. m.* chatterer, fool.
балала́йка *s.* (*gpl.* -ла́ек) balalaika (three stringed guitar).
баламу́/т *s.* chatterer, tell-tale, busybody || **-т=ить** I. 2. *va.* (*Pf.* вз-) to confuse, to bewilder; to disturb.
бала́нс/ *s.* balance, equilibrium || **-ёр** *s.*, **-ёрка** *s.* (*gpl.* -рок) rope-dancer, equilibrist || **-иро+ва́ть** II. [b] *vn.* to balance.
балахо́н *s.* smock-frock.
балбе́с *s.* simpleton, idiot, lout.
балдахи́н *s.* canopy.
бале́т/ *s.* ballet || **-ме́йстер** *s.* ballet-master || **-ный** *a.* ballet-.
ба́л/ка *s.* (*gpl.* -лок) beam || **-ко́н** *s.* balcony.
балл/ *s.* voting-ball, ballot, mark || **-оти́ро+ва́ть** II. [b] *va.* (*Pf.* вы́-) to vote by ballot, to ballot, to elect by ballot || **-отиро́вка** *s.* (*gpl.* -вок) balloting, ballot.
балла́да *s.* ballad.
балла́ст *s.* ballast.
бало+ва́ть II. [b] *vn.* & **~ся** (*Pf.* из-) to play pranks, to play the fool || **~** *va.* to pet, to spoil (children).
ба́лов/ень *s. m.* (*gsg.* -вня) spoilt child, pet || **-ни́к** *s.* [a], **-ни́ца** *s.* one who spoils children, pets them.
бальза́м/ *s.* balm || **-и́ро+вать** II. *va.* (*Pf.* на-) to embalm || **-овый** *a.* balsamic.
бал/юстра́да *s.* balustrade || **-я́сина** *s.* pillar of a balustrade, baluster || **-я́снича-ть** II. *vn.* (*vulg.*) to joke.
бамбу́к/ *s.* bamboo (cane) || **-овый** *a.* bamboo-, of bamboo.
бана́н/ *s.* banana || **-овый** *a.* banana-.
банда́ж/ *s.* bandage, truss, belt || **-и́ст** & **-ник** *s.* bandagist, truss-maker.
бандеро́ль *s. f.* banderole; (newspaper) wrapper.
банди́т *s.* bandit.
банду́р/а *s.* pandora || **-и́ст** *s.* pandora player.
ба́н=ить II. *va.* to bathe, to wash, to steep (in water).
банк/ *s.* bank || **´-а** *s.* (*gpl.* -нок) (glass) pot, jar, box; **подво́дная ~** sand-bank, shoal || **-ёр** *s.* banker (at cards) || **-е́т** *s.* banquet, feast || **-и́р** *s.* banker || **-омёт** = **-ёр** || **-ро́т** *s.* bankrupt || **-ро́тский** *a.* bankrupt || **-ро́тство** *s.* bankruptcy || **-ру́т=ить** I. 2. *va.* (*Pf.* о-) to bankrupt || **~ся** *vr.* to become bankrupt || **-ру́т** *s.* = **-ро́т** || **-ру́тство** *s.* = **-ро́тство.**
ба́нный *a.* bath-.
ба́ночка *s.* (*gpl.* -чек) (*dim.* of **ба́нка**) small glass vessel.
бант/ *s.*, *dim.* **´-ик** *s.* loop, bow.
ба́н/щик *s.*, **-щица** *s.* owner of a bathing establishment, servant in a bath || **-я** *s.* bath, bathroom; vapour-bath.
бараб/а́н *s.* drum; the tympanum, ear-drum || **-а́н-ить** II. *vn.* (*Pf.* за-, про-) to drum, play the drum || **-а́нный** *a.* drum- || **-а́нщик** *s.* drummer.
бара́к *s.* (wooden) hut.
бара́н/ *s.* ram, wether || **-ина** *s.* mutton || **-ий** (-ья, -ье) *a.* ram's, mutton- || **-ка** *s.* (*gpl.* -нок) (ring-shaped) cracknel.
бара́хта-ться II. *vn.* (*Pf.* за-) to struggle with hands and feet, to sprawl.
бара́шек *s.* (*gsg.* -шка) young wether; (*in pl.*) fleecy clouds, cirri; crests of foam on waves, white horses.
барбари́с *s.* barberry.
ба́рда *s.* distiller's grains.
баре́ж *s.* barège, silky gauze.
барелье́ф *s.* bas-relief.
ба́ржа *s.* barge, lighter.
ба́р/ин *s.* (*pl.* -а & -е) lord, sir; **жить -ином** to live in high style || **-ито́н** *s.* baritone || **-ич** *s.* young nobleman || **-ка** *s.* (*gpl.* -рок) barge || **-ка́с** *s.* long-boat, launch || **-о́метр** *s.* barometer || **-о́н** *s.* baron || **-оне́сса** *s.* baroness || **-о́нский** *a.* baronial, baron's || **-о́нство** *s.* barony || **-с** *s.* panther || **-ский** *a.* lord's, lordly, seigniorial; **жить на -скую но́гу, жить по-ба́рски** to live in grand style || **-ство** *s.* rank of gentleman || **-су́к** *s.* [a] badger.

ба́рхат/ *s.* velvet || **-ный** *a.* velvet, velvety. [man.
ба́рченок *s.* (*pl.* ба́рчата) young noble-
ба́рщина *s.* (formerly) soccage, compulsory service for lord.
ба́ры/нька *s.* (*gpl.* -нек) (my) dear lady || **-ня** *s.* lady, my lady, madame.
бары́ш/ *s.* profit, gain || **-ник** *s.* jobber, dealer, profiteer || **-ничa-ть** II. *vn.* to buy up, to deal (in); to profiteer.
ба́рышня *s.* (*gpl.* -шен) (young) miss.
барье́р *s.* barrier, turnpike.
бас/ *s.* bass, bass viol; **петь ∠ом** to sing bass || **-и́ст** *s.* bass-singer || **-и́стый** *a.* bass, deep-sounding. [boast.
бас=и́ть I. 3. [a] *vn.* to sing bass, to
бас/нопи́сец *s.* (*gsg.* -сца) fabulist || **∠ня** *s.* (*gpl.* -сен) fable, fairy-tale, lie || **-ово́й** *a.* bass.
басо́к *s.* [a] (*gsg.* -ска́) bass-string.
басо́н *s.* fringe, galloon, trimming, braid.
бассе́йн *s.* basin (of a river).
ба́ст/а *int.* enough! || **-а́рд** *s.* bastard || **-ио́н** *s.* bastion, bulwark || **-о+ва́ть** II. [b] *vn.* (*Pf.* за-) to cease work, to strike.
басурма́н/ *s.*, **-ка** *s.* (*gpl.* -нок) Moslem; (*abus.*) unorthodox. [encounter.
батал/ьо́н *s.* battalion || **∠ия** *s.* battle,
батаре́я *s.* battery.
бат/и́ст *s.* batiste, cambric || **-о́г** *s.* [& a] thick stick, cudgel || **-ра́к** *s.* [a] workman, labourer || **-ра́чка** *s.* (*gpl.* -чек) charwoman, workwoman || **∠юшка** *s. m.* (*gpl.* -шек), **∠ька** *s. m.* (*gpl.* -тек) father, dear father, my dear fellow; **как вас по ∠юшке?** what is your patronymic?
ба́ул *s.* chest, trunk.
бахва́л *s.* boaster, braggart.
бахва́л-иться II. *vn.* (*vulg.*) to boast, to brag. [brassing.
бахва́льство *s.* boasting, braggadocio,
бахрома́ *s.* border, fringe with tassels.
баци́лла *s.* bacillus.
ба́ш/енка *s.* (*gpl.* -нок) turret || **-ка́** *s.* head; blockhead || **-лы́к** *s.* [a] hood || **-ма́к** *s.* [a] shoe || **-ма́чник** *s.* shoemaker || **-мачо́к** *s.* [a] (*gsg.* -чка́) *dim.* shoe || **-ня** *s.* (*gpl.* -шен) tower; (chess) rook, castle.
баю́ка-ть II. *va.* (*Pf.* у-) to lull to sleep.
бая́н *s.* rhapsodist, story-teller.
бде́ние *s.* watch, vigil; care.
бд=еть II. *vn.* to watch, to be awake, to be vigilant.
бди́тельный *a.* vigilant, attentive.
бег *s.* (Turkish) bey.
бег/ *s.* [b°] running, run; flight, desertion; racecourse; (*pl.* бега́) races || **∠ание** *s.* running, racing; **~ на конька́х** skating || **∠а-ть** II. *vn.* (*Pf.* по-) to run, to race; to run about || **-емо́т** *s.* hippopotamus || **-ле́ц** *s.* [a] runaway, fugitive; (*mil.*) deserter || **∠лый** *a.* fugitive, runaway; fleeting, transient; cursory, superficial || **-ово́й** *a.* racing-, race- || **-о́м** *ad.* as fast as possible, in a run || **-оме́р** *s.* hodometer || **-отня́** *s.* running about || **∠ство** *s.* flight, desertion || **-у́, -у́т** *cf.* **бежа́ть** || **-у́н** *s.* [a] fugitive; runner; race-horse, trotter; upper millstone; pestle.
бед/а́ *s.* misfortune, ill-luck; misery, need, want, exigency; **что за ~?** what does that matter? **вот так ~** that's the difficulty, there's the rub || **∠ненький** *a.* poor; (*as s.*) poor fellow || **∠ность** *s. f.* poverty, indigency || **∠ный** *a.* poor, exigent, needy; unfortunate, pitiable || **-не́-ть** II. *vn.* (*Pf.* о-) to become poor || **-ня́га** *s. m&f.*, **-ня́жка** *s. m&f.* (*gpl.* -жек), **-ня́к** *s.* poor fellow || **-о́вый** *a.* difficult, dangerous; desperate, ticklish || **-оку́р** *s.*, **-оку́рка** *s.* (*gpl.* -рок) mischief-maker, bird of ill omen || **-ро́** *s.* [d] (*pl.* бёдра) hip || **∠ственный** *a.* unfortunate, pernicious, calamitous, miserable || **∠ствие** & **∠ство** *s.* hardship, misery, need || **∠ство+вать** II. *vn.* to be in want, in need.
бежа́ть 46. *vn.* (*Pf.* по-) to run; (от + *G.*) to flee from, to avoid; **часы́ бегу́т** time flies, the clock is fast.
без *prp.* (+ *G.*) without, minus.
без- as prefix unless; before heavy consonant groups безо-, and before voiceless consonants бес-.
безала́берный *a.* (*vulg.*) in disorder, unsystematic; absurd.
безбе́дный *a.* in comfortable *или* easy circumstances, not badly off.
безбо́ж/ие *s.* godlessness || **-ник** *s.*, **-ница** *s.* godless person, atheist || **-ничa-ть** II. *vn.* to lead a godless life, to act dishonourably || **-нический** *a.* godless, ungodly, wicked || **-ный** *a.* godless, wicked, impious.
безбо́кий *a.* with shrunken sides.
безболе́зненный *a.* painless; healthy, in perfect health.
безборо́дый *a.* beardless, without a beard.
безбоя́зненный *a.* fearless, undaunted, intrepid, dauntless.

безбра́ч/ие & **-ность** *s. f.* single state, single life, celibacy || **-ный** *a.* single, unmarried, celibate.
безве́дрие *s.* bad weather, dirty weather.
безве́р/ие *s.* unbelief, irreligion || **-ный** *a.* unbelieving, irreligious.
безве́тр/енный *a.* calm || **-ие** *s.* calm.
безви́нный *a.* innocent, guiltless; inoffensive.
безвку́сный *a.* tasteless, insipid; in bad taste.
безвозвра́тный *a.* irreparable, irrevocable.
безвозме́здный *a.* free, gratis, gratuitous.
безволо́сый *a.* hairless, bald.
безвре́дный *a.* innocuous, harmless.
безвре́мен/ный *a.* inconvenient, inopportune, untimely || **-ье** *s.* bad weather; calamity; inopportune time.
безвы́/ездный *a.* constant, permanent || **-ходный** *a.* permanent, of long duration; endless; (*fig.*) desperate, helpless, critical.
без/гла́вый *a.* headless || **-глаго́льный** *a.* speechless, silent || **-гла́зый** *a.* eyeless; blind || **-гла́сный** *a.* voiceless, speechless, silent; not entitled to vote; unknown, secret; ~ **това́рищ** sleeping partner || **-голо́вый** *a.* headless; brainless, stupid || **-гра́мотность** *s. f.* inability to read and write, illiteracy, ignorance || **-гра́мотный** *a.* not able to read and write, illiterate, ignorant || **-гре́шный** *a.* sinless, innocent, pure.
без/да́рный *a.* untalented, incompetent || **-де́йствие** *s.* inaction, inertness, inactivity || **-де́лка** *s.* (*gpl.* -лок), **-де́лочка** *s.* (*gpl.* -чек), **-делу́шка** *s.* (*gpl.* -шек) trifle, bauble, gewgaw; rubbish || **-де́льник** *s.*, **-ница** *s.* idler, good-for-nothing || **-де́льный** *a.* unoccupied, idle; not important || **-де́льнича-ть** II. *vn.* to idle, to lounge about; to swindle || **-де́нежный** *a.* without money, penniless; ~ **ве́ксель** proforma bill || **-но** *ad.* gratis || **-де́нежье** *s.* lack of money || **-де́тный** *a.* childless, without issue || **-де́ятельный** *a.* inactive, idle, lazy.
бе́з/дна *s.* abyss; hell; (*fig.*) enormous quantity a great deal (of), a world (of) || **-до́ждица** & **-до́ждие** *s.* drought || **-до́ждный** *a.* rainless, dry, arid || **-доказа́тельный** *a.* not provable, not proved || **-до́лье** *s.* misfortune, misery || **-до́мный** *a.* homeless || **-до́нный** *a.* bottomless, unfathomable, deep || **-доро́жный** *a.* impassable || **-ду́шный** *a.* soulless, lifeless, dead; hard-hearted; unscrupulous || **-дыха́нный** *a.* breathless, lifeless.
без/жа́лостный *a.* unmerciful, pitiless, cruel || **-жё́нный** *a.* (of a man) unmarried, single, widower || **-забо́тливость** *s. f.* unconcernedness, carelessness || **-забо́тный** *a.* free from care, careless, unconcerned || **-заве́тный** *a.* wild, free; unrestrained || **-зави́стный** *a.* unenvious, free from envy || **-зако́нный** *a.* lawless; illegal, unlawful || **-защи́тный** *a.* unprotected, defenceless || **-звё́здный** *a.* starless, clouded, dark || **-зву́чный** *a.* soundless, mute, dull; ~ **го́лос** *a.* hollow voice || **-земе́льный** *a.* landless || **-зу́бый** *a.* toothless; (*fig.*) powerless.
без/ла́дица *s.* disorder; confusion; brawl, dispute, discord || **-ли́ст(вен)ный** *a.* leafless || **-ли́чный** *a.* impersonal || **-ле́сный** *a.* treeless, woodless || **-лу́нный** *a.* moonless || **-лю́дный** *a.* thinly peopled, uninhabited || **-ме́здный** *a.* gratis, gratuitous || **-ме́н** *s.* steel-yard || **-ме́рный** *a.* immense, infinite, immeasurable, enormous || **-ме́стный** *a.* out of work, jobless, unemployed || **-мо́зглый** *a.* brainless, stupid, silly || **-мо́лвие** *s.* silence, quiet, calm || **-мо́лвный** *a.* silent, quiet, taciturn || **-мо́лвство+вать** II. *vn.* to remain silent, to keep quiet || **-мяте́жный** *a.* quiet, tranquil, undisturbed.
без/надё́жность *s. f.* hopelessness, desperate state || **-надё́жный** *a.* hopeless, desperate || **-нака́занный** *a.* unpunished, exempt from punishment || **-насле́дный** *a.* without heirs || **-нача́лие** *s.* anarchy, lawlessness || **-нача́льный** *a.* without a beginning, eternal || **-но́гий** *a.* legless, footless || **-но́сый** *a.* noseless || **-нра́вственный** *a.* indecent, immoral.
без/о́блачный *a.* cloudless, clear, serene || **-обра́зие** *s.* ugliness, indecency, impropriety || **-обра́з=ить** I. 1. *va.* (*Pf.* о-) to disfigure, deform || **-обра́зный** *a.* ugly, deformed; disorderly, indecent || **-опа́сный** *a.* safe, secure; not dangerous || **-ору́жный** *a.* unarmed || **-остано́вочный** *a.* uninterrupted, ceaseless || **-отве́тный** *a.* silent, shy; assiduous, patient || **-отве́тственный** *a.* not responsible, irresponsible || **-отгово́рочно** *ad.* without an excuse || **-отлага́тельный** *a.* urgent, brooking no delay,

pressing || **-отлу́чный** *a.* uninterrupted, continual, permanent || **-отра́дный** *a.* inconsolable, disconsolate, gloomy || **-отчётный** *a.* irresponsible; arbitrary; involuntary || **-оши́бочный** *a.* faultless, correct, exact, infallible.

без/ра́достный *a.* joyless, sad || **-разде́льный** *a.* indivisible, undivided || **-разли́чный** *a.* indifferent, uniform, equal || **-рассу́дне** *s.* lack of deliberation, thoughtlessness, imprudence, indiscretion || **-рассу́дный** *a.* thoughtless, giddy, rash, indiscreet || **-расчётный** *a.* rash, thoughtless, uncalculating || **-ро́гий** *a.* without horns, hornless, poll- || **-ро́дный** *a.* orphan, without relatives || **-ро́потный** *a.* quiet, humble, resigned || **-рука́вка** & **-рука́вник** *s.* a sleeveless coat || **-рука́вный** *a.* sleeveless || **-ру́кий** *a.* handless, armless.

без/убы́точный *a.* undamaged, without loss || **-уде́ржный** *a.* irresistible, impetuous || **-укори́зненный** *a.* blameless, irreproachable || **-у́ме-ть** II. *vn.* (*Pf.* о-) to lose one's senses, to become mad || **-у́мец** *s.* (*gsg.* -мца), **-у́мица** *s.* idiot, fool, simpleton, madman || **-у́мнича-ть** II. *vn.* to play the fool || **-у́мный** *a.* idiotic, foolish, mad, insane || **-умо́лкно** *ad.* uninterruptedly, ceaselessly, incessantly || **-у́мство+вать** II. *vn.* to act idiotically, to play the fool || **-упре́чный** *a.* blameless, irreproachable || **-уря́дица** *s.* confusion, disorder || **-усло́вный** *a.* unconditional, implicit, absolute || **-успе́шный** *a.* unsuccessful, useless || **-уста́льный** *a.* untiring, tireless || **-у́сы** *a.* without a moustache; beardless (of corn) || **-уте́шный** *a.* inconsolable, disconsolate || **-у́хий** *a.* earless; without a handle || **-уча́стный** *a.* unfeeling, indifferent.

без'язы́чный *a.* (*sl.*) speechless, silent.

без/ыз'я́тный *a.* without exception || **-ымённый** *a.* nameless, anonymous.

бека́с *s.* snipe.

беке́ш/ & **-а** *s.* laced fur-lined coat.

белена́ *s.* hen-bane; **он об'е́лся -ы́** he is a bit mad.

бе́л/енький *a.* prettily white, nice and white || **-е́ние** *s.* bleaching || **-е́соватый** *a.* whitish.

беле́-ть II. *vn.* (*Pf.* по-) to become white, pale; to blanch; to fade, to wash out (of colours) || **~ся** *vn.* to shimmer whitely.

бел/ёхонек (-нька, -нько) *a.* snow-white || **-е́ц** *s.* [a] (*gsg.* -льца́) novice (in monasteries).

белиберда́ *s.* nonsense, tomfoolery.

бел/изна́ *s.* paleness, pallor || **-и́ла** *s. npl.* white cosmetic || **-и́льница** *s.* cosmetic box.

бели́=ть II. [a 1.] *va.* (*Pf.* вы-, по-, на-) to bleach (linen), to whitewash (walls) || **~ся** *vr.* (*Pf.* на-) to powder the face white || **~** *vn.* to bleach (of linen).

бе́личий (-ья, -ье) *a.* squirrel's.

бе́лка *s.* (*gpl.* -лок) squirrel.

белкови́на *s.* white of an egg, albumen.

белладо́нна *s.* belladonna.

беллетри́ст *s.* belletrist.

бело/боро́дый *a.* white-bearded || **-бры́сый** *a.* very fair, with white eyebrows and eyelashes || **-брю́хий** *a.* white-bellied || **-ва́тый** *a.* whitish, rather white || **-воло́сый** *a.* white-haired || **-вщи́к** *s.* [a] skinner || **-голо́вый** *a.* white-headed || **-гри́вый** *a.* white-maned || **-кали́льный** *a.* white-hot || **-ка́менный** *a.* white-walled || **-ку́рый** *a.* blond, fair, fair-haired.

бело́к *s.* [a] (*gsg.* -лка́) white (of the eye, of an egg); (*in pl.*) goggle-eyes.

бело/ли́цый *a.* white-faced || **-мо́йка** *s.* washer-woman, laundress || **-па́шец** & **-поме́стец** *s.* peasant exempt from socage service || **-ри́зец** *s.* (*gsg.* -зца) secular priest || **-ру́чка** *s. m&f.* (*gpl.* -чек) idler, lazy-bones || **-ры́бица** *s.* white salmon || **-те́лый** *a.* white-skinned || **-шве́йка** *s.* (*gpl.* -шве́ек) & **-швея́** *s.* needle-woman, seamstress.

белу́/га *s.* sturgeon || **-жина** *s.* the flesh of the sturgeon || **-жий** (-ья, -ье) *a.* sturgeon's.

бе́лый *a.* white; grey-haired; pure; **-ое духове́нство** the secular clergy; **-ое ору́жие** side-arms; **-ая куха́рка** head-cook; **-ые стихи́** unrhy med verses, blank verse; **~ свет** the wide wide world.

бельё *s.* [a] linen (for or from the wash); **спи́сок белью́** *or* **белья́** laundry list.

бельме́с *s.*, **ни -а** absolutely nothing.

бельмо́ *s.* [d] cataract (in the eye); (*in pl.*) **́-ы** goggle-eyes *pl.*

бельэта́ж *s.* first storey; (*theat.*) dress-circle.

беля́к *s.* [a] white hare; crest of foam.

бенефи́с *s.* benefit; (*theat.*) benefit-performance.

бензи́н *s.* benzine, petrol.

бенуа́р *s.* (*theat.*) baignoire, box on level of the stalls.

бе́рдо *s.* weaver's reed, comb.

бе́рег/ *s.* [b] bank (of a river), coast || **–у́, –и́сь, –и́тесь** *cf.* **бере́чь.**
берёжая *s.* mare in foal.
береж/ёный *a.* protected; careful || **–ли́вость** *s. f.* economy, frugality, parsimony || **–ли́вый** *a.* economical, frugal.
бе́режный *a.* careful, cautious; frugal.
берёз/а *s.* birch; birch-tree || **–ка** *s.* (*gpl.* -зок) *dim. of* берёза.
берёз/ник *s.* birch wood || **–ня́к** *s.* [a] birch-grove.
бе́рёзовый *a.* birchen, birch-.
бере́йтор *s.* horse-trainer, horse-breaker; riding-master.
бере́м/ене-ть II. *vn.* (*Pf.* за-, о-) to become pregnant, to conceive || **–енность** *s. f.* pregnancy, gestation || **–енная** *a.* pregnant; with child.
бе́рест *s.* elm, elm-tree.
берёста *s.* outer birch-bark.
берестня́к *s.* [a] elm-grove, grove of elms.
бере́чь 15. *va.* (*Pf.* по-) to guard, to take care of; to spare, to save (money); to keep || **~ся** *vr.* to take care, to be on one's guard.
бе́рковец *s.* (*gsg.* -вца) = 10 Russian puds = 350 lbs.
бе́рку́т *s.* golden eagle.
берли́н *s.* berlin (four-wheeled carriage).
берло́га *s.* (bear's) den.
беру́ *cf.* **брать.**
бе́р/це, –цо́ *s.* [d] shin-bone, shin, tibia.
бес *s.* devil, Satan.
бесе́д/а *s.* conversation; company; sermon || **–ка** *s.* (*gpl.* -док) bower, arbour, summer-house || **–о+вать** II. *vn.* (*Pf.* по-) to converse, to chat, to gossip; to preach || **–ование** *s.* conversation; preaching.
бесёнок *s.* (*pl.* -еня́та) young devil, naughty child.
бес=и́ть I. 3. [c] *va.* (*Pf.* вз-) to enrage, to vex, to provoke, to madden || **~ся** *vn.* to fly into a passion, to rave, to rage.
бес/ква́сный *a.* not acid, sweet || **–козы́рный** *a.* without a trump || **–коло́сый** *a.* earless (of corn) || **–коне́чный** *a.* endless; infinite || **–ко́нный** *a.* unmounted, horseless || **–ко́рмный** *a.* poor in fodder; unfruitful; fruitless || **–коры́стный** *a.* unselfish, disinterested || **–ко́стный** *a.* boneless || **–кро́вельный** *a.* roofless || **–кро́вный** *a.* anaemic, bloodless; unbloody; homeless || **–кры́лый** *a.* wingless, unfledged.
бес/нова́тый *a.* possessed, demoniac || **–но+ва́ться** II. [b] *vn.* to be possessed; to fume, to bluster, to rage || **–о́вский** *a.* devilish, diabolical, fiendish || **–о́вщи́на** *s.* devilry, devilment.
бес/па́мятность *s. f.* forgetfulness || **–па́мятный** *a.* forgetful || **–па́мятство** *s.* forgetfulness; unconsciousness || **–пардо́нный** *a.* merciless, cruel || **–пёрый** *a.* featherless, unfledged || **–пе́чный** *a.* careless, care-free, unconcerned || **–пла́тный** *a.* gratis, gratuitous, free || **–пло́дный** *a.* unfruitful, sterile; fruitless || **–пло́тный** *a.* bodyless, incorporeal || **–поворо́тный** *a.* irretrievable, irreparable; irrevocable || **–подо́бный** *a.* incomparable, peerless, matchless || **–поко́=ить** II. *va.* (*Pf.* о-) to disquiet, to disturb; to alarm, to make uneasy || **~ся** *vr.* to be anxious about, to be alarmed; to trouble o.s. about; **не –поко́йтесь!** don't trouble || **–поко́йный** *a.* uneasy, restless; uncomfortable; tiresome; turbulent || **–поко́йствие** *s.* uneasiness, restlessness; anxiety, trouble; disturbance || **–поле́зный** *a.* useless, unprofitable || **–по́лый** *a.* sexless; skirtless; floorless || **–поме́стный** *a.* without an estate, landless || **–по́мощный** *a.* helpless || **–попо́вщина** *s.* a sect without priests || **–поро́чный** *a.* blameless, irreproachable || **–поря́док** *s.* (*gsg.* -дка) disorder, confusion || **–поря́дочный** *a.* disorderly; loose, lax, indecent || **–по́шлинный** *a.* free of duty, duty-free || **–поща́дный** *a.* pitiless, cruel, merciless || **–пра́вный** *a.* unjust, illegal || **–предме́тный** *a.* purposeless, aimless || **–преде́льный** *a.* boundless, endless, infinite || **–пререко́вный** *a.* uncontested, undeniable, incontrovertible || **–преме́нный** *a.* unchangeable; without fail, certain || **–преме́нно** *ad.* certainly, without fail || **–препя́тственно** *ad.* without let or hindrance, unhindered || **–прерывный** *a.* continual, uninterrupted, incessant || **–преста́нный** *a.* ceaseless, continual || **–при́быльный** *a.* profitless || **–приме́рный** *a.* unexampled, incomparable, matchless || **–пристра́стный** *a.* impartial || **–причи́нный** *a.* unfounded, causeless; unjust || **–прию́тный** *a.* homeless, unprotected || **–пу́тица** & **–пу́тие** *s.* impassable roads; confusion, disorder; disorderly life, dissoluteness || **–пу́тник** *s.*, **–пу́тница** *s.* rake, debauchee; sloven; lewd *or* loose man *or* woman || **–пу́тный** *a.* dissolute, loose.

бес/свя́зный *a.* incoherent, disconnected || **-семе́йный** *a.* without family; unmarried, childless || **-си́лие** *s.* weakness, debility, frailty || **-си́льный** *a.* weak, weakened, powerless, ineffectual || **-сла́вие** *s.* dishonour, disgrace || **-сла́в=ить** II. 7. *va.* (*Pf.* о-) to dishonour, to disgrace || **-сла́вный** *a.* dishonoured, dishonourable || **-сле́дный** *a.* trackless, without a trace || **-слове́сный** *a.* speechless, silent || **-сме́нный** *a.* permanent, perpetual || **-сме́ртность** *s.f.* immortality || **-сме́ртный** *a.* immortal, undying || **-сме́тный** *a.* immeasurable; numberless; without estimate (of costs) || **-смы́сленный** *a.* senseless, absurd, nonsensical || **-смы́слица** *s.* nonsense, absurdity || **-сне́жный** *a.* snowless || **-со́вестный** *a.* unprincipled, unscrupulous || **-созна́тельный** *a.* unconscious, involuntary || **-со́нница** *s.* sleeplessness || **-со́нный** *a.* sleepless || **-спо́рный** *a.* incontestable, indisputable || **-сре́бреник** *s.*, **-ница** *s.* unselfish person || **-сро́чный** *a.* indefinite; unspecified (as to time); lifelong || **-стра́стный** *a.* impassionate, indifferent, apathetic || **-стра́шный** *a.* intrepid, undaunted, fearless || **-стру́нный** *a.* stringless || **-сты́дный** *a.* impudent, shameless, cheeky || **-сты́дство** *s.* impudence, shamelessness; (*fam.*) cheek || **-счётный** *a.* innumerable, numberless, countless.

бес/тала́нный *a.* unfortunate, unlucky || **-теле́сный** *a.* incorporeal, immaterial || **-толко́вщина** *s.* absurdity, nonsense || **-толко́вый** *a.* nonsensical; unintelligible; stupid || **∸толочь** *s. f.* nonsense || **-трево́жный** *a.* calm, undisturbed || **-тре́петный** *a.* fearless, undaunted || **-те́нный** *a.* shadeless, shadowless || **-тя́гостный** *a.* light, bearable.

бес/хара́ктерный *a.* lacking in character || **-хво́стый** *a.* tailless || **-хи́тростный** *a.* honest, straightforward, artless || **-хле́бица** *s.* lack of bread, failure of crops || **-хле́бный** *a.* lacking in bread; unfruitful, barren || **-цве́тный** *a.* flowerless, colourless || **-це́льный** *a.* aimless, purposeless || **-це́нный** *a.* priceless; invaluable; worthless, cheap || **-це́нок** *s.* (*gsg.* -нка) ridiculously low price; (*fam.*) a song; worthless article; **прода́ть за ~** to sell for a song || **-ча́дный** *a.* (*sl.*) childless || **-челове́чный** *a.* inhuman, cruel || **-че́стие** *s.* dishonour, degradation, ignominy || **-че́ст=ить** I. 4. *va.* (*Pf.* о-) to dishonour, to disgrace || **-че́стный** *a.* dishonourable, unscrupulous; shameful, vile, base || **-чи́нный** *a.* improper, indecent, indecorous || **-чи́нство+вать** II. *vn.* to act indecorously, to misconduct o.s. || **-чино́вный** *a.* without rank || **-чи́сленный** *a.* innumerable, countless || **-чу́вственность** *s. f.*, **-чу́вствие** *s.*, **-чу́вство** *s.* heartlessness, unfeelingness; insensibility || **-чу́вственный** *a.* heartless, unfeeling; insensible || **-шаба́шный** *a.* restless; careless || **-шёрстный** *a.* hairless, without wool || **-шу́точно** *ad.* in earnest.

бето́н *s.* concrete.

беч/ева́ *s.* hawser, tow-rope || **-е+ва́ть** I. [b] *va.* to tow, to haul, to have in tow || **-ева́я** *s.* tow-path || **-ёвка** *s.* (*gpl.* -вок) twine, string || **-евни́к** *s.* tow-path || **-ево́й** *a.* tow-, towing.

бе́ш/енство *s.* insanity, frenzy, madness; delirium; boisterousness, wildness || **-еный** *a.* insane, possessed; delirious, raging, furious || **-у́** *cf.* **беси́ть.**

библе́йский *a.* biblical.

библио/гра́ф *s.* bibliographist || **-графи́ческий** *a.* bibliographical || **-гра́фия** *s.* bibliography || **-ма́н** *s.* bibliomaniac || **-те́ка** *s.* library || **-те́карь** *s. m.* librarian || **-те́чка** *s.* (*gpl.* -чек) small library || **-фи́л** *s.* bibliophile.

би́блия *s.* the Bible, the Scriptures.

бива́к *s.* bivouac.

бива́ть *iter. of* бить.

бига́мия *s.* bigamy.

бие́ние *s.* beat, beating; palpitation, pulsation.

биле́т/ *s.* ticket, card, railway-ticket, bill, note; **креди́тный ~** banknote || **-ик** *s.* small bill, docket.

биллио́н *s.* billion.

билль *s. m.* (parliamentary) bill.

би́ль/я *s.* billiard-ball || **-я́рд** *s.* billiards *pl.* || **-я́рдная** (*as s.*) billiard-room.

бино́кль *s.m.* (a pair of) binoculars; opera-glass.

бинт/ *s.* [a] (*med.*) bandage, dressing || **-о+ва́ть** II. [b] *va.* (*Pf.* за-) to bandage.

биогра́фия *s.* biography.

биоло́гия *s.* biology.

бипла́н *s.* biplane.

би́рж/а *s.* (stock-)exchange; cab-stand || **-еви́к** *s.* [a] stock-jobber, speculator on 'change || **-ево́й** *a.* (stock-)exchange-.

би́р/ка *s.* (*gpl.* -рок) notched stick, tally || **-юза́** *s.* turquoise || **-юзо́вый** *a.* turquoise || **-ю́к** *s.* [a] the wolf, werwolf ||

–ю́лька *s.* (*gpl.* -лек) blade of straw, spillikin; (*in pl.*) (the game of) spillikins, jack-straws.
би́сер/ *s.* (*sl.*) pearls; glass beads || **–ина** *s.* glass bead || **–ный** *a.* pearly || **–ница** *s.* box for glass beads.
бискви́т *s.* biscuit; bisque.
би́т/ва *s.* battle, encounter || **–ко́м** *ad.*, ~ **наби́тый** crammed full, quite full || **–о́к** *s.* [a] (*gsg.*-тка́) beetle, mallet; club.
бить/ 27. *va.* (*Pf.* по-) to strike, to beat; to kill, to slay; (money) to coin || ~ *vn.* to shoot, to gush forth, to stream || **~ся** *vr.* to fight; to worry o.s. with, to tire o.s. out || **–ё** *s.* beating.
бифште́кс *s.* beefsteak.
бич/ *s.* [b] (long) whip, scourge || **–е+ва́ть** II. [b] *va.* to scourge, to whip.
бла́го/ *s.* (*sl.*) good, welfare || ~ *ad.* well || **–ве́рный** *a.* orthodox || **–вест** *s.* ringing (of church-bell) || **–вест=ить** I. 4. *vn.* (*Pf.* от-) to ring, to toll (of the church-bell) || **–вест=и́ть** I. 4. [a] *vn.* to bring good news || **–ве́стный** *a.*, ~ **ко́локол** *s.* the mass-bell || **–ве́щение** *s.* (feast of) the Annunciation, Lady-day (25th March) || **–ви́дный** *a.* pretty; seemingly good, probable, plausible || **–всле́ние** *s.* affection, kindness, clemency, benevolence || **–вол=и́ть** II. *vn.* (*Pf.* со-) to deign, to condescend, to be pleased to; (к + *D.*) to favour || **–во́ние** *s.* fragrance, aroma || **–во́нный** *a.* fragrant, aromatic || **–воспи́танный** *a.* well-bred || **–вре́менно** *ad.* opportunely, at the right time || **–гове́йный** *a.* devout, pious, reverent, respectful || **–гове́ние** *s.* devotion, piety; veneration || **–гове́-ть** II. *vn.* (пе́ред + *I.*) to revere, to venerate || **–даре́ние** *s.* thanks, thanksgiving || **–дар=и́ть** II. [a] *va.* (*Pf.* по-, от-) (кого́ за + *A*) to thank; **–даря́** (+ *D.*) thanks to || **–да́рность** *s. f.* thankfulness, gratitude; thanks || **–да́рный** *a.* thankful, grateful || **–да́тный** *a.* beneficial, blessed; beatified || **–да́ть** *s.f.* blessing, mercy, favour; abundance || **–де́нственный** *a.* happy, prosperous || **–де́нство+вать** II. *vn.* to thrive, to be prosperous || **–де́тель** *s. m.* benefactor || **–ница** *s.* benefactress || **–де́тельный** *a.* beneficent; beneficial || **–де́тельство+вать** II. *vn.* (*Pf.* о-) (кому́ чем) (*sl.*) to do good, to be beneficent || **–дея́ние** *s.* kindness, beneficence, favour, grace || **–ду́шный** *a.* kind, benevolent, benign || **–жела́тель** *s. m.*, **–ница** *s.* well-wisher, patron || **–зву́чие** *s.* euphony, harmony || **–зву́чный** *a.* euphonic.
благо́й *a.* good, kind, virtuous; obstinate, headstrong; ugly.
благо/изво́л=ить II. *vn.* to like (to), to choose, to condescend || **–ле́пный** *a.* magnificent, elegant || **–мы́сленный** & **–мы́слящий** *a.* well-meaning, well-intentioned || **–наде́жный** *a.* hopeful; dependable, sure, trusty || **–наме́ренный** *a.* well-meaning, with good intentions || **–нра́вие** *s.* morality, decency, good behaviour || **–нра́вный** *s.* moral, decent, well-behaved || **–обра́зный** *a.* good-looking, beautiful || **–полу́чие** *s.* happiness, felicity || **–полу́чный** *a.* happy, felicitous, fortunate || **–прили́чный** *a.* becoming, decorous, decent || **–приобре́тенный** *a.* well-gained || **–прия́тель** *s.m.* good friend || **–прия́тный** *a.* pleasant; favourable, propitious || **–разу́мие** *s.* wisdom, prudence || **–разу́мный** *a.* wise, prudent || **–рассмотре́ние** *s.* expert opinion || **–рассужда́-ть** II. *vn.* (*Pf.* -рассу́д=ить I. 1. [c 1.]) to consider, to weigh carefully || **–расположе́ние** *s.* good-will, favour || **–располо́женный** *a.* well-disposed, propitious || **–растворённый** *a.* healthy, salubrious (of the air) || **–речи́вый** *a.* eloquent || **–ро́дие** *s.* noble birth, nobility; **Ваше** ~ Your Honour || **–ро́д=ить** I. 1. *va.* to ennoble || **–ро́дный** *a.* noble, aristocratic, of gentle birth || **–ро́дство** *s.* nobility, gentle birth || **–скло́нность** *s. f.* kindness, goodwill, indulgence || **–скло́нный** *a.* (к + *D.*) kind, indulgent (to) || **–слове́ние** *s.* benediction, blessing; consent || **–слове́нный** *a.* blessed || **–словля́-ть** II. *va.* (*Pf.* -слов=и́ть II. 7. [a]) to bless, to give one's blessing; to consecrate, to permit, to bestow || **–состоя́ние** *s.* wellbeing, welfare.
бла́гост/ный *a.* gracious, kind || **–ь** *s. f.* kindness, graciousness.
благо/творе́ние *s.* charity, beneficence || **–твори́тель** *s. m.* benefactor; **–ница** *s.* benefactress || **–твори́тельный** *a.* charitable, beneficent || **–твор=и́ть** II. [a] *vn.* to do good, to perform works of charity || **–уго́дный** *a.* agreeable, pleasant || **–усмотре́ние** *s.* opinion, consideration, judgment || **–успе́шный** *a.* successful || **–устро́енный** *a.* well-arranged, well-organized || **–устро́йство** *s.* good order, good arrangement

|| **-уханный** *a.* fragrant, odoriferous || **-честивый** *a.* godfearing, pious, devout || **-честие** *s.* piety, devotion || **-чиние** *s.* order; respectability, decency, decorum || **-чинный** *a.* respectable, orderly.
блаж/енный *a.* blessed, happy, blissful || **-енство** *s.* blessedness, blissfulness || **-енство+вать** II. *vn.* to be in a state of bliss.
блаж=ить I. [a] *vn.* to be wanton, wild, unruly, capricious.
блаж/ливость *s.f.* wantonness, unruliness, capriciousness || **-ной** *a.* wanton, wild, capricious.
блажь *s.f.* unruliness; petulance; nonsense, madness; caprice, folly.
бланкет *s.* blanket; carte-blanche.
бланк/ *s.* blank, form; blank endorsement || **´-овый** *a.* blank.
бланманже *s. indecl.* blancmange, flummery.
блевание *s.* vomiting, puking.
бле+вать II. [a] *vn.* (*Pf.* c-) to vomit, to puke, to spew.
блевот/а *s.* a fit of vomiting || **-ина** *s.* vomit, substance vomited.
блед/ненький *a.* somewhat pale || **-нёхонек** (-нька, -нько) *ad.* pale (as death), deathly pale || **-новатый** *a.* somewhat pale, slightly pallid || **-нолицый** *a.* pale-faced || **-ность** *s. f.* paleness, pallor || **-ный** *a.* pale, pallid, wan.
бледне-ть II. *vn.* (*Pf.* по-) to pale, to grow pallid, to grow *or* turn pale.
блёк/лый *a.* faded, pale, washed out || **-нуть** I. 52. *vn.* (*Pf.* по-) to blanch, to fade.
блеск *s.* gleam, lustre, glimmer.
блесна *s.* [d] (tin fish as) bait.
блеснуть *cf.* **блестеть.**
блёстка *s.* (*gpl.* -ток) tinsel, spangle.
блест-еть I. 4. [a 1.] *vn.* (*Pf.* за-, *mom.* блесн-уть I. [a]) to gleam, to shine.
блеяние *s.* bleating.
бле-ять II. [c] *vn.* (*Pf.* за-) to bleat.
ближайший *sup. of* близкий.
ближ/е *ad.&pdc.* nearer; **как можно ~** as near as possible || **-ний** *a.* near; (*as s.*) neighbour.
близ *prp.* (+ *G.*) near, close to, in the vicinity of.
близ=ить I. 1. *va.* (*Pf.* при-) (к + *D.*) to bring near to || **~ся** *vr.* to approach, to draw near.
близ/кий (*pdc.* ближе, *sup.* ближайший) (к + D.) near, at hand || **-нец** *s.* [a] twin || **-орукий** *a.* short-sighted, near-sighted, myopic || **-ость** *s. f.* nearness, closeness, proximity.
блин/ *s.* [a] pancake || **-ок** *s.* [a] (*gsg.* -нка) & **-очек** *s.* (*gsg.* -чка) small pancake.
блиста-ть II. *vn.* to shine, to gleam, to glitter.
блистательный *a.* gleaming, glittering; magnificent.
блок/ *s.* block, pulley || **-ада** *s.* blockade || **-иро+вать** II. [b] *va.* to blockade, to obstruct.
блонд/а *s.* (*us. in pl.*) silk, lace, blonde-lace || **-ин** *s.*, **-инка** *s.* (*gpl.* -нок) fair-haired person, a blond *m.*, a blonde *f.* || **-инчик** *s.*, **-иночка** *s.* (*gpl.* -чек) *dim.* a blond, a blonde || **-овый** *a.* of blonde-lace.
блоха *s.* [e] flea.
блошка *s.* (*gpl.* -шек) *dim.* flea.
блуд *s.* fornication, lechery, lewdness.
блуд=ить I. 1. [a] *vn.* to lead a dissolute life, to fornicate; to play pranks.
блуд/ник *s.* [a] debauchee, dissolute man || **-ница** *s.* dissolute woman || **´-ный** *a.* dissolute, lewd, loose; **~ сын** (*bib.*) the Prodigal Son || **´-ня** *s.* (*us. in pl.*) prank, mad trick.
блужда-ть II. *vn.* (*Pf.* про-) to err, to wander, to stroll, to roam.
блуза *s.* blouse, workman's smock-frock; (billiards) pocket.
блюдение *s.* observation, perception.
блюд/ечко *s.* (*gpl.* -чек) small dish; **чайное ~** saucer || **-о** *s.* dish; course || **-олиз** *s.*, **-олизница** *s.* parasite, sponge, toady || **-у** *cf.* **блюсти** || **-це** *s. dim.* small dish, bowl.
блюешь *cf.* **блевать.**
блюсти 22. [a 2.] *va.* (*Pf.* co-) to observe, to watch over; to keep, to preserve.
блюститель/ *s. m.*, **-ница** *s.* observer, keeper, guardian || **-ный** *a.* vigilant, watchful.
блюю *cf.* **блевать.**
бладь *s.f.* whore.
бля/ха *s.* tin-plate; (brass) plate, badge, ticket || **-ш(еч)ка** *s.* (*gpl.* -ш[еч]ек) *dim. of prec.*
боа *s. m. indecl.* boa(-constrictor); (fur-) boa.
боб/ *s.* [a] bean || **-ёр** *s.* [a] (*gsg.* -бра) beaverskin; beaver || **-ина** *s.* bean pod; bobbin || **-инка** *s.* (*gpl.* -нок) bean; reel (of cotton thread) || **-овина** *s.* bean-plant || **-овник** *s.* dwarf almond, wild peach || **-р** *s.* [a] beaver; **морской ~** sea-otter || **-ровый** *a.* beaver's, beaver- || **-ыль** *s. m.* [a], **-ылка** *s.* (*gpl.* -лок) landless peasant.
Бог *s.* [c] (*V.* Боже) God, a (heathen) god; **ей Богу!** by God! **дай ~!** God grant that . . ., would to God that . . .; **слава Богу** thanks be to God.

богаде́ль/ный *a.*, ~ **дом** *or* **-ня** almshouse, poor-house.
богате́-ть II. *vn.* (*Pf.* раз-) to grow, to become rich.
богат=и́ть I. 6. [a] *va.* (*Pf.* о-) to enrich.
бог/а́тство *s.* wealth, riches || **-а́тый** *a.* (*comp.* бога́че & богате́е) rich, wealthy || **-аты́рь** *s. m.* [a] hero, warrior || **-аты́рский** *a.* heroic || **-а́ч** *s.* [a] a rich man || **-а́че** *pdc. of* бога́тый || **-а́чка** *s.* (*gpl.* -чек) a rich woman || **-и́ня** *s.* goddess.
бого/боязли́вый & **-боя́з(нен)ный** *a.* godfearing, pious || **-вдохнове́нный** *a.* divinely inspired || **-ви́дный** *a.* godlike || **-держа́вие** *s.* theocracy || **-ма́з** *s.* bad painter of sacred pictures || **Б-ма́терь** *s. f.* the mother of God, Our Lady || **-ме́рзкий** *a.* godless, impious, infamous || **-мо́л** & **-мо́лец** *s.* (*gsg.* -льца) devotee; pilgrim; **-мо́лица** & **-мо́лка** *s.* (*gpl.* -лок) devotee, pilgrim || **-мо́лье** *s.* prayer; pilgrimage || **-мо́льный** *a.* devout, pious || **-отсту́пник** *s.*, **-ница** *s.* apostate || **-подо́бный** *a.* godlike || **-позна́ние** *s.* knowledge of God || **-почита́ние** *s.* divine worship || **-проти́вный** *a.* godless, impious || **Б-ро́дица** *s.* Our Lady, the mother of God || **-сло́в** *s.* theologian, divine || **-сло́вие** *s.* theology, divinity || **-служе́бный** *a.* of the divine service, mass- || **-служе́ние** *s.* divine service, the mass || **-твор=и́ть** II. [a] *va.* (*Pf.* о-) to deify, to idolize || **-уго́дник** *s.* a just man, a saint; **-ница** *s.* a just woman, a saint || **-уго́дный** *a.* pious, pleasing in the sight of God || **-храни́мый** *a.* protected by God || **-ху́льник** *s.*, **-ница** *s.* blasphemer || **-ху́льнича-ть** II. *vn.* to blaspheme || **-ху́льство** *s.* blasphemy || **Б-явле́ние** *s.* the Feast of the Epiphany, Twelfth Day.
бода́-ть II. *va.* (*Pf.* за-, *mom.* бодн-у́ть I. [a]) to butt, to gore (with the horns).
бодли́вый *a.* fond of butting.
бодмере́я *s.* (*comm.*) bottomry.
бодну́ть *cf.* **бода́ть.**
бодр=и́ть II. [a] *va.* (*Pf.* о-) to encourage, to cheer up || **~ся** *vr.* to take courage, to pluck up heart; to boast.
бо́др/ость *s. f.* alertness; courage; vigour, activity || **-ство+вать** II. *vn.* to be awake, to be alert; to stay up (the night) || **-ый** *a.* alert, vigilant; courageous; fresh, vigorous.
боево́й *a.* battle-, war-; striking.
бое́ц *s.* [a] (*gsg.* -ойца́) champion, fighter, swordsman; **кула́чный ~** boxer, pugilist, prize-fighter.
божба́ *s.* swearing, oath, asseveration.
Бо́же *cf.* **Бог.**
бо́ж/еский & **-е́ственный** *a.* divine || **-ество́** *s.* divinity || **-ий** *a.* God's, of God, divine.
бож=и́ться I. [a & c] *vn.* to swear, to asseverate.
божни́ца *s.* shrine; chapel; heathen temple.
божо́к *s.* [a] (*gsg.* -жка́) small idol.
бой/ *s.* battle, fight, encounter; **брать бо́ем** to take by storm; **кула́чный ~** boxing-match || **´кий** *a.* (*comp.* бойче́е & бо́йче) nimble, ready, adroit; smart, lively; (ме́сто) frequented || **´кость** *s. f.* alertness, adroitness || **-коти́ро+вать** II. *va.* to boycott, to outlaw || **-ни́ца** *s.* loop-hole, embrasure || **´ня** *s.* (*gpl.*-бен) slaughter-house; (*fig.*) massacre, butchery, carnage || **-че́е** *comp. of* бо́йкий.
бок/ *s.* [b ♀] side; **на́ ~, бо́ком** sideways, laterally; **~ о́ ~** side by side || **-а́л** *s.* goblet, (champagne) glass || **-а́льчик** *s.* small goblet || **-ово́й** *a.* lateral, side- || **-с** *s.* a boxing-match, pugilism, prize-fighting || **-сёр** *s.* boxer, pugilist, prize-fighter || **-си́ро+вать** II. *vn.* to box.
болва́н/ *s.* wig-block; (*fam.*) idiot, blockhead || **-ка** *s.* (*gpl.* -нок) ingot of iron.
бо́лверк *s.* bulwark, bastion.
болево́й *a.* painful.
бо́лее *ad.* (*comp.* of мно́го) more, longer.
боле́/зный *a.* unfortunate; pitiable; compassionate || **-знь** *s. f.* illness, sickness, malady.
боле́-ть II. *vn.* (+ *I.*) to be ill, to suffer from; (о + *G.*) to be anxious about.
бол=е́ть II. [a] *v.imp.* to ache, to pain; **у меня́ голова́ боли́т** I have a headache.
бо́ло́н/ь *s. f.* (*bot.*) sap-wood, alburnum || **-а́** *s.* knob, knot (in trees) || **´ка** *s.* (*gpl.* -нок) lap-dog.
боло́т/ина *s.* a marshy spot || **-истый** *a.* marshy, boggy, fenny, swampy || **-ный** *a.* moor-, bog- || **-о** *s.* moor, fen, swamp, morass.
болт *s.* [a] bolt, rivet, pin.
болта́-ть II. *va.* (*Pf.* вз-) to shake; to whisk, to whip (cream, eggs, etc.) || **~ся** *vr.* to totter, to shake, to dangle; to lounge about; (*Pf.* на-, по-, вы-, *mom.* болтн-у́ть I. [a]) to chatter, gossip, babble, prate.
болт/ли́вый *a.* loquacious, chattering || **-овня́** *s.* chatter, gossip, chit-chat || **-у́н**

s. [a] chatter-box; addle-egg; (*fig.*) failure || **-у́нья** *s.* (female) chatter-box.
боль/ *s.f.* pain, ache || **-ни́ца** *s.* hospital, infirmary || **-ни́чный** *a.* hospital- || **⁄-но** *ad.* painfully; (*fam.*) very, awfully || **-но́й** *a.* sick, ailing; (*as s.*) patient || **-ша́к** *s.* [a] (*vulg.*) eldest son; village elder || **⁄-ше** (*comp. of* мно́го & *pdc. of* большо́й & вели́кий) greater, more; **~ всего́** most of all || **-шинство́** *s.* majority, the most || **⁄-ший** (*comp. of* большо́й & вели́кий) greater, larger; **⁄-шею ча́стью** for the most part, chiefly || **-шо́й** *a.* (*pdc.* бо́льше) big, great, large, grown-up || **-шу́щий** *a.* (*fam.*) exceedingly large, enormous.
боля́чка *s.* (*gpl.* -чек) scab, scurf.
бо́мба/ *s.* bomb bomb-shell || **-рдиро-ва́ние** & **-рдиро́вка** *s.* (*gpl.* -вок) bombardment || **-рди́ро+ва́ть** II. [b] *va.* to bombard, to bomb, to shell.
бонбонье́рка *s.* (*gpl.* -рок) box for sweets.
бонд/а́рня *s.* (*gpl.* -рен) cooperage || **-а́рь** *s. m.* [a] cooper.
бо́нна *s.* (children's) nurse, nursemaid.
бонто́н *s.* bon-ton, good breeding.
бор *s.* taking; demand (for goods); coniferous forest.
бордо́ *s. indecl.* Bordeaux (wine), claret.
бордю́р *s.* border, trimming; frame.
боре́й *s.* Boreas, the North wind.
боре́ц *s.* [a] (*gsg.* -рца́) wrestler, fighter.
борзо́й *a.* speedy, fast (of dogs); **борза́я соба́ка** greyhound.
бо́рзый *a.* fast (of horses).
бормот-а́ть I. 2. [c] *vn.* (*Pf.* про-) to murmur, to mutter, to grumble to o.s.
бормоту́н/ *s.* [a], **-ья** *s.* mutterer, grumbler.
бо́ров/ *s.* (castrated) boar || **-и́к** *s.* [a] the yellow boletus, edible mushroom || **-о́к** *s.* [a] (*gsg.* -вка́) young pig, small boar.
бород/а́ *s.* [f] beard || **-а́вка** *s.* (*gpl.* -вок) wart || **-а́тый** *a.* bearded || **-а́ч** *s.* [a] full-bearded man.
боро́д(оч)ка *s.* (*gpl.* -бдок, -бдочек) small beard; key-bit.
бородобре́й *s.* barber.
бородо́к *s.* [a] (*gsg.* -дка́) punch.
борозда́ *s.* [f] furrow, trench.
борозд=и́ть I. 1. [a] *va.* (*Pf.* вз-) to furrow, to dig furrows, to ridge; **~ мо́ре** to plough the sea.
боро́здчатый *a.* furrowed, full of furrows.
борона́ *s.* [f] harrow.
борон=и́ть II. [a] *va.* (*Pf.* вз-) to harrow.
бор-о́ться II. [c] *vr.* (*Pf.* по-) to struggle, to contend.
борт/ *s.* border, hem; (billiard) cushion; (*mar.*) board || **-ово́й** *a.* (*mar.*) board-.
борть *s.f.* [c] wild bees' nest (in a tree-hollow); beehive.
борщ *s.* [a] beetroot soup.
боры́ *s. mpl.* [b] folds (in a dress).
борьба́ *s.* struggle, strife.
босико́м *ad.* barefoot.
босо́й *a.* barefooted, barelegged.
босо/но́гий *a.* barefooted, barelegged || **-но́жка** *s. m&f.* (*gpl.* -жек), barefooted person || **-та́** *s.* barefootedness; (*fig.*) extreme poverty.
босто́н *s.* (*cards*) boston.
育ося́к *s.* [a] barefooted person; vagabond, tramp.
бота́н/ик *s.* botanist || **-ика** *s.* botany.
бот *s.* boat; lighter.
ботв/а́ *s.* beetroot leaves; leaves and stalks of other vegetables || **-и́нья** *s.* cold beetroot soup.
боте́лый *a.* fat, stout, corpulent.
бо́т/ик *s.* small boat || **-и́нка** *s.* (*gpl.* -нок) (lady's) half-boot || **-фо́рт** *s.* (*us. in pl.*) jack-boots || **-ы́** *s. mpl.* [a] (peasant's) rough boots.
бо́цман *s.* boatswain.
боча́р/ *s.* [a] cooper || **-ный** *a.* cooper's || **-ня** *s.* (*gpl.* -рен) cooperage.
боче́н=иться II. *vr.* (*Pf.* под-) to lie down on one's side; to set one's arms akimbo.
бочёнок *s.* (*gsg.* -нка) *s.* small barrel, keg.
бо́чк/а *s.* (*gpl.* -чек) cask, barrel || **-о́м** *ad.* sideways.
боязли́вый *a.* timid, timorous.
боя́знь *s.f.* fear, timidity.
боя́р/ин *s.* (*pl.* -я́ре, -я́р, etc.) bojar, noble || **-ский** *a.* noble, bojar's.
бо=я́ться II. [a] *va&n.* (*Pf.* по-) to fear, to dread, to be afraid (of).
брави́ро+вать II. *vn.* to brave, to defy.
бра́га *s.* mash; (home-made) beer.
брадобре́й *s.* barber.
бра́жник *s.* feaster, reveller; (*fam.*) boozer.
бра́жнича-ть II. *vn.* to carouse, to drink; (*fam.*) to booze.
бразды́ *s. fpl.* bridle, reins, curb.
брак/ *s.* marriage, matrimony; refuse, trash || **-о+ва́ть** II. [b] *va.* (*Pf.* за-, о-) to sort out; to reject (what is bad) || **-овщи́к** *s.* [a] sorter || **-оразво́дный** *a.* divorce- || **-осочета́ние** *s.* marriage, wedding.
брама́н *s.* brahmin.
бра́мсель *s. m.* (*mar.*) main-topgallant sail.

бранд/ва́хта *s.* guard-ship || **-́ер** *s.* (*mar.*) fireship || **-ме́йстер** *s.* head fireman.
бран=и́ть II. [a] *va.* (*Pf.* по-) to abuse, to scold, to blame || **~ся** *vr.* to quarrel, to bicker.
бран/ли́вый *a.* quarrelsome || **-́ный** *a.* abusive; martial, war-.
бра́ный *a.* fancy, chequered.
брасле́т *s.* bracelet.
брата́-ться II. *vr.* (*Pf.* по-) to fraternize.
брат *s.* (*pl.* бра́тья, -тьев etc.) brother; my dear fellow; **двою́родный, трою́родный ~** 1st, 2nd cousin; **~ то́лько по отцу́** *или* **ма́тери** half-brother.
бра́т/ец *s.* (*gsg.* -тца) *dim.* young brother; my dear fellow! || **-ия** *s.* brotherhood, brethren || **-олю́бие** *s.* love of one's brother *or* neighbour || **-оуби́йство** *s.* fratricide (crime) || **-оуби́йца** *s.* fratricide (person) || **-ский** *a.* fraternal, brotherly || **-ство** *s.* brotherhood, confraternity.
брать 8. [a 3.] *va.* (*Pf.* взять 37. [a], *Fut.* возьму́, -мёшь, etc.) to take, to seize; to receive; (у *or* от + *G.*) to borrow from; **э́то ружьё берёт далеко́** this gun carries far || **~ся** *vn.* to take upon o.s., to undertake; **~ за ору́жие** to take up arms.
бра́чный *a.* nuptial, matrimonial.
брев/енча́к *s.* high forest || **-но́** *s.* [d] (*pl.* брёвна, -вен) beam, balk.
бред *s.* [°] raving, delirium.
бре́д=ить I. 1. *vn.* (*Pf.* за-, с-) to dream, to rave, to be delirious.
бре́дни *s. fpl.* nonsense; ravings.
бре́зга-ть II. *vn.* (+ *I.*) to dislike, to have an aversion to, to loathe.
брезг/ли́вость *s. f.* disgust, aversion || **-ли́вый** *a.* fastidious, squeamish || **-у́н** *s.* [a], **-у́нья** *s.* fastidious *or* dainty person.
брезе́нт *s.* tarpaulin.
бре́зж=иться I. *vn.* to dawn, to break (of the day); to gleam.
брело́к *s.* trinket, charm.
бремен=и́ть I. [a] *va.* to load, to overburden; to oppress.
бре́мя *s. n.* [b] (*gsg.* -мени) burden, load.
бре́н/ность *s. f.* transitoriness, fragility || **-ный** *a.* fragile, perishable, transitory.
бренч=а́ть I. *vn.* [a] (*Pf.* за-, про-) to strum, to thrum (on piano, etc.).
брести́ & бресть 22. [a 2.] *vn.* (*Pf.* по-) to lounge, to shamble.
брете́р *s.* bully, brawler, rowdy.
брех-а́ть I. 3. [e] *vn.* (*Pf.* [с-]брехн-у́ть I. [a]) to bark, to yelp, to bawl; to tell lies; to talk big, to draw the long bow.
бреш *s.* & **брешь** *s. f.* breach.
бриг *s.* (*mar.*) brig.
брига́д/а *s.* brigade || **-и́р** *s.* brigadier.
брике́т *s.* briquette.
бри́льня *s.* (*gpl.* -лен) barber's (shop), hairdresser's.
бриллья́нт/ *s.* brilliant, diamond || **-овый** *a.* diamond-.
бри́т/ва *s.* razor || **-венный** *a.* shaving-; **~ реме́нь** strop.
брить 30. [b] *va.* (*Pf.* вы́-, по-) to shave || **~ся** *vr.* to shave (o.s.).
бритьё *s.* shaving.
бри́чка *s.* (*gpl.* -чек) a light carriage.
бров/ь *s. f.* [c] eyebrow || **-а́стый** *a.* with thick eyebrows.
брод *s.* ford.
брод=и́ть I. 1. [c] *vn.* (*Pf.* по-) to stroll, to wander about.
брод/я́га *s. m&f.* stroller, vagabond, tramp || **-я́жество** *s.* tramping, vagabondage. || **-у́** *cf.* **броди́ть.**
брож/е́ние *s.* strolling; fermentation ||
бром/ *s.* (*chem.*) bromine || **-́овый** *a.* bromic.
броне/но́сец *s.* (*gsg.* -сца) armour-clad (ship); (*zool.*) armadillo || **-но́сный** *a.* armoured, armour-clad.
бро́нза *s.* bronze.
бронзо+ва́ть II. [b] *va.* (*Pf.* на-) to bronze.
бро́ня *s.* armour, harness.
броса́-ть II. *va.* (*Pf.* бро́с=ить I. 3.) to throw, to fling, to hurl; to abandon, to give up || **~ся** *vr.* to rush, to hurl o.s.
брош/ирова́ние & -иро́вка *s.* stitching (books) || **-иро+ва́ть** II. [b] *va.* (*Pf.* с-) to stitch (books) || **-́ка** *s.* (*gpl.* -шек) brooch || **-ю́ра** *s.* pamphlet.
брулье́н *s.* rough draft, rough copy.
брус/ *s.* (*pl.* бру́сья, -сьев) beam, balk; hone, whetstone; (*in pl.*) parallel bars (for gymnastics) || **-ни́ка** *s.* cranberry || **-ни́чник** *s.* cranberry-bush || **-о́к** *s.* [a] (*gsg.* -ска́) hone, whetstone || **-о́чек** *s.* (*gsg.* -чка) *s.* small hone || **-́твер** *s.* breastwork, parapet.
бру́тто *ad.* gross || **~** *s. indecl.* gross weight.
брыже́йка *s.* mesentery.
брызг/ *s.* sprinkling, spraying; (*in pl.*) spray || **-а́лка** *s.* (*gpl.* -лок) & **-а́ло** *s.* syringe, squirt; spray.
бры́зг-ать I. 1. & **бры́зга-ть** II. *vn.* (*Pf.* бры́зн-уть I.) to splash, to spurt, to sputter.
брыка́-ть II. & **~ся** (*Pf.* брыкн-у́ть I. [a]) to kick.
брысь! *int.* shoo!

брюзг/á *s. m&f.* (*gpl.* -зóг) grumbler, growler || **–ли́вый** *a.* morose, sullen || **⁄лый** *a.* bloated || **⁄н-уть** I. *vn.* (*Pf.*) to swell up, to become bloated.

брюзж=áть I. [a] *vn.* (*Pf.* за-) to grumble, to growl.

брю́ква *s.* large turnip.

брю́ки *s. fpl.* breeches, trousers.

брюнéт/ *s.* dark man || **–ка** *s.* (*gpl.* -ток) dark woman; brunette.

брюх/áстый *a.* big-bellied, abdominous || **–áтая** *a.* pregnant.

брюхáте-ть II. *vn.* (*Pf.* о-) to become pregnant.

брю́хо *s.* belly, paunch; big belly; (*vulg.*) pregnancy.

брюш/и́на *s.* peritoneum || **–и́ще** *s.* (*fam.*) big belly || **–кó** *s. dim.* small belly || **–нóй** *a.* abdominal.

бряк! *int.* smash! bang!

бря́ка-ть II. *vn.* (*Pf.* бря́кн-уть I.) to jingle, to rattle || ~ *va.* to fling (away) noisily; to blurt out.

бряку́шка *s.* (*gpl.* -шек) (children's) rattle.

бряцáло *s.* clapper.

бряцá-ть II. *vn.* to jingle, to clink, to rattle.

бу́бен/ *s.* (*gsg.* -бна) tambourine, tabor || **⁄чик** *s.* small tambourine || **⁄щик** *s.* tambourine player.

бу́бны *s. fpl.* (*gpl.* -бен) diamonds (at cards).

бугóр/ *s.* [a] (*gsg.*-грá) hillock, hill; heap, mound || **–óк** *s.* [a] (*gsg.* -ркá) hillock, mound; tubercle || **–чáтка** *s.* tuberculosis || **–чáтый** *a.* hill-like; tuberculous.

бу́день *s. m.* (*gsg.* -дня) (*us. in pl.*) workday, week-day; **в бу́дни** on week-days.

буди́льник *s.* alarm-clock.

буд=и́ть I. 1. [c] *va.* (*Pf.* про-, раз-) to waken; to arouse.

бу́д/ка *s.* (*gpl.* -док) sentry-box; watchman's hut || **–ничный & –нишний** *a.* everyday, work-day.

будорáж=ить I. *va.* (*Pf.* вз-) to excite, to disquiet.

бу́дочник *s.* policeman, watchman.

бу́дто *c.* as if; that.

будуáр *s.* boudoir.

бу́дущ/ий *a.* future, to come, coming || **–ее** *s.* the future, time to come || **–ность** *s. f.* future, futurity.

буерáк *s.* ravine, defile, gorge.

буженúна *s.* boiled (*also* fried) pork, pickled pork.

бузá *s.* a drink made from buckwheat and oats; home-made beer.

бузинá *s.* elder (-tree).

буй/ *s.* buoy, beacon || **⁄вол** *s.* buffalo || **⁄ность** *s. f.* impetuosity, boisterousness; pride; turbulence || **⁄ный** *a.* boisterous, impetuous; proud; turbulent || **⁄ство** *s.* impetuosity, violence, turbulence || **⁄ство+вать** II. *vn.* to create disturbance, to act disorderly, to rage, to storm.

бук/ *s.* beech (-tree) || **⁄а** *s. m&f.* bugbear, the black man (to scare children); misanthrope, unsociable fellow || **–áшка** *s.* (*gpl.* -шек) small beetle || **⁄ва** *s.* letter (of alphabet), character || **–вáльный** *a.* literal, word for word, exact || **–вáрь** *s. m.* [a] ABC-book, spelling-book, primer || **–éт** *s.*, *dim.* **–éтик** *s.* bouquet (of flowers and of wine), nosegay || **–инúст** *s.* second-hand bookseller || **⁄ля** *s.* lock (of hair) || **–сúр** *s.* tow-rope; tug, tug-boat; **взять на ~** to take in tow || **–сиро+вáть** II. [b] *va.* to tow, to take in tow.

булавá *s.* club; mace; hetman's staff of office.

булáвка *s.* (*gpl.* -вок) pin.

булáвочка *s.* (*gpl.* -чек) small pin.

бул/áвчатый *a.* speckled, dappled, spotted || **–áный** *a.* fallow, pale yellow, cream-coloured (of horses) || **–áт** *s.* (Damascus) steel || **–áтный** *a.* steel || **⁄ка** *s.* (*gpl.* -лок) white loaf, (French) roll.

бу́лла *s.* (Papal) bull.

бу́лоч/ка *s.* (*gpl.* -чек) small French roll || **–ник** *s.* baker || **–ный** *a.* baker's || **–ная** (*as s.*) bakery, baker's (shop).

бултыхá-ть II. [b] *va.* (*Pf.* бултыхн-у́ть I. [a]) to shake, to stir about; to throw into the water || **~ся** *vr.* to plump, to plop (into water).

булы́ж/ник *s.* rough stone, cobble (-stone), pebble || **–ный** *a.* stone.

бульвáр *s.* boulevard, (public) walk.

бульдóг *s.* bulldog.

бульóн *s.* broth, beef-tea.

бумáг/а *s.* paper, writing-paper, document; **хлопчáтая ~** cotton || **–омарáтель** *s. m.*, **–ница** *s.* scribbler || **–опродáвец** *s.* (*gsg.* -вца) stationer || **–опрядúльня** *s.* (*gpl.* -лен) cotton-mill.

бумáж/(еч)ка *s.* (*gpl.* -áжек, -áжечек) paper slip, note, banknote || **–ник** *s.* pocket-book || **–ный** *a.* paper; cotton.

бумазéя *s.* bombasine, fustian, dimity.

бунт/ *s.* riot, mutiny, insurrection || **–о+вáть** II. [b] *va.* to stir up, to incite to rebellion || **~ & ~ся** *vn.* to mutiny, to rebel || **–овскóй** *a.* mutinous, rebellious, riotous || **–овщúк** *s.* [a], **–овщúца** *s.* rebel, mutineer.

бурá *s.* borax.

бурáв *s.* [a] borer.

бура́в=ить II. 7. *va.* (*Pf.* про-) to bore, to pierce.
бура́к/ *s.* [a] cylindrical vessel of birch-bark; cracker, squib || **–и́** *s.mpl.* (*G.* -о́в) beetroot.
бура́н *s.* snow-storm.
бургоми́стр *s.* burgomaster.
бурд/а́ *s.* bad liquor, sloppy beverage || **–ю́к** *s.* [a] wine-skin (of goat-skin in the Caucasus).
буре/ва́л *s.* violent storm || **–ве́стник** *s.* stormy petrel.
бур=и́ть II. [a] *va.* to bore, to pierce.
бу́рк/а *s.* (*gpl.* -рок) brown horse; felt cloak || **–а́л=ить** II. *vn.* to gape about, to stare || **–ало** *s.* sling || **–алы** *s. npl.* (*vulg.*) goggle-eyes.
бурл/а́к *s.* [a] (boat) hauler; (*vulg.*) rude fellow || **–и́вый** *a.* noisy, turbulent; raging.
бурл=и́ть II. [a] *vn.* to storm, to rage, to bluster.
бурми́стр *s.* bailiff, land-agent, steward of an estate.
бу́рный *a.* stormy, tempestuous; wild (of passions).
бурну́с *s.* burnouse, hood.
бу́рс/а *s.* theological seminary || **–а́к** *s.* [a] student of a theological seminary.
буру́н *s.* [a] breakers, surf.
бу́рый *a.* dark-brown, chestnut.
буре́-ть II. *vn.* to become dark brown.
бу́ря *s.* storm, tempest; foul weather.
бу́сы *s. fpl.* glass beads.
бут/ *s.* rubble, rubble foundation || **–афо́р** *s.* (*theat.*) property-man || **–ербро́т** *s.* sandwich.
бут=и́ть I. 2. [a] *va.* (*Pf.* вы́-) to fill up with rubble.
буто́н/ *s.* bud || **–ье́рка** *s.* (*gpl.* -рок) button-hole, nosegay.
бу́тор *s.* (*fam.*) one's goods and chattels; lumber.
буты́л/ка *s.* (*gpl.* -лок) bottle || **–очка** *s.* (*gpl.* -чек) *dim.* small bottle, phial || **–ь** *s. f.* large bottle.
бу́фер *s.* [b] (*pl.* буфера́) buffer.
буфе́т/ *s.* buffet; sideboard; refreshment room || **–чик** *s.*, **–чица** *s.* landlord, bartender.
буфо́н *s.* buffoon, jester.
бух! *int.* bang! bump!
бу́ха-ть II. *va.* (*Pf*, *mom.* бу́хн-уть I.) to bump noisily, to bang || **~** & **~ся** *vn.* to bump noisily against something, to fall noisily.
бухга́лтер/ *s.*, **–ша** *s.* book-keeper || **́–ия** *s.* book-keeping.
бу́хн-уть I. *vn.* (*Pf.* раз-) to swell, to dilate || **~** *va. cf.* **бу́хать.**
бу́хта *s.* bay, bight.
бу́ч=ить II. *va.* (*Pf.* вы́-) to buck, to wash (in lye).
буя́н *s.* rowdy, brawler, bully; wharf, landing-place.
буя́н=ить II. *vn.* to bluster, to rage.
б. ч. *abbr. of* **бо́льшею ча́стью** for the most part.
бы (**б**) a particle which added to the Preterite forms the Subjunctive and Conditional.
быва́л/ец *s.* (*gsg.* -льца) an experienced, resourceful man || **–ый** *a.* experienced; which has occurred.
быва́-ть II. *vn.* to be, to be accustomed to; **он быва́ло гуля́л** formerly he often used to take a walk; (*Pf.* по-) (у + *G.*) to visit, to frequent, to call on.
бы́вший *a.* former, ex-, late, quondam.
бык *s.* [a] ox; buttress, stay, pier.
были́н/а *s.* blade of grass; (historical) saga, legend || **–ка** *s.* (*gpl.* -нок) *dim.* blade of grass.
бы́ло used with verbs in the sense of: almost, nearly, about to, on the point of; **я сказа́л ~, я хоте́л ~ говори́ть** I was just about to say; **я чуть ~ не упа́л** I was on the point of falling.
было́й *a.* past, former.
быль *s. f.* true tale, event; fact; historical legend.
быстр/ина́ *s.* [d] rapids (in a river) || **–огла́зый** *a.* quick-eyed || **–оно́гий** *a.* quick-footed || **–ота́** *s.* speed, quickness || **–оте́чный** *a.* swift-flowing.
бы́стрый *a.* quick, swift, rapid.
быт/ *s.* manner of living, state, condition || **–ие́** *s.* existence, being; **кни́га –ия́** Genesis || **́–ность** *s. f.* residence, stay; sojourn, presence || **–ово́й** *a.* true to life || **–описа́ние** *s.* history || **–описа́тель** *s. m.* historian.
быть/ 49. *vn.* to be, to exist; to happen (у + *G.*) to have; **как ~?** what is to be done? || **–ё** *s.* existence, presence.
быч/а́тина *s.* beef || **–а́чий** *a.* bull's, ox-, beef- || **–и́ще** *s.* large bull or ox || **–о́к** *s.* [a] (*gsg.* -чка́) young ox, bullock.
бьёшь, бью *cf.* **бить.**
бюдже́т *s.* budget.
бюллете́нь *s. m.* bulletin.
бюро́/ *s.* bureau, writing-desk || **–кра́т** *s.*, **–ка** *s.* bureaucrat || **–крати́ческий** *a.* bureaucratic || **–кра́тия** *s.* bureaucracy.
бюст *s.* bust.

В

в (before heavy consonant groups **во**) *prp.* (+ *A.*) into, towards; (time) during, on, at; (price) for, the; **в окно́** out of the window; **в день** a day; **в сре́ду**

on Wednesday; (+ *Pr.*) in, on, at; (time) at, about; **в концé гóда** at the end of the year.

в- prefixed to the ordinal numbers in *Pr. pl.*; **в'десяты́х** in the tenth place.

вáб=ить II. 7. *va.* to lure, to entice.

вавилóны *s. mpl.* flourish, scroll; zigzag.

вáга *s.* (public) weighing-machine, weigh-bridge.

вагóн/ *s.* waggon, carriage || **~-буфéт** dining-car, restaurant-car; **багáжный ~** luggage-van.

вáжива-ть II. *iter. of* води́ть & вози́ть.

вáжнича-ть II. *vn.* (*Pf.* за-) to give o.s. airs, to assume airs, to boast.

вáж/ность *s. f.* importance, gravity; solemnness || **-ный** *a.* important, weighty, grave; of consequence; solemn || **-ня** *s.* (*gpl.* -жен) weigh-house.

вáз/а *s.* vase || **-ели́н** *s.* vaseline || **-очка** *s.* (*gpl.* -чек) *dim.* small vase.

вакáн/сия *s.* vacancy, vacant position || **-тный** *a.* vacant, unoccupied.

вакац/иóнный *a.* holiday, vacation- || **´-ия** *s.* holidays, vacation.

вáкса *s.* blacking, shoe-cream.

вáкс=ить I. 3. *va.* (*Pf.* на-) to polish (boots).

вал *s.* [b°] rampart; (*mar.*) wave, roller; (*tech.*) rolling mill.

валáнда-ться II. *vn.* (*Pf.* про-) to waste, to fritter away one's time; to dally, to loiter.

валéжник *s.* windfallen wood, wood [blown down.

валёк *s.* [a] (*gsg.* -лькá) splinter-bar of a waggon; washing-beetle; roller.

вáленки *s. mpl.* felt boots.

валéт *s.* knave (at cards).

вáлец *s.* (*gsg.* -льца) roller.

вáлива-ть II. *iter. of* вали́ть & валя́ть.

вáлик *s.* small roller; cylindrical sofa-cushion, bolster.

вал=и́ть II. *va.* [c *or* a 1.] (*Pf.* по-, с-) to throw, to upset || **~** *vn.* to come in thick masses; to throng, to crowd || **~ся** *vr.* to topple over, to fall.

вáл/ка *s.* cutting down, felling (of timber); (*mar.*) careening || **-кий** *a.* tottering, unsteady; (на + *A.*) intent, bent on || **-овóй** *a.* wholesale, gross || **-ом** *ad.* in heaps, en gros || **-тóрна** *s.* bugle(-horn), French horn || **-у́н** *s.* round pebble, stone, cobblestone.

вальдшнéп *s.* woodcock, snipe.

вальс/ *s.* waltz || **-иро+вáть** II. [b] *vn.* (*Pf.* про-) to waltz.

валю́та *s.* value, amount; currency.

валя́ль/ня *s.* (*gpl.* -лен) fulling-mill || **-щик** *s.*, **-щица** *s.* fuller.

валя́-ть II. *va.* (*Pf.* по-) to roll; to knead; to full (cloth); (*fam.*) to drub || **~ся** *vr.* to roll o.s.; to wallow.

вам, вáми *prn.* to you, by you *cf.* **вы.**

вампи́р *s.* vampire.

вандали́зм *s.* vandalism.

вани́ль *s. f.* vanilla.

вáн/на *s.* bath, bath-tub || **-ный** *a.* bath-, bathing || **-ты** *s. fpl.* (*mar.*) shrouds.

вар *s.* boiling water; cobbler's wax; pitch.

вáрвар/ *s.*, **-ка** *s.* (*gpl.* -рок) barbarian || **-ский** *a.* barbarous, savage || **-ство** *s.* barbarity, inhumanity.

варгáн *s.* mouth-organ, jew's-harp.

вáр/ево *s.* broth, soup || **-ега** *s.* woollen glove without fingers, woollen mitten || **-éник** *s.* (*us. in pl.*) small pie filled with curds, etc. || **-ёный** *a.* boiled, cooked || **-éнье** *s.* preserves, jam, jelly.

вар=и́ть II. *va.* [a] (*Pf.* с-) to cook, to boil; to digest; to brew (beer) || **~ся** *vr.* to boil; to be digested.

вариáнт *s.* variant.

вариáция *s.* variation.

вáр/ка *s.* boiling, cooking; brewing || **-кий** *a.* cookable; good for boiling || **-ни́чка** *s.* cooking-lamp || **-ня** *s.* (*gpl.* -рен) brewery.

варя́г *s.* Varangian; itinerant pedlar.

вас *prn.* you, your *cf.* **вы.**

васил/ёк *s.* [a] (*gsg.* -лькá) corn-flower || **-иск** *s.* basilisk.

вассáл/ *s.* vassal || **-ьство** *s.* vassalage.

вáт/а *s.* wadding || **-áга** *s.* troop, band, horde, gang.

ватер/клозéт *s.* water-closet || **-ли́ния** *s.* water-line || **-пáс** *s.* water-level, level.

вáт(оч)ный *a.* wadded, of wadding.

ватру́шка *s.* (*gpl.* -шек) small cake (filled with sweetened curds and currants).

вáф/ельник *s.* wafer-baker || **-ельница** *s.* wafer-baker; waffle-iron || **-ля** *s.* (*gpl.* -фель) wafer, waffle.

вахл/áк *s.* [a] boil; knob (on trees); bump; blockhead || **-áчка** *s.* (*gpl.* -чек) coarse stupid woman.

вáх/мистр *s.* sergeant-major (of cavalry) || **-та** *s.* watch, guard || **-тер** *s.* [b] store-keeper || **-тпарáд** *s.* (*mil.*) parade.

ваш *prn.* your, yours

вая́/льный *a.* sculptural || **-ние** *s.* sculpture || **-тель** *s. m.* sculptor.

вая́-ть II. *va.* (*Pf.* из-) to sculpture, to carve; to cast (metals).

вбегá-ть II. *vn.* & **вбéгива-ть** II. *fr.* (*Pf.* вбежáть 46) to run in.
вберёшь, вберý *cf.* **вбирáть.**
вбивá-ть II. *va.* (*Pf.* вбить 27., *Fut.* вобью́, -бьёшь, etc.) to beat, to drive, to ram in; (*fig.*) to inculcate, to impress.
вбúвка *s.* beating, ramming in.
вбирá-ть II. *va.* (*Pf.* вобрáть 8. [a], *Fut.* вберý, -рёшь) to suck in, to absorb, to imbibe.
вблизú *ad.* near, in the vicinity, not far [off.
вбрáсыв-ать II. *va.* (*Pf.* вбрóс-ить I. 3.) to throw in, to cast in.
ввáлива-ть II. *va.* (*Pf.* ввал=ить II. [c]) to throw in, to rush in || **~ся** *vr.* to fall in; to rush in.
введéние *s.* introduction; **~ во храм Пресвятыя Богорóдицы** the Feast of the Presentation of Our Lady.
введý, введёшь *cf.* **вводúть.**
ввезý, ввезтú, ввезёшь *cf.* **ввозúть.**
ввергá-ть II. *va.* (*Pf.* ввéргнуть 52) to throw, to cast in || **~ся** to cast o.s. in, to precipitate o.s. in.
ввéрение *s.* intrusting, confiding.
ввержéние *s.* casting in, rushing in.
вверúтель/ *s. m.*, **–ница** *s.* confider.
ввёртка *s.* twisting, screwing in.
ввёртыв-ать II. *va.* (*Pf.* ввер т=éть I. 2. [a], *mom.* ввернуть I. [a]) to twist, to screw in.
вверх/ *ad.* upwards, up, upstairs; **~ днóм** upside down, topsy-turvy || **–ý** *ad.* above, upstairs.
вверчý *cf.* **ввёртывать.**
вверя́-ть II. *va.* (*Pf.* ввéр=ить II.) to intrust, to confide.
ввестú *cf.* **вводúть.**
ввечерý *ad.* in the evening.
ввúнчива-ть II. *va.* (*Pf.* ввинт=úть I. 2. [a]) to screw in.
ввод=úть I. 1. [c] *va.* (*Pf.* ввестú & ввесть 22. [a 2.]) to lead in, to introduce; to insert; to install.
ввод/ *s.* introduction, insertion, installation || **ˊ–ный** *a.* introduced, inserted, installed.
ввожý *cf.* **вводúть** & **ввозúть.**
ввоз/ & **ˊ–ка** *s.* importation; imports *pl.*
ввоз=úть I. 1. [c 1.] *va.* (*Pf.* ввезтú & ввезть 25. [a 2.]) to import, to bring in.
ввóзный *a.* imported, import-; **–ная пóшлина** import-duty.
волáкива-ть II. *va.* (*Pf.* вволóчь 18. [a 2.] to draw, to drag in.
ворáчива-ть II. *va.* (*Pf.* вворот=úть I. 2. [c]) to roll in, to shove in.

ввя́зыва-ть II. *va.* (*Pf.* ввяз-áть I. 1. [c]) to tie in, to knit in; to implicate in || **~ся** *vr.* to interfere, to meddle in, to become implicated in.
вгиб *s.* fold, bend (inwards).
вгибá-ть II. *va.* (*Pf.* вогн-ýть I. [a]) to bend inwards.
вглубля́-ть II. *va.* (*Pf.* вглуб=úть II. 7. [a]) to deepen, to make deeper.
вгля́дыва-ться II. *vn.* (*Pf.* вгляд=éться I. 1. [a]) (во что) to take careful stock of, to examine thoroughly.
вгнéздива-ться II. *vr.* (*Pf.* вгнезд=úться I. 1. [a]) to settle down, to nestle.
вгоня́-ть II. *va.* (*Pf.* вогнáть 11. [c], *Fut.* вгоню́, вгóнишь) to drive in, to beat in.
вгребá-ть II. *va.* (*Pf.* вгрестú & вгресть 21. [a 2.]) to rake in.
вгружá-ть II. *va.* (*Pf.* вгруз=úть I. 1. [a]) to load, to ship (cargo).
вдавáть 39. [a] *va.* (*Pf.* вдать 38.) to hand up or in || **~ся** *vr.* to give o.s. up to, to take up.
вдáвлива-ть II. *va.* (*Pf.* вдав=úть II. 7.) to force in, to crush in.
вдáлбива-ть II. *va.* (*Pf.* вдолб=úть II. 7. [a]) to chisel in, to hew in; **~** (комý-либо что) **в гóлову** (*fig.*) to hammer in to one's brain.
вдал/екé & **–ú** *ad.* far away, at a great distance || **–ь** *ad.* (to go) far away, out into the world.
вдать *cf.* **вдавáть.**
вдвигá-ть II. *va.* (*Pf.* вдвúн-уть I.) to [shove, to push in.
вдвó е *ad.* doubly, twice, twofold || **–ём** *ad.* together with another, two together || **–йнé** *ad.* double, twofold, duplicate.
вдевá-ть II. *va.* (*Pf.* вдеть 32.) to thread (a needle).
вдéвятеро *ad.* nine times, ninefold.
вдéлыва-ть II. *va.* (*Pf.* вдéла-ть II.) to fit in, to set in.
вдёргива-ть II. *va.* (*Pf.* вдёрга-ть II., *mom.* вдёрн-уть I.) to pull in, to draw in, to thread (a needle).
вдéсятеро *ad.* ten times, tenfold.
вдеть *cf.* **вдевáть.**
вдирá-ться II. *vn.* (*Pf.* водрáться 8. [a 3.]) to force one's way in.
вдов/á *s.* widow || **–éц** *s.* [a] (*gsg.* -вцá) widower || **ˊ–ий** (-ья, -ье) *a.* widow's || **ˊ–оль** *ad.* sufficiently, in abundance || **–ствó** *s.* widowhood || **ˊ–ство+вать** II. *vn.* to be widowed, to be a widower; **ˊ–ствующая королéва** the dowager queen || **ˊ–ый** *a.* widowed; in the state of a widower.

вдолби́ть *cf.* **вда́лбливать.**
вдоль *ad.* (*G. or* по + *D.*) along, alongside; ~ **и попере́к** zig-zag, in all directions.
вдомёк *ad.*, **не ~ мне было** it did not enter my head.
вдо́сталь *ad.* wholly, completely.
вдохно/ве́ние *s.* inspiration || **–ве́нный** *a.* inspired || **–вля́-ть** II. *va.* (*Pf.* -в=и́ть II. 7. [a]) to inspire.
вдохну́ть *cf.* **вдыха́ть.**
вдруг *ad.* suddenly, of a sudden, all at once, abruptly.
вдува́-ть II. *va.* (*Pf.* вду-ть II., *mom.* вду́н-уть I.) to blow in, to inflate; to breathe in.
вду́мчивость *s. f.* power of concentrating one's mind on something.
вду́мыва-ться II. *vr.* (*Pf.* вду́ма-ться II.) to be absorbed in, to reflect deeply on.
вду́(ну)ть *cf.* **вдува́ть.**
вдыха́ние *s.* inhaling, inhalation.
вдыха́-ть II. *va.* (*Pf.* вдохн-у́ть I. [a]) to inhale, to breathe.
вегетариа́н/ец *s.* (*gsg.* -нца), **–ка** *s.* (*gpl.* -нок) vegetarian.
ве́да-ть II. *va.* to know; to supervise, to superintend || **~ся** *vr.* (с + *G.*) to have to deal with.
ве́дение *s.* knowledge, cognizance; report; jurisdiction.
веде́ние *s.* leading, conducting, managing; ~ **книг** book-keeping.
ведёр(оч)ко *s.* (*gpl.* -рок, -рочек) *dim.* small pail.
ведёшь *cf.* **вести́.**
ве́дом/о *s.*, **без –а** without my (your, etc.) knowing it; **с –а** with my (your, etc.) knowledge || **–ость** *s. f.* report; list; (*in pl.*) newspaper || **–ство** *s.* department, jurisdiction || **–ый** *a.* known; subordinate.
ведро́ *s.* [d] pail, bucket.
вёдро *s.* fine weather.
веду́ *cf.* **вести́.**
в'е́ду *cf.* **в'езжа́ть.**
вед/ь *c.* but; indeed, of course || **´–ьма** *s.* sorceress, witch; (*fam.*) old hag.
ве́ер *s.* fan.
ве́жливый *a.* polite, civil, well-mannered.
везде́/ *ad.* everywhere || **–су́щий** *a.* omnipresent || **–су́щность** *s. f.* omnipresence.
везти́ & везть 25. *va.* (*Pf.* по-, с-) to convey, to carry; to drive (in a car) || **~** *v.imp.* (*fig.*) **ему́ везёт** he's a lucky fellow.
ве́йка *s.* (*gpl.* -ёек) (Finnish) cabdriver, coachman.
ве́й(те) *Imp. of* вить.
век/ *s.* [b♀] eternity; century; time, period; life, generation || **´–о** *s.* eyelid || **–ове́чный** *a.* eternal || **–ово́й** *a.* long-lasting, eternal; life-long; rare, unusual.
ве́ксел/ь *s. m.* [b] bill of exchange || **–еда́тель** *s. m.*, **–ница** *s.* drawer (of a bill) || **–едержа́тель** *s. m.*, **–ница** *s.* holder (of a bill).
ве́кша *s.* squirrel.
веле/ле́пие *s.* magnificence, splendour || **–му́дрие** *s.* great wisdom.
веле́невый *a.*, **–ая бума́га** vellum (paper).
веле́ние *s.* command, order.
велеречи́вый *a.* eloquent, loquacious.
вел=е́ть II. [a] *va.* (*Pf.* ~ & по-) to order, to command; to recommend.
велика́н/ *s.* giant, monster || **–ша** *s.* giantess.
вели́кий *a.* (*pdc.* бо́льше, *comp.* бо́льший, *sup.* величайший; *pd.* вели́к, -ка́, -ко́, -ки́) great; grand(-duke, etc.).
велико/ду́шный *a.* magnanimous, generous || **–кня́жеский** *a.* grand-ducal || **–ле́пие** *s.* magnificence, splendour || **–ле́пный** *a.* magnificent, splendid || **–мо́чный** *a.* all-powerful || **–по́стный** *a.* lenten || **–ро́слый** *a.* tall, of great stature || **–све́тский** *a.* distinguished, genteel, refined.
велич/а́вый *a.* majestic; proud, haughty || **–а́йший** (*sup. of* вели́кий) greatest.
велича́-ть II. *va.* to exalt, to praise; to call a person by his patronymic.
вели́ч/ественный *a.* majestic, stately || **–ество** *s.* majesty, stateliness, grandeur || **–ина́** *s.* greatness; (*math.*) quantity || **–ие** *s.* greatness, grandeur, majesty.
вело/дро́м *s.* cycle-(racing) track; cycling-school || **–сипе́д** *s.* (bi)cycle; (*fam.*) bike || **–сипеди́ст** *s.*, **–ка** *s.* (*gpl.* -ток) cyclist || **–сипе́дный** *a.* cycle-.
вель/бо́т *s.* whale-boat; life-boat || **–мо́жа** *s.* lord, noble, magnate.
ве́на *s.* vein.
венери́ческий *a.* venereal.
вен/е́ц *s.* [a] (*gsg.* -нца́) crown; garland; halo; top, summit; **вести́ неве́сту под ~** to lead the bride to the altar || **–е́чный** *a.* crown-; wedding; nuptial.
ве́нзель *s. m.* [b] monogram, initials.
ве́ник *s.* (birch-)broom; switch (in Russian baths).
вено́к *s.* [a] (*gsg.* -нка́) garland, wreath.
вентиля́тор *s.* ventilator.
венце/но́сец *s.*, **–носица** *s.* crowned head; a saint || **–но́сный** *a.* crowned.
венч/а́льный *a.* nuptial, wedding- || **–а́ние** *s.* nuptials, wedding; coronation.

венчá-ть II. *va.* (*Pf* у-) to wreathe, to crown; (*Pf.* об-, по-) to marry.
вепрь *s. m.* wild boar. [credence.
вéра *s.* faith, belief, religion; confidence,
вéрба *s.* palm-branch; sallow-branch; (*in pl.*) market of palm branches.
верблю́д/ *s.* camel || **-ик** *s. dim.* young camel || **-ица** *s.* female camel.
верблю́жий *a.* (-ья, -ье) camel's.
вербо+вáть II. [b] *va.* (*Pf.* на-) to recruit, to enlist.
вербóв/ка *s.* recruiting || **-ник** *s.* (*bot.*) salicaria || **-щи́к** *s.* [a] recruiter, recruiting sergeant.
верёв/ка *s.* (*gpl.* -вок) rope, cord || **-очка** *s.* (*gpl.* -чек) twine, string.
вéред/ *s.* [b*] abscess, sore || **-ли́вый** *a.* covered with sores; irritable.
верез/гá *s.* (of children) bawler, crybaby || **-жáние** *s.* crying, whimpering, blubbering.
верени́ца *s.* long row, series; flock, flight.
вéреск *s.* (*bot.*) heather, heath.
веретенó *s.* [d] spindle; pivot; axle; shank (of anchor).
верещáга *s.* chatterbox, gossip; rowdy.
верещ=áть I. [a] *vn.* to chirrup, to chirp, [to twitter.
верея́ *s.* (door-)post.
верзи́ла *s.* a tall stout man.
вери́га *s.* (*us. in pl.*) chain, fetter, bond.
вери́тель/ *s. m.*, **-ница** *s.* mandator, constituent || **-ный** *a.* mandatory, constituent.
вéр=ить II. *vn.* (*Pf.* по-) (*D. or* в + *A.*) to believe, to have faith in; to trust, to have confidence in || **~ся** *v.imp.* (+*D.*) **мне не вéрится** I cannot believe it.
вéрки *s. mpl.* (fortification) works.
вермишéль *s. f. coll.* vermicelli.
вернёхонек *a.* quite right.
вернопóддан/нический *a.* loyal, faithful || **-ный** *a.* loyal, owing true allegiance to || **-ство** *s.* loyalty, true allegiance.
вéрность *s. f.* fidelity, loyalty; exactness; precision.
верн-у́ть I. [a] *va. Pf.* to bring back, to call back, to recall || **~ся** *vr.* to come back, to return.
вéрн/ый *a.* faithful, true; exact, precise; just, right || **-о** *ad.* certainly, assuredly; truly; exactly. [lieve in.
вéро+вать II. *vn.* (*Pf.* у-) (в + *A.*) to be-
веро/исповéдание *s.* confession of faith, creed || **-лóмец** *s.* (*gsg.* -мца), **-лóмка** *s.* (*gpl.* -мок) false, disloyal person || **-лóмный** *a.* false, disloyal; perfidious || **-лóмство** *s.* perfidy; disloyalty || **-отсту́пник** *s.*, **-отсту́пница** *s.* apostate || **-отсту́пный** *a.* apostate || **-терпи́мость** *s. f.* religious toleration || **-терпи́мый** *a.* tolerant || **-я́тие** *s.* probability, plausibility; **по всему́ -я́тию** in all probability || **-я́тность** *s. f.* probability || **-я́тный** *a.* probable, likely.
версификáция *s.* versification.
верст/á *s.* [e & f] verst (= 3500 ft.) || **-áк** *s.* [a] work-bench, joiner's bench || **-áние** *s.* laying out equal; ranging; (*typ.*) imposing || **-áтка** *s.* (*gpl.* -ток) & **-áть** *s. f.* (*typ.*) composing-staff.
верстá-ть II. *va.* (*Pf.* по-, с-) to equalize, to level; (*typ.*) to make up into pages, to impose.
вéртел *s.* [b] (roasting-)spit.
вертéп *s.* cavern, cave, den (of robbers); (Christmas-)crib.
верт=éть I. 2. [a] *va.* (*Pf.* по-, *mom.* верн-у́ть I. [a]) to turn (round), to twist || **~ся** *vr.* to turn round, to twist, to [rotate.
вертикáльный *a.* vertical.
вёрткий *a.* turning easily.
верт/лó *s.* borer, auger || **-ля́вый** *a.* unsteady, restless; mobile || **-огрáд** *s.* (*sl.*) garden, vineyard || **-опрáх** *s.* giddy, light-headed person || **-опрáшный** *a.* giddy, frivolous, thoughtless || **-у́н** *s.* [a] tumbler-pigeon; top; empty-headed fellow || **-у́шка** *s.* (*gpl.* -шек) ventilator; giddy man or woman.
вéрую *cf.* **вéровать.**
верфь *s. f.* wharf, dockyard.
верх/ *s.* top, upper part, summit; crown (of head); uppers (in boots); upper storey, garret || **´-ний** *a.* upper, on the surface, superficial || **-óвный** *a.* highest, supreme || **-овóй** *a.* riding, mounted || **-óвье** *s.* the source, upper course (of a river) || **-огля́д** *s.*, **-ка** *s.* gaper, starer; superficial person || **´-ом** *ad.* heaped; upstairs, above || **-óм** *ad.* mounted, on horseback, astride || **-у́шка** *s.* (*gpl.* -шек) summit, peak, top.
верчéние *s.* twisting, boring; turning (on a lathe).
вéрченый *a.* roasted (on a spit); (*fig.*) giddy, mad.
вéрш/а *s.* weir-basket; (*fig.*) **попáсть в -у** to come to grief || **-éние** *s.* completion, conclusion || **-и́на** *s.* top, summit; source (of a river) || **-и́тель** *s. m.*, **-ница** *s.* completer, accomplisher.
верш=и́ть I. [a] *va.* (*Pf.* за-, по-) to complete, to conclude; to decide some one's fate; to execute.

верш/ко́вый *a.* one vershock long || **-ни́к** *s.* rider; outrider || **-о́к** *s.* [a] (*gsg.* -шка́) a vershock = 1·7 inches; **-ки́ хвата́ть** to have a superficial knowledge of something. [crediting.
ве́рющий (-ая, -ее) *a.* empowering, ac-
вес *s.* weight, gravity, importance; **на́ ~ зо́лота** exceedingly dear; **челове́к с ве́сом** a man of importance; **уде́льный ~** specific gravity. [ful, merry.
веселёхонек (-нька, -нько) *a.* very cheer-
весел=и́ть II. [a] *va.* (*Pf.* раз-) to cheer up, to make merry, to rejoice || **~ся** *vr.* to rejoice, to make *or* to be merry.
весёл/ка *s.* (*gpl.* -лок) spatula, stirrer, rake || **-ость** *s. f.* gaiety, cheerfulness.
весел/у́ха & **-у́шка** *s.* (*gpl.* -шек) frog; a cheerful fellow.
весёлый *a.* (*pd.* ве́сел, -ла́, -ло, -лы; *pdc.* веселе́е) cheerful, merry; amusing, funny; (slightly) tipsy; **у нас ве́село** we are making merry; **мне ве́село** I am in a cheerful mood.
весе́лье *s.* joy, pleasure; merriment, diversion, amusement.
весе́ль/ник *s.* oarsman, rower, sculler || **-ный** *a.* oar-, rowing-; **-ная ло́пасть** oarblade || **-ча́к** *s.* [a] a merry fellow.
веселя́щий *a.*, **~ газ** laughing gas.
весе́нний *a.* spring-, vernal.
ве́с=ить I. 3. *va.* (*Pf.* с-) to weigh; (*fig.*) to consider || **~** *vn.* to weigh (so much).
ве́ск/ий *a.* weighty; (*fig.*) important || **-ость** *s. f.* weight, weightiness; (*fig.*) importance.
весло́ *s.* [d] oar, scull; brewer's rake; **итти́ на вёслах** to row. [spring.
весна́ *s.* [d] spring; **весно́ю** in (the)
весн/ова́тый *a.* full of freckles || **-у́ха** & **-у́шка** *s.* (*gpl.* -шек) freckle; **у него́ всё лицо́ в весну́шках** his face is full of freckles.
весо/во́й *a.* weighing, of scales, of a balance; **-ва́я стре́лка** the index *or* needle of a balance; **-вы́е де́ньги** weighing-charges; postage (on letters) || **-вщи́к** *s.* [a] weigh-master, public weigher.
ве́сом *ad.* by weight.
весо́мый *a.* sold by weight.
вест *s.* west; west-wind.
вести́ & **весть** 22. *va.* (*Pf.* по-) to lead, to conduct; to keep, to rear (animals); to keep up (friendship); to maintain; **~ себя́** to behave; **~ счёт** to keep accounts; **~ дом** to housekeep; to keep house; **~ торг** to carry on business.
вести́сь *v.pass.* to be led || **~** *v.imp.* to use to be; **у нас так ведётся** that is customary with us.
вестибю́ль *s. m.* vestibule.
вест/и́мый *a.* known || **-и́мо** *ad.* certainly, of course.
ве́ст/ник *s.* **-ница** *s.* messenger || **-ово́й** *a.* signalling, alarm-; (*as s. mil.*) orderly || **-овщи́к** *s.* [a], **-овщи́ца** *s.* newsmonger, tale-bearer; (*pol.*) twaddler || **-очка** *s.* (*gpl.* -чек) *dim.* good *or* pleasant piece of news.
весть *s. f.* [c] news, message, tidings, rumour; **он без ве́сти пропа́л** he has disappeared without leaving a trace; **быть на вестя́х** to be on orderly duty; **Бог ~** (*sl.*) God knows.
весь/ *a.*, *prn&ad.* (вся, всё, *pl.* все) whole; **хлеб у нас ~** our bread has run out; **при всём том** in spite of all that; **всё равно́** it's all one to me; **со всех ног** with all one's might || **-ма́** *ad.* very, exceedingly.
весы́ *s. mpl.* [a] balance, (pair of) scales.
ветви́стый *a.* branchy, with thick foliage.
ветвь *s. f.* [c] branch, twig, bough; (*rail.*) branch-line.
ве́тер *s.* (*gsg.* -тра) wind, breeze; (*in pl.*) wind, flatulence; **сквозно́й ~** a draught; **как на́ ~** in vain, uselessly.
ветера́н *s.* veteran.
ветерина́р/ *s.* veterinary surgeon; (*fam.*) vet. || **-ия** *s.* veterinary science || **-ный** *a.* veterinary.
ветер/о́к *s.* [a] (*gsg.* -рка́) & **-о́чек** (*gsg.* -чка) *s. dim.* breeze, puff of wind.
ве́т/ка *s.* (*gpl.* -ток) & **-очка** *s.* (*gpl.* -чек) small branch. [low.
ветла́ *s.* [d] (*gpl.* -тел) the common wil-
вето́/шка *s.* (*gpl.* -шек) old, worn-out clothing; a rag || **-шник** *s.* rag-man, rag-merchant || **-шница** *s.* rag-woman || **-шнича-ть** II. *vn.* to deal in rags and old clothes || **-шный** *a.* rag-; **~ ряд** rag-fair. [lumber.
ветóшь *s. f.* worn-out clothes, old rags;
ве́трен/ик *s.* flighty *or* giddy person; drying-ground (for corn) || **-ица** *s.* flighty, light-headed woman; (*bot.*) anemone; wind-mill || **-ича-ть** II. *vn.* to be flighty, to act thoughtlessly || **-ость** *s. f.* giddiness, light-headedness, thoughtlessness || **-ый** *a.* windy; wind-; thoughtless. [s. anemometer.
ветро/го́н *s.* flighty, giddy person || **-ме́р**
ве́тх/ий *a.* old, worn-out; decrepit, ancient; **В- Заве́т** the Old Testament ||

–озако́ние *s.* the Law of Moses, Leviticus and Deuteronomy ‖ **–ость** *s. f.*

ветчина́ *s.* ham.

ветша́-ть II. *vn.* (*Pf.* из-, об-) to grow old, to decay. [age, decrepitude.

ве́ха *s.* way-mark; beacon; buoy.

ве́че *s.* common council (formerly in Russia).

ве́чер/ *s.* [b*] evening, evening-time; evening-party ‖ **–е́-ть** II. *v.imp.* (*Pf.* об-) to decline (of the day); to come on (of the evening) ‖ **–и́на** *s.* small evening-party, dance-circle ‖ **–ко́м** *ad.* in the evening ‖ **´–ний** *a.* evening-, of evening; ~ **ко́локол** the vesper bell ‖ **´–ня** *s.* vespers, evening-service ‖ **–ом** *ad.* in the evening ‖ **–я** *s.* (*sl.*) supper; **та́йная** ~ the Lord's Supper.

ве́ч/но *ad.* eternally, ever, always ‖ **–ность** *s. f.* eternity ‖ **–ный** *a.* eternal, lasting for ever, perpetual; life-long; lasting, durable.

ве́ш/алка *s.* (*gpl.* -лок) clothes-hanger; coat-hanger, clothes-loop; (*typ.*) pile ‖ **–ание** *s.* hanging, suspension ‖ **–а-ть** II. *va.* (*Pf.* пове́с=ить I. 3.) to hang (up), to suspend; ~ **го́лову** to be downcast ‖ **~ся** *vr.* to hang o.s.; to be suspended; ~ (кому́) **на ше́ю** to fall on a person's neck; to embrace.

ве́шний *a.* spring-, vernal.

вещ/а́-ть II. *vn.* (*sl.*) to speak, to tell, to say; to preach, to teach ‖ **–ба́** *s.* prophecy ‖ **´–ий** *a.* prophetic; eloquent ‖ **–у́н** *s.* prophet, soothsayer ‖ **–у́нья** *s.* prophetess.

вещево́й *a.* of material things.

веще́ст/венность *s. f.* materiality, substantiality, reality ‖ **–венный** *a.* material, real, substantial ‖ **–во́** *s.* material, matter, substance.

вещ/и́ца *s.*, *dim.* **–и́чка** *s.* (*gpl.* -чек) trivial thing, a trifle, a bagatelle.

вещь *s. f.* [c] thing, object, article; (*theat.*) piece.

ве́я/лка (*gpl.* -лок) & **–льница** *s.* winnowing-machine ‖ **–льный** *a.* winnowing, fanning; **–льная маши́на** = **ве́ялка** ‖ **–ние** *s.* blowing (of wind); winnowing; (*fig.*) tendency, current (of opinion).

ве́-ять II. *vn.* (*Pf.* по-) to blow (of the wind) ‖ ~ *va.* (*Pf.* вы́-) to fan; to winnow (corn). [time of.

вжи́ве *ad.* alive, living; during the life-

вжима́-ть II. *va.* (*Pf.* вжать 33. [a], *Fut.* вожму́, -мёшь) to squeeze in, to force in, to press in ‖ **~ся** *vr.* to force one's way in.

вз- inseparable prefix = up, upwards. For verbs compounded with this prefix and not contained in the following *cf.* the simple verb.

взад/ *ad.* back, backwards; **ходи́ть ~ и вперёд** to go backwards and forwards, to walk up and down ‖ **–и́** *ad.* behind, back, in the back(ground).

взаём/ & **–но** *ad.* on loan, on credit; (*fam.*) on tick; **дать ~** to lend; **взять ~** to borrow.

взаи́мность *s. f.* mutuality, reciprocity.

взаймы́ *ad.* = **взаём.**

взалка́ть *cf.* **алка́ть.**

вза/ме́н *ad.* instead of, to replace, in exchange for ‖ **–перти́** *ad.* locked in, under lock and key ‖ **–пра́вду** *ad.* really, truly, actually, indeed. [for a wager.

вза́пуски *ad.* uninterruptedly; (to race)

взачёт *ad.* on account.

вза́ш/ей & **–еи** *ad.* from behind; in the nape of the neck, by the scruff of the neck.

взбаламу́тить *cf.* **баламу́тить.**

взба́лмошный *a.* silly, senseless, thoughtless.

взба́лтыва-ть II. *va.* (*Pf.* взболта́-ть II.) to shake; to stir about.

взбара́хта-ться II. *vn.* to climb up (with difficulty), to clamber up. [to run up.

взбега́-ть II. *vn.* (*Pf.* взбежа́ть 46. [a])

взбеси́ть *cf.* **беси́ть.** [ated.

взбешённый *a.* raging, furious, infuri-

взбива́-ть II. *va.* (*Pf.* взбить 27., *Fut.* взобью́, -бьёшь) to stir up, to beat up; to churn (butter); to whip (cream); ~ **посте́ль** to make the bed.

взбира́-ться II. *vn.* (*Pf.* взобра́ться 8. [a 3.]) to climb up, to ascend, to clamber up.

взболта́ть *cf.* **взба́лтывать.**

взборозди́ть *cf.* **борозди́ть.**

взборони́ть *cf.* **борони́ть.**

взбра́сыва-ть II. *va.* (*Pf.* взброса́-ть II. & взбро́с=ить I. 3.) to throw up(-wards), to fling up ‖ **~ся** *vr.* to spring up; to throw o.s. upon; to fall upon.

взбрести́ & **взбресть** 22. [a] *vn. Pf.* to clamber up; ~ **в го́лову** to come into one's head; **мне взбрело́ на ум** it occurred to me.

взбудора́жить *cf.* **будора́жить.**

взбунтова́ть *cf.* **бунтова́ть.**

взва́лива-ть II. *va.* (*Pf.* взвал=и́ть II. [a & c]) to load, to burden; ~ **вину́** (на кого́) to accuse a person of a fault.

взвар *s.* decoction, extract.

взве/дёшь, –ду́, –сти́ *cf.* **взводи́ть.**

взвешива-ть II. *va.* (*Pf.* взвѣс=ить I. 3.) to weigh; to ponder, to consider; ~ **слова́** to weigh one's words.
взвива́-ть II. *va.* (*Pf.* взвить 27., *Fut.* взовью́, -вьёшь) to bring up, to wind up || **~ся** *vr&n.* to swing o.s. up; to ascend (of smoke, etc.).
взвод *s.* (*mil.*) platoon; (guns) sear, sere; **на пе́рвом взво́де** (of guns) at half cock; (of men) slightly tipsy; **на второ́м взво́де** (of guns) at full cock; (of men) drunk; (*fam.*) boozed.
взвод=и́ть I. 1. [c] *va.* (*Pf.* взвести́ & взвесть 22. [a]) to lead, to bring up; to build, to erect; to cock (a gun); (что на кого́) (*fig.*) to impute . . . to.
взвоз=и́ть I. 1. [c] *va.* (*Pf.* взвезти́ 25. [a]) to carry, to convey up; to drive up.
взволно́выва-ть II. *va.* (*Pf.* взволно+ва́ть II. [b]) to arouse, to excite, to stir up || **~ся** *vr&n.* to become agitated; to be roused, to be moved, to roll, to heave up (of the sea).
взвыва́-ть II. *vn.* (*Pf.* взвыть 28.) to start [howling.
взгляд/ *s.* look, glance, view; appearance; opinion; **на ~** by appearance; **с пе́рвого ´-а** at first sight || **´-ный** *a.* good-looking || **´-ыва-ть** II. *vn.* (*Pf.* взглян-у́ть I. [c]) (на что) to look at, to consider.
взгрома́зжива-ть II. *va.* (*Pf.* взгромозд=и́ть I. 1. [a]) to pile, to heap up; to raise up || **~ся** *vr.* to climb up, to raise o.s. up.
взгрусти́ть *cf.* **грусти́ть.**
вздёргива-ть II. *va.* (*Pf.* вздёрн-уть I.) to draw up, to pull up; to string (on a thread); **~ нос** (*fig.*) to turn up one's nose.
вздор *s.* dispute; nonsense, rot, bosh; **како́й ~!** what rot! what rubbish! **нести́** (*or* **моло́ть**) **~** to talk nonsense.
вздо́р=ить II. *vn.* (*Pf.* по-) (с кем) to quarrel with. [quarrelsome.
вздо́рный *a.* nonsensical, absurd, silly;
вздор,ожа́ние *s.* rise in price || **-ожа́-ть** II. *vn.* *Pf.* to become dearer, to rise (of price) || **-ож=и́ть** I. [a] *va.* *Pf.* to raise the price of, to value highly.
вздох/ *s.* sigh, gasp || **-ну́ть** *cf.* **вздыха́ть.**
вздра́г/ивание *s.* shivering, shuddering, starting || **-ива-ть** II. *vn.* (*Pf.* вздро́гн-уть I. [a & b]) to shudder, to shiver; to start (in one's sleep).
вздремн-у́ть I. [a] *vn.* *Pf.* to take a nap; to take a snooze.
взду/ва́ние *s.* inflation, swelling, distension || **-ва́-ть** II. *va.* (*Pf.* взду-ть II.) to blow on, to fan (fire); to punish, to give s. o. a licking || **~** *v.imp.* to swell up || **~ся** to swell up, to distend.
взду́ма-ть II. *va.* *Pf.* to think of, to imagine; to find out, to discover; to intend || **~ся** *v.imp.* to enter a person's head, to occur (to one); **мне взду́малось** it occurred to me.
вздыха́тель/ *s. m.*, **-ница** *s.* beloved one, sweetheart.
вздыха́-ть II. *vn.* (*Pf.* вздохн-у́ть I. [a]) to breathe, to take in a breath; to sigh.
взима́-ть II. *va.* (*Pf.* взять 37. [a]) to gather, to collect (taxes, fares, etc.)
взира́-ть II. *vn.* (*Pf.* воззр=е́ть I. [a 1.]) (на что) to look at; to consider, to take into account; **не ~** not to consider; **не взира́я на опа́сность** in spite of the danger.
взла́мыва-ть II. *va.* (*Pf.* взлом=и́ть II. 7. [c]) to break open, to tear open.
взлеза́-ть II. *vn.* (*Pf.* взлезть 25.) (на + *A*) to climb up on, to ascend.
взлёт *s.* flight upwards, flying up.
взлета́-ть II. *vn.* (*Pf.* взлет=е́ть I. 2. [a]) to fly up, to ascend; **~ на во́здух** to be blown up.
взлом/ *s.* breaking up *or* open; burglary; **воровство́ со ´-ом** burglary || **-а́ть** *cf.* **взла́мывать.**
взмах *s.* stroke, beat, flapping.
взма́хив-ать II. *va.* (*Pf.* взмах-а́ть I. 3. [c], *mom.* взмахн-у́ть I. [a]) to beat (the wings), to flap, to swing.
взма́щива-ть II. *va.* (*Pf.* взмост=и́ть I. 4. [a]) to erect; to heap *or* pile up || **~ся** *vr.* (на что) to climb up, to scale.
взмол=и́ться II. [c] *vn.* *Pf.* to beseech, to implore.
взмо́рье *s.* strand, beach.
взмуща́-ться II. *vr.* (*Pf.* взмут=и́ться I. 2. [a & c]) to become sad, to become melancholy; to be excited.
взмы́лива-ть II. *va.* (*Pf.* взмы́л=ить II.) to soap (thoroughly); (of horses) to cause to sweat.
взнос *s.* bringing up; payment, contribution, amount, deposit (in a bank).
взнос=и́ть I. 3. [c] *va.* (*Pf.* взнести́ & взнесть 26. [a]) to bring up, to carry up; to pay in, to contribute.
взну́здыва-ть II. *va.* (*Pf.* взнузда́-ть II.) to bridle (a horse).
взойти́ *cf.* **восходи́ть.**
взопре́лый *a.* covered with sweat.
взор/ *s.* look, glance || **-ва́ть** *cf.* **взрыва́ть.**
взра́чный *a.* beautiful, handsome, stately.

взрéзыва-ть II. *va.* (*Pf.* врéз-ать II.) to cut up, to slit open; to dissect.
взрóслый *a.* grown-up, adult.
взрыв/ *s.* explosion, detonation, blowing up || **-á-ть** II. *va.* (*Pf.* взорв-áть I. [a]) to blow up, to explode; (*Pf.* взрыть 28. [b]) to tear up, to dig up, to plough up || **-нóй** & **´-очный** *a.* explosive; **~ звук** an explosive, a stop || **´-чатый** & **´-чивый** *a.* exploding, explosive.
взрыть *cf.* **взрывáть.**
взрыхля́-ть II. *va.* (*Pf.* взры́хл-ить II.) to loosen, to break up (earth).
вз'едá-ться II. *vn.* (*Pf.* вз'éсться 42.) (на когó-либо) (*vulg.*) to fall upon, to assail; to rail at.
вз'езд *s.* ascent, driving up.
вз'езжá-ть II. *vn.* (*Pf.* вз'éхать 45.) to ride up, to drive up.
вз'ерóшива-ть II. *va.* (*Pf.* вз'ерóш-ить I.) to dishevel (hair) || **~ся** *vr.* to bristle up, to stand on end (of the hair).
взывá-ть II. *va.* (*Pf.* воззвáть 10. [a 3.]) (к комý) to implore, to call upon.
взы́грыва-ть II. *vn.* (*Pf.* взыгрá-ть II.) to rejoice, to leap for joy.
взыск/áние *s.* recovery, collection (of debts); exaction, punishment || **-áтельный** *a.* exacting, severe; presumptuous.
взы́скива-ть II. *va.* (*Pf.* взыск-áть I. 4. [c]) (с + *G.*) to collect, to recover (debts); to exact, to demand; to load (with favours); (с когó за что) to call to account for.
взя́т/ие *s.* capture, taking || **-ка** *s.* (*gpl.* -ток) trick (at cards); (*us. in pl.*) a bribe; **брать -ки** to be open to bribes; **давáть -ки** to bribe || **-очник** *s.* bribe-taker, corrupt official || **-очничество** *s.* corruptibility, venality.
взять 37. [a] *va. Pf.* (*Fut.* возьмý, -мёшь etc., *Prt.* взял, -лá, ´-ло, ´-ли) to take, to capture, to conquer; **~ мéры** to take measures; **~ на себя́** to take upon o.s., to undertake; **~ верх** (над кем) to get the upperhand of (*cf.* брать) || **~ся** *vr. Pf.* (за + *A.*) to take upon o.s., to undertake; **~ за рабóту** to start work; **~ за орýжие** to take up arms; **~ за ум** to come to one's senses, to become reasonable; **откýда он взя́лся?** where does he come from?
вибр/áция *s.* vibration || **-и́ро+вать** II. *vn.* to vibrate.
виват! *int.* long live! hurrah!
вивисéкция *s.* vivisection.
вид *s.* [g°] appearance (of a person, etc.); view, landscape; sight, form; intention, purpose; species, kind; (*gramm.*) aspect; document, passport; **с ´-у** in appearance; **в -ý** in sight; **пропáсть из виду** to become lost to sight; **это ´-ом не ´-ано** never seen before; **в ´-е** (+ *G.*) in the form of; **это хорошó на ~** that looks fine; **~ на жи́тельство** permit to reside; **кáрточка с ´-ом** picture-postcard.
вид/áлый *a.* experienced || **-áльщина** *s.* a well-known matter || **´-анный** *a.* trite, hackneyed.
видá-ть II. *va.* (*Pf.* у-) to see (now and then), to spy, to perceive || **~ся** *vr.* to see one another often.
видéние *s.* vision, apparition.
ви́д-еть I. 1. *va.* (*Pf.* у-) to see, to perceive; **~ во сне** to dream of || **~ся** *vrc.* to see one another, to meet.
ви́дим/ый *a.* visible; clear, plain; handsome, stately || **-о** *ad.* evidently; **не -о** an immense amount; **по -ому** apparently || **-ость** *s. f.* visibility.
виднé-ться II. *v.imp.* to become visible, to appear.
ви́д/ный *a.* visible, evident; plain, conspicuous, clear || **-но** *ad.* apparently, evidently; **его нигдé не -но** he is nowhere to be seen.
видо/вóй *a.* of species || **-изменéние** *s.* modification, variety, degenerate species || **-изменя́-ть** II. *va.* (*Pf.* -измен-и́ть II. [a]) to vary, to modify || **~ся** *vr.* to degenerate, to become modified.
ви́допись *s. f.* landscape (as painting).
ви́дывать *iter. of* видáть *q. v.*
ви́з/а *s. n. indecl.* visum || **-ави́** *s. m. indecl.* vis-à-vis, person opposite.
визг/ *s.* squeaking; whining; screeching || **-ли́вый** *a.* whining, squealing || **´-нуть** *cf.* **визжáть** || **-ýн** *s.*, **-ýнья** *s.* whiner, squealer.
визж-áть I. [a] *vn.* (*Pf.* за-, *mom.* ви́згн-уть I.) to whine, to squeal, to screech.
визи́р/ *s.* aim, sight (on a gun); target; (*phot.*) view-finder || **-о+вать** II. *va.* to visé (a passport).
визи́рь *s. m.* [a] vizier.
визи́т/ *s.* visit, call; **сдéлать** (комý) **~** to pay a visit to || **-ёр** *s.*, **-ёрша** *s.* visitor, caller || **-ка** *s.* (*gpl.* -ток) morning-dress || **-ный** *a.*, **-ная кáрточка** visiting-card.
викáрий *s.* vicar.
викóнт/ *s.* viscount || **-éсса** *s.* viscountess.
виксати́новый *a.* waterproof (of coat).
ви́л/ка *s.* (*gpl.* -лок) fork || **-ообрáзный** *a.* forked, fork-shaped.

ви́лла *s.* villa, country-house.
ви́лочка *s.* (*gpl.* -чек) *dim.* small fork.
ви́лы *s. fpl.* hay-fork, pitch-fork.
виля́ние *s.* wagging (the tail); shuffling, wriggling.
виля́-ть II. *vn.* (*Pf.* за-, *mom.* вильн-у́ть I. [a]) to wag (the tail); to prevaricate, to shuffle; to use artifices; to turn here and there.
вин/а́ *s.* guilt, fault, blame; cause, motive; **он был -о́ю** he was guilty ‖ **-егре́т** *s.* salmagundi, hotchpotch ‖ **-и́тельный** *a.*, ~ **паде́ж** (*gramm.*) accusative (case).
вин=и́ть II. [a] *va.* (*Pf.* об-) (кого́ в чём) to accuse (of), to blame (for) ‖ ~**ся** *vr.* (в чём) to plead guilty (of).
ви́нный *a.* of wine, vinous; ~ **ка́мень** tartar; ~ **спирт** alcohol; **-ная кислота́** tartaric acid; **-ная я́года** (dried) fig.
вино́ *s.* [d] wine; spirits.
винов/а́тый *a.* culpable, guilty, faulty ‖ **-а́т!** *int.* I beg your pardon! excuse me! ‖ **-́ник** *s.*, **-́ница** *s.* author(ess), originator ‖ **-́ность** *s.f.* guilt, culpability ‖ **-́ный** *a.* guilty, culpable ‖ **-́ый** *a.* of spades (at cards); ~ **туз** the ace of spades.
виногра́д/ *s.* vine; *coll.* grapes ‖ **-арь** *s.m.* vine-dresser, vintager ‖ **-ина** *s.* grape ‖ **-ник** *s.* vineyard ‖ **-ный** *a.* of grapes; **-ная ло́за** grape-vine.
вино/де́лие *s.* wine-making; vine-growing ‖ **-ку́р** *s.* distiller (of spirits) ‖ **-куре́ние** *s.* distillation; distillery ‖ **-ку́рня** *s.* (*gpl.* -рен) (spirits) distillery ‖ **-ме́р** *s.* wine-gauge, alcoholometer, vinometer ‖ **-прода́вец** *s.* (*gsg.* -вца) wine-merchant, vintner ‖ **-сло́вность** *s.f.* cause; (*phil.*) causality ‖ **-сло́вный** *a.* causal ‖ **-торго́вец** *s.* (*gsg.* -вца) wine-merchant, vintner ‖ **-торго́вля** *s.* wine-trade; wine-merchant's warehouse, vintnery ‖ **-че́рпий** *s.* cupbearer.
винт/ *s.* [a] screw; vint (a card-game based on whist and preference); **гребно́й** ~ (ship's) screw, propeller ‖ **-́ик** *s.* small screw. [to play "vint".
винт=и́ть I. 2. [a] *va.* (*Pf.* по-) to screw;
винт/о+ва́ть II. [b] *va.* to screw on; to rifle (a gun) ‖ **-о́вка** *s.* (*gpl.* -вок) rifle, carbine, gun with rifled barrel ‖ **-ово́й** *a.* spiral, screw- ‖ **-ообра́зный** *a.* spiral, screw-shaped, helical.
винцо́ *s. dim. of* вино́.
винчу́ *cf.* **винти́ть.**
виртуо́з/ *s.*, **-ка** *s.* (*gpl.* -зок) virtuoso.
ви́рша *s.* doggerel.
ви́сел/ица *s.* gallows, gibbet, scaffold ‖ **-ьник** *s.*, **-ьница** *s.* gallows-bird; hanged person.
вис=е́ть I. 3. [a] *vn.* (*Pf.* пови́сн-уть I.) to hang, to be suspended; **дождь виси́т** rain is threatening.
вислоу́хий *a.* flap-eared, with hanging ears; (*as s. fam.*) sleepy-head.
ви́слый *a.* hanging down, pendent.
ви́смут *s.* bismuth.
ви́снуть *cf.* **висе́ть.**
висо́к *s.* [a] (*gsg.* -ска́) temple (of the head); the hair over the temples.
високо́с/ *s.* & **-ный год** leap-year.
висо́чный *a.* temporal (of the head).
вист *s.* whist; **игра́ть в** ~ to play whist.
вися́чий *a.* hanging, pendent; ~ **замо́к** padlock; ~ **мост** suspension bridge.
вита́-ть II. *vn.* (*sl.*) to dwell, to reside; to put up; to hover (in the air).
вит/ева́тый *a.* eloquent; oratorical, rhetorical ‖ **-и́йство** *s.* rhetoric; eloquence **-и́я** *s.* orator, declaimer (*esp.* one using florid language). [spiral staircase.
вито́й *a.* winding, spiral; **-а́я ле́стница**
вит/о́к *s.* [a] (*gsg.* -тка́) helix (of the ear); a roll ‖ **-у́шка** *s.* (*gpl.* -шек) a roll; a kind of round cracknel.
витри́на *s.* glass-case; show-window.
вить 27. *va.* (*Pf.* с-, *Fut.* совью́, -вьёшь) to twist, to wind, to roll (up); to plait; ~ **гнёзда** to build nests; ~ (на кого́) **верёвки** to twist s. o. about one's (little) finger ‖ ~**ся** *vr.* to twist, to twine, to meander; to curl (one's hair); to circle, to soar (of birds of prey).
ви́тязь *s.m.* hero, knight.
вихо́р *s.* [a] (*gsg.* -хра́) forelock; parting (of the hair).
ви́х/орь *s.m.* (*gsg.* -хря) whirlwind ‖ **-рем** *ad.* suddenly, impetuously.
ви́хр=иться *vn.* II. (*Pf.* за-) to whirl.
вихрь *s.m.* whirlwind.
виц(е)-/ *in cpds.* = vice- ‖ **-мунди́р** *s.* undress (uniform).
ви́ш/енка *s.* (*gpl.* -нок) small cherry-tree; small cherry ‖ **-енник** *s.* cherry-orchard ‖ **-енный** *a.* of cherries, cherry- ‖ **-енье** *s. coll.* cherry-trees; cherries ‖ **-нёвка** *s.* (*gpl.* -вок) cherry-brandy ‖ **-нёвый** *a.* cherry-; cherry-coloured ‖ **-ня** *s.* (*gpl.* -шен) cherry; cherry-tree.
вишу́ *cf.* **висе́ть.**
вишь! *int.* there! see there!
вка́мкива-ть II. *va.* (*Pf.* вкомка́-ть II.) to press in, to squeeze in.

вка́пыва-ть II. *va.* (*Pf.* вкопа́-ть II.) to dig in, to bury in.
вка́тыва-ть II. *va.* (*Pf.* вкат=и́ть I. 2. [a & c], *mom.* вкати-ýть I. [a]) to roll in, to trundle in || **~ся** *vr.* to roll in, to be rolled in.
вка́чива-ть II. *va.* (*Pf.* вкат=и́ть I. 2. [a & c]) to pump in.
вки́дыва-ть II. *va.* (*Pf.* вкида́-ть II. [b], *mom.* вки́н-уть I.) to throw, to hurl in.
вклад/ *s.* contribution; donation; deposit (in a bank) || **–но́й** *a.* that may be inserted; **~ я́щик** drawer || **´–(оч)ный** *a.* deposited, donated || **´–чик** *s.*, **´–чица** *s.* depositor; donor, contributor || **´–ыва-ть** II. *va.* (*Pf.* вкласть 22. [a] & влож=и́ть I. [c]) to insert, to put in; to inlay; to invest, to deposit (money in a bank).
вкле́ива-ть II. *va.* (*Pf.* вкле=и́ть II. [a & b]) to stick in, to paste in.
вкле́йка *s.* (*gpl.* -éек) pasting in; what is pasted in.
включа́-ть II. *va.* (*Pf.* включ=и́ть I. [a]) to include; to contain; **~ в усло́вие** to include in the bargain; **включа́я** including, inclusive of.
включ/е́ние *s.* inclusion; **со –е́нием** (+ *G.*) including, inclusive of || **–и́тельно** *ad.* inclusively.
вкола́чива-ть II. *va.* (*Pf.* вколот=и́ть I. 2. [c]) to drive in, to hammer in, to ram in, to beat in.
вконе́ц *ad.* completely, thoroughly; entirely, wholly.
вко́панный *a.* buried; **как ~** as if fastened to the ground, like a statue.
вкопа́ть *cf.* **вка́пывать.**
вкореня́-ть II. *va.* (*Pf.* вкорен=и́ть II. [a]) to impress, to inculcate || **~ся** *vr.* to take root; (*fig.*) to become impressed (on the memory).
вкоротке́ *ad.* soon, shortly; evanescently, passing quickly.
вкось *ad.* obliquely, diagonally, awry; **гляде́ть ~** to look askance.
вкра́дчив/ость *s. f.* insinuating character, wheedling, insinuation || **–ый** *a.* insinuating, wheedling, ingratiating.
вкра́дыва-ться II. *vc.* (*Pf.* вкра́сться 22. [a]) to insinuate o.s.; to ingratiate o.s., to creep into favour; to creep in, to steal in.
вкрасне́ *ad.* at best, (seen) from the best side.
вкра́тце *ad.* succinctly, briefly, in short.
вкрепля́-ть II. *va.* (*Pf.* вкреп=и́ть II. 7. [a]) to make firm, to fasten.
вкривь *ad.* obliquely, slanting, awry; **всё пошло́ ~ и вкось** everything is topsy-turvy, nothing succeeds.
вкруг *ad.* around, round about.
вкру/ту́ю & **´–те** *ad.* quickly, hastily; hard-boiled (of eggs).
вкуп/ *s.* purchase-money || **–но́й** *a.* bought, purchased; **–но́е ме́сто** bought position.
вкус/ *s.* taste; style, manner; **у вся́кого свой ~** tastes differ || **´–ный** *a.* tasty, savoury; nice; **´–но ли вам ко́фе?** do you like the coffee?
вкуша́-ть II. *va.* (*Pf.* вкус=и́ть I. 3. [c]) to taste, to relish; to enjoy; **~ дары святы́е** to receive the Holy Communion.
вкуше́ние *s.* tasting; enjoyment.
вла́г/а *s.* moisture, wetness; liquid; (*med.*) humour || **–а́лище** *s.* case, sheath; pouch; (*an.*) vagina || **–а́-ть** II. *va.* (*Pf.* влож=и́ть I. [c]) to put in; to sheathe (a sword); to suggest (an idea) || **–оме́р** *s.* hydrometer.
владе́/лец *s.* (*gsg.* -льца), **–лица** *s.* owner, possessor (of real property), proprietor, holder (of a cheque, etc.) || **–льческий** *a.* pertaining to the owner of an estate || **–ние** *s.* possession, proprietorship; dominion, rule; territory, estate, domain || **–тель** *s. m.*, **–тельница** *s.* ruler, governor; possessor, owner, proprietor; lord (of a manor).
владе́-ть II. *vn.* (*Pf.* за-, о-) (чем) to possess, to occupy, to hold; to make good use of, to master; to rule over, to govern; **~ языко́м** to have a thorough mastery of a language; **~ ки́стью** to be an adept at painting.
влады́/ка *s. m.* (*V.* -ко) (*sl.*) Lord, ruler; archbishop || **–чество** *s.* lordship, sovereignty, dominion || **–чество+вать** II. *vn.* to rule (over), to dominate || **–чица** *s.* sovereign (lady); Our Lady, the Mother of God.
вла́жива-ть II. *va.* (*Pf.* вла́д=ить I. 1.) to fit in, to insert.
вла́ж/ность *s. f.* moisture, humidity || **–ный** *a.* moist, humid, damp.
вла́мыва-ться II. *vr.* (*Pf.* влом=и́ться II. 7. [c]) to force one's way in violently, to storm in.
вла́ст/во+вать II. *vn.* to rule, to govern || **–ели́н** *s.*, **–ели́нка** & **–ели́нша** *s.* ruler, sovereign || **–и́тель** *s. m.*, **–и́тельница** *s.* ruler, governor, regent || **–и́тельный** *a.* powerful, mighty || **–и́тельский** *a.* imperious, domineering; of a ruler || **–ный** *a.* having power to, competent, empowered; **–ною руко́ю** with one's own hand, autographic || **–олю́бец** *s.* (*gsg.* -бца), **–олю́бица** *s.* an ambitious

person || **-олюби́вый** *a.* ambitious, greedy of power || **-олю́бие** *s.* greed, lust of power, ambition.

власть *s. f.* [c] power, authority; (*in pl.*) the authorities *pl.*, those in power; **быть во ́-и** to be at the mercy of.

власяни́ца *s.* (*sl.*) hair-shirt, penitent's shirt.

влач=и́ть I. [a] *va.* (*Pf.* про-) to drag, to draw; ~ **жизнь** to lead a wretched life || **~ся** *vr.* to drag o.s. along.

вле́в/е *ad.* on the left || **-о** *ad.* to, towards the left.

влеза́-ть II. *vn.* (*Pf.* влезть 25. [b 1.]) to climb in, to creep in.

вле́плива-ть II. & **влепля́-ть** II. *va.* (*Pf.* влеп=и́ть II. 7. [c]) to paste in, to glue in; ~ (кому́) **пощёчину** to give s. o. a box on the ear.

влета́-ть II. *vn.* (*Pf.* влет=е́ть I. 2. [a]) to fly in.

влече́ние *s.* dragging, drawing, trailing; inclination, propensity; impulse.

влечь 18. [a 2.] *va.* (*Pf.* по-, у-) to draw, to drag, to trail; (к + *D. fig.*) to induce; to cause; (за собо́ю) to drag behind o.s., to have as consequence, to bring on.

влива́-ть II. *va.* (*Pf.* влить 27. [a 1.], *Fut.* волью́ -ьёшь) to pour in || **~ся** to flow in, to discharge o.s. (of a river).

влипа́-ть II. *vn.* (*Pf.* вли́пнуть 52.) to remain stuck fast in.

влия́/ние *s.* mouth (of a river); influence || **-тельный** *a.* influential.

влия́-ть II. *va.* (*Pf.* по-) (на кого́) to influence.

вложе́ние *s.* putting in, insertion; enclosure; **со -нем пяти́ рубле́й** 5 roubles enclosed.

вложи́ть *cf.* **вкла́дывать.**

вломи́ть *cf.* **вла́мывать.**

влюблённый *a.* in love, enamoured; (*as s.*) lover.

влюбля́-ть II. *va.* (*Pf.* влюб-и́ть II. 7. [c]) (в + *A*) to enamour (of) || **~ся** *vr.* to fall in love with.

влю́бчивый *a.* in love; amorous.

вля́па-ть II. *va. Pf.* to knock in, to strike in || **~ся** *vn.* to rush into (*e. g.* danger).

вма́зыва-ть II. *va.* (*Pf.* вма́з-ать I. 1.) to cement in; ~ **стекло́** to fasten in glass with putty.

вма́нива-ть II. *va.* (*Pf.* вман=и́ть II. [c]) to entice in.

вма́тыва-ть II. *va.* (*Pf.* вмота́-ть II.) to roll up in.

вмен/е́ние *s.* imputation || **-я́емость** *s. f.* accountability, responsibility.

вменя́-ть II. *va.* (*Pf.* вмен=и́ть II. [a & c]) to impute; to consider as; ~ **себе́ в обя́занность** to regard as one's duty.

вмести́лище *s.* receptacle; reservoir.

вме́сте *ad.* together, along with, in common; ~ **с тем** at the same time, simultaneously.

вмест/и́мость *s. f.* volume, capacity; (*mar.*) tonnage; capaciousness || **-и́тельность** *s. f.* capaciousness, roominess || **-и́тельный** *a.* roomy, capacious; ~ **знак** bracket.

вме́сто *ad.* (+ *G.*) instead of, in the place of, in lieu of; for.

вмеша́тельство *s.* interference; ~ **в де́ло** intervention.

вме́шива-ть II. *va.* (*Pf.* вмеша́-ть II.), (в + *A.*) to mix up in, to implicate, to involve || **~ся** *vr.* to meddle with, to interfere, to become involved in; ~ **в де́ло** to intervene; ~ **в чужо́й разгово́р** to break in on others' conversation.

вмеща́-ть II. *va.* (*Pf.* вмест=и́ть I. 4. [a]); ~ **в себе́** to contain, to hold, to comprise || **~ся** *vr.* to fit in, to have room.

вмиг *ad.* all at once, in a trice.

внаём, внаймы́ *ad.* to let, for hire; **взять** ~ to hire, to rent; **отда́ть** ~ to let, to hire out.

внача́ле *ad.* in the beginning, at first.

вна́шивать *cf.* **вноси́ть.**

вне *ad&prp.* (+ *G.*) outside, out of; ~ **себя́** beside o.s., mad.

внедря́-ть II. *va.* (*Pf.* внедр=и́ть II. [a]) to inculcate, to instil || **~ся** *vr.* to take root.

внеза́п/ность *s. f.* suddenness, unexpectedness || **-но** *ad.* suddenly, unawares || **-ный** *a.* sudden, unexpected.

вне́млю *cf.* **внима́ть.**

внесе́ние *s.* entering (in a book), entry; payment, deposit (of money, taxes, etc.).

внести́, внесу́ *cf.* **вноси́ть.**

вне́ш/ний *a.* external, exterior; foreign; outer || **-ность** *s. f.* exterior; outside; appearance.

Внешто́рг = **Комиссариа́т Вне́шней Торго́вли** Commissariat for Foreign Trade.

вниз *ad.* down(-wards); ~ **по реке́** downstream.

внизу́ *ad.* below, down below, underneath.

вника́-ть II. *vn.* (*Pf.* вни́кн-уть I.) to enter into, to penetrate; to investigate, to make o.s. familiar with.

внима́ние *s.* attention, consideration; **обраща́ть** ~ (на + *A.*) to consider, to take into account, to direct one's atten-

tion to; **принимать во ~** to consider, to take into account; **принимая во ~** considering, with regard to.
внимáтель/ность *s. f.* attention || **-ный** *a.* attentive, heedful.
внимá-ть II. *va.* (*Pf.* внять 37.) (+ *D.*) to pay heed to, to heed; (of God) to hear.
внóве *ad.* recently, a short time ago.
вновь *ad.* anew, over again.
внóгу *ad.* in step.
внос *s.* entry (in a book); payment.
внос=йть I. 3. [c] *va.* (*Pf.* внести́ & внесть 26. [a 2.]) to carry in, to bring in; to enter (in a book), to register; to pay (in), to contribute.
внóска *s.* (*gpl.* -сок) = **внос.**
Внудéл = **Комиссариáт Внýтренних Дел** Commissariat for Foreign Affairs.
внук/ *s.* grandson || **ᐟа** *s.* grand-daughter.
внýтр/енний *a.* internal, interior, inner; inland, home-; **министр -них дел** minister for the interior; (in England) the Home-Secretary || **-енность** *s. f.* the interior, inside; entrails, viscera || **-и́** *ad.* inside || **~** *prp.* (+ *G.*) inside || **-ь** *ad.* inwards.
внучáт/а *s. m&fpl.* grand-children || **-ный** *a.* of the third degree; **~ брат, -ная сестрá** second cousin.
внýч/ек *s.* (*gsg.* -чка) *dim.* grandson || **-ка** *s.* (*gpl.*-чек) *dim.* granddaughter.
внуш/á-ть II. *va.* (*Pf.* внуш=и́ть I. [a]) to suggest, to inspire || **-éние** *s.* suggestion, inspiration, admonition, exhortation || **-и́тель** *s. m.*, **-и́тельница** *s.* inspirer, one who suggests || **-и́тельный** *a.* inspiring, suggestive, stimulating.
внятный *a.* plain, audible, distinct.
внять *cf.* **внимáть.**
во *cf.* **в.**
вóбла *s.* roach.
вобрáть *cf.* **вбирáть.**
вобью *cf.* **вбивáть.**
вовéк/ & **-и** *ad.* for ever, eternally; **-и векóв** for all eternity, for ever and ever.
вовлекá-ть II. *va.* (*Pf.* вовлéчь 18. [a 2.]) to draw in; to drag in; to involve; to mislead; to confuse || **~ся** *vr.* to be led astray.
вовремени́ *ad.* happily; at the right time.
вóвремя *ad.* in time, opportunely.
вóвсе *ad.* completely, out and out; **~ не** not at all, by no means.
во-вторы́х *ad.* in the second place, secondly.
вогнáть *cf.* **вгонять.**
вóгнутый *a.* concave; bent inwards; **двояко-** concavo-concave.
вогнýть *cf.* **вгибáть.**
вод *s.* leading, guiding; breeding (of poultry and domestic animals).
водá *s.* [f] water; (*in pl.*) (mineral) waters; **-ою** by water, by sea; **толóчь ᐟу** (*fig.*) to beat the air, to pour water into a sieve; **на -áх** at the waters; **выводи́ть на чи́стую ᐟу** to bring to light, to expose; (*fig.*) **он вы́шел сух из -ы́** he came through unscathed.
водво/рéние *s.* settlement, colony, establishment; installation (as owner) || **-ря́-ть** II. *va.* (*Pf.* -р=и́ть II. [a]) to install; to settle, to establish || **~ся** *vr.* to settle down.
водеви́ль *s. m.* vaudeville.
води́л/о *s.* halter-rope, leash, lead || **-ьный** *a.*, **-ьная верёвка** leash.
вод=и́ть I. 1. [c] *va.* (*conc. form* вести́ *q. v.*), (*Pf.* по-) to lead, to guide, to conduct; to manage (affairs); to carry on, to run (a business); to keep (books, house, etc.); to rear, to breed (animals); **~ знакóмство** (с кем) to keep company with || **~** *v.imp.* to thaw; **в лесý вóдит** the wood is haunted || **~ся** *vn.* to be led, etc.; (с кем) to keep company with; to thrive; to live, to inhabit (of animals); **у негó всегдá вóдятся дéнежки** he is always in funds; (*fam.*) he is always flush || **~** *v.imp.*, **так вóдится** such is the custom.
вод/и́ца *s. dim.* a little water; slight flood || **-и́чка** *s. dim. of prec.* || **ᐟка** *s.* (*gpl.* -док), (rye)brandy, vodka; **дать на ᐟку** to tip, to give a tip; **дéньги на ᐟку** a tip || **ᐟный** *a.* water-, hydro-, watery.
водо/боя́знь *s.f.* hydrophobia || **-вмести́лище** *s.* reservoir, cistern || **-вóз** *s.* water-carrier || **-ворóт** *s.* whirlpool, eddy || **-дéйствующий** *a.* hydraulic || **-ём** *s.* cistern, tank, reservoir || **-измещéние** *s.* (*mar.*) displacement, draught (of water) || **-качáлка** *s.* (*gpl.* -лок) water-pump || **-кáчка** *s.* (*gpl.* -чек) pumping-station || **-кроплéние** *s.* sprinkling with holy water || **-лáз** *s.* diver; Newfoundland (dog) || **-лáзный** *a.* diving-; **~ кóлокол** diving-bell || **-лéй** *s.* (*astr.*) Aquarius || **-лечéбница** *s.* hydropathic (establishment) || **-лечéбный** *a.* hydropathic || **-лечéние** *s.* hydropathy; hydropathic treatment || **-мéр** *s.* hydrometer || **-мéрный** *a.*

serving to measure the amount of water; ~ **прибо́р** water-gauge || **-мёт** *s.* fountain. || **-но́с** *s.* water-carrier; pail, bucket; water-carrier's yoke || **-но́сец** *s.* (*gsg.* -сца) & **-но́ска** *s.* (*gpl.* -сок) water-carrier || **-отво́дный** *a.* leading off water; **-отво́дная труба́** waste water-pipe || **-па́д** *s.* waterfall, rapids, cataract || **-под'ём** *s.* water-works || **-под'ёмный** *a.* for raising water || **-по́й** *s.* (water) trough; horse-pond || **-по́йка** *s.* (*gpl.* -по́ек) water-basin (on birds' cages) || **-прово́д** *s.* aqueduct; water-supply || **-прово́дный** *a.* for conducting water || **-разде́л** *s.* watershed || **-ро́д** *s.* hydrogen || **-ро́дный** *a.* of hydrogen, hydrogen-.

во́до/росль *s. f.* seaweed; (*in pl.*) alga || **-свя́тие** & **-свяще́ние** *s.* consecration of the waters || **-ска́т** *s.* waterfall || **-сли́в** *s.* sluice in a dyke || **-снабже́ние** *s.* water-supply || **-спу́ск** *s.* sluice || **-сто́к** *s.* drain || **-сто́чный** *a.* drainage- || **-храни́лище** *s.* cistern, reservoir || **-черпа́тельный** *a.* for drawing water || **-чисти́тельный** *a.* for purifying *or* filtering water.

во́доч/ка *s.* (*gpl.* -чек) *dim.* a little brandy || **-ный** *a.* of brandy; ~ **заво́д** distillery; **-ная пе́чень** cirrhosis.

водружа́-ть II. *va.* (*Pf.* водруз=и́ть I. 1. [a]) to erect, to plant, to set up.

водян/и́к *s.* [a] water-spirit, nix, nixie || **-и́стый** *a.* watery, pale || **-́ка** *s.* dropsy || **-о́й** *a.* water-, of water; (*as s.*) water-elf, nix; **-а́я** (as *s.*) dropsy.

вое+ва́ть II. [b] *vn.* to wage war, to be at war, to war.

вое/во́да *s. m.* (formerly) commander of the army || **-ди́но** *ad.* together, united || **-нача́лие** *s.* supreme command (of an army) || **-нача́льник** *s.* commander-in-chief, general.

военко́м = **вое́нный комисса́р** military commissary.

военно/пле́нник *s.* prisoner of war || **-слу́жащий** *s.* soldier || **-суде́бный** & **-су́дный** *a.* of a court-martial || **-уче́бный** *a.*, **-уче́бное заведе́ние** military academy.

вое́н/ный *a.* military, martial; (*as s.*) soldier || **-щина** *s.* military, soldiery; military service.

вож/а́к *s.* [a] & **-а́тай** *s.* leader, conductor; driver || **-деле́ние** *s.* desire, longing (for); **пло́тское** ~ lust, concupiscence || **-деле́нный** *a.* desirous, desired || **-де́ние** *s.* leading, guidance.

вождь *s. m.* [a] general; leader, commander.

вожжа́ *s.* [e & f] (*us. in pl.*) reins *pl*;

вожму́ *cf.* **вжима́ть.**

вожу́ *cf.* **води́ть & вози́ть.**

воз- *in cpds* = up, upwards.

воз *s.* [b] waggon, cart, wain; waggon-load.

возблагодар=и́ть II. [a] *va.* (*Pf.* за-) to thank, to give thanks (for).

воз/браня́-ть II. *va.* (*Pf.* -бран=и́ть II. [a]) to interdict, to forbid, to prohibit; to prevent || **-буди́тель** *s. m.*, **-буди́тельница** *s.* instigator; provoker; exciter || **-буди́тельный** *a.* exciting, stimulating, provoking || **-бужда́-ть** II. *va.* (*Pf.* -буд=и́ть I. 1. [c]) to excite, to provoke, to stimulate; to awaken; to cause (laughter) || **-бужде́ние** *s.* incitement, provocation; stimulation; instigation; awakening.

возведе́ние *s.* elevation; advancement (in rank, etc.).

возведу́ *cf.* **возводи́ть.**

воз/величива-ть II. *va.* (*Pf.* -вели́ч=ить I.) to raise (to honours), to promote; to elevate, to exalt; to praise, to extol || **-веселя́-ть** II. *va.* (*Pf.* -весел=и́ть II.) to delight, to charm || **-води́ть** I. 1. [c]) *va.* (*Pf.* -вести́ & -ве́сть 22.) to elevate, to raise, to lift up; to erect (a building); to promote, to advance.

воз/вести́тель *s. m.*, **-ница** *s.* messenger, proclaimer || **-вести́тельный** *a.* announcing, proclaiming || **-веща́-ть** II. *va.* (*Pf.* -вест=и́ть I. 4. [a]) to announce, to proclaim, to make known, to inform || **-веще́ние** *s.* announcement, proclamation.

возвра́т/ *s.* return; restitution; ~ **со́лнца** solstice || **-и́мый** *a.* retrievable, revocable; returnable || **-и́ть** *cf.* **возвраща́ть** || **-но** *ad.* back || **-ный** *a.* returning, return-; (*gramm.*) reflexive; recurrent (fever).

воз/враща́-ть II. *va.* (*Pf.* -врат=и́ть I. 6. [a]) to bring *or* to give back, to restore, to make restitution; to get back, to recover || **~ся** *vn.* to come back, to return || **-враще́ние** *s.* restoration, restitution; recovery; return.

воз/выша́-ть II. *va.* (*Pf.* -вы́с=ить I. 3.) to heighten, to raise, to elevate; to increase (price, etc.); to advance (in rank) || **~ся** *vr.* to raise o.s., to ascend; to rise (of prices) || **-выше́ние** *s.* elevation, raising; rise (in price, of water); hill, rising ground || **-вы́шенность** *s. f.*

dignity, nobility (of character); eminence, height || **–вышенный** *a.* high, elevated, raised; lofty; noble, dignified (of character).
вóз/глас *s.* exclamation; end of prayer spoken aloud by priest || **–глашá-ть** II. *va.* (*Pf.* -глас=и́ть I. 3. [a]) to exclaim; to proclaim (with a loud voice).
воз/гóн *s.* sublimation, sublimate || **–гóнка** *s.* sublimation || **–гоня́-ть** II. *va.* (*Pf.* взогн=áть II. [c], *Fut.* взгоню́, взгóнишь) to sublimate.
воз/горáемый *a.* inflammable || **–горá-ть** II. *vn.* (*Pf.* -гор=éть II. [a]) & **~ся** to commence to burn, to flare up, to become inflamed; to break out (of fire, war, etc.).
воз/даváть 39. *va.* (*Pf.* -дáть 38.) to give back, to restore; to requite, to reward; to show (honour, etc.) || **–дая́ние** *s.* requital, reward.
воз/двигá-ть II. *va.* (*Pf.* -дви́гнуть 52.) to erect, to build; to restore || **–движé-ние** *s.* erection, raising, erecting; **Воздвижéние Честнóго Крестá** the Exaltation of the Cross (14th Sept.).
воздéйствие *s.* reaction, resistance; influence.
воздéл/ка & **–ывание** *s.* cultivation, tilling || **–ыва-ть** II. *va.* (*Pf.* -а-ть II.) to cultivate, to till.
воз/держáние *s.* moderation, temperance, abstinence || **–дéржива-ть** II. *va.* (*Pf.* -держ=áть I. [c]) (от + *G.*) to restrain (from) || **~ся** *vr.* to abstain (from) || **–дéржность** *s. f.* temperance, moderation || **–дéржный** *a.* temperate, abstinent, moderate.
вóздух/ *s.* air, atmosphere; **на вóльном (откры́том) –е** in the open air; **пари́ть по –у** to build castles in the air || **–омéр** *s.* aerometer || **–очисти́тельный** *a.* air-purifying || **–оплáвание** *s.* aeronautics || **–оплáватель** *s. m.*, **–оплáвательница** *s.* aeronaut || **–оплáвательный** *a.* aeronautic(al).
возду́шный *a.* aerial, air-, pneumatic; **~ шар** air-balloon; **–ные зáмки** castles in the air; **~ пирóг** puff (piece of light pastry).
воздымá-ть II. *va.* to lift, to raise up || **~ся** *vr.* to rise, to ascend.
воздых- *cf.* **вздых-.** [wish for.
возжелá-ть II. *va. Pf.* to desire, to
возжигá-ть II. *va.* (*Pf.* возжéчь 16.) to light, to kindle; to excite || **~ся** *vr.* to be kindled.

воззвáние *s.* appeal, proclamation.
воззвáть, воззову́, etc. *cf.* **воззывáть.**
воз/зрéние *s.* consideration, examination; opinion, judgment, view || **–зрéть** *cf.* **взирáть.**
воззыв-áть II. *va.* (*Pf.* воззвáть 10. [a 3.]) to call out aloud; to appeal to.
воз=и́ть I. 1. [c 1.] *va.* (*Pf.* по-) *abstr. form of* везти́ *q. v.* || **~ся** *vn.* (of children) to play pranks, to be unruly; to kick up a row; to exert o.s.
воз/и́ще *s.* large waggon-load || **´–ка** *s.* transport, carriage.
воз/лагá-ть II. *va.* (*Pf.* -лож=и́ть I. [c]) to lay upon; to confer (office); to entrust, to commission.
вóзле *prp.* (+ *G.*) beside, near.
воз/легá-ть II. *vn.* (*Pf.* -лéчь 43.) to lie (on), to rest (on) || **–леж=áть** I. [a]) = **–легáть.**
воз/ливá-ть II. *va.* (*Pf.* -ли́ть 27. [a 3.], *Fut.* -олью́, -ольёшь) to pour out (on), to make a libation; **оби́льно ~ Вáкху** to sacrifice to Bacchus, to drink heavily || **–лия́ние** *s.* libation, potation; (*in pl. fam.*) booze.
возложéние *s.* imposition; charging.
воз/лю́бленный *a.* beloved, dear; (*as s. m&f.*) sweetheart || **–любля́-ть** II. *va.* (*Pf.* -люб=и́ть II. 7. [c]) to come to love, to love.
возля́гу *cf.* **возлегáть.**
воз/мéздие *s.* reward, requital; retaliation || **–мечтá-ть** II. *vn. Pf.* to have a high opinion of o.s.; to be conceited.
воз/меря́-ть II. *va.* (*Pf.* -мéр=ить II.) to requite, to repay, to reward; to compensate.
воз/мещá-ть II. *va.* (*Pf.* -мест=и́ть I. 4. [a]) to compensate, to repay, to indemnify || **–мещéние** *s.* compensation, reparation, indemnification.
возмóж/но *ad.* it is possible, it can be done; **~-ли?** is it possible? **как ~ скорée** as quick(ly) as possible || **–ность** *s. f.* possibility, feasibility; **по –ности** as much as possible || **–ный** *a.* possible, feasible, practicable.
возмуж/áлый *a.* adult, grown-up, marriageable || **–áть** *cf.* **мужáть.**
возмути́тель/ *s. m.*, **–ница** *s.* agitator, seditious person || **–ный** *a.* seditious, rebellious; (*fig.*) revolting, shocking.
воз/мущá-ть II. *va.* (*Pf.* -мут=и́ть I. 6. [a]) to stir up, to agitate, to disturb; to cause to revolt || **~ся** *vr.* to be disturbed; to revolt || **–мущéние** *s.* sedition, revolt, mutiny.

возна/гражда́-ть II. *va.* (*Pf.* -град=и́ть I. 1. [a]) (за + *A*) to recompense, to reward (for); to compensate, to indemnify || **-гражде́ние** *s.* recompense, reward; compensation, indemnity.

возна/ме́рива-ться II. *vn.* (*Pf.* -ме́р=иться II.) to decide (to), to intend (to).

вознегодова́ть *cf.* **негодова́ть.**

возненави́деть *cf.* **ненави́деть.**

Вознесе́ние *s.*, ~ **Госпо́дне** (the Feast of the) Ascension (of Christ).

вознести́ *cf.* **возноси́ть.**

возни/ка́-ть II. *va.* (*Pf.* ⌐кнуть 52.) to appear, to arise (of doubt, questions, etc.), to break out (of hate) || **-ка́ние** & **-кнове́ние** *s.* breaking out, outbreak; arising; appearing || **⌐клый** *a.* arisen, broken out, sprung (from).

возни́/к *s.* [a] draught-horse, cart-horse || **-ца** & **-чий** *s.* coachman, driver; (*astr.*) the Charioteer.

воз/нос=и́ть I. 3. [c] *va.* (*Pf.* -нести́ & -не́сть 26.) to raise up, to lift up; to praise, to laud, to extol; ~ **глас** to raise one's voice; ~ **моли́тву** to offer up a prayer || **~ся** *vn.* to arise, to ascend; to extol o.s., to give o.s. airs.

вознoше́ние *s.* raising up, elevation, exaltation; pride; praise.

возня́ *s.* noise, bustle; trouble, annoyance; drudgery.

возобно/вле́ние *s.* renewal, restoration; renovation; resumption || **-вля́-ть** II. *va.* (*Pf.* -в=и́ть II. 7. [a]) to renew, to restore, to renovate; to resume, to start anew.

возо/ви́к *s.* [a] draught-horse, cart-horse || **-во́й** *a.* draught-, cart-; **-ва́я ло́шадь** cart-horse.

возо́к *s.* [a] (*gsg.* -зка́) sledge-coach, coach on runners.

возра́до+ваться II. *vn. Pf.* to rejoice, to exult.

воз/ража́-ть II. *va.* (*Pf.* -раз=и́ть I. 1. [a]) to contradict, to refute, to oppose; to answer, to object.

возражда́ть = **возрожда́ть.**

возраже́ние *s.* reply; objection, contradiction, refutation.

во́зраст/ *s.* growth; size, development; age; division (in a school-form); **войти́ в по́лный** ~ to become of age || **-а́ние** *s.* growth, increase; progression.

воз/раста́-ть II. *vn.* (*Pf.* -расти́ I. 35. [a]) to grow, to grow up; to increase.

воз/ращá-ть II. *va.* (*Pf.* -раст=и́ть I. 4. [a]) to bring up (children); to rear, to breed (animals); to rear (plants).

возревнова́ть *cf.* **ревнова́ть.**

воз/рожда́-ть II. *va.* (*Pf.* -род=и́ть I. 1. [a]) to renew, to revive; to regenerate || **~ся** *v.pass.* to be reborn, to be regenerated; to be revived || **-рожде́ние** *s.* regeneration, rebirth, reproduction; revival (of art, etc.); the Renaissance.

возропта́ть *cf.* **ропта́ть.**

возрости́ = **возрасти́** *cf.* **возраста́ть.**

возрости́ть *cf.* **возраща́ть.**

во́зчик *s.* driver, carrier, waggoner.

возыме́ть *cf.* **име́ть.**

возьму́ *cf.* **брать.**

во́ин/ *s.* warrior, soldier || **-ский** *a.* martial, military.

вои́нственный *a.* warlike, brave, valiant.

во́инство *s.* army.

вои́стину *ad.* indeed, verily, of a truth.

вои́тель/ *s. m.*, **-ница** *s.* warrior.

вой *s.* crying, whining (of children); howl, howling (of dogs).

войду́ *cf.* **входи́ть.**

во́йлок/ *s.* felt; **-ом** matted (of the hair).

во́йлочный *a.* felt; **-ная шля́па** a felt hat.

война́ *s.* [d] war; **итти́ -о́ю** (на кого́) to make war on, to go to war against.

во́йско/ *s.* [b] army, troops, military; the territory of the Cossacks || **-во́й** *a.* of the Cossacks; ~ **атама́н** the Hetman of the Cossacks.

войт/ *s.* (formerly in West Russia) chief of a village community || **-и́** *cf.* **входи́ть.**

вока́була *s.* vocable, word, term.

вока́л/ *s.* vowel || **-иза́ция** *s.* vocalisation || **-и́зм** *s.* vowel-system (of a language); vocalism || **-ьный** *a.* vocal.

вокза́л *s.* (important) railway-station, terminus.

вокру́г *ad.* round, round about || ~ *prp.* (+ *G.*) around, about.

вол *s.* [a] ox, bull.

вола́н *s.* shuttlecock; flounce, furbelow.

волды́рь *s. m.* [a] boil, blister, lump.

волк/ *s.* [c] wolf || **-ода́в** *s.* wolf-hound.

волна́ *s.* [e] wave, billow.

во́лна *s.* shoren fleece.

волн/е́ние *s.* agitation; tumult, emotion; fermentation; ~ **мо́ря** heavy sea || **-и́стый** *a.* wavy, wave-shaped; watered, moiré (of silk, etc.); corrugated (of iron) || **-о+ва́ть** II. [b] *va.* (*Pf.* вз-) to agitate, to trouble; to excite || **~ся** *vn.* to be agitated; to be rough (of the sea) || **-оло́м** *s.* breakwater || **-oобра́зный** *a.* wave-shaped, wavelike.

воло́вий *a.* ox-.

волоки́т/а *s.* delay, dilatoriness; (*s. m.*) gallant, dangler after women || **-ство** *s.* gallantry, amorousness, dangling after women.
волок/ни́стый *a.* fibrous, filamentous || **-но́** *s.* [h] (*gpl.* -о́кон) fibre; filament.
волоку́, etc. *cf.* **воло́чь.**
волонтёр *s.* volunteer.
во́лос/ *s.* [b & c] (*pl.* -а́ & -ы) hair; **~ в ~** as like as two peas; **на́ ~** within a hair's-breadth || **-а́тик** *s.* hair-worm || **-а́тый** *a.* hairy, hirsute || **-и́стый** *a.* covered with hair, hairy || **-о́к** *s.* [a] (*gsg.* -ска́) small hair; hair-spring (of a watch); filament (in a lamp).
волостно́й *a.* district-.
во́лость *s. f.* [c] district, jurisdiction.
волосяно́й *a.* hair-, of hair.
волоч=и́ть I. [c] *va.* (*Pf.* по-) to drag, to draw || **~ся** *vr.* to drag o.s., to crawl along; (за кем) to run after (a girl).
волочмя́ *ad.* dragging, drawing.
воло́чь = **волочи́ть.**
волхв *s.* [a] prophet; magician.
волч/ёнок *s.* (*pl.* -а́та & -еня́та) young wolf, wolf-cub || **-и́ха** *s.* she-wolf || **-́ий** *a.* wolfish, wolf's || **-о́к** *s.* [a] (*gsg.* -чка́) humming-top.
волшеб/ник *s.* magician || **-ница** *s.* witch || **-ный** *a.* magic(al), fairy || **-ство́** *s.* magic.
волы́нка *s.* (*gpl.* -нок) bagpipe.
вольго́тный *a.* free.
во́льница *s. coll.* body of volunteers; workmen *pl.*, labourers *pl.*
вольно/ду́мец *s.* (*gsg.* -мца), **-ду́мка** *s.* (*gpl.* -мок) freethinker || **-ду́мный** *a.* freethinking || **-ду́мство** *s.* freethinking || **-наёмный** *a.* serving voluntarily || **-определя́ющийся** *s.* volunteer || **-отпу́щенный** *a.* allowed to go free, set at liberty || **-приходя́щий** *s.* extern student, day-boy || **-слу́шатель** *s. m.*, **-слу́шательница** *s.* non-student allowed to attend lectures.
во́льн/ость *s. f.* freedom || **-ый** *a.* free, easy, unconstrained || **-ая** (*as s.*) charter, license.
вольтижёр/ *s.*, **-ка** *s.* (*gpl.* -рок) equestrian performer.
вольт/ *s.* volt || **-́ов** *a.*, **~ столб** Voltaic pile.
волью́ *cf.* **влива́ть.**
во́люшка *s. dim.* freedom.
во́ля *s.* will, freedom; **во́лею** willingly, freely; **во́лею Бо́жиею** with God's will; **~ ва́ша** as you wish.
вон *ad.* out || **~!** see there! be off!
во́на *int.* see yonder!
вонза́-ть II. *va.* (*Pf.* вонз=и́ть I. 1. [a]) to drive in, to stick in (a dagger) || **~ся** *vr.* to pierce.
вонь/ *s. f.* stink, stench || **-́кий** & **воню́чий** *a.* stinking.
вон/ю́чка *s. m&f.* (*gpl.* -чек) stinking person; skunk || **-я́-ть** II. *vn.* to stink, to exhale a disagreeable odour || **~** *vn.* (*Pf.* на-) to pry about; to wrangle.
воображá-ть II. *va.* (*Pf.* вообраз=и́ть I. 1. [a]) to imagine, to think || **~ся** *vn.* to seem.
воображáемый *a.* seeming.
воображе́ние *s.* imagination, fancy.
вообрази́мый *a.* imaginable, thinkable.
вообще́ *ad.* generally, in general; without exception.
воодуш/евле́ние *s.* enthusiasm || **-евля́-ть** II. *va.* (*Pf.* -ев=и́ть II. 7. [a]) to inspire with enthusiasm; to animate || **~ся** *vr.* to become enthusiastic; (*fam.*) to enthuse.
вооружá-ть II. *va.* (*Pf.* вооруж=и́ть I. [a]) to arm, to equip, to fit out; (*fig.*) to excite, to arouse || **~ся** *vr.* to arm o.s., to take up arms; to rise up (against), to revolt.
вооруже́ние *s.* arming, equipment.
во́очию *ad.* seemingly.
во-пе́рвых *ad.* in the first place, firstly.
воп=и́ть II. 7. [a] *vn.* (*Pf.* вз-) to lament, to mourn, to howl; to groan, to weep.
вопию́щий *a.* crying (to Heaven); **-ая несправедли́вость** most atrocious injustice.
вопия́-ть II. (*Pf.* возопия́ть) = **вопи́ть.**
вопл/ощá-ть II. *va.* (*Pf.* -от=и́ть I. 6. [a]) to embody || **~ся** *vr.* to become man, to become incarnate || **-още́ние** *s.* incarnation || **-ощённый** *a.* incarnate; (*fig.*) personified.
вопль *s. m.* lament, mourning; cry of grief.
воплю́ *cf.* **вопи́ть.**
вопреки́ *ad.* (+*D.*) contrary (to), against; **~ тому́** nothwithstanding the fact.
вопро́с *s.* question; interrogation; **э́то ещё ~** that is still doubtful.
вопроси́тель/ *s. m.*, **-ница** *s.* questioner, interrogator || **-ный** *a.* interrogative; **~ знак** note of interrogation; **-ное местоиме́ние** interrogative pronoun.
вопро́сный *a.* questionable, in question.
вопру́ *cf.* **впира́ть.**
вопью́ *cf.* **впива́ть.**
вор *s.* [c] thief, robber.
во́рв/анный *a.* of *or* for train-oil || **-ань** *s. f.* train-oil, blubber; **печёночная ~** cod-liver oil.

вори́шка *s.* (*gpl.* -шек) *dim. of* вор.
ворк/ли́вый *a.* grumbling, cooing || **–о+ва́ть** II. [b] *vn.* (*Pf.* за-) to coo (of doves); to speak tenderly || **–от-а́ть** I. 2. [c] *vn.* to grumble; (*fam.*) to grouse || **–отня́** *s.* grumbling, cooing || **–оту́н** *s.* [a], **–оту́нья** *s.* grumbler; (*fam.*) grouser.
вороб/е́й *s.* (*gsg.* -ья́) sparrow || **-́ка** *s.* (*gpl.* -бок) hen-sparrow || **-́ушек** *s.* (*gsg.* -шка) & **-́ышек** *s.* (*gsg.* -шка) *dim.* young sparrow || **–ьёвый** & **–ьи́ный** *a.* sparrow's.
воро+ва́ть II. [b] *va.* (*Pf.* с-) to steal.
вор/о́вка *s.* (*gpl.* -вок) (female) thief; a cunning woman || **–овско́й** *a.* thievish; thief's; secret; stolen || **–овство́** *s.* robbery, theft.
ворож/ба́ *s.* divination, fortune-telling || **–ея́** *s. m&f.* fortune-teller.
ворож=и́ть I. [a] *va.* (*Pf.* по-) to tell fortunes, to divine.
во́рон *s.* raven.
воро́н/а *s.* crow; (*fig.*) a gaper, a silly person || **–ёнок** *s.* (*pl.* -ня́та) *dim.* young crow || **–ий** *a.* crow's.
воро́н/ка *s.* (*gpl.* -нок) funnel || **–кообра́зный** *a.* funnel-shaped.
воро/но́й *a.* raven-black, jet-black || **–на́я** (*as s.*) a black horse.
во́рот *s.* [°] windlass, winch; collar.
воро́та *s. npl.* gate, gateway.
вороти́ла *s. m.* boss, manager, head.
вороти́ло *s.* handle (of a windmill).
ворот=и́ть I. 2. [c] *va.* (*Pf.* по-, с-) to roll (away), to twist, to turn round; to rule, to direct (*also Pf. of* воро́чать *q. v.*).
ворот/ни́к *s.* [a] collar || **–ничо́к** *s.* [a] (*gsg.* -чка́) *dim.* small collar || **-́ный** *a.* of a gate.
во́рох *s.* [& b] (*pl.* -и & -а́) heap.
воро́ча-ть II. *va.* (*Pf.* ворот=и́ть I. 2. [c] & верн-у́ть I. [a]) to turn round, to twist round, to give back, to restore || ~ *vn.* to turn aside; ~ **с доро́ги** to get out of the way || **~ся** *vr.* to roll around, to turn round || ~ *vn.* to return.
ворош=и́ть I. [a] *va.* (*Pf.* по- & ворохн-у́ть) to stir about, to turn, to disturb, to make uneasy.
ворс/ & **-́а** *s.* the nap (on cloth) || **–и́льна** *s.* (*gpl.* -лен) carding-comb || **–и́стый** *a.* rough, hairy, woolly.
во́рс=ить I. 3. *va.* (*Pf.* на-) to nap (cloth), to raise the nap on.
ворча́ние *s.* grumbling, muttering, rumbling.
ворч=а́ть I. [a] *vn.* (*Pf.* за-, по-) to grumble, to growl; to rumble.
ворч/ли́вый *a.* querulous, grumbling || **–у́н** *s.*, **–у́нья** *s.* grumbler; (*fam.*) grouser.
восем/на́дцатый *num.* eighteenth || **–на́дцать** *num.* eighteen.
во́семь/ *num.* eight || **–десят** *num.* eighty || **–со́т** *num.* eight hundred || **–ю** *ad.* eight times.
воск *s.* wax.
восклиц/а́ние *s.* exclamation || **–а́тельный** *a.* exclamatory; ~ **знак** note of exclamation (!).
восклица́-ть II. *vn.* (*Pf.* воскли́кн-уть I.) to exclaim, to shout aloud.
воск/обо́й *s.* wax-refiner || **–обо́йня** *s.* (*gpl.* -бен) wax-refinery || **–ово́й** *a.* of wax, waxen, wax-.
воскре́с, Христо́с ~ Christ is arisen (an Easter-greeting).
воскреса́-ть II. *vn.* (*Pf.* воскре́снуть 52.) to arise from the dead.
воскрес/е́ние *s.* resurrection, rising from the dead; **ве́рбное** ~ Palm-Sunday; **Све́тлое** ~ Easter Sunday || **–е́нье** *s.* Sunday || **-́ный** *a.* Sunday-; ~ **день** Sunday.
воскреша́-ть II. *va.* (*Pf.* воскрес-и́ть I. 3. [a]) to revive, to raise from the dead; to animate, to inspire.
воскреше́ние *s.* resuscitation, raising from the dead.
воскри́кнуть *cf.* **вскри́кнуть.**
воскуря́-ть II. *va.* (*Pf.* воскур=и́ть II. [a & c]) to burn (incense), to fumigate || **~ся** *vn.* to steam up.
воспал/е́ние *s.* inflammation; ~ **лёгких** pneumonia || **–и́тельный** *a.* inflammatory.
воспаля́-ть II. *va.* (*Pf.* воспал=и́ть II. [a]) to inflame; to kindle || **~ся** *vn.* to become inflamed.
воспаря́-ть II. *vn.* (*Pf.* воспар=и́ть II. [a]) to soar up, to fly up.
воспева́-ть II. *va.* (*Pf.* воспе́ть) 29. [a]) to praise, to sing praises to, to eulogize.
восп/ита́ние *s.* education, bringing-up || **–и́танник** *s.*, **–и́танница** *s.* pupil, scholar || **–ита́тель** *s. m.*, **–ита́тельница** *s.* teacher, tutor; governess || **–ита́тельный** *a.* educational, pedagogical; ~ **дом** foundling-hospital.
воспи́тыва-ть II. *va.* (*Pf.* воспита́-ть II.) to bring up, to educate; to form, to complete.
воспламен/е́ние *s.* inflammation, bursting into flame || **–я́емый** *a.* inflammable.
восплам/еня́-ть II. *va.* (*Pf.* -ен=и́ть II. [a]) to inflame, to kindle; to excite, to stir up || **~ся** *vr.* to burst into flame, to take fire.

восполня́-ть II. *va.* (*Pf.* воспо́лн=ить II.) to complete.

воспо́льзоваться *cf.* **по́льзоваться.**

воспомина́ние *s.* remembrance, recollection.

вспомина́ть *cf.* **вспомина́ть.**

воспосле́до+вать II. *vn. Pf.* to result, to follow, to ensue.

воспою́ *cf.* **воспева́ть.**

воспрепя́тствовать *cf.* **препя́тствовать.**

воспрети́тельный *a.* forbidding, prohibitive.

воспреща́-ть II. *va.* (*Pf.* воспрет=и́ть I. 6. [a]) to forbid, to prohibit.

воспреще́ние *s.* interdiction, prohibition.

вос/принима́-ть II. *va.* (*Pf.* -приня́ть 37. & -прия́ть 37.) to take, to receive, to assume; ~ **свято́е креще́ние** to be christened; ~ **от купе́ли** to hold a child at the baptismal font, to stand godfather *or* godmother.

восприе́м/ник *s.* godfather, sponsor || **–ница** *s.* godmother || **–ный** *a.* baptismal; ~ **сын** godson.

восприи́мчивый *a.* receptive, impressible, susceptible.

восприя́тие *s.* receiving, reception; assumption; taking (of an infection).

воспроиз/веде́ние *s.* reproduction || **–води́тельный** *a.* reproductive || **–вод=и́ть** I. 1. [c] *va.* (*Pf.* -вести́ 22. [a 1.]) to reproduce.

воспро/тивля́-ться II. *vc.* (*Pf.* -ти́в=иться II. 7.) to resist, to oppose; not to allow.

воспря́н-уть I. *vn. Pf.* to jump up, to spring up; ~ **от сна** to start out of one's sleep.

воспыла́ть *cf.* **пыла́ть.**

восседа́-ть II. *vn.* to sit, to be enthroned (on); (*Pf.* воссе́сть 44.) (на + *A.*) to set o.s. on; ~ **на престо́л** to mount, to ascend the throne.

воссия́-ть II. *vn. Pf.* to begin to shine, to shine forth (of the sun).

восскорбе́ть *cf.* **скорбе́ть.**

воссоед/ине́ние *s.* reunion || **–иня́-ть** II. *va.* (*Pf.* -ин=и́ть II. [a]) to rejoin, to reunite.

восстава́ть 39. *vn.* (*Pf.* восста́ть 32.) to rise, to rise up; to revolt; to start (of rumours).

восставля́-ть = **восстана́вливать.**

восстана́влива-ть II. & **восстановля́-ть** II. *va.* (*Pf.* восстанов=и́ть II. 7. [c]) to restore, to re-establish; to set against; to reduce (metallic ores).

восста́ние *s.* revolt, rebellion, insurrection.

восстановле́ние *s.* restoration, rehabilitation.

восста́/ну, –ть *cf.* **восстава́ть.**

восто́к *s.* east; orient.

восто́р/г *s.* delight, rapture, ecstasy; **приводи́ть в** ~ to enrapture; **быть в –е** (от чего́) to be delighted at || **–же́нность** *s. f.* delight, rapture, exaltation || **–же́нный** *a.* delighted, enraptured.

восто́чный *a.* eastern, oriental.

востре́бование *s.* demand, request, requiring; **до –ия** poste restante, until called for.

востри́ть, во́стрый *cf.* **остр–.**

востру́ха *s.* a lively active woman.

восхвале́ние *s.* praise, praising.

восхваля́-ть II. *va.* (*Pf.* восхвал=и́ть II. [c]) to praise, to commend, to extol.

восхити́тельный *a.* charming, captivating, ravishing.

восхища́-ть II. *va.* (*Pf.* восхит=и́ть I. 6. [a & b]) to delight, to charm, to captivate || ~**ся** *vn.* to admire, to be in rapture, to be charmed (with).

восхище́ние *s.* rapture, ecstasy, delight.

восхо́д *s.* ascent, going up; shooting up (of plants); ~ **со́лнца** sunrise.

восход=и́ть I. 1. [c] *vn.* (*Pf.* взойти́ 48. [a]) to ascend, to rise, to go up, to come up, to shoot up (of plants).

восхоте́ть *cf.* **хоте́ть.**

восчу́вствовать *cf.* **чу́вствовать.**

восше́ствие *s.* ascent, mounting; ~ **на престо́л** accession to the throne.

восьмери́к *s.* [a] anything made up of eight similar parts, *e. g.* a thing weighing eight pounds, candles weighing eight to the pound; a team of eight horses; **е́хать –о́м** to drive an eight-in-hand.

восьмери́чный *a.* eightfold, octuple.

восьмёрка *s.* (*gpl.* -рок) the eight (at cards); eight-in-hand; a team of eight horses; an eight-oared boat.

восьмерно́й *a.* eightfold, eight times.

во́сьмеро *num.* eight persons (together); **нас было́** ~ there were eight of us.

восьми/- *in cpds.* = eight-, octo- || **–деся́тый** *num.* eightieth.

восьмо́й *num.* eighth; **–а́я** (часть) an eighth (part); **–о́е** the eighth (of the month); ~ **час** it is after seven o'clock; **в –о́м часу́** between seven and eight (o'clock); **че́тверть –о́го** a quarter past seven.

вот *ad.* there, here, see there; ~ **там** see there; ~ **ещё!** ~ **ещё что!** and that too! that's the limit! ~ **кака́я беда́!** that's

a real misfortune; ~ тебе́ раз! that's where the mischief lies! ~ и всё тут! that's all! [give one's vote (for).
вотиро+ва́ть II. [b] *vn.* to vote (for), to
вотка́ть 20. *va. Pf.* to weave, to work [into.
воткну́ть *cf.* **втыка́ть.**
вотру́ *cf.* **втира́ть.** [with curds.
вотру́шка *s.* (*gpl.* -шек) a pancake made
во́тч/им *s.* step-father || **-ина** *s.* ancestral estate, patrimony || **-инник** *s.*, **-инница** *s.* owner of an ancestral estate.
вотще́ *ad.* in vain, to no purpose.
во́хра *cf.* **о́хра.**
воцаре́ние *s.* accession to the throne.
воцаря́-ть II. *va.* (*Pf.* воцар=и́ть II. [a]) to set on the throne, to crown || **~ся** *vr.&n.* to ascend the throne.
вошёл *cf.* **входи́ть.**
вочело/ве́чива-ться II. *vn.* (*Pf.*-ве́ч=иться I.) to become incarnate.
во́шка *s.* (*gpl.* -шек) small louse.
вошь *s. f.* (*gsg.* вши) louse.
вошью́ *cf.* **вшива́ть.**
вощи́н/ка *s.* (*gpl.* -нок) waxed cloth || **-о́й** *a.* waxen, wax-.
во́ю *cf.* **выть.**
вою́ю *cf.* **воева́ть.**
вою́ющий *Ppr.* warring. [traveller.
воя́ж/ *s.* journey || **-ёр** *s.* commercial
впада́-ть II. *vn.* (*Pf.* впасть 22. [a]) to fall in; to discharge itself into (of a river); to get, to come into; ~ **в грех** to commit sin; ~ **в боле́знь** to fall ill; ~ **в кра́йности** to exaggerate everything.
впаде́ние *s.* falling in; mouth (of a river).
впа́д/ина *s.* hollow, cavity; dimple; **глазна́я** ~ orbit, eye-pit || **-истый** *a.* hollowed, full of hollows. [solder in.
впа́ива-ть II. *va.* (*Pf.* впая́-ть II.) to
впа́йка *s.* (*gpl.* -а́ек) soldering in; piece soldered in.
впа́лзыва-ть II. *vn.* to creep in, to crawl in (*iter. of* вползáть).
впа́л/ость *s. f.* hollowness; being sunken (of the eyes) || **-ый** *a.* hollow, sunken, [fallen in.
впасть *cf.* **впада́ть.**
впая́ть *cf.* **впа́ивать.**
впер/вы́е *ad.* firstly, for the first time || **-ёд** *ad.* forward; onwards; in future; in advance || **-еди́** *ad.* before, in front; **ва́ши часы́** ~ your watch is fast; **ва́ше сло́во** ~ excuse my interrupting, you may continue after; **э́то ещё** ~ that is yet to come; **продолже́ние** ~ to be continued || **′едки** *ad.* in future.
впере́ть *cf.* **впира́ть.**
вперя́-ть II. *va.* (*Pf.* впер=и́ть II. [a]) to direct, to turn; to impress (something on a person); ~ **в кого́ взор** to stare at a person.
впечат/лева́-ть II. *va.* (*Pf.* впечатле́-ть II.) to impress, to make an impression; to inculcate || **-ле́ние** *s.* impression; inculcation. [ceptive.
впечатли́тельный *a.* susceptible, re-
впива́-ть II. *va.* (*Pf.* впить 27., *Fut.* вопью́, -ьёшь) to suck in, to imbibe || **~ся** *vr.* to cling to, to drive one's teeth *or* claws into; to accustom o.s. to drink; ~ **взо́ром** to devour (with the eyes), to stare fixedly at.
впира́-ть II. *va.* (*Pf.* впере́ть 14., *Fut.* вопру́, -рёшь) to force in, to shove in || **~ся** *vr.* to force one's way in. [fee.
вписно́й *a.*, **-ые де́ньги** registration-
впи́сыва-ть II. *va.* (*Pf.* впис=а́ть I. 3. [c]) to inscribe, to enter (in a book), to register || **~ся** *vr.* to have o.s. inscribed.
впить *cf.* **впива́ть.**
впи́хива-ть II. *va.* (*Pf.* впиха́-ть II. & впихн-у́ть I. [a]) to push in, to force in.
впишу́ *Fut. of* вписа́ть *cf.* впи́сывать.
вплавь *ad.* swimming, by swimming.
вплёскива-ть II. *va.* (*Pf.* вплесн-у́ть I. [a]) to splash into.
вплета́-ть II. *va.* (*Pf.* вплесть & вплести́ 23. [a]) to plait in; (*fig.*) to involve, to implicate || **~ся** *vr.* to interfere in (others' affairs).
впло/тну́ю *ad.* firmly; **вбить гвоздь** ~ to drive a nail home || **-ть** *ad.* close to, almost to the end; (до + *G.*) up to, close to.
вплыва́-ть II. *vn.* (*Pf.* вплыть 31. [a]) to swim in, to sail in (of ships).
вплы́тие *s.* entry (of a ship into harbour).
вполго́лоса *ad.* in a low voice, in a whisper. [creep in.
вполза́-ть II. *vn.* (*Pf.* вползти́ 25.) to
вполне́ *ad.* fully, entirely, completely, in
вполови́ну *ad.* half, half-way. [full.
впо́лпьяна *ad.* half-drunk, tipsy.
впопа́д *ad.* opportunely, in good time; **не** ~ inopportunely.
впопыха́х *ad.* in a hurry, in haste.
впо́ру *ad.* right, fitting; seasonable, at the proper time; **сапоги́** ~ the shoes fit.
впосле́дствии *ad.* later on, afterwards.
впотьма́х *ad.* in the dark. [earnest.
впра́вду *ad.* really, indeed; seriously, in
впра́ве *ad.* on the right.
вправля́-ть II. *va.* (*Pf.* впра́в=ить II. 7.) to set (a dislocated joint).

впра́во *ad.* to(-wards) the right.
впрах *ad.* completely, wholly.
впредь *ad.* henceforth, in future.
впречь *cf.* **впряга́ть.**
вприпры́жку *ad.* hopping, skipping.
впро́голодь *ad.* half satisfied, not fully satiated.
впрок *ad.* as stock, in store; profitable, advantageous; **не ~** vainly, in vain.
впроса́к *ad.* in a dilemma; (*fam.*) in a scrape, in a hole.
впросо́н/ках & **-ьи** *ad.* half asleep, dozing.
впро́чем *ad.* besides, otherwise.
впры́гива-ть II. *vn.* (*Pf.* впры́гн-уть I. [a & b]) to spring in, to jump in.
впры́с/кивание *s.* injection || **-кива-ть** II. *va.* (*Pf.* -к-ать II., *mom.* -н-уть I.) to squirt in, to inject, to syringe.
впрыть *ad.* hastily, in all haste.
впряга́-ть II. *va.* (*Pf.* впрячь 15. [a]) to harness (in).
впрям/ь, ∸о, -у́ю *ad.* straightly; in reality, indeed.
впуск/ *s.* admittance || **-но́й** *a.* that may be let in; admission-.
впуска́-ть II. *va.* (*Pf.* впуст=и́ть I. 4. [c]) to let in, to admit.
впу́тыва-ть II. *va.* (*Pf.* впу́та-ть II.) to entangle, to embroil, to implicate || **~ся** *vr.* to meddle, to interfere.
впух *ad.* entirely, completely.
впущу́ *cf.* **впуска́ть.**
впя́лива-ть II. *va.* (*Pf.* впя́л=ить II.) to stretch in a frame.
впя́тер/о *ad.* fivefold, five times || **-о́м** *ad.* five together.
враг *s.* [a] enemy, foe.
вражд/а́ *s.* enmity, animosity || **-е́бность** *s. f.* animosity, hostility || **-е́бный** *a.* hostile.
враждо+ва́ть II. [b] *vn.* (с + *I.* or про́тив + *G.*) to be at enmity (with); to show enmity (towards).
вра́ж/еский *a.* hostile, enemy- || **-ий** *a.* hostile, inimical; **-ья си́ла** Satan, the Devil.
враз/ *ad.* suddenly, all at once || **-бро́д** *ad.* scattered, separated || **-бро́с** *ad.* scattered; one by one || **-дро́бь** *ad.* piecewise, by the piece || **-ма́х** *ad.* drawing back one's hand (for a blow).
вразуми́тельный *a.* intelligible.
враз/умля́-ть II. *va.* (*Pf.* -ум=и́ть II. 7. [a]) to teach, to explain.
вра́ка *s.* (*us. in pl.*) idle talk, twaddle.
врал/ь *s. m.* [a], **-ья** & **-и́ха** *s.* babbler, humbug.
враньё *s.* foolish talk, twaddle.
врасплох *ad.* unawares, unexpectedly.
враста́-ть II. *vn.* (*Pf.* врасти́ 35. [a 2.]) to grow in.
врастя́жку *ad.* at full length, prone.
врата́ *s. npl.* (*sl.*) gate(s).
вр-ать I. [a] *va.* (*Pf.* со-, на-) to lie, to tell lies.
врач/ *s.* [a] doctor, physician, medical man || **-е́бный** *a.* medical || **-ева́ние** *s.* curing, (medical) treatment.
враче+ва́ть II. [b] *va.* (*Pf.* у-) to treat; to cure.
враща́тельный *a.* rotating; gyratory.
враща́-ть II. *va.* to turn round || **~ся** *vr.* to turn.
враще́ние *s.* turning (round), rotation.
вред *s.* [a] harm, damage, detriment, injury; **во ~** (+ *D.*) to the detriment (of).
вред=и́ть I. 1. [a] *vn.* (*Pf.* по-) to injure, to harm; to be detrimental, prejudicial.
вре́д/ность *s. f.* harmfulness, perniciousness || **-ный** *a.* pernicious, harmful || **-оно́сный** *a.* injurious, harmful.
врежу́ *cf.* **вреди́ть.**
вре́зка *s.* (*gpl.* -зок) cutting in.
вре́зыва-ть II. & **вреза́-ть** II. *va.* (*Pf.* вре́з-ать I. 1.) to cut in || **~ся** *vr.* to cut one's way in; to be impressed on; to fall deeply in love with.
вре́м/енно *ad.* provisionally, for the time being || **-енно́й** & **-енный** *a.* temporary, provisional || **-енщи́к** *s.* [a] favourite || **-ечко** *s.* a short while.
вре́мя *s. n.* [b] (*G.* -ени, *I.* -енем; *pl.* -ена́, -ён, -ена́ми) time; while; **во ~** while, during; **в настоя́щее ~** at present; **в ско́ром -ени** shortly, soon; **в то ~** at that time; **в то же ~** at the same time; **в то ~ как** as, at the moment when; **на ~** for a while, provisionally; **на бу́дущее ~** in future; **-ена́ми** now and then, at times; **со -ени** since; **со -енем** gradually, in time; **тем -енем** in the meanwhile; **~ го́да** season (of the year); **не́сколько -ени тому́ наза́д** some time ago; **до поры́ до -ени** till a certain time.
врем/я(пре)провожде́ние *s.* pastime || **-ясчисле́ние** *s.* chronology.
врин-уться I. *vr. Pf.* to cast o.s. in.
вро́вень *ad.* (с + *I.*) even with, on a level with.
врожда́-ться II. *vn.* to be innate, to be inborn.
врождённый *a.* innate, inborn.
вро́зницу *ad.* separately, by retail.
вроз(н)ь *ad.* asunder, separately.
вроста́ть = **враста́ть.**

врубá-ть II. *va.* (*Pf.* вруб=и́ть II. 7. [c]) to chop, to hew, to cut in || **~ся** *vr.* to break through, to cut one's way in.
врун/ *s.* [a], **-́ья** *s.* liar.
вручá-ть II. *va.* (*Pf.* вруч=и́ть I. [a]) to hand in, to deliver.
вруч/éние *s.* handing in, delivery || **-и́тель** *s.m.*, **-и́тельница** *s.* deliverer, bearer (of a letter).
врывá-ть II. *va.* (*Pf.* врыть 28.) to dig in, to bury in || **~ся** *vn.* (*Pf.* ворв-áться *vc.* I. [a]) to break (in, through), to force a way into. [unlikely.
вряд/ & **~-ли** *ad.* (*vulg.*) hardly, scarcely,
всади́ть *cf.* **всáживать.**
всáд/ник *s.*, **-ница** *s.* rider; horseman, horsewoman || **-нический** *a.* rider's.
всáжива-ть II. *va.* (*Pf.* всад=и́ть I. 1. [c]) to plant in, to plunge in; to seat (a person in a carriage); **~ пу́лю в лоб** to blow one's brains out.
всáсыва-ть II. *va.* (*Pf.* всос-áть I. [a]) to suck in, to absorb, to imbibe || **~ся** *vr.* to be sucked in, etc.; (of a child) to take to the breast.
всáчив-ать II. *va.* (*Pf.* всоч=и́ть I. [a]) to absorb.
всё *prn.* (*n. of* весь) & *ad.* all, everything; **~ ещё** always, still, ever; **мне ~ равнó** that's all the same to me; **при всём том** with all that, notwithstanding; **всегó** of all; **лу́чше всегó** best of all; **всегó нá ~** everything considered.
все- *in cpds. us.* = all-, omni-.
все/августéйший *a.* most august || **-благóй** *a.* most gracious.
всевá-ть II. & **всéива-ть** II. *va.* (*Pf.* всé-ять II.) (в + *A.*) to inspire, to instil.
все/вéдущий *a.* omniscient || **-ви́дящий** *a.* all-seeing || **-влáстный** *a.* all-powerful || **-возмóжный** *a.* all possible; **сдéлать -возмóжное** to do everything possible || **-вы́шний** *a.* supreme, all-highest || **-гдá** *ad.* always, ever; **раз на ~** once for all || **-гдáшний** *a.* perpetual, constant; usual || **-держи́тель** *s.m.* the Almighty || **-днéвный** *a.* everyday, daily || **-знáйка** *s. m&f.* (*gpl.* -áек) a person who knows everything || **-éдный** *a.* omnivorous || **-извéстный** *a.* well-known || **-конéчный** *a.* complete, total || **-лéнная** *s.* universe, world || **-лéнский** *a.* universal; (*eccl.*) œcumenical.
вселя́-ть II. *va.* (*Pf.* всел=и́ть II. [a]) to settle; to inspire, to suggest || **~ся** *vr.* to settle.
всé/меро *ad.* seven times || **-мéстный** *a.* general, universal || **-ми́лостивейший** *a.* most gracious || **-мироизвéстный** *a.* generally known || **-ми́рный** *a.* universal || **-могу́щий** *a.* almighty, omnipotent || **-му́дрый** *a.* all-wise.
все/нарóдный *a.* public, general || **-нижáйший** (-ая, -ее) *a.* most humble.
всéнощная *s.* evening-service, midnight-mass.
все/нощнóй *a.* lasting the whole night || **-óбщий** *a.* common, general, universal || **-óбщность** *s. f.* generality || **-об'éмлющий** *a.* all-comprehensive || **-пóдданнейший** *a.* most devoted || **-покóрный** *a.* most humble || **-прощéние** *s.* amnesty, general pardon.
всердцáх *ad.* in a fit of anger.
все/росси́йский *a.* of all the Russians || **-свéтный** *a.* universal || **-си́льный** *a.* all-powerful || **-слáвный** *a.* most glorious || **-сокрушáющий** *a.* all-destroying.
всё-таки *a.* nevertheless, all the same.
все/цéлый *a.* whole, entire, complete || **-цéло** *ad.* wholly, entirely || **-чáсный** *a.* hourly || **-я́дный** *a.* omnivorous.
вскáкива-ть II. *vn.* (*Pf.* вскоч=и́ть I. [c], *mom.* вскокн-у́ть I. [a]) to leap, to jump (in); to jump, to spring up (suddenly).
вскáпыва-ть II. *va.* (*Pf.* вскопá-ть II.) to dig up, to delve.
вскарáбкива-ться II. *vn.* (*Pf.* вскарáбка-ться II.) to clamber up on.
вскáрмлива-ть II. *va.* (*Pf.* вскорм=и́ть II. 7. [c]) to nourish, to feed, to bring up.
вскачь *ad.* at a gallop, galloping.
вски́дыва-ть II. *va.* (*Pf.* вскидá-ть II., *mom.* вски́н-уть I.) to throw up || **~ся** *vr.* to be thrown up; to cast o.s. on, to fall on.
вскипá-ть II. *vn.* (*Pf.* вскип=éть II. 7. [a]) to commence to boil; to boil over (with rage).
вскипяти́ть *cf.* **кипяти́ть.**
вsклёпыва-ть II. *va.* (*Pf.* вsклеп-áть II. 7. [c]) to impute falsely.
вsклóчива-ть II. *va.* (*Pf.* вsклóч=ить I.) to entangle, to tangle, to tousle (the hair).
вскок *ad.* at a gallop.
вскокну́ть *cf.* **вскáкивать.**
всколебáть *cf.* **колебáть.**
всколыхáть *cf.* **колыхáть.**
вскользь *ad.* slightly, superficially.
вскопáть *cf.* **вскáпывать.**
вскóре *ad.* soon, shortly, immediately.
вскорми́ть *cf.* **вскáрмливать.**
вскормлéние *s.* nurture, bringing-up.

вскóрмлен/ник *s.* foster-son || **-ница** *s.* foster-daughter.
вскорóбить *cf.* **корóбить.**
вскочи́ть *cf.* **вскáкивать.**
вскри́кива-ть II. *vn.* (*Pf.* вскрич=áть I. [a], *mom.* вскри́кн-уть I.) to cry out, to shriek, to scream.
вскрóю *cf.* **вскрывáть.**
вскруж=и́ть I. [a & c] *va. Pf.*, ~ (комý) **гóлову** to turn a person's head (with vain hopes) || **~ся** *vn.*, **у меня́ головá вскружи́лась** I felt giddy, my head swam.
вскрывá-ть II. *va.* (*Pf.* вскрыть 28. [b]) to uncover, to open; to turn up (a card); to dissect (a corpse) || **~ся** *vn.* to be opened, to open; to be turned up; to be dissected; to break up (of ice).
вскры́тие *s.* uncovering, opening; turning-up (of a card); break-up (of ice); postmortem examination (of a body).
всласть *ad.* tasty; enough, to one's heart's content.
вслед/ *ad.* immediately behind; (за + *I.*) immediately after || **´ствие** *ad.* (+ *G.*) in consequence of, as a result of.
вслух *ad.* aloud, audibly.
вслýшива-ться II. *vn.* (*Pf.* вслýша-ться II.) (в + *A.*) to listen to, to pay attention to, to pay heed to, to heed.
всмáтрива-ться II. *vn.* (*Pf.* всмотр=éться II. [c]) (в + *A.*) to examine carefully, to look at attentively; to accustom one's eyes to.
всмя́тку *ad.* soft-boiled (of eggs).
всóвыва-ть II. *va.* (*Pf.* всо+вáть II. [a] & всýн-уть I.) to put in, to thrust in || **~ся** *vr.* to be pushed in; to push o.s. in.
всосáть *cf.* **всáсывать.**
всочи́ть *cf.* **всáчивать.**
вспадá-ть II. *vn.* (*Pf.* вспасть 22. [a]), ~ **на ум** *or* **на мысль** to occur to, to enter one's head.
вспáива-ть II. *va.* (*Pf.* вспо=и́ть II. [a]) to feed on milk, to rear.
вспáлзыва-ть *iter. of* вспользáть.
вспáрхива-ть II. *vn.* (*Pf.* вспорхн-ýть I. [a]) to fly up, to flutter up; to take wing.
вспáрыва-ть II. *va.* (*Pf.* вспор-óть II. [c]) to tear up, to rip up; ~ **живóт** to disembowel.
вспасть *cf.* **вспадáть.**
вспáхива-ть II. *va.* (вспах-áть I. 3. [c]) to plough up, to till.
вспáшка *s.* (*gpl.* -шек) ploughing up, tilling.
вспláстыва-ть II. *va.* (*Pf.* вспластá-ть II.) to split in two (lengthwise), to slit open.

всплеск *s.* splash; (hand-)clapping, applause.
всплёскива-ть II. *va.* (*Pf.* всплесн-ýть I. [a]) to splash up, to dash up; ~ **рукáми** to clap (the hands), to applaud.
всплo/шнýю & **-шь** *ad.* close together; without interruption; **всплошь да ря́дом** always and everywhere.
всплывá-ть II. *vn.* (*Pf.* всплыть 31. [a]) to swim up (to the surface).
всплы́тие *s.* coming up (to the surface of the water).
вспои́ть *cf.* **вспáивать.**
всполáскива-ть II. *va.* (*Pf.* всполоск-áть I. 4. [c], *mom.* всполосн-ýть I. [a]) to rinse, to wash (out).
всполáшива-ть II. *va.* (*Pf.* всполош=и́ть I. [c], *mom.* всполохн-ýть I. [a]) to alarm, to startle || **~ся** *vn.* to become alarmed, to take fright.
всползá-ть II. *vn.* (*Pf.* всползти́ 25. [a 1.]) to climb up.
вспóлье *s.* ridge (between two fields).
вспоминáние *s.* remembrance, recollection.
вспоминá-ть II. *va.* (*Pf.* вспóмн=ить II., *mom.* вспомян-ýть I. [c]) (*A. or* о + *Pr.*) to remember, to recollect, to call to mind.
вспомо/гáтельный *a.* auxiliary, subsidiary; ~ **глагóл** auxiliary verb || **-жé-ние** & **-ществовáние** *s.* help, assistance, succour.
вспорóть *cf.* **вспáрывать.**
вспорхнýть *cf.* **вспáрхивать.**
вспотéлый *a.* sweating, in a sweat, perspiring.
вспотéть *cf.* **потéть.**
вспои́ть *cf.* **вспáивать.**
вспры́гива-ть II. *vn.* (*Pf.* вспры́гн-ýть I. [a & b]) to spring up, to jump up; to skip.
вспры́скива-ть II. *va.* (*Pf.* вспры́сн-уть I.) to sprinkle; (*fig.*) to drink a person's health, to toast; ~ **обнóвку** to handsel, to celebrate (*e. g.* the occasion of wearing something new).
вспýгива-ть II. *va.* (*Pf.* вспугá-ть II., *mom.* вспугн-ýть I. [a]) to frighten, to startle.
вспухá-ть II. *va.* (*Pf.* вспýхн-уть I.) to swell up.
вспýчить *cf.* **пýчить.**
вспуши́ть *cf.* **пуши́ть.**
вспыл=и́ть II. [a] *vn. Pf.* to fly into a passion, to boil over (with rage); (на когó) to get into a rage with.
вспы́льчив/ость *s. f.* passion, irritability, irascibility || **-ый** *a.* irascible, passionate.

вспы́хива-ть II. *vn.* (*Pf.* вспы́хн-уть I.) to flash, to burst out; to burst into flame; **~ гне́вом** to boil over with rage.
вспы́шка *s.* (*gpl.* -шек) blazing up; a fit of anger.
вспять *ad.* back(-wards).
встава́ть 39. *vn.* (*Pf.* встать 32.) to get up, to rise; to stand up; to recover (from an illness).
вста́вка *s.* (*gpl.* -вок) insertion.
вставля́-ть II. *va.* (*Pf.* вста́в=ить II. 7.) to set in, to put in; to insert.
встав/но́й *a.* for insertion; (of teeth) false || **∠очный** *a.* put in, inserted.
вста́ну *cf.* **встава́ть.**
встар/ину́ & –ь *ad.* in olden times, in bygone days.
вста́скива-ть II. *va.* (*Pf.* встащ=и́ть I. [c]) to drag up, to draw up.
встать *cf.* **встава́ть.**
встормоши́ть *cf.* **тормоши́ть.**
встрево́жить *cf.* **трево́жить.**
встрепа́ть *cf.* **встрёпывать.**
встрепен-у́ться I. [a] *vr. Pf.* to start, to give a start; (of birds) to shake the wings.
встрёпка *s.* (*gpl.* -пок) pulling by the hair; **зада́ть** (кому́) **–у** to rate a person soundly.
встрёпыва-ть II. *va.* (*Pf.* встреп-а́ть II. 7. [c]) to put in disorder, to tousle.
встре́ча *s.* meeting; welcome, reception; **итти́ на –у** to go to meet.
встреча́-ть II. *va.* (*Pf.* встре́т=ить I. 2.) to meet; to receive, to welcome; **~ аплодисме́нтами** to greet with applause || **~ся** *vn.* to meet together; to happen, to occur.
встре́чный *a.* meeting; (of wind) contrary; (*as s.*) **пе́рвый ~** *or* **~ и попере́чный** the first comer.
встря́ска *s.* (*gpl.* -сок) shaking up.
встря́хива-ть II. *va.* (*Pf.* встряхн-у́ть I. [a]) to shake up.
вступа́-ть II. *vn.* (*Pf.* вступ=и́ть II. 7. [c]) to enter; **~ во владе́ние име́нием** to take possession of; **~ в брак** to get married; **~ на престо́л** to ascend the throne || **~ся** *vn.* (за + *A.*) to defend.
вступи́тельный *a.* introductory; **–ая речь** inaugural address.
вступле́ние *s.* entrance, entry; introduction; **~ на престо́л** accession to the throne.
всу́е *ad.* in vain.
всу́нуть, всу́ю *cf.* **всо́вывать.**
всуча́-ть II. & **всу́чива-ть** II. *va.* (*Pf.* всуч=и́ть I. [c]) to intertwist.
всха́жива-ть *iter. of* всходи́ть.
всхлип/ & ∠ывание *s.* sob(bing) || **∠ыва-ть** II. *vn.* (*Pf.* ∠н-уть I.) to sob.
всход *s.* ascent; rising, rise; sprout.
всход=и́ть I. 1. [c] *vn.* (*Pf.* взойти́ 48.) to ascend, to mount; to rise; to sprout; **~ на престо́л** to ascend the throne.
всхожде́ние = **всход.**
всхра́/пыва-ть II. *vn.* (*Pf.* -пн-у́ть I. [a] & -п=е́ть II. 7. [a]) to snore; to take a nap.
В/сч *abbr. of* **Ваш счёт** = your account.
всыпа́-ть II. *va.* (*Pf.* всы́п-ать II. 7.) to strew in; to give a drubbing to.
всы́пка *s.* (*gpl.* -пок) strewing in; what is strewn in.
всю́ду *ad.* everywhere.
вся *cf.* **весь.**
всяк/ *prn.* everybody, everyone || **∠ий** *prn.* every, each; everybody, everyone.
вся́ч/еский *a.* of all kinds || **–ески** *ad* in every way || **–ина** *s.*, **вся́кая ~** hotch potch, mish-mash, medley.
вта́йне *ad.* in secret, secretly, under the rose.
вта́лкива-ть II. *va.* (*Pf.* втолка́-ть II., *mom.* втолкн-у́ть I. [a]) to push in, to shove in.
вта́птыва-ть II. *va.* (*Pf.* втопт-а́ть I. 2. [c]) to trample, to tread (in); **~ в грязь** to drag in the mire.
вта́скива-ть II. *va.* (*Pf.* вталка́-ть II. & втащ=и́ть I. [c]) to drag, to draw, to pull (in).
втека́-ть II. *vn.* (*Pf.* втечь 18. [a]) to flow into, to fall into (of a river).
втере́ть *cf.* **втира́ть.**
втерпёж *ad.*, (*us.*) **не–** unbearable.
втесня́-ть II. *va.* (*Pf.* втесн=и́ть II. [a]) to squeeze in, to drive in.
втечь *cf.* **втека́ть.**
втира́ние *s.* friction, rubbing in.
втира́-ть II. *va.* (*Pf.* втере́ть 14., *Fut.* вотру́, -рёшь) to rub in; **~** (кому́) **очки́** to blacken a person's eyes || **~ся** *vr.* to be rubbed in; to intrude o.s.
вти́скива-ть II. *va.* (*Pf.* вти́ска-ть II., *mom.* вти́сн-уть I.) to press in, to squeeze in.
втихомо́лку *ad.* on the sly, stealthily.
втолк/а́ть, –ну́ть *cf.* **вта́лкивать.**
втолко́выва-ть II. *va.* (*Pf.* втолко+ва́ть II. [b]) to explain, to expound.
втоп/та́ть, –чу́ *cf.* **вта́птывать.**
вто́ра *s.* (*mus.*) second fiddle, second voice, seconds.
втор/га́-ться II. *vn.* (*Pf.* вто́ргн-уться I.) to invade, to burst in on || **–же́ние** *s.* irruption, invasion.

вто́р=ить II. *va.* to repeat; (кому́) to chime in with.
втори́ч/ный *a.* second, repeated || **-но** *ad.* for the second time, a second time.
вто́рник *s.* Tuesday; **по -ам** on Tuesdays.
второ/бра́чный *a.* married a second time; of the second marriage || **-зако́ние** *s.* Deuteronomy.
второ́й *num.* second.
второ/кла́ссный *a.* second-class || **-пя́х** *ad.* in haste, in a hurry || **-степе́нный** *a.* secondary, second-rate.
втр/и́дорога *ad.* three times dearer, extremely dear || **-о́е & -ойне́** *ad.* trebly, three times as much || **-оём** *ad.* by threes, three together.
вту́лка *s.* (*gpl.* -лок) bung, stopper; (screw-)nut.
вту́не *ad.* in vain, to no purpose.
втыка́-ть II. *va.* (*Pf.* воткн-у́ть I. [a]) to stick in, to drive in; to thrust.
втю́рива-ть II. *va.* (*Pf.* втю́р=ить II.) (*vulg.*) to squeeze in, to press in || **~ся** *vr.* (в + *A.*) (*vulg.*) to press in; to fall madly in love (with).
втя́гива-ть II. *va.* (*Pf.* втян-у́ть I. [c]) to pull in, to draw in; (*fig.*) to implicate, to involve.
вуа́ль *s. f.* veil.
вулка́н/ *s.* volcano || **-изо́ванный** *a.* vulcanized || **-и́ческий** *a.* volcanic.
вульга́рный *a.* vulgar.
вход *s.* entrance, entry; access, admission; **пла́та за ~** entrance-fee.
вход=и́ть I. 1. [c] *vn.* (*Pf.* войти́ 48.) to enter (in, into), to go, to come, to walk (in); to get into.
вход/но́й & ´-ный *a.* entrance-.
вхо́ж/ий *a.* having admittance || **-у́** *cf.* **входи́ть.**
вцепля́-ться II. *vr.* (*Pf.* вцеп=и́ться II. 7. [c]) (в + *A.*) to seize, to cling (to), to clutch.
вчер/а́ *ad.* yesterday || **-а́шний** *a.* yesterday-, yesterday's || **-не́** *ad.* in the rough.
вче́твер/о *ad.* four times more, four times as much || **-о́м** *ad.* by fours.
вчи́тыва-ться II. *vn.* (*Pf.* вчита́-ться II.) to take in the meaning (of something written).
вчу́же *ad.* not being a friend *or* relative, as a stranger.
вши́вый *a.* lousy.
в'еда́-ться II. *vr.* (*Pf.* в'е́сться 42.) to eat into, to corrode.
в'е́дчивый *a.* corrosive.
в'езд *s.* entry; entrance, avenue, approach, drive.
в'езжа́-ть II. *vn.* (*Pf.* в'е́хать 45.) to drive in, to ride in; to come in (by rail).

вы *prn. pl.* you, ye.
вы- *in cpds.* = out-.
выбаллоти́ровать *cf.* **баллоти́ровать.**
вы/ба́лтыва-ть II. *va.* (*Pf.* ´-болта-ть II., *mom.* ´-болтн-уть I.) to pour out; (*fig.*) to blab, to divulge (a secret) || **-бега́-ть** II. *vn.* (*Pf.* ´-бежать 46.) to run out; to shoot up rapidly (of plants) || **-бе́гива-ть** II. *va.* (*Pf.* ´-бега-ть II.) to run through (a place); to gain, to win by running || **-бе́лива-ть** II. *va.* (*Pf.* ´-бел=ить II.) to bleach, to whiten, to whitewash || **´-беру** *cf.* **-бира́ть** || **-бива́-ть** II. *va.* (*Pf.* ´-бить 27.) to beat out, to strike out; to smash in (a window); to force in (a door); to coin, to strike (a medal); to work, to hammer (metals); to stamp, to print (cotton); to cast ashore (of the waves); **~ седока́ из седла́** to unhorse a rider; **~ что из головы́** to give up thinking about something || **~ся** *vr.* to get out of, to get away from; **~ из сил** to exhaust o.s., to tire o.s. || **-бира́ние** *s.* choosing; selection || **-бира́-ть** II. *va.* (*Pf.* ´-брать 8.) to sort, to select; to elect; to collect, to cull || **~ся** *vr.* to get out (of a difficulty); to remove (from lodgings); **~ на да́чу** to move into summer quarters || **´-блядок** *s.* (*gsg.* -дка) & **´-блядыш** *s.* bastard, illegitimate child || **´-боина** *s.* hollow, groove, rut || **´-болтать** *cf.* **-ба́лтывать** || **´-бор** *s.* choice, selection, election; option || **´-борка** *s.* (*gpl.* -рок) choice, selection || **´-борный** *a.* chosen, elected; (*as s.*) deputy || **´-бран=ить** II. *va. Pf.* to reprimand severely; to give a good scolding to || **-бра́сыва-ть** II. *va.* (*Pf.* ´-броса-ть II. & ´-брос=ить I. 3.) to throw out, to cast out; to cross out, to strike out, to erase, to leave out (a word, etc.) || **~ся** *vr.* to rush out, to spring out; **~ на́ берег** to run aground (with a ship) || **´-брать** *cf.* **-бира́ть** || **´-бресть** 22. [a 2.] *vn. Pf.* to take a stroll (after an illness); to walk out || **´-брить** *cf.* **брить** || **´-бросок** *s.* (*gsg.* -ска) offal, refuse, trash || **´-бутить** *cf.* **бути́ть** || **´-бучить** *cf.* **бу́чить** || **-быва́-ть** II. *vn.* (*Pf.* ´-быть 49.) to retire, to leave (service, etc.), to withdraw (from); **~ из строя** to become disabled || **´-бью** *cf.* **-бива́ть.**
вы/ва́лива-ть II. *va.* (*Pf.* ´-вал=ить II.) to throw out, to cast out || **~ся** *vr.* to fall out; to be thrown out || **´-валя-ть** II. *va. Pf.* to full, to mill (cloth); to roll

around (and soil) || **~ся** *vr.* to wallow in (and become soiled) || **–ва́рива-ть** II. *va.* (*Pf.* **∸**вар=ить II.) to boil out, to decoct, to extract (by boiling) || **∸варка** *s.* (*gpl.* -рок) extraction (by boiling); decoction; (*in pl.*) sediment || **∸ведчик** *s.* spy, investigator || **∸веду** *cf.* **–води́ть** || **–ве́дыва-ть** II. *va.* (*Pf.* **∸**веда-ть II.) to pry out, to explore, to investigate; to pump (a person for information) || **∸везти, ∸везу** *cf.* **–вози́ть** || **–вёртыва-ть** II. *va.* (*Pf.* **∸**верн-уть I.) to turn out; to twist out; **~ на изна́нку** to turn inside out || **~ся** *vn.* to appear suddenly; to slip out, to extricate o.s. || **–веря́-ть** II. *va.* (*Pf.* **∸**вер=ить II.) to adjust, to regulate || **∸весить** *cf.* **–ве́шивать** || **∸веска** *s.* (*gpl.* -сок) hanging out (clothes, etc.); sign-board, sign; net weight, deduction of tare; (*vulg.*) dandy, fop || **∸вести, ∸весу** *cf.* **–води́ть** || **–ве́трива-ть** II. *va.* (*Pf.* **∸**ветр=ить II.) to air, to expose to the air, to ventilate || **~ся** *vn.* to become weather-beaten; (*chem.*) to effloresce || **ве́шива-ть** II. *va.* (*Pf.* **∸**вес=ить I. 3.) to hang out; to weigh; to balance, to make even, to plane || **∸веять** *cf.* **ве́ять** || **–ви́нчива-ть** II. *va.* (*Pf.* **∸**винт=ить I. 2.) to screw out, to unscrew || **∸вих** *s.* dislocation, sprain || **–вихá-ть** II. *va.* (*Pf.* **∸**вихн-уть I.) to dislocate, to sprain, to put out of joint || **∸вод** *s.* migration, transposition; result, consequence, deduction; visit to church (of a newly-married couple) || **–вод=и́ть** I. 1. [c] *va.* (*Pf.* **∸**вести & **∸**весть 22.) to lead out, to bring out; to transplant, to transpose; to take out, to remove (stains, etc.); to extirpate (vermin, etc.), to exterminate; to abolish; to hatch out; to build, to construct (wall, etc.); **~ в лю́ди** to advance a person's career; **~ заключе́ние** to draw a conclusion || **~ся** *vn.* to decrease (in numbers); to disappear, to become obsolete || **∸водок** *s.* (*gsg.* -дка) brood || **∸воз** *s.* export(ation) || **–воз=и́ть** I. 1. [c] *va.* (*Pf.* **∸**везти & **∸**везть 25.) to carry out, to cart out; to export; to drive out; to introduce (young ladies into society) || **–возно́й & ∸возный** *a.* exported; export-; **–ны́е по́шлины** export duties || **–вора́чива-ть** II. *va.* (*Pf.* **∸**ворот=ить I. 2.) to twist out; to twist, to distort (words, etc.); to turn (inside out) || **∸ворот** *s.* turning (inside out); the left side, reverse; **всё на ~** everything upside down, in disorder, topsy-turvy; **чита́ть на ~** to read backwards || **–вя́зыва-ть** II. *va.* (*Pf.* **∸**вяз-ать I.) to untie; to take something out of a bundle; to knit; to earn by knitting || **∸вялить** *cf.* **вя́лить.**

вы/га́дыва-ть II. *va.* (*Pf.* **∸**гада-ть II.) to think out, to invent; to profit by, to take advantage of; to spare, to economize || **–га́жива-ть** II. *va.* (*Pf.* **∸**гад=ить I. 1.) to soil, to make dirty || **∸гиб** *s.* bend(ing); curve || **–гибá-ть** II. *va.* (*Pf.* **∸**гн-уть I.) to bend out, to curve, to arch || **~ся** *vr.* to be bent, to be curved *or* arched || **–гла́жива-ть** II. *va.* (*Pf.* **∸**глад=ить I. 1.) to iron; to plane, to smooth, to polish || **–гля́дыва-ть** II. *vn.* (*Pf.* **∸**глян-уть I.) to look out || **~** *va.* (*Pf.* **∸**гляд=еть I. 1.) to spy on, to observe; to tire one's eyes (by long looking); (+ *I.*) to look (as if) || **∸гнать** *cf.* **–гоня́ть** || **∸гнуть** *cf.* **–гибáть** || **–гова́рива-ть** II. *va.* (*Pf.* **∸**говор=ить II.) to speak out, to pronounce; to reserve (by agreement); (кому́) to reproach, to reprimand || **∸говор** s. pronunciation; reprimand, rebuke || **∸года** *s.* advantage, profit || **∸годный** *a.* profitable, advantageous || **∸гон** *s.* driving-out (cattle); pasturage; distillation || **∸гонный** *a.* pasture- || **∸гонщик** *s.* beater (in hunting) || **–гоня́-ть** II. *va.* (*Pf.* **∸гнать** 11.) to drive out, to drive away, to expel; to start (game); to exterminate, to extirpate; to distil || **–гора́жива-ть** II. *va.* (*Pf.* **∸**город=ить I. 1.) to fence out; (*fig.*) to try to excuse || **–горá-ть** II. *vn.* (*Pf.* **∸**гор=еть II.) to burn out, to be reduced to ashes; to fade (of colours) || **∸горелый** *a.* burnt out, burnt to the ground (of houses, etc.); faded (of colours) || **∸гравировать** *cf.* **грави́ровать** || **∸гранить** *cf.* **грани́ть** || **–гребá-ть** II. *va.* (*Pf.* **∸**грести & **∸**гресть 21.) to rake out, to scrape out || **~** *vn.* to row out || **–гребно́й** *a.*, **–на́я я́ма** cess-pool || **–груж-áть** II. *va.* (*Pf.* **∸**груз=ить I. 1.) to unload, to discharge, to unlade || **∸грузка** *s.* (*gpl.* -зок) unloading, discharging || **∸грязнить** *cf.* **грязни́ть.**

вы/дава́ть 39. [a] *va.* (*Pf.* **∸**дать 38) to deliver, to give out; to publish (a book); to spend, to pay out; to draw up, to make out, to issue (a passport); to betray; **~ (дочь) за́муж** to marry, to give in marriage; **~ себя́** (за + *A.*) to give o.s. out to be || **–да́вливá-ть** II. *va.* (*Pf.* ⁻дав=ить II. 7.) to crush out, to squeeze out || **–да́лблива-ть** II. *va.* (*Pf.* ⁻долб=ить II. 7.) to hollow out, to excavate; to chisel out; (*fig.*) to learn mechanically, to cram || **⁻дать** *cf.* **–дава́ть** || **⁻дача** *s.* handing out, delivery; drawing up, issuing; payment; extradition (of a criminal) || **–двига́-ть** II. *va.* (*Pf.* ⁻двин-уть I.) to draw out, to pull out, to move out; to push forward (troops) || **~ся** *vr.* to be pulled out, to be drawn out; to yield, to give way || **–движно́й** *a.* that can be drawn out, telescope-; **~ я́щик** drawer; **~ стол** telescope-table || **⁻делка** *s.* (*gpl.* -лок) preparing, preparation; finishing; dressing, tanning (hides); product, production, manufacture || **–де́лыва-ть** II. *va.* (*Pf.* ⁻дела-ть II.) to prepare, to finish, to produce; to dress, to tan (hides) || **–деля́-ть** II. *va.* (*Pf.* ⁻дел=ить II.) to apportion, to allot, to give each person his proper share; (*phys.*) to secrete || **~ся** *v.pass.* to fall to someone's share; to be allotted; to be secreted || **~** *vr.* to stand out, to be distinguished || **–дёргива-ть** II. *va.* (*Pf.* ⁻дерга-ть II. & ⁻дерн-уть I.) to pull out, to drag out, to draw (a nail) || **–де́ржива-ть** II. *va.* (*Pf.* ⁻держ=ать I.) to hold (out), to keep (up); to bear, to suffer: to pass (an examination); to train (a dog, etc.); to use up; to support (a part) || **⁻держка** *s.* (*gpl.* -жек) excerpt, extract; training; supporting, bearing, keeping up || **⁻дернуть** *cf.* **–дёргивать** || **–дёшь** *cf.* **–ходи́ть** || **–дира́-ть** II. *va.* (*Pf.* ⁻драть 8. [a 3.]) to tear out, to drag out; **~** (кому́) **у́ши** to pull a person's ears || **~ся** *vr.* to extricate o.s. || **⁻долбить** *cf.* **–да́лбливать** || **⁻дохлый** *a.* flat, vapid, insipid (of liquids) || **⁻дохнуть-ся** *cf.* **–дыха́ться.**

вы́дра *s.* otter.

вы́/драть *cf.* **–дира́ть** || **⁻дти** = **⁻йти** || **⁻дубить** *cf.* **дуби́ть** || **–дува́льщик** *s.* glass-blower || **–дува́-ть** II. *va.* (*Pf.* ⁻ду-ть II.) to blow out; to blow (glass); to blow away; to drain, to drink to the last drop || **⁻думка** *s.* (*gpl.* -мок) invention; fib, fiction, fabrication || **⁻думщик** *s.*, **⁻думщица** *s.* inventor; boaster, fibber || **–ду́мыва-ть** II. *va.* (*Pf.* ⁻дума-ть II.) to invent, to devise; to lie, to fib || **⁻дуть** *cf.* **–дува́ть** || **–дыха́ние** *s.* exhalation, evaporation, becoming flat (of beer, etc.) || **–дыха́-ть** II. *va.* (*Pf.* ⁻дохн-уть I.) to exhale, to breathe out; to give forth (a smell), to evaporate || **~ся** *vn.* to evaporate; to become vapid *or* insipid; to become flat (of beer).

вы/еда́-ть II. *va.* (*Pf.* ⁻есть 42.) to eat up, to consume; to eat into, to corrode || **⁻езд** *s.* driving out, drive; departure (by car *or* on horseback); **~ верхо́м** riding out, ride || **–ездно́й** *a.* of (for) riding *or* driving out || **⁻ездить** *cf.* **–е́зживать** || **⁻ездка** *s.* (*gpl.* -док) breaking in, training (horses) || **⁻ездчик** *s.* horse-breaker, trainer || **–езжа́-ть** II. *vn.* (*Pf.* ⁻ехать 45.) to ride out, to drive out; to depart (by car *or* on horseback); **~ верхо́м** to ride out; **~ из кварти́ры** to move (from a house); **~ в дере́вню** to go into the country || **–е́зжива-ть** II. & **–езжа́-ть** II. *va.* (*Pf.* ⁻езд=ить I. 1.) to train, to break in (a horse) (-е́зживать *also fr. of* ⁻езжать) || **⁻ем** & **⁻емка** *s.* (*gpl.* -мок) digging out, taking out; arrest, confiscation; groove, fluting (on pillars); incision; cutting || **⁻емчатый** *a.* hollowed out, grooved, fluted || **⁻есть** *cf.* **–еда́ть** || **⁻жать** *cf.* **–жима́ть** & **–жина́ть** || **⁻ждать** *cf.* **–жида́ть** || **⁻жечь** *cf.* **–жига́ть** || **–жива́ние** *s.* driving away, eviction, supplanting || **–жива́-ть** II. *va.* (*Pf.* ⁻жить 31.) to stay, to remain (a certain time, in service, etc.); to turn out, to evict (a lodger); to get rid of; to bear || **~** *vn.*, **~ из лет** to grow infirm with age; **~ из ума́** to become childish || **⁻жига** *s.* smelted gold *or* silver (from old galloons); (*fam.*) an out-and-out rascal, an archrogue, sly old fox || **–жига́-ть** II. *va.* (*Pf.* ⁻жечь [√жг] 16.) to burn out, to burn down; to cauterize; to refine, to smelt || **–жида́тельный** *a.* expectant || **–жида́-ть** II. *va.* (*Pf.* ⁻жд-ать I.) to watch for, to wait for (an opportunity, etc.), to be on the look-out for || **–жима́ние** *s.* pressing out, squeezing out || **–жима́-ть** II. *va.* (*Pf.* ⁻жать 33.) to squeeze out, to press out; to wring (clothes); **~** (из кого́) **сок** to extort as much as possible from a person, to sweat a person || **⁻жимки** *s. fpl.* (*G.* -мок) residue (after squeezing); husks (of grapes after pressing) || **–жина́-ть** II. *va.* (*Pf.* ⁻жать 34.) to reap, to mow || **–жира́-ть** II. *va.* (*Pf.* ⁻жр-ать I.) to eat up, to devour || **⁻жить** *cf.* **–жива́ть** || **⁻жму** *cf.* **–жима́ть.**

вы́/звать *cf.* **-зыва́ть** || **-здора́вливание** & **-здоровле́ние** *s.* convalescence; recovery (from illness) || **-здора́влива-ть** II. *vn.* (*Pf.* ⸗здорове-ть II.) to recover (from an illness); to become convalescent || **-знава́-ть** II. *va.* (*Pf.* ⸗зна-ть II.) to investigate, (to try) to find out || **⸗зов** *s.* calling out; challenge; summons, citation || **-зола́чива-ть** II. *va.* (*Pf.* ⸗золот=ить I. 2.) to gild || **-зрева́-ть** II. *vn.* (*Pf.* ⸗зре-ть II.) to ripen, to become ripe || **-зу́брива-ть** II. *va.* (*Pf.* ⸗зубр=ить II. [a]) to learn by heart, to cram; to dent, to indent || **-зыва́-ть** II. *va.* (*Pf.* ⸗звать 10.) to call out, to call for (an actor to appear on the stage); to cause; to challenge; to summon (before a court); to draw (a nail); to invite (a professor to accept a chair) || **~ся** *vr.* to be called; to offer o.s., to volunteer.

вы/и́грыва-ть II. *va.* (*Pf.* ⸗игра-ть II.) to win, to gain; to profit (by) || **⸗игрышный** *a.* gained, won; **~ биле́т** the winning number (in a lottery) || **⸗игрыш** *s.* gain, winnings *pl.*, profit; **пе́рвый ~** first prize (in a lottery) || **-и́скива-ть** II. *va.* (*Pf.* ⸗иск-ать I. 4.) to seek, to search for; to track, to trace (criminals, etc.) || **~ся** *vr.* to offer o.s., to be found || **⸗йти** *cf.* **-ходи́ть** || **⸗ищу** *cf.* **-и́скивать.**

вы/ка́зыва-ть II. *va.* (*Pf.* ⸗каз-ать I. 1.) to show, to exhibit, to display || **~ся** *vr.* to show o.s.; to put o.s. forward || **-ка́лыва-ть** II. *va.* (*Pf.* ⸗кол-оть II.) to put out (the eyes); to prick out (a pattern); to cut out (ice with an axe) || **-каню́чива-ть** II. *va.* (*Pf.* ⸗канюч=ить I.) to obtain by begging, to wheedle, to extort || **-ка́пыва-ть** II. *va.* (*Pf.* ⸗копа-ть II.) to dig up; to disinter, to exhume; **~ но́вость** to pick up a piece of news || **-кара́бкива-ться** II. *vc.* (*Pf.* ⸗карабка-ться II.) to extricate o.s. (with difficulty from); to climb out, to scramble out || **-ка́рмлива-ть** II. *va.* (*Pf.* ⸗ корм=ить II. 7.) to feed, to fatten; to rear, to bring up || **⸗кат** *s.*, **у него́ глаза́ на ⸗кат(е)** he has goggle-eyes || **⸗ка-ть** II. *vn.* to address a person with "**вы**" || **-ка́тыва-ть** II. *va.* (*Pf.* ⸗ката-ть II.) to roll, to mangle (linen), to mill (iron); (*Pf.* ⸗кат=ить I. 2.) to roll out, to trundle out || **~ся** *vr.* to come rolling out, to roll out || **-ка́чива-ть** II. *va.* (*Pf.* ⸗кача-ть II.) to pump out; to earn by pumping || **-ка́шива-ть** II. *va.* (*Pf.* ⸗кос=ить I. 3.) to mow, to reap; to earn by mowing || **-ква́шива-ть** II. *va.* (*Pf.* ⸗квас=ить I. 3) to leaven thoroughly || **-ки́дыва-ть** II. *va.* (*Pf.* ⸗кида-ть II., *mom.* ⸗кин-уть I.) to throw out, to throw away; to reject; to exclude, to leave out; to hoist (a flag); to miscarry, to abort || **⸗кидыш** *s.* miscarriage, abortion, premature birth || **-кипа́-ть** II. *vn.* (*Pf.* ⸗кип=еть II. 7.) to boil away; to boil over || **-киса́ть** II. *vn.* (*Pf.* ⸗кисн-уть I.) to become acid; to grow sour, to become leavened || **⸗кладка** *s.* (*gpl.* -док) exhibition, exposal for sale, display; facing, trimming; calculation; castration, gelding || **-кла́дыва-ть** II. *va.* (*Pf.* ⸗класть [√клад] 22. & ⸗лож=ить I.) to display, to expose (for sale); to garnish, to cover; (*Pf.* ⸗лож=ить I.) to trim (a dress); to reckon, to calculate; to castrate, to geld || **-клёвыва-ть** II. *va.* (*Pf.* ⸗кле+вать II.) to peck out (with the beak); to peck up || **~ся** *vr.* to creep out (of the eggshell) || **-кле́ива-ть** II. *va.* (*Pf.* ⸗кле=ить II) to paste over, to paste paper on, to paper || **-клёпыва-ть** II. *va.* (*Pf.* ⸗клепа-ть II.) to beat out, to hammer out || **-кли́кива-ть** & **-клика́-ть** II. *va.* (*Pf.* ⸗клика-ть II., *mom.* ⸗кликн-уть I.) to call (by name) || **-ключа́-ть** II. *va.* (*Pf.* ⸗ключ=ить I.) to exclude, to expel, to leave out; to deduct; to switch off (current) || **-ключа́тель** *s. m.* (electric) switch || **-кля́нчива-ть** II. *va.* (*Pf.* ⸗клянч=ить I.) to obtain by begging || **⸗ковка** *s.* forging; forged iron-work || **-ко́выва-ть** II. *va.* (*Pf.* ⸗ко+вать II.) to forge, to hammer out || **-ковы́рива-ть** II. *va.* (*Pf.* ⸗ковыря-ть II. & ⸗ковырн-уть I.) to pick out || **-козы́рива-ть** II. *va.* (*Pf.* ⸗козыря-ть II.) to play trump after trump and so out-trump the others; to out-trump || **-кола́чива-ть** II. *va.* (*Pf.* ⸗колот=ить I. 2.) to beat out; to clean by beating; to give a good beating to || **⸗колоть** *cf.* **-ка́лывать** || **-колу́пыва-ть** *va.* (*Pf.* ⸗колупа-ть II., *mom.* ⸗колупн-уть I.) to pick out, to scrape out || **⸗копать** *cf.* **-ка́пывать** || **⸗косить** *cf.* **-ка́шивать** || **-кра́дыва-ть** II. *va.* (*Pf.* ⸗красть [√крад] 22.) to steal out; to copy, to plagiarize (a book) || **~ся** *vr.* to steal out || **-кра́ива-ть** II. *va.* (*Pf.* ⸗кро=ить II.) to cut out (a dress), to cut to a pattern || **-крахма́лива-ть** II. *va.* (*Pf.* ⸗крахмал=ить II.) to stiffen, to starch (linen, etc.) || **-кра́шива-ть** II. *va.* (*Pf.* **´**крас=ить I. 3.) to paint, to colour, to dye || **´красть** *cf.* **-кра́дывать** || **´крест** *s.*, **´крестка** *s.* (*gpl.* -ток) a convert (to Christianity) || **´крест=ить** I. 4. *va. Pf.* to convert (to Christianity), to baptize || **-кри́кива-ть** II. *vn.* (*Pf.* **´**крикн-уть I.) to cry out, to exclaim || **´кройка** *s.* (*gpl.* -оек) cutting out; cut (of a dress); pattern || **´кроить** *cf.* **-кра́ивать** || **´кройщик** *s.*, **´кройщица** *s.* cutter-out || **-кру́глива-ть** II. & **-кругля́-ть** II. *va.* (*Pf.* **´**кругл=ить II.) to round off || **-крута́сы** *s. mpl.* variegated pattern; (*fig.*) evasions, subterfuges; grimaces, buffoonery || **-кру́чива-ть** II. *va.* (*Pf.* **´**крут=ить I. 2.) to twist, to wring; to extricate, to exculpate || **~ся** *vr.* to extricate o.s., to exculpate o.s. || **´куп** *s.* redemption, ransoming; ransom || **-купа́-ть** II. *va.* (*Pf.* **´**куп=ить II. 7.) to redeem; to ransom; to buy up || **~ся** *vr.* to ransom o.s., to redeem o.s. || **´купа-ть** II. *va. Pf.* to bathe, to wash thoroughly || **~ся** *vr.* to bathe || **-ку́рива-ть** II. *va.* (*Pf.* **´**кур=ить II.) to smoke, to smoke out; to distil (spirits) || **-ку́сыва-ть** II. *va.* (*Pf.* **´**кус=ить I. 3.) to bite out || **´куша-ть** II. *va. Pf.* to drink out || **´кую** *cf.* **-ко́вывать.**

вы/ла́влива-ть II. *va.* (*Pf.* **´**лов=ить II. 7.) to catch; to fish out || **´лаз** *s.* sally-port, side-gate, postern || **´лазка** *s.* (*gpl.* -зок) (*mil.*) sally, sortie || **´лакировать** *cf.* **лакирова́ть** || **-ла́мыва-ть** II. *va.* (*Pf.* **´**лома-ть II. & **´**лом=ить II. 7.) to break out (a tooth); to break in, to force (a door) || **-ла́щива-ть** II. *va.* (*Pf.* **´**лощ=ить I.) to give a smooth surface to, to polish, to gloss; to hot-press (cloth) || **´легчить** *cf.* **легчи́ть** || **´лежалый** *a.* spoiled by lying (of goods); seasoned, matured (of cigars) || **-леза́-ть** II. *vn.* (*Pf.* **´**лезть 25.) to crawl out, to creep out, to fall out (of the hair, of feathers) || **´лепка** *s.* (*gpl.* -пок) modelling || **-ле́плива-ть** II. & **-лепля́-ть** II. *va.* (*Pf.* **´**леп=ить II. 7.) to model, to mould; to emboss (in wax) || **´лепок** *s.* (*gsg.* -пка) impression (in wax) || **´лет** *s.* flying out, flight; first flight (of young birds); **на ´лет** right through; **на ´лете** fledged, able to fly || **-лета́-ть** II. *vn.* (*Pf.* **´**лет=еть I. 2.) to fly out || **-ле́чива-ть** II. *va.* (*Pf.* **´**леч=ить I.) to cure completely, to heal thoroughly || **~ся** *vr.* to be completely cured, to recover completely || **-лива́-ть** II. *va.* (*Pf.* **´**лить 27.) to pour out; to cast (bells, cannons, etc.); to mould || **-ли́зыва-ть** II. *va.* (*Pf.* **´**лиз-ать I. 1.) to lick up || **-ли́нивать** *cf.* **линивать** || **´литый** *a.* poured out; cast; (*fig.*) **он ~ оте́ц** he is the dead image of his father || **´лить** *cf.* **-лива́ть** || **´ловить** *cf.* **-ла́вливать** || **´ложить** *cf.* **-кла́дывать** || **´лока-ть** II. *va. Pf.* to lick up; to lap up (*cf.* лока́ть) || **´ломать, ´ломить** *cf.* **ла́мывать** || **´ломка** *s.* (*gpl.* -мок) breaking out (of teeth); breaking in, forcing (a door) || **´лощить** *cf.* **-ла́щивать** || **-лу́жива-ть** II. *va.* (*Pf.* **´**луд=ить I. 1.) to tin || **-лупа́-ть** II., **-лу́плива-ть** II. & **-лупля́-ть** II. *va.* (*Pf.* **´**луп=ить II. 7.) to shell, to husk; to open (the eyes) wide || **~ся** *vr.* to crawl out (of the egg) || **-луща́-ть** II. & **-лу́щивать** II. *va.* (*Pf.* **´**лущ=ить I.) to husk, to shell (nuts, etc.).

вы/ма́зыва-ть II. *va.* (*Pf.* **´**маз-ать I. 1.) to grease, to oil, to smear || **-ма́лива-ть** II. *va.* (*Pf.* **´**мол=ить II.) to obtain by entreaties, by begging || **-ма́лыва-ть** II. *va.* (*Pf.* **´**молоть II., *Fut.* **´**мелю, **´**мелешь, etc.) to grind out (a certain quantity of corn); to earn by grinding || **-ма́нива-ть** II. *va.* (*Pf.* **´**ман=ить II.) to entice out; to swindle one out of a thing || **-ма́рива-ть** II. *va.* (*Pf.* **´**мор=ить II.) to exterminate, to destroy, to allow to perish; **~ го́лодом** to starve out (a besieged town); to famish || **-ма́рыва-ть** II. *va.* (*Pf.* **´**мара-ть II.) to soil, to besmirch; to cross out, to blot out, to cancel || **-ма́слива-ть** II. *va.* (*Pf.* **´**масл=ить II.) to smear (with butter, oil), to grease, to oil; to wheedle something from a person || **-ма́тыва-ть** II. *va.* (*Pf.* **´**мота-ть II.) to wind up; to unwind; to entice out; to spoil; to dissipate || **-ма́чива-ть** II. *va.* (*Pf.* **´**моч=ить I.) to wet through; to soak, to steep; to macerate || **-ма́щива-ть** II. *va.* (*Pf.* **´**мост=ить I. 4.) to pave, to floor || **´мен** *s.* exchange, barter || **-ме́нива-ть** II. *va.* (*Pf.* **´**мен=ить II.) (на + *A.*) to exchange (for), to barter, to swap || **´мереть** *cf.* **-мира́ть** || **-мерза́-ть** II. *vn.* (*Pf.* **´**мерзн-уть I.) to freeze, to congeal; to perish by frost || **´мерзлый** *a.* frozen, congealed || **-ме́рива-ть** II. & **-меря́-ть** II. *va.* (*Pf.* **´**мер=ить II.) to measure out || **´мерший** *a.* extinct || **´мес=ить** I. 3.

va. Pf. to knead thoroughly (dough); to work thoroughly (clay, etc.) || **⁓местить** *cf.* **–мещáть** || **–метá-ть** II. *va.* (*Pf.* ⁓мести 23.) to sweep out || **–мещá-ть** II. *va.* (*Pf.* ⁓мест=ить I. 4.) (что на ком) to avenge (something), to be avenged (on a person for something); **~ свой гнев** (на ком) to vent one's rage (on) || **–минá-ть** II. *va.* (*Pf.* ⁓мять [| мн] 33.) to tread, to knead, to work (clay, etc.); to trample down (grass); to crush, to brake (flax, hemp) || **–мирá-ть** II. *vn.* (*Pf.* ⁓мереть 14.) to die out; to become extinct (of families) || **–могáтельство** *s.* extortion, exaction || **–могá-ть** II. *va.* (*Pf.* ⁓мочь 15.) to extort, to exact || **–мокá-ть** II. *vn.* (*Pf.* ⁓мокн-уть I.) to get wet (through *or* to the skin), to be soaked; to be ruined by rain (of corn) || **–молáчива-ть** II. *va.* (*Pf.* ⁓молот=ить I. 2.) to thresh out; to earn by threshing || **⁓молв=ить** II. 7. *va. Pf.* to speak out, to say, to utter || **⁓молить** *cf.* **–мáливать** || **⁓молотка** *s.* (*gpl.* -ток) threshing out (corn) || **⁓молоть** *cf.* **–мáлывать** || **–морáжива-ть** II. *va.* (*Pf.* ⁓мороз=ить I. 1.) to allow to freeze; to freeze out; to kill, to exterminate (by freezing out) || **⁓морить** *cf.* **–мáривать** || **⁓морозки** *s. mpl.* strong spirits of wine (produced by freezing out the water) || **⁓морочный** *a.* extinct; (of property) escheatable; **⁓морочное имéние** escheat, derelict property || **⁓мостить** *cf.* **–мáщивать** || **⁓мотать** *cf.* **–мáтывать** || **⁓мочить** *cf.* **–мáчивать** || **⁓мочь** *cf.* **–могáть.**

вы́мпел *s.* [b] pennant, pennon, streamer.

вы/мýчива-ть II. *va.* (*Pf.* ⁓муч=ить I.) to extort; to obtain by worrying, to worry one out of || **⁓муштро+вать** *cf.* **муштровáть** || **–мывá-ть** II. *va.* (*Pf.* ⁓мыть 28.) to wash out; to excavate, to scoop out (of rain) || **~ся** *vr.* to wash o.s. || **⁓мысел** *s.* (*gsg.* -сла) figment, fiction; invention; fib, lie || **–мышля́-ть** II. *va.* (*Pf.* ⁓мыслить 41.) to invent, to imagine, to devise; to feign.

вы́мя *s. n.* (*gsg.* ⁓мени, *pl.* –менá, –мён, –менáм) udder.

вы/нáшива-ть II. *va.* (*Pf.* ⁓нос=ить I. 3.) to wear out (clothes); to rear, to bring up || **–нéжива-ть** II. *va.* (*Pf.* ⁓неж=ить I.) to pet, to spoil, to pamper || **⁓нести** *cf.* **–носи́ть** || **–нимá-ть** II. *va.* (*Pf.* ⁓н-уть I.) to take out; to cut out; to draw (lots); to turn off || **⁓нос** *s.* carrying out; funeral; leaders (of a team of horses); **на ~** (sale of spirits) off the premises || **–нос=и́ть** I. 3. [c] *va.* (*Pf.* ⁓нести & ⁓несть 26.) to carry out, to bring out; to bear, to support, to undergo; to bring back (memories); to blab, to divulge, to let out (secrets); **~ сор из избы́** (*fig.*) to tell tales (out of school) || **⁓носка** *s.* (*gpl.* -сок) carrying out; note, gloss, marginal note || **–нóсливый** *a.* tenacious, enduring, persevering, firm || **–носнóй** *a.*, **–носны́е лóшади** leaders (in a team of four horses) || **–нуждá-ть** II. *va.* (*Pf.* ⁓нуд=ить I. 1.) to force, to constrain, to compel; (у когó что) to extort; **я ⁓нужден** I feel constrained to, I feel obliged to || **⁓нуть** *cf.* **–нимáть** || **–ны́рива-ть** II. & **–ныря́-ть** II. *vn.* (*Pf.* ⁓нырн-уть I.) to swim up (to the surface); to emerge || **–ню́хива-ть** II. *va.* (*Pf.* ⁓нюха-ть II.) to snuff (tobacco), to snuff up; (*fig.*) to ferret out, to spy out || **–ня́нчива-ть** II. *va.* (*Pf.* ⁓нянч=ить I.) to nurse, to rear (a child).

вы́/пад *s.* pass, lunge (in fencing) || **–падá-ть** II. & **–пáдыва-ть** II. *vn.* (*Pf.* ⁓пасть [√пад] 22.) to fall out, to drop out; to perish (of cattle) || **–падéние** *s.* falling out (of hair, teeth, etc.); **~ мáтки** (*med.*) prolapse || **–пáлзыва-ть** II. & **–ползá-ть** II. *vn.* (*Pf.* ⁓ползти 25.) to crawl out, to creep out; to fall out unnoticed (of the hair) || **–пáлива-ть** II. *va.* (*Pf.* ⁓пал=ить II.) to burn off, to singe off; to fire off; to discharge (a gun); (*fam.*) to blurt out, to blab || **–пáлыва-ть** II. *va.* (*Pf.* ⁓пол-оть II.) to weed out (a flower-bed); to remove (weeds) || **–пáрива-ть** II. *va.* (*Pf.* ⁓пар=ить II.) to steam, to foment, to stupe; (*chem.*) to evaporate || **~ся** *vn.* to evaporate || **~** *vr.* to beat o.s. with birch rods (in order to induce profuse perspiration) || **–пáрхива-ть** II. *va.* (*Pf.* ⁓порхн-уть I.) to fly out, to flutter out || **–пáрыва-ть** II. *va.* (*Pf.* ⁓пор-оть II.) to rip up; to eviscerate; to flog, to thrash || **⁓пасть** *cf.* **–падáть** || **–пáхива-ть** II. *va.* (*Pf.* ⁓пах-ать I. 3.) to plough up, to till; to earn by ploughing; to exhaust (land by ploughing); to plough out (of the ground) || **⁓пачка-ть** II. *va. Pf.* to besmear, to soil, to dirty || **–пекá-ть** II. *va.* (*Pf.* ⁓печь [√пек] 18.) to bake thoroughly; to finish baking (a certain quantity) || **∠переть** *cf.* **–пирáть** || **–пивá-ть** II. *va.* (*Pf.* ∠пить 27.) to drink out; to drain, to empty (a glass) || ~ *vn.* to be addicted to drink || **∠пивка** *s.* (*gpl.* -вок) spree, drinking-bout; alcoholic drink || **–пúлива-ть** II. *va.* (*Pf.* ∠пил=ить II.) to saw out, to file out || **–пúсыва-ть** II. *va.* (*Pf.* ∠пис-ать I. 3.) to copy (out of a book), to excerpt; to strike out, to cancel; to order (goods); to write out in full || **~ся** *vr.* to be struck off a list, to have one's name struck off || **∠пись** *s. f.* extract, excerpt || **∠пить** *cf.* **пивáть** || **–пúхива-ть** II. *va.* (*Pf.* ∠пиха-ть II. & ∠пихн-уть I.) to shove out, to throw out || **–плáвлива-ть** II. & **–плавля́-ть** II. *va.* (*Pf.* ∠плав=ить II. 7.) to smelt, to refine (metals) || **–плавнóй** *a.* got by smelting, smelted || **–плáкива-ть** II. *va.* (*Pf.* ∠плак-ать I. 2.) to get by weeping; ~ **глазá** to cry one's eyes out || **∠плата** *s.* paying out, payment || **–плáчива-ть** II. *va.* (*Pf.* ∠плат=ить I. 2.) to pay out (a sum); to settle (debts) || **–плёвыва-ть** II. *va.* (*Pf.* ∠пле+вать II., *mom.* ∠плюн-уть I.) to spit out, to expectorate || **–плёскива-ть** II. *va.* (*Pf.* ∠плеск-ать I. 4., *mom.* ∠плесн-уть I.) to pour out, to spill (liquids) || **–плетá-ть** II. *va.* (*Pf.* ∠плесть & ∠плести [√плет] 23.) to unplait; to earn by plaiting || **~ся** *vr.* (*fig.*) to extricate o.s., to free o.s. || **–плывá-ть** II. *vn.* (*Pf.* ∠плыть 31.) to swim out; to emerge, to come to the surface || **∠плюнуть** *cf.* **–плёвывать** || **–пля́сыва-ть** II. *va.* (*Pf.* ∠пляс-ать I. 3.) to dance out (a dance); to earn by dancing || **–полáскива-ть** II. *va.* (*Pf.* ∠полоск-ать I. 4.) to rinse out || **–ползáть** & **∠ползти** *cf.* **–пáлзывать** || **–полнéние** *s.* fulfilment, execution, carrying-out || **–полня́-ть** II. *va.* (*Pf.* ∠полн=ить II.) to fulfil, to carry out, to execute, to perform || **∠полоскать** *cf.* **–полáскивать** || **∠полоть** *cf.* **–пáлывать** || **–порáжнива-ть** II. *va.* (*Pf.* ∠порожн=ить II. & ∠порозн=ить II.) to empty out || **∠пороть** *cf.* **–пáрывать** || **∠порхнуть** *cf.* **–пáрхивать** || **∠правка** *s.* (*gpl.* -вок) correction, regulating; (*mil.*) deportment || **–правля́-ть** II. *va.* (*Pf.* ∠прав=ить II. 7.) to set aright, to put in order, to correct; to straighten; to drill (soldiers); to obtain, to get || **∠правочный** *a.*, ~ **лист** proof-sheet || **–прáшива-ть** II. *va.* (*Pf.* ∠прос=ить I. 3.) to obtain, to get by begging || **~ся** *vr.* to gain one's freedom by entreaties || **–провáжива-ть** II. *va.* (*Pf.* ∠провод=ить I. 1.) to lead out, to conduct out; to send away || **∠просить** *cf.* **–прáшивать** || **–пры́гива-ть** II. *vn.* (*Pf.* ∠прыгн-уть I.) to jump out, to spring out || **–пры́скива-ть** II. *va.* (*Pf.* ∠прысн-уть I.) to besprinkle; to spurt out || **–прягá-ть** II. *va.* (*Pf.* ∠прячь [√пряг] 15.) to unharness, to unyoke || **–пря́дыва-ть** II. & **–прядá-ть** II. *va.* (*Pf.* ∠прясть [√пряд] 22.) to spin (a certain amount); to earn by spinning || ~ *vn.* (*Pf.* ∠прян-уть I.) to spring out; to rush out || **–прямля́-ть** II. *va.* (*Pf.* ∠прям=ить II. 7.) to straighten || **~ся** *vr.* to stand erect || **∠прясть** *cf.* **–пря́дывать** || **∠прячь** *cf.* **–прягáть** || **–пу́гива-ть** II. *va.* (*Pf.* ∠пугн-уть I.) to start, to rouse (game); to scare away || **∠пуклина** *s.* protuberance, prominence; hump, bump || **–пукловóгнутый** *a.* convexo-concave || **∠пуклость** *s. f.* convexity; protuberance || **∠пуклый** *a.* convex; standing out, in relief; prominent; **двоя́ко–** convexo-convex || **∠пуск** *s.* letting out, letting off (steam); omission (of a word, a sentence); setting at liberty; letting out (pupil on completion of studies); emission, issue (of bank-notes, etc.); part, number, instalment; edging (on dresses); projection (in architecture) || **–пускá-ть** II. *va.* (*Pf.* ∠пуст=ить I. 4.) to let go, to let off; to publish; to spread (a rumour); to emit, to issue (paper-money, etc.); to omit; to set at liberty, to emancipate || **–пускнóй** *a.* for letting out; ~ **экзáмен** leaving examination || **–пу́тыва-ться** II. *vr.* (*Pf.* ∠путa-ться II.) to extricate o.s. (from a difficult situation); to clear o.s. (of debts) || **–пу́чива-ть** II. *va.* (*Pf.* ∠пуч=ить I.) to open wide (the eyes) || ~ *vn.* to bulge, to warp || **–пы́тыва-ть** II. *va.* (*Pf.* ∠пыта-ть II.) to sound (a person for information), to inquire; to force, to extort (a confession).

выпь *s. f.* bittern.

вы/пя́лива-ть II. *va.* (*Pf.* ∠пял=ить II.) to unframe; ~ **глазá** to open the eyes wide || **–пя́чива-ть** II. *va.* (*Pf.* ∠пят=ить I. 2.) to stick out, to project, to protrude.

вы/рабáтыва-ть II. *va.* (*Pf.* ∠работа-ть II.) to work out, to finish, to perfect; to earn by working || **∠работка** *s.* (*gpl.*

-ток) working out, finishing; elaboration; gains *pl.*, earnings *pl.* || **-ра́внива-ть** II. *va.* (*Pf.* ∠ровня-ть II.) to level, to plane; to make even || **~ся** *vn.* to become even; (*mil.*) to draw up in line, to line up || **-ража́-ть** II. *va.* (*Pf.* ∠раз-ить I. 1.) to express, to give voice to; to represent || **-рожда́ться** *cf.* **-рожда́ться** || **-раже́ние** *s.* expression, declaration; representation || **-рази́тельный** *a.* expressive, energetic || **-ра́нива-ть** II. *va.* (*Pf.* ∠рон=ить II.) to drop, to let fall; to lose || **-раста́ть, ∠расти, ∠расть** *cf.* **-роста́ть** || **-раща́-ть** II. *va.* (*Pf.* ∠рост=ить I. 4.) to rear, to breed, to bring up; to raise (plants) || **∠рвать** *cf.* **-рыва́ть** || **-реза́-ть** II. & **-ре́зыва-ть** II. *va.* (*Pf.* ∠рез-ать I. 1.) to cut out, to extract (a corn); to massacre, to slay (all); to engrave, to carve; to separate (a measured piece of land) || **∠резка** *s.* (*gpl.* -зок) cut, pattern; engraving; round of beef; incision || **-резно́й** *a.* cut out || **∠ровнять** *cf.* **-ра́внивать** || **∠родиться** *cf.* **-рожда́ться** || **∠родок** *s.* (*gsg.* -дка) degenerate species or animal; abortion || **-рожда́-ться** II. *vn.* (*Pf.* ∠род=иться I. 1.) to degenerate, to deteriorate || **-рожде́ние** *s.* degeneration, deterioration || **∠ронить** *cf.* **-ра́нивать** || **∠рослый** *a.* grown up || **-роста́-ть** II. *vn.* (*Pf.* ∠рости [√раст] 35.) to grow up || **∠ростить** *cf.* **-раща́ть** || **∠росток** *s.* (*gsg.* -тка) a year-old calf; calfskin || **-руба́-ть** II. *va.* (*Pf.* ∠руб=ить II. 7.) to hew out, to clear (a wood); to cut down, to fell; to strike (fire) || **∠рубка** *s.* (*gpl.* -бок) clearing (of a wood), felling; felled timber; notch || **∠ругать** *cf.* **руга́ть** || **-руча́-ть** II. *va.* (*Pf.* ∠руч=ить I.) to ransom, to liberate, to free; to rescue, to help s.o. out of; to gain, to profit || **∠ручка** *s.* (*gpl.* -чек) liberation, release; gains *pl.*, proceeds *pl.* (of a sale); counter, till (in a shop) || **-рыва́-ть** II. *va.* (*Pf.* ∠рв-ать I.) to drag out, to pull out, to draw (teeth) || **~** *v.imp.* to vomit; **больно́го ∠рвало** the patient has vomited (*cf.* рвать) || **~ся** *vr.* to free o.s., to escape || **~** *vn.* to stream out; to slip out (of a word) || **-рыва́-ть** II. *va.* (*Pf.* ∠рыть 28.) to dig out; to disinter, to exhume; to excavate (a channel, etc.) || **∠рытие** *s.* digging out; disinterment, exhumation; excavation || **-ряжа́-ть** II. & **-ря́жива-ть** II. *va.* (*Pf.* ∠ряд=ить I. 1.) to dress out, to fit out || **~ся** *vr.* to dress o.s. up.

вы́/садка *s.* (*gpl.* -док) transplanting (plants); landing, disembarkment (of troops) || **∠садок** *s.* (*gsg.* -дка) cutting, slip; young transplanted plant || **-са́жива-ть** II. *va.* (*Pf.* ∠сад=ить I. 3.) to transplant; to land, to disembark (troops); to drop a person (from a carriage); to force, to break in (a door) || **~ся** *vn.* to get out (of a car); (*mil.*) to land || **-са́сыва-ть** II. *va.* (*Pf.* ∠сос-ать I.) to suck out; (*fig.*) to extort; to sponge on a person || **-сва́тыва-ть** II. *va.* (*Pf.* ∠свата-ть II.) to become engaged to; to demand in marriage; **~** (кому́) **неве́сту** to ask in marriage for a person || **-све́рлива-ть** II. *va.* (*Pf.* ∠сверл=ить II.) to bore out, to drill || **-сви́стыва-ть** II. *va.* (*Pf.* ∠свист-ать I. 4.) to whistle (a tune) || **-свобожда́-ть** II. *va.* (*Pf.* ∠свобод=ить I. 1.) to liberate, to set at liberty, to set free || **-сева́-ть** II. *va.* (*Pf.* ∠се-ять II.) to sow out; to sift out || **∠севки** *s.fpl.* (*G.* -вок) siftings, chaff || **-сека́-ть** II. *va.* (*Pf.* ∠сечь [√сек] 18.) to fell (trees in a wood); to carve (stone); to strike (fire); to flog || **-селе́ние** *s.* emigration, removal (to another district); eviction || **∠селок** *s.* (*gsg.* -лка) settlement || **-селя́-ть** II. *va.* (*Pf.* ∠сел=ить II.) to transplant (peasants), to remove to another district; to evict || **~ся** *vn.* to settle down in another district; to emigrate || **∠серебрить** *cf.* **серебри́ть** || **-си́жива-ть** II. *va.* (*Pf.* ∠сид=еть I. 1.) to sit out (a certain time); to distil (spirits); to hatch out || **-ска́блива-ть** II. *va.* (*Pf.* ∠скобл=ить II.) to erase, to scratch out; to scrape out || **-ска́зыва-ть** II. *va.* (*Pf.* ∠сказ-ать I. 1.) to say, to express; to report; to speak plainly; to give (praise) || **~ся** *vr.* to declare o.s. (for); to express one's opinion || **-ска́кива-ть** II. *vn.* (*Pf.* ∠скоч=ить I., *mom.* ∠скакн-уть I.) to spring out; to fall out || **-ска́кива-ть** II. *va.* (*Pf.* ∠скака-ть II.) to overtake, to take the lead (in a race) || **-ска́льзыва-ть** II. *vn.* (*Pf.* ∠скользн-уть I.) to slip (out of one's hand) || **∠скоблить** *cf.* **-ска́бливать** || **∠скочить** *cf.* **-ска́кивать** || **∠скочка** *s. m&f.* (*gpl.* -чек) wiseacre, forward person; upstart, parvenu || **-скреба́-ть** II. *va.* (*Pf.* ∠скресть [√скреб] 21.) to scratch out || ⁻слать cf. -сыла́ть || -сле́жива-ть II. va. (Pf. ⁻след=ить I. 1.) to track, to trace || ⁻слуга s. service, period of service || -слу́жива-ть II. va. (Pf. ⁻служ=ить I.) to serve (a certain period); to earn, to obtain by serving || ~ся vn. to advance, to rise in the service; to rise by fawning and flattery || -слу́шива-ть II. va. (Pf. ⁻слуша-ть II.) to listen to, to hear out (some one's defence); to hear (a pupil's lesson); to auscultate; ~ курс нау́к to finish one's studies, to complete a course || -сма́лива-ть II. va. (Pf. ⁻смол=ить II.) to pitch, to tar || -сма́ркива-ть II. va. (Pf. ⁻сморка-ть II., mom. ⁻сморкн-уть I.) (нос) to blow one's nose || ~ся vn. to blow one's nose || -сма́трива-ть II. va. (Pf. ⁻смотр=еть II.) to spy on, to watch secretly; to injure by too much use (the eyes); to look like || -со́выва-ть II. va. (Pf. ⁻сун-уть I.) to push out, to stretch out, to shove out || ~ся vr. to lean out; ~ в окно́ to lean out of the window.

высо́кий a. (pdc. вы́ше, comp. вы́сший, sup. высоча́йший) high, tall; dignified, eminent; superior, first-class.

высоко/благоро́дие s., **Ва́ше ~** your Honour (used in addressing lieutenant-colonels and colonels), your Worship || **-ва́тый** a. rather high || **-держа́вный** a. allpowerful || **-ме́рие** s. pride, haughtiness || **-ме́рный** a. proud, haughty || **-па́рный** a. high-flown (of language), bombastic, grandiloquent || **-почте́ние** s. respect, veneration || **-превосходи́тельство** s., **Ва́ше ~** your Excellency (used in addressing generals and certain high government officials) || **-почте́нный** a. (highly) respected || **-преосвяще́нный** a. most eminent || **-преосвяще́нство** s. eminence; **Ва́ше ~** your Eminence || **-преподо́бие** s. Reverence (used in addressing archimandrites, abbots, etc.) || **-ро́дие** s. Right Honourable || **-ро́дный** a. right honourable || **-ро́слый** a. tall (of growth) || **-ство́льный** a. tall, lofty, high-grown (of trees).

высо́ко/сть s. f. height; dignity || **-торже́ственный** a. (most) solemn || **-уважа́емый** a. honoured (Sir) (used in letters) || **-у́мный** a. proud, haughty, highminded.

вы́сосать cf. **выса́сывать.**

высота́ s. [a & h] height, altitude; latitude; elevation, eminence.

вы́/сохлый a. dried up, withered || ⁻сохнуть cf. -сыха́ть || -соча́йший cf. -со́кий || -со́чество s. Highness (as title) || ⁻спаться cf. -сыпа́ться || -спра́шива-ть II. va. (Pf. ⁻спрос=ить I. 3.) to question, to interrogate; to inquire || ⁻спренний a. lofty, sublime || ⁻ставка s. (gpl. -вок) exhibition, show; lead (at billiards); **всеми́рная ~** international exhibition || -ставля́-ть II. va. (Pf. ⁻став=ить II. 7.) to exhibit, to display (for sale); to deliver; to state (the date); ~ зна́мя to plant the flag; ~ шар to lead (in billiards) || ~ся vr. to put o.s. forward; to pass o.s. off as, to pretend to be || -ставно́й a. removable, which can be taken out (windows, etc.); exposed for sale (of goods) || ⁻ставщик s. exhibitor, purveyor, furnisher || -ста́ива-ть II. va. (Pf. ⁻сто=ять II.) to stand out (a certain length of time); to hold out || ~ся vn. to become flat, insipid (of drink); to fade (of colours); to dry, to become dry (of newly built houses) || -стёгива-ть II. va. (Pf. ⁻стега-ть II.) to quilt; to knock out a person's eye (with a whip) || -стига́-ть II. va. (Pf. ⁻стичь [√стиг] 52.) to overtake, to get in front of || -стила́-ть II. va. (Pf. ⁻стлать 9.) to cover, to garnish; to floor, to pave || ⁻стилка s. (gpl. -лок) paving, flooring || ⁻стоять cf. -ста́ивать || -стра́гива-ть II. va. (Pf. ⁻строга-ть II.) to plane (out) || -стра́ива-ть II. va. (Pf. ⁻стро=ить II.) to build out; to erect; to draw up, to arrange; to tune (a piano) || ⁻стрел s. shooting, discharge; shot; gunshot (distance) || -стре́лива-ть II. vn. (Pf. ⁻стрел=ить II.) to fire, to shoot, to discharge; ~ из ружья́ to fire a gun; (в + A.) to shoot at || -стреля́-ть II. va. to use up in shooting || ⁻стричь cf. стричь || ⁻строгать cf. -стра́гивать || ⁻строить cf. -стра́ивать || ⁻строчить cf. строчи́ть || ⁻ступ s. projection || -ступа́-ть II. vn. (Pf. ⁻ступ=ить II. 7.) to step out, to come forward; to project, to jut out || ⁻ступка s. (gpl. -пок) step, walk, gait || -ступле́ние s. stepping out; departure || ⁻сунуть cf. -со́вывать || -су́шива-ть II. va. (Pf. ⁻суш=ить I.) to dry, to drain (land).

вы́сший cf. **высо́кий.**

вы/сыла́-ть II. va. (Pf. ⁻слать 40.) to send (off, away, out); to exile, to banish || ⁻сылка s. (gpl. -лок) sending (away, off, out); banishment, exile || **–сыпа́-ть** II. *va.* (*Pf.* **⁄**сып-ать II. 7.) to strew out; to scatter out || **~** *vn.* to break out (of diseases); **наро́д ⁄сыпал на у́лицу** the people poured into the street || **~** *v.imp.*, **у него́ ⁄сыпало на лице́** the eruption broke out on his face || **~ся** *vn.* (*Pf.* **⁄**сп=аться II. 7.) to sleep enough, to sleep one's fill || **–сыха́-ть** II. *vn.* (*Pf.* **⁄**сохнуть 52.) to dry (up), to parch.

высь *s. f.* height, summit, top.

вы/та́лкива-ть II. *va.* (*Pf.* **⁄**толка-ть II., *mom.* **⁄**толкн-уть I.) to push out, to jostle out || **–та́плива-ть** II. *va.* (*Pf.* **⁄**топ=ить II. 7.) to heat, to warm (a stove, a room); to melt (out, down) || **–та́птыва-ть** II. *va.* (*Pf.* **⁄**топт-ать I. 2.) to trample on, to tread out; to soil, to dirty (with the feet) || **–тара́щива-ть** II. *va.* (*Pf.* **⁄**таращ=ить I.), **~ глаза́** to open wide the eyes; (на + *A.*) to stare fixedly at || **–та́скива-ть** II. *va.* (*Pf.* **⁄**таска-ть II. & **⁄**тащ=ить I.) to drag, to pull, to draw (out) || **–та́чива-ть** II. *va.* (*Pf.* **⁄**точ=ить I.) to turn (on a lathe); to grind, to sharpen || **⁄тачка** *s.* (*gpl.* -чек) lapel (of a coat) || **⁄тащить** *cf.* **–та́скивать** || **–тве́ржива-ть** II. *va.* (*Pf.* **⁄**тверд=ить I. 1.) to learn by heart || **–тека́-ть** II. *vn.* (*Pf.* **⁄**течь [√тек] 18.) to flow out, to run out; to rise (of rivers) || **–тере́блива-ть** II. *va.* (*Pf.* **⁄**тереб=ить II. 7.) to tear out, to pluck out, to pull out || **⁄тереть** *cf.* **–тира́ть** || **–те́рплива-ть** II. *va.* (*Pf.* **⁄**терп=еть II. 7.) to endure, to put up with, to bear.

вы/тесня́-ть II. *va.* (*Pf.* **⁄**тесн=ить II.) to squeeze out; to dislodge; to supplant || **–тёсыва-ть** II. *va.* (*Pf.* **⁄**тес-ать I. 3.) to hew, to cut (out); to shape, to form || **⁄течка** *s.* (*gpl.* -чек) leak, leakage || **⁄течь** *cf.* **–тека́ть** || **–тира́-ть** II. *va.* (*Pf.* **⁄**тереть 14.) to wipe, to rub (out); to wear out by use; (*fig.*) to drive out || **~ся** *vr.* to be worn out (by rubbing) || **–ти́скива-ть** II. *va.* (*Pf.* **⁄**тиска-ть II.) to press out, to squeeze out || **–тисня́-ть** II. *va.* (*Pf.* **⁄**тисн=ить II. & **⁄**тисн-уть I.) to imprint, to impress; to print off || **⁄ткать** *cf.* **–тыка́ть & ткать** || **⁄толк** . . . *cf.* **–та́лкивать** || **⁄топить** *cf.* **–та́пливать** || **⁄топтать** *cf.* **–та́птывать** || **–торго́выва-ть** II. *va.* (*Pf.* **⁄**торго+вать II.) to gain (by trade, by bargaining) || **⁄точить** *cf.* **–та́чивать** || **–тра́влива-ть** II. & **–травля́-ть** II. *va.* (*Pf.* **⁄**трав=ить II. 7.) to graze cattle; to eat out, to corrode || **⁄требовать** *cf.* **тре́бовать** || **–трезвля́-ть** II. *va.* (*Pf.* **⁄**трезв=ить II. 7.) to make sober || **~ся** *vr&n.* to get sober again || **⁄тру** *cf.* **–тира́ть** || **–тряса́-ть** II. *va.* (*Pf.* **⁄**трясти 26.) to shake, to jolt (out) || **–тряха́-ть** II. & **–тря́хива-ть** II. *va.* (*Pf.* **⁄**трях-н-уть I.) to shake down, to cause to fall by shaking || **–тупля́-ть** II. *va.* (*Pf.* **⁄**туп=ить II.) to blunt, to dull || **–ту́рива-ть** II. *va.* (*Pf.* **⁄**тур=ить II., *mom.* **⁄**турн-уть I.) to drive, to turn, to cast (out) || **–тушёвыва-ть** II. *va.* (*Pf.* **⁄**туше+вать II.) to shade in (with Indian ink).

выть 28. *vn.* (*Pf.* вз-) to roar, to howl, to cry.

вы/тьё *s.* howl, howling, cry || **–тя́гива-ть** II. *va.* (*Pf.* **⁄**тян-уть [√тяг] I.) to draw out; to stretch out; **~ фронт** (*mil.*) to draw up in a line, to dress up || **~ся** *vr.* to stretch, to be stretched out || **⁄тяжка** *s.* (*gpl.* -жек) drawing out, stretching out; (*mil.*) carriage, bearing.

вы/у́жива-ть II. *va.* (*Pf.* **⁄**уд=ить I. 1.) to fish out || **–утю́жива-ть** II. *va.* (*Pf.* **⁄**утюж=ить I.) to iron out || **–у́чива-ть** II. *va.* (*Pf.* **⁄**уч=ить I.) (что) to learn; (кого́ чему́) to teach || **~ся** *vr.* (чему́) to learn.

вы/ха́жива-ть II. *vn. iter. of* –ходи́ть *q. v.* || **~** *va.* (*Pf.* **⁄**ход=ить I. 1.) to bring up, to rear up; to walk a certain time *or* distance; to earn by walking || **–хваля́-ть** II. *va.* (*Pf.* **⁄**хвал=ить II.) to load with praises, to laud || **–хва́тыва-ть** II. *va.* (*Pf.* **⁄**хвата-ть II. & **⁄**хват=ить I. 2.) to tear *or* snatch away, to snatch out || **–хлёбыва-ть** II. *va.* (*Pf.* **⁄**хлеба-ть II. & **⁄**хлебн-уть I.) (*fam.*) to eat up, to drink up || **–хлёстыва-ть** II. *va.* (*Pf.* **⁄**хлест-ать I. 6. & **⁄**хлес(т)н-уть I.) to pour out, to spill; to thrash, to whip || **⁄ход** *s.* outlet, way out; going out, coming out, departure; appearance; **~ за́муж** marriage (of a woman); **~ в отста́вку** retirement || **⁄ходец** *s.* (*gsg.* -дца) emigrant || **–ход=и́ть** I. 1. *vn.* (*Pf.* **⁄**йти 48., *Fut.* **⁄**йду, **⁄**йдешь) to go, to come, to walk (out); to appear (of a book, a newspaper); to happen, to turn out, to result; to emigrate; to be up (of a time-limit); **~ в отста́вку** to retire; **~ за́муж** (за + *A.*) to marry, to get married to (of a woman); **~ в лю́ди** to get on in the world; **~ из терпе́ния** to lose patience || **⁄ходить** *cf.* **–ха́живать** || **⁄ходка** *s.* (*gpl.*

-док) sally, prank || **–ходнóй** *a.* for going out; **~ лист** title-page; **~ пáспорт** emigration passport || **⁄хожу** *cf.* **–хáживать** & **–ходи́ть** || **–холáжива-ть** II. *va.* (*Pf.* ⁄холод=ить I. 1.) to cool (a room) || **–холáщива-ть** II. *va.* (*Pf.* ⁄холост=ить I. 4.) to castrate, to geld || **–хóлива-ть** II. *va.* (*Pf.* ⁄хол=ить, II.) to spoil, to pet, to pamper.

вы́хухоль *s. f.* musk-rat.

вы/цара́пыва-ть II. *va.* (*Pf.* ⁄царапа-ть II.) to scratch out (*e. g.* the eyes); to scratch || **⁄цвелый** *a.* in full bloom; faded, discoloured || **–цвета́-ть** II. *vn.* (*Pf.* ⁄цвесть [√цвет] 23.) to blossom, to bloom; to be in full bloom; to wither, to fade || **–це́жива-ть** II. *va.* (*Pf.* ⁄цед=ить I. 1.) to tap (wine, beer), to decant.

вы/чека́нива-ть II. *va.* (*Pf.* ⁄чекан=ить II.) to coin; to chase || **–чёркива-ть** II. *va.* (*Pf.* ⁄черкн-уть I.) to cross out, to strike out (what has been written) || **–че́рнива-ть** II. *va.* (*Pf.* ⁄черн=ить II.) to blacken; to soil, to dirty, to stain || **–че́рпыва-ть** II. *va.* (*Pf.* ⁄черпа-ть II., *mom.* ⁄черпн-уть I.) to bale out || **⁄чески** *s. fpl.* (*gpl.* -сок) combings *pl.* || **⁄честь** *cf.* **–чита́ть** || **–чёсыва-ть** II. *va.* (*Pf.* ⁄чес-ать I. 3.) to comb out; to card, to hackle; to curry || **⁄чет** *s.* discount, deduction; calculation; **за ⁄четом** deducting . . . || **–числе́ние** *s.* calculation, reckoning || **–числя́-ть** II. *va.* (*Pf.* ⁄числ=ить II.) to calculate, to count, to reckon || **⁄чистить** *cf.* **–чища́ть** & **чи́стить** || **–чита́ние** *s.* deduction, discounting; (*math.*) subtraction || **–чита́-ть** II. *va.* (*Pf.* ⁄честь 24.) to deduct, to discount; (*math.*) to subtract || **–чи́тыва-ть** II. *va.* (*Pf.* ⁄чита-ть II.) to read to the end, to find out, to learn (by reading) || **–чища́-ть** II. *va.* (*Pf.* ⁄чист=ить I. 4.) to clean, to cleanse; || **⁄чура** *s. m&f.* fop, affected person || **⁄чуры** *s. fpl.* whims, freaks; scrolls || **⁄чурный** *a.* affected, pretentious, with studied elegance.

вы́ше/ (*pdc. of* высóкий) above; **~ всегó** above all; **как ~ ска́зано** as mentioned above || **–именóванный** *a.*, **–озна́ченный** *a.*, **–упомя́нутый** *a.* above-mentioned, above-named.

вы́/шёл *cf.* **–ходи́ть** || **–шиб** *s.* knocking out, breaking out || **–шиба́-ть** II. *va.* (*Pf.* ⁄шибить 51.) to break in, to beat in; to force (a door), to smash in (a window) || **–шива́льщик** *s.* embroiderer || **–шива́льщица** *s.* embroidress || **–шива́ние** *s.* embroidering, embroidery || **–шива́-ть** II. *va.* (*Pf.* ⁄шить 27.) to embroider || **⁄шивка** *s.* (*gpl.* -вок) embroidery || **–шивнóй** *a.* embroidered.

вышина́ *s.* height, elevation.

вы́шить *cf.* **вышива́ть.**

вы́шка *s.* (*gpl.* -шек) garret, loft; **сторожева́я ~** watchtower.

вы́ш/ла, –ло, –ли *cf.* **выходи́ть.**

вы́шний *a.* high, superior; supreme; (*as s.*) the Supreme Being.

вы/штукату́рива-ть II. *va.* (*Pf.* ⁄штукатур=ить II.) to plaster, to rough-cast || **⁄шью** *cf.* **–шива́ть.**

вы/щела́чива-ть II. *va.* (*Pf.* ⁄щелоч=ить I.) to steep, to soak || **–щи́пыва-ть** II. *va.* (*Pf.* ⁄щип-ать II. 7. & ⁄щипн-уть I.) to pluck out; to pluck, to pick (a bird) || **–щу́пыва-ть** II. *va.* (*Pf.* ⁄щупа-ть II.) to feel, to touch, to sound, to probe.

вы́/я *s.* (*sl.*) neck || **–явля́-ть** II. *va.* (*Pf.* ⁄яв=ить II. 7.) to manifest, to show; to proclaim || **–ясня́-ть** II. *va.* (*Pf.* ⁄ясн=ить II.) to clear up, to explain.

вью *cf.* **вить.**

вью́га *s.* snowstorm.

вьюк *s.* pack, bale; burden.

вьюн *s.* groundling.

вью́ч=ить I. *va.* (*Pf.* на-) to burden, to load; to pack.

вью́чный *a.* of burden, pack-.

вью́шка *s.* (*gpl.* -шек) damper, flue-plate.

вью́щийся (-аяся, -ееся) *Ppr.* (*of* ви́ться) creeping, climbing; **–неся расте́ния** creepers.

вя́жущий *a.* astringent, bitter.

вяз/ *s.* elm || **–а́льный** *a.* for knitting || **–а́льщик** *s.*, **–а́льщица** *s.* knitter || **–а́нка** *s.* (*gpl.* -нок) truss, bundle || **⁄аный** *a.* knitted || **–а́нье** *s.* knitting, knitted things.

вяз-а́ть I. 1. [c] *va.* (*Pf.* с-) to tie, to bind; to knit || **~ся** *vr.* to be tied; to meddle with; to succeed.

вя́з/ель *s. m.* (*bot.*) hatched-vetch || **–и́га** = **визи́га** || **–ка** *s.* (*gpl.* -зок) binding; bundle || **–кий** *a.* viscid, sticky; slimy, swampy || **–кость** *s. f.* viscidity, viscosity; swampiness || **–ни́к** *s.* [a] elm-grove, grove of elms.

вя́знуть 52. *vn.* (*Pf.* у-, за-) to sink in, to stick in; (*fig.*) to become implicated in.

вя́з/овый *a.* elm- || **–óк** *s.* [a] (*gsg.* -зка́) small elm || **–ыва-ть** II. (*iter. of* вяза́ть).

вязь *s. f.* binding, tie; marsh, swamp.

вя́леный *a.* dried in the open air, air-dried. [the air, in the sun.
вя́л=ить II. *va.* (*Pf.* за-, вы-) to dry in
вя́лый *a.* faded, withered; (*fig.*) drowsy, slow, languid, indolent.
вя́н-уть I. *vn.* (*Pf.* за-, у-) to fade, to wither; to droop; **врёт так, что у́ши вя́нут** he talks enough to tire one's ears.
вя́щ(ш)ий *a.* (*sl.*) greater, superior.

Г

гава́нна *s.* Havana cigar. [duck.
га́в/ань *s.f.* harbour, port || **-ка** *s.* eider-
га́вка-ть II. *vn.* (*Pf.* га́вкн-уть I.) to yelp, to bark.
га́г/а *s.* eiderduck || **-а́ра** *s.* diver (bird) || **-а́ч** *s.* eider-drake || **-а́чий** (-чья, -чье) *a.* eider's; ~ **пух** eiderdown || **-ка** = **га́вка** || **-ку́н** *s.* [a] = **-а́ч.**
гад *s.* reptile; amphibian.
гад/а́льщик *s.*, **-а́льщица** *s.* fortune-teller, necromancer || **-а́ние** *s.* fortune-telling, divination; ~ **на ка́ртах** fortune-telling by cards || **-а́тельный** *a.* divinatory; conjectural.
гада́-ть II. *vn.* (*Pf.* по-, у-) to divine, to tell fortunes; to guess, to conjecture, to surmise.
га́дина *s.* reptile, vermin; (*fig.*) mean fellow, cad; rabble, riff-raff.
га́д=ить I. 1. *va.* (*Pf.* на-) to dirty, to besmirch, to soil; (*Pf.* из-) to spoil, to botch, to make a bad job of || ~ *v.imp.*, **меня́ га́дит** it sickens me.
га́д/кий *a.* (*pdc.* га́же) nasty; dirty, foul; bad; hateful, odious || **-ли́вый** *a.* squeamish; fastidious || **-ость** *s. f.* nastiness; foulness; odiousness || **-ю́ка** *s.* viper, adder.
га́ек *cf.* **га́йка.**
га́ер/ *s.*, **-ка** *s.* (*gpl.* -рок) buffoon, mountebank || **-ство** *s.* buffoonery || **-ство+вать** II. *vn.* to play the buffoon.
га́же *pdc. of* га́дкий.
га́жу *cf.* **га́дить.**
газ *s.* gauze; (*chem.*) gas.
газе́ль *s. f.* gazelle.
газе́т/а *s.* newspaper, paper, journal || **-ная** (*as s.*) (newspaper) reading-room || **-ный** *a.* newspaper- || **-чик** *s.* newsboy, newsvendor.
га́зо/вый *a.* of gauze, gauze-; (*chem.*) of gas, gas- || **-ме́р** & **-ме́тр** *s.* gas-meter || **-обра́зный** *a.* gasiform, gaseous || **освеще́ние** *s.* gas-lighting, gas-illumination || **-прово́д** *s.* gas-supply.
гай/дама́к *s.* robber, highwayman || **-ду́к** *s.* [a] servant (in Hungarian dress).
га́йка *s.* (*gpl.* га́ек) nut (of a screw).
галан/тере́йный *a.*, **-тере́йные ве́щи** haberdashery || **-тере́я** *s.* haberdasher's, haberdashery store *or* shop || **-ти́н** & **-ти́р** *s.* galantine.
галд=еть I. 1. [a] *vn.* (*Pf.* за-) to be noisy, to kick up a row; to make a racket.
гале́ра *s.* galley; barge (on the Dniestr).
галиматья́ *s.* nonsense, humbug; (*fam.*) rot.
га́лка *s.* (*gpl.* -лок) jackdaw.
галлере́я *s.* gallery. [to gallop.
гало́п/ *s.* gallop || **-и́ро+ва́ть** II. [b] *vn.*
гал/о́ша *s.* galosh, golosh, over-shoe || **-´стук** *s.* cravat, neck-tie, tie || **-´стучек** *s.* (*gsg.* -чка) *dim. of prec.* || **-у́н** *s.* [a] galloon; braid || **-у́шка** *s.* (*gpl.* -шек) small dumpling (Ukrainian dish).
гальван/изи́ро+вать II. *va.* to galvanize || **-и́зм** *s.* galvanism || **-и́ческий** *a.* galvanic.
гам/ *s.* noise, hubbub, outcry, row || **-а́к** *s.* hammock || **-а́ши** *s. fpl.* gaiters || **-за́** *s.* [d] leather purse; pocket-book; (*fig.*) money || **-´к-ать** II. *vn.* (*Pf.* **-´**кн-уть I.) to bark || **-´ма** *s.* (*mus.*) gamut, scale.
гангре́на *s.* gangrene, mortification.
гандика́п *s.* handicap.
гара́ж *s.* garage.
гарант/и́ро+ва́ть II. [b] *va.* to guarantee, to warrant || **-´ия** *s.* (в + *Pr.*) guarantee (for).
гарде/мари́н *s.* (*mar.*) midshipman, middy || **-ро́б** *s.* wardrobe || **-ро́бная** *s.* cloakroom || **-ро́бщик** *s.*, **-ро́бщица** *s.* cloakroom attendant.
гарди́на *s.* curtain.
гаре́м *s.* harem.
га́рка-ть II. *vn.* (*Pf.* га́ркн-уть I.) to scream, to cry.
гармо́н/ика *s.* harmonica || **-и́ро+вать** II. *vn.* to harmonize || **-и́ческий** *a.* harmonic || **-ия** *s.* harmony.
га́рн/ец *s.* (*gsg.* -нца) measure for corn (about 3 quarts) || **-изо́н** *s.* garrison || **-и́ро+ва́ть** II. [b] *va.* to garnish || **-иро́вка** *s.* garnishing || **-иту́р(а)** *s.* set (of ornaments, etc.); trimming.
гарпу́н *s.* [a] harpoon.
га́рус *s.* worsted.
гарь *s. f.* smell of burning.
гас/ *s.* gold *or* silver border, braid || **-и́льник** *s.* extinguisher || **-и́льщик** *s.*, **-и́льщица** *s.* one who extinguishes.

гас=и́ть I. 3. [c] *va.* (*Pf.* по-, за-) to extinguish, to quench.
га́снуть 52. *vn.* (*Pf.* по-, у-) to go out, to become extinguished, to be quenched.
гастр/и́ческий *a.* gastric || **–оли́ро+вать** II. *vn.* (*Pf.* про-) to star (of actors, etc.) || **–о́ль** *s. f.* (*theat.*) starring, star part || **–оно́м** *s.*, **–оно́мка** *s.* gourmand, connoisseur (of eating) || **–ономи́ческий** *a.* gastronomic.
га́убица *s.* howitzer.
гауптва́хта *s.* main guard (in a garrison).
гаше́ние *s.* (act of) extinguishing, quenching.
гвалт *s.* violence; noise, row, disturbance; (*as int.*) help!
гвард/е́ец *s.* (*gsg.* -де́йца) guardsman || **–е́йский** *a.* of the guards, guards- || **–́ия** *s.* (*mil.*) the guards.
гвозд/а́рь *s. m.* [a] nailer, nailmaker || **–́ик** *s.* small nail, task || **–и́ка** *s.* (*bot.*) pink, carnation || **–и́льный** *a.* nail- || **–и́льня** *s.* (*gpl.* -лен) nailer's anvil || **–и́чный** *a.* carnation-.
гвоздь *s. m.* [e] nail.
гвоздяно́й *a.* nail-.
гг. *abbr. of* господа́ = Sirs, Gentlemen, Messrs.
где *ad.* where || **~-либо, ~-нибу́дь, ~-то** somewhere, anywhere.
гее́нна *s.* Gehenna, hell.
гей! *int.* hollo! ho there!
гекза́метр *s.* hexameter.
гекто- *in cpds.* = hecto-.
гелиотро́п *s.* heliotrope.
гемисфе́ра *s.* hemisphere.
гемор(р)о́й *s.* hemorrhoids, piles *pl.*
генва́рь *cf.* **янва́рь.**
генеало́г/ *s.* genealogist || **–и́ческий** *a.* genealogical || **–ия** *s.* genealogy.
генера́л/ *s.* general || **–ьный** *a.* general || **–ьша** *s.* general's wife.
генера́ция *s.* generation.
ген/иа́льность *s. f.* genius; talents *pl.* || **–иа́льный** *a.* (highly) gifted, gifted with genius; ingenious || **–́ий** *s.* genius.
гео́гра́ф/ *s.* geographer || **–́ия** *s.* geography || **–и́ческий** *a.* geographical.
геоде́зия *s.* geodesy.
гео́ло́г/ *s.* geologist || **–и́ческий** *a.* geological || **–́ия** *s.* geology.
геоме́тр/ *s.* geometrician || **–а́льный & –и́ческий** *a.* geometrical || **–ия** *s.* geometry, Euclid.
георги́на *s.* (*bot.*) dahlia.
гера́льд/ика *s.* heraldry, heraldic art || **–и́ческий** *a.* heraldic, armorial.
гера́н/ий *s.* & **–ь** *s. f.* (*bot.*) geranium.
герб/ *s.* [a] arms, coat of arms; stamp || **–а́рий** *s.* herbarium || **–о́вник** *s.* book of heraldry || **–́о́вый** *a.* armorial; stamp-, stamped; **–́о́вая по́шлина** stamp-duty.
гермафроди́т *s.* hermaphrodite.
гермети́ческий *a.* hermetical, airtight.
геро/и́зм *s.* heroism || **–и́ня** *s.* heroine || **–и́ческий** *a.* heroic.
геро́й/ *s.* hero || **–ский** *a.* heroic || **–ство** *s.* heroism.
геро́льд/ *s.* herald || **–ия** *s.* herald's office.
ге́рцог/ *s.* duke || **–и́ня** *s.* duchess || **–ский** *a.* ducal || **–ство** *s.* duchy, dukedom.
ге́тман/ *s.* hetman || **–ство** *s.* hetmanship.
гешефт *s.* business; profit, gain.
гиаци́нт *s.* (*min.*) jacinth; (*bot.*) hyacinth.
ги́бель/ *s. f.* ruin, perdition; loss; wreck (of a ship); immense number, great crowd || **–ный** *a.* ruinous; fatal.
ги́б/кий *a.* (*comp.* ги́бче) pliant, flexible, supple || **–кость** *s. f.* pliability, flexibility, suppleness.
ги́бнуть 52. *vn.* (*Pf.* по-) to perish, to be ruined, to be lost.
гига́нт/ *s.* giant || **–ский** *a.* gigantic.
гигие́н/а *s.* hygiene || **–и́ческий** *a.* hygienic.
гигро/ме́тр *s.* hygrometer || **–метри́ческий** *a.* hygrometrical || **–ско́п** *s.* hygroscope || **–скопи́ческий** *a.* hygroscopic.
ги́др/а *s.* hydra || **–а́влика** *s.* hydraulics || **–авли́ческий** *a.* hydraulic; **~ пресс** hydraulic press || **–огра́фия** *s.* hydrography || **–ографи́ческий** *a.* hydrographical || **–одина́мика** *s.* hydrodynamics || **–оме́тр** *s.* hydrometer || **–опа́тия** *s.* hydropathy || **–оста́тика** *s.* hydrostatics || **–офо́бия** *s.* hydrophobia.
гие́на *s.* hyena.
гиерогли́ф *cf.* **иерогли́ф.**
гик *s.* shout, cry, whoop; (*mar.*) main-boom.
ги́ка-ть II. *vn.* (*Pf.* ги́кн-уть I.) to shout, to whoop.
гиль *s. f.* (*vulg.*) nonsense, rubbish, drivel.
ги́льдия *s.* guild, company.
ги́льза *s.* case (of cartridges, etc.).
гильоти́н/а *s.* guillotine || **–иро+вать** II. *va.* to guillotine.
гимн/ *s.* hymn, song of praise; **наро́дный ~** the National Anthem || **–ази́ст** *s.*, **–ази́стка** *s.* (*gpl.* -ток) pupil of a gymnasium *or* grammar-school || **–а́зия** *s.* gymnasium, grammar-school || **–а́ст** *s.* gymnast || **–а́стика** *s.* gymnastics || **–асти́ческий** *a.* gymnastic.

гине́я *s.* guinea.
ги́нуть = **ги́бнуть.**
гипе́рбол/а *s.* hyperbole; (*math.*) hyperbola || **–и́ческий** *a.* hyperbolic(al).
гипно́/з *s.* hypnotic state *or* condition || **–тизи́ро+вать** II. *va.* (*Pf.* за-) to hypnotize || **–ти́зм** *s.* hypnotism.
гипо́те/за *s.* hypothesis || **–ну́за** *s.* (*math.*) hypotenuse.
гипотети́ч/еский & **–ный** *a.* hypothetical.
гипохо́ндрия, etc. *cf.* **ипохо́ндрия.**
гиппо/дро́м *s.* hippodrome, racecourse || **–пота́м** *s.* hippopotamus.
гипс/ *s.* gypsum, plaster of Paris || **´овый** *a.* of gypsum, plaster-; **~ сле́пок** plaster-cast.
гира́ф *s.* giraffe.
ги́рло *s.* straits; mouth, estuary (of a river).
гирля́нда *s.* garland, wreath.
ги́рька *s. dim. of foll.*
ги́ря *s.* weight (of balance *or* clock).
гита́р/а *s.* guitar || **–и́ст** *s.* guitar-player.
ги́чка *s.* (*gpl.* -чек) (rowing-)gig; outrigger.
глав/а́ *s.* head; cupola (of a building); chapter (of a book); (*fig.*) chief, leader; (*comm.*) principal || **–а́рь** *s. m.* [a] leader, chief.
главно/кома́ндующий *s.* commander-in-chief; the supreme command || **–управля́ющий** *s.* director-in-chief.
гла́вный *a.* principal, chief; main (line, street, etc.); in chief, supreme; **–ное** above all; **–ным о́бразом** principally, chiefly || **~** *s.* principal, foreman.
глаго́л/ *s.* (*gramm.*) verb; (*obs.*) word || **–ь** *s. m.* gallows, gibbet; the sl. letter Г || **–ьный** *a.* verbal.
гла́д/енький *a.* nice and smooth || **–и́льный** *a.* (for) smoothing, polishing || **–и́льщик** *s.*, **–и́льщица** *s.* polisher, smoother, ironer.
гладиа́тор *s.* gladiator.
гла́д=ить I. 1. *va.* (*Pf.* с-) to smooth, to polish; (*Pf.* вы́-) to iron; (*Pf.* по-) to stroke, to fondle (a dog); **~** (кого́) **по голо́вке** to coddle one, to pamper.
гла́д/кий *a.* (*pdc.* гла́же) smooth, even, plain; polished; fluent, flowing (of style); well-fed || **–кость** *s. f.* smoothness, evenness; fluency.
гладь *s. f.* smooth place.
гла́ж/е *pdc. of* гла́дкий || **–ение** *s.* polishing; ironing.
глаз/ *s.* [b♀] (*pl.* -а́, глаз, etc.) eye; vision, sight; **в –а́** to the face; **–а́ на вы́кате** goggle-eyes; **де́лать ´ки** to make sheep's eyes at; **за –а́(ми)** behind one's back; **купи́ть за –а́** to buy a pig in a poke; **с ´у на́ ~** tête-à-tête || **–а́стый** *a.* large-eyed, open-eyed; bright, smart, sharp; striking || **–е́т** *s.* glacé.
глазе́-ть II. *vn.* (*Pf.* по-) to gape, to stare (around); (на + *A.*) to gape at, to stare at.
глаз/но́й *a.* eye-, ocular; **~ врач** oculist || **–о́к** *s.* [a] *dim. of* глаз; bud (on trees); (*bot.*) eye || **–оме́р** *s.* measuring with the eye || **–оме́рный** *a.* by sight; judged by the eye || **–у́н** *s.* [a], **–у́нья** *s.* jackanapes, nincompoop, gaper; (яи́чница) **–у́нья** poached *or* fried eggs || **–у́рь** *s. f.* varnish, glazing; enamel (of teeth).
глас = **го́лос.**
гла́сис *s.* glacis.
глас=и́ть I. 1. [a] *va.* (*Pf.* воз-) to declare, to announce, to proclaim.
гла́сный *a.* public, (well-)known; **´ная бу́ква** (*gramm.*) vowel || **~** (*as s.*) town-councillor.
гла́уберова соль *s. f.* (*med.*) Glauber's salt.
глаш/а́тай *s.* public crier, town-crier || **–у́** *cf.* **гласи́ть.**
гле́(т)чер *s.* glacier.
гли́н/а *s.* clay || **–истый** *a.* clayey, clayish, clay- || **–озём** *s.* alumina.
глинтве́йн *s.* punch, mulled wine, negus.
гли́няный *a.* of clay; earthen.
глист/ *s.* [a] & **–а́** *s.* tape-worm.
глицери́н *s.* glycerine.
гло́бус *s.* globe.
глод-а́ть I. 1. [c] *va.* (*Pf.* об-) to gnaw (at), to nibble.
глот/ *s.* oppressor; drunkard || **–а́ние** *s.* swallowing, gulping.
глота́-ть II. *va.* (*Pf.* проглот=и́ть I. 2. [c], *mom.* глотн-у́ть I. [a]) to swallow, to gulp, to devour.
гло́т/ка *s.* (*gpl.* -ток) throat, gullet, œsophagus; **во всю –ку** at the top of one's voice || **–о́к** *s.* [a] (*gsg.* -тка́) mouthful, gulp, draught || **–о́чек** *s.* (*gsg.* -чка) *dim. of prec.*
гло́хнуть 52. *vn.* (*Pf.* о-) to become *or* grow deaf; (*Pf.* за-) to fade, to wither (of plants); to grow wild (of a garden); to die (of a rumour).
глу́б/же *pdc. of* глубо́кий || **–ина́** *s.* depth, profundity || **–о́кий** *a.* (*pdc.* глу́бже; *pd.* -о́к, -ка́, -ко́, -ки́) deep, profound; **–о́кая ста́рость** extreme old age; **–о́кое почте́ние** profound respect; **–о́кая таре́лка** soup-plate || **–окомы́сленный** *a.* deep thinking, profound || **–ь** *s. f.* [g] depth.
глум/ *s.* joking, joke, jest || **–и́тельный** *a.* scoffing, jeering, derisive.

глум=иться II. 7. [a] *vr.* (*Pf.* по-) (над кем) to mock at, to scoff at, to deride.
глумле́ние *s.* (над + *I.*) derision, scoffing (at), jeering (at).
глупе́-ть II. *vn.* (*Pf.* по-) to grow *or* become stupid.
глуп/е́ц *s.* [a] (*gsg.* -пца́) simpleton, fool, blockhead || **-ова́тый** *a.* (somewhat) silly || **´-ость** *s. f.* stupidity, foolishness || **´-ый** *a.* stupid, foolish, silly.
глуха́рь *s. m.* [a] capercailzie.
глух/ова́тый *a.* hard of hearing, deafish || **-о́й** *a.* (*pdc.* глу́ше) deaf; dull, heavy (sound); blind (window, etc.); empty, deserted (street); dark (night); ~ **переу́лок** blind alley, cul-de-sac || **-онемо́й** *a.* deaf-mute, deaf and dumb || **-ота́** *s.* deafness; dulness.
глу́ше *pdc. of* глухо́й.
глуш=и́ть I. [a] *va.* (*Pf.* о-) to deafen; (*Pf.* за-) to allow to run wild; to deaden (a sound).
глушь *s. f.* [g] thicket; deserted lonely place.
глы́ба *s.* lump; (земли́) clod; (льду) block.
гляде́ние *s.* looking.
гляд=е́ть I. 1. [a] *vn.* (*Pf.* по-, гля́н=у́ть I. [b & c] & взгляп-у́ть I. [c]) to look; (на + *A.*) to look at; (за + *I.*) to look after, to superintend || **~ся** *vr.* to look at o.s. (in a mirror).
гляди́, того́ и ~ in the twinkling of an eye.
глядь *int.* (*vulg.*) see! look!
гля́н/ец *s.* (*gsg.* -нца) gloss, polish, lustre; water (of silk, etc.) || **-цови́тый** *a.* glossy, polished; watered.
гнать 11. [c] *va.* (*Pf.* по-) to chase, to drive, to hunt, to pursue; (wood) to float; (brandy) to distil || **~ся** *vr.* (за + *I.*) to chase, to hunt; to seek, to run after.
гнев *s.* anger, wrath.
гне́ва-ться II. *vr.* (*Pf.* про-) (на + *A.*) to be angry with, to be enraged at.
гнев=и́ть II. 7. [a] *va.* (*Pf.* про-) to enrage, to anger, to irritate.
гнев/ли́вый *a.* irascible || **´-ный** *a.* angered, angry, enraged.
гнед/ко́ *s.* (*vulg.*) bay horse || **-о́й** *a.* bay (of a horse).
гнезд=и́ться I. 1. [a] *vr.* to nest, to build a nest; (*Pf.* в-, у-) to nestle.
гнездо́ *s.* [d] (*pl.* гнёзда, гнёзд, etc.) nest, eyrie; haunt, den; (*mech.*) bung-hole.
гнёздышко *s. dim. of prec.*
гнейс *s.* (*min.*) gneiss.
гнести́ & гнесть (√гнет) 23. [a 2.] *va.* (*Pf.* на-) to squeeze, to press; (*fig.*) to oppress, to harass.
гнёт *s.* weight (in a press); pressure; (*fig.*) oppression.
гнете́ние *s.* pressing, pressure; (*fig.*) oppression.
гни́да *s.* nit.
гни/е́ние *s.* rotting, putrefaction, decay || **-ло́й** *a.* rotten, putrid, decayed || **´-лость** *s. f.* rottenness, putrefaction || **´-лостный** *a.* rotten, putrid || **-ль** *s. f.* corruption; rotten *or* putrid thing.
гни-ть II. [a] *vn.* (*Pf.* с-) to rot, to putrefy, to decay.
гнию́чий *a.* putrefactive.
гно/е́ние *s.* suppuration, festering || **-етече́ние** *s.* purulent discharge || **-еточи́вый** *a.* purulent; blear-eyed.
гно=и́ть II. [a] *va.* (*Pf.* за-, с-) to cause to suppurate; to manure (a field) || **~ся** *vn.* to suppurate, to discharge matter; **у него́ глаза́ гноя́тся** he is blear-eyed.
гной/ *s.* matter, pus || **-ли́вый** *a.* purulent || **´-ный** *a.* purulent; blear (of eyes).
гном *s.* gnome.
гну *s. n. indecl.* gnu.
гнус=и́ть I. 3. [a] *vn.* to snuffle; to speak through the nose.
гнус/ли́вый *a.* snuffling; speaking through the nose *or* with a nasal twang || **´-ный** *a.* hideous, abominable.
гн-уть (√гб) I. *va.* (*Pf.* за-, со-) to bend, to bow, to crook; ~ **горб** to toil, to work hard || **~ся** *vr.* to bow down; to cringe.
гнуша́-ться II. *vn.* (*Pf.* по-) (+ *I.*) to loathe, to detest.
гоб/ои́ст *s.* oboe-player || **-о́й** *s.* oboe, hautboy.
гов/ённый *a.* filthy, dirty || **-но́** *s.* filth, dirt, muck.
гове́/льщик *s.*, **-льщица** *s.* one who prepares to receive the Sacrament by fasting, etc. || **-ние** *s.* preparation for receiving the Sacrament.
гове́-ть II. *vn.* (*Pf.* от-) to prepare for the reception of the Sacrament by fasting, etc.; (*Pf.* про-) to fast.
говня́-ть II. *va.* (*Pf.* на-) to bungle, to botch.
го́вор *s.* murmur (of distant voices); rumour; dialect, jargon.
говор=и́ть II. [a] *va.* (*Pf.* сказ-а́ть I. 1. [c]) to speak, to say; to tell; ~ **речь** to make a speech; **говоря́т** it is said, it is rumoured; **открове́нно говоря́** to tell the truth; **так сказа́ть** so to say; ~ **по-ру́сски** to speak Russian.
говор/ли́вый *a.* talkative, loquacious, eloquent || **-у́н** *s.*, **-у́нья** *s.* talkative person, chatterbox.
говя́/дина *s.* beef || **-жий** *a.* beef-, of beef; ox-.

го́голь *s. m.* (*orn.*) golden-eye (duck); **ходи́ть го́голем** to strut about; to swagger. [to gabble.
гогот-а́ть I. 2. [c] *vn.* (*Pf.* за-) to cackle,
гогот/у́н *s.*, **–у́нья** *s.* cackler.
год/ *s.* [c & b♀] year; **чёрный ~** unfortunate year; **кру́глый ~** the whole year; **с ́–а в ~** *or* **с ́–а на́ ~** year in, year out; **~ о́т –у** from year to year || **́–ик** *s. dim. of* **~** || **–и́на** *s.* time; (*sl.*) hour; (*in pl.*) day of the year.
год=и́ть I. 1. [a] *vn.* to wait || **~ся** I. 1. [a] *vn.* (*Pf.* при-) to be of use, to do, to answer, to serve || **~** *v.imp.*, **годи́тся** it will do.
год/и́чный *a.* yearly, annual || **́–ность** *s. f.* usefulness, serviceableness, fitness || **́–ный** *a.* (к + *D.*, для + *G.*, на + *A.*) suitable, fit, serviceable (for) || **–ова́лый** *a.* one year old || **–ови́к** *s.* yearling || **–ово́й** *a.* yearly, annual, anniversary || **–овщи́на** *s.* anniversary.
го́жий *a.* useful, fit, suitable.
гой! *int.* ho! heigho! [(*orn.*) waders.
голена́стый *a.* long-legged; **–ые пти́цы**
голени́ще *s.* boot-leg.
го́лень *s. f.* shin(-bone).
голи́к *s.* [a] broom, besom.
голобрю́хий *a.* bare-bellied.
голов/а́ *s.* [f] head, top; **как снег на́ –у** like a bolt from the blue; **~ са́хару** sugar-loaf; **потеря́ть го́лову** to lose one's head || **~** *s. m.* chief, head; **городско́й ~** mayor || **–а́стик** *s.* tadpole || **–а́стый** *a.* big-headed || **–е́шка** *s.* (*gpl.* -шек) firebrand, conflagration || **–и́ща** *s.* large head || **́–ка** *s.* (*gpl.* -вок) *dim. of* **-а́**; head of a pin; knob; (*in pl.*) vamps (of shoe) || **–но́й** *a.* head-, cephalic || **–ня́** *s.* fire-brand, conflagration; blight (on corn, etc.) || **–окруже́ние** *s.* giddiness, migraine || **–оло́мка** *s.* brain-racking work || **–оло́мный** *a.* brain-racking || **–омо́йка** *s.* (*gpl.* -мо́ек) sound rating, good scolding || **–оре́з** *s.* villian, cut-throat.
голо́вушка *s. dim. of* голова́; dear little head; **удала́я ~** foolhardy person.
го́лод *s.* hunger; famine.
голода́-ть II. *vn.* (*Pf.* о-, про-) to hunger; to starve.
голо́д/ный *a.* (*pd.* го́лоден, -на́, -но, -ны́; *pdc.* -не́е) hungry, starving; **умере́ть –ною сме́ртью** to die of hunger; **~ год** year of famine || **–о́вка** *s.* (*gpl.* -вок) famine, hunger; hunger-strike || **–у́ха** *s.* hunger; **с –у́хи** pressed by hunger.
гололе́дица *s.* slippery ice, glazed frost.
голоно́гий *a.* barelegged.
го́лос/ *s.* [b*] voice; vote; **пода́ть ~** to cast one's vote; **большинство́ –о́в** majority; **име́ть ~** to be entitled to vote || **–и́стый** *a.* loudvoiced, vociferous.
голос=и́ть I. 3. [a] *vn.* to sing loudly; to lament.
голос/и́шко *s.* miserable weak voice || **–и́ще** *s.* loud voice || **–ло́вный** *a.* without reason; not proven, unfounded || **–ова́ние** *s.* vote, voting; division, show of hands; **подве́ргнуть –ова́нию** to put to the vote. [put to the vote.
голосо+ва́ть II. [b] *va.* to vote (on); to
голос/ово́й *a.* vocal, voiced || **–о́чек** *s.* (*gsg.* -чка) small voice.
голошта́нный *a.* in rags, tattered and torn. [sky-blue.
голубе́-ть II. *vn.* (*Pf.* по-) to become
голуб/е́ц *s.* [a] (*gsg.* -бца́) ultramarine; (*in pl.*) minced meat wrapped in cabbage leaves || **–и́ный** *a.* dove-, dove-like.
голу́б=ить II. 7. *va.* (*Pf.* при-) to caress, to fondle.
голуб/и́ца *s.* hen-pigeon || **́–ка** *s.* (*gpl.* -бок) hen-pigeon; (*fig.*) little dove; my dear, darling || **–ова́тый** *a.* bluish || **–огла́зый** *a.* blue-eyed || **–о́й** *a.* sky-blue, azure || **–о́чек** *s.* (*gsg.* -чка) little dove || **́–чик** *s.* little dove; deary, darling, ducky.
го́лубь *s. m.* [c] dove, pigeon.
голуб/я́тина *s.* pigeon flesh || **–я́тник** *s.* dove *or* pigeon-fancier; dovecote || **–я́тница** *s.* pigeon fancier || **–я́тня** *s.* dovecote.
го́л/ый *a.* naked, bare; empty (of words); unadulterated, neat (brandy, etc.) || **–ы́ш** *s.* [a] pebble; addled egg; poor fellow; (*fam.*) poor devil || **–ь** *s. f.* nakedness, bareness; poverty; *coll.* the extreme poor || **–ьём** *ad.* unadulterated, neat (of brandy, etc.) || **–я́к** *s.* [a] (*fam.*) poor devil || **–я́шка** *s.* (*gpl.* -шек) shin(-bone).
гомеопа́т/ *s.*, **–ка** *s.* (*gpl.* -ток) homeopathist || **–и́ческий** *a.* homeopathic || **–ия** *s.* homeopathy. [bustle.
гом/ *s.* barking; cry; noise || **́–он** *s.* noise,
гонг *s.* gong.
го́ндо́л/а *s.* gondola || **–ье́р** *s.* gondolier.
гон/е́ние *s.* pursuit, persecution, (*fig.*) oppression || **–е́ц** *s.* [a] (*gsg.* -нца́) express messenger, courier || **–и́тель** *s. m.*, **–и́тельница** *s.* oppressor, persecutor || **́–ка** *s.* (*gpl.* -нок) hunt(ing), chase,

pursuit; floating (rafts); distillation; (между судами) regatta; sharp rebuke, reprimand.
гонорáр *s.* fee, honorarium.
гонорéя *s.* gonorrhea, (*vulg.*) clap.
гонт/ *s. coll.* shingles (for roofing) || **-ина** *s.* shingle (for roofing) || **-овщик** *s.* [a] shingle-maker.
гончáр/ *s.* [a] potter || **-ный** *a.* potter's || **-ня** *s.* potter's workshop, pottery.
гóнчий *a.* for hunting; **гóнчая собáка** hound, harrier.
гоньбá *s.* hunting, beating (with dogs); galloping, driving quickly.
гоня́-ть II. *va.* (*Pf.* по-) to drive; (когó за что) (*fig.*) to scold (*cf.* гнать).
гоп *s.* (little) jump, hop || **~!** *int.* hop!
горá *s.* [f] mountain, hill; (*fig.*) enormous quantity; **нá гору** uphill; **пóд гору** downhill; **не за горáми** not far off, close at hand; **ледянáя ~** iceberg.
горáзд/ *a.* expert, experienced, clever; sufficient || **-о** *ad.* by far, much; **~ лýчше** far *or* much better.
горб/ *s.* [a°] hump, humpback, hunchback, (*fam.*) back || **-áтый** *a.* hunchbacked, humpbacked || **-áч** *s.* [a] (person with a) hunchback || **-ик** & **-ина** *s.* small hump; knob.
гóрб=ить II. 7. *va.* (*Pf.* с-) to bend || **~ся** *vr.* to stoop, to bend.
горб/онóсый *a.* hook-nosed || **-ýн** *s.* [a] (person with a) hunchback || **-ýнья** *s.* (female) hunchback || **-ýшка** *s.* (*gpl.* -шек) crust (of bread) || **-ы́ль** *s. m.* [a] outer plank.
горд/ели́вость *s. f.* arrogance, haughtiness, pride || **-ели́вый** *a.* arrogant, haughty, proud || **-éц** *s.* [a] proud person.
горд=и́ться I. 1. [a] *vn.* (*Pf.* воз-) to be haughty, etc.; (+ *I.*) to be proud of, to brag about.
гóрд/ость *s. f.* pride, arrogance || **-ый** *a.* haughty, proud || **-ы́ня** *s.* (*sl.*) pride || **-я́чка** *s.* (*gpl.* -чек) proud, haughty woman.
гóре *s.* grief, affliction; misfortune || **~!** *int.* woe! **~ вам!** woe to you!
горе+вáть II. [b] *vn.* (*Pf.* по-) to mourn, to grieve; to be anxious about.
горéл/ка *s.* (*gpl.* -лок) (gas-)burner; (*fam.*) cornbrandy, spirits; (*in pl.*) a game of catch || **-ый** *a.* burnt, burnt out.
горельéф *s.* high relief, alto-relievo.
горе/мы́ка *s. m&f.* poor devil, wretch || **-мы́чный** *a.* wretched, miserable.
гóренка *s.* (*gpl.* -нок) small room.
гóрест/ный *a.* sorrowful, sad || **-ь** *s. f.* misery, affliction, woe.
гор=éть II. [a] *vn.* (*Pf.* с-) to burn; (*Pf.* по-) to burn down, to burn away; to glow, to be inflamed.
гóрец *s.* (*gsg.* -рца) mountaineer, highlander.
гóречь *s. f.* acidity, bitterness, pungency, (*fig.*) poignancy; misfortune.
горизóнт/ *s.* horizon || **-áльный** *a.* horizontal.
гор/и́стый *a.* mountainous, hilly; mountain- || **-и́ща** *s.* large mountain || **´-ка** *s.* (*gpl.* -рок) small mountain.
горлáн *s.* bawler, noisy person.
горлáн=ить II. *vn.* (*Pf.* за-) to yell, to bawl, to squall.
горлáстый *a.* loud-voiced, squalling (of children).
гóрло/ *s.* throat, gullet; neck; **наéсться по ~** to stuff o.s.; **драть ~** to shout o.s. hoarse; **во всё ~** at the top of one's voice || **-ви́на** *s.* mouth || **-вóй** *a.* throat- || **-дёр** *s.* (*fam.*) squaller.
гóрлышко *s.* throat; neck (of a vessel).
горля́нка *s.* (*gpl.* -нок) (*chem.*) retort; calabash.
горн/ *s.* furnace, forge, hearth; (*mus.*) horn || **´-ий** *a.* (*sl.*) high, heavenly, exalted || **-и́ло** *s.* (*sl.*) furnace, forge.
горни́ст *s.* bugler.
гóрн/ица *s.* room, apartment || **-ичная** *s.* housemaid, maidservant.
горно/завóдский *a.* mining- || **-стáевый** *a.* ermine || **-стáй** *s.* ermine.
гóрный *a.* mountainous; mountain-; mining-; **~ лён** asbestos; **гóрное мáсло** naphtha; **гóрная смолá** bitumen.
гóрод *s.* [b*] town, city; **глáвный ~** capital; **зá -ом** in the suburbs.
город=и́ть I. 1. [c] *va.* (*Pf.* за-) to hedge in, to fence; (*Pf.* на- & с-) (*fig.*) **~ чушь, вздор, дичь** to talk nonsense; (*fam.*) to talk through one's hat.
город/и́шко *s.* (miserable) small town || **-и́ще** *s.* large town, city; ruins, site of a former city || **-ни́чий** *s.* (formerly) district police-inspector; city-provost || **-овóй** *a.* urban; (*as s.*) policeman, constable; (*fam.*) bobby, peeler || **-óк** *s.* [a] (*gsg.* -дка) small town || **-скóй** *a.* townish, urban, town-, city-; **~ головá** mayor; **-скáя дýма** corporation.
горожáн/ин *s.* (*pl.* -е) townsman, citizen || **-ка** *s.* (*gpl.* -нок) (female) citizen.
гороскóп *s.* horoscope, nativity.
горóх/ *s.* peas *pl.* || **-овый** *a.* pea-; **~ суп** pea-soup.

горо́ш/ек *s. coll.* (*gsg.* -шка) small peas; green peas || **–ина** *s.* pea || **–инка** *s.* (*gpl.* -нок) small pea.

го́рст/очка *s.* (*gpl.* -чек) small handful; small quantity, small number || **–ь** *s. f.* handful; the hollow of the hand.

горта́н/ь *s. f.* throat; gullet; larynx; windpipe || **–ный** *a.* guttural, throat-; **–ная бу́ква** (*gramm.*) a guttural.

горча́йший *sup. of* го́рький.

горча́-ть II. *vn.* to become sour *or* bitter.

горч=и́ть I. [a] *va.* (*Pf.* на-) to make sour.

горч/и́ца *s.* mustard || **–и́чник** *s.* mustard-plaster || **–и́чница** *s.* mustard-pot || **–и́чный** *a.* mustard-.

го́рше *ad.* (*sl.*) worse.

горше́ч/ник *s.* potter || **–ный** *a.* pot-.

горш/о́к *s.* [a] (*gsg.* -шка́) pot || **–о́чек** *s.* small pot.

го́рьк/ий *a.* (*comp.* го́рче & горче́е, *sup.* горча́йший) bitter; **~ пья́ница** confirmed drunkard || **–лый** *a.* sour, rancid || **–ова́тый** *a.* somewhat sour, sourish || **–ость** *s. f.* sourness, bitterness.

горю́/честь *s. f.* inflammability || **–чий** (-ая, -ее) *a.* combustible, inflammable.

горя́ч/ечный *a.* feverish; **–ечная руба́шка** strait-jacket || **–ий** *a.* fiery, hot, heated; violent; impetuous.

горяч=и́ться I. [a] *vr.* to become heated || **~** *vn.* to become angry *or* violent.

горя́ч/ка *s.* (*gpl.* -чек) burning fever; (*fam.*) violence; **бе́лая ~** delirium tremens || **–ность** *s. f.* violence; heat || **–о́** *ad.* hot(ly).

го́спита́ль/ *s. m.* (*pl.* -я́ & -и) hospital || **–ный** *a.* hospital.

госпо́д/ень *a.* of the Lord; **моли́тва Госпо́дня** the Lord's Prayer || **–и́н** *s.* [b] (*pl.* господа́) sir, gentleman || **–ский** *a.* lord's || **–ство** *s.* rule || **–ство+вать** II. *vn.* to rule; to lord it; to obtain, to be in use, to predominate.

Госпо́дь *s. m.* (*V.* Го́споди) God, the Lord.

госпожа́ *s.* lady; mistress; miss.

гост/еприи́мный *a.* hospitable || **–еприи́мство** *s.* hospitality || **–и́ная** *s.* parlour, drawing-room; coffee-room (in inn) || **–и́нец** *s.* (*gsg.* -нца) present, gift; (*in pl.*) sweets, candy || **–и́ница** *s.* inn, hotel || **–и́ный** *a.*, **~ двор** bazaar.

гост=и́ть I. 4. [a] *vn.* (*Pf.* про-) to be a guest, to be on a visit.

гость/ *s. m.* [c] guest, visitor; **быть в гостя́х** to be invited || **–́я** *s.* (woman) guest.

госуда́р/ственный *a.* of *or* belonging to the state, state-, public; imperial || **–ство** *s.* state; empire || **–ыня** *s.* empress, queen; **Ми́лостивая Г–** Dear Madam (in letter) || **–ь** *s. m.* ruler; **Г– Импера́тор** His Imperial Majesty; **Ми́лостивый Г–** Dear Sir (in letter).

готи́ческий *a.* Gothic; **~ шрифт** black-letter.

готова́ль/ник & **–ня** *s.* (*gpl.* -лен) case of mathematical instruments.

гото́в=ить II. 7. *va.* (*Pf.* за-, при-) to procure a supply of || **~** *vn.* (*Pf.* при-, с-) to prepare, to cook || **~ся** *vr.* (*Pf.* при-) to get ready.

гото́в/ность *s. f.* readiness, willingness, inclination || **–ый** *a.* ready, prepared; willing, inclined; finished.

граб/ёж *s.* [a] plundering, marauding, robbery; extortion || **–и́тель** *s. m.*, **–и́тельница** *s.* robber, plunderer, extortioner || **–и́тельский** *a.* rapacious.

гра́б=ить II. 7. *va.* (*Pf.* о-) to rake; to rob, to plunder; to extort.

гра́бли *s. fpl.* rake.

гравёр *s.* engraver.

гра́вий *s.* gravel.

гравир/ова́льный *a.* of engraving || **–о+ва́ть** II. [b] *va.* to engrave, to grave.

гравита́ция *s.* gravitation.

гравю́ра *s.* engraving.

град/ *s.* hail; (*sl.*) town, city; **~ идёт** it hails || **–а́ция** *s.* gradation || **–́ина** *s.* hailstone || **–оби́тие** *s.* damage caused by a hailstorm || **–онача́льник** *s.* city-governor; || **–онача́льство** *s.* office of prec.; district under him || **–́ус** *s.* degree || **–́усник** *s.* thermometer.

гражд/ани́н *s.* (*pl.* -́ане) citizen, burgess || **–а́нка** *s.* (*gpl.* -нок) (woman) citizen || **–а́нский** *a.* civil, civilian; **~ брак** civil marriage || **–а́нство** *s.* citizenship.

грамм/ *s.* gram(me) || **–а́тика** *s.* grammar || **–ати́ческий** *a.* grammatical || **–офо́н** *s.* gramophone, phonograph.

гра́мот/а *s.* reading and writing; document, deed || **–е́й** *s.*, **–е́йка** *s.* (*gpl.* -е́ек) one who can write, literate || **–ный** *a.* literate, who can read and write.

гран *s.* grain (apothecary's measure).

грана́т/ *s.* garnet; pomegranate || **–а** *s.* grenade, shell; **ручна́я ~** hand-grenade.

грандио́зный *a.* grand.

гран/ёный *a.* facetted || **–и́льный** *a.* polishing || **–и́льня** *s.* (*gpl.* -лен) whetstone || **–и́льщик** *s.* lapidary || **–и́т** *s.* granite || **–и́тный** *a.* (of) granite.

гран=и́ть II. [a] *va.* (*Pf.* о-, вы́-) to cut into facets.

грани́ца *s.* boundary, frontier; **за –ею**

abroad, in foreign parts; **за -у** abroad, to foreign parts; **из-за -ы** from abroad.
грани́ч=ить I. *vn.* (с + *I.*) to border (on).
гра́нка *s.* (*gpl.* -нок) (*in pl.*) column (of print).
грано́ви́тый *a.* facetted.
грань *s. f.* boundary; boundary stone; face of a stone, facet; chapter (in devotional books).
граф/ *s.* count, earl || **-а́** *s.* column || **′-ика** *s.* graphic representation || **-и́н** *s.* carafe, water-bottle, decanter || **-и́нчик** *s.* small decanter || **-и́ня** *s.* countess || **-и́т** *s.* graphite.
граф=и́ть II. 7. [a] *va.* (*Pf.* на-, раз-) to rule, to draw lines on; to divide into squares.
граф/и́ческий *a.* graphic(al) || **′-ский** *a.* of a count, of an earl.
грац/ио́зный *a.* graceful || **-ио́нный** *a.*, **-ио́нные дни** days of grace || **′-ия** *s.* grace, gracefulness.
грач *s.* [a] rook.
греб/ёнка *s.* (*gpl.* -нок) comb || **-ёночка** *s.* (*gpl.* -чек) small comb || **-ёнчатый** *a.* comb-shaped || **-енщи́к** *s.* [a] comb-maker; combseller.
гре́б/ень *s. m.* (*gsg.* -бня) comb (also of birds); ridge (of a mountain); crest of a wave || **-е́ц** *s.* [a] (*gsg.* -бца́) oarsman, rower || **-ешо́к** *s.* [a] (*gsg.* -шка́) small comb || **-ло́** *s.* [d] oar; match || **-ля** *s.* rowing; **итти́ на -ле** to go rowing || **-но́й** *a.* rowing; oar-; **~ винт** propeller.
грёза *s.* (*us. in pl.*) dreaming, fancy; reverie; nonsense.
гре́з=ить I. 1. *vn.* (*Pf.* с-) to talk in one's sleep; (*fig.*) to talk nonsense || **~ся** *v.imp.* (*Pf.* по-) to dream; **мне гре́зилось** I dreamt.
гре́лка *s.* (*gpl.* -лок) hot-waterbottle; bed-warmer; footwarmer.
грем=е́ть II. 7. [a] *vn.* (*Pf.* за-, про-) to thunder; to roar; to rattle, to jingle.
грему́/чий *a.* thundering, fulminating; rattling; **~ газ** mixture of oxygen and hydrogen; **-чая змея́** rattlesnake || **-шка** *s.* (*gpl.* -шек) (child's) rattle.
гренаде́р *s.* grenadier.
грено́к *s.* [a] (*us. in pl.*) (slice of) toast; rusks.
грести́ & **гресть** 21. *va.* (*Pf.* по-, *mom.* гребну́ть) to row; to rake.
гре-ть II. *va.* (*Pf.* со-, на-) to warm, to heat || **~ся** *vr.* to warm o.s.; (о́коло чего́ *или* кого́) (*fig.*) to draw water to one's mill.
грех/ *s.* [a] sin, wrong, guilt, misfortune **-о́вность** *s. f.* sinfulness || **-о́вный** *a.* sinful || **-ово́дник** *s.*, **-ово́дница** *s.* sinner, seducer || **-ово́днича-ть** II. *vn.* to lead a sinful life, to seduce || **-опаде́ние** *s.* sinning, (*bib.*) the Fall.
гре́цкий *a.*, **~ оре́х** walnut.
гре́ч/а & **-и́ха** *s.* buckwheat || **-невый** *a.* (of) buckwheat.
греш=и́ть I. [a] *vn.* (*Pf.* со-) to sin, to commit sin.
гре́ш/ник *s.*, **-ница** *s.* sinner, sinful person || **-но́** *ad.* it's a shame, it's a sin || **-ный** *a.* sinful, guilty || **-о́к** *s.* [a] (*gsg.* -шка́) peccadillo, petty sin, venial sin.
гриб/ *s.* [a] mushroom || **-но́й** *a.* mushroom- || **-о́к** *s.* [a] (*gsg.* -бка́) small mushroom; copecks (coin).
гри́в/а *s.* mane || **-енник** & **-енка** *s.* ten
грима́с/а *s.* grimace || **-нича-ть** II. *vn.* to grimace, to make (wry) faces.
гримир/о+ва́ть II. [b] *va.* to paint, to rouge || **-о́вка** *s.* (*gpl.* -вок) painting.
грипп *s.* influenza.
гриф/ *s.* griffin; lammergeyer, vulture || **′-ель** *s. m.* (*pl.* -и & -я́) slate, slate-pencil.
гроб/ *s.* [b °] (*pl.* -ы́ & -а́) tomb, grave; coffin || **-ни́ца** s. tomb, sepulchre || **-ово́й** & **-но́й** *a.* of coffin, of tomb, tomb- || **-овщи́к** *s.* [a] coffin-maker.
грог *s.* grog.
гроза́ *s.* [d] (*A.* -у́ & гро́зу) (thunder-)storm; terror.
грозд/ *s.* & **-ь** *s. m.* (*pl.* **′-ья**, **′-ьев**, etc.) bunch of grapes; cluster.
гроз=и́ть & **~ся** I. 1. [a] *vn.* (*Pf.* по-, при-) to threaten, to menace.
гро́зный *a.* stern, rigorous; threatening; terrible, formidable.
гром *s.* [c] thunder; noise, rattle, din.
грома́д/а *s.*, (*vulg.*) **-ина** *s.* heap, pile, mass || **-ный** *a.* massive, huge, enormous, prodigious.
гром=и́ть II. 7. [a] *va.* (*Pf.* по-, раз-) to batter, to ruin, to destroy.
гро́мкий *a.* (*pdc.* гро́мче & громче́е) loud, noisy, bombastic; (*fig.*) renowned, famous.
громо/ве́ржец *s.* (*gsg.* -жца) thunderer || **-во́й** *a.* thunder-; **~ отвод** lightning conductor; **~ уда́р** thunder-clap || **-гла́сный** *a.* loud, thundering.
громозд=и́ть I. 1. [a] *va.* (*Pf.* на-, вз-) to heap up, to pile up || **~ся** *vr.* (*Pf.* вз-) to scale, to climb up.
громо́здкий *a.* bulky, cumbersome.
громоотво́д *s.* lightning conductor.
гро́мче *cf.* **гро́мкий.**
грот *s.* grotto; (*mar.*) mainsail.

гро́хн-уть I. *va. Pf.* to hurl away || **~ся** *vr.* to fall heavily.
гро́хот *s.* noise, rumble, roar; burst of laughter; (*us. in pl.*) sieve.
грохот-а́ть I. 2. [c] *vn.* (*Pf.* за-, про-) to rumble, to roar; to laugh loudly, to burst out laughing.
грош *s.* [a] two copecks.
грубе́-ть II. *vn.* (*Pf.* за-, по-, о-) to grow rude, to grow rough.
груб=и́ть II. 7. [a] *vn.* (*Pf.* на-, со-, с-) to offend, to be rude to.
грубия́н *s.* a rude, vulgar person.
гру́бый *a.* rough, rude; coarse, churlish.
гру́д/а *s.* heap, pile || **–и́на** *s., dim.* **–и́нка** *s.* (*gpl.* -нок) breast, brisket || **–но́й** *a.* breast-, pectoral; half-length (of portraits); **~ ребёнок** suckling || **–обрю́шная прегра́да** *s.* (*an.*) diaphragm || **–очка** *s.* (*gpl.* -чек) small heap || **–ь** *s. f.* [c & g] breast, chest; bosom.
груз/ *s.* burden, load; cargo, freight || **–дь** *s. m.* [c] (a kind of) brown mushroom || **–и́ло** *s.* plummet, plumb-line, lead.
груз=и́ть I. 1. [a & c] *va.* (*Pf.* по-) to sink; (*Pf.* на-) to load, to lade, to freight.
гру́з/ный *a.* heavily laden, heavy || **–ово́й** *a.* of freight, cargo || **–овщи́к** *s.* freighter; shipper.
грум *s.* groom.
грунт/ *s.* [°] ground, soil, land; estate || **–о+ва́ть** II. [b] *va.* (*Pf.* за-, на-) to ground, to prepare the ground (of a picture.)
гру́пп/а *s.* group || **–иро+ва́ть** II. & II. [b] *va.* to group.
груст=и́ть I. 4. [a] *vn.* (*Pf.* вз-) (о, по ком, чём) to grieve, to mourn.
гру́ст/ный *a.* sad, mournful, melancholy || **–ь** *s. f.* grief, sadness, mournfulness.
гру́ш/а *s.* pear; pear-tree || **–евый** *a.* pear-.
гры́жа *s.* (*med.*) rupture, hernia.
грызе́ние *s.* gnawing, nibbling.
грызть 25. [a 1.] *va.* (*Pf.* раз-, за-, *mom.* грызн-у́ть I.) to gnaw, to nibble, to bite; to worry, to torment || **~ся** *vrc.* to quarrel.
грызу́н *s.* [a] (*zool.*) rodent; (*fig.*) quarrelsome person.
гряда́ *s.* layer, stratum; row, bed (of vegetables).
гря́д/ка *s.* (*gpl.* -док) small bed || **–у́щий** *a.* future, coming.
гряз/не́ть II. *vn.* (*Pf.* за-, по-) to grow dirty || **–н=и́ть** II. [a] *va.* (*Pf.* за-, вы́-) to dirty, to soil, to sully || **–нота́** *s.* dirtiness, filthiness || **′н-уть** I. *vn.* (*Pf.* по-) to sink in the mire || **′ный** *a.* miry, muddy; dirty, filthy; foul || **–ь** *s. f.* [c & g] mire, mud, dirt, filth; (*in pl.*) mud-bath.
гря́нуть *cf.* **греме́ть.**
гуа́но *s. indecl.* guano.
губа́ *s.* [f] gulf, bay.
гу́ба́ *s.* [c] lip.
губа́стый *a.* thick-lipped.
губерна́тор *s.* governor.
губе́рн/ия *s.* government (district) || **–ский** *a.* government-.
губи́тельный *a.* hurtful, pernicious.
губ=и́ть II. 7. [a & c] *va.* (*Pf.* по-, с-) to ruin, to destroy, to lay waste; to waste (one's time).
гу́б/ка *s.* (*gpl.* -бок) small lip; sponge || **–но́й** *a.* lip-, labial || **–чатый** *a.* spongy.
гуверн/а́нтка *s.* (*gpl.* -ток) governess || **–ёр** *s.* tutor.
гугено́т *s.* Huguenot.
гугу́ *int.*, **ни ~!** not a word! hush!
гуд=е́ть I. 1. [a] *vn.* (*Pf.* за-) to hum, to drone.
гудо́к *s.* [a] (*gsg.* -дка́) rebeck; hooter.
гуж *s.* [a] rope; collar-strap.
гул/ *s.* rumble, rumbling; echo || **′кий** *a.* resounding.
гулли́вый *a.* idle; pleasure-seeking.
гул/ьба́ *s.* strolling, sauntering || **–я́ка** *s. m&f.* idler, stroller, saunterer || **–я́ние** *s.* walking, sauntering, strolling; promenade || **–я́нка** *s.* (*gpl.*-нок) leisure || **–я́-ть** II. *vn.* (*Pf.* по-, от-) to walk, to take a walk; to stroll || **–я́щий** *a.* idle, unoccupied.
гума́нный *a.* humane.
гуммила́стик *s.* elastic, India-rubber.
гумно́ *s.* [d] threshing-floor.
гурт/ *s.* [a] herd, drove || **–ово́й** *a.* wholesale || **–овщи́к** *s.* [a] wholesale merchant || **–о́м** *ad.* wholesale, in the lump.
гурьба́ *s.* (*vulg.*) crowd.
гуса́к *s.* [a] gander.
гуса́р *s.* hussar.
гусёк *s.* [a] (*gsg.* -ська́) gosling; **гусько́м** in Indian file.
гу́сеница *s.* caterpillar.
гус/ёнок *s.* (*pl.* -я́та) gosling || **–и́ный** *a.* goose-.
гу́сли *s. fpl.* dulcimer.
гусля́р *s.* [a] dulcimer player.
густ/е́-ть II. *vn.* (*Pf.* за-, о-) to grow thick, to thicken, to condense || **–о́й** *a.* (*pdc.* гу́ще) thick, dense || **–ота́** *s.* thickness, density.
гусы́ня *s.* (female) goose.
гус/ь *s. m.* [c] goose || **–я́тина** *s.* goose-flesh || **–я́тня** *s.* (*gpl.* -тен) goose-pen.
гуто́р=ить II. *vn.* to chatter, to talk nonsense.

гут(т)апе́рча *s.* gutta-percha.
гу́щ/а *s.* residue; sediment, lees, dregs ‖ **–е** *cf.* **густо́й.**

Д

да/ *ad.* yes; but; and; ~ **здра́вствует ...!** long live...! ‖ **∠бы** *c.* in order that, so that.
дава́й/, –те (*Imp. of* дава́ть) let us; ~ **игра́ть** come, let us play.
дава́лец *s.* (*gsg.* -льца) customer, business friend.
дава́ть 39. *va.* (*Pf.* дать 38.) to give; to bestow; to allow, to permit; ~ **знать** to let one know; ~ **прися́гу** to swear an oath ‖ **~ся** *vr.* to allow, to suffer, to permit o.s. ‖ ~ *vn.* to succeed.
дав=и́ть II. 7. [c] *va.* (*Pf.* за-, раз-, по-) to press, to squeeze; (удуши́ть) to strangle, to choke.
да́вича *ad.* (*fam.*) this minute, a short time ago, just now.
да́вишний *a.* former, late.
да́вка *s.* (*gpl.* -вок) press, crowd, throng.
давле́ние *s.* pressure.
давлю́ *cf.* **дави́ть.**
давне́нько *ad.* a good while past, pretty long ago.
да́вний *a.* old, of old, long ago.
давни́шний *a.* of old, old, long past, ancient.
давно́ *ad.* already, long ago; **мне ~ пора́ бы́ло э́то сде́лать** I should have done that long ago.
да́вность *s.f.* antiquity; (*leg.*) superannuation, prescription.
давны́м-давно́ *ad.* long ago.
дад/и́м, –у́т *cf.* **дава́ть.**
да́же *ad.* even.
да́ка-ть II. *vn.* to say yes, to answer in the affirmative.
далёкий *a.* (*pd.* -лёк, -ка́, -ко́, -ки́; *pdc.* да́льше) distant, far; remote; **далеко́ не** not in the least, not at all.
дале́че *ad.* far.
даль *s.f.* distance, remoteness.
дальне́йший *a. sup.* farther, further; farthest, furthest.
да́льний *a.* far, distant; ~ **ро́дственник** a distant relation.
дально/бо́йный *a.* long-range (of guns) ‖ **–ви́дный** *a.* farseeing, farsighted ‖ **–зо́ркий** *a.* farsighted ‖ **–зо́ркость** *s. f.* farsightedness, presbyopia ‖ **–ме́р** *s.* telemeter.
да́льше *comp.* further, farther.
да́ма *s.* lady; (at draughts) king; (at cards) queen.
дама́сский *a.* (сталь) Damascene; (ро́за) damask.
да́мба *s.* dam, embankment.
да́мка *s.* (*gpl.* -мок) *dim.* king (at draughts).
да́мский *a.* lady's.
да́нник *s.* tributary, vassal.
да́нны/й *a.* given (*cf.* дава́ть) ‖ **–е** *s. npl.* (*leg.*) data, facts of the case.
данти́ст/ *s.* dentist ‖ **–ка** *s.* (*gpl.* -ток) (lady-)dentist.
дань *s.f.* tribute, tax.
дар/ *s.* [b] gift, present; ~ **сло́ва** the gift of speaking; (*fam.*) the gift of the gab; **святы́е дары́** the holy Sacraments ‖ **–и́тель** *s. m.*, **–и́тельница** *s.* giver, donor.
дар=и́ть II. [a] *va.* (кому́-либо что *or* кого́-либо чем) to give, to bestow, to present, to grant.
дармое́д/ & **–ка** *s.* (*gpl.* -док) drone; parasite, sponge.
дарова́ние *s.* talent, gift.
даро+ва́ть II. [b] *va.* (*Ipf. & Pf.*) to bestow.
дарови́т/ость *s.f.* gift, talent ‖ **–ый** *a.* talented, gifted.
даров/о́й *a.* gratis, gratuitous, free; **–о́му коню́ в зу́бы не смо́трят** don't look a gift horse in the mouth.
даровщи́нка *s.* (*gpl.* -нок) present, gift; **на –у** at the expense of other's.
да́ром *ad.* gratis; vainly, in vain, to no purpose; ~ **что** although.
дароно́сица *s.* ciborium.
да́рственный *a.* of gift, donative; **–ая за́пись** deed of gift.
даст *cf.* **дава́ть.**
да́тельный *a.*, ~ **паде́ж** (*gramm.*) dative (case).
дать *cf.* **дава́ть.**
да́ч/а *s.* villa, country-house; summer resort, summer residence; **на –е** in the country ‖ **–ник** *s.*, **–ница** *s.* owner of a villa; visitor at a summer resort ‖ **–ный** *a.* country, of a summer resort; ~ **по́езд** train to a summer resort.
дашь, даю́ *cf.* **дава́ть.**
два *num. m&n.* two.
двадцати/ле́тие *s.* a period of 20 years; a score of years, two decades ‖ **–ле́тний** *a.* 20 years old ‖ **–пятирублёвка** *s.* 25 rouble note.
двадца́тый *num.* twentieth.
два́дцать *num.* twenty; a score.
два́ждый *ad.* (*sl.*) twice.
две *num. f.* two.
двенадцатигра́нник *s.* (*geom.*) dodecahedron.
двена́дцат/ый *num.* twelfth ‖ **–ь** *num.* twelve.

две́рца s. (*gpl.* -рец) (*us. in pl.*) door (of a carriage, oven, etc).
дверь s. *f.* [c & g] door; doorway; **запасна́я** ~ emergency exit.
двести *num.* two hundred.
дви́гатель s. *m.* mover; motor.
дви́га-ть II. *va.* (*Pf.* двйн-уть [√двиг] I.) to move, to stir; to set in motion || **~ся** *vr.* to move.
движе́ние s. movement, motion; locomotion; stir, traffic; circulation (of the blood).
дви́жим/ость s. *f.* movables, movable property || **-ый** *a.* movable; (*fig.*) moved.
дви́нуть *cf.* **дви́гать.**
дво́е/ s. two, a pair; **нас бы́ло ~** there were two of us || **-бра́чие** s. bigamy || **-ду́шие** s. falsehood, duplicity || **-ду́шный** *a.* false, deceitful || **-же́нец** s. bigamist || **-же́нство** s. bigamy || **-то́чие** s. colon.
дво=и́ть II. [a] *va.* (*Pf.* раз-, с-) to divide; to double || **~ся** *vr.* to be doubled; to appear doubled. [deuce (at cards).
дво́йка s. (*gpl.* -бек) a pair (of horses);
дво́йни s. *mpl&fpl.* twins *pl.*
двой/ни́к s. [a] a double || **-но́й** *a.* double.
дво́йственность s. *f.* duality.
двор/ s. [a] court, courtyard, yard; **на -е** outside || **-е́ц** s. [a] castle, palace || **-е́цкий** (*as s.*) major-domo || **-́ник** s. house-porter || **-́ницкая** (*as s.*) house-porter's lodge || **-́ня** s. menials, domestics, servants *pl.* || **-ня́жка** s. (*gpl.* -жек) mongrel, yard-dog || **-о́вый** *a.* yard-; belonging to the house || **-цо́вый** *a.* of the palace || **-цы́** *cf.* **дворе́ц** || **-яни́н** s. (*pl.* -я́не) nobleman || **-я́нка** s. (*gpl.* -нок) lady || **-я́нский** *a.* noble || **-я́нство** s. nobility.
двою́родный *a.*, **~ брат** first cousin; **-ная сестра́** first cousin.
двоя́кий *a.* double, twofold.
дву/бо́ртный *a.* double-breasted || **-весе́льный** *a.* two-oared || **-гла́вый** *a.* double-headed || **-гла́сный** *a.*, **~ звук** diphthong || **-го́рбый** *a.* with *or* having two humps || **-гра́нный** *a.* two-edged || **-гри́венный** *a.* costing 20 kopecks || **-колёсный** *a.* two-wheeled || **-ко́лка** s. two-wheeled carriage || **-ко́нный** *a.* two-horsed, drawn by two horses || **-копы́тный** *a.* cloven-footed, cloven-hoofed || **-кра́тный** *a.* repeated, reiterated, done twice || **-ле́тний** *a.* two years old || **-ли́чие** s. & **-ли́чность** s.*f.* duplicity, falsehood, hypocrisy || **-ли́чный** *a.* false, hypocritical, double-faced || **-мачто́вый** *a.* two-masted || **-ме́стный** *a.* with two seats; two-seater || **-но́гий** *a.* two-legged; biped || **-по́лый** *a.* hermaphroditic || **-смы́сленность** s.*f.* ambiguity || **-смы́сленный** *a.* ambiguous, double-meaning, equivocal || **-спа́льный** *a.* double (of beds) || **-ство́льный** *a.* double-barrelled || **-ство́рчатый** *a.* two-leaved; **-ство́рчатая дверь** a folding door || **-сти́шие** s. distich || **-сторо́нний** *a.* two-sided.
двух/копе́ечный *a.* worth two kopecks, two kopecks' worth || **-ме́стный** *a.* two-seater || **-ме́сячный** *a.* bimonthly || **-неде́льный** *a.* biweekly || **-со́тый** *num.* two-hundredth || **-эта́жный** *a.* two-storeyed || **-чле́нный** *a.* biarticulate. [platform.
дебаркаде́р s. landing-stage; (*rail.*)
дебе́л/ость s. *f.* corpulence, stoutness, embonpoint || **-ый** *a.* stout, corpulent.
де́бет s. debit.
дебето+ва́ть II. [b] *va.* to debit.
дебито́р s. debtor.
дебо́ш s. debauch. [glen.
дебрь s. *f.* thickly wooded vale; ravine,
дебю́т/ s. (*theat.*) début, first appearance in public || **-а́нт** s. débutant || **-а́нтка** s. (*gpl.* -ток) débutante || **-и́ро+вать** II. *vn.* (*Pf.* про-) to make one's début; to make one's first public appearance.
де́ва s. virgin, maid; (*astr.*) Virgo, the Virgin.
дева́-ть II. *va.* (*Pf.* деть 32., *Fut.* де́ну, де́нешь) to put, to place, to leave || **~ся** *vn.* to betake o.s., to take refuge; to become of; **куда́ дева́лись все его́ де́ньги** what has become of all his money.
де́верь s. *m.* brother-in-law; the husband's brother.
девиа́ция s. deviation.
деви́з s. device, motto.
деви́ца s. young girl.
деви́ческий *a.* maidenly, girlish.
де́вичий (-ья, -ье) *a.* virginal, maidenly; **~ монасты́рь** nunnery, convent.
деви́чник s. nuptial-eve.
де́вичья (*as s.*) servant-girl's room.
де́в/ка s. (*gpl.* -вок) servant-girl, maid || **-очка** s. (*gpl.* -чек) young girl || **-ственник** s. innocent young man || **-ственница** s. virgin || **-ственность** s. *f.* virginity, innocence || **-ственный** *a.* modest, innocent; virginal || **-ушка** s. (*gpl.* -шек) grown-up girl

|| **–чи́на** *s.* hussy, wench; whore || **–чо́нка** *s.* (*gpl.* -нок) wench, hussy.
девяно́/сто *num.* ninety || **–стый** *num.* ninetieth; **–стая** (часть) one ninetieth, $^1/_{90}$.
девятисо́тый *num.* nine-hundredth.
девя́т/ка *s.* (*gpl.* -ток) nine (at cards) || **–на́дцатый** *num.* nineteenth || **–на́дцать** *num.* nineteen || **–ый** *num.* ninth || **–ая** (часть) one ninth, $^1/_9$.
де́вять/ *num.* nine || **–со́т** *num.* nine hundred || **–ю** *ad.* nine times.
дёготь *s. m.* tar (from birchwood).
дегтя́рный *a.* tar, of tar.
дед/ *s.* grandfather || **´–овский** *a.* grandfather's, grandfatherly || **´–ушка** *s. m.* (*gpl.* -шек) grandpa, grandda.
дееприча́стие *s.* (*gramm.*) gerund.
дееспосо́бный *a.* (*leg.*) competent.
дежу́р=ить II. *vn.* to be on duty.
дежу́рный *a.* on duty.
дезерти́р *s.* deserter.
дезерти́ро+вать II. *vn.* to desert.
дезин/фекцио́нный *a.* disinfectant, disinfecting || **–фе́кция** *s.* disinfection || **–фици́ро+вать** II. *va.* (*Pf.* про-) to disinfect.
деи́зм *s.* deism.
де́йствие *s.* action, deed; (*theat.*) act; **привести́ в ~** to set in motion, to start.
действи́тель/ность *s. f.* effectiveness, efficacy; reality || **–но** *ad.* really, actually, as a matter of fact || **–ный** *a.* efficacious, effective; real, actual; (*gramm.*) transitive.
де́йство+вать II. *vn.* (*Pf.* по-) to act; to work; to be effective; to function.
дека́бр/ь *s. m.* [a] December || **–ский** *a.* December, of *or* in December.
дека́н *s.* dean.
деклам/а́тор *s.* reciter || **–а́торский** *a.* declamatory || **–а́ция** *s.* declamation || **–и́ро+вать** II. *va.* (*Pf.* про-) to declaim, to recite.
деклара́ция *s.* declaration.
деко́кт *s.* decoction.
декольте́ *s. indecl.* décolleté, low-necked dress.
декор/ати́вный *a.* decorative || **–а́тор** *s.* decorator || **–ацио́нный** *a.* decorative.
декре́т *s.* decree.
де́ла-ть II. *va.* (*Pf.* с-) to do; to make || **~ся** *vn.* to become; to happen, to take place; **что с ним сде́лалось** what has become of him? || **~** *v.pass.* to be made.
делег/а́т *s.* delegate || **–а́ция** *s.* delegation.
делёж *s.* [a] division, distribution.
деле́ние *s.* division; dividing.
делик/ате́с *s.* tit-bit, dainty morsel || **–а́тность** *s. f.* delicacy || **–а́тный** *a.* delicate, nice, dainty.
дели́/мость *s. f.* divisibility || **–мый** *a.* divisible || **–мое** (*as s.*) (*math.*) dividend || **–тель** *s. m.* (*math.*) divisor.
дел=и́ть II. [a & c] *va.* (*Pf.* раз-) to divide, to distribute, to share || **~ся** *vn.* to divide.
дели́шко *s.* (*gpl.* -шек) (an unimportant) piece of business.
де́ло *s.* thing; affair, matter; business; work, deed; process; (*mil.*) fight, battle, action; **име́ть ~** (**с** + *I.*) to have to do with; **в чём ~?** what's the matter? **что вам за ~?** what concern is it of yours? **в са́мом де́ле** in fact, as a matter of fact.
делопроиз/води́тель *s. m.* manager || **–во́дство** *s.* management (of a business).
де́льн/ость *s. f.* aptness, capacity, capability || **–ый** *a.* capable, apt, shrewd, sensible.
де́льта *s.* delta.
дельфи́н *s.* dolphin.
демаго́г *s.* demagogue.
демаркацио́нный *a.* of demarcation, boundary.
демобилиза́ция *s.* demobilization.
демокра́т/ *s.* democrat || **–и́ческий** *a.* democratic || **–ия** *s.* democracy.
де́мон/ *s.* demon || **–ский** & **–и́ческий** *a.* demoniacal.
демонстра́ция *s.* demonstration.
де́нди *s. m. indecl.* dandy, fop.
де́неж/ка *s.* (*gpl.* -жек) small copper coin || **–ки** *s. fpl.* money; (*fam.*) cash || **–ный** *a.* of money, money; (*fam.*) moneyed, well-to-do.
денё(че)к *s.* [a] (*gsg.* -нька́, -нёчка) *dim.* of день.
денни́ца *s.* dawn, daybreak; daystar, morning-star.
де́нно *ad.* by day.
денно́й *a.* day's, daylight-.
денщи́к *s.* [a] batman (officer's servant).
день *s. m.* (*gsg.* дня) day; **~ деньско́й** the livelong day; **изо дня в ~** day in, day out.
де́ньги *s. fpl.* (*G.* -нег) money.
деньжо́нки *s. fpl.* (*G.* -нок) money.
департа́мент *s.* department.
депе́ша *s.* despatch; telegram.
депо́ *s. indecl.* depot.
депози́т *s.* deposit.
депута́/т *s.* deputy || **–ция** *s.* deputation.
дёрга-ть II. *va.* (*Pf.* дёрн-уть I.) to pull out, to tug, to drag.
дерга́ч *s.* [a] (*zool.*) landrail, corncrake.
дереве́н/ский *a.* country, rural, rustic, village || **–щина** *s. m.* boor, clod-hopper,

country bumpkin || **-ька** *s.* (*gpl.* -нек) small village.
дере́вня *s.* (*gpl.* -ве́нь) village (without a church); estate in the country; country; **в дере́вне** in the country.
де́рево *s.* (*pl.* дерева́, -ре́в & дере́вья, -ре́вьев) tree; wood, timber.
деревýшка *s.* (*gpl.* -шек) miserable small village.
деревцо́ *s.* [a] (*gpl.* -ве́ц) small tree.
деревя́жка *s.* (*gpl.* -жек) wooden leg; piece, block of wood.
деревяне́-ть II. *vn.* (*Pf.* о-) to grow stiff, to become torpid.
деревя́нный *a.* wooden, timber.
держа́в/а *s.* state, empire, dominion, power || **-ный** *a.* ruling; sovereign; mighty, potent.
де́ржан(н)ый *a.* second-hand, used.
держ=а́ть I. [c] *va.* (*Pf.* по-) to hold; **~ пари́** to bet, to stake; **~ впра́во** to keep to the right || **~ся** *vn.* to keep to, to stick to, to adhere to.
дерза́-ть II. *vn.* (*Pf.* дерзн-у́ть I. [a]) to dare, to venture; to make bold, to take the liberty of.
де́рзкий *a.* bold, daring, venturesome; audacious, impudent, impertinent.
дерзнове́н/не *s.* daring, venturesomeness || **-ный** *a.* daring, venturesome.
дерзну́ть *cf.* **дерза́ть.**
де́рзость *s. f.* audacity, impertinence, impudence, insolence; (*fam.*) cheek.
дермо́ *s.* excrement, refuse, trash.
дёрн *s.* turf, sod, sward.
дёрнуть *cf.* **дёргать.**
дерю́га *s.* canvas, rough cloth.
деса́нт *s.* descent, landing; landing party.
десе́рт *s.* dessert.
де́скать *ad.* so to say; that is to say.
десна́ *s.* [d] gum.
десни́ца *s.* right hand, right.
де́спот/ *s.* despot || **-и́зм** *s.* despotism || **-и́ческий** *a.* despotic.
десть *s. f.* [c] quire of paper.
десятери́к *s.* anything consisting of ten units, *e. g.* a ten pound weight, ten candles to the pound.
де́сятеро *num.* ten (persons), a party of ten.
десяти/дне́вный *a.* of ten days || **-ле́тие** *s.* decade, ten years.
десяти́на *s.* a measure of area (about $2^3/_4$ acres).
десятирублёвка *s.* ten rouble note (= a pound-note).
десяти́чный *a.* decimal.
деся́т/ка *s.* ten (at cards) || **-ник** *s.* overseer, foreman || **-ок** *s.* ten (pieces) || **-ский** *s.* bailiff's assistant || **-ый** *num.* tenth; **-ая** (часть) a tenth, one tenth.
де́сять/ *num.* ten || **-ю́** *ad.* ten times.
дета́ль/ *s. f.* detail, particulars || **-ный** *a.* detailed.
дет/вора́ *s.* [a] (crowd of) children || **-ёныш** *s.* young (of animals), cub, whelp, etc.
де́ти *s. npl.* children (*cf.* дитя́).
дет/и́на *s. m.* strong sturdy young fellow || **-и́шки** *s. m&fpl.* children.
де́т/ище *s.* child || **-ки** *s. m&fpl.* children.
дето/ро́дный *a.* genital || **-уби́йство** *s.* infanticide || **-уби́йца** *s. m&f.* infanticide.
де́т/очки & -ушки = де́тки || **-ский** *a.* child's, children's || **-ская** (*as s.*) nursery || **-ство** *s.* childhood, infancy.
деть, де́ться *cf.* **дева́ть.**
дефе́кт/ *s.* defect, deficiency || **-и́вный** & **-ный** *a.* defective.
дефиле́я *s.* defile.
дефили́ро+вать II. *vn.* (*Pf.* про-) to defile.
де́фици́т *s.* deficit.
деци/гра́мм *s.* decigram(me) || **-ме́тр** *s.* decimetre.
дешеве́-ть II. *vn.* (*Pf.* по-) to become cheaper, to fall in price.
дешеви́зна *s.* cheapness; lowness in price.
дешев=и́ть II. 7. [a] *va.* (*Pf.* про-) to lower the price; to underestimate, to undervalue.
дешёвый *a.* (*pd.* дёшев, -ва́, -во, -вы; *pdc.* деше́вле) cheap; low-priced.
дешифри́ро+вать II. *va.* to decipher; to decode.
дея́ние *s.* action, act, deed.
де́ятель/ность *s. f.* activity || **-ный** *a.* active, busy; practical.
джигито́вка *s.* trick riding (of the Cossacks).
джо́нка *s.* junk.
диа́гно́з *s.* diagnosis.
диагона́льный *a.* diagonal.
диагра́мма *s.* diagram.
диаде́ма *s.* diadem.
диа́кон *s.* deacon.
диале́кт *s.* dialect.
диама́нт *s.* diamond.
диа́метр *s.* diameter.
диапазо́н *s.* diapason.
диафра́гма *s.* (*med.*) diaphragm, midriff.
ди́ва *s.* opera-singer, "diva".
дива́н *s.* sofa, divan.
диве́рсия *s.* (*mil.*) diversion.
дивертисме́нт *s.* (*theat.*) divertisement, mixed performance after an opera.
дивиде́нд *s.* dividend.
диви́зия *s.* (*mil. & mar.*) division.

див=и́ть II. 7. [a] *va.* (*Pf.* у-) to astonish, to surprise, to amaze, to astound || **~ся** *vn.* (*Pf.* на-) (чему́) to be astonished, to be surprised, etc.; to wonder, to marvel (at).
ди́вный *a.* wonderful, marvellous, astonishing.
ди́во *s.* wonder, marvel.
дидакти́ческий *a.* didactic.
дие́з *s.* (*mus.*) diesis, sharp.
дика́рка *s.* (*gpl.* -рок) savage.
дика́рь *s. m.* [a] savage.
ди́кий *a.* wild, savage; untamed; (*fig.*) unsociable.
дикобра́з *s.* porcupine.
дико́вин/а *s.* rarity, wonder, marvel || **–ный** *a.* rare, wonderful, marvellous.
ди́кость *s. f.* wildness, savageness.
дикта́нт *s.* dictation.
дикта́тор/ *s.* dictator || **–ский** *a.* dictatorial.
диктату́ра *s.* dictatorship.
дикто+ва́ть II. [b] *va.* (*Pf.* про-) to dictate.
дикто́вка *s.* (*gpl.* -вок) dictation.
ди́кция *s.* diction.
диле́мма *s.* dilemma.
дилета́нт/ *s.*, **–ка** *s.* (*gpl.* -ток) dilettante, amateur, dabbler.
дилижа́нс *s.* diligence, stage-coach.
дина́м/ика *s.* dynamics || **–и́т** *s.* dynamite || **–и́ческий** *a.* dynamic || **–о** *s.* dynamo.
дина́ст/ия *s.* dynasty || **–и́ческий** *a.* dynastic.
дипло́м *s.* diploma.
диплома́т/ *s.* diplomat, diplomatist || **–и́ческий** *s.* diplomatic || **–ия** *s.* diplomacy.
дире́к/тор *s.* director || **–три́са** *s.* directress || **–ция** *s.* direction, management.
дирижёр *s.* conductor (of an orchestra), bandmaster.
дирижи́ро+вать II. *va.* to conduct.
дисгармо́ния *s.* disharmony.
дисенте́рия *s.* dysentery.
диск *s.* disk, discus.
диска́нт *s.* (*mus.*) soprano.
диско́нт *s.* discount.
дисконти́ро+вать II. *va.* to discount.
дислока́ция *s.* dislocation.
ди́спут *s.* disputation, learned argument.
диссерта́ция *s.* dissertation, thesis.
диссиде́нт *s.* dissenter.
диссона́нс *s.* dissonance.
дистилли́ро+вать II. *va.* to distil.
дистилля́ция *s.* distillation.
дисципли́на *s.* discipline.
дитя́ *s.* (*G.*, *D.* + *Pr.* дитя́ти, *I.* дитя́тею, *pl.* де́ти, -е́й) child.
ди́тятко *s.* (*vulg.*) child, infant, baby.
дифама́ция *s.* defamation.
диференциа́льный *a.* differential.
дифира́мб *s.* dithyramb.
дифтери́т *s.* diphtheria.
despite
дича́-ть II. *vn.* to grow wild; to run wild; to become shy, unsociable.
дич=и́ться I. [a] *vn.* to be shy; (чего́) to fear; to avoid.
дичо́к *s.* [a] wild tree.
дичь *s. f.* uninhabited region, wilderness; (кра́сный зверь) game; (вздор) nonsense, rot, fudge.
дие́т/а *s.* diet || **–ети́ческий** *a.* dietary, dietetic.
длань *s. f.* the palm of the hand.
длина́ *s.* [a] length.
дли́нн/ый *a.* long || **–ова́тый** *a.* longish, rather long.
дли́тельный *a.* lingering, lasting.
дл=ить II. *va.* (*Pf.* про-) (что *or* чем) to lengthen, to prolong, to protract || **~ся** *vn.* to be protracted, prolonged; to last.
для *prp.* (+ *G.*) for; **~ того́** therefore; **~ того́, что́бы** in order that; **~ чего́?** why? for what reason?
днева́льный *s.* soldier on duty.
дне+ва́ть II. [b] *vn.* (*Pf.* про-) to pass, to spend the day.
днёвка *s.* (*mil.*) day of rest.
днев/ни́к *s.* [a] journal, diary || **–но́й** *a.* of day; **~ свет** daylight.
днесь *ad.* (*sl.*) to-day.
дни́ще *s.* bottom (of a cask).
дно *s.* (*pl.* до́нья) bottom; **итти́ ко дну** to go to the bottom, to sink.
до *prp.* (+ *G.*) to, as far as, till; **что ~ меня́ (каса́ется)** as for me; **мне не ~ шу́ток** I am in no joking mood.
доба́в/ка & **–ле́ние** *s.* addition, supplement.
добавля́-ть II. *va.* (*Pf.* доба́в=ить II. 7.) to add to, to make up.
доба́в/ок *s.* (*gsg.* -вка) supplement, addition || **–очный** *a.* supplementary, additional.
до́бела́ *ad.* till white-hot.
добива́-ть II. *va.* (*Pf.* доби́ть 27.) to kill; to drive home (a nail) || **~ся** *vn.* (чего́) to endeavour; to seek; to attain.
добира́-ть II. *va.* (*Pf.* добра́ть 8. [a]) to glean || **~ся** *vn.* (до + *G.*) to attain (with difficulty); to get at, to reach.
доби́ть *cf.* **добива́ть.**
до́блест/ь *s. f.* valour, heroism || **–ный** *a.* valiant, heroic, brave.
добра́ть *cf.* **добира́ть.**
добре́-ть II. *vn.* (*Pf.* по-) to increase in weight, to become stout; to get better.
добро́/ *s.* [a] good; goods, chattels, property || **~** *ad.* opportunely; **~ пожа́ловать!** welcome! || **~!** *int.* fine! good!

alright! || **-во́лец** *s.* (*gsg.* -льца) volunteer || **-во́льный** *a.* voluntary || **-де́тель** *s. f.* virtue || **-де́тельный** *a.* virtuous || **-ду́шие** *s.* good nature || **-ду́шный** *a.* good-natured || **-жела́тель** *s.m.* patron, well-wisher; **-ница** *s.* patroness || **-жела́тельный** *a.* well-wishing, kind || **-ка́чественный** *a.* of good quality || **-нра́вный** *a.* good, well-conducted || **-серде́чный** *a.* kind-hearted || **-со́вестный** *a.* conscientious, scrupulous.
доброта́ *s.* [a] kindness, goodness.
добро́т/а *s.* good quality || **-ный** *a.* of good quality; lasting, solid.
до́брый *a.* good, kind; **в ~ час!** good luck!
добря́к *s.* [a] kind, kind-hearted person.
добуд=и́ться I. 1. [c] *vn.* (кого́) to wake s. b. with difficulty.
добыва́-ть II. *va.* (*Pf.* добы́ть 49.) to earn, to gain; to get, to acquire, to procure.
добы́ча *s.* booty, prey; gains *pl.*; spoil.
дове́ренн/ость *s.f.* full authority; proxy, procuration; power of attorney || **-ый** (*as s.*) mandatory; proxy, procurator; authorized (to act for one); provided with power of attorney.
дове́рие *s.* confidence, trust.
довери́тель/ *s.m.* authorizer, mandator, constituent || **-ный** *a.* authorizing; mandatory.
дове́рить *cf.* **доверя́ть.**
до́ве́рху *ad.* to the top.
дове́рчивый *a.* trusting, confiding.
доверша́-ть II. *va.* (*Pf.* доверш=и́ть I. [a]) to finish, to complete, to bring to a conclusion.
доверше́ние *s.* completion, conclusion.
доверя́-ть II. *va.* (*Pf.* дове́р=ить II.) (+ *D.*) to trust, to confide, to place confidence in; **не ~** to mistrust || **~ся** *vr.* to depend on, to rely on.
довести́ *cf.* **доводи́ть.**
до́вод *s.* proof, argument, reason, evidence.
довод=и́ть I. 1. [c] *va.* (*Pf.* довести́ 22. [a 2.]) to carry, to bring, to drive (to a place); **~** (кого́) **до све́дения** to bring to one's knowledge || **~ся** *vr.* to fall to one's share.
довоз=и́ть I. 1. [c] *va.* (*Pf.* довезти́ 25.) to drive to, to carry to, to bring to.
дово́ль/ный *a.* satisfied, contented || **-но** *ad.* enough, sufficient || **-ствие** *s.* sufficiency; (во́йска) provision, supply || **-ство** *s.* satisfaction, contentedness; (доста́ток) sufficiency || **-ство+вать** II. *va.* (*Pf.* у-) to satisfy; (о во́йске) to provide, to supply || **~ся** *vr.* to content o.s., to be satisfied (with).
дога́д/ка *s.* (*gpl.* -док) guess, surmise, conjecture || **-ливый** *a.* sagacious, clear-sighted, perspicacious.
дога́дыва-ться II. *vn.* (*Pf.* догада́-ться II.) (о чём) to guess, to surmise, to conjecture.
догляд=е́ть I. 1. [a] *va. Pf.* to observe, to watch; **не ~** to overlook.
до́гмат *s.* dogma.
догна́ть *cf.* **догоня́ть.**
догова́рива-ть II. *va.* (*Pf.* договор=и́ть II. [a]) to finish speaking || **~ся** *vn.* (о чём) to agree, to come to an agreement.
догово́р *s.* contract, treaty, agreement.
до́гола́ *ad.* stark naked.
дого́нка *s.* overtaking.
догоня́-ть II. *va.* (*Pf.* догна́ть 11. [c]) to overtake, to catch up with.
догора́-ть II. *vn.* (*Pf.* догор=е́ть II. [a]) to burn out.
додава́ть 39. [a 1.] *va.* (*Pf.* дода́ть 38. [a 4.]) to supplement, to give in addition; to make a supplementary payment.
дода́ча *s.* supplement, additional payment.
доезжа́-ть II. *vn.* (*Pf.* дое́хать 45.) (до чего́) to ride *or* to drive up to || **~** *va.* to track, to pursue.
дое́ние *s.* milking.
дож *s.* doge.
дожа́рива-ть II. *va.* (*Pf.* дожа́р=ить II.) to roast thoroughly.
дождево́й *a.* rain-, of rain.
до́жд/ик *s.* [a] *dim.* rain || **-ли́вый** *a.* rainy || **-ь** *s.m.* rain; **~ идёт** it is raining, it rains.
дожива́-ть II. *va.* (*Pf.* дожи́ть 31. [a 4.]) to live to *or* till; to attain (a certain age).
дожида́-ть & ~ся II. *vn.* (*Pf.* дожд-а́ться I. [a]) (кого́, чего́) to wait for, to expect.
дозва́ться *cf.* **дозыва́ться.**
дозволе́ние *s.* permission; consent, concession.
дозволи́тельный *a.* permissible, allowable; **~ вид** license; (*comm.*) permit.
дозволя́-ть II. *va.* (*Pf.* дозво́л=ить II.) to permit, to allow, to concede.
дознава́ть 39. *va.* (*Pf.* дозна́-ть II.) to find out, to ascertain.
дозна́ние *s.* inquiry, investigation; finding out.
дозо́р/ *s.* patrol, round; **ходи́ть -ом** to patrol, to go the rounds || **-ный** *s.* soldier on patrol.
дозыва́-ться II. *vn.* (*Pf.* дозва́ться 10. [a 3.]) to call.
доискива-ться II. *vn.* (*Pf.* доиск-а́ться I. 4. [c 1.]) (чего́) to try, to find out, to ascertain.

до=и́ть II. [a] *va.* (*Pf.* по-) to milk.
до́йный *a.* milch; **-ая коро́ва** milch-cow.
док *s.* (*mar.*) dock. [(*fam.*) dab.
до́ка *s.* (*vulg.*) connoisseur; smart fellow;
доказа́тель/ный *a.* demonstrative, conclusive || **-ство** *s.* proof, evidence.
дока́зыва-ть II. *va.* (*Pf.* доказ-а́ть I. 1. [c 1.]) to demonstrate, to prove; to argue, to evince.
дока́нчива-ть II. *va.* (*Pf.* доко́нч=ить I.) to bring to an end, to finish, to conclude.
докла́д/ *s.* report; announcement || **-но́й** *a.* of report || **-чик** *s.* reporter, secretary.
докла́дыва-ть II. *va.* (*Pf.* долож=и́ть I. [c]) to report; to announce; **веле́ть доложи́ть о себе́** to send in one's name, to have o.s. announced.
доко́ль *ad.* as long as, till; how long? until when?
докона́ть *cf.* **кона́ть.**
доко́нчить *cf.* **дока́нчивать.**
до́красна *ad.* till red.
докрич=а́ться I. *vn.* (кого́-либо) to call, to shout to; to keep on shouting to until heard. [lady-doctor.
до́ктор/ *s.* doctor || **-ша** *s.* doctor's wife;
доктри́на *s.* doctrine.
доку́да *ad.* how far? how long? till when?
доку́ка *s.* importunity.
докуме́нт/ *s.* dokument; deed || **-ный** & **-а́льный** *a.* documentary.
докуча́-ть II. *vn.* (*Pf.* доку́ч=ить I.) (+ *D.*) to importune.
доку́чливый *a.* importunate, obtrusive.
дол *s.* [c] valley, dale, vale.
долбёжка *s.* (*gpl.* -жек) mortise; (*fig.*) cramming.
долб=и́ть II. 7. [a & c] *va.* (*Pf.* вы́-) to mortise, to hollow out, to chisel out; (*fam.*) to cram.
долбня́ *s.* (*fam.*) cramming.
долг *s.* [b°] (обя́занность) duty; (де́нежный) debt; **в ~** on credit; **в долга́х** in debt. [lengthy, tiresome.
до́лгий *a.* (*pdc.* до́лее & до́льше) long;
до́лго *ad.* a long time, for long.
долго/ве́чный *a.* long-lived; indestructible || **-во́й** *a.* of debts; debtor's || **-вя́зый** *a.* tall, lanky || **-вре́менный** *a.* permanent; lengthy, tiresome || **-де́нствие** *s.* long life; the longest days (in the year) || **-ле́тие** *s.* long life || **-ле́тний** *a.* long-lived || **-но́гий** *a.* long-legged || **-ру́кий** *a.* long-armed, long-handed || **-сро́чный** *a.* long term; (*comm.*) drawn at long sight.

долгота́ *s.* [e] length; (*geog.*) longitude.
долго/терпели́вый *a.* patient, forbearing, long-suffering || **-терпе́ние** *s.* patience, forbearance.
долета́-ть II. *vn.* (*Pf.* долет=е́ть I. 2. [a]) (до + *G.*) to fly to, to fly as far as.
должа́-ть(-ся) II. *vn.* (*Pf.* за-) to run into debt, to get into debt, to incur debts.
до́лжен *cf.* **до́лжный.**
долженство+ва́ть II. [b] *vn.* to be obliged to, to have to.
долж/ни́к *s.* [a], **-ни́ца** *s.* debtor || **-но́** *ad.* one must; **вам ~** you must; **~ быть** it must be so, it is very likely, it is highly probable || **-ностно́й** *a.* official || **´-ность** *s.f.* [c] duty; office; business, function || **´-ный** *a.* owing, due, requisite; **он мне до́лжен пять рубле́й** he owes me five roubles; **он до́лжен э́то сде́лать** he must do this || **-о́к** *s.* [a] petty debt.
долива́-ть II. *va.* (*Pf.* доли́ть 27.) to fill up; to pour on, to add.
доли́на *s.* plain; valley.
доложи́ть *cf.* **докла́дывать.**
доло́й *int.* off with! down with! **ша́пки ~!** hats off! **~ с доро́ги!** out of the way!
долото́ *s.* [d] chisel.
до́лька *s.* (*gpl.* -лек) small part, share.
до́льше *cf.* **до́лгий.** [hard fate.
до́люшка *s.* (*gpl.* -шек) small portion;
до́ля *s.* part, share; (судьба́) lot, fate, destiny; the 96th part of a zolotnik.
дом/ *s.* [b♀] house, home; dwelling; family || **´-а** *ad.* at home; **его́ нет ~** he is not at home, he is out || **-а́шний** *a.* house, home-; home-made; domestic || **-а́шние** *s. mpl.* the household.
домёк *s.*, **не в ~ мне э́то** it didn't occur to me, I did not dream of it.
до́м/енный *a.*, **-енная печь** blast-furnace, smelting furnace || **-ик** *s.* small house, cottage.
домино́ *s.* domino. [house.
доми́шко *s.* (*gpl.* -шек) miserable small
до́мна *s.* blast-furnace.
домо/ве́дение *s.* housekeeping || **-ви́тый** *a.* homely; economical || **-владе́лец** *s.* (*gsg.* -льца), **-владе́лица** *s.* householder; landlord || **-во́й** *s.* hobgoblin, brownie.
домо́вый *a.* house; household.
домога́тельство *s.* striving (for something); solicitation, application.
домога́-ться II. *vn.* (чего́) to strive (for), to endeavour after, to aspire to; to seek.
домо́й *ad.* home, homewards.

домо/рóщенный *a.* bred at home; (*fig.*) insignificant, unimportant || **-стро-ńтельство** *s.* good housekeeping || **-хозя́ин** *s.*, **-хозя́йка** *s.* (*gpl.* -йек) landlord, landlady || **-чáдец** *s.* (*gsg.* -дца) member of the household.
домособня́к *s.* villa, detached house.
дóнéльзя *ad.* to the utmost.
донесéние *s.* report.
донести́ *cf.* **доноси́ть.**
донимá-ть II. *va.* (*Pf.* доня́ть 37. [a 3.]) to collect (debts); to plague, to torment.
донóс *s.* denunciation; information.
донос=и́ть I. 3. [c] *va.* (*Pf.* донести́ 26. [a 2.]) (на когó) to denounce, to inform against, to bring a charge against; (о + *Pr.*) to report on.
донóс/чик *s.*, **-чица** *s.* informer, tell-tale.
доны́не *ad.* up till now, till now; hitherto.
дóнышко *s.* (*gpl.* -шек) *dim.* small bottom (of a cask, etc.).
доня́ть *cf.* **донимáть.**
допекá-ть II. *va.* (*Pf.* допéчь [√пек] 18. [a 2.]) to bake thoroughly; (*fig.*) to vex, to scold.
допивá-ть II. *va.* (*Pf.* допи́ть 27. [a 3.]) to drink up *or* out || **~ся** *vn.* to drink until; to drink o.s. to; **~ до бéлой горя́чки** to drink o.s. into delirium tremens.
доплáта *s.* supplementary payment, extra fee.
доплáчив-ать II. *va.* (*Pf.* доплат=и́ть I. [c]) to pay a supplement, an extra fee; to pay the remainder.
доплывá-ть II. *vn.* (*Pf.* доплы́ть 31. [a 3.]) to swim to; to sail to *or* as far as.
допóдлинный *a.* genuine, authentic; real, true.
дополн/éние *s.* complement, supplement || **-и́тель** *s. m.* (*gramm.*) object || **-и́тельный** *a.* complementary, supplementary.
дополня́-ть II. *va.* (*Pf.* допóлн=ить II. to complete, to make up, to supplement.
дополу́денный *a.* of *or* in the forenoon; morning.
дополусмéрти *ad.* half-dead.
допотóпный *a.* antediluvian.
допрáшива-ть II. *va.* (*Pf.* допрос=и́ть I. 3. [c]) (*leg.*) to interrogate, to question, to examine, to cross-examine.
допрóс *s.* (*leg.*) interrogation, examination, cross-examination.
допускá-ть II. *va.* (*Pf.* допуст=и́ть I. 4. [c]) to admit, to allow, to permit; (дать дóступ) to let in, to allow in.
допущéние *s.* admittance, admission; allowing.
допы́тыва-ть II. *va.* (*Pf.* допытá-ть II.) to extort (information) || **~ся** *vn.* to inquire, to try to find out.
дóпьяна *ad.* until drunk *or* intoxicated; **напи́ться ~** to drink till one becomes intoxicated.
дорóга *s.* road, way; journey; **желéзная ~** railway; **на -е** on the way, travelling.
дорого/вáтый *a.* somewhat dear, rather dear || **-ви́зна** *s.* (*obs.*) dearness, costliness, high price.
дорогóй *a.* (*pd.* дóрог, -гá, -го, -ги; *pdc.* дорóже, *sup.* дражáйший) dear, costly, expensive.
дорóд/ность *s. f.* corpulence, embonpoint || **-ный** *a.* corpulent, stout || **-ство** *s.* corpulence.
дорожá-ть II. *vn.* (*Pf.* по-) to become dearer, to rise in price.
дорóже *cf.* **дорогóй.**
дорож=и́ть I. [a] *va.* (чем) to value, to prize, to esteem || **~ся** *vn.* (чем) to demand too much for; to value highly.
дорóж/ка *s.* path, footpath; groove; strip; carpet (on stairs) || **-ник** *s.* (кни́га) guide-book; (дневни́к) itinerary; (род стру́га) grooving-plane || **-ный** *a.* travelling; for *or* of travelling.
дортуáр *s.* dormitory.
досáд/а *s.* vexation, annoyance, spite, chagrin || **-и́ть** *cf.* **досаждáть** || **-но** *ad.* vexatiously; it's most annoying; **мне ~** I am vexed *or* put out || **-ный** *a.* vexatious, annoying, provoking || **-о+вать** II. *vn.* (на + *A.*) to be vexed at, to be put out, to be annoyed.
досаждá-ть II. *vn.* (*Pf.* досад=и́ть) I. 1. [a]) (+ *D.*) to vex, to annoy, to provoke.
досéле *ad.* hitherto, till now, up to the present.
доскá *s.* [e] board; plate; slate.
доскáзыва-ть II. *va.* (*Pf.* досказ-áть I. 1. [c]) to finish telling, to tell to the end.
доскончáльный *a.* exact; punctual; genuine.
дослóвный *a.* word for word, literal.
дослу́жива-ть II. *va.* (*Pf.* дослуж=и́ть I. [c]) to complete (one's time of service) || **~ся** *vn.* (до чегó) to gain, to attain by service (*e. g.* a certain rank).
досмáтрива-ть II. *va.* (*Pf.* досмотр=éть II. [c]) (за чем) to see to the end; to observe, to examine; to inspect.
досмóтр/ *s.* inspection, examination || **-щик** *s.* inspector.

доспе́хи *s. mpl.* accoutrements *pl.*
досро́чный *a.* not yet due.
достава́ть 39. *va.* (*Pf.* доста́ть 32.) to get, to procure, to obtain || ~ *vn.* to reach to *or* as far as; (of guns) to carry || ~ *v.imp.* to be sufficient || **~ся** *vn.* to fall to one's share || ~ *v.imp.*, **ему́ ча́сто достаётся** he often gets rebuked, reprimanded; he often gets a sound rating.
доста́в/ка & -ле́ние *s.* furnishing; delivery.
доставля́-ть II. *va.* (*Pf.* доста́в=ить II. 7.) to furnish, to deliver; to provide, to supply; to cause (joy, etc.).
доста́т/ок *s.* (*gsg.* -тка) wealth, fortune; (изоби́лие) abundance; **с -ком** well-to-do, well-off || **-очный** *a.* sufficient, in plenty, in abundance, abundant; well-to-do, well-off.
доста́ть *cf.* **достава́ть.**
достига́-ть II. *va.* (*Pf.* дости́гнуть 52. & дости́чь [√стиг] 15. [a 1.]) (+ *G.*) to attain, to reach; to get.
достиже́ние *s.* reaching, attaining.
дости́чь *cf.* **достига́ть.**
досто/ве́рный *a.* credible; authentic, veritable || **-до́лжный** *a.* due, requisite, meet.
досто́инство *s.* worth, merit; dignity.
досто́йный *a.* worthy, deserving, meritorious.
досто/па́мятный *a.* memorable || **-почте́нный** *a.* venerable; worthy of respect || **-примеча́тельность** *s. f.* object of interest; (*in pl.*) sights *pl.* || **-примеча́тельный** *a.* remarkable, interesting || **-сла́вный** *a.* famous, glorious.
достоя́ние *s.* property, possessions *pl.*; inheritance.
до́ступ *s.* access; admittance.
досту́пный *a.* accessible.
досу́г *s.* leisure; **на -е** at leisure.
досу́ж/ий *a.* idle, at leisure, leisured; lively, active, nimble || **-ный** *a.* at leisure; **-ная пора́** leisure time.
до́суха *ad.* till quite dry.
досчи́тыва-ть II. *va.* (*Pf.* досчита́-ть II.) to count up to; **не** ~ to miss, to overlook.
до́сыта *ad.* till satiated; **нае́сться** ~ to eat one's fill.
досю́да *ad.* hitherto, till now; so far.
досяга́емость *s. f.* attainability.
досяга́-ть II. *vn.* (*Pf.* досягн-у́ть I. [a]) (до + *G.*) to reach, to attain.
дото́ле *ad.* till then, so long.
дотро́гива-ться II. *vn.* (*Pf.* дотро́н-уться I.) (до чего́) to touch, to feel.
доту́да *ad.* till there, so far.
доупа́ду *ad.* till exhausted.
до́хлый *a.* dead; rotten (of eggs).
дохля́тина *s.* carrion.
до́хнуть 52. *vn.* (*Pf.* из-, по-) to die, to perish (of animals).
дохну́ть *cf.* **дыха́ть.**
дохо́д *s.* income; revenue; profit.
доход=и́ть I. 1. [c] *vn.* (*Pf.* дойти́ 48. [a 2.]) (до + *G.*) to reach, to come or go as far as; to arrive at; to be reduced to.
дохо́дный *a.* profitable, lucrative.
доче́рний *a.* daughter's.
доче́сть *cf.* **дочи́тывать.**
до́чист *ad.* till clean; completely.
дочи́тыва-ть II. *va.* (*Pf.* дочита́-ть II. & доче́сть [√чт] 24. [a 2.]) to finish reading; to read through; (до + *G.*) to read up to (a certain place).
до́чка *s.* (*gpl.* -чек) daughter.
дочь *s. f.* [c] (*gsg.* до́чери; *pl.* до́чери, -е́й) daughter.
доща́тый *a.* of boards, of planks; plank.
доще́чка *s.* (*gpl.* -чек) small plate or board; name-plate.
драгома́н *s.* dragoman, interpreter.
драгоце́нный *a.* costly, precious.
драгу́н *s.* dragoon.
дража́йший *a. sup.* best, dearest (*cf.* дорого́й).
дразн=и́ть II. [c] *va.* (*Pf.* раз-, по-) to tease, to provoke.
дра́ка *s.* fight, fighting, scuffle.
драко́н *s.* dragon.
дра́ла *s. npl.*, **дать** ~ to take to one's heels, to decamp.
дра́ма/ *s.* drama || **-ти́ческий** *a.* dramatic || **-ту́рг** *s.* dramatist.
дра́нка & дрань *s. f.* shingle, lath.
драп/ *s.* thick cloth || **-и́ро+ва́ть** II. [b] *va.* (*Pf.* за-) to drape || **-иро́вка** *s.* (*gpl.* -вок) drapery, draping.
дра́тва *s.* cobbler's thread, waxed end.
драть 8. [a 3.] *va.* (*Pf.* разо-) to tear; ~ **го́рло** to bawl at the top of one's voice; (*Pf.* со-) (кого́ за что) to pull (s.o. by); to flay, to skin; (*fig.*) to cheat, to extort || **~ся** *vr.* (*Pf.* по-) to fight, to scuffle.
дра́хма *s.* drachm.
драчли́вый *a.* pugnacious, quarrelsome.
драчу́н *s.* [a] a pugnacious person, bully.
дребеде́нь *s. f.* nonsense, trash, fudge.
дре́безги *s. mpl.*, **разби́ть в** ~ to make smithereens of.
дребезж=а́ть I. [a] *vn.* (*Pf.* за-) to rattle, to clatter.
древес/и́на *s.* lignine || **-и́нка** *s.* (*gpl.* -нок) splinter.

древе́сный *a.* of tree; of wood; wood; ~ **спирт** wood alcohol, methyl alcohol.

дре́в/ний *a.* old, ancient, antique || **–ность** *s. f.* ancient times, antiquity.

дрейф *s.* (*mar.*) drift.

дрек *s.* (*mar.*) grapnel, drag.

дрем-а́ть II. 7. [c] *vn.* (*Pf.* вз-, за-) to slumber, to sleep, to doze; to be drowsy, to drowse.

дрем/ли́вый *a.* somnolent, sleepy, drowsy || **–о́та** *s.* drowsiness, sleepiness || **–у́чий** (-ая, -ее) *a.* thick, dense (of forests); ~ **лес** virgin forest.

дрена́ж *s.* drainage.

дресир/о+ва́ть II. [b] *va.* to train, to break in || **–о́вка** *s.* training || **–о́вщик** *s.* trainer.

дроб=и́ть II. 7. [a] *va.* (*Pf.* раз-) to break into pieces; to granulate.

дробле́ние *s.* breaking into pieces, granulation.

дро́бный *a.* fractional.

дробь *s. f.* [c] fraction; small shot; **бараба́нная** ~ the roll of drums.

дрова́ *s. npl.* firewood.

дро́вни *s. fpl.* peasant's sled, sleigh *or* sledge.

дров/осе́к *s.* woodcutter; (*Am.*) lumberman || **–яни́к** *s.* timber merchant || **–яно́й** *a.* for wood, timber.

дро́ги *s. fpl.* hearse; dray, cart.

дроги́ст *s.* druggist.

дро́гн-уть I. *vn.* to tremble, to shiver, to shudder.

дрож=а́ть I. [a] *vn.* (*Pf.* за-) to tremble; to shiver, to shake.

дро́жди *s. fpl.* [c] barm, yeast.

дро́жки *s. fpl.* (*G.* -жек) droshky; cab.

дрожь *s. f.* trembling, shivering; shiver.

дрозд *s.* [a] thrush.

дромаде́р *s.* dromedary.

дро́тик *s.* javelin, dart, lance.

друг/ *s.* (*pl.* друзья́, -е́й) friend; ~ **дру́га** one another; ~ **за дру́гом** one after the other; ~ **с дру́гом** with one another || **–о́й** *a.* another; second; **на** ~ **день** the day after, on the following day.

дру́ж/ба *s.* friendship || **–елю́бие** *s.* friendliness || **–елю́бный** *a.* friendly, amicable || **´–еский** & **´–ественный** *a.* friendly || **–и́на** *s.* (formerly) bodyguard.

друж=и́ть I. [a] *va.* (с + I.) to reconcile with, to make friendly with || ~ *vn.* (*Pf.* у-) to do s.o. a favour, a kindness.

дружи́ще *s.* bosom friend.

дру́ж/ка *s.* (*gpl.* -жек) best man (at a wedding) || **–ный** *a.* amicable, friendly || **–о́к** *s.* [a] (*gsg.* -жка́) *dim.* friend, best friend.

друзья́ *cf.* **друг.**

дры́га-ть II. *vn.* (*Pf.* дры́гн-уть I.) to jerk (the legs).

дры́хн-уть I. *vn.* (*vulg.*) to sleep soundly, to be fast asleep.

дря́б/лость *s. f.* withered condition || **–лый** *a.* withered, shrivelled.

дряга́-ть II. *vn.* (*Pf.* дрягн-у́ть I. [a]) to jerk (the legs or hands).

дря́гиль *s. m.* [b & c] porter.

дря́зги *s. fpl.* quarrelling, squabble, wrangling.

дрянно́й *a.* bad, miserable, wretched.

дрянь *s. f.* dirt, sweepings, refuse; trash; ~ **челове́к** a good-for-nothing.

дряхле́-ть II. *vn.* & **дря́хн-уть** I. *vn.* (*Pf.* о-) to grow, to become decrepit.

дря́хлый *a.* decrepit, frail.

дуб *s.* [b] oak.

дуба́с=ить I. 3. *va.* (*Pf.* от-) (*vulg.*) to cudgel, to give a sound thrashing to, to drub.

дуби́льня *s.* (*gpl.* -лен) tannery.

дуби́на *s.* cudgel; (*fig.*) fool, blockhead.

дуб=и́ть II. 7. *va.* (*Pf.* про-, вы́-) to tan.

дубле́ние *s.* tanning.

дубл/е́т *s.* doublet || **–ика́т** *s.* duplicate; copy.

дуб/ни́к & **–ня́к** *s.* [a] oak forest, oak wood, oak grove || **–ова́тый** *a.* rough; rude || **–о́вый** *a.* (of) oak || **–о́к** *s.* [a] (*gsg.* -бка́) small oak || **–ра́ва** *s.* oak grove; dense shady wood *or* forest || **–ьё** *s. coll.* sticks *pl.*; cudgels *pl.*

дуг/а́ *s.* [e] (*geom.*) arc; (*arch.*) arch || **–ообра́зный** *a.* arc-shaped, arched.

ду́д/ка *s.* (*gpl.* -док) pipe, reed-pipe || **–ки!** *int.* fiddlesticks! fudge! || **–очка** *s.* little pipe || **–очник** *s.* piper.

ду́жка *s.* (*gpl.* -жек) small bow; (рукоятка у посу́дины) handle (of basket, etc.); (у шпа́ги) guard (on sword-hilt).

ду́ло *s.* muzzle (of a gun).

ду́ма *s.* thought; (сове́т-собра́ние) council; (Госуда́рственная) **Д–** the Duma; Parliament; **городска́я** ~ (town) corporation, town-council, urban council.

ду́ма-ть II. *va.* (*Pf.* по-) (мыслить) to think; (размышля́ть) to consider, to ponder on; (полага́ть) to think, to be of the opinion (that) || **~ся** *v.imp.*, **ему́ так ду́мается** it seems to him.

ду́м/ец *s.* (*gsg.* -мца) member of the Duma; town-councillor, urban councillor || **–ский** *a.* of or pertaining to the Duma, to the council.

дунове́ние *s.* breath, puff; blowing, breathing.

ду́нуть *cf.* **дуть.**

дублика́т *cf.* **дублика́т.**

дупл/истый *a.* hollow (of trees) || **-о́** *s.* [d] (*gpl.* ду́пел) hollow (in a tree-trunk).
ду́р/а *s.* foolish, silly woman, fool || **-а́к** *s.* [a] & **-але́й** *s.* fool, idiot, simpleton; **он -а́к -ако́м** he's an arrant fool || **-а́цкий** *a.* foolish, idiotic || **-а́чество** *s.* folly, foolishness, idiocy || **-ачи́на** *s. m.* idiot, simpleton, arrant fool.
дура́ч=ить I. *va.* (*Pf.* о-) (кого́) to make a fool of, to fool || **~ся** *vr.* to play the fool, to play pranks. [simpleton.
дурачо́к *s.* [a] (*gsg.* -чка́) *dim.* fool,
ду́рень *s. m.* (*gsg.* -рня) simpleton.
дуре́-ть II. *vn.* (*Pf.* о-) to become silly, to become crazy.
дур=и́ть II. [a] *vn.* (*Pf.* по-) to play pranks, to play the fool, to be silly.
дурма́н *s.* thorn-apple; **~ со́нный** belladonna.
дурма́н=ить II. *va.* (*Pf.* о-) to drug, to make insensible, to narcotize.
дурне́-ть II. *vn.* (*Pf.* по-) to grow *or* become ugly.
дурн/о́й *a.* ugly; bad || **-́о** *ad.*, **мне -́о** I am feeling bad.
ду́рочка *s.* (*gpl.* -чек) foolish, silly woman. [obstinacy.
дурь *s. f.* foolishness, folly, stupidity;
ду-ть II. *vn.* (*Pf.* по-, *mom.* ду́н-уть I.) to blow (of wind); to breathe; **здесь ду́ет** there is a draught here, it is draughty || **~** *va.* to blow (glass); (*Pf.* вз-) (*fam.*) to thrash, to cudgel, to tan || **~ся** *vr.* (*Pf.* на-) to swell up; (*fig.*) to sulk.
дух/ *s.* spirit; (дыха́ние) breath; (за́пах) smell, scent; (жар) heat, warmth (of an oven); (привиде́ние) ghost, apparition; courage; rumour; **свято́й ~** the Holy Ghost; **быть в -́е** to be in good humour; **-́ом** in the twinkling of an eye, in a trice, in no time || **-и́** *s. mpl.* [b] perfume, scent || **-обо́рец** *s.* (*gsg.* -рца) member of a sect denying the Holy Ghost || **-́овдень** *s. m.* Whitmonday || **-ове́нство** *s.* clergy; **бе́лое ~** secular clergy; **чёрное ~** the regular clergy || **-ови́дец** *s.* (*gsg.* -дца) ghost-seer || **-овни́к** *s.* [a] confessor, father-confessor || **-о́вный** *a.* spiritual; ecclesiastical, clerical; **~ оте́ц** spiritual father, father-confessor || **-о́вная** (*as s.*) will, testament || **-ово́й** *a.* wind- || **-ота́** *s.* stifling heat, closeness.
душ *s.* douche; shower-bath.
душ/а́ *s.* [d] soul; **~ моя́** my dear || **-е́вный** *a.* sincere; cordial || **-егре́йка** *s.* (*gpl.* -е́ек) a short warm jacket, woollen comforter.
душегу́б/ец *s.* (*gsg.* -бца) homicide, murderer || **-ица & -ка** *s.* murderess; canoe, dug-out.
ду́шенька *s.* (*gpl.* -нек) darling, dear.
душе/поле́зный *a.* edifying || **-прика́зчик** *s.* executor || **-спаси́тельный** *a.* salutary.
души́стый *a.* fragrant, odoriferous.
душ=и́ть I. [c] *va.* (*Pf.* за-, у-) to suffocate, to strangle; to oppress.
ду́ш/ка *s. dim.* darling, dear || **-ный** *a.* close (of weather), stifling, oppressive; stuffy (of room) || **-о́к** *s.* [a] (*gsg.* -шка́) bad smell. [*s.* duellist.
дуэ́л/ь *s. f.* duel, single combat || **-и́ст**
дуэ́т *s.* duet.
ды́ба *s.* gibbet, strappado.
дыб=и́ться II. 7. [a] *vr.* (*Pf.* вз-) (of animals) to rear; (of hair) to stand on end.
ды́бом *ad.* rearing (of horses); on end (of hair).
ды́лда *s.* (*fam.*) lanky person, long Meg.
дым *s.* smoke.
дым=и́ть II. 7. [a] *va.* (*Pf.* за-) to smoke; to smoke out || **~ся** *vn.* to smoke, to steam.
ды́м/ный *a.* smoky || **-ово́й** *a.* for or of smoke; **-ова́я труба́** chimney flue || **-о́к** *s.* [a] (*gsg.* -мка́) small smoke || **-чатый** *a.* smoke-coloured; smoked
ды́ня *s.* melon. [(glasses).
дыра́ *s.* [a & d] (*pl.* ды́рья, -ьев) hole.
дыр=и́ть II. [a] *va.* (*Pf.* про-) to hole, to pierce, to perforate.
ды́р/очка *s.* (*gpl.* -чек) small hole || **-я́вый** *a.* full of holes, perforated.
ды́х/ало *s.* blow-hole (of a whale) || **-а́ние** *s.* breathing, gasp, respiration; breath; creature; **после́днее ~** the last gasp || **-а́тельный** *a.* respiratory; **-ое го́рло** windpipe.
дыха́-ть II. & **дых-а́ть** I. 3. [c] *vn.* (*Pf.* дыхн-у́ть I.) to breathe.
дыш=а́ть I. [c] *vn.* to breathe; to gasp.
ды́шло *s.* pole, shaft, thill.
дья́вол/ *s.* devil; Satan || **-ьский** *a.* devilish, diabolical || **-ьщина** *s.* devilry, [devilment.
дья́кон *cf.* **диа́кон.**
дьячо́к *s.* [a] (*gsg.* -чка́) sacristan, sexton.
дю́жий (-ая, -ее) *a.* stout, strong, robust, sturdy, strapping.
дю́жин/а *s.* dozen || **-ный** *a.* by the dozen; **~ челове́к** commonplace, ordinary person.
дюйм *s.* inch.

дя́д/енька *s.* (*gpl.* -нек) uncle || **-ька** *s. m.* (*gpl.* -дек) tutor, instructor; drill-master || **-юшка** *s.* (*gpl.* -шек) uncle || **-я** *s. m.* uncle.
дя́тел *s.* (*gsg.* -тла) woodpecker.

Е

ева́нгел/ие *s.* Gospel || **-и́ст** *s.* evangelist || **-и́ческий** *a.* evangelic.
е́внух *s.* eunuch.
евре́й/ *s.* Jew, Hebrew || **-ка** *s.* (*gpl.* -е́ек) Jewess || **-ский** *a.* Jewish, Hebrew.
евхари́стия *s.* Eucharist, the Lord's Supper.
е́герь *s. m.* hunter; (*mil.*) chasseur.
его́ *prn.* him; it; of him, of it; his; its.
егоза́ *s. m&f.* unruly child, romp, tomboy; fidget, restless person.
егоз=и́ть I. 1. [a] *vn.* to be restless, fidgety, unruly; to fidget.
еда́ *s.* food, eatables *pl.*; eating.
едва́ *ad.* hardly, scarcely; **~-ли не** almost, nearly.
еде́м *s.* Eden, paradise.
един/е́ние *s.* union || **-и́ца** *s.* unit || **-и́чный** *a.* one, single; isolated.
едино/бо́жие *s.* monotheism || **-бо́рство** *s.* single combat, duel || **-бра́чие** *s.* monogamy || **-ве́рец** *s.* (*gsg.* -рца) co-religionist; dissenter || **-ве́рие** *s.* conformity of religious belief; a dissenting sect || **-вла́стие** *s.* supreme rule *or* dominion, absolute monarchy || **-гла́сный** *a.* unanimous || **-держа́вие** *s.* supreme rule, autocracy || **-ду́шный** *a.* unanimous, in agreement || **-же́нство** *s.* monogyny; monogamy || **-кро́вный** *a.* consanguineous || **-мы́слие** *s.* unanimity; being of the same mind || **-племе́нник** *s.* of the same race, tribe *or* clan || **-ро́г** *s.* unicorn || **-ро́дный** *a.* sole, only, only-begotten || **-утро́бный** *a.* of the same mother, uterine.
еди́н/ственный *a.* sole, only; **-ое число́** (*gramm.*) singular || **-ство** *s.* unity, accord || **-ый** *a.* sole, only.
е́дк/ий *a.* biting, acid, corrosive, caustic; (*fig.*) biting, sarcastic || **-ость** *s. f.* acidity, corrosiveness, causticity.
едо́к *s.* [a] (great) eater.
её *prn.* (*G. & A. of* она́) her.
ёж *s.* hedgehog.
ежеви́ка *s.* blackberry.
ежего́д/ник *s.* year-book, yearly (journal) || **-ный** *a.* yearly, annual.
ежедне́вный *a.* daily.
е́жели *c.* if, as soon as, in case.
ежеме́сяч/ник *s.* monthly (journal) || **-ный** *a.* monthly.
еженеде́ль/ник *s.* weekly (journal) || **-ный** *a.* weekly.
ежеча́сный *a.* hourly.
ёжик *s.* (*dim. of* ёж) hedgehog.
ёж=иться I. *vn.* to shrivel, to shrink.
езда́ *s.* journey; ride; drive; travelling; **верхова́я ~** riding, a ride.
е́зд=ить I. 1. *vn.* (*Pf.* с-) to drive; to journey, to travel; **~ верхо́м** to ride.
ездо́к *s.* [a] rider; person driving; passenger.
ей *prn.* to her; by her || **~** *ad.* verily, indeed; **~ Бо́гу!** as true as I'm alive!
ёка-ть II. *vn.* (*Pf.* ёкн-уть I.) to beat, to throb, to pulsate.
е́ле-е́ле *ad.* narrowly, by a hairbreadth.
еле́й *s.* olive-oil.
ели́ко *ad.* (*sl.*) as much as.
ёлка *s.* (*gpl.* -лок) *dim.* fir, fir-tree; Christmas-tree.
ело́вый *a.* fir-, of fir.
е́ль/ *s. f.* fir, fir-tree || **-ник** *s.* fir-grove; fir branches *or* twigs.
ёмк/ий *a.* capacious, roomy || **-ость** *s. f.* capacity, capaciousness.
ему́ *prn.* him, to him; it, to it.
ено́т *s.* raccoon.
епанча́ *s.* mantle, cloak.
епа́рхия *s.* arch-diocese.
епи́скоп/ *s.* bishop || **-ский** *a.* episcopal || **-ство** *s.* episcopate.
епитимия́ *s.* penance.
ерала́ш *s.* (*vulg.*) nonsense, humbug; confusion, hotchpotch; a kind of whist.
е́ресь *s. f.* heresy.
ерет/и́к & -и́чка *s.* (*gpl.* -чек) heretic || **-и́ческий** *a.* heretical.
ёрза-ть II. *vn.* to fidget, to be restive.
ермо́лка *s.* (*gpl.* -лок) skull-cap.
ерофе́ич *s.* herbal infusion; alcohol distilled from herbs.
еро́ш=ить I. *va.* (*Pf.* вз'-) to dishevel, to ruffle (the hair) || **~ся** *vn.* to stand, to bristle up.
ерунда́ *s.* nonsense, humbug.
ерш=и́ться I. [a] *vn.* (*vulg.*) to struggle, to resist.
еры́ *s. indecl.* the letter ы.
ерь *s. indecl.* the letter ь.
еса́ул *s.* captain (among the Cossacks).
е́сли *c.* if, in case, supposing.
есте́ств/енник *s.* naturalist || **-енность** *s. f.* naturalness || **-енный** *a.* natural || **-о́** *s.* nature, substance, innate character || **-ове́дение & -озна́ние** *s.*

natural science || **–оиспыта́тель** *s. m.* naturalist. [(*cf.* быть).
есть there is, there are; **у меня ~** I have
есть (√ед) 42. *va.* to eat.
ефе́с *s.* hilt.
ефре́йтор *s.* (*mil.*) corporal.
е́хать 45. *vn.* to travel, to journey; **~ верхо́м** to ride.
ехи́д/на *s.* viper || **–ннча-ть** II. *vn.* to be spiteful, to be malicious || **–ный** *a.* (*fig.*) spiteful, malicious || **–ство** *s.* (*fig.*) spitefulness, malice, spite.
ещё *ad.* more, again; still; yet; **~ бы!** what next! **~ и ~ раз** over and over again.
е́ю *prn.* by her, with her.

Ж

ж. *abbr. of* **же́нский.**
жа́б/а *s.* toad; (*med.*) angina, quinsy || **–ий** *a.* toad's.
жабо́ *s. indecl.* jabot, frill.
жа́бры *s. fpl.* gills.
жа́воронок *s.* (*gsg.* -нка) lark.
жа́днича-ть II. *vn.* to be greedy, avid, covetous.
жа́дн/ость *s. f.* greediness, avarice, cupidity, covetousness || **–ый** *a.* greedy, avid, covetous, avaricious.
жа́жда *s.* thirst; avidity, intense desire.
жа́жд-ать I. *vn.* to thirst (for); (чего́) (*fig.*) to desire intensely, to pant for.
жаке́т/ *s.* coat || **–ка** *s.* (*gpl.* -ток) jacket.
жале́-ть II. *vn.* (*Pf.* по-) (о ком, о чём) to regret, to lament, to pity, to deplore || **~** *va.* to spare.
жа́л=ить & **~ся** II. *vn.* (*Pf.* у-) to sting (of bees, nettles, etc.); (*fig.*) to taunt, to jeer, to jibe.
жа́лкий *a.* (*pdc.* жа́лче & жалче́е, *sup.* жалча́йший) pitiful, piteous, pitiable, deplorable; miserable, wretched; **жа́лко** it's a great pity, it's most regrettable.
жа́ло *s.* sting.
жа́лоб/а *s.* complaint || **–ный** *a.* plaintive || **–щи́к** *s.* complainant, plaintiff.
жа́лованье *s.* salary, wages *pl.*; stipend.
жа́ло+вать II. *va.* (кого́ чем, кому́ что) to grant, to bestow, to confer; (кого́) to like, to have a liking for, to favour; (к + *D.*) to visit, to call on || **~ся** *vn.* (на кого́, на что) to complain (of); to sue.
жа́лост/ь *s. f.* compassion, pity, fellow-feeling || **–ливый** *a.* compassionate, pitiful || **–ный** *a.* lamentable, pitiable.
жаль *s. f.*, **~!** it's a pity, what a pity; **~ мне его́** I'm very sorry for him.
жалюзи́ *s. indecl.* Venetian blinds *pl.*
жанда́рм *s.* gendarm.
жанр/ *s.* genre || **–и́ст** *s.* painter of genre.
жар/ *s.* [b°] heat, glow; fire; fever; (*fig.*) (рве́ние) ardour; **~-пти́ца** phoenix (in Russian fairy-tales) || **–а́** *s.* heat (in summer).
жарго́н *s.* jargon, dialect, slang.
жа́реный *a.* fried, roasted.
жа́р=ить II. *va.* (*Pf.* из-, с-) to fry; to roast; to toast; to burn, to broil (of sun).
жа́р/кий *a.* (*pdc.* жа́рче, *sup.* жарча́йший) hot; burning; violent; **~ по́яс** the torrid zone || **–ко́е** (*as s.*) roast, roast meat.
жаро́вня *s.* (*gpl.* -вен) brazier; chafing-dish.
жарча́йший, жа́рче *cf.* **жа́ркий.**
жасми́н *s.* jasmin.
жа́тв/а *s.* harvest, crop || **–енный** *a.* harvest, harvesting; **–енное вре́мя** harvest-time.
жать (√жн) 34. *va.* (*Pf.* с-, по-) to mow, to cut, to reap, to harvest.
жать (√жм) 33. *va.* (*Pf.* с-, по-) to press, to squeeze; to pinch (of shoes); (*fig.*) to oppress; to press, to force back || **~ся** *vr.* to press, to crowd; (от хо́лоду) to shiver, to writhe.
жбан *s.* wooden jug or can.
жва́ч/ка *s.* chewing the cud; rumination; cud || **–ный** *a.* ruminating; for chewing; **–ное живо́тное** ruminant.
жг/ла, –ло, –ли, –у, –ут *cf.* **жечь.**
жгут *s.* [a] knotted handkerchief; (фа́кель) torch. [rosive
жгу́чий *a.* burning, hot; caustic, cor-
ж. д. *abbr. of* **желе́зная доро́га.**
жд-ать I. [a] *va.* (*Pf.* подо-, про-) (кого́, чего́) to wait for; to expect.
же *c.* but, however; then, now; **он ~** the very same; **ну ~!** come now!
же+ва́ть II. [a] *va.* (*Pf.* с-) to chew, to munch, to masticate.
жег *cf.* **жечь.**
жезл *s.* [a] club, mace; staff; sceptre.
жела́н/ие *s.* wish, desire || **–ный** *a.* desired, wished for.
жела́тельный *a.* desired, desirable, to be desired; **мне весьма́ –но** I should very much like.
желати́н *s.* gelatine.
жела́-ть II. *va.* (*Pf.* по-) to wish; to desire; to long for.
желва́к *s.* [a] swelling, bump, tumour.
желе́ *s. indecl.* jelly.

железа́ *s.* [f] (*gpl.* желёз) gland.
железистый *a.* glandular.
желе́з/ко *s.* (*gpl.* -зок) plane-iron || **-нодоро́жник** *s.* railwayman || **-нодоро́жный** *a.* railway; **~ путь** railway-line || **-ный** *a.* iron; **-ная доро́га** railway || **-ня́к** *s.* [a] iron ore; (кирпи́ч) brick || **-о** *s.* iron; (*in pl.*) irons, chains, bonds.
жёлоб *s.* [b*] spout; trough; gutter, water-pipe.
желобо́к *s.* (*gpl.* -бка́) *dim. of prec.*
жёлтенький *a.* yellowish, somewhat yellow.
желте́-ть II. *vn.* (*Pf.* по-) to grow, to become yellow.
желтизна́ *s.* yellowness, yellow.
желт=и́ть I. 2. [a] *va.* (*Pf.* вы́-) to colour yellow, to dye yellow.
желто/ва́тый *a.* yellowish, yellowy || **-гла́зый** *a.* with yellow eyes; envious.
желт/о́к *s.* [a] (*gsg.* -тка́) the yolk (of an egg) || **-у́ха** *s.* jaundice || **-у́шный** *a.* jaundiced.
жёлтый *a.* yellow.
желу́д/ок *s.* (*gsg.* -дка) stomach || **-очный** *a.* stomach, stomachic.
жёлудь *s. m.* acorn.
жёлчн/ость *s. f.* gall, bile; (*fig.*) bitterness, rancour || **-ый** *a.* bilious; choleric.
жёлчь *s. f.* gall, bile; choler.
жема́н=иться II. *vn.* to be affected, to behave affectedly.
жема́н/ный *a.* affected, mincing || **-ство** *s.* affectation.
же́мчуг *s. coll.* pearls *pl.*
жемчу́ж/ина *s.* pearl || **-ный** *a.* pearl-.
жена́/ *s.* [d] wife, spouse || **-тый** *a.* married (of a man).
жен=и́ть II. [a & c] *va. Ipf.* & *Pf.* to marry (a man to a woman) || **~ся** *vr.* to get married, to marry (of a man).
жени́тьба *s.* marriage; wedding.
жени́х *s.* [a] bridegroom; suitor; marriageable young man.
жёнка *s.* (*gpl.* -нок) *dim. of* жена́.
женоненави́стник *s.* misogynist.
же́нский *a.* woman's, lady's; female; (*gramm.*) feminine.
же́нственный *a.* womanish.
же́нщина *s.* woman, female.
жердь *s. f.* [c] pole, rod.
же́ребей = **жре́бий.**
жеребёнок *s.* (*pl.* -бя́та, -бя́т) foal, colt, filly.
жеребе́ц *s.* [a] (*gsg.* -бца́) stallion.
жереб=и́ться II. 7. [a] *vn.* (*Pf.* о-) to foal.
жере́бчик *s.* young stallion.
жереба́чий *a.* foal's, colt's.
жерло́ *s.* [d] mouth; crater; muzzle (of a gun).
жёрнов *s.* [b] millstone.
же́ртв/а *s.* sacrifice; victim || **-енник** *s.* altar || **-енный** *a.* sacrificial || **-ование** *s.* sacrificing, sacrifice.
же́ртво+вать II. *va.* to sacrifice, to offer.
жертвоприноше́ние *s.* offering, sacrifice.
жест/ *s.* gesture, sign, motion || **-икули́ро+вать** II. *vn.* to gesticulate, to motion, to make signs || **-икуля́ция** *s.* gesticulation.
жёстк/ость *s. f.* hardness, roughness, harshness || **-ий** *a.* (*pdc.* жёстче) hard; rough, harsh; tough.
жесто́к/ий *a.* (*pdc.* жесто́че, *sup.* жесточа́йший) cruel, hard; merciless; severe || **-осе́рдый** *a.* hardhearted || **-ость** *s. f.* cruelty, hardness, severity.
жесточа́йший, жесто́че *cf.* **жесто́кий.**
жёстче *cf.* **жёсткий.**
жест/ь *s. f.* tin; tinplate || **-яни́к** *s.* [a] tinman, tinsmith || **-я́нка** *s.* tin, can || **-яно́й** *a.* tin, of tin.
жечь (√жг) 16. *va.* (*Pf.* с-) to burn, to consume by fire; to scorch; to sting (of nettle), to bite (of pepper) || **~ся** *vn.* to burn, to sting.
жже́ние *s.* burning, smarting.
жжёнка *s.* punch (made from rum, wine and fruits).
живе́й *cf.* **живо́й.**
живи́тельный *a.* vivifying, reviving.
жи́вность *s. f.* poultry.
жи́во *ad.* lively, quickly, promptly.
живодёр *s.* knacker, slaughterer.
живо́й *a.* living, alive, live; (прово́рный) lively, quick.
живопи́с/ец *s.* (*gsg.* -сца) painter, artist || **-ность** *s. f.* picturesqueness || **-ный** *a.* picturesque; painted; **-ная карти́на** painting.
жи́вопись *s. f.* painting.
жи́вость *s. f.* liveliness, animation, vivacity.
жив/о́т *s.* [a] belly, abdomen || **-отво́рный** *a.* vivifying, life-giving || **-о́тик** *s. dim. of* живо́т || **-о́тное** (*as s.*) animal, beast || **-о́тный** *a.* animal || **-отрепе́щущий** *a.* alive, full of life; (*fig.*) burning, vital (question).
живу́чий *a.* longlived, tenacious of life.
жи́вчик *s.* blink, wink; lively person.
живьём *ad.* alive, living; in a twinkling.
жид/ *s.* (*vulg.*) Jew || **-ёнок** *s.* young Jew.
жи́д/енький *a.* rather liquid, thin || **-кий** *a.* (*pdc.* жи́же) liquid, fluid; thin, sparse || **-кость** *s. f.* liquid, fluid.
жидо́в/ка *s.* (*vulg.*) Jewess || **-ский** *a.* Jewish.
жидомо́р/ *s.*, **-ка** *s.* miser, skinflint, niggardly person.

жи́жа *s.* juice, broth, gravy.
жи́же *cf.* **жи́дкий.**
жи́зн/енность *s. f.* vitality || **-енный** *a.* vital || **-описа́ние** *s.* biography, life.
жизнь *s. f.* life; lifetime.
жи́ла *s.* vein, artery; nerve, sinew.
жиле́т/ *s.*, *dim.* **-ка** *s.* (*gpl.* -ток) vest, [waistcoat.
жиле́ц *s.* lodger.
жи́листый *a.* sinewy, muscular; fibrous.
жили́ца *s.* lodger.
жили́ще *s.* dwelling, habitation, domicile, [abode.
жи́лка *dim. of* жи́ла.
жило́й *a.* habitable; inhabited; dwelling-.
жильё *s.* dwelling, abode, lodging.
жи́льный *a.* veinous.
жи́молость *s. f.* honeysuckle.
жир *s.* [b] fat, grease; **ры́бий ~** cod-liver-[oil.
жира́ф *s.* giraffe.
жире́-ть II. *vn.* (*Pf.* за-) to grow, to be-[come fat.
жи́рный *a.* fat; adipose; corpulent; (*fig.*) rich, productive.
жирово́й *a.* fat, fatty; adipose.
жите́йский *a.* worldly, earthly.
жи́тель/ *s. m.*, **-ница** *s.* inhabitant || **-ство** *s.* habitation, domicile, dwelling, [abode.
житие́ *s.* life; career.
жи́т/ница *s.* granary || **-ный** *a.* corn, of corn, of grain || **-о** *s.* corn, grain.
жить 31. [a 3.] *vn.* (*Pf.* по-) to live; (пробыва́ть) to dwell; **здесь хорошо́ живётся** living is nice here.
житьё *s.* life, existence; goods *pl.*, wealth; **~-бытьё** mode of living.
жмёшь, жму *cf.* **жать.**
жму́р=ить II. *va.* to screw up, to contract (one's eyes); to blink || **~ся** *vn.* to blink.
жму́рки *s. fpl.* blind-man's-buff.
жне́йка *s.* reaping-machine.
жнец *s.* [a], **жни́ца** *s.* mower, reaper, [harvester.
жоке́й *s.* jockey.
жо́па *s.* (*vulg.*) arse, buttocks.
жох *s.* cheat, rascal, rogue.
жраньё *s.* guzzling, gobbling.
жр-ать I. *va.* (*Pf.* со-) to eat greedily, to devour, to guzzle, to gobble.
жре́бий *s.* lot; (судьба́) fate, destiny; **мета́ть ~** to cast lots.
жрец *s.* [a] priest.
жре́ческий *a.* priestly, sacerdotal.
жри́ца *s.* priestess.
жу́желица *s.* gold-beetle.
жужжа́ние *s.* hum, buzz; humming, [buzzing.
жужж=а́ть I. [a] *vn.* (*Pf.* за-, про-) to hum, to buzz.
жук *s.* [a] beetle.
жу́лик *s.* cheat, swindler, rogue.
жупа́н *s.* (short) warm overcoat.
журавлёнок *s. dim. of* жура́вль.
жура́вль *s. m.* [a] crane.
жур=и́ть II. [a] *va.* (*Pf.* по-) to chide, to blame, to reprove, to reprimand.
журна́л/ *s.* journal; magazine, review; day-book || **-и́ст** *s.* journalist || **-ьный** *a.* journalistic.
журфи́кс *s.* at-home.
журч=а́ть I. [a] *vn.* (*Pf.* за-) to murmur, to ripple, to purl.
жу́ткий *a.* (*pdc.* жу́тче) hard to bear, painful; **мне жу́тко** I am terrified.
жучо́к *s.* [a] (*gsg.* -чка́) *dim. of* жук.
жую́ *cf.* **жева́ть.**

З

за *prp.* for; after, behind, beyond, on the other side of; by, at; to; on account of, owing to; **о́ко ~ о́ко** an eye for an eye; **день ~' день** day after day; **~ мо́рем** beyond the sea; **е́хать ~ грани́цу** to go abroad; **шаг ~ ша́гом** step by step; **~ исключе́нием** except, with the exception of; **~ год** a year ago; **ходи́ть ~ больны́м** to tend *или* nurse a patient; **~ и про́тив** the pros and cons; **~ что?** why? **~ здоро́вье!** good health! good luck! **~ ва́ми ход** your turn now.
за- *as prefix* often used to form the Perfective Aspect or to denote the commencement of an action. For verbs compounded with за- not given here, see the simple verbs.
заба́ва *s.* amusement, diversion, pastime, fun; **в -у** *or* **для -ы** to pass the time.
забавля́-ть II. *va.* (*Pf.* [по]заба́в=ить II. 7.) (кого́ чем) to amuse, to divert, to entertain || **~ся** *vr.* to divert one's self.
заба́в/ник *s.*, **-ница** *s.* diverting *или* entertaining person || **-ный** *a.* entertaining, diverting, amusing; humorous.
забалотиро+ва́ть II. [b] *va.* to blackball; not to elect (by votes).
забасто́вка *s.* (*gpl.* -вок) strike (of work-[men).
забасто́выва-ть II. *va.* to strike.
забве́ние *s.* forgetfulness, oblivion.
забе́га-ть II. *vn. Pf.* to commence to run.
забега́-ть II. *vn.* (*Pf.* забежа́ть 46. [a 1.]) (к + *D.*) to drop in (for a moment), to call on; to get before, to forestall; to outrun.
забе́лива-ть II. *va.* (*Pf.* забе=ли́ть II. [a & c]) to whiten; to whitewash.

забеспоко́-иться II. *vr.* to begin to be uneasy.
забива́-ть II. *va.* (*Pf.* заби́ть 27. [a 1.]) to beat in, to drive in, to hammer in; to stuff || **~ся** *vr.* to hide.
заби́вка *s.* ramming in; plug, tow.
забира́-ть II. *va.* (*Pf.* забра́ть 8. [a 3.]) to take up, to take all; to take in advance || **~** *vn.* to catch, to bite || **~ся** *vr.* to hide away, to steal away.
заби́ть *cf.* **забива́ть.**
забия́ка *s.m.&f.* squabbler, bully, squash-buckler.
заблаго/вре́менный *a.* in good time, opportune || **-рассу́д=ить** I. 1. *va.* to think fit.
заблесте́ть *cf.* **блесте́ть.**
заблиста́ть *cf.* **блиста́ть.**
заблу́дший(-ся) *a.* lost, stray, astray.
заблужда́-ться II. *vn.* (*Pf.* заблуд=и́ться I. 1. [a & c]) to lose one's way, to go astray; to err; **вы жесто́ко заблужда́етесь** you are making a huge mistake.
заблужде́ние *s.* error, mistake, delusion.
забо́йка *s.* (*gpl.* -бо́ек) (fish-)weir.
заболева́-ть II. *vn.* (*Pf.* заболе́-ть II.) to fall ill.
забо́р/ *s.* fence, enclosure; borrowing, taking on credit || **-истый** *a.* tenacious; cavilling, quibbling; strong (of tobacco, drink); interesting || **-ный** *a.*, **-ная кни́га** account-book, passbook.
забо́та *s.* care, anxiety, trouble, solicitude.
забо́т=иться I. 2. *vr.* to care, to be solicitous, to be troubled about.
забо́тливый *a.* solicitous, careful, anxious.
забрако́вывать *cf.* **бракова́ть.**
забра́ло *s.* (*sl.*) visor (of helmet).
забра́сыва-ть II. *va.* (*Pf.* забро́с=ить I. 3.) to throw out (сеть, я́корь); to reject; to neglect; (*Pf.* заброса́-ть II.) to throw at; to load, to heap, to overwhelm (with).
забра́ть *cf.* **забира́ть.**
забреда́-ть II. *vn.* (*Pf.* забрести́ & забре́сть 22. [a 2.]) to lose, to miss one's way, to go astray.
забрива́-ть II. *va.* (*Pf.* забри́ть 30. [b]) to earn by shaving; **~** (кого́), **~** (кому́) **лоб** to recruit, to enlist as a recruit.
заброса́ть, забро́сить *cf.* **забра́сывать.**
забры́згивать *cf.* **бры́згать.**
забубённый *a.* dissolute.
забулды́/га *s. m.&f.* (*vulg.*) dissolute person || **-жный** *a.* dissolute.
забыва́-ть II. *va.* (*Pf.* забы́ть 49.) to forget || **~ся** *vr.* to forget o.s.; to be forgetful; to drop off to sleep, to fall asleep.
забы́вчивый *a.* forgetful.
за/бытьё *s.* & **́-быть** *s. f.* slumber; faint, swoon; **в -ьи́** unconscious, in a swoon.
за/бы́ть(-ся) *cf.* **-бывать.**
зава́л *s.* stoppage; obstruction.
за́валь *s. f. coll.* old goods *pl.*
зава́лива-ть II. *va.* (*Pf.* завал=и́ть II. [a & c]) to fill up, to choke up; (кого́ чем) to overload || **~ся** *vr.* to lie down; *vn.* to get lost, to be lost; to slope, to dip.
заваля́-ть II. *va.* to soil by tossing about || **~ся** *vn.* to get dirtied (of clothes); to be long in stock, to get spoiled by lying (of goods).
зава́рива-ть II. *va.* (*Pf.* завар=и́ть II. [a & c]) to boil; to brew (tea); **~ ка́шу** (*fig.*) to make a mess of a thing.
заведе́ние *s.* institution; office, shop; custom, usage.
заведу́ *cf.* **заводи́ть.**
заве́довать *cf.* **заве́дывать.**
заве́д/омо *ad.* consciously, knowingly || **-ующий** *s.* manager || **-ывание** *s.* administration, management || **-ыва-ть** II. *vn.* (+ *I.*) to manage.
завезти́, завезу́ *cf.* **завози́ть.**
завербова́ть *cf.* **вербова́ть.**
завере́ние *s.* assurance.
заве́рить *cf.* **заверя́ть.**
завёртка *s.* (*gpl.* -ток) packing up, package; screwdriver; (window-)fastener.
завёртыва-ть II. *va.* (*Pf.* заверн-у́ть I. [a]) to wrap up, to pack; to screw, to fasten (with a screw) || **~** *vn.* (к + *D.*) to put up (at), to visit.
заверша́-ть II. *va.* (*Pf.* заверш=и́ть I. [a]) to end, to finish, to complete.
заверше́ние *s.* completion, (act of) finishing.
заверя́-ть II. *va.* (*Pf.* заве́р=ить II.) (кого́ в чём) to assure, to ensure.
заве́са *s.* curtain; (*fig.*) veil, cloak (pretence).
заве́сить *cf.* **заве́шивать.**
завести́ *cf.* **заводи́ть.**
заве́т/ *s.* will, testament; (*bib.*) covenant; **ве́тхий, но́вый ~** the Old, New Testament || **-ный** *a.* testamentary; sacred, solemn; inviolable.
заве́шива-ть II. *va.* (*Pf.* заве́с=ить I. 3.) to hang a curtain before, to screen (with a curtain).
завещ/а́ние *s.* (last) will, testament || **-а́тель** *s. m.* testator || **-а́тельница** *s.* testatrix || **-а́тельный** *a.* testamentary.
завеща́-ть II. *va. Ipf.* & *Pf.* to will, to bequeath.
завзя́тый *a.* obstinate; outspoken; fanatical.

завива́-ть II. *va.* (*Pf.* зави́ть 27. [а 3.]) to wind up; to curl (the hair), to wave.
зави́вка *s.* (*gpl.* -вок) curling, waving, hair-dressing.
зави́дный *a.* enviable.
зави́до+вать II. *vn.* (*Pf.* по-) (кому́ в чём) to envy, to be envious of, to be jealous of.
завиду́щий *a.* jealous, envious.
завизжа́ть *cf.* **визжа́ть.**
зави́нчива-ть II. *va.* (*Pf.* завинт=и́ть I. 2. [а]) to screw fast.
завира́льный *a.* absurd, foolish; nonsensical.
завира́-ться II. *vn.* (*Pf.* завр-а́ться I.) to talk nonsense.
зави́с=еть I. 3. *vn.* (от кого́, чего́) to depend on, to be dependent on.
зави́с/имость *s. f.* dependence || **-имый** *a.* dependent.
зави́ст/ливый *a.* envious, jealous || **-ник** *s.*, **-ница** *s.* envious, jealous person.
за́висть *s. f.* envy, jealousy, grudging.
зави́т/ый & **-то́й** *a.* curly, crisp, frizzled || **-о́к** *s.* [а] (*gsg.* -тка́) & **-у́шка** *s.* (*gpl.* -шек) curl-paper; spiral, scroll, volute.
зави́ть *cf.* **завива́ть.**
завладева́-ть II. *vn.* (*Pf.* завладе́-ть II.) (+ *I.*) to seize, to take possession of.
завлека́тельный *a.* alluring, enticing.
завлека́-ть II. *va.* (*Pf.* завле́чь 18. [а 2.]) to allure, to entice.
заво́д *s.* factory, mill; works *pl.*; **ко́нский** ~ stud; **кирпи́чный** ~ brick-yard.
завод=и́ть I. 1. [с 1.] *va.* (*Pf.* завести́ & заве́сть 22. [а 2.]) to lead, to bring in; to introduce (a custom); to establish, to found; to set up, to start (a conversation); to wind up (a watch) || **~ся** *vr.* (чем) to provide o.s. (with); to take up one's quarters, to settle in.
заво́д/ский *a.* factory- || **-чик** *s.*, **-чица** *s.* manufacturer, mill-owner.
завоев/а́ние *s.* conquest || **-а́тель** *s. m.* conqueror.
завоёвыва-ть II. *va.* (*Pf.* завое+ва́ть II. [b]) to conquer.
завоз=и́ть I. 1. [с 1.] *va.* (*Pf.* завезти́ 25. [а 2.]) to convey, to drive to || **~ся** *vn.* (*only in Ipf.*) to bustle about, to be restless.
завола́кива-ть II. *va.* (*Pf.* заволо́чь 18.) to carry away || ~ *v.imp.* (+ *A.*) to heal up (of a wound); to become overcast (of the sky).
завора́чива-ть II. *va.* (*Pf.* заворот=и́ть I. 2. [с 1.]) to turn up, to tuck up; (к кому́-либо) to call on (a person); to put up at (an inn).
заворо́т *s.* turning round, turn; cuff.
завра́ться *cf.* **завира́ться.**
завсегда́/ *ad.* always, ever || **-тай** *s.* constant frequenter, habitué.
за́втра/ *ad.* to-morrow || **-к** *s.* breakfast, lunch(eon); (*in pl. fig.*) empty promises || **-ка-ть** II. *vn.* (*Pf.* по-) to breakfast, to lunch || **-шний** *a.* to-morrow's.
завыва́-ть II. *vn.* (*Pf.* завы́ть 28.) (to commence) to howl, to moan.
завяда́-ть II. *vn.* (*Pf.* завя́н-уть I.) to fade, to wither.
завяза́-ть II. *vn.* (*Pf.* завя́знуть 52.) to stick fast in; to sink in; to stay a long time; (*fig.*) to drudge away (in an obscure position).
завя́зка *s.* (*gpl.* -зок) tie, band, string; plot (of a drama).
завя́зыва-ть II. *va.* (*Pf.* завяз-а́ть I. 1. [с 1.]) to tie, to bind, to knot; to enter upon, to start, to begin (a conversation, etc.) || **~ся** *vn.* to arise.
завя́лый *a.* faded, withered.
завя́нуть *cf.* **завяда́ть.**
загада́ть *cf.* **зага́дывать.**
зага́дить *cf.* **зага́живать.**
зага́дка *s.* (*gpl.* -док) riddle, enigma.
зага́дочный *a.* enigmatic.
зага́дыва-ть II. *va.* (*Pf.* загада́-ть II.) to propose a riddle; (о чём) to conjecture; to imagine, to guess; to tell fortunes.
зага́жива-ть II. *va.* (*Pf.* зага́д=ить I. 1.) to soil, to dirty.
зага́р *s.* sunburn, tanning (of the skin).
загаса́-ть II. *vn.* (*Pf.* зага́снуть 52.) to go out, to be quenched; (*fig.*) to disappear; to die away.
загаша́-ть II. *va.* (*Pf.* загас=и́ть I. 3. [с 1.]) to put out, to quench, to extinguish (fire); to slake (lime).
загво́здка *s.* (*gpl.* -док) nail (for spiking); (*fig.*) a strong blow; embarrassment, difficulty.
заги́б *s.* bend, fold; dog's-ear (in a book).
загиба́-ть II. *va.* (*Pf.* загн-у́ть [γ/гб] I.) to bend, to fold (down, back).
загла́в/ие *s.* title (of a book) || **-ный** *a.* title-, initial.
загла́жива-ть II. *va.* (*Pf.* загла́д=ить I. 1.) to make smooth, even; (*fig.*) to make good, to expiate.
заглаза́ *ad.* in abundance; more than enough; behind one's back.
загла́зный *a.* behind one's back.
загло́хлый *a.* choked up, run wild.
заглуша́ть *cf.* **глуши́ть.**
загляде́нье *s.* a feast for the eyes.

загля́дыва-ть II. *vn.* (*Pf.* заглян-у́ть I. [c 1.]) to look in; to steal a glance at; (к кому́) to call on (for a moment) || **~ся** *vn.* (*Pf.* загляд=е́ться I. 1. [a 1.]) (на кого́, на что) to feast one's eyes on, to stare at.
загна́ть *cf.* **загоня́ть.**
загну́ть *cf.* **загиба́ть & гнуть.**
загова́рива-ть II. *vn.* (*Pf.* заговор=и́ть II. [a]) to begin a conversation with || **~** *va.* to charm away; to tire a person by one's talk || **~ся** *vn.* to talk away, to talk idly.
заговля́-ться II. *vn.* (*Pf.* загове́-ться II.) to eat meat for the last time before the fast.
за́гово́р/ *s.* plot, conspiracy; charm, conjuration || **-и́ть** *cf.* **загова́ривать** || **-щик** *s.*, **-щица** *s.* conspirator; charmer.
загове́ться *cf.* **заговля́ться.**
заголо́вок *s.* (*gsg.* -вка) title, heading, superscription.
заго́н/ *s.* driving in (of cattle); enclosure (for cattle); pen; (*fig.*) persecution, oppression || **-щик** *s.* cattle-driver; forerunner; beater.
загоня́-ть II. *va.* (*Pf.* загнать 11. [c 3.]) to drive in (cattle), to beat (game).
загора́жива-ть II. *va.* (*Pf.* загород=и́ть I. 1. [a & c 1.]) to enclose, to fence in; to stop up, to block up; to obstruct, to hinder.
загора́-ть II. *vn.* (*Pf.* загор=е́ть II. [a 1.]) to be sunburnt, to be tanned (by the sun) || **~ся** *vn.* to catch fire; (*fig.*) to kindle, to break out.
загоре́лый *a.* sunburnt, tanned.
загороди́ть *cf.* **загора́живать.**
загоро́дка *s.* (*gpl.* -док) fence, partition.
за́городный *a.* outside the town, in the suburbs, suburban.
загота́влива-ть II. & **заготовля́-ть** II. *va.* (*Pf.* загото́в=ить II. 7.) to provide, to supply; to store, to stock.
загото́в/ка *s.* (*gpl.* -вок) & **-ле́ние** *s.* storing, stocking, providing.
загражда́-ть II. *va.* (*Pf.* заград=и́ть I. 1. & 5. [a 1.]) to obstruct, to block, to stop up.
загражде́ние *s.* obstructing; blocking.
заграни́чный *a.* beyond the frontier; foreign; abroad.
загреба́-ть II. *va.* (*Pf.* загрести́ & загре́сть 21. [a 2.]) to rake, to scrape together; **~ жар** (*fig.*) to appropriate, to take possession of || **~** *vn.* to commence to row.
загри́вок *s.* (*gsg.* -вка) withers *pl.* (of a horse); nape of the neck.
загро́бный *a.* beyond the grave.
загромозжда́-ть II. *va.* (*Pf.* загромозд=и́ть I. 1. [a]) to obstruct, to encumber, to barricade.
загромозжде́ние *s.* obstruction.
загрубе́лый *a.* hardened; inveterate.
загрыза́-ть II. *va.* (*Pf.* загры́з-ть I. [a]) to bite, to worry (to death).
загрязня́-ть II. *va.* (*Pf.* загрязн=и́ть II. [a 1.]) to dirty, to soil, to besmirch.
загубля́-ть II. *va.* (*Pf.* загуб=и́ть II. 7. [c 1.]) to kill, to destroy.
зад/ *s.* [b] back part, hind part; hind quarters (of an animal); (*in pl.*) the past; **~ дере́вни** backyard (in villages) || **-´ом** *ad.* backwards, backward.
зада́брива-ть II., **задо́брива-ть** II. & **задобря́-ть** II. *va.* (*Pf.* задо́бр=ить II.) to try to gain over, to seek to win a person's favour.
задава́ть 39. *va.* (*Pf.* зада́ть 38. [a 3.]) to give; (вопро́с) to set, to propose; to state; to advance, to pay on account.
зада́влива-ть II. *va.* (*Pf.* задав=и́ть II. 7. [c]) to crush (to death); to choke, to throttle.
зада́ром *ad.* dirt-cheap; in vain.
зада́т/ок *s.* (*gsg.* -тка) earnest-money || **-очный** *a.* of earnest-money.
зада́ть *cf.* **задава́ть.**
зада́ч/а *s.*, *dim.* **-ка** *s.* (*gpl.* -чек) task, exercise; problem; (*fam.*) good luck.
задви́ж/ка *s.* (*gpl.* -жек), *dim.* **-ечка** *s.* (*gpl.* -чек) bolt, bar || **-но́й** *a.* that can be drawn out and shut.
задво́р/ный *a.* in *or* of the backyard, backyard- || **-ок** *s.* (*gsg.* -рка) & **-ье** *s.* backyard.
задева́-ть II. *va.* (*Pf.* заде́ть 32.) (за что) to catch hold of, to hook; to graze; (кого́) to vex, to provoke.
заде́льный *a.* piece-.
задёргива-ть II. *va.* (*Pf.* задёрн-уть [√дерг] I.) to draw a curtain over; to pull the reins (of a horse) || **~** *v.imp.* to be overcast.
задержа́ние *s.* detention; confinement; (*mus.*) suspension.
заде́ржива-ть II. *va.* (*Pf.* задерж=а́ть I. [c 1.]) to detain, to stop, to arrest; to lay an embargo on; to sequestrate.
заде́ржка *s.* (*gpl.* -жек) detention, stoppage; check, delay; **без -и** immediately.
задёрнуть *cf.* **задёргивать.**
заде́ть *cf.* **задева́ть.**

за́/дешево & **–дёшево** *ad.* very cheaply.
зади́нка *s.* (*gpl.* -нок) hind-quarters (of an animal). [person.
зади́р/а & **–а́ла** *s. m&f.* quarrelsome
задира́-ть II. *va.* (*Pf.* задра́ть 8. [a 3.]) to begin to tear, to scratch; (*fig.*) to provoke, to tease, to pick a quarrel with; ~ **нос** to give o.s. airs.
зади́р/ный & **–чивый** *a.* quarrelsome, aggressive.
за́дн/ий *a.* hind-, hinder, back, posterior, rear ‖ **–ик** *s.* dickey (of a carriage); quarter (of a shoe) ‖ **–ица** *s.* posteriors, backside.
задо́бри(ва)ть *cf.* **зада́бривать.**
задо́к *s.* [a] (*gsg.* -дка́) back (of seats).
за́до́лго *ad.* long before.
задолжа́лый *a.* in debt, indebted.
за́дом *ad.* behind; backwards.
задо́р/ *s.* passion, heat; strife; rivalry ‖ **–ина** *s.* scratch; crack, flaw ‖ **–ливый** & **–ный** *a.* irritable, passionate.
за́дор/ого *ad.* very dear (of price) ‖ **–о́жный** *a.* over the way, on the other side of the road.
задохну́ться *cf.* **задыха́ться.**
задра́ть *cf.* **задира́ть.**
задува́-ть II. *vn.* (*Pf.* заду́-ть II.) to begin to blow ‖ ~ *va.* to blow out (a light).
заду́м/ать *cf.* **заду́мывать** ‖ **–чивый** *a.* pensive, thoughtful; melancholy ‖ **–ыва-ть** II. *va.* (*Pf.* заду́ма-ть II.) to propose, to intend; to plan; to think of, to imagine ‖ **~ся** *vn.* to be thoughtful, to [muse.
заду́ть *cf.* **задува́ть.**
задуш/е́вный *a.* cordial, hearty; intimate ‖ **–е́ние** *s.* suffocation, choking, strangling ‖ **–и́ть** *cf.* **души́ть.**
за́дхлый *a.* musty, fusty, close.
задыха́-ться II. *vn.* (*Pf.* задохну́ться 52. [a 1.]) to be out of breath; to choke, to smother, to suffocate.
заеда́-ть II. *va.* (*Pf.* зае́сть 42.) to worry, to devour; to eat after drinking; to appropriate.
зае́зд *s.* riding *or* driving up.
заезжа́-ть II. *vn.* (*Pf.* зае́хать 45.) to go beyond; to go astray; to call in driving past. [to tire out (a horse).
зае́зжива-ть II. *va.* (*Pf.* зае́зд=ить I. 1.)
зае́зжий *a.* foreign ‖ ~ (*as s.*) stranger, [new-comer.
за́ек *cf.* **за́йка.**
заём/ *s.* [& a] (*gsg.* займа́ & заёма, *pl.* займы́ & за́ймы) loan; **взять, брать в** ~ to borrow; **дава́ть, дать в** ~ to lend ‖ **–ный** *a.* loan-, borrowed ‖ **–щик** *s.* borrower.

зае́сть *cf.* **заеда́ть.**
зае́хать *cf.* **заезжа́ть.**
зажа́рива-ть II. *va.* (*Pf.* зажа́р=ить II.) to broil, to roast, to fry.
зажа́ть *cf.* **зажима́ть.**
зажгу́, зажёчь *cf.* **зажига́ть.**
зажива́-ть II. *vn.* (*Pf.* зажи́ть 31. [a 4.]) to heal up, to close (of a wound) ‖ ~ *va.* to work off (a debt) ‖ **~ся** *vn.* to remain a long time.
заживле́ние *s.* healing (of a wound).
за́живо *a.* during one's life, while alive.
зажиг/а́лка *s.* (*gpl.* -лок) lighter ‖ **-а́тель** *s. m.* incendiary ‖ **–а́тельный** *a.* burning-, catching fire ‖ **–а́-ть** II. *va.* (*Pf.* зажёчь 16.) to light, to set on fire, to set fire to; (*fig.*) to kindle ‖ **~ся** *vn.* to catch fire, to kindle.
зажи́лива-ть II. *va.* to swindle.
зажима́-ть II. *va.* (*Pf.* зажа́ть 33.) to press, to squeeze; ~ (кому́) **рот** (*fig.*) to stop a person's mouth.
зажи́т/ок *s.* (*gsg.* -тка) wages *pl.*, earnings *pl.* ‖ **–очный** *a.* wealthy, well-to-do, well-off ‖ **–ь** *cf.* **зажива́ть.**
зажму́ривать *cf.* **жму́рить.**
зазва́ть *cf.* **зазыва́ть.**
заздра́вный *a.* toast-, to the health of (toast, prayer, etc.).
зазёвыва-ться II. *vr.* (*Pf.* зазева́-ться II.) to stare, to gape, to keep gaping at.
зазнава́ться 39. [a] *vn.* (*Pf.* зазна́-ться II.) to be self-conceited; to carry one's head (too) high.
зазно́б/ & **–а** *s.* chilblain; (*fig.*) passion, (*vulg.*) object of passion ‖ **–ушка** *s.* (*gpl.* -шек) = **зазно́б.**
зазову́ *cf.* **зазыва́ть.**
зазо́р/ *s.* shame, disgrace; chink, space ‖ **–ный** *a.* shameful, disgraceful.
зазре́ние *s.* blame, reproach.
зазу́брива-ть II. *va.* (*Pf.* зазу́бр=ить II. [a & b]) to notch, to serrate; to cram (learning).
зазу́брина *s.* notch, indentation.
зазыва́-ть II. *va.* (*Pf.* зазва́ть 10. [a 3.]) to call in; to invite.
зазя́блый *a.* damaged by frost.
заи́грыва-ть II. *va.* (*Pf.* заигра́-ть II.) (to begin) to play; to beat (at play) ‖ ~ *vn.* to begin to joke with.
заи́к/а *s. m&f.* stammerer, stutterer ‖ **–а́ние** *s.* stammering, stuttering ‖ **–а́-ться** II. *vn.* (*Pf.* -н-у́ться I. [a]) to stammer, to stutter; **не** ~ not to utter a word. [parcel of land.
за́имка *s.* (*gpl.* -мок) taking possession;

заимо/да́вец *s.* (*gsg.* -вца), **–да́вица** *s.* creditor || **–обра́зный** *a.* on loan, on credit.

займство+вать II. *va.* (*Pf.* по-) to borrow.

за́инька *s.* (*gpl.* -нек) little hare.

заи́скива-ть II. *vn.* (*Pf.* заиск-а́ть I. 4. [c]) (у кого́) to curry favour with.

за́йка *s.* (*gpl.* за́ек) small hare.

зайти́ *cf.* **заходи́ть.**

займа́ *cf.* **заём.**

за́йца *cf.* **за́яц.**

зайчёнок *s.* (*pl.* -ча́та) young hare, leveret.

за́йч/ик *s.* small hare || **–и́ха** *s.* (female) hare.

закабаля́-ть II. *va.* (*Pf.* закабал=и́ть II. [a]) to enslave.

закады́чный *a.* bosom-, intimate.

зака́з/ *s.* prohibition; order, command || **–но́й** *a.* ordered, bespoken; **–но́е (письмо́)** registered letter || **–чик** *s*, **–чица** *s.* one who orders || **–ыва-ть** II. *va.* (*Pf.* заказ-а́ть I. 1. [c]) to forbid; to prohibit; to order, to bespeak.

зака́ива-ться II. *vc.* (*Pf.* зака́-яться II.) to forswear, to renounce; to vow not to.

зака́л *s.* temper; tempering, hardening; (*fig.*) kind, stamp.

зака́лива-ть II. *va.* & **закаля́-ть** II. *va.* (*Pf.* закал=и́ть II. [a]) to temper (steel).

зака́лыва-ть II. *va.* (*Pf.* закол-о́ть II. [c]) to stab; to slay, to slaughter.

закамене́лый *a.* petrified, hardened; (*fig.*) stubborn, obstinate.

зака́нчива-ть II. *va.* (*Pf.* зако́нч=ить I.) to finish, to complete.

зака́пыва-ть II. *va.* (*Pf.* закопа́-ть II.) to bury, to inter; to fill up (with earth).

зака́т *s.* setting (of stars).

зака́тыва-ть II. *va.* (*Pf.* закат=и́ть I. 2. [a & c], *mom.* закатн-у́ть I. [a]) to roll (a cask); to roll (the eyes); to strike up, to commence (a song) || **~ся** *vr.* to set (of the sun); to disappear; **~ от сме́ха** to burst one's sides with laughing; (*Pf.* заката́-ть II.) to roll smooth, to mangle; to give a sound thrashing to.

зака́яться *cf.* **зака́иваться.**

закв/а́ска *s.* (*gpl.* -сок) ferment, leaven, yeast; (*fig.*) kind, sort || **–а́шива-ть** II. *va.* (*Pf.* -а́с=ить I. 3.) to leaven.

заки́дыва-ть II. *va.* (*Pf.* закида́-ть II.) **~ вопро́сами** to overwhelm; to fill up; (*Pf.* заки́н-уть I.) to throw behind; to throw, to cast (a net); to drop (a remark); to neglect.

закипа́ть *cf.* **кипе́ть.**

закиса́-ть II. *vn.* (*Pf.* заки́снуть 52.) (to begin) to turn sour.

за́кись *s. f.* acid, acidity.

закла́д/ *s.* pledge, pawn, mortgage; bet, stake, wager; **би́ться об ~** to wager, to bet || **–ка** *s.* (*gpl.* -док) laying of foundation-stone; walling up, walled-up place; pledging; putting horses to; book-mark || **–но́й** *a.* pledged, pawned || **–на́я** (*as s.*) mortgage || **–чик** *s.* pawner; mortgager || **–ыва-ть** II. *va.* (*Pf.* залож=и́ть I. [c]) to lay the foundation-stone; to pledge, to pawn; to mortgage; to wall up; to mislay; to put (horses) to || **~** *v.imp.* to be stopped up; **нос заложи́ло** my nose is stopped up; **у меня́ у́ши заложи́ло** my ears are stopped up.

закле́ива-ть II. *va.* (*Pf.* закле=и́ть II.) to paste up.

закле́йка *s.* (*gpl.* -е́ек) pasting up; place glued up.

заклёп/ & **–а** *s.* rivet || **–ка** *s.* (*gpl.* -пок) rivet; riveting || **–ывать** *cf.* **клепа́ть.**

заклин/а́ние *s.* conjuration; exorcism || **–а́тель** *s. m.*, **–а́тельница** *s.* conjurer, exorcist || **–а́тельный** conjuring, exorcising || **–а́-ть** II. *va.* (*Pf.* закля́сть 36.) to conjure, to exorcise.

заключ/а́-ть II. *va.* (*Pf.* заключ=и́ть I. [a]) to inclose, to shut in; to conclude; to deduce, to infer; **~ в себе́** to contain, to comprise || **~ся** *vn.* (в + *Pr.*) to consist (of) || **–е́ние** *s.* confinement, seclusion; conclusion; inference, deduction; **в ~** finally, in conclusion, after all, on the whole || **–и́тельный** *a.* conclusive.

закля́/сть *cf.* **заклина́ть** || **–тие** *s.* swearing; exorcism || **–тый** *a.* sworn.

зако́выва-ть II. *va.* (*Pf.* зако+ва́ть II. [a]) to put in irons; to rivet.

закові́чка *s.* (*gpl.* -чек) (*fig.*) hindrance; (*in pl.*) inverted commas.

заколдо́выва-ть II. *va.* (*Pf.* заколдо+ва́ть II. [b]) to bewitch, to enchant.

заколо́ть *cf.* **зака́лывать.**

зако́н/ *s.* law; **~ Бо́жий** the law of God; religious instruction || **–ник** *s.* lawyer, one versed in law || **–норождённый** *a.* legitimate (of children) || **–ность** *s. f.* legality, lawfulness || **–ный** *a.* legal, lawful, legitimate.

законо/ве́д *s.* jurist || **–ве́дение** *s.* jurisprudence || **–да́тель** *s. m.* legislator, law-giver || **–да́тельный** *a.* legislative || **–ме́рный** *a.* legal, legitimate || **–прое́кт** *s.* draft (of a law) || **–учи́тель** *s. m.* religious instructor.

законтракт/о́выва-ть II. *va.* (*Pf.* -о+ва́ть II. [b]) to contract.

за кóнчить *cf.* **-кáнчивать** || **-копáть** *cf.* **-кáпывать** || **-коптить** *cf.* **коптить** || **-коптéлый** *a.* blackened with smoke || **-коренéлый** *a.* inveterate || **-коренé-ть** II. *vn. Pf.* to take root.
закор/юка *s.* & **-ючка** *s.* (*gpl.* -чек) crook, hook; (*fig.*) hitch, difficulty.
закосн/éлый *a.* hardened, obdurate; (*fig.*) deepseated || **-éть** *cf.* **коснéть.**
закостенéлый *a.* hardened, ossified; stiff.
закоýлок *s.* (*gsg.* -лка) crooked lane; blind alley; (*in pl.*) roundabout ways, subterfuges.
закоченéлый *a.* stiff, benumbed, numb, frozen, chilled.
закрáдыва-ться II. *vr.* (*Pf.* закрáсться 22. [a 1.]) to slink in, to sneak in.
закрá/й & **-ина** *s.* border, edge, margin.
закрáшива-ть II. *va.* (*Pf.* закрáс=ить I. 3.) to paint; (*fig.*) to gloss over, to disguise the faults of.
закрепля́-ть II. *va.* (*Pf.* закреп=и́ть II. 7. [a]) to fasten, to strengthen; to ratify, to consolidate.
закрóй/ *s.* cut || **-щик** *s.*, **-щица** *s.* cutter. [oat-chest.
зáкром *s.* [& b] (*pl.* -ы & -á) corn-bin,
закругля́-ть II. *va.* (*Pf.* закругл=и́ть II. [a]) to round off.
закружи́ть *cf.* **кружи́ть.**
закрывá-ть II. *va.* (*Pf.* закры́ть 28.) to cover, to shut, to close; to conceal, to hide. [covering up.
закры́/в & **-тие** *s.* closing, shutting,
закупá-ть II. *va.* (*Pf.* закуп=и́ть II. 7. [c]) to buy up, to purchase; (*fig.*) to bribe.
закýп/ & **-ка** *s.* (*gpl.* -пок) purchase || **-нóй** *a.* bought, purchased.
закýпорива-ть II. *va.* (*Pf.* закýпор=ить II.) to cork, to stopper (up). [chaser.
закýп/щик *s.*, **-щица** *s.* buyer, pur-
закýрива-ть II. *va.* (*Pf.* закур=и́ть II. [a & c]) to begin to smoke; to light (a pipe, a cigar); to fill with smoke.
закýска *s.* (*gpl.* -сок) bit, snack; side-dish, relish; dessert; lunch(eon).
закýсыва-ть II. *va.* (*Pf.* закус=и́ть I. 3. [c]) to take a bit, a snack; (чем) to eat something after; to bite at.
зал/ & **∸а** *s.* hall. [chest, trunk.
залáвок *s.* (*gsg.* -вка) locker; counter;
за/лáжива-ть II. *va.* (*Pf.* -лáд=ить I. 1.) to stop, to block (up); to keep on repeating.
залáмыва-ть II. *va.* (*Pf.* залом=и́ть II. 7. [c] & заломá-ть II.) to begin to break; to overcharge.

залегá-ть II. *vn.* (*Pf.* залéчь 43.) to lie down behind; to hide o.s.; to be stopped up. [time.
залежáлый *a.* spoiled by lying a long
залёжива-ться II. *vn.* (*Pf.* залеж=áться I. [a]) to lie a long time; to be spoiled by lying a long time.
зáлежь *s. f.* goods which have been lying a long time; (*min.*) bed, seam.
залезá-ть II. *vn.* (*Pf.* залéзть 25.) to climb in, up; to steal in.
залéплива-ть II. & **залепля́-ть** II. *va.* (*Pf.* залеп=и́ть II. 7. [c]) to paste up.
залётный *a.*, **-ная пти́ца** bird of passage.
залéчива-ть II. *va.* (*Pf.* залеч=и́ть I. [c]) to heal up; to kill a patient by unskilful treatment.
залéчь *cf.* **залегáть.**
за/ли́в *s.* gulf, bay || **-ливá-ть** II. *va.* (*Pf.* -ли́ть 27.) to pour over; to wet; to to pour upon, to overflow; to fill up (with tin); to flood, to inundate; to extinguish, to quench (a fire-brand) || **∼ся** *vr.* to wet o.s.; **∼ слезáми, смéхом** to burst out into || **-ливнóй** *a.* overflown, inundated; for extinguishing || **-лихвáтский** *a.* bold and daring.
зáло *cf.* **зал.**
залóг/ *s.* pledge, pawn, mortgage; security; (*gramm.*) voice (of verbs) || **-одáтель** *s. m.* pledger, mortgager || **-овóй** & **-овый** *a.* pledge-, mortgage-.
заложи́ть *cf.* **заклáдывать.**
за/лóжник *s.* hostage || **-ломи́ть** *cf.* **-лáмывать.**
залп *s.* discharge, volley; salvo; **вы́пить ∸ом** to drink off (at one draught).
за/лучá-ть II. *va.* (*Pf.* -луч=и́ть I. [c]) to entice, to decoy.
зáльный *a.* hall-.
замáз/ка *s.* (*gpl.* -зок) cement; putty || **-ыва-ть** II. *va.* (*Pf.* замáз-ать I. 1.) to cement; to smear; to bedaub.
замáлчива-ть II. *vn.* (*Pf.* замолч=áть I. [a]) to cease (with singing, brawling, etc.); to grow dumb.
замáн/ива-ть II. *va.* (*Pf.* заман=и́ть II. [c]) to allure, to entice; to inveigle || **-ка** *s.* (*gpl.* -нок) lure; enticement, decoy; bait || **-чивый** *a.* alluring, enticing; tempting.
замарá/ха *s.*, *dim.* **-шка** *s. m&f.* (*gpl.* -шек) sloven, slut, slovenly person.
замáрыва-ть II. *va.* (*Pf.* замарá-ть II.) to dirty, to soil, to besmear; to besmirch; (*fig.*) to calumniate.

зама́слива-ть II. *va.* (*Pf.* зама́сл=ить II.) to dirty with oil or butter; (*fig.*) to bribe.
зама́тыва-ть II. *va.* (*Pf.* замота́-ть II.) to wind up; to spool || ~ *vn.* to get lavish.
замаха́ть *cf.* **маха́ть.**
зама́ш/истый *a.* going far back (in one's narration); (*fig.*) enterprising, high-sounding || **–ка** *s.* (*gpl.* -шек) habit, way, manner; trick.
зама́щива-ть II. *va.* (*Pf.* замост=и́ть I. 4. [a]) to pave.
замедле́ние *s.* delay, tarrying.
замедля́-ть II. *vn.* (*Pf.* заме́дл=ить II.) to delay, to linger, to tarry || ~ *va.* to delay, to prolong; to moderate (one's pace).
замелька́-ть II. *vn.* to begin to twinkle.
заме́н/ & **–а** *s.* compensation, equivalent, substitute || **–и́мый** *a.* reparable, retrievable || **–я́-ть** II. *va.* (*Pf.* замен=и́ть II. [a & c]) (что чем) to substitute, to replace; to compensate.
замере́ть *cf.* **замира́ть.**
замерз/а́ние *s.* freezing, congelation; **то́чка –а́ния** freezing-point || **–а́-ть** II. *vn.* (*Pf.* замёрзнуть 52.) to congeal, to freeze.
замёрзлый *a.* congealed, frozen.
за́мерт/во *ad.* senseless; as dead, for dead || **–ве́лый** *a.* benumbed, numb.
заме/сти́, ⏑сть *cf.* **–та́ть** || **–си́тель** *s. m.* substitute || **–си́ть** *cf.* **–ща́ть.**
заме́сто *ad.* (+ *G.*) instead of.
замёт *s.* casting; snow-drift; bolt (on doors).
замета́-ть II. *va.* (*Pf.* замести́ & заме́сть 23.) to sweep up; to drift, to blow up.
замет/а́ть, –ну́ть *cf.* **замётывать.**
замётыва-ть II. *va.* (*Pf.* замета́-ть II. & замет=а́ть I. 2. [c]) to cover, to fill up (a ditch); (*Pf.* заметн-у́ть I.) to cast (a net); to tack up.
заме́тить *cf.* **замеча́ть.**
заме́т/, *dim.* **–ка** *s.* (*gpl.* -ток) mark, token, sign; note || **–ливый** *a.* attentive || **–ный** *a.* visible; perceptible.
замеч/а́ние *s.* remark, notice; reprimand || **–а́тельный** *a.* remarkable; noticeable; signal, striking || **–а́-ть** II. *va.* (*Pf.* заме́т=ить I. 2.) to mark, to note down; to notice, to observe; to perceive || **–та́-ться** II. *vn. Pf.* to begin to fancy; to be lost in thought. [ity.
замеша́тельство *s.* confusion; perplex-
заме́шива-ть II. *va.* (*Pf.* замеша́-ть II.) to confound; to perplex, to confuse.
заме́ш/кива-ть II. *vn.* (*Pf.* -ка-ть II.) (чем) to delay, to tarry, to linger.

замеща́-ть II. *va.* (*Pf.* замест=и́ть I. 4. [a]) to replace, to substitute, to supersede.
замина́-ть II. *va.* (*Pf.* замя́ть 34.) to begin to knead; to tread under foot; to hush up (an affair) || **~ся** *vn.* to stop short (in speaking); to begin to stutter, to stammer.
зами́нка *s.* (*gpl.* -нок) stoppage; **в –е** not in demand (of goods).
замира́-ть II. *vn.* (*Pf.* замере́ть 14. [a 4.]) to get numbed, to mortify (of limbs); to swoon, to faint; (*fig.*) to sink.
замире́ние *s.* pacification; treaty of peace.
замиря́-ть II. *va.* (*Pf.* замир=и́ть II. [a]) to make peace, to pacify.
за́мки́ *cf.* **за́мок** & **замо́к.** [solitary.
за́мкнутый *a.* shut off, secluded; retired,
замкну́ть(-ся) *cf.* **замыка́ть(-ся).**
за́мковый *a.* castle-.
замко́вый *a.* lock-.
замоги́льный *a.* beyond the grave..
за́мок *s.* (*gsg.* -мка) castle.
замо́к *s.* [a] (*gsg.* -мка́) lock; **под замко́м** under lock and key.
замока́-ть II. *vn.* (*Pf.* замо́кнуть 52.) to get wet.
замо́лв=ить II. 7. *va. Pf.*, ~ **слове́чко** (за кого́) to put in a good word for a person.
замоли́ть *cf.* **зама́ливать.**
замолка́-ть II. *vn.* (*Pf.* замо́лкнуть 52.) to cease speaking; to become silent.
замолча́ть *cf.* **молча́ть.**
замора́жива-ть II. *va.* (*Pf.* заморо́з=ить I. 1.) to congeal; to freeze.
замори́ть *cf.* **зама́ривать.**
за́мороз/ки & **–ы** *s. mpl.* first frosts in autumn.
замо́рский *a.* transmarine, foreign.
за/мости́ть *cf.* **–ма́щивать** || **–мота́ть** *cf.* **–ма́тывать** || **–мо́чек** *s.* (*gsg.* -чка) small lock || **–мо́чный** *a.* lock- || **–мру́** *cf.* **–мира́ть.**
за́муж/ *ad.*, **выходи́ть** *or* **итти́** (за кого́) ~ to marry, to get married (of a woman) || **–ем** *ad.* married.
заму́ж/(е)ство *s.* marriage (of a woman) || **–ний** *a.* married (of a woman) || **–няя** (*as s.*) a married woman.
заму́слива-ть II. *va.* (*Pf.* заму́сл=ить II.) to beslabber.
заму́чива-ть II. *va.* (*Pf.* заму́ч=ить I.) to torment to death; to fatigue, to exhaust.
за́мш/а *s.* shammy, chamois-leather || **–евый** *a.* shammy-.
замыка́-ть II. *va.* (*Pf.* замкн-у́ть I. [a]) to lock (up); to close up (the ranks).

за́мы/с(е)л *s.* (*gsg.* -сла) design, intention, purpose || **´слить** *cf.* **замышля́ть.**
замыслова́тый *a.* ingenious.
замышля́-ть II. *va.* (*Pf.* замы́слить 41.) to devise; to design, to purpose.
замя́ть *cf.* **замина́ть.**
за́навес/ *s.* & **–ь** *s. f.* curtain || **´ка** *s.* (*gpl.* -сок) (window-) curtain || **–ный** & **´очный** *a.* curtain-.
зана/ве́шива-ть II. *va.* (*Pf.* -ве́с=ить I. 3.) to curtain, to cover with curtains.
зана́шива-ть II. *va.* (*Pf.* занос=и́ть I. 3. [c]) to wear out.
занемога́-ть II. *vn.* (*Pf.* занемо́чь 15. [c 2.]) to fall ill, to be taken ill.
занести́ *cf.* **заноси́ть.**
занима́тельный *a.* interesting, attractive.
занима́-ть II. *va.* (*Pf.* заня́ть 37. [a], *Fut.* займу́, -ёшь) to take possession of; to occupy, to employ, to busy; to engage; to entertain; to interest; (у кого́ что) to borrow || **~ся** *vn.* (чем) to occupy o.s. with, to be engaged in || **~** *v.imp.* to kindle, to catch fire, (заря́) to begin to appear.
за́ново *ad.* anew, as new; **отде́лать ~** to renovate.
зано́з/а *s.* splinter; (*as. m&f.*) *coll.* quarrelsome person || **–истый** *a.* splintery; quarrelsome.
зано́с *s.* (snow-)drift.
занос=и́ть I. 3. [c] *va.* (*Pf.* занести́ & зане́сть 26. [a 2.]) to carry away; to write down, to enter; to drift, to fill up (*cf.* зана́шивать) || **~ся** *vr.* to give o.s. airs.
зано́с/ный *a.* brought from another place, imported || **–чивый** *a.* proud, haughty, supercilious.
за́ночь *ad.* overnight; the whole night.
занумер/о́вывать-ть II. *va.* (*Pf.* -о+ва́ть II. [b]) to number.
заня́т/ие *s.* occupation, employment || **–ный** *a.* interesting, attractive || **–ь(-ся)** *cf.* **занима́ть(-ся).**
зао́блачный *a.* beyond the clouds; (*fig.*) high-flown, abstruse.
заодно́ *ad.* as one, unanimously, together.
заостря́-ть II. *va.* (*Pf.* заостр=и́ть II. [a]) to point, to sharpen.
зао́чный *a.* absent; behind one's back.
за́пад/ *s.* west, occident || **–а́-ть** II. *vn.* (*Pf.* запа́сть 22.) to fall (behind); to set (of heavenly bodies); to be blocked up; to occur to || **–ник** *s.*, **–ница** *s.* supporter of western ideas || **–ный** *a.* west(ern) || **–ня́** *s.* trap, snare, gin.

запа́здыва-ть II. *vn.* (*Pf.* запозда́-ть II.) to come too late, to retard; to stay away too long.
запа́ива-ть II. *va.* (*Pf.* запая́-ть II.) to solder, to weld; (*Pf.* запо=и́ть II. [a]) to make one drink to excess, to make s.o. drunk.
запа́й/ & **–ка** *s.* (*gpl.* -а́ек) soldering, welding.
запак/о́вывать-ть II. *va.* (*Pf.* -о+ва́ть II. [b]) to pack (up).
запа́/л *s.* touch-hole; **с –ом** broken-winded (of a horse) || **–лива-ть** II. *vn.* (*Pf.* -л=и́ть II. [a & c]) to kindle, to set fire to; to make a horse broken-winded || **–льчивый** *a.* passionate, vehement.
запанибра́тство *s.* familiarity.
запа́/с *s.* stock, store, supply || **–са́-ть** II. *va.* (*Pf.* -сти́ 26. [a]) to provide, to stock, to store; to lay in a stock of || **–сливый** *a.* providing, provisionary || **–сно́й** & **–сный** *a.* in store; reserve || **–сть** *cf.* **–да́ть.**
за́пах *s.* smell, odour, scent.
запа́/хива-ть II. *va.* (*Pf.* -х-а́ть I. 3. [c]) to begin to plough; to cover in ploughing; (*Pf.* -хн-у́ть) to cross over, to lap over || **–хнуть** *cf.* **па́хнуть.**
запа́шка *s.* (*gpl.* -шек) tilth, tillage; beginning to plough.
запая́ть *cf.* **запа́ивать.**
запе́в/ *s.* striking up a tune; (*eccl.*) short hymn of praise || **–а́ла** s. *m.* leader of a choir || **–а́-ть** II. *va.* (*Pf.* запе́ть 29.) to strike up (a tune); to set the tune.
за/пека́-ть II. *va.* (*Pf.* -пе́чь 18.) to bake (in a paste) || **~ся** *vr.* to clot (of blood).
за/пере́ть *cf.* **–пира́ть** || **–пе́ть** *cf.* **–пева́ть.**
запечат/лева́-ть II. *va.* (*Pf.* -ле́-ть II.) to seal (up); (*fig.*) to impress, to inculcate.
запеч/а́тыва-ть II. *va.* (*Pf.* -а́та-ть II.) to seal (up); to imprint upon.
запе́/чный *a.* behind the stove || **–чь** *cf.* **–ка́ть.**
запива́-ть II. *va.* (*Pf.* запи́ть 27.) to drink much, to drink continuously, to get a drunkard; to wet (a bargain); (+ *I.*) to drink after; **~ лека́рство водо́ю** to take water after medicine.
запина́-ться II. *vr.* (*Pf.* запн-у́ться I. [a]) to hesitate, to falter, to stammer, to hum and haw; to stumble.
запи́н/ & **–ка** *s.* (*gpl.* -нок) hesitation (in speech); stammer.
запира́тельство *s.* denial, disavowal.

запира́-ть II. *va.* (*Pf.* запере́ть 14. [a 4.]) to close, to shut, to fasten; to lock; to confine, to barricade || **~ся** *vr.* to shut o.s. up; (в чём) to deny, to disavow.

запи́/ска *s.* (*gpl.* -сок) writing in, inscribing; note, billet, card; (short) letter; (*in pl.*) memoirs || **–сно́й** *a.* for writing in; memorandum-, note-; (*fig.*) arrant, downright || **–сочка** *s.* (*gpl.* -чек) *dim.* small letter, note, card || **–сыва-ть** II. *va.* (*Pf.* -с-а́ть I. 3. [c]) to write (in, down), to inscribe; to take a note of; to enrol; **~ в креди́т** to credit with; **~ в де́бет** to debit with || **~ся** *vr.* to register o.s.; **~ на места́** to book places.

за́пись *s. f.* writing, document, deed; memorandum.

запи́ть *cf.* **запива́ть.**

запи́хива-ть II. *va.* (*Pf.* запиха́-ть II. & запихн-у́ть I. [a]) to push in, to thrust.

запла́канный *a.* red with weeping.

запла́т/а & **–ка** *s.* (*gpl.* -ток) payment, requital; patch || **–ник** *s.*, **–ница** *s.* ragamuffin || **–очка** *s.* (*gpl.* -чек) small patch || **–очный** *a.* patch-.

заплёвыва-ть II. *va.* (*Pf.* заплe+ва́ть II. [b & a]) to spit all over, to bespit.

заплета́-ть II. *va.* (*Pf.* заплести́ & запле́сть 23.) to begin to plait; to plait, to interlace.

запле́чный *a.* behind the shoulders; **~ ма́стер** (formerly) executioner.

заплыва́-ть II. *vn.* (*Pf.* заплы́ть 31.) to swim in, to float in; to be filled, loaded with (fat, etc.).

запну́ться *cf.* **запина́ться.**

запо/ведно́й *a.* forbidden, prohibited || **–ве́дыва-ть** II. *va.* (*Pf.* -ве́да-ть II.) to forbid, to prohibit, to interdict; to command, to order.

за́поведь *s. f.* commandment, precept; order.

заподо/зрева́-ть II. *va.* (*Pf.* ∠зр=ить II. & ∠зр=еть II.) (кого́ в чём) to suspect (a person of something).

запозд/а́лый *a.* belated; behindhand, overdue || **–а́ть** *cf.* **запа́здывать.**

запои́ть *cf.* **запа́ивать.**

запо́й *s.* hard drinking, tippling, carousing.

заполня́-ть II. *va.* (*Pf.* запо́лн=ить II.) to fill up.

запомина́-ть II. *va.* (*Pf.* запо́мн=ить II.) to remember, to recollect.

за́понка *s.* (*gpl.* -нок) stud, shirt-button.

запо́р/ *s.* bolt, bar; (*med.*) constipation || **–о́жец** *s.* (*gsg.* -жца) (formerly) Cossack inhabiting the country beyond the Dnieper rapids.

запра/ви́ла *s. m.* & **–ви́тель** *s. m.* manager || **–вля́-ть** II. *va.* (*Pf.* ∠в=ить II. 7.) to set aright; to dress, to prepare; (чем) to manage, to direct.

запра́вский *a.* genuine, real.

запра́шива-ть II. *va.* (*Pf.* запрос=и́ть I. 3. [c]) to inquire of a person; to overcharge; (к себе́) to invite.

запредпосле́дний *a.* last but two.

запресто́льный *a.* behind the altar.

запре́т/ & **–а** *s.* prohibition || **–и́тельный** *a.* prohibitory || **–и́ть** *cf.* **запреща́ть** || **–ный** *a.* prohibited, forbidden.

запре́чь = **запря́чь.**

запрещ/а́-ть II. *va.* (*Pf.* запрет=и́ть I. 6. [a]) to forbid, to prohibit || **–е́ние** *s.* prohibition; (*leg.*) distraining, attachment (of property).

запри/меча́-ть II. *va.* (*Pf.* -ме́т=ить I. 2.) to notice, to observe.

запро/дава́ть 39. *va.* (*Pf.* -да́ть 38.) to sell off; to come to terms over a sale || **–да́жа** *s.* conclusion of a sale; sale || **–паст=и́ть** I. 4. [a] *va. Pf.* to remove; to mislay, to misplace; to lose; to spoil, to disqualify || **~ся** *vr.* to get lost, to disappear; to fall (into, upon).

запро́с/ *s.* inquiry, question, demand; offer; **цена́ без –а** fixed price || **–и́ть** *cf.* **запра́шивать** || **–ный** *a.* inquiry-.

за́просто *ad.* plainly, without ceremony.

запру́ *cf.* **запира́ть.**

запру́/д & **–да** *s.* dam, embankment, weir || **–жа́-ть** II. & **–жива-ть** II. *va.* (*Pf.* -д=и́ть I. 1. [a & c]) to dam (in, up), to embank.

запряга́-ть II. *va.* (*Pf.* запря́чь 15. [*prn.* -пре́чь]) to put to, to yoke, to harness.

запря́жка *s.* (*gpl.* -жек) putting to, harnessing.

запря́тыва-ть II. *va.* (*Pf.* запря́т-ать I 2.) to hide, to secrete.

запу́г/ива-ть II. *va.* (*Pf.* -а́-ть II.) to frighten, to scare.

за́пус/к *s.* driving, knocking in; neglect || **–ка́-ть** II. *va.* (*Pf.* -т=и́ть I. 4. [c]) to let run wild (a garden); to let go, to let run; to drive in; to neglect.

запу/стева́-ть II. *vn.* (*Pf.* -те́-ть II.) to become desolate || **–сте́лый** *a.* waste, desolate || **–сте́ние** *s.* desolation, devastation.

запу́т/ыва-ть II. *va.* (*Pf.* -а-ть II.) to entangle; to confuse, to perplex; (кого́ во что) to involve (in).

запуще́ние *s.* neglect(ing) (of a garden, a building).

запы́х/ива-ться II. *vn.* (*Pf.* -á-ться II.) to get out of breath.
запя́/стье *s.* bracelet; wristband; (*an.*) wrist || **–та́я** *s.* comma; **то́чка с –то́ю** semicolon || **–тки** *s. fpl.* (*G.* -ток) footboard (behind a carriage).
зараб/а́тыва-ть II. *va.* (*Pf.* -óта-ть II.) to earn.
за/рабо́тный *a.*, **–ая пла́та** wages *pl.*, hire || **–рабо́ток** *s.* (*gsg.* -тка) (*us. in pl.*) earnings *pl.*
зара/жа́-ть II. *va.* (*Pf.* -з=и́ть I. 1. [a]) to infect, to taint || **–же́ние** *s.* infection.
зара́з/ *ad.* (all) at once || **–а** *s.* contagion; plague; **чу́мная ~** pest || **–и́тельный** *a.* contagious, infectious, pestilential || **–и́ть** *cf.* **заража́ть** || **–ный** *a.* contagious, infectious.
зара́н/ее *ad.* beforehand; betimes, early || **–ива-ть** II. *va.* (*Pf.* зарон=и́ть II. [c]) to drop, to let fall (behind).
зараста́-ть II. *vn.* (*Pf.* зарасти́ 35.) to be overgrown; to close (of wounds).
за́рево *s.* redness in the sky.
заре́з/ *s.* scrag, crag, neck (of beef, etc.); **до –у** to the last extremity || **–ыва-ть** II. *va.* (*Pf.* заре́з-ать I. 1.) to slaughter, to butcher; to cut the throat.
зарека́-ться II. *vr.* (*Pf.* заре́чься 18.) to renounce doing, to forswear.
заре́чье *s.* land on the other side of a river.
заржа́ве́лый *a.* rusted, rusty.
за́р=иться II. *vn.* (на что) to long (for), to lust (after), to be keen (on).
зарни́ца *s.* sheet-lightning.
заро́дыш *s.* germ; foetus.
зарожда́-ть II. *va.* (*Pf.* зарод=и́ть I. 1. [a]) to beget, to engender, to produce.
зарожде́ние *s.* origin; begetting; conception.
заро́к *s.* vowing not to do something.
зарони́ть *cf.* **зара́нивать.**
за́росль *s. f.* overgrowth, weeds *pl.*
зар/уба́-ть II. *va.* (*Pf.* -уб=и́ть II. 7. [c]) to notch; to cut a mark in; **~ себе́ на носу́** to make a note of something || **–у́бка** *s.* (*gpl.* -бок) notch || **–уча́-ться** II. *vr.* (*Pf.* -уч=и́ться I. [a & c]) (**чем**) to make sure of.
зарыва́-ть II. *va.* (*Pf.* зары́ть 28.) to bury, to inter.
заря́ *s.* redness in sky; **у́тренняя ~** dawn; (*mil.*) reveille; **вече́рняя ~** evening twilight; (*mil.*) tattoo.
заря́/д *s.* charge (of a gun) || **–дный** *a.* powder-, ammunition- || **–жа́-ть** II. *va.* to load, to charge (a gun).
заса́/да *s.* ambush, ambuscade || **–дка** *s.* (*gpl.* -док) planting || **–жива-ть** II. *va.* (*Pf.* -д=и́ть I. 1. [a & c]) to plant, to set; to drive in; **~ в тюрьму́** to clap into prison.
заса́лива-ть II. *va.* (*Pf.* заса́л=ить II.) to grease, to make greasy; (*Pf.* засол=и́ть II. [a]) to salt.
заса́рива-ть II. *va.* (*Pf.* засор=и́ть II. [a & c]) to block up, to choke up.
за́св/етло *ad.* by daylight || **–е́чива-ть** II. *va.* (*Pf.* -ет=и́ть I. 2. [a & c]) to light, to kindle || **–иде́тельствование** *s.* witnessing, testifying.
засе́в *s.* sowing; **вре́мя –а** seed-time.
засева́-ть II. *va.* (*Pf.* засе́-ять II.) (to begin) to sow.
засед/а́ние *s.* sitting, session || **–а́тель** *s. m.* assessor || **–а́-ть** II. *vn.* to have a seat; to sit, to take one's seat; (*Pf.* засе́сть 44.) to lie in ambush; to stick fast; to remain.
за́сек/а *s.* abattis || **–а́-ть** II. *va.* (*Pf.* засе́чь [√сек] 18.) to make a cut in; to whip to death.
за/селе́ние *s.* peopling || **–селя́-ть** II. *va.* (*Pf.* -сел=и́ть II. [a & c]) to people, to populate.
за/се́сть *cf.* **–седа́ть** || **–се́чь** *cf.* **–сека́ть** || **–се́ять** *cf.* **–сева́ть.**
заскору́злый *a.* shrivelled, shrunken.
засла́ть *cf.* **засыла́ть.**
засл/о́нка *s.* (*gpl.* -нок) oven-door; fire-door || **–оня́-ть** II. *va.* (*Pf.* -он=и́ть II. [a & c]) to screen, to prevent seeing; to cover.
заслу́/га *s.* merit, deserts *pl.* || **–жённый** *a.* very worthy, deserving || **–жива-ть** II. *va.* (*Pf.* -ж=и́ть I. [c]) to merit, to deserve; to earn || **–шива-ть** II. *va.* (*Pf.* -ша-ть II.) to hear || **~ся** *vr.* (чего́) never to be weary of listening to, to listen with delight to.
засм/а́трива-ть II. *va.* (*Pf.* -отр=е́ть II. [c]) to look in(to) || **~ся** *vn.* (на что) to look with delight at.
засну́ть *cf.* **засыпа́ть.**
засо́в/ & **–а** *s.* bolt, bar || **–ыва-ть** II. *va.* (*Pf.* засу́н-уть I.) to shove in, to thrust in.
засоли́ть *cf.* **заса́ливать.**
засори́ть *cf.* **заса́ривать.**
засо́с *s.* quagmire; **целова́ться в ~** to kiss rapturously.
засо́хнуть *cf.* **засыха́ть.**
засп=а́ть II. 7. [a] *va.* to smother while asleep.
засро́чный *a.* beyond the term.
заста́ва *s.* barrier, gate, turnpike.

заставáть 39. *va.* (*Pf.* застáть 32.) to find, to meet with.
застáвка *s.* (*gpl.* -вок) screen, shelter.
заставля́-ть II. *va.* (*Pf.* застáв=ить II. 7.) to force, to compel; to oblige, to cause, to make.
застáива-ть II. *va.* (*Pf.* засто=я́ть II. [a]) to assist, to defend || **~ся** *vn.* to stand too long; to grow stagnant.
застарéлый *a.* inveterate.
застáть *cf.* **заставáть.**
застёгива-ть II. *va.* (*Pf.* застегн-у́ть I.) to button, to buckle, to clasp.
застёжка *s.* (*gpl.* -жек) clasp, hasp, hook.
застéн/ок *s.* (*gsg.* -нка) back room; (formerly) torture-chamber || **–чивый** *a.* timid, bashful, shy.
застигá-ть II. *va.* (*Pf.* засти́гнуть 52. & засти́чь 15.) to overtake, to surprise; to come upon.
застилá-ть II. *va.* (*Pf.* застлáть 9.) to cover, to sheathe, to lay.
застóй *s.* stagnation, stagnancy.
застóль/ный *a.* table-, meal- || **–ное** (*as s.*) (daily) allowance (for board).
застоя́ть *cf.* **застáивать.**
застрáивать = **застрóивать.**
застрах/овáние *s.* insurance || **–óвыва-ть** II. *va.* (*Pf.* -о+вáть II. [b]) to insure.
застрáщ/ива-ть II. *va.* (*Pf.* -á-ть II.) to intimidate.
застревáть = **застрявáть.**
застрéл/ива-ть II. *va.* (*Pf.* застрел=и́ть II. [c]) to shoot (dead) || **–ьщик** *s.* (*mil.*) rifleman, skirmisher.
застревá-ть II. *vn.* (*Pf.* застря́нуть 52. to stick fast.
застрóива-ть II. *va.* (*Pf.* застрó=ить II.) to build up; to block up a view by building.
застрóйка *s.* (*gpl.* -óек) building up; buildings *pl.*
застý/да *s.* catching cold; cooling down || **–жива-ть** II. *va.* (*Pf.* -д=и́ть I. 1. [c]) to catch (a) cold; to chill, to allow to cool.
зáступ *s.* spade.
за/ступá-ть II. *va.* (*Pf.* -ступ=и́ть II. 7. [c]) to replace one; to stand instead of || **~ся** *vn.* (за + *A.*) to take one's part.
застýпник *s.* interceder; defender.
застывá-ть II. *vn.* (*Pf.* засты́н-уть I.) to freeze, to congeal; to get cold; to coagulate.
засýнуть *cf.* **засóвывать.**
зáсуха *s.* drought, dryness.
засýшива-ть II. *va.* (*Pf.* засуш=и́ть I. [a & c]) to dry (up).
засылá-ть II. *va.* (*Pf.* заслáть 40.) to send off, to banish.
засыпá-ть II. *va.* (*Pf.* засы́п-ать II. 7.) to strew; to cover up, to fill up; **~ вопрóсами** to overwhelm with questions || **~** *vn.* (*Pf.* засн-у́ть I. [a]) to fall asleep.
засыхá-ть II. *vn.* (*Pf.* засóхнуть 52.) to dry up; to wither.
затáпливать = **затопля́ть.**
затáптыва-ть II. *va.* (*Pf.* затопт=áть I. 2. [c]) to tread down, to trample on; to dirty by treading on.
затáскива-ть II. *va.* (*Pf.* затаскá-ть II.) to wear out; (*Pf.* затащ=и́ть I. [c]) to drag away; (когó к себé) to draw in.
затвердéлый *a.* hardened.
затвéржива-ть II. *va.* (*Pf.* затверд=и́ть I. 1. [a]) to learn by heart.
затвóр *s.* bolt, bar.
затвóрник *s.* hermit, recluse.
затворя́-ть II. *va.* (*Pf.* затвор=и́ть II. [c]) to shut, to close.
затевá-ть II. *va.* (*Pf.* затé-ять II.) to devise, to contrive; to plot, to project.
затéй/ливый *a.* ingenious, inventive; fanciful, fantastic || **–ник** *s.* inventor, cunning fellow; wag.
затекá-ть II. *vn.* (*Pf.* затéчь 18.) to fill, to swell; to flow in; to penetrate.
затéм *ad.* thereupon, whereupon; subsequently; **~ что** because, whereas, since; **~ чтóбы** in order to, to.
затем/нéние *s.* obscuration || **–ня́-ть** II. *va.* (*Pf.* -н=и́ть II. [a]) to darken, to obscure.
затеня́-ть II. *va.* (*Pf.* затен=и́ть II.) to overshadow, to shade.
затéп/лива-ть II. *va.* (*Pf.* -л=ить II.) to light.
затерéть *cf.* **затирáть.**
затéрива-ть II. *va.* (*Pf.* затеря́-ть II.) to lose, to mislay || **~ся** *vn.* to get lost, to be mislaid.
затéчь *cf.* **затекáть.**
затé/я *s.* (*us. in pl.*) contrivance, plot; fancy, caprice || **–ять** *cf.* **затевáть.**
затирá-ть II. *va.* (*Pf.* затерéть 14.) to rub over; to sqeeze in.
зати́скива-ть II. *va.* (*Pf.* зати́ска-ть II. & зати́сн-уть I.) to squeeze in; to press in.
затихá-ть II. *vn.* (*Pf.* зати́хн-уть I.) to grow calm, to abate, to grow still, to cease.
зати́шь/ *s. f.* & **–е** *s.* calmness, quiet, stillness.
заткнýть *cf.* **затыкáть.**
затмевá-ть II. *va.* (*Pf.* затм=и́ть II. 7. [a]) to eclipse, to obscure.
затмéние *s.* eclipse.
затó *ad.* for; on the other hand.
затон-ýть I. [c] *vn.* *Pf.* to be submerged.

затопля́-ть II. *va.* (*Pf.* затоп=и́ть II. 7. [c]) to heat (a stove); to drown, to sink; to submerge, to overflow.
затопта́ть *cf.* **зата́птывать.**
зато́р *s.* mash (in brewing); throng.
заточа́-ть II. *va.* (*Pf.* заточ=и́ть I. [a]) to confine, to incarcerate; to exile, to banish. [banishment.
заточе́ние *s.* confinement, incarceration;
затра́влива-ть II. *va.* (*Pf.* затрав=и́ть II. 7. [a & c]) to bait, to hunt down; to fire off (a cannon).
затрапе́зный *a.* of ticking; table-.
затра́та *s.* expense, outlay; use (of capital).
затра́чива-ть II. *va.* (*Pf.* затра́т=ить I. 2.) to expend, to disburse, to lay out (a sum). [ear.
затре́щина *s.* a severe blow, a box on the
затро́гива-ть II *va.* (*Pf.* затро́га-ть II. & затро́н-уть) to touch, to touch on; to
затру́ *cf.* **затира́ть.** [provoke.
затруд/не́ние *s.* embarrassment, perplexity; hindrance || **-ни́тельный** *a.* difficult, troublesome; embarrassing, perplexing || **-ня́-ть** II. *va.* (*Pf.* -н=и́ть II. [a]) to embarrass, to perplex; to impede, to hinder || **~ся** *vr.* to be embarrassed, perplexed; to meet with obstacles.
затупля́-ть II. *va.* (*Pf.* затуп=и́ть II. 7. [a & c]) to blunt, to dull.
затуха́-ть II. *vn.* (*Pf.* зату́хнуть 52.) to go out, to be extinguished.
затуша́-ть II. *va.* (*Pf.* затуш=и́ть I. [a & c]) to extinguish, to put out.
затушёвыва-ть II. *va.* (*Pf.* затуше+ва́ть II. [b]) to ink over || **~ся** *vr.* to dis-
за́тхлый *cf.* **за́дхлый.** [appear.
затыка́-ть II. *va.* (*Pf.* заткн-у́ть I. [a]) to stop (up), to choke up; to obstruct; **~ про́бкою** to cork.
заты́л/ок *s.* (*gsg.* -лка) nape (of the neck), scruff || **-очный** *a.* of the nape (of the neck). [cork, plug.
заты́чка *s.* (*gpl.* -чек) stopper, bung,
затя́гива-ть II. *va.* (*Pf.* затян-у́ть I. [c]) to tighten, to straiten, to draw close; to implicate, to involve; to protract, to delay; to strike up (a tune) || **~** *v.imp.* to heal over (of a wound).
затя́жка *s.* (*gpl.* -жек) tightening, drawing, bracing; protraction, delay; string (for pulling); whiff (of a pipe); healing up (of a wound). [alley.
зау́лок *s.* (*gsg.* -лка) side-street, blind-
зауны́вный *a.* doleful, mournful,
заря́дный *a.* ordinary, temporary; sub-
заусе́ница *s.* agnail. [stitute.
зау́тр/а *ad.* (*vulg.*) to-morrow morning, next morning || **-еня** *s.* matins *pl.*
заучá-ть II. *va.* (*Pf.* зауч=и́ть I. [c]) to learn by heart.
зау́ш/ина *s.* a box on the ear || **-ник** *s.* sidepiece of spectacles || **-ный** *a.* behind the ear.
зафрахто́выва-ть II. *va.* (*Pf.* зафрахто+ва́ть II. [b]) to charter (a vessel).
заха́жива-ть II. *vn.* (*Pf.* заход=и́ть I. 1. [c]) to walk up and down.
захв/а́т *s.* hold, grasp; seizure, usurpation; booty || **-а́тыва-ть** II. *va.* (*Pf.* -ат=и́ть I. 1. [c]) to catch; to seize, to grasp; to surprise, to take unawares; to usurp, to take by force || **-ора́-ть** II. *vn.* *Pf.* to fall ill.
захл/ёбыва-ть II. *va.* (*Pf.* -ебн-у́ть I. [a]) (чем) to drink after || **~ся** *vn.* to choke o.s. (with) || **-ёстыва-ть** II. *va.* (*Pf.* -есн-у́ть I. [a]) to whip; to besprinkle || **-о́пыва-ть** II. *va.* (*Pf.* -опн-уть I.) to shut with a bang.
захо́д *s.* setting; **~ со́лнца** sunset.
заход=и́ть I. 1. [c] *vn.* (*Pf.* зайти́ 48. [a 2.]) to go in, to come in; to approach; to call on, to give a call; (за что) to go behind, to hide; to set (of stars); to advance, to go far; **речь зашла́** (о + *Pr.*) the conversation turned on (*cf.* заха́живать).
захо́жий *a.* visiting || **~** (*as s.*) caller.
захолу́стье *s.* lonely place.
заце́пка *s.* (*gpl.* -пок) hooking, grappling; small hook; (*fig.*) cavilling.
зацепля́-ть II. *va.* (*Pf.* зацеп=и́ть II. 7. [c]) (за что) to hook, to grapple; to provoke; (кого́) to pick a quarrel with.
зачаст/и́ть *cf.* **зачаща́ть** || **-у́ю** *ad.* often, frequently.
зача́т/ие *s.* beginning; conception || **-ок** *s.* (*gsg.* -тка) beginning; germ; rudiment || **-ь** *cf.* **зачина́ть.**
зачаща́-ть II. *vn.* (*Pf.* зачаст=и́ть I. 4. [a]) (to begin) to frequent, to visit often.
заче́м *ad.* why, wherefore, for what reason.
зачёркива-ть II. *va.* (*Pf.* зачеркн-у́ть I. [a]) to cross out, to strike out, to cancel.
заче́рнива-ть II. *va.* (*Pf.* зачерн=и́ть II. [a]) to blacken, to dirty.
заче́рпыва-ть II. *va.* (*Pf.* зачерпн-у́ть I. [a]) to scoop, to ladle.
зачерстве́лый *a.* coarse (of manners); stale, hard (of bread).

зачéсть *cf.* **зачитáть.**
зачёсыва-ть II. *va.* (*Pf.* зачес-áть I. 3. [c]) to comb back; ~ **гóлову** to be nonplussed.
зачёт/s. instalment; compensation, set-off || **-ный** *a.* of instalment; on account.
зачинá-ть II. *va.* (*Pf.* зачáть [γ/чн] 34.) to begin, to commence; to conceive (of a woman), to become pregnant.
зачи́н/ива-ть II. & **зачиня́-ть** II. *va.* (*Pf.* зачин=и́ть II. [c]) to mend, to repair, to patch || **-щик** *s.* author, ringleader, instigator.
зачисл/éние *s.* reckoning in; enrolling || **-я́-ть** II. *va.* (*Pf.* зачи́сл=нть II.) to reckon in; to count out (to), to balance; (*mil.*) to enlist, to enrol.
зáчисто *ad.* (*vulg.*) for ready cash; net.
зачитá-ть II. *va.* (*Pf.* зачéсть [γ/чт] 24.) to put on account, to reckon in; to set off.
зачи́тыва-ть II. *va.* (*Pf.* зачитá-ть II.) to begin to read (a book); to soil by reading; to keep a book lent one || **~ся** *vr.* to read a thing up; to be absorbed (in).
зачну́ *cf.* **зачинáть.**
зачумля́-ть II. *va.* (*Pf.* зачум=и́ть II. 7. [a] to taint, to infect (with plague).
заш/éек *s.* (*gsg.* -éйка) the nape (of the neck) || **-éина** *s.* a blow from behind.
зашёл, зашлá *cf.* **заходи́ть.**
зашибá-ть II. *va.* (*Pf.* зашиби́ть 51. [a 1.]) to hurt, to wound || ~ *vn.* to be addicted to drink.
зашивá-ть II. *va.* (*Pf.* заши́ть 27.) to sew up.
зашнурóвыва-ть II. *va.* (*Pf.* зашнуро+вáть II. [b]) to lace up.
зашпи́ливать *cf.* **шпи́лить.**
заштáтный *a.* supernumerary.
заштóпывать *cf.* **штóпать.**
заштук/ату́рива-ть II. *va.* (*Pf.* -ату́р=ить II.) to plaster up.
зашью́ *cf.* **зашивáть.**
защёлк/а *s.* (*gpl.* -лок) latch || **-ива-ть** II. *va.* (*Pf.* -н-уть I.) to latch.
защéмлива-ть II. & **защемля́-ть** II. *va.* (*Pf.* защем=и́ть II. 7. [a]) to pinch, to nip.
защи́т/а *s.* defence, protection, guard || **-и́тельный** *a.* defensive, protective || **-ник** *s.* defender, protector.
защи/щá-ть II. *va.* (*Pf.* -т=и́ть I. 6. [a]) to protect; to defend.
заяви́тель *s. m.* deponent, declarer.
зая́в/ка *s.* (*gpl.* -вок) & **-лéние** *s.* deposition, testimony || **-ля́-ть** II. *va.* (*Pf.* заяв=и́ть II. 7. [c]) to depose, to state, to testify; to announce, to declare; to manifest, to exhibit.
зáя/ц *s.* (*gsg.* зáйца) hare; stowaway || **-чий** (-ья, -ье) *a.* hare's, hare-.
звá/ние *s.* calling, summons *pl.*; vocation; state || **-тельный** *a.*, ~ **падéж** (*gramm.*) vocative (case) || **-ть** 10. *va.* *Pf.* по-) (к + *D.* or на + *A.*) to call, to invite, to bid, to summon (to); (*Pf.* на-) (+ *I.*) to call, to name; **меня́ зову́т Петрóм** I am called Peter, my name is Peter.
звездá *s.* [d] (*pl.* звёзды, *etc.*) star.
звёздный *a.* star-, starry, stellar.
звездо/обрáзный *a.* star-shaped, star-like || **-чёт** *s.* astrologer.
звёздочка *s.* (*gpl.* -чек) small star.
звен=éть II. [a] *vn.* (*Pf.* за-, про-) to sound, to ring, to tinkle.
звенó *s.* [d] (*pl.* звéнья, -ьев) link (of a chain).
звер/ёк *s.* [a] (*gsg.* -рькá) *dim. of* зверь || **-и́нец** *s.* (*gsg.* -нца) menagerie || **-и́ный** *a.* of wild beasts || **-олóв** *s.* hunter || **-олóвство** *s.* hunting, chase || **-оподóбный** *a.* like an animal, beastly, cruel.
звéр/ский *a.* brutal || **-ство** *s.* (*fig.*) brutality, ferocity || **-ь** *s. m.* wild beast, animal || **-ьё** *s. coll.* wild beasts *pl.*
звон/ *s.* ringing, ringing of bells; tinkling || **-áрь** *s. m.* [a] bell-ringer.
звон=и́ть II. [a] *va.* (*Pf.* по-) to ring, to toll.
звóн/кий *a.* (*pdc.* звóнче) sounding, sonorous || **-кость** *s. f.* sonority || **-óк** *s.* [a] (*gsg.* -нкá), *dim.* **-óчек** *s.* (*gsg.* -чка) bell, hand-bell, little bell.
звук/ *s.* sound; clang, clashing; noise || **-овóй** *a.* sound-, phonetic || **-оподражáтельный** *a.* onomatopoetic.
звуч=áть I. [a] *vn.* (*Pf.* про-) to sound, to resound.
зву́чный *a.* sonorous, sounding.
звя́ка-ть II. *vn.* (*Pf.* звя́кн-уть I.) to tinkle, to jingle.
зга *s.* (*obs.*), **ни зги не ви́дно** it's pitch-dark; **он зги не ви́дит** he is as blind as a bat.
здáние *s.* building, edifice.
зде/сь *ad.* here || **´шний** *a.* of, from here, of this place; native.
здорó/ва-ться II. *vrc.* (*Pf.* по-) (с кем) to greet, to wish good morning (good day) to || **-вéнный** *a.* robust, hardy || **-вé-ть** II. *vn.* (*Pf.* по-) to recover one's health || **-виться** *v.imp.*, **мне не -вится** I don't feel well || **-вый** *a.* healthy; wholesome, sound; salubrious || **-во** *ad.*, ~! good morning! **бу́дьте -вы** bye-bye || **-вье** *s.* health; **на** ~! good luck! good health! || **-вя́к** *s.* [a] a robust healthy man.

здра́в/ие = **здоро́вье** || **–омы́слящий** *a.* sane, sagacious || **–ство+вать** II. *vn.* to be in good health; **–ствуй(те)**! good morning! || **–ый** *a.* sound, sane; judicious, prudent.
зе́бра *s.* zebra.
зев *s.* mouth, jaws *pl.*; throat, gullet.
зева́ка *s. m&f.* yawner, gaper, starer.
зева́-ть II. *vn.* (*Pf.* зевн-у́ть I. [a]) to yawn, to gape.
зев/о́к *s.* [a] (*gsg.* -вка́) gape, yawn; mistake, slip || **–о́та** *s.* fit of yawning || **–у́н** *s.* [a], **–у́нья** *s.* yawner.
зелен/е́-ть II. *vn.* (*Pf.* за-, по-) to grow, to turn green || **–но́й** *a.* of greens, of vegetables; **–на́я (ла́вка)** greengrocery || **–ова́тый** *a.* greenish || **–щи́к** *s.*, **–щи́ца** *s.* greengrocer.
зелёный *a.* green, verdant.
зе́лень *s. f.* verdure, green (colour); vegetables *pl.*; greens *pl.* (*fig.*) weeds *pl.*
зе́л/ие & **–ье** *s.* herbs, simples *pl.*; (*also*
земе́ль/ка *s.* (*gpl.* -лек) piece of land || **–ный** *a.* land-, of land.
зе́мец *s.* (*gsg.* -мца) peasant, tenant; member of the Zemstvo.
земле/владе́лец *s.* (*gsg.* -льца) & **–владе́тель** *s. m.* land-owner || **–де́лец** *s.* (*gsg.* -льца) agriculturist, husbandman, farmer || **–де́лие** *s.* agriculture, husbandry, farming || **–ко́п** *s.* digger, excavator; navvy || **–ме́р** *s.* land-surveyor || **–ме́рие** *s.* land-surveying || **–описа́ние** *s.* geography || **–па́шец** *s.* (*gsg.* -шца) agriculturist, husbandman || **–трясе́ние** *s.* earthquake || **–черпа́(те)льный** *a.* dredging-; **–ная маши́на** dredger.
земл/и́стый *a.* earthy, consisting of earth || **–я́** *s.* [f] earth; ground, land, soil; country || **–я́к** *s.* [a] (fellow-) countryman || **–яни́ка** *s.* strawberry || **–яни́чный** *a.* strawberry- || **–я́нка** *s.* (*gpl.* -нок) mud-hut || **–яно́й** *a.* earth, earthen, earthy || **–я́чка** *s.* (*gpl.* -чек) (fellow-) countrywoman.
земн/ово́дный *a.* amphibious || **–о́й** *a.* earth-, terrestrial, earthly.
зе́м/ский *a.* territorial; provincial || **–ство** *s.* district assembly; *coll.* the members of the district assembly.
зени́т *s.* zenith.
зе́ркал/о *s.* mirror, looking-glass || **–ьце** *s.* hand-mirror.
зе́рка́льный *a.* reflecting; mirror-.
зерн/и́стый *a.* grainy, granular, granulated || **–о́** *s.* [d] (*pl.* зёрна) grain, corn; kernel, pip || **–ово́й** *a.* corny, corn-, grain-.
зёрнышко *s.* (*gpl.* -шек) *dim.* granule, small grain; pip.
зерца́ло *s.* (*sl.*) the mirror of justice.
зефи́р *s.* zephyr; Berlin wool.
зигза́г *s.* zigzag.
зижди́тельный *a.* creative.
зим/а́ *s.* [f] winter; **–о́ю** in winter.
зи́м/ний *a.* winter, wintry || **–о+ва́ть** II. [b] *vn.* (*Pf.* за-, про-) to winter, to pass, to spend the winter || **–о́вка** *s.* (*gpl.* -вок) wintering, hibernation || **–о́вье** & **–овьё** *s.* winter-place, winter-quarters *pl.*
зипу́н/ *s.* [a] & **–и́шка** *s.* (*gpl.* -шек) peasant's smock.
зия́-ть II. *vn.* to gape, to yawn, to open (up).
злак *s.* plant; (*in pl.*) grass; **хле́бные ⁓и** cereals *pl.*
злато/ку́дрый *a.* with golden curls || **–у́стый** *a.* (very) eloquent || **–цве́т** *s.* chrysanthemum, marigold.
зла́чный *a.* grassy, fertile (of a meadow).
зл=ить II. *va.* (*Pf.* обо-, разо-) to irritate, to anger, to provoke || **~ся** *vn.* to grow furious, angry.
зло/ *s.* (*gpl.* зол) evil, harm, mischief, wrong || **~** *ad.* wickedly, spitefully, maliciously || **⁓ба** *s.* wickedness, spite, malice, evil; **~ дня** the crying evil of the day || **⁓бный** *a.* malicious, wicked; evil-minded || **–ве́щий** *a.* ominous, ill-omened, inauspicious || **–во́ние** *s.* stench, stink || **–во́нный** *a.* stinking || **–вре́дный** *a.* hurtful, noxious, pernicious || **–де́й** *s.*, **–де́йка** *s.* (*gpl.* -е́ек) rascal, wretch, villain || **–де́йство** *s.* villainy, crime || **–дея́ние** *s.* misdeed, crime.
злой *a.* (*pd.* зол, зла, зло, злы; *comp.* зле́е) ill, bad, malignant, wicked; angry.
зло/ка́чественный *a.* (*med.*) malignant || **–ключе́ние** *s.* mishap || **–ко́зненный** *a.* insidious, wily || **–наме́ренный** *a.* ill-meaning, ill-intentioned || **–нра́вие** *s.* ill-temper || **–нра́вный** *a.* ill-tempered || **–па́мятливый** & **–па́мятный** *a.* revengeful, spiteful || **–полу́чие** *s.* misfortune, ill-luck, disaster || **–полу́чный** *a.* unfortunate, disastrous; ill-starred || **–ра́дный** *a.* malevolent, rejoicing at another's misfortune || **–сло́вие** *s.* calumny || **–сло́в=ить** II. 7. *va.* to calumniate, to slander || **–сло́вный** *a.* calumnious, slanderous.
зло́ст/ный *a.* ill-minded; fraudulent (of a bankrupt) || **–ь** *s. f.* malice, maliciousness; wickedness.
зло/сча́стье *s.* misfortune, ill-luck || **–сча́стный** *a.* unfortunate, unlucky

|| **-тво́рный** *a.* harmful, pernicious || **-умышле́ние** *s.* evil intention, malevolence || **-умы́шленный** *a.* ill-willed, malevolent || **-умышля́-ть** II. *vn.* (*Pf.* -умы́слить 41.) to plot evil, to think evil || **-употребля́-ть** II. *va.* (*Pf.* -употреб=и́ть II. 7. [a]) (что чем) to abuse, to misuse; to misapply.

злю/ка *s.* & **-чка** *s. m&f.* (*gpl.* -чек) malicious person || **-щий** (-ая, -ее) *a.* wrathful; angry.

зме/еви́дный *a.* snake-like || **-ёк** *s.* (*gsg.* змейка́) small dragon; kite || **-ёнок** *s.* (*pl.* -я́та) young snake || **-и́ный** *a.* snake's, serpent's.

змей/ *s.* dragon; **бума́жный ~** kite || **˗ка** *s.* (*gpl.* -ёек) small snake.

змея́ *s.* [e] serpent, snake.

знава́ть *iter. of* знать.

знай *ad.* without more ado; **то и ~** continually.

знак/ *s.* sign, token, indication || **-о́мец** *s.* (*gsg.* -мца), **-о́мка** *s.* (*gpl.* -мок) an acquaintance || **-о́м=ить** II. 7. *va.* (*Pf.* по-) to make acquainted, to introduce to || **~ся** *vr.* (с + *I.*) to make the acquaintance (of), to become acquainted (with) || **-о́мство** *s.* acquaintance || **-о́мый** *a.* acquainted; known, familiar || **~** (*as s.*) an acquaintance.

знамена́тель/ *s.m.* (*math.*) denominator **-ный** *a.* denominative; significant.

зна́мен/ие *s.* sign, token; apparition || **-и́тый** *a.* celebrated, famous, renowned || **-о+ва́ть** II. (b) *va.* to signify, to indicate || **-оно́сец** *s.* (*gsg.* -сца) & **˗щик** *s.* standard-bearer, ensign.

зна́/мо *ad.* as is well-known || **-мый** *a.* known, well-known; **-мое де́ло** that's well-known.

зна́мя *s. n.* [b] (*G., D., Pr.* зна́м=ени, *I.* -енем; *pl.* знамёна, -ён, etc.) standard, banner.

зна́ние *s.* knowledge, learning.

зна́т/ный *a.* eminent, illustrious || **-о́к** *s.* [a] (в + *Pr.*) connoisseur, judge, expert (of). ;**~** *ad.* apparently, it seems.

знать *s.f. coll.* people of quality, high life ||

зна-ть II. *va.* (*Pf.* у-) to know, to understand, to be aware of; to find out; **дать ~** to let know || **~ся** *vrc.* to be acqainted (with,) to consort (with).

знаха́рка *s.* (*gpl.* -рок) sorceress, witch.

зна́харь *s. m.* [& a] sorcerer, conjurer.

знач/е́ние *s.* signification, meaning; importance, consequence || **-и́тельный** *a.* of importance, important, of note.

зна́ч=ить I. *va.* to signify, to mean; **э́то ничего́ не зна́чит** it's of no importance.

значо́к *s.* [a] (*gsg.* -чка́) small sign; pennon.

зна́ющий (-ая, -ее) *a.* knowing, expert, skilful; learned, versed.

зноб *s.* & **-ь** *s. f.* shivering, chilliness.

зноб=и́ть II. 7. [a] *va.* (*Pf.* за-) to chill, to freeze || **~** *v.imp.* to freeze, to be cold.

зно́бкий *a.* chilly.

зной/ *s.* sultriness, heat || **˗ный** *a.* sultry, hot.

зоб *s.* crop, craw (of birds).

зов *s.* call, invitation.

зову́ *cf.* **звать.**

зодиа́к *s.* (*astr.*) zodiac.

зо́дч/еский *a.* architectural || **-ество** *s.* architecture || **-ий** (*as s.*) architect.

зол *cf.* **злой.**

зола́ *s.* [e] ash(es), embers *pl.*

золо́вка *s.* (*gpl.* -вок) sister-in-law (husband's sister).

золот/а́рь *s.m.* gilder (of wood); (*fam.*) scavenger || **-и́льщик** *s.* gilder || **-и́стый** *a.* of a golden colour, like gold || **-ни́к** *s.* zolotnik (96th part of a Russian pound).

золот=и́ть I. 2. [a & c] *va.* (*Pf.* по-, вы́-) to gild.

зо́лот/о *s.* gold; **рубль -ом** a gold rouble || **-о́й** *a.* golden, of gold, gold || **~** (*as s.*) gold piece || **-оно́сный** *a.* gold-bearing, auriferous || **-ошве́йный** *a.* embroidered in gold || **-у́ха** *s.* scrofula, king's evil || **-у́шный** *a.* scrofulous.

золоч/е́ние *s.* gilding || **-ёный** *a.* gilt.

зо́льный *a.* ash-.

зо́на *s.* zone.

зонд *s.* (*med.*) probe.

зо́нтик *s.* umbrella, parasol.

зоо́л/о́г *s.* zoologist || **-оги́ческий** *a.* zoological; **~ сад** zoological garden, the Zoo || **-о́гия** *s.* zoology.

зо́р/ька *s.* (*gpl.* -рек), **-енька** *s.* (*gpl.* -нек), **-юшка** *s.* (*gpl.* -шек) *dim. of* заря́ || **-кий** *a.* (*comp.* зо́рче) sharp-sighted, keen of sight || **-я́ = заря́.**

зрачо́к *s.* [a] (*gsg.* -чка́) pupil (of the eye).

зре́л/ище *s.* spectacle, show, scene || **-ость** *s.f.* ripeness, maturity || **-ый** *a.* ripe, mature.

зре́ние *s.* (eye-)sight; ripening, maturing.

зр=еть II. *va.* (*Pf.* у-) to see, to look at.

зре-ть II. *vn.* (*Pf.* со-) to ripen, to mature.

зри́тель/ *s.m.*, **-ница** *s.* spectator, onlooker, looker-on || **-ный** *a.* of sight, visual; **-ная труба́** telescope.

зря/ *ad.* (*vulg.*) at random, carelessly || **˗чий** (-ая, -ее) *a.* seeing.

зуб/ *s.* [c] tooth || **~** *s.* (*pl.* зу́бья, -ьев) tooth, cog (of wheels, etc.) || **-а́стый** *a.*

with large sharp teeth; (*fig.*) quarrelsome || **-éц** *s.* [a] (*gsg.* -бцá) tooth, cog; battlement || **-úло** *s.* calking-iron, chisel || **-нóй** *a.* tooth-, dental || **-óк** *s.* [a] (*gsg.* -бкá) & **-óчек** *s.* (*gsg.* -чка) *dim. of* зуб || **-оскáл** *s.*, **-оскáлка** *s.* (*gpl.* -лок) scoffer, jeerer || **-оскáл=ить** II. *vn.* to sneer, to scoff || **-отычина** *s.* cuff, punch in the jaw || **-очúстка** *s.* (*gpl.* -ток) tooth-pick; tooth-brush || **-очúстный** *a.* for cleaning the teeth.

зубр *s.* aurochs.

зубр=úть II. [a & c] *va.* (*Pf.* вы́-) to tooth, to indent; (*fig.*) to cram, to learn mechanically.

зубчáтый *a.* toothed; cogged, indented; [cog-.

зуд *s.* itch(ing).

зуд=éть II. [a] *vn.* to itch.

зыб-áть I. 1. 7. [b] *va.* to swing, to rock.

зы́б/кий *a.* (*comp.* зы́бче) shaky; boggy, marshy || **-ь** *s.f.* swell, surge; undulating movement; swell (of sea).

зык *s.* cry; noise.

зычный *a.* sonorous.

зюзю́ка-ть II. *vn.* (*Pf.* за-) to lisp.

зю́зя *s.m&f.* (*vulg.*) tippler, toper; whimperer.

зя́б/кий *a.* chilly || **-лый** *a.* frost-bitten **-нуть** 52. *vn.* (*Pf.* про-, о-) to feel cold; (*Pf.* за-, по-) to freeze (to death).

зятёк *s.* [a] (*gsg.* -тькá) *dim. of* зять.

зя́т/ин *a.* of the son-in-law || **-ь** *s. m.* [b] (*pl.* зят(ев)ья́, -ёй, etc.) son-in-law; brother-in-law (sister's husband) || **-ю́шка** *s.m.* (*gpl.* -шек) dear son- *or* brother-in-law.

И

и *c.* and, also; (хотя́) although; (да́же) even; therefore, in consequence; **и . . . и** both . . . and.

и́бис *s.* ibis.

и́бо *c.* (*obs.*) for, because.

и́в/а *s.* willow; **плаку́чая ~** weeping-willow || **-овый** *a.* willow.

и́волга *s.* oriole.

игл/á *s.* [e] needle; thorn; quill, prickle **-и́стый** *a.* prickly, thorny.

и́го *s.* yoke; (*fig.*) oppression, servitude.

игóл(оч)к/а *s. dim.* needle; (**тóлько-что**) **с игóлочки** brand-new.

игóлочный *a.* needle.

игóль/ник *s.* needle-case || **-чатый** *a.* needle-shaped; needle-; **-чатое ружьё** needle-gun || **-щик** *s.* needle-maker.

игóрный *a.* playing, gambling; **~ дом** gambling-house, gambling-den.

игрá/ *s.* [d] playing, play, game; **~ в кáрты** card-playing; **~ в шáшки** draughts; **~ в шáхматы** chess; **~ на бильярде** *или* **в бильярд** billiards *pl.*; **~ не стóит свеч** the game isn't worth the candle || **-льный** *a.* playing, for playing.

игрá-ть II. *vn.* (*Pf.* про-, сыгрáть) to play; **~ в кáрты** to play cards; **~ на скри́пке** to play the violin; (*fig.*) to sparkle, to foam; **винó игрáет** the wine is sparkling || **~** *va.* to play, to act (a part); to sing (a song).

игри́в/ость *s. f.* sportiveness, playfulness; liveliness || **-ый** *a.* frolicsome, sportive, playful, jocose; lively.

игри́стый *a.* sparkling, foaming (of drinks).

игрóк *s.* [a] player; gambler.

игру́н/ *s.* [a], **-ья** *s.* playful, frolicsome person.

игру́ш/ечка *s.* small toy, plaything || **-ка** *s.* toy, plaything.

игу́мен/ *s.* abbot || **-ья** *s.* abbess; mother superior || **-ство** *s.* abbotship.

идеáл/ *s.* ideal || **-изи́ро+вать** *va.* II. to idealize || **-и́зм** *s.* idealism || **-и́ст** *s.*, **-и́стка** *s.* idealist || **-ьный** *a.* ideal.

идéя *s.* idea.

идилли́ческий *a.* idyllic.

иди́ллия *s.* idyll.

идиосинкрази́я *s.* idiosyncrasy.

идиóт/ *s.*, **-ка** *s.* idiot || **-и́зм** *s.* idiom, idiomatic expression.

и́дол/ *s.* idol, false god || **-опоклóнник** *s.* idolater || **-опоклóнница** *s.* idolatress || **-опоклóннический** *a.* idolatrous || **-опоклóн(ниче)ство** *s.* idolatry.

и́дольский *a.* of an idol, idol's.

иду́, etc. *cf.* **итти́.**

иезуи́т/ *s.* jesuit || **-ский** *a.* jesuitical.

иерáрх/ *s.* hierarch || **-и́ческий** *a.* hierarchical || **-ия** *s.* hierarchy.

иерéй/ *s.* priest || **-ский** *a.* priestly, sacerdotal.

иероглиф/ *s.* hieroglyph || **-и́ческий** *a.* hieroglyphic.

иеромонáх *s.* monk-priest.

иждивéние *s.* costs *pl.*; expenses *pl.*; **свои́м иждивéнием** at my own expense.

из *prp.* (+ *G.*) out of, from.

избá *s.* (peasant's) house, hut.

избави́тель/ *s.m.*, **-ница** *s.* liberator, deliverer || **-ный** *a.* delivering, saving.

избавлéние *s.* delivery; rescue; liberation.

избавля́-ть II. *va.* (*Pf.* избáв=ить II. 7.) to free, to deliver, to save; to rescue; to spare; **избáви Бог!** God forbid! Heaven

forefend! || **~ся** *vr.* (от когó, чегó) to escape.
избалóвыва-ть II. *va.* (*Pf.* избало+вáть II. [b]) to pamper, to indulge, to spoil.
избегá-ть II. *vn.* (*Pf.* избежáть 46.) (чегó, когó) to avoid, to shun; to elude; to escape.
избéга-ть II. *va. Pf.* to run through, to run all over (*e.g.* the town).
избежáние *s.* avoidance, shunning.
избёнка *s.* (*dim. of* избá) miserable, wretched peasant's hut.
изберý *cf.* **избирáть.**
избивáние *s.* slaughter.
избивá-ть II. *va.* (*Pf.* избúть 27.) to smash, to beat to pieces; to kill; to destroy; to wear out.
избиéние *s.* slaughter; massacre.
избирáтель *s.m.*, **-ница** *s.* elector || **-ный** *a.* electoral; **~ гóлос** vote; **-ная вáза** ballot-box; **-ное прáво** suffrage, right to vote.
избирá-ть II. *va.* (*Pf.* избрáть 8.) to elect, to choose; to adopt (a career).
избúтый *a.* (*fig.*) hackneyed, commonplace.
избúть *cf.* **избивáть.**
избрáн/ие *s.* election; choice || **-ник** *s.*, **-ница** *s.* (the) elect; chosen one.
избрáть *cf.* **избирáть.**
избýшка *s. dim. of* избá.
избы́т/ок *s.* abundance, plenty, plentifulness || **-очно** *ad.* in abundance, in plenty.
изваяние *s.* sculpture.
изваять *cf.* **ваять.**
извéданный *a.* proven, tested.
изведéние *s.* extermination.
изведý *cf.* **изводúть.**
извéдыва-ть II. *va.* (*Pf.* извéда-ть II.) (исслéдовать) to investigate; (испытáть) to test; (узнáть) to experience.
ú̇зверг *s.* monster; outcast.
извергá-ть II. *va.* (*Pf.* извéргн-уть I.) to throw, to cast out; (о вулкáне) to erupt, to vomit.
извержéние *s.* casting out; **~ вулкáна** eruption of a volcano.
извернýться *cf.* **изворáчиваться.**
извéстие *s.* information, news.
известú *cf.* **изводúть.**
известúть *cf.* **извещáть.**
извéст/но *ad.* as is well-known, naturally || **-ный** *a.* well-known, notorious; famous, renowned; certain || **-ность** *s.f.* fame, renown, notoriety.
известня́к *s.* limestone.
ú̇звесть *s. f.* lime; **гашёная ~** slaked lime; slack-lime; **живáя ~** quicklime.
извéт *s.* denunciation; calumny.
изветшá-ть II. *vn.* to grow old; to decay.
извещá-ть II. *va.* (*Pf.* извест=úть I. 4. [a]) to inform; to advise; to communicate.
извещéние *s.* information; advice; news *pl.*; communication; **~ о получéнии** confirmation of receipt.
извúв *s.* bend; coil.
извивá-ться II. *vr.* (*Pf.* извúться 27.) to twist about; to coil; to wind, to meander; (пéред кем *fig.*) to crawl.
извúл/ина *s.* bend, curve; winding; **-инами** winding, meandering || **-истый** *a.* curved, sinuous, winding.
извин/éние *s.* excuse, pardon; apology || **-úтельный** *a.* pardonable, excusable; apologetic.
извиня́-ть II. *va.* (*Pf.* извин=úть II. [a]) (когó в чём) to pardon, to excuse, to exonerate; **извинúте!** I beg your pardon! excuse me! || **~ся** *vr.* to apologize, to excuse o.s.
извúть *cf.* **извивáть.**
извлекá-ть II. *va.* (*Pf.* извлéчь [√влек] 18.) (*chem.*) to extract; to derive; (освободúть) to extricate, to rescue; (из книг) to make an extract from; **~ пóльзу** to derive advantage.
извлечéние *s.* extract; abstract.
извнé *ad.* from without, from outside.
извнутрú *ad.* from within, from inside.
извод=úть I. 1. [c] *va.* (*Pf.* известú 22.) (истребúть) to destroy, to exterminate; (издержáть) to use up, to consume.
извóз/ *s.* carrier's trade *or* business; (дéйствие) carriage, transport || **-нича-ть** I. *vn.* to carry on a carrier's business; to act as carrier || **-чик** *s.* driver, carrier; cabman, cabby; **éхать на -чике** to take a cab, to go by cab, to cab || **-чичий** *a.* cabman's; hackney; **-чичья пролётка** hackney-cab.
изволéние *s.* pleasure, will, wish.
извóл=ить II. *va. Pf.* to be pleased, to deign; **извóльте!** if you please!
изворáчива-ться II. *vr.* (*Pf.* изворот=úться) I. 2. [c]) to extricate o.s.
изворóт/ *s.* turning (inside out); (*fig.*) shift, resource; **на ~** inside out || **-ливый** *a.* clever, resourceful.
извращá-ть II. *va.* (*Pf.* изврат=úть I. 6. [a]) to pervert, to distort, to put a false construction on (a word).
извращéние *s.* perversion, distortion.
изгáжива-ть II. *va.* (*Pf.* изгáд=ить I. 1.) to soil, to dirty; to spoil, to muddle.
изгúб *s.* bend, winding, curve; fold.

изгиба́-ть II. *va.* (*Pf.* изогн-у́ть I. [a]) to bend.
изги́бина *s.* bend, curve.
изги́бистый *a.* winding, curved, sinuous.
изгла́жива-ть II. *va.* (*Pf.* изгла́д=ить I. 1.) to smooth; to efface, to erase, to blot out.
изгна́н/ие *s.* expulsion; banishment, exile || **–ник** *s.*, **–ница** *s.* exile.
изголо́в/ок & **–ье** *s.* pillow, bolster.
изгоня́-ть II. *va.* (*Pf.* изгна́ть 11.) to drive out, away; to expel, to banish, to exile.
и́згор/ода & **–одь** *s. f.* hedge; **жива́я ~** quickset hedge.
изго/та́влива-ть II. & **–товля́-ть** II. *va.* (*Pf.* -то́в=ить II. 7.) to prepare, to get ready || **~ся** *vr.* to prepare, to get (o.s.) ready.
изгото́в/ка & **–ле́ние** *s.* preparation; getting ready; readiness; **с ружьём на –ку** ready to fire.
издава́ть 39. *va.* (*Pf.* изда́ть 38.) to emit; to exhale; (зако́н) to promulgate; (кни́гу) to publish; (звук) to produce, to give forth.
и́здавна *ad.* since long ago, a long time since.
издал/ёка & **–ека́** *ad.* from afar, from a distance.
и́здали *ad.* from afar, from a distance.
изда́/ние *s.* edition; publication || **–тель** *s. m.* publisher; editor || **–тельский** *a.* publishing; editorial.
изда́ть *cf.* **издава́ть.**
издева́тельство *s.* mockery, jeering, derision.
издева́-ться II. *vc.* (над кем) to mock (at), to jeer (at), to deride; to make fun (of), to ridicule.
издё́вка *s.* mockery, jeering, derision.
изде́лие *s.* production, manufacture.
издё́ржива-ть II. *va.* (*Pf.* издерж=а́ть I. [c]) to spend, to expend; to use up || **~ся** *vr.* to spend all one's money.
издё́ржки *s. fpl.* expenses, costs *pl.*
изде́тства *ad.* from infancy *or* childhood.
издре́вле *ad.* of old, of yore; from time immemorial.
издыха́ние *s.*, **после́днее ~** the last gasp.
издыха́-ть II. *vn.* (*Pf.* издо́хнуть 52.) to die, to expire; to breathe one's last, to give up the ghost.
изжа́рить *cf.* **жа́рить.**
изжо́га *s.* heartburn.
из-за *prp.* from behind; on account of; **~ вас** on your account; **~ чего́?** why? **~ ничего́** without any reason.
изла́влива-ть II. *va.* (*Pf.* излов=и́ть II. 7. [c]) to seize, to snatch away, to catch up; (*fam.*) to nab.
излага́-ть II. *va.* (*Pf.* излож=и́ть I. [c]) to explain; to elucidate; to expound; to demonstrate.
изла́мыва-ть II. *va.* (*Pf.* излом=и́ть II. 7. [c]) to break into bits, to smash, to break up.
излен=и́ться II. [c] *vn. Pf.* to become, to grow lazy.
излё́т *s.* the end of a flight; **пу́ля на –е** spent bullet.
излече́ние *s.* healing, cure; recovery, recuperation.
изле́чива-ть II. *va.* (*Pf.* излеч=и́ть I. [c]) to heal, to cure; to restore to health || **~ся** *vn.* to be cured, to recover, to be restored to health.
излечи́м/ость *s. f.* curability || **–ый** *a.* curable, healable.
излива́-ть II. *va.* (*Pf.* изли́ть 27., *Fut.* изолью́, -льёшь)(что из чего́) to pour out; (во *or* на что) to discharge, to empty; (на кого́ *fig.*) (гнев) to vent || **~ся** *vr.* (в + *A.*) (о реке́) to discharge (into), to flow, to fall (into), to empty.
изли́ш/ек *s.* superfluity, surplus || **–ество** *s.* excess || **–ний** *a.* excess; superfluous; useless.
излия́ние *s.* effusion; (*med.*) secretion.
излия́ть = излива́ть.
излови́ть *cf.* **изла́вливать.**
изловч=и́ться I. [a] *vr. Pf.* to manage, to contrive cleverly.
изложе́ние *s.* explanation; interpretation.
изложи́ть *cf.* **излага́ть.**
изло́м/ *s.* (*min.*) fracture || **–анный** *a.* fractured, broken.
излома́ть *cf.* **изла́мывать.**
излу́ч/ина *s.* bend, curve, turn || **–истый** *a.* curved; sinuous, winding, meandering.
излю́бленный *a.* favourite, beloved, chosen.
измара́-ть II. *va. Pf.* to dirty, to soil, to besmirch.
изма́ять *cf.* **ма́ять.**
измельча́-ть II. *va.* (*Pf.* измельч=и́ть I. [a]) to crumble, to crumb; to cut up, to mince; to fritter.
изме́на *s.* treason, treachery; **госуда́рственная ~** high treason.
измене́ние *s.* change, modification; variation.
измени́ть *cf.* **изменя́ть.**
изме́нн/ик *s.* traitor || **–ический** *a.* treacherous; treasonable || **–ичество** *s.* treachery, treason.
изме́нчивый *a.* changeable, variable; (*fig.*) fickle.
изменя́емый *a.* that can be varied, changed; (*math.*) variable.

изменя́-ть II. *va.* (*Pf.* измен=и́ть II. [c]) to change, to alter; to modify; (*gramm.*) to inflect, to decline, to conjugate || ~ *vn.* (кому́) to betray; (of memory) to prove false, to fail || **~ся** *vr.&n.* to change, to vary.
измéр/ & -éние *s.* measuring; surveying; ~ **земли́** survey.
измéрива-ть II. & **измеря́-ть** II. *va.* (*Pf.* измéр=ить II.) to measure, to survey; ~ **глубину́** to sound, to fathom.
измери́мый *a.* measurable; fathomable.
изможда́-ть II. *va.* (*Pf.* изможд=и́ть I. [a]) to weaken, to exhaust, to enfeeble, to enervate.
измозж=и́ть I. [a] *va. Pf.* to crush, to grind.
измока́-ть I. *vn.* (измóкнуть 52.) to get wet, to be soaked through.
измолóт *s.* yield at threshing.
измолот=и́ть I. 2. [c] *va. Pf.* to thresh out.
измолóть *cf.* **молóть.**
и́зморозь *s. f.* hoarfrost.
измоча́лить *cf.* **моча́лить.**
изму́чива-ть II. *va.* (*Pf.* изму́ч=ить I.) to tire out, to jade, to weary || **~ся** *vr.* to toil, to work o.s. to death; to distress o.s.; to fatigue, to worry o.s.
измыва́-ться II. *vn.* (над кем) to ridicule, to jeer at.
измышлéние *s.* fiction; invention.
измышля́-ть II. *va.* (*Pf.* измы́слить 41.) to invent; to contrive, to devise.
измя́ть *cf.* **мять.**
изна́нка *s.* the wrong side; the reverse; **на изна́нку** *ad.* reversed; wrong side out, inside out; **надéть** ~ to put on inside out.
изна/си́лива-ть II. *va.* (*Pf.* -си́л=ить II.) to force; (обесчéстить жéнщину) to ravish, to rape, to violate.
изна́шива-ть II. *va.* (*Pf.* износ=и́ть I. 3. [c]) to wear out, to use || **~ся** *vr.* to be spent; to be worn out; to become old.
изнéженность *s. f.* effeminacy.
изнéжива-ть II. *va.* (*Pf.* изнéж=ить I.) to spoil, to pamper; to make effeminate; to enervate; to molley-coddle.
изнемога́-ть II. *vn.* (*Pf.* изнемóчь 15. [c 2.]) to succumb, to become enfeebled, to weaken.
изнóс *s.* wearing out; carrying away.
износи́ть *cf.* **изна́шивать.**
изнур/éние *s.* weakening; debility; exhaustion || **-и́тельный** *a.* exhausting, exhaustive; debilitating.
изнуря́-ть II. *va.* (*Pf.* изнур=и́ть II. [a]) to weaken, to exhaust, to waste || **~ся** *vr.* to become exhausted.
изнутри́ *ad.* from within, from inside.
изныва́-ть II. *vn.* (*Pf.* изны́ть 28.) to pine (with grief); to languish.
и́зо = из.
изоби́л/ие *s.* (super-)abundance; plenty; superfluity || **-ьный** *a.* (super-)abundant; plenteous; superfluous.
изоблича́-ть II. *va.* (*Pf.* изоблич=и́ть I. [a]) (когó в чём) to expose; to convict.
изобличи́тель *s. m.* exposer.
изобража́-ть II. *va.* (*Pf.* изобраз=и́ть I. 1. [a]) to describe, to depict; to portray; to represent.
изображéние *s.* representation; description, portrayal; picture.
изобрета́тель/ *s. m.* inventor; discoverer || **-ный** *a.* inventive; ingenious.
изобрета́-ть II. *va.* (*Pf.* изобрести́ 23.) to invent; to discover.
изобретéние *s.* invention, contrivance.
изобью́ *cf.* **избива́ть.**
изогну́ть *cf.* **изгиба́ть.**
изой/ду́, -ти́ *cf.* **исходи́ть.**
изоли́ро+вать II. *va.* to isolate; to insulate.
изол/я́тор *s.* insulator || **-я́ция** *s.* isolation; insulation.
изопью́ *cf.* **испива́ть.**
изорва́-ть I. [a] *va. Pf.* to tear, to rend || **~ся** *vn.* to break, to burst asunder.
изотéрма *s.* isotherm.
изощрённый *a.* sharpened; (*fig.*) refined.
изощря́-ть II. *va.* (*Pf.* изощр=и́ть II. [a]) (*fig.*) to sharpen, to refine; to quicken.
из-под *prp.* (+ *G.*) from under; ~ **нóса** from under his very nose.
изразéц *s.* (*gsg.* -зца) Dutch tile, tile for stoves.
израс/хóдыва-ть II. *va.* (*Pf.* -хóдо+вать II.) to spend, to expend, to lay out.
и́зредка *ad.* sometimes, between times, now and then, seldom.
изрéзыва-ть II. *va.* (*Pf.* изрéз-ать I. 1.) to cut up.
изрека́-ть II. *va.* (*Pf.* изрéчь 18.) to speak, to pronounce.
изречéние *s.* sentence, saying, dictum.
изрешéт=ить I. 2. *va. Pf.* to pierce, to hole; to riddle (with bullets).
изрыга́-ть II. *va.* (*Pf.* изрыгн-у́ть II.) to spit out, to vomit; (*fig.*) (гнев) to pour forth, to vent (one's anger).
изры́хлить *cf.* **ры́хлить.**
изря́д/но *ad.* passably, tolerably || **-ный** *a.* pretty good; tolerable; (посрéдственный) middling.

изувéр/ *s.*, **-ка** *s.* fanatic || **-ный** *a.* fanatic(al).
изувéчение *s.* mutilation, maiming.
изувéчива-ть II. *va.* (*Pf.* изувéч=ить I.) to maim, to mutilate.
изукрáшива-ть II. *va.* (*Pf.* изукрáс=ить I. 3.) to adorn, to embellish, to decorate.
изуми́тельный *a.* astonishing, astounding, surprising, amazing.
изумлéние *s.* astonishment, amazement, surprise.
изумля́-ть II. *va.* (*Pf.* изум=и́ть II. 7. [a]) to astonish, to astound, to surprise, to amaze || **~ся** *vr.* (чему́) to be astonished, surprised, amazed (at); to be perplexed, disturbed.
изумру́д/ *s.* emérald || **-ный** *a.* emerald.
изурóдо+вать II. *va.* to deform; to mangle, to mutilate.
изу́стный *a.* verbal, oral; by word of mouth.
изучá-ть II. *va.* (*Pf.* изуч=и́ть I. [c]) to learn, to study (thoroughly).
изучéние *s.* study, learning.
из'едá-ть II. *va.* (*Pf.* из'éсть 42.) to corrode, to eat into; (когó *fig.*) to insult; to mortify, to grieve.
из'éзд=ить I. 1. *va. Pf.* to travel through *or* over; to traverse; to break *or* cut up a road.
из'яви́тельный *a.* indicative; **-ное наклонéние** indicative (mood).
из'явлéние *s.* manifestation, expression, declaration.
из'явля́-ть II. *va.* (*Pf.* из'яв=и́ть II. 7. [a]) to manifest; to show; to express, to declare.
из'я́н/ *s.*, *dim.* **-ец** *s.* (*gsg.* -нца) harm, damage; loss; mistake.
из'яснéние *s.* explanation, elucidation; demonstration.
из'ясни́тельный *a.* explicatory, explanatory, demonstrative.
из'ясня́-ть II. *va.* (*Pf.* из'ясн=и́ть II. [a]) to explain, to expound, to elucidate; to demonstrate.
из'я́тие *s.* exception; exclusion.
из'я́ть 37. *va. Pf.* (*sl.*) to except, to exclude.
изы́сканный *a.* chosen, select, selected; affected, far-fetched.
изы́скива-ть II. *va.* (*Pf.* изыск-áть I. 4. [c]) to find out; to investigate; to search for; to select, to choose (one's words).
изю́м/ *s. coll.* raisins *pl.* || **-инка** *s.* small raisin.
изя́щный *a.* elegant, tasty, fine.
икá-ть II. *vn.* (*Pf.* икн-у́ть I. [a]) to hiccup || **~ся** *v.imp.*, **мне икáется** I have hiccups.
икóна *s.* icon, sacred picture, painting.
иконо/бóрец *s.* iconoclast || **-пи́сец** *s.* painter of holy pictures || **-стáс** *s.* altar-screen; the wall in front of the altar decorated with icons.
икóта *s.* hiccup.
икр/á *s.* calf (of the leg); (ры́бьи яи́чки) roe, spawn; (солёные, иду́щие на продáжу) caviar(e); **пáюсная ~** pressed caviar; **зерни́стая (свéжая) ~** granular caviar || **-и́стый** *a.* with well-developed calves; rich in roe.
ил *s.* mud, slime.
и́л/ем & -ьма *s.* elm.
и́ли *c.* or; **~ . . . ~** either . . . or.
и́листый *a.* muddy, slimy.
иллю́зия *s.* illusion.
иллюминáция *s.* illumination.
иллюст/рáция *s.* illustration || **-ри́ро+вать** II. *va.* to illustrate.
иловáтый *a.* (a little) muddy, slimy.
иль = и́ли.
им *cf.* **он.**
имéние *s.* property, holding, estate.
имен/и́ны *s. fpl.* name-day; one's Saint's day || **-и́тельный** *a.*, **~ падéж** nominative (case) || **-и́тый** *a.* respected, well-known, famous.
и́менно namely; viz.; especially, particularly.
именá, *etc. cf.* **и́мя.**
именовáние *s.* denomination, name.
имено+вáть II. [b] *va.* (*Pf.* на-) to name, to call || **~ся** *vr.* to be called, to be named.
имéньице *s.* small property, holding.
имé-ть II. *va.* (*Pf.* воз-) to have, to possess, to own; (*in Pf.*) to get, to obtain || **~ся** *v.imp.*, **имéется** there is, there are.
и́ми *cf.* **он.**
импер/áтор *s.* emperor || **-атри́ца** *s.* empress || **-áторский** *a.* imperial || **-иáл** *s.* outside, top (of a bus, etc.); an imperial (formerly a gold coin = 15 roubles = 33 shillings).
импéр/ия *s.* empire, dominion || **-ский** *a.* of the empire, imperial.
импровиз/áтор *s.* impromptu poet, improvisator(e) || **-áция** *s.* improvisation, extempore composition, impromptu || **-и́ро+вать** II. *va.* to improvise; to compose extempore.
иму́щ/ество *s.* property, possessions *pl.*; goods *pl.*; **вы́морочное ~** escheat, escheated property || **-ий** (-ая, -ее) *a.* possessing, well-to-do || **~** (*as s.*) possessor, well-to-do person.

и́мя *s. n.* [b] (*G., D. & Pr.* и́мени; *pl.* им-ена́, -ён, -ена́м, *etc.*) name; christian name; **до́брое, худо́е ~** good, bad name or reputation; **~ прилага́тельное** adjective; **~ существи́тельное** noun; **~ числи́тельное** numeral.
и́на́че *ad.* otherwise, else.
инби́рь *s. m.* [a] ginger.
инвали́д *s.* invalid; pensioner, pensioned [off soldier.
инвента́рь *s. m.* [a] inventory.
инде́й/ка *s.* turkey(-hen) || **-ский** *a.*, **~ пету́х** turkey(-cock).
индив/идуа́льный *a.* individual, personal || **-и́дуум** *s.* individual, person.
и́ндиго *s. indecl.* indigo.
индифере́нтный *a.* indifferent.
индогерма́нский *a.* Indo-European, Aryan.
индос(с)/аме́нт *s.* endorsement || **-и́ро+вать** II. *va.* to endorse.
инду́кция *s.* induction.
инду́с *s.* Hindoo.
индю́/к *s.* [a] turkey(-cock) || **-шка** *s.* [turkey(-hen).
и́ней *s.* hoarfrost, rime.
ине́р/тный *a.* inert || **-ция** *s.* inertia.
инжене́р *s.* engineer.
инжи́р *s. coll.* (dried) figs *pl.*
инициати́ва *s.* initiative.
инквизи́ция *s.* inquisition.
инове́р/ец *s.* (*gsg.* -рца) dissenter || **-ка** *s.* dissenter || **-ие** *s.* dissent || **-ный** *a.* dissenting.
ино/гда́ *ad.* now and then, at times, off and on || **-горо́дный** *a.* from, of another town || **-зе́мец** *s.*, **-зе́мка** *s.* foreigner, alien || **-зе́мный** *a.* foreign, alien.
ино́й *a.* other, different; many a, some; **не кто ~, как** no other than; **не что ино́е, как** nothing else than.
и́нок/ *s.* monk || **-иня** *s.* nun.
иноплеме́нный *a.* of a different race.
иноро́д/ец *s.* (*gsg.* -дца), **-ка** *s.* alien, stranger, person of a different race, a native || **-ный** *a.* alien, strange; of a different race, tribe.
иносказ/а́ние *s.* allegory; figurative, metaphorical expression || **-а́тельный** *a.* allegoric(al); figurative, metaphoric(al).
иностра́н/ец *s.* (*gsg.* -нца), **-ка** *s.* foreigner, alien || **-ный** *a.* foreign, alien.
инохо́дец *s.* ambler.
и́ноходь *s. f.* amble.
и́ноче/ский *a.* monkish, monk's, monastic || **-ство** *s.* monasticism.
иноязы́чный *a.* speaking a foreign [language.
инспе́к/тор *s.* [b*] inspector || **-ция** *s.* inspection.
инста́нция *s.* instance, court of judicature; **вы́сшая ~** superior court.
инсти́нкт/ *s.* instinct || **-и́вный** *a.* instinctive.
институ́т *s.* institute.
инстру́кция *s.* instruction.
инструме́нт/ *s.* instrument, tool, implement, utensil || **-а́льный** *a.* instrumental.
инсурге́нт *s.* insurgent, rebel.
инсурре́кция *s.* insurrection, rebellion, [rising.
интегр/а́льный *a.* integral || **-и́ро+вать** II. *vn.* to integrate.
интелле́кт/ *s.* intellect || **-уа́льный** *a.* intellectual.
интеллиге́нт/ *s.*, **-ка,** *s.* intellectual person || **-ный** *a.* accomplished; intellectual.
интеллиге́нция *s. coll.* the intellectual [(middle) class.
интенда́нт/ *s.* commissariat-officer || **-ство** *s.* commissariat.
интенси́вный *a.* intensive.
интерва́л *s.* interval, pause, interruption.
интервью́ *s.* interview.
интере́сный *a.* interesting; **в -ом положе́нии** in the family way, pregnant.
интересо+ва́ть II. [b] *va.* (*Pf.* за-) to [interest.
инти́мный *a.* intimate.
интона́ция *s.* intonation.
интри́г/а *s.* intrigue; secret love affair || **-а́нт** *s.*, **-а́нтка** *s.* intriguer || **-о+ва́ть** II. [b] *vn.* to intrigue, to plot and scheme.
интроду́кция *s.* introduction.
инфанте́рия *s.* infantry; foot(-soldiers).
инфекцио́нный *a.* infectious, catching, contagious.
инфе́кция *s.* infection, contagion.
инфлюе́нца *s.* influenza; (*fam.*) the flu.
инфля́ция *s.* inflation.
ио́д/ *s.* iodine || **-истый** *a.* iodized, containing iodine || **-ный** *a.* iodic.
иорда́нь *s. f.* scene of the consecration of the waters on the 6th January.
ио́та *s.* iota.
ипоте́ка *s.* mortgage.
ипохо́ндр/ик *s.* hypochondriac || **-ия** *s.* hypochondria.
ирони́ческий *a.* ironic(al).
иро́ния *s.* irony.
иррациона́льный *a.* irrational.
иррегуля́рный *a.* irregular.
ирригация *s.* irrigation.
иск *s.* suit, proceedings *pl.* (at law); claim, action, prosecution.

искажа́-ть II. *va.* (*Pf.* исказ=и́ть I. 1. [a]) to deform, to deface, to disfigure; to distort (a meaning).
искаже́ние *s.* mutilation; distortion.
искале́чива-ть II. *va.* (*Pf.* искале́ч=ить I.) to cripple, to maim.
иска́тель/ *s. m.*, **–ница** *s.* seeker, searcher; ~ **ме́ста** aspirant; ~ **престо́ла** claimant, pretender; ~ **приключе́ний** adventurer || **–ный** *a.* servile, cringing.
иск-а́ть I. 4. [c] *va.* (*Pf.* по-) to seek, to look for; to strive after, to aspire to; (что на ком) to sue, to prosecute, to take legal proceedings against, to proceed against, to bring an action against.
исключа́-ть II. *va.* (*Pf.* исключ=и́ть I. [a]) to except, to exclude || ~**ся** *vr.* to be excepted.
исключа́я *ad.* (+ *G. or A.*) except(ing), with the exception of.
исключ/е́ние *s.* exception, exclusion; expulsion; **за –е́нием** (+ *G.*) with the exception of, except(ing) || **–и́тельно** *ad.* exclusively; exceptionally || **–и́тельный** *a.* exclusive; exceptional.
исковéркать *cf.* **ковéркать.**
исково́й *a.* of *or* concerning legal proceedings, a suit, an action; litigious.
исколеси́ть *cf.* **колеси́ть.**
исколот=и́ть I. 2. [c] *va. Pf.* to break up, to smash (into pieces).
исколо́ть *cf.* **ска́лывать.**
иско́мый *a.* sought (after); looked for.
и́сконн *ad.* of yore, from time immemorial.
ископа́емый *a.* unearthed, dug out; **–ая слоно́вая кость** fossil ivory; **–ое у́голь** pit-coal || **–ое** (*as s.*) fossil; mineral.
искорене́ние *s.* extermination, eradication, rooting out, destruction.
искореня́-ть II. *va.* (*Pf.* искорен=и́ть II. [a]) to root out, to eradicate, to exterminate, to extirpate, to destroy.
и́скорка *s.* small spark, sparklet.
и́скоса *ad.* askance; (somewhat) aslant, askew.
и́скра *s.* spark, sparkle.
и́скренн/ий *a.* upright, honest, straightforward, sincere || **–ость** *s. f.* honesty, sincerity, uprightness, straightforwardness.
искрест=и́ть I. 4. [a&c] *va. Pf.* to traverse, to travel through.
искривле́ние *s.* bending, twisting; curvature.
искривля́-ть II. *va.* (*Pf.* искрив=и́ть II. 7. [a]) to bend, to twist; to distort || ~**ся** *vr.* to bend, to twist.
искри́стый *a.* giving off sparks, sparkling.
и́скр=иться II. [b&c] *vn.* to spark, to give off sparks; to sparkle.
искроме́тный *a.* giving off sparks.
искромса́ть *cf.* **кромса́ть.**
искроши́ть *cf.* **кроши́ть.**
искупа́-ть II. *va.* (*Pf.* искуп=и́ть II. 7. [c]) to redeem, to release; to purchase; to atone for (a sin); ~ **грехи́ покая́нием** to do penance for one's sins.
искупи́тель *s. m.* redeemer.
искупле́ние *s.* redemption.
иску́с *s.* experience; temptation; test, probation.
искуса́-ть II. *va. Pf.* to bite (all over).
искуси́тель/ *s. m.* tempter, seducer || **–ница** *s.* temptress.
искуси́ть *cf.* **искуша́ть.**
иску́с/ник *s.*, **–ница** *s.* skilled, expert person || **–ность** *s. f.* skill, dexterity || **–ный** *a.* skilled, able, dexterous || **–ственность** *s. f.* artificiality || **–ственный** *a.* artificial || **–ство** *s.* art; skill; dexterity; **изя́щные –ства** the fine arts.
искуша́-ть II. *va.* (*Pf.* искус=и́ть I. 3. [a]) to test; to tempt.
искуше́ние *s.* temptation; probation.
испа́костить *cf.* **па́костить.**
испаре́ние *s.* exhalation, evaporation, vaporization.
испа́рина *s.* slight sweat, perspiration.
испаря́-ть II. *va.* (*Pf.* испар=и́ть II. [a]) to evaporate, to vaporize || ~**ся** *vn.* to evaporate.
испа́чкивать *cf.* **па́чкать.**
испе́й(те) *cf.* **испива́ть.**
испека́-ть II. *va.* (*Pf.* испе́чь 18.) to bake sufficiently.
испепели́ть *cf.* **пепели́ть.**
испещря́-ть II. *va.* (*Pf.* испестр=и́ть II. [a]) to variegate, to speckle.
испива́-ть II. *va.* (*Pf.* испи́ть 27.) to drink up *or* out.
испи́сыва-ть II. *va.* (*Pf.* испис-а́ть I. 3. [c]) to fill with writing; to use up in writing.
испове́д/ание *s.* confession; ~ **ве́ры** confession of faith || **–ник** *s.*, **–ница** *s.* penitent, person confessing; (*eccl.*) confessor.
испове́дыва-ть II. *va.* (*Pf.* испове́да-ть II.) to profess (a religion); (о свяще́ннике) to confess, to hear confession of || ~**ся** *vr.* to confess, to go to confession.
и́споведь *s. f.* confession.
и́сподволь *ad.* gradually, little by little.
исподло́бья *ad.* frowningly, with a frown, askance.
испо́дний *a.* lower, under; **–ее пла́тье** undergarment.

исподти́/ха & -шка́ *ad.* secretly, stealthily, furtively.
испоко́н *ad.* from time immemorial; ~ **ве́ка** from the beginning of the world.
исполá́ть *int.*, ~ **тебе́**! hail!
исполи́н/ *s.* giant || **-ка** *s.* giantess || **-ский** *a.* gigantic, giant.
исполне́ние *s.* fulfilment, completion, execution; performance; **приводи́ть в** ~ to carry out, to fulfil
исполни́тель/ *s.*, **-ница** *s.* executor; fulfiller; (*theat.*) performer || **-ный** *a.* executive; expeditious.
исполня́-ть II. *va.* (*Pf.* испо́лн=ить II.) to fulfil, to carry out, to accomplish; to perform || **~ся** *vn.* to be fulfilled, to be carried out *or* completed.
исполосова́ть *cf.* **полосова́ть.**
испо́ртить *cf.* **по́ртить.**
испо́рченный *a.* spoiled, bad; (*fig.*) corrupt, depraved.
исправи́тельный *a.* corrective; ~ **дом** penitentiary, reformatory.
исправле́ние *s.* correction, amendment; execution.
исправля́-ть II. *va.* (*Pf.* испра́в=ить II. 7.) to correct, to improve, to amend; (до́лжность) to fill, to hold, to discharge the duties of; to execute, to do.
испра́вник *s.* (*formerly*) police district-inspector.
испра́вный *a.* correct, exact, right, punctual.
испражне́ние *s.* stool, action of the bowels; excrement, faeces *pl.*
испражня́-ть II. *va.* (*Pf.* испражн=и́ть II. [a]) to empty, to evacuate || **~ся** *vn.* to relieve nature, to evacuate the bowels.
испра́шива-ть II. *va.* (*Pf.* испрос=и́ть I. 3. [c]) to request, to solicit, to beg; to present a petition.
испро́бовать *cf.* **про́бовать.**
испу́г *s.* terror, fright, alarm.
испуга́ть *cf.* **пуга́ть.**
испуска́-ть II. *va.* (*Pf.* испуст=и́ть I. 4. [c]) to let out, to emit; to exhale; ~ **вздо́хи** to heave sighs; ~ **дух** to expire, to give up the ghost.
испыт/а́ние *s.* investigation; test; examination || **-а́тель** *s. m.* investigator; examiner.
испы́тыва-ть II. *va.* (*Pf.* испыта́-ть II.) (иссле́довать) to investigate, to inquire into; (изве́дать на де́ле) to experience, to meet (with); to undergo; (экзаменова́ть) to examine; (про́бовать) to test.
иссле́д/ование *s.* investigation, inquiry || **-ователь** *s. m.* investigator.
иссле́дыва-ть II. *va.* (*Pf.* исследо+вать II.) to investigate.
иссо́хнуть *cf.* **иссыха́ть.**
и́сстари *ad.* from of old, of yore; from time immemorial.
исступ/ле́ние *s.* ecstasy, rapture || **-лё́нный** *a.* ecstatic(al), enraptured, in raptures.
иссуша́-ть II. *va.* (*Pf.* иссуш=и́ть I. [a & c]) to dry up.
иссыха́-ть II. *vn.* (*Pf.* иссо́хнуть 52.) to dry up; (*fig.*) to pine away.
иссяка́-ть II. *vn.* (*Pf.* исся́кн-уть I.) to dry up (of wells).
иста́птыва-ть II. *va.* (*Pf.* истопт-а́ть I. 2. [c]) to tread on, to trample on; to wear out (a shoe).
иста́скива-ть II. *va.* (*Pf.* истаска́-ть II.) to wear out (shoes, boots).
иста́я-ть II. *vn. Pf.* to melt, to dissolve.
истека́-ть II. *vn.* (*Pf.* исте́чь [√тек] 18. [a 2.]) to flow out; to rise.
истере́ть *cf.* **истира́ть.**
истерза́ть *cf.* **терза́ть.**
исте́рика *s.* hysterics *pl.*, hysterical fit.
истери́ческий *a.* hysteric(al).
исте́ц *s.* plaintiff; supplicant.
истече́ние *s.* outflow, efflux; emanation, lapse, expiration.
исте́чь *cf.* **истека́ть.**
и́стин/а *s.* truth || **-ный** *a.* true, veritable; honest, straightforward, upright; trustworthy.
истира́-ть II. *va.* (*Pf.* истере́ть 14., *Fut.* изотру́, -трёшь, etc.) to rub away; to pulverize; to use up in rubbing.
исти́ца *s.* (female) plaintiff; supplicant.
истлева́ть *cf.* **тлеть.**
исто́к *s.* source, efflux.
истолков/а́ние *s.* expounding, explanation, interpretation || **-а́тель** *s. m.* expounder, interpreter, commentator.
истолко́выва-ть II. *va.* (*Pf.* истолко+ва́ть II.) to explain, to expound, to interpret.
истоло́чь *cf.* **толо́чь.**
исто́м/а & -ле́ние *s.* fatigue, exhaustion, weariness.
истомля́-ть II. *va.* (*Pf.* истом=и́ть II. 7. [a]) to fatigue, to weary, to jade.
истопи́ть *cf.* **топи́ть.**
истопни́к *s.* stoker, heater; man whose duty is to see to the heating of the carriages of a train.
истопта́ть, истопчу́ *cf.* **иста́птывать.**
исторга́-ть II. *va.* (*Pf.* исто́ргн-уть I.) to snatch, to wrest; (*fig.*) to free, to deliver, to rescue || **~ся** *vr.* to free o.s., to liberate o.s.
исторже́ние *s.* wresting, snatching.

истóр/ик *s.* historian || **-и́ческий** *a.* historical || **-ия** *s.* history.
источá-ть II. *va.* (*Pf.* источ=и́ть I. [a]) to pour out, to pour away; to dissipate.
истóчник *s.* fountain, well, spring; source, origin.
истощá-ть II. *va.* (*Pf.* истощ=и́ть I. [a]) (изнуря́ть) to exhaust, to waste; (расточи́ть) to use up, to dissipate || **~ся** *vr.* to be exhausted, to be wasted.
истощ/éние *s.* exhaustion, wasting || **-ённый** *a.* exhausted, wasted, enfeebled.
истрáтить *cf* **трáтить.**
истреби́тель/ *s.m.*, **-ница** *s.* destroyer, exterminator || **-ный** *a.* exterminating, destroying, destructive.
истреблéние *s.* extermination, extirpation, eradication, destruction.
истребля́-ть II. *va.* (*Pf.* истреб=и́ть II. 7. [a]) to extirpate, to eradicate, to exterminate; to destroy, to do away (with); to redress (wrongs) || **~ся** *vn.* to be exterminated; to perish, to die out.
истрéбов ание *s.* demand, requisition || **-ать** *cf.* **трéбовать.**
истрепáть *cf.* **трепáть.**
иструхлéть *cf.* **трухлéть.**
истукáн *s.* idol, false god.
и́стцы, etc. *cf.* **истéц.**
и́стый *a.* true, genuine, real.
исты́кать *cf.* **ты́кать.**
истязáние *s.* interrogation; torture, rack.
истязá-ть II. *va.* (что у *or* от когó) to extort, to force; (когó) to torture, to rack, to torment.
исхáжива-ть II. *va.* (*Pf.* исход=и́ть I. 1. [c]) to wander through, to traverse (*e.g.* the whole city). [тайствовать.
исхлопот-áть I. 2. [c] *va.* = **исходá-**
исхóд *s.* issue; end, termination; **кни́га Исхóда** Exodus.
исходáтайство+вать II. *va. Pf.* to procure, to obtain (by soliciting).
исход=и́ть I. 1. [c] *vn.* (*Pf.* изойти́ [^/ид] 48.) to be spent, to be used up; **~ слезáми** to burst into tears.
исходи́ть *cf.* **исхáживать.** [starting-.
исхóдный *a.* of departure, of setting out;
исхудá(é)лый *a.* emaciated, thin.
исхудá-ть II. & **исхудé-ть** II. *vn. Pf.* to grow *or* become thin.
исцелéние *s.* healing, cure.
исцеля́-ть II. *va.* (*Pf.* исцел=и́ть II. [a]) to heal, to cure, to restore (the health) || **~ся** *vn.* to recover, to be cured.
исчáдие *s.* child; brood; **~ áда** hellish crew.

исчезá-ть II. *vn.* (*Pf.* исчéзнуть 52.) to disappear, to be lost to view.
исчезновéние *s.* disappearance.
исчéрпыва-ть II. *va.* (*Pf.* исчéрпа-ть II.) to scoop, to ladle, to empty; (*fig.*) to exhaust.
исчислéние *s.* calculation.
исчисля́-ть II. *va.* (*Pf.* исчи́сл=ить II.) to calculate; to count (up).
итáк *c.* therefore, in consequence, consequently, as a result.
итóг *s.* amount; sum (total).
итогó *ad.* altogether.
итти́ 48. *vn.* (*Pf.* пойти́ 48.) to go; **это к вам идёт** that suits you; **идёт!** all right, very well; **пошёл!** be off! away with you! **дождь идёт** it is raining; **~ зáмуж** (за + *I.*) to get married (to), to marry (of women).
их of them; them; their (*cf.* он).
ихтиолóгия *s.* ichthyology.
ишáк *s.* [a] mule. [you so!
ишь, ишь-ты *int.* there you are! I told
ищéйка *s.* bloodhound.
ищý *cf.* **искáть.**
июль/ *s.m.* July || **-ский** *a.* of July, July.
ию́нь/ *s.m.* June || **-ский** *a.* of June, June.

К

-ка *particle placed after imperative* = pray, please; **скажи́те-ка мне** pray tell me; **поди́-ка сюдá** please come here.
кабáк *s.* [a] public-house, pothouse, tavern.
кабали́стика *s.* cabala.
кабáн/ *s.* [a] wild boar; block (of ice, granite) || **-ий** *a.* wild boar's.
кабаргá *s.* [a] musk, musk-deer.
кабá/тчик & **-чник** *s.* publican, tavern-keeper.
кабачóк s. [a] (*gsg.* -чкá) *dim. of* кабáк.
кáбель *s.m.* cable, rope.
кабестáн *s.* (*mar.*) capstan. [closet.
кабинéт *s.* private room *or* office; study;
каблý/к *s.* [a] heel (of a boot) || **-чóк** *s.* [a] (*gsg.* -чкá) *dim. of prec.*
каботáж/ *s.* coasting-trade, coastwise traffic *or* trade || **-ный** *a.* of coastwise trade; **-ное сýдно** coaster.
кабриолéт *s.* cab, cabriolet.
кабы́ *c.* (*vulg.*) if, in case (that).
кавалéр/ *s.* knight (of an order); partner (at dances) || **-гáрд** *s.* horseguards-man || **-и́ст** *s.* cavalry-man, horse-soldier, trooper || **-ия** *s.* cavalry, horse, horse-soldiers || **-ство** *s.* knighthood.
кавалькáда *s.* cavalcade.

кавардáк *s.* mash, mess, mish-mash.
кáверз/ы *s.fpl.* chicanery, intrigues *pl.* || **-нича-ть** II. *vn.* to intrigue, to cavil || **-ник** *s.*, **-ница** *s.* intriguer || **-ный** *a.* cavilling, intriguing.
кавы́чки *s. fpl.* (*G.* -чек) inverted commas.
кадáстр *s.* cadastral survey.
кадéт *s.* cadet.
кади́ло *s.* censer, thurible.
кад=и́ть I. 5. [a] *va.* (*Pres. also* кaжду́) (*Pf.* по-) to incense; (кому́ *fig.*) to flatter.
кáдка *s.* (*gpl.* -док) tub, vat.
кáдмий *s.* cadmium.
кáдочка *s.* (*gpl.* -чек) *dim. of* кáдка.
кадри́ль *s.f.* quadrille.
кáдры *s.mpl.* list of officers of a regiment.
кадýшка *s.* (*gpl.* -шек) *dim. of* кáдка.
кады́к *s.* [a] Adam's apple.
каёмка *s.* (*gpl.* -мок) *dim. of* каймá.
каждéние *s.* incensing.
каждоднéвный *a.* daily, diurnal.
каждý *cf.* **кади́ть.**
кáждый *prn.* every(one), each (one); ~ день every day; **-ые два часá** every other hour; ~ **из нас** each of us.
казáк/ *s.* [a] Cossack || **-и́н** *s.* dress of the Cossacks.
казáрм/а *s.* barracks *pl.* || **-енный** *a.* barrack-.
каз-áться I. 1. [c] *vr.&n.* (*Pf.* по-) to seem, to appear || ~ *v.imp.*, **кáжется** it seems; **мне кáжется** it seems to me, I think; **мне казáлось** it seemed to me; I thought.
казáцкий *a.* Cossack's, Cossack.
казáч/ество *s.* the Cossacks, a Cossack army || **-ка** *s.* (*gpl.* -чек) Cossack's wife, Cossack woman, Cossack girl || **-óк** *s.* [a] (*gsg.* -чкá) *dim.* Cossack; servant (in Cossack dress); (пля́ска) Cossack dance.
каземáт *s.* casemate.
казён/ка *s.* (*gpl.* -нок) lumber-room; little chamber; cabin; partition; store-room || **-нокóштный** *a.* (educated) at the State's expense, at the expense of the Crown || **-ный** *a.* of the Crown, crown-; **-ная земля́** crown-lands; **-ная вóдка** brandy the sale of which is held as a monopoly of the State.
кази́стый *a.* showy, pretty, good-looking.
казнá *s.* the Treasury; Exchequer; (нали́чные дéньги) cash; (в пýшке) breech.
казначéй/ *s.* treasurer, paymaster || **-ство** *s.* the Treasury, exchequer; revenue-office.
казн=и́ть II. [a] *va. Pf.&Ipf.* to execute, to put to death.
казнокрáдство *s.* embezzlement (of public funds).
казнь *s.f.* execution; **смéртная** ~ capital punishment.
казуáр *s.* cassowary.
кáзус *s.* (*leg.*) extraordinary, exceptional case.
каймá *s.* [a & e] (*pl.* кóймы, коём, каймáм, кóймы, etc.) border, edge, edging.
каймáк *s.* thick cream.
кайм=и́ть II. [a] *va.* (*Pf.* о-) to border, to edge; to hem.
как *ad.* how; as, like; when; ~ **бýдто** as if; **так** ~ whereas, since; ~ **быть** what is to be done?; ~ **тóлько** as soon as; **в то сáмое врéмя** ~ just as; **кое-~'** carelessly, anyhow; **~'-то** the other day; seemingly; ~ **же** certainly, to be sure.
какадý *s.m. indecl.* cockatoo.
какáо *s.m. indecl.* cocoa.
как-нибýдь *ad.* somehow, anyhow.
какóв *prn. interr. & corr.*, ~ **отéц, такóв и сын** like father like son.
каковó *ad.* how.
каковóй *prn. rel.* who, which.
какóй *prn. interr. & rel.* what kind of a? what sort of a? what a? || **~-нибýдь** any you like, any whatsoever || **~-то** a certain, somebody.
какофóния *s.* cacophony.
какт/ & **´-ус** *s.* cactus.
кал *s.* excrements *pl.*, dirt.
калам/бýр *s.* pun || **-бýр=ить** II. *vn.* to pun.
каланчá *s.* watch-tower.
калáч *s.* [a] a kind of cracknel; **тёртый** ~ (*fig.*) a cunning rogue, a sly fellow.
калéка *s.m&f. coll.* cripple.
календáрь *s.m.* [a] calender, almanac.
каленкóр *s.* calico.
калёный *a.* red-hot; tempered.
калéч=ить I. *va.* (*Pf.* ис-) to cripple, to maim.
кáли *s.n.indecl.* kali, potash.
кали́бр *s.* calibre.
кáлий *s.* potassium.
кали́льный *a.* incandescent.
кали́тка *s.* (*gpl.* -ток) wicket, side-gate.
кал=и́ть II. [a] *va.* (*Pf.* рас-) to make redhot; (*Pf.* за-) to harden, to temper.
кали́ф *s.* caliph.
каллигрáф/ *s.* calligraphist || **-ия** *s.* calligraphy.
кáломéль *s.f.* calomel.
кал/ориме́тр *s.* calorimeter || **-орифéр** *s.* hot-air heater || **-óрия** *s.* calorie.
калóша *s.* galosh, golosh.
кальсóны *s.mpl.* drawers *pl.*
кáльций *s.* calcium.
калья́н *s.* hookah, narghile.

каля́ка-ть II. *vn.* (*Pf.* по-) to prate, to prattle, to chatter.
кама́ринская *s.* Russian national dance.
ка́мбала *s.* flounder, fluke, flat-fish; **морска́я** ~ turbot.
каме́дь *s.f.* gum, resin.
камелёк *s.* [a] (*gsg.* -лька́) fireplace.
каме́лия *s.* camellia.
камене́-ть II. *vn.* (*Pf.* о-) to become petrified, to be turned into stone.
камени́стый *a.* stony.
каменоуго́льный *a.* coal-; **–ая копь** coalmine; ~ **слой** coal-bed.
ка́менный *a.* stone, of stone; **–ая рабо́та** masonry; **–ая посу́да** stone-ware; **–ая боле́знь** gravel, stone.
камено/ло́мня *s.* quarry || **–тёс** *s.* stone-cutter.
ка́менщик *s.* mason, bricklayer; stone-cutter.
ка́мень *s. m.* (*pl.* -мни) stone; (*pl.* ка-ме́нья, -ьев) *coll.* stones, rock; **пробный** ~ touchstone; **надгро́бный** ~ tomb-stone; ~ **преткнове́ния** stumbling block.
ка́мера *s.* chamber; camera.
камер/ге́р *s.* chamberlain || **–фре́йлина** *s.* maid of honour, lady in waiting, lady of the bedchamber || **–ю́нкер** *s.* gentle-man of the bedchamber.
ка́мешек *s.* (*gsg.* -шка) *dim. of* ка́мень.
камзо́л *s.* camisole.
камила́вка *s.* biretta, cap (of a priest).
ками́н *s.* chimney, fireplace; **доска́ над –ом** mantelpiece.
камк/а́ *s.* damask || **–о́вый** *a.* damask.
ка́мни, etc. *cf.* **ка́мень.**
камо́рка *s.* (*gpl.* -рок) small room; store-room.
кампа́ния *s.* campaign, voyage, cruise.
камфора́ *s.* camphor.
камфо́рка *s.* spirit-lamp; small stand in samovar on which teapot is warmed.
камы́ш *s.* [a] reed, rush.
кана́в/а *s., dim.* **–ка** *s.* (*gpl.* -вок) ditch, trench; gutter.
кана́л/ *s.* canal || **–иза́ция** *s.* canalization || **–изи́ро+вать** II. *va.* to canalize.
кана́ль/ский *a.* rascally || **–ство** *s.* ras-cality, knavery || **–я** *s.m.&f.* canaille; rogue; rascal.
канар/е́йка *s.* (*gpl.* -е́ек), *dim.* **–е́ечка** *s.* (*gpl.* -е́ечек) canary.
кана́т/ *s.* rope, cable || **–ный** *a.* rope-; ~ **плясу́н** rope-walker || **–чик** *s.* rope-maker.
кана́шка *s.* pretty young thing (of a girl), little rascal.
канва́ *s.* canvas.
кандалы́ *s. fpl.* [a] fetters, bonds, shackles *pl.*; handcuffs *pl.*
канделя́бр *s.* candelabrum, candlestick, sconce.
кандида́т/ *s.* candidate; applicant || **–ство** *s.* candidature.
кани́кул/ы *s. fpl.* holidays *pl.*, summer-vacation || **–я́рный** *a.* holiday-.
кани́тель *s.f.* gold *or* silver thread; **тя-ну́ть** ~ (*fig.*) to shilly-shally; to delay.
канифа́с *s.* sailcloth.
канифо́л=ить II. *va.* (*Pf.* на-) to rosin.
канифо́ль *s.f.* rosin (for violin-bow).
канниба́л/ *s.* cannibal || **–и́зм** *s.* canni-balism.
кано́н *s.* canon.
канон/а́да *s.* cannonade || **–е́рка** *s.* gun-boat.
канонизи́ро+вать II. *va.* to canonize.
канони́р *s.* gunner.
канони́ческий *a.* canonic(al).
кант *s.* edge, edging.
канта́та *s.* cantata.
канто́н *s.* canton.
ка́нтор *s.* choir-singer, cantor.
кану́н *s.* the eve, the vigil; the evening before.
ка́н-уть I. *vn. Pf.* to disappear; to sink; **как в во́ду ка́нул** as if the ground had swallowed him.
канц/еля́рия *s.* chancery || **–́лер** *s.* chancellor.
каню́ч=ить I. *vn.* to beg, to ask alms; to whimper, to wail.
ка́п-ать II. 7. & **ка́па-ть** II. *vn.* (*Pf.* за-, по-, *mom.* ка́пн-уть I.) to trickle, to drop, to drip.
капела́н *s.* chaplain.
капе́лла *s.* chapel.
капельди́нер *s.* servant in a theatre.
ка́пелька *s.* (*gpl.* -лек) little drop.
капельме́йстер *s.* bandmaster, con-ductor.
ка́пельный *a.* very small; liquid.
ка́пер/ *s.* (*pl.* -ы & -а́) privateer; corsair || **–ство** *s.* privateering.
ка́персы *s. mpl.* capers *pl.*
капилля́рный *a.* capillary.
капита́л/ *s.* capital, fund || **–ец** *s.* (*gsg.* -льца) *dim. of prec.* || **–и́ст** *s.* capitalist || **–ьный** *a.* capital, main, principal.
капита́н *s.* captain.
капите́ль *s. f.* (*arch.*) capital.
капи́тул *s.* chapter (of an order).
капитули́ро+вать II. *vn.* to capitulate, to surrender.
капитуля́ция *s.* capitulation.
ка́пище *s.* pagan temple.
капка́н *s.* trap, wolf-trap.
каплу́н *s.* capon.
ка́плю *cf.* **ка́пать.**
ка́пля *s.* drop; **как две –и воды́** as like as two peas.
ка́пнуть *cf.* **ка́пать.**

ка́пор *s.* hood, cape.

капо́т *s.* (lady's) dressing-gown.

капра́л *s.* corporal.

капри́з/ *s.* caprice, whim || **–ник** *s.*, **–ница** *s.* capricious person || **–ннча-ть** II. *vn.* (*Pf.* за-) to be capricious, to have whims || **–ный** *a.* capricious, freakish; whimsical. [cap.

ка́псу(ю́)ля *s.* capsule; (*mil.*) percussion-

капу́ст/а *s.* cabbage; **цветна́я ~** cauliflower; **брю́ссельская ~** Brussels sprouts || **–ник** *s.* cabbage-garden || **–ный** *a.* cabbage-. [death.

капу́т *s. indecl.* ruin, destruction; decay,

капуци́н *s.* Capuchin (friar).

капюшо́н *s.* hood, cowl. [ment.

ка́ра *s.* penalty, punishment, chastise-

караби́н/ *s.* carbine, rifle || **–е́р** *s.* rifleman. [to clamber.

кара́бка-ться II. *vc.* (*Pf.* вс-) to climb,

карава́н *s.* caravan.

карака́тица *s.* scuttle-fish. [horses).

кара́ковый *a.* brown, dark-bay (of

кара́кули *s. fpl.* scrawl.

карамбо́ль *s. m.* cannon (at billiards); **сде́лать ~** to cannon, to make a cannon.

караме́ль *s. f.* caramel.

каранда́ш *s.* [a] pencil.

каранти́н *s.* quarantine. [person.

карапу́з/ & **–ик** *s.* dwarf, undersized

кара́сь *s. m.* [a] (*ich.*) crucian, crucian

кара́т *s.* carat. [carp.

кара́тель/ *s. m.*, **–ница** *s.* chastiser || **–ный** *a.* penal, punitive. [chastise.

кара́-ть II. *va.* (*Pf.* по-) to punish, to

карау́л *s.* guard, sentry, watch; **стоя́ть на –е** to be on guard, to stand sentry; **де́лать на ~** to present arms || **~** *int.* help! guard! [guard; to look after.

карау́л=ить II. *va.* (*Pf.* по-) to watch, to

карау́л/ка *s.* (*gpl.* -лок) sentry-box || **–ьный** *a.* on guard || **~** (*as s.*) sentry, sentinel || **–ьня** *s.* guard-room || **–ьщик** *s.* watcher; sentinel, sentry.

ка́рбас *s.* rowing-boat (4—10 oars).

карбова́нец *s.* (*gsg.* -нца) (*vulg.*) silver rouble. [carbolic.

карбо́л/ка *s.* carbolic acid || **–овый** *a.*

карбу́нкул *s.* carbuncle.

карга́ *s.* crow; (*abus.*) old woman.

кардамо́/м & **–н** *s.* cardamom.

кардина́л/ *s.* cardinal || **–ьный** *a.* cardinal || **–ьский** *a.* cardinal's.

каре́т/а *s.* carriage, coach; **наёмная ~** hackney-coach || **–ник** *s.* coach-builder || **–ный** *a.* carriage-, coach-.

ка́рий *a.* brown, hazel.

карикату́р/а *s.* caricature, cartoon || **–и́ст** *s.* caricaturist || **–ный** *a.* caricatured.

ка́р/ка-ть II. *vn.* (*Pf.* за-, *mom.* -кн-уть I.) to croak, to caw.

ка́рл/ик *s.*, **–ица** *s.* dwarf.

карма́н/ *s.* pocket; pouch; **часово́й ~** fob; **положи́ть в ~** to pocket; **э́то мне не по –у** I cannot afford that || **–ник** *s.* pickpocket || **–ный** *a.* pocket-; **–ные часы́** watch; **–ная кни́жка** pocket-book, note-book || **–щик** *s.* pickpocket.

карма́шек *s.* (*gsg.* -шка) *dim. of* карма́н.

карми́н/ *s.* carmine || **–ный** *a.* carmine.

карнава́л *s.* carnival.

карни́з *s.* cornice.

карп *s.* carp.

ка́рта *s.* (игра́льная) card; (географи́ческая) map; (морска́я) chart; **игра́ть в –ы** to play cards; **коло́да карт** a pack of cards.

карта́в=ить II. 7. *vn.* to pronounce indistinctly, to lisp, to whir(r).

карта́вый *a.* whirring.

картёж/ *s.* [a] (passionate) card-playing || **–ник** *s.* gambler, card-player || **–ничa-ть** II. *vn.* to be addicted to gambling || **–ный** *a.* of cards, card-.

карте́ль *s. f.* cartel.

карте́ч/ь *s. f.* & **–а** *s.* (*mil.*) grape-shot.

карти́н/а *s.* picture, painting, illustration || **–ка** *s.* (*gpl.* -нок) small picture; **кни́га с –ками** picture-book || **–очка** *s.* (*gpl.* -чек) *dim. of prec.* || **–ый** *a.* of pictures, picture-; picturesque.

карто́н/ *s.* pasteboard, cardboard || **–ка** *s.* (*gpl.* -нок) cardboard-box || **–ный** *a.* pasteboard-, cardboard-.

карто́фел/ина *s.* potato || **–ь** *s. m.* potato (as plant); *coll.* potatoes *pl.* || **–ьный** *a.* potato-.

ка́рточ/ка *s.* (*gpl.* -чек) small card; (**визи́тная**) **~** visiting-card; **фотографи́ческая ~** photograph, photo || **–ный** *a.* card-.

карто́шка *s.* (*gpl.* -шек) (*fam.*) potato.

карту́з *s.* [a] cap (with peak); cartridge-

карусе́ль *s. f.* merry-go-round. [bag.

ка́рцер *s.* prison; detention-room (in

карье́ра *s.* career. [schools).

каса́тель/но *ad.* (+ *G.*) concerning, touching, in relation to || **–ный** *a.* concerning, touching; **–ная** (**ли́ния**) (*geom.*) tangent.

каса́тик *s.* my dear, darling.

каса́-ться II. *vn.* (*Pf.* косн-у́ться I.) (*G. or* до + *G.*) to touch, to touch on

or upon; to concern, to relate to; **что касается до меня́** as for me, as far as I am concerned.
ка́ска s. (*gpl.* -сок) helmet.
каска́д s. cascade, waterfall.
ка́сса s. cash, cash-office; safe; (*typ.*) case, letter-case; (*rail.*) booking-office.
кас(с)/ацио́нный a., ~ **суд** court of appeal || **-а́ция** s. cassation, appeal.
касси́ро+ва́ть II. [b] *va.* to reverse (a decision).
касси́р/ s., **-ша** s. cashier.
ка́ста s. caste.
кастеля́н s. castellan.
касто́р/ка s. castor-oil || **-овый** a. castor-, beaver-; **-овое ма́сло** castor-oil.
кастрю́ля s. saucepan, casserole.
катава́сия s. canticle sung by two choirs; confusion, jumble.
катако́мбы s. *fpl.* catacombs *pl.*
катале́псия s. (*med.*) catalepsy, trance.
ката́ло́г s. catalogue.
ката́ль/щик s. roller, calenderer; ~ **на конька́х** skater || **-ный** a. for mangling, for rolling.
ката́ние s. rolling, calendering; mangling; drive; ~ **на конька́х** skating; ~ **с гор** tobogganing; ~ **на ло́дке** boating.
ката́р s. catarrh.
катара́кт/ s. waterfall, cataract || **-а** s. (*med.*) cataract.
катастро́фа s. catastrophe.
ката́-ть II. *va.* (*Pf.* по-, *mom.* катн-у́ть I.) to roll, to bowl; to calender; to drive, to take for a drive; (пилюли) to roll; to mangle || **~ся** *vr.* to roll; to take a drive; (верхо́м) to take a ride; (на ло́дке) to go boating; (с гор) to toboggan; (на конька́х) to skate; ~ **со́ смеху** to split one's sides with laughter.
катафа́лк s. catafalque.
категори́ческий a. categoric(al).
катего́рия s. category.
ка́тер s. (*mar.*) cutter.
кат=и́ть I. 2. [c & a] *vn.* (*Pf.* по-) to roll, to bowl; to come, to arrive in haste || **~ся** *vn.* to roll; to flow.
катихи́зис s. catechism.
като́к s. [a] (*gsg.* -тка́) roller, rolling-pin; cylinder; mangle; skating-place, rink.
като́л/ик s. catholic || **-и́ческий** a. catholic || **-и́чка** s. (*gpl.* -чек) catholic.
ка́торга s. hard labour; penal servitude; (*fig.*) drudgery; *formerly* the galleys.
ка́торжн/ик s. convict; galley-slave || **-ый** a. compulsory, hard || ~ (*as s.*) convict.
кату́ш/ка s. (*gpl.* -шек) reel, spool, bobbin || **-ечка** s. (*gpl.* -чек) *dim. of prec.*
каучу́к/ s. India-rubber, caoutchouc || **-овый** a. caoutchouc-, rubber-.
ка́федр/а s. pulpit, chair || **-а́льный** a. cathedral; ~ **собо́р** cathedral.
кафешанта́н s. cabaret, music-hall.
ка́фля s. Dutch tile.
кафр s. Kaffir.
кафта́н s. caftan, long coat (worn by Russian peasants).
кача́лка s. (*gpl.* -лок) cradle; litter; rocking-chair.
кача́ние s. rocking; swinging; pumping; ~ **ма́ятника** oscillation.
кача́-ть II. *va.* (*Pf.* по-, *mom.* качн-у́ть I.) to swing, to rock; to shake; ~ **голово́ю** to shake one's head; (*Pf.* по-) to pump || **~ся** *vr.&n.* to rock, to toss, to stagger, to swing; to sway.
ка́чек *cf.* **ка́чка.**
каче́ль s. *f.* swing, see-saw.
ка́честв/енный a. qualificative || **-о** s. quality, property, nature.
ка́чка s. (*gpl.* -чек) swinging, rocking; vacillation; (*mar.*) roll, rolling.
качну́ть(-ся) *cf.* **кача́ть.**
ка́ша s. gruel; (*fig.*) hodge-podge.
кашало́т s. (*zool.*) cachalot, sperm-whale.
кашева́р s. (regimental) cook; (workmen's) cook.
ка́шель s. *m.* cough.
кашеми́р s. cashmere.
ка́шица s. thin gruel.
ка́шка s. (*gpl.* -шек) gruel; (*bot.*) clover, trefoil.
ка́ш/ля-ть II. *vn.* (*Pf.* за-, *mom.* -лян-уть I.) to cough.
кашта́н/ s. chestnut, chestnut-tree || **-овый** a. chestnut.
каю́та s. cabin.
ка́-яться II. *vn.* (*Pf.* по-) (в + *Pr.*) to confess; (в чём, за что) to repent (of), to regret.
квадр/а́нт s. (*astr.*) quadrant || **-а́т** s. (*math.*) square || **-а́тный** a. square; ~ **ко́рень** square root || **-ату́ра** s. (*math.*) quadrature, squaring.
ква́ка-ть II. *vn.* (*Pf.* за-, *mom.* ква́кн-уть I.) to croak (of frogs); to quack (of ducks).
ква́кер s. Quaker.
ква́рт/а s. quart (also measure) || **-а́л** s. quarter, ward (of a town) || **-а́льный** a. of a town-quarter, ward- || **-е́т** s. quartet || **-и́ра** s. lodgings, apartments *pl.*; quarters *pl.* || **-ира́нт** s., **-ира́нтка** s. lodger || **-и́рка** s. (*gpl.* -рок) *dim. of* кварти́ра || **-ирме́йстер** s. quartermaster || **-и́рный** a. of lodgings, of quarters || **-иро+ва́ть** II. [b] *vn.* to lodge, to dwell; to be quartered.

кварц/ *s.* quartz || **/евый** *a.* quartz, of quartz.

квас *s.* kvass (sourish drink made from black bread and malt).

квáс=ить I. [b] 3. *va.* (*Pf.* за-) to ferment, to make sour.

квас/нóй *a.* of kvass || **–ни́к** *s.* [a] kvass-brewer; kvass-seller || **–цóвый** *a.* alum-, of alum, aluminous || **–цы́** *s. mpl.* [a] alum.

квáша *s.* leaven, leavened dough.

квашня́ *s.* kneading-trough.

квéрху *ad.* in the air, up in the air.

кви́нт/а *s.* (*mus.*) fifth, quint || **–éт** *s.* quintet.

квит/ *a. indecl.* (*pl.* **/ы**) quit, quits; **мы с тобóю /ы** we are quits || **–áнция** *s.* receipt.

квитá-ться II. *vrc.* (*Pf.* с-, по-, рас-) (с кем) to pay off, to be quits.

кéгля *s.* skittle, ninepin, skittle-pin; **игрáть в –и** to play at ninepins.

кедр/ *s.* cedar || **–óвый** *a.* cedar.

келáрь *s. m.* (father) cellarer.

кéл/ейка *s.* (*gpl.* -еек) cellule (in monasteries) || **–éйник** *s.* lay-brother || **–éйница** *s.* lay-sister || **–éйный** *a.* cell-; secret, private || **–ья** *s.* cell.

кенгурý *s. n. indecl.* kangaroo.

кентáвр *s.* centaur.

кéпи *s. n. indecl.* képi; military cap.

керосúн/ *s.* petroleum, paraffin (oil) || **–ный** & **–овый** *a.* petroleum-, paraffin-.

кéсарь *s. m.* Caesar, (Roman) Emperor.

кессóн *s.* coffer-dam.

киби́тка *s.* (*gpl.* -ток) kibitka (a covered-in car); nomad's tent.

кивáние *s.* nodding; beckoning; nod (of the head).

кивá-ть II. *vn.* (*Pf.* кивн-ýть I.) (рукóю) to beckon; (головóю) to nod.

ки́вер *s.* [b] (*pl.* -á) shako.

кивóк *s.* [a] (*gsg.* -вкá) nod.

кивóт *s.* (*eccl.*) the Ark; image-case.

кидá-ть II. *va.* (*Pf.* ки́н-уть I.) to throw, to cast, to fling, to hurl; (остáвить) to give up, to abandon; **~ жрéбий** to cast lots || **~ся** *vr.* to cast o.s., to spring, to leap (on); (на + *A.*) to fall upon; **кровь кидáется в гóлову** the blood goes to his head; **э́то кидáется в глазá** that is quite obvious.

ки́дкий *a.* easy to throw; agile, nimble; (на что) greedy, eager (for).

кизи́л *s.* box-thorn, evergreen thorn.

кий *s.* (billiard-)cue.

кики́мора *s.* phantom, ghost.

кикс *s.* miss (at billiards).

килá *s.* [e] (*med.*) hernia, rupture.

киле+вáть II. [b] *va.* (*Pf.* за-) to careen, to keel (a ship).

килевóй *a.* (*mar.*) keel-; **–áя кáчка** pitching, rolling (of ship).

кило/грáм(м) *s.* kilogram(me) || **–мéтр** *s.* kilometre.

киль/ *s. m.* [a] keel, bottom || **/ка** *s.* (*gpl.* -лек) (*ich.*) northern pilchard.

кинжáл/ *s.* dagger || **–ец** *s.* (*gsg.* -лца) & **–ик** *s.* small dagger || **–ьный** *a.* dagger-.

ки́новарь *s. f.* cinnabar, vermilion.

ки́нуть *cf.* **кидáть.**

киóск *s.* kiosk.

киóт *s.* image-case.

ки́па *s.* bale, package; bundle.

кипари́с *s.* cypress.

кипéние *s.* boiling, ebullition; **тóчка –ия** boiling-point.

кип=éть II. 7. [a] *vn.* (*Pf.* за-, с-) to boil, to bubble, to effervesce; to foam; to froth; (*fig.*) to swarm, to teem (with); **он кипи́т гнéвом** he is foaming with rage; **рабóта у негó кипи́т под рукá-ми** he is working as hard as he can.

ки́пка *s.* (*gpl.* -пок) = **кипéние.**

кипýчий (-ая, -ее) *a.* boiling, foaming; exuberant, impeduous.

кипяти́ль/ник *s.* boiler || **–ный** *a.* for boiling.

кипят=и́ть I. 2. [a] *va.* (*Pf.* вс-) to boil, to bring to a boil.

кипятóк *s.* [a] (*gsg.* -ткá) boiling water.

кирáс/ & **–а** *s.* cuirass, breast-plate || **–и́р** *s.* cuirassier.

ки́рка *s.* (*gpl.* -рок) Lutheran church.

киркá *s.* [e] spade, hoe, mattock.

кирпи́ч/ *s.* [a] brick || **–ьё** *s. coll.* bricks *pl.* || **–ник** *s.* brick-maker || **–ный** *a.* brick-, of brick; **~ завóд** brick-kiln; **~ чай** brick tea.

кис-кис *int.* puss-puss (for calling cats).

ки́са *s.* cat, pussy.

кисá *s.* [e] purse, money-bag.

кисéйный *a.* muslin-.

кисéль *s. m.* [a] a kind of sourish jelly.

кисéт *s.* tobacco-pouch.

кисея́ *s.* muslin.

ки́ска *s.* (*gpl.* -сок) *dim.* puss, pussy.

ки́сленький *a.* sourish, tart.

кислé-ть II. *vn.* (*Pf.* по-, о-, за-) to turn sour, to sour.

ки́сл=ить II. *va.* to make sour, to sour.

кисло/вáтый *a.* sourish, acidulous, tart || **–рóд** *s.* oxygen || **–слáдкий** *a.* sweet and sour || **–тá** *s.* (*pl.* кислóты) acidity sourness; (*chem.*) acid.

ки́сл/ый *a.* sour, acid || **–я́тина** *s. coll.* sour drinks; sour fruits; sour taste.

ки́снуть 52. *vn.* (*Pf.* про-, с-, за-) to sour, to turn sour.

кисте́нь *s. m.* [a] an ancient Russian weapon (an iron ball fastened to a strap).

ки́сточка *s.* (*gpl.* -чек) *dim.* pencil; brush.

кисть *s. f.* [c] tuft, tassel; bunch (of grapes); (paint-)brush; hand (without the fingers).

кит *s.* [a] whale.

ки́тель *s. m.* (working-)blouse, linen coat.

кит/о́вый *a.* cetaceous, whale-; ~ **ус** whalebone || **–оло́в** *s.* whale-fisher || **–оло́вный** *a.* whaling- || **–оло́вство** *s.* whale-fishery.

кич=и́ться I. [a] *vn.* (чем) to pride o.s. (on); to be puffed up (about).

кичли́вый *a.* haughty, proud, conceited.

киш=е́ть I. [a] *vn.* (*Pf.* за-) to swarm, to be thronged (with).

киш/е́чный *a.* intestinal || **–ка́** *s.* (*gpl.* -ше́к) gut, intestine, entrails *pl.*; (fire-engine) hose.

кишми́ш *s.* [a] *coll.* currants *pl.*

кишмя́ *ad.*, ~ **киши́т** it is swarming (with).

клави/ату́ра *s.* keyboard, keys (of a piano) || **–ко́рды** *s. fpl.* harpsichord.

кла́виш(а) *s.* key (of a piano, etc.).

клад/ *s.* treasure || **/–бище** *s.* cemetery, graveyard, churchyard || **–ене́ц** *s.* [a] (*gsg.* -енца́) **меч** ~ steel sword || **/–ка** *s.* (*gpl.* -док) laying; building || **–ова́я** *s.* storehouse, storeroom || **/–чик** *s.* setter, piler; (brick-)layer.

кладь *s. f.* cargo, freight.

кла́ня-ться II. *vc.* (*Pf.* поклон=и́ться II. [c]) (+ *D.*) to bow (to), to greet, to salute; (кому́ чем) to present (with).

кла́пан *s.* valve; **предохрани́тельный** ~ safety-valve.

кларне́т *s.* clarinet.

класс/ *s.* class || **/–ик** *s.* classic || **–ифи-ка́ция** *s.* classification || **–ифици́ро+вать** II. *va.* to classify || **–и́ческий** *a.* classic, classical; standard || **/–ный** *a.* of class, class-.

класть (√клад) 22. *va.* (*Pf.* полож=и́ть I. [c]) to put, to set, to lay, to place; (*Pf.* слож=и́ть I. [c]) to build (a wall); (холости́ть) to geld, to castrate; (оцени́ть) to value, to appraise.

кле+ва́ть II. [a] *va.* (*Pf.* клю́н-уть I.) to bite, to nibble (of a fish); to peck, to pick.

кле́вер *s.* clover, trefoil, lucern.

клевета́ *s.* calumny, slander, detraction.

клевет-а́ть I. 6. [c] (*Pf.* о-, на-) (на кого́) to slander, to calumniate.

клевет/ни́к *s.*, **–ни́ца** *s.* calumniator, slanderer.

клевре́т *s.* accomplice.

клеево́й *a.* of glue, of paste.

клеё́н/ка *s.* (*gpl.* -нок) oilcloth || **–очный** *a.* oilcloth-.

кле́=ить II. [a & c] *va.* (*Pf.* с-) to glue, to paste, to stick || ~**ся** *vn.* to stick, to be sticky; (*fig.*) to go on well; **разгово́р не кле́ился** the conversation flagged.

клей/ *s.* [°] glue, paste, size; **пти́чий** ~ birdline; **ры́бий** ~ fish-glue, isinglass || **/–ка** *s.* gluing, pasting || **/–кий** *a.* sticky, viscous, gluey || **/–кость** *s. f.* stickiness, viscosity.

клейм=и́ть II. [a] *va.* (*Pf.* за-) to stamp; to mark; to brand.

клеймо́ *s.* [e] stamp, mark; brand, stigma; **фабри́чное** ~ trade-mark.

кле́йстер *s.* paste.

клён/ *s.* maple || **(е)–о́вый** *a.* maple.

клеп-а́ть II. 7. [c] *va.* (*Pf.* за-) to rivet, to clinch || ~ *vn.* (*Pf.* на-) (на кого́) to slander, to calumniate.

клёпка *s.* (*gpl.* -пок) riveting; stave.

кле́т/ка *s.* (*gpl.* -ток) cage; (квадра́тик на тка́ни) check, square || **–очный** *a.* cage-; cellular; latticed || **–чатый** *a.* checked, chequered.

клеть *s. f.* [c] granary.

клёцка *s.* (*gpl.* -цек) dumpling.

клешня́ *s.* claw (of crabs, etc.).

клещ/ *s.* [a] (*zool.*) tick, mite || **–и́** *s. mpl.* [a] pincers, nippers *pl.*

кли́вер *s.* [b] (*mar.*) jib.

клие́нт/ *s.* client, customer || **–у́ра** *s.* clientele.

клик *s.* call, shout.

кли́к-ать I. 2. *va.* to cry out, to exclaim; to proclaim, to publish || ~ *vn.* (*Pf.* кли́кн-уть I.) to call, to cry, to shriek.

клику́/н *s.*, **–нья** & **–ша** *s.* epileptic.

кли́мат/ *s.* climate || **–и́ческий** *a.* climatic.

клин/ *s.* wedge || **/–ика** *s.* clinic || **–и́ческий** *a.* clinical || **–о́к** *s.* [a] (*gsg.* -нка́) blade (of a sword, etc.) || **–ообра́зный** *a.* wedge-shaped, cuneiform.

кли́пер *s.* [b] (*mar.*) clipper.

клир/ *s.* clergy || **/–ик** *s.* cleric, clergyman || **/–ос** *s.* choir.

клисти́р *s.* clyster.

клич/ *s.* shout, call; proclamation || **/–ка** *s.* (*gpl.* -чек) call (to a dog, etc.).

клише́ *s. indecl.* cliché.

клобу́к *s.* [a] cowl, hood.

клозе́т *s.* closet.

клок *s.* (*pl.* кло́чья, -ьев & клоки́ [a]) tuft, lock; small piece, scrap.

кло́кот/ & **–а́ние** *s.* bubbling, boiling up.

клон=и́ть II. [c] *va.* (*Pf.* на-, с-) to incline, to bow, to bend || **~ся** *vr.* to incline; to lean, to tend towards.
клоп *s.* [a] bug.
кло́ун *s.* clown.
клохт-а́ть I. 2. [c] *va.* to cluck (of hens).
клохту́нья *s.* a clucking hen.
клоч/о́к *s.* [a] (*gsg.* -чка́) *dim. of* клок || **-́ья** *cf.* **клок.**
клуб *s.* club || **~** *s.* [c] ball (of thread); **~ ды́ма** cloud of smoke.
клуб=и́ть II. 7. [a] *va.* (*Pf.* за-) to whirl up; to form into a ball.
клубни́ка *s.* (garden) strawberry.
клу́бный *a.* club-; ball-.
клуб/о́к *s.* [a] (*gsg.* -бка́) & **-о́чек** *s.* (*gsg.* -чка) *dim. of* клуб *s.* [c].
клу́мба *s.* flower-bed.
клык *s.* [a] tusk; fang.
клюв *s.* beak, bill.
клюка́ *s.* [d] crutch.
клю́ква *s.* cranberry, whortleberry.
клю́нуть *cf.* **клева́ть.**
ключ/ *s.* [a] key; spring, fountain; **за́пертый на́ ~** locked || **-ево́й** *a.* key-; spring- || **-́ик** *s.* small key || **-и́ца** *s.* clavicle, collar-bone || **-́ник** *s.*, **-́ница** *s.* housekeeper.
клю́ю *cf.* **клева́ть.**
кля́нч=ить I. *va.* to importune, to dun.
кляп *s.* [a] gag.
клясть 36. [a 2.] *va.* (*Pf.* про-) to curse || **~ся** *vr.* (чем) to swear, to take an oath.
кля́т/ва *s.* oath, vow; malediction, curse; **дава́ть -ву** to take an oath || **-венный** *a.* sworn, on oath || **-вонаруше́ние** & **-вопреступле́ние** *s.* perjury || **-вопресту́пник** *s.*, **-вопресту́пница** *s.* perjurer || **-вопресту́пный** *a.* perjured, forsworn.
кля́уза *s.* intrigues *pl.*, cavil.
кля́у/з=ить I. 1. & **-знича-ть** II. *vn.* (*Pf.* на-) to cavil, to scheme, to intrigue.
кля́уз/ник *s.*, **-ница** *s.* schemer, intriguer.
кля́ч/а *s.*, *dim.* **-о́нка** *s.* (*gpl.* -нок) jade, sorry nag.
кни́га *s.* book.
книго/изда́тельство *s.* publisher's, publishing-house || **-но́ша** *s.* book-hawker || **-печа́тание** *s.* printing || **-печа́тня** *s.* printing-house || **-прода́вец** *s.* (*gsg.* -вца) bookseller || **-торго́вля** *s.* book-trade || **-храни́лище** *s.* library.
книж/ка *s.* (*gpl.* -жек) & **-ечка** *s.* (*gpl.* -чек) little book; pocket-book; third stomach (of ruminants) || **-ник** *s.* book-learned man; book-dealer, second-hand bookseller || **-ный** *a.* book- || **-о́нка** *s.* (*gpl.* -нок) (*abus.*) worthless book.
кни́зу *ad.* downward(s).
кно́пка *s.* (*gpl.* -пок) button (of bell).
кнут/ *s.* [a], *dim.* **-́ик** knout, whip || **-ови́ще** & **-овьё** *s.* whip-handle, stock (of a whip).
княги́ня *s.* (married) princess; **вели́кая ~** Grand Duchess (of Russia).
княже́ние *s.* reign (of a prince).
кня́ж/еский *a.* prince's, princely || **-ество** *s.* principality, princedom || **-ий** (-ья, -ье) *a.* prince's, princely || **-на́** *s.* (unmarried) princess.
князь *s. m.* [b] (*pl.* князья́, -зе́й, -зья́м, etc.) prince; **вели́кий ~** Grand Duke (of Russia).
коали́ция *s.* coalition.
ко́ба́льт/ *s.* cobalt || **-овый** *a.* cobalt.
коб/елёк *s.* [a] (*gsg.* -лька́) *dim. of foll.* || **-е́ль** *s. m.* [a] (*pl.* -еля́ & -ели́) he-dog.
кобе́н=иться II. *vr.* (*Pf.* за-) to behave affectedly; to make wry faces; to be stubborn.
ко́бз/а *s.* a kind of guitar with eight strings || **-а́рь** *s. m.* [a] "kobza" player.
коблу́к *cf.* **каблу́к.**
кобу́ра *s.* holster (for a pistol).
кобы́л/а & **-и́ца** *s.* mare || **-ий** (-ья, -ье) *a.* mare's || **-ка** *s.* (*gpl.* -лок) young mare; (*mus.*) bridge; support; boot-jack; (*zool.*) grasshopper.
кова́л/о *s.* smith's hammer, sledge-hammer || **-ь** *s. m.* [a] smith || **-ьня** *s.* forge smithy.
кова́р/ность *s. f.* & **-ство** *s.* cunning, trickery, craftiness, slyness || **-ный** *a.* sly, crafty, wily, cunning.
ко+ва́ть II. [a] *va.* (*Pf.* с-) to forge, to hammer; (*Pf.* под-) to shoe (a horse).
ковёр *s.* [a] (*gsg.* -вра́) carpet; rug.
кове́рка-ть II. *va.* (*Pf.* ис-) to contort, to distort; to murder (a language) || **~ся** *vr.* to make wry faces; to cringe.
ко́в/ка *s.* (*gpl.* -вок) forging, hammering; shoeing (a horse) || **-кий** *a.* malleable.
коври́/га *s.* round loaf || **-жка** *s.* (*gpl.* -жек) ginger-bread.
ко́вр/ик *s.* small carpet, rug, mat || **-о́вый** *a.* carpet-.
ковче́г *s.* chest, shrine; **Но́ев ~** Noah's ark.
ковш/ *s.* [a], *dim.* **-́ик** *s.* scoop, (soup-) ladle.
ковы́л/ & **-ь** *s. m.* [a] feather-grass.
ковыля́-ть II. *vn.* (*Pf.* ковыльн-у́ть I.) to hobble, to limp, to halt.
ковыря́-ть II. *va.* (*Pf.* по-) to pick (one's teeth), to clean out.

когда́ *ad.* when; **~-нибу́дь** one time or another; **~-то** once; formerly.
кого́ *G.* & *A.* *of* кто.
ко́готь *s. m.* [c] (*gsg.* -гтя) claw, talon; (*fig.*) clutch, grasp.
ко́дак *s.* kodak.
ко́декс *s.* codex.
кодифика́ция *s.* codification.
ко́е/-где *ad.* somewhere || **~-ка́к** *ad.* somehow; carelessly, indifferently; with difficulty || **~-кто** *prn.* someone, somebody; anyone || **~-что** *prn.* something, anything.
ко́ж/а *s.* skin, hide, leather || **-аный** *a.* leather, of leather || **-е́венный** *a.* tan-, tanner's; **~ заво́д** tan-yard || **-е́вник** *s.* tanner || **-е́вня** *s.* tannery, tan-yard || **-ица** *s.* epidermis, cuticle, film || **-ный** *a.* of skin, cutaneous || **-ура́** *s.* skin, peel, rind || **-у́х** *s.* [a] peasant's fur-coat.
коз/а́ *s.* [e] goat || **-ёл** *s.* [a] (*gsg.* -зла́) (he-)goat, puck-goat; **~ отпуще́ния** scapegoat || **-еро́г** *s.* (*astr.*) Capricorn.
ко́з/ий (-ья, -ье) *a.* goat's || **-лёнок** *s.* (*pl.* -ля́та) kid, young puck-goat || **-лик** *s.* (he-)kid || **-ло́вый** *a.* of the skin of a he-goat || **-лы** *s. mpl.* (*G.* -зел) (coach-)box || **-лы́** *s. mpl.* [a] trestle; (sawyer's) jack; pile (of arms) || **-ля́тина** *s.* the flesh of a goat or kid.
ко́зни *s. fpl.* snares, traps, wiles, tricks *pl.*; underhand dealing.
ко́з/очка *s.* (*gpl.* -чек) kid || **-у́ля** *s.* roe, roebuck.
козырёк *s.* [a] (*gsg.* -рька́) peak of a cap.
козы́рный *a.* trump, of trumps; **~ туз** the ace of trumps.
ко́зыр/ь *s. m.* [c] trump; **начина́ть игру́ -ем** to lead (with) trumps; **ходи́ть с -я** to play a trump; **ходи́ть -ем** (*fig.*) to swagger; to strut along.
козыря́-ть II. *vn.* (*Pf.* козырн-у́ть I.) to play trumps, to trump || **~** *va.* (*fig.*) to scold.
козя́в/а *s.* & **-ка** *s.* (*gpl.* -вок) beetle.
кой *prn.* (ка́я, ко́е, *pl.* ко́и) who, which, that (*obs.* except in certain stereotyped phrases); **кой чорт!** why the deuce!
ко́йка *s.* (*gpl.* -бек) hammock; bunk, berth; wheelbarrow.
кокаи́н *s.* cocaine.
коке́т/ка *s.* (*gpl.* -ток) coquette, flirt || **-ливый** *a.* coquettish, flirtatious || **-нича-ть** II. *vn.* (*Pf.* по-) to flirt || **-ство** *s.* coquetry, flirtation.
коклю́ш *s.* hooping-cough.
коко́н *s.* cocoon.
коко́с *s.* coco-nut, cokernut; coco, coconut tree.
коко́тка *s.* (*gpl.* -ток) a loose woman.
коко́шник *s.* head-dress worn by Russian women.
кокс *s.* coke.
кол *s.* [d] (*pl.* ко́лья, -ьев) stake, post.
ко́лба *s.* (*chem.*) retort, matrass.
колбаса́ *s.* [h] sausage.
колдо+ва́ть II. [b] *vn.* (*Pf.* по-) to practise sorcery, magic.
колд/овство́ *s.* sorcery, spell, magic || **-у́н** *s.* [a] sorcerer, wizard; (*in pl.*) kind of small pie || **-у́нья** *s.* witch, enchantress.
колеба́/ние *s.* shaking; agitation; hesitation || **-тельный** *a.* shaking, hesitating.
колеб-а́ть II. 7. [b] *va.* (*Pf.* вс-, за-, по-, *mom.* колебн-у́ть I. [a]) to shake, to agitate; to cause to waver || **~ся** *vr*&*n.* to be agitated; to waver; (*fig.*) to hesitate, to shilly-shally.
коленко́р/ *s.* calico || **-овый** *a.* calico.
коле́н/ный *a.* of the knee, knee- || **-о** *s.* (*pl.* -и, -ей) knee; **стать на -и** to kneel down; (*pl.* -а, коле́н) race, line, branch, generation; turn, bend (of a road); (*mus.*) movement; (*pl.* -ья, -ьев) link (of a chain); knot (in wood) || **-опреклоне́ние** *s.* genuflexion || **-це** *s.* knee-joint || **-чатый** *a.* knee-jointed; knotty.
ко́лер *s.* (*pl.* -ы & а́) shading, colouring (art); staggers *pl.* (of horses).
колес=и́ть I. 3. *vn.* to take a roundabout way; (*Pf.* ис-) to travel over.
колёсник *s.* cart-wright, wheelwright.
колесни́ца *s.* car, chariot; *esp.* state-coach.
колёсный *a.* wheeled.
колесо́ *s.* [h] (*pl.* колёса) wheel.
колесо+ва́ть II. [b] *va.* to break on the wheel.
колесцо́ *s.* [h] *dim. of* колесо́.
колёц *cf.* **кольцо́.**
коле́чко *s.* (*gpl.* -чек) *dim. of* кольцо́.
колея́ *s.* rut, wheel-track.
ко́ли *c.* (*vulg.*) if.
коли́бри *s. f. indecl.* humming-bird.
ко́лика *s.* colic.
коли́ч/ественный *a.* quantitative; **-ественное числи́тельное** cardinal number || **-ество** *s.* quantity.
ко́лк/ий *a.* sharp, caustic, biting || **-ость** *s. f.* sharpness, bite, sting; taunt. gibe (jibe); **говори́ть -ости** to taunt, to gibe (jibe).
колле́г/а *s. m*&*f.* colleague || **-иа́льный** *a.* collegial || **-ия** *s.* college; board.

коллéжский *a.* college-.
коллектúвный *a.* collective.
коллéкция *s.* collection.
коллóдий *s.* collodium.
коло/брóд=ить I. 1. *vn.* to wander, to lounge about; to ramble, to rove; to rave, to talk nonsense || **–ворóт** *s.* eddy; (*tech.*) centre-bit, drill || **–врáтный** *a.* rotatory; (*fig.*) inconstant, fickle || **–вращéние** *s.* circular motion, rotation.
колóд/а *s.* trunk, (chopping-)block, log; stocks *pl.* (for criminals); tray, trough; pack (of cards) || **–езный** *a.* of well, well- || **–езь** *s. m.* & **–ец** *s.* (*gsg.* -дца) well || **–ка** *s.* (*gpl.* -док) boot-tree, (shoemaker's) last || **–ник** *s.* convict, prisoner.
кóлок/ол *s.*, *dim.* **–óлец** *s.* (*gsg.* -льца) bell || **–óльный** *a.* bell- || **–óльня** *s.* bell-tower || **–óльчик** *s.* little bell; (*in pl. bot.*) blue-bell || **–óльщик** *s.* bell-founder.
колон/иáльный *a.* colonial || **–изáция** *s.* colonization || **–úст** *s.*, **–úстка** *s.* (*gpl.* -ток) colonist.
колóния *s.* colony.
колóнн/а *s.* column || **–áда** *s.* colonnade.
колор/úст *s.* colorist || **–úт** *s.* colouring; coloration.
кóлос *s.* (*pl.* колóсья) ear (of corn).
колосúстый *a.* full of ears (of corn).
колос=úться I. 3. [c] *vn.* (*Pf.* вы́-) to shoot into ears, to ear (of corn). [sal.
колóс(с)/ *s.* colossus || **–áльный** *a.* colos-
колот=úть I. 2. [c] *va.* (*Pf.* по-, при-) to beat, to thrash; to give a good drubbing.
колотýшка *s.* (*gpl.* -шек) beetle, mallet; rammer; (*fam.*) blow on the head.
кол-óть II. [c] *va.* (*Pf.* на-, рас-) to split, to cleave; (*Pf.* кольн-ýть I. [a]) to prick; to slaughter (animals); (*fig.*) to reproach; **э́то емý глазá кóлет** that's a thorn in his side.
колочý *cf.* **колотúть.**
колп/áк *s.* [a] night-cap; globe (of a lamp); glass bell, glass cover (of a watch); (*fig.*) sleepy fellow || **–ачóк** *s.* [a] (*gsg.* -чкá) *dim. of prec.*
колтýн *s.* [a] a hair-disease.
колчáн *s.* quiver.
колчедáн *s.* pyrites.
колыбéль/ *s. f.*, *dim.* **–ка** *s.* (*gpl.* -лек) cradle || **–ный** *a.* cradle-.
колыхá-ть II. *va.* (*Pf.* вс-, *mom.* колыхн-ýть I. [a]) to shake, to rock, to swing.
коль *c.* when, if; **~ скóро** as soon as.
кольé *s. indecl.* necklace.
кольнýть *cf.* **колóть.**
кольц/еобрáзный *a.* annular, ring-shaped || **–ó** *s.* [d] (*gpl.* колéц) ring.
кóльч/атый *a.* made of rings, ringed || **–ýга** *s.* (chain-)mail, coat of mail.
колю́ч/ий *a.* prickly, thorny, barbed, **–ая прóволока** barbed wire || **–ка** *s.* (*gpl.* -чек) prickle; spine, thorn.
коляд/á *s.* Christmas-time; Christmas carols (sung from house to house) || **–о+вáть** II. [b] *vn.* to go from house to house singing Christmas carols.
коля́ска *s.* (*gpl.* -сок) calash, open carriage; chaise (half-covered).
ком *s.* (*pl.* кóмья) lump, ball.
ком *prn. cf.* **кто.**
комáнд/а *s.* command; **пожáрная ~** fire-brigade || **–úр** *s.* commander(-in-chief) || **–úрша** *s.* wife of commander (-in-chief) || **–úро+вáть** II. [b] *va.* (*Pf.* от-) to despatch || **–úровка** *s.* (*gpl.* -вок) despatching || **–о+вать** II. *vn.* (+ *I.*) to command, to be in command of; (*Pf.* с-) (+ *D.*) to order, to command || **–óр** *s.* commander (of an order) || **–ующий** *a.* commanding || **~** (*as s.*) commander. [*dim. of prec.*
комáр/ *s.* [a] gnat; (*tech.*) punch || **–ик** *s.*
комбинáция *s.* combination.
комед/иáнт *s.* comedian, actor || **–иáнтка** *s.* (*gpl.* -ток) actress, comedian.
комéдия *s.* comedy. [fortress).
комендáнт *s.* commander (of a town, a
комéта *s.* comet.
комúзм *a.* humour, comicalness.
кóмик *s.* comic author, comic actor.
комис(с)/áр *s.* commissary || **–áрша** *s.* wife of commissary || **–ариáт** *s.* commissariat || **–ионéр** *s.* commissioner || **–иóнный** *a.* commission-.
комúс(с)ия *s.* commission; committee.
комитéт *s.* committee.
комúческий *a.* comic(al).
кóмка-ть II. *va.* (*Pf.* с-) to rumple, to crumple; (of snow) to form into a ball.
комментáрий *s.* commentary.
коммерсáнт *s.* (wholesale) merchant.
коммéр/ция *s.* commerce; dealings *pl.*, traffic || **–ческий** *a.* commercial, mercantile. [commercial traveller.
коммú/ *s. m. indecl.* clerk || **–вояжёр** *s.*
коммýн/а *s.* commune || **–áльный** *a.* communal || **–úзм** *s.* communism || **–икáция** *s.* communication || **–úст** *s.*, **–úстка** *s.* communist || **–истúческий** *a.* communistic.

ко́мнат/а *s., dim.* **–ка** *s.* (*gpl.* -ток) room, apartment || **–ный** *a.* room-.
комо́д/ *s.* chest of drawers || **–ец** *s.* (*gsg.* -дца) & **–ик** *s. dim. of prec.*
ком/о́к *s.* [a] (*gsg.* -мка́) & **–о́чек** *s.* (*gsg.* -чка) *dim. of* ком.
компа́ктный *a.* compact.
компа́н/ия *s.* company, partnership || **–ио́н** *s.* companion, partner, associate.
компатрио́т *s.* compatriot, fellow-countryman.
ко́мпа́с *s.* compass.
компенс/а́ция *s.* compensation || **–и́ро+вать** II. *va.* to compensate.
компете́нтный *a.* competent.
компил/я́тор *s.* compilator || **–я́ция** *s.* compilation.
компле́кт/ *s.* complement, set; **боево́й ~** war-equipment; army on a war-footing; **~ инструме́нтов** set of instruments || **–ный** *a.* complete || **–о+ва́ть** II. [b] *va.* (*Pf.* с-, у-) to complete, to fill up.
компле́кция *s.* constitution; state of health.
комплиме́нт *s.* compliment.
композ/и́тор *s.* (*mus.*) composer || **–и́ция** *s.* (*mus.*) composition.
компони́ро+вать II. *va.* (*Pf.* с-) to compose.
компо́т *s.* stewed fruit.
компре́сс *s.* (*med.*) compress.
компромети́ро+вать II. *va.* (*Pf.* с-) to compromise.
комфорта́бельный *a.* comfortable.
кон *s.* beginning; stake (at play); turn, time.
кона́-ть II. *va.* (*Pf.* до-) to drive to extremes; to annihilate.
конве́н/т *s.* convention || **–ция** *s.* convention, covenant.
конве́рт *s.* envelope (of a letter).
конвои́ро+вать II. *va.* to convoy, to escort.
конво́й/ *s.* convoy, escort || **–ный** *a.* convoy-, escort-.
конвуль/си́вный *a.* convulsive || **⸗сия** *s.* convulsion.
конгрега́ция *s.* congregation.
конгре́сс *s.* congress.
конди́тер/ *s.* confectioner, pastry-cook || **–ская** *s.* confectioner's (shop).
конди́ция *s.* condition.
ко́ндор *s.* condor.
конду́ктор *s.* (*pl.* -ы & -а́) conductor; (*rail.*) guard.
конёк *s.* [a] (*gsg.* -нька́) little horse; hobby(-horse); skate; (*zool.*) cricket; **ката́ться на конька́х** to skate.
коне́ц *s.* [a] (*gsg.* -нца́) end, conclusion, termination; point, tip; **в конце́ концо́в** after all, in the long run; **в о́ба конца́** there and back; **тре́тий с конца́** last but two; **своди́ть концы́ с конца́ми** to make ends meet.
коне́ч/но *ad.* to be sure, indeed, certainly, of course || **–ность** *s. f.* end, limit, bound; tip, extremity; (*in pl.*) extremities *pl.* || **–ный** *a.* final, latter; entire, complete, total; (*math.*) commensurable.
кони́на *s.* horse-flesh.
кони́ческий *a.* conic(al).
ко́нка *s.* (*gpl.* -нок) horse-car, tram-car.
конкла́в *s.* conclave.
конкре́тный *a.* concrete.
конкур/е́нт *s.* competitor, rival || **–е́нция** *s.* competition || **–и́ро+вать** II. *vn.* to compete.
ко́нкурс *s.* competition; (*comm.*) meeting of creditors.
ко́нн/ица *s.* cavalry; horse || **–огварде́ец** *s.* (*gsg.* -де́йца) horse-guard || **–оза-во́дство** *s.* horse-breeding || **–озаво́дский** *a.* stud-, of the stud || **–ый** *a.* horse, equestrian; **~ заво́д** stud; **–ая артилле́рия** horse-artillery.
коно/ва́л *s.* veterinary surgeon; horse-doctor, farrier || **–во́д** *s.* breeder of horses; ring-leader || **–во́дство** *s.* business of a breeder of horses || **–кра́д** *s.* horse-thief.
ко́нок *cf.* **ко́нка.**
конопа́т⸗ить I. 2. *va.* (*Pf.* за-) (*mar.*) to caulk.
конопа́тка *s.* (*gpl.* -ток) caulking; caulking iron.
конопл/я́/ *s.* hemp || **–нка** *s.* (*gpl.* -нок) linnet || **–ный** *a.* of hemp, hempen.
коносаме́нт *s.* (*comm.*) bill of lading.
консервати́вный *a.* conservative.
консе́рвы *s. mpl.* preserves *pl.*
консисто́рия *s.* consistory.
ко́нский *a.* horse-; **~ заво́д** stud.
конституц/ио́нный *a.* constitutional || **⸗ия** *s.* constitution.
констру́кция *s.* construction.
ко́нсул/ *s.* consul || **–ьство** *s.* consulate || **–ьта́нт** *s.* consulting physician || **–ьта́ция** *s.* consultation.
контине́нт/ *s.* continent || **–а́льный** *a.* continental.
конто́р/а *s.* counting-office, -house; **почто́вая ~** post-office || **–ка** *s.* (*gpl.* -рок) bureau, writing-desk || **–ский** *a.* office- || **–щик** *s.* office-clerk || **–щица** *s.* clerk in an office.
контраба́нд/а *s.* contraband; smuggling || **–и́ст** *s.* smuggler || **–ный** *a.* contraband; smuggling.
контраба́с *s.* counter-bass.
контрадмира́л *s.* rear-admiral.

контрагéнт *s.* contractor.
контрáкт/ *s.* contract || **–о+вáть** II. [b] *va.* (*Pf.* за-) to contract.
контрáльт *s.* contralto.
контрасигни́ро+вать II. *va.* to counter-sign.
контрáст *s.* contrast.
контрибу́ция *s.* contribution.
контрол/ёр *s* controller || **–и́ро+вать** II. *va.* (*Pf.* про-) to control, to check.
контрóль/ *s. m.* control, supervision || **–ный** of control.
контр/-предложéние *s.* counter-proposal || **~-прикáз** *s.* counter-order || **–революционéр** *s.* counter-revolutionary || **–революциóнный** *a.* counter-revolutionary || **–революция** *s.* counter-revolution.
контýзия *s.* contusion, bruise.
контýр *s.* contour, outline.
кон/ýрá *s.*, *dim.* **–ýрка** *s.* (*gpl.* -рок) kennel; hovel, hut.
кóнус/ *s.* cone || **–ообрáзный** & **–овáтый** *a.* conic(al).
конфедерáция *s.* confederation.
конфéкты *s. mpl.* sweetmeats *pl.*; sweets *pl.*
конферéнция *s.* conference.
конфéт/а *s.* (*us. in pl.*) sweetmeats *pl.*; sweets *pl.* || **–ка** *s.* (*gpl.* -ток) sweet || **–ти** *s. n. indecl.* confetti || **–чик** *s.* confectioner.
конфиденциáльный *a.* confidential.
конфирм/áция *s.* confirmation || **–о+вáть** II. [b] *va.* to confirm.
конфиск/áция *s.* confiscation || **–о+вáть** II. [b] *va.* to confiscate.
конфу́з=ить I. 1. *va.* (*Pf.* с-) to confuse, to perplex, to nonplus || **~ся** *vn.* to be confused.
концá *cf.* **конéц.**
концентр/и́ро+вать II. *va.* to concentrate || **–и́ческий** *a.* concentric(al).
концéрт *s.* concert.
кончá-ть II. *va.* (*Pf.* кóнч=ить I.) to finish, to end, to terminate; **кóнчено!** done! that's settled! || **~ся** *vn.* to end, to come to an end; to die.
кóнч/ик *s.* small end, tip || **–и́на** *s.* end; decease, death, demise.
конь/ *s. m.* [e] horse; steed; knight (at chess) || **–кá** *cf.* **конёк** || **–кобéжец** *s.* (*gsg.* -жца), **–кобéжица** *s.* skater.
коньяк *s.* cognac, brandy.
кóнюх *s.* (*pl.* -и & -á) stable-boy, ostler, groom.
конюшня *s.* stable.
копá *s.* heap; three score (60 sheaves, eggs, etc.).
копá-ть II. *va.* (*Pf.* вы́-, *mom.* копн-у́ть I.) to dig || **~ся** *vn.* to ransack, to rummage; to loiter, to dawdle.

копéек *cf.* **копéйка.**
копéеч/ка *s.* (*gpl.* -чек) *dim. of* копéйка || **–ник** *s.* miser, skinflint || **–ный** *a.* worth a copeck, for a copeck.
копéйка *s.* (*gpl.* -éек) copeck (roughly = 1 farthing).
копёр *s.* [a] (*gsg.* -прá) pile-driver.
копи́лка *s.* (*gpl.* -лок) money-box.
копи́р/ный & **–овáльный** *a.* copying; **–ная бумáга** transfer-paper, carbon-paper || **–о+вáть** II. [b] *va.* (*Pf.* с-) to copy || **–óвщик** *s.* copyist.
коп=и́ть II. 7. [c] *va.* (*Pf.* на-, с-) to amass, to hoard, to accumulate; to heap up, to scrape together (money).
кóпия *s.* copy.
копнá *s.* [e] (*gpl.* кóпен) heap; rick (of corn).
копну́ть *cf.* **копáть.**
кóпоть *s. f.* lampblack.
копош=и́ться I. *vr.* (*Pf.* за-) to swarm; to crawl (of worms *or* insects).
коптé-ть II. *vn.* (*Pf.* за-) to get black with smoke; (над чем) to work assiduously (at).
копти́ль/ный *a.* smoking-, for smoke-drying || **–ня** *s.* smoke-drying shed *or* room || **–щик** *s.* smoke-dryer.
копт=и́ть I. 2. [a] *va.* (*Pf.* за-) to blacken with smoke; (*Pf.* вы́-) to smoke, to smoke-dry.
копчéние *s.* smoking, smoke-drying.
копы́т/о *s.* hoof || **–ный** *a.* hoofed, ungulate.
копь *s. f.* (*esp. in pl.*) mine, pit.
копьё *s.* [d] (*gpl.* кóпий) lance, pike, spear.
копьенóсец *s.* (*gsg.* -сца) lancer, spearman.
корá *s.* bark, rind; crust.
корабéль/ный *a.* ship's, naval || **–щик** *s.* ship-owner; skipper.
корабле/крушéние *s.* shipwreck || **–строéние** *s.* shipbuilding || **–строи́тель** *s. m.* shipbuilder.
корáблик *s.* small ship; (*zool.*) nautilus.
корáбль *s. m.* [a] ship, vessel.
корáлл/ *s.* coral || **–овый** *a.* coral, of coral.
корáн *s.* the Koran.
корвéт *s.* (*mar.*) corvette, sloop of war.
коргá = **каргá.**
кордóн *s.* cordon.
корен/áстый *a.* thick-set, squat, square-built || **–ни́к** *s.* [a] thill-horse, shaft-horse || **–нóй** *a.* root-, original, fundamental, radical.
кóр/ень *s. m.* [c] (*pl.* кóрни, -éй) root (of plants, hair, teeth); (*pl.* корéнья, -ьев, etc.) *coll.* roots *pl.*; spices *pl.*

корешо́к *s.* [a] (*gsg.* -шка́) small root; back (of a book).
корзи́н/а *s.*, *dim.* **–очка** *s.* (*gpl.* -чек) basket ‖ **–щик** *s.* basket-maker.
коридо́р/ *s.* corridor ‖ **–ный** *a.* corridor- ‖ ~ (*as s.*) boots (at an hotel).
кори́нка *s.* (*gpl.* -нок) *coll.* currants.
кор=и́ть II. *va.* (*Pf.* у-) (кого́ в чём, чем, за что) to reproach (one with a thing), to blame, to upbraid (with).
корифе́й *s.* leader of chorus; chief person.
кори́ца *s.* cinnamon.
кори́чневый *a.* tawny, brown.
ко́рка *s.* (*gpl.* -рок) rind; crust (of bread); peel (of lemon, etc.).
корм/ *s.* food; fodder ‖ **–а́** *s.* [d] stern (of a ship), poop ‖ **–ёж** *s.* & **–ёжка** *s.* (*gpl.* -жек) feeding ‖ **–и́лец** *s.* (*gsg.* -льца) foster-father; (*vulg.*) benefactor ‖ **–и́лица** *s.* foster-mother; wet-nurse; (*vulg.*) benefactress ‖ **–и́ло** *s.* helm, rudder.
корм=и́ть II. 7. [c] *va.* (*Pf.* на-) to feed, to nourish ‖ **~ся** *vr.* to live by.
корм/ле́ние *s.* feeding ‖ **–ово́й** *a.* feeding-, food-.
ко́рм/чий (*as s.*) & **–щик** *s.* helmsman, the man at the helm.
корна́-ть II. *va.* (*Pf.* о-) to cut short, to crop (ears), to dock (horses), to prune, to lop (trees).
корне́т *s.* cornet.
ко́роб *s.* (*pl.* -ы & -а́) box; basket, hamper.
коро́б=ить II. 7. *va.* (*Pf.* с-, по-, вс-) to bend, to warp ‖ **~ся** *vr.* to bend; to warp.
коро́б/ка *s.* (*gpl.* -бок) box; bandbox; case (of watch); frame (of window, door) ‖ **–о́к** *s.* [a] (*gsg.* -бка́) & **–очка** *s.* (*gpl.* -чек) *dim. of* ко́роб ‖ **–очник** *s.* box-maker; basketmaker.
коро́в/а *s.* cow ‖ **–а́й** *s.* loaf ‖ **–ий** (-ья, -ье) *a.* cow's ‖ **–ка** *s.* (*gpl.* -вок) small cow ‖ **–ник** *s.* cow-shed; (*bot.*) angelica ‖ **–ница** *s.* milkmaid, dairymaid ‖ **–ушка** *s.* (*gpl.* -шек) dear little cow.
корол/е́ва *s.* queen ‖ **–е́вич** *s.* king's son, prince ‖ **–е́вна** *s.* (*gpl.* -вен) king's daughter, princess ‖ **–е́вский** *a.* royal, kingly ‖ **–е́вство** *s.* kingdom ‖ **–е́вство+вать** II. *vn.* to reign ‖ **–ёк** *s.* [a] (*gsg.* -лька́) wren; blood-orange.
коро́ль *s. m.* [a] king.
коромы́/сел *s.* & **–сло** *s.* (*gpl.* -сел) beam (of scales); yoke (for carrying pails); dragon-fly.
коро́н/а *s.* crown ‖ **–а́ция** *s.* coronation ‖ **–ка** *s.* (*gpl.* -нок) *dim. of* коро́на ‖ **–ный** *a.* of crown, crown- ‖ **–ова́ние** *s.* crowning ‖ **–о+ва́ть** II. [b] *va.* to crown.
коросте́ль *s. m.* corn-crake, land-rail.
корота́-ть II. *va.* (*Pf.* с-) to shorten, to pass away the time.
коро́тенький *a.* shortish.
корот=и́ть I. 2. [a & c] *va.* (*Pf.* у-) to shorten, to abridge.
коро́ткий *a.* (*pd.* коро́ток, -тка́, -тко́, -тки́; *comp.* коро́че, *sup.* кратча́йший) short, brief; intimate, familiar.
коротко́ *ad.* (*comp.* коро́че) shortly, briefly; intimately; ~ **знать** (кого́) to know very well.
коротко/воло́сый *a.* short-haired ‖ **–но́гий** *a.* short-legged ‖ **–хво́стый** *a.* short-tailed.
коро́ткость *s. f.* shortness; intimacy.
коро́че *cf.* **коро́ткий** & **коротко́**.
ко́рочка *s.* (*gpl.* -чек) *dim. of* ко́рка.
корочу́н *s.* [a] death; "coup de grâce".
корп=е́ть II. 7. [a] *vn.* (*Pf.* про-) (над + *I.*) to labour diligently at; to pore over (books).
ко́рпия *s.* (*med.*) lint.
корпора́ция *s.* corporation.
ко́рпус/ *s.* [b] (*pl.* -а́) body, corporation; corps; large detached building; watch-case; (*typ.*) long primer; hull (of a ship).
корре́кт/ор *s.* (*pl.* -ы & -а́) proof-reader ‖ **–у́ра** *s.* proof-sheet; correction of proofs.
корреспонд/е́нт *s.*, **–е́нтка** *s.* correspondent ‖ **–е́нция** *s.* correspondence ‖ **–и́ро+вать** II. *vn.* to correspond.
корса́р *s.* corsair, pirate.
корсе́т *s.* corset.
корте́ж *s.* cortège, procession, retinue, suite.
ко́ртик *s.* cutlass.
ко́рточки *s. fpl.* (*G.* -чек), **сиде́ть на –ах** to squat.
ко́рча *s.* cramp, spasm.
корче+ва́ть II. [b] *va.* (*Pf.* вы́-) to root out.
ко́рч=ить I. *va.* (*Pf.* с-) to shrivel, to shrink; to contract; ~ **лицо́** to make wry faces; ~ **из себя́ зна́тного** to try to play the gentleman, to give o.s. airs ‖ **~ся** *vr.* to contract, to shrivel, to shrink up.
корч/ма́ *s.* [e] inn, tavern ‖ **–ма́рь** *s. m.* [a] innkeeper.
ко́ршун *s.* kite; vulture.
коры́ст/ный & **–олюби́вый** *a.* greedy, covetous ‖ **–олю́бие** *s.* greed, covetousness ‖ **–ь** *s. f.* greed of gain; gain, profit.
коры́то *s.* trough.
корь *s. f.* measles *pl.*; **она́ в кори́** she has got measles.

ко́рю/ха *s.*, *dim.* **–шка** (*gpl.* -шек) (*ich.*) smelt.
коря́вый *a.* growing crookedly (of trees); pock-marked; hard, wrinkled (of leather).
кос/а́ *s.* [f] tress, braid, plait (of hair); scythe; sandbank, neck of land || **–а́рь** *s. m.* [a] mower, reaper; chopper, bill || **–а́тик** *s.* calamus; yellow water-lily; (my) dearest, (my) darling || **–а́тка** *s.* (*gpl.* -ток) swift, black martin; dearest.
ко́с/венный *a.* oblique, indirect; slanting || **–е́ц** *s.* [a] (*gsg.* -сца́) mower, reaper.
кос=и́ть I. 3. [a & c] *va.* (*Pf.* с-) to mow; to slant; **~ глаза́** to squint || **~ся** *vn.* to slope, to incline; to squint; (на кого́) to look askance (at).
коси́чка *s.* (*gpl.* -чек) *dim. of* коса́.
косма́ *s.* tuft (of hair).
косма́т=ить II. 2. *va.* to tousle, to dishevil (the hair).
косме́т/ика *s.* cosmetic || **–и́ческий** *a.* cosmetic.
косми́ческий *a.* cosmic(al).
космополи́т/ *s.* cosmopolitan, a citizen of the world || **–и́ческий** *a.* cosmopolitan.
косне́-ть II. *vn.* (в чём) to persist in, to remain.
ко́сн/ость *s. f.* inertia; stagnation || **–оязы́чный** *a.* stuttering, stammering || **–у́ться** *cf.* **каса́ться** || **–ый** *a.* persisting, insisting; (*phys.*) inert.
косо/гла́зый *a.* squint-eyed || **–го́р** *s.* slope, declivity.
косо́й *a.* (*ad.* ко́со) oblique, slanting, sloping; squint-eyed.
косоно́гий *a.* bandy-legged.
косте́л *s.* (Roman-Catholic) church.
костене́-ть II. *vn.* (*Pf.* о-) to become ossified, to grow numb, to stiffen.
кост/ёр *s.* [a] (*gsg.* -тра́) pile, wood-pile; stake || **–и́стый** *a.* osseous, bony || **–ля́вый** *a.* bony, lean.
кост/но́й *a.* bone- || **–ое́д & –ое́да** *s.* (*med.*) caries || **–опра́в** *s.* bone-setter || **́–очка** *s.* (*gpl.* -чек) small bone; stone, kernel (of fruit).
косты́ль *s. m.* [a] crutch; tenter-hook.
кость *s. f.* [c] bone; (*in pl.*) dice.
костю́м/ *s.* costume; fancy-dress || **–ёр** *s.* (*theat.*) costumier || **–иро+ва́ть** II. [b] *va.* to dress up, to dress o.s. in costume || **–иро́ванный** *a.*, **~ бал** masked ball, fancy-dress ball.
кост/я́шка *s.* (*gpl.* -шек) button-mould || **–я́к** *s.* [a] skeleton || **–яно́й** *a.* bone-, of bone.
кос/у́ха *s.* & **–у́шка** *s.* (*gpl.* -шек) corner-bracket; a measure of capacity (= 1/2 pint).
косы́нка *s.* (*gpl.* -нок) three-cornered neckerchief.
косьба́ *s.* mowing, reaping.
కося́к *s.* [a] doorpost, jamb (of a door, a window); felloe (of a wheel).
кот *s.* [a] (tom-)cat; (*in pl.*) peasant's shoes; **морско́й ~** sea-bear.
котёл *s.* [a] (*gsg.* -тла́) kettle, boiler, pot; caldron.
котело́к *s.* [a] (*gsg.* -лка́) *dim. of prec.*
коте́льник *s.* boiler-maker, brazier.
котёнок *s.* (*pl.* -тя́та) young cat, kitten.
ко́тик *s.* small tom-cat; sea-bear; fur of sea-bear.
котилько́н *s.* cotillon (a dance).
котиро́вка *s.* (*gpl.* -вок) quotation (of prices).
котле́та *s.* cutlet, chop.
котлови́на *s.* deep valley, ravine; crater (of a volcano).
котом/а́ *s.*, *dim.* **́–ка** *s.* (*gpl.* -мок) wallet, portmanteau; knapsack.
кото́рый *prn. rel. & interr.* who, which; which? what? **~ час?** what o'clock is it?
ко́ф/е *s. m. indecl.* & **–ей** *s.* coffee || **–еи́н** *s.* coffeine || **–е́йник** *s.* coffee-pot; man fond of coffee || **–е́йница** *s.* coffee-canister; woman fond of coffee || **–е́йня** *s.* (*gpl.* -е́ен) coffee-house, café.
ко́фт/а *s.*, *dim.* **–очка** *s.* (*gpl.* -чек) woman's jacket.
коча́н *s.* head (of cabbage, lettuce, etc.).
коче+ва́ть II. [b] *vn.* to wander round, to lead a nomadic life.
коч/ева́ние & –ёвка *s.* (*gpl.* -вок) nomadic life || **–ево́й** *a.* nomad(ic) || **–еви́ще** *s.* nomad camp || **–ега́р** *s.* stoker.
кочене́-ть II. *vn.* (*Pf.* о-) to grow numb, to be benumbed; to get chilled.
кочерга́ *s.* poker, fire-iron.
ко́чк/а *s.* (*gpl* -чек) hillock || **–ова́тый** *a.* full of hillocks.
кош/а́чий (-ья, -ье) *a.* cat's, feline || **–елёк** *s.* [a] (*gsg.* -лька́) purse, bag || **–е́ль** *s. m.* [a] pannier, wallet, purse || **–ени́ль** *s. f.* cochineal.
ко́ш/ерный *a.* kosher (of food, fulfilling the requirements of the Jewish law) || **–ечка** *s.* (*gpl.* -чек) little (she-)cat || **–ка** *s.* (*gpl.* -шек) (she-)cat; (*in pl.*) cat-o'-nine-tails || **–ма́р** *s.* nightmare.
кошт *s.* cost, outlay, expense; maintenance, sustenance.

кощ/éй *s.* skinny person; walking skeleton; regular skinflint || **–ýнство** *s.* scoffing at sacred things || **–ýнство+вать** II. *vn.* to scoff at sacred things, at religion.
коэфициéнт *s.* coefficient.
краб *s.* crab.
крадý *cf.* **красть.**
крае/вóй *a.* corner-, edge-, marginal || **–угóльный** *a.* angular, corner-; ~ **кáмень** corner-stone.
крáешек *s.* (*gsg.* -шка) *dim. of* край.
крáжа *s.* theft, robbery, larceny.
край/ *s.* [b] edge, border, brink, verge; brim; end; country, land; **чéрез** ~ over the brim || **´–не** *ad.* extremely, to the utmost, urgently; ~ **нýжное дéло** an affair of the greatest importance || **´–ний** *a.* last; extreme, utmost, urgent; **в ´–нем слýчае** in case of necessity; **по ´–ней мéре** at least || **´–ность** *s. f.* extremity, extreme excess; exigence; **до ´–ности** to excess.
краковя́к *s.* a Polish dance.
крáл/ечка *s.* (*gpl.* -чек) my prettiest, my love || **–я** *s.* queen (at cards); (*fam.*) a beauty.
крамóл/а *s.* sedition, revolt, mutiny || **–ьник** *s.* rebel, mutineer, seditious person || **–ьный** *a.* seditious, mutinous || **–ьнича-ть** II. *vn.* to revolt, to mutiny.
кран *s.* cock; tap; crane.
крап *s.* marking (on binding of books).
крапи́ва *s.* nettle.
крáп/ина *s.*, *dim.* **–инка** *s.* (*gpl.* -нок) dot, speckle || **–леный** *a.* marked, speckled.
крас/á *s.* ornament, embellishment || **–áвец** *s.* (*gsg.* -вца) handsome man || **–áвица** *s.* handsome woman, belle, beauty || **–и́венький** *a.* neat, nice, pretty || **–и́вый** *a.* beautiful, pretty, handsome || **–и́льный** *a.* dyeing-, for dyeing, painting-; **–и́льная лéнта** ribbon (of a typewriter) || **–и́льщик** *s.* dyer; (house-)painter.
крáс=ить I. 3. *va.* (*Pf.* на-, о-, вы́-) to paint, to colour; to dye; to adorn, to embellish.
крáс/ка *s.* (*gpl.* -сок) colour; hue; dye; redness, blush || **–ненький** *a.* nice and red || **–нé-ть** II. *vn.* (*Pf.* по-) to grow red, glowing; (*fig.*) to blush || **~ся** *vn.* to grow red (in the distance) || **–ни́ть** *va.* to colour red.
красно/армéец *s.* (*gsg.* -мéйца) a soldier of the Red Army || **–бáй** *s.* a fine talker, an eloquent man || **–бýрый** *a.* reddish brown, ruddy || **–вáтый** *a.* reddish || **–гвардéец** *s.* (*gsg.* -дéйца) soldier of the Red Guard || **–кали́льный** *a.* red-hot || **–кóжий** *s.* redskin, Red Indian || **–речи́вый** *a.* eloquent, voluble || **–рéчие** *s.* eloquence, volubility || **–тá** *s.* [h] red, redness || **–щёкий** *a.* rosy-cheeked, with red cheeks.
краснý/ха *s.* & **–шка** *s.* (*gpl.* -шек) scarlet-fever.
крáсный *a.* (*comp.* крáше) red; beautiful, pretty; **–ое дéрево** mahogany; **–ая строкá** fresh paragraph.
красот/á *s.* [h] beauty, handsomeness || **´–ка** *s.* (*gpl.* -ток) a beauty, a handsome woman.
красть 22. [a 1.] *va.* (*Pf.* у-, по-) (у + *G.*) to steal, to pilfer (from) || **~ся** *vn.* to steal along; to slink.
крáтер *s.* crater (of a volcano).
крáтк/ий *a.* (*comp.* крáтче, *sup.* кратчáйший) short, brief, concise || **–ая** (*as s.*) the sign ˘ over a vowel to indicate shortness; "и" с **–ой** the Russian letter "й" || **–оврéменный** *a.* transient, transitory, ephemeral || **–осрóчный** *a.* for a short time; (*comm.*) short-dated || **–ость** *s. f.* shortness.
крах/мáл *s.* starch || **–мáл=ить** II. *va.* (*Pf.* на-) to starch (linen) || **–мáльный** *a.* starched, starch-.
крáше *cf.* **крáсный.**
крáшение *s.* dyeing.
краю́/ха *s.*, *dim.* **–шка** *s.* (*gpl.* -шек) end crust of a loaf (of bread).
кревéт *s.* shrimp.
креди́т/ *s.* credit || **–и́в** *s.* letter of credit; credentials *pl.* || **–ка** *s.* (*gpl.* -ток) (*vulg.*) bank-note || **–ный** *a.* credit-; ~ **билéт** bank-note, currency-note, treasury-note || **–о+вáть** II. [b] *va.* to credit || **–óр** *s.* (*pl.* -ы & -á) creditor || **–оспосóбность** *s. f.* (*comm.*) solvency.
крéйсер/ *s.* [& b] (*pl.* -ы & -á) cruiser || **–о+вáть** II. [b] *vn.* to cruise.
кремáция *s.* cremation.
кремéнь *s. m.* [a] (*gsg.* -мня́) flint; (*fig.*) a merciless man.
кремль *s. m.* [a] citadel; **К–** the Kremlin (in Moscow).
крéнде/ль *s. m.* [& a] (*pl.* -и & -я́), *dim.* **–лёк** *s.* [a] (*gsg.* -лькá) cracknel.
крен=и́ть II. [a] *va.* (*Pf.* на-) (*mar.*) to careen || **~ся** *vr.* (*mar.*) to heel (over).
креозóт *s.* creosote.
креп *s.* crape.

креп=и́ть II. 7. [a] *va.* to strengthen, to fortify; to make fast; to hoist (sails); (*leg.*) to attest.
кре́пк/ий *a.* (*comp.* кре́пче) robust, sturdy, firm; (ко́фе) strong; (сон) sound; (моро́з) violent; **он челове́к ~** he is niggardly; **–ие напи́тки** *mpl.* spirituous liquors; **–ая вода́** aqua fortis || **–ова́тый** *a.* rather strong.
кре́пн-уть I. *vn.* (*Pf.* о-) to harden, to stiffen, to grow hard; to acquire strength.
крепост/ни́к *s.* [a] adherent of the party in favour of keeping serfdom || **–но́й** *a.* of fortress; bond- || **~** (*as s.*) serf || **–ца́** *s.* (*gpl.* -тец) little fort.
кре́пость *s. f.* [c] fortress, fort, stronghold; strength, solidity.
кре́пче *cf.* **кре́пкий.**
крепы́ш *s.* [a] sturdy man; miser.
кре́сло *s.* (*gpl.* -сел) (*pl. also used as sg.*) armchair, easy-chair; (*theat.*) (seat in the) stalls *pl.*
кресс *s.* (water-)cress.
крест/ *s.* [a] cross; (*fig.*) calamity; (at cards) club(s) || **–е́ц** *s.* [a] (*gsg.* -тца́) (*an.*) croup, crupper || **–́ик** *s.* small cross || **–и́льный** *a.* baptismal || **–и́ны** *s. fpl.* baptism || **–и́тель** *s. m.* baptizer; **Иоа́нн ~** John the Baptist.
крест=и́ть I. 4. [a & c] *va.* (*Pf.* о-) to baptize; to christen; to stand godfather or godmother to; (*Pf.* пере-) to mark with a cross; (*Pf.* за-, ис-) to cross out || **~ся** *vr.* to cross o.s.
кре́ст/ник *s.* godson || **–ница** *s.* goddaughter || (ё)**–ный** *a.* of the cross; of baptism; **~ оте́ц** godfather, sponsor; **–ная мать** godmother; **–ное и́мя** christian name || **–о́вый** *a.* of the cross; **–о́вые похо́ды** *mpl.* the Crusades || **–оно́сец** *s.* (*gsg.* -сца) crusader || **–ообра́зный** *a.* cross-shaped || **–ья́нин** *s.* (*pl.* -ья́не) peasant || **–ья́нка** *s.* (*gpl.* -нок) peasant(-woman) || **–ья́нский** *a.* peasant, peasant's, rustic || **–ья́нство** *s.* peasantry.
кре́чет *s.* gerfalcon.
креще́н/ие *s.* baptism; **К–** (feast of the) Epiphany || **–ский** *a.* of the Epiphany.
кри́вда *s.* falsehood, trickery; lies and frauds.
криви/зна́ & –на́ *s.* crookedness; curve.
крив=и́ть II. 7. [a] *va.* (*Pf.* с-, по-) to bend, to crook; to twist, to distort (the face); **~ душо́ю** to play the hypocrite.
кривля́-ться II. *vn.* to make grimaces, to make wry faces.
криво/гла́зый *a.* squint-eyed || **–ду́шный** *a.* unscrupulous; hypocritic(al).
кри/во́й *a.* crooked, curved; wry; one-eyed; (*fig.*) false || **–ва́я** (*as s.*) curve.
криво/лине́йный *a.* curvilinear || **–но́гий** *a.* bandy-legged || **–су́дие** *s.* unjust judgment.
кри́зис *s.* crisis.
крик/ *s.* cry, shriek, scream, roar || **–ли́вый** *a.* clamorous, noisy.
кри́к/нуть *cf.* **крича́ть** || **–у́н** *s.* [a], **–у́нья** *s.* bawler, squaller, noisy person.
криминал/и́ст *s.* criminalist || **–́ьный** *a.* criminal.
кри́нка *s.* (*gpl.* -нок) earthen pot.
криста́лл/ *s.* crystal || **–иза́ция** *s.* crystallization || **–изи́ро+ва́ть** II. [b] *va&n.* to crystallize || **–и́ческий** *a.* cristalline.
криста́льный *a.* crystal, of crystal.
кри́тик/ *s.* critic || **–а** *s.* criticism || **–о+ва́ть** II. [b] *va.* (*Pf.* о-) to criticize; to censure.
крити́ческий *a.* critical.
крич=а́ть I. [a] *vn.* (*Pf.* за-, *mom.* кри́кн-уть I.) to cry out, to exclaim; to scream; (на кого́) to rail (at) || **~** *va.* to call; **кричи́ его́** call him; **~ карау́л** to cry for help.
кров *s.* roof, shelter, house, abode; (*fig.*) protection.
крова́вый *a.* bloody.
крова́ть *s. f.* bed(-stead).
кро́в/ельный *a.* roof- || **–ельщик** *s.* slater, thatcher || **–и́нка** *s.* (*gpl.* -нок) drop of blood || **–ля** *s.* (*gpl.* -вель) roof || **–ный** *a.* consanguineous; genuine; thoroughbred.
крово/жа́дный *a.* bloodthirsty || **–излия́ние** *s.* extravasation || **–обраще́ние** *s.* the circulation of the blood || **–очисти́тельный** *a.* depuratory || **–пи́йца** *s. m&f.* blood-sucker || **–проли́тие** *s.* bloodshed, carnage || **–пуска́ние** *s.* bleeding, phlebotomy || **–смеси́тельный** *a.* incestuous || **–смеше́ние** *s.* incest || **–тече́ние** *s.* hemorrhage || **–ха́ркание** *s.* blood-spitting.
кровь *s. f.* [g] blood.
кровян/и́стый *a.* containing blood || **–о́й** *a.* blood-; consisting of blood.
кро́йка *s.* (*gpl.* кро́ек) cutting-out (of clothes).
кроке́т *s.* croquet.
крокоди́л *s.* crocodile.
кро́лик *s.* rabbit.
кро́ме *prp.* (+ *G.*) except, besides; **~ того́** moreover; **~ того́, что . . .** let alone, that . . .
кроме́шный *a.* last, extreme.

кро́мка *s.* (*gpl.* -мок) edge; selvage (of cloth).
кромса́-ть II. *vn.* (*Pf.* ис-, рас-) to cut into small pieces.
кропа́тель *s. m.* bungler.
кропа́-ть II. *va.* (*Pf.* с-) to bungle, to botch; to scribble.
кропи́ва = **крапи́ва.**
кропи́ло *s.* holy-water sprinkler.
кроп=и́ть II. 7. [a] *va.* (*Pf.* о-) to besprinkle.
кропотли́вый *a.* busy, careful, bustling, painstaking; peevish.
крот *s.* [a] mole.
кро́т/кий *a.* (*comp.* кро́тче) kind, mild, gentle, meek || **-ость** *s. f.* kindness, gentleness, meekness.
крох/а́ *s.* [e] small piece, bit, crumb || **-обо́р** *s.*, **-обо́рка** *s.* ragman, ragwoman; miser, skinflint, curmudgeon || **´-отный** *a.* very small, tiny.
кро́ш/ево *s.* minced cabbage || **-ечка** *s.* (*gpl.* -чек) *dim. of* кро́шка || **-ечку** *ad.* somewhat, a little bit || **-ечный** *a.* very small, tiny || **-ка** *s. dim.* crumb, little bit.
крош=и́ть I. [a & c] *va.* (*Pf.* на-, по-, ис-) to crumb, to mince || **~ся** *vn.* to crumble (off).
круг/ *s.* [b] circle, ring || **´-ленький** *a.* nice and round || **-лова́тый** *a.* roundish || **´-лость** *s. f.* & **-лота́** *s.* roundness, rotundity || **´-лый** *a.* round; **~ год** the whole year round; **~ дура́к** an arrant fool || **-ово́й** *a.* circular, round || **-оворо́т** *s.* circular movement || **-озо́р** *s.* horizon || **-о́м** *ad.* (all) around, round about; entirely, wholly || **´-ом** *ad.* around, in a ring || **-ообра́зный** *a.* circular || **-ообраще́ние** *s.* rotation, circular motion || **-осве́тный** *a.*, **-осве́тное пла́вание** circumnavigation of the globe.
круж/а́ло *s.* centre (of an arch) || **-евни́к** *s.*, **-евни́ца** *s.* lace-maker, -merchant || **-евно́й** *a.* lace-.
кру́ж/ево *s.* [b] (*gpl.* -жев), *dim.* **-евцо́** lace || **-е́ние** *s.* wheeling; rotation; **~ головы́** giddiness || **-ечка** *s.* (*gpl.* -чек) *dim.* canakin, small mug || **-ечный** *a.* can-; **~ сбор** collection (in church).
круж=и́ть I. [a & c] *va.* (*Pf.* за-, вс-) to turn, to move round, to wheel, to twirl || **~ся** *vr.&n.* to turn, to turn round; to revolve, to rotate; **у него́ голова́ кру́жится** he is feeling giddy.
кру́ж/ка *s.* (*gpl.* -жек) jug, cup; tankard; money-box; poor-box, collection-box || **-о́к** *s.* [a] (*gsg.* -жка́) small circle; circle (small assembly).
круп/ *s.* croup, quinsy || **-а́** *s. coll.* groats *pl.* || **´-и́на** *s.*, *dim.* **´-и́нка** *s.* (*gpl.* -нок) a single grain of groats || **´-ка** *s.* (*gpl.* -пок) fine groats || **´-ный** *a.* coarse, large, coarse-grained; big, strong; (*med.*) croup- || **-ча́тка** *s.* (*gpl.* -ток) finest flour; mill for grinding meal.
кру́тень *s. m.* (*gsg.* -тня) whirlpool; whirlwind.
крут/изна́ *s.* [h] steepness; steep place; precipice || **-и́ло** *s.* ropemaker's wheel; harpoon || **-и́льня** *s.* rope-walk.
крут=и́ть I. 2. [c] *va.* (*Pf.* за-, с-) to twist, to twirl, to wring; to cord; to whirl || **~ся** *vr.* to twist together (of thread); to turn to and fro; to wind (of a river).
кру/то́й *a.* (*comp.* кру́че) tight; steep, thick (of gruel, etc.); hard-boiled (of eggs); sharp (of turn); harsh, severe (of weather) || **´-тость** *s. f.* steepness; harshness.
кру́ч/е *comp. of* крутой || **-ёный** *a.* twisted || **-и́на** *s.* grief, affliction, sorrow.
круше́ние *s.* shattering, breaking up; **~ по́езда** accident on a railway; **~ корабля́** shipwreck.
крыжо́в/ина *s.* a gooseberry || **-ник** *s.* gooseberry bush; *coll.* gooseberries.
крыла́тый *a.* winged.
кры/ле́чко *s.* (*gpl.* -чек) *dim. of* крыльцо́ || **-ло́** *s.* [d] (*pl.* кры́лья, -ьев, etc.) wing || **-льцо́** *s.* flight of steps, perron.
кры́с/а *s.* rat || **-ёнок** *s.* (*pl.* -я́та) young rat || **-оло́в** *s.* rat-catcher.
крыть 28. *va.* (*Pf.* по-) to cover; to thatch, to roof; to take (one card with another); to conceal, to hide || **~ся** *vr.* (от чего́) to conceal, to hide o.s.; **тут что-то кро́ется** there's something in the wind.
кры́ш/а *s.* roof || **-ечка** *s.* (*gpl.* -чек) *dim. of foll.* || **-ка** *s.* (*gpl.* -шек) small roof; cover, lid.
крюк *s.* (*pl.* крю́чья, -ьев) hook; hinge (of door); [a] (*pl.* -ки́) roundabout way.
крю́ч=ить I. *va.* (*Pf.* с-) to bend into a hook.
крючко/ва́тый *a.* hooked; (*fig.*) sly, cunning || **-тво́рство** *s.* chicanery, pettifogging; quibbling.
крю́ч/ник *s.* porter, carrier || **-о́к** *s.* [a] (*gsg.* -чка́) small hook; barb; (*fig.*) dodge, trick.

кряж/ *s.* [a] chain of mountains; layer || **-истый** *a.* thickset.

кря́ка-ть II. *vn.* (*Pf.* за-, *mom.* кря́кн-уть I.) to crash (of ice); to quack (of ducks); to croak (of a raven).

кряхт=е́ть I. 2. [a] *vn.* (*Pf.* за-) to groan.

ксёндз *s.* [b] Roman Catholic priest.

кста́ти *ad.* at the proper time, opportunely; by the by, by the way.

кти́тор *s.* (*eccl.*) churchwarden.

кто *prn. interr.* who? which? || ~ *prn. rel.* who, which, that || ~ *prn. ind.*, ~ . . . ~ the one . . . the other; **~-то** somebody.

кто́/-либо, ~-нибу́дь *prn.* anybody, anyone; somebody.

куафёр *s.* hairdresser.

куб/ *s.* (*geom.*) cube; (*chem.*) retort, alembic, still || **-арём** *ad.* head over heels; topsy-turvy || **-а́рь** *s. m.* [a] top, peg-top || **´ик** *s. dim. of* куб || **-и́ческий** *a.* cubic-; ~ **ко́рень** (*math.*) cube-root || **´ок** *s.* (*gsg.* -бка) goblet, (large) cup || **-ы́шка** *s.* (*gpl.* -шек) bellied vessel; (*bot.*) bottle-gourd.

куве́рт *s.* envelope (of letter); place (laid at table).

кувши́н *s.* pitcher, jug.

кувы́р/ка-ть II. *va.* (*Pf.* -н-у́ть I.) to turn over, to upset; to roll || **~ся** *vr.* to fall head over heels, to turn a somersault.

куда́ *ad.* where, whither; (*in cpds.*) by far; ~ **ни шло** let that pass.

кудáхта-ть II. *vn.* (*Pf.* за-) to cackle (of hens).

куде́ль *s. f.* flax *or* hemp (ready for spinning).

куде́сник *s.* sorcerer, necromancer.

кудрева́тый *a.* curly, frizzly (of hair); florid, affected (of style).

ку́др/и *s. fpl.* [c] (*G.* -ей & -е́й) curls *pl.*; curly hair || **-я́вый** *a.* curly, curled, frizzled; florid (of style).

куз/е́н *s.* cousin (male) || **-и́на** *s.* cousin (female) || **-не́ц** *s.* [a] smith, blacksmith || **-не́чество** *s.* blacksmith's trade || **-не́чик** *s.* grasshopper.

ку́з/ница *s.* smithy, forge || **-ов** *s.* [b] (*pl.* -á) pannier, basket; body, frame (of a coach) || **-о́вка** *s.* & **-ово́к** *s.* [a] (*gsg.* -вка́) *dim.* basket, hand-basket.

кукаре́ку *s.&int.* crowing (of cock); cock-a-doodle-doo!

ку́к/иш *s.* an insulting gesture || **-ла** *s.* (*gpl.* -кол) doll || **-олка** *s.* (*gpl.* -лок) small doll; chrysalis, pupa (of insects) || **-уру́за** *s.* maize, Indian corn || **´ушка** *s.* (*gpl.* -шек) cuckoo.

кул/а́к *s.* [a] fist; (*fig.*) one who buys up goods, retailer; well-to-do peasant || **-а́чный** *a.* fist-; ~ **бое́ц** prize-fighter, boxer; ~ **бой** fisticuffs *pl.*; boxing-match || **-ачо́к** *s.* [a] *dim.* fist; **би́ться на кула́чках** to box.

кулебя́ка *s.* fish-pie.

кулёк *s.* [a] (*gsg.* -лька́) mat-bag.

кули́к *s.* [a] woodcock, snipe.

кулина́рный *a.* culinary.

кули́са *s.* (*theat.*) side-scene, wings *pl.*

кули́ч *s.* [a] Easter-loaf.

куль/ *s. f.* [a] mat-sack; sack (a measure for meal roughly 4 cwt.) || **-мина́ция** *s.* culmination.

культ/ *s.* cult || **-ива́тор** *s.* cultivator || **-иви́ро+вать** II. *va.* to cultivate || **-у́ра** *s.* culture || **-у́рный** *a.* cultural || **-я́** *s.* hand without the fingers; foot without toes; stump.

кум/ *s.* [b] (*pl.* -овья́) godfather || **-á** *s.* godmother || **-анёк** *s.* [a] (*gsg.* -анька́) dear godfather || **-а́ч** *s.* [a] red fustian stuff || **-и́р** *s.* idol (*also fig.*) || **-и́рня** *s.* idol temple.

кум=и́ться II. 7. [a] *vrc.* (*Pf.* по-) to become related by compaternity.

кумовство́ *s.* compaternity.

ку́мушка *s.* (*gpl.* -шек) dear godmother.

кумы́с *s.* koumiss (fermented mare's milk).

куни́ца *s.* marten.

ку́па *s.* heap, pile.

купа́ль/ный *a.* bathing- || **-ня** *s.* bath, bathing-place, baths *pl.* || **-щик** *s.* attendant at baths.

купа́-ть II. *va.* (*Pf.* вы́-) to bathe || **~ся** *vr.* to bathe, to go for a bathe.

купе́ = купэ́.

купе́ль *s. m.* baptismal font.

куп/е́ц *s.* [a] (*gsg.* -пца́) merchant || **-е́ческий** *a.* merchant-, mercantile, commercial || **-е́чество** *s.* corporation of merchants || **-идо́н** *s.* Cupid || **-и́ть** *cf.* **покупа́ть** || **-ле́т** *s.* couplet.

ку́п/ля *s.* purchase, trade || **-но** *ad.* (*sl.*) conjointly, together || **-ол** *s.* [& b] (*pl.* -ы & -á) cupola || **-ольный** *a.* of cupola || **-о́н** *s.* coupon || **-оро́с** *s.* vitriol || **-чий** *a.* purchase-, by purchase || **-чая** (*as. s.*) & ~ **кре́пость** bill of sale; purchase-deed || **-чик** *s.* (young) merchant || **-чи́на** *s.* dealer, shopkeeper, retailer, tradesman; purchaser || **-чи́ха** *s.* tradeswoman; merchant's wife.

купэ́ *s. indecl.* (*rail.*) compartment.

кура́/ж *s.* [a] courage || **-ж=иться** I. *vn.* to swagger; to bluster.

кура́нты *s. mpl.* chime (of bells).

кура́тор *s.* trustee, curator.
курга́н *s.* (burial) tumulus; barrow.
кургу́зый *a.* dock-tailed, bobtailed.
курдю́к *s.* [a] fat tail (of sheep).
ку́р/ево *s.* fumigating powder; smoke || **-е́ние** *s.* perfuming; smoking; fumigation || **-е́нь** *s. m.* [a] (miserable) hovel; Cossack village || **-и́ный** *a.* hen's || **-и́льщик** & **-и́тель** *s. m.* smoker || **-и́тельный** *a.* (for) smoking; (for) fumigating || **-и́тельная** (*as s.*) smoke-room.
кур=и́ть II. [a & c] *va.* (*Pf.* по-) to smoke; (*Pf.* на-) (чем) to fumigate; to distil || ~ *v.imp.* to drift (of snow) || **~ся** *vn.* to fume, to steam.
ку́р/ица *s.* (*pl. us.* ку́ры *q. v.*) hen; (*fig.*) milksop || **-но́й** *a.* smoky || **-но́сый** *a.* snub-nosed || **-ово́дство** *s.* poultry-keeping, poultry-rearing || **-о́к** *s.* [a] (*gsg.* -рка́) cock (of a gun) || **-оле́сник** *s.*, **-оле́сница** *s.* wag, waggish person, practical joker || **-опа́тка** *s.* (*gpl.* -ток) partridge || **-очка** *s.* (*gpl.* -чек) pullet.
курс/ *s.* course || **-и́в** *s.* (*typ.*) italics *pl.* || **-и́вный** *a.* in italics, italic || **-ово́й** *a.* of course; **-ова́я запи́ска** (*comm.*) quotation-list.
курта́ж *s.* [a] brokerage. [mistress.
куртиза́нка *s.* (*gpl.* -нок) courtesan,
ку́рт/ка *s.* (*gpl.* -ток), *dim.* **-очка** *s.* (*gpl.* -чек) jacket. [torate.
ку́рфир/ст *s.* elector || **´-шество** *s.* elec-
курч/а́вый *a.* crisp, curly || **-ёнок** *s.* (*pl.* -а́та) chick(en).
ку́ры *s. fpl.*, ~ **стро́ить** to court (a woman), to make love to (*cf.* ку́рица).
курьёзный *a.* curious, funny, strange.
курье́р/ *s.* courier, (express) messenger || **-ский** *a.* express; ~ **по́езд** express (train).
куря́т/ина *s.* poultry (flesh) || **-ник** *s.* poultry-house; hen-house; poulterer || **-ница** *s.* poultry-stealer (fox, dog); hen-stealing fox || **-ня** *s.* (*gpl.* -тен) hen-house, hen-coop.
кус/ *s.* [a] morsel, bit, piece || **-а́ка** *s.* animal that bites.
куса́-ть II. *va.* (*Pf.* укус=и́ть I. 3. [c], *mom.* кусн-у́ть I.) to bite; to sting || ~ *vn.* to burn (of pepper, mustard, etc.) || **~ся** *vrc.* to bite; (*fam.*) to wrangle || ~ *vn.* to be snappish; (of goods) to be too dear.
кус/и́ще *s. m.* big piece, large morsel || **-о́к** *s.* [a] (*gsg.* -ска́) piece, morsel, bit || **-о́чек** *s.* (*gsg.* -чка) *dim. of prec.*
куст/ *s.* [a] bush, shrub || **-а́рник** brush (-wood), shrubbery, coppice || **-а́рный** *a.* shrub-; home-made || **-а́рь** *s. m.* [a] a person carrying on a small manufacturing business at home || **-а́рнича-ть** II. *vn.* to carry on a small manufacturing business at home || **´-ик** & **-о́чек** *s.* (*gsg.* -чка) *dim. of* куст || **-ово́й** *a.* shrub-, growing in bushes.
ку́та-ть II. *va.* (*Pf.* за-) to wrap up; to muffle up; to cover over.
кут/ёж *s.* [a] spree, merry-making, drinking-bout, jamboree || **-ерьма́** *s.* bad weather, snow-storm; (*fig.*) disorder, confusion, mess || **-и́ла** *s. m&f.* reveller, rake.
кут=и́ть I. 2. [a & c] *vn.* (*Pf.* за-) to roar, to rage (of wind); to revel, to carouse, to go on the spree.
кутья́ *s.* (*gpl.* -те́й) a dish composed of barley *or* rice boiled with raisins.
кух/а́рка *s.* (*gpl.* -рок) cook || **-ми́стер** *s.* [& b] (*pl.* -ы & -а́) keeper of an eating-house || **-ми́стерство** *s.* eating-house.
ку́х/ня *s.* (*gpl.* -хонь) kitchen || **-онка** *s.* (*gpl.* -нок) *dim. of prec.* || **-онный** *a.* kitchen-.
ку́цый *a.* bobtailed, dock-tailed.
ку́ч/а *s.* heap, pile, lot; crowd, throng || **-ер** *s.* [b] (*pl.* -а́) coachman, driver || **-ерско́й** *a.* coachman's || **-ечка** *s.* (*gpl.* -чек) *dim. of* ку́ча || **-ки** *s. fpl.* Jewish feast of Tabernacles.
куш/ *s.* stake (at play); sum (of money) || ~ *int.* lie down! || **-а́к** *s.* [a] girdle, belt || **´-ание** *s.* eating || **´-анье** *s.* food, eatables *pl.*; dish. [to take.
ку́ша-ть II. *va.* (*Pf.* по-) to eat, to drink,
куше́тка *s.* (*gpl.* -ток) couch.
ку́ща *s.* (*sl.*) tent; **пра́здник -ей** (Jewish) Feast of Tabernacles.
кюве́та *s.* (*phot.*) a small basin, bowl.

Л

лаба́з/ *s.* granary, corn-loft; flour-shop, meal-store || **-ник** *s.* corn-chandler; flour *or* corn merchant. [*a.* labyrinthine.
лабири́нт/ *s.* labyrinth, maze || **-овый**
лабор/а́нт *s.* laboratory assistant || **-ато́рия** *s.* laboratory; (*fam.*) lab.
ла́ва *s.* lava.
ла/ва́нда & **-ве́нда** *s.* lavender.
лави́на *s.* avalanche.
лави́ро+ва́ть II. [b] *vn.* to tack, to veer.

ла́в/ка *s.*, *dim.* **-очка** *s.* shop; (скамья́) bench || **-очник** *s.*, **-очница** *s.* shopkeeper, retailer; huckster.
лав/р *s.* laurel || **-́ра** *s.* (an important) monastery ||**-ро́вый** *a.* laurel.
лавчо́нка *s.* (*abus.*) miserable stall.
лаг/ *s.* (*mar.*) log; broadside || **-́ерный** *a.* camp-, camping || **-́ерь** *s.m.* camp, encampment.
лагу́на *s.* lagoon.
лад *s.* [b°] harmony, accord, concord; agreement, good terms; **в -у́** in harmony; **итти на ~** to progress well.
ла́дан *s.* incense.
ла́д=ить I. 1. *va.* to prepare; to repair; (*mus.*) to tune (a violin, etc.) || *vn.* (*Pf.* по-) (с + *I.*) to agree, to harmonize; to be in agreement, to be on good terms with || **~ся** *vn.* to get on well, to progress favourably.
ла́д/но *ad.* right, all right; (to live) in agreement, in accord, in harmony || **-ный** *a.* good, suitable, useful; in accord, in agreement, on good terms; (*mus.*) in tune.
ладо́нь *s.f.* palm (of hand); **как на -и** quite clearly, distinctly.
ладо́ши *s.fpl.* hands; **бить в ~** to clap hands.
ладья́ *s.* [a] (large) boat; rook (in chess).
лаж *s.* agio.
ла́жу *cf.* **ла́дить.**
лаз/ *s.* loophole || **-аре́т** *s.* lazaret(to), hospital || **-е́йка** *s.* (*gpl.* -е́ек) *dim.* loophole.
ла́з=ить I. 1. *vn.* (*Pf.* с-) to climb.
ла/зо́ревый & **-зу́ревый** *a.* azure, sky-blue.
лазу́рик *s.* lapis-lazuli.
лазу́рь *s.f.* azure; ultramarine.
лазу́тчик *s.* spy, scout.
лай *s.* barking.
ла́йба *s.* large boat (with mast and deck).
ла́йка *s.* fine leather, doe-skin.
лак/ *s.* lacquer, varnish || **-е́й** *s.* footman, lackey || **-иро+ва́ть** II. [b] *va.* to lacquer, to varnish.
ла́кмус *s.* (*chem.*) litmus.
ла́ковый *a.* varnished, lacquered.
ла́ком=ить II. 7. *va.* (*Pf.* на-, по-) to provide with dainties || **~ся** *vr.* to nibble, to eat dainties.
ла́ком/ка *s.m&f.* dainty, sweet-toothed person || **-ство** *s.* dainty, tit-bit || **-ый** *a.* tasty; dainty, nice; sweet-toothed.
лакони́ческий *a.* laconic(al).
[illegible]ри́ца *s.* liquorice.

ла́мп/а *s.* lamp || **-а́да** *s.* lamp (burning before the picture of a saint) || **-а́сы** *s. mpl.* stripes (on trousers) || **-́овщик** *s.* lamp-lighter; lamp-maker || **-овый** *a.* lamp- || **-́очка** *s.* small lamp.
ла́ндвер *s.* landwehr, (reserve) militia.
ла́ндграф *s.* landgrave.
ландка́рта *s.* map.
ландо́ *s. indecl.* landau.
ландша́фт/ *s.* landscape || **-ный** *a.* landscape-.
ла́ндыш/ & **-ка** *s.* lily of the valley.
лани́та *s.* cheek.
ланце́т *s.* (*med.*) lancet.
лань *s.f.* hind, doe; deer.
ла́п/а *s.*, *dim.* **-ка** *s.* (*gpl.* -пок) paw; **я́корная ~** fluke.
ла́пот/ник *s.*, **-ница** *s.* person wearing bast shoes.
ла́поть *s.m.* (*gsg.* -птя) bast shoe.
ла́почка *s.* (*gpl.* -чек) *dim. of* ла́па.
лапта́ *s.* a ball-game; (па́лка) bat.
ла́пчатый *a.* (*zool.*) web-footed; (*bot.*) palmated, digitate; **гусь ~** (*fig.*) a sly dog.
лапша́ *s.* vermicelli.
лар/е́ц *s.* [a] (*gsg.* -рца́), *dim.* **-́чик** *s.* chest, casket, box.
ларь *s.m.* [a] chest, bin, trunk; meal-box.
ла́ска *s.* (*gpl.* -сок) caress, endearment; weasel.
ласка́тель/ *s.m.* flatterer, sycophant || **-ный** *a.* caressing, flattering, endearing || **-ство** *s.* flattery, adulation
ласка́-ть II. *va.* (*Pf.* по-, при-) to caress; to fondle; **~ себя́ наде́ждою** to flatter o.s. with hope || **~ся** *vn.* (о́коло + *G.*, к + *D.*) to fawn (on); to cajole, to wheedle || **~** *vr.* (чем) to flatter o.s.
ла́сков/ость *s.f.* kindness, friendliness, affability || **-ый** *a.* kind, friendly, affable; affectionate.
ла́сочка *s.* (*gpl.* -чек) *dim.* weasel.
ласт *s.* (*mar.*) a measure of weight (= 2 ton).
ла́ст=иться I. 4. = **ласка́ться.**
ла́сточка *s.* (*gpl.* -чек) swallow.
ла́т/ник *s.* a man in armour, mail-clad warrior || **-ный** *a.* armoured; **-ная рукави́ца** gauntlet.
лату́нный *a.* made of brass, brass.
лату́нь *s.f.* brass.
ла́ты *s.fpl.* armour; mail.
лафа́ *s.* (*fam.*) success; luck, good fortune; advantage, gain.
лафе́т *s.* gun-carriage.
лаха́ночка *s.* (*gpl.* -чек) *dim. of foll.*
лаха́нь *s.f.* tub; basin (of wood).
ла́цкан *s.* cuff, facing (on coat).

лачу́га *s.* miserable hut.
ла́щусь *cf.* **ла́ститься.**
ла́-ять II. *vn.* (*Pf.* за-) to bark || ~ *va.* to rail at, to call names, to scold || ~**ся** *vrc.* to wrangle, to quarrel.
лбы *cf.* **лоб.** [pl.
лганьё *s.* lying, prevarication; lies, fibs
лгать 17. *vn.* (*Pf.* со-) to lie, to prevaricate.
лгун/ *s.* [a], *dim.* **-и́шка** *s.m.* liar, fibber || **-ья** *s.* liar.
лебеда́ *s.* (*bot.*) orach, pig-weed.
лебёдка *s.* (*gpl.* -док) swan (female); (*fig.*) darling; (блок) capstan.
ле́бед/ь *s.m.* [c] swan; **молодо́й** ~ cygnet **-и́ный** *a.* swan's.
лебез=и́ть I. 1. [a] *vn.* (*Pf.* за-) to be eager to serve, to dance attendance on.
лебя́жий (-ая, -ее) *a.* swan's.
лев *s.* (*gsg.* льва) lion.
левко́й *s.* stock, gilly-flower.
левре́тка *s.* (*gpl.* -ток) greyhound.
левша́ *s.m&f.* left-handed person.
ле́вый *a.* left. [legal.
лега́ль/ность *s.f.* legality || **-ный** *a.*
лега́т *s.* (papal) legate.
леге́нд/а *s.* legend, legendary tale, saga || **-а́рный** *a.* legendary. [of Honour.
легио́н *s.* legion; **почётный** ~ the Legion
леги́ро+ва́ть II. [b] *va.* to alloy.
лёгкий *a.* (*pd.* лёгок, легка́, -ко́, *pl.* -ки́; *comp.* ле́гче, *sup.* легча́йший) light (of food); easy (of a stroke, a hurt); gentle, mild (of wine, cigars); **име́ть** ~ **сон** to be a light sleeper.
легко́/ *ad.* (*comp.* ле́гче) lightly, slightly; easily; gently; ~ **оде́тый** thinly clad || **-ва́тый** *a.* rather light *or* easy || **-ве́рие** *s.* & **-ве́рность** *s.f.* credulity || **-ве́рный** *a.* credulous || **-ве́сный** *a.* light (in weight) || **-во́й** (*as s.*) & ~ **извозчик** cabby, cabman. [monia.
лёгкое *s.* lung; **воспале́ние -их** pneu-
легкомы́сл/енность *s.f.* thoughtlessness, giddiness, flightiness, levity || **-енный** *a.* giddy, careless, flighty, thoughtless || **-ие** *s.* giddiness, flightiness.
легконо́гий *a.* nimble; light-footed.
лёгкость *s.f.* lightness; easiness, ease; quickness, agility.
легла́ *cf.* **ложи́ться.**
лёгок *cf.* **лёгкий.** [rather easy.
лёгонький *a.* (*pd.* легонек) rather light;
лёгочный *a.* pulmonary; of the lungs
легча́йший (-ая, -ее) *sup.* lightest (*cf* лёгкий).
легча́-ть II. *vn.* (*Pf.* по-) to grow light; to become lighter (of weight); to relent, to mitigate.
ле́гче *cf.* **лёгкий** & **легко́.** [geld.
легч=и́ть I. *va.* (*Pf.* вы́-) to castrate, to
лёд *s.* [°] (*gsg.* льда) ice; **плаву́чий** ~ ice-floe; **сплошно́й** ~ ice-field.
ледене́-ть II. *vn.* (*Pf.* о-, об-) to freeze, to congeal.
ледене́ц *s.* [a] (*gsg.* -нца́) sugar-candy.
леден=и́ть II. *va.* (*Pf.* о-, об-) to freeze, to congeal.
ледни́к *s.* [a] ice-cellar; (глётшер) glacier.
ледо/ви́тый *a.* ice-, icy || **-ко́л** & **-ре́з** *s.* ice-breaker || **-хо́д** *s.* ice-drift.
ледя/но́й & **-ный** *a.* icy, frozen; of ice; **-а́я гора́** iceberg.
ле́ек *cf.* **ле́йка.**
ле́еч/ка *s.* (*gpl.* -чек) *dim. of* ле́йка.
леж/а́лый *a.* matured (of wines); seasoned (of cigars); settled (of beer); spoiled by lying (of goods) || **-а́нка** *s.* (*gpl.* -нок) a low stove for lying on.
леж=а́ть I. [a] *vn.* (*Pf.* по-) to lie, to be laid up; (на ком) to be incumbent (upon one).
лежа́чий (-ая, -ее) *a.* lying on the ground; lying down; prostrate; flat.
лежебо́к *s.* sluggard, lazy-bones.
лежу́ *cf.* **лежа́ть.**
лезв/ее & **-ие** *s.* edge.
лезть 25. *vn.* (*Pf.* по-) to climb, to ascend, to clamber.
лей, ле́йте *cf.* **лить.**
лейбгва́рдия *s.* bodyguard.
ле́йка *s.* (*gpl.* ле́ек) watering-can.
лейтена́нт *s.* lieutenant.
лека́ло *s.* model, mould, form.
лека́рка *s.* (*gpl.* -рок) a lady-doctor.
ле́карский *a.* physician's, surgeon's.
лека́рств/енный *a.* medicinal || **-о** *s.* medicine, physic; (+ от) remedy (for).
ле́карь *s. m.* [b*] doctor, physician, medical man.
лексик/огра́фия *s.* lexicography || **-о́н** *s.* lexicon, dictionary.
ле́к/тор *s.* lecturer || **-ция** *s.* lecture.
леле́-ять II. *va.* (*Pf.* вз-, воз-) to fondle, to pet, to pamper, to spoil.
ле́мех(ш) *s.* ploughshare.
лен/ & **-а** *s.* fief, fee.
лён *s.* (*gsg.* льна) flax.
лени́в/ец *s.* (*gsg.* -вца), **-ица** *s.* idler, lazy person; (*zool.*) sloth || **-ый** *a.* idle, lazy; dull.
лен=и́ться II. [a] *vn.* (*Pf.* из-, об-, по-) to idle, to be lazy.

лéнн/ик *s.* feudatory || **-ый** *a.* feudal.
лéность *s. f.* idleness, laziness.
лéнт/а *s.*, *dim.* **-очка** *s.* ribbon; hair-lace.
лентя́й/ *s.*, **-ка** *s.* (*gpl.* -тя́ек) lazy-bones, idler.
лень *s. f.* idleness, laziness.
леопáрд *s.* leopard.
лéпест/ *s.*, *dim.* **-óк** *s.* [a] (*gsg.* -тка́) petal.
лéпет/ & **-áние** *s.* chatter; stammer.
лепет=áть I. 2. [c] *va.* (*Pf.* за-, про-) to chatter; to stammer.
лепё/ха *s.*, *dim.* **-шка** *s.* (*gpl.* -шек) pancake.
леп=и́ть II. 7. [c] *va.* (*Pf.* с-) to paste, to stick together; (*Pf.* вы́-) to model, to form.
лéп/ка *s.* (*gpl.* -пок) & **-лéние** *s.* pasting; modelling.
лéпта *s.* mite.
лес/ *s.* [b°*] wood, forest; (как материа́л) timber, wood; (*in pl.*) woodland || **´-енка** *s.* (*gpl.* -нок) small ladder *or* stairs *pl.* || **-и́стый** *a.* wood-, forest-; wooded; woody || **-ни́к** *s.* [a] forester || **-ни́чество** *s.* forestry || **-ни́чий** (-ая, -ее) *s.* forester || **-нóй** *a.* wood-, forest- || **-ово́дство** *s.* arboriculture, forestry || **-овщи́к** *s.* [a] forester || **-óк** *s.* [a] (*gsg.* -ска́) small wood || **-опи́льня** *s.* (*gpl.*-лен) sawmill || **-опромы́шленник** *s.* timber-merchant || **-óчек** *s.* (*gsg.* -чка) small wood.
лéстница *s.* ladder; staircase, stairs *pl.*, flight of stairs.
лéстный *a.* flattering, cajoling; seductive.
лесть *s. f.* flattery, adulation, cajolery.
лёт *s.* [°] flight; **на лету́** in flight.
летáргия *s.* lethargy.
летáтельный *a.* flying-; **~ аппарáт** flying-machine.
летá-ть II. *vn.* (*Pf.* по-) to fly, to fly about.
лет=éть I. 2. [a] *vn.* (*Pf.* по-) to fly (in a certain direction); to take to flight; (о врéмени) to pass very quickly, to fly.
лéтний *a.* summer-
лéто/ *s.* [b] summer; (год) year; **-м** in summer; **скóлько Вам лет?** how old are you? **в цвéте лет** in the prime of life; **в летáх** advanced in years || **-пи́сец** *s.* (*gsg.* -сца) annalist, chronicler || **-пись** *s. f.* chronicle, annals *pl.* || **-счислéние** *s.* chronology.
летý́чий (-ая, -ее) *a.* flying; (*chem.*) volatile; **-ая мышь** bat.
лётчик *s.* aviator.
леч/éбник *s.* book of remedies || **-éбница** *s.* hospital || **-éбный** *s.* medical, healing, remedial || **-éние** *s.* cure, treatment.
леч=и́ть I. [c] *va.* (*Pf.* по-) to treat; to cure.
лечь *cf.* **ложи́ться.**
лéший *s.* wood-goblin, forest-spirit, satyr.
лещ *s.* bream.
лже/прорóк *s.* pseudo-prophet || **-свидéтель** *s.m.*, **-свидéтельница** *s.* false witness || **-свидéтельство** *s.* false evidence.
лжец *s.* [a] liar; **сдéлать** (когó) **-óм** to give the lie to s.o.
лжи *cf.* **ложь.**
лжи́в ость *s. f.* mendacity; disposition for lying || **-ый** *a.* lying, deceitful, false.
ли *interr. particle* if, whether || **~** *c.* if, whether; **ли . . . ли** either . . . or, whether . . . or.
либерáл/ *s.* liberal || **-ьный** *a.* liberal, broadminded.
ли́бо *ad.* or; **~ . . . ~** either . . . or.
либрéтто *s. indecl.* libretto.
ли́вень *s. m.* (*gsg.* -вня) heavy shower, downpour, torrent of rain.
ли́вер *s.* pluck.
ли́вмя́ *ad.*, (**дождь**) **~ льёт** it's pouring, it's raining cats and dogs.
ли́га *s.* league; (*mus.*) ligature, tie.
лигатýра *s* (*chem.*) alloy; (*med.*) ligature.
лигни́т *s.* lignite.
ли́дер/ *s.* (*pl.* -ы & -á) leader.
лиз-áть I. 1. [c] *va.* (*Pf.* по-, с-, *mom.* лизн-ýть I. [a]) to lick.
лик *s.* face, countenance; image, choir.
ликвидáция *s.* liquidation, winding up.
ликвиди́ро+вать II. *va.* to liquidate, to settle, to wind up.
ликёр *s.* liqueur.
ликовáние *s.* acclamation; rejoicing, exultation.
лико+вáть II. [b] *vn.* (*Pf.* воз-) to shout, to rejoice, to exult.
лил/éйный *a.* lily-; lilywhite || **´-ия** *s.* lily || **-óвый** *a.* lilac(-coloured).
лимáн *s.* bay, gulf; estuary, firth, frith.
лимóн/ *s.* lemon; lime-fruit || **-áд** *s.* lemonade.
ли́мфа/ *s.* lymph || **-ти́ческий** *a.* lymphatic.
лингви́ст/ *s.* linguist || **-ика** *s.* linguistics *pl.*, philology.
лине+вáть II. [b] *va.* (*Pf.* на-) to rule, to line.
лин/éечка *s.* (*gpl.* -éечек) small rule, ruler || **-éйка** *s.* (*gpl.* -éек) rule, ruler || **-éйный** *a.* of the line.
ли́ния *s.* line; **кривáя ~** curved line, curve.
линь *s. m.* [a] (*ich.*) tench.
линю́чий (-ая, -ее) *a.* apt to fade.

линя́лый *a.* faded, discoloured; **–ая пти́ца** bird which has moulted.
линя́-ть II. *vn.* (*Pf.* по-, с-) (о цветáх) to fade, to lose colour; (*Pf.* вы́-) to cast hair, to lose, to shed one's hair; (о пти́цах) to moult.
ли́п/а *s.* lime-tree, lime, linden || **–кий** *a.* sticky, viscous; adhesive || **–кость** *s. f.* stickiness, viscosity.
ли́пнуть 52. *vn.* (*Pf.* при-) (к + *D.*) to stick (to), to adhere (to).
липня́к *s.* [a] grove of lime-trees.
ли́р/а *s.* lyre || **–ик** *s.* lyric poet || **–ика** *s.* lyric poetry, lyrics *pl.* || **–и́ческий** *a.* lyric, lyrical.
лис/á *s.*, *dim.* **–áнька** *s.* fox || **–ёнок** *s.* (*gsg.* -ёнка, *pl.* -я́та) young fox, fox cub.
ли́сий (-ья, -ье) *a.* fox-, fox's; **~ хвост** foxtail, brush.
лиси́ца *s.* fox; vixen.
лист/ *s.* [a] sheet (of paper); plate (of metal); pane (of glass); [d] (*pl.* **´**ья, **´**ьев) leaf (of a tree) || **–вá** *s.* foliage, leaves *pl.* || **´вень** *s. f.* & **´венница** *s.* larch, larch-tree || **´венный** *a.* leafy, with leaves || **´ик** *s.* a small leaf || **–овóй** *a.* in leaves; in sheets; **–овóе желéзо** sheet-iron || **–опáд** & **–опадéние** *s.* fall of the leaves.
литáвра *s.* kettledrum.
литéй/ная & **–ня** *s.* foundry || **–щик** *s.* founder, smelter.
ли́тер/а *s.* letter; (*typ.*) character, type || **–áтор** *s.* literary man, man of letters || **–атýра** *s.* literature || **–атýрный** literary; **–атýрное воровствó** (literary) piracy, plagiarism.
ли́тий *s.* (*chem.*) lithium.
лити́я *s.* litany.
литó/грáф *s.* lithographer || **–грáфия** *s.* lithography; lithograph.
литóй *a.* cast; casting-; **–áя сталь** cast steel.
литр *s.* litre.
литурги́я *s.* liturgy.
лить 27. (*Pf.* по-) *va.* to pour, to shed; to found, to cast; **~ слёзы** to shed tears; **~ кровь** to shed blood; **с негó льёт пот** he is streaming with perspiration; **дождь льёт** *or* **льёт как из ведрá** it is pouring, it is raining cats and dogs || **~ся** *vn.* to flow, to stream, to fall (into).
литьё *s.* pouring, shedding; founding, casting; fount.
лиф *s.* waist (of a coat).
лифт *s.* lift; (*Am.*) elevator.
лихáч *s.* [a] a skilful *or* handy man; (извóзчик) coachman (well dressed and with a fine turn-out).
ли́хвá *s.* usury, usurious interest; profit.
ли́хо/ *s.* evil, malice || **–дéй** *s.* evil-minded, malicious person || **–и́мец** *s.* (*gsg.* -и́мца) usurer; corruptible person || **–и́мство** *s.* usury; corruptibility, venality.
лихóй *a.* evil, wicked, malicious; (провóрный) clever, skilful; **~ ездóк** expert horseman; **~ конь** spirited horse.
лихорáд/ка *s.* (*gpl.* -док) fever; ague || **–очный** *a.* feverish, febrile.
ли́хо/сть *s. f.* & **–тá** *s.* evilness, wickedness; cleverness.
ли́хтер *s.* (*pl.* -ы & -á) (*mar.*) lighter.
лице/вóй *a.* front-, face-; right (side) || **–зрéние** *s.* view, aspect; perception.
лицéй *s.* lyceum; college.
лицемéр/ *s.*, **–ка** *s.* (*gpl.* -рок) hypocrite, dissembler || **–ие** *s.* & **–ность** *s. f.* hypocrisy, dissembling || **–ный** *a.* hypocritical.
лицéнзия *s.* licence.
лицеприя́т/ие *s.* partiality, favour || **–ный** *a.* partial.
лицó/ *s.* [d] face, countenance; person, character; front, face (of a building); right side (of a coin, of stuff, leather); **стать –м** (к + *D.*) to face; **бросáть в ~** to cast in one's teeth; **стоя́ть –м** (к + *D.*) to face; **~ кáрты** the underside of a card; **постáвить –м к лицý** to confront; **э́то вам к лицý** that suits you well.
личи́н/а *s.* mask; **сорвáть** (с когó) **–у** to unmask || **–ка** *s.* (*gpl.* -нок) larva, pupa (of an insect); lock-plate; **часовáя ~** dial-plate, face (of a clock).
личнóй *a.* facial, of the face, face.
ли́чн/ость *s. f.* personality; individual, person, character || **–ый** *a.* personal, individual; **~ состáв** personnel, staff.
лишáй *s.* [a] (*med.*) tetter.
лишá-ть II. *va.* (*Pf.* лиш=и́ть I. [a]) (когó, чегó) to deprive of, to take away from; to divest of || **~ся** *vn.* (чегó) to lose, to be deprived of, to be stripped of; to forfeit.
ли́шек *s.* (*gsg.* -шка) surplus, excess.
лишéние *s.* deprivation, privation; forfeiture, loss.
ли́шний *a.* superfluous, surplus, excess.
лишь *ad.* only; but; just.
лоб *s.* (*gsg.* лба) forehead; brow.
лобзá-ть II. (*Pf.* об-) *va.* to kiss || **~ся** *vrc.* to embrace.
лóбик *s. dim. of* лоб.
лóбн/ый *a.* of the forehead; **–ое мéсто** *formerly* place of execution; place

where the Czar's decrees were formerly promulgated (in Moscow); (*bib.*) Calvary.

лов/ *s.* catch; capture || **-е́ц** *s.* [a] (*gsg.* -вца́) hunter, fowler, fisherman.

лов=и́ть II. 7. [c] *va.* (*Pf.* пойма́-ть II.) (кого́ в чём) to catch, to seize, to capture; ~ **ры́бу** to fish; ~ **птиц** to fowl; ~ **слу́чай** to seize the opportunity.

ловка́ч *s.* [a] clever, cute person.

ло́вк/ий *a.* (*comp.* ло́вче, ловче́е) expert, skilful; clever, alert, cute || **-ость** *s. f.* cleverness; expertness; skill; dexterity.

ловлю́ *cf.* **лови́ть.**

ло́в/ля *s.* catching, seizing; capture; ~ **птиц** fowling || **-у́шка** *s.* (*gpl.* -шек) trap, gin, snare || **-ца́, -цы** *cf.* **лове́ц** || **-че, -че́е** *cf.* **ло́вкий** || **-чий** *s.* hunter, huntsman.

логари́фм/ *s.* logarithm || **-и́ческий** *a.* logarithmic.

ло́гик/ *s.* logician || **-а** *s.* logic.

логи́ческий *a.* logical.

ло́гов/ище & **-о** *s.* lair, den, covert.

ло́д/ка *s.* (*gpl.* -док) boat; **спаси́тельная** ~ life-boat; **подво́дная** ~ submarine || **-очка** *s.* (*gpl.* -чек) *dim. of* ло́дка || **-очник** *s.* boatman; ferryman || **-очный** *a.* boat's.

лоды́жка *s.* (*gpl.* -жек) ankle-bone, ankle.

ло́дырь *s. m.* good-for-nothing.

ло́жа *s.* (*theat.*) box; **масо́нская** ~ (masonic) lodge.

ложби́на *s.* hollow, hollow way, sunken road.

ло́же *s.* couch, bed; channel, bed (of river); **бра́чное** ~ nuptial-bed.

ло́жечка *s.* (*gpl.* -чек) small spoon; **ча́йная** ~ tea-spoon; (я́мочка под грудно́ю ко́стью) pit of the stomach.

лож=и́ться I. [a] *vc.* (*Pf.* лечь 43.) to lie down, to lay o.s. down; ~ **спать** to go to bed.

ло́жка *s.* (*gpl.* -жек) spoon; (*an.*) pit of stomach.

ло́ж/но *ad.* falsely, erroneously || **-ность** *s. f.* untruth, falsity, falseness || **-ный** *a.* untrue, false, erroneous.

ложь *s. f.* (*G.*, *D.* лжи, *I.* ло́жью) lie, falsehood; **неви́нная** ~ a white lie.

лоза́ *s.* [d] switch, twig, rod.

ло́зунг *s.* (*mil.*) pass-word, watch-word.

лока́-ть II. *vn.* (*Pf.* вы́-) to lick, to lap (up), to drink (of dogs).

лока́ут *s.* lock-out.

локомо/би́ль *s. m.* locomobile || **-ти́в** *s.* locomotive || **-ти́вный** *a.* locomotive.

ло́кон *s.* lock (of hair).

локото́к *s.* [a] (*gsg.* -тка́) *dim. of foll.*

ло́к/оть *s. m.* [c] (*gsg.* -ктя) elbow, forearm; (ме́ра длины́) ell, cubit || **-отно́й** & **-тево́й** *a.* elbow-.

лом *s. coll.* scrap, fragments *pl.*, remains *pl.*; debris; [b] (*tech.*) crow-bar.

лома́-ть II. *va.* (*Pf.* с-) to break (bread, ice, hamp); to demolish, to pull down (a house); ~ (над чем) **го́лову** to puzzle one's brains over something || **~ся** *vn.* to break, to be broken; (*fig.*) to grimace, to make wry faces.

ломба́рд/ *s.* pawnbroker's shop; **отда́ть в** ~ to pawn; (*fam.*) to pop || **-ный** *a.* pawnbroker's, loan-.

ло́мбер/ *s.* ombre || **-ный** *a.*, ~ **стол** card-table.

лом=и́ть II. 7. [c] = **лома́ть.**

ло́м/ка *s.* (*gpl.* -мок) breaking, breakage || **-кий** *a.* brittle, fragile || **-кость** *s. f.* brittleness, fragility.

ломов/и́к *s.* [a] dray-horse, cart-horse; drayman, carman; porter || **-о́й** *a.*, ~ **изво́зчик** carman, carter; **-а́я ло́шадь** dray-horse.

ломо́та *s.* rheumatism, rheumatic pain; gout.

ломо́ть *s. m.* [a] (*gsg.* -мтя́) slice (of bread).

лом/ото́к & **-́тик** *s.* small slice, piece.

ло́но *s.* lap, bosom.

ло́п/асть *s. f.* [c] paddle (of an oar); lobe (of the lungs); sole (of the foot) || **-а́та** *s.* shovel, scoop || **-а́тка** *s.* (*gpl.* -ток) small shovel, scoop; trowel; (*an.*) shoulder-blade.

ло́па-ть II. *vn.* (*Pf.* ло́пн-уть I.) to burst, to explode (of a bomb-shell); to break || ~ *va.* (*Pf.* с-) to eat up || **~ся** *vn.* to crack, to burst, to break; to be burst, broken.

лопу́х *s.* [a] (*bot.*) bur.

лорне́т *s.* lorgnette.

ло́сий (-ья, -ье) *a.* elk's, elk-.

лоси́ны *s. fpl.* trousers *pl.* (made of elk-skin).

лоск/ *s.* gloss, polish || **-́ут** *s.* piece (of paper, stuff); shred, scrap, rag || **-у́тный** *a.* rag- || **-уто́к** *s.* [a] (*gsg.* -тка́) & **-уто́чек** *s.* (*gsg.* -чка) *dim. of* лоску́т.

лосн=и́ться II. [a] *vn.* (*Pf.* за-) to be glossy, polished; to have a gloss.

лососи́на *s.* the flesh of salmon.

ло́сось *s. m.* [c] salmon.

лось *s. m.* [b] elk.

лот/ *s.* half an ounce; (*mar.*) lead, sounding-lead; **броса́ть** ~ to heave the lead || **-ере́я** *s.* lottery || **-о́к** *s.* [a] (*gsg.* -тка́) trough, hawker's tray; (жёлоб) gutter || **-о́чек** *s.* (*gsg.* -чка) *dim. of prec.*

лох/ма́тый *a.* shaggy || **-мо́тье** *s. coll.* rags, tatters *pl.*

ло́цман *s.* [b*] pilot.
лошад/ёнка *s.* (*gpl.* -нок) jade, screw || **-и́ный** *a.* horse-; **-и́ная си́ла** horse-power, H.P.
лоша́дка *s.* (*gpl.* -док) *dim. of foll.*
ло́шадь *s. f.* [c] horse; **ломова́я ~** dray-horse; **на ло́шади** on horseback.
лоша́к *s.* [a] mule.
лощи́на *s.* hollow; hollow way.
лощ=и́ть I. [a] *va.* (*Pf.* на-, вы́-) to polish, to smooth, to gloss.
луб/ *s.* bast || **-о́к** *s.* [a] (*gsg.* -бка́) (*med.*) splint || **-о́чный** *a.* of bast; **-о́чные карти́нки** mean wood-engravings.
луг/ *s.* [b♀) meadow || **-ово́дство** *s.* cultivation of meadows || **-ово́й** *a.* meadow-.
луди́ль/ный *a.* for tinning || **-щик** *s.* tinsmith.
луд=и́ть I. 1. [a] *va.* (*Pf.* вы́-) to tin.
лу́ж/а *s.* pool, puddle || **-а́йка** *s.* (*gpl.* -а́ек) small meadow; grass-plot, forest-glade || **-е́ние** *s.* tinning.
лу́ж/ица *s.* small pool, puddle || **-о́к** *s.* [a] (*gsg.* -жка́) small meadow.
лу́за *s.* pocket (at billiards).
лук/ *s.* onion; [a] bow (for shooting) || **-а́** *s.* [d] bend; winding, turn, sinuosity; (седла́) saddle-bow || **-а́вец** *s.* (*gsg.* -вца), **-а́вица** *s.* sly person.
лука́в=ить II. 7. *vn.* (*Pf.* с-) to be sly, cute; to act cunningly.
лука́в/ство *s.* cunning, cuteness, slyness, wile, double-dealing || **-ый** *a.* cute, cunning, sly, wily || **~** (*as s.*) the Evil one, the devil, Old Nick.
лу́ко/вица *s.* onion (as root) || **-мо́рье** *s.* inlet of the sea.
луко́шко *s.* (*gpl.* -шек) basket made of bark.
луна́/ *s.* [d] moon || **-тик** *s.* lunatic || **-ти́ческий** *a.* lunatic, moonstruck.
лу́нный *a.* moon-, of the moon, lunar; **-ое затме́ние** lunar eclipse, eclipse of the moon; **-ая ночь** moonlit night.
лунь *s. m.* (*orn.*) kestrel, mouse-hawk; **он бел как ~** he is as grey as a badger.
лу́па *s.* magnifying glass.
луп=и́ть II. 7. [c] *va.* (*Pf.* об-) to peel, to pare; (кого́) to thrash s.o., to give s.o. a good hiding; **~** (с кого́) **де́ньги** (*Pf.* с-) to extort money (from) || **~ся** *vn.* to peel off, to come off, to scale off; (о цыпля́тах) to creep forth (from the egg).
луч/ *s.* [a] beam, ray || **- еви́дный** *a.* beam-shaped, radial || **-ево́й** *a.* of beam, of ray || **-еза́рный** *a.* radiant; resplendent || **-епреломле́ние** *s.* refraction (of rays) || **-и́на** *s.* (pine-)splinter; shaving || **-и́нка** (*gpl.* -нок) & **-и́ночка** *s.* (*gpl.* -чек) *dim. of prec.* || **-и́стый** *a.* radiant, beaming; (*bot.*) radiate || **-о́к** *s.* [a] (*gpl.* -чка́) small bow; violin-bow.
лу́чше *comp.* better; **э́то мне нра́вится ~** I prefer that; **~ всего́** best of all; **всё ~ и ~** better and better; **тем ~** so much the better (*cf.* хоро́ший).
лу́чш/ий *sup.* best; **са́мый ~** the best; **к -ему** for the best (*cf.* хоро́ший).
луще́ние *s.* shelling, husking.
лущ=и́ть I. [c & a] *va.* (*Pf.* вы́-) to shell (peas); to husk (nuts, etc.).
лы́жа *s.* (*us. in pl.*) snow-shoe; ski.
лы́ко *s.* bast (of limes and willows); **не вся́кое ~ в строку́** all that is said must not be taken literally.
лысе́-ть II. *vn.* (*Pf.* об-) to grow, to become bald.
лы́с/ина *s.*, *dim.* **-и́нка** *s.* bald patch; baldness; (у ло́шади) star || **-ый** *a.* bald.
ль = ли.
льва *cf.* **лев.**
льв/ёнок *s.* (*gsg.* -ёнка, *pl.* -ёнки & -я́та) young lion, lion's whelp *or* cub || **-и́ный** *a.* lion's, leonine; **-и́ная до́ля** the lion's share || **-и́ца** *s.* lioness.
льго́т/а *s.* (от + *G.*) exemption (from), privilege; immunity; free will || **-ный** *a.* exempted, privileged.
льд/и́на *s.* piece of ice, flake of ice || **-и́стый** *a.* icy, full of ice.
льно/во́дство *s.* cultivation of flax || **-пряди́льня** *s.* flax- *or* spinning-mill.
льн-уть I. [a] *vn.* (*Pf.* при-) (к + *D.*) to adhere to; (*fig.*) to pay court to.
льняно́й *a.* of flax, flaxen; **-о́е се́мя** linseed; **-о́е ма́сло** linseed oil.
льст/ец *s.* [a] & **-и́вец** *s.* (*gsg.* -вца) flatterer || **-и́вость** *s. f.* flattery, adulation || **-и́вый** *a.* flattering, adulating; **-и́вые слова́** flattering words.
льст=ить I. 4. *vn.* (*Pf.* по-) (кому́ чем) to flatter || **~ся** *vr.* to flatter o.s.
любе́знича-ть II. *vn.* (с кем) to court, to be all attention to.
люб/е́зный *a.* dear, amiable, kind; **~ друг** dearest friend; **~ чита́тель** gentle reader || **-и́мец** *s.* (*gsg.* -мца), **-и́мица** *s.* favourite, darling || **-и́мый** *a.* favourite; beloved || **-и́тель** *s. m.*, **-и́тельница** *s.* lover, amateur; **актёры -и́тели** amateur actors; **он стра́стный ~ му́зыки** he is passionately fond of music || **-и́тельский** *a.* amateur, amateurish.

люб=и́ть II. 7. [c] *va.* (*Pf.* по-) to love, to be fond of, to like.
лю́бо *ad.* pleasingly, agreeably; **~ не́ ~** willy-nilly, by fair means or foul.
любо+ва́ться II. [b] *vn.* (*Pf.* по-) (*I. or* на + *A.*) to admire, to delight in, to gaze with pleasure on.
любо́в/ник *s.*, **–ница** *s.* lover, sweetheart || **–ный** *a.* of love, amorous; **–ная связь** love-affair, amour || **–ь** *s. f.* [a] (*gsg.* -бви́) love; affection.
любозна́тельный *a.* fond of knowledge, eager for knowledge.
любо́й *a.* any you like, whichever you like.
любопы́т/ный *a.* curious || **–ство** *s.* curiosity.
любостра́ст/ие *s.* lasciviousness, voluptuousness || **–ный** *a.* libidinous, voluptuous, lascivious.
любостяж/а́ние *s.* cupidity, love of gain, covetousness, greediness; selfishness || **–а́тельный** *a.* fond of gain, covetous, greedy.
лю́гер *s.* (*mar.*) lugger.
лю́д/и *s. mpl.* (*pl. for* челове́к) men, people, folk; (прислу́га) servants *pl.* || **–ный** *a.* populous, peopled || **–ое́д** *s.*, **–ое́дка** *s.* (*gpl.* -док) cannibal, maneater || **–ое́дство** *s.* cannibalism, anthropophagy || **–ско́й** *a.* human, people's; servants' || **–ска́я** (*as s.*) servants' room.
люк *s.* (*mar.*) hatch; hatchway.
лю́л/ька *s.* (*gpl.* -лек), *dim.* **–ечка** *s.* (*gpl.* -чек) cradle.
люлю́ка-ть II. *vn.* (*Pf.* у-) to lull to sleep.
лю́стра *s.* lustre, chandelier.
лютера́нский *a.* Lutheran.
лю́тня *s.* lute.
лю́т/ость *s. f.* ferocity, cruelty || **–ый** *a.* ferocious, cruel, savage; terrible.
ляга́вый *a.*, **–ая соба́ка** setter.
ляга́-ть II. *vn.* (*Pf.* лягн-у́ть I. [a]) & **~ся** to kick (out behind).
ляг/, ∠те, ∠у *cf.* **ложи́ться.**
лягу́шка *s.* (*gpl.* -шек) frog.
ляду́нка *s.* (*gpl.* -нок) cartridge-box.
лязг *s.* sound, rattle, noise.
ля́м/ка *s.* (*gpl.* -мок) strap; (breast-) collar (of a tow-rope) || **–очник** *s.* strap-cutter, saddler; tow-man.
ля́па-ть II. *va.* (*Pf.* ля́пн-уть I.) to slap, to smack (with the hand); to blurt out, to let fall (a word); (*Pf.* с-) to botch, to bungle (of work).
ля́сы *s. fpl.* jokes *pl.*, chatter; **точи́ть ~** to chatter, to prattle, to joke.

М

мавзоле́й *s.* mausoleum.
маг *s.* magian; (*in pl.* ∠и) the Magi, the wise men from the East.
мага́зи́н *s.* warehouse, shop; magazine.
магары́ч *s.* [a] good-will; tip; drink on conclusion of a bargain; (*fam.*) wetting a bargain.
ма́гик *s.* magician, necromancer.
маги́стер/ский *a.* master's || **–ство** *s.* degree of master (of arts); office of master of a religious order.
маги́стр/ *s.* master (degree, and head of a religious order) || **–а́т** *s.* magistracy, city-court.
маги́ческий *a.* magic(al).
ма́гия *s.* magic.
магн/е́зия *s.* magnesia || **–етизёр** *s.* mesmerizer, mesmerist || **–етизи́ро+вать** II. *va.* (*Pf.* за-, на-) to magnetize; to mesmerize || **–ети́зм** *s.* magnetism || **–ети́ческий** *a.* magnetic.
ма́гн/ий *s.* magnesium || **–и́т** *s.* magnet.
магни́т=ить I. 2. *va.* (*Pf.* на-) to magnetize.
магни́тный *a.* magnetic; **–ая стре́лка** the magnetic needle.
магомета́н/ин *s.* (*pl.* -а́не, -а́н, *etc.*), **–ка** *s.* (*gpl.*-нок) Mahometan, Mohammedan || **–ский** *a.* Mahometan, Mohammedan.
мадрига́л *s.* madrigal.
мажо́р *s.* (*mus.*) major key.
ма́занка *s.* (*gpl.* -нок) plastered hut; mud-wall.
ма́з-ать I. 1. *va.* (*Pf.* на-, по-, *mom.* мазн-у́ть I. [a 1.]) to daub, to smear; to anoint; (колёса) to grease; (*fig.*) to bribe.
мази́л/ка *s.* (*gpl.* -лок) brush || **~** *s. m&f.* bad painter, dauber || **–ьщик** *s.* painter (*e.g.* of roofs).
мазну́ть *cf.* **ма́зать.**
мазо́к *s.* stroke of a brush; brush.
мазу́н/ *s.* [a], **–ья** *s.* dauber.
мазу́р/ик *s.* pickpocket, swindler, sharper || **–ка** *s.* (*gpl.* -рок) mazurka.
мазь *s. f.* [c] ointment; salve; (для колёс) car-grease.
ма́ис *s.* maize; (*Am.*) corn, Indian corn.
май *s.* May.
майо́р/ *s.* major || **–а́т** *s.* estate in tail; the right to inherit such an estate || **–ский** *a.* major's, of major || **–ство** *s.* rank of major || **–ша** *s.* major's wife.
ма́йский *a.* May, of May.
мак *s.* poppy.
макаро́ны *s. fpl.* macaroni.
мака́-ть II. *va.* (*Pf.* макн-у́ть I. [a 1.]) to dip in.

макла́к *s.* [a] go-between, middleman; (плут) rogue.
ма́клер/ *s.* (*pl.* -ы & -а́) broker || **-ство** *s.* brokerage, business of broker.
макну́ть *cf.* **мака́ть.**
ма́ковка *s.* (*gpl.* -вок) crown (of head); head, top, summit.
макре́ль *s. f.* mackerel.
максима́льный *a.* maximal, maximum.
макси́мка *s.* (*gpl.* -мок) (*fam.*) goods-train.
ма́ксимум *s.* maximum.
макулату́ра *s.* waste paper; brown-paper.
маку́ш/а *s.*, *dim.* **-ка** *s.* (*gpl.* -шек) crown of head.
малаха́й *s.* fur-cap; night-cap.
малахи́т *s.* malachite.
мале+ва́ть II. [b] *va.* (*Pf.* на-) to paint, to whitewash.
малёвка *s.* (*gpl.* -вок) painting.
ма́ленький *a.* little, small.
мали́н/а *s. coll.* raspberries; (куста́рник) raspberry-bush || **-ина** & **-инка** *s.* (*gpl.* -нок) raspberry || **-овка** *s.* (*gpl.* -вок) raspberry-wine *or* -liqueur.
ма́ло/ *ad.* (*cf.* ма́лый) little, few; **~-по-ма́лу** little by little, by degrees || **-ва́жный** *a.* unimportant, insignificant || **-ве́сный** *a.* light, of insufficient weight || **-во́дный** *a.* having little water || **-гра́мотный** *a.* with little schooling || **-ду́шный** *a.* faint-hearted, cowardly || **-зна́чащий** & **-значи́тельный** *a.* unimportant, insignificant || **-кро́вие** *s.* anæmia || **-кро́вный** *a.* anæmic || **-ле́тний** *a.* under age, not of age, minor || **-лю́дный** *a.* thinly populated || **~-ма́льски** *ad.* somewhat, rather, a little || **-ро́слый** *a.* dwarfish, stunted || **-све́дущий** *a.* badly instructed || **-со́льный** *a.* only slightly salted.
ма́лость *s. f.* littleness, smallness; (*fig.*) trifle.
мало/це́нный *a.* of little value; cheap || **-чи́сленный** *a.* not numerous, few in number.
ма́лый *a.* (*comp.* ме́нее, ме́ньше, *sup.* ме́ньший) little, small; slender, scant, short; **без ма́лого** almost; **без ма́лого сто** just less than 100 || **~** (*as s.*) lad, boy, fellow.
ма́льч/ик *s.* lad, boy; apprentice; (слуга́) servant, servant-boy; **~-с-па́льчик** *s.* hop o' my thumb, Tom Thumb || **-и́шка** *s. m.* (*abus.*) urchin, brat, lad, fellow || **-и́шник** *s.* feast celebrated by bride-groom and friends on the eve of the wedding || **-уга́н** = **ма́льчик.**
малю́/сенький *a.* exceedingly small, tiny || **-тка** *s. m.&f.* (*gpl.* -ток) *coll.* little child.
маля́р *s.* [a] (house-)painter, paper-hanger.
ма́ма *s.* mamma, ma.
мам/а́ша & **´-енька** *s.* (*gpl.* -нек) (dear) mamma, mother || **´-ка** *s.* (*gpl.* -мок) nurse, wet-nurse.
мамо́н *s.* mammon; belly, stomach.
ма́монт *s.* mammoth.
ма́мушка *s.* (*gpl.* -шек) = **ма́мка.**
мана́тки *s. fpl.* (*G.* -ток) (*fam.*) goods and chattels.
манда́т *s.* mandate.
мандоли́на *s.* mandoline.
манёвр *s.* manœuvre, exercise.
маневри́ро+вать II. *vn.* to manœuvre; (*rail.*) to shunt.
мане́ж *s.* riding-school, race-course.
манеке́(й)н/ *s.* lay-figure || **-ша** *s.* mannequin.
мане́р/ & **-а** *s.* manner, way, form, fashion || **-ка** *s.* (*gpl.* -рок) (*mil.*) can, billy-can, water-bottle || **-ничание** *s.* affectation, being affected *or* pretentious || **-ный** *a.* affected.
манже́т(к)а *s.* (*us. in pl.*) cuff; frill, ruffle.
маникю́р *s.* manicure.
манипуля́ция *s.* manipulation.
ман=и́ть II. [a & c] *va.* (*Pf.* при-) to beckon; (завле́чь) to lure, to entice, to decoy.
мани́фе́ст/ *s.* manifesto || **-а́ция** *s.* manifestation.
мани́шка *s.* (*gpl.* -шек) shirt-front.
ма́ния *s.* mania.
ма́нна *s.* manna.
манове́ние *s.* beck, nod, sign.
мано́ме́тр *s.* manometer.
манса́рд/ & **-а** *s.* garret, attic.
манти́лья *s.* mantilla.
ма́нтия *s.* mantle, cloak (*esp.* monk's).
манто́ *s. indecl.* (lady's) mantle.
манускри́пт *s.* manuscript.
мануфакту́р/а *s.* manufacture || **-ный** *a.* manufactured.
мара́тель *s. m.* dauber, daub; bungler.
мара́-ть II. *va.* (*Pf.* за-) to daub, to besmear, to soil, to dirty; (*fig.*) to slander, to calumniate; (*Pf.* на-) to soil, to spoil.
ма́рганец *s.* (*gsg.* -нца) (*chem.*) manganese.
маргари́н *s.* margarine.
маргари́тка *s.* (*gpl.* -ток) daisy.
ма́рево *s.* mirage.
марино+ва́ть II. [b] *va.* (*Pf.* за-) to pickle.

марионе́тка *s.* (*gpl.* -ток) marionette, puppet.
ма́рка *s.* (*gpl.* -рок) counter (at games); mark, ticket; (coin) mark; **почто́вая** ~ (postage-)stamp.
маркгра́ф/ *s.* margrave || **–и́ня** *s.* margravine || **–ство** *s.* margraviate.
маркёр *s.* (billiard-)marker.
марки́з/ *s.* marquis || **–а** *s.* marchioness; (*in pl.*) awning.
ма́ркий *a.* apt to soil, apt to get dirty.
маркита́нт/ *s.*, **–ка** *s.* (*gpl.* -ток) sutler.
мармела́д *s.* marmalade, jam.
мародёр/ *s.* marauder, freebooter; camp-follower, straggler || **–ство** *s.* marauding, freebooting. [Mars.
марс *s.* (*mar.*) top, masthead; (*astr.*)
ма́рсель *s. m.* top-sail.
март/ *s.* March || **–́овский** *a.* March, of March || **–ы́шка** *s.* (*gpl.* -шек) (long-tailed) monkey; (*orn.*) seagull.
марципа́н *s.* marchpane, marzipan.
марш/ *s.* march || **–́ал** *s.* marshal || **–ево́й** *a.* marching || **–иро+ва́ть** II. [b] *vn.* to march || **–иро́вка** *s.* (*gpl.* -вок) march, marching (up) || **–ру́т** *s.* (*mil.*) route, line of march.
ма́ск/а *s.* (*gpl.* -сок) mask; **сорва́ть –у** to unmask; ~ **про́тив га́зов** gas-mask || **–ара́д** *s.* masquerade; masked-ball, fancy-dress ball || **–ара́дный** *a.*, ~ **костю́м** fancy-dress || **–иро+ва́ть** II. [b] *va.* (*Pf.* за-) to mask, to disguise || ~**ся** *vr.* to mask o.s., to disguise o.s.
ма́сленая *a.*, ~ (**неде́ля**) Shrovetide, carnival.
маслени́стый *a.* oily, oleaginous, buttery.
ма́сл/еница *s.* Shrovetide, carnival || **–еный** *a.* buttered; of butter, of oil; oil-; oily; greasy || **–ёнка** *s.* oil-cup, oil-box || **–ина** *s.* olive-tree || **–и́на** *s.* olive (fruit) || **–и́нный** & **–и́новый** *a.* olive-.
ма́сл=ить II. *va.* (*Pf.* за-, на-, по-) to oil; to spread (with butter), to smear, to butter; to dress.
ма́сло/ *s.* [b] (*gpl.* -сел) oil; butter; ~ **для воло́с** hair-oil; **как по ма́слу** swimmingly, like clockwork || **–бо́йка** *s.* churn || **–бо́йня** *s.* oil-mill.
ма́сляный *a.* dressed with butter or oil.
ма́сок *cf.* **ма́ска.**
масо́н/ *s.* freemason || **–ский** *a.* masonic, freemason's || **–ство** *s.* freemasonry.
ма́сса *s.* mass, heap.
масса́ж/ *s.* massage || **–и́ст** *s.* masseur || **–и́стка** *s.* (*gpl.* -ток) masseuse.
масси́вный *a.* massive, solid. [sage.
масси́ро+вать II. *va.* (*Pf.* по-) to mas-
маста́к *s.* [a] a dab (at something), clever fellow. [skilled workman.
ма́стер *s.* [b*] (*pl.* -а́) master; foreman;
мастер=и́ть II. [a] *va.* (*Pf.* с-) to do in a skilful manner; to master.
мастер/ово́й *s.* artisan, mechanic, workman || **–ска́я** *s.* workshop, workroom || **–ство́** *s.* business, trade, profession.
масти́ка *s.* mastic; (сма́зка) putty.
масти́тый *a.* venerable.
масть *s. f.* [c] suit, colour (at cards); colour of hair (of animals).
масшта́б *s.* scale.
мат *s.* mate (at chess); dullness; mat; **шах и** ~ checkmate.
матема́т/ик *s.* mathematician || **–ика** *s.* mathematics *pl.* || **–и́ческий** *a.* mathematical.
матереуби́й/ство *s.* matricide (act) || **–ца** *s. m.&f.* matricide (person).
материа́л/ *s.* material || **–и́зм** *s.* materialism || **–и́ст** *s.* materialist || **–ьный** *a.* material.
матери́к *s.* [a] mainland, continent.
матери́нский *a.* maternal, motherly.
мате́рия *s.* matter, substance; stuff, material; (*med.*) pus, matter.
ма́терный *a.* improper, abusive.
матеро́й *a.* firm; large, big, stout, strong; (*fam.*) experienced.
матинэ́ *s. indecl.* morning-gown (lady's).
ма́тка *s.* (*gpl.* -ток) (*vulg.*) mother, wife; (of animals) female; **пчели́ная** ~ queen-bee; (*an.*) uterus, womb.
ма́товый *a.* lustreless; (*fig.*) dull.
ма́точник *s.* queen-bee's cell; (*bot.*) ovary.
матра́ц *s.* mattress.
матри́кул/ *s.* matriculation || **–а** *s.* register, roll (of nobility).
матримониа́льный *a.* matrimonial.
матри́ца *s.* (*typ.*) matrix. [Tar.
матро́с *s.* sailor, seaman; (*fam.*) Jack
ма́тушка *s.* (*gpl.* -шек) little mother, dear mother, mamma.
матч *s.* match.
мать *s. f.* [c] (*gsg.* ма́тери) mother; **крёстная** ~ godmother.
мах/ *s.* swing, swinging movement; sail (of a windmill) || **–а́ло** *s.* fan || **–а́(те)льный** *s.* for swinging, swing-; signalling.
маха́-ть II. & **мах-а́ть** I. 3. [c] *va.* (*Pf.* махн-у́ть I. [a 1.]) (кры́льями) to swing; to flap; (хвосто́м) to wag; (опаха́лом) to fan; (руко́ю) to make a sign, to give a signal, to sign.

мах/и́на *s.* anything big or heavy; machine || **-ови́к** *s.* [a] flywheel || **-ово́й** *a.* swinging, swing-; **-ово́е колесо́** flywheel || **∠ом** *ad.* in a moment; **дать ∠ому** to commit a blunder, to make a mistake || **∠онький** *a.* (*fam.*) tiny, very small || **-о́рка** *s.* (*gpl.* -рок) inferior kind of tobacco; plug, shag.
ма́чиха *s.* stepmother.
ма́чт/а *s.* mast || **-о́вый** & **-ово́й** *a.* masted.
маши́н/а *s.* machine, engine; (*fam.*) railway || **-а́льный** *a.* mechanical || **-и́ст** *s.* machinist; **парово́зный ~** engine-driver || **-и́стка** *s.* (*gpl.* -ток) typist || **-ка** *s.* (*gpl.* -нок) small machine; **пи́шущая ~** typewriter || **-ный** *a.* machine- || **-остро́ение** *s.* machine-construction.
машу́ *cf.* **маха́ть.**
мая́к *s.* [a] lighthouse; **плаву́чий ~** lightship.
ма́ятник *s.* pendulum.
ма́-ять II. *va.* (*Pf.* за-, из-, с-) to weary, to torment.
мая́ч=ить I. *vn.* (*Pf.* про-) to live from hand to mouth.
м. б. *abbr. of* **мо́жет быть** = perhaps.
мгл/а *s.* mist, fog, darkness || **-и́стый** *a.* misty, foggy, dark.
мгнове́н/ие *s.* moment, instant || **-ный** *a.* momentary, instantaneous.
ме́бель/ *s. f.* piece of furniture; *coll.* furniture || **-щик** *s.* cabinet-maker; dealer in furniture.
меблира́шки *s. fpl.* (*gpl.* -шек) furnished rooms or apartments *pl.*
меблиро+ва́ть II. [b] *va.* (*Pf.* об-) to furnish.
меблиро́вка *s.* (*gpl.* -вок) furnishing.
мёд *s.* honey; mead.
меда́ль/ *s. f.* medal || **-о́н** *s.* medallion.
медве́д/ица *s.* she-bear; (*astr.*) **Больша́я ~** the Great Bear || **(ё)-ка** *s.* (*gpl.* -док) large plane; truck || **-ь** *s. m.* bear.
медвеж/а́тина *s.* bear's flesh || **-а́тник** *s.* bear-leader *or* -hunter || **-ёнок** *s.* (*pl.* -а́та) young bear.
медве́жий (-ья, -ье) *a.* bear's, of a bear.
ме́дик/ *s.* physician || **-аме́нт** *s.* medicine, physic.
ме́диум *s.* medium.
медици́н/а *s.* (science of) medicine || **-ский** *a.* medical.
ме́дл/енный & **-и́тельный** *a.* slow, dilatory, lingering.
ме́дл=ить II. *vn.* (*Pf.* по-, про-) to linger, to delay.
ме́дн/ик *s.* coppersmith || **-олите́йная** *s.* copper-smelting works || **-оплави́льный** *a.* for smelting copper || **-оцве́тный** *a.* copper-coloured || **-ый** *a.* of copper, copper; brazen; **~ лоб** (*fig.*) brazen face.
медова́р/ *s.* mead-brewer || **-ня** *s.* mead-brewery.
медо́вый *a.* honey-; sweet as honey; **~ ме́сяц** honeymoon.
медь *s. f.* copper; **жёлтая ~** brass.
медяни́ца *s.* blind-worm.
медя́нка *s.* (*gpl.* -нок) verdigris.
меж/ = **ме́жду** || **-а́** *s.* boundary; strip of land between two fields.
междо/ме́тие *s.* (*gramm.*) interjection || **-усо́бие** *s.* civil war.
ме́жду/ *prp.* (+ *I.*) between; among; **~ про́чим** among other things; **~ тем** in the meantime, meanwhile || **-наро́дный** *a.* international || **-ца́рствие** *s.* interregnum.
межева́ние *s.* measuring; (of land) surveying.
меже+ва́ть II. [b] *va.* (*Pf.* на-, от-) to survey.
межево́й *a.* boundary-; measuring.
мезани́н *s.* (*arch.*) entresol, mezzanine.
мёл *cf.* **мести́.**
мел *s.* chalk.
меланхо́л/ия *s.* melancholy || **-и́ческий** *a.* melancholic.
меле́-ть II. *vn.* (*Pf.* об-, по-) to become shallow.
ме́лешь *cf.* **моло́ть.**
мели́-ть II. [a] *va.* (*Pf.* на-) to chalk, to chalk up; to pulverize, to pound; to dismember.
ме́лкий *a.* (*comp.* ме́льче, *sup.* мельча́йший) fine, small (of sugar, rain, printed type, etc.); shallow; flat (of a plate).
мелко/во́дный *a.* shallow || **-во́дие** & **-во́дица** *s.* shallows *pl.*, low water.
ме́лко/сть *s. f.* & **-та́** *s.* fineness, littleness, shallowness.
мелово́й *a.* chalk, of chalk.
мело́д/ия *s.* melody || **-и́ческий** *a.* melodious.
мелодра́ма/ *s.* melodrama || **-ти́ческий** *a.* melodramatic.
мело́к *s.* [a] (*gsg.* -лка́) piece of chalk; **брать на ~** to take on credit.
ме́лочн/ость *s. f.* pettiness, paltriness || **-о́й** *a.* trifling; petty; (торго́вля) retail; worrying about trifles.
ме́лочь *s. f. coll.* trifle; change (money).
мель *s. f.* shallow; sand-bank; **на́ мель, на мели́** aground.
мелька́-ть II. *vn.* (*Pf.* мелькн-у́ть I.) to flash; to gleam; to glisten, to glitter.
ме́льком *ad.* rapidly, hastily; slightly, cursorily; superficially.
ме́ль/ник *s.* miller || **-ница** *s.* mill || **-ничный** *a.* mill-.
мельча́йший *cf.* **ме́лкий.**

мельча́-ть II. *vn.* (*Pf.* из-) to become smaller, flatter.
ме́льче *cf.* **ме́лкий.**
мельч=и́ть I. *va.* (*Pf.* из-) to make smaller; to crumble.
мелюзга́ *s. coll.* trifles *pl.*; small fish; small fry (of children).
мем/ориа́л *s.* (*comm.*) day-book || **-уа́ры** *s. fpl.* memoirs *pl.*
ме́на *s.* exchange.
ме́нее *comp.*, ~ **ста** under a hundred; **тем не** ~ none the less (*cf.* ма́лый).
мензу́рка *s.* (*gpl.*-рок) graduated measure.
менов́ой *a.* exchange-.
менуэ́т *s.* minuet.
ме́ньше/ *comp.* smaller; less (*cf.* ма́лый) || **-ви́к** *s.* Menshevik.
ме́ньший *cf.* **ма́лый.**
меньшинство́ *s.* minority.
меньшо́й *a.* youngest.
меню́ *s. n. indecl.* menu, bill of fare.
меня́л/а *s. m.* money-changer || **-ьный** *a.* exchange-; for exchanging.
меня́-ть II. *va.* (*Pf.* по-) to change || ~**ся** *vrc.* (чем, на что) to change, to exchange || ~ *vr.* to alter; to change.
ме́ра *s.* measure; **по кра́йней -е** at least; **не в -у** not well-fitting; to excess.
ме́ргель *s. m.* marl.
мере́щ=иться I. *vn.* (*Pf.* по-) to glimmer (in the distance); to appear (in a dream).
мерза́в/ец *s.* (*gsg.* -вца), **-ка** *s.* (*gpl.* -вок) disgusting person; object of aversion.
мерз=и́ть I. 1. *vn.* (*Pf.* о-) (кому́) to excite disgust; (кем, чем) to feel disgust.
ме́рзкий *a.* disgusting, hateful, obnoxious, abominable.
мёрз/лость *s. f.* frozen state || **-лый** *a.* frozen, frosty || **-н-уть** I. *vn.* (*Pf.* за-) to freeze.
ме́рзост/ный *a.* dreadful, detestable || **-ь** *s. f.* abomination, detestableness.
мерид/иа́н *s.* meridian || **-иона́льный** *a.* meridional.
мери́ло *s.* scale, standard.
ме́рин/ *s.* gelding || **-о́с** *s.* merino.
ме́р=ить II. *va.* (*Pf.* по-, с-) to measure, to survey.
ме́рка *s.* (*gpl.* -рок) measuring; measure (of clothes, etc.); **по ме́рке** (made) to measure.
мерканти́льный *a.* mercantile.
ме́ркн-уть I. *vn.* (*Pf.* по-) to grow dark; to disappear.
мерлу́/ха *s.*, *dim.* **-шка** *s.* (*gpl.* -шек) dressed lamb's skin.
ме́рн/ость *s. f.* deliberation; exactness || **-ый** *a.* according to measure; exact, deliberate.
мероприя́тие *s.* means *pl.*; taking measures.
ме́рочка *s.* (*gpl.* -чек) small measure (of drinks).
мёртвенный *a.* deathly pale, pallid; benumbed, stiff.
мертве́-ть II. *vn.* (*Pf.* по, о-) to grow deathly pale; to become benumbed; to expire.
мертв/е́ц *s.* [a] corpse || **-е́цки** *ad.*, ~ **пья́ный** dead drunk || **-е́цкая** (*as s.*) death-chamber || **-е́цкий** *a.* insensible || **-ечи́на** *s.* carrion, carcass.
мертви́ть, у- *cf.* **умерщвля́ть.**
мертворождённый *a.* still-born.
мёртвый *a.* dead || ~ (*as s.*) dead person, corpse.
мерца́-ть II. *vn.* to glimmer.
ме́сиво *s.* mash; mixed corn or grain.
мес=и́ть I. 3. [c] *va.* (*Pf.* за-, раз-, с-) to knead.
месмери́зм *s.* mesmerism.
ме́сса *s.* mass.
Месси́я *s.* Messiah.
месте́чко *s.* (*gpl.* -чек) small place; hamlet.
мести́, месть 23. *va.* (*Pf.* вы́-) to sweep || ~ *v.imp.*, **на дворе́ метёт** there is a snow-storm.
ме́стн/ичество *s.* custom of occupying offices by right of birth || **-ость** *s. f.* locality, place, site || **-ый** *a.* local.
ме́сто/ *s.* [b] place, spot; seat; site; office; (*comm.*) pack, bale, luggage; **места́ми** in places || **-име́ние** *s.* (*gramm.*) pronoun || **-положе́ние** *s.* situation (of a place) || **-пребыва́ние** *s.* domicile, abode, residence, dwelling-place || **-рожде́ние** *s.* birthplace; (*geol.*) seam, bed, vein.
месть *s. f.* vengeance, revenge || ~ *va. cf.* **мести́.**
ме́сяц/ *s.* month; moon || **-есло́в** *s.* calendar, almanac.
ме́сячн/ый *a.* lunar, moon-, moon's; monthly || **-ое** (*as s.*) menses *pl.*
мета́лл/ *s.* metal || **-и́ческий** *a.* metal(lic) || **-ои́д** *s.* metalloid || **-урги́ческий** *a.* metallurgical || **-у́ргия** *s.* metallurgy.
метаморфо́за *s.* metamorphosis.
мета́н *s.* (*chem.*) methane.
мета́тель/ *s. m.* hurler, flinger || **-ный** *a.* missile, for hurling; ~ **снаря́д** a projectile.
мета́-ть II. & **мет-а́ть** I. 2. [c] *va.* (*Pf.* метн-у́ть I.) to throw, to cast, to fling; to bring forth (of animals); ~ **жре́бий** to cast lots, to draw lots; ~ **икру́** to spawn || ~**ся** *vr.* to throw o.s. about; to toss (about).

метафи́зика *s.* metaphysics *pl.*
мета́фор/а *s.* metaphor || **–и́ческий** *a.* metaphorical.
мётел *cf.* **метла́.**
мете́лица *s.* snow-storm.
метёлка *s.* (*gpl.* -лок) brush, broom, duster.
мете́ль/ *s. f.* snow-storm || **–щик** *s.* street-sweeper.
мете́ние *s.* sweeping.
метео́р/ *s.* meteor || **–и́ческий** *a.* meteoric || **–оли́т** *s.* meteorolite || **–оло́гия** *s.* meteorology.
ме́т=ить I. 2. *va.* (*Pf.* на-) to mark; (во что) to aim at, to take aim at; to have in view.
ме́тк/а *s.* (*gpl.* -ток) mark, sign || **–ий** *a.* (*comp.* ме́тче) just, right; well-aimed, dead (of a shot); true (of a gun) || **–ость** *s. f.* exactness of aim.
метла́ *s.* [e] (*gpl.* мёт[е]л) broom, besom.
метлови́ще *s.* broom-handle, broom-stick.
метну́ть *cf.* **мета́ть.**
ме́тод/ & **ˊа** *s.* method || **–и́ческий** *a.* methodical.
метр *s.* metre.
метранпа́ж *s.* (*typ.*) clicker, maker-up.
ме́тр/ика *s.* baptismal and birth certificate || **–и́ческий** *a.* metric(al); **–и́ческое свиде́тельство = ме́трика** || **–опо́лия** *s.* metropolis, capital; mother-city.
мету́ *cf.* **мести́.**
ме́тче *cf.* **ме́ткий.**
мех/ *s.* [b] (*pl.* -а́) fur; fur-skins, peltry; **на –у́** fur-lined; (*pl.* -и́) bellows *pl.*
механи́зм *s.* mechanism.
меха́н/ик *s.* mechanic || **–ика** *s.* mechanics *pl.* || **–и́ческий** *a.* mechanical.
мехов/и́к *s.* [a] fur-rug || **–о́й** *a.* fur, of fur || **–щи́к** *s.* [a] furrier.
мецена́т *s.* Maecenas, patron of art.
меч/ *s.* [a] sword || **–еви́дный** *a.* sword-shaped || **–еносец** *s.* (*gsg.* -сца) sword-bearer.
мече́ть *s. f.* mosque.
ме́чешь *cf.* **мета́ть.**
мечта́/ *s.* vision; illusion, revery, fancy || **–ние** *s.* imagination, fancies *pl.* || **–тель** *s.m.*, **–тельница** *s.* visionary, dreamer || **–тельный** *a.* fanciful, visionary, chimerical.
мечта́-ть II. *vn.* (*Pf.* по-) to dream, to fancy.
меша́лка *s.* (*gpl.* -лок) poker, stirrer.
меша́-ть II. *va.* (*Pf.* за-, пере-, с-) to mix; to shuffle (cards); to stir, to poke || **~** *vn.* (*Pf.* по-) (+ *D.*) to disturb, to hinder, to prevent || **~ся** *vrc.* to be mixed, to mix || **~** *vr.* to meddle, to interfere.
ме́шка-ть II. *vn.* (*Pf.* за-, про-) to loiter, to linger, to delay, to tarry.
мешкова́тый *a.* loose, baggy (of clothes); slow, dawdling.
ме́шкотный *a.* dilatory, slow.
мешо́/к *s.* [a] (*gsg.* -шка́), *dim.* **–чек** *s.* (*gsg.* -чка) sack, bag || **–чный** *a.* sack-, bag-.
мещ/ани́н *s.* (*pl.* -а́не), **–а́нка** *s.* (*gpl.* -нок) citizen, burgess || **–а́нский** *a.* citizen || **–а́нство** *s.* citizenship.
мзд/а *s.* remuneration, reward; gain, profit || **–о́имец** *s.* (*gsg.* -мца) extortioner, peculator; bribable, venal person || **–о́имство** *s.* venality, corruption, bribery.
миг/ *s.* wink, twinkling of an eye || **ˊом** *ad.* in a trice, in the twinkling of an eye || **–а́ние** *s.* winking, blinking.
мига́-ть II. *vn.* (*Pf.* мигн-у́ть I.) to wink, to blink.
мигре́нь *s. f.* headache.
мизантро́п/ *s.* misanthropist || **–ия** *s.* misanthropy.
мизе́рный *a.* poor, miserable, pitiful.
мизи́нец *s.* (*gsg.* -нца) the little finger; the little toe.
микро́/б *s.* microbe || **–ко́см** *s.* microcosm || **–ско́п** *s.* microscope || **–скопи́ческий** & **–ско́пный** *a.* microscopic(al).
миксту́ра *s.* mixture, potion.
мила́шка *s. m&f.* (*gpl.* -шек) *coll.* charming person.
ми́ленький *a.* delicate, nice, pretty.
милицион́ер *s.* militia-man.
мили́ция *s.* militia.
милли/а́рд *s.* milliard || **–ме́тр** *s.* millimetre || **–о́н** *s.* million || **–оне́р** & **–о́нщик** *s.* millionaire.
ми́ло *ad.* dearly, prettily, graciously; kindly.
ми́ло+вать II. *va.* (*Pf.* по-) to pardon, to forgive; to reprieve; **поми́луй Бог!** God forbid.
мило+ва́ть II. [b] *va.* to caress, to fondle.
мило/ви́дный *a.* pleasant, nice || **–се́рдие** *s.* compassion, pity; mercy, grace; **сестра́ –се́рдия** Sister of Charity || **–се́рд(н)ый** *a.* merciful, compassionate, pitiful.
ми́лостив/ец *s.* (*gsg.* -вца) benefactor || **–ица** *s.* benefactress || **–ый** *a.* favourable, gracious, benevolent; **~ госуда́рь** Sir.
ми́лостыня *s.* alms *pl.*, charity.
ми́лост/ь *s. f.* favour, grace, kindness; mercy, grace; **–и про́сим!** welcome! **осыпа́ть** (кого́) **–ями** to heap favours on; **сде́лайте ~** have the goodness, be so kind.
ми́л/очка *s.* (*gpl.* -чек) darling, dear || **–у́ша** *s. m&f.* nice person; nice boy *or* girl.
ми́лый *a.* pleasing, pretty, nice, charming; dear.

ми́льный *a.* mile-, of a mile; ~ **столб** milestone.
ми́ля *s.* mile.
ми́м/ик *s.* mimic || **–и́ческий** *a.* mimic.
ми́мо/ *ad.* & *prp.* (+ *G.*) past, by || **–е́здом** *ad.* in passing, on the way; by the way || **–е́зжий** (-ая, -ее) *a.* passing, of passage.
мимо́за *s.* mimosa.
мимо/лётный *a.* transient, passing || **–хо́дом** *ad.* in passing, on the way past; (*fig.*) by the by, by the way, en passant.
ми́на *s.* mine; countenance, mien, look.
минда́л/ина *s.* almond || **–ь** *s. m.* [a] *coll.* almonds *pl.* (as fruit) || **–ьник** *s.* almond-tree || **–ьный** *a.* of almonds.
минёр *s.* miner.
минера́л/ *s.* mineral || **–оги́ческий** *a.* mineralogical || **–о́гия** *s.* mineralogy || **–ьный** *a.* mineral.
миниатю́р/а *s.* miniature || **–ный** *a.* miniature.
минима́льный *a.* minimal, minimum.
ми́нимум *s.* minimum.
министе́р/ский *a.* ministerial || **–ство** *s.* ministry; ~ **вну́тренних дел** the Home Office; ~ **иностра́нных дел** the Foreign Office; **вое́нное** ~ the War Office.
мини́стр *s.* minister.
минова́ние *s.* avoidance; end, close, termination; passing by.
мино+ва́ть II. [b] *va.* (*Pf.* мин-у́ть I. [a]) to escape, to avoid; (обойти́) to pass over || ~ *vn.* to pass, to expire, to run out || **~ся** *vn.* to pass, to be over.
мино́га *s.* (*ich.*) lamprey.
миноно́сец *s.* (*gsg.* -сца) torpedo-boat.
мино́р *s.* (*mus.*) minor key.
минота́вр *s.* minotaur.
ми́нус *s.* minus.
мину́т/а *s.* minute; moment, instant; **сию́ –у** this moment, immediately; **че́рез –у** in a moment; **в ту –у как** the instant that || **–ка** *s.* (*gpl.* -ток) *dim.* moment, instant || **–ник** *s.* minute-hand || **–ный** *a.* minute; of a moment, momentary; **–ная стре́лка** minute-hand.
мину́ть *cf.* **минова́ть.**
мир *s.* peace, concord, union; the world, the universe; village community; **ходи́ть по́ –у** to go begging.
мира́ж *s.* mirage.
мирво́л=ить II. *vn.* (*Pf.* по-) (+ *D.*) to connive, to be overindulgent (to).
мириа́да *s.* myriad.
мир=и́ть II. [a] *va.* (*Pf.* по-) (*A.* & I.) to reconcile, to pacify, to conciliate || **~ся** *vr*&*rc.* to become reconciled (with).
ми́р/ный *a.* of peace, peace; peaceful, pacific; ~ **догово́р** peace treaty; **вести́ –ную жизнь** to lead a peaceful life || **–ово́й** *a.* of peace; ~ (**судья́**) Justice of the Peace; **–ова́я сде́лка** amicable arrangement || **–ое́д** *s.* blood-sucker, parasite, sponger || **–озда́ние** *s.* the Creation || **–олю́бец** *s.* (*gsg.* -бца) lover of peace; a worldly-minded person || **–олюби́вый** *a.* pacific, peace-loving || **–опома́зание** *s.* anointing (at coronation) || **–отво́рец** *s.* (*gsg.* -рца) peacemaker || **–отво́рный** *a.* pacificatory.
ми́рра *s.* myrrh.
мирско́й *a.* worldly; mundane; (не духо́вный) secular, lay; (общинный) of community, parish.
мирт/ & **´а** *s.* myrtle || **´овый** *a.* myrtle.
миря́ни́н *s.* (*pl.* -я́не, -я́н) layman; villager.
ми́с/ка *s.* (*gpl.* -сок), *dim.* **–очка** *s.* (*gpl.* -чек) soup-tureen, soup-bowl.
миссионе́р *s.* missionary.
ми́ссия *s.* mission; (посо́льство) embassy.
ми́стик/ *s.* mystic || **–а** *s.* mysticism.
мистифика́ция *s.* mystification.
мистици́зм *s.* mysticism.
мисти́ческий *a.* mystic(al).
ми́тинг *s.* meeting.
миткá́ль *s. m.* [a] a kind of cotton stuff.
ми́тра *s.* mitre.
митралье́за *s.* mitrailleuse.
митропо́лия *s.* metropolitan see.
миф/ *s.* myth || **–и́ческий** *a.* mythic(al) || **–ологи́ческий** *a.* mythologic(al) || **–оло́гия** *s.* mythology.
ми́чман *s.* (*pl.* -ы & -á) midshipman, middy.
мише́нь *s. f.* target, aim, butt.
ми́шенька *s.* (*gpl.* -нек) & **ми́шка** *s.* Bruin (the bear).
мишур/а́ *s.* tinsel || **´ный** *a.* tinsel.
младе́н/ец *s.* (*gsg.* -нца) infant, child, baby; **грудно́й** ~ suckling || **–ческий** *a.* infant, infant's, infantile || **–чество** *s.* infancy, childhood.
младо́й = **молодо́й.**
мла́дший (-ая, -ее) *a.* youngest; younger, junior.
млекопита́ющий *a.* mammalian; **–ее (живо́тное)** mammal.
мле-ть II. *vn.* (*Pf.* за-, изо-, обо-) to swoon, to faint away.
мле́чный *a.*, ~ **путь** the Milky Way.
мне *prn. pers.* (*D. of* я) me, to me; **по** ~ for my part.
мнемо́ника *s.* mnemonics *pl.*
мне́ние *s.* opinion, mind.

мни́м/о *ad.* seemingly || **-ый** *a.* imaginary, so-called, pretended.
мни́тельн/ость *s.f.* suspiciousness, mistrust || **-ый** *a.* suspicious, sceptical; hypochondriac(al).
мн=ить II. *vn.* (*Pf.* воз-) to think, to imagine, to be of the opinion || **~ся** *v.imp.*, **мне мни́тся** it seems to me, it appears to me.
мно́гий *a.* (*in pl.*) several, many, many a.
мно́го/ *ad.* (*comp.* бо́льше, бо́лее) much; many; **~ бога́че** far richer; **~ раз** often, many times; **~-ли? как ~?** how much? how many? || **-бо́жие** *s.* polytheism || **-бра́чие** *s.* polygamy || **-ва́то** *ad.* rather much || **-во́дный** *a.* abounding in water || **-гра́нник** *s.* polyhedron || **-гра́нный** *a.* with many faces *or* sides || **-дне́вный** *a.* lasting many days || **-жела́нный** *a.* longed for, desired || **-же́нство** *s.* polygamy || **-знамена́тельный** *a.* of great significance, very significant || **-значи́тельный** *a.* meaning, significant; important; **~ взгляд** a meaning look || **-кра́тный** *a.* frequent, recurring; **~ вид** (*gramm.*) iterative form || **-ле́тний** *a.* long-lived || **-лю́дный** *a.* populous || **-му́жие** *s.* polyandry || **-обра́зный** *a.* multiform; diverse || **-речи́вый** & **-сло́вный** *a.* loquacious, wordy, verbose, prolix, talkative || **-сторо́нний** *a.* many-sided, varied || **-тру́дный** *a.* troublesome, extremely difficult || **-уго́льник** *s.* polygon || **-чи́сленный** *a.* numerous || **-язы́чник** *s.* polyglot || **-язы́чный** *a.* polyglot.
мно́жеств/енный *a.* plural; **-енное число́** (*gramm.*) plural (number) || **-о** *s.* multitude, crowd, quantity; great number.
мно́жимый *a.*, **-ое (число́)** (*math.*) the multiplicand.
мно́житель *s. m.* (*math.*) the multiplier.
мно́ж=ить I. *va.* (*Pf.* у-, по-) (*math.*) to multiply.
мной (мно́ю) *prn. pers.* (*I. of* я) by me, etc.
мн. ч. *abbr. of* **мно́жественное число́** plural.
мобилиза́ция *s.* mobilization.
мобили/зи́ро+вать II. & **-зо+ва́ть** II. [b] *va.* to mobilize.
мог *cf.* **мочь.**
моги́л/а *s.* grave; mound (over grave) || **-ка** *s.* (*gpl.* -лок) small grave || **-ьный** *a.* sepulchral, grave- || **-ьщик** *s.* gravedigger; sexton.
могла́ *cf.* **мочь.**
могота́ *s.* power, strength; **э́то мне не в -у́** that's beyond me.
могу́, мо́гут *cf.* **мочь.**
могу́чий (-ая, -ее) *a.* powerful, mighty.
могу́ществ/енный *a.* powerful, potent, mighty || **-о** *s.* might, power, potency.
мо́д/а *s.* mode, fashion, vogue; **по -е** in the fashion, fashionably; **не в -е** out of fashion || **-е́ль** *s. f.* model, pattern || **-и́стка** *s.* (*gpl.* -ток) milliner || **-ифика́ция** *s.* modification || **-ифици́ро+вать** II. *va.* to modify || **-ник** *s.* fashionable man, fashion-monger || **-ница** *s.* fashionable woman || **-нича-ть** II. *vn.* (*Pf.* за-) to follow the fashion, to dress fashionably || **-ный** *a.* fashionable, in the fashion || **-уля́ция** *s.* (*mus.*) modulation.
моё *cf.* **мой.**
мо́ешь *cf.* **мыть.**
мо́жет быть & **~ ста́ться** perhaps, maybe, possibly.
мо́жешь *cf.* **мочь.**
мож(ж)еве́л/ина *s.* juniper-berry || **-ьник** *s.* juniper(-bush).
мо́жно *v.imp.* it is possible; **как ~ скоре́е** as soon as possible.
моза́ика *s.* mosaic.
мозг/ *s.* [b°] brain; (костно́й) marrow || **-ово́й** *a.* brain-, marrow-.
мозжечо́к *s.* [a] (*gsg.* -чка́) little brain, cerebellum.
мозо́л/истый *a.* horny, callous, full of callosities || **-ь** *s. f.* corn (on foot); callosity || **-ьный** *a.*, **~ пла́стырь** corn-plaster.
мой *cf.* **мыть.**
мой *prn. poss.* (моя́, моё, *pl.* мои́) my, mine; **по мо́ему** in my opinion.
мо́йка *s.* (*gpl.* мо́ек) washing; place for washing.
мо́кнуть 52. *vn.* (*Pf.* про-) to get wet, to become wet.
мокро́та *s.* slime; (*med.*) phlegm, mucus.
мокрота́ *s.* wetness, dampness, humidity.
мо́крый *a* wet, damp, moist, humid.
мол *ad.*, **я ~ иска́л** really (to be sure) I looked for it.
мол/ & **-́а** *s.* mole, breakwater.
молва́ *s.* loud talk; rumour, report; (*fig.*) repute.
мо́лв=ить II. 7. *va.* (*Pf.* про-) to speak, to utter.
моле́б/ен *s.* (*gsg.* -бна) Te Deum, short divine service, thanksgiving || **-ствие** & **-ство** *s.* Te Deum, public thanksgiving.
моле́ль/ня *s.* oratory, chapel || **-щик** *s.* one who prays.
моли́тв/а *s.* prayer || **-енник** *s.* prayer-book.

мол=и́ть II. [c] *va.* (о чём) to pray, to beg, to beseech || **~ся** *vn.* (*Pf.* по-) (кому́ о чём) to pray (to), to implore, to supplicate.
мол(л)ю́ск *s.* mollusc.
молн/иено́сный *a.* charged with lightning; **-ено́сная ту́ча** thunder-cloud || **´-ия** *s.* lightning, lightning-flash.
молодёжь *s. f. coll.* youth, young people.
моло́денький *a.* still very young.
молоде́-ть II. *vn.* (*Pf.* о-, по-) to grow young.
молод/е́ц *s.* [a] (*gsg.* -дца́) brave man, sharp fellow || **-е́цкий** *a.* brave, valiant, bold || **-е́чество** *s.* courage, valour.
молод=и́ть I. 1. [a] *va.* (*Pf.* о-, по-) to make young, to restore to youth || **~ся** *vr.* to make o.s. look young.
молод/и́ца & **´-ка** *s.* (*gpl.* -док) young wife.
молодо́й *a.* (*pd.* мо́лод, -а́, -о, *pl.* -ы; *comp.* моло́же; *sup.* мла́дший) young || **~** (*as s.*) bridegroom, young husband || **-а́я** (*as s.*) bride, newly married woman.
мо́лодость *s. f.* youth, youthfulness.
молоду́ха *s.* young married woman.
молодцева́тый *a.* well-built, brave, audacious.
моло́дч/ик *s.* dandy, fop & *dim. of* моло-де́ц || **-и́на** *s. m.* a strong, stout fellow.
моложа́вый *a.* youthful, young-looking.
моло́же *cf.* **молодо́й.**
моло́ки *s. npl.* milt, soft roe (of fish).
молоко́/ *s.* milk || **-со́с** *s.* greenhorn, novice, beardless youth.
мо́лот/ *s.* (large) hammer, mallet || **-и́лка** *s.* (*gpl.* -лок) threshing-machine || **-и́льщик** *s.* thresher.
молот=и́ть I. 2. [c] *va.* (*Pf.* с-) to thresh.
молот/о́к *s.* [a] (*gsg.* -тка́) hammer; **продава́ть с -ка́** to sell by auction, to auction || **-о́чек** *s.* (*gsg.* -чка) *dim.* hammer.
мол-о́ть II. [c] *va.* (*Pres.* мелю́, ме́лешь, etc.) (*Pf.* из-, с-) to grind, to mill; **~ вздор** to talk nonsense.
молотьба́ *s.* threshing.
молочко́ *s.* lymph & *dim. of* молоко́.
моло́ч/ник *s.* milkpot; milkman || **-ница** *s.* milkmaid, dairymaid; (*med.*) thrush || **-ный** *a.* of milk, milk-, milky; **~ брат** foster-brother; **-ная коро́ва** milch-cow || **-ная** (*as s.*) dairy || **-ное** (*as s.*) milk-food.
молочу́ *cf.* **молоти́ть.**
мо́лча *ad.* in silence, silently, tacitly.
молчали́вый *a.* taciturn; reserved, discreet.
молча́льник *s.* a taciturn, reticent person.
молча́ние *s.* silence.
молч=а́ть I. [a] *vn.* (*Pf.* за-, по-) to be silent, to keep silent, to hold one's tongue; **заста́вить ~** to silence.
молчко́м *ad.* in silence, silently.
моль *s. f.* moth.
мольба́ *s.* prayer; entreaty.
мо́льберт *s.* easel.
моме́нт *s.* moment.
мона́рх/ *s.* monarch || **-и́ческий** *a.* monarchic(al) || **-ия** *s.* monarchy.
мона́рший *a.* monarchal.
монасты́р/ский *a.* monastic(al), conventual || **-ь** *s. m.* [a] monastery, cloister, convent; **же́нский ~** nunnery; **вступа́ть в ~** to take the veil, to enter a monastery.
мона́х/ *s.* monk || **-иня** *s.* nun.
мона́ш/енка *s.* (*gpl.* -нок) nun; pastil for fumigation || **-еский** *a.* monk's, monkish, monastic(al) || **-ество** *s.* monasticism, monkhood; monastic life || **-ество+вать** II. *vn.* to lead the life of a monk, to be a monk.
моне́т/а *s.* coin; **зво́нкая ~** hard cash; **ме́лкая ~** change || **-ка** *s.* (*gpl.* -ток) small coin || **-чик** *s.* minter, coiner.
мони́сто *s.* necklace.
монито́р *s.* monitor.
моно/га́мия *s.* monogamy || **-гра́мма** *s.* monogram || **-гра́фия** *s.* monograph.
моно́кль *s. m.* eye-glass, monocle.
моно/ли́т *s.* monolith || **-ло́г** *s.* monologue || **-пла́н** *s.* monoplane || **-по́лия** *s.* monopoly || **-теи́зм** *s.* monotheism || **-то́нный** *a.* monotonous.
монта́ж *s.* assembling, setting up.
монуме́нт/ *s.* monument || **-а́льный** *a.* monumental.
мопс/ *s., dim.* **´-ик** *s.* pug-dog.
мор *s.* pest, pestilence, plague.
мор/али́ст *s.* moralist || **-а́ль** *s. f.* morality, morals *pl.* || **-а́льный** *a.* moral.
морга́-ть II. *vn.* (*Pf.* моргн-у́ть I.) to blink, to twinkle, to wink.
мо́рд/а *s.* muzzle, snout || **-а́стый** *a.* with a large snout || **-а́шка** *s.* (*gpl.* -шек) small bulldog || **-очка** *s.* (*gpl.* -чек) *dim. of* мо́рда.
мо́ре/ *s.* [b] the sea; **-м** by sea || **-пла́вание** *s.* navigation || **-пла́ватель** *s. m.* navigator || **-пла́вательный** *a.* of navigation, nautical || **-хо́д** & **-хо́дец** *s.* (*gsg.* -дца) navigator || **-хо́дство** *s.* navigation.
морж *s.* [a] morse, walrus.

мор=и́ть II. *va.* (*Pf.* за-, у-) to kill, to destroy; ~ **го́лодом** to starve to death; to torment, to trouble; to etch, to stain.
морко́в/ь *s. f.*, *dim.* **-ка** *s.* (*gpl.* -вок) carrot.
моровóй *a.* pestilential; **-áя я́зва** the pest, plague.
моро́ж/еник *s.* icecream-seller || **-еное** (*as s.*) ice, icecream; **по́рция -еного** an ice.
моро́з/ *s.* frost; cold; **на дворе́** ~ it is freezing outside || **-ец** *s.* (*gsg.* -зца) slight frost.
моро́з=ить I. 1. *va.* (*Pf.* за-) to freeze || ~ *v.imp.*, **на дворе́ моро́зит** it is freezing.
моро́зный *a.* frost-, frosty, cold.
морос=и́ть I. 3. [a] *vn.* (*Pf.* за-), to drizzle || ~ *v.imp.*, **дождь мороси́т** there is a drizzling rain.
моро́ч=ить I. *va.* (*Pf.* за-, об-) to hoax, to deceive, to impose upon.
моро́шка *s.* (*gpl.* -шек) cloudberry.
морс *s.* (beverage made from) fruit-juice.
морско́й *a.* marine, maritime, naval; of the sea, sea-; ~ **разбо́йник** pirate; ~ **зали́в** gulf; **-áя боле́знь** sea-sickness.
морти́ра *s.* (*mil.*) mortar.
мо́рфий *s.* morphium.
морщи́н/а *s.* fold; wrinkle || **-истый** *a.* full of wrinkles, wrinkled || **-ка** *s.* (*gpl.* -нок) *dim. of* морщи́на.
мо́рщ=ить I. *va.* (*Pf.* с-) to wrinkle (up), to shrivel; to knit one's brows.
моря́к *s.* [a] seaman, sailor.
моски́т *s.* mosquito.
москоти́льный *a.* drug.
мо́скоть *s. f. coll.* drugs *pl.*
мост/ *s.* [b°] bridge || **-́ик** *s.* small bridge.
мост=и́ть I. 4. [a] *va.* (*Pf.* вы́-) to pave.
мост/ки́ *s. mpl.* [a] foot-bridge; foot-path (of planks) || **-ово́й** *a.* paved; bridge- || **-ова́я** (*as s.*) pavement || **-о́к** *s.* [a] (*gsg.* -тка́) small bridge.
мо́ська *s.* (*gpl.* -сок) (small) pug-dog.
мот *s.* [b] spendthrift, squanderer, prodigal.
мота́-ть II. *va.* (*Pf.* про-) to squander, to lavish; (*Pf.* на-) to wind, to reel.
моти́в *s.* motive.
мото́в/ка *s.* (*gpl.* -вок) squanderer, spendthrift || **-ско́й** *a.* prodigal, lavish, wasteful || **-ство́** *s.* prodigality, lavishness, squandering.
мото́к *s.* [a] (*gsg.* -тка́) skein (of thread).
мото́р/ *s.* motor || **-и́ст** *s.* motorist || **-ный** *a.* motor-.
мотоцикле́т *s.* motor-cycle, motor-bike.
моты́ка *s.* hoe, mattock; pick.
мотылёк *s.* [a] (*gsg.* -лька́) butterfly.
мох/ *s.* (*gsg.* мха & мо́ха, *pl.* мхи) moss; lichen || **-на́тый** *a.* shaggy, hairy || **-ови́к** *s.* [a] moss-mushroom || **-ово́й** *a.* mossy, moss-grown; of moss.
мохо́р *s.* [a] (*gsg.* -хра́) fringe.
моцио́н *s.* motion; exercise.
моча́ *s.* urine; (*vulg.*) piss.
моча́л=ить II. *va.* (*Pf.* из-, раз-) to separate into fibres.
моча́ло *s.* bast (of a lime-tree).
моче/во́й *a.* of urine, urinary; ~ **кана́л** urethra; **-ва́я кислота́** uric acid || **-го́нный** *a.* diuretic.
моче́ние *s.* wetting, soaking.
моч=и́ть I. [c] *va.* (*Pf.* на-, с-, за-) to wet, to moisten; to soak; to steep || **~ся** *vn.* to be wet; to urinate, to make water; (*vulg.*) to piss.
мо́чка *s.* (*gpl.* -чек) (*tech.*) wetting, soaking; retting (flax); (of ear, lungs etc.) lobe.
мочь *s. f.* strength, might, power; **и́зо всей мо́чи** with all one's might; **мо́чи нет** it is impossible; it is insufferable.
мочь [√-мог] 15. [c 2.] *vn.* (*Pf.* с-) to be able; **не могу́ спать** I cannot sleep; **не мо́жете-ли вы?** can you not? **мо́жет быть** perhaps, it may be || **~ся** *v.imp.*, **мне не мо́жется** I am not feeling well.
моше́н/ник *s.*, **-ница** *s.* swindler, sharper || **-нича-ть** II. *vn.* (*Pf.* с-) to rogue, to swindle, to cheat || **-нический** *a.* roguish, cheating, swindling.
мо́шка *s.* (*gpl.* -шек) *dim.* midge.
мошна́ *s.* [e] (*gpl.* мо́шен) bag, sack, purse.
моще́ние *s.* paving.
мо́щи *s. fpl.* [c] relics *pl.*
мо́щный *a.* strong, robust, powerful.
мощь *s. f.* strength, power.
мрак *s.* darkness, obscurity, gloom.
мра́мор/ *s.* marble || **-ный** *a.* of marble, marble.
мрачне́-ть II. *vn.* (*Pf.* по-) to grow dark or gloomy.
мра́чный *a.* dark, gloomy, sombre; sad, melancholy; **предава́ться -ым мы́слям** to have a fit of the blues.
мсти́тель/ *s. m.* avenger || **-ность** *s. f.* revengefulness, vindictiveness || **-ный** *a.* revengeful; vindictive.
мст=ить I. 4. *va&n.* (*Pf.* ото-) (кому́) to avenge, to revenge o.s.
мудр/ёный *a.* ingenious, clever; (затрудни́тельный) difficult, trying; (чудно́й) strange, odd, peculiar || **-е́ц** *s.* [a] sage, wise man.

мудр=ить II. [a] *vn.* (*Pf.* с-) to subtilize.
мýдр/ость *s. f.* wisdom, prudence || **-ый** *a.* wise, sage, prudent.
муж *s.* [b] (*pl.* -ья́, -ьёв) husband; [c] (*pl.* мýжи, -ёй) man; **учёный** ~ a learned man.
мужá-ть II. *vn.* (*Pf.* воз-) to attain the age of puberty || **~ся** *vn.* to pluck up courage, to take heart.
муже/лóжство *s.* sodomy || **-нёк** *s.* [a] (*gsg.* -нькá) dear husband, hubby.
мýже/ский *a.* male; masculine; manly, virile || **-ственный** *a.* courageous, valiant, valorous || **-ство** *s.* manliness, manhood; courage, valour.
мужи́к/ *s.* [a] peasant, countryman; (*fig.*) boor, clodhopper || **-овáтый** *a.* clumsy; rustic, boorish.
мужи́цкий *a.* peasant's, peasant; rustic, boorish.
мужи́ч/ий (-ья, -ье) *a.* peasant's, peasant || **-и́на** *s.* a big robust fellow; clodhopper || **-ка** *s.* (*gpl.* -чек) peasant(-woman), countrywoman || **-óк** *s.* [a] (*gsg.* -чкá) *dim. of* мужи́к || **-ьё** *s. coll.* country-people, peasants *pl.*; mob.
мýжн/ин & **-ий** *a.* husband's, marital.
мужскóй *a.* man's, for men, male.
мужчи́на *s.* man, male.
мýз/а *s.* muse || **-éй** *s.* museum || **-ици́ро+вать** II. *vn.* to play music || **-ыка** *s.* music || **-ыкáльный** *a.* of music, musical || **-ыкáнт** *s.* musician.
мýка *s.* torment, punishment, pain.
мук/á *s.* flour, meal || **-омóл** *s.* miller || **-омóльня** *s.* flour-mill.
мул/ *s.* mule || **-áт** *s.* mulatto || **-áтка** *s.* (*gpl.* -ток) mulatto woman.
мýмия *s.* mummy.
мунди́р *s.* uniform.
мундштýк *s.* [a] bit (of a bridle); mouthpiece; (для сигáры) cigar-holder.
мурáва *s.* (potter's) glazing.
мурав/á *s.* grass, green grass || **-éй** *s.* [a] ant, pismire || **-éйник** *s.* ant-hill.
мурáв=ить II. 7. *va.* (*Pf.* за-, по-) to glaze, to varnish.
муравь/еéд *s.* ant-eater || **-и́ный** *a.* ant's, ant-; (*chem.*) formic.
мурлы́к/а *s. m.* tom-cat || **-анье** *s.* purring, purr; buzzing.
мурлы́к-ать I. 2. *vn.* (*Pf.* мурлы́кнуть) to purr; to hum, to buzz.
мусáт *s.* knife-sharpener; fire-steel.
мускáт *s.* nutmeg.
мускатéль *s. m.* muscatel, muscadine (wine).
мýскул/ *s.* muscle, sinew || **-атýра** *s.* musculature || **-и́стый** *a.* sinewy, muscular || **-ьный** *a.* of muscle, muscular.
мýскус *s.* musk.
мýсор/ *s.* rubbish || **-ный** *a.*, **-ная я́ма** dust-bin, refuse-hole || **-щик** *s.* dustman, rubbish-carter.
муссóн *s.* monsoon.
мусульмáн/ин *s.*, **-ка** *s.* (*gpl.* -нок) Mussulman, Moslem, Mahometan || **-ский** *a.* Moslem, Mahometan.
мут=и́ть I. 2. (a & c) *va.* (*Pf.* за-, по-, с-) to muddle, to make thick *or* muddy; to disturb, to trouble || ~ *v.imp.*, **меня́ мути́т** I feel sick.
мýтн/ость *s. f.* muddiness, turbidness || **-ый** *a.* muddy, turbid, troubled.
муть *s. f.* turbidity (of liquid); fogginess (of air); dulness (of glass).
мýфт/а *s.* muff; (*tech.*) coupling-box || **-очка** *s.* (*gpl.* -чек) *dim. of prec.*
мýх/а *s.* fly || **-олóвка** *s.* (*gpl.* -вок) fly-catcher; fly-bane || **-омóр** *s.* (*bot.*) fly-agaric.
мучéние *s.* torment, torture, pain.
мýче/ник *s.*, **-ница** *s.* martyr || **´-ничество** *s.* martyrdom.
мучи́тель/ *s. m.* tormentor, torturer || **-ница** *s.* tormentress || **-ный** *a.* painful, tormenting || **-ство** *s.* cruelty, barbarity.
мýч=ить I. *va.* (*Pf.* по-) to torment, to torture; to annoy || **~ся** *vr.* (над чем) to worry o.s.; (с кем) to torment o.s. (with).
мучн/и́к *s.* [a] dealer in flour, flour-merchant || **-и́стый** *a.* farinaceous; mealy || **-óй** *a.* mealy, meal-.
мучý *cf.* **мути́ть.**
мýчу *cf.* **мýчить.**
мýшка *s.* (*gpl.* -шек) small fly; beauty-spot, patch; (на ружьё) aim, sight; (испáнская) cantharides *pl.*
мушкéт/ *s.* musket || **-ёр** *s.* musketeer.
муштро+вáть II. [b] *va.* (*Pf.* вы́-) to treat with severity; to train; to drill.
мха, мхи *cf.* **мох.**
мхóвый *a.* of moss, moss-.
мч=ать I. *va.* (*Pf.* по-, у-) to carry away, to whisk away; (of horses) to bolt || ~ *vn.* & **~ся** *vr.* to whirl away, to hurry away, to flit.
мши́стый *a.* mossy, moss-grown, moss-clad.
мщéние *s.* vengeance, revenge.
мщу *cf.* **мстить.**
мы *prn. pers.* we.
мы́за *s.* farm, country-seat, manor-house.

мы́ка-ть II. & **мык-а́ть** I. 2. *va.* (*Pf.* от-, пере-) to hackle (flax); ~ **го́ре** to lead a wretched life || ~**ся** *vn.* to rove, to run about.
мы́л=ить II. *va.* (*Pf.* на-) to soap, to lather; ~ (кому́) **го́лову** to give a person a good rating.
мы́ло/ *s.* [b] soap; (on horses) foam, lather || **–ва́рня** *s.* soap-factory, soap-works.
мы́ль/ница *s.* soap-dish || **–ный** *a.* soap-, soapy || **–це** *s.* piece of soap.
мыс *s.* cape, headland, promontory.
мы́сл/енный *a.* mental, of thought; imaginary, fancied || **–имый** *a.* thinkable || **–и́тель** *s. m.* thinker || **–и́тельный** *a.* thinking.
мы́слить 41. *vn.* (*Pf.* по-) (о чём) to think, to reflect; to be of the opinion.
мысль *s. f.* thought, mind, idea, opinion.
мы́тар/ство *s.* sufferings, trials *pl.* (of this life) || **–ь** *s. m.* (*sl.*) tax-gatherer, publican.
мыть 28. *va.* (*Pf.* по-) to wash || ~**ся** *vr.* to wash, to wash o.s.
мыт/ьба́ & **–ьё** *s.* washing, wash.
мыча́ние *s.* lowing, low; bellow(ing).
мыч=а́ть I. [a] *vn.* to low, to bellow.
мы́шек *cf.* **мы́шка.**
мышело́в/ *s.* mouse-catcher || **–ка** *s.* mouse-trap.
мыш/ёнок *s.* (*gsg.* -ёнка, *pl.* -еня́та & -а́та) young mouse || **–́ечный** *a.* muscular || **–и́ный** *a.* & **–́ий** (-ья, -ье) *a.* mouse-, of mice || **–́ка** *s.* (*gpl.* -шек) little mouse.
мышле́ние *s.* thinking, pondering.
мы́шлю *cf.* **мы́слить.**
мы́шца *s.* (*an.*) muscle.
мышь/ *s. f.* [c] mouse; **лету́чая** ~ bat; **полева́я** ~ field-mouse || **–я́к** *s.* [a] arsenic || **–яко́вый** *a.* arsenic(al), arsenious.
мя́гк/ий *a.* (*comp.* мя́гче) soft, tender, smooth; supple; meek || **–ова́тый** *a.* rather soft, tender || **–осерде́чный** *a.* tender-hearted || **–осе́рдие** *s.* tender-heartedness || **–ость** *s. f.* softness, tenderness; (*fig.*) mildness.
мя́гче *cf.* **мя́гкий.**
мягч=и́ть I. *va.* (*Pf.* с-) to soften, to mollify || ~**ся** *vn.* to grow soft.
мяздра́ *s.* scrapings (of hides); flesh-side (of skin).
мяки́на *s.* chaff, husks *pl.*
мя́киш *s.* soft part (of bread); flesh (of fruits).
мя́кн-уть I. *vn.* (*Pf.* от-, раз-, с-) to become soft.
мя́коть *s. f.* tender part (of flesh); pulp (of fruits).
мя́мл=ить II. *vn.* (*Pf.* про-) to mumble, to hum and haw.
мя́мля *s. m&f. coll.* mumbler; a dull person; laggard, slow coach.
мяси́стый *a.* fleshy; pulpy.
мясн/и́к *s.* [a] butcher || **–о́й** *a.* of meat, of flesh; flesh-, meat- || **–о́е** *s.* meat-dish.
мя́со/ *s.* flesh, meat || **–е́дный** *a.* carnivorous || **–пу́ст** *s.* fast-day || **–ру́бка** *s.* mincer.
мя́та *s.* mint; **пе́речная** ~ peppermint.
мяте́ж/ *s.* [a] revolt, sedition, mutiny, rebellion || **–ник** *s.* rebel, mutineer || **–ный** *a.* seditious, rebellious.
мя́тный *a.* of mint, mint-; peppermint-.
мять [√-мн] 33. *va.* (*Pf.* пере-) to knead (clay); to scutch (hemp); (*Pf.* по-, с-) to trample, to tread on.
мяу́ка-ть II. *vn.* (*Pf.* мяу́кн-уть I.) to caterwaul, to mew, to miaow.
мяч/ *s.* [a] ball || **–́ик** *s.* small ball.

Н

на *prp.* on, upon, up, to; against, at; by, for, from; in, into, with, towards; ~ **друго́й день** the next day; **игра́ть** ~ **скри́пке** to play the violin; **стать** ~ **коле́ни** to kneel down || ~ *int.* there! ~, **возьми́!** there, take it!
на-аво́сь *ad.* at random.
набалда́шник *s.* cane-head, head of walking-stick.
наба́лтыва-ть II. *va.* (*Pf.* наболта́-ть II.) to talk rubbish; (на кого́) to speak ill (of), to calumniate.
наба́т/ *s.* alarm, alarm-bell, tocsin; rolling of drums; **бить в** ~ to sound the alarm || **–ный** *a.* alarm-; ~ **ко́локол** alarm-bell.
набе́г *s.* irruption, invasion; sudden attack.
набега́-ть II. *vn.* (*Pf.* набежа́ть 46.) (на что) to knock against, to stumble against (in running); to run aground (of ships); (на кого́) to overtake; to crowd together, to assemble.
набе́гом *ad.* in a trice, at the first shot.
набедоку́рить *cf.* **бедоку́рить.**
набекре́нь *ad.* sideways, aslant, tilted on one side (hat, cap).
набело́ *ad.* clean, fair; **переписа́ть** ~ to make a fair copy of.

на́бережн/ый *a.* quay-, wharf- || **–ая** (*as s.*) quay, wharf.
наберу́ *cf.* **набира́ть.**
набива́-ть II. *va.* (*Pf.* наби́ть 27.) to drive in, into (*e.g.* nails); to ram in (stakes); to print (cotton); to stuff (chairs, etc.); to fill (a pipe); to cram; to slaughter plenty, to shoot (birds, game) plenty; to raise (prices) || **~ся** *vr.* to obtrude o.s. upon; to gather in crowds.
наби́в/ка *s.* (*gpl.* -вок) packing, filling (of a club, etc.); stuffing (mattrasses, etc.); printing (stuff) || **–но́й** *a.* stuffed full; printed.
набира́-ть II. *va.* (*Pf.* набра́ть 8. [a 3.]) to gather, to collect; (*typ.*) to compose; (*tech.*) to inlay; to veneer || **~ся** *vr.* to get together, to collect.
наби́тый *a.* stuffed full; **~ дура́к** an arrant fool, a downright idiot; **~ бит-ко́м** chock-full.
наби́ть *cf.* **набива́ть.**
наблюда́тель/ *s. m.*, **–ница** *s.* observer, spectator || **–ный** *a.* observing, of observation; watching, attentive.
наблюда́-ть II. *va.* (*Pf.* наблюсти́ [√блюд] 22. [a 2.]) to observe, to watch, to see; (за + *I.*) to spy (on), to keep an eye on, to supervise; to superintend (children); to pay attention to.
наблюде́ние *s.* observation, watching, watchfulness; surveillance.
на́божный *a.* devout, pious.
набо́й/ка *s.* (*gpl.* -бек) printed calico || **–щик** *s.* calico-printer.
наболе́вший *a.* pained by long suffering.
наболе́-ть II. *vn. Pf.* to be stung with grief.
набо́р/ *s.* assembling, collecting; collection, gathering; levy; (*typ.*) composition; (*tech.*) veneering, inlaying || **–ный** *a.* of composition, veneering; inlaid, inlay || **–щик** *s.* (*typ.*) compositor.
набра́сыва-ть II. *va.* (*Pf.* наброса́-ть II.) to sketch, to outline, to make a rough draft of || **~ся** *vn.* (*Pf.* набро́с=иться I. 4. [a]) (на + *A.*) to spring on, to cast o.s. on, to fall upon.
набра́ть *cf.* **набира́ть.**
набро́сок *s.* (*gsg.* -ска) sketch, outline, rough draft.
набрю́шник *s.* stomacher, body-belt.
набью́ *cf.* **набива́ть.**
набуха́-ть II. *vn.* (*Pf.* набу́хн-уть I.) to swell, to dilate.
нава́га *s.* (*ich.*) dorse.
нава́лива-ть II. *va.* (*Pf.* навал=и́ть II. [a & c]) to heap on, up; to pile up; (на кого́) to load, to burden (*e.g.* work); to crowd (of people) || **~ся** *vr.* (на кого́, на что) to lean upon; to fall on; to bend, to lean (of walls, etc.).
нава́р *s.* broth, beef-tea; (*chem.*) decoction.
нава́рива-ть II. *va.* (*Pf.* навар=и́ть II. [a & c]) to boil in large quantities; to weld (of metal).
нава́стрива-ть II. *va.* (*Pf.* навостр=и́ть II. [a]) to sharpen, to whet; (*fam.*) to accustom (to); **~ у́ши** to prick up one's ears, to cock one's ears || **~ся** *vr.* to become skilful (at); (*fig.*) to acquire good breeding.
навева́-ть II. *va.* (*Pf.* наве́-ять II.) to drift, to heap up, to blow together (of snow).
наведе́ние *s.* directing; guiding; (мо́ста) erection, building.
наведу́ *cf.* **наводи́ть.**
наве́дыва-ться II. *vn.* (*Pf.* наве́да-ться II.) (о чём) to inquire (about, after); to make inquiries (about).
наве́к/ & **–и** *ad.* for ever.
наве́рн/о *ad.* sure, surely; to be sure, certainly, of course || **–яка́** *ad.* of course, certainly, to a certainty.
навёрстыва-ть II. *va.* (*Pf.* наверста́-ть II.) to make up (for), to make good; to retrieve, to restore, to repair; to compensate, to indemnify (one for a thing).
навёртыва-ть II. *va.* (*Pf.* наверн-у́ть I. [a 1.]) to twist, to wind, to twine || **~ся** *vn.* to start (of tears); to turn up unexpectedly.
наве́рх/ *ad.* up, upstairs || **–у́** *ad.* above; upstairs.
наве́с *s.* penthouse, shed; canopy.
на́веселе *ad.* tipsy, half seas over; **немно́го ~** a little the worse for liquor.
наве́сить *cf.* **наве́шивать.**
навести́ *cf.* **наводи́ть.**
навести́ть *cf.* **навеща́ть.**
наве́т/ & **–не** *s.* calumny, slander, detraction || **–ник** *s.*, **–ница** *s.* calumniator, slanderer || **–ный** *a.* calumnious, slanderous; intriguing.
наве́тренный *a.* exposed to wind; **–ная сторона́** (*mar.*) the weather side.
наве́шива-ть II. *va.* (*Pf.* наве́с=ить I. 3.) to hang, to hang up (a lot of); (две́ри) to hang.
навеща́-ть II. *va.* (*Pf.* навест=и́ть I. 4. [a]) to visit, to call on.
наве́ять *cf.* **навева́ть.**
на́взнич/ь & **–ку** *ad.* backwards, upon one's back.

навзры́д *ad.* sobbing.
навига́ция *s.* navigation. [beetling.
нави́слый *a.* overhanging, projecting;
навлека́-ть II. *va.* (*Pf.* навле́чь [√влек] 18. [a 2.]) to occasion, to cause; to bring on, to draw on; to incur; ~ (что) **на себя́** to incur, to draw down upon o.s. (a punishment, etc.).
навод=и́ть I. 1. [c] *va.* (*Pf.* навести́ [√вед] 22. [a 2.]) to lead, to lead on; to guide, to direct; (ору́дие) to aim, to sight; (лак, кра́ски) to lay on; (мост) to erect; ~ (на кого́) **страх** to frighten; ~ **спра́вки** (о чём) to make inquiries about.
наво́дка *s.* (*gpl.* -док) directing; aiming; erection; laying on.
наводне́ние *s.* inundation, overflow.
наводня́-ть II. *va.* (*Pf.* наводн=и́ть II. [a]) to inundate, to flood, to submerge; to swamp. [enticement.
навожде́ние *s.* instigation; temptation,
наво́з *s.* dung, manure.
наво́з=ить I. 1. *va.* (*Pf.* у-) to manure.
наво́зный *a.* dung-; manure-; **–ная ку́ча** dung-heap. [pillow-slip.
на́волочка *s.* (*gpl.* -чек) pillow-case,
наворо+ва́ть II. [b] *va. Pf.* to accumulate by stealing; to steal, to rob.
навостр/я́ть, –и́ть *cf.* **нава́стривать.**
навря́д *ad.* probably not; ~**-ли э́то так** it is not at all likely, it is very unlikely.
навсегда́ *ad.* for ever, always; **раз** ~ once for all. [to go to meet.
навстре́чу *ad.* to meet, towards; **итти́** ~
навы́ворот *ad.* wrong side out, inside out; in a wrong sense; **де́лать де́ло** ~ to put the car before the horse.
на́вык *s.* habit, custom, practice; ~ **в дела́х** routine.
навыка́-ть II. *vn.* (*Pf.* навы́кн-уть I.) (к + *D.*) to accustom o.s. (to), to get accustomed (to). [the premises.
навы́нос *ad.* retail, for consumption off
навью́чива-ть II. *va.* (*Pf.* навью́ч=ить I.) to load, to charge (with), to pack (upon), to burden.
навя́зчивый *a.* importunate, intrusive, obtrusive.
навя́зыва-ть II. *va.* (*Pf.* навяз-а́ть I. 1. [c]) to attach, to fasten, to tie on; (на кого́, кому́ что) to force (something on a person), to burden (one with a thing) || ~**ся** *vr.* to obtrude o.s., to be importunate.
нага́йка *s.* (*gpl.* -а́ек) whip, scourge.
нага́р *s.* (на свече́) snuff; (на языке́) fur; (*met.*) scoria, clinker.
нагиба́-ть II. *va.* (*Pf.* нагн-у́ть [√гб-] I. [a]) to bend, to bow down || ~**ся** *vr.* to bow down, to stoop.
нагишо́м *ad.* naked, stark naked.
нагла́зники *s. mpl.* blinkers *pl.* (for horses).
нагл/е́ц *s.* [a] an impudent *or* saucy person || **´ость** *s. f.* impertinence, insolence; sauciness.
на́глухо *ad.* hermetically, air-tight, closely; **запере́ть дверь** ~ to block up, to wall up a door.
на́глый *a.* insolent, impertinent, saucy, impudent, cheeky.
нагляд=е́ться I. 1. [a] *vn. Pf.* (на + *A.*) to gaze on, to contemplate sufficiently; to admire, to feast one's eyes on.
нагна́ивать, нагнои́ть *cf.* **гнои́ть.**
нагна́ть *cf.* **нагоня́ть.**
нагнета́тельный *a.* pressure-.
нагное́ние *s.* suppuration.
нагну́ть *cf.* **нагиба́ть.**
нагова́рива-ть II. *va.* (*Pf.* наговор=и́ть II. [a]) (что кому́ на кого́) to calumniate, to slander; to tell, to speak one's fill; to spell, to charm, to bewitch in speaking, to conjure; ~ **новосте́й** to tell much news || ~**ся** *vr.* to offer one's services by allusion; to talk till one is satisfied.
загово́р *s.* calumny, slander, detraction; witchcraft, conjuration.
наго́й *a.* naked, bare.
на́голо́ *ad.* nakedly, barely; entirely; **разде́ться** ~ to strip o.s. stark naked.
нагоня́й *s.* reprimand, rebuke.
нагоня́-ть II. *va.* (*Pf.* нагна́ть 11. [c 3.]) to reach, to catch up, to overtake; to drive together (in a quantity); to cause (annoyance, etc.); to distil (brandy).
нагора́-ть II. *vn.* (*Pf.* нагор=е́ть II. [a]) to grow hot; to be covered with snuff (of a candle).
нагоре́лый *s.* snuffy (of a candle).
наго́рный *a.* mountainous, hilly; mountain-, highland-; **–ая про́поведь** the Sermon on the Mount. [river).
наго́рье *s.* highland; hilly side (of a
нагота́ *s.* nakedness; bareness.
нагота́влива-ть II. & **наготовля́-ть** II. *va.* (*Pf.* наготов=ить II. 7.) to prepare (a quantity of); to store, to procure a stock of. [at a call.
наготове *ad.* ready; **быть** ~ to be ready
награ́д/а *s.* reward, remuneration, recompense; prize || **–но́й** & **´ный** *a.* as a reward, prize-.

награжда́-ть II. *va.* (*Pf.* наград=и́ть I. 1. [a]) to reward, to recompense; (*fig.*) to endow, to endue.
награжде́ние *s.* reward, remuneration.
нагрева́-ть II. *va.* (*Pf.* нагре́-ть II.) to warm, to heat; **нагре́ть себе́ ру́ки** (*fig.*) to feather one's nest || **~ся** *vr.* to warm o.s., to bask.
нагроможда́-ть II. *va.* (*Pf.* нагромозд=и́ть I. 1. [a]) to heap up, to pile up.
нагроможде́ние *s.* heaping up, piling up; accumulation.
нагру́дн/ик *s.* breastplate, breast-piece || **-ый** *a.* breast-, pectoral.
нагружа́-ть II. *va.* (*Pf.* нагруз=и́ть I. 1. [a & c]) to load, to lade, to freight || **~ся** *vr.* to be laden, to take in a cargo; **су́дно нагружа́ется** the ship is being loaded.
нагру́з/ка *s.* (*gpl.* -зок) cargo, shipment, freight; loading, lading || **-чик** *s.* loader, stower, stevedore.
нагря́н-уть I. *vn. Pf.* (к + *D.*) to come unexpectedly (of guests); (на + *A.*) to surprise, to attack suddenly; **нагря́нула беда́** a misfortune happened.
нагуля́-ться II. *vn.* to have enough of lounging about, of loitering.
над *prp.* (+ *I.*) over, on, above, upon.
нада́влива-ть II. *va.* (*Pf.* надав=и́ть II. 7. [c]) to press, to squeeze out (*e. g.* juice); to press, to squeeze off, in.
надба́вка *s.* (*gpl.* -вок) increase, outbidding. [to add, to outbid.
надбавля́-ть II. *va.* (*Pf.* надба́в=ить II. 7.)
надба́вочный *a.* supplementary, additional.
надвига́-ть *va.* (*Pf.* надви́н-уть I.) to push upon *or* up, to shove up || **~ся** *vr.* to move, to draw near in large quantities.
надво́дный *a.* above the water.
на́двое *ad.* in two; **де́лить ~** to halve, to divide in two.
надво́р/ный *a.* in the yard, yard-, in the court || **-ье** *s.* side of house opening on yard.
надвя́зыва-ть II. *va.* (надвяз-а́ть I. 1. [c]) *va.* to foot (socks, stockings), to knit on to; to patch, to piece.
надгро́бный *a.* sepulchral; grave-, tomb-; **~ ка́мень** tombstone; **-ая речь** funeral oration.
наддава́ть 39. *va.* (*Pf.* надда́ть 38.) to outbid, to give in addition, to add.
наддве́рный *a.* over the door.
надева́-ть II. *va.* (*Pf.* наде́ть 32.) to put on; (*fam.*) to get on (clothes, boots, etc.), to don; **~ тра́ур** to go into mourning; **~ кандалы́** to shackle.
наде́жда *s.* (*vulg.* **надёжа**) hope, trust, expectation; chance. [trusty.
надёжный *a.* sure, certain; steady,
наде́л *s.* portion, part, share, allowance.
наде́ла-ть II. *va. Pf.* to make (a great deal), to cause, to occasion.
наделя́-ть II. *va.* (*Pf.* надел=и́ть II. [a & c]) (кого́ чем) to give, to deal, to deal out, to dispense; to provide.
надёргива-ть II. *va.* (*Pf.* надёрга-ть II.) to pluck, to pull out (a good deal).
наде́ть *cf.* **надева́ть.**
наде́-яться II. *vc.* (*Pf.* по-) (на + *A.*) to hope, to trust (in); to rely (on).
надзвёздный *a.* above, beyond the stars.
надзе́мный *a.* above earth; **-ая желе́зная доро́га** elevated railway.
надзира́тель/ *s. m.* inspector, superintendent, overseer, supervisor || **-ство** *s.* inspection, survey; inspectorship.
надзира́-ть II. *vn.* (над *or* за чем) to inspect, to look after, to oversee, to superintend.
надзо́р *s.* (над кем *or* чем) superintendence, supervision; inspection.
надив=и́ть II. 7. [a] *va. Pf.* to astonish, to surprise || **~ся** *vn.* (+ *D.*) to admire sufficiently; to wonder at.
надкры́л/ие & **-ьник** *s.* wing-case, sheath (of insects).
надла́мыва-ть II. *va.* (*Pf.* надлома́-ть II. & надлом=и́ть II. 7. [c]) to begin to break, to cut; to crease, to crush in; **боле́знь надломи́ла его́** the disease has broken him down.
надлеж=а́ть I. [a] *v.imp.* it is necessary, one ought, one should; **ему́ надлежа́ло** (о том) **поду́мать** he ought to have thought of that. [fit, proper.
надлежа́щий (-ая, -ее) *a.* requisite; due,
надме́нн/ость *s. f.* haughtiness, pride, arrogance || **-ый** *a.* haughty, arrogant, supercilious. [near future.
надня́х *ad.* one of these days, in the
на́до *prp.* = **над.**
на́до/ *v.imp.* one must, it is necessary; **~ рабо́тать** one must work; **мне ~ знать** I must know; **чего́ вам ~?** what do you want? || **~** *v.imp.* & **-б=иться** II. 7. *vn.* to be necessary; **мне на́добится** I need.
на́добн/ость *s. f.* need, want, necessity; exigency; requirement; **в слу́чае -ости** in case of need, if necessary || **-ый** *a.* necessary, needful, requisite.

надоеда́-ть II. *vn.* (*Pf.* надоесть [γ/ед] 42.) (+ *D.*) to weary, to annoy, to tire, to bore; **мне э́то надое́ло** I am weary *or* sick of it; **он надое́л мне** I am tired of him, I am sick of him; **он мне смерте́льно надоеда́ет** he wearies me to death.
надое́дливый *a.* tiresome, boring, wearisome.
на́до́лго *ad.* for a long time *or* while.
надорва́ть *cf.* **надрыва́ть.**
надоу́млива-ть II. *va.* (*Pf.* надоу́м=ить II. 7.) (кого́ чем) to suggest an idea, to hint, to intimate; to advise.
надпи́сыва-ть II. *va.* (*Pf.* надпис-а́ть I. 3. [c]) to inscribe, to superscribe, to head; (*comm.*) to endorse.
на́дпись *s. f.* inscription, superscription; (на конве́рте) address; (на моне́те) legend; (на па́мятнике) inscription; (*comm.*) endorsement.
надре́з *s.* cut, incision, notch.
надре́зыва-ть II. *va.* (*Pf.* надре́з-ать I. 1.) to notch, to score, to make an incision in.
надруба́-ть II. *va.* (*Pf.* надруб=и́ть II. 7. [c]) to mark, to cut into, to notch.
надры́в *s.* tear, rent; strain, rupture.
надрыва́-ть II. *va.* (*Pf.* надорв-а́ть I. [a 3.]) to tear a little; ~ **ло́шадь** to jade, to override a horse || ~ **себя́** & ~**ся** *vr.* to strain, to hurt o.s. by lifting; ~ **со́ смеху** *or* **от сме́ха** to split one's sides with laughing.
надсаж(д)а́-ть II. *va.* (*Pf.* надсад=и́ть I. 1. [c]) to strain; to tire out; ~ **се́рдце** to break one's heart || ~**ся** *vr.* to tire o.s. out; to hurt o.s. (in lifting), to overstrain.
надсма́трива-ть II. *vn.* (*Pf.* надсмотр=е́ть II. [c]) (над *or* за кем, чем) to survey, to supervise, to oversee.
надсмо́тр/ *s.* inspection, supervision, surveillance || **–щик** *s.* inspector, overseer.
надстро́й/ & **–ка** *s.* (*gpl.* -о́ек) superstructure.
надстро́чный *a.* above the line; interlinear; ~ **перево́д** interlinear translation; (*fam.*) crib.
надува́ла *s. m&f. coll.* cheat, swindler.
надува́-ть II. *va.* (*Pf.* наду́-ть II.) to swell, to puff; to inflate, to blow up, to distend; (*fig.*) to deceive, to cheat, to dupe, to gull || ~**ся** *vn.* to swell; to be puffed up; to be proud, to pride o.s.; to pout, to sulk.
наду́т/ость *s. f.* inflation, bombast, turgidity; bloatedness || **–ый** *a.* bombastic, inflated; swelled, bloated; puffed up *or* inflated with pride; sullen, sulky.
надуша́-ть II. *va.* (*Pf.* надуш=и́ть I. [a]) to perfume; to fumigate.
наеда́-ться II. *vn.* (*Pf.* нае́сться 42.) to eat one's fill.
наедине́ *ad.* face to face, tête-à-tête, in private, privately.
нае́зд/ *s.* incursion; inroad; collision (of vehicles); **–ом** by chance || **–ник** *s.* horseman || **–ничество** *s.* horsemanship.
наезжа́-ть II. *vn.* (*Pf.* нае́хать 45.) (на кого́, что) to come across; to run against, to hit (when riding or driving); to come (in crowds); **нае́хало мно́го купцо́в** many merchants came.
наём/ *s.* (*gsg.* найма́ & наёма, *pl.* на́ймы́) hire, rent; **отдава́ть в на́ймы́** to let out, to rent || **–ник** *s.* mercenary, hireling || **–ный** *a.* hired, let; for hire, to be let; **–ная каре́та** hackney-cab; **–ные во́йска́** mercenary *or* hired troops || **–щик** *s.*, **–щица** *s.* hirer, renter, tenant, lodger.
нае́сться *cf.* **наеда́ться.**
нае́хать *cf.* **наезжа́ть.**
нажа́ть *cf.* **нажима́ть.**
нажда́/к *s.* [a] emery || **–ко́вый** & **–чный** *a.* emery-.
нажи́ва *s.* gain, profit; winnings *pl.*; bait, lure (for fisching); allurement.
нажива́-ть II. *va.* (*Pf.* нажи́ть 31.) to gain, to acquire (money); ~ **долги́** to run into debt; ~ **го́ре** to come to grief; ~ **себе́ друзе́й** to make friends; ~ **себе́ боле́знь** to catch a disease || ~**ся** *vn.* to grow rich, to thrive; to live somewhere a long time.
наживно́й *a.* acquired; lucrative, profitable.
нажи́м/ & **–а́ние** *s.* pressing close; pressing, squeezing out; pressure.
нажима́-ть II. *va.* (*Pf.* нажа́ть [γ/жм] 33.) to press, to squeeze out (juice); to pinch, to nip (of shoes).
нажи́т/ок *s.* (*gsg.* -тка) gain, acquisition || **–очный** *a.* lucrative, profitable.
нажи́ть *cf.* **нажива́ть.**
наза́втра *ad.* for to-morrow.
наза́д *ad.* back, backwards; back again; **тому́** ~ ago; **не́сколько лет тому́** ~ a few years ago.
назади́ *ad.* behind; **быть** ~ to be behindhand, to be in arrears; **часы́** ~ the clock *or* watch is slow.
назва́ние *s.* name; appellation.
назва́ть *cf.* **называ́ть.**
назём *s.* dung, manure.

на́земь *ad.* on the ground, on the floor; down.
назида́тельный *a.* edifying.
назло́ *ad.* in spite of, in defiance of.
назнача́-ть II. *va.* (*Pf.* назна́ч=ить I.) to designate; to fix, to assign, to allot; (кого́ чем) to appoint (to); ~ **ме́сто и вре́мя** to fix *or* name the time and place.
назначе́ние *s.* designation; appointment; fixing (of price, etc.); allocation, allowing (of a sum of money).
назову́ *cf.* **называ́ть.**
назо́йливый *a.* importunate, intrusive.
назрева́-ть II. *vn.* (*Pf.* назре́-ть II.) to ripen, to mature; (*med.*) to gather, to come to a head (of boils, etc.).
называ́-ть II. *va.* (*Pf.* назва́ть 10. [a 3.]) to name; to term; (кого́ по и́мени) to call (by name); to invite, to bid together (many guests) || **~ся** *vr.* to be called, to be named; (на что) to invite o.s.; to come (*e. g.* to dinner) uninvited.
наи- *particle* = most; of all.
наи/бо́лее *ad.* most of all || **-бо́льший** (-ая, -ее) *a.* greatest of all.
наи́вный *a.* naïve, artless, ingenuous; unaffected.
наи́грыва-ть II. *va.* (*Pf.* наигра́-ть II.) to win, to gain (by playing); to play (an air) upon || **~ся** *vr.* to have enough of playing.
наи́зворот *ad.* wrong side out, inside out; in a wrong sense.
наизна́нку *ad.* inside out, wrong side out.
наизу́сть *ad.* by heart, by rote.
наилу́чший (-ая, -ее) *a.* best (of all).
наиме́нее *ad.* least of all, at least.
наименова́ние *s.* denomination, name.
наиме́ньший (-ая, -ее) *a.* least (of all).
наискосо́к & **на́искось** *ad.* aslant, obliquely, askance.
наи́тие *s.* infusion (of the Holy Ghost).
найдёныш *s.* foundling.
найду́, найти́ *cf.* **находи́ть.**
найму́ *cf.* **нанима́ть.**
на́ймы *cf.* **наём.**
нака́з/ *s.* order, instruction; direction; precept || **-а́ние** *s.* punishment, chastisement, castigation.
нака́зыва-ть II. *va.* (*Pf.* наказ-а́ть II. 1. [c]) to punish, to chastise; (кому́ что, кого́ чем) to order, to enjoin on, to charge (one with a thing).
нака́л *s.* red heat, glow.
нака́лива-ть II. *va.* (*Pf.* накал=и́ть II. [a]) to make red-hot.
нака́лыва-ть II. *va.* (*Pf.* накол-о́ть II. [c]) to make holes in; to prick *or* cut through; to cut, to split, to cleave (wood) in large quantities; to pin, to fasten with pins.
накану́не *ad.* (+ *G.*) on the eve (of); the day before.
нака́пыва-ть II. *va.* (*Pf.* накопа́-ть II.) to dig, to dig up (a quantity).
нака́чива-ть II. *va.* (*Pf.* накача́-ть II.) (чего́) to pump full.
наки́дка *s.* (*gpl.* -док) throwing over; slip on; **наде́ть в наки́дку** to throw over one's shoulders (*e. g.* a coat, without putting one's arms in the sleeves).
наки́дыва-ть II. *va.* (*Pf.* наки́н-уть I.) (что на кого́) to throw over, to slip on (a cloak, etc.); to increase, to rise in price || **~ся** *vr.* (на кого́) to throw o.s. on, to fall on; to spring upon.
накипа́-ть II. *vn.* (*Pf.* накип=е́ть II. 7. [a]) to form by boiling; to be incrusted.
на́кипь *s. f.* (пе́на) scum; (твёрдый оса́док) crust, scale; fur.
накла́д/ *s.* damage, loss || **-ка** *s.* (*gpl.* -док) something laid on; addition, rise (in price); trimming (of a dress); **пить чай в -ку** to drink tea with sugar (dissolved in it).
наклад/но́й *a.* laid on, put on; raised (contribution in money); false (of hair); artificial; plated (of silver) || **-на́я** (*as s.*) way-bill; luggage-receipt; (*Am.*) check.
накла́дный *a.* unprofitable, disadvantageous; expensive.
накла́дыва-ть II. *va.* (*Pf.* накла́сть [γ/-клад] 22. [a 1.]) to lay on; to put on (a certain quantity); (*Pf.* наложи́ть *cf.* налага́ть).
наклёвыва-ться II. *vr.* (*Pf.* наклюн-уться I.) to pick through, to peck through || ~ *vn.* to eat one's fill (of poultry); to bite at the hook (of fishes); (*fig.*) to happen at times.
накле́ива-ть II. *va.* (*Pf.* накле=и́ть II. [a & c]) to glue on, to paste on.
накле́йка *s.* (*gpl.* -е́ек) piece glued on; ticket, label pasted on.
наклёп/ *s.* calumny, slander || **-ный** *a.* slanderous.
накле́ю *cf.* **накле́ивать.**
наклика́-ть II. *va.* (*Pf.* накли́к-ать I. 2.) to call, to call together; ~ **на себя́ беду́** to draw down, to incur.
наклобу́чива-ть II. *va.* (*Pf.* наклобу́ч=ить I.) to press one's hat well down.

наклóн/ *s.* slope, declivity; ascent || **-éние** *s.* inclination, declivity; (*phys.*) declension; (*gramm.*) mood || **-ность** *s. f.* slope, declivity; (*fig.*) inclination, propensity, disposition || **-ный** *a.* sloping, declivous; (*fig.*) prone, inclined to.
наклоня́-ть II. *va.* (*Pf.* наклон=и́ть II. [c]) to incline, to bow, to bend, to stoop; to tip; ~ **корáбль нá бок** to careen a vessel || **~ся** *vr.* to bow, to bend over, to stoop, to lean over.
наклю́нуться *cf.* **наклёвываться.**
нáковáльня *s.* (*gpl.* -лен) anvil.
накóжный *a.* cutaneous, skin-.
накóлка *s.* (*gpl.* -лок) head-dress.
наколóть *cf.* **накáлывать.**
након/éц *ad.* finally, after all, at length, in the end || **-éчник** *s.* ferrule (of stick); chape (of a scabbard); spear-head || **-éчный** *a.* being at the head, at the end, end-.
накопáть *cf.* **накáпывать.**
накоплéние *s.* heaping up, accumulation.
накопля́-ть II. *va.* (*Pf.* накоп=и́ть II. 7. [c]) to collect, to heap up, to accumulate; (богáтства) to hoard up, to scrape *or* rake together.
накрáпывать *cf.* **крапáть.**
нáкрепко *ad.* strongly, fast, closely; firmly; (стрóго) severely.
нáкрест *ad.* across, crosswise.
накрывá-ть II. *va.* (*Pf.* накры́ть 28.) to cover, to overspread; (когó) to surprise, to detect, to come upon unawares; ~ **стол** *or* **нá стол** to lay the table || **~ся** *vr.* to wrap o.s. up; to put on one's hat *or* cap.
накупá-ть II. *va.* (*Pf.* накуп=и́ть II. 7. [c]) (чегó) to buy up; (когó на когó, на что) to bribe.
накýрива-ть II. *va.* (*Pf.* накур=и́ть II. [c]) to fill with smoke; to smoke much; to distil (a certain quantity); (*fig.*) to throw dust in one's eyes.
налагá-ть II. *va.* (*Pf.* налож=и́ть I. [c]) to lay on, to put on; (пóдати, etc.) to impose; (трýбку) to fill; ~ **трáур** to go into mourning; ~ **на себя́ рýку** to attempt suicide.
налáжива-ть II. *va.* (*Pf.* налáд=ить I.) to repair, to restore to order; (скри́пку) to tune; (поучáть) to train, to accustom.
налгáть 17. *vn. Pf.* to lie, to tell lies; (на когó) to slander.
налéво *ad.* to the left, on the left.
налегá-ть II. *vn.* (*Pf.* налéчь 43.) to press, to bear on; to lean, to rest on; (на когó *fig.*) to oppress; ~ **на рабóту** to apply o.s. to.
налегкé *ad.* lightly (dressed); without luggage.
налёт *s.* sudden onset; swoop; (*chem.*) efflorescence, flowers *pl.*; **с -у** in flight, on the wing; (*fig.*) in a hurry.
налетá-ть II. *vn.* (*Pf.* налет=éть I. 2. [a]) to fly on, upon; to fall upon, to swoop on; (на когó) to rush upon, to swoop down on.
налéчь *cf.* **налегáть.**
нали́в *s.* sap, juice (of fruits); infusion.
наливá-ть II. *va.* (*Pf.* нали́ть 27.) to pour, to pour in; to fill up (a glass, a bottle with); to spill; to cast, to found || **~ся** *vr.* to be poured; to fill with juice; to ripen.
нали́в/ка *s.* (*gpl.* -вок) liqueur (made from fruit) || **-нóй** *a.* clear and juicy (of fruits).
нали́м *s.* eel-pout, tadpole.
нали́ть *cf.* **наливáть.**
налицó *ad.* present.
нали́чный *a.* ready (of money), in cash, cash-; ~ **состáв** effective force; **-ые дéньги** *fpl.* ready money, cash, hard cash.
налóг *s.* tax, imposition, duty.
наложéние *s.* laying, putting on; (пóдатей) imposition.
наложи́ть *cf.* **налагáть.**
налóжница *s.* concubine.
налóй *s.* (*eccl.*) lectern.
налóпа-ться II. *vc. Pf.* to gorge o.s.
наля́па-ть II. *va. Pf.* to botch, to bungle (a great deal).
нам *prn. pers.* (*D. of* мы) to us, us; for us; ~ **нýжно** we need.
намáзывать *cf.* **мáзать.**
намáрывать *cf.* **марáть.**
намáтыва-ть II. *va.* (*Pf.* намотá-ть II.) to wind up, to wind onto.
намáчивать *cf.* **мочи́ть.**
намéдни *ad.* (*vulg.*) lately, (only) the other day, a few days ago.
намёк *s.* hint, allusion, intimation.
намекá-ть II. *va.* (*Pf.* намекн-ýть I. [a]) (на + *A.*) to hint (at); to allude (to); **на что он намекáет?** what is he alluding to? (*fam.*) what is he driving at?
намеревá-ться II. *vc.* (*Pf.* вознамéр=иться II.) to intend, to purpose, to design.
намéр/ение *s.* intention, purpose, design; **с -ением** designedly, on purpose, intentionally; **без -ения** unintentionally; **имéть ~** to intend || **-енный** *a.* intentional; **он -ен** he intends.
намести́ *cf.* **наметáть.**

наме́стник *s.* viceroy; lord-lieutenant; administrator; vicar (of monastery).
намёт *s.* cover; shed; (large) tent; bird-net.
наме́тить *cf.* **ме́тить.**
намётка *s.* (*gpl.* -ток) latch; patch.
намётыва-ть II. *va.* (*Pf.* намета́-ть II. & намет-а́ть I. 1. [c]) to cast on; to tack (any material); ~ **икру́** to spawn; to break *or* turn up (by ploughing), to fallow.
намеча́ть *cf.* **ме́тить.**
на́ми *prn. pers.* (*I. of* мы) by us, through us, with us.
намина́-ть II. *va.* (*Pf.* намя́ть [√мн] 34.) to knead (clay) in a quantity; to bruise, to crush (flax).
намозо́л=ить II. *va.* to get corns; ~ (кому́) **глаза́** (*fig.*) to become an eyesore to.
намока́-ть II. *vn.* (*Pf.* намо́кн-уть I.) to get wet.
намо́рдник *s.* muzzle.
намота́ть *cf.* **нама́тывать & мота́ть.**
намочи́ть *cf.* **мочи́ть.**
намы́ли/вать, -ть *cf.* **мы́лить.**
намя́ть *cf.* **намина́ть.**
нанесе́ние *s.* bringing on; heaping up; dealing (insults, etc.).
нанес/ти́, -у́ *cf.* **наноси́ть.**
наниматель *s. m.* hirer.
нанима́-ть II. *va.* (*Pf.* наня́ть [√нм] 37. [a 4.], *Fut.* найму́, -ёшь) to take, to lease (a house); to hire, to take on hire, to rent (a house); to engage (a servant) || ~**ся** *vr.* to hire o.s. out.
на́нка *s.* nankeen.
нано́с *s.* (*geol.*) alluvium, drift.
нанос=и́ть I. 3. [c] *va.* (*Pf.* нанести́ & нане́сть 26. [a 2.]) to carry to, to lay, to put (a quantity); to waft up, to flow (against); to deal (a blow, etc.); **кора́бль нанесло́ на́ мель** the vessel was driven aground; ~ (кому́) **побо́и** to give one a thrashing.
нано́сный *a.* alluvial.
наношу́ *cf.* **наноси́ть.**
наня́ть *cf.* **нанима́ть.**
наоборо́т *ad.* the wrong way; against the nap.
наобу́м *ad.* at random, at a venture.
на́откось *ad.* slantwise, aslant, askew.
на́отмашь *ad.* with the back of the hand; **уда́р** ~ a back-handed blow.
наотре́з *ad.* point-blank, bluntly, flatly.
нападатель *s. m.* attacker, assailant.
напада́-ть II. *vn.* (*Pf.* напа́сть [√пад] 22. [a 1.]) (на + *A.*) to fall on; to attack, to assail, to assault; to swoop down on; to come across.
нападе́ние *s.* attack, assault, onset.
напа́дки *s. mpl.* aggressions, attacks *pl.* (in journals); persecution.
напа́ива-ть II. *va.* (*Pf.* напо=и́ть II. [a]) to give to drink; to water; ~ (кого́) **до́пьяна** to intoxicate; **он напои́л меня́ отли́чным ча́ем** he gave me excellent tea to drink.
напа́мять *ad.* by heart, by rote.
напаса́-ть II. *va.* (*Pf.* напас-ти́ I. [a]) to lay in a stock; to provision o.s. (with).
напа́сть *s. f.* misfortune, adversity.
напа́сть *cf.* **напада́ть.**
напе́в *s.* tune, melody, air.
напева́-ть II. *va.* (*Pf.* напе́ть 29. [a 1.]) to strike up, to sing; (на кого́ кому́) to slander.
напека́-ть II. *va.* (*Pf.* напе́чь [√пек] 18. [a 2.]) to bake (a large quantity).
наперёд *ad.* beforehand, first.
напереди́ *ad.* before, in front; in the future.
наперекор *ad.* in despite, in spite of.
напере/ры́в & -хва́т *ad.* vying (with one another).
напере́ть *cf.* **напира́ть.**
напе́рсн/ик *s.*, **-ница** *s.* bosom-friend, favourite, crony || **-ый** *a.* pectoral-; worn on the breast.
напёрсток *s.* (*gsg.* -тка) thimble.
напе́ть *cf.* **напева́ть.**
напеча́тание *s.* printing, impression.
напеча́тать *cf.* **печа́тать.**
напе́чь *cf.* **напека́ть.**
напива́-ться II. *vn.* (*Pf.* напи́ться 27. [a 3.]) to drink sufficiently (water); to drink one's fill; to get drunk, to become intoxicated.
напи́лок *s.* (*gsg.* -лка) file; rasp.
напира́-ть II. *va.* (*Pf.* напере́ть [√пр] 14. [a 1.]) (на + *A.*) to press (against); (на что) to emphasize.
написа́ть *cf.* **писа́ть.**
напи́ток *s.* (*gsg.* -тка) drink, beverage.
напи́тыва-ть II. *va.* (*Pf.* напита́-ть II.) to satiate, to sate; to impregnate; to saturate || ~**ся** *vr.* to glut o.s. (with); to become saturated.
напи́ться *cf.* **напива́ться.**
на́плав/ *s.* float (in angling); stalactite; (*mar.*) buoy || **-но́й** *a.* floating; ~ **мост** floating-bridge, pontoon-bridge.
напла́к-ать I. 2. *va. Pf.*, ~ **глаза́** to injure one's eyes by weeping.
наплета́-ть II. *va.* (*Pf.* наплести́ & напле́сть [√плет] 32. [a 2.]) to tress, to plait; (*fig.*) to talk nonsense; (на кого́) to slander, to calumniate.
напле́чник *s.* shoulder-piece (of armour).
наплоди́ть *cf.* **плоди́ть.**

наплы́в/ *s.* mire; anything that has drifted in || **-но́й** *a.* alluvial; what has floated in.
напи-у́ться I. [a] *vr. Pf.* (на + *A.*) to stumble (over), to run against.
напова́л *ad.* on the spot; with a blow.
напоёшь *cf.* **напева́ть.**
напои́ть *cf.* **напа́ивать.**
наполня́-ть II. *va.* (*Pf.* напо́лн=ить II.) to fill, to cram, to stuff.
наполови́ну *ad.* half.
напома́живать *cf.* **пома́дить.**
напомин/а́ние *s.* reminding; reminder || **-а́тельный** *a.* reminding; **-а́тельное письмо́** dunning letter (from creditor).
напомина́-ть II. *va.* (*Pf.* напомян-у́ть I. & напо́мн=ить II.) (кому́ о чём) to remind (one of); to call to mind.
напо́р/ *s.* shock, pressure; throng || **-ный** *a.* pressing against.
напосле́док *ad.* at last, in the long run, finally.
напою́ *cf.* **напева́ть.**
напр. *abbr. of* **наприме́р** = for example; e. g.
направле́ние *s.* direction; set; ~ **журна́ла** tendency; **в** ~ (к + *D.*) towards, in the direction of.
направля́-ть II. *va.* (*Pf.* напра́в=ить II. 7.) to direct, to guide; ~ **путь** to wend one's way; ~ **курс** to direct *or* set one's course; ~ **бри́тву** to set a razor || **~ся** *vr.* (к + *D.*) to direct o.s. (towards), to set out for.
напра́во *ad.* on *or* to the right.
напра́слина *s.* a false accusation.
напра́сн/о *ad.* in vain, to no purpose || **-ый** *a.* vain; fruitless, useless; undeserved, unjust.
напра́шива-ть II. *va.* (*Pf.* напрос=и́ть I. 3. [c]) to invite together; to collect by begging || **~ся** *vr.* (к кому́ на что) to offer o.s. (for a work); ~ **в го́сти** to force o.s. (upon), to obtrude o.s. (upon).
напре́чь = **напря́чь.**
наприме́р *ad.* for example, for instance; e. g.
напрока́т *ad.* on hire (of mouvable goods); **дава́ть** ~ to lèt out; **брать** ~ to hire, to take on hire.
напролёт *ad.* through and through, without intermission; **ночь** ~ the whole night through.
напроло́м *ad.* right through, straight on.
напропалу́ю *ad.* at random, headlong, madly; **крича́ть** ~ to shout like a madman; **мота́ть** ~ to go to the dogs.
напроси́ть *cf.* **напра́шивать.**
напро́тив *prp.* (+ *G.*) opposite, over against || ~ *c&ad.* on the contrary.

напряга́-ть II. *va.* (*Pf.* напря́чь [*pron.* напре́чь] 15. [a 2.]) to bend (a bow), to stretch; to strain, to exert.
напряже́ние *s.* strain, exertion, effort.
напрям/и́к & **-ки́** *ad.* flatly, point-blank; bluntly; without beating about the bush.
напря́чь *cf.* **напряга́ть.**
напуга́-ть II. *va. Pf.* to frighten, to startle, to scare; to overawe || **~ся** *vn.* to be scared, to be startled (at, by); to be afraid (of).
на́пуск *s.* letting in; letting loose.
напуска́-ть II. *va.* (*Pf.* напуст=и́ть I. 4. [c]) to let in; to let loose; to set on; ~ (на кого́) **соба́ку** to set a dog at one; ~ (на кого́) **страх** to terrify || **~ся** *vr.* (на + *A.*) to fall upon, to attack.
напу́тств/енный *a.* for the road || **-ие** *s.* viaticum || **-о+вать** II. *va.* to provide for a journey; (*eccl.*) to administer the last sacraments.
напущу́ *cf.* **напуска́ть.**
напы́щенн/ость *s.f.* pomposity, bombast || **-ый** *a.* pompous, bombastic, turgid.
напя́лива-ть II. *va.* (*Pf.* напя́л=ить II.) to spread upon, to stretch upon; (*fam.*) to huddle on (one's clothes), to scramble into (one's clothes).
нараба́(о́)тыва-ть II. *va.* (*Pf.* нарабо́та-ть II.) to earn, to get by work.
наравне́ *ad.* (с + *I.*) on an equality (with), on a level (with).
нараспа́шку *ad.* unbuttoned; (*fig.*) frankly, freely; **жить** ~ to keep open house.
нараста́-ть II. *vn.* (*Pf.* нарасти́ 32. [a 2.]) to grow on; to be formed on; to accumulate, to increase.
нарасхва́т *ad.* very quickly, immediately (taken); **това́ры беру́т** ~ there is a great demand for these goods; (*fam.*) these goods are selling like hot cakes.
нарва́ть *cf.* **нарыва́ть** & **рвать.**
наре́з/ *s.* cut, incision, score; notch; rifling (of gun) || **-но́й** *a.* for cutting; rifled (of gun).
нарека́ние *s.* reproach, blame.
нарека́-ть II. *va.* (*Pf.* наре́чь 18. [a 2.]) (кого́) to name, to call; (кого́ в чём, что на кого́) to reproach (with), to blame (for), to censure.
нарече́ние *s.* nomination, designation.
наречённый *a.* nominated, designed; chosen, selected.
наре́чие *s.* dialect; (*gramm.*) adverb.
наре́чь *cf.* **нарека́ть.**

нариц/а́ние *s.* denomination, designation || **-а́тельный** *a.* nominal; (*gramm.*) appellative.
нарк/о́з *s.* narcosis || **-о́тик** *s.* narcotic || **-оти́ческий** & **-оти́чный** *a.* narcotic.
наро́д/ *s.* people, folk; nation; **мно́го -у** many people.
народи́ть *cf.* **нарож(д)а́ть.**
наро́д/ность *s.f.* nationality || **-ный** *a.* national, popular; of the people, public.
народо/вла́стие & **-держа́вие** *s.* democracy, government by the people || **-населе́ние** *s.* population || **-правле́ние** *s.* = **-вла́стие** || **-счисле́ние** *s.* census (of the population).
нарож(д)а́-ть II. *va.* (*Pf.* народ-и́ть I. 1. [a]) to bring forth, to give birth to (much *or* many); to produce || **~ся** *vn.* to be born; to be produced; to be on the increase, to wax (of the moon).
нарожде́ние *s.* birth; production; **~ ме́сяца** increase, waxing of the moon.
наро́ст *s.* excrescence.
наро́ч/но *ad.* on purpose, designedly || **-ный** *a.* express, intentional, designed || **~** & **на́рочный** (*as s.*) express messenger.
нару́ж/ность *s.f.* exterior, outside appearance; **судя́ по -ности** judging *or* to judge by appearances || **-ный** *a.* exterior, external.
нару́жу *ad.* outwardly, outwards.
нарука́вник *s.* half sleeve, false sleeve.
наруша́-ть II. *vn.* (*Pf.* нару́ш=ить I. [a & c]) to break off *or* up; to infringe, to transgress, to violate (a law); to break (a law, one's oath); to disturb (the peace).
наруш/е́ние *s.* infringement, transgression, violation, infraction; breach || **-и́тель** *s.m.* infringer, violator, transgressor.
нарци́сс *s.* narcissus.
на́ры *s.fpl.* bed of boards, plank-bed.
нары́в *s.* abscess, ulcer, sore.
нарыва́-ть II. *va.* (*Pf.* нарв-а́ть I. [a]) to gather, to pluck, to pull (a quantity); to cause to suppurate, to draw || **~** *vn.* to gather, to come to a head (of an abscess); to fester, to suppurate.
нарыва́-ть II. *va.* (*Pf.* навы́ть 28.) to dig, to dig up (a quantity of).
нарывно́й *a.* vesicatory, blistering; **~ пла́стырь** blister, vesicatory plaster.
наря́д/ *s.* dress, attire; costume, finery; array; order, command; **по -у** by order || **-ный** *a.* smart, trim, spruce; decked out, elegant.
наряжа́-ть II. *va.* (*Pf.* наряд=и́ть I. 1. [a & c]) to command, to order, to appoint; (*mil.*) to detail; to dress, to array, to adorn (a bride) || **~ся** *vr.* to dress o.s. up, to deck o.s. out.
нас *prn. pers.* (*G. & A. of* мы) us, of us; **~ не́ было до́ма** we were out, we were not at home.
насажда́-ть II. *va.* to propagate (knowledge, etc.).
насажде́ние *s.* planting; propagation.
наса́жива-ть II. *va.* (*Pf.* насажа́-ть II. & насад=и́ть I. 1. [a & c]) to plant, to set (a quantity); (топо́р) to haft.
насви́стыва-ть II. *va.* (*Pf.* насвист-а́ть I. 4. [c]) to whistle (a tune).
наседа́-ть II. *vn.* (*Pf.* насе́сть 44. [b]) to alight, to settle (on); **пыль насе́ла на стол** the dust settled on the table; to press hard, to urge (one); to sit down (a great many); to perch (on).
насе́дка *s.* (*gpl.* -док) brood-hen.
насека́-ть II. *va.* (*Pf.* насе́чь [√сек] 18. [a 1.]) to hew; to notch, to score, to make incisions in.
насеко́м/ое (*as s.*) (*gsg.* -о́мого, *pl.* -о́мые, etc.) insect || **-о́ядный** *a.* insectivorous.
населе́ние *s.* population; (де́йствие) peopling.
населя́-ть II. *va.* (*Pf.* насел=и́ть II. [a & c]) to people, to populate; to settle in, to inhabit.
насе́ст/ & **-ка** *s.* perch, roost (for hens).
насе́сть *cf.* **наседа́ть.**
насе́чка *s.* (*gpl.* -чек) cut, notch, incision.
насе́чь *cf.* **насека́ть.**
наси́жива-ть II. *va.* (*Pf.* насид=е́ть I. 1. [a]) to remain long seated (on); to hatch, to sit (of birds); to contract (a disease, etc.) by long sitting; to distil (a quantity).
наси́лие *s.* violence, force; stress, compulsion.
наси́ло+вать II. *va.* to force, to do violence to; (же́нщину) to violate.
наси́лу *ad.* with difficulty, hardly; at long last.
наси́ль/ный *a.* forcible || **-ственный** *a.* violent, forcible; **-ственная смерть** violent death; **-ственное вторже́ние** forcible entry.
наска́зыва-ть II. *va.* (*Pf.* наказ-а́ть I. 1. [c]) to tell, to relate (a great deal); to prattle, to prate; (на кого́) to backbite one; (кому́ на кого́) to slander, to calumniate.
наскво́зь *ad.* through and through, right through.
наско́лько *ad.* how much.

нáскоро *ad.* quickly, hastily, in haste, hurriedly.
наскýчива-ть II. *va.* (*Pf.* наскýч=ить I.) (комý чем) to tire, to weary, to bore; to trouble, to molest, to annoy one; to pester; **~ до смéрти** to bore to death; **это мне наскýчило** I am thoroughly sick of it.
наслаждá-ться II. *vr.* (*Pf.* наслад=иться I. 5. [a]) (чем) to enjoy, to take pleasure *or* delight (in); to rejoice (at).
наслаждéние *s.* enjoyment, delight, pleasure.
наслáива-ть II. *va.* (*Pf.* насло=ить II. [a]) to pile up in layers; (*geol.*) to stratify.
наслéд/ие *s.* inheritance, heritage || **–ник** *s.* heir; successor; **~ престóла** heir to the throne; heir-apparent || **–ница** *s.* heiress || **–ный** *a.* hereditary; **~ принц** Crown Prince || **–о+вать** II. *va.* (*Pf.* у-) to inherit; to succeed to || **–ственность** *s. f.* hereditability, heredity || **–ственный** *a.* hereditary; inherited || **–ство** *s.* inheritance; succession; **лишить –ства** to disinherit.
насл/оéние & **–óй** *s.* (*geol.*) stratification.
наслоить *cf.* **наслáивать.**
наслоня́-ть II. *va.* (*Pf.* наслон=ить II. [a & c]) to lean against || **~ся** *vr.* to lean against || **~** *vn.* to saunter, to stroll around.
наслы́шка *s.* (*gpl.*-шек) hearsay, rumour.
насмехá-ться II. *vn.* (*Pf.* насме-я́ться II. [a]) (над кем) to laugh at, to deride, to scoff at, to make fun of, to joke at.
насмéш/ка *s.* (*gpl.* -шек) mockery, derision, scoffing, jeering || **–ливый** *a.* mocking, derisive; sneering, sarcastic(al) || **–ник** *s.* mocker, jeerer, derider.
насмея́ться *cf.* **насмехáться.**
нáсморк *s.* cold (in the head).
наснóс/е & **–ях** *ad.* (*vulg.*) near her time (of a pregnant woman).
насóс *s.* pump.
наставáть 39. [a 1.] *vn.* (*Pf.* настáть 32. [b]) to approach, to draw near, to be at hand.
настави́тельный *a.* instructive.
настáвить *cf.* **наставля́ть.**
настáв/ка *s.* (*gpl.* -вок) piece set on, head-piece; (*gramm.*) suffix || **–лéние** *s.* instruction, information, direction, tuition, teaching; precept, order, command.
наставля́-ть II. *va.* (*Pf.* настáв=ить II. 7.) to place, to put, to set (a quantity); (обучи́ть) to direct, to instruct, to teach; to level (a telescope).
настáв/ник *s.* teacher, tutor, instructor || **–ница** *s.* teacher, instructress || **–нóй** *a.* set on, added.
настáива-ть II. *va.* (*Pf.* насто=ять II. [a]) to infuse, to draw, to allow to draw (tea); (на + *Pr.*) to insist on; (*mil.*) to press || **~ся** *vn.*, **пусть чай настои́тся** let the tea draw.
настáть *cf.* **наставáть.**
нáстежь *ad.* wide open.
настигá-ть II. *va.* (*Pf.* насти́гнуть 52. & насти́чь 15. [a 1.]) to overtake, to come up with, to reach; **ночь насти́гла его́** night overtook him.
настилá-ть II. *va.* (*Pf.* настл-áть II. [c], *Fut.* настелю́, -стéлешь) to lay on, to overlay with; (кáмнем) to pave; **~ пол** to floor, to board; **~ потолóк** to ceil.
насти́лка *s.* (*gpl.* -лок) planking, boarding, paving.
насти́чь *cf.* **настигáть.**
настóй/ & **–ка** *s.* (*gpl.* -óек) infusion || **–чивый** *a.* persevering, persistent, firm.
настóльный *a.* table-; **~ словáрь** reference dictionary; **–ная кни́га** reference book.
насторáжива-ть II. *va.* (*Pf.* насторож=ить I. [a]) to set, to lay (a trap); **~ у́ши** (*fig.*) to prick up one's ears, to cock one's ears.
насторóже *ad.* as sentry, on sentry-go.
насторожé *ad.* on the look-out, on the alert, cautiously.
настоя́ние *s.* (на + *Pr.*) insistence (on); persistence; perseverance, effort.
настоя́тель/ *s.m.* prior, superior (of a monastery) || **–ница** *s.* prioress, mother-superior || **–ный** *a.* urgent, insistent, pressing.
настоя́ть *cf.* **настáивать.**
настоя́щий (-ая, -ее) *a.* present, actual; pure, genuine; downright; **в –ее врéмя** nowadays; **~ год** the current year, the present year; **~ мошéнник** a downright rascal; an out-and-out rogue; **–ее врéмя** (*gramm.*) present tense.
настрáива-ть II. *va.* (*Pf.* настрó=ить II.) to build, to construct (a number); (*mus.*) to tune; (*fig.*) to incite, to urge.
нáстрого *ad.* severely, strictly.
настроéние *s.* frame of mind, state of mind; (*mus.*) tuning.
настрóить *cf.* **настрáивать.**
настрóйщик *s.* (piano-)tuner.
настрóчный *a.* above the lines, interlinear.

наступа́тельный *a.* offensive, aggressive.
наступа́-ть II. *vn.* (*Pf.* наступ=и́ть II. 7. [c]) to step on; to attack, to press on; to come (of day, seasons, etc.); **ему́ наступи́л деся́тый год** he had entered his tenth year.
наступле́ние *s.* approach, coming (of day, etc.); (*mil.*) attack.
насту́рц/ий & **–ия** *s.* (*bot.*) nasturtium.
насу́плива-ть II. *va.* (*Pf.* насу́п=ить II. 7.) to pucker, to knit (one's brows) || **~ся** *vr.* to frown.
насу́против *ad.* over against, opposite, vis-à-vis.
на́сухо *ad.* drily; till quite dry.
насчёт *prp.* (+ *G.*) concerning, as to.
насыпа́-ть II. *va.* (*Pf.* насы́п-ать II. 7.) to strew upon; to fill (up).
насы́п/ка *s.* (*gpl.* -пок) strewing upon; filling in || **–но́й** *a.* filled in *or* up.
на́сыпь *s.f.* artificial mound; (*rail.*) embankment; **моги́льная ~** tumulus, barrow.
насыща́-ть II. *va.* (*Pf.* насы́т=ить I. 6.) to satiate, to satisfy, to glut; (*chem.*) to saturate || **~ся** *vr.* to glut o.s., to be satiated.
насыще́ние *s.* satiating; (*chem.*) saturation.
ната́лкива-ть II. *va.* (*Pf.* натолка́-ть II. & натолкн-у́ть I.) (кого́ на что) to push *or* jostle against || **~ся** *vr.* to jostle; to strike, to knock against; to hit upon a thing; (*fig.*) to become polished.
ната́плива-ть II. *va.* (*Pf.* натоп=и́ть II. 7. [c]) to heat very much; to melt, to smelt.
натвор=и́ть II. *va. Pf.* to make, to produce much; to cause, to occasion.
натека́-ть II. *vn.* (*Pf.* нате́чь [√тек] 18. [a 2.]) to flow, to run in; to leak in.
натерп=е́ться II. 7. [c] *vr. Pf.* to have endured much; to suffer, to endure.
натира́-ть II. *va.* (*Pf.* натере́ть 13.) to rub in, to rub on; to grate; to chafe || **~ся** *vr.* to rub o.s. (with).
на́тиск *s.* rush, pressure, shock; attack.
нати́скива-ть II. *va.* (*Pf.* нати́ска-ть II. & нати́сн-уть I.) to press, to squeeze; to cram in, to crowd in || **~ся** *vr.* to troop, to crowd, to throng.
наткну́ть *cf.* **натыка́ть.**
натолкну́ть *cf.* **ната́лкивать.**
натопи́ть *cf.* **ната́пливать.**
натопта́ть *cf.* **ната́птывать.**
наторе́лый *a.* trained; accustomed.
натоща́к *ad.* fasting, on an empty stomach.
натр *s.* natron.
натра́влива-ть II. *va.* (*Pf.* натрав=и́ть II. 7. [a]) to set on, to bait (dogs); to hunt (to death); (*fig.*) to incite, to instigate; (*chem.*) to etch in.
на́тр/ий *s.* (*chem.*) sodium || **–овый** *a.* of sodium, sodium-.
натру́ *cf.* **натира́ть.**
нату́га *s.* tension; effort; straining.
нату́жива-ться II. *vr.* (*Pf.* нату́ж=иться I.) to strain o.s., to exert o.s.
нату́р/а *s.* nature; **с –ы** from life, from nature; **плати́ть –ою** to pay in kind; **счастли́вая ~** a happy disposition || **–ализа́ция** *s.* naturalization || **–али́зм** *s.* naturalism || **–али́ст** *s.* naturalist || **–а́льный** *a.* natural; lifelike; unaffected, artless || **–щик** *s.*, **–щица** *s.* sitter, living model (for painter or sculptor).
натыка́-ть II. *va.* (*Pf.* нати́к-ать I. 2.) to drive in *or* down; to thrust, to stick in; to cram.
натыка́-ться II. *vr.* (*Pf.* наткн-у́ться I. [a]) to strike, to hit, to knock against; to run on, to meet with.
натя́гива-ть II. *va.* (*Pf.* натян-у́ть I. [c]) to stretch, to tighten, to strain; to bend, to string (a bow); to put on with difficulty (boots).
натя́ж/ка *s.* (*gpl.* -жек) strain, stretching; forced explanation, quibble, strained meaning || **–но́й** *a.* for stretching, tightening.
натя́нутый *a.* tight, stretched; (*fig.*) stiff, farfetched, unnatural.
натяну́ть *cf.* **натя́гивать.**
науга́д *ad.* at random, at a venture.
науго́/лок & **–льник** *s.* corner-cupboard; (*math.*) square; (*tech.*) bevel.
науда́чу *ad.* at random, at a venture; at all hazards.
нау́ка *s.* science.
нау́ськива-ть II. *va.* (*Pf.* нау́ська-ть II.) to bait, to hunt; to incite.
наутёк *ad.*, **пусти́ться ~** to take to one's heels, to take to flight.
научá-ть II. *va.* (*Pf.* науч=и́ть I. [c]) (кого́) to learn, to teach, to instruct; to train || **~ся** *vr.* (чему́) to learn.
нау́чный *a.* scientific(al), learned.
нау́ш/ник *s.*, **–ница** *s.* slanderer, telltale, talebearer || **–нича-ть** II. *vn.* to play the sycophant || **–ничество** *s.* calumny, slander; sycophancy; talebearing.
наща́-ть II. *va.* (*Pf.* науст=и́ть I. 4. [a]) to instigate, to incite.
нафтали́н *s.* naphthaline.

нахáл/ *s.*, **-ка** *s.* (*gpl.* -лок) impudent, saucy person || **-ьный** *a.* impudent, brazen-faced, cheeky; (*fam.*) saucy || **-ьство** *s.* impudence, effrontery.
нахвáтыва-ть II. *va.* (*Pf.* нахватá-ть II.) to lay hold of, to seize (a quantity); ~ **долгóв** to contract debts.
нахлéб/ник *s.*, **-ница** *s.* boarder, lodger.
нахмýрива-ть II. *va.* (*Pf.* нахмýр=ить II.) to wrinkle, to pucker, to knit || **~ся** *vr.* to frown; to knit one's brows, to scowl; to look threatening.
наход=и́ть I. 1. [c] *va.* (*Pf.* найти́ 48.) to find; to meet; to discover || **~ся** *v.pass.* to be found; to be; **их именá нашли́сь в спи́ске** their names were on the list || ~ *vn.*, ~ **за грани́цею** to be abroad.
нахóд/ка *s.* (*gpl.* -док) a find, something found, a godsend || **-чивый** *a.* ready-witted, fertile in expedients, ingenious, with presence of mind.
нахождéние *s.* finding, detecting.
нахрáпом *ad.* by force, by violence, violently.
нацепля́-ть II. *va.* (*Pf.* нацеп=и́ть II. 7. [c]) to hook (on), to catch, to fasten (to).
национáльный *a.* national.
нáция *s.* nation.
начáл/о *s.* beginning, commencement; origin, source; (*in pl.*) elements, first principles *pl.*; **с сáмого -а** from the very beginning, from the outset || **-ьник** *s.* chief, superior; commander; head, headmaster; ~ **стáнции** stationmaster || **-ьница** *s.* mistress || **-ьный** *a.* initial; elementary; **-ьные основáния** (*npl.*) **наýки** the elements of a science || **-ьство** *s.* command, authority; administration; *coll.* authorities, chiefs *pl.* || **-ьство+вать** II. *vn.* (над + *I.*) to command; to be at the head (of), to be in command (of).
начáтки *s. mpl.* elements *pl.*
начáть *cf.* **начинáть.**
начернó *ad.* in the rough; **написáть** ~ to make a rough copy (of).
начерт/áние *s.* plan, sketch, outline; rough draft || **-áтельный** *a.* graphic(al), descriptive.
начéртыва-ть II. *va.* (*Pf.* начертá-ть II.) to trace out, to project, to sketch.
начёт *s.* deficit; miscalculation.
нáчетверо *ad.* into four (parts).
начётчик *s.* a bible-scholar.
начин/áние *s.* beginning; enterprise, undertaking || **-áтель** *s. m.*, **-áтельница** *s.* beginner; author, cause, originator.
начинá-ть II. *va.* (*Pf.* начáть 34. [a 4.]) to begin, to commence; to start || **~ся** *vr.* to begin, to commence a thing; to break out (of war, fire); to set about.
начи́нка *s.* (*gpl.* -нок) stuffing.
начиня́-ть II. *va.* (*Pf.* начин=и́ть II. [c]) to stuff, to fill.
нáчистó *ad.* cleanly, fairly; **переписáть** ~ to make a fair copy of; flatly, bluntly, absolutely; **отказáть** (комý) ~ to give a blunt refusal, to refuse point-blank.
начи́танный *a.* well-read; erudite.
начи́тыва-ть II. *va.* (*Pf.* начитá-ть II.) to read (a great deal) || **~ся** *vn.* to read much, to read one's fill; to be well-read.
начнý *cf.* **начинáть.**
начтó *ad.* why? however much; although.
наш (нáша, -е, *pl.* -и) *prn. poss.* our; ours; **по нáшему** in our opinion; in our way.
нашаты́рь *s. m.* [a] sal ammoniac.
нашéдший *cf.* **находи́ть.**
нашéйник *s.* frill; neck-band; cravat.
нашёл *cf.* **находи́ть.**
нашёптыва-ть II. *va.* (*Pf.* нашепт-áть I. 2. [c]) to whisper (to); to charm, to bewitch (by whispering).
нашéствие *s.* invasion, inroad; ~ **Святóго Дýха** infusion of the Holy Ghost.
нáшива-ть II. *va. iter. of* **носи́ть.**
нашивá-ть II. *va.* (*Pf.* наши́ть 27. [a 3.]) to sew on; to sew a large quantity of.
наши́в/ка *s.* (*gpl.* -вок) sewing on; piece sewn on; (*mil.*) stripe (sewn on); chevron || **-нóй** *a.* sewn on.
нашлá *cf.* **находи́ть.**
нащёка *s.* patch (on shoes).
наявý *ad.* awake.
ная́ве *ad.* clearly, evidently, plainly.
ная́н *s.* insolent fellow; importunate beggar.
ндрав *s.* = **нрав.**
не *ad.* not; (*prov.*) no; none.
небезвы́годный *a.* not without advantage.
небесá *cf.* **нéбо.**
небéсный *a.* heavenly; celestial; **цáрство -ное** heaven, the kingdom of heaven.
неблаго/врéменный *a.* unseasonable, inopportune, untimely, ill-timed || **-дáрный** *a.* thankless, ungrateful || **-пристóйный** *a.* indecent, improper || **-приятный** *a.* unfavourable || **-разýмный** *a.* unreasonable, imprudent || **-рóдный** *a.* ignoble, base; low-born.

нёб/ный *a.* palatal || **-о** *s.* palate.
нёбо *s.* [b] (*pl.* небеса́, небе́с, etc.) sky, heaven, firmament; **возноси́ть** (кого́) **до небе́с** to laud to the skies; **под откры́тым -ом** in the open air.
небожи́тель *s. m.* dweller in heaven.
небольшо́й *a.* not large, little; **сто с -и́м** a little over a hundred.
небосво́д *s.* the vault of heaven, firmament.
небоскло́н *s.* horizon.
небо́сь *ad.* perhaps, it may be so, probably.
небре́жный *a.* careless, negligent.
небыва́лый *a.* unprecedented, unheard of.
небыли́ца *s.* fiction, false tale.
нева́жный *a.* insignificant, unimportant.
невда/леке́ & **-ле́чке** *ad.* not far off *or* from, in the neighbourhood.
невдо/га́д & **-мёк** *ad.*, **мне ~ бы́ло** it never entered my head, it didn't occur to me.
неве́д/ение *s.* ignorance || **-омый** *a.* unknown.
невѣ́ж/а *s. m&f. coll.* churl, boor, ill-bred fellow || **-да** *s. m&f. coll.* ignorant, unlearned person || **-ественный** *a.* boorish, ignorant, uneducated || **-ество** *s.* boorishness, rudeness; ignorance || **-ливый** *a.* rude, impolite, discourteous.
неве́р/ие *s.* unbelief || **-ность** *s. f.* infidelity; untruth; inexactness || **-ный** *a.* faithless, unfaithful; false, inexact, inaccurate || **-оя́тно** *ad.* not probable, not at all likely || **-оя́тный** *a.* improbable, incredible, past belief.
неве́ст/а *s.* bride, betrothed; young woman of marriageable age || **-ка** *s.* (*gpl.* -ток) daughter-in-law; sister-in-law (the brother's wife) || **-ь** *ad.* God alone knows.
невеще́ственный *a.* incorporeal.
невзго́да *s.* ill-luck, misfortune, trouble.
невзира́я *ad.* (на то, что) in spite of, notwithstanding.
невзнача́й *ad.* accidentally, unawares.
невзра́чный *a.* plain, insignificant, ill-favoured.
невзыска́тельный *a.* unexacting, unpretending.
не́видаль/ *s. f.* & **´щина** *s.* rarity, wonder, prodigy.
невиди́мка *s. m&f.* (*gpl.* -мок) *coll.* invisible person; **ша́пка-~** the invisible cap.
неви́д/имый *a.* invisible || **-ный** *a.* insignificant.
неви́нн/ость *s. f.* innocence || **-ый** *a.* innocent, guiltless.
невменя́емый *a.* irresponsible.
невнима́тельный *a.* inattentive, careless.
невня́тный *a.* indistinct, inaudible, inarticulate.
не́вод *s.* drag-net.
невоз/врати́мый *a.* irretrievable, irreparable || **-вра́тный** *a.* irrevocable, irreparable || **-де́ржный** *a.* immoderate, intemperate || **-мо́жный** *a.* impossible.
нево́л=ить II. *va.* (*Pf.* при-) (чем, к чему́) to force, to compel, to constrain.
нево́ль/ник *s.*, **-ница** *s.* slave; prisoner || **-ничество** *s.* slavery || **-ничий** (-ая, -ее) *a.* slave's; of a slave || **-но** *ad.* involuntarily, reluctantly || **-ный** *a.* involuntary; forced, constrained; against one's will.
нево́ля *s.* slavery; captivity, restraint; necessity; **-ею** under compulsion; **во́лей-нево́лей** willy-nilly.
невообрази́мый *a.* inconceivable, unimaginable.
невооружённый *a.* unarmed, defenceless; **-ым гла́зом** with the naked eye.
невпопа́д *ad.* inopportunely, untimely.
неврал/ги́ческий *a.* neuralgic || **´ги́я** *s.* neuralgia.
невреди́мый *a.* intact, inviolate, unharmed.
невтерпёж *ad.* unbearably, intolerably.
невы́год/а *s.* disadvantage, harm, loss || **-ный** *a.* disadvantageous, harmful.
невыноси́м/о *ad.* intolerably || **-ый** *a.* intolerable, insufferable, unbearable.
невырази́мый *a.* inexpressible, ineffable.
не́га *s.* effeminacy; luxury; pleasure, delight.
негати́в/ *s.* negative || **-ный** *a.* negative.
негашёный *a.* unslaked; **-ая и́звесть** unslaked lime, quicklime.
не́где *ad.* nowhere; there is no room for; **~ сесть** there is no place to sit.
неглиже́ *s. indecl.* négligé.
него́ = его́ *after prepositions e. g.* **у ~** he has.
него́д/ник *s.*, **-ница** *s.* good-for-nothing, useless person; scamp, loiterer || **-ный** *a.* useless, good-for-nothing, worthless.
негодова́ние *s.* indignation, discontent.
негодо+ва́ть II. [b] *vn.* (*Pf.* воз-) (на что) to be indignant, angry, discontent(ed) (at).
негодя́й/ *s.*, **-ка** *s.* (*gpl.* -я́ек) good-for-nothing.
негоциа́нт *s.* wholesale merchant.
негр *s.* negro; (*fam.*) nigger.
негра́мотный *a.* illiterate, unlettered, not able to read and write.
негритя́н/ка *s.* (*gpl.* -нок) negress || **-ский** *a.* negro-, negro's.
неда́вн/ий *a.* recent || **-о** *ad.* recently, lately, not long ago.

недалёкий *a.* not far (away), near, at hand; near, close (of relationship); limited (of knowledge).
недаром *ad.* not in vain.
недвижим/ость *s. f.* real estate || **–ый** *a.* immovable; **–ое (имущество)** real estate.
недействительный *a.* invalid, void, having no affect, inefficacious.
неделимый *a.* indivisible.
недел/ьный *a.* weekly, week-, week's || **–я** *s.* week.
недобор *s.* arrears *pl.*
недобро/желатель *s. m.* one who bears ill-will or a grudge || **–совестный** *a.* unconscientious.
недовер/ие *s.* mistrust, distrust || **–чивый** *a.* mistrustful, distrustful, suspicious.
недовес *s.* deficiency in weight, short weight.
недовешива-ть II. *va.* (*Pf.* недовес=ить I. 3.) to give short weight.
недовольный *a.* dissatisfied.
недовыручка *s.* (*gpl.* -чек) deficiency (in receipts).
недогадливый *a.* lacking sagacity, not sagacious.
недо/едки *s. mpl.* remains, leavings *pl.* (after eating) || **–имка** *s.* (*gpl.* -мок) arrears *pl.* (*esp.* of taxes) || **–имный** & **–имочный** *a.* in arrears.
недокись *s. f.* (*chem.*) suboxide.
недомерива-ть II. *va.* (*Pf.* недомер=ить II.) to give short measure.
недомо/гание & **–жение** *s.* indisposition.
недомога-ть II. *vn.* to be unwell, to be indisposed.
недомолвка *s.* (*gpl.* -вок) omission, something left unsaid.
недоносок *s.* (*gsg.* -ска) premature birth.
недоразумева-ть II. *va.* (*Pf.* недоразуме-ть II.) to misunderstand, to misapprehend.
недоразумение *s.* misunderstanding, misapprehension.
недород *s.* bad growth; failure of crops.
недоросль *s. m.* (*gsg.* -ля) & *s. f.* (*gsg.* -ли) a minor, one under age; country squire.
недосмотр/ & **–ение** *s.* overlooking, oversight, inadvertence.
недосмотр=еть II. [c] *va. Pf.* (чего) to overlook (a mistake).
недосол *s.* want of salt.
недоставать 39. [a] *vn.* (*Pf.* недостат-ь 32.) to be short of, to be in want of; to be lacking; **у меня недостаёт денег** I am short of money.
недостат/ок *s.* (*gsg.* -тка) (в чём) want, lack (of); poverty, misery; defect, imperfection, fault || **–очный** *a.* insufficient; defective; poor.
недостижимый *a.* unattainable, inaccessible.
недостойный *a.* unworthy.
недоступный *a.* inaccessible, unapproachable.
недо/суг *s.* lack of time; **мне ~** I have no time || **–сужно** *ad.*, **ему ~** he has no time (to spare).
недося/гаемый & **–жимый** *a.* unattainable.
недотрога *s. m&f. coll.* extremely sensitive person, a very touchy person; (*bot.*) touch-me-not.
недоуздок *s.* (*gsg.* -дка) halter.
недоумева-ть II. *vn.* to be unable to comprehend; to doubt, to be perplexed, to be in doubt.
недоумение *s.* doubt, perplexity; **быть в –ии** to be at a loss; **привести** (кого) **в ~** to perplex.
недочёт *s.* deficit (in accounts).
недро *s.* interior; bosom.
недруг *s.* enemy, foe.
недуг *s.* complaint, sickliness, infirmity.
недужный *a.* infirm, ill, sickly, ailing.
неё = её *after prepositions e. g.* **у ~** she has.
неестественный *a.* unnatural.
нежданный *a.* unexpected.
нежелание *s.* reluctance, aversion (to).
нежели *c.* than; not only; **прежде ~** before.
неженатый *a.* unmarried (of a man).
неженка *s.* (*gpl.* -нок) tender, soft, effeminate person.
нежилой *a.* uninhabited.
неж=ить I. *va.* (*Pf.* по-) to pamper, to indulge, to pet || **~ся** *vr.* to pamper o.s.
нежнича-ть II. *vn.* (*Pf.* по-) to affect tenderness, to behave indulgently.
нежн/ость *s. f.* tenderness, softness, delicacy || **–ый** *a.* tender, soft, fine, delicate, dainty.
неза/бвенный *a.* never to be forgotten || **–будка** *s.* (*gpl.* -док), *dim.* **–будочка** *s.* (*gpl.* -чек) (*bot.*) forget-me-not.
незавидный *a.* not to be envied, unenvied.
независимый *a.* independent.
незадач/а *s.* bad luck, ill-luck || **–ливый** & **–ный** *a.* unlucky, unfavourable.
незадолго *ad.* lately, not long ago; (до + *G.*) shortly before.
незазорный *a.* blameless, irreproachable.
незаконнорождённый *a.* illegitimate, natural, born out of wedlock.

незако́нн/ость *s. f.* illegality || **-ый** *a.* illegal, unlawful.

незамени́мый *a.* irreparable, irreplaceable.

незаме́тный *a.* imperceptible, plain.

незаму́жняя *a.* unmarried (of a woman) || ~ (*as s.*) unmarried woman; (*leg.*) spinster.

незапа́мятный *a.* immemorial; **с -ных времён** from time immemorial.

незва́ный *a.* uninvited; unasked.

нездоро́в=иться II. 7. *v. imp.*, **мне нездоро́вится** I don't feel well.

нездоро́в/ый *a.* unwell, indisposed || **-ье** *s.* indisposition, sickliness.

незло́бивый *a.* mild, gentle, benevolent, benignant; free from malice.

незначи́тельный *a.* unimportant, insignificant, of no consequence.

незре́лый *a.* immature, unripe.

незри́мый *a.* invisible.

незы́блемый *a.* firm, unshakable, immovable.

неизбе́жный *a.* inevitable, unavoidable.

неиз/ве́стный *a.* unknown; uncertain || **-глади́мый** *a.* indelible || **-лечи́мый** *a.* incurable || **-ме́нный** *a.* immutable, unchangeable, unalterable; steady || **-мери́мый** *a.* immeasurable, immense.

неиз'ясни́мый *a.* inexplicable.

неимове́рный *a.* incredible.

неиму́щий (-ая, -ее) *a.* indigent, poor, necessitous.

неиску́сный *a.* unskilful, awkward.

неис/поведи́мый *a.* inscrutable, impenetrable || **-полни́мый** *a.* impracticable, not feasible || **-по́рченный** *a.* unspoiled; innocent; incorrupted || **-прави́мый** *a.* incorrigible || **-пра́вный** *a.* careless, negligent.

неистов/ство *s.* fury, rage, frenzy || **-ый** *a.* furious, raging, fierce, mad with rage.

неис/тощи́мый *a.* inexhaustible || **-цели́мый** *a.* incurable || **-черпа́емый** *a.* inexhaustible || **-числи́мый** *a.* countless, innumerable.

ней = **ей** *after prepositions e. g.* **о ней** about her.

нейтр/алите́т *s.* neutrality || **-а́льный** *a.* neutral.

не́кий *a.* a certain, some.

не́когда *ad.* once, sometime, formerly, in former times; **мне** ~ I have no time.

не́кого *adverb. expression* there is no one whom; **мне** ~ **люби́ть** I have no one to love. [to whom.

не́кому *adverb. expression* there is no one

не́который *a.* a certain.

некраси́вый *a.* ugly, plain, unsightly.

некроло́г *s.* necrology.

некста́ти *ad.* untimely, inopportunely, at a wrong time.

не́кто *prn.* some one, somebody, a certain person.

не́куда *adverb. expression* there is nowhere, where; **мне** ~ **е́хать** I have nowhere to go to.

некуря́щий *s.* non-smoker.

нела́дный *a.* unserviceable, unfit; uncanny, weird.

нелёгкая (си́ла) *s.* the Evil One, the devil; **куда́ его́** ~ **занесла́!** where on earth has he gone to! where the devil has he gone to!

неле́пый *a.* absurd, foolish, nonsensical.

нело́вкий *a.* awkward, unskilled, clumsy.

нельзя́ *v.imp.* it is impossible; one can (may) not; **э́того** ~ **сде́лать** that cannot be done; **как** ~ **лу́чше** as well as possible; **ника́к** ~ it is absolutely impossible.

нелюди́м/ *s.*, **-ка** *s.* (*gpl.* -мок) misanthrope || **-ый** *a.* misanthropic(al), unsociable.

нём *prn.*, **о** ~ about him.

нема́ло *ad.* not few, enough.

неме́дленн/ый *a.* prompt, without delay || **-о** *ad.* promptly, at once, instantly, forthwith.

неме́-ть II. *vn.* (*Pf.* за-, о-) to become *or* grow dumb; (of limbs) to get numbed.

немилосе́рд(н)ый *a.* pitiless, merciless.

неми́лость *s. f.* disgrace, disfavour, discredit.

немину́емый *a.* inevitable, unavoidable.

немно́/го *ad.* a little, somewhat || **-гий** *a.* (*esp. in pl.*) a few, some || **-ж(еч)ко** *ad.* (*dim. of* немно́го) just a little, somewhat.

немо́й *a.* dumb, speechless; mute; (of limbs) numb.

немо́лчный *a.* incessant, never silent.

немота́ *s.* dumbness; speechlessness.

не́мочь *s. f.* illness, affliction, infirmity; weakness, disease; **бле́дная** ~ chlorosis.

не́мощ/ный *a.* weak, infirm; ill, sickly || **-ь** *s. f.* weakness, illness, sickliness.

нему́ = **ему́** *after prepositions e. g.* **к** ~ to him.

нему́др/ый & **-я́щий** *a.* simple, common.

ненави́д=еть I. 1. *va.* (*Pf.* воз-) to hate, to detest, to abhor.

ненави́ст/ник *s.*, **-ница** *s.* one who hates || **-ный** *a.* hating; hateful; spiteful, odious.

не́нависть *s. f.* hatred, hate; detestation.

ненагля́дный *a.* admirable, charming, enchantingly beautiful.

ненадёжный *a.* untrustworthy; uncertain, precarious.

нена́добный *a.* superfluous, unnecessary.

ненаро́/ком & **–чно** *ad.* unintentionally.

ненаруши́мый *a.* inviolable.

нена́ст/ный *a.* rainy, cloudy, overcast || **–ье** *s.* bad, rainy weather.

ненасыти́мый *a.* insatiable, insatiate.

необ/ду́манный *a.* inconsiderate, thoughtless || **–ита́емый** *a.* uninhabited || **–озри́мый** *a.* unbounded, infinite, boundless; countless || **–разо́ванный** *a.* uneducated, ignorant || **–у́зданный** *a.* unbridled, unrestrained || **–ходи́мо** *ad.*, **мне ~** it is necessary for me, I have to || **–ходи́мый** *a.* necessary, indispensable.

необ'я́тный *a.* immense, vast.

необ/ыкнове́нный & **–ыча́йный** *a.* unusual, uncommon, extraordinary || **–ы́чный** *a.* strange, curious, uncommon, odd.

неограни́ченный *a.* unbounded, unlimited.

неоднокра́тный *a.* repeated, reiterated.

неодобр/е́ние *s.* disapproval || **–я́тельный** *a.* disapproving.

нео/доли́мый *a.* invincible || **–душевлённый** *a.* inanimate || **–живлённый** *a.* inanimate, lifeless; (of business) slack, dull || **–жи́данный** *a.* unexpected, unlooked for || **–конча́тельный** *a.* incomplete; **–ное наклоне́ние** (*gramm.*) infinitive (mood) || **–ко́нченный** *a.* unfinished, incomplete || **–пи́санный** *a.* indescribable, inexpressible || **–пла́тный** *a.* insolvent || **–пла́ченный** *a.* not paid; (of letter) not prepaid || **–пределённый** *a.* vague, indefinite, indeterminate; **–ное наклоне́ние** (*gramm.*) infinitive (mood) || **–предели́мый** *a.* undefinable || **–провержи́мый** *a.* irrefutable, incontestable || **–пря́тный** *a.* slovenly, dirty.

нео́пытный *a.* inexperienced, unskilled.

неоргани́ческий *a.* inorganic(al).

нео/сла́бный *a.* unremitting, unremitted || **–смотри́тельный** *a.* inconsiderate, incautious, thoughtless, rash || **–снова́тельный** *a.* groundless, unfounded || **–спори́мый** *a.* indisputable, incontestable || **–сторо́жный** *a.* incautious, imprudent, indiscreet || **–существи́мый** *a.* infeasible, unrealizable || **–сяза́емый** *a.* impalpable, intangible.

неот/врати́мый *a.* inevitable || **–вя́зчивый** *a.* importunate.

не́откуда *ad.* from nowhere, in no way.

неот/ло́жный *a.* urgent, pressing || **–лу́чный** *a.* permanent, inseparable || **–мени́мый** *a.* irrevocable, irreversible || **–сту́пный** *a.* pressing, importunate || **–чужда́емый** *a.* inalienable.

неот'е́млемый *a.* indefeasible, inalienable.

неохо́т/а *s.* unwillingness, reluctance, disinclination; **~ мне** I am not inclined (to) || **–но** *ad.* unwillingly, reluctantly || **–ный** *a.* unwilling, reluctant.

неоцени́мый *a.* invaluable, inestimable, priceless, precious, dear.

не/па́рный *a.* odd, uneven || **–пла́вкий** *a.* infusible || **–пла́та** & **–платёж** *s.* [a] non-payment || **–плате́льщик** *s.* insolvent debtor || **–пло́тный** *a.* incompact || **–победи́мый** *a.* invincible || **–пови́нный** *a.* innocent, guiltless; independent (of) || **–поворо́тливый** *a.* sluggish, inert, clumsy || **–пого́да** *s.* bad, inclement weather || **–погреши́мый** *a.* infallible, impeccable || **–подалёку** *ad.* not far off, at no great distance || **–податно́й** *a.* duty-free, exempt from duty or tax || **–подви́жный** *a.* immovable, motionless; (of stars) fixed || **–подде́льный** *a.* genuine, real || **–подку́пный** *a.* incorruptible; not to be bribed.

непо/дража́емый *a.* inimitable || **–дходя́щий** *a.* unsuitable || **–зволи́тельный** *a.* not allowed, unallowed, illicit || **–ко́йный** *a.* restless, ill at ease; troublesome || **–колеби́мый** *a.* steadfast, unshakeable, immovable || **–ко́рный** *a.* disobedient, not docile || **–ме́рный** *a.* immoderate, excessive; exorbitant.

непо/ня́тливый *a.* unintelligent, stupid, dull of comprehension || **–ня́тный** *a.* incomprehensible, unintelligible || **–ро́чный** *a.* irreproachable, pure, chaste || **–ря́док** *s.* (*gsg.* -дка) disorder || **–ря́дочный** *a.* in disorder, disorderly || **–се́д** *s.*, **–се́да** *s. m&f. coll.*, **–се́дка** *s.* (*gpl.* -док) a person without perseverance || **–си́льный** *a.* beyond one's strength || **–сле́довательный** *a.* inconsequent, inconsistent || **–слуша́ние** *s.* disobedience || **–слу́шный** *a.* disobedient || **–сре́дственный** *a.* immediate, proximate, direct || **–стижи́мый** *a.* incomprehensible, inconceivable || **–стоя́нный** *a.* inconstant, unsteady; changing, wavering || **–стоя́нство** *s.* inconstancy, instability, mutability.

непоти́зм *s.* nepotism.

непо/тре́бный *a.* useless, worthless; dissolute, lewd; ~ **дом** brothel, house of ill fame; **–тре́бная же́нщина** whore, prostitute || **–тре́бство** *s.* lewdness, profligacy || **–чте́ние** *s.* irreverence, lack of respect, disregard || **–чти́тельный** *a.* irreverent, disrespectful.

непра́вд/а *s.* falsehood, untruth; guilt, wrong, injustice || **–оподо́бие** *s.* improbability, unlikelihood || **–оподо́бный** *a.* improbable, unlikely.

непра́в/едный *a.* unjust, iniquitous, wrong || **–ильный** *a.* irregular, anomalous, incorrect || **–ый** *a.* unjust, wrong.

непред/ви́денный *a.* unforeseen || **–усмотри́тельный** *a.* improvident.

непре/кло́нный *a.* inflexible, inexorable || **–ло́жный** *a.* immutable; unchangeable || **–ме́нно** *ad.* by all means; certainly, without fail || **–ме́нный** *a.* unfailing, infallible, certain; (*math.*) constant; ~ **секрета́рь** permanent secretary || **–одоли́мый** *a.* irresistible; insuperable, insurmountable || **–ры́вный** *a.* continuous, uninterrupted || **–ста́нный** *a.* continuous, unceasing.

непри/вы́чка *s.* want of habit, of practice || **–вы́чный** *a.* unaccustomed, unwonted || **–го́дный** *a.* useless, incompetent, good for nothing || **–косновенный** *a.* inviolable || **–ли́чный** *a.* indecent, unseemly || **–ме́тный** *a.* imperceptible || **–мири́мый** *a.* implacable, irreconcilable || **–нуждённый** *a.* unconstrained, free and easy || **–ня́тие** *s.* rejection, nonacceptance || **–сто́йный** *a.* indecent, unbecoming || **–сту́пный** *a.* inaccessible; unapproachable; impregnable (of a fort) || **–су́тственный** *a.*, ~ **день** vacation-day; **–ное вре́мя** vacation-time; time on which the courts do not sit || **–тво́рный** *a.* sincere, ingenuous, unfeigned || **–ча́стный** *a.* not participating, not implicated in || **–я́зненный** *a.* hostile, inimical; grudging, malevolent || **–я́знь** *s. f.* hostility, enmity, hatred || **–я́тель** *s. m.*, **–я́тельница** *s.* enemy, foe || **–я́тельский** *a.* hostile; **–я́тельские де́йствия** *npl.* hostilities *pl.* || **–я́тный** *a.* disagreeable, unpleasant.

непро/бу́дный *a.* sound, lethargic(al) (of sleep); ~ **сон** (*fig.*) the sleep that knows no waking, death || **–должи́тельный** *a.* not lasting, short-lived, short, ephemeral || **–е́здный** *a.* impassable (of roads) || **–изво́льный** *a.* involuntary || **–мока́емый** *a.* impermeable, impervious to water; waterproof, watertight || **–ница́емый** *a.* impermeable, impervious; ~ **для во́здуха** airtight; ~ **для воды́** watertight || **–сти́тельный** *a.* inexcusable, unpardonable || **–ходи́мый** *a.* impassable, impracticable (of wood, morass).

непро́чный *a.* not solid, not durable.

нера́в/енство *s.* inequality, disparity || **–номе́рный** *a.* disproportionate || **–ный** *a.* unequal, unlike.

нерад/е́ние *s.* carelessness, neglect || **–и́вый** *a.* negligent, listless, careless.

нераз/бо́рчивый *a.* not particular, not fastidious; (ру́копись) illegible || **–де́льный** *a.* indivisible; undivided || **–лу́чный** *a.* inseparable || **–реши́мый** *a.* insoluble (problem, etc.) || **–ры́вный** *a.* indissoluble || **–у́мие** *s.* stupidity, folly, senselessness || **–у́мный** *a.* senseless, stupid, preposterous.

нерас/ка́янный *a.* impenitent, obdurate || **–положе́ние** *s.* dislike, disinclination || **–суди́тельный** *a.* rash, imprudent, inconsiderate || **–твори́мый** *a.* (*chem.*) insoluble || **–торо́пный** *a.* slow, sluggish, awkward.

нерв/ *s.* nerve || **–́ный** & **–о́зный** *a.* nervous.

нере́дко *ad.* often, frequently.

нереши́тельный *a.* irresolute, undecided, wavering.

неро́вный *a.* unequal; uneven.

нерукотвор/е́нный & **–́ный** *a.* not made by human hands.

неруши́мый *a.* indestructible.

нея́/ха *s. m&f. coll.* slovenly person, sloven, slut || **–шливый** *a.* slovenly.

не/сбы́точный *a.* impossible, not feasible || **–свари́мый** *a.* indigestible || **–све́дущий** (-ая, -ее) *a.* ignorant (of), unversed (in) || **–своевре́менный** *a.* untimely, inopportune || **–сво́йственный** *a.* not properly pertaining to || **–сгово́рчивый** *a.* intractable; hard to convince || **–сгора́емый** *a.* incombustible, fire-proof.

несе́ние *s.* bearing; ~ **яиц** laying (*cf.* нести́).

несес(с)е́р *s.* dressing-case; needle-case.

несёшь *cf.* **нести́.**

не/ска́занный *a.* unutterable || **–скла́дица** *s.* nonsense; incoherency || **–скла́дный** *a.* incoherent; nonsensical || **–склоня́емый** *a.* indeclinable.

не́сколько *ad.* some, a little, a few.

не/скро́мный *a.* immodest, indiscreet || **–слы́ханный** *a.* unheard of; strange || **–слы́шный** *a.* inaudible.

несмотря́ *ad.* notwithstanding, in spite of; ~ **на то, что** apart from the fact that. [insufferable.
несно́сный *a.* intolerable, unbearable,
несоблюде́ние *s.* non-observance.
несовершенноле́т/ие *s.* (*leg.*) minority, nonage || **-ний** *a.* minor, under age, not of age.
несоверше́н/ный *a.* imperfect, incomplete || **-ство** *s.* imperfection, imperfectness, incompleteness.
несовмест/и́мый & **∠ный** *a.* incompatible, inconsistent (with).
несогла́с/ие *s.* discord, dissension, variance || **-ный** *a.* discordant, at variance, not in agreement (with).
несо/измери́мый *a.* (*math.*) incommensurable || **-круши́мый** *a.* indestructible || **-мне́нно** *ad.* certainly, for certain, surely || **-мне́нный** *a.* indubitable; sure || **-обра́зный** *a.* incompatible || **-разме́рный** *a.* disproportionate, incommensurate || **-стоя́тельность** *s. f.* insolvency || **-стоя́тельный** *a.* insolvent.
несподру́чный *a.* inconvenient, not handy, not manageable.
неспосо́бный *a.* incapable, unable, unfit.
несправедли́вый *a.* unjust, wrong, wrongful. [matchless.
несравне́нный *a.* incomparable, peerless,
нестерпи́мый *a.* unbearable, intolerable.
нести́ 26. [а 2.] *va.* (*Pf.* по-) to carry; to bring, to bear; to wear; (*Pf.* с-) (о ку́рице) to lay; (терпе́ть) to bear, to endure; (до́лжность) to carry out, to perform; ~ **вздор, дичь, чепуху́, околе́сицу** to talk nonsense || ~ *vn.* to be a smell of; to be a draught; **здесь несёт** there's a draught; (of horses) to bolt || **~сь** *vn.* to hurry along, to drift, to flow; **молва́ несётся** there is a rumour; (*Pf.* с-) (о пти́це) to lay.
нестроево́й *a.* out of the ranks.
не/стро́йный *a.* shapeless, unwieldy; discordant; disorderly || **-сура́зный** *a.* ill-favoured; absurd || **-схо́дный** *a.* dissimilar, unlike, incongruous; (of price) high, exorbitant, unreasonable || **-схо́дство** *s.* dissimilarity, disparity, difference || **-сча́стие** *s.* ill-luck, misfortune, bad luck, adversity; **по** *or* **к -сча́стию** unfortunately, unhappily || **-счастли́вец** *s.* (*gsg.* -вца), **-счастли́вица** *s.* an unlucky person || **-счастли́вый** *a.* unfortunate, unhappy || **-сча́стный** *a.* unfortunate, unhappy, unlucky; ~ **слу́чай** an accident || **-счётный** *a.* innumerable.
нет *ad.* no, not || ~ *v.imp.* there is not, there are not; ~ **его́ до́ма** he is not at home; **у меня́** ~ I have not.
нетерп/ели́вый *a.* impatient, restless || **-е́ние** *s.* impatience || **-и́мый** *a.* intolerant, impatient. [able.
нетле́нный *a.* incorruptible, imperish-
не́топырь *s. m.* (*zool.*) bat. [rect.
нето́чный *a.* inexact, inaccurate, incor-
нетре́звый *a.* intoxicated, tipsy.
не-тро́нь-меня́ *s.* (*bot.*) touch-me-not, yellow balsam.
не́тто *ad.* (*comm.*) net.
не́ту (*fam.*) = **нет.**
неуваж/е́ние *s.* disrespect, disregard || **-и́тельный** *a.* disrespectful, contemptuous; not worth noticing.
неувяда́емый *a.* unfading, fadeless.
неугас/а́емый & **∠ный** *a.* inextinguishable.
неугомо́нный *a.* turbulent; restless.
неуда́ч/а *s.* lack of success; failure, miscarriage || **-ник** *s.*, **-ница** *s.* unlucky person || **-ный** *a.* unsuccessful; abortive.
неудержи́мый *a.* irresistible, intractable.
неудо́б/ный *a.* inconvenient || **-овари́мый** *a.* indigestible || **-ство** *s.* inconvenience, difficulty. [tory.
неудовлетвори́тельный *a.* unsatisfac-
неудово́льствие *s.* discontent, displeasure.
неуже́ли *ad.* is it possible? indeed? do you say so? really? ~ **он бо́лен?** is it possible that he is ill?
неужи́вчивый *a.* intolerant; unsociable, quarrelsome.
неузнава́емый *a.* not recognizable, indiscernible.
неукло́нный *a.* steadfast, firm. [sy.
неуклю́жий (-ая, -ее) *a.* awkward, clum-
неукосни́тельный *a.* immediate, prompt, speedy.
неукроти́мый *a.* unruly, untam(e)able.
неулови́мый *a.* not to be caught.
неум/е́лый *a.* clumsy; ignorant || **-е́нье** *s.* ignorance || **-е́ренный** *a.* immoderate, excessive, measureless.
неуме́стный *a.* out of place, misplaced, unsuitable.
неумоли́мый *a.* inexorable, implacable.
неумо́л/кный & **-чный** *a.* incessant, clamorous.
неумы́шленный *a.* unintentional, unpremeditated.

неупла́та *s.* non-payment.
неупотреби́тельный *a.* not in use.
неурожа́й/ *s.* failure of crops; bad harvest || **-ный** *a.* unfruitful, bad.
неуро́чный *a.* unseasonable.
неуря́дица *s.* disorder, confusion.
неусто́й/ка *s.* (*gpl.* -бек) failure (to keep a promise); breach of contract; fine for such a breach || **-чивый** *a.* irresolute; failing to keep one's word.
неустраши́мый *a.* intrepid, dauntless.
неустро́йство *s.* disorder, disarray.
неусту́пчивый *a.* tenacious, obstinate.
неусы́пный *a.* indefatigable, unwearied.
неу/те́шный *a.* disconsolate, inconsolable || **-толи́мый** *a.* unappeasable, insatiate || **-томи́мый** *a.* indefatigable, unwearied.
не́уч/ *s.* churl, ill-bred man || **-ти́вость** *s.f.* impoliteness, incivility; ill-breeding || **-ти́вый** *a.* impolite; ill-bred.
неуязви́мый *a.* invulnerable.
нефри́т *s.* (*min.*) nephrite, jade; (*med.*) nephritis.
нефт/епромы́шленность *s.f.* naphtha production, naphtha industry || **-епромы́шленный** *a.* of the naphtha industry || **-ь** *s.f.* naphtha || **-яно́й** *a.* naphtha-.
нехорошо́ *ad.* badly; not too well.
не́хотя *ad.* unwillingly, reluctantly, against one's will.
нецелесообра́зный *a.* inexpedient.
нецензу́рный *a.* not passed by the censor.
неча́/янно *ad.* unexpectedly, unawares || **-янный** *a.* unlooked-for, unexpected.
не́чего *adverb. expression* nothing, it is useless to, there is no need to; **вам ~ боя́ться** you have nothing to fear.
нечест/и́вец *s.* (*gsg.* -вца) impious person || **-и́вый** *a.* impious, godless.
нече́стный *a.* dishonest, dishonourable.
не́чет *s.* uneven, odd number; **чёт или ~** odd or even.
нечётный *a.* odd, uneven.
нечисто/пло́тный *a.* slovenly, dirty || **-та́** *s.* [h] uncleanliness, dirtiness; impurity, foulness; dirt (sweepings *pl.*, dust, etc.).
нечи́стый *a.* unclean, dirty; impure, foul; **-ое де́ло** *a.* suspicious affair; **~ на́ руку** light-fingered; **~ (дух)** Satan, the devil.
не́что *prn.* something, somewhat.
нечувстви́тельный *a.* unfeeling, lacking in feeling.
не́што (*vulg.*) = **ра́зве.**
нешу́точный *a.* in earnest, not joking, serious.
неща́дный *a.* unsparing, relentless, unmerciful.
не́ю = **е́ю** *after prepositions e.g.* **с ~** with her.
нея́вка *s.* (*gpl.* -вок) non-appearance; **~ в суд** default.
нея́сный *a.* indistinct, not clear.
ни *c.* not; **~ . . . ~** neither . . . nor; **что я ему́ ~ говори́л** whatever I said to him; **~ на час** not even for a single hour; **как он ~ стара́лся** in spite of all his efforts; **~ за что́** not for the world; **кто бы ~ был** whoever it may be.
нибу́дь *cf.* **кто-нибу́дь, что-нибу́дь,** etc.
ни́ва *s.* field; arable field.
нивели́ро+ва́ть II. [& b] *va.* (*Pf.* с-) to level.
нигде́ *ad.* nowhere.
нигили́ст/ *s.*, **-ка** *s.* (*gpl.* -ток) nihilist.
нижа́йший *cf.* **ни́зкий.**
ни́же/ (*comp. of* ни́зкий) lower; less; **~ пяти́ рубле́й** less than five roubles || **-(по)имено́ванный** *a.* named below || **-подписа́вшийся** *s.* the undersigned.
ни́жний *a.* low, lower, under, inferior; **~ эта́ж** ground-floor; **-няя пала́та** the Lower House, the House of Commons.
низ *s.* [b°] lower part; bottom; ground-floor; (*med.*) stool.
низ-а́ть I. 1. [c] *va.* to string, to thread (pearls).
низведе́ние *s.* leading down; degradation, deposition.
низверга́-ть II. *va.* (*Pf.* низве́ргнуть 52.) to throw down, to cast down; (*chem.*) to precipitate.
низверже́ние *s.* casting down, precipitation.
низвод=и́ть I. 1. [c] *va.* (*Pf.* низвести́ 22. [a 2.]) to lead down; to debase, to humble, to degrade.
ни́зенький *a.* rather low (*dim. of* ни́зкий).
низина́ *s.* [h] low ground, a low place.
ни́зкий *a.* (*comp.* ни́же, *comp. & sup.* ни́зший, *sup.* нижа́йший) low; base; of bad quality; mean.
низко/покло́нный *a.* cringing, servile || **-про́бный** *a.* of base alloy; **-про́бная моне́та** debased coin.
низлага́-ть II. *va.* (*Pf.* низлож=и́ть I. [c]) to throw, to cast down; to depose; to subdue; to conquer.
низложе́ние *s.* laying down, deposition; conquering.
ни́зменный *a.* low, low-lying.
ни́зовый *a.* lower, lying lower down a river.
низо́вье *s.* land lying near the mouth of a river.
низойти́ *cf.* **нисходи́ть.**
ни́зость *s.f.* lowness; meanness, baseness, vileness.
ни́зший *cf.* **ни́зкий.**

низь *s.f.* a low place; string (of pearls, etc.).
никак *ad.* in no way, not at all, in no wise, by no means.
никакой *prn.* none, no, not one, not any, none at all; **ни в каком случае** by no means, in no case whatsoever.
ник(к)ел/евый *a.* nickel-|| **–ь** *s.m.* nickel.
ни/когда *ad.* never; **его почти ~ нет дома** he is scarcely ever at home || **–коим, ~ образом = никак** || **–котин** *s.* nicotine || **–кто** *prn.* nobody, no one, none || **–куда** *ad.* nowhere; **это ~ не годится** that's of no earthly use || **–мало = нисколько.**
нимфа *s.* nymph.
ни/откуда *ad.* from nowhere || **–сколько** *ad.* not at all, not in the least.
ниспада-ть II. *vn.* (*Pf.* ниспасть 22. [a 1.]) to fall down.
ниспосыла-ть II. *va.* (*Pf.* ниспослать 40. [a 1.]) to send down (from heaven).
ниспровергать = низвергать.
нисход=ить I. 1. [c] *vn.* (*Pf.* низойти 48.) to go down, to descend.
нит/ка *s.* (*gpl.* -ток), *dim.* **–очка** *s.* (*gpl.* -чек) thread || **–очный** *a.* thread-, of thread.
нитроглицерин *s.* nitroglycerine.
нитчатый *a.* of thread.
нить *s.f.* thread; filament; **~ жизни** (*fig.*) thread of life.
них = их *after prepositions e.g.* **в ~** in them.
ниц = ничком.
ничего nothing, tolerably, it doesn't matter; **~ себе** so-so, passably (*cf.* ничто).
ничей (ничья, -ье, *pl.* -ьи) no one's, belonging to nobody.
ничком *ad.* flat, face downwards, on one's face.
ничто/ *prn.* nothing || **–жный** *a.* of no importance, insignificant.
ничуть *ad.* by no means, not at all.
ни/чьё, –чья *cf.* **–чей.**
ниш/ & **˗а** *s.* niche.
нища-ть II. *vn.* (*Pf.* об-) to become poor.
нищ/енка *s.* (*gpl.* -нок) beggar(-woman) || **–енский** *a.* beggarly, beggarlike, beggar's || **–енство** *s.* beggary, mendicity || **–енство+вать** II. *vn.* to beg, to live by begging || **–ета** *s.* poverty, indigence || **–ий** (-ая, -ее) *a.* indigent, poor, in need || **~** (*as s.*) beggar, mendicant, pauper.
но *c.* but; yet; **не только . . ., но и . . .** not only . . ., but also.
новелла *s.* novel.
нов/изна *s.* novelty, innovation || **–ина** *s.* fresh land, freshly ploughed land || **–инка** *s.* (*gpl.* -нок) novelty || **–ица** novice (in monastery) || **–ичок** *s.* [a] (*gsg.* -чка) *dim. of prec.* & novice, beginner, greenhorn || **–обранец** *s.* (*gsg.* -нца) recruit || **–обрачный** *a.* newly-wedded, newly-married || **–введение** *s.* innovation || **–озаветный** *a.* of the New Testament || **–олуние** *s.* new moon || **–омодный** *a.* new-fashioned || **–орождённый** *a.* newly-born || **–оселье** *s.* new quarters *pl.*; moving into new quarters; **праздновать ~** to give a house-warming.
новость *s.f.* [c] novelty, newness; news *pl.*
новшество *s.* innovation, novelty.
новый *a.* new, recent, fresh.
новь *s.f.* virgin soil, fresh land; first fruit; new moon.
нога *s.* [f] leg; foot; **итти в ногу** (*mil.*) to march in step; **со всех ног** at full speed; **на мирной ноге** on peace-footing; **сбить** (кого) **с ног** to overthrow, to overturn; to harass, to tire out; (*fig.*) to confound.
ногот/ок *s.* [a] (*gsg.* -тка), **–очек** *s.* (*gsg.* -чка) *dim. of foll.*
ноготь *s.m.* [c] (*pl.* ногти) nail (on finger or toe).
ногтоед/ & **–а** *s.* whitlow.
нож/ *s.* [a] knife || **˗ик** *s.* & **˗ичек** *s.* (*gsg.* -чка) small knife; **перочинный** *or* **карманный ~** pen-knife || **˗ка** *s.* (*gpl.* -жек) small foot *or* leg; leg (of a chair, etc.); stem (of a wine-glass) || **˗ницы** *s. fpl.* scissors *pl.*, a pair of scissors || **–ной** *a.* of the foot, of the leg || **–ны** *s. fpl.* [a] (*G.* -жён) sheath, scabbard.
ноздреватый *a.* porous, spongy, full of holes.
ноздря *s.* [e] nostril.
номад s. nomad.
номенклатура *s.* nomenclature.
номер/ *s.* number; room (in a hotel) || **–ной** (*as s.*) boots (at a hotel) || **–ок** *s.* [a] (*gsg.* -рка) small number, small room (in a hotel).
номинальный *a.* nominal.
нонпарель *s.f.* (*typ.*) nonpareil.
нора *s.* [f] hole, den, lair, burrow.
норд *s.* (*mar.*) north; north wind.
норка *s.* (*gpl.* -рок) *dim.* den; (*zool.*) marsh-otter, mink.
норм/а *s.* norm, rule || **–альный** *a.* normal.
норов/ *s.* habit, usage, custom; whim, caprice; stubbornness || **–истый** *a.* capricious, stubborn.

норов=и́ть II. 7. [a] *vn.* (*Pf.* по-) to watch an opportunity, to wait for a favourable moment; (кому́) to act in the interests (of); (во что) to aim (at).
норо́к *s.* [a] (*gsg.* -рка́) weasel.
нос/ *s.* [b°] nose; beak; prow (of ship); (*geog.*) cape, spit of land; **говори́ть в ~** to speak through the nose || **-а́стый** *a.* large-nosed, long-nosed || **-́ик** *s.* small nose; small beak.
носи́л/ки *s. fpl.* (*gpl.* -лок) litter, sedan-chair; stretcher || **-ьный** *a.* for carrying, portable, for wearing; **-ьное бельё** body-linen || **-ьщик** *s.* porter.
нос=и́ть I. 3. [c] *va.* (*Pf.* по-) to bear, to carry, to wear; to lay (eggs) || **~ся** *vr.* to wear well (of clothes); to float, to be wafted; to hover; **но́сится слух** it is rumoured.
но́с/ка *s.* carrying, bearing; wearing (of clothes) || **-кий** *a.* durable, wearing well (of clothes); good for laying (of hens) || **-ово́й** *a.* of the nose, nasal; (*mar.*) of the bow; **~ звук** (*gramm.*) nasal; **~ плато́к** handkerchief; **-ова́я часть судна́** the bows *pl.* || **-огре́йка** *s.* (*gpl.* -е́ек) short-stemmed pipe || **-о́к** *s.* [a] (*gsg.* -ска́) small nose; snout, nozzle; foot (of a sock); toe (of a boot) || **-оро́г** *s.* rhinoceros.
но́т/а *s.* note; (*in pl.*) music || **-а́риус** *s.* notary || **-а́ция** *s.* reprimand, lecture; **дать, прочита́ть** (кому́) **-а́цию** to read one a lecture || **-ный** *a.* music-, note.
ноче+ва́ть II. [b] *vn.* (*Pf.* за-, пере-) to pass the night, to spend the night.
ноч/ёвка *s.* (*gpl.* -вок) spending the night; a night's lodging || **-ле́г** *s.* night's lodging, lodging for the night || **-ле́жник** *s.*, **-ле́жница** *s.* night's lodger || **-ле́жное** (*as s.*) price of a night's lodging || **-ни́к** *s.* [a] night-light || **-но́й** *a.* night-, of the night, nocturnal.
ночь *s. f.* [c] night, night-time; **при наступле́нии но́чи** at nightfall; **но́чью** by night, in the night, during the night; **споко́йной но́чи**! good night!
но́ш/а *s.* load, burden || **-е́ние** *s.* carrying.
ноя́брь/ *s. m.* [a] November || **-ский** *a.* of November, November-.
нрав *s.* character, temper, humour, disposition; (*in pl.*) manners, customs *pl.*
нра́в=иться II. 7. *vn.* (*Pf.* по-) to please.
нраво/уче́ние *s.* ethics *pl.*; moral philosophy || **-учи́тель** *s.m.* moralist, moral philosopher.
нра́вственный *a.* moral.
н./ст. *abbr. of* **но́вого сти́ля** = new style.
ну *int.* come! well! well then! now then! **~ скоре́е!** now then, be quick about it; **~ ла́дно!** well, all right! **~ его́!** deuce take him! confound him!
ну́жда́ *s.* [d] need, want, necessity; **~ в де́ньгах** lack of money; **нет -ы́** there is no need; **-ы нет!** it does'nt matter; don't mention; **в слу́чае -ы́** in case of necessity, if necessary; **по -е́** of necessity.
нужда́-ться II. [b] *vn.* (в чём) to need, to be in want (of), to be short (of).
ну́ж/ник *s.* water-closet || **-ный** *a.* necessary, requisite; pressing, urgent || **-но** *ad.*, **мне -но** I must || **-ное** (*as s.*) necessaries *pl.*
ну́-ка *int.* now then! well!
нул/ево́й *a.* null || **-ь** *s. m.* [a] nought, cipher, null; zero (on scales).
ну́мер/ = **но́мер** || **-а́ция** *s.* numeration || **-о+ва́ть** II. [b] *va.* (*Pf.* за-) to number.
нумизма́тика *s.* numismatics *pl.*
ну́нций *s.* (papal) nuncio.
нутро́ *s.* inside, interior; bowels *pl.*, entrails *pl.*; **э́то мне по -у́** that suits me.
ны́нешний *a.* present, of the present time; this day's; **~ день** this day.
ны́н(ч)е *ad.* now, at present, to-day, nowadays.
ныря́-ть II. *vn.* (*Pf.* нырн=у́ть I. [a]) (во что) to dive, to plunge; to sneak in.
ныть 28. *vn.* (*Pf.* за-) to ache, to fret (about); **у меня́ се́рдце но́ет** my heart is breaking.
нытьё *s.* dull pein, ache.
ню́хательный *a.* for smelling; **~ таба́к** snuff.
ню́ха-ть II. *va.* (*Pf.* по-, *mom.* ню́хн-уть I.) to smell, to sniff; to take (snuff).
ня́ньч=ить I. *va.* (*Pf.* вы-) to nurse, to dandle (a child) || **~ся** *vn.* (с кем) to take a great deal of trouble (with).
ня́н/я *s.*, **-ька** *s.* (*gpl.* -нек), **-юшка** *s.* (*gpl.* -шек) nurse.

О

о (об, обо) *prp.* (+ *Pr.*) of, concerning, about, upon; (+ *A.*) against || **~** *int.* oh!
оа́зис *s.* oasis.
об *cf.* **о.**
о́ба *num. pl. m&n.* (*G.* обо́их) both.
обагря́-ть II. *va.* (*Pf.* обагр=и́ть II. [a]) to redden; **~ кро́вью** to stain with blood.

обанкру́титься *cf.* **банкру́титься.**
обая́/ние *s.* fascination, charm, enchantment || **-тельный** *a.* fascinating, charming, enchanting.
обва́л/ *s.* falling (in, down), collapse; **го́рный ~** landslide || **-ива-ть** II. *va.* (*Pf.* обвал=и́ть II. [a & c]) to heap round; to tumble down, to shake down || **~ся** *vr.* to collapse. [knead.
обва́лива-ть II. *va.* (*Pf.* обваля́-ть II.) to
обва́рива-ть II. *va.* (*Pf.* обвар=и́ть II. [a & c]) to scald.
об/везти́ *cf.* **-вози́ть** || **-венча́ть** *cf.* **венча́ть** || **-вёртыва-ть** II. *va.* (*Pf.* -верт=е́ть I. 2. [a & c] & -верн-у́ть I. [a]) (чем, во что) to wrap (up), to envelop, to fold || **-ве́с** *s.* wrong weight || **-вести́** *cf.* **-води́ть** || **-ветша́лый** *a.* old, decayed, superannuated || **-ветша́ть** *cf.* **ветша́ть** || **-вечере́ть** *cf.* **вечере́ть** || **-ве́шива-ть** II. *va.* (*Pf.* -ве́с=ить I. 3.) to wrong a person in the weight; (*Pf.* -ве́ша-ть II.) (чем) to hang (round) || **-ве́ять** *cf.* **ве́ять** || **-вива́-ть** II. *va.* (*Pf.* -ви́ть 27. [a 1.], *Fut.* обовью́, -вьёшь) to twist round, to wind round; to wrap (up); to enlace || **~ся** *vr.* to twist, to twine, to wind round, to writhe, to clime || **-вине́ние** *s.* accusation, charge || **-вини́тель** *s. m.*, **-вини́тельница** *s.* accuser; prosecutor, plaintiff || **-вини́тельный** *a.* accusatory || **-виня́-ть** II. *va.* (*Pf.* -вин=и́ть II.) (кого́ в чём) to accuse; to charge (with) || **-виса́-ть** II. *vn.* (*Pf.* -ви́снуть 52.) to hang down, to droop || **-ви́слый** *a.* drooping, hanging down || **-ви́ть** *cf.* **-вива́ть** || **-во́д** *s.* enclosing, surrounding || **-вод=и́ть** I. 1. [c] *va.* (*Pf.* -вести́ & -ве́сть 22. [a 2.]) to lead round; (чем) to surround, to encompass || **-во́дный** *a.* encircling, enclosing, surrounding || **-воз=и́ть** I. 1. [c] *va.* (*Pf.* -ве́зть & -везти́ 25.) to drive, to convey round || **-вора́жива-ть** II. & **-ворожа́-ть** II. *va.* (*Pf.* -ворож=и́ть I. [a]) to charm, to bewitch, to fascinate || **-воро́выва-ть** II. *va.* (*Pf.* -воро+ва́ть II. [b]) to steal, to rob, to plunder || **-ворожи́тельный** *a.* charming, enchanting || **-вя́зыва-ть** II. *va.* (*Pf.* -вяз-а́ть I. 1. [c]) to tie round; to wrap round, to wind about (*e. g.* trees).
об/га́жива-ть II. *va.* (*Pf.* -га́д=ить I. 1.) to befoul, to soil.
об/гиба́-ть II. *va.* (*Pf.* -огн-у́ть I.) to turn round; to drive round *or* about; (*mar.*) to sail round, to weather (a cape) || **-гла́дыва-ть** II. *va.* (*Pf.* -глод-а́ть I. 1. [c]) to gnaw (all) round || **-го́н** & **-го́нка** *s.* outrunning, outstripping || **-гоня́-ть** II. *va.* (*Pf.* -огна́ть 11. [c], *Fut.* -гоню́, -го́нишь) (кого́) to outrun, to outstrip || **-гора́-ть** II. *vn.* (*Pf.* -гор=е́ть II. [a]) to burn (all) round; to burn down || **-горе́лый** *a.* burnt (all) around || **-грыза́-ть** II. *va.* (*Pf.* -гры́зть 25. [a 1.]) to gnaw at, to gnaw around.
об/дава́ть 39. *va.* (*Pf.* -да́ть 38.) to pour upon, to overflow || **~** *v.imp.*, **обдаёт хо́лодом** my flesh creeps || **-де́лка** *s.* (*gpl.* -лок) work, mounting, setting || **-де́лыва-ть** II. *va.* (*Pf.* -де́ла-ть II.) to fashion, to form, to work; to finish; to arrange; to cheat || **-деля́-ть** II. *va.* (*Pf.* -дел=и́ть II. [a & c]) to wrong s.o. (in sharing) || **-дёргива-ть** II. *va.* (*Pf.* -дёрга-ть II., *mom.* -дёрн-уть I.) to draw, to pull round; to draw, to close (the curtains); to arrange, to put in order (one's clothes) || **-дира́-ть** II. *vn.* (*Pf.* -одра́ть 8. [a], *Fut.* -деру́, -дерёшь) to tear off all round; to bark, to peel (a tree); to flay, to skin (an ox) || **-дува́-ть** II. *va.* (*Pf.* -ду́-ть II. [b]) to blow away, off; to dupe, to fool || **-ду́мыва-ть** II. *va.* (*Pf.* -ду́ма-ть II.) to consider, to ponder, to meditate, to reflect.
о́бе *num. fpl.* (*G.* обе́их) both.
обега́-ть II. *va.* (*Pf.* обе́га-ть II.) to run over, to run through, to run from one end to the other; (*Pf.* обежа́ть 46.) to ramble, to wander; to run round; to avoid, to flee from; to overtake, to overhaul || **~** *vn.*, **~ круго́м** to run around.
обе́д/ *s.* dinner, lunch; **-нее вре́мя** dinner-time || **-а-ть** II. *vn.* (*Pf.* по-, от-) to dine, to have dinner || **-енный** *a.* dinner-.
обедн/е́лый *a.* impoverished, reduced to poverty || **-е́ть** *cf.* **бедне́ть.**
обе́дня *s.* (*gpl.* -ден) mass.
обез/гла́влива-ть II. *va.* (*Pf.* -гла́в=ить, II. 7.) to behead, to decapitate || **-до́лива-ть** II. *va.* (*Pf.* -до́л=ить II.) to deprive s.o. of his share; to make unfortunate || **-ле́с=ить** I. 3. *va. Pf.* to clear of woods || **-ли́чива-ть** II. *va.* (*Pf.*-ли́ч=ить I.) to generalize || **-лю́де-ть** II. *vn. Pf.* to become depopulated || **-лю́д=ить** I. 1. *va. Pf.* to depopulate || **-надёжива-ть** II. *va.* (*Pf.* -надёж=ить I.) to bereave of hope || **-обра́жива-ть** II. *va.* (*Pf.* -обра́з=ить I. 1.) to disfigure, to mutilate || **-опа́сить** *cf.*

безопа́сить || **–ору́жива-ть** II. *va.* (*Pf.* -ору́ж=ить I.) to disarm; (*fig.*) to pacify || **–у́меть** *cf.* **безу́меть.**

обезья́н/а *s.* ape, monkey || **–(н)ича-ть** II. *vn.* to ape, to mimic || **–ство** *s.* aping, apish imitation.

обели́ск *s.* obelisk.

обе́лива-ть II. & **обеля́-ть** II. *va.* (*Pf.* обел=и́ть II. [a & c]) to whiten, to whitewash.

оберега́-ть II. *va.* (*Pf.* оберéчь 15. [a 2.]) to protect, to guard || **~ся** *vr.* (от чего́) to guard against, to beware of.

обер-/кондýктор *s.* (*rail.*) (chief) guard || **–прокуро́р** *s.* attorney-general.

обёртка *s.* (*gpl.* -ток) cover, wrapper, envelope.

обес/кура́жива-ть II. *va.* (*Pf.*-кура́ж=ить I.) to discourage, to dishearten || **–пе́чение** *s.* bail, security, guarantee || **–пе́чива-ть** II. *va.* (*Pf.* -пе́ч=ить I.) to bail, to secure, to guarantee || **–поко́ить** *cf.* **беспоко́ить** || **–си́леть** *cf.* **бесси́леть** || **–си́лива-ть** II. *va.* (*Pf.* -си́л=ить II.) to weaken, to enfeeble || **–сме́рт=ить** II. *va. Pf.* to immortalize || **–цве́чива-ть** II. *va.* (*Pf.* -цве́т=ить I. 2.) to discolour, to deprive of colour || **–це́нива-ть** II. *va.* (*Pf.* -цен=и́ть II. [a & c]) to deprive of value, to reduce in value, to make valueless || **–че́стить** *cf.* **бесче́стить.**

обе́т/ *s.* vow, solemn promise || **–ова́ние** *s.* promise || **–о́ва́нный** *a.* (*eccl.*) promised, of promise.

обещ/а́ние *s.* promise word || **–а́-ть** II. *va.* (*Pf.* по-) to promise, to vow.

об/жа́ло+вать II. *va. Pf.* to accuse, to lodge a complaint || **–же́чь** *cf.* **–жига́ть** || **–жива́-ться** II. *vn.* (*Pf.* -жи́ться 31. [a 3.]) to become acclimatized, to get used to a new dwelling; (*fig.*) to be at home || **–жига́(те)льный** *a.* for burning; for baking (bricks); for calcining (metals) || **–жига́-ть** II. *va.* (*Pf.* -же́чь 16., *Fut.* обожгу́, -жжёшь, -жгу́т) to burn (*e. g.* a finger); to scald (with hot water); to bake (bricks); to calcine (metals) || **~ся** *vr.* (чем) to burn o.s.; to scald o.s. || **–жира́-ться** II. *vn.* (*Pf.* -ожр-а́ться I. [a]) to cram o.s.; to surfeit o.s. || **–жи́ться** *cf.* **жива́ться** || **–жо́ра** *s. m&f. coll.* glutton || **–жо́рливость** *s. f.* gluttony, voracity || **–жо́рливый** *a.* gluttonous, voracious || **–жо́рство** *s.* gluttony, greediness, voracity.

обза/веде́ние *s.* furnishing (with necessary things); installation || **–вод=и́ть** I. 1. [c]) *va.* (*Pf.* -вести́ 22.) to furnish (with necessary things), to fit up || **~ся** *vr.* to provide o.s. (with); to instal o.s.

обзо́р/ *s.* cursory view, survey; outline; horizon || **–ный** *a.* observation-; visible on all sides.

обзыва́-ть II. *va.* (*Pf.* обозва́ть 10. [a], *Fut.* обзову́, -ёшь) to call by name; to call (one) names, to scold.

обива́-ть II. *va.* (*Pf.* оби́ть 27., *Fut.* обобью́, -ьёшь) to clout, to board, to case; to knock, to strike off (apples); to wear out, to push off; **~ обо́ями** to hang with tapestry *or* wall-paper.

оби́вка *s.* (*gpl.* -вок) clouting, ironwork; casing; hanging.

оби́д/а *s.* insult, affront, outrage; wrong, injustice, damage, injury || **–еть** *cf.* **обижа́ть** || **–ный** *a.* offensive, abusive; prejudicial, injurious || **–чивый** *a.* susceptible, touchy, easily offended || **–чик** *s.*, **–чица** *s.* affronter, offender, insulter.

обижа́-ть II. *va.* (*Pf.* оби́д=еть I. 1.) to affront, to offend, to insult; to injure, to wrong.

оби́л/ие *s.* abundance, plenty || **–ьный** *a.* abundant, plentiful, copious.

обиняки́ *s. mpl.* subterfuges *pl.*, circumlocution, beating about the bush.

обира́-ть II. *va.* (*Pf.* обобра́ть 8.) to gather, to pluck, to pick; to rob; (*fig.*) to fleece.

обит/а́емый *a.* habitable || **–а́тель** *s. m.*, **–а́тельница** *s.* inhabitant, resident, inmate || **–а́-ть** II. *va&n.* to inhabit, to dwell, to reside. [*cf.* **обива́ть.**

оби́т/ель *s. m.* cloister, monastery || **–ь**

обихо́д/ *s.* housekeeping || **–ный** *a.* household-, daily, everyday; necessary, requisite.

об/ка́лыва-ть II. *va.* (*Pf.* -кол-о́ть II. [c]) to cleave, to break round (ice); to cut, to hew (a block); to pin (strings) || **–кла́дка** *s.* (*gpl.* -док) edging, trimming, bordering || **–кла́дыва-ть** II. *va.* (*Pf.* -лож=и́ть I. [c]) to edge, to trim, to lace (a dress); (*Pf.* -(о)кла́сть 22.) to lay round, to line, to border (with stones); to impose (taxes) || **–кле́ива-ть** II. *va.* (*Pf.* -кле́=ить II. & -кле=и́ть II. [a]) to glue round, to paste over; to inlay; **~ обо́ями** to paper (walls) || **–кле́йка** *s.* (*gpl.* -еек) pasting; **~ обоями** papering || **–кра́дыва-ть** II. *va.* (*Pf.* об(о)кра́сть

22. [a 1.]) to steal from, to rob, to plunder, to pilfer || **–ла́ва** *s.* beat, battue, beating (in hunting) || **–лага́-ть** II. *va.* (*Pf.* -лож=и́ть I. [c]) to besiege, to lay siege to, to invest; to impose (something on s.o.).

облагоро́/жива-ть II. *va.* (*Pf.* -д=ить I. 1.) to ennoble.

облад/а́ние *s.* possession; domination || **–а́тель** *s. m.*, **–а́тельница** *s.* possessor, owner, master || **–а́-ть** II. *vn.* (чем) to possess, to own, to have; to be master of.

о́блако *s.* [b] (*pl.* -а́, -о́в) cloud.

об/ла́мыва-ть II. *va.* (*Pf.* -лома́-ть II. & -лом=и́ть II. 7. [c]) to break down, off (all round).

обласка́ть *cf.* **ласка́ть.**

областно́й *a.* provincial; district-, territorial.

о́бласть *s. f.* [c] province, district.

обла́тка *s.* (*gpl.* -ток) wafer.

об/лача́-ть II. *va.* (*Pf.* -лач=и́ть I. [a]) to invest, to adorn, to array (a priest) || **–лаче́ние** *s.* array; vestments *pl.*

о́блач/ко *s.* [b & c] (*pl.* -ка́ & -ки, *G.* -ко́в) small cloud || **–ный** *a.* cloudy.

об/ла́-ять II. *va.* to bark at || **–лега́-ть** II. *va.* (*Pf.* -ле́чь 43.) to surround; to blockade, to invest, to besiege || **–легча́-ть** II. *va.* (*Pf.* -легч=и́ть I.) to ease, to lighten; to relieve, to alleviate, to mitigate || **–легче́ние** *s.* easement, relief, alleviation, mitigation || **–легчи́тельный** *a.* palliative, giving relief || **–леза́-ть** II. *va&n.* (*Pf.* -ле́зть 25.) (о́коло чего́, что) to crawl, to climb, to creep round || ~ *vn.* to fall out (of the hair) || **–лека́-ть** II. *va.* (*Pf.* -ле́чь 18.) to wrap up; to clothe, to invest, to array || **–лени́ться** *cf.* **лени́ться** || **–лепля́-ть** II. *va.* (*Pf.* -леп=и́ть II. 7. [c]) to stick round; to settle down on (of flies, etc.) || **–лета́-ть** II. *va.* (*Pf.* -лет=е́ть I. 2. [a]) to fly round; to fly through, to come about || ~ *vn.* to fall off (of leaves) || **–ле́чь** *cf.* **–лега́ть** & **–лека́ть** || **–лива́-ть** II. *va.* (*Pf.* -ли́ть 27., *Fut.* оболью́, -ьёшь) to pour over, to drench || **~ся** *vr.* to pour over o.s. (cold water); ~ **слеза́ми** to burst into tears.

облига́ция *s.* bond, obligation.

обли́зыва-ть II. *va.* (*Pf.* облиз-а́ть I. 1. [c]) to lick off, to lick at.

о́блик *s.* features *pl.*, look, appearance.

об/ли́ть *cf.* **–лива́ть** || **–лицо́вка** *s.* (*gpl.* -вок) boarding; plastering, facing; stucco-work || **–лицо́выва-ть** II. *va.* (*Pf.* -лице+ва́ть II. [b]) to board; to face (with boards *or* plaster) || **–лича́-ть** II. *va.* (*Pf.* -лич=и́ть I.) to detect, to disclose; to show (a talent); (кого́ в чём) to convict, to accuse, to unmask || **–личе́ние** *s.* detection, disclosure; conviction || **–личи́тель** *s. m.* convicter; discloser, discoverer || **–личи́тельный** *a.* accusatory, incriminating || **–ложе́ние** *s.* trimming, edging, mounting; assessment; (*mil.*) investment || **–ложи́ть** *cf.* **–кла́дывать** & **–лага́ть** || **–ло́жка** *s.* edging, trimming; cover (of a book) || **–лока́чива-ться** II. *vr.* (*Pf.* -локот=и́ться I. 2. [a]) to lean one's elbow(s) on || **–лома́ть** *cf.* **–ла́мывать** || **–ло́мовщина** *s.* carelessness, lack of energy, laziness; unconcern || **–ло́мок** *s.* (*gsg.* -мка) fragment, broken piece, splinter; (*in pl.*) remains *pl.*, debris, wreck, ruins *pl.* || **–лупа́ть** *cf.* **лупи́ть** || **–лы́жный** *a.* false, slanderous || **–лысе́ть** *cf.* **лысе́ть** || **–любо+ва́ть** II. [b] *va. Pf.* to be pleased (with), to like, to become fond (of), to choose.

об/ма́зыва-ть II. *va.* (*Pf.* -ма́з-ать I. 2.) to coat; to anoint, to smear, to spread; to cement || **–ма́кива-ть** II. *va.* (*Pf.* -макн-у́ть I. [a]) to dip, to steep.

обма́н/ *s.* deceit, delusion, hoax, imposture, fraudulency || **–ный** *a.* deceitful, deceptive; fraudulent || **–чивость** *s. f.* deception, delusion, illusion || **–чивый** *a.* deceptive, illusory || **–щик** *s.*, **щица** *s.* cheat, impostor, fraud || **–ыва-ть** II. *va.* (*Pf.* обман-у́ть I. [a]) to cheat, to delude, to deceive; to hoax, to take in, to dupe.

об/ма́рыва-ть II. *va.* (*Pf.* -мара́-ть II.) to soil, to dirty all over || **–ма́тыва-ть** II. *va.* (*Pf.* -мота́-ть II.) to wind round || **–ма́хива-ть** II. *va.* (*Pf.* -махн-у́ть I.) to fan away, to blow off; ~ **пыль** (с чего́) to dust, to dust away, to sweep off || **~ся** *vr.* to fan o.s. || **–меле́ть** *cf.* **меле́ть** || **–мельча́ть** *cf.* **мельча́ть.**

обме́/н & **–на** *s.* exchange, interchange; barter || **–нива-ть** II. *va.* (*Pf.* -ня́-ть II. & -н=и́ть II. [a & c]) to exchange, to swap, to barter; to change (money).

обме́р *s.* measure, measurement, dimension; wrong measure; (*geom.*) outline.

об/мере́ть *cf.* **–мира́ть** || **–мерза́-ть** II. *vn.* (*Pf.* -мёрзнуть 52.) to freeze round || **–ме́рива-ть** II. & **–меря́-ть** II. *va.* (*Pf.* -ме́р=ить II.) to measure off, out;

(когó на что) to cheat in measuring || **–метá-ть** II. *va.* (*Pf.* -мести́ 23. [a 2.]) to sweep all over || **–мирá-ть** II. *vn.* (*Pf.* -мерéть 13. [a 4.], *Fut.* обомрý, -ёшь) to faint, to swoon; to get numbed || **–мóлв=иться** II. 7. *vn. Pf.* to make a mistake in speaking, to make a slip of the tongue || **–мóлвка** *s.* (*gpl.* -вок) a slip of the tongue || **–морáжива-ть** II. *va.* (*Pf.* -морóз=ить I. 1.) to freeze (after watering).

óбморок *s.* swoon, faint, fainting fit; **пáдать в** ~ to swoon, to faint, to become unconscious.

об/морóчить *cf.* **морóчить** || **–мотáть** *cf.* **–мáтывать.**

обмундир/óвка *s.* (*gpl.* -вок) (*mil.*) equipment, uniform || **–óвыва-ть** II. *va.* (*Pf.* -о+вáть II. [b]) to equip, to fit out.

об/мывá-ть II. *va.* (*Pf.* -мы́ть 28.) to wash all over; to wash away.

обна/дёжива-ть II. *va.* (*Pf.* -дёж=ить I.) (когó чем *or* в чём) to assure, to give hopes, to encourage; to warrant, to guarantee || **–жá-ть** II. *va.* (*Pf.* -ж=и́ть I. [a]) to bare (the head, the hand, etc.); to unsheath, to draw (a sword) || **–жé-ние** *s.* baring, uncovering; drawing; disclosing, unmasking || **–рóдование** *s.* promulgation, publication || **–рóдыва-ть** II. *va.* (*Pf.* -рóдо+вать II.) to publish, to promulgate, to proclaim || **–рýжение** *s.* discovery, uncovering, disclosure; manifestation || **–рýжива-ть** II. *va.* (*Pf.* -рýж=ить I.) to uncover, to lay open, to disclose, to reveal; to manifest.

об/нáшива-ть II. *va.* (*Pf.* -нос=и́ть I. 3. [c]) to stretch clothes by wearing; to wear out || **~ся** *vr.* to wear out || **–носи́ть** *cf.* **–нести́** || **–нимá-ть** II. *va.* (*Pf.* -ня́ть 37. [b 4.], *Fut.* -нимý, -ни́мешь & обоймý, -ёшь) to surround, to embrace, to hug, to clasp in one's arms || **–нищáлый** *a.* beggared, impoverished || **–нищáть** *cf.* **нищáть** || **–нóв** *s.*, *dim.* **–нóвка** *s.* (*gpl.* -вок) new thing, novelty || **–новлéние** *s.* restoration, renovation || **–новля́-ть** II. *va.* (*Pf.* -нов=и́ть II. 7. [a]) to renew, to renovate, to restore; to reanimate; (*fig.*) to regenerate || **–нос=и́ть** I. 3. [c] *va.* (*Pf.* -нести́ & -нéсть 26. [a 2.]) to carry round; to serve round; to encircle, to enclose; to miss, to pass by (in serving round) || **–нóсок** *s.* (*gsg.* -ска) worn-out article of clothing || **–ню́хива-ть** II. *va.* (*Pf.* -ню́ха-ть II.) to smell all over, to smell, to snuffle at || **–ня́ть** *cf.* **–нимáть.**

об/обрáть *cf.* **обирáть** || **–общá-ть** II. *va.* (*Pf.* -общ=и́ть I. [a]) to make common, to generalize || **–общéние** *s.* generalization || **–огащá-ть** II. *va.* (*Pf.* -огат=и́ть I. 6. [a]) to enrich || **–огнáть** *cf.* **–гоня́ть** || **–огнýть** *cf.* **–гибáть.**

обоготворя́ть *cf.* **боготвори́ть.**

обогревá-ть II. *va.* (*Pf.* обогрé-ть II.) to warm.

óбод/ *s.* (*pl.* обóдья), *dim.* **–óк** *s.* [a] (*gsg.* -дкá) felloe, rim; hoop (of wheel) || **–рáнец** *s.* tatterdemalion || **–рáть** *cf.* **обдирáть** || **–рéние** *s.* encouragement, incitement || **–ри́тельный** *a.* encouraging || **–ря́-ть** II. *va.* (*Pf.* -р=и́ть II. [a]) to encourage, to inspirit, to incite.

обож/áние *s.* adoration, worship || **–áтель** *s. m.*, **–áтельница** *s.* adorer, worshipper || **–á-ть** II. *va.* to adore, to worship; (*fig.*) to idolize || **–рáться** *cf.* **обжирáться.**

обóз *s. coll.* conveyance, train (of waggons); (*mil.*) baggage.

обо/звáть *cf.* **обзывáть** || **–знá-ться** II. *vn.* to be mistaken; (в ком) to take one person for another || **–начá-ть** II. *va.* (*Pf.* -знáч=ить I.) to designate, to denote, to mark out || **–начéние** *s.* designation, denotation; signing, marking out.

обóз/ничий (*as s.*) bagage-master, waggon-master || **–ный** *a.* baggage- || ~ (*as s.*) baggage-master.

обо/зревá-ть II. *va.* (*Pf.* -зр-éть II. [a]) to examine, to inspect, to survey || **~ся** *vn.* to look about o.s.; to take one's bearings, to find out || **–зрéние** *s.* inspection, visitation; survey, review.

обó/и *s. mpl.* hangings *pl.*, tapestry; wallpaper || **–йный** *a.* tapestry-, wallpaper- || **–йти́** *cf.* **обходи́ть** || **–йщик** *s.* upholsterer; paper-hanger.

обо/крáсть *cf.* **обкрáдывать** || **–лáкива-ть** II. *va.* (*Pf.* -лóчь 19. [a]) to wrap up, to envelop; to cover || **–лóчка** *s.* (*gpl.* -чек) envelope, cover, wrapper; (*an.*) membrane, tegument || **–льсти́тель** *s. m.*, **–льсти́тельница** *s.* seducer; deceiver || **–льсти́тельный** *a.* seductive, alluring, tempting || **–льщá-ть** II. *va.* (*Pf.* -льст=и́ть I. 4. [a]) to seduce, to allure, to entice || **–льщéние** *s.* seduction, allurement, enticement || **–млéть** *cf.* **млеть** || **–ня́ние** *s.* smelling; smell || **-ня́тельный** *a.* smelling-, olfactory || **-ня́-ть** II. *va.* to smell, to scent || **-ра́чива-ть** II. *va.* (*Pf.* -рот=и́ть I. 2. [c]) to turn; to return; to restore; to change, to transform || ~ *vn.* to revert || **-рва́нец** *s.* (*gsg.* -нца) ragamuffin, tatterdemalion || **-рва́ть** *cf.* **обрыва́ть.**

обо́р/ка *s.* (*gpl.* -рок) flounce, trimming || **-о́на** *s.* defence || **-они́тельный** *a.* defensive || **-оня́-ть** II. *va.* (*Pf.* -он=и́ть II. [a]) to defend, to stand up for || **-о́т** *s.* reverse, back, opposite side; (*comm.*) circulation; turnover.

о́борот/ень *s. m.* wer(e)wolf || **-и́ть** *cf.* **обора́чивать.**

оборо́т/ливый *a.* clever, skilful, enterprising || **-ный** *a.* inverse, inverted; by return (of post); **-ная сторона́** the other side, the inside; back, reverse.

обо/ру́до+вать II. *va. Pf.* to bring about, to accomplish; to cultivate (the ground) || **-снова́ние** *s.* (*phil.*) argument, proof || **-сно́выва-ть** II. *va.* (*Pf.* -сно+ва́ть II. [b]) to base, to prove || **-собля́-ть** II. *va.* (*Pf.* -со́б=ить II. 7.) to separate, to exclude (from); (*fig.*) to isolate || **-стря́-ть** II. *va.* (*Pf.* -стр=и́ть II. [a]) to sharpen, to point.

обою́д/ность *s. f.* mutuality, reciprocity || **-ный** *a.* mutual, reciprocal || **-о́стрый** *a.* two-edged.

обраб/а́(о́)тыва-ть II. *va.* (*Pf.* -о́та-ть II.) to cultivate, to till, to plough; to work; to elaborate || **-о́тка** *s.* working, fashioning; elaboration; cultivation.

обра́довать *cf.* **ра́довать.**

о́браз/ *s.* form, figure, shape; way, sort, manner; **гла́вным -ом** chiefly, principally; (*pl.* -а́) image (of a saint) || **-е́ц** *s.* [a] (*gsg.* -зца́) model, pattern, sample; example || **-и́на** *s.* phiz, ugly face || **-ный** *a.* full of images, picturesque || **-ова́ние** *s.* formation; organization; culture, refinement, education || **-о́ванный** *a.* cultured, educated || **-ова́тельный** *a.* cultural, educational; figurative || **-о́выва-ть** II. *va.* (*Pf.* -о+ва́ть II. [b]) to form, to model, to fashion; to educate, to refine, to cultivate || **~ся** *vn.* to be formed; to be educated || **-о́к** *s.* [a] (*gsg.* -зка́) small image (of a saint) || **-у́млива-ть** II. *va.* (*Pf.* -у́м=ить II. 7.) to undeceive, to bring to reason, to open a person's eyes || **~ся** *vr.* to be undeceived, to think better (of) || **-цо́вый** *a.* exemplary, standard.

обра́зчик *s.* pattern, sample, specimen; (*in pl.*) pattern-card.

об/рамля́-ть II. *va.* (*Pf.* -ра́м=ить II. 7.) to frame || **-раста́-ть** II. *vn.* (*Pf.* -расти́ 35. [a 2.]) to be covered with a growth (of hair, etc.) || **-ра́тный** *a.* return-; inverted, reverse; converse, counter || **-ра́тно** *ad.* back(ward), back again || **-раща́-ть** II. *va.* (*Pf.* -рат=и́ть I. 6. [a]) to turn (back), to return; to direct; to restore; to change, to transform, to transmute; to circulate, to make use of; to convert (sinners, etc.); ~ **внима́ние** (на что) to pay attention to, to look after; to take into consideration || **~ся** *vr&n.* to turn round; (к кому́) to address, to apply to; (с кем) to keep company (with) || **-раще́ние** *s.* turning, turn; revolution, rotation; circulation; conversion, metamorphosis, change; intercourse, dealings *pl.* || **-ревизова́ть** *cf.* **ревизова́ть** || **-ре́з** *s.* cutting, edge (of books); size (of a book); relay, setback (of a wall); **в ~** exactly, to a T. || **-ре́зание** *s.* paring, cutting off; pruning, loping (of trees); docking (of a tail) || **-резно́й** *a.* cut, clipped (paper); measured off (ground) || **-ре́зок** *s.* (*gsg.* -зка) paring, clipping, cutting, snip || **-ре́зыва-ть** II. *va.* (*Pf.* -ре́з-ать I. 1.) to clip, to pare, to prune off, to lop, to dock, to trim; to circumcise || **~ся** *vr.* to be cut; to be circumcised; (кого́ *fig.*) to cut up, to tear to pieces, to fare ill (with) || **-река́-ть** II. *va.* (*Pf.* -ре́чь 18. [a 2.]) to vow, to consecrate; to destine; to doom (*e. g.* to death).

обрем/ене́ние *s.* load, burden; charging; overloading, overburdening || **-ени́тельный** *a.* burdensome, onerous; overwhelming || **-еня́-ть** II. *va.* (*Pf.* -ен=и́ть II. [a]) to (over)burden, to overload; to overwhelm (with work).

об/рета́-ть II. *va.* (*Pf.* -рести́ & -ре́сть 23.) to find out, to discover; to attain || **-ре́чь** *cf.* **-река́ть** || **-рива́-ть** II. *va.* (*Pf.* -ри́ть 30.) to shave off || **-рисо́вка** *s.* (*gpl.* -вок) (*art.*) sketch, outline || **-рисо́выва-ть** II. *va.* (*Pf.* -рисо+ва́ть II. [b]) (*art.*) to sketch, to outline, to make a rough draft of || **~ся** *vr.* to appear, to stand out in relief || **-ро́к** *s.* poll-tax (paid by peasants); **насле́дственный ~** quit-rent || **-ро́слый** *a.* overgrown || **-роста́ть = -раста́ть** || **-ро́чный** *a.* liable to tax (*cf.* обро́к) || **-руба́-ть** II. *va.* (*Pf.* -руб=и́ть II. 7. [c])

to cut round; to cut off the top of, to lop, to trim (trees); to hem (napkins, etc.) || **–ру́бок** *s.* (*gsg.* -бка) (hewn) block, log || **–русе́лый** *a.* Russianized, Russified || **–русе́-ть** II. *vn.* to become Russified, Russianized || **–рус=и́ть** I. 3. [a] *va.* to Russify, to Russianize.

о́бру/ч *s.* [c] hoop (of a cask) || **–ча́льный** *a.* betrothal-, wedding- || **–ча́-ть** II. *va.* (*Pf.* -ч=и́ть I. [a & c]) to betroth (with), to affiance (to) || **–че́ние** *s.* betrothal.

об/ру́шива-ть II. *va.* (*Pf.* -ру́ш=ить I.) to destroy, to overturn, to overthrow || **~ся** *vr.* to fall in, to fall to pieces; to throw down || **–ры́в** *s.* steep declivity, precipice || **–рыва́-ть** II. *va.* (*Pf.* -ор-в-а́ть I. [a]) to pluck round *or* off (flowers); to cut short || **~ся** *vr.* to tear (of clothes, etc.); to fall down || **–рыва́-ть** II. *va.* (*Pf.* -ры́ть 28.) to dig round; to dig up, to turn up || **–ры́вистый** *a.* steep, precipitous || **–ры́вок** *s.* (*gsg.* -вка) piece torn off (*e. g.* of a cord) || **–ры́згива-ть** II. *va.* (*Pf.* -ры́зга-ть II.) to sprinkle, to bespatter, to splash || **–ры́ть** *cf.* **–рыва́ть.**

обря́д/ *s.* ceremony; rite || **–ность** *s. f.* ceremonial, ritual || **–ный** *a.* ceremonial.

обряжа́-ть II. *va.* (*Pf.* обряд=и́ть I. 1. [a & c]) to arrange; to attire.

об/са́дка *s.* (*gpl.* -док) planting round || **–са́жива-ть** II. *va.* (*Pf.* -сад=и́ть I. 1. [a & c]) to set with plants, to plant round || **–са́сыва-ть** II. *va.* (*Pf.* -сос-а́ть I. [a]) to suck round || **–сева́-ть** II. *va.* (*Pf.* -се́-ять II.) to sow, to sow over || **–семеня́-ть** II. *va.* (*Pf.* -семен=и́ть II. [a]) to sow over || **–серватóрия** *s.* observatory.

обскура́нт/ *s.* obscurant (an opponent of enlightenment) || **–и́зм** *s.* obscurantism.

обсле́д/ование *s.* investigation || **–ыва-ть** II. *va.* (*Pf.* -о+вать II.) to investigate.

об/соса́ть *cf.* **–са́сывать** || **–со́хлый** *a.* dried up || **–со́хнуть** *cf.* **–сыха́ть** || **–ставля́-ть** II. *va.* (*Pf.* -ста́в=ить II. 7.) to set, to put, to place round; to get up, to arrange; to furnish || **–стано́вка** *s.* (*gpl.* -вок) setting, putting round; getting up, arranging || **–стоя́тельность** *s. f.* detail, particular || **–стоя́тельный** *a.* circumstantial, detailed || **–стоя́тельство** *s.* circumstance, case, affair || **–сто=я́ть** II. [a] *vn.* to be, to be like || **–стра́гива-ть** II. *va.* (*Pf.* -строга́-ть II.) to plane (over) || **–стре́лива-ть** II. *va.* (*Pf.* -стреля́-ть II. & -стрел=и́ть II. [c]) to try by firing (a firearm); to shoot at, to bombard || **–стрига́-ть** II. *va.* (*Pf.* -стри́чь 15. [a 1.]) to shear, to cut round, to clip, to crop || **~ся** *vr.* to get one's hair cut || **–стру́кция** *s.* obstruction || **–ступа́-ть** II. *va.* (*Pf.* -ступ=и́ть II. 7. [c]) to surround, to invest || **–сужда́-ть** II. *va.* (*Pf.* -суд=и́ть I. 1. [c]) to judge, to deliberate, to consider || **–сужде́ние** *s.* deliberation, consideration || **–су́шива-ть** II. *va.* (*Pf.* -суш=и́ть I. [a & c]) to dry (up) || **–счи́тыва-ть** II. *va.* (*Pf.* -счита́-ть II. & -че́сть 24. [a 2.], *Fut.* обочту́, -ёшь) to cheat in a calculation || **~ся** *vr.* to make a mistake (in counting) || **–сыпа́-ть** II. *va.* (*Pf.* -сы́п-ать II. 7.) to strew over, to bestrew || **–сыха́-ть** II. *vn.* (*Pf.* -со́хнуть 52.) to dry up, to become dry.

об/та́чива-ть II. *va.* (*Pf.* -точ=и́ть I. [c]) to turn (on a lathe); (*Pf.* -тача́-ть II.) to whip (stitch) || **–тека́-ть** II. *va.* (*Pf.* -те́чь 18. [a 2.]) to flow round, to wash (of a river) || **–тёсыва-ть** II. *va.* (*Pf.* -тес-а́ть I. 3. [c]) to hew (beams), to rough-hew, to cut (stones) || **–тира́-ть** II. *va.* (*Pf.* -тере́ть 14. [a 1.], *Fut.* оботру́, -ёшь) to rub round, to wipe over || **–точи́ть** *cf.* **–та́чивать** || **–тя́гива-ть** II. *va.* (*Pf.* -тян-у́ть I. [a]) to stretch, to draw (over), to cover || **–тя́жка** *s.* (*gpl.* -жек) stretching over, covering; **в –тя́жку** tight-fitting, close-fitting.

обува́-ть II. *va.* (*Pf.* обу́-ть II. [b]) to shoe, to provide with footwear.

о́бувь *s. f.* footwear, boots and shoes.

об/у́глива-ть II. *va.* (*Pf.* -у́гл=ить II.) to carbonize, to char || **–у́за** *s.* load, burden; encumbrance || **–у́здыва-ть** II. *va.* (*Pf.* -узда́-ть II.) to bridle, to curb; to break in (a horse); (*fig.*) to repress, to check, to restrain || **–усло́влива-ть** II. *va.* (*Pf.* -усло́в=ить II. 7.) (что чем) to put conditions (to) || **–у́х** *s.* back (of a knife); butt-end (of an axe) || **–уча́-ть** II. *va.* (*Pf.* -уч=и́ть I. [c]) (кого́ чему́) to teach, to instruct, to train || **–уче́ние** *s.* teaching, instruction, tuition, training.

об/хва́т *s.* girth; clasping || **–хва́тыва-ть** II. *va.* (*Pf.* -хват=и́ть I. 2. [c]) to embrace, to clasp, to hug; to seize, to catch; to enclose || **–хо́д** *s.* visit(ing); roundabout way; circuit, turn, tour; **дозо́рный ~** patrol (on foot) || **–ходи́тельность** *s. f.* affability, courteousness, sociability || **–ходи́тельный** *a.* affable, sociable || **–ход=и́ть** I. 1. [c] *va.* (*Pf.* -ойти́ 48. [a 1.]) to go round, to make a tour of; to overtake; to outflank || **~ся** *vn.* (с кем) to treat, to use; to cost, to come to, to amount to; (без кого́ *or* чего́) to do without; to dispense (with) || **–хо́дный** *a.* going round, patrolling || **–хожде́ние** *s.* intercourse, dealings, ways *pl.*

об/че́сть *cf.* **–счи́тывать** || **–чёт** *s.* error in counting, miscalculation.

об/ша́рива-ть II. *va.* (*Pf.* -ша́р=ить II.) to ransack, to rummage, to ferret all over || **–шива́-ть** II. *va.* (*Pf.* -ши́ть 27., *Fut.* обошью́, -ьёшь) to sew round, to trim, to border, to hem; to clothe, to provide with clothes; to face, to line (with boards) || **–ши́вка** *s.* (*gpl.* -вок) trimming; facing, boarding || **–ши́рность** *s. f.* spaciousness, extent, vastness; comprehensiveness || **–ши́рный** *a.* spacious, extensive, vast, comprehensive, voluminous || **–шла́г** *s.* [a] (*pl.* -и́ & -а́) cuff, facing.

обще/досту́пный *a.* generally accessible || **–жите́йский** *a.* usual, ordinary, everyday || **–жи́тие** *s.* social life, living together (*esp.* in a monastery) || **–изве́стный** *a.* notorious; universally known || **–наро́дный** *a.* general, public.

обще́ние *s.* sociability, intercourse.

обще/поле́зный *a.* universally beneficial || **–поня́тный** *a.* popular, generally understood (*i. e.* non-technical) || **–приня́тый** *a.* usual, customary.

обще́ств/енность *s. f.* sociality, socialness || **–енный** *a.* common, general, public.

о́бщ/ество *s.* society; club; (*comm.*) company; community, society, association || **–еупотреби́тельный** *a.* customary, generally in use || **–ий** (-ая, -ее) *a.* common, general, public; **~ стол** table d'hôte, ordinary; **–ее бла́го** the public weal || **–ина** *s.* common good; community; parish, township; (charitable) association || **–инный** *a.* of the community, common || **–и́тельный** *a.* sociable || **–ность** *s. f.* community; totality.

об'/егри́ва-ть II. *va.* (*Pf.* -егр=ить II.) to cheat; (*fam.*) to fool, to bamboozle, to hoodwink || **–еда́-ть** II. *va.* (*Pf.* -е́сть 42.) to gnaw round; to corrode, to eat away; to sponge on; to eat more than || **~ся** *vr.* to gorge o.s.; to surfeit o.s. || **–едине́ние** *s.* assimilation, unification || **–единя́-ть** II. *va.* (*Pf.* -един=и́ть II.) to unify, to unite, to assimilate || **–е́дки** *s. mpl.* leavings *pl.* || **–е́зд** *s.* riding round; circuit, round, visitation; roundabout way; **дозо́рный ~** mounted patrol || **–ездно́й** *a.* patrol-; **–ездна́я стра́жа** mounted patrol || **–е́здчик** *s.* mounted guard; breaker-in || **–езжа́-ть** II. *va.* (*Pf.* -е́хать 45.) to ride round, to go over; to outride; (*Pf.* -е́зд=ить I. 1.) to break in (a horse).

об'е́кт/ *s.* object || **–и́в** *s.* object-glass, lens (of a camera, etc.) || **–и́вный** *a.* objective.

об'ё́м/ *s.* girth; volume, size, bulk; extent, dimension || **–истый** *a.* bulky, voluminous.

об'/е́сться *cf.* **–еда́ться** || **–е́хать** *cf.* **–езжа́ть** || **–яви́тель** *s. m.*, **–яви́тельница** *s.* announcer; advertiser || **–явле́ние** *s.* announcement; declaration; advertisement; bill, placard || **–явля́-ть** II. *va.* (*Pf.* -яв=и́ть II. 7. [a & c]) to state, to declare, to announce; to advertise; to notify, to intimate; to publish, to proclaim || **–яде́ние** *s.* gluttony, gorging, surfeit || **–ясне́ние** *s.* explanation, exposition, elucidation || **–ясни́тель** *s. m.* explainer, commentator, illustrator || **–ясни́тельный** *a.* explanatory, explicative || **–ясня́-ть** II. *va.* (*Pf.* -ясн=и́ть II.) to explain, to elucidate, to expound || **~ся** *vr.* to speak plainly; to come to an explanation || **–я́тие** *s.* embrace || **–я́ть** *cf.* **обнима́ть.**

обыва́тель/ *s. m.*, **–ница** *s.* inhabitant, inmate, resident || **–ский** *a.* of inmates.

обы́грыва-ть II. *va.* (*Pf.* обыгра́-ть II.) to outplay, to win of a person; to beat in playing; to improve (an instrument) by playing on it.

обыдё́нный *a.* of one day, in one day.

обыкно/ве́ние *s.* habit, custom, usage, wont || **–ве́нный** *a.* usual, ordinary, customary, habitual.

о́быск *s.* perquisition; **дома́шний ~** domiciliary search.

обы́скива-ть II. *va.* (*Pf.* обыск-а́ть I. 4. c]) to search all over, to ransack; to examine.

обы́ч/ай *s.* custom, use, wont, habit || **–ный** *a.* ordinary, common, usual, customary.

обя́занн/ость *s. f.* duty, obligation || **–ый** *a.* obliged.

обяза́тель/ный *a.* obligatory, binding; kind, obliging || **–ство** *s.* obligation, engagement.

обя́зыва-ть II. *va.* (*Pf.* обяз-а́ть I. 1. [c]) (кого́ к чему́) to bind, to oblige, to engage || **~ся** *vr.* to bind o.s.; to pledge o.s.

ова́л/ *s.* oval || **–ьный** *a.* oval.

ова́ция *s.* ovation.

овдов/е́лый *a.* widowed || **–е́ть** *cf.* **вдове́ть.**

ове́н *s.* [a] (*gsg.* -вна́) (*sl.*) ram; (*astr.*) Aries, the Ram.

овёс *s.* [a] (*gsg.* овса́) oats *pl.*

ове́ч/ий (-ья, -ье) *a.* sheep-, sheep's || **–ка** *s.* (*gpl.* -чек) a ewe lamb.

ови́н *s.* kiln (for drying corn).

овладева́-ть II. *va.* (*Pf.* овладе́-ть II.) (+ *I.*) to seize, to take possession of; to secure, to master, to conquer.

о́вод *s.* gadfly.

о́вощ/и *s. mpl.* (*G.* -е́й) vegetables *pl.* || **–ни́к** *s.*, **–ни́ца** *s.* greengrocer || **–но́й** *a.* vegetable-.

овра́г *s.* ravine, gully.

овся́н/ка *s.* (*gpl.* -нок) oatmeal soup; (*orn.*) greenfinch || **–ый** *a.* oat, oaten.

овц/а́ *s.* [b & f] sheep, ewe || **–ево́д** *s.* sheep-breeder || **–ево́дство** *s.* sheep-breeding.

овч/а́рка *s.* (*gpl.* -рок) sheep-dog || **–а́рня** *s.* (*gpl.* -рен) sheep-fold, sheep-cot || **–и́на** *s.* sheepskin || **–и́нка** *s.* (*gpl.* -нок) *dim. of prec.*

ога́р/ок *s.* (*gsg.* -рка) stump of a candle || **–очек** *s.* (*gsg.* -чка) *dim. of prec.*

оглавле́ние *s.* table of contents.

огла́ска *s.* (*gpl.* -сок) exposure, publicity.

огла/ша́-ть II. *va.* (*Pf.* -с=и́ть I. 3. [a]) to announce, to publish; to publish (the banns of marriage); to fill the air (with cries) || **–ше́ние** *s.* publication; announcement; publication (of the banns).

огло́бля *s.* (*gpl.* -бель) shaft (of a car).

огло́хнуть *cf.* **гло́хнуть.**

оглупе́ть *cf.* **глупе́ть.**

огля́/дка *s.* (*gpl.* -док) retrospection; looking back || **–дыва-ть** II. *va.* (*Pf.* -д=е́ть I. 1. [a] & -н-у́ть I. [c]) to look round at, to gaze at, to examine || **~ся** *vr.* to look back, to look round, to take a look round.

огне/гаси́тель *s. m.* fire-extinguisher || **–ды́шащий** *a.* vomiting fire, volcanic.

о́гне/нный *a.* fire-, of fire; fiery || **–покло́нник** *s.*, **–покло́нница** *s.* fire-worshipper || **–стре́льный** *a.* for firing, fire-, explosive || **–туши́тель** *s. m.* fire-extinguisher || **–упо́рный** *a.* fire-proof, refractory.

огни́во *s.* steel (for striking a light).

огова́рива-ть II. *va.* (*Pf.* оговор=и́ть II. [a]) to blame, to censure; to denounce.

огово́р/ *s.* accusation; denunciation || **–ка** *s* (*gpl.* -рок) reserve, clause, limitation.

оголте́лый *a.* foolish, silly, frivolous.

оголя́-ть II. *va.* (*Pf.* огол=и́ть II. [a]) to bare, to denude.

огонёк *s.* [a]) (*gsg.* -нька́) *dim. of foll.*

ого́нь *s. m.* [a] (*gsg.* огня́) fire; light; (*mil.*) firing; (*fig.*) vivacity.

огора́жива-ть II. *va.* (*Pf.* огород=и́ть I. 1. [a & c]) to enclose, to encircle, to fence in, to encompass.

огоро́д/ *s.* kitchen-garden || **–ник** *s.*, **–ница** *s.* kitchen-gardener, market-gardener || **–ничество** *s.* kitchen-gardening, market-gardening || **–ный** *a.* garden-, vegetable-.

огоро́ш=ить I. *va. Pf.* (*fam.*) to disconcert, to strike dumb.

огор/ча́-ть II. *va.* (*Pf.* -ч=и́ть I. [a]) to afflict, to distress, to vex || **–че́ние** *s.* affliction, grief, sorrow, concern, vexation.

огра́бить *cf.* **гра́бить.**

огра́да *s.* enclosure; protection; wall (around a monastery, a church); bulwark.

огра/жда́-ть II. *va.* (*Pf.* -д=и́ть I. 1. [a]) to enclose, to fence; (*fig.*) to protect || **–жде́ние** *s.* enclosing, fencing; (*fig.*) protection.

огран/иче́ние *s.* limitation, restriction, restraint; **без –иче́ния** unrestricted || **–и́ченный** *a.* limited, scant, restricted; narrow-minded || **–и́чива-ть** II. *va.* (*Pf.* -и́ч=ить I.) to limit, to bound; to restrict, to restrain || **~ся** *vr.* (чем) to confine o.s. to || **–ичи́тельный** *a.* restrictive, limiting.

огро́м/ность *s. f.* hugeness, enormity, vastness, colossal size || **–ный** *a.* huge, vast, colossal, immense, enormous.

огруб/е́лый *a.* roughened, hardened || **–е́ть** *cf.* **грубе́ть.**

огрыза́-ть II. *va.* (*Pf.* огры́зть 25. [a 2.]) to gnaw round, at || **~ся** *vn.* to be snappish, to snarl; (*fig.*) to be quarrelsome.

огры́зок *s.* (*gsg.* -зка) picked bone.

огу́зок *s.* (*gsg.* -зка) rump, buttock.

огу́л/ом & **–ьно** *ad.* wholesale || **–ьный** *a.* wholesale.

огур/е́ц *s.* [a] (*gsg.* -рца́) cucumber || **–е́чный** *a.* cucumber-.

огу́рчик *s.* small cucumber.
о́да *s.* ode.
ода́бривать = **одо́бривать.**
одали́ска *s.* odalisque.
ода́рива-ть II. & **одаря́-ть** II. *va.* (*Pf.* одар=и́ть II.) to endow, to gift, to indue.
одева́-ть II. *va.* (*Pf.* оде́ть 32.) to clothe, to dress, to attire. [apparel.
оде́жда *s.* (*fam.* одёжа) clothes *pl.*, attire,
одеколо́н *s.* Eau de Cologne.
оделя́-ть II. *va.* (*Pf.* одел=и́ть II.) (чем) to give, to bestow.
одеревян/е́лый *a.* lignified; hardened || **–е́ть** *cf.* **деревяне́ть.**
оде́рж/ива-ть II. *va.* (*Pf.* одерж-а́ть I. [c]) to seize; to gain (a victory); ~ **верх** (над кем) to get the upperhand (the better) of one || **–и́мый** *a.* (чем) seized, overcome, afflicted (with disease); struck (with fear); possessed (of a devil).
оде́/ть *cf.* **–ва́ть** || **–я́ло** *s.* blanket, bed-cover; **стёганое** ~ quilt || **–я́льный** *a.* blanket- || **–я́льце** *s.* small blanket || **–я́ние** *s.* clothes *pl.*, dress, attire, apparel.
оди́н/ *num&prn.* (одна́, одно́, *pl.* одни́) one; single, sole; ~ **на** ~ face to face; **одни́м сло́вом** in short, in fine || **–а́ковый** *a.* same, like, identical || **–ёхонек** & **–ёшенек** *a.* quite alone || **–надцатый** *num.* eleventh || **–надцать** *num.* eleven || **–о́кий** *a.* alone; lonely, solitary; single || **–о́чество** *s.* solitude, loneliness; single life || **–о́чка** *s. m&f.* unmarried person || **–о́чный** *a.* single, sole, solitary.
одича́лый *a.* wild, shy, unsociable.
одича́ть *cf.* **despite дича́ть.**
одна́/ *cf.* **оди́н** || **–жды** *ad.* once || **–ко** & **–кож(е)** *ad&c.* but, yet, still, however, nevertheless.
одн/и́, –о́, *cf.* **оди́н.**
одно/- *in cpds.* = mono-, one- || **–а́ктный** *a.* one-act; **–а́ктная пье́са** a one-act play || **–бо́ртный** *a.* single-breasted || **–вре́менный** *a.* simultaneous || **–гла́зый** *a.* one-eyed, monocular || **–го́док** *s.* person born in the same year || **–го́рбый** *a.* with one hump; ~ **верблю́д** dromedary || **–дво́рец** *s.* (*gsg.* -рца) a certain class of peasant || **–дне́вный** *a.* of one day, ephemeral || **–зву́чие** *s.* unison, homophony || **–зву́чный** *a.* homophonous, in unison || **–зна́чащий** *a.* synonymous || **–имённый** *a.* homonymous || **–ка́шник** *s.* schoolfellow, mate || **–коле́йный** *a.* mono-rail || **–ко́лка** *s.* (*gpl.* -лок) two-wheeled cab, cabriolet || **–коне́чный** *a.* with one point || **–ко́нный** *a.* single-horse || **–копы́тный** *a.* soliped, solidungulate || **–кра́тный** *a.* (occurring) once || **–лёток** *s.*, **–лётка** *s.* (*gpl.* -ток) person born in the same year || **–ма́чтовый** *a.* single-masted || **–ме́стный** *a.* one-seater || **–но́гий** *a.* one-legged || **–обра́зие** *s.* uniformity, monotony || **–обра́зный** *a.* uniform, equable, monotonous || **–полча́нин** *s.* (*pl.* -а́не, -а́н) comrade, mate (of the same regiment) || **–по́лый** *a.* unisexual || **–по́люсный** *a.* monopolar || **–ро́дный** *a.* homogeneous || **–ру́кий** *a.* one-handed, one-armed || **–сло́жный** *a.* monosyllabic || **–ство́льный** *a.* single-barrelled || **–створ́чатый** *a.* (*zool.*) univalve; (door) single-leafed || **–сторо́нний** *a.* unilateral; one-sided || **–у́хий** *a.* one-eared || **–фами́лец** *s.* (*gsg.* -льца), **–фами́лица** *s.* person of the same (family) name, namesake || **–фами́льный** *a.* having the same (family) name || **–цве́тный** *a.* (*phys.*) monochromatic; (*art.*) monochrome || **–эта́жный** *a.* of one storey, one-storied.
одобре́ние *s.* approbation, approval, assent; acclamation.
одо́брива-ть II. *va.* (*Pf.* одо́бр=ить II.) to approve; to acclaim.
одобри́тельный *a.* approving.
одолева́-ть II. *va.* (*Pf.* одоле́-ть II.) to vanquish, to conquer, to master, to surmount.
одол/жа́-ть II. *va.* (*Pf.* -ж=и́ть I.) (кого́ чем) to help out, to lend; to oblige, to indebt || ~**ся** *vr.* (кому́) to be obliged (to) || **–же́ние** *s.* loan; favour, kindness; **сде́лайте** ~! do me the favour! || **–жи́тельный** *a.* obliging, kind.
одр *s.* [a] bed, couch; bier, hearse.
одрях/ле́ть, –́нуть *cf.* **дряхле́ть.**
одува́нчик *s.* (*bot.*) dandelion.
оду́мыва-ться II. *vn.* (*Pf.* оду́ма-ться II.) to think better of it, to change one's mind.
одур/а́чить *cf.* **дура́чить** || **–е́лый** *a.* crazy, mad || **–е́ть** *cf.* **дуре́ть** || **–и́ть** *cf.* **–ря́ть** || **–ма́нить** *cf.* **дурма́нить.**
о́дурь *s. f.* craziness, insanity, madness, stupefaction, absence of mind.
одуря́-ть II. *va.* (*Pf.* одур=и́ть II. [a]) to stupefy.
одутлова́тый *a.* puffed up, bloated.

одуше/вле́ние *s.* animating, inspiring || **-вля́-ть** II. *va.* (*Pf.* -в=и́ть II. 7. [a]) to animate, to inspire.
оды́ш/ка *s.* asthma, shortness of breath || **-ливый** *a.* short-winded, asthmatic.
ожени́ть *cf.* **жени́ть.**
ожереби́ться *cf.* **жереби́ться.**
ожере́лье *s.* necklet.
ожесто/ча́-ть II. *va.* (*Pf.* -ч=и́ть I.) to harden, to sour, to embitter, to exasperate || **-че́ние** *s.* obduracy, bitterness, exasperation.
оже́чь = обже́чь.
ожи/ва́-ть II. *vn.* (*Pf.* ожи́ть 31. [a 4.]) to revive, to come to life || **-вле́ние** *s.* revival, (re)animation; liveliness, high spirits || **-вля́-ть** II. *va.* (*Pf.* -в=и́ть II. 7. [a]) to animate, to revive, to resuscitate || **~ся** *vr.* to revive.
ожи/да́ние *s.* waiting, expectation || **-да́-ть** II. *va.* to expect, to wait for, to look for.
ожи́ть *cf.* **ожива́ть.**
оза/бо́чива-ть II. *va.* (*Pf.* -бо́т=ить I. 2.) (кого́ чем) to preoccupy, to trouble || **~ся** *vr.* (чем) to be preoccupied || **-да́чива-ть** II. *va.* (*Pf.* -да́ч=ить I.) to perplex, to puzzle, to embarrass.
озаря́-ть II. *va.* (*Pf.* озар=и́ть II.) to illuminate, to shine upon (of the sun); (*fig.*) to enlighten.
оздор/а́влива-ть II. *vn.* (*Pf.* -о́в=ить II. 7.) to recover, to be restored to health || **-овле́ние** *s.* recovery; restoration (of health).
о́земь *ad.* to the ground, down.
озерко́ *s. dim. of* о́зеро.
озёрный *a.* lake-.
о́зеро *s.* [b] (*pl.* озера́, озёр, etc.) lake.
ози́мый *a.*, **~ хлеб** winter-corn.
о́зимь *s. f.* winter-corn.
ози́ра-ть II. *va.* to look round at, to survey || **~ся** *vn.* to look about one.
озлоб/ле́ние *s.* anger, wrath, ire, exasperation || **-ля́ть** *cf.* **зло́бить.**
ознак/омле́ние *s.* making *or* becoming acquainted, acquaintance || **-омля́-ть** II. *va.* (*Pf.* -о́м=ить II. 7.) (с + *I.*) to make acquainted (with), to acquaint (with) || **~ся** *vr.* to become acquainted with, to find out.
ознаме/но́выва-ть II. *va.* (*Pf.* -но+ва́ть II. [b]) to signalize.
означа́-ть II. *va.* (*Pf.* озна́ч=ить I.) to betoken, to denote, to designate; to stand for.
озно́бь *s. f.* chilblain.
ознобля́-ть II. *va.* (*Pf.* озноб=и́ть II. 7. [a]) to get (a limb) frostbitten.
озолоти́ть *cf.* **золоти́ть.**
озо́н *s.* ozone.
озор/ни́к *s.* [a], **-ни́ца** *s.* a saucy, impudent person, brawler || **-ни́ча́-ть** II. *vn.* to be saucy *or* impudent; to pick a quarrel || **-но́й** *a.* unbridled; saucy, impudent; quarrelsome.
озя́бнуть *cf.* **зя́бнуть.**
ой *int.* oh! ah! **~-ли?** (*fam.*) is that possible?
ока́зия *s.* occasion.
ока́зыва-ть II. *va.* (*Pf.* оказ-а́ть I. 1. [c]) to show, to prove, to express; to render (assistance); to pay (attention) || **~ся** *vr.* to show o.s., to appear; to prove.
окаймля́ть *cf.* **кайми́ть.**
окам/ене́лый *a.* petrified || **-ене́ть** *cf.* **камене́ть.**
ока́нчива-ть II. *va.* (*Pf.* око́нч=ить I.) to finish, to terminate, to put an end to || **~ся** *vr.* to end, to come to an end.
ока́пыва-ть II. *va.* (*Pf.* ока́п-ать II.) to cause drops to fall on.
ока́пыва-ть II. *va.* (*Pf.* окопа́-ть II.) to dig round, to entrench || **~ся** *vr.* to entrench o.s.
ока́рмлива-ть II. *va.* (*Pf.* окорм=и́ть II. 7. [c]) to overfeed, to feed to excess; to poison (with food).
ока́чива-ть II. *va.* (*Pf.* окат=и́ть I.) to pour over, to souse (with water).
окая́нный *a.* damned, cursed || **~** (*as s.*) devil.
океа́н/ *s.* ocean || **-ский** *a.* oceanic.
оки́дыва-ть II. *va.* (*Pf.* окида́-ть II. & оки́н-уть I.) (что чем) to cast round; to surround, to encompass; **~ взо́ром** *или* **глаза́ми** to keep an eye on.
окис/ле́ние *s.* oxidation || **´лый** *a.* oxidized || **-ля́-ть** II. *va.* (*Pf.* ´л=ить II.) to oxidize.
о́кись *s. f.* oxide.
окла́д/ *s.* trimming (on ikons); feature, contour (of face); assessment, tax; salary || **-истый** *a.*, **-истая борода́** a full beard || **-но́й** & **-ный** *a.* for trimming; tax-; fixed (salary).
оклевета́ть *cf.* **клевета́ть.**
о́клик *s.* call, hail.
оклика́-ть II. *va.* (*Pf.* окли́кн-уть I.) to call, to hail; to publish the banns.
окли́чка *s.* (*gpl.* -чек) publication of the banns (of marriage).
окно́ *s.* [a] window.
о́ко *s.* (*pl.* о́чи, оче́й, etc.) eye; **~ за ~** an eye for an eye.
око́вы *s. fpl.* fetters *pl.*, chains *pl.*
око́выва-ть II. *va.* (*Pf.* око+ва́ть II. [a]) to bind with iron, to mount with iron; to fetter, to chain.

околдо́выва-ть II. *va.* (*Pf.* околдо+ва́ть II. [b]) to bewitch, to enchant.
околева́-ть II. *vn.* (*Pf.* околе́-ть II.) to perish (of animals). [nonsense.
околё́с/ица & **-ная** *s.* fiddle-faddle,
око́лица *s.* environs *pl.*, vicinity; roundabout way; pasturage (near a village).
околи́чность *s. f.* accessory circumstance; circumlocution; **говори́ть без -ей** not to beat about the bush, to speak plainly.
о́кол/о *prp* (+*G.*) round, around, about; nearly, approximately || **-оплóдник** *s.* seed-vessel || **-о́ток** *s.* (*gsg.* -тка) police-district; *coll.* neighbourhood || **-о́точный** *a.* neighbouring, district- || ~ (*as s.*) district-inspector of police || **-па́чива-ть** II. *va.* (*Pf.* -па́ч=ить I.) to humble; to fool, to make a fool of.
око́лыш/ *s.*, *dim.* **-ек** *s.* (*gsg.* -шка) band (of a cap).
око́льный *a.* neighbouring, adjacent; ~ **путь** roundabout way.
оконе́чность *s. f.* end, tip, extremity.
око́н/ница *s.* window-frame || **-ный** *a.* window- || **-це** *s.* (*pl.* -цы, -цев) small window || **-ча́ние** *s.* ending, completion, termination, end, conclusion || **-ча́тельный** *a.* ending, final, definitive, conclusive; ~ **вид** (*gramm.*) perfective aspect || **-чить** *cf.* **ока́нчивать.**
око́п/ *s.* entrenchment, trench || **-а́ть** *cf.* **ока́пывать.** [*cf.* **корна́ть.**
окор/ми́ть *cf.* **ока́рмливать** || **-на́ть**
о́корок *s.* (*pl.* -а́, -о́в) ham, gammon.
окост/ене́лый *a.* ossified, hardened; benumbed || **-ене́ть** *cf.* **костене́ть.**
окоти́ться *cf.* **коти́ться.**
окочен/е́лый *a.* benumbed, stiff || **-е́ть** *cf.* **кочене́ть.**
око́ш/ечко *s.* (*gpl.* -чек) small window || **-ечный** *a.* window- || **-ко** *s.* (*gpl.* -шек) *dim.* window. [verge, outskirt.
окра́ина *s.* frontier territory; border,
окр/а́ска *s.* (*gpl.* -сок) dyeing, painting, stain(ing) || **-а́шива-ть** II. *va.* (*Pf.* -а́с=ить I. 3.) to dye, to paint (over); to tinge, to stain.
окре́пнуть *cf.* **кре́пнуть.**
о́кре́ст *prp.* (+*G.*) around, round about.
окрести́ть *cf.* **крести́ть.**
окре́ст/ность *s. f.* environs *pl.*, neighbourhood, vicinity || **-ный** *a.* adjacent, neighbouring; suburban.
окриве́ть *cf.* **криве́ть.**
о́крик *s.* call, halloo.
окровавля́ть *cf.* **крова́вить.**
окропля́-ть II. *va.* (*Pf.* окроп=и́ть II. 7. [a]) to (be-)sprinkle.
окро́шка *s.* (*gpl.* -шек) a dish of hash and "kvass". [(off).
о́круг/ *s.* district || **-ле́ние,** *s.* rounding
окру́г/лость *s. f.* roundness, rotundity || **-лый** *a.* round, rotund || **-ля́-ть** II. *va.* (*Pf.* -л=и́ть II. [a]) to round, to make round.
окружа́-ть II. *va.* (*Pf.* окруж=и́ть I.) to enclose, to encircle, to surround; to drive round.
окруж/но́й & **-́ный** *a.* district-; neighbouring; **-́ное письмо́** circular (letter).
окру́жность *s. f.* circuit; circle; environs *pl.*; circumference.
окру́чива-ть II. *va.* (*Pf.* окрут=и́ть I. 2. [c]) to twist round, to wind round; to wrap (up), to envelop.
окрыля́-ть II. *va.* (*Pf.* окрыл=и́ть II. [a]) to wing; (*fig.*) to encourage.
окта́ва *s.* octave.
октаэ́др *s.* octahedron.
октябри́ны *s. fpl.* communistic baptism.
октя́брь/ *s. m.* [a] October || **-ский** *a.* October, of October. [oculate.
окули́ро+вать II. *va.* to graft, to in-
окули́ст *s.* oculist.
окуна́-ть II. *va.* (*Pf.* окун-у́ть I. [a]) to dip, to immerse, to plunge.
окунё́к *s.* [a] (*gsg.* -нька́) *dim. of foll.*
о́кунь *s. m.* [c] perch, bass.
о́куп *s.* ransom.
окупа́-ть II. *va.* (*Pf.* окуп=и́ть II. 7. [c]) to ransom, to redeem.
окургу́зить *cf.* **кургу́зить.**
оку́рива-ть II. *va.* (*Pf.* окур=и́ть II. [c]) to fumigate. [end.
оку́рок *s.* (*gsg.* -рка) cigar-, cigarette-
оку́тыва-ть II. *va.* (*Pf.* оку́та-ть II.) to muffle up, to wrap up.
ола́дья *s.* (*gpl.* -дей) pancake, fritter.
олеа́ндр *s.* oleander.
оледен/е́лый *a.* frozen; benumbed || **-е́ть** *cf.* **ледене́ть.**
оле́н/ий (-ья, -ье) *a.* deer's, stag's, deer-, stag- || **-ина** *s.* venison; buckskin || **-ь** *s. m.* stag, hart, deer; **се́верный ~** reindeer.
олеогра́фия *s.* oleograph.
оли́в/а *s.* olive-tree || **-ка** *s.* (*gpl.* -вок) olive || **-ковый** *a.* olive-.
олига́рхия *s.* oligarchy. [olympic.
олимп/иа́да *s.* olympiad || **-и́йский** *a.*
оли́фа *s.* linseed-oil varnish.
олицетво/ре́ние, *s.* personification, impersonation; embodiment || **-ря́-ть** II.

va. (*Pf.* -р=и́ть II. [a]) to personify, to impersonate; to embody.
óлов/о *s.* tin, pewter || **-я́нный** *a.* tin, pewter.
óлух/ *s.* clown, dolt, lout, blockhead, ass || **-ова́тый** *a.* doltish, clownish, stupid.
óльх/а *s.* alder(-tree) || **-óвый** *a.* alder-.
оля́пова́тый *a.* botched, clumsy.
ом *s.* (*tech.*) ohm.
ома́р *s.* lobster.
омерз/е́ние *s.* disgust, repugnancy || **-е́ть** *cf.* **мерзе́ть** || **-и́тельный** *a.* disgusting, loathsome, repugnant.
омертв/е́лый *a.* deathly pale, wan; benumbed || **-е́ть** *cf.* **мертве́ть.**
óмнибу́с *s.* omnibus, bus.
омове́ние *s.* washing, ablution.
омолоди́ть *cf.* **молоди́ть.**
омра/ча́-ть II. *va.* (*Pf.* -ч=и́ть I.) to obscure, to darken; to blind, to dazzle || **-че́ние** *s.* obscuration, darkening, dimness.
óмут *s.* deep pool (in a river).
он *prn. pers.* he (**она́** she, **оно́** it; *pl.* **они́** they).
онани́зм *s.* onanism.
онеме́ть *cf.* **неме́ть.**
онеме́чива-ть II. *va.* (*Pf.* онеме́ч=ить I.) to Germanize, to Teutonize.
онёр *s.* honours *pl.* (at cards).
онтоло́гия *s.* ontology.
ону́ча *s.* (*fam.*) leggings *pl.*
óный *a.* (*obs.*) that; **во вре́мя óно** at that time.
опада́-ть II. *vn.* (*Pf.* опа́сть 22. [a 1.]) to fall off (of leaves); to sink (of water); to decrease (of a tumor); to fall away, to decline, to diminish.
опа́здывание *s.* delay, retardation.
опа́здыва-ть II. *vn.* (*Pf.* опозда́-ть II.) to come too late, to be late; to be slow (of clocks, etc.).
опа́ива-ть II. *va.* (*Pf.* опо=и́ть II. [a]) to make drunk; to poison (with a beverage; to spoil by watering (too much or at the wrong time); (*Pf.* опая́-ть II.) to solder all round.
опа́л/ *s.* opal || **-а** *s.* ban, disgrace || **-овый** *a.* opal- || **-ый** *a.* fallen off; emaciated, thin; sunken (of cheeks) || **-ьный** *a.* in disgrace, disgraced.
опа́мято+ваться II. *vn.* to come to o.s.; to recover consciousness.
опа́рива-ть II. *va.* (*Pf.* опа́р=ить II.) to scald, to parboil.
опарши́веть *cf.* **парши́веть.**
опаса́-ться II. *vr.* (чего́) to guard against, to take care of; to fear, to apprehend.
опасе́ние *s.* fear, apprehension; caution.
опа́с/ливость *s. f.* cautiousness, wariness, circumspection || **-ливый** *a.* cautious, wary, circumspect || **-ность** *s. f.* danger, peril || **-ный** *a.* dangerous, perilous || **-ть** *cf.* **опада́ть.**
опа́х/ива-ть II. *va.* (*Pf.* опах-а́ть I. 3. [c]) to plough round, to turn up (by ploughing); (*Pf.* -н-у́ть I. [a]) to fan (away); to dust off, to brush off || **-а́ло** *s.* fan.
опая́ть *cf.* **опа́ивать.**
опе́к/а *s.* guardianship, tutelage, wardship || **-у́н** *s.*, **-у́нша** *s.* guardian, ward || **-у́нский** *a.* tutelar(y) || **-у́нство** *s.* tutelage; guardianship, wardship || **-у́нство+вать** II. *vn.* (над кем) to be the guardian (of).
опёнок *s.* (*gsg.* -нка) golden-brown mushroom.
óпер/а *s.* opera || **-а́тор** *s.* operator; surgeon || **-ацио́нный** *a.* operating- || **-а́ция** *s.* operation.
опережа́-ть II. *va.* (*Pf.* оперед=и́ть I. 1. [a]) to outrun, to outstrip.
опер/е́ние *s.* feathering || **-е́тка** *s.* (*gpl.* -ток) operetta || **-е́ть** *cf.* **опира́ть.**
óперный *a.* opera-; **~ дом** opera-house.
опе́ря́-ть II. *va.* (*Pf.* опер=и́ть II.) to feather, to plume; (*fig.*) to hearten, to cheer up.
опеча́ливать *cf.* **печа́лить.**
опеча́/тка *s.* (*gpl.* -ток) misprint, erratum || **-тыва-ть** II. *va.* (*Pf.* -та-ть II.) to seal up (officially).
опе́шива-ть II. *vn.* (*Pf.* опе́ш=ить I.) to be unmounted, to go on foot; to be disconcerted, to be put out.
опива́-ть II. *va.* (*Pf.* опи́ть 27. [a]) to drink at another's expense || **~ся** *vr.* to get drunk; to drink o.s. to death.
опи́вки *s. fpl.* (*G.* -вок) what is left over after drinking, slops *pl.*
óпий *s.* opium.
опи́лива-ть II. *va.* (*Pf.* опил=и́ть II. [a]) to file *or* saw round about.
опи́лок *s.* (*gsg.* -лка) sawn-off piece; (*in pl.*) filings, shavings *pl.*
опира́-ть II. *va.* (*Pf.* опере́ть 14. [a], *Fut.* обопру́, -ёшь) to lean (against, upon) || **~ся** *vr.* (óбо что) to lean, to rest, to recline (on).
опис/а́ние *s.* description, specification || **-а́тель** *s. m.*, **-а́тельница** *s.* describer || **-а́тельный** *a.* descriptive.
опи́ска *s.* (*gpl.* -сок) slip of the pen, mistake (in writing).
опи́сыва-ть II. *va.* (*Pf.* опис-а́ть I. 3. [c]) to describe; to confiscate || **~ся** *vn.* to make a mistake in writing.

о́пись *s. f.* list, inventory; confiscation.
опи́ть *cf.* **опива́ть.**
опла́кива-ть II. *va.* (*Pf.* опла́к-ать I. 2.) to weep for, to bewail, to mourn, to lament.
опла́т/а *s.* payment || **-ный** *a.* payable.
опла́чива-ть II. *va.* (*Pf.* оплат=и́ть I. 2. [c]) to pay, to pay off.
оплёвыва-ть II. *va.* (*Pf.* опле+ва́ть II. [a]) to spit upon; (*fig.*) to despise.
оплесневе́ть *cf.* **плесневе́ть.**
оплета́-ть II. *va.* (*Pf.* оплести́ & опле́сть 23. [a 2.]) to plait round, to entwine; to cheat, to hoax; (*fam.*) to eat up.
опле/у́ха & **-у́шина** *s.* a box on the ear.
оплеши́веть *cf.* **плеши́веть.**
оплодотво/ре́ние *s.* fecundation, impregnation || **-ри́тельный** *a.* fecundating, impregnating || **-ря́-ть** II. *va.* (*Pf.* -р=и́ть II.) to fecundate, to impregnate, to fertilize.
опло́т *s.* dam, bulwark, rampart.
оплоша́ть *cf.* **плоша́ть.**
опло́шн/ость *s. f.* negligence, carelessness || **-ый** *a.* negligent, neglectful, remiss.
оплыва́-ть II. *va.* (*Pf.* оплы́ть 31. [a]) to sail round, to circumnavigate; to round, to double (a cape) || ~ *vn.* to gutter, to run (of a candle).
оповеща́-ть II. *va.* (*Pf.* оповест=и́ть I. 4. [a]) to inform, to announce.
опо́ек *s.* (*gsg.* опо́йка) calf, calfskin.
опозд/а́лый *a.* belated, delayed, too late || **-а́ние** *s.* delay || **-а́ть** *cf.* **опа́здывать.**
опоз/нава́ть 39. II. *va.* (*Pf.* -на́-ть II.) to recognize, to know; to investigate; to reconnoitre || **-на́ние** *s.* recognition.
опозо́рить *cf.* **позо́рить.**
опои́ть *cf.* **опа́ивать.**
опо́йковый *a.* calf-, calfskin-.
опол/ча́-ть II. *va.* (*Pf.* -ч=и́ть I. [a]) to arm, to equip || **-че́нец** *s.* (*gsg.* -нца) militia-man || **-че́ние** *s.* arming, equipment; militia || **-я́чива-ть** II. *va.* (*Pf.* -я́ч=ить II.) to Polonize, to make Polish.
опо́р/ *s.*, **во весь** ~ at full speed || **-а** *s.* support, stay, prop || **-а́жнива-ть** II. & **-ожня́-ть** II. *va.* (*Pf.* -о́жн=ить II. & -о́зн=ить II.) to empty, to vacate || **-ный** *a.* serving as a support, supporting || **-о́чение** *s.* censure, blame; disgrace; vilification || **-о́чить** *cf.* **поро́чить.**
опост/ы́леть *cf.* **посты́леть** || **-ы́лый** *a.* (grown) indifferent, weary (of).
опохмеля́-ться II. *vr.* (*Pf.* опохмел=и́ться II. [a]) to recover from the effects of drinking.
опо/чива́льня *s.* (*gpl.* -лен) bedchamber, bedroom || **-чива́-ть** II. *vn.* (*Pf.* -чи́-ть II. [b]) to sleep, to rest, to repose.
опошля́-ть II. *va.* (*Pf.* опо́шл=ить II.) to make tasteless, hackneyed, common.
опоя́сыва-ть II. *va.* (*Pf.* опоя́с-ать I. 3.) to gird, to girdle.
оппо/зи́ция *s.* opposition || **-не́нт** *s.* opponent || **-ни́ро+вать** II. *vn.* to oppose.
опра́/ва *s.* setting, mounting (of jewellery, etc.) || **-вда́ние** *s.* justification, exculpation; discharge, acquittal || **-вда́тельный** *a.* justificative, exculpatory || **-вдыва-ть** II. *va.* (*Pf.* -вда́-ть II.) to justify, to exculpate; to acquit || ~**ся** *vr.* to exculpate o.s.; to clear o.s., to be realized, to come true || **-вля́-ть** II. *va.* (*Pf.* -в=ить II. 7.) to set right, to arrange; to set, to mount (of jewellery, etc.) || ~**ся** *vr.* to set right, to arrange o.s. (of dressing); to recover; to justify o.s.
опра́стыва-ть II. *va.* (*Pf.* опроста́-ть II.) to empty, to vacate.
опра́шива-ть II. *va.* (*Pf.* опрос=и́ть I. 3. [c]) to question, to interrogate.
опреде/ле́ние *s.* definition; determination; decision, decree; nomination, appointment || **-лённость** *s. f.* precision, definiteness; settledness || **-лённый** *a.* determined, definite, fixed, stated; precise, strict || **-ли́мый** *a.* definable, determinable || **-ля́-ть** II. *va.* (*Pf.* -л=и́ть II. [a]) to define; to determine; to decree, to ordain; to fix, to settle; to allot, to assign; to appoint, to nominate || ~**ся** *vr.* to enlist, to enrol o.s.
опре́сно́к *s.* unleavened bread, azyme; (*in pl.*) the feast of the Passover.
опри́ч/(н)ина *s.* body-guard (of the Czar Ivan IV.) || **-ь** *prp.* (*obs.*) except, save.
опро/верга́-ть II. *va.* (*Pf.* -ве́ргнуть 52.) to refute, to confute, to disprove || **-верже́ние** *s.* refutation, confutation || **-ки́дыва-ть** II. *va.* (*Pf.* -ки́н-уть I.) to overthrow, to overturn, to upset; (*mar.*) to capsize; (что на кого́ *fig.*) to throw upon (the gilt) || ~**ся** *vr.* to upset, to overturn, to capsize; (*fig.*) to fall upon || **-ме́тчивый** *a.* precipitate, overhasty, rash.
о́прометью *ad.* hastily, headlong, head over heels.
опро́с/ *s.* interrogatory; cross-examination || **-и́ть** *cf.* **опра́шивать** || **-ный** *a.* interrogatory || **-та́ть** *cf.* **опра́стывать**

|| **-товолóс=иться** I. 3. *vr. Pf.* to tear off one's head-dress; to do something foolish, to compromise o.s.
опротестовáть *cf.* **протестовáть.**
опроти́ве-ть II. 7. *vn. Pf.* to become repugnant.
опры́скива-ть II. *va.* (*Pf.* опры́ска-ть II., *mom.* опры́сн-уть I.) to (be)sprinkle.
опря́т/ность *s. f.* tidiness, neatness || **-ный** *a.* tidy, neat, clean.
óптик/ *s.* optician || **-а** *s.* optics *pl.*
оптим/и́зм *s.* optimism || **-и́ст** *s.* optimist.
опти́ческий *a.* optic, optical.
оптов/óй & **´-ый** *a.* wholesale || **-щи́к** *s.* [a] wholesale merchant.
óптом *ad.* wholesale.
опубликовáть *cf.* **публиковáть.**
опускá-ть II. *va.* (*Pf.* опуст=и́ть I. 4. [c]) to let down, to lower, to drop; to slacken, to relax; to omit, to leave out; to neglect (a chance); **~ ру́ки** (*fig.*) to lose courage || **~ся** *vr.* to sink down; to relax; (*fig.*) to grow weak; to lose courage; to slack(en).
опуст/éлый *a.* grown waste, desert || **-éть** *cf.* **пустéть** || **-ошá-ть** II. *va.* (*Pf.* -ош=и́ть I.) to lay waste, to ravage, to devastate || **-ошéние** *s.* waste, ravage, devastation || **-оши́тельный** *a.* ravaging, devastating.
опу́тыва-ть II. *va.* (*Pf.* опу́та-ть II.) to envelop, to wind round; (*fig.*) to enmesh, to implicate.
опухá-ть II. *vn.* (*Pf.* опу́хнуть 52.) to swell (up).
опу́хлый *a.* swollen, bloated.
óпухоль *s. f.* swelling, tumour.
опушá-ть II. *va.* (*Pf.* опуш=и́ть I. [a]) to trim, to edge, to border || **~ся** *vn.* to get feathers; to burst into leaf.
опу́шка *s.* (*gpl.* -шек) trimming, border, edge (of a dress); skirt, border (of a wood).
óпыт/ *s.* experience, knowledge experiment || **-ность** *s. f.* experience, skilfulness || **-ный** *a.* experienced, expert; experimental, empiric(al).
опьян/éлый *a.* drunk, intoxicated || **-éние** *s.* drunkenness, intoxication || **-éть** *cf.* **пьянéть.**
опя́ть *ad.* again, anew, once more.
орáва *s.* (*vulg.*) crowd, great number.
орáкул *s.* oracle.
орáла *s. m&f.* bawler.
орангутáнг *s.* orang-outang.
орáнж/евый *a.* orange || **-ерéйный** *a.* greenhouse- || **-ерéя** *s.* orangery, greenhouse.
орáтор/ *s.* orator || **-ский** *a.* oratorical || **´-ия** *s.* (*mus.*) oratorio.
ор-áть I. [a] *vn.* (*Pf.* за-) to bawl.
ор-áть II. [c] *va.* (*Pf.* вз-) to plough, to till.
орби́та *s.* (*astr.*) orbit.
óрбита *s.* socket of the eye.
оргáн *s.* (*mus.*) organ.
óрган/ *s.* organ; **~ слу́ха** organ of hearing || **-изáтор** *s.* organizer || **-изáция** *s.* organization || **-изóвыва-ть** II. *va.* (*Pf.* -изо+вáть II. [b]) to organize || **-и́зм** *s.* organism || **-и́ст** *s.* organist || **-и́ческий** *a.* organic(al).
óргия *s.* orgy.
орд/á *s.* [d] horde; crowd, band || **´-ен** *s.* order (religious, etc.); [b] (*pl.* -á) order, badge (decoration) || **´-ер** *s.* [b] (*pl.* -á) order, command || **-инáрец** *s.* (*gsg.* -рца) (*mil.*) orderly || **-инáрный** *a.* ordinary, common, usual.
орёл *s.* [a] (*gsg.* орлá) eagle.
орéх/ *s.* nut; **америкáнский ~** Brazilian nut; **грéцкий ~** walnut; **китáйский ~** pignut; **кокóсовый ~** coconut; (**леснóй**) **~** hazel-nut || **-овый** *a.* nut-.
орéш/ек *s.* (*gsg.* -шка) *dim. of* орéх || **-ина** *s.* nut-tree; hazel-tree, hazel (bush) || **-ник** *s.* hazel-bush; hazel-grove; grove of nut-trees.
оригинáл/ *s.* original; eccentric person || **-ьность** *s. f.* originality; eccentricity || **-ьный** *a.* original; eccentric(al).
ориент/али́ст *s.* orientalist || **-áция** *s.* orientation || **-и́ро+ваться** II. *vr.* to find one's way.
оркéстр/ *s.* orchestra || **-овый** *a.* orchestral.
орлёнок *s.* (*pl.* -ля́та) young eagle, eaglet.
óрл/ик *s.* small eagle || **-и́ный** *a.* eagle's, eagle-, aquiline || **-и́ца** *s.* (hen-)eagle || **-я́нка** *s.* heads or tails (a game).
орнáмéнт *s.* ornament.
орнитолóг/ *s.* ornithologist || **-ия** *s.* ornithology.
оробéть *cf.* **робéть.**
орош/á-ть II. *va.* (*Pf.* орос=и́ть I. 3. [a]) to water, to moisten, to wet; to irrigate || **-éние** *s.* irrigation, watering; moistening.
ору́д/ие *s.* instrument, tool, implement; (*mil.*) gun, piece; organ, means *pl.* || **-ийный** *a.* (*mil.*) gun- || **-о+вать** II. *vn.* (*Pf.* об-) (+ *I.*) to manage, to administer.
ору́ж/ие *s.* arm(s), weapon || **-éйник** *s.* armourer, gunsmith || **-éйный** *a.* arms-, of arms, gun- || **-енóсец** *s.* (*gsg.* -сца) armour-bearer, esquire.

орфогра́ф/ия *s.* orthography || **-и́ческий** *a.* orthographic(al).
оса́ *s.* [e] wasp.
оса́да *s.* siege.
осади́ть *cf.* **осажда́ть** & **оса́живать.**
оса́д/ка *s.* (*gpl.* -док) sinking, settlement, subsidence; (*mar.*) draught || **-ный** *a.* (*mil.*) siege-, battering-; **-ное ору́дие** siege-gun || **-ок** *s.* (*gsg.* -дка) sediment, deposit; (*chem.*) precipitate || **-очный** *a.* for precipitating; sedimentary.
осажда́-ть II. *va.* (*Pf.* осад=и́ть I. 1. [a]) (*mil.*) to besiege, to lay siege to, to invest; (*chem.*) to precipitate.
оса́жива-ть II. *va.* (*Pf.* осад=и́ть I. 1. [a & c]) to back, to rein back; (*chem.*) to precipitate.
оса́н/истый *a.* stately, dignified, with a noble bearing || **-ка** *s.* (*gpl.* -нок) imposing bearing, stateliness.
освед/омле́ние *s.* information || **-омля́-ть** II. *va.* (*Pf.* ⁴ом=ить II. 7.) (кого́ о чём) to inform (a person of something) || **~ся** *vr.* (о чём) to inquire about, to make inquiries.
осве/жа́-ть II. *va.* (*Pf.* -ж=и́ть I. [a]) to freshen, to refresh, to cool || **~ся** *vr.* to refresh o.s., to cool o.s. || **-же́ние** *s.* cooling, refreshing || **-жи́тельный** *a.* refreshing, cooling.
освети́тельный *a.* illuminating, light-.
осве/ща́-ть II. *va.* (*Pf.* -т=и́ть I. 6. [a & c]) to light, to illuminate; (*fig.*) to enlighten || **-ще́ние** *s.* light(ing), illumination; (*fig.*) enlightening.
освиде́тельство/вать *cf.* **свиде́тельствовать** || **-вание** *s.* inspection.
освирепе́ть *cf.* **свирепе́ть.**
осви́стыва-ть II. *va.* (*Pf.* освист-а́ть I. 4. [c]) to hiss.
освободи́тель *s. m.* deliverer, liberator.
освобо/жда́-ть II. *va.* (*Pf.* -д=и́ть I. 1. [a]) to free, to rid, to deliver; to discharge; to emancipate || **-жде́ние** *s.* deliverance, liberation, release, emancipation.
осво́ива-ть II. *va.* (*Pf.* осво́=ить II.) to appropriate; to acclimatize (of plants) || **~ся** *vr.* (с чем) to familiarize o.s. (with), to make o.s. familiar (with); to become acclimatized (of plants).
освяти́тельный *a.* inaugural.
освящ/а́-ть II. *va.* (*Pf.* освят=и́ть I. 6. [a]) to consecrate, to inaugurate || **-е́ние** *s.* consecration, inauguration.
осед/а́-ть II. *vn.* (*Pf.* осе́сть 44.) to settle, to sink, to subside, to give way; (*chem.*) to be pecipitated || **-ла́ть** *cf.* **седла́ть.**
осе́длый *a.* settled.
осека́-ться II. *vn.* (*Pf.* осе́чься 18.) to miss fire, to misfire.
осёл *s.* [a] (*gsg.* осла́) ass, donkey.
осёлок *s.* (*gsg.* -лка) whetstone, hone; touchstone.
осеменя́-ть II. *va.* (*Pf.* осемен=и́ть II. [a]) to sow.
осе́нний *a.* autumn, autumnal.
о́сень *s. f.* autumn; **-ью** in (the) autumn.
осеня́-ть II. *va.* (*Pf.* осен=и́ть II. [a]) to shade, to shadow; to bless; **~ себя́ кре́стным зна́мением** to cross o.s.; **~ кресто́м** to bless.
осётр *s.* [a] (*ich.*) sturgeon.
осетр/и́на *s.* the flesh of the sturgeon || **-о́вый** *a.* sturgeon-.
осе́сть *cf.* **оседа́ть.**
осе́ч/ка *s.* (*gsg.* -чек) misfire, flash in the pan || **-ься** *cf.* **осека́ться.**
оси́лива-ть II. *va.* (*Pf.* оси́л=ить II.) to overcome, to subdue, to conquer, to worst.
оси́н/а *s.* aspen(-tree) || **-ник** *s.* grove of aspen-trees || **-овый** *a.* aspen || **-ый** *a.* wasp's.
оси́п/лость *s. f.* hoarseness || **-лый** *a.* hoarse || **-нуть** 52. *vn. Pf.* to become hoarse.
осиро/те́лый *a.* orphan(ed) || **-те́ть** *cf.* **сироте́ть** || **-т=и́ть** I. 2. [a] *va. Pf.* to orphan.
осия́-ть II. *va.* to shine upon, to illuminate.
оска́лива-ть II. *va.* (*Pf.* оска́л=ить II.) to show (one's teeth).
осканда́л=ить II. *va. Pf.* (кого́) to discredit s.b.
осквер/не́ние *s.* defilement, pollution; profanation || **-ни́тель** *s. m.* defiler; profaner || **-ни́тельный** *a.* profane || **-ня́-ть** II. *va.* (*Pf.* -н=и́ть II. [a]) to defile, to pollute; (*fig.*) to profane.
осклабля́-ться II. *vr.* (*Pf.* оскла́б=иться II. 7. [a]) to smile, to simper.
оско́лок *s.* (*gsg.* -лка) splinter, chip.
о́скользень *s. m.* (*gsg.* -зня) false stroke, miss (at billiards).
оско́мина *s.* setting one's teeth on edge; **наби́ть -у** (кому́) (*fig.*) to bore a person.
оскопля́-ть II. *va.* (*Pf.* оскоп=и́ть II. 7. [a]) to geld, to castrate.
оскор/би́тель *s. m.* offender, insulter, reviler, abuser || **-би́телный** *a.* offensive, insulting, abusive || **-бле́ние** *s.* affront, offence, insult, abuse || **-бля́-ть** II. *va.* (*Pf.* -б=и́ть II. 7. [a]) to offend, to insult, to affront, to wound, to hurt || **~ся** *vr.* to be offended *or* hurt; to take offence.

оскоро́м=иться II. 7. *vr. Pf.* to break the fast (by eating meat).
оскреба́-ть II. *va.* (*Pf.* оскрести́ & оскре́сть 21.) to scrape off.
оскрёбок *s.* (*gsg.* -бка) scraping.
оску/дева́-ть II. *vn.* (*Pf.* -де́-ть II.) to grow poor, to become impoverished; to grow weak || **-де́лый** *a.* grown poor, impoverished || **-де́ние** *s.* impoverishment.
осла/бева́-ть II. *vn.* (*Pf.* -бе́-ть II., *mom.* ⁓бнуть 52.) to grow weak, to become feeble || **-бе́лый** *a.* weakened, enfeebled || **-бле́ние** *s.* weakening, enfeeblement || **-бля́-ть** II. *va.* (*Pf.* ⁓б=нить II. 7.) to loosen, to relax; to weaken, to debilitate, to enfeeble; (*fig.*) to extenuate, to allow for.
ослёнок *s.* (*pl.* -ля́та) young ass, ass's foal.
осле/пи́тельный *a.* dazzling, blinding || **-пле́ние** *s.* blindness; dazzling || **-пля́-ть** II. *va.* (*Pf.* -п=и́ть II. 7. [a]) to blind; to dazzle.
о́сл/ик *s.* little ass, donkey || **-и́ный** *a.* ass's, ass-, donkey- || **-и́ца** *s.* she-ass.
ослож/не́ние *s.* complication || **-ня́-ть** II. *va.* (*Pf.* -н=и́ть II. [a] to complicate.
ослуша́ние *s.* disobedience.
ослу́ш/ива-ться II. *vn.* (*Pf.* -а-ться II.) to disobey, to be disobedient || **-ливый** *a.* disobedient || **-ник** *s.*, **-ница** *s.* disobedient person.
ослы́ш=аться I. *vc. Pf.* to be mistaken in hearing.
осма́трива-ть II. *va.* (*Pf.* осмотр=е́ть II. [c]) to examine, to inspect, to survey || **⁓ся** *vn.* (в чём) to look about one, to find out where one is.
осме́ива-ть II. *va.* (*Pf.* осме-и́ть II. [a]) to deride, to mock; to jeer, to scoff (at).
осме́лива-ться II. *vr.* (*Pf.* осме́л=иться II.) to take the liberty, to venture, to make bold, to dare.
осмея́ние *s.* derision, mockery, scoffing.
осмо́тр/ *s.* examination, inspection; domiciliary visit || **-е́ние** *s.* circumspection, precaution || **-е́ть** *cf.* **осма́тривать** || **-и́тельность** *s. f.* circumspection, prudence, caution, carefulness || **-и́тельный** *a.* circumspect, prudent, cautious, wary, discreet.
осмы́сленный *a.* clever, well thought out.
оснасти́ть *cf.* **осна́щивать.**
осна́стка *s.* (*gpl.* -ток) (*mar.*) rigging.
осна́щива-ть II. & **оснаща́-ть** II. *va.* (*Pf.* оснаст=и́ть I. 4. [a]) (*mar.*) to rig.
осно́в/а *s.* beginning, basis, foundation; warp (in weaving) || **-а́ние** *s.* foundation; elements *pl.*, rudiments *pl.*; basis, base || **-а́тель** *s. m.* founder || **-а́тельность** *s. f.* solidity, soundness || **-а́тельный** *a.* solid, well-founded, steady; intelligent, judicious || **-но́й** & **-ный** *a.* fundamental, radical; sound.
осо́б/а *s.* person, individual || **-енно** *ad.* especially, particularly || **-енность** *s. f.* particularity, peculiarity, speciality, singularity || **-енный** *a.* separate; special, particular, peculiar, singular || **-ня́к** *s.* [a] isolated house, detached villa.
особо́ровать *cf.* **собо́ровать.**
о́собь *s. f.* individual.
осов/е́лый *a.* grown stupid, unconscious, stupefied; startled, bewildered || **-е́-ть** II. *vn. Pf.* to become stupefied, unconscious, startled.
осо́ка *s.* (*bot.*) sedge, reed-grass.
осолове́лый *a.* dull, dim (of the eyes).
осолоди́ть *cf.* **солоди́ть.**
о́спа *s.* smallpox.
оспа́рива-ть II. *va.* (*Pf.* оспо́р=ить II.) to contest, to dispute, to deny, to impugn.
о́сп/енный *a.* variolous; affected with smallpox || **-ина** *s.* pock(-mark) || **-оприви́ва́ние** *s.* vaccination.
осрамля́-ть II. *va.* (*Pf.* осрам=и́ть II. 7. [a]) to shame, to disgrace, to insult, to abuse.
ост *s.* (*mar.*) east, east wind.
остава́ться 39. *vc.* (*Pf.* оста́ться 32.) to remain, to be left; to stay, to stop; **но́мер остаётся за мно́ю** I shall take the room.
оставле́ние *s.* forsaking, abandoning, desertion.
оставля́-ть II. *va.* (*Pf.* оста́в=ить II. 7.) to leave, to abandon, to forsake; to relinquish, to give up; to let alone.
остально́й *a.* remaining.
остана́влива-ть II. & **остановля́-ть** II. *va.* (*Pf.* останов=и́ть II. 7. [a & c]) to stop, to stay, to detain; to suspend, to delay; to interrupt, to hinder || **⁓ся** *vr.* to stop, to halt, to rest; to stay, to put up.
оста́н/ки *s. mpl.* remains *pl.* || **-о́вка** *s.* (*gpl.* -вок) stop(page), halt, delay, suspension, cessation, standstill; (*rail.*) station || **-о́вочный** *a.* for stopping, able to stop.
остаре́ть *cf.* **старе́ть.**
оста́т/ок *s.* (*gsg.* -тка) remainder, remains *pl.*, rest, residue, surplus || **-очный** *a.* remaining, residual.
остеоло́гия *s.* osteology.

остепеня́-ть II. *va.* (*Pf.* остепен=и́ть II. [a]) to bring a person to his senses.
остерве/не́лый *a.* exasperated, enfuriated, grown furious || **-ня́-ть** II. *va.* (*Pf.* -н=и́ть II. [a]) to madden, to enfuriate, to exasperate || **~ся** & **-не́-ть** II. *vn.* to rage, to become furious, exasperated.
остерега́-ть II. *va.* (*Pf.* остере́чь 15. [a 2.]) to guard; to caution, to warn || **~ся** *vr.* to beware, to guard against, to be careful.
остз/е́ец *s.* (*gsg.* -е́йца) an inhabitant of the Baltic provinces || **-е́йский** *a.* Baltic.
о́стов *s.* skeleton.
остолбене́/лый *a.* benumbed, stupefied (with fright) || **-ние** *s.* stupefaction, stupor || **-ть** *cf.* **столбене́ть.**
остоло́п *s.* dolt, blockhead, idiot.
осторо́ж/ность *s.f.* cautiousness, circumspection, wariness, prudence, discretion || **-ный** *a.* cautious, wary, prudent, discreet.
остра́стка *s.* (*gpl.* -ток) menace, threat.
остреё = **остриё.**
о́стренький *a.* very sharp, bitter; witty.
остре́-ть II. *vn.* to grow sharp *or* pointed.
остр/ига́ть, -и́чь *cf.* **обстрига́ть.**
остриё *s.* edge, point.
остр=и́ть II. *va.* to sharpen, to point || ~ *vn.* (над чем) to poke fun (at), to crack jokes, to play the wit, to scoff (at).
о́стров/ *s.* [b] (*pl.* -а́) island || **-итя́нин** *s.* (*pl.* -я́не, -я́н, etc.), **-итя́нка** *s.* (*gpl.* -нок) islander || **-но́й** *a.* island-, insular || **-о́к** *s.* [a] (*gsg.* -вка́) *dim. of* о́стров.
остро́г/ *s.* prison, jail || **-а́** *s.* fish-spear, harpoon, gaff.
остро/гла́зый *a.* sharp-sighted || **-коне́чный** *a.* sharp, sharp-pointed || **-но́сый** *a.* sharp-nosed || **-сло́в** *s.* wag, witty person || **-та́** *s.* [h] sharpness, acridity; keenness, shrewdness; witticism || **-уго́льный** *a.* acute-angled || **-у́мие** *s.* wit, ingenuity || **-у́мный** *a.* sharp-witted, clever, ingenious, smart.
о́стр/ый *a.* (*pd.* остёр, остра́, -о́; *comp.* остре́е; *sup.* остре́йший) sharp, edged (of tools); acrid, pungent (of liquids); acute (of a malady); (*fig.*) witty, cutting, biting || **-я́к** *s.* [a] a wit, wag.
остужа́-ть II. *va.* (*Pf.* остуд=и́ть I. 1. [a & c]) to chill, to cool.
остыва́-ть II. *vn.* (*Pf.* осты́н-уть I.) to cool, to cool down, to grow cool (*also fig.*).
осужд/а́-ть II. *va.* (*Pf.* осуд=и́ть I. 1. [c]) to condemn, to blame, to censure || **-е́ние** *s.* condemnation, blame, censure.
осу́н-уться I. *vn. Pf.* to grow thin, to decline.
осу́шива-ть II. & **осуша́-ть** II. *va.* (*Pf.* осуш=и́ть I. [a & c]) to drain; to dry (up); to drink off.
осущест/вле́ние *s.* realization, accomplishment || **-вля́-ть** II. *va.* (*Pf.* -в=ить II. 7. [a]) to realize, to accomplish.
осчастли́в=ить II. 7. *va. Pf.* to make happy.
осыпа́-ть II. *va.* (*Pf.* осы́п-ать II. 7.) to strew round; to set, to stud (with diamonds, etc.); to load, to overwhelm (with abuse, favours, etc.) || **~ся** *vn.* to fall in, to crumble away.
ось/ *s. f.* [c] axle(-tree); (*tech.*) shaft; (*math.*) axis || **´-ми** *in cpds.* = octo-, octa- || **-ми́на** *s.* a dry measure = 11.55 pecks || **-му́ха** *s., dim.* **-му́шка** *s.* (*gpl.* -шек) an eighth, an eighth part; one eighth of a pound; **в -му́шку** in octavo.
осяз/а́емость *s. f.* palpability, tangibleness || **-а́емый** *a.* palpable, tangible || **-а́ние** *s.* (the sense of) touch; feel, feeling || **-а́тельный** *a.* sensitive, of touch; palpable, tangible || **-а́-ть** II. *va.* to touch, to feel.
от (**о́то**) *prp.* (+ *G.*) from, out of; for; against; **день ото дня** from day to day; **защища́ться ~ хо́лода** to protect o.s. against the cold; **~ ре́вности** out of jealousy.
ота́ва *s.* after-grass, aftermath.
ота́плива-ть II. *va.* (*Pf.* отоп=и́ть II. 7. [c]) to heat, to warm.
ота́птыва-ть II. *va.* (*Pf.* отопт-а́ть I. 2. [c]) to tread down, to trample on.
отба́/вка *s.* (*gpl.* -вок) diminution, decrease || **-вля́-ть** II. *va.* (*Pf.* -в=ить II. 7.) to diminish, to decrease.
отбараба́н=ить II. *va.* to cease drumming.
отбега́-ть II. *vn.* (*Pf.* отбежа́ть 46.) to run away.
отбива́-ть II. *va.* (*Pf.* отби́ть 27., *Fut.* отобью́, -ьёшь) to knock, to break off (a lock, etc.); to beat, to throw back (a ball); to repel, to repulse; to parry, to ward off; (у кого́ что) to retake, to take (a town) || **~ся** *vr.* to keep off, to rid o.s. (of); **~ от рук** to be incorrigible.
отбира́-ть II. *va.* (*Pf.* отобра́ть 8. [a 3.], *Fut.* отберу́, -ёшь) (у кого́ что) to take away; to choose, to pick, to select.

отбла́го/вестить *cf.* **бла́говестить** || **-дари́ть** *cf.* **благодари́ть.**

о́т/блеск *s.* reflection || **-бо́й** *s.* repelling, repulse; (*mil.*) retreat; ricochet || **-бо́р** *s.* choice, selection || **-бо́рный** *a.* choice, select || **-боя́рива-ться** II. *vr.* (*Pf.* -боя́р=иться II.) (от чего́, кого́) to get rid of || **-бра́сыва-ть** II. *va.* (*Pf.* -бро́с=ить I. 3.) to throw away, to throw back, to spurn || **-брива́-ть** II. *va.* (*Pf.* -бри́ть 30.) to finish shaving, to shave off; (*fig.*) to get rid of || **-бро́с** *s.* refuse, offal, leavings *pl.* || **-быва́-ть** II. *vn.* (*Pf.* -бы́ть 49.) to depart, to set out || ~ *va.* to do, to fulfil (one's duty), to perform || **-бы́тие** *s.* departure.

от/ва́га *s.* venture, daring || **-ва́жива-ть** II. *va.* (*Pf.* -ва́д=ить I. 1.) (кого́ от чего́) to disaccustom (from), to wean one from a habit || **~ся** *vr.* (от чего́) to break off || **-ва́жива-ться** II. *vr.* (*Pf.*-ва́ж=иться I.) (на что) to hazard, to risk, to run the risk of, to dare, to make bold (to) || **-ва́жность** *s. f.* daring, fearlessness, boldness || **-ва́жный** *a.* daring; fearless, bold || **-ва́л** *s.* fall, falling in; unmooring, pushing off, departure (of a vessel from land); mould-board (of a plough) || **-ва́лива-ть** II. *va.* (*Pf.* -вал=и́ть II. [a & c]) to roll away; (*fam.*) to hand over (money) || ~ *vn.* to push off (from land), to leave the shore || **~ся** *vr.* to fall off, to come off, to become loose (of plastering) || **-ва́р** *s.* decoction; **мясно́й ~** broth, beef tea || **-ва́рива-ть** II. *va.* (*Pf.* -вар=и́ть II. [a & c]) to finish boiling; to scald; to clean by boiling || **-варно́й** *a.* boiled (up), decocted || **-ве́дыва-ть** II. *va.* (*Pf.* -ве́да-ть II.) to taste; (*fig.*) to try, to attempt || **-везти́** *cf.* **-вози́ть** || **-верга́-ть** II. *va.* (*Pf.* -ве́ргнуть 52.) to cast away, to throw away; to reject, to refuse; to disown, to repudiate.

отверд/ева́ть *cf.* **тверде́ть** || **-е́лость** *s. f.* hardness, callousness; callosity || **-е́лый** *a.* hardened, callous || **-е́ние** *s.* hardening, growing callous.

от/ве́рженный *a.* rejected, repudiated || **-верну́ть** *cf.* **-вёртывать** || **-ве́рстие** *s.* opening, aperture || **-вёртка** *s.* (*gpl.* -ток) screwdriver || **-вёрточный** *a.* for unscrewing || **-вёртыва-ть** II. *va.* (*Pf.* -верт=е́ть I. 2. [c] & -верн-у́ть I.) to unscrew, to screw off; to turn away.

отве́/с *s.* plumb, lead; plumb-line; perpendicular; precipitous slope || **-сить** *cf.* **-шивать** || **-сный** *a.* perpendicular, vertical, plumb || **-сти́** *cf.* **отводи́ть.**

отве́т/ *s.* answer, reply, response, rejoinder; account, responsibility; **позва́ть к -у** to call to account; **дать ~** (в чём) to render an account of || **-ить** *cf.* **отвеча́ть** || **-ный** *a.* answering, counter-, in answer || **-ственность** *s. f.* responsibility, liability || **-ственный** *a.* responsible || **-ство+вать** II. *vn.* (на что) to answer, to reply; (за что, в чём) to be answerable for, to guarantee || **-чик** *s.*, **-чица** *s.* surety, bail, guarantee; (*leg.*) respondent, defendant.

отвеча́-ть II. *vn.* (*Pf.* отве́т=ить I. 2.) (на что) to answer, to reply; (за что, кого́) to be answerable, accountable, responsible for; (+ *D.*) to correspond to.

отве́шива-ть II. *va.* (*Pf.* отве́с=ить I. 3.) to weigh (off); ~ **покло́н** to make a deep bow.

отви́лива-ть II. *vn.* (*Pf.* отвиля́-ть II. & отвильн-у́ть I. [a]) to escape, to extricate o.s.

отви́нчива-ть II. *va.* (*Pf.* отвинт=и́ть I. 2.) to unscrew, to screw off.

от/виса́-ть II. *vn.* (*Pf.* -ви́снуть 52.) to hang down || **-ви́слый** *a.* hanging down, pendent || **-влека́-ть** II. *va.* (*Pf.* -вле́чь 18. [a 2.]) to draw off, to withdraw; to call off; to divert; to abstract || **-влече́ние** *s.* drawing off; (*fig.*) diversion; abstraction || **-влечённость** *s. f.* abstractedness, abstraction || **-влечённый** *a.* abstract(ed).

от/во́д *s.* leading away; turning aside (of water); warding off (of a stroke); (*leg.*) challenge; **громово́й ~** lightning-conductor || **-вод=и́ть** I. 1. [c] *va.* (*Pf.* -вести́ & -ве́сть 22. [a 2.]) to lead away *or* off, to draw aside; to allot, to assign; to divert || **-во́дный** *a.* for leading away; assigned, allotted || **-воёвыва-ть** II. *va.* (*Pf.* -вое+ва́ть II. [b]) to reconquer || **-воз=и́ть** I. 1. [c] *va.* (*Pf.* -везти́ & -ве́зть 25. [a 2.]) to drive away, to transport, to carry away (in a conveyance) || **-вора́чива-ть** II. *va.* (*Pf.* -ворот=и́ть I. 2. [c]) to turn away, aside; to avert; to turn up (a sleeve, etc.); to unscrew || **~ся** *vr.* to turn away (from) || **-воро́т** *s.* facing, lapel (of a coat); boot-top || **-воро́тный** *a.* for turning up || **-воря́-ть** II. *va.* (*Pf.* -вор=и́ть II. [c]) to open, to lay open.

отвра/ти́тельность *s. f.* hideousness, horribleness; repugnance, repulsiveness || **–ти́тельный** *a.* disgusting, repulsive, hideous, loathsome || **–ща́-ть** II. *va.* (*Pf.* -т=и́ть I. 6. [a]) to ward off, to keep off, to turn aside (from); (*fig.*) to avert || **–ще́ние** *s.* turning away; warding off; (от чего́) aversion, dislike (to), repugnance, reluctance.

отвсю́ду *ad.* from all parts, from everywhere.

от/выка́-ть II. *vn.* (*Pf.* -вы́кнуть 52.) (от + *G.*) to disaccustom o.s. (from) || **–вы́клый** *a.* disaccustomed || **–вы́чка** *s.* (*gpl.* -чек) giving up a habit, a custom || **–вя́зыва-ть** II. *va.* (*Pf.* -вяз-а́ть I. 1. [c]) to untie, to loose(n), to unfasten || **~ся** *vr.* to untie o.s., to get loose; (*fig.*) to get rid of.

отга́/дка *s.* (*gpl.* -док) solution (of a riddle) || **–дчивый** *a.* ingenious, good at solving puzzles || **–дыва-ть** II. *va.* (*Pf.* -да́-ть II.) to guess, to solve (a riddle); to change one's mind.

от/гиба́-ть II. *va.* (*Pf.* отогн-у́ть I.) to unbend, to straighten || **–глаго́льный** *a.* (*gramm.*) verbal || **–гова́рива-ть** II. *va.* (*Pf.* -говор=и́ть II. [a]) (кого́ от чего́) to dissuade one (from a thing), to persuade not to || **~ся** *vr.* (чем) to excuse o.s., to find an excuse, to pretend || **–гове́ть** *cf.* **гове́ть** || **–гово́рка** *s.* (*gpl.* -рок) excuse, pretence, evasion, loop-hole, subterfuge || **–гоня́-ть** II. *va.* (*Pf.* -огна́ть 11. [c], *Fut.* -гоню́, -го́нишь) to drive away, off || **–гора́жива-ть** II. *va.* (*Pf.* -город=и́ть I. 1. [c]) to fence off, to partition off || **–горо́дка** *s.* (*gpl.* -док) fencing off, partition || **–грыза́-ть** II. *va.* (*Pf.* -гры́зть 25. [a 1.]) to gnaw off, to bite off || **–гуля́ть** *cf.* **гуля́ть.**

отдава́ть 39. *va.* (*Pf.* отда́ть 38.) to give (back), to deliver, to return, to restore, to repay; to do, to render (justice, homage); to pay (a visit); to let go, to loosen, to cast off (a rope, etc.) || **~** *vn.* to taste, to smell of || **~** *v.imp.* to recoil, to kick (of a gun); to cease (of an illness) || **~ся** *vr.* to surrender, to yield; to give o.s. up (to); to resign o.s. to; to resound, to re-echo.

отда́влива-ть II. *va.* (*Pf.* отдав=и́ть II. 7. [c]) to squeeze, to crush, to squash.

отда/ле́ние *s.* removal; distance || **–лённый** *a.* distant, remote, far, out of the way || **–ля́-ть** II. *va.* (*Pf.* -л=и́ть II. [a]) to remove, to put away; (*fig.*) to delay, to put off (of time); to alienate || **~ся** *vr.* (от чего́) to go away, to turn aside; to shun, to avoid.

от/да́рива-ть II. *va.* (*Pf.* -дар=и́ть II. [a]) to make a present in return || **~ся** *vrc.* (с кем) to give presents to one another || **–да́ть** *cf.* **-дава́ть** || **–да́ча** *s.* payment; delivery; surrender || **–двига́-ть** II. *va.* (*Pf.* -дви́н-уть I.) to move away, to remove || **–дви́жка** *s.* (*gpl.* -жек) moving, shoving away, removing; bar, bolt.

отде́л/ *s.* division, section; share || **–ать** *cf.* **–ывать** || **–е́ние** *s.* separation, partition; division, section; chapter, part (of books); (*rail.*) compartment || **–и́мый** *a.* separable || **–и́ть** *cf.* **–я́ть** || **–ка** *s.* (*gpl.* -лок) finishing, trimming || **–ыва-ть** II. *va.* (*Pf.* -ла-ть II.) to finish, to put the finishing touch to; to trim, to adorn; to abuse, to maltreat; to spoil || **~ся** *vr.* (с чем) to end, to finish, to terminate; (от чего́) to get rid of, to deliver (from), to disengage o.s. (from) || **–ьно** *ad.* separately; apart, singly || **–ьность** *s. f.* separateness || **–ьный** *a.* separate, divided, extra- || **–я́-ть** II. *va.* (*Pf.* -л=и́ть II. [a]) to separate; to isolate; to divide, to single out || **~ся** *vr.* to be separated, to separate, to part, to divide.

от/дёргива-ть II. *va.* (*Pf.* -дёрн-уть I.) to draw back, away, aside || **–дира́-ть** II. *va.* (*Pf.* -одра́ть 8. [a 3.], *Fut.* -деру́, -дерёшь) to tear away, off; to flog, to whip || **–дохнове́ние** *s.* breathing-space, relaxation, rest, repose || **–дохну́ть** *cf.* **–дыха́ть** || **–дуба́сить** *cf.* **дуба́сить** || **–дува́-ть** II. *va.* (*Pf.* -ду́н-уть I.) to blow away; (*Pf.* -ду́-ть II. [b]) (*fig.*) to thrash, to give a person a good hiding || **~ся** *vr.* to breathe thick, to gasp, to pant; (от + *G.*) to get free of || **–ду́шина** *s.* air-hole, vent(-hole).

о́тдых/ *s.* breathing-space, repose || **–а́-ть** II. *vn.* (*Pf.* отдохн-у́ть I.) to rest o.s.; to take rest.

отёк *s.* dropsy.

отека́-ть II. *vn.* (*Pf.* оте́чь 18. [a 2.]) to run, to gutter; to swell (up).

отели́ться *cf.* **тели́ться.**

оте́ль/ *s. m.* hotel || **–ный** *a.* hotel-.

отере́ть = **обтере́ть.**

оте́ц *s.* [a] father.

оте́че/ский *a.* fatherly, paternal || **-ственный** *a.* native, of one's native land, mother- || **–ство** *s.* native country, native land, mother-country.

отéчь *cf.* **отекáть.**
отживá-ть II. *va.* (*Pf.* отжи́ть 31.) to serve out, to finish, to pass one's term; to work off (a debt).
óтзвук *s.* resonance, echo.
отзы́в *s.* recall (of a messenger).
óтзыв/ *s.* nomination, call, protest; declaration, remark; (*leg.*) answer to a call || **–á-ть** II. *va.* (*Pf.* отозвáть 10. [a 3.], *Fut.* отзову́, -ёшь) to call away; to withdraw; to recall || **~ся** *vn.* (о ком) to declare, to mention; (чем) to smell of, to smack of
отзы́вчивый *a.* resounding, echoing; (*fig.*) sympathizing.
отирáть = **обтирáть.**
откá/з *s.* (в чём *or* от чегó) refusal, denial; renunciation || **–знóй** *a.* left by will || **–зыва-ть** II. *va.* (*Pf.* -з-áть I. 1. [c]) (комý в чём) to refuse, to deny; (от мéста) to dismiss, to discharge; (комý что) to bequeath, to leave by will || **~ся** *vr.* (от чегó) to renounce, to resign, to disclaim, to give up, to forswear.
от/кáлыва-ть II. *va.* (*Pf.* -кол-óть II. [c]) to cleave away, to split off; to unpin; to cease splitting || **–кáпыва-ть** II. *va.* (*Pf.* -копá-ть II.) to dig up, to disinter; (*fig.*) to ferret out || **–кáрмлива-ть** II. *va.* (*Pf.* -корм=и́ть II. 7. [c]) to fatten; to leave off feeding || **–кáт** *s.* rolling away; recoil, kick (of a gun) || **–кáтыва-ть** II. *va.* (*Pf.* -катá-ть II.) to finish rolling, mangling (of linen); to belabour, to give a good beating to; (*Pf.* -кат=и́ть I. 2. [a & c]) to roll down, away || **–кáчива-ть** II. *va.* (*Pf.* -качá-ть II.) to pump out; to bring to life by rocking (a drowned man) || **–кáшлива-ть** II. *va.* (*Pf.* -кáшля-ть II., *mom. Pf.* -кáшлян-уть I.) to cough up, away; to clear one's throat || **–киднóй** *a.* folding back; turn-down (collar) || **–ки́дыва-ть** II. *va.* (*Pf.* -кидá-ть II. & -ки́н-уть I.) to throw away, to fling away; to fold back || **–клáдыва-ть** II. *va.* (*Pf.* -лож=и́ть I. [c]) to take out, to unyoke (horses); to put off, to adjourn, to postpone; to turn down (a collar); (*also Pf.* -клáсть 22. [a 1.]) to lay apart, aside; to put by, to put back || **–клáнива-ться** II. *vn.* (*Pf.* -клáня-ться II.) (+ *D.*) to take one's leave (of) || **–клéива-ть** II. *va.* (*Pf.* -кле=и́ть II. [a & b]) to unglue || **–клёпыва-ть** II. *va.* (*Pf.* -клепá-ть II.) to unrivet.
óтклик/ *s.* answer (to a call) || **–á-ться** II. *vn.* (*Pf.* **´**н-уться I.) (на что) to answer (to a call).
откло/нéние *s.* turning aside, warding off; declination, declension || **–ня́-ть** II. *va.* (*Pf.* -н=и́ть II. [c]) to turn aside, off; to avert, to divert, to ward off || **~ся** *vr.* (от чегó) to turn away (from), to avoid.
от/козы́рива-ть II. *va.* (*Pf.* -козыря́-ть II.) to trump || **–колáчива-ть** II. *va.* (*Pf.* -колот=и́ть I. 2. [c]) to break open, to knock off; to give a good beating to || **–кóле** *ad.* whence, from where || **–колóть** *cf.* **–кáлывать** || **–командировáть** *cf.* **командировáть** || **–копáть** *cf.* **–кáпывать** || **–корми́ть** *cf.* **–кáрмливать.**
откóс/ *s.* declivity, slope || **–ный** *a.* sloping, slanting.
откровéн/ие *s.* revelation, inspiration || **–ность** *s. f.* frankness, openness, candidness || **–ный** *a.* frank, open, candid, plain-spoken, open-hearted.
от/кру́чива-ть II. *va.* (*Pf.* -крут=и́ть I. 2. [a & c]) to untwine, to untwist || **–крывá-ть** II. *va.* (*Pf.* -кры́ть 28.) to open, to uncover, to unveil, to expose; to divulge, to expose; to discover, to reveal; to make known, to disclose; to find out, to detect || **~ся** *vr.* to open, to show o.s., to reveal o.s.; to declare o.s.; to appear (of a malady).
откры́т/ие *s.* opening; unveiling (of a monument); discovery; disclosure, revelation || **–ка** *s.* (*gpl.* -ток) post-card || **–ый** *a.* open, uncovered, overt; (*fig.*) plain; **–ое письмó** post-card.
отры́ть *cf.* **открывáть.**
откýда *ad.* whence, from where; **~-нибудь** from somewhere.
óтку/п *s.* [b] (*pl.* -á) lease; **отдавáть на ~** to lease out; **брать на ~** to take on lease || **–пá-ть** II. *va.* (*Pf.* -п=и́ть II. 7. [c]) to lease; to ransom || **~ся** *vr.* to ransom o.s. || **–пнóй** *a.* leased, lease-hold-.
откýп/орива-ть II. *va.* (*Pf.* -ор=ить II.) to uncork, to broach; to open, to unpack || **–орка** *s.* uncorking, broaching || **–щи́к** *s.* [a], **–щи́ца** *s.* lease-holder.
от/кýсыва-ть II. *va.* (*Pf.* -кус=и́ть I. 3. [c]) to bite off || **–кýшива-ть** II. *va.* (*Pf.* -кýша-ть II.) (чегó) to taste || **–кýша-ть** II. *vn. Pf.* to finish eating; to have done eating *or* drinking.
отлаг/áтельство *s.* procrastination, delay, postponement || **–á-ть** II. *va.* (*Pf.*

отлож=йть I. [c]) to put off, to delay, to defer, to postpone.
от/ла́мыва-ть II. *va.* (*Pf.* -лома́-ть II. & -лом=и́ть II. 7. [c]) to break off || **-лега́-ть** II. *vn.* (*Pf.* -ле́чь 41. [b]) to settle, to fall to the bottom; to become lighter, to ease || **-лежа́лый** *a.* thoroughly matured (of fruit) || **-лёжива-ть** II. *va.* (*Pf.* -леж-а́ть I. [a]) to get sore by lying; to cause a limb to fall asleep (by lying on it too long) || **-лепля́-ть** II. *va.* (*Pf.* -леп=и́ть II. 7. [c]) to unglue; to mould, to model || **-лета́-ть** II *vn.* (*Pf.* -лет=е́ть I. 2. [a]) to fly away, off || **-лётный** *a.* flying away; **-лётные птицы** *fpl.* birds of passage || **-ле́чь** *cf.* **-лега́ть.**
отли́в/ *s.* ebb, ebb-tide; play of colours || **-а́-ть** II. *va.* (*Pf.* отли́ть 27. [a 3.], *Fut.* отолью́, -ьёшь) to pour off; to cast, to found || ~ *vn.* to change colours || **-ка** *s.* (*gpl.* -вок) pouring off; casting, founding || **-но́й** *a.* cast, founded; for pouring off.
от/липа́-ть II. *vn.* (*Pf.* -ли́пнуть 52.) not to stick, to come loose || **-литографи́ровать** *cf.* **литографи́ровать** || **-ли́ть** *cf.* **-лива́ть.**
отли́/чие *s.* distinction, difference || **-ча́-ть** II. *va.* (*Pf.* -ч=и́ть I. [a]) to discriminate; to distinguish || **~ся** *vr.* to distinguish o.s. || **-чи́тельность** *s. f.* distinctiveness || **-чи́тельный** *a.* distinctive, characteristic, distinguishing || **-чно** *ad.* excellently, very well || **-чный** *a.* distinct; distinguished, excellent.
отло́г/ий *a.* sloping || **-ость** *s. f.* slope, declivity.
отлож/и́ть *cf.* **откла́дывать & отлага́ть** || **-но́й** *a.* that may be turned down.
отло́м/ок *s.* (*gsg.* -мка) fragment || **-а́ть** *cf.* **отла́мывать.**
отлу/ча́-ть II. *va.* (*Pf.* -ч=и́ть I. [a]) to remove; to exclude; ~ **от це́ркви** to excommunicate || **-че́ние** *s.* separation, removing, removal; exclusion; ~ **от це́ркви** excommunication || **-чка** *s.* (*gpl.* -чек) absence || **-чный** *a.* absent.
от/лы́нива-ть II. *vn.* (*Pf.* -лы́н-уть I.) (от чего́) to avoid || **-ма́лива-ть** II. *va.* (*Pf.* -мол=и́ть II. [c]) to avert by prayer || **-ма́лчива-ться** II. *vn.* (*Pf.* -молч=а́ться I. [a]) to endure in silence || **-ма́хива-ть** II. *va.* (*Pf.* -маха́-ть II. & -махн-у́ть I. [a]) to fan away, to blow away; to cut off || **~ся** *vr.* (от + *G.*) to keep away from o.s. by fanning || **-ма́чива-ть** II. *va.* (*Pf.* -моч=и́ть I. [c]) to loosen by moistening || **-межева́ть** *cf.* **межева́ть.**
отме́листый *a.* shoaly, full of shoals *or* sand-banks.
о́тмель *s. f.* shoal, sand-bank.
отме́/на *s.* abolition, suppression, repeal, annulment; countermanding || **-нность** *s. f.* difference; excellence || **-нный** *a.* different; excellent || **-ня́-ть** II. *va.* (*Pf.* -н=и́ть II. [a & c]) to revoke, to recall, to repeal, to annul, to abolish, to rescind; to reverse, to countermand.
от/мерза́-ть II. *vn.* (*Pf.* -мёрзнуть 52.) to freeze off; to thaw || **-ме́рива-ть** II. & **-меря́-ть** II. *va.* (*Pf.* -ме́р=ить II.) to measure off, out || **-ме́стка** *s.* (*gpl.* -ток) revenge, vengeance || **-мета́-ть** II. *va.* (*Pf.* -мести́ & -ме́сть 23. [a 2.]) to sweep away, off; (*Pf.* -метн-у́ть I. [a]) to throw away, to cast out; to reject || **-ме́тка** *s.* (*gpl.* -ток) mark, note, annotation || **-меча́-ть** II. *va.* (*Pf.* -ме́т=ить I. 2.) to mark (out), to note, to annotate || **-мока́-ть** II. *vn.* (*Pf.* -мо́кнуть 52.) to come off by being wet || **-моли́ть** *cf.* **-ма́ливать** || **-молча́ться** *cf.* **-ма́лчиваться** || **-мора́жива-ть** II. *va.* (*Pf.* -моро́з=ить I. 1.) to freeze off || **-мота́ть** *cf.* **-ма́тывать** || **-мочи́ть** *cf.* **-ма́чивать.** [vengeance.
отмщ/а́ть *cf.* **мстить** || **-е́ние** *s.* revenge,
от/мыва́-ть II. *va.* (*Pf.* -мы́ть 38. [b]) to wash off, away; to wash out || **-мыка́-ть** II. *va.* (*Pf.* -омкн-у́ть I.) to unlock, to open; to unfix (a bayonet) || **-мы́чка** *s.* (*gpl.* -чек) picklock, skeletonkey, master-key || **-мя́кнуть** *cf.* **мя́кнуть.**
от/не́кива-ться II. *vn.* (*Pf.* -не́ка-ться II.) (от чего́) to refuse to do; to deny || **-нести́** *cf.* **-носи́ть** || **-нима́-ть** II. *va.* (*Pf.* -ня́ть 37., *Fut.* -ниму́, -нимёшь & -ыму́, -ымёшь) (что от чего́) to take away, off; to cut off, to amputate; ~ **ребёнка от груди** to wean a child || **~ся** *vr.* to become paralysed.
относ/=и́ть I. 3. [c] *va.* (*Pf.* отнести́ & отне́сть 26. [a 2.]) to bear away, to carry away, to remove; (к чему́) to ascribe, attribute || **~ся** *vr.* (к чему́ *or* до чего́) to refer to, to concern, to have a bearing upon; (к кому́) to apply to || **-и́тельно** *ad.* (+ *G.*) relative to, with respect to, concerning, touching || **-и́тельность** *s. f.* relativity || **-и́тельный** *a.* relative.

отношéние *s.* relation, respect, regard; connection, terms *pl.*; report, communication; (*math.*) ratio.
от/ныне *ad.* henceforth, from now on || **–ню́дь** *ad.*, ~ **не** by no means, not at all || **–ня́тие** *s.* taking off, away; amputation || **–ня́ть** *cf.* **–нима́ть.**
óот/ *prp. cf.* **от** || **–бéдать** *cf.* **обéдать** || **–бра́ть** *cf.* **отбира́ть** || **–всю́ду** *cf.* **отвсю́ду** || **–гна́ть** *cf.* **отгоня́ть** || **–гну́ть** *cf.* **отгиба́ть** || **–грева́-ть** II. *va.* (*Pf.* -гре́-ть II.) to warm, to take the chill off || **–двига́ть, –дви́нуть** *cf.* **отдвига́ть** || **–дра́ть** *cf.* **отдира́ть** || **–зва́ние** *s.* recall || **–зва́ть** *cf.* **отзыва́ть.**
отойти́ *cf.* **отходи́ть.**
ото/мкну́ть *cf.* **отмыка́ть** || **–мща́ть** *cf.* **мстить.**
отоп/ле́ние *s.* heating, warming; **паро-во́е** ~ steam-heating || **–ля́ть** *cf.* **ота́пливать** || **–та́ть** *cf.* **ота́птывать.**
ото/ра́чива-ть II. *va.* (*Pf.* -роч=и́ть I.) to edge, to border (with ribbon) || **–рва́ть** *cf.* **отрыва́ть** || **–ропе́лый** *a.* frightened, cowed, terrified, timid || **–ропе́ть** *cf.* **торопе́ть** || **–ро́чка** *s.* (*gpl.* -чек) border, trimming; edge, edging (with ribbon) || **–сла́ть** *cf.* **отсыла́ть.**
отощ/а́ть *cf.* **тоща́ть** || **-а́лый** *a.* emaciated.
отпад/а́-ть II. *vn.* (*Pf.* отпа́сть 22. [a. 1.]) to fall away, off; (от кого́) to abjure, to renounce, to fall away (from); to decay; to pass, to be over || **–е́ние** *s.* falling away, off; apostacy, abjuration.
от/па́ива-ть II. *va.* (*Pf.* -пая́-ть II.) to unsolder; (*Pf.* -по=и́ть II. [a]) to feed, to fatten (on milk); ~ (кого́) **от отра́вы** to give an antidote || **–па́рыва-ть** II. *va.* (*Pf.* -пор-о́ть II. [c]) to unrip, to unsew; to unpick || **–па́сть** *cf.* **–пада́ть** || **–пева́ние** *s.* burial-service || **–пева́-ть** II. *va.* (*Pf.* -пе́ть 29. [a 1.]) to read the burial-service; to finish singing; to chide, to rebuke || **–пе́тый** *a.* (*fig.*) hopeless, incorrigible.
отпеча́т/ок *s.* (*gsg.* -тка) imprint; impression, mark; stamp || **–ыва-ть** II. *va.* (*Pf.* -а-ть II.) to print, to imprint, to stamp.
отпи/ва́-ть II. *va.* (*Pf.* отпи́ть 27. [a 1.], *Fut.* отопью́, -ьёшь) to drink off || **–́ли-ва-ть** II. *va.* (*Pf.* -л=и́ть II.) to saw away, off.
отпир/а́тельство *s.* denial, disavowal || **–а́-ть** II. *va.* (*Pf.* отопере́ть 14. [a 4.], *Fut.* отопру́, -ёшь) to unlock, to open || ~**ся** *vr.* to open; (от чего́) to deny, to disavow, to retract || **–ова́ть** *cf.* **пирова́ть.**
отпи́/ска *s.* (*gpl.* -сок) (written) answer, announcement; (*leg.*) confiscation || **–сыва-ть** II. *va.* (*Pf.* -с-а́ть I. 3. [c]) to answer, to announce (in writing); (что у кого́ *leg.*) to confiscate; to cure a disease by means of a magic piece of writing || ~**ся** *vr.* to answer (in writing); to finish writing.
от/пи́ть *cf.* **–пива́ть** || **–пи́хива-ть** II. *va.* (*Pf.* -пихн-у́ть I.) to push away, off, back; (*mar.*) to shove off || **–пла́та** *s.* repayment, requital, retribution || **–пла́чива-ть** II. *va.* (*Pf.* -плат=и́ть I. 2. [c], *Fut.* -плачу́, -пла́тишь [*pron.* -пло́тишь]) to repay, to requite; ~ (кому́) **тем же** to give one tit for tat || **–плыва́-ть** II. *vn.* (*Pf.* -плы́ть 31. [a 3.]) to sail, to set sail, to put off; to swim off, away || **–плы́тие** *s.* sailing off, departure (of vessels) || **–пля́сыва-ть** II. *va.* (*Pf.* -пляс-а́ть I. 3. [c]) to cease dancing; to finish (a dance); to dance off, to tire (one's feet, etc.) by dancing.
о́тповедь *s. f.* reply, answer, response.
от/пои́ть *cf.* **–па́ивать** || **–полирова́ть** *cf.* **полирова́ть** || **–по́р** *s.* resistance; elasticity || **–поро́ть** *cf.* **–па́рывать.**
отпра/ви́тель *s. m.*, **–ви́тельница** *s.* forwarder, sender || **–вле́ние** *s.* forwarding, despatching, expedition, sending off; exercise, administration (of an office); celebration (of divine service); (*med.*) function || **–вля́-ть** II. *va.* (*Pf.* –́в=ить II. 7.) to despatch, to forward, to send off; to perform, to exercise || ~**ся** *vr.* to depart, to go to, to set out, to start.
от/пра́здновать *cf.* **пра́здновать** || **–пра́шива-ть** II. *va.* (*Pf.* -прос=и́ть I. 3. [c]) to ask leave (for), to beg for leave of absence for; ~ (у кого́) **дете́й домо́й** to request s.o. to allow the children to go home || ~**ся** *vr.* to take leave; ~ **в о́тпуск** to take furlough || **–пре́чь** = **–пря́чь** || **–пры́гива-ть** II. *vn.* (*Pf.* -пры́гн-уть I.) to spring back, to rebound.
о́т/прыск *s.* shoot, sucker, offshoot, tendril; (*fig.*) offspring || **–пряга́-ть** II. *va.* (*Pf.* -пря́чь [*pron.* -пре́чь] 15. [a 2.], *Pret.* -пря́г [*pron.* -прёг]) to unharness, to unyoke || **–пря́жка** *s.* (*gpl.* -жек) unharnessing || **–пуск** *s.* leave of ab-

sence; (*mil.*) furlough; despatch; (*leg.*) notice, dismissal || **–пуска́-ть** II. *va.* (*Pf.* -пуст=и́ть I. 4. [c]) to let go, to give leave; ~ **на во́лю** to free, to emancipate; to discharge, to dismiss; to despatch; to forgive, to remit (sins); to let grow (hair, etc.); to relax, to slack(en) || **–пускно́й** *a.* despatched, enfranchised; (*mil.*) furlough-, on furlough || **–пускна́я** (*as s.*) license, certificate of freedom; (*comm.*) bill of freight || **–пу́тыва-ть** II. *va.* (*Pf.* -пу́та-ть II.) to disentangle, to unravel || **–пуще́ние** *s.* release, dispensation; emancipation; ~ **грехо́в** remission of sins; **козёл –пуще́ния** the scapegoat || **–раба́(о́)тыва-ть** II. *va.* (*Pf.* -рабо́та-ть II.) to finish work on; to work off (a debt).

отра́в/а *s.* poison; poisoning || **–и́тель** *s. m.*, **–и́тельница** *s.* poisoner || **–ле́ние** *s.* poisoning || **–ля́-ть** II. *va.* (*Pf.* отрав=и́ть II. 7. [a & c]) to poison.

отра́д/а *s.* comfort, consolation || **–ный** *a.* consoling, comforting.

отра/жа́тель *s. m.* reflector || **–жа́тельный** *a.* reflecting || **–жа́-ть** II. *va.* (*Pf.* -з=и́ть I. 1. [a]) to repel; to ward, to keep off, to parry; to throw back, to reflect; to refute (an argument) || **~ся** *vr.* to be reflected (in the water) || **–же́ние** *s.* repulse; reflection; refutation.

отрапортова́ть *cf.* **рапортова́ть.**

о́трасль *s. f.* sprout, shoot; branch; (*fig.*) offspring, scion.

от/раста́-ть II. *vn.* (*Pf.* -расти́ 35. [a 2.]) to grow again, to sprout || **–ра́щива-ть** II. & **–раща́-ть** II. *va.* (*Pf.* -раст=и́ть I. 4. [a]) to let grow || **–ре́з** *s.* cut part, part cut off || **–ре́зать** *cf.* **–ре́зывать** || **–резвле́ние** *s.* sobering || **–резвля́-ть** II. *va.* (*Pf.* -резв=и́ть II. 7. [a]) to sober **–ре́зок** *s.* (*gsg.* -зка) piece cut off; (*math.*) segment || **–резно́й** *a.* cut; truncated (of a cone) || **–ре́зыва-ть** II. & **–реза́-ть** II. *va.* (*Pf.* -ре́з-ать I. 1.) to cut away, off; to snip off || **–река́-ться** II. *vr.* (*Pf.* -ре́чься 18. [a 2.]) (от + *G.*) to deny, to disavow, to disown; to renounce, to abjure, to forswear || **–рекомендова́ть** *cf.* **рекомендова́ть** || **–ре́пье** *s.* rags, tatters *pl.* || **–ретирова́ться** *cf.* **ретирова́ться** || **–рече́ние** *s.* (от + *G.*) renunciation, denial, disavowal; abdication; abjuration || **–ре́чься** *cf.* **–река́ться.**

отреш/а́-ть II. *va.* (*Pf.* отреш=и́ть I. [a]) (от + *G.*) to dismiss, to remove (from office) || **–е́ние** *s.* (от до́лжности) dismissal.

отриц/а́ние *s.* negation, negative || **–а́тельный** *a.* negative || **–а́-ть** II. *va.* to deny, to negative.

от/ро́г *s.* branch, ramification (of a mountain) || **–ро́дие** *s.* race, breed, offspring; tribe, species *pl.*; monstrosity.

о́т/роду & **–родя́сь** *ad.* from birth, since one's birth || **–рок** *s.* boy, lad || **–роста́ть** & **–рости́** *cf.* **–раста́ть** & **–ра́щивать** || **–ро́сток** *s.* (*gsg.* -тка) sprout, shoot, branch, offshoot; antler; (*an.*) outgrowth || **–роческий** *a.* boy's; girl's || **–рочество** *s.* adolescence, boyhood, girlhood.

отруба́-ть II. *va.* (*Pf.* отруб=и́ть II. 7. [c]) to cut away, off; to strike off; to chop off.

о́труби *s. fpl.* bran (of flour).

отрыва́-ть II. *va.* (*Pf.* оторва́-ть I. [a 3.]) to tear, to pull off; to tear away from; (кого́ от чего́) to keep off, to hinder, to divert; (*Pf.* отры́ть 28. [b]) to dig away, up, out; to disinter.

отры́в/истый *a.* broken, abrupt, disconnected || **–ка** *s.* (*gpl.* -вок) cutting off; interruption || **–но́й** *a.* for tearing off; torn off; ~ **календа́рь** block-calendar || **–ок** *s.* (*gsg.* -вка) piece torn off; fragment; **–ками** fragmentarily || **–очный** *a.* fragmentary || **–очно** *ad.* by fits and starts.

отрыга́-ть II. *va.* (*Pf.* отрыгн-у́ть I. [a]) to belch; to eructate; ~ **жва́чку** to chew the cud, to ruminate.

от/ры́жка *s.* (*gpl.* -жек) eructation || **–ры́ть** *cf.* **–рыва́ть** || **–ря́д** *s.* detachment, division || **–ря́дный** *a.* divisional, of a detachment || **–ряжа́-ть** II. *va.* (*Pf.* -ряд=и́ть I. 1. [a & c]) to detach, to order (a soldier); to depute, to delegate (an official) || **–ряса́-ть** II. *va.* (*Pf.* -рясти́ 26. [a 2.]) to shake off, down || **–ря́хива-ть** II. *va.* (*Pf.* -рях-ну́ть I. [a]) to shake away.

от/са́док *s.* (*gsg.* -дка) slip, transplanted plant || **–са́жива-ть** II. *va.* (*Pf.* -сад=и́ть I. 1. [a & c]) to transplant || **–салютова́ть** *cf.* **салютова́ть.**

о́т/свет *s.* reflection (of light) || **–све́чива-ть** II. *vn.* to be reflected (of light); to glitter || **–сека́-ть** II. *va.* (*Pf.* -се́чь 18. [a 1.]) to cut off, away; to hew off; to shut off (steam) || **–се́ль** & **–се́ле** *ad.* hence; henceforth || **–сече́ние** *s.* cutting away, off; hewing off || **–си́жива-ть** II. *va.* (*Pf.* -сид=е́ть I. 1. [a]) to sit out; to finish distilling; to get one's legs cramped by long sitting.

от/скáблива-ть II. *va.* (*Pf.* -скобл=и́ть II. [a & c]) to shave off, away; to scrape off || **–скáкива-ть** II. *va.* (*Pf.* -скак-áть I. 2. [c]) to gallop (a certain distance) || ~ *vn.* to gallop away || **–скáкива-ть** II. *vn.* (*Pf.* -скоч=и́ть I. [c], *mom.* -скокн-у́ть I.) to leap away, to spring off; to bound back, to rebound || **–скребá-ть** II. *va.* (*Pf.* -скрести́ & -скрéсть 21. [a 2.]) to scrape away, to scratch away || **–скрё-бки** *s. mpl.* scrapings *pl.* || **–слоня́-ть** II. *va.* (*Pf.* -слон=и́ть II. [a & c]) to open (a shop); to remove, to draw off (a screen, a blind, etc.) || **–слу́жива-ть** II. *va.* (*Pf.* -служ=и́ть I. [c]) to serve out (one's time); (кому́) to return an obligation || **–совéтыва-ть** II. *va.* (*Pf.* -совé-то+вать II.) to dissuade, to advise not to || **–со́хнуть** *cf.* **–сыхáть.**

отсро́/чива-ть II. *va.* (*Pf.* -ч=ить I.) to adjourn, to defer; to prolong, to suspend; to postpone || **–чка** *s.* (*gpl.* -чек) adjournment, deferment, respite, suspension, prolongation, postponement; ~ **на неопределённое вре́мя** adjournment sine die || **–чный** *a.*, **–чные дни** (*comm.*) days of grace.

отставáть 39. [a 1.] *vn.* (*Pf.* отстáть 32. [b 1.]) (от + *G.*) to remain behind, to straggle; to be in arrears; to desist (from); to come off, to come loose; to be slow (of a watch).

отстá/вка *s.* (*gpl.* -вок) dismissal, discharge; resignation, retirement; **вы́йти в –вку** to retire (from service) || **–вля́-ть** II. *va.* (*Pf.* -в=ить II. 7.) to put away, aside, to remove (from); to discharge, to dismiss || **–вно́й** *a.* dismissed, discharged, retired.

от/стáива-ть II. *va.* (*Pf.* -сто=я́ть II. [a]) to stand out (a certain time); to tire with long standing; to stand up for, to defend; (*chem.*) to allow (a liquid) to stand, to decant || **~ся** *vr.* to stand (of liquids); to take shelter; to rest standing (of horses) || **–стáлый** *a.* backward, in arrears, straggling || ~ (*as s.*) straggler || **–стáть** *cf.* **–ставáть** || **–стегáть** *cf.* **стегáть** || **–стёгива-ть** II. *va.* (*Pf.* -стегн-у́ть I. [a]) to unbutton, to unfasten || **–сто́й** *s.* deposit, sediment, dregs *pl.* || **–стоя́ть** *cf.* **–стáивать** || **–стрáива-ть** II. *va.* (*Pf.* -стро́=ить II.) to finish building || **–страня́-ть** II. *va.* (*Pf.* -стран=и́ть II. [a]) to set aside, to put aside; ~ **от до́лжности** to dismiss, to discharge || **–стрéлива-ться** II. *vr.* (*Pf.* -стреля́-ться II.) to defend o.s. by shooting || **–стро́йка** *s.* (*gpl.* -ро́ек) completion of building.

отсту/пá-ть II. *vn.* (*Pf.* -п=и́ть II. 7. [c]) to go back, to retire, to retreat, to withdraw; to apostatize, to forsake (one's religion) || **~ся** *vn.* (от + *G.*) to renounce, to desist from, to abjure; ~ **от своего́ сло́ва** not to keep one's word || **–плé-ние** *s.* retirement, retreat; abjuration.

отсту́п/ник *s.*, **–ница** *s.* apostate, abjurer || **–ничество** *s.* apostacy || **–но́й** *a.* apostate || **–но́е** (*as s.*) & **–ные дéньги** indemnity.

отсу́т/ствие *s.* absence; default || **–ство+вать** II. *vn.* to be absent.

от/счи́тыва-ть II. *va.* (*Pf.* -считá-ть II.) to count off, to reckon off, to deduct || **–сылá-ть** II. *va.* (*Pf.* -ослáть 40. [a 1.]) to send off, to despatch; to discharge || **–сы́лка** *s.* (*gpl* -лок) sending off, despatching || **–сыпá-ть** II. *va.* (*Pf.* -сы́-п-ать II. 7.) to strew off, to pour off; to measure out a certain quantity (of corn) || **–сырéть** *cf.* **сырéть** || **–сыхá-ть** II. *vn.* (*Pf.* -со́хнуть 52.) to dry up, to wither || **–сю́да** *ad.* hence, from here; henceforth; from this.

от/тáива-ть II. *va.* (*Pf.* -тá-ять II.) to thaw, to melt off || ~ *vn.* to thaw || **–тáл-кива-ть** II. *va.* (*Pf.* -толкну́-ть I. [a]) to push away, back, off; to thrust aside, away || **–тáптыва-ть** II. *va.* (*Pf.* -топ-т-áть I. 2. [c]) to wear out (one's shoes); to finish stamping || **–таскáть** *cf.* **таскáть** || **–тáскива-ть** II. *va.* (*Pf.* -тащ=и́ть I. [a & c]) to drag away, off, aside; to pull aside, away, back || **–тé-нок** *s.* (*gsg.* -нка) shade, tint; **с сé-рым –тéнком** with a touch of grey || **–теня́-ть** II. *va.* (*Pf.* -тен=и́ть II. [a]) to shade, to tint.

о́т/тепель *s. f.* thaw || **–тесня́-ть** II. *va.* (*Pf.* -тесн=и́ть II. [a]) to squeeze off; to press, to push back, to drive away || **–тирá-ть** II. *va.* (*Pf.* -терéть 14. [a 1.], *Fut.* -отру́, -трёшь) to rub off, away; to warm by rubbing; to wipe away || **–тиск** *s.* print, impression || **–ти́ски-ва-ть** II. *va.* (*Pf.* -ти́сн-уть I.) to print, to imprint, to impress || **–тогó** *ad.* therefore; ~ **что** because || **–толкну́ть** *cf.* **–тáлкивать.**

оттомáн/ка *s.* divan || **–ский** *a.* Ottoman.

от/топтáть *cf.* **–тáптывать** || **–топы́рива-ть** II. *va.* (*Pf.* -топы́р=ить II.) to spread out || **–торгá-ть** II. *va.* (*Pf.* -тóргнуть 52.) to tear away, off || **–торжéние** *s* tearing away, off || **–точи́ть** *cf.* **–тáчивать** || **–треп-áть** II. 7. [c] *va. Pf.* to finish hackling; to dishevel; to tousle; to worry || **–тýда** *ad.* thence, therefrom, from there; since then || **–тушевáть** *cf.* **тушевáть** || **–тягá-ть** II. *va. Pf.* (что у когó) to gain by a lawsuit || **–тя́гива-ть** II. *va.* (*Pf.* -тян-ýть I. [c]) to stretch, to expand; to drag away; to protract, to prolong.

отýжинать *cf.* **ýжинать.**

отумáнива-ть II. *va.* (*Pf.* отумáн=ить II.) to befog; to dim, to darken; (*fig.*) to confuse, to confound || **~ся** *vn.* to be befogged, to get darkened, overcast; to get intoxicated.

отуп/лéние *s.* blunting || **–ля́-ть** II. *va.* (*Pf.* отуп=и́ть II. 7. [c]) to blunt, to dull.

от/учá-ть II. *va.* (*Pf.* -уч=и́ть I. [c]) (когó от чегó) to wean one from a habit || **–хáживать** *iter. of* **–ходи́ть** || **–хáркива-ть** II. *va.* (*Pf.* -хáркн-уть I.) to cough out; to expectorate || **–хлёбыва-ть** II. *va.* (*Pf.* -хлебá-ть II., *mom.* -хлебн-ýть I. [a]) to sup off, to sip off.

отхóд s. departure, setting out; end, termination.

отход=и́ть I. 1. [c]) *vn.* (*Pf.* отойти́ 48., *Fut.* отойдý, -ёшь) to go away, to depart, to set out; to stand back; **отойди́** clear the way; to avoid; to end, to come to an end; to thaw; to die.

отхóд/ный *a.* secluded || **–ная** (*as s.*) prayer for the dying.

отхóжий *a.* retired, backward; distant; **–ее мéсто** water-closet.

от/цветá-ть II. *vn.* (*Pf.* -цвести́ & -цвéсть 23. [a 2.]) to lose the blossoms; to fade || **–цеплéние** *s.* unhooking; (*rail.*) uncoupling || **–цепля́-ть** II. *va.* (*Pf.* -цеп=и́ть II. 7. [c]) to unhook, to uncouple.

отц/еуби́йство *s.* parricide || **–еуби́йца** *s. m&f.* parricide || **–óвский** *a.* fatherly, paternal.

от/чáива-ться II. *vr.* (*Pf.* -чáя-ться II.) to despair, to be desperate || **–чáлива-ть** II. *va.* (*Pf.* -чáл=ить II.) to unmoor, to untie (a boat, etc.) || **–чáсти** *ad.* partly, in part; at times || **–чáяние** *s.* despair || **–чáянность** *s. f.* hopelessness, desperate state; foolhardiness || **–чáянный** *a.* desperate, hopeless; foolhardy.

óтче *sl.* (*V. of* отéц); **~ наш** Our Father; the Lord's prayer.

от/чегó *ad.* why, wherefore || **–чекáнива-ть** II. *va.* (*Pf.* -чекáн=ить II.) to emboss; to coin; to pronounce distinctly || **–чёркива-ть** II. *va.* (*Pf.* -черкн-ýть I. [a]) to mark (with a line).

óтчество *s.* patronymic.

отчёт/ *s.* account, report; settling of accounts || **–ливость** *s. f.* precision, exactness || **–ливый** *a.* exact, precise || **–ность** *s. f.* accountability || **–ный** *a.* responsible, accountable.

отчи́зна *s.* native land.

óтч/им *s.* stepfather || **–ина** *s.* patrimony, (family-)estate.

отчис/лéние *s.* deduction; cashiering (of an official) || **–ля́-ть** II. *va.* (*Pf.* ´–л=ить II.) to deduct; to cashier (an official).

от/чи́тыва-ть II. *va.* (*Pf.* -читá-ть II.) to finish reading; to heal by prayers and reading the Gospel || **–чищá-ть** II. *va.* (*Pf.* -чи́ст=ить I. 4.) to clean off, to scour || **–чуждá-ть** II. *va.* to alienate, to estrange; (*leg.*) to expropriate || **–чуждéние** *s.* alienation, estrangement; (*leg.*) expropriation || **–шáгива-ть** II. *vn.* (*Pf.* -шагá-ть II., *mom.* -шагн-ýть I. [a]) (от чегó) to step back || **~** *va.* to measure by stepping, to step, to pace || **–шатн-ýться** I. *vr. Pf.* to estrange o.s.; to become a stranger to.

отшéль/ник *s.*, **–ница** *s.* hermit, anchorite || **–нический** *a.* eremitic(al) || **–ничество** *s.* eremitical life, hermit's life.

от/шéствие *s.* departure || **–шибá-ть** II. *va.* (*Pf.* -шиби́ть 51. [a]) to strike off, to knock off, to hit back || **–шлифóвыва-ть** II. *va.* (*Pf.* -шлифо+вáть II. [b]) to grind off, to polish || **–шпи́лива-ть** II. *va.* (*Pf.* -шпи́л=ить II.) to unpin || **–штукатýрить** *cf.* **штукатýрить.**

от/щепéнец *s.* (*gsg.* -нца), **–щепéнка** *s.* (*gpl.* -нок) schismatic, heretic, apostate || **–щепля́ть** II. *va.* (*Pf.* -щеп=и́ть II. 7. [c]) to split off, to chip away.

от'/едá-ть II. *va.* (*Pf.* -éсть 42.) to eat off, to gnaw off; (*chem.*) to corrode || **~ся** *vn.* to get fat from good eating || **–éзд** *s.* departure, start || **–езжá-ть** II. *vn.* (*Pf.* -éхать 45.) to depart, to get out, to start || **–éмлемый** *a.* removable, alienable || **–я́вленный** *a.* acknowledged, notorious, arrant.

óт/ыгрыш *s.* money won back || **–ы́грыва-ть** II. *va.* (*Pf.* -игрá-ть II.) to play, to finish playing; to win back || **~ся** *vr.* to win back, to regain || **–ымáть** = **–нимáть.**

отяго/щéние *s.* (over)burdening, (over-) loading; oppression || **–тéть** *cf.* **тяготéть** || **–чá-ть** II. *va.* (*Pf.* -ч=йть I. [a]) to (over) load, to (over) burden; to oppress.

отяжелéть *cf.* **тяжелéть.**

оф/éня *s. m.* hawker, pedlar || **–и́т** *s.* ophite, serpentine, spleenstone.

офицéр/ *s.* officer; **~ генерáльного штáба** staff-officer || **–ский** *a.* officer's || **–ство** *s.* officer's rank; corps of officers || **–ша** *s.* officer's wife.

офиц/иáнт *s.* butler (in hotels) || **–иáльный** *a.* official || **–иóзный** *a.* semi-official.

офранц/ýжива-ть II. *va.* (*Pf.* -ýз=ить I. 1.) to Frenchify.

ох/ *int.* ah! alas! || **´–ание** *s.* sigh(ing), groaning || **–áпка** *s.* (*gpl.* -пок) armful || **´–а-ть** II. *vn.* (*Pf.* за-, *mom.* ´–н-уть I.) to sigh, to groan || **–áять** *cf.* **хáять** || **–вáт,** etc. *cf.* **обхвáт,** etc.

охлад/евá-ть II. *vn.* (*Pf.* -é-ть II.) to cool down, to grow cool || **–éлый** *a.* cooled (down) || **–и́тельный** *a.* cooling, cool.

охлажд/á-ть II. *va.* (*Pf.* охлад=йть I. 5. & 1. [a]) to chill, to cool; (*fig.*) to damp **–éние** *s.* cooling, making cool; **~ пáра** condensation of steam.

охме/лéлый *a.* drunk, intoxicated || **–лéть** *cf.* **хмелéть** || **–ля́-ть** II. *va.* (*Pf.* -л=йть II. [a]) to intoxicate.

óхнуть *cf.* **óхать.**

охóта *s.* (к + *D.*) inclination, liking, desire; (за + *I.*) hunt(ing), chase.

охóт=иться I. 2. *vn.* (к + *D.*) to have a liking for; (за + *I.* or на + *A.*) to hunt, to chase.

охóт/ник *s.* amateur; volunteer; hunter, fowler, sportsman || **–ница** *s.* amateur; huntress || **–нич(еск)ий** *a.* hunting, hunter's || **–ность** *s. f.* readiness, willingness || **–ный** *a.* ready, willing || **–но** *ad.* willingly, with pleasure.

охóчий (-ая, -ее) *a.* (до чегó) fond of, desirous of, inclined to.

óхра *s.* ochre.

охрá/на *s.* protection, guard; safekeeping, custody || **–нéние** *s.* protection, preservation || **–ни́тельный** *a.* guarding, preservative, protective || **–ня́-ть** II. *va.* (*Pf.* -н=йть II. [a]) to keep, to guard, to preserve, to protect.

охри́п/лость *s. f.* hoarseness || **–лый** *a.* hoarse || **–нуть** *cf.* **хри́пнуть.**

охромéть *cf.* **хромéть.**

охýлка *s.* (*gpl.* -лок) censure, blame.

оцарáпать *cf.* **царáпать.**

оцéн/ива-ть II. & **–я́-ть** II. *va.* (*Pf.* оцен=йть II. [a & c]) to appraise, to tax, to estimate, to rate, to value || **–ка** *s.* (*gpl.* -нок) valuation, estimate, assessment || **–щик** *s.* estimator, taxer, valuator.

оцепен/éлый *a.* numb, numbed || **–éние** *s.* numbness, torpidity || **–éть** *cf.* **цепенéть.**

оцепл/éние *s.* closing, surrounding; tying round || **–я́-ть** II. *va.* (*Pf.* оцеп=йть II. 7. [c]) to tie round; to surround.

очáг *s.* [a] hearth, fire-place.

очар/овáние *s.* enchantment, charm; (*fig.*) fascination, charm || **–овáтельный** *a.* enchanting, charming, (be-) witching, fascinating, charming, enchanting || **–óвыва-ть** II. *va.* (*Pf.* -о+вáть II. [b]) to enchant, to bewitch; to charm, to fascinate.

очеви́д/ец *s.* (*gsg.* -дца), **–ица** *s.* eye-witness || **–ность** *s. f.* obviousness, conspicuousness || **–ный** *a.* obvious, evident, manifest, apparent, plain.

óчень *ad.* very, most, much, greatly, exceedingly.

очерви́веть *cf.* **черви́веть.**

óчеред/ь *s. f.* turn, succession; **по –и** by turns; **тепéрь вáша ~** it's your turn now || **–нóй** *a.* alternately, in turns; whose turn it is.

óчерк *s.* outline, sketch, draught, draft.

очерня́ть *cf.* **черни́ть.**

очерствéть *cf.* **черствéть.**

очер/тáние *s.* sketch, outline; contour || **´–чива-ть** II. *va.* (*Pf.* -т=йть I. 2. [a]) to trace round, to outline, to sketch.

óчи *cf.* **óко.**

очини́ть *cf.* **чини́ть.**

очи́ст/ка *s.* (*gpl.* -ток) cleaning, cleansing, purification; clearance; (*chem.*) decantation || **–и́тельный** *a.* cleansing, cleaning; purificative.

очищ/á-ть II. *va.* (*Pf.* очи́ст=ить I. 4.) to clean, to cleanse, to clear, to purify; to evacuate, to clear; to pare, to peel; to refine (metals); to exonerate || **~ся** *vr.* to clear o.s. || **–éние** *s.* clean(s)ing, clearing, purification; payment, clearance; evacuation; exoneration; refinement (of metals).

очкó *s. dim.* eye; (*bot.*) eye, bud; point (at games); eye (of a needle); (*pl.* очки́) spectacles, glasses *pl.*

очнóй *a.* ocular, eye; ~ **врач** oculist; ~ **свидéтель** eye-witness; **очнáя стáвка** (*leg.*) confrontation.
очн-ýться I. [a] *vn. Pf.* to awake, to open one's eyes; (*med.*) to come to, to regain consciousness.
очýвство+ваться II. *vr. Pf.* to recover consciousness, to recover one's senses.
очут=и́ться II. [a & c]) *or* I. 2. [c] *vn. Pf.* to appear suddenly.
ошалéть *cf.* **шалéть.**
ошéек *s.* (*gsg.* ошéйка) neck-piece.
ошéйник *s.* (dog's) collar.
ошел/омля́-ть II. *va.* (*Pf.* -ом=и́ть II. 7. [a & c]) to stun (by a blow on the head); to nonplus || **–уши́ть** *cf.* **шелуши́ть** || **–ьмовáть** *cf.* **шельмовáть.**
ошершáветь *cf.* **шершáветь.**
оши́б/ка *s.* (*gpl.* -бок) mistake, error, fault, blunder; **по –ке** by mistake || || **–á-ться** II. *vn.* (*Pf.* ошиб-и́ться I. [a]) to err, to mistake, to make a mistake, to blunder; **вы ошибáетесь** you are making a mistake; ~ **в дорóге** to lose one's way || **–очка** *s.* (*gpl.* -чек) *dim. of* оши́бка || **–очность** *s. f.* erroneousness, faultiness || **–очный** *a.* erroneous, faulty, mistaken, wrong.
оши́ка-ть II. *va. Pf.* to hiss, to greet with hisses.
ошлифовáть *cf.* **шлифовáть.**
ошпáрива-ть II. *va.* (*Pf.* ошпáр=ить II.) to scald.
оштрафовáть *cf.* **штрафовáть.**
оштукатýрить *cf.* **штукатýрить.**
ощени́ться *cf.* **щени́ться.**
ощети́ниться *cf.* **щети́ниться.**
ощýпыва-ть II. *va.* (*Pf.* ощýпа-ть II.) to feel, to fumble at || **~ся** *vr.* to grope one's way, to feel about one (in the dark).
óщупь *s. f.* feeling, groping; **–ью, на** ~ groping(ly).
ощути́тельный *a.* perceptible, palpable, noticeable.
ощу/щá-ть II. *va.* (*Pf.* -т=и́ть I. 2. [a]) to feel, to perceive, to notice || **~ся** *vr.* to be felt, to be perceived || **–щéние** *s.* feeling, sensation, perception.
оягни́ться *cf.* **ягни́ться.**
оя́ловеть *cf.* **я́ловеть.**

П

пáв/а *s.* peahen || **–иáн** *s.* baboon || **–ильóн** *s.* pavilion; summer-house || **–ли́н** *s.* peacock || **–ли́ний** *a.* peacock's.
пáг/óда *s.* pagoda || **–оленок** *s.* (*gsg.* -нка) leg (of a stocking) || **–уба** *s.* ruin, destruction || **–убный** *a.* destructive, ruinous, pernicious.
пáд/аль *s. f.* carrion; windfall, fallen fruit || **–а-ть** II. *vn.* (*Pf.* пасть 22. [a 1.]) to fall, to drop down; to be ruined; to sink, to fall in (of a wall); to fall out, to come out (of hair, etc.); to die, to perish (of animals); ~ **дýхом** to lose courage; **–ающая звездá** a falling star || **–ёж** *s.* [a] fall; **скóтский** ~ murrain, cattle-plague || **–éж** *s.* [a] (*gramm.*) case || **–éние** *s.* fall(ing), decline || **–кий** *a.* (до + *G. or* на + *A. or* к + *D.*) eager, keen, avid || **–кость** *s. f.* eagerness, avidity || **–ýчий** *a.* falling; epileptic; **–ýчая (болéзнь)** epilepsy || **–черица** *s.* stepdaughter.
пáев/ый & **–óй** *a.* of part, portion; share-, of shares.
паёк *s.* [a] (*gsg.* пайкá) (*mil.*) allowance, monthly ration (of meal, etc.).
паж *s.* [& a] page, train-bearer.
пáжить *s. f.* pasture(-land).
паз/ *s.* [b°] groove, mortise || **–́уха** *s.* bosom, breast; breast-pocket.
пай/ *s.* [b] share || **–́ка** *s.* (*gpl.* пáек) solder(ing) || **–́щик** *s.*, **–́щица** *s.* shareholder.
пак/гáуз *s.* warehouse, storehouse || **–éт** *s.* parcel, packet || **–етбóт** *s.* packet-boat || **–́ля** *s.* tow || **–о+вáть** II. [b] *va.* (*Pf.* за-, у-) to pack (up).
пáкост=ить I. 4. *va.* (*Pf.* за-, ис-) to soil, to dirty; (*Pf.* на-) to do mischief, to cause a nuisance.
пáкост/ник *s.* vile man; mischief-maker || **–ница** *s.* vile woman || **–нича-ть** II. *vn.* (*Pf.* на-) to do harm, to do mischief || **–ный** *a.* vile, filthy, nasty; mischievous; disastrous || **–ь** *s. f.* filth, dirt; mischief, harm; nastiness.
пал/анки́н *s.* palanquin || **–áта** *s.* large apartment; chamber; tribunal; House (of Commons, etc.); ward (in a hospital); (*in pl.*) palace || **–áти** = **полáти** || **–áтка** *s.* (*gpl.* -ток) tent || **–áч** *s.* [a] executioner, hangman || **–áш** *s.* [a] cutlass, broadsword, cavalry sabre || **–́евый** *a.* straw-coloured, pale yellow || **–ёный** *a.* burnt (*cf.* пали́ть) || **–́ец** *s.* (*gsg.* пáльца) finger; toe; **большóй** ~ thumb; big toe; **указáтельный** ~ fore-finger || **–исáд** *s.* palisade, pile-work || **–исáдник** *s.* palisade, paling, lath-fence; (small) front-garden || **–и́тра** *s.* palette.

пал=ить II. [a] *va.* (*Pf.* с-) to burn, to scorch || ~ *vn.* (*Pf.* вы́-) to fire; **пали́!** fire!
па́л/ица *s.* club, mace; lath, stick || **–ка** *s.* (*gpl.* -лок) stick, cane, walking-stick; ~ **сургуча́** a stick of sealing-wax || **–лиати́в** palliative || **–о́мник** *s.* pilgrim || **–о́мничество** *s.* pilgrimage || **–очка** *s.* (*gpl.* -чек) *dim. of* па́лка || **–очный** *a.* of stick, stick- || **–уба** *s.* deck || **–убный** *a.* deck-, decked || **–ый** *a.* dead, perished (of animals) || **–ьба́** *s.* firing, fire, volley, discharge || **–ьма** *s.* palm || **–ьмовый** *a.* palm- || **–ьто́** *s. indecl.* overcoat || **–ьчик** *s. dim. of* па́лец (*cf.* ма́льчик).
памфле́т/ *s.* pamphlet || **–и́ст** pamphleteer.
па́мят/ливый *a.* having a good memory || **–ник** *s.* monument; memorial || **–ный** *a.* memorable; commemorative; **–ная кни́жка** note-book || **–ь** *s. f.* memory; remembrance, recollection, souvenir; **без –и** unconscious; **на –и** from memory, by heart.
пан/ *s.* (Polish) gentleman, sir || **–аце́я** *s.* panacea || **–де́кты** *s. mpl.* pandects *pl.* || **–еги́рик** *s.* panegyric, eulogy, encomium || **–е́ль** *s. f.* wainscotting; pavement, foot-path || **–ибра́т** *s.* fellow; confidant, bosom-friend || **–́ика** *s.* panic || **–икади́ло** *s.* chandelier, lustre (in churches) || **–ихи́да** *s.* requiem, mass for the dead || **–и́ческий** *a.* panic || **–́на** *s.* (Polish) young lady, miss || **–о́птикум** *s.* panopticum || **–ора́ма** *s.* panorama || **–сио́н** *s.* boarding-school || **–сионе́р** *s.*, **–сионе́рка** *s.* (*gpl.* -рок) boarder, pensioner || **–тало́ны** *s. mpl.* trousers, breeches *pl.* || **–талы́к** *s.* sense, order; **сби́ться с –талы́ку** to be at one's wits' end || **–тейзм** *s.* pantheism || **–теи́ст** *s.* pantheist || **–теисти́ческий** *a.* pantheistic(al) || **–те́ра** *s.* panther || **–томи́ма** *s.* pantomime || **–томи́мный** *a.* pantomimic || **–́цырь** *s. m.* coat of mail, armour || **–́цырный** *a.* armoured, mail-clad, iron-clad || **–́ья** *s.* (Polish) lady.
па́п/а *s.* papa, pa; pope || **–а́ша** *s. m.* & **–енька** *s. m.* (*gpl.* -нек) dad, daddy || **–ерть** *s. f.* porch (of a church) || **–илько́тка** *s.* (*gpl.* -ток) curling-paper, hair-roller || **–иро́са** *s.*, *dim.* **–иро́ска** *s.* (*gpl.* -сок) cigarette || **–иро́сница** *s.* cigarette-case || **–иро́сный** *a.* cigarette- || **–и́рус** *s.* papyrus || **–и́ст** *s.* papist || **–ка** *s.* (*gpl.* -пок) pasteboard, cardboard; portfolio || **–оротник** *s.* bracken, fern || **–́ский** *a.* papal, pontifical || **–ство** *s.* papacy || **–ушник** *s.* a kind of white home-made bread.
пар/ *s.* [b°] steam, vapour; fallow (of land); **под –́ом** lying fallow; **перегре́тый ~** superheated steam; **на всех –а́х** at full steam, full steam ahead || **–́а** *s.* pair; couple; ~ **пла́тья** a suit (of clothes) || **–а́бола** *s.* parable; (*geom.*) parabola || **–аболи́ческий** *a.* parabolic(al) || **–а́граф** *s.* paragraph || **–а́д** *s.* parade, review; state, gala; **в по́лном –а́де** in full dress || **–а́дный** *s.* parade-; state-, court-, gala-.
парадо́кс/ *s.* paradox || **–а́льный** *a.* paradoxical.
парази́т/ *s.* parasite || **–ный** *a.* parasitic(al).
парал/изо+ва́ть II. [b] *va.* to paralyse || **–и́тик** *s.* paralytic || **–и́ч** *s.* paralysis, palsy || **–и́чный** *a.* paralytic, palsied.
паралле́л/ь *s. f.* parallel || **–огра́м** *s.* parallelogram || **–ьный** *a.* parallel.
пара/пе́т *s.* parapet || **–фра́з** *s.* paraphrase || **–ф(ѳ)и́н** *s.* paraffin || **–шю́т** *s.* parachute.
па́р/ение *s.* steaming, stewing || **–е́ние** *s.* soaring, hovering (in the air) || **–ень** *s. m.* (*gsg.* -рня) fellow, lad || **–и́** *s. n. indecl.* wager, bet; **держа́ть ~** to bet, to wager.
пари́к/ *s.* wig || **–ма́хер** *s.* hairdresser; wig-maker || **–ма́херская** *s.* hairdresser's (shop, saloon) || **–ма́херский** *a.* hairdresser's.
пар=и́ть II. [a] *vn.* to soar, to hover (in the air).
па́р=ить II. *va.* to steam out, to stew; to cause to perspire; to whip, to lash (to induce perspiration).
парк/ *s.* park || **–е́т** *s.* parquet floor, inlaid floor || **–е́тчик** *s.* parquet floor layer.
парла́мент/ *s.* parliament || **–ёр** *s.* parliamentary || **–ский** *a.* parliamentary.
пар/ни́к *s.* [a] hotbed, forcing bed || **–́ник** *s.* one of a pair || **–ни́шка** *s. m.* (*gpl.* -шек) a merry little lad, boy || **–но́й** *a.* (still) warm, freshly killed; **–но́е молоко́** fresh milk || **–́ный** *a.* of a pair; forming a pair; drawn by two horses, two horsed.
паро/ви́к *s.* [a] boiler || **–во́з** *s.* locomotive, engine || **–во́й** *a.* steam-; fallow; **–вое по́ле** fallow land.
паро́дия *s.* parody.

пароксизм *s.* paroxysm.
пароль *s. m.* watchword, password.
паром/ *s.* ferry(-boat) || **–щик** *s.* ferry-man.
паро/перегреватель *s. m.* (steam) superheater || **–ход** *s.* steamship, steamer; **~-ледорез** ice-breaker; **буксирный** ~ steam tug; **винтовой** ~ screw-steamer; **колёсный** ~ paddle steamer || **–ходный** *a.* steamship-, steamer- || **–ходик** *s.* small steamer || **–ходство** *s.* steam-navigation.
парочка *s.* (*gpl.* -чек) *dim. of* пара.
парт/ер *s.* (*theat.*) pit || **–изан** *s.* partisan || **–изанский** *a.* partisan || **–ийный** *a.* party- || **–икулярный** *a.* particular, private; civilian (of dress) || **–итура** *s.* (*mus.*) partition, score || **–ия** *s.* party; faction; game; match || **–нёр** *s.* partner.
парус/ *s.* [b] (*pl.* -а) sail; **поднять все –а** to crowd sail || **–ина** *s.* sailcloth || **–инный** *a.* sailcloth- || **–ник** *s.* sail-maker || **–ный** *a.* sail-, sailing.
парфюм/ёр *s.* perfumer, dealer in perfumes || **–ерия** *s.* perfumery.
парч/а *s.* brocade || **–ёвый** *a.* of brocade.
парш/ & **–а** *s.* (*esp. in pl.*) scab, scurf || **–иве-ть** II. *vn.* (*Pf.* о-) to grow scabby || **–ивец** *s.* (*gsg.* -вца), **–ивица** *s.* scabby person || **–ивый** *a.* scabby, scurfy || **–ивость** *s. f.* scabbiness.
пас/ *s.* brace, strap (of a carriage); pass (at cards); **я ~** (I) pass (at cards) || **–ека** *s.* stock of bees; bee-hive || **–ечник** *s.* keeper of bee-hives, bee-keeper.
пасквиль *s. m.* (*leg.*) pasquil, lampoon, libel.
паскудный *a.* vile, abominable, disgusting, nasty.
пасмурн/ость *s. f.* dull gloomy weather; (*fig.*) gloomy air, sullenness || **–ый** *a.* gloomy, dull, murky; (*fig.*) gloomy, sullen.
пасо+вать II. [b] *vn.* (*Pf.* с-) to pass (at cards).
паспорт/ *s.* [& b] (*pl.* -ы & -а) passport, pass || **–ный** *a.* passport-.
пассаж/ *s.* passage || **–ир** *s.*, **–ирка** *s.* (*gpl.* -рок) passenger; **зал для –иров** waiting-room || **–ирский** *a.* passenger-, passenger's.
пассат/ *s.* trade-wind || **–ный** *a.*, **–ные ветры** the trade winds, the Trades.
пассив/ *s.* liabilities *pl.*, debts *pl.* || **–ный** *a.* passive.
паст/бище *s.* pasture, pasturage || **–ва** *s.* pasture; (*ec.*) flock.
пастель *s. f.* pastel, crayon.
пастернак *s.* parsnip.
пасти 26. [a 2.] *va.* to pasture, to graze; (*fam.*) to save up, to spare.
паст/ор *s.* pastor, parson || **–орат** *s.* pastorship, parsonage || **–ух** *s.* [a] shepherd, herdsman, herd || **–уш(еск)ий** *a.* shepherd's, herd's || **–ушок** *s.* [a] (*gsg.* -шка) young herd, young shepherd || **–ырь** *s. m.* pastor || **–ь** *s. f.* [c] jaws *pl.*, mouth || **–ь** *cf.* **падать** || **–ьба** *s.* grazing, pasturing; pasturage, pasture.
Пасх/а *s.* (Jewish) Easter, Easter day; Passover; **п–** Easter cake made with curdled milk || **–альный** *a.* Paschal.
пасьянс *s.* patience (card-game).
пасынок *s.* (*gsg.* -нка) stepson.
патент/ *s.* patent; licence || **–ованный** *a.* patented || **–о+вать** II. [b] *va. Pf.* & *Ipf.* to patent.
патетический *a.* pathetic(al).
патока *s.* syrup, molasses *pl.*, treacle.
патолог/ия *s.* pathology || **–ический** *a.* pathological.
патриар/х *s.* patriarch || **–хальный** *a.* patriarchal || **–ш(еск)ий** *a.* patriarch's, patriarchal || **–шество** *s.* patriarchate.
патриот/ *s.*, **–ка** *s.* (*gpl.* -ток) patriot || **–изм** *s.* patriotism || **–ический** *a.* patriotic(al).
патрон/ *s.* patron, protector; (*mil.*) cartridge; model, pattern; cigarette-paper (already rolled for filling) || **–ный** *a.* cartridge- || **–таш** *s.* cartridge-bag.
патруль *s. m.* patrol.
пауза *s.* (*mus*). pause.
паук *s.* [a] spider.
паут/ина *s.* cobweb, spider's web || **–инный** *a.* of cobweb, spider's web.
паучок *s.* [a] (*gsg.* -чка) *dim. of* паук.
пафос *s.* pathos.
пах *s.* [b°] (*an.*) groin; flank (of horses).
пахаб/ник *s.* filthy, smutty talker || **–ный** *a.* filthy, smutty || **–ство** *s.* filthiness, filth, smut.
пахарь *s. m.* ploughman, tiller, husbandman.
пах-ать I. 3. [c] *va.* (*Pf.* вс-) to till, to plough; (*Pf.* пахн-уть I. [a]) to blow away, to fan.
пах/нуть 52. *vn.* (*Pf.* за-) (+ *I.*) to smell (of) || **–овой** *a.* (*an.*) inguinal || **–ота** *s.* ploughing, tilling, tillage || **–отный** *a.* arable; of ploughing, plough- || **–учесть** *s. f.* fragrance || **–учий** (-ая, -ее) *a.* sweet-scented, fragrant.
пациент/ *s.*, **–ка** *s.* (*gpl.* -ток) patient.
пач/е *ad.* more than: **~ чаяния** contrary to expectations || **–ка** *s.* (*gpl.*

-чек) parcel, bundle || **–ка-ть** II. *va.* (*Pf.* за-, ис-, вы́-) to soil, to dirty, to sully || **–котня́** *s.* daub(ing), smear, scrawling || **–ку́н** *s.* [a], **–ку́нья** *s.* sloven; dauber, scrawler.

паш/а́ *s.* pasha || **ˊня** *s.* (*gpl.* -шен) ploughed field, plough-land, corn-land || **–те́т** *s.* pasty, pie.

па́юсный *a.*, **–ная икра́** pressed caviar.

пая́ль/ник *s.* soldering-iron, -club || **–ный** *a.* (for) soldering || **–щик** *s.* solderer.

пая́-ть II. *va.* (*Pf.* за-) to solder.

пая́ц *s.* clown, buffoon, mountebank.

пев/е́ц *s.* [a] (*gsg.* -вца́), **–и́ца** *s.* singer; poet || **–у́н** *s.* [a], **–у́нья** *s.* singer, songster; person passionately fond of singing || **–у́честь** *s. f.* harmony, sweetness || **–у́чий** (-ая, -ее) *a.* harmonious, sweet, melodious || **ˊческий** *a.* song-, of singers || **ˊчий** *a.* singing-; **ˊчие пти́цы** *fpl.* song-birds.

пега́с *s.* Pegasus.

педаго́г/ *s.* pedagogue || **–ика** *s.* pedagogics *pl.* || **–и́ческий** *a.* pedagogic(al).

педа́ль *s. f.* pedal.

педа́нт/ *s.*, **–ка** *s.* (*gpl.* -ток) pedant || **–и́зм** & **–ство** *s.* pedantry || **–(и́че)ский** *a.* pedantic(al).

педе́ль *s. m.* beadle (in a University).

пейза́ж/ *s.* landscape || **–и́ст** *s.* landscape painter.

пек/а́рня *s.* bakery, baker's (shop) || **ˊарь** *s. m.* [& b] (*pl.* -и & -я́) baker || **–лева́нный** *a.* made of bolted ryemeal || **ˊло** *s.* (*gpl.* -кол) (*sl.*) boiling pitch; glow, heat; hell.

пел/ена́ *s.* covering, cloth; swaddling-clothes *pl.*; cloth hanging behind the ikon; **алта́рная ~** altar-cloth || **–ена́-ть** II. *va.* (*Pf.* за-, с-) to swaddle, to swathe || **–ёнка** *s.* (*gpl.* -нок), *dim.* **–ёночка** *s.* (*gpl.* -чек) swaddling-cloth || **–ери́на** *s.* & **–ери́нка** *s.* (*gpl.* -нок) pelerine || **–ика́н** *s.* pelican || **–ьме́ни** *s. mpl.* small pies filled with minced meat (*or* fish, etc.).

пе́мз/а *s.* pumice(-stone) || **–овый** *a.* pumice-.

пе́н/а *s.* foam, froth, scum; spume, spray || **–ёк** *s.* [a] (*gsg.* -нька́) small stump, stub; stem (of a mushroom) || **–ие** *s.* singing, song || **–истый** *a.* frothy, foaming; sparkling (of wine).

пе́н=ить II. *va.* (*Pf.* вс-) to cause to froth, to foam || **~ся** *vr.* to foam; to froth, to sparkle (of wine).

пе́н/ка *s.* (*gpl.* -нок) scum (on liquids); морска́я ~ meerschaum || **–ковый** *a.* meerschaum- || **–ный** *a.* foamy, frothy.

пенсион/е́р *s.*, **–е́рка** *s.* (*gpl.* -рок) pensioner.

пе́нсия *s.* pension, allowance.

пенсне́ *s.* pince-nez.

пе́нтюх *s.* clown, blockhead, idiot, lout.

пень/ *s. m.* (*gsg.* пня) stump, stub || **–ка́** hemp (prepared for spinning) || **–ко́вый** *a.* hemp-, hempen || **–юа́р** *s.* (lady's) dressing-gown, peignoir.

пе́ня *s.* fine.

пеня́-ть II. *vn.* (*Pf.* по-) (на кого́ за что) to reproach, to upbraid.

пе́пел/ *s.* (*gsg.* -пла) ashes *pl.*, ash, embers, cinders *pl.*

пепел=и́ть II. [a] *va.* (*Pf.* ис-) to reduce to ashes, to incinerate.

пепел/и́ще *s.* heap of ashes; site of a burnt house.

пе́пель/ница *s.* ash-tray; cinerary urn || **–ный** *a.* ashy; ashen, ash-grey.

пе́рв/енец *s.* (*gsg.* -нца) first-born, firstling || **–енство** *s.* primogeniture, birthright; preeminence, priority || **–енство+ва́ть** II. [b] *vn.* to have priority, to take precedence (of) || **–и́чный** *a.* primitive.

перво/бы́тный *a.* primitive, primordial, original || **–кла́ссный** *a.* first-class || **–нача́льник** *s.* head official || **–нача́льный** *a.* primitive, primordial, primeral || **–о́браз** *s.* prototype || **–престо́льный** *a.*, **~ го́род** capital, chief city || **–прису́тствующий** *s.* president (of the Senate) || **–ро́дный** *a.* first-born, first-begotten || **–степе́нный** *a.* first-rate.

пе́рвый *a.* first; foremost, chief, prime; **в –ом часу́** between 12 and 1 o'clock.

перга́мент/ *s.* parchment || **–ный** *a.* parchment.

пере/бега́-ть II. *vn.* (*Pf.* -бежа́ть 46.) to run over; to go over, to desert (to the enemy) || **–бе́жка** *s.* (*gpl.* -жек) desertion; (foot-)race; distance (in a race) || **–бе́жчик** *s.* deserter, runaway || **–бес=и́ться** I. 3. [c] *vr.* to rage; to be wild || **–бива́-ть** II. *va.* (*Pf.* -би́ть 27. [a 1.]) to break to pieces; to kill all; to slaughter (a quantity); to beat over again; (речь) to interrupt; to drop (a remark); to overbid || **~ся** *vn.* to lead a miserable existence || **–бира́-ть** II. *va.* (*Pf.* -бра́ть 8.) to look over, to examine, to sort; to turn over (the leaves of a book); to twang (a musical instrument) || **~ся** *vr.* to cross over; to pass over; to remove || **–бóй** *s.* counter-current; uneven striking (of a clock); overbidding || **–бóр** *s.* surplus (of receipts); rapids *pl.* || **–бóрка** *s.* (*gpl.* -рок) removal; partition || **–брáнка** *s.* (*gpl.* -нок) mutual abuse, quarrel || **–брáсыва-ть** II. *va.* (*Pf.* -брóс=ить I. 3. & -бросá-ть II.) to throw over || **–брáть** *cf.* **–бирáть.**

пере/вáл *s.* dragging across; (highest) mountain-pass || **–вáлива-ть** II. *va.* (*Pf.* -вал=ить II. [a & c]) to roll over (flour-bags, etc.); to draw across (a boat); **емý ужé зá сорок –валúло** he is already over forty || **–вáрива-ть** II. *va.* (*Pf.* -вар=ить II. [a & c]) to reboil, to boil over again; to overboil; to digest || **–везтú** *cf.* **–возúть** || **–вёрстка** *s.* (*gpl.* -ток) (*typ.*) paging, setting in pages || **–вёртыва-ть** II. *va.* (*Pf.* -верн-ýть I. [a]) to turn, to turn over; (*Pf.* -вертéть) to put (a lock) out of order || **–вершá-ть** II. *va.* (*Pf.* -верш=ить I. [a]) to try over again, to revise judg(e)ment (in a lawsuit) || **–вéс** *s.* overweight; preponderance; **дать ~** to turn the scale; **~ голосóв** a majority of votes || **–вестú** *cf.* **–водúть** || **–вéшива-ть** II. *va.* (*Pf.* -вéс=ить I. 3.) to weigh over again; to hang up in another place; to weigh down || **~ся** *vn.* to hang down over || **–вивá-ть** II. *va.* (*Pf.* -вúть 27.) to wind over again; (что чем) to wind round || **–вирá-ть** II. *va.* (*Pf.* -вр-áть I. [a]) to repeat a lie; to repeat wrongly; to outdo a person in telling lies.

перевóд *s.* removal, transference; translation; (*comm.*) remittance, draft; **~ стрéлки** (*rail.*) points *pl.*

пере/вод=úть I. 1. [c] *va.* (*Pf.* -вестú & -вéсть 22. [a 2.]) to transfer, to remove; to translate; to remit, to transfer (money); to destroy, to extirpate (rats, etc.); **~ дух** to fetch one's breath || **~ся** *vn.* to disappear, to die out (of insects); to become exhausted (of money).

перевóд/ный *a.* transferred, removed; translated; remitted; reported; **~ вéксель** draft; **–ная нáдпись** endorsement || **–чик** *s.* translator.

пере/вóз *s.* transport, transportation, conveyance, carriage; ferry || **–воз=úть** I. 1. [c] *va.* (*Pf.* -везтú & -вéзть 25. [a 2.]) to transport, to convey.

перевóз/ка *s.* (*gpl.* -зок) conveying, conveyance, transporting || **–ный** *a.* for conveying, transporting; transport- || **–чик** *s.* ferryman.

перевор/áчива-ть II. *va.* (*Pf.* -от=úть I. 2. [c]) to turn, to turn over || **–óт** *s.* turn, change (in an affair); revolution.

перевóщик = перевóзчик.

переврáть *cf.* **перевирáть.**

перевя́/зка *s.* (*gpl.* -зок) binding; (*med.*) bandage, dressing; band, twine || **–зочный** *s.* bandage-, dressing- || **–зыва-ть** II. *va.* (*Pf.* -з-áть I. 1. [c]) to tie, to bind, to bandage; to dress (a wound); to tie over again.

пéревязь *s. f.* shoulder-belt; (*mil.*) Sam Brown belt, bandoleer; scarf.

пере/гáр *s.* burning through; excess of spirit; brandy of best quality || **–гúб** *s.* bend, fold; dog's ear (turned down corner of leaf of book); loop (of a river); turn (of a road) || **–гибá-ть** II. *va.* (*Pf.* -гн-ýть I. [a]) to bend, to turn up, to fold over.

перегля́/дка *s.* (*gpl.* -док) blinking at, glance at || **–дыва-ть** II. *va.* (*Pf.* -н-ýть I. [c]) to look over; to wink at, to glance at || **~ся** *vrc.* to exchange glances.

пере/гнáть *cf.* **–гоня́ть** || **–гнýть** *cf.* **–гибáть** || **–говáрива-ть** II. *va.* (*Pf.* -говор=úть II. [a]) (с кем о чём) to discuss, to negotiate || **~ся** *vrc.* (о чём) to confer, to carry on negotiations || **–говóры** *s. mpl.* negotiations *pl.*; **вестú ~** (с кем) to carry on negotiations (with).

перегóн/ *s.* & **–ка** *s.* (*gpl.* -нок) outstripping, outrunning; overdriving; distillation, rectification || **–ный** *a.* rectified, distilled; of *or* for distillation; **~ завóд** distillery || **–я́-ть** II. *va.* (*Pf.* перегнáть 11. [c]) to drive to another place; to outstrip, to outrun; to distill.

перего/рáжива-ть II. *va.* (*Pf.* -род=úть I. 1. [c]) to partition, to fence off || **–рá-ть** II. *vn.* (*Pf.* -р=éть II. [a]) to burn up, out || **–рéлый** *a.* burnt up, out || **–рóдка** *s.* (*gpl.* -док) partition, dividing wall || **–рóдочный** *a.* partition-, dividing-.

пере/гружá-ть II. *va.* (*Pf.* -груз=úть I. 1. [a & c]) to tranship; to overload || **–грýзка** *s.* (*gpl.* -зок) transhipment; overloading || **–грызá-ть** II. *va.* (*Pf.* -гры́з-ть I. [a 1.]) to gnaw, to bite through (nuts, etc.).

пéред (–о) *prp.* (+ *A.* & *I.*) before, in front of.

перёд/ *s.* [a°] fore, forepart, face, front, front part; (*in pl.*) the front wheels; toecaps; **иттú передóм** to go forward, to go in front.

пере/давáть 39. *va.* (*Pf.* -дáть 38.) to give over, to hand over, to deliver (up); ~ **вéксель** to transmit, to transfer, to make over; to report, to communicate; to give too much, to pay too high, to give too much in change; to reproduce (a sound); ~ (**нáдписью**) to endorse || **–дáточный** *a.* transferable; ~ **билéт** ticket entitling one to change on to another line; **–дáточная нáдпись** endorsement || **–дáча** *s.* transmission, transfer; communication.

передбáнник *s.* anteroom of a bath.

пере/двигá-ть II. *va.* (*Pf.* -двúн-уть I.) to move, to remove, to shift; (*mil.*) to dislodge || **–движéние** *a.* shifting, removing; dislodging.

передéл/ *s.* mint || **–ка** *s.* (*gpl.* -лок) remaking, transforming, restoring; re-division || **–ыва-ть** II. *va.* (*Pf.* -а-ть II.) to remake, to do again, to transform, to remodel, to repair.

пере/дёргива-ть II. *va.* (*Pf.* -дёрн-уть I.) to pull (a string) through; to conceal, to smuggle (a card at play) || **–дéржива-ть** II. *va.* (*Pf.* -держ-áть I. [c]) to hold, to keep too long; to expend too much; to receive stolen goods || **–дéржка** *s.* (*gpl.* -жек) excessive expenditure; holding too long; receiving, hiding (of stolen goods); re-calculation.

перéд/ний *a.* fore, front, anterior || **–няя** (*as s.*) anteroom || **–ник** *s.* apron.

пéред/о *cf.* **пéред** || **–овóй** *a.* fore, in front, leading; **–овáя статья́** leading article (in a newspaper) || **–óк** *s.* [a] (*gsg.* -дкá) forepart; upper, vamp (of a shoe); fore-carriage.

пере/дóхнуть 52. *vn. Pf.* to perish away (of cattle) || **–дохн-ýть** I. [a] *vn. Pf.* to fetch a breath || **–дрáзнива-ть** II. *va.* (*Pf.* -дразн=úть II. [c]) to mimic, to ape || **–дря́га** *s.* immense confusion, hurly-burly, quarrel || **–дýмыва-ть** II. *va.* (*Pf.* -дýма-ть II.) to change one's mind.

пере/езжá-ть II. *vn.* (*Pf.* -éхать 45.) to cross, to pass, to go over, to traverse; to remove, to shift || ~ *va.* to run over || **–ждáть** *cf.* **–жидáть** || **–жёвыва-ть** II. *va.* (*Pf.* -же+вáть II. [a]) to chew over again; to ruminate || **–живá-ть** II. *vn.* (*Pf.* -жúть 31. [a 3.]) to survive, to outlive, to outlast; to experience, to live in many places || **–жидá-ть** II. *va.* (*Pf.* -жд-áть I. [a 3.]) to await, to out-wait; to wait till something is over || **–звóн** *s.* ringing of bells by turns || **–зимóвка** *s.* (*gpl.* -вок) wintering || **–зимовáть** *cf.* **зимовáть** || **–зревá-ть** II. *vn.* (*Pf.* -зрé-ть II.) to grow too ripe || **–зрéлый** *a.* over-ripe, too ripe || **–зябá-ть** II. *vn.* (*Pf.* -зя́бнуть 52.) to be frozen through; to be destroyed by the frost, to be frostbitten (of plants).

пере/именóвыва-ть II. *va.* (*Pf.* -имено+вáть II. [b]) to rename || **–ймчивость** *s f.* docility, aptitude || **–ймчивый** *a.* docile, apt || **–инáчива-ть** II. *va.* (*Pf.* -инáч=ить I.) to change, to alter; to misinterpret || **–йтú** *cf.* **–ходúть.**

пере/кáпыва-ть II. *va.* (*Pf.* -копá-ть II.) to dig over again; to dig across || **–кáрмлива-ть** II. *va.* (*Pf.* -корм=úть II. 7. [c]) to overfeed || **–кáт** *s.* roll (of thunder); sand-bank (in a river) || **–кáтыва-ть** II. *va.* (*Pf.* -катá-ть II.) to roll, to mangle over again; (*also Pf.* -кат=úть I. 2. [a & c]) to roll over to another place || **–кúдыва-ть** II. *va.* (*Pf.* -кидá-ть II. & -кúну-ть I.) to throw, to fling over, across || **~ся** *vr.* to tumble over, tu turn a somersault || ~ *vrc.* (чем) to throw (*e. g.* a ball) to one || **–кипá-ть** II. *vn.* (*Pf.* -кип=éть II. 7. [a]) to boil to excess || **–кисá-ть** II. *vn.* (*Pf.* -кúснуть 52.) to grow too sour.

пéрекись *s. f.* (*chem.*) peroxide.

пере/клáдина *s., dim.* **–клáдинка** *s.* (*gpl.* -нок) cross-beam, transom, joist; plank, foot-bridge || **–клáдка** *s.* (*gpl.* -док) repacking, reloading, laying over again (of wood); plank (over a brook) || **–кладнóй** *a.* shifted repacked; **éхать на –кладных** to travel post with relays of horses || **–клáдыва-ть** II. *va.* (*Pf.* -клáсть 22. [a 1.]) to lay over again; to repack; to put in another place; to change horses; (*Pf.* -лож=úть I. [c]) (что чем) to wrap up, to envelop; to lay *or* put in between (hay, paper, etc. in packing up); ~ **листы кнúги** (**бумá-гою**) to interleave a book (with paper); to bar, to stop (a way) || **–кликá-ть** II. *va.* (*Pf.* -клúк-ать I. 2. & -клúкн-уть I.) to call over; (*mil.*) to call the roll || **~ся** *vrc.* to call to one another || **–клúчка** *s.* (*gpl.* -чек) roll-call; **дéлать –клúчку** to call the roll || **–копáть** *cf.* **–кáпывать** || **–кормúть** *cf.* **–кáрмливать** || **–кочёвыва-ть** II. *vn.* (*Pf.* -коче+вáть II. [b]) to remove camp (of nomads), to wander further || **–крáшива-ть** II. *va.* (*Pf.* -крáс=ить I. 3.) to dye, to paint over again || **–крестúть** *cf.* **–крéщи-**

вать & **крести́ть** || **-крёстный** *a.* crossing, cross- ; ~ **допрос** cross-examination || **-крёсток** *s.* (*gsg.* -тка) cross-roads *pl.* || **-кре́щенец** *s.* (*gsg.* -нца) person rebaptized || **-кре́щива-ть** II. *va.* (*Pf.* -крест=и́ть I. 4. [a & c]) to re-baptize, to baptize over again; to cross || **-кру́чива-ть** II. *va.* (*Pf.* -крут=и́ть I. 2. [a & c]) to twist over again; to twist too much || **-кувы́рка-ть** II. *va.* (*Pf.* -куыр(к)н-у́ть I. [a]) to upset, to capsize || ~**ся** *vr.* to somersault, to fall head over heels || **-купа́-ть** II. *va.* (*Pf.* -куп=и́ть II. 7. [c]) to buy up, to en-gross; to outbid; to buy a great deal || **-ку́пка** *s.* (*gpl.* -пок) buying up, en-grossment || **-купно́й** *a.* bought up || **-ку́пщик** *s.* forestaller, engrosser || **-ку́сыва-ть** II. *va.* (*Pf.* -кус=и́ть I. 3. [c]) to bite in two; to take a bite, a snack of.

пере/лага́-ть II. *va.* (*Pf.* -лож=и́ть I. [c]) to translate; (*mus.*) to transpose, to score for another instrument || **-ла́мыва-ть** II. *va.* (*Pf.* -лом=и́ть II. 7. [c]) to break up, to break in two; to break, to fracture (a limb); ~ **себя́** (*fig.*) to sub-due one's feelings; (*Pf.* -лома́-ть II.) to break a good deal up || **-леза́-ть** II. *va.* (*Pf.* -ле́зть 25. [b 1.]) to climb over || **-ле́сок** *s.* (*gsg.* -ска) wood of thinly planted young trees, preserve || **-ле́сье** *s.* glade (in a wood) || **-лёт** *s.* flight across, passage || **-лета́-ть** II. *vn.* (*Pf.* -лет=е́ть I. 2. [a]) to fly over, across || **-лётный** *a.*, **-лётные пти́цы** *fpl.* birds of passage || **-ли́в** *s.* play of colours || **-лива́-ть** II. *va.* (*Pf.* -ли́ть 27. [a 3.]) to transfuse, to pour over, to decant; to re-smelt, to remelt, to recast || ~**ся** *vr.* to flow over; (*without Pf.*) to pour forth (of music); to play (of colours) || **-ливно́й** *a.* transfused, recast, remoulded || **-ли́стыва-ть** II. *va.* (*Pf.*-листо+ва́ть II. [b]) to turn over the leaves (of a book) || **-ло́г** *s.* newly ploughed field || **-ложе́ние** *s.* (*mus.*) transposition; scoring for another instrument || **-ложи́ть** *cf.* **-кла́дывать** & **-лага́ть** || **-ло́й** *s.* gonorrhea || **-ло́м** *s.* fracture, break(age), rupture; crisis (of an illness) || **-лома́ть** & **-ломи́ть** *cf.* **-ла́мывать.**

пере/ма́лыва-ть II. *va.* (*Pf.* -мол-о́ть II. [c], *Fut.* -мелю́, -ме́лешь) to grind over again || **-ма́нива-ть** II. *va.* (*Pf.* -ман=и́ть II. [c]) to entice, to decoy over || **-межа́-ть** II. *va.* (*Pf.* -меж=и́ть I. [a]) to leave an interval || ~**ся** *vr.* to in-termit, to come, to occur at intervals; **-межа́ющаяся лихора́дка** intermit-tent fever.

переме́н/а *s.* change (of the weather, one's clothes, a lodging, an office, etc.); hour of recreation, leisure-hour (in schools), alteration || **-я́-ть** II. *va.* (*Pf.* -н=и́ть II. [a & c]) to change (the habits, servants, horses, etc.), to alter || **-ность** *s. f.* changeableness, changeability || **-ный** *a.* alternate; variable, changeable || **-чивый** *a.* changeable, variable, fickle, inconstant.

пере/мерза́-ть II. *vn.* (*Pf.* -мёрзнуть 52.) to freeze up, over through; to be killed by frost (of plants); to be penetrated by frost || **-ме́рива-ть** II. & **-меря́-ть** II. *va.* (*Pf.* -мер=ить II.) to remeasure, to measure over again || **-мести́ть** *cf.* **-меща́ть** || **-мётыва-ть** II. *va.* (*Pf.* -мета́-ть II.) to throw, to cast over; to sew (with), to baste over again || **-ме́шивать** *cf.* **меша́ть** || **-меща́-ть** II. *va.* (*Pf.* -мест=и́ть I. 4. [a]) to transpose, to transfer, to remove || **-меще́ние** *s.* re-moval, transposition || **-мина́-ть** II. *va.* (*Pf.* -мя́ть 34. [a 1.]) to knead again; to knead all; to rub, to move (the limbs to make warm); to crumple (clothes) || **-ми́рие** *s.* truce, armistice, suspension of hostilities || **-мога́-ть** II. *va.* (*Pf.* -мо́чь 15. [c 2.]) to prevail over, to over-come, to overpower || ~**ся** *vr.* to strive, not to give in || **-моло́ть** *cf.* **-ма́лывать.**

пере/несе́ние *s.* transportation, removal; bearing, enduring || **-нима́-ть** II. *va.* (*Pf.* -ня́ть 37. [a 3.]), *Fut.* -йму́, -мёшь) to intercept, to catch, to stop, to seize; (у кого́) to learn from, to imitate, to ape || **-но́с** *s.* transport, transfer; division (of words); (*comm.*) carrying forward (balance) || **-нос=и́ть** I. 3. [c] *va.* (*Pf.* -нести́ & -не́сть 26. [a 2.]) to transport, to transfer, to convey; to endure, to bear; to divide (syllables); (*comm.*) to bring, to carry forward || **-но́сица** & **-но́сье** *s.* the bridge of the nose || **-но́ска** *s.* (*gpl.* -сок) = **-несе́ние** || **-ночева́ть** *cf.* **ночева́ть** || **-ня́ть** *cf.* **-нима́ть.**

переодева́-ть II. *va.* (*Pf.* переоде́ть 32. [b 1.]) to change one's clothes.

пере/пада́-ть II. *vn.* (*Pf.* -па́сть 22. [a 1.]) to fall at intervals; to elapse (of time); to accrue (of profits) || **-па́ива-ть**

II. *va.* (*Pf.* -пая́-ть II.) to resolder, to solder all; (*Pf.* -по=и́ть II. [a]) to give too much drink to, to make drunk || **–па́лзывать** *cf.* **–ползать** || **–па́сть** *cf.* **–пада́ть** || **–па́чкива-ть** II. *va.* (*Pf.* -па́чка-ть II.) to daub, to soil all over.

пе́реп/ел *s.* [b] (*pl.* -а́) (*orn.*) quail || **–ёлка** *s.* (*gpl.* -лок) (hen-)quail, female quail || **–еля́тник** *s.* quail hunter; sparrow-hawk.

перепеча́/тка *s.* (*gpl.* -ток) reprint, reimpression || **–тыва-ть** II. *va.* (*Pf.* -та-ть II.) to reprint.

пере/пива́-ть II. *vn.* (*Pf.* -пи́ть 27. [a 3.]) to drink too much, to get drunk || **~ся** *vr.* to drink to excess, to ruin o.s. by drinking.

перепи́/ска *s.* (*gpl.* -сок) transcription; copying; **~ набело́** fair copy; correspondence || **–счик** *s.*, **–счица** *s.* transcriber, copyist || **–сыва-ть** II. *va.* (*Pf.* -с-а́ть I. 3. [c]) to transcribe, to copy; to draw up a list of, to catalogue || **~ся** *vrc.* to correspond (with).

пе́репись *s. f.* inventory, list, catalogue; **наро́дная ~** census; **~ иму́щества** inventory of goods.

пере/пи́ть *cf.* **–пива́ть** || **–пла́та** *s.* overpayment, excess pay || **–пла́чива-ть** II. *va.* (*Pf.* -плат=и́ть I. 2. [c]) to pay too much, to pay in excess.

переплёт/ *s.* binding; **отдава́ть в ~** to get (a book) bound || **–ный** *a.* bookbinder's, bookbinding || **–чик** *s.* bookbinder.

пере/плета́-ть II. *va.* (*Pf.* -плести́ & -пле́сть 23. [a 2.]) to plait over again; to interlace, to entwine; to bind (books) || **–плыва́-ть** II. *va.* (*Pf.* -плы́ть 31. [a 3.]) to swim over, across || **–пои́ть** *cf.* **–па́ивать** || **–по́й** *s.* excessive drinking || **–полза́-ть** II. *vn.* (*Pf.* -ползти́ & -по́лзть 25. [a 2.]) to crawl, to creep over || **–полне́ние** *s.* overfilling || **–полня́-ть** II. *va.* (*Pf.* -по́л=нить II.) to overfill, to cram || **–поло́х** *s.* rumpus, tumult, alarm; sudden fright || **–полош=и́ть** I. [a & c] *va.* to alarm, to raise a tumult; to disturb || **–по́нка** *s.* (*gpl.* -нок) membrane; **бараба́нная ~** the drum of the ear || **–по́нчатый** *a.* membraneous || **–пра́ва** *s.* passage, crossing (a river); **~ че́рез брод** fording a river || **–пра́вка** *s.* (*gpl.* -вок) correction || **–правля́-ть** II. *va.* (*Pf.* -пра́в=ить II. 7.) to put over, to ferry over; to correct || **~ся** *vr.* to cross, to pass over; **~ че́рез брод** to ford a river || **–прева́-ть** II. *vn.* (*Pf.* -пре́-ть II.) to stew too much; to roast too long; to sweat through || **–пре́чь** = **–пря́чь** || **–про́быва-ть** II. *va.* (*Pf.* -про́бо+вать II.) to taste, to try all, one after the other || **–продава́ть** 39. *va.* (*Pf.* -прода́ть 38. [a 4.]) to resell, to retail || **–прода́вец** *s.* (*gsg.* -вца), **–прода́вица** *s.* reseller, retailer || **–прода́жа** *s.* resale, retail sale || **–прода́жный** *a.* to be retailed, for retail, retail- || **–пру́да** *s.* dam (across a river), weir || **–пружа́-ть** II. *va.* (*Pf.* -пруд=и́ть I. 1. [a & c]) to dam up, across, to build a dam across || **–пры́гива-ть** II. *vn.* (*Pf.* -пры́гнуть 52.) to jump over, across || **–пряга́-ть** II. *va.* (*Pf.* -пря́чь 43. [a]) to change horses; to harness to another vehicle || **–пу́тыва-ть** II. *va.* (*Pf.* -пу́та-ть II.) to entangle, to throw into disorder; (*fig.*) to perplex, to confound || **–пу́тье** *s.* crossroads *pl.*

пере/раба́(о́)тыва-ть II. *va.* (*Pf.* -рабо́та-ть II.) to do over again; to work up; to elaborate || **–рабо́тка** *s.* (*gpl.* -ток) doing over again; working up || **–раста́-ть** II. *vn.* (*Pf.* -расти́ 35. [a 2.]) to overgrow, to grow taller than; to outgrow || **–ре́з** *s.* part cut in two; cutting-through, cross-cut || **–ре́зыва-ть** II. *va.* (*Pf.* -ре́з-ать I. 1.) to cut through, to cut in two; to intersect || **–рожда́-ть** II. *va.* (*Pf.* -род=и́ть I. 1. [a]) to regenerate || **~ся** *vr.* to be regenerated; to revive; to degenerate || **–рожде́ние** *s.* regeneration, revival; degeneration || **–роста́ть** = **–раста́ть** || **–руба́-ть** II. *va.* (*Pf.* -руб=и́ть II. 7. [c]) to cut to pieces, asunder || **–ры́в** *s.* interruption; rent, break; (*med.*) rupture || **–рыва́-ть** II. *va.* (*Pf.* -рв-а́ть I. [a]) to rend, to tear; to interrupt || **–ряжа́-ть** II. *va.* (*Pf.* -ряд=и́ть I. 1. [a & c]) to dress anew, again; to disguise.

пере/са́дка *s.* (*gpl.* -док) transplanting; (*rail.*) change (of trains) || **–са́жива-ть** II. *va.* (*Pf.* -сад=и́ть I. 1. [a & c]) to transplant; to transfer; to remove (pupils) || **~ся** *vr.* (*Pf.* -се́сть 44.) to change seats; (*rail.*) to change || **–са́лива-ть** II. *va.* (*Pf.* -са́л=нить II.) to grease again; to smear with grease (too much); (*Pf.* -сол=и́ть II. [a]) to salt anew; so salt (too much) || **–сека́-ть** II. *va.* (*Pf.* -се́чь 18. [a 1.]) to cut in two, asunder; to intersect, to cross; (*mil.*) to cut off (the retreat); to whip, to flog all, one after the other || **–селéнец** *s.* (*gsg.* -нца), **–селéнка** *s.* (*gpl.* -нок) emigrant || **–селéние** *s.* removal (to); emigration; transmigration || **–селя́-ть** II. *va.* (*Pf.* -сел=и́ть II. [a & c]) to remove, to settle in another place || **~ся** *vr.* to emigrate; to settle down in another place || **–сéсть** *cf.* **–сáживаться** || **–сечéние** *s.* crossing, cutting in two; intersection || **–сéчь** *cf.* **–секáть** || **–сúлива-ть** II. *va.* (*Pf.* -си́л=ить II.) to master, to get the better of || **–скáз** *s.* retelling; (*in pl.*) tittle-tattle, gossip || **–скáзыва-ть** II. *va.* (*Pf.* -сказ-áть I. 1. [c]) to retell, to repeat; to gossip || **–скáкива-ть** II. *vn.* (*Pf.* -скоч=и́ть I. [c] & -скокн-ýть I. [a]) (чéрез что) to leap, to jump over, across; (*Pf.* -скак-áть I. 2. [c]) to outgallop, to outrun || **–слáть** *cf.* **–сылáть** || **–смáтрива-ть** II. *va.* (*Pf.* -смотр=éть II. [c]) to reexamine, to revise; to look over all, everything || **–смéшник** *s.* mocker, scoffer || **–смóтр** *s.* revision.

пере/сóл *s.* salting too much || **–соли́ть** *cf.* **–сáливать** || **–сóхнуть** *cf.* **–сыхáть** || **–спáть** *cf.* **–сыпáть** || **–спевáть, –спéть** = **–зревáть** || **–спрáшива-ть** II. *va.* (*Pf.* -спрос=и́ть I. 3. [c]) to question over again, to reexamine (a witness) || **–ссóрива-ть** II. *va.* (*Pf.* -ссó-р=ить II.) to set at variance, to disunite, to set by the ears || **–ставáть** 39. [a] *vn.* (*Pf.* -стáть 32. [b]) to cease, to leave off, to give over || **–ставля́-ть** II. *va.* (*Pf.* -стáв=ить II. 7.) to remove, to displace; to put in another place || **–станáвлива-ть** II. & **–становля́-ть** II. *va.* (*Pf.* -станов=и́ть II. 7. [a & c]) to remove || **–станóвка** *s.* (*gpl.* -вок) displacement, removal; transposition (of words) || **–стáть** *cf.* **–ставáть** || **–стрá(ó)ива-ть** II. *va.* (*Pf.* -стрó=ить II.) to rebuild, to reconstruct; (*mus.*) to retune || **–страховáние** & **–страхóвка** *s.* (*gpl.* -вок) re-insurance || **–страхóвыва-ть** II. *va.* (*Pf.* -страхо+вáть II. [b]) to re-insure || **–стрéлива-ться** II. *vrc.* (*Pf.* -стреля́-ться II.) to skirmish, to keep on firing on both sides || **–стрéлка** *s.* (*gpl.* -лок) firing, skirmishing || **–стрóйка** *s.* (*gpl.* -бек) rebuilding, reconstruction || **–ступá-ть** II. *va.* (*Pf.* -ступ=и́ть II. 7. [c]) (что *or* чéрез что) to go over, to step over, to overstep || **–сýды** *s. mpl.* tittle-tattle, gossip, cavilling, small talk || **–счи́тыва-ть** II. *va.* (*Pf.* -считá-ть II. & -чéсть 23. [a 2.]) to count over again; to examine, to check.

пере/сылá-ть II. *va.* (*Pf.* -слáть 40. [a 1.]) to send (over), to despatch, to forward || **–сы́лка** *s.* (*gpl.* -лок) forwarding, despatch || **–сыпá-ть** II. *va.* (*Pf.* -сы́п-ать II. 7.) to pour out of one container into another; to sprinkle, to bestrew, to pour (upon) in layers, by turns || **~** *vn.* (*Pf.* -сп=áть I. 7. [a]) to oversleep o.s.; to pass the night || **–сыхá-ть** II. *vn.* (*Pf.* -сóхнуть 52.) to dry up, to become parched.

пере/тáскива-ть II. *va.* (*Pf.* -таскá-ть II. & -тащ=и́ть I. [a & c]) to drag to another place; to drag secretly off, away (one thing after another) || **–тасóвыва-ть** II. *va.* (*Pf.* -тасо+вáть II. [b]) to shuffle, to reshuffle (cards) || **–терпéть** = **претерпевáть** || **–тирá-ть** II. *va.* (*Pf.* -терéть 13. [a 1.]) to rub, to wipe over again, all; to grind again (colours); to fray, to rub through || **–толкóвыва-ть** II. *va.* (*Pf.* -толко+вáть II. [b]) to misinterpret; to give a false explanation of; to interpret again || **–тóржка** *s.* (*gpl.* -жек) re-auctioning.

перéть 13. *va.* to press, to jostle; to push on (with difficulty).

перетя́гива-ть II. *va.* (*Pf.* перетян-ýть I. [c]) to outweigh, to weigh down, to surpass; to draw over to another place.

переýлок *s.* (*gsg.* -лка) by-lane, side-street; **глухóй ~** cul-de-sac, blind alley.

пере/хвáтыва-ть II. *va.* (*Pf.* -хват=и́ть I. 2. [c]) to snatch up (letters, etc.); to seize (thieves, etc.); to capture (vessels); to snatch, to catch (a ball); **~ дéнег** to borrow money (for a short time); to tie round; (*Pf.* -хват-áть II.) to intercept || **–хитр=и́ть** II. [a] *va. Pf.* to outwit, to outdo in cunning || **–хóд** *s.* passage; removal; transition; (*mil.*) march, a day's march || **–ход=и́ть** I. 1. [c] *va.&n.* (*Pf.* -йти́ 48. [a 2.]) (что *or* чéрез что) to go over, to pass over, to traverse; to pass by; to change (one's dwelling) || **–хóдный** *a.* transitional, transitory || **–ходя́щий** *a.* (*gramm.*) transitive.

пéрец *s.* (*gsg.* -рца) pepper.

пере/чекáнива-ть II. *va.* (*Pf.* -чекáн=ить II.) to recast (coins) || **–чекáнка** *s.* (*gpl.* -нок) recoinage, recasting (coins).

пéречень *s. m.* (*gsg.* -чня) sum, total; summary, compendium; list.

пере/чёркива-ть II. *va.* (*Pf.* -черкá-ть II. & -черкн-ýть I. [a]) to strike out, to cancel, to cross || **-че́сть** *cf.* **-счи́тывать** || **-чёт** *s.* enumeration; surplus || **-числе́ние** *s.* secound counting, counting over || **-числя́-ть** II. *va.* (*Pf.* -чи́сл=ить II.) to number, to add up, to examine again || **-чи́тыва-ть** II. *va.* (*Pf.* -чита́-ть II.) to read over again; to read all.

пере́ч=ить I. *vn.* (кому́ в чём) to thwart, to hinder; to contradict.

пе́реч/ница *s.* pepper-caster, pepper-box || **-ный** *a.* pepper-.

пере/ша́гива-ть II. *vn.* (*Pf.* -шагн-у́ть I. [a]) (че́рез что) to step, to stride over, across || **-ше́ек** *s.* (*gsg.* -е́йка) isthmus, neck of land || **-шёптыва-ться** II. *vrc.* (*Pf.* -шепт-а́ться I. 2. [c] & -шепн-у́ться I. [a]) (о чём) to whisper to one another, to talk in a whisper || **-шива́-ть** II. *va.* (*Pf.* -ши́ть 27. [a 1.]) to sew again, to resew || **-экзамено́выва-ть** II. *va.* (*Pf.* -экзамено+ва́ть II. [b]) to reexamine.

перигéй *s.* perigee.

пери́ла *s. npl.* railing, balustrade, handrail.

пери́мéтр *s.* perimeter.

пери́на *s.* feather bed.

пери́од/ *s.* period || **-и́ческий** *a.* periodic(al).

пери́стый *a.* feathery; fleecy (of clouds).

периферия *s.* periphery.

перл/ *s.* pearl || **-аму́т(р)** *s.* mother of pearl || **-аму́тровый** *a.* mother of pearl || **-́овый** *a.* pearl- || **-о́вый** *a.*, **-о́вая крупа́** pearl-barley.

перна́тый *a.* feathered.

перо́/ *s.* [d] (*pl.* пе́рья) feather; pen; fin (of a fish); blade (of an oar) || **-чи́нный** *a.*, ~ **но́жик** penknife.

перпендикуля́р/ *s.* perpendicular || **-ный** *a.* perpendicular.

перро́н *s.* (*rail.*) platform.

пе́рси *s. fpl.* breast, bosom.

пе́рсик/ *s.* peach || **-овый** *a.* peach-.

персо́н/а *s.* person(age) || **-а́л** *s.* staff || **-а́льный** *a.* personal.

перспекти́ва *s.* perspective.

пе(ё)рст/ *s.* [a] finger.

пе́рст/ень *s. m.* [c] (*gsg.* -тня) ring (with a stone) || **-ь** *s. f.* the earth, dust.

пертурба́ция *s.* perturbation.

перу́н *s.* lightning, flash of lightning; **гремя́щий ~** thunderbolt; **П-** the old Slavonic god of thunder.

перхо́та *s.* tickling in the throat, coughing slightly.

пе́рхоть *s. f.* pellicle, film; scale.

перцо́вка *s.* (*gpl.* -вок) pepper-brandy.

перча́т/ка *s.* (*gpl.* -ток) glove || **-очка** *s.* (*gpl.* -чек) *dim. of prec.* || **-очник** *s.* glover.

перш=и́ть *v.imp.* (*Pf.* за-) to tickle (in the throat).

пёрышко *s.* (*gpl.* -шек) *dim. of* перо́.

пёс *s.* [a] (*gsg.* пса) dog.

пе́с/ельник *s.* singer, chorister (of folksongs) || **-енка** *s.* (*gpl.* -нок) little song, ditty || **-енник** *s.* good singer; book of songs, song-book || **-енница** *s.* good singer || **-енный** *a.* song-.

песе́ц *s.* [a] (*gsg.* -сца́) the Arctic fox.

пёс/ий (-ья, -ье), *a.* dog's, dog- || **-ик** *s.* *dim. of* пёс.

песка́рь *s. m.* [a] (*ich.*) gudgeon, groundling.

песнь *s. f.* canticle, hymn, song.

пе́сня *s.* (*gpl.* -сен) song.

пес/о́к *s.* [a°] (*gsg.* -ска́) sand || **-о́чница** *s.* sand-box; spittoon || **-о́чный** *a.* sand-, sanded.

пессим/и́зм *s.* pessimism || **-и́ст** *s.* pessimist || **-исти́ческий** *a.* pessimistic(al).

пест/ *s.* [a] pestle || **-́ик** *s.* small pestle; (*bot.*) pistil.

пестре́-ть II. *vn.* (*Pf.* за-) to appear *or* become variegated, coloured; to glitter, to glisten.

пестр=и́ть II. [a] *vn.* (*Pf.* за-) to be dazzling (to the eyes) || ~ *va.* to make variegated, to speckle.

пестрота́ *s.* medley, motley, mixture (of colours).

пёстрый *a.* many-coloured, variegated.

песцо́вый *a.* of the Arctic fox.

песч/а́ник *s.* sandstone || **-а́ный** *a.* sand-, sandy || **-и́на** *s.*, *dim.* **-и́нка** *s.* (*gpl.* -нок) grain of sand.

пета́рда *s.* petard.

пе́телька *s.* (*gpl.* -лек) *dim. of* пе́тля.

пети́т *s.* (*typ.*) brevier.

петли́ца *s.* buttonhole; loop.

пе́тля *s.* (*gpl.* -тель) bow, loop, knot; noose, running-knot; stitch, mesh; button-hole; eye (of a needle, a hook); hinge (of a door).

петру́шка *s.* (*gpl.* -шек) (*bot.*) parsley; **П-** Punch (in Punch and Judy show).

пет/у́х *s.* [a] cock || **-у́ший** (-ья, -ье) *a.* cock's || **-ушо́к** *s.* [a] (*gsg.* -шка́) small cock, cockerel.

петь 39. [a 1.] *vn.&a.* (*Pf.* с-, про-) to sing.

пехо́т/а *s.* (*mil.*) infantry, foot || **-и́нец** *s.* (*gsg.* -нца) foot-soldier || **-ный** *a.* foot-, infantry-.

печа́л=ить II. *va.* (*Pf.* о-) to afflict, to grieve, to sadden || **~ся** *vr.* (о чём) to sorrow, to grieve.

печáль/ *s. f.* grief, sorrow || **–ный** *a.* sorrowful, mournful, sad.
печáт/а-ть II. *va.* (*Pf.* на-) to print, to imprint (upon); (*Pf.* за-) to seal (up) || **–ный** *a.* printed, printing-; sealed, stamped || **–ня** *s.* (*gpl.* -тен) printing-house, -office, printer's || **–ь** *s. f.* seal, signet, stamp; (*typ.*) print, press; (printed) type, printing-type; **отдáть в ~** to get printed; **вы́йти из –и** to be published, to appear.
печ/éние *s.* baking || **–ёнка** *s.* (*gpl.* -нок) *dim.* liver || **–ёный** *a.* baked || **´–ень** *s. f.* liver || **–éнье** *s.* pastry || **´–ка** *s.* (*gpl.* -чек) *dim. of* печь || **–ни́к** *s.* [a] stove-setter || **–нóй** *a.* stove-, oven- || **–ь** *s. f.* [c] stove, oven (for baking); furnace (for smelting).
печь 18. [a 2.] *va.* (*Pf.* с-) to fry, to bake; to scorch, to burn (of the sun) || **~ся** *vn.* (*without Pf.*) (о чём) to take care of.
пеш/ехóд *s.* & **–ехóдец** *s.* (*gsg.* -дца), **–ехóдка** *s.* (*gpl.* -док) pedestrian, foot-passenger || **–ехóдный** *a.* pedestrian, foot- || **–éчком** *ad.* on foot || **´–ий** (-ая, -ее) *a.* pedestrian, on foot || **´–ка** *s.* (*gpl.* -шек) pawn (at chess); king (at draughts) || **–кóм** *ad.* on foot. [cave-.
пещéр/а *s.* cave, cavern, den || **–ный** *a.*
пиан/и́но *s. indecl.* pianino || **–и́ст** *s.*, **–и́стка** *s.* (*gpl.* -ток) pianist.
пиáно *s. indecl.* piano.
пи́в/о *s.* [b] beer, ale || **–нóй** *a.* beer- || **–нáя** (*as s.*) beerhouse, tavern || **–оварéние** *s.* brewing (of beer) || **–овáренный** *a.* for brewing (beer); **~ завóд** brewery || **–овáрня** *s.* (*gpl.* -рен) brewery. [lapwing.
пи́гал/ица *s.* & **–ка** *s.* (*gpl.* -лок) (*orn.*)
пигмéй *s.* pygmy, dwarf.
пиджáк *s.* [a] short jacket (for men).
пии́т *s.* poet.
пик/ *s.* (mountain-) peak || **´–а** *s.* pike, lance, spear; **в ´–у** in defiance of || **–é** *s. indecl.* quilting || **–éйный** *a.* of quilting || **–éт** *s.* (*mil.*) picket; (at cards) piquet || **´–и** *s. fpl.* [& c] spades *pl.* (at cards) || **–ни́к** *s.* picnic || **–óвка** *s.* (*gpl.* -вок) a spade card || **´–овый** *a.* of spades.
пил/á *s.* [d] saw; file; **~-ры́ба** saw-fish || **–игри́м** *s.* pilgrim || **–игри́мство** *s.* pilgrimage || **–и́ка-ть** II. *vn.* to thrum (on the violin).
пил=и́ть II. [a] *va.* to saw, to file; (*fig.*) to annoy, to plague.
пи́л/ка *s.* (*gpl.* -лок) sawing, filing; small saw, file || **–óт** *s.* pilot || **–очка** *s.* (*gpl.* -чек) small saw, file || **–ьный** *a.* saw-, sawing- || **–ьщик** *s.* sawer || **–ю́лька** *s.* (*gpl.* -лек) pillule || **–ю́льный** *a.* pill- || **–ю́ля** *s.* pill.
пимéнт *s.* pimento.
пин/á-ть II. *va.* (*Pf.* пн-уть I. [a]) to spurn, to kick aside || **–óк** *s.* [a] (*gsg.* -нкá) kick, spurn.
пиóн/ *s.* (*bot.*) peony || **–éр** *s.* (*mil.*) pioneer || **–éрный** *a.* pioneer-.
пир/ *s.* [b°] feast, banquet || **–ами́да** *s.* pyramid || **–амидáльный** *a.* pyramidical || **–áт** *s.* pirate || **–áтский** *a.* pirate-, piratical || **–о+вáть** II. [b] *vn.* (*Pf.* от-, по-) to feast, to carouse, to banquet || **–óг** *s.* [a] pie, pastry || **–óжник** *s.* pastry-cook || **–óжное** (*as s.*) cake, pastry || **–óжный** *a.* pie-, pastry- || **–óжная** (*as s.*) & **–óжня** *s.* (*gpl.* -жен) pastry-cook's (shop) || **–ожóк** *s.* [a] (*gsg.* -жкá) *dim. of* пирóг || **–ýшка** *s.* (*gpl.* -шек) small feast || **´–шествó** *s.* feast(ing), banquet.
пис/áка *s. m.* a good writer; bad author, scribbler || **–áние** *s.* writing; scripture || **´–ан(н)ый** *a.* painted; spruce, decorated || **´–арский** *a.* writer's, scribe's || **´–арь** *s. m.* [b & c] (*pl.* -и & -я́) writer, scribe || **–áтель** *s. m.*, **–áтельница** *s.* writer, author || **–áтельский** *a.* author's.
пис-áть I. 3. [c] *va.* (*Pf.* на-) to write; to compose; to paint; **пи́шущая маши́на** typewriter; **пи́шущая на маши́не** typist.
писéц *s.* [a] (*gsg.* -сцá) = **пи́сарь.**
писк/ *s.* squeak, chirp, piping || **–ли́вый** *a.* piping, squeaking || **´–нуть** *cf.* **пищáть** || **–отня́** *s.* chirping, squeaking, whimpering || **–ýн** *s.* [a], **–ýнья** *s.* squeaker, whimperer.
пист/олéт *s.* pistol || **–óн** *s.* piston.
писч/ебумáжный *a.* writing-paper- || **´–ий** *a.*, **´–ая бумáга** writing-paper.
письм/енá *s.* (*pl. of* пи́сьмя) polite literature || **´–енный** *a.* written, in writing; for writing || **–ецó** *s. dim. of foll.* || **–ó** *s.* [d] letter, epistle; writing; handwriting || **–óвник** *s.* letter-writer, guide to letter-writing || **–оводи́тель** *s. m.* secretary || **–ovóд(и́тель)ство** *s.* functions of a secretary || **–онóсец** *s.* (*gsg.* -сца) letter-carrier, postman || **´–я** *s. n.* (*gsg.* **´–**мени) (*typ.*) letter; character.
пит/áние *s.* nutrition, nourishing || **–áтельный** *a.* nourishing, nutritious || **–á-ть** II. *va.* to nourish, to feed; to board, to maintain; (*fig.*) to nourish, to

cherish || **-ейный** *a.* drinking- (of spirits); ~ **дом** ale-house, tavern.
Питер *s.* (*fam.*) St. Petersburg.
питóм/ец *s.* (*gsg.* -мца) foster-son, foster-child || **-ица** *s.* foster-daughter, foster-child || **-ник** *s.* nursery.
пить 27. [a 3.] *va.* (*Pf.* вы́-) to drink.
питьё *s.* drinking; drink, beverage; (*med.*) potion.
пихá-ть II. *va.* (*Pf.* пихн-у́ть I. [a]) to push, to shove, to thrust, to poke at.
пи́хта *s.* fir(-tree).
пи́чка-ть II. *va.* (*Pf.* на-) to stuff, to cram.
пич/у́га *s.*, *dim.* **-у́жка** *s.* (*gpl.* -жек) & **-у́жечка** *s.* (*gpl.* -чек) (small) bird.
пи́ща *s.* nourishment, food, nutriment.
пищ=áть I. [a] *vn.* (*Pf.* за-, *mom.* пи́скн-уть I.) to chirp, to squeak (of birds); to scream, to shriek, to whim (of children); to creak (of doors).
пище/варéние *s.* digestion || **-вари́тельный** *a.* digestive || **-вóд** *s.* (*an.*) gullet || **-вóй** *a.* food-, for *or* of food.
пия́вка *s.* (*gpl.* -вок) leech.
плáв/ание *s.* swimming; sailing; voyage || **-ательный** *a.* for swimming || **-а-ть** II. *vn.* (*Pf.* по-, про-) to swim, to float; to sail || **-и́льник** *s.* crucible, melting-pot || **-и́льный** *a.* (s)melting-, for (s)melting || **-и́льня** *s.* (*gpl.* -лен) (s)melting-house, foundry || **-и́льщик** *s.* (s)melter.
плáв=ить II. 7. *va.* (*Pf.* рас-) to (s)melt, to fuse; (*Pf.* с-) to float (wood).
плáв/ка *s.* (s)melting, fusion; floating (wood) || **-кий** *a.* (easily) fusible || **-кость** *s. f.* fusibility || **-лéние** *s.* (s)melting, fusing || **-ность** *s. f.* fluency, facility, ease (of speech) || **-ный** *a.* fluent, easy, facile (of speech) || **-у́н** *s.* [a] swimmer; *coll.* driftwood; (*bot.*) lycopodium.
плáк/альщица *s.* hired mourner || **-áт** *s.* advertisement, placard, poster.
плáк-ать I. 2. *vn.* (*Pf.* за-, по-) to weep, to cry; (по ком) to mourn || **~ся** *vn.* (without *Pf.*) (комý на что) to complain of.
плáк/са *s. m&f. coll.* whiner, whimperer || **-си́вый** *a.* whining, whimpering, inclined to weep || **-у́чий** *a.*, **-у́чая и́ва** weeping willow || **-у́щий** (-ая, -ее) *a.* weeping.
плам/енé-ть II. *vn.* to flame, to blaze; (*fig.*) to burn with, to be inflamed (with love, etc.) || **´-енный** *a.* flame-, flaming; (*fig.*) fiery, ardent, passionate || **´-я** *s. n.* (*gsg.* ´-мени) flame, blaze.
план/ *s.* plan; sketch; **зáдний** ~ background; **перéдний** ~ foreground || **-éта** *s.* planet || **-етáрный** *a.* planetary || **-éтный** *a.* planet-, of planet || **-имéтрия** *s.* planimetry || **-иро+вáть** II. [b] *va.* (*Pf.* с-) to even, to level; to size (paper) || **´-ка** *s.* (*gpl.* -нок) ledge, lath, batten; (*mar.*) cleat, plank || **-тáтор** *s.* planter || **-тáция** *s.* plantation || **-шéт** *s.* planetable; busk (for corsets).
пласт/ *s.* layer, stratum; slice || **-á-ть** II. *va.* (*Pf.* на-, рас-) to slit, to rip up, to slice open || **´-ика** *s.* plastic art || **-и́на** *s.* plate, sheet (of metal); board, plank || **-и́нка** *s.* (*gpl.* -нок) *dim. of prec.* || **-и́ческий** *a.* plastic || **-о+вáть** II. [b] *va.* (*Pf.* на-) to dispose in layers || **´-ырь** *s. m.* plaster; **англи́йский** ~ court-plaster.
плáт/а *s.* pay(ment), hire; wages *pl.*; fare || **-ёж** *s.* [a] payment || **-ёжный** *a.* of payment || **-éльщик** *s.*, **-éльщица** *s.* payer; paymaster || **-и́на** *s.* platinum || **-и́новый** *a.* (of) platinum.
плат=и́ть I. 2. [c] *va.* (*Pf.* за-) to pay (for); to pay off; (*fig.*) to repay, to requite.
плат/óк *s.* [a] (*gsg.* -ткá), *dim.* **-óчек** *s.* (*gsg.* -чка) kerchief, cloth; **носовóй** ~ handkerchief; **шéйный** ~ neckcloth || **-фóрма** *s.* platform || **´-ье** *s.* dress; clothing, clothes *pl.* || **´-ьице** *s. dim. of prec.* || **-янóй** *a.* dress-, of clothes; ~ **шкаф** wardrobe.
плафóн *s.* ceiling.
плáха *s.* block (for executions).
плац/ *s.* (*mil.*) place; large square || **-кáрта** *s.* (*rail.*) ticket for reserved seat.
плач/ *s.* lamentation, wailing, weeping; dirge, threnody; **´-ем плáкать** to weep bitterly || **-éвный** *a.* deplorable, lamentable; sad, woeful.
плаш/кóт *s.* lighter, pontoon || **-мя́** *ad.* on *or* with the flat side, flat on the earth.
плащ/ *s.* cloak, mantle (for men without sleeves) || **-ани́ца** *s.* shroud.
плебéй/ *s.* plebeian || **-ский** *a.* plebeian.
плев/á *s.* film, membrane || **-áка** *s. m&f.* spitter || **-áтельница** *s.* spittoon; (*Am.*) cuspidor.
пле+вáть II. [a & b] *vn.* (*Pf.* на-, *mom.* плю́н-уть I.) to spit (out).
плевóк *s.* [a] (*gsg.* -вкá) spittle, saliva.
плёвый *a.* (*vulg.*) paltry, trifling, insignificant.

плед *s.* plaid.
плем/енно́й *a.* for breeding || **´я** *s. n.* [b] (*gsg.* ´мени, *pl.* -мена́) tribe, race, family; breed (of animals) || **–я́нник** *s.* nephew || **–я́нница** *s.* niece.
плен/ *s.* [°] captivity, bondage; (*fig.*) slavery || **–е́ние** *s.* taking captive; captivity || **–и́тельный** *a.* captivating, entrancing, charming || **–и́ть** *cf.* **–я́ть** || **´ник** *s.*, **´ница** *s.* prisoner, captive; (*fig.*) slave (to one's passions) || **´ный** *a.* captivated || ~ (as *s.*) prisoner, captive.
плён/ка *s.* (*gpl.* -нок) & **–очка** *s.* (*gpl.* -чек) pellicle, film; chaff.
пленя́-ть II. *va.* (*Pf.* плен=и́ть II. [a]) to take captive, to take prisoner; (кого́ чем *fig.*) to captivate, to charm || **~ся** *vr.* (чем *fig.*) to be ravished, to be captivated.
плеона́зм *s.* pleonasm.
пле́сень *s. f.* mould(iness).
плеск *s.* splashing, dashing (with water); applauding.
плеск-а́ть I. 4. [c] *vn.* (*Pf.* плесн-у́ть I. [a]) to splash, to dabble; to applaud || ~ *va.* to spill, to pour out.
плесн/еве́лый *a.* mouldy; musty || **´еве-ть** II. *vn.* (*Pf.* за-, о-) to grow mouldy.
плес/ти́ & **–ть** 23. [a 2.] *va.* (*Pf.* за-, с-) to plait, to braid (hair); to make (baskets); to weave (bone-lace); to wattle; (*fig.*) to tell lies || **–ти́сь** *vr.* to drag o.s. on; (о́коло чего́, по чём) to wind, to twine (round).
плет/е́ние *s.* plaiting (hair); weaving (bone-lace); wattling || **–ёный** *a.* plaited, wattle- || **–е́нь** *s. m.* [& a] (*gsg.* -тня́) wattled hedge; wicker-worker.
плётка *s.* (*gpl.* -ток) (small) whip(-lash).
плеть *s. f.* [c] whip, lash.
плеч/ево́й *a.* shoulder- || **–о́** *s.* [e] (*pl.* пле́чи, плеч, плеча́м, etc.) shoulder; **на ~!** shoulder arms!
плеш/и́ве-ть II. *vn.* (*Pf.* о-) to grow bald || **–и́вец** *s.* (*gsg.* -вца) bald headed person || **–и́вость** *s. f.* baldness || **–и́вый** *a.* bald, bald-headed || **–и́на** *s.* a bald spot; glade, clearing (in a wood) || **–ь** *s. f.* bald pate.
плит/а́ *s.* [d & e] freestone; (flag)stone; **ку́хонная ~** hearth-plate || **´ка** *s.* (*gpl.* -ток) *dim.* plate; tablet (of chocolate); (iron-)heater || **–ня́к** *s.* [a] flag, floorstone || **´очка** *s.* (*gpl.* -чек) *dim. of* пли́тка.
плов/е́ц *s.* [a] (*gsg.* -вца́) swimmer, floater || **–у́чий** (-ая, -ее) *a.* swimming-, floating-.
плод *s.* [a] fruit.
плод=и́ть I. 1. [a] *va.* (*Pf.* рас-, на-) to breed (animals); to cultivate (plants); to propagate, to multiply.
плодо/ви́тость *s.f.* fertility, fruitfulness; productiveness || **–ви́тый** *a.* fruitful, fertile; productive || **–но́сный** *a.* fruitful, fertile, frugiferous || **–ро́дие** *s.* & **–ро́дность** *s. f.* fertility, fruitfulness || **–ро́дный** *a.* fertile, fruitful, fecund || **–тво́рный** *a.* fructifying, fecundating, fertilizing.
плое́ние *s.* folding.
пло=и́ть II. [a & b] *va.* (*Pf.* с-) to fold, to ruffle.
плой/ *s.* fold || **´ка** *s.* (*gpl.* пло́ек) folding.
пло́мб/а *s.* lead seal; filling (of a tooth) || **–иро+ва́ть** II. [b] *va.* (*Pf.* за-) to affix leaden seals to; to plug, to fill (a tooth).
пло́ск/ий *a.* (*comp.* пло́ще) flat; (*fig.*) dull || **–одо́нный** *a.* flat-bottomed || **–оно́сый** *a.* flat-nosed || **–ость** *s. f.* flat surface, plane; (*fig.*) dul(l)ness.
плот/ *s.* [a] raft || **–ва́** *s.* (*ich.*) roach || **´ик** *s.* small raft || **–и́на** *s.* dam, dike; (*rail.*) embankment || **´ник** *s.* carpenter || **´ничa-ть** II. *vn.* to follow the trade of a carpenter || **´нич(еск)ий** *a.* carpenter's || **´ничество** *s.* carpentry || **´ность** *s. f.* compactness, density, solidity || **´ный** *a.* compact, dense; stout, vigorous, thick-set || **–оуго́дие** *s.* sensuality, voluptuousness || **–оуго́дник** *s.* sensual man || **–оуго́дный** *a.* sensual, voluptuous || **´ский** & **–ско́й** *a.* fleshly, carnal || **–ь** *s. f.* the flesh; body; **кра́йняя ~** the foreskin.
пло́х/о *ad.* badly, poorly || **–о́й** *a.* (*comp.* ху́же пло́ше) bad, poor; negligent.
плоша́-ть II. *vn.* (*Pf.* о-) to grow worse (of the health); to be negligent, to be careless.
площ/а́дка *s.* (*gpl.* -док) small square; landing (of stairs) || **–адно́й** *a.* market-; **~ язы́к** Billingsgate || **´адь** *s. f.* [c] square, public place; market-place; area; platform || **´е** *cf.* **пло́ский** || **–и́ца** *s.* crab-louse.
плуг *s.* [b] plough.
плут/ *s.* [b] rogue, knave, cheat, sharper || **–а́-ть** II. *vn.* (*Pf.* про-) to stray, to wander, to stroll || **–и́шка** *s. m.* (*gpl.* -шек) little rogue || **´ня** *s.* roguish trick, piece of cheating || **–о+ва́ть** II. [b] *vn.* (*Pf.* с-) to cheat, to play foul || **–о́вка** *s.* (*gpl.* -вок) cheat || **–овско́й** *a.* knavish, cheating || **–овство́** *s.* roguery, cheating, swindling.

плыть 31. [a 3.] *vn.* (*Pf.* по-) to sail, to navigate; to float, to swim; to gutter (of resin, a candle); to run over (of cooking).
плюга́вый *a.* vile, detestable, ugly.
плюма́ж *s.* plume, plumage (on a hat).
плю́нуть *cf.* **плева́ть.**
плюс *s.* [b] plus, the sign +.
плю́ха *s.* a box on the ear.
плюш/ *s.* plush ‖ **-́евый** *a.* of plush, plush-.
плющ/ *s.* [a] ivy ‖ **-́евый** *a.* ivy-, ivied ‖ **-е́ние** *s.* flattening (of metals).
плющ=и́ть I. [a] *va.* (*Pf.* плю́сн-уть I.) to flatten, to laminate (metals).
пляс/ & **-а́ние** *s.* dancing.
пляс-а́ть I. 3. [c] *vn&a.* (*Pf.* по-, про-) to dance (in the Russian fashion).
пля́с/ка & **-ня** *s.* (*gpl.* -сок) dance ‖ **-ово́й** *a.* dance-, dancing- ‖ **-у́н** *s.* [a], **-у́нья** *s.* (impassioned) dancer.
пневмати́ческий *a.* pneumatic(al).
по *prp.* (+ *A.*) up to, as far as, to, till; **по́ уши** up to one's ears; (+ *D.*) on, by, at, from, for; through, at the rate of; (+ *Pr.*) after.
по . . . A proverb often merely forming the Perfective aspect. In this case the verb is to be looked for under the simple verb.
по- *as prefix* = in the manner of, like; **помо́ему** in my opinion; **по-ру́сски** in Russian.
по/ба́ива-ться II. *vc.* (кого́) to be somewhat afraid (of) ‖ **-басёнка** *s.* (*gpl.* -нок) little tale, story ‖ **-бе́г** *s.* escape, flight, desertion; (*bot.*) shoot, sprout, runner ‖ **-бегу́шка** *s. m&f.* (*gpl.* -шек) *coll.* gadabout, person running always about ‖ **-бегу́шки** *s. fpl.* running to and fro; **быть на -бегу́шках** to be errand-boy, to be running messages.
побе́д/а *s.* victory, triumph, conquest ‖ **-и́тель** *s. m.* conqueror; victor ‖ **-и́ть** *cf.* **побежда́ть** ‖ **-оно́сец** *s.* (*gsg.* -сца) vanquisher, victor, victorious person ‖ **-оно́сный** *a.* victorious, triumphant.
по/бежда́-ть II. *va.* (*Pf.* -бед=и́ть I. 5. [a]) to vanquish, to conquer, to overcome; to master ‖ **-бере́жный** *a.* situated on the shore, coast; littoral, maritime ‖ **-бере́жье** *s.* coast, (sea)shore ‖ **-бива́-ть** II. *va.* (*Pf.* -би́ть 27. [a 1.]) to massacre, to slay; to strike, to beat down, to conquer, to overcome; to lay waste (of hail) ‖ **-бира́-ть** II. *va.* (*Pf.* -бра́ть 8. [a 3.]) to take little by little, to take away in quantity *or* in large numbers; **чорт тебя́ -бери́!** the devil take you! ‖ **~ся** *vn.* to go begging ‖ **-бла́жка** *s.* (*gpl.* -жек) connivance, indulgence ‖ **-блёклый** *a.* faded, withered ‖ **-бли́же** *ad.* somewhat nearer ‖ **-бли́зости** *ad.* in the neighbourhood, near at hand.
побо́и/ *s. mpl.* beating, thrashing ‖ **-ще** *s.* bloody fight, slaughter; shambles *pl.*, field of battle.
побо́льше *ad.* somewhat more.
побо́р/ *s.* prestation; extortion ‖ **-о́ть** *cf.* **боро́ть** ‖ **-ник** *s.* champion, upholder.
по/бо́чный *a.* accessory; collateral; natural, illegitimate ‖ **-бра́ть** *cf.* **-бира́ть** ‖ **-бряку́шка** *s.* (*gpl.* -шек) (child's) rattle ‖ **-буди́тель** *s. m.*, **-буди́тельница** *s.* inciter ‖ **-буди́тельный** *a.* inciting; **-ная причи́на** motive, reason ‖ **-бужда́-ть** II. *va.* (*Pf.* -буд=и́ть I. 1. [c]) to incite, to induce, to impel, to put up to ‖ **-бужде́ние** *s.* impulse, incitation, stimulation, inducement ‖ **-быва́льщина** *s.* true event, fact ‖ **-бы́вка** *s.* (*gpl.* -вок) a short stay *or* visit.
по/ва́дка *s.* (*gpl.*-док) (bad) habit ‖ **-ва́д=иться** I. 1. *vr.* to become accustomed to, to get into the habit of ‖ **-ва́лка** *s.*, **спать в -ва́лку** sleeping side by side on the floor ‖ **-ва́льный** *a.* general; epidemic(al).
по́вар *s.* cook.
пова́р/енный *a.* kitchen-, cooking-, culinary; **-енная соль** common salt ‖ **-ёнок** *s.* (*pl.* -я́та) kitchen-boy, scullion ‖ **-и́ха** *s.* (female) cook ‖ **-ско́й** *a.* cook's, kitchen-.
по-ва́шему *cf.* **ваш.**
по/ве́да-ть II. *va. Pf.* to relate, to tell ‖ **-веде́ние** *s.* conduct, behaviour ‖ **-велева́-ть** II. *va.* to command, to order; (чем) to be in command; (*Pf.* -вел=е́ть II. [a]) (+ *D.*) to order, to enjoin (on) ‖ **-веле́ние** *s.* command, order ‖ **-вели́тель** *s. m.* commander, master, sovereign ‖ **-вели́тельный** *a.* imperative, commanding ‖ **-верга́-ть** II. *va.* (*Pf.* -ве́ргнуть 52.) to put down; to throw down; to offer, to present to, to lay before one ‖ **-ве́ренный** (*as s.*) attorney, deputy; agent; (*leg.*) solicitor ‖ **-ве́рить** *cf.* **ве́рить** & **-веря́ть** ‖ **-ве́рка** *s.* (*gpl.* -рок) verification, control; proof ‖ **-верну́ть** *cf.* **-вора́чивать** ‖ **-вёрстный** *a.* by versts.

пове́рх/ *prp.* (+ *G.*) above, over || **–ностный** *a.* external, exterior; superficial; (*fig.*) shallow || **–ность** *s. f.* surface, superficies; outside, exterior.
по/ве́рье *s.* (popular) belief, superstition || **–веря́-ть** II. *va.* (*Pf.* -вéр=ить II.) to verify, to control; (комý что) to confide to, to trust.
пове́с/а *s. m&f. coll.* madcap, tomboy || **–ить** *cf.* **ве́шать** || **–ннча-ть** II. *vn.* to behave wildly, to play the madcap || **–твова́ние** *s.* narrative, narration, relation || **–тво+ва́ть** II. [b] *va.* (о чём) to narrate, to relate || **–тка** *s.* (*gpl.* -ток) announcement; (written) notification, notice.
по́весть *s. f.* [c] tale, novel, story; narrative; report.
пове́трие *s.* miasma, pestilential atmosphere; epidemic.
по/веща́-ть II. *va.* (*Pf.* -вест=ить I. 4. [a]) (когó о чём) to announce, to inform || **–вива́льный** *a.*, **–ная ба́бка** & **–вива́льщица** *s.* midwife || **–вива́-ть** II. *va.* (*Pf.* -ви́ть 27. [a 3.]) to swathe, to swaddle (a child); to deliver, to bring forth, to be delivered (of a child) || **–ви́димому** *ad.* seemingly, as it seems.
пови́н/ность *s. f.* obligation, duty; obedience, submission; **рекру́тская ~** levy || **–ный** *a.* obliged; culpable, guilty; submissive || **–о+ва́ться** II. [b] *vr.* to obey, to comply (with) || **–ове́ние** *s.* obedience.
пови/ту́ха *s.* midwife || **´-ть** *cf.* **–ва́ть.**
по́вод *s.* [b°] (*pl.* -á & ´-ья, ´-ьев) rein, bridle; cause, occasion, reason, motive; **дать ~** (к чемý) to give the chance, the opportunity; **по –у** (+ *G.*) as regards.
пово́зка *s.* (*gpl.* -зок) vehicle, car, carriage.
повор/а́чива-ть II. *va.* (*Pf.* -от=ить I. 2. [c] & поверн-у́ть I. [a]) to turn (about) || **~ся** *vr.* to turn (round); to bestir o.s. || **–о́т** *s.* turning, turn; bend; **~ со́лнца** solstice || **–о́тливость** *s. f.* agility, activity || **–о́тливый** *a.* agile, nimble, active || **–о́тный** *a.* turning, turn-.
по/вреждá-ть II. *va.* (*Pf.* -вред=и́ть I. 1. [a]) to spoil, to damage, to corrupt; (*fig.*) to injure, to hurt, to harm || **–вреждéние** *s.* damage; corruption; injury.
повреме́нный *a.* periodic(al).
повсе/го́дный *a.* yearly || **–дне́вный** *a.* daily || **–ме́стно** *ad.* everywhere || **–ме́стный** *a.* universal, general || **–ме́сячный** *a.* monthly || **–ча́сный** *a.* hourly.
повстреча́-ть II. *va. Pf.* to meet, to fall in (with) || **~ся** *vrc.* (с кем) to meet, to fall in (with).
повсю́ду *ad.* everywhere, in every place.
повто/ре́ние *s.* repetition, reiteration || **–ри́тельный** *a.* repeated, iterative || **–ря́-ть** II. *va.* (*Pf.* -р=и́ть II. [a]) to repeat; to rehearse (a lesson); to reiterate.
по/выша́-ть II. *va.* (*Pf.* -вы́с=ить I. 3.) to raise (the price); to elevate; to promote, to advance || **–вы́ше** *ad.* a little higher, a little above || **–выше́ние** *s.* promotion, advancement; elevation; rise (in price).
повя́/зка *s.* (*gpl.* -зок) headband, fillet; band, tie; (*med.*) bandage || **–зыва-ть** II. *va.* (*Pf.* -з-áть I. 1. [c]) to tie, to bind, to wrap; to tie up, to bind (sheaves).
по́вязь *s. f.* = **повя́зка.**
по/га́нец *s.* (*gsg.* -нца) nasty, dirty man || **–га́н=ить** II. *va.* (*Pf.* о-) to dirty, to pollute || **–га́нка** *s.* (*gpl.* -нок) nasty, dirty woman; toadstool (inedible mushroom) || **–га́ныш** *s.* disgusting person; (*bot.*) inedible mushroom, toadstool || **–га́ный** *a.* impure, dirty, nasty, disgusting || **´-гань** *s. f.* dirt, disgustingness; *coll.* vermin || **–гаса́ть** *cf.* **га́снуть** || **–гаша́-ть** II. *va.* (*Pf.* -гас=и́ть I. 3. [a & c]) to extinguish, to put out (fire, a light); to quench (one's thirst); to slake (lime); to suppress; to liquidate, to sink (a debt) || **–гаше́ние** *s.* extinction, putting out; liquidation, sinking || **–гиба́ть** *cf.* **ги́бнуть** || **–ги́бель** *s. f.* ruin, destruction || **–глоща́-ть** II. *va.* (*Pf.* -глот=и́ть I. 6. [c]) to engulf, to swallow up; to suck in, to absorb (liquids) || **–глоще́ние** *s.* swallowing up, engulfing; absorption || **–глу́бже** *ad.* somewhat deeper || **–гна́ть** *cf.* **–гоня́ть.**
по/гова́рива-ть II. *vn.* (*Pf.* -говор=и́ть II. [a]) (о чём) to speak now and then; (*only Pf.*) (с кем) to have a talk (with one), to come to an understanding (with one) || **–гово́рка** *s.* (*gpl.* -рок) talk, rumour; (*proverbial*) saying, adage; short discourse || **–го́да** *s.* weather || **–годи́(те)** *Imp.* wait! (*cf.* годи́ть) || **–голо́вный** *a.* general, universal || **–го́н** *s.* pursuit; (*mil.*) shoulder-piece || **–го́нный** *a.* of length, in length || **–го́нщик** *s.* driver

(of cattle) || **–го́ня** *s.* pursuit, chase; *coll.* pursuers *pl.*, those in pursuit || **–гоня́-ть** II. *va.* (*Pf.* -гна́ть 11.) to drive on (*cf.* гнать).

по/гора́-ть II. *vn.* (*Pf.* -гор=е́ть II. [a]) to be burned out of house and home || **–горе́лец** *s.* (*gsg.* -льца) one who has lost his all by fire, one whose house has been burned || **–горе́лый** *a.* burned down.

по/го́ст *s.* churchyard, cemetery || **–грани́чный** *a.* frontier, bordering, border-.

по́греб/ *s.* [b] (*pl.* -а́) cellar || **–а́льный** *a.* burial-, funeral || **–а́-ть** II. *va.* (*Pf.* погре(б)сти́ 21. [a 2.]) to bury, to inter || **–е́ние** *s.* burial, interment || **–е́ц** *s.* [a] (*gsg.* -бца́) luncheon basket || **–но́й** *a.* cellar- || **–о́к** *s.* [a] (*gsg.* -бка́) small cellar (*esp.* wine-cellar).

по/гремýшка *s.* (*gpl.* -шек) child's rattle || **–грести́** *cf.* **–греба́ть** || **–греша́-ть** II. *vn.* (*Pf.* -греш=и́ть I. [a]) to sin, to transgress; to err || **–гре́шность** *s. f.* error, mistake || **–гро́м** *s.* destruction, devastation; pogrom || **–гружа́-ть** II. *va.* (*Pf.* -груз=и́ть I. 1. [a & c]) to plunge, to immerse, to dip (into water); to load, to freight (goods) || **~ся** *vr.* to plunge o. s., to sink into; to dive || **–груже́ние** *s.* & **–грýзка** *s.* (*gpl.* -зок) immersion; loading, lading || **–гýдка** *s.* (*gpl.* -док) air, tune, melody.

под (по́до) *prp.* (+ *A.*) under, near, to; (of time) shortly before, about; **~ у́тро** towards morning; (+ *I.*) under, near, at; **~ де́ревом** under a tree; **~ Берли́ном** near Berlin.

под *s.* [°] bottom; **печно́й ~** hearth.

по/дава́ть 39. *va.* (*Pf.* -да́ть 38. [a 4.]) to give, to present; to serve; to drive up || **~ся** *vr.* to move on; to give way; to yield || **–давля́-ть** II. *va.* (*Pf.* -дав=и́ть II. 7. [c]) to crush; (*fig.*) to stifle, to suppress, to smother || **–да́вно** *ad.* all the more, so much the more.

пода́гр/а *s.* gout || **–ик** *s.* gouty person || **–и́ческий** *a.* gouty.

пода́р/ок *s.* (*gsg.* -рка), *dim.* **–очек** *s.* (*gsg.* -чка) gift, present.

пода́т/ель *s. m.* giver, dispenser; bearer, deliverer (of a letter) || **–ливый** *a.* complaisant, compliant; liberal, generous || **–но́й** *a.* subject to tax; tax- || **–ь** *cf.*

по́дать *s.* [c] tax; tribute [**подава́ть.**

пода́ч/а *s.* giving (of alms); gift; **~ го́лоса** voting || **–ка** *s.* (*gpl.* -чек) gift, alms *pl.*

подая́ние *s.* alms *pl.*, charity.

под/бавля́-ть II. *va.* (*Pf.* -ба́в=ить II. 7.) to add, to subjoin || **–бега́-ть** II. *vn.* (*Pf.* -бежа́ть 46.) to run up to, to come running to || **–бива́-ть** II. *va.* (*Pf.* -би́ть 27., *Fut.* подобью́) to put under; to set with (*e. g.* nails); to line (clothes); (кого́ за что *fig.*) to incite, to urge; **~** (кому́) **глаза́** to give one a black eye || **~ся** *vr.* (по́до что) to thrust o.s.; to force o.s.; (под кого́ *fig.*) to try to ingratiate o.s. (with) || **–бира́-ть** II. *va.* (*Pf.* -обра́ть 8., *Fut.* -беру́) to take up, to gather up, to pick up; to tuck up (one's dress); to match, to assort; to pack (cards) || **~ся** *vr.* to insinuate o.s.; (к кому́, под кого́) to approach furtively || **–блю́дник** *s.* dish-mat || **–бо́й** *s.* lining || **–бо́р** *s.* suit, set, match(ing); sorting; (**как**) **на ~** choice, selected || **–боро́док** *s.* (*gsg.* -дка) chin || **–боро́дочный** *a.* chin- || **–боче́нива-ться** II. *vr.* (*Pf.* -боче́н=иться II.) to put one's arms akimbo || **–бра́сыва-ть** II. *va.* (*Pf.* -бро́с=ить I. 3.) to throw, to hurl to; to expose (a child) || **–брю́шина** *s.* abdomen || **– брю́шник** *s.* abdominal belt; belly-band.

под/ва́л *s.* cellar, vault; basement(-storey) || **–ва́льный** *a.* cellar- || **–ве́домственность** *s. f.* dependence, subordination || **–ве́домственный** *a.* dependent on || **–везти́** & **–ве́зть** *cf.* **–вози́ть** || **–вене́чный** *a.* nuptial, wedding- || **–верга́-ть** II. *va.* (*Pf.* -ве́ргнуть 52.) to inflict, to expose, to subject, to submit || **–верже́ние** *s.* subjection || **–вёртыва-ть** II. *va.* (*Pf.* -верн-у́ть I. [a]) to slip, to thrust under, to foist on || **~ся** *vr.* to slip (under), to fall under || **–ве́ска** *s.* (*gpl.* -сок) pendant, (ear-)drop || **–ве́сный** *a.* suspended; suspension- || **–вести́** *cf.* **–води́ть** || **–ве́тренный** *a.* (*mar.*) lee || **ʼ–вечер** *ad.* towards evening || **–ве́шива-ть** II. *va.* (*Pf.* -ве́с=ить I. 3.) to hang under, to suspend (from) || **–вздо́хи** *s. mpl.* the haunches *pl.*

по́дви/г *s.* exploit, (famous) deed || **–га́-ть** II. *va.* (*Pf.* ʼ–н-уть I.) to advance, to move, to push on, up, forward; (кого́ на что) to induce, to cause one to || **~ся** *vr.* to advance, to move forward; to get on (with a work) || **ʼ–жник** *s.* athlete; warrior, champion; fanatic || **ʼ–жно́й** & **–жный** *a.* movable, mobile || **–за́-ться** II. *vr.* to devote o.s. to; to apply o.s. to, to study (a thing); (за что) to fight, to struggle.

под/вла́стный *a.* subject, submissive || **–во́да** *s.* cart || **–вод=и́ть** I. 1. [c] *va.* (*Pf.* -вести́ & -ве́сть 22.) to lead up to, to bring up to; to lead, to trot out (a horse); to present, to introduce; **~ под пра́вило** to apply a rule to; **~ ито́г** to make up the total || **–во́дный** *a.* under water, submerged, submarine || **–во́дчик** *s.* driver of a cart || **–во́з** *s.* transport, carriage || **–воз=и́ть** I. 1. [c] *va.* (*Pf.* -везти́ & -ве́зть 25.) to supply, to import; to drive up to || **–во́рный** *a.* of a habitation || **–воро́тня** *s.* (*gpl.* -тен) board under a gate || **–во́рье** *s.* inn; conventual church and house || **–во́х** *s.* evil intention || **–вя́зка** *s.* (*gpl.* -зок) garter.

под/гиба́-ть II. *va.* (*Pf.* -огн-у́ть I. [a]) to cross (one's legs); to bend, to turn up || **–гля́дыва-ть** II. *va.* (*Pf.* -гляд=е́ть I. 1. [a]) to lie in wait for a thing, to learn the knack || **–гнива́-ть** II. *vn.* (*Pf.* -гни́-ть II. [a]) to rot underneath || **–гова́рива-ть** II. *va.* (*Pf.* -говор=и́ть II. [a]) (кого́ к чему́) to induce, to incite to; to persuade **–гово́р** *s.* instigation, persuasion || **–гоня́-ть** II. *va.* (*Pf.* -огна́ть 11., *Fut.* -гоню́) to drive on, under; to drive up to; to adjust || **–гора́-ть** II. *vn.* (*Pf.* -гор=е́ть II. [a]) to burn underneath || **–готовля́-ть** II. *va.* (*Pf.* -гото́в=ить II. 7.) to prepare, to get ready || **–греба́-ть** II. *va.* (*Pf.* -грести́ & -гре́сть 21.) to rake up, to scrape up || **–гу́лива-ть** II. *vn.* -гуля́-ть II.) to get tipsy.

под/дава́ть 39. *va.* (*Pf.* -да́ть 38.) (чего́) to add, to multiply; to strengthen, to fortify || **~ся** *vr.* to submit, to yield, to give in || **–давки́** *s. mpl.*, **игра́ть в ~** to play at draughts.

по́ддан/ический *a.* of subject || **–ый** *a.* & *s.* subject || **–ство** *s.* subjection; nationality.

под/да́ть *cf.* **–дава́ть** || **–дева́-ть** II. *va.* (*Pf.* -де́ть 32.) to put on under; to hook in, to catch up (with a hook); (*fig.*) to trick, to cheat || **–дёвка** *s.* (*gpl.* -вок) sleeveless underdress, undervest, jerkin || **–де́лка** *s.* (*gpl.* -лок) counterfeit, falsification, adulteration || **–де́лыва-ть** II. *va.* (*Pf.* -де́ла-ть II.) to counterfeit, to falsify, to adulterate || **–де́льный** *a.* imitated, counterfeit, artificial, false || **–де́ржива-ть** II. *va.* (*Pf.* -держ=а́ть I. [c]) to hold up, to support, to maintain, to sustain, to help, to protect || **–де́ржка** *s.* (*gpl.* -жек) support, aid, assistance, maintenance || **–до́нки** *s. mpl.* sediment, dregs *pl.* (*also fig.*).

по/де́лыва-ть II. *va.* (*Pf.* -де́ла-ть II.) to do now and then; **что вы –де́лываете?** how do you pass your time? || **–дённый** *a.* daily, by the day || **–дёнщик** *s.* day-labourer || **–дёнщина** *s.* day-labour || **–дёнщица** *s.* charwoman || **–дёргива-ть** II. *va.* (*Pf.* -дёрн-уть I.) (что чем) to cover (with) || **–держа́ние** *s.* (temporary) use || **–де́ржанный** *a.* used, worn, second-hand || **–дешёвле** *ad.* cheaper, quite cheap.

под/жа́рива-ть II. *va.* (*Pf.* -жа́р=ить II.) to roast, to fry, to toast (a little) || **–жа́ристый** *a.* brown(ed), done brown || **–жа́рый** *a.* emaciated, lean, slender || **–жа́ть** *cf.* **–жима́ть** || **–же́чь** *cf.* **–жига́ть** || **–жига́тель** *s. m.*, **–жига́тельница** *s.* incendiary; (*fig.*) firebrand || **–жига́-ть** II. *va.* (*Pf.* -же́чь 16., *Fut.* -ожгу́) to set on fire, to set fire to; (*fig.*) to excite, to stir up || **–жида́-ть** II. *va.* (*Pf.* -ожд-а́ть I. [a]) to wait for || **–жима́-ть** II. *va.* (*Pf.* -жа́ть 33., *Fut.* -ожму́) to cross one's legs and sit down (in the Turkish fashion) || **–жо́г** *s.* incendiarism.

под/задо́рива-ть II. *va.* (*Pf.* -задо́р=ить II.) to stir up, to provoke, to incite || **–заты́лок** *s.* (*gsg.* -лка) nape (of the neck) || **–заты́льник** *s.* a blow on the nape (of the neck) || **–земе́лье** *s.* subterranean vault, cave || **–зе́мный** *a.* underground, subterranean; **–зе́мная (желе́зная) доро́га** underground railway, Underground || **–зо́рный** *a.*, **–ная труба́** telescope; **–ная ба́шня** watch-tower || **–зыва́-ть** II. *va.* (*Pf.* -озва́ть 10., *Fut.* -зову́, -зовёшь) to call up; to invite, to entice.

по/дира́-ть II. *va.* (*Pf.* -дра́ть 8.) (за́ во́лосы) to tear, to pull, to tug sometimes || **~** *v.imp.*, **меня́ по ко́же –дира́ет** that makes my flesh creep.

под/ка́пыва-ть II. *va.* (*Pf.* -копа́-ть II.) to dig under, to undermine || **~ся** *vr.* to dig through; (под кого́ *fig.*) to seek to injure || **–карау́лива-ть** II. *va.* (*Pf.* -карау́л=ить II.) to keep watch on, to waylay, to spy || **–ка́шива-ть** II. *va.* (*Pf.* -кос=и́ть I. 3. [c]) to mow down || **~ся** *vr.* (of the legs) to sink under one || **–кидно́й** *a.* foisted || **–ки́дыва-ть** II. *va.* (*Pf.* -ки́н-уть I.) to throw under; to put under; to convey (a thing) secretly (to one); **~** (кому́) **младе́нца** to foist s.o.

a child; ~ подмётки (под башмаки́) to sole || **–ки́дыш** *s.* a foisted child || **–кла́дка** *s.* (*gpl.* -док) underlayer; lining || **–кла́дыва-ть** II. *va.* (*Pf.* -лож=и́ть I. [c]) to lay under; to line || **–ко́ва** *s.* horseshoe || **–кова́ть** *cf.* **–ко́вывать** || **–ко́вка** *s.* (*gpl.* -вок) horse-shoeing; small horseshoe || **–ко́вный** *a.* horseshoe- || **–ковообра́зный** *a.* of horseshoe shape, shaped like a horseshoe || **–ко́выва-ть** II. *va.* (*Pf.* -ко+ва́ть II. [a]) to shoe (a horse) || **–ко́жный** *a.* subcutaneous || **–коле́нок** *s.* (*gsg.* -нка) ham(string) || **–ко́п** *s.* mine, sap || **–копа́ть** *cf.* **–ка́пывать** || **–ко́пщик** *s.* sapper || **–коси́ть** *cf.* **–ка́шивать** || **–кра́дыва-ться** II. *vn.* (*Pf.* -кра́сться 22. [ə 1.]) to steal up to, to sneak up to || **–кра́шива-ть** II. *va.* (*Pf.* -кра́с=ить I. 3.) to retouch, to repaint; to dye || **–крепле́ние** *s.* strengthening, fortifying; (*mil.*) reinforcements *pl.* || **–крепля́-ть** II. *va.* (*Pf.* -креп=и́ть II. 7. [a]) to reinforce; to fortify, to strengthen; to corroborate; (*mil.*) to reinforce || **~ся** *vr.* to grow stronger.

по́д/куп *s.* bribery, corruption || **–купа́-ть** II. *va.* (*Pf.* -куп=и́ть II. 7. [c]) to bribe, to corrupt, to suborn || **–купно́й** *a.* bribed, corrupt.

под/лага́-ть II. *va.* = **–кла́дывать** || **–ла́жива-ть** II. *va.* (*Pf.* -ла́д=ить I. 1.) to (at)tune || **~ся** *vr.* (к кому́) to accommodate o.s.; (под кого́) to ingratiate o.s. (with).

по́дле *prp.* (+ *G.*) beside, near, alongside, by the side of || ~ *ad.* close by, hard by.

под/леж=а́ть I. *vn.* to be subject to, to be liable to || **–лежа́щий** *a.* subject, competent, liable || **–лежа́щее** (*as s.*) (*gramm.*) subject || **–леза́-ть** II. *vn.* (*Pf.* -ле́зть 25. [b]) to creep under; (под кого́) (*fig.*) to creep into favour; to insinuate o.s. into a person's good graces || **–лета́-ть** II. *vn.* (*Pf.* -лет=е́ть I. 2. [a]) to fly up to || **–ле́ц** *s.* [a] infamous wretch, scoundrel, dastard || **–лива́-ть** II. *va.* (*Pf.* -ли́ть 27., *Fut.* -олью́) to pour to, to add || **–ли́вка** *s.* (*gpl.* -вок) sauce, gravy || **–ли́зыва-ть** II. *va.* (*Pf.* -лиз-а́ть I. 1. [c]) to lick (up).

по́длинни/к *s.* original, first draught || **–ый** *a.* authentic, original, real.

под/ли́ть *cf.* **–лива́ть.**

по́длича-ть II. *vn.* (*Pf.* с-) to act abjectly, meanly; to cringe, to fawn.

под/ло́бье *s.* lower part of the forehead; (*an.*) socket of the eye, orbit; **смотре́ть** (на кого́) **из –ло́бья** to look askance at || **–ло́г** *s.* fraud, deceit, counterfeit || **–ложи́ть** *cf.* **–кла́дывать** || **–ло́жный** *a.* false, spurious, counterfeit || **′–лость** *s. f.* meanness, baseness, vileness, abjectness || **–лу́нный** *a.* sublunar || **′–лый** *a.* mean, vile, base, dastardly.

под/ма́зыва-ть II. *va.* (*Pf.* -ма́з-ать I. 1.) to grease, to anoint; (кому́ *fam.*) to bribe, to grease one's palm || **–ма́нива-ть** II. *va.* (*Pf.* -ман=и́ть II. [c]) to entice, to decoy || **–ма́слива-ть** II. *va.* (*Pf.* -ма́сл=ить II.) to butter, to oil; (*fig.*) to bribe || **–масте́рье** *s. m.* foreman || **–ма́хива-ть** II. *va.* (*Pf.* -махн-у́ть I. [a]) to sweep away, to brush away; (*fig.*) to dash off (one's signature) || **–ма́чива-ть** II. *va.* (*Pf.* -моч=и́ть I. [c]) to moisten, to wet, to damp underneath || **–ме́н** & **–ме́на** *s.* (secret) substitution, exchange || **–ме́нива-ть** II. & **–меня́-ть** II. *va.* (*Pf.* -мен=и́ть II. [a & c]) to exchange (for), to substitute (secretly).

по́д/месь *s. f.* admixture, alloy || **–мета́-ть** II. *va.* (*Pf.* -мести́ & -ме́сть 32. [a 2.]) to sweep out, up, under; to blow up (snow) (*cf.* -мётывать) || **–мётка** *s.* (*gpl.* -ток) sole (of a boot) || **–мётный** *a.* supposititious, spurious, false; secretly conveyed (a letter to one) || **–мётыва-ть** II. *va.* (*Pf.* -мета́-ть II. & -метн-у́ть I. [a]) to throw under; to sew onto, to stitch underneath; to sole (boots); (*only* 2. *Pf.*) to substitute, to convey (a thing) secretly (to one) || **–меча́-ть** II. *va.* (*Pf.* -ме́т=ить I. 2.) to observe, to notice, to waylay (one); (у кого́ что) to obtain a thing from one by lying in wait || **–ме́шива-ть** II. *va.* (*Pf.* -меша́-ть II.) to mix, to alloy, to adulterate (with water) || **–ми́гива-ть** II. *vn.* (*Pf.* -мигн-у́ть I. [a]) to wink at one || **–мо́га** *s.* aid, assistance, succour || **–мока́-ть** II. *vn.* (*Pf.* -мо́кнуть 52.) to get wet underneath; to get damaged by moisture || **–мора́жива-ть** II. *va.* (*Pf.* -моро́з=ить I. 1.) to freeze a little || ~ *vn.* to begin to freeze.

под/мо́стки *s. mpl.* scaffolding; trestles *pl.*; **театра́льные ~** stage || **–мочи́ть** *cf.* **–ма́чивать** || **–мыва́-ть** II. *va.* (*Pf.* -мы́ть 28. [b]) to wash up; to wash away, off, out; to undermine (a river its bank) || **–мы́шка** *s.* (*gpl.* -шек) (*an.*) arm-pit.

под/нача́льный *a.* subordinate ‖ **–небе́сный** *a.* terrestrial, earthly ‖ **–небе́сная** (*as s.*) the earth ‖ **–небе́сье** *s.* the sky, the atmosphere, the air ‖ **–несе́ние** *s.* presentation, offering ‖ **–нести́** *cf.* **–носи́ть** ‖ **–нима́-ть** II. *va.* (*Pf.* -ня́ть 37. [c 4.]) to raise, to lift up; to take up, to pick up; to hoist (a sail); to weigh (anchor); ~ (кого́) **на́ смех** to ridicule one ‖ **~ся** *vr.* to rise, to get up, to go up ‖ **–новле́ние** *s.* renovation ‖ **–новля́-ть** II. *va.* (*Pf.* -нов=и́ть II. 7. [a]) to repair, to renovate ‖ **–ного́тный** *a.* under the nail; **знать всю –ного́тную** to know the ins and outs of a matter ‖ **–но́жие** *s.* footstool ‖ **–но́жка** *s.* (*gpl.* -жек) step (of a carriage); (*in pl.*) carpet used at a wedding ‖ **–но́жный** *a.* under the foot; ~ **корм** green fodder, pasture ‖ **–но́с** *s.* tray, salver ‖ **–нос=и́ть** I. 3. [c]) *va.* (*Pf.* -нести́ & -не́сть 26.) to offer, to present; to bring to ‖ **–ноше́ние** *s.* offering, presentation ‖ **–ня́тие** *s.* raising, lifting up; elevation ‖ **–ня́ть** *cf.* **–нима́ть.**

подоба́-ть II. *v.imp.* it becomes, it is becoming, it ought to be.

подо́бие *s.* resemblance, likeness.

подо́блачный *a.* under the clouds.

подо́б/ный *a.* like, similar, same, such ‖ **–но** *ad.* similarly, alike ‖ **–остра́стие** *s.* servility, slavishness ‖ **–остра́стный** *a.* servile, slavish, mean, base.

под/обра́ть *cf.* **–бира́ть** ‖ **–огна́ть** *cf.* **–гоня́ть** ‖ **–огну́ть** *cf.* **–гиба́ть** ‖ **–огрева́-ть** II. *va.* (*Pf.* -огре́-ть II.) to warm up ‖ **–одвига́-ть** II. *va.* (*Pf.* -одви́н-уть I.) to move up, near; to shove under ‖ **–ожда́ть** *cf.* **–жида́ть** ‖ **–озва́ть** *cf.* **–зыва́ть** ‖ **–озрева́-ть** II. *va.* (*Pf.* заподо́зр=ить II. & заподо́зр=еть II.) (в чём) to suspect; to throw suspicion on; ~ **что-то** to smell a rat ‖ **–озре́ние** *s.* suspicion ‖ **–озри́тельный** *a.* suspicious, distrustful; suspected (of).

подо́йник *s.* milk-pail.

под/ойти́ *cf.* **–ходи́ть** ‖ **–око́нник** *s.* window-sill ‖ **–о́л** *s.* skirt, tail (of a dress) ‖ **–о́лгу** *ad.* (for) a long time ‖ **–ольща́-ться** II. *vn.* (*Pf.* -ольст=и́ться I. 4. [a]) (к кому́) to insinuate o.s.; to ingratiate o.s.

по(-)дома́шнему *ad.* homely, simply.

подо́нки *s. mpl.* dregs *pl.* (*also fig.*).

под/опе́чный *a.* in tutelage ‖ **–орва́ть** *cf.* **–рыва́ть.**

по/доро́жник *s.* (*orn.*) yellow-hammer, bunting; (*bot.*) plantain, ribwort ‖ **–доро́жный** *a.* on the roadside; journey- ‖ **–доро́жная** (*as s.*) order for post-horses.

под/осла́ть *cf.* **–сыла́ть** ‖ **–оспева́-ть** II. *vn.* (*Pf.* -оспе́-ть II.) to arrive in time ‖ **–остла́ть** *cf.* **–стила́ть** ‖ **–охо́дный** *a.* income- ‖ **–о́шва** *s.* sole (of foot and boot); foot (of a mountain).

под/пада́-ть II. *vn.* (*Pf.* -па́сть 22. [a 1.]) to fall under; (под + *A. fig.*) to incur ‖ **–па́ива-ть** II. *va.* (*Pf.* -пая́-ть II.) to weld, to solder underneath; (*Pf.* -по=и́ть II. [a]) to make tipsy, to intoxicate ‖ **–па́лзывать** *cf.* **–ползя́ть** ‖ **–пева́-ть** II. *va.* (*Pf.* -пе́ть 29.) to accompany, to sing (with) ‖ **–пи́лива-ть** II. *va.* (*Pf.* -пил=и́ть II. [a & c]) to saw underneath, to file slightly ‖ **–пира́-ть** II. *va.* (*Pf.* -пере́ть 14., *Fut.* -опру́) to prop up, to stay, to support ‖ **–писа́ть** *cf.* **–писывать** ‖ **–пи́ска** *s.* (*gpl.* -сок) note of hand; subscription; signature ‖ **–писно́й** *a.* of subscription ‖ **–пи́счик** *s.*, **–пи́счица** *s.* subscriber ‖ **–пи́сыва-ть** II. *va.* (*Pf.* -пис-а́ть I. 3. [c]) to sign ‖ **~ся** *vr.* to sign; (на что) to subscribe (to) ‖ **–́пись** *s. f.* signature, subscription ‖ **–плыва́-ть** II. *vn.* (*Pf.* -плы́ть 31. [a 3.]) to sail, to swim up to, to swim under ‖ **–пои́ть** *cf.* **–па́ивать.**

под/полза́-ть II. *vn.* (*Pf.* -ползти́ 25. [a 2.]) to crawl, to creep under ‖ **–полко́вник** *s.* lieutenant-colonel ‖ **–́пол** & **–по́лье** *s.* cellar under the floor ‖ **–по́льный** *a.* under the floor; (*fig.*) secret ‖ **–по́ра** *s.* prop, stay, support ‖ **–пору́чик** *s.* sub-lieutenant, second-lieutenant ‖ **–по́чва** *s.* subsoil ‖ **–поя́сыва-ть** II. *va.* (*Pf.* -поя́с-ать I. 3.) to gird up, to girth ‖ **–правля́-ть** II. *va.* (*Pf.* -пра́в=ить II. 7.) to correct, to rectify (slightly) ‖ **–пра́порщик** *s.* ensign-bearer ‖ **–пру́га** *s.* saddle-girth, belly-band ‖ **–пры́гива-ть** II. *vn.* (*Pf.* -пры́гн-уть I.) to jump under; to skip up to, to come along skipping ‖ **–пуска́-ть** II. *va.* (*Pf.* -пуст=и́ть I. 4. [c]) to allow to approach, to admit; to mix on, to add.

под/ража́тель *s. m.* imitator ‖ **–ража́тельный** *a.* imitative ‖ **–ража́-ть** II. *vn.* (кому́ в чём) to imitate, to mimic ‖ **–разделе́ние** *s.* subdivision ‖ **–разделя́-ть** II. *va.* (*Pf.* -раздел=и́ть II. [a]) to

subdivide || **–разумева́-ть** II. *va.* to suppose; to understand; to add mentally.
подра́ть *cf.* **подира́ть.**
под/реза́-ть II. & **–ре́зыва-ть** II. *va.* (*Pf.* -ре́з-ать I. 1.) to cut underneath, to clip (from below); to cut short, to lop, to dock.
подро́б/ность *s. f.* detail, particular; **все –ности** the ins and outs of an affair || **–ный** *a.* detailed, circumstantial, exact.
подро́сток *s.* (*gsg.* -тка) person in his teens, youth; stripling.
по/дру́га *s.*, *dim.* **–дру́жка** *s.* (*gpl.* -жек) friend, playmate.
под/румя́нива-ть II. *va.* (*Pf.* -румя́н=ить II.) to rouge (the face); to colour a little; (кого́) to make s.o. blush, colour || **–ру́чный** *a.* handy; manual, hand- || ~ (*as s.*) assistant || **–ры́в** *s.* blowing up, explosion; damage, injury, harm || **–рыва́-ть** II. *va.* (*Pf.* -ры́ть 28. [b 1.]) to dig underneath, to sap; (*Pf.* -орва́ть I. [a]) to blow up, to explode; to damage, to hurt, to injure, to harm.
подря́д/ *s.* contract || **–ный** *a.* of, by contract || **–чик** *s.* contractor.
под/ряжа́-ть II. *va.* (*Pf.* -ряд-и́ть I. 1. [a & c]) to hire, to engage || **~ся** *vr.* to hire o.s. out, to contract, to undertake || **–ря́сник** *s.* (under-)cassock.
под/са́жива-ть II. *va.* (*Pf.* -сад=и́ть I. 1. [a & c]) to help up, to help to mount; to plant in addition || **–све́чник** *s.* candlestick || **–сева́-ть** II. *va.* (*Pf.* -се́=ять II.) to sow in addition || **–си́жива-ть** II. *va.* (*Pf.* -сид=е́ть I. 1. [a]) to lie in ambush (for one), to spy on || **–ска́зчик** *s.*, **–ска́зчица** *s.* prompter || **–ска́зыва-ть** II. *va.* (*Pf.* -сказ-а́ть I. 1. [c]) to prompt || **–ска́кива-ть** II. *vn.* (*Pf.* -скак-а́ть I. 2. [c]) to come along galloping; (*Pf.* -скоч=и́ть I. [c] & -скокн-у́ть I. [a]) to skip up to; to jump up, to bound || **–слаща́-ть** II. & **–сла́щива-ть** II. *va.* (*Pf.* -сласт=и́ть I. 4. [a]) to sweeten || **–слепова́тый** *a.* extremely short-sighted || **–слу́жива-ть** II. *vn.* (*Pf.* -служ=и́ть I.) to show o.s. eager to serve, to try to ingratiate o.s. || **–слу́шива-ть** II. *va.* (*Pf.* -слу́ша-ть II.) to overhear, to eavesdrop || **–сма́трива-ть** II. *va.* (*Pf.* -смотр=е́ть II. [c]) to spy on, to watch || **–сме́ива-ться** II. *vc.* (*Pf.* -сме-я́ться II. [a]) (над кем) to laugh at, to make fun of || **–сне́жник** *s.* snow-drop.
под/собля́-ть II. *vn.* (*Pf.* -соб=и́ть II. 7. [a & c]) to help, to assist, to succour || **–со́выва-ть** II. *va.* (*Pf.* -со+ва́ть II. [b] & -су́н-уть I.) to shove under; to slip, to give (a thing) secretly (to one) || **–со́лнечник** *s.* sunflower || **–со́хнуть** *cf.* **–сыха́ть** || **–спо́р** & **–спо́рье** *s.* help, assistance; surrogate || **–ста́вка** *s.* (*gpl.* -вок) support, stay, prop, stand; bridge (of an instrument) || **–ставля́-ть** II. *va.* (*Pf.* -ста́в=ить II. 7.) to put, to set under; to hold out; to supply the place of || **–ставно́й** *a.* in store, spare; false, spurious; **–ставны́е ло́шади** *mpl.* relay-horses || **–ста́вочка** *s.* (*gpl.* -чек) small support, stand || **–стака́нник** *s.* metal holder for a tea-glass || **–стерега́-ть** II. *va.* (*Pf.* -стере́чь 15. [a]) to watch, to spy on, to waylay || **–стила́-ть** II. *va.* (*Pf.* -остла́ть 9.) to lay, to strew under || **–сти́лка** *s.* (*gpl.* -лок) litter, bedding (for horses, cattle) || **–стра́ива-ть** II. *va.* (*Pf.* -стро́=ить II.) to build under; (*mus.*) to attune to.
подстрек/а́тель *s. m.* instigator || **–а́тельный** *a.* instigating, stirring up || **–а́тельство** *s.* instigation, spurring, setting on || **–а́-ть** II. *va.* (*Pf.* -н-у́ть I. [a]) to instigate, to incite, to urge on to.
под/стре́лива-ть II. *va.* (*Pf.* -стрел=и́ть II. [a & c]) to wound by a shot, to wing || **–стрига́-ть** II. *va.* (*Pf.* -стри́чь 15. [a 1.]) to cut off *or* short, to clip; to trim, to lop, to dock; to prune (trees) || **–стро́ить** *cf.* **–стра́ивать** || **–стро́чный** *a.*, ~ **перево́д** interlinear translation || **–ступа́-ть** II. *vn.* (*Pf.* -ступ=и́ть II. 7. [c]) to approach, to come up to || **–суди́мый** *a.* accused || ~ (*as s.*) the accused, defendant || **–су́дный** *a.* under the jurisdiction of || **–су́нуть** *cf.* **–со́вывать** || **–сыла́-ть** II. *va.* (*Pf.* -осла́ть 40., *Fut.* -ошлю́) to send secretly || **–сыпа́-ть** II. *va.* (*Pf.* -сы́п-ать II. 7.) to strew in addition, to mix, to mingle || **–сыха́-ть** II. *vn.* (*Pf.* -со́хнуть 52.) to dry up little by little.
под/та́ива-ть II. *vn.* (*Pf.* -та́=ять II.) to thaw underneath || **–тасо́выва-ть** II. *va.* (*Pf.* -тасо+ва́ть II. [b]) to pack cards, to prepare the cards with a view to cheating; to pack (a jury) || **–тверди́тельный** *a.* confirmative || **–твержда́-ть** II. *va.* (*Pf.* -тверд=и́ть I. 1. [a]) to confirm, to affirm; to vouch, to ratify, to sanction (a contract), to attest (officially); (кому́ что) to reiterate, to im-

press (a thing on one) || **–тверждéние** *s.* confirmation, attestation; reiteration || **–текá-ть** II. *vn.* (*Pf.* -тéчь 18. [a 2.]) to flow under; to suffuse || **–тирá-ть** II. *va.* (*Pf.* -терéть 14. [a 1.], *Fut.* -отрý) to wipe (up); to rub off || **–толкáть** & **–толкнýть** *cf.* **–тáлкивать** || **–трýнива-ть** II. *vn.* (*Pf.* -трун=йть II. [c]) (над кем) to banter, to chaff || **–тягива-ть** II. *va.* (*Pf.* -тян-ýть I. [c]) to draw, to pull up; to pull tighter, to tighten || ~ *vn.* to accompany with the voice || **–тяжки** *s. fpl.* (*G.* -жек) braces, suspenders *pl.*

под/урнéлый *a.* grown ugly || **–учá-ть** II. *va.* (*Pf.* -уч=йть I. [c]) to put a person up to something secretly || **–ýшечка** *s.* (*gpl.* -чек) small cushion || **–ýшка** *s.* (*gpl.* -шек) cushion, pillow; pad; transom; (*rail.*) sleeper; (*tech.*) bearing || **–ýшный** *a.* poll-, by head || **–ущá-ть** II. *va.* (*Pf.* -уст=йть I. 4. [a]) to instigate, to incite.

под/хвáтыва-ть II. *va.* (*Pf.* -хват=йть I. 2. [c]) to take up quickly; to catch up (a ball, a word); to snatch, to snap up; to catch hold (of), to snatch away; to strike in (with the whole chorus) || **–ход=йть** I. 1. [c] *vn.* (*Pf.* -ойтй 48.) to come under, to come near, to approach, to draw near; to border on, to be adjacent to; to resemble, to be like; to fit || **–ходящий** (-ая, -ее) *a.* suitable (to, for), convenient, appropriate.

под/цеплá-ть II. *va.* (*Pf.* -цеп=йть II. 7. [c]) to hook under; to catch (with a hook), to pick up || **–чáс** *ad.* now and then, occasionally, at times || **–чёркива-ть** II. *va.* (*Pf.* -черкн-ýть I. [a]) to underline; to accentuate || **–чинéние** *s.* submission, subjection, subservience || **–чинённость** *s. f.* subordination, inferior position || **–чинá-ть** II. *va.* (*Pf.* -чин=йть II. [a]) to subordinate; to subject, to subdue; to bring under subjection || **~ся** *vr.* (комý, чемý) to accommodate o.s. to, to submit to, to resigne o.s. to || **–чистка** *s.* (*gpl.* -ток) cleaning; pruning; erasure || **–чищá-ть** II. *va.* (*Pf.* -чйст=ить I. 4.) to clean; to lop, to prune (trees); to erase.

под/шибá-ть II. *va.* (*Pf.* -шибйть 51. [a]) to trip one up || **–шивá-ть** II. *va.* (*Pf.* -шйть 27. [a 1.]) to sew underneath || **–шйвка** *s.* (*gpl.* -вок) sewing underneath; piece sewn on underneath || **–шйпник** *s.* (*tech.*) bearing || **–штáники** *s. mpl.* (pair of) drawers, pants *pl.* || **–шýчива-ть** II. *vn.* (*Pf.* -шут=йть I. 2. [c]) (над кем) to banter, to quiz, to chaff, to laugh at.

под'/едá-ть II. *va.* (*Pf.* -éсть 44.) to eat underneath, to gnaw at || **–éзд** *s.* approach, drive; entrance(-steps); driving up (to one's house) || **–езжá-ть** II. *vn.* (*Pf.* -éхать 45.) to approach, to advance (other than on foot); to drive up (to one's house); (к комý *fig.*) to insinuate o.s., to ingratiate o.s. || **–ём** *s.* taking up; lift; ascent; setting out, removal; instep (of the foot); lever; **дéньги на ~** travelling expenses *pl.*; **лёгкий на ~** nimble, lively; **тяжёлый на ~** heavy; slow-going, dull || **–ёмный** *a.* that lifts up, lifting; for lifting up; elevating; **~ кран** crane (for hoisting); **~ мост** swing-bridge; **–ёмная машйна** lift.

под/ыгрыва-ть II. *va.* (*Pf.* -ыгрá-ть II.) to accompany (on an instrument) || **–ымáть** *cf.* **–нимáть** || **–ыскива-ть** II. *va.* (*Pf.* -ыск-áть I. 4. [c]) to sort out, to select (what is suitable).

подьячий (*as s.*) clerk, scrivener; (*abus.*) scribbler, quill-driver.

подюжинно *ad.* by the dozen.

по/едá-ть II. *va.* (*Pf.* -éсть 42.) to eat a little; to eat up; to devour; to corrode || **–единок** *s.* (*gsg.* -нка) duel, single combat.

пóезд *s.* [b] (*pl.* -á) train; procession; **товáрный ~** goods-train.

поéздка *s.* (*gpl.* -док) trip, excursion; journey, voyage.

поём/ *s.* [& d] (*gsg.* поймá, *pl.* поёмы) inundation || **–ный** *a.* inundated.

поéние *s.* watering (cattle).

поéсть *cf.* **есть** & **поедáть.**

пожáлуй/ *ad.* well, be it so, if you like, for my part || **–ста** (*fam. pron.* пожáлста) (if you) please, be so kind, have the kindness to || **–те** come in, please; **~ сюдá** pray come here, please come here (*cf.* жáловать).

пожáр/ *s.* fire, conflagration || **–йще** *s.* site of a conflagration || **–ный** *a.* fire-; **–ная трубá** fire-engine; **~ сигнáл** fire-alarm || **~** (*as s.*) fireman.

по/жáтие *s.* pressing, squeezing; **~ рукй** handshake || **–жáть** *cf.* **–жимáть** || **–желáние** *s.* wish, desire, longing || **–жéртвование** *s.* offering; sacrifice || **–жйва** *s.* gain, profit || **–живá-ть** II. *vn.* to live; **как вы –живáете?** how are you? || **–живе́е** *ad.* somewhat livelier, quicker || **–живля́-ться** II. *vn.* (*Pf.* -жив=и́ться II. 7. [a]) (чем) to feather one's nest, to profit (from) || **–жи́зненный** *a.* life-long, perpetual, for life || **–жило́й** *a.* old, elderly, advanced in years || **–жима́-ть** II. *va.* (*Pf.* -жа́ть 33.) to press, to squeeze a little; ~ **плеча́ми** to shrug one's shoulders || **–жина́-ть** II. *va.* (*Pf.* -жа́ть 33. [a 1.]) to reap (*also fig.*); to harvest || **–жира́-ть** II. *va.* (*Pf.* -жр-а́ть I. [a]) to devour, to eat up || **–жи́тки** *s. mpl.* goods, chattels *pl.*, property, effects *pl.*

по́за *s.* pose, posture, attitude.

поза/вчера́ *ad.* the day before yesterday || **–ди́** *ad.* & *prp.* (+ *G.*) behind.

по/зволе́ние *s.* permission, leave || **–позволи́тельный** *a.* allowed, permitted; of permission || **–зволя́-ть** II. *va.* (*Pf.* -зво́л=ить II.) to permit, to allow; **–зво́льте огня́** oblige me with a light; **–зво́льте узна́ть** be so kind as to inform me || **–звоно́к** *s.* [a] (*gsg.* -нка́) small bell; (*an.*) vertebra || **–звоно́чный** *a.* vertebrate(d); ~ **столб** the spinal column, the spine.

подне́нько *ad.* rather late.

по́здний *a.* (*comp.* поздне́е & по́зже) late; **–им ве́чером** late in the evening.

поздорове́е *ad.* in perfect health.

поздр/ави́тель *s. m.* congratulator || **–ави́тельный** *a.* congratulatory || **–авле́ние** *a.* congratulation, felicitation; ~ **с но́вым го́дом** best wishes for a happy New-Year || **–авля́-ть** II. *va.* (*Pf.* -а́в=ить II. 7.) (кого́ с чем) to congratulate, to felicitate; ~ **с но́вым го́дом** to wish one a happy New-Year.

по/зёвыва-ть II. *vn.* to yawn now and again || **–земе́льный** *a.* land-, agrarian.

по́зже (*comp. of* по́здний) **не** ~ **пяти́ часо́в** not later than five o'clock, five o'clock at the latest; **двумя́ часа́ми** ~ two hours later; **он пришёл** ~ **всех** he came last of all.

позити́вный *a.* positive.

пози́ция *s.* position.

по/злаща́-ть II. *va.* (*Pf.* -злат=и́ть I. 6. [a]) to gild || **–знава́ть** 39. [a] *va.* (*Pf.* **-зна́-ть** II. [b]) to know, to recognize || **–зна́ние** *s.* knowledge, information || **–золо́та** *s.* gilding || **–зо́р** *s.* shame, disgrace, ignominy, dishonour || **–зо́р=ить** II. *va.* (*Pf.* о-) to discredit, to dishonour, to disgrace, to shame || **–зо́рище** *s.* (shameful) spectacle, sight || **–зо́рный** *a.* scandalous, shameful, disgraceful || **–зуме́нт** *s.* galloon, lace, trimming || **–зы́в** *s.* desire, longing; (*leg.*) summons *pl.* || **–зыва́-ть** II. *va.* (*Pf.* -зва́ть 10.) to call (for); (*leg.*) to summon, to cite || ~ *v.imp.*, **меня́ –зыва́ет** (на что) I have a longing for.

по/имённый *a.* nominal, by name || **–именова́ние** *s.* designation, nomination || **–имено́выва-ть** II. *va.* (*Pf.* -имено+ва́ть II. [b]) to nominate, to designate || **–и́мка** *s.* (*gpl.* -мок) apprehending, catching || **–́иск** *s.* search, quest; (*mil.*) reconnoitring || **–и́стине** *ad.* indeed, truly, verily.

по=и́ть II. [a] *va.* (*Pf.* на-) to water, to give to drink.

по́йло *s.* watering-place; trough; drink (for animals).

пойма́ть *cf.* **лови́ть.**

пойти́ *cf.* **итти́.**

пока́ *ad.* as long as, while; till, until; as yet, in the meantime; ~ **не** unless.

пока́з/ *s.* show, display || **–а́ние** *s.* showing, exhibition; (*leg.*) deposition, testimony || **–а́тель** *s. m.* informer, deponent; (*math.*) index, exponent || **–но́й** & **–ный** *a.* for display || **–ыва-ть** II. *va.* (*Pf.* показ-а́ть I. 1. [c]) to show, to display, to exhibit; (*leg.*) to depose, to bear witness, to give evidence || ~**ся** *vr.* to show o.s.; to appear || ~ *v.imp.* to seem, to appear.

по/како́вски *ad.* (*fam.*) how? in what way? || **–ка́мест** *ad.* in the meantime, meanwhile || **–ка́нчива-ть** II. *va.* (*Pf.* -ко́нч=ить I.) to finish, to complete || **–ка́тость** *s. f.* slope, declivity || **–ка́тый** *a.* inclined, sloping || **–кая́ние** *s.* penitence, repentance; penance; **умере́ть без –кая́ния** to die impenitent || **–кида́-ть** II. *va.* (*Pf.* -ки́н-уть I.) to forsake, to abandon, to give up || **–кла́дистый** *a.* roomy, commodious || **–кла́жа** *s.* laying, placing, packing; cargo; baggage; deposit || **–клёп** *s.* calumny, slander.

покло́н/ *s.* bow, salute, greeting, curtsy || **–е́ние** *s.* worship, adoration || **–и́ться** *cf.* **–я́ться** & **кла́няться** || **–ник** *s.*, **–ница** *s.* worshipper, adorer || **–я́-ться** II. *vr.* (*Pf.* -н=и́ться II. [c]) (кому́) to worship, to adore (*cf.* кла́няться).

поко́=ить II. *va.* (кого́) to procure rest for.

поко́й/ *s.* rest, repose, peace; room; **удали́ться на** ~ to retire (from business); **оста́вьте меня́ в поко́е** leave me alone; **вечный ему́ ~** peace to his ashes || **-ник** *s.*, **-ница** *s.* the diceased, the late lamented || **-ный** *a.* quiet, calm, still; deceased, defunct, late; comfortable, easy; **-ной но́чи!** good night!

по/коле́ние *s.* generation, race || **-ко́нчить** *cf.* **-ка́нчивать** || **-коре́ние** *s.* subjection, conquest || **-кори́тель** *s. m.* conquerror, victor || **-ко́рность** *s. f.* submissiveness, obedience, humility || **-ко́рный** *a.* submissive, obedient, humble; **ваш -ко́рнейший слуга́** your most obedient servant; **-ко́рно благодарю́** many thanks, thank you very much || **-коря́-ть** II. *va.* (*Pf.* -кор=и́ть II. [a]) to subjugate, to subject; to conquer || **~ся** *vr.* to submit to, to yield; to reconcile o.s. to || **-ко́с** *s.* mowing; meadow || **-ко́сный** *a.* mowing-, meadow- || **-кра́жа** *s.* theft, larceny, robbery; stolen object || **-кре́пче** *ad.* somewhat stronger || **-кри́кива-ть** II. *vn.* to scream, to cry from time to time; (на кого́) to shout at.

покро́в/ *s.* [a] cover; shelter; protection; **П- Пресвяты́я Богоро́дицы** the feast of the intercession of the Holy Virgin || **-и́тель** *s. m.* protector, patron || **-и́тельница** *s.* protectress || **-и́тельство** *s.* protection, patronage || **-и́тельство+вать** II. *va.* (кого́) to protect, to patronize, to support.

по/кро́й *s.* cut (of a coat), shape, fashion || **-кро́мка** *s.* (*gpl.* -мок) selvage (of cloth) || **-крыва́ло** *s.* cover, veil, covering; coverlet || **-крыва́льный** *a.* covering, for cover || **-крыва́-ть** II. *va.* (*Pf.* -кры́ть 28.) to cover, to spread over, to wrap up; to drown (a voice); to cover, to bear (the expenses) || **-кры́тие** *s.* covering; shelter; defrayal (of expenses) || **-кры́шка** *s.* (*gpl.* -шек) cover; coverlet || **-ку́да = пока́.**

покуп/а́тель *s. m.* buyer, purchaser, customer || **-а́-ть** II. *va.* (*Pf.* -куп=и́ть II. 7. [c]) to buy, to purchase.

поку́п/ка *s.* (*gpl.* -пок) purchase || **-но́й** *a.* bought, purchased; purchase- || **-щи́к, -щи́ца = покупа́тель, -ница.**

по/куша́-ться II. *vc.* (*Pf.* -кус=и́ться I. 3. [a]) (на что) to try; to attempt (one's life), to make an attempt; **он -куси́лся на самоуби́йство** he attempted suicide || **-куше́ние** *s.* trying; attempt; **~ на жизнь** attempt on one's life.

пол *s.* sex; [b°] floor, ground.

пол- *in cpds.* half-, semi-.

пола́ *s.* skirt (of a coat).

по/лага́-ть II. *va.* (*Pf.* -лож=и́ть I. [c]) to put, to place, to lay down on, upon; to purpose, to propose; to appoint, to fix (time, salary, etc.); (*only Ipf.*) to consider, to think, to suppose; **поло́жим, что . . .** supposing . . . || **~ся** *vr.* (на кого́) to rely on, to trust one, to confide (in) || **-ла́ти** *s. fpl.* bed of boards, plank bed; scaffold.

по-латы́ни *ad.* in Latin.

полго́да *s. m.* (*gsg.* полуго́да) half-year, six months.

по́лдень *s. m.* (*gsg.* полу́дня, *pl. us.* полдни) noon; **в ~** at noon; **до полу́дня** in the forenoon; **по́сле полу́дня** in the afternoon.

полдне́вный *a.* half-daily.

по́лдник *s.* (*pl.* полу́дники) light evening-meal (between lunch and supper).

по́лднича-ть II. *vn.* (*Pf.* по-) to make *or* take a light evening meal.

полдня́ *s.* (*gsg.* полудня́) half a day, a half-day.

полдю́жины *s. f.* (*gsg.* полудю́жины) a half dozen.

по́ле/ *s.* [b] field, ground; margin (in books); brim (of a hat) || **-во́й** *a.* field-.

поле́гче *ad.* lighter, easier; more slowly, not so fast.

поле́з/ность *s. f.* utility, usefulness || **-ный** *a.* useful, serviceable.

поле́мика *s.* dispute, polemics *pl.*

поле́но *s.* log of wood.

поле́сье *s.* forest-land.

полёт *s.* flight.

по́лз/а-ть II. & **полз-ти́** I. [a] *vn.* (*Pf.* по-) to creep, to crawl || **-ко́м** *ad.* creeping (on all fours) || **-у́н** *s.* [a] creeper; (*fig.*) low, sneaking person.

ползу́чий (-ая, -ее) *a.* creeping; **-ие расте́ния** *npl.* (*bot.*) creepers *pl.*

полива́льный *a.* for watering.

по/лива́-ть II. *va.* (*Pf.* -ли́ть 27. [a 3.]) to water || **-ли́вка** *s.* (*gpl.* -вок) watering, sprinkling.

поли/га́мия *s.* polygamy || **-го́н** *s.* polygon.

поли́п *s.* polyp(us).

полир/ова́льный *a.* for polishing || **-о+ва́ть** II. [b] *va.* (*Pf.* от-) to polish, to burnish || **-о́вка** *s.* (*gpl.* -вок) polishing; polish, gloss || **-о́вщик** *s.*, **-о́вщица** *s.* polisher.

по́лис *s.* (insurance) policy.

поли/теи́зм *s.* polytheism || **-техни́ческий** *a.* polytechnical.

поли́т/ик *s.* politician || **-ика** *s.* politics *pl.* || **-ипа́ж** *s.* woodcut || **-и́ческий**

a. political || **–ýра** *s.* varnish, polish, gloss || **–ь** *cf.* **поливáть.**

полиц/ия *s.* police || **–(ей)мéйстр** *s.* chief of police || **–éйский** *a.* police-, of police || ~ (*as s.*) policeman.

полúчное (*as s.*) corpus delicti; **поймáть с –ным** to seize (a thief) with the stolen goods in his possession.

полк/ *s.* [a°] regiment || **ˊа** *s.* (book-) shelf, book-stand; bracket; pan (of a gun) || **–óвник** *s.* colonel || **–óвница** *s.* colonel's wife || **–овóдец** *s.* (*gsg.* -дца) leader, captain, general || **–овóй** *a.* regimental.

пол/минýты *s. f.* (*gsg.* -уминýты) half a minute.

полнé-ть II. *vn.* (*Pf.* по-) to fill up, to grow full; to grow stout.

пóлно/ *ad.* full, fully || ~ & ~**-те** *int.* enough! stop! cease! || **–вéсный** *a.* of full value, of full weight || **–влáстный** *a.* sovereign, absolute || **–крóвие** *s.* ful(l)ness of blood, full-bloodedness || **–крóвный** *a.* full-blooded, plethoric || **–лýние** *s.* full moon || **–мóчие** *s.* full power, authority || **–мóчный** *a.* invested with full power, empowered, authorized; ~ **минúстр** plenipotentiary || **–прáвный** *a.* competent || **–тá** *s.* & **–сть** *s. f.* completeness, ful(l)ness, plenitude.

пол(ý)нóчный *a.* midnight-.

пóл/нóчь *s. f.* (*gsg.* -ýночи) midnight.

пóлный *a.* (*pd.* пóлон, -лнá, -лно, -лны; *comp.* -лнée) full; entire, complete; stout, corpulent; high (of water).

половúк *s.* [a] mat; long narrow carpet.

половúн/а *s.* half; middle; ~ **пя́того** half past four || **–ный** *a.* half || **–чатый** *a.* halved; folding (of a door) || **–щик** *s.* half-sharer.

поло/вúца *s.* board, plank (of a floor) || **–вóдье** *s.* high-water || **–вóй** *a.* floor-; sex-, sexual || ~ (*as s.*) waiter.

полóгий *a.* sloping.

полож/éние *s.* position, situation; circumstance, state; attitude, posture; thesis, proposition; statute, regulation; **на воéнном –éнии** on a war footing || **–úтельный** *a.* positive; steady, serious || **–úть** *cf.* **класть** & **полагáть.**

пóлоз *s.* (*pl.* полóзья) slide (of a sleigh).

полóк *s.* [a] (*gsg.* -лкá) sweating-bench (in a Russian bath).

полóмка *s.* (*gpl.* -мок) breaking, fracture.

полон=úть II. [a] *va.* (*Pf.* за-) to capture, to take prisoner (in war).

полосá/ *s.* [f] strip, stripe, streak; tract, zone; bar (of iron); run (of luck) || **–тый** *a.* striped, streaked.

полóс/ка *s.* (*gpl.* -сок) *dim. of* полосá || **–кáние** *s.* rinsing (out); gargling; gargle, throat-water || **–кáтельница** *s.* rinsing-bowl, slop-basin || **–кá-ть** I. 4. [c] *va.* (*Pf.* -н-ýть I. [a]) to rinse, to wash off; to gargle || ~**ся** *vr.* to splash, to dabble || **–о+вáть** II. [b] *va.* (*Pf.* рас-) to divide into strips; to draw into bars (iron); (*Pf.* ис-) to flog, to whip || **–овóй** *a.* bar-, in bars (of iron).

пóлость *s f.* (*an.*) hollow, cavity.

полот/éнце *s.* towel || **–ёр** *s.* floor waxer and polisher || **–нó** *s.* [h] (*gpl.* ˊтен) linen, sheeting; (*rail.*) permanent way || **–ня́ный** *a.* linen.

пол-óть II. [c] *va.* (*Pf.* вы́-) to weed (out).

полоýмный *a.* half-witted, feeble-minded.

пóлочка *s.* (*gpl.* -чек) *dim. of* пóлка.

пол/слóва *s. m.* (*gsg.* -услóва) half a word || **–сóтни** *s. f.* (*gsg.* -усóтни) half a hundred.

полсть *s. f.* (sleigh-)cover; carpet; curtain (of a door).

полтúн/а *s.* fifty copecks, half a rouble || **–ник** *s.* piece of fifty copecks || **–ный** *a.* worth, costing half a rouble.

полторá/ *num.* one and a half || **–ста** *num.* one hundred and fifty.

полу/... *in cpds.* = half-, semi-, demi- || **–бóг** *s.* demigod || **–глáсный** *a.*, **–глáсная** (**бýква**) (*gramm.*) semivowel || **–гóдие** *s.* a half-year, six months || **–годúчный** *a.* half-yearly || **–дённый** *a.* of half a day || **ˊденный** *a.* midday, noonday; southern || **–дúкий** *a.* half-savage || **–крýг** *s.* semicircle || **–крýглый** *a.* semicircular || **–мéра** *s.* half-measure; (*fig.*) half measures || **–мéсяц** *s.* half-moon || **–мрáк** *s.* partial obscurity, twilight || **ˊнóчник** *s.* person fond of staying up late at night; night-reveller, roisterer || **ˊнóчный** *a.* midnight-; northern || **–оборóт** *s.* half-turn || **–óстров** *s.* [b] peninsula || **–открытый** *a.* half open, ajar || **–сапогú** *s.mpl.*, **–сапóжки** *s. fpl.* (*G.* -жек) half-boots || **–свéт** *s.* feeble light, twilight; demimonde || **–стáнция** *s.* intermediate station || **–тéнь** *s. f.* mezzotint; (*astr.*) penumbra || **ˊторагодовáлый** *a.* aged one and a half years.

полу/чáтель *s. m.*, **–чáтельница** *s.* receiver; addressee || **–чá-ть** II. *va.* (*Pf.* -ч=úть I. [c]) to receive, to obtain, to get; to gain, to win.

полуша́рие *s.* hemisphere. [copeck.
полу́шка *s.* (*gpl.* -шек) quarter of a
полу/што́ф *s.* measure = 0,61 l ‖ **-шу́бок** *s.* (*gsg.* -бка) short fur cloak.
пол/фу́нта *s. m.* (*gsg.* -уфу́нта) half a pound ‖ **-часа́** *s. m.* (*gsg.* -уча́са) half an hour.
по́лый *a.* hollow; bare, uncovered.
по́лымя *s.* = **пла́мя.**
полы́н/ный *a.* of wormwood; **-ная во́дка** absinthe ‖ **-ь** *s. f.* wormwood ‖ **-ья́** *s.* open place in the ice.
по́льз/а *s.* use; advantage, profit, gain ‖ **-ование** *s.* use; (*leg.*) usufruct; (*med.*) treatment ‖ **-о+вать** II. *va.* (*med.*) to treat, to doctor, to attend ‖ **~ся** *vr.* (*Pf.* вос-) (чем) to profit, to make use of, to take advantage of, to enjoy.
по́лька *s.* (*gpl.* -лек) polka.
полюбо́вный *a.* amicable.
по́люс/ *s.* pole ‖ **-ный** *a.* pole-.
поля́на *s.* fresh land; (forest-)glade.
поляриза́ция *s.* polarization.
поля́ри/ость *s. f.* polarity ‖ **-ый** *a.* polar.
пома́да *s.* pomade.
пома́д=ить I. 1. *va.* (*Pf.* на-) to pomade.
пома́з/ание *s.* anointing; (*also fig.*) unction ‖ **-анник** *s.* anointed sovereign.
помале́ньку *ad.* little by little, gently; so-so, tolerably.
по/ма́лчива-ть II. *vn.* to remain silent, to hold one's tongue ‖ **-ма́рка** *s.* (*gpl.* -рок) blot; cancel, erasure ‖ **-мело́** *s.* [h] (*pl.* -ме́лья) hearth-broom ‖ **-ме́льче** *ad.* more shallow; somewhat smaller ‖ **-ме́ньше** *ad.* somewhat less ‖ **-мертве́лый** *a.* pale as death, deathly pale ‖ **-мести́тельность** *s. f.* roominess, capaciousness ‖ **-мести́тельный** *a.* roomy, spacious, capacious ‖ **-мести́ть** *cf.* **-меща́ть** ‖ **-ме́стный** *a.* local; landed ‖ **-ме́стье** *s.* estate, domain, landed property ‖ **-ме́стье(и)це** *s.* *dim. of prec.*
по́/месь *s. f.* cross, crossbreeding; mongrel ‖ **-ме́сячный** *a.* monthly ‖ **-мёт** *s.* dung; excrement; litter, brood ‖ **-ме́та** *s.* & **-ме́тка** *s.* (*gpl.* -ток) sign, mark; (*leg.*) notice ‖ **-ме́ха** *s.* impediment, hindrance, obstacle ‖ **-меча́-ть** II. *va.* (*Pf.* -ме́т=ить I. 2.) to mark, to note; (*leg.*) to date ‖ **-ме́шанный** *a.* mad, insane ‖ **-меша́тельство** *s.* madness, insanity ‖ **-меша́ть** *cf.* **меша́ть** ‖ **~ся** *vn.* to grow mad, to become insane ‖ **-меща́-ть** II. *va.* (*Pf.* -мест=и́ть I. 4. [a]) to place, to put up (*e. g.* furniture); to invest (money); to lodge; to insert (in a newspaper) ‖ **-меще́ние** *s.* investment; place, premises *pl.*, lodging, placing; insertion ‖ **-ме́щик** *s.* landlord, landowner, owner of an estate.
помидо́р *s.* tomato.
по/ми́лование *s.* pardon, forgiveness, mercy ‖ **-ми́мо** *prp.* (+ *G.*) besides, except; without the knowledge of, unknown to; **~ меня́** without my knowing it.
поми́н/ *s.* mention, remembrance; **о нём и -у не́ было** he was not even mentioned ‖ **-а́льный** *a.* memorial ‖ **-а́ние** *s.* list of names of those recently deceased to be read out in church; anniversary, prayer for the dead ‖ **-а́-ть** II. *va.* (*Pf.* помян-у́ть I. [c]) to remember; (о чём) to mention, to speak about; (кого́) to have a mass said for the dead; **-а́й как зва́ли** he has completely disappeared ‖ **-ки** *s. fpl.* (*G.* -нок) commemoration for the dead ‖ **-у́тно** *ad.* every minute, every moment.
помира́-ть II. *vn.* (= умира́ть); **~ со́ смеху** to burst with laughter.
по́мн=ить II. *va.* (*Pf.* вс-) to remember, to recollect, to bear in mind ‖ **~ся** *v.imp.*, **мне по́мнится** I recollect.
по/мно́гу *ad.* much, in large quantities ‖ **-множа́ть** = **умножа́ть** ‖ **-мо́га** *s.* assistance, help, aid ‖ **-мога́-ть** II. *vn.* (*Pf.* -мо́чь 15. [c 2.]) to assist, to help, to aid; to relieve, to sustain ‖ **-мо́и** *s. mpl.* slops *pl.*, dish-water ‖ **-мо́йный** *a.* slop-, cess- ‖ **-мо́л** *s.* grinding; fee for grinding ‖ **-мо́лвка** *s.* (*gpl.* -вок) betrothal ‖ **-мо́лвлива-ть** II. *va.* (*Pf.* -мо́лв=ить II. 7.) (за кого́) to betroth (with), to affiance (to); **она́ -мо́лвлена за моего́ бра́та** she is engaged to my brother.
помо́р/ье *s.* maritime country, coastland, sea-coast; (sea-)shore, beach, littoral ‖ **-я́нин** *s.* (*pl.* -я́не), **-я́нка** *s.* (*gpl.* -нок) inhabitant of the sea-coast.
помо́ст *s.* floor(ing); scaffold, stage.
по́мочи *s. fpl.* [c] braces, suspenders *pl.*; leading-strings *pl.*
помо́чь *cf.* **помога́ть.**
по́мочь *s. f.* help.
помо́щник *s.* helper, assistant.
по́мощь *s. f.* help, aid, assistance, support.
по́мп/а *s.* pump; pomp, splendour ‖ **-о́н** *s.* (*mil.*) tuft (of a shako).

по/мрача́-ть II. *va.* (*Pf.* -мрач=и́ть I. [a]) to obscure, to darken, to cloud, to dim || **-мраче́ние** *s.* darkening, obscuration || **-мыка́-ть** II. *va.* to send one to and fro ; (кем) to deal (with one), to harass.
по́/мыс(е)л *s.* (*gsg.* -сла) thought; design, intention || **-мышля́-ть** II. *vn.* (*Pf.* -мы́слить 41.) (что *or* о чём) to think, to consider, to reflect on; to intend || **-мяну́ть** *cf.* **-мина́ть.**
пона/ма́рь *s. m.* [a] sexton, sacristan || **-пра́сну** *ad.* in vain, to no purpose, without avail.
понево́ле *ad.* against one's will.
понеде́ль/ник *s.* Monday || **-ничный** *a.* Monday's, of Monday || **-ный** *a.* weekly.
понемно́гу *ad.* little by little, by degrees.
по́ни *s. m. indecl.* pony.
по/нижа́-ть II. *va.* (*Pf.* -ни́з=ить I. 1.) to lower, to reduce, to abate || **~ся** *vr.* to fall, to sink, to go down, to abate || **-ни́же** *ad.* lower; a little below || **-ниже́ние** *s.* lowering; falling down, subsiding; reduction; (*comm.*) fall; **игра́ть на ~** to "bear", to speculate on a fall || **-ника́-ть** II. *vn.* (*Pf.* -ни́кнуть 52.) to lower, to sink; to lie down (of corn); to sink (of water); to dry up (of a spring); **~ голово́ю** to hang down one's head, to be crestfallen || **-нима́-ть** II. *va.* (*Pf.* -ня́ть 37. [a 4.], *Fut.* пойму́) to understand, to comprehend || **-но́с** *s.* *s.* diarrhœa || **-носи́тель** *s. m.* defamer, slanderer || **-носи́тельный** *a.* defamatory, slanderous || **-нос=и́ть** I. 3. [c] *va.* to defame, to libel, to slander, to cast an aspersion on || **-ноше́ние** *s.* slander, calumny; scandal; disgrace || **-но́шенный** *a.* worn, old (of clothes).
понт/ёр *s.* punter || **-иро+ва́ть** II. [b] *va.* to punt || **-о́н** *s.* pontoon || **-онёр** *s.* (*mil.*) pontonier || **-о́нный** *a.* pontoon-.
по/нуди́тельный *a.* coercive, compulsory || **-нужда́-ть** II. *va.* (*Pf.* -ну́д=ить I. 1. [c]) to compel, to force, to constrain || **-нужде́ние** *s.* coercion, compulsion || **-нука́-ть** II. *va.* to drive on, to impel || **-нутру́** *ad.* agreeable; **э́то мне ~** that suits me perfectly || **-ны́не** *ad.* hitherto, up to now || **-ня́тие** *s.* understanding, comprehension; idea, notion || **-ня́тливость** *s. f.* power of comprehension, intelligence || **-ня́тливый** *a.* intelligent, quick of apprehension || **-ня́тность** *s. f.* intelligibility, clearness || **-ня́тный** *a.* intelligible, clear || **-нято́й** (*as s.*) witness || **-ня́ть** *cf.* **-нима́ть.**

по/о́даль *ad.* at some distance || **-очерёдный** *a.* alternate, by turns || **-ощре́ние** *s.* encouragement, incentive, spur || **-ощри́тель** *s. m.* encourager, inciter || **-ощря́-ть** II. *va.* (*Pf.* -ощр=и́ть II. [a]) to encourage, to animate, to spur (on), to incite, to stimulate.
поп *s.* [a] priest.
попада́-ть II. *vn.* (*Pf.* попа́сть 22. [a 1.]) to fall (in, into); (во что) to hit, to strike; to chance (upon), to chance to be (at); to meet (with), to fall in (with), to hit (upon); **как (ни) попа́ло** at random, hit or miss, pell-mell; **~ в беду́** to get into a scrape || **~ся** *vn.* to fall into (*e. g.* a hole), to fall into the hands of; to be found, to be caught; (*fam.*) to be taken in.
попадья́ *s.* priest's wife.
по/па́рно *ad.* in pairs || **-перёк** *ad.* crossways, athwart || **~** *prp.* (+ *G.*) across; opposite to; contrary to || **-переме́нность** *s. f.* alternation, change || **-переме́нный** *a.* alternative, reciprocating || **-пере́чина** *s.* cross-beam, cross-rail; (*mar.*) cross-piece || **-пере́чник** *s.* diameter; breadth || **-пере́чный** *a.* transverse, diametrical, cross-; **встре́чный и ~** (*fig.*) the first comer.
попеч/е́ние *s.* care, solicitude; charge || **-и́тель** *s. m.* trustee, guardian; curator || **-и́тельство** *s.* trusteeship, guardianship; curatorship.
по/пива́-ть II. *va.* (*Pf.* -пи́ть 27. [a 3.]) to drink often || **-пира́-ть** II. *va.* (*Pf.* -пр-а́ть I. [a]) to tread, to trample down; **~ нога́ми** to trample on, to tread under foot; to scorn, to set at naught; to vanquish, to strike down, to floor || **-плаво́к** *s.* [a] (*gsg.* -вка) float (on a fishing-line); cork-float (on nets) || **-плат=и́ться** I. 2. [c] *vr.* (2nd *sg. pron.* -пло́тишь) to pay (off); (чем) to pay for (with).
попо́в/ич *s.* priest's son || **-ка** *s.* (*gpl.* -вок) a round armoured vessel; sleigh with a pair of horses; a kind of brandy || **-на** *s.* (*gpl.* -вен) priest's daughter.
по/по́йка *s.* (*gpl.* -по́ек) carouse, spree, drinking-bout || **-пола́м** *ad.* in two (halves), in half; half and half; **раздели́ть ~** to halve || **-ползнове́ние** *s.* stumbling; temptation, inclination, longing || **-полне́ние** *s.* supplement, addition || **-полня́-ть** II. *va.* (*Pf.* -по́лн=ить II.) to complete, to make up, to supply || **-полу́дни** *ad.* in the afternoon ||

-полу́ночи *ad.* after midnight, in the small hours of the morning || **-по́на** *s.* horse-cloth, saddle-cloth.

попра́/вка *s.* (*gpl.* -вок) & **-вле́ние** *s.* repair, reparation; correction; recovery (of health) || **-вля́-ть** II. *va.* (*Pf.* -в=ить II. 7.) to repair, to mend, to readjust, to put right; to correct, to rectify; to amend || **~ся** *vr.* to recover, to get better; to correct o.s.

по/пра́ть *cf.* **-пира́ть** || **-пре́жнему** *ad.* as before, as formerly || **-прёк** *s.* reproach, reproof || **-прека́-ть** II. *va.* (*Pf.* -прекн-у́ть I.) (кого́ чем *or* в чём) to reproach, to reprove, to blame.

по́/прище *s.* career, field, arena; course; sphere (of action); scene, seat (of war) || **-просту** *ad.* simply; without ceremony || **-проша́йка** *s.m.&f.* (*gpl.* -ша́ек) *coll.* importunate beggar || **-проша́йнича-ть** II. *vn.* to be constantly begging and praying; to importune || **-прыгу́н** *s.* [a], **-прыгу́нья** *s.* jumper, tumbler; madcap || **-пуга́й** *s.* parrot.

популя́р/ность *s. f.* popularity || **-ный** *a.* popular || **-изи́ро+вать** II. & **-изо+ва́ть** II. [b] *va.* to popularize.

попури́ *s. n. indecl.* (*mus.*) pot-pourri.

по/пуска́-ть II. *va.* (*Pf.* -пуст=и́ть I. 4. [c]) to let, to permit, to allow; to connive (at).

по́пуст(о́м)у *ad.* to no purpose, in vain.

попу́та-ть II. *va. Pf.* to embroil, to entrap, to ensnare, to perplex, to mislead.

попу́т/ник *s.* (*bot.*) plantain, rib-wort || **-ный** *a.* fair, favourable (of a wind); travelling- || **-чик** *s.*, **-чица** *s.* fellow-traveller.

по/пы́тка *s.* (*gpl.* -ток) trial, attempt, venture || **-пы́х** *s.*, **в -пыха́х** in a hurry || **-пя́тный** *a.* retrograde.

пора́ *s.* [f] time; while; it is time; **~ обе́дать** it is time to dine; **с тех пор** since then; **с тех са́мых пор, как . . .** ever since . . .; **до сих пор** till now; **до тех пор, пока́** till then; **с кото́рых пор** since when.

по́ра *s.* pore.

пораб/оти́тель *s. m.* enslaver, subjugator || **-оща́-ть** II. *va.* (*Pf.* -от=и́ть I. 6. [a]) to enslave, to subjugate || **-още́ние** *s.* enslavement, subjugation, subjection.

по/ража́-ть II. *va.* (*Pf.* -раз=и́ть I. 1. [a]) to strike, to cut down; to defeat, to overthrow; **~ кинжа́лом** to stab; (*fig.*) to astound, to dumbfound, to shock || **-раже́ние** *s.* stroke, blow; defeat, overthrow, rout || **-рази́тельный** *a.* striking; astounding || **-ране́ние** *s.* slight wound || **-ра́н=ить** II. *va. Pf.* to wound slightly || **-раста́-ть** II. *vn.* (*Pf.* -расти́ 35.) to grow over (with), to be covered (with) || **-рва́ть** *cf.* **-рыва́ть** || **-реде́лый** *a.* grown thinner, scarcer || **-ре́з** *s.* cut, gash, wound || **-ре́зыва-ть** II. *va.* (*Pf.* -ре́з-ать I. 1.) to cut a little, to make a slight gash in || **-ре́чье** *s.* river country || **-реша́-ть** II. *va.* (*Pf.* -реш=и́ть I. [a]) to decide, to determine.

по́рист/ость *s. f.* porosity || **-ый** *a.* porous.

порица́/ние *s.* blame, censure, reproof || **-тель** *s. m.* censor, reprover || **-тельный** *a.* censorious, reproving || **-ть** II. *va.* to blame, to censure, to reprove.

по́рка *s.* (*gpl.* -рок) whipping, castigation.

по́ровну *ad.* equally, in equal parts.

поро́г *s.* threshold; cataract (in a river), rapids *pl.*

поро́д/а *s.* birth, extraction; breed, stock, race; brood, variety (of animals) || **-истый** *a.* thoroughbred, of good breed.

поро/жда́-ть II. *va.* (*Pf.* -д=и́ть I. 1. [a]) to beget, to generate, to breed || **-жде́ние** *s.* descent, breed; brood.

поро́ж/ний *a.* empty, vacant; unloaded || **-мя́** & **-нём** *ad.* empty, without a load.

по́рознь *ad.* separately, apart.

поро́к *s.* vice; blemish; defect.

паро́м/ *s.* ferry(-boat); punt || **-щик** *s.* ferry-man.

поро/се́нок *s.* (*pl.* -ся́та) porker; **моло́чный ~** sucking-pig || **-с=и́ться** I. 3. [c] *vn.* (*Pf.* о-) to farrow.

поро́слый *a.* grown over, overgrown.

по́росль *s. f.* young wood.

по́рост *s.* seaweed.

пороста́ть = пораста́ть.

порос/я́тина *s.* flesh of a sucking-pig, young pork || **-я́чий** (-ья, -ье) *a.* pig's, of sucking-pig.

пор-о́ть II. [c] *va.* (*Pf.* рас-) to rip up; to cut, to rip open (a fish); to tear open, to wound; (*Pf.* от-) to flog, to whip, to thrash; (*Pf.* на-), **~ вздор, дичь** to talk nonsense.

по́рох/ *s.* (gun)powder; **он -у не вы́думал** (*fig.*) he won't set the Thames on fire || **-овни́ца** *s.* powder-horn, powder-flask || **-ово́й** *a.* (gun)powder-.

поро́ч=ить I. *va.* (*Pf.* о-) to blame, to defame, to dishonour, to calumniate.

поро́чный *a.* imperfect, defective; depraved, vicious.

поро́ш/а *s.* newly fallen snow || **–и́на** *s.*, *dim.* **–и́нка** *s.* (*gpl.* -нок) mote; grain of powder.

порош=и́ть I. [a] *va.* (*Pf.* за-) to cover with dust, to powder || ~ *vn.* to fall slowly; **снег порошит** the snow is falling very fine.

порошо́к *s.* [a] (*gsg.* -шка́) powder (in general); ~ **от насеко́мых** insect-powder; **зубно́й** ~ tooth-powder.

порт/ *s.* [°] port, harbour; port-hole || **–а́л** *s.* portal || **–ве́йн** *s.* port(-wine) || **–́ер** *s.* porter || **–́ерная** (*as s.*) beershop, public house || **–́ик** *s.* portico, porch.

по́рт=ить I. 2. *va.* (*Pf.* ис-) to spoil, to damage; to corrupt, to deprave.

порт/ки́ *s. mpl.* (a pair of) drawers *pl.* || **–мон́э** *s. indecl.* purse || **–ни́ха** *s.* dressmaker || **–но́й** (*as s.*) tailor || **–ня́га** *s.* a bad tailor, bungler || **–ня́жество** *s.* tailoring, tailor's business || **–ня́ж=ить** I. *vn.* to carry on the business of tailor, to tailor || **–ня́жный** *a.* tailor-, tailor's || **–ово́й** *a.* port-, harbour || **–о-фра́нко** *s. indecl.* free port.

портре́т/ *s.* portrait || **–и́ст** *s.* portrait-painter, portraitist || **–ный** *a.* portrait-.

порт/сига́р *s.* cigar-case || **–упе́я** *s.* sword-belt || **–фе́ль** *s. m.* portfolio || **–ье́ра** *s.* door-hangings *pl.*, door-curtain, portière || **–я́нка** *s.* (*gpl.* -нок) a piece of coarse cloth wrapped round the foot instead of a stocking.

пору́б/ка *s.* (*gpl.* -бок) cutting down; felling (trees); wood-stealing || **–щи́к** *s.* wood-cutter; wood-stealer.

по/руга́ние *s.* insult, abuse || **–ру́ка** *s.* guarantee, surety, bail, security; **на –ру́ки** on bail; **быть –ру́кою** (за кого́) to go bail for || **–руча́тель** *s. m.* employer, one who commissions another || **–руча́-ть** II. *va.* (*Pf.* -руч=и́ть I. [a&c]) to intrust (with), to commit; to commission || ~**ся** *vr.* (за что) to go bail for, to guarantee || **–руче́ние** *s.* commission, errand; (*comm.*) order || **–ру́чик** *s.* lieutenant || **–ручи́тель** *s. m.*, **–ручи́тельница** *s.* surety, bail, guarantee || **–ручи́тельный** *a.* of bail, etc. || **–ручи́тельство** *s.* bail, guarantee, surety.

порфи́р/ *s.* porphyry || **–а** *s.* purple || **–ный** *a.* of porphyry || **–оро́дный** *a.* born in the purple.

порха́-ть II. *vn.* (*Pf.* порхн-у́ть I. [a]) to flutter.

по́рц/ия *s.* portion || **–ио́н** *s.* ration, allowance.

по́рча *s.* deterioration, damage; corruption; rottenness; depravity; spell, bewitchment.

по́ршень *s. m.* (*gsg.* -шня) piston.

поры́в/ *s.* burst, impulse; fit, jerk; gust, puff (of wind) || **–а́-ть** II. *va.* (*Pf.* порв-а́ть I. [a 3.]) to tear asunder || ~**ся** *vn.* to tear || **–истый** *a.* violent, impetuous; squally, gusty; jerky.

порыж/е́лый *a.* grown reddish || **–е́ть** *cf.* **рыже́ть.**

поря́д/ковый *a.*, **–ковое числи́тельное** (*gramm.*) ordinal || **–ок** *s.* (*gsg.* -дка) order; **по –ку** in order, successively; **–ком** regular, properly || **–очно** *ad.* tolerably, passably; pretty much, thoroughly || **–очный** *a.* well-furnished, in good trim (of an establishment); orderly, regulated, proper; thorough; passable.

поса́д/ *s.* suburb || **–ка** *s.* (*gpl.* -док) seat; placing, putting; setting, planting || **–ник** *s.* *formerly* mayor of some Russian towns.

посажённый *a.* by the fathom.

посажёный *a.* taking the place of; ~ **оте́ц** nuptial godfather.

по́свист *s.* whistle, whistling.

по/-сво́ему & **–сво́йски** *ad.* in one's own way.

посвя/ща́-ть II. *va.* (*Pf.* -т=и́ть I. 6.) to consecrate, to devote; to dedicate (a book, etc.); (кого́ во что) to initiate || **–ще́ние** *s.* consecration; dedication; initiation. [*cf.* **се́ять.**

посе́в/ *s.* sowing; seed-time || **–а́-ть** II.

поседе́лый *a.* grown grey (of the hair).

посел/е́нец *s.* (*gsg.* -нца), **–е́нка** *s.* (*gpl.* -нок) settler, colonist; person deported to Siberia, convict || **–е́ние** *s.* settlement, colony; **сосла́ть на** ~ to deport to Siberia.

посёлок *s.* (*gsg.* -лка) a small village.

посе/ля́нин *s.* (*pl.* -ля́не) villager, peasant, countryman || **–ля́нка** *s.* (*gpl.* -нок) female peasant, countrywoman || **–ля́-ть** II. *va.* (*Pf.* -л=и́ть II. [a & c]) to settle, to establish; (в ком что *fig.*) to instil, to inspire (one with) || ~**ся** *vr.* to settle (down).

посеме́йный *a.* family-, of family, domestic. [be so.

посему́ *ad.* accordingly; **быть** ~ it shall

посети́тель/ *s.m.*, **–ница** *s.* visitor, guest.

посе/ща́-ть II. *va.* (*Pf.* -т=и́ть I. 6. [a]) to visit; to frequent; (*ec.*) to visit (with), to inflict || **–ще́ние** *s.* visit; (*fig.*) visitation, affliction.

по/сидéлки *s. fpl.* (*G.* -лок) sittings *pl.*, evening meetings *pl.* (for work and chatting in villages) || **–сúльный** *a.* according to one's strength || **–синéлый** *a.* grown blue || **–скользá-ться** II. *vn.* (*Pf.* -скользи-ýться I.) to slip, to slide || **–скóльку** *ad.* how much; (in) how far, as far as || **–скóнный** *a.* hemp-, hempen || **–скорéе** *ad.* quickly, hastily, quicker || **–скýдный** *a.* vile, abominable.

посла/блéние *s.* connivance, indulgence || **–блá-ть** II. *va.* (*Pf.* ∸б=ить II. 7.) to let go, to loosen || ∼ *vn.* (комý в чём) to connive at, to show indulgence to.

посл/áнец *s.* [& a] (*gsg.* -нца) envoy; messenger; agent || **–áние** *s.* message, letter; Epistle || **–áнник** *s.* envoy, ambassador || **–áнница** *s.* ambassador's wife || **–áннический** *a.* envoy's, ambassadorial.

пóсланный (*as s.*) messenger, envoy.

послáть *cf.* **посылáть** & **слать.**

послáще *ad.* somewhat sweeter.

пóсл/е *prp.* (+ *G.*) after; ∼ **тогó** after that, thereafter || ∼ *ad.* afterwards, later (on) || **–éдний** *a.* last, final; lowest; **–éднее врéмя** recent times, lately || **–éдователь** *s. m.* follower, partisan, adherent || **–éдовательность** *s. f.* successiveness || **–едовáтельность** *s. f.* consequentialness || **–éдовательный** *a.* successive || **–едовáтельный** *a.* consequent(ial) || **–éдствие** *s.* consequence; result || **–éдующий** (-ая, -ее) *a.* following, subsequent, next || **–езáвтра** *ad.* the day after to-morrow || **–eобéденный** *a.* afterdinner; afternoon- || **–e-слóвие** *s.* epilogue.

по/слóвица *s.* proverb, adage || **–служнóй** *a.* service- || **–слушáние** *s.* obedience || **–слýшник** *s.* lay brother || **–слýшница** *s.* lay-sister || **–слýшный** *a.* obedient; docile.

по/смáтривать *cf.* **смотрéть** || **–смéива-ться** II. *vn.* (*Pf.* -сме-я́ться I. [a]) (над кем) to laugh at, to poke fun (at one) || **–смéртный** *a.* posthumous || **–смéшище** *s.* laughing-stock || **–смея́ние** *s.* laugh at, mockery, derision.

посóбие *s.* assistance, relief, subsidy.

посо/бля́-ть II. *va.* (*Pf.* -б=и́ть II. 7. [a & c]) to help, to assist, to relieve.

посóб/ник *s.*, **–ница** *s.* aid, helper; accomplice.

посóл/ *s.* ambassador || **–ьский** *a.* ambassadorial, ambassador's || **–ьство** *s.* embassy, legation.

посóтенно *ad.* by the hundred, by hundreds.

пóсох *s.* staff; (shepherd's) crook; (bishop's) crosier, crozier.

по/спевá-ть II. *vn.* (*Pf.* -спé-ть II.) to ripen; to be ready; to be in time, to come in time; (за кем) to keep up (with) || **–спешáть** *cf.* **спешúть** || **–спéшность** *s. f.* haste, speed, celerity || **–спéшный** *a.* quick, speedy.

по/срамля́-ть II. *va.* (*Pf.* -срам=и́ть II. 7. [a]) to shame, to humiliate, to disgrace || **–средú** *prp.* (+ *G.*) in the middle, in the midst, among || **–срéдник** *s.* mediator; (*comm.*) middleman; (*fam.*) go-between; (*leg.*) umpire, arbitrator || **–срéднический** *a.* arbitral || **–срéдничество** *s.* mediation, intervention || **–срéдственность** *s. f.* mediocrity || **–срéдственный** *a.* mediocre, middling, moderate || **–срéдство** *s.* means; intervention, mediation; **–срéдством** (+ *G.*) by means (of), through.

пост/ *s.* [a°] fast(ing); **велúкий** ∼ Lent; [°] stand, standing-place; (*mil.*) post || **–áв** *s.* move, motion; set of millstones; cupboard (for vessels) || **–авéц** *s.* [a] (*gsg.* -вцá) (umbrella-)stand; small cupboard; dresser, sideboard || **–áвка** *s.* (*gpl.* -вок) delivery, supply; erection; getting up (a play) || **–авля́-ть** II. *va.* (*Pf.* -áв=ить II. 7.) to put, to place, to set; to supply, to deliver; to erect, to set up, to raise; to get up (a play); to regulate (a watch); ∼ **на своём** to get, to have one's own way || **–авнóй** *a.* delivered; delivery- || **–авщúк** *s.* [a], **–авщúца** *s.* contractor, purveyor, supplier, caterer.

постанó/вка *s.* (*gpl.* -вок) erection, raising (*e. g.* a monument); getting up (a play); (*art.*) attitude, line || **–влéние** *s.* decision, disposition, direction || **–вля́-ть** II. *va.* (*Pf.* -в=úть II. 7. [c]) to state, to fix, to settle, to dispose, to decree; ∼ **пригово́р** to give judgment, to bring in a verdict.

по(-)стáрому *ad.* as before, as of old.

постéль/ *s. f.* bed, couch || **–ка** *s.* (*gpl.* -лек) *dim. of prec.* || **–ный** *a.* bed-.

постепéнн/ый *a.* gradual, progressive || **–о** *ad.* by degrees, gradually.

постигá-ть II. *va.* (*Pf.* постúгнуть 52. & постúчь 15. [a 1.]) to befall; to understand, to comprehend.

постиж/éние *s.* comprehension || **–úмость** *s. f.* comprehension, intelligibleness || **–и́мый** *a.* comprehensible, conceivable, intelligible.

постила́-ть II. *va.* (*Pf.* постла́ть 9. [c]) to spread, to lay; **~ посте́ль** to make a bed; **~ пол** to board, to floor (*cf.* стлать).

пости́лка *s.* (*gpl.* -лок) spreading, laying; litter, bedding (for animals).

пост=и́ться I. 4. [a] *vn.* (*Pf.* про-) to fast, to keep the fast.

по/сти́чь *cf.* **–стига́ть** || **–стла́ть** *cf.* **–стила́ть.**

по́ст/ник *s.*, **–ница** *s.* faster || **–нича-ть** II. *vn.* to fast, to keep the fast || **–ный** *a.* fast-; meagre, lean.

посто́й *s.* (*mil.*) quarters *pl.*; **поста́вить на ~** to quarter.

по/сто́льку *ad.* so much || **–сторо́нний** *a.* foreign, irrelevant, accessory; extraneous.

постоя́/лец *s.* (*gsg.* -льца), **–лица** *s.* lodger, tenant || **–лый** *a.*, **~ двор** inn (with stables) || **–лое** (*as s.*) rent (for lodging) || **–нный** *a.* constant, continual, perpetual; steady, steadfast || **–нство** *s.* constancy, steadfastness.

постре́л *s.* scapegrace, scamp; (*med.*) lumbago.

пострига́-ть II. *va.* (*Pf.* постри́чь 15. [c 1.]) to cut (the hair); **~ в мона́хи** to invest, to veil || **~ся** *vr.* (of men) to take the habit; (of women) to take the veil.

постриже́ние *s.* cutting (the hair); **~ в мона́хи(ни)** taking the habit *or* the veil, entering a monastery *or* a nunnery.

по/строе́ние *s.* building, erection, structure; (*math.*) construction || **–стро́йка** *s.* (*gpl.* -бек) building, structure, edifice || **–стро́мка** *s.* (*gpl.* -мок) trace (of a harness) || **–стро́чный** *a.* by lines, by the line.

посту/па́тельный *a.* progressive || **-па́-ть** II. *vn.* (*Pf.* -п=и́ть II. 7. [c]) to act, to treat; to enter (a school, an office, etc.); **~ в солда́ты** to enlist || **~ся** *vn.* (чем кому́) to give up, to renounce (in favour of) || **–пле́ние** *s.* conduct, behaviour; entering, enlisting.

посту́пок *s.* (*gsg.* -пка) act(ion), course of action, behaviour, treatment.

по́ступь *s. f.* step, walk, gait.

посты́дный *a.* shameful, scandalous.

посты́ле-ть II. *vn.* (*Pf.* о-) to grow disgusting, hateful.

посу́д/а *s.* vessels, plates and dishes *pl.*; **кухонная ~** kitchen ware, kitchen utensils *pl.* || **–ина** *s.* vessel || **–ный** *a.* vessel-, dish-.

посу́л *s.* promise.

посу́точный *a.* of twenty-four hours.

посыл/а́-ть II. *va.* (*Pf.* посла́ть 41. [a]) to send away, to despatch; (за кем) to send for || **╌ка** *s.* (*gpl.* -лок) sending; parcel, packet (for sending off) || **╌очка** *s.* (*gpl.* -чек) *dim.* parcel, packet (for sending off) || **╌ьный** (*as s.*) messenger.

посы/па́-ть II. *va.* (*Pf.* **╌па-ть** II. 7.) (что чем) to strew, to sprinkle, to pour upon || **~ся** *vn.* (*only Pf.*) to pour down, to rain down in quantity (hail, snow, stones, etc.); **пу́ли ╌пались** the bullets came pouring like hail.

посяг/а́тельство *s.* (на что) attempt on one's life; encroachment, infringement (on) || **–а́-ть** II. *vn.* (*Pf.* -н-у́ть I. [a]) (на что) to make an attempt on; to infringe on.

пот *s.* [°] sweat, perspiration.

по/таённый & **–тайно́й** *a.* clandestine, secret, hidden, underhand; **~ фона́рь** dark lantern || **–така́-ть** II. *vn.* (кому́) to connive (at), to indulge (one in) || **–таску́ха** & **–таску́шка** *s.* (*gpl.* -шек) street-walker, prostitute || **–тасо́вка** *s.* (*gpl.* -вок) brawl, scuffle || **–та́чка** *s.* (*gpl.* -чек) indulgence, spoiling (children).

пота́ш *s.* potash.

по-тво́ему *cf.* **твой.**

потво́р/ство *s.* indulgence || **–ство+вать** II. *vn.* to indulge, to connive, to spoil.

поте́лый *a.* in a sweat, perspiring.

потёмки *s. fpl.* (*G.* -мок) dark(ness).

поте́ря *s.* loss.

потеря́-ть II. *va.* to lose.

поте́-ть II. *vn.* (*Pf.* вс-) to sweat, to perspire; (*Pf.* по-) to toil, to work hard.

поте́ха *s.* fun, amusement, diversion.

потеша́-ть II. *va.* (*Pf.* потѐш=ить I.) to amuse, to divert || **~ся** *vr.* to sport, to amuse o.s.; to divert o.s.

поте́ш/ливый *a.* fond of amusement, amusing, jovial, entertaining || **–ник** *s.*, **–ница** *s.* amusing person, jester, wag || **–ный** *a.* funny, amusing, diverting.

по/тира́-ть II. *va.* (*Pf.* -тере́ть 13. [a 1.]) to rub slightly || **–тихо́ньку** *ad.* gently; secretly; slowly.

пот/ли́вый *a.* subject to perspiration || **╌ный** *a.* sweaty, covered with sweat || **–ово́й** *a.* sweat-; sudorific || **–ого́нный** *a.* (*med.*) sudorific. [of words.

пото́к *s.* current, stream; **~ ре́чи** torrent

потол/о́к *s.* [a] (*gsg.* -лка́) ceiling || **–о́чный** *a.* ceiling-.

потóм/ *ad.* after that, afterwards, subsequently || **-ок** *s.* (*gsg.* -мка) descendant, offspring || **-ственный** *a.* hereditary || **-ство** *s.* posterity; descendants *pl.* || **-ý** *ad.* therefore, consequently || **~ что** *c.* because, as.

потó/п *s.* flood, inundation, deluge || **-пá-ть** II. *vn.* (*Pf.* -н-ýть I. [a]) to sink, to drown || **-плá-ть** II. *va.* (*Pf.* -п=йть II. 7. [c]) to submerge, to sink; to flood, to inundate.

потóчный *a.* of stream, of current.

по/трáва *s.* grazing; damage caused by allowing cattle to graze in corn || **-трафлá-ть** II. *va.* (*Pf.* -трáф=ить II. 7.) to hit the mark; **на негó не -трáфишь** it's impossible to please him || **-трáчива-ть** II. *va.* (*Pf.* -трáт=ить I. 2.) to spend, to squander.

потрé/ба *s.* need, want || **-бúтель** *s. m.* consumer; **óбщество -бúтелей** Co-operative Society || **-блéние** *s.* consumption, use || **-блá-ть** II. *va.* (*Pf.* -б=йть II. 7. [a]) to consume, to use, to eat up || **-бность** *s. f.* necessity, need, want || **-бный** *a.* necessary, requisite.

пóтро/хи & **-хá** *s. mpl.* [b & c] bowels, intestines *pl.* || **-ш=йть** I. [a] *va.* (*Pf.* вы́-) to gut, to disembowel.

потря/сá-ть II. *va.* (*Pf.* -сти́ 26. [a 2.]) to shake, to jolt; (*fig.*) to trouble, to disturb || **~ся** *vr.* to tremble, to shake || **-сéние** *s.* shaking, shock, jolt, jolting.

потýги *s. fpl.* labour, childbirth.

поту/плá-ть II. *va.* (*Pf.* ́-п=ить II. 7.), **~ глазá** to cast down one's eyes; **~ гóлову** to hang down one's head || **-хáть** *cf.* **тýхнуть.**

пóтч/евание *s.* treating, regaling || **-е+вать** II. *va.* (*Pf.* по-) to treat, to regale; to offer a person something to eat.

по/тáгива-ть II. *va.* (*Pf.* -тян-ýть I. [c]) to pull at (little by little) || **-утрý** *ad.* in the morning || **-учá-ть** II. *va.* (*Pf.* -уч=йть I. [c]) to teach, to instruct; to edify || **~ся** *vr.* to learn, to be edified (by) || **-учéние** *s.* information, instruction, precept || **-учúтельный** *a.* instructive; didactic(al).

похáб/ник *s.*, **-ница** *s.* ribald man *or* woman || **-нича-ть** II. *vn.* (*Pf.* с-) to behave obscenely, to talk smut || **-ный** *a.* ribald, obscene, smutty || **-ство** & **-щина** *s.* ribaldry, obscenity.

похвал/á *s.* praise, encomium, eulogy || **-ьбá** *s.* (*gpl.* -лeб) boast(ing), bragging, swaggering || **́-ьный** *a.* praiseworthy, laudable, meritorious; laudatory; **́-ьное слóво** eulogy, panegyric || **-á-ть** II. *cf.* **хвалúть.**

похитúтель *s. m.* ravisher; kidnapper; **~ престóла** usurper.

похи/щá-ть II. *va.* (*Pf.* ́-т=ить I. 6. [c]) to ravish, to carry away, to kidnap; to steal, to rob; to usurp || **-щéние** *s.* ravishing, kidnapping; theft; usurpation.

по/хлёбка *s.* (*gpl.* -бок) (*vulg.*) soup, porridge || **-хмéлье** *s.* headache (caused by drunkenness).

похóд *s.* campaign, expedition; march; **крестóвый ~** crusade.

поход=úть I. 1. [c] *vn.* to walk up and down; (на когó, на что) to be like, to resemble.

похóд/ка *s.* (*gpl.* -док) walk, gait, bearing || **-ный** *a.* camp-, campaigning.

пóходя *ad.* on the move, going; continually.

похóжий (-ая, -ее) *a.* (на когó, на что) resembling, like; **-е на дождь** it looks like rain; **он похóж на своегó отцá** he resembles his father.

похорóнный *a.* funeral, burial.

пóхороны *s. fpl.* [c] funeral, obsequies *pl.*

пóхот/ь & **-ли́вость** *s. f.* lasciviousness, lust, voluptiousness || **-лúвый** *a.* lascivious, lustful, lecherous.

поцелýй *s.* kiss.

почáсно *ad.* hourly, by the hour.

пóчасту *ad.* often, frequently.

початóй *a.* begun, commenced, broached (of a cask).

по/чáток *s.* (*gsg.* -тка) commencement; what has been cut || **-чáть** *cf.* **-чинáть** || **-чáще** *ad.* (more) frequently.

пóчв/а *s.* soil, ground, earth || **-енный** *a.* soil-, earth-.

почём *ad.* how much? what is the price [of?

почемý *ad.* why?

пóчерк *s.* hand, handwriting.

почерп/á-ть II. *va.* (*Pf.* -н-ýть I. [a]) to draw (water); (*fig.*) to plagiarize.

пóчесть *s. f.* honour, reputation; mark of respect; distinction, dignity.

почéсть *cf.* **почитáть.**

почёт/ *s.* honour, respect, esteem || **-ный** *a.* honorable, honorary; of honour.

пóчеч/ка *s.* (*gpl.* -чек) small bud || **-ный** *a.* kidney-, nephritic || **-ýй** *s.* hemorrhoids, piles *pl.* || **-ýйный** *a.* hemorrhoidal.

почивá-ть II. *vn.* (*Pf.* почú-ть II. [b 1.]) to sleep, to rest, to repose.

почи́/н *s.* beginning, first cut; handsel || **-на́-ть** II. *va.* (*Pf.* поча́ть 34. [a 4.]) to commence, to begin; to commence to cut (a loaf of bread); to broach (a cask) || **-нка** *s.* (*gpl.* -нок) mending, repairing; darning || **-ня́-ть** II. *va.* (*Pf.* -н=и́ть II. [a & c]) to mend, to repair, to darn.

почит/а́й *ad.* (*fam.*) (= почти́) almost || **-а́ние** *s.* honour(ing), respect(ing), esteem(ing) || **-а́тель** *s. m.* admirer, reverer || **-а́-ть** II. *va.* (*Pf.* почт=и́ть I. [a]) to honour, to respect; to revere, to esteem highly; (чем) to worship (God); (*Pf.* поче́сть 24. [a 2.]) (кого́ чем, за кого́) to believe, to look upon (on) as, to think one, to take one for, to consider || **~ся** *v.pass.* to be reputed, to be considered.

почи́ть *cf.* **почива́ть.** [eye.

по́чка *s.* (*gpl.* -чек) kidney; (*bot.*) bud,

по́чт/а *s.* post; post-office || **-альо́н** & **-алио́н** *s.* postman || **-а́мт** *s.* post-office || **-а́рь** *s. m.* [a] postman || **-дире́ктор** *s.* Postmaster-General || **-е́ние** *s.* respect, esteem, veneration; **с соверше́нным -е́нием** respectfully yours (in letters) || **-е́нный** *a.* honourable, respectable || **-и́** *ad.* almost, nearly || **-и́тельность** *s.f.* respectfulness, deference || **-и́тельный** *a.* respectful, deferential || **-и́ть** *cf.* **почита́ть** || **-о́вый** *a.* post-; **-о́вая ма́рка** stamp; **-о́вая конто́ра** post-office.

поша́тыва-ть II. *va.* (*Pf.* пошата́-ть II.) to shake; to rock, to toss; (*Pf.* пошатн-у́ть I [a]) to cause to stagger, to stagger.

по́шлин/а *s.* duty, customs *pl.*, tax; **вывозна́я ~** export duty; **ввозна́я ~** import duty; **~ с вина́** duty on wine || **-ный** *a.* subject to duty, dutiable; duty-.

по́шл/ость *s. f.* triviality, insipidness, commonplaceness || **-ый** *a.* trivial, commonplace, hackneyed.

пошту́чный *a.* by the piece; **-ая рабо́та** piece-work.

поща́да *s.* mercy, pardon; quarter.

пощёчина *s.* a box on the ear.

поэ́/зия *s.* poetry || **-ма** *s.* poem || **-т** *s.* poet || **-те́сса** *s.* poetess || **-ти́ческий** *a.* poetic(al). [that's why.

поэ́тому *c.* therefore, on that account,

поя/вле́ние *s.* apparition, appearance || **-вля́-ться** II. *vr.* (*Pf.* -в=и́ться II. 7. [a & c]) to appear, to make one's appearance; to come forth, to pop up.

поя́рковый *a.* of lamb's wool.

по́яс/ *s.* [b] (*pl.* -а́) girdle, belt; (*geog.*) zone || **-не́ние** *s.* explanation, elucidation || **-ни́тельный** *a.* explanatory || **-ни́ца** *s.* loins *pl.* || **-но́й** *a.* of girdle, belt-; **~ портре́т** half-length portrait; **~ покло́н** a deep bow || **-ня́-ть** II. *va.* (*Pf.* -н=и́ть II. [a]) to explain, to elucidate, to expound.

праба́б/а *s.*, *dim.* **-ка** *s.* (*gpl.* -бок) & **-ушка** *s.* (*gpl.* -шек) great-grandmother.

пра́вд/а *s.* truth, probity, honesty; justice, right; **э́то ~** that's true || **-и́вость** *s. f.* uprightness, truthfulness, veracity || **-и́вый** *a.* upright, truthful, veracious || **-оподо́бие** *s.* probability, likelihood || **-оподо́бный** *a.* likely, probable, plausible.

пра́вед/ник *s.* a just man || **-ный** *a.* just, righteous. [rod.

прави́ло *s.* helm, rudder; (*tech.*) guide-

пра́вил/о *s.* rule, maxim, principle || **-ьность** *s. f.* regularity, accuracy, correctness || **-ьный** *a.* regular, accurate, correct.

прави́тель/ *s. m.*, **-ница** *s.* administrator, ruler, manager, director || **-ственный** *a.* of the government, governmental || **-ство** *s.* government, administration || **-ство+вать** II. *vn.* to govern, to direct.

пра́в=ить II. 7. *va.* (+*I.*) to govern, to rule, to manage, to direct, to administer; (*Pf.* с-) to feast, to celebrate; (*Pf.* в-) to set (a dislocated limb); (*Pf.* вы́-) to set, to whet (a razor).

пра́в/ка *s.* (*gpl.* -вок) proof, proof-sheet || **-ле́ние** *s.* government; direction, administration, management || **-нук** *s.* great-grandson || **-нука** *s.*, *dim.* **-нучка** *s.* (*gpl.* -чек) great-granddaughter || **-о** *s.* [b] right, justice; **быть в -е** to have the right; to be entitled to; **по -у** by right, by virtue of || **~** *ad.* truly, indeed || **-ове́д** *s.* jurist || **-ове́дение** *s.* jurisprudence || **-ове́рный** *a.* orthodox || **-ово́й** *a.* law- || **-описа́ние** *s.* orthography || **-осла́вие** *s.* orthodoxy, the true faith || **-осла́вный** *a.* orthodox || **-оспосо́бность** *s. f.* (*leg.*) capacity || **-оспосо́бный** *a.* (*leg.*) capable || **-осу́дие** *s.* administration of justice, equity || **-осу́дный** *a.* just, equitable || **-ота́** *s.* righteousness, equitableness; legality, lawfulness || **-ый** *a.* right, to the right (hand); just, upright.

прагматический *a.* pragmatic(al).
прадед *s.* great-grandfather.
празд/нество *s.* feast, festival, solemnity || **-ник** *s.* holiday, feast, festival || **-ничать** II. *vn.* to feast, to take a holiday || **-ничный** *a.* holiday-, festival- || **-нование** *s.* celebration of a feast || **-но+вать** II. *va.* (*Pf.* от-) to celebrate || **-нословие** *s.* idle talk, twaddle || **-ность** *s. f.* idleness, laziness, sloth || **-ношатающийся** *s. m.* idler, lounger, vagrant || **-ный** *a.* vacant, empty; idle, lazy; useless, empty (of words).
практик/ *s.* practitioner || **-а** *s.* practice || **-о+вать** II. [b] *vn.* to practise.
практич/еский & **-ный** *a.* practical; **-еская математика** applied mathematics *pl.*
праматерь *s. f.* [c] our first mother, the mother of the human race.
праотец *s.* (*gsg.* -тца) our first father, the father of the human race.
прапорщик *s.* (*mil.*) ensign.
прапра/бабка *s.* (*gpl.* -бок) great-great-grandmother || **-дед** *s.* great-great-grandfather.
прародитель *s. m.* forefather.
прасол *s.* wholesale cattle-jobber, fish-dealer.
прах *s.* dust; ashes *pl.* (of the dead).
прач/ечная (*as s.*) laundry || **-ка** *s.* (*gpl.* -чек) laundress, washerwoman.
праща *s.* sling.
пращур *s.* great-great-grandfather's [father.
пре/бывание *s.* stay, sojourn || **-бывать** II. *vn.* (*Pf.* -быть 49.) to stay, to remain; to sojourn, to reside || **-взойти** *cf.* **-восходить.**
превоз/могать II. *va.* (*Pf.* -мочь 15. [b 2.]) to overcome, to master, to surmount || **-нос=ить** I. 3. [c] *va.* (*Pf.* -нести & -несть 26. [a 2.]) to praise, to exalt, to extol || **-ношение** *s.* exaltation, extolling.
превос/ходительство *s.* Excellency (as a title) || **-ход=ить** I. 1. [c] *va.* (*Pf.* превзойти 48.) (кого в чём) to excel, to surpass || **-ходный** *a.* excellent, superb; **-ходная степень** (*gramm.*) superlative || **-ходство** *s.* excellence, superiority.
пре/вратность *s. f.* changeableness (of destiny), inconstancy, instability || **-вратный** *a.* changeable, inconstant; queer, unpleasant || **-вращать** II. *va.* (*Pf.* -врат=ить I. 6. [a]) to change, to convert, to turn, to transmute, to transform; to pervert, to alter; **~ в уголь** to carbonize || **-вращение** *s.* transformation, transmutation, metamorphosis; **~ в уголь** carbonization || **-вышать** II. *va.* (*Pf.* -выс=ить I. 3.) to surpass, to excel; to exceed, to go beyond (one's powers) || **-вышение** *s.* surpassing; exceeding, going beyond.
пре/града *s.* impediment, obstacle, bar; **грудобрюшная ~** (*an.*) diaphragm || **-граждать** II. *va.* (*Pf.* -град=ить I. 5. [a]) to bar, to impede, to hinder || **-грешать** II. *vn.* (*Pf.* -греш=ить I. [a]) to sin, to transgress || **-грешение** *s.* sin, transgression.
пред = **перед.**
пре/давать 39. [a 1.] *va.* (*Pf.* -дать 38.) to give up, to deliver, to hand over; to betray; **~ земле** to bury || **~ся** *vr.* to give o.s. up to; to devote o.s. (to a thing), to become addicted to || **-дание** *s.* giving up, delivery, handing over; betrayal; tradition || **-´данность** *s. f.* devotion, attachement (to) || **-´данный** *a.* devoted (in letters), attached (to) || **-датель** *s. m.* traitor || **-дательница** *s.* traitress || **-дательский** *a.* treacherous || **-дательство** *s.* treachery || **-дать** *cf.* **-давать.**
пред/варительный *a.* preliminary || **-варять** II. *va.* (*Pf.* -вар=ить II. [a]) to prevent, to precede, to anticipate; (кого о чём) to give notice, to let one know in advance || **-вестить** *cf.* **-вещать** || **-вестник** *s.*, **-вестница** *s.* precursor, forerunner, harbinger || **-вечный** *a.* eternal, everlasting (of God) || **-вещать** II. *va.* (*Pf.* -вест=ить I. 4. [a]) to predict, to forebode, to presage || **-взятый** *a.* preconceived; **-взятое мнение** preconception || **-видение** *s.* prevision, foresight || **-вид=еть** I. 1. *va.* to foresee || **-вкушать** II. *va.* (*Pf.* -вкус=ить I. 3. [c]) to have a foretaste of || **-вкушение** *s.* foretaste || **-водитель** *s. m.* leader, chief, general || **-водительство** *s.* chief command, leadership || **-водительство+вать** II. *vn.* (чем) to lead, to command, to be in command || **-вод=ить** I. 1. [c] *va.* to lead || **~** *vn.* to be in command.
преддверие *s.* vestibule, hall; portico (of churches).
предел/ *s.* bound(ary); (*geog.*) frontier; (*fig.*) limit; end of the life || **-ьный** *a.* bounding, bordering; extreme, utmost.
предержащий *a.* (*sl.*) superior, sovereign.

пред/знаменова́ние *s.* omen, presage, augury || **–исло́вие** *s.* preface, introduction, preamble || **–лага́-ть** II. *va.* (*Pf.* -лож=и́ть I. [c]) to offer, to propose || **–ло́г** *s.* pretext, pretence; (*gramm.*) preposition || **–ложе́ние** *s.* offer, proposal, proposition; (*gramm.*) sentence; (*log.*) thesis || **–ло́жный** *a.*, ~ **паде́ж** (*gramm.*) prepositional (case).

пред/ме́стный *a.* suburban, local || **–ме́стье** *s.* suburb, outskirt (of a city) || **–ме́т** *s.* object, matter; aim, view, purpose; theme, subject || **–ме́тный** *a.* objective.

предна/знача́-ть II. *va.* (*Pf.* -зна́ч=ить I.) to predestine; to fix, to appoint in advance || **–значе́ние** *s.* predestination, appointment in advance || **–ме́ренный** *a.* intended, intentional || **–черта́ние** *s.* preliminary plan, project.

пре́до *cf.* **пред** & **пе́ред.**

пре́док *s.* (*gsg.* -дка) forefather, ancestor.

предо/пределе́ние *s.* predestination; predetermination || **–определя́-ть** II. *va.* (*Pf.* -предел=и́ть II. [a]) to predestine, to predetermine || **–ставле́ние** *s.* leaving to, reserving to, reservation || **–ставля́-ть** II. *va.* (*Pf.* -ста́в=ить II. 7.) to leave to, to reserve for; ~ **в распоряже́ние** to place at the disposal of || **–стерега́-ть** II. *va.* (*Pf.* -стере́чь 15. [a 2.]) (от чего́) to warn, to caution (against) || ~**ся** *vr.* to take care, to take precautions || **–стереже́ние** *s.* warning, caution || **–сторо́жность** *s. f.* precaution, caution, wariness || **–сторо́жный** *a.* cautious, wary, circumspect || **–суди́тельный** *a.* blameworthy, reprehensible, scandalous.

предотвра/ща́-ть II. *va.* (*Pf.* -т=и́ть I. 6. [a]) to avert, to prevent, to ward off.

предохра/не́ние *s.* preservation, prevention, warding off || **–ни́тельный** *a.* preservative, preventive, safety-; ~ **кла́пан** safety-valve || **–ня́-ть** II. *va.* (*Pf.* -н=и́ть II. [a]) (от чего́) to protect, to preserve; to prevent, to avert.

пред/писа́ние *s.* prescription, prescript, instruction, order || **–пи́сыва-ть** II. *va.* (*Pf.* -пис-а́ть I. 3. [c]) to prescribe, to instruct, to order, to dictate || **–пле́чие** *s.* forearm || **–полага́емый** *a.* supposed, provided that, presumable || **–полага́-ть** II. *va.* (*Pf.* -полож=и́ть I. [c]) to suppose, to presume, to surmise; to propose, to intend; **челове́к –полага́ет, а Бог располага́ет** man proposes and God disposes || **–положе́ние** *s.* supposition, supposal, surmise, conjecture, hypothesis, presumption; purpose, intention || **–положи́тельный** *a.* suppositional, conjectural, hypothetic(al), presumptive || **–после́дний** *a.* penultimate, last but one, second last || **–посыла́-ть** II. *va.* (*Pf.* -посла́ть 40.) to send in advance, beforehand || **–почита́-ть** II. *va.* (*Pf.* -поче́сть 24. [a 2.]) to prefer, to like better || **–почте́ние** *s.* preference || **–почти́тельно** *ad.* preferably || **–почти́тельный** *a.* preferred, preferable || **–пра́здничный** *a.*, ~ **день** the eve of a festival || **–прии́мчивость** *s. f.* enterprising character, enterprising spirit || **–прии́мчивый** *a.* enterprising, go-ahead || **–принима́тель** *s. m.* enterpriser, one who undertakes || **–принима́-ть** II. *va.* (*Pf.* -приня́ть 37. [c 4.]) to undertake, to set about || **–прия́тие** *s.* undertaking, enterprise.

предрас/полага́-ть II. *va.* (*Pf.* -полож=и́ть I. [c]) to predispose (in favour of) || **–положе́ние** *s.* predisposition || **–су́док** *s.* (*gsg.* -дка) prejudice.

предрека́-ть II. *va.* (*Pf.* предре́чь 18. [a 2.]) to predict, to foretell.

председа́тель/ *s. m.* president, chairman || **–ница** *s.* chairwoman || **–ский** *a.* of the president, of the chairman || **–ство** *s.* presidency, chairmanship || **–ство+вать** II. *vn.* to preside, to be in the chair.

предсказа́/ние *s.* prophecy, prediction || **–тель** *s. m.* soothsayer, prophet || **–тельница** *s.* soothsayer, prophetess.

пред/ска́зыва-ть II. *va.* (*Pf.* -сказ-а́ть I. 1. [c]) to predict, to prophesy, to foretell || **–сме́ртный** *a.* (happening shortly) before death, death- || **–стави́тель** *s. m.*, **–стави́тельница** *s.* representative, spokesman; deputy, substitute || **–стави́тельный** *a.* representative || **–ставле́ние** *s.* representation, exhibition; (*theat.*) performance || **–ставля́-ть** II. *va.* (*Pf.* -ста́в=ить II. 7.) to present, to offer, to produce; to exhibit; to represent, to perform || ~**ся** *vr.* to present o.s., to introduce o.s. (to one); (чем) to feign, to pretend to be; ~ **больны́м** to feign illness, to pretend to be ill || **–сто=я́ть** II. [a] *vn.* to be imminent; **ему́ –сто́ит опа́сность** he is threatened with danger.

пред/те́ча *s.* forerunner, precursor (*esp.* of St. John the Baptist) || **–убежде́-**

ние *s.* bias, prejudice || **–уведомлéние** *s.* (previous) notice, notification, announcement; warning || **–уведомля́-ть** II. *va.* (*Pf.* -увéдом=ить II. 7.) (когó о чём) to inform, to notify (beforehand), to announce, to advertise || **–угáдыва-ть** II. *va.* (*Pf.* -угадá-ть II.) to guess beforehand, to foresee || **–упреждá-ть** II. *va.* (*Pf.* -упред=и́ть I. 5. [a]) to come before, to forestall, to anticipate, to prevent; to prepare; (когó о чём) to inform, to warn (in advance) || **–упреждéние** *s.* forestalling, anticipating, preventing, warning || **–усмáтрива-ть** II. *va.* (*Pf.* -усмотр=éть II. [c]) to foresee || **–усмотри́тельный** *a.* provident, foreseeing.

пред/чýвствие *s.* presentiment, foreboding || **–чýвство+вать** II. *va.* to have a presentiment, to forebode; **я –чýвствую опáсность** I have a presentiment of danger || **–шéственник** *s.*, **–шéственница** *s.* predecessor || **–шéство+вать** II. *vn.* (чемý) to antecede, to precede.

пред'/яви́тель *s. m.* presenter, producer; (*comm.*) bearer; **вéксель на –яви́теля** a bearer-check || **–явлéние** *s.* presentation; **по –явлéнии** (*comm.*) at sight || **–явля́-ть** II. *va.* (*Pf.* -яв=и́ть II. 7. [a & c]) to exhibit, to produce; (*comm.*) to present; to assert (one's claims).

предыдýщий (-ая, -ее) *a.* preceding, last.

преéм/ник *s.* heir, successor || **–ница** *s.* heiress || **–(ниче)ство** *s.* succession.

прéжде/ *ad.* before, at first, formerly, heretofore || ~ *prp.* (+ *G.*) before; ~ **всегó** above all || **–врéменность** *s. f.* prematurity, precocity || **–врéменный** *a.* premature, precocious.

прéжний *a.* previous, former, foregoing.

президéнт *s.* president.

пре/зирá-ть II. *va.* (*Pf.* -зр=éть II. [a]) to despise, to contemn, to scorn, to disdain || **–зрéние** *s.* contempt, scorn, disdain || **–зрéнный** *a.* contemptible, vile || **–зри́тельный** *a.* contemptible, despicable || **–избы́ток** *s.* (*gsg.* -тка) & **–изоби́лие** *s.* superabundance.

преимýществ/енный *a.* preeminent || **–о** *s.* prerogative, privilege, preeminence; preference, superiority.

преиспóдняя (*as s.*) the nether regions, [Hades.

прейс-курáнт *s.* current price, price-list.

пре/клонéние *s.* inclination, stooping (of the head), bending (of the knees) || **–клóнный** *a.* (к чемý) inclined, disposed (to); advanced in years || **–клоня́-ть** II. *va.* (*Pf.* -клон=и́ть II. [c]) to bend, to bow; (*fig.*) to incline, to dispose || ~**ся** *vr.* to bow; to worship.

преко/слóвие *s.* contradiction || **–слóв=ить** II. 7. *vn.* to contradict.

прекрáсный *a.* beautiful, fine, handsome; excellent.

пре/кращá-ть II. *va.* (*Pf.* -крат=и́ть I. 6. [a]) to discontinue, to break off, to leave off, to stop, to put an end to; to make up, to settle (a difference); to set (a task) || ~**ся** *vr.* to cease || **–кращéние** *s.* cessation, stoppage, discontinuation, suspension || **–лéстный** *a.* charming, delightful || **–лесть** *s. f.* charm, attraction; **э́то** ~ that is beautiful, enchanting || **–лимина́рный** *a.* preliminary || **–ломлéние** *s.* refraction || **–ломля́-ть** II. *va.* (*Pf.* -лом=и́ть II. 7. [c]) to break, to fracture; to refract (light).

прель/сти́тельный *a.* charming; tempting, seductive || **–щá-ть** II. *va.* (*Pf.* -ст=и́ть I. 4. [a]) to charm, to captivate; to seduce, to entice.

прельщéние *s.* seduction, temptation.

прéлый *a.* rotten.

прелюбодéй/ *s.* adulterer || **–ка** (*gpl.* -дéек) adulteress || **–(ствен)ный** *a.* adulterous || **–ство** *s.* adultery || **–ство+вать** II. *vn.* to commit adultery.

прелюбодея́ние *s.* adultery.

пре/лю́дия *s.* prelude || **–минýть** *cf.* **миновáть.**

премиро+вáть II. [b] *va.* (чем) to award [a prize to.

прéмия *s.* prize; premium.

премýдрый *a.* all-wise.

прене/брегá-ть II. *va.* (*Pf.* -брéчь 15. [a 2.]) (чем, что) to contemn, to disdain, to scorn, to set at naught || **–брежéние** *s.* neglect, disregard, contempt, disdain, scorn || **–брежи́тельный** *a.* disdainful, contemptuous, scornful.

прéние *s.* dispute, discussion, controversy, debate.

преоблад/áние *s.* predominance, prevalence || **–á-ть** II. *vn.* to predominate, to prevail.

преобра/жá-ть II. *va.* (*Pf.* -з=и́ть I. 1. [a]) to transform; to transfigure || **–жéние** *s.* transformation; transfiguration, glorification.

преобраз/овáние *s.* reorganization, reform || **–овáтель** *s. m.* reorganizer, reformer || **–óвыва-ть** II. *va.* (*Pf.* -о+вáть II. [b]) to reorganize, to reform.

преодо/лева́-ть II. *va.* (*Pf.* -ле́-ть II.) to surmount, to overcome, to master.
преосвяще́н/ный *a.* most eminent (in titles) || **–ство** *s.* Eminence, Grace (in titles).
препина́ние *s.* stoppage; **зна́ки –ия** punctuation marks *or* signs.
препо/дава́ние *s.* teaching, instruction || **–дава́тель** *s. m.* teacher || **–дава́ть** 39. *va.* (*Pf.* -да́ть 38.) to teach, to instruct || **–до́бие** *s.* Holiness, Reverence (in titles) || **–до́бный** *a.* holy; reverend (in titles) || **–лове́ние** *s.* the fourth Wednesday after Easter, Mid-Pentecost.
препо́на *s.* impediment, obstacle, hindrance, bar.
препо/руча́-ть II. *va.* (*Pf.* -руч=и́ть I. [a & c]) to confide, to trust, to commend.
препро/вожда́-ть II. *va.* (*Pf.* -вод=и́ть I. 1. [c]) to forward, to send, to despatch || **–вожде́ние** *s.* despatching, forwarding; passing (the time); ~ **вре́мени** pastime.
препя́тств/ие *s.* impediment, obstacle, hindrance, bar || **–о+вать** II. *vn.* (*Pf.* вос-) (кому́ в чём) to hinder, to impede, to stand in the way.
прерогати́ва *s.* prerogative.
пре́ры́в/истый, –чатый & **–чивый** *a.* broken, uneven.
пресви́тер *s.* priest.
пресека́-ть II. *va.* (*Pf.* пресе́чь 18. [a 1.]) to interrupt, to cut short; to leave off, to stop; to abolish, to do away with; to limit.
пресле́д/ование *s.* pursuit; persecution || **–ователь** *s. m.* pursuer, persecutor || **–о+вать** II. *va.* to pursue, to follow; (*leg.*) to sue.
пресловýтый *a.* illustrious, famed, renowned.
пресмык/а́ние *s.* creeping, crawling; cringing || **–а́-ться** II. *vr.* to creep, to crawl, to cringe || **–а́ющееся** (*as s.*) reptile.
пресн/ова́тый *a.* somewhat fresh (of water), rather flat; slightly leavened || **–ово́дный** *a.* fresh water- || **´–ый** *a.* fresh (of water); unleavened (of bread).
пресс/ *s.* (*tech.*) press || **´–а** *s.* the Press || **–о+ва́ть** II. [b] *va.* to press || **~-папье́** *s. indecl.* paper-weight.
престаре́л/ость *s. f.* advanced old age || **–ый** *a.* advanced in years, very old.
престо́л/ *s.* throne; altar (in Holy of Holies) || **–онасле́д(ован)ие** *s.* succession to the throne || **–ьный** *a.* altar-, throne-; ~ **го́род** capital.
престу/пле́ние *s.* transgression, violation, infringement; crime, offence || **–па́-ть** II. *va.* (*Pf.* -п=и́ть II. 7. [c]) to violate, to infringe, to break (a law) || **´–пник** *s.*, **´–пница** *s.* criminal, culprit, delinquent || **´–пный** *a.* criminal; culpable, guilty.
пресы/ща́-ть II. *va.* (*Pf.* **´–**т=ить I. 6.) to satiate, to sate, to cloy, to surfeit || **–ще́ние** *s.* satiety, glut, surfeit.
претво/ря́-ть II *va.* (*Pf.* -р=и́ть II. [a]) to change, to transform, to transmute.
претенд/е́нт *s.* pretender, aspirant, claimant, candidate || **–о+ва́ть** II. [b]) *vn.* (на что) to claim, to aspire to.
прете́нзия *s.* pretension, claim; demand; **без –ий** unassuming, unpretending.
претер/пева́-ть II. *va.* (*Pf.* -п=е́ть II. 7. [c]) to suffer, to bear, to endure, to undergo.
преткнове́ние *s.* stumbling; hindrance, impediment, obstacle.
пре-ть II. [b] *vn.* (*Pf.* взо-) to perspire, to sweat; (*Pf.* со-) to rot; (*Pf.* по-) to stew.
преувели́/чение *s.* exaggeration || **–чива-ть** II. *va.* (*Pf.* -ч=ить I.) to exaggerate.
преус/пева́-ть II. *vn.* (*Pf.* -пе́-ть II.) to progress, to advance, to succeed, to prosper, to thrive, to get on.
префе́кт/ *s.* prefect || **–у́ра** *s.* prefecture.
префера́нс *s.* preference (game of cards).
при/ *prp.* (+ *Pr.*) near, at, on, by; before, in the presence of; under, in the reign of, in the time of; ~ **всём том** notwithstanding, after all || **–ба́вка** *s.* (*gpl.* -вок) & **–бавле́ние** *s.* addition, augmentation, supplement (of a periodical) || **–бавля́-ть** II. *va.* (*Pf.* –ба́в=ить II. 7.) to add, to subjoin, to augment, to supply; ~ **ша́гу** to quicken one's pace || **~ся** *vr.* to increase (of days, the moon, etc.) || **–ба́вочка** *s.* (*gpl.* -чек) small addition, adjunct, supplement || **–ба́вочный** *a.* additional, supplementary || **–бау́тка** *s.* (*gpl.* -ток) witticism, sally; adage || **–бега́-ть** II. *vn.* (*Pf.* -бежа́ть 46.) to run to, to come running to; (*Pf.* -бе́гн-уть I. 5.) (к + *D.*) to have recourse to, to apply to || **–бе́жище** *s.* recourse, refuge, asylum || **–берега́-ть** II. *va.* (*Pf.* -бере́чь 15. [a 2.]) to keep, to preserve, to reserve, to spare || **´–бережный** *a.* near the coast, littoral || **´–бережье** *s.* coast, coastland, shore || **–бива́-ть** II. *va.* (*Pf.* -би́ть 27. [a 1.])

to fix, to fasten, to nail on; to beat down (of hail) || **–би́вка** *s.* (*gpl.* -вок) nailing on, fastening || **–бира́-ть** II. *va.* (*Pf.* -бра́ть 8. [a 3.]) to arrange, to put in order; to fit, to match, to suit; ~ (что) **к рука́м** to appropriate || **–близа́-ть** II. *va.* (*Pf.* -бли́з=ить I. 1.) to bring near || **~ся** *vr.* to approach, to draw near || **–приближе́ние** *s.* approach; (*math.*) approximation || **–ближённый** *a.* (к кому́) on familiar terms (with) || **–бли-зи́тельность** *s. f.* approximation || **–близи́тельный** *a.* approximate.

при/бо́й *s.* surf, breakers *pl.* || **–бо́р** *s.* apparatus, implements *pl.*, gear, set; knife and fork; **ча́йный ~** tea-things; **пи́сь-менный ~** writing materials *pl.* || **–бра́ть** *cf.* **–бира́ть** || **–бре́жный,** etc. *cf.* **⁄бережный** || **–быва́-ть** II. *vn.* (*Pf.* -бы́ть 49.) to arrive, to come; to grow, to increase, to rise (of water) || **⁄быль** *s. f.* gain, profit, benefit; increase, rise || **–бы́тие** *s.* arrival || **–бы́ток** *s.* (*gsg.* -тка) gain, profit || **–бы́ть** *cf.* **–быва́ть.**

при/ва́жива-ть II. *va.* (*Pf.* -ва́д=ить I. 1.), **~ к рука́м** to tame, to habituate, to accustom to (of birds) || **–ва́л** *s.* halt, halting-place || **–ва́лива-ть** II. *va.* (*Pf.* -вал=и́ть II. [a & c]) to roll; to reach, to arrive at; to crowd || **–ва́р** *s.* & **–ва́рок** *s.* (*gsg.* -рка) trimmings *pl.*; addition to a ration (for soldiers).

приват/-доце́нт *s.* assistant professor; unpaid university lecturer || **⁄ный** *a.* private.

при/веде́ние *s.* leading up, bringing || **–везти́** & **–ве́зть** *cf.* **–вози́ть** || **–ве-ре́дливый** *a.* capricious, exacting || **–ве́рженец** *s.* (*gsg.* -нца) & **–ве́рже-ник** *s.*, **–ве́рженица** *s.* partisan, adherent, follower || **–ве́рженность** *s. f.* attachment, adherence || **–ве́рженный** *a.* attached to, devoted to || **–ве́с** *s.* overweight || **–ве́сить** *cf.* **–ве́шивать** || **–вести́** *cf.* **–води́ть.**

приве́т/ *s.* good reception, welcome, greeting || **–ливость** *s. f.* affability, courteousness, friendliness, politeness || **–ливый** *a.* courteous, friendly, affable || **–ственный** *a.* welcoming, of welcome || **–ствие** *s.* kind reception, greeting, welcome, welcoming || **–ство+вать** II. *va.* to welcome, to greet.

при/ве́шива-ть II. *va.* (*Pf.* -ве́с=ить I. 3.) to hang to, to attach to, to append; to add to the weight || **–вива́ние** *s.* & **–ви́вка** *s.* (*gpl.* -вок) grafting; inoculation; **~ о́спы** vaccination || **–вива́-ть** II. *va.* (*Pf.* -ви́ть 27. [a 3.]) to graft, to ingraft; to inoculate || **–виде́ние** *s.* apparition, ghost, spectre, phantom || **–ви́д=еться** I. 1. *v.imp.* to appear (in a dream).

привиле́г/ия *s.* privilege || **–иро́ванный** *a.* privileged, licensed.

при/ви́нчива-ть II. *va.* (*Pf.* -винт=и́ть I. 2. [a]) to screw on, onto || **–ви́тие** = **–вива́ние** || **–ви́ть** *cf.* **–вива́ть** || **–влека́тельность** *s. f.* attractiveness, attraction, charm || **–влека́тельный** *a.* attractive, alluring, charming || **–вле-ка́-ть** II. *va.* (*Pf.* -вле́чь 18. [a 2.]) to attract, to draw; **~ к суду́** to bring before a court || **–влече́ние** *s.* attracting, drawing near || **–во́д** *s.* leading along; transmission || **–вод=и́ть** I. 1. [c] *va.* (*Pf.* -вести́ & -ве́сть 22. [a 2.]) to bring, to lead up; to put, to throw (*e. g.* into ecstasy); to cite, to quote, to name; **~ в поря́док** to set in order; **~ к прися́ге** to put on oath || **~ся** *v.imp.* to happen, to chance || **–во́з** *s.* import, importation (of merchandise) || **–воз=и́ть** I. 1. [c] *va.* (*Pf.* -везти́ & -ве́зть 25. [a 2.]) to bring, to convey, to carry (in a conveyance); to import.

приво́ль/е *s.* comfortable life || **–ный** *a.* comfortable, pleasing.

привор/а́жива-ть II. *va.* (*Pf.* -ож=и́ть I. [a]) to bewitch || **–о́тный** *a.* magic(al), bewitching.

при/вра́тник *s.* porter, door-keeper || **–выка́-ть** II. *vn.* (*Pf.* -вы́кнуть 52.) (к чему́) to accustom o.s. to, to grow accustomed to || **–вы́чка** *s.* (*gpl.* -чек) habit, custom, use || **–вы́чный** *a.* habitual, usual, customary.

привя́/занный *a.* attached to, devoted to || **–за́ть** *cf.* **–зывать** || **–зка** *s.* (*gpl.* -зок) tying, binding; tie, band || **–зчи-вый** *a.* quarrelsome || **–зыва-ть** II. *va.* (*Pf.* -з-а́ть I. 1. [c]) (к чему́) to tie, to bind, to attach (to) || **~ся** *vr.* (к кому́) to stick, to adhere to, to attach, to devote o.s. to; to wrangle, to cavil.

при́вязь *s. f.* tie, band, string; tether (for cattle).

при/гвожда́-ть II. *va.* (*Pf.* -гвозд=и́ть I. 1. [a]) to nail on || **–гиба́-ть** II. *va.* (*Pf.* -гн-у́ть I. [a]) to bend (in, down, up), to fold || **–гласи́тельный** *a.* of invitation || **–глаша́-ть** II. *va.* (*Pf.* -глас=и́ть I. 3. [a]) to invite, to ask || **–глаше́ние** *s.* invitation || **–гля́дный** *a.* sightly, comely || **–гля́дыва-ть** II. *vn.* (*Pf.* -гляд=е́ть I. 1. [a] & -глян-у́ть I [c]) (за чем) to look after, to take care of || **~ся** *vn.* to see too much of || **–гна́ть** *cf.* **–гоня́ть** || **–гну́ть** *cf.* **–гиба́ть** || **–гова́рива-ть** II. *va.* (*Pf.* -говор=и́ть II. [a]) to add; (кого́ к чему́) to condemn, to sentence || **´–гово́р** *s.* decree, judgment, sentence || **–годи́ться** *cf.* **годи́ться** || **–го́дность** *s. f.* utility, usefulness, fitness || **–го́дный** *a.* useful, suitable, fit || **–го́жий** (-ая, -ее) *a.* comely, pretty || **–голу́бить** *cf.* **голу́бить** || **–го́н** *s.* bringing up in droves (of cattle) || **–го́нка** *s.* (*gpl.* -нок) fitting, adjusting || **–гоня́-ть** II. *va.* (*Pf.* -гна́ть 11. [c 3.]) to drive up (cattle); to float (wood); to fit (together), to adjust.

при/горе́лый *a.* scorched, slightly burnt (of bread) || **´–город** *s.* suburb; country-town || **´–городный** *a.* suburban || **–го́рок** *s.* (*gsg.* -рка) hill, hillock || **´–горшни** *s. fpl.* full of one's two hands, the two hands cupped together || **–горю́нива-ться** II. *vn.* (*Pf.* -горю́н=иться II.) to grieve, to sorrow, to become sad *or* dejected.

пригот/а́влива-ть II. *va.* = **–готовля́ть** || **–ови́тельный** *a.* preparatory || **–овле́ние** *s.* preparation, preparing || **–овля́-ть** II. *va.* (*Pf.* -о́в=ить II. 7.) to prepare, to dress (food), to make ready || **~ся** *vr.* to prepare o.s. for, to get ready.

при/гре́зиться *cf.* **гре́зить** || **–грози́ть** *cf.* **грози́ть.**

при/дава́ть 39. *va.* (*Pf.* -да́ть 38. [a 3.]) to add, to subjoin, to augment; to give, to inspire (courage, etc.) || **–да́влива-ть** II. *va.* (*Pf.* -дав=и́ть II. 7.) to press close, to squeeze to; **~ па́лец** to get one's finger jammed || **–да́ное** (*as s.*) dowry, marriage-portion || **–да́ток** *s.* (*gsg.* -тка) addition, supplement || **–да́точный** *a.* additional, supplementary || **–да́ть** *cf.* **–дава́ть** || **–да́ча** *s.* addition, increase; **в –да́чу** in addition, to boot, into the bargain.

при/две́рный *a.* (placed) at the door || **–двига́-ть** II. *va.* (*Pf.* -дви́н-уть I.) to move near, to push near || **–дво́рный** *a.* (royal) court- || **~** (*as s.*) Officer of the Court, courtier.

при/де́л *s.* chapel, side-altar || **–де́лыва-ть** II. *va.* (*Pf.* -де́ла-ть II.) to fix, to fasten, to attach (to); to put, to join to || **–де́ржива-ть** II. *va.* (*Pf.* -держ=а́ть I. [c]) to hold, to sustain; to hold back, to detain || **~ся** *vr.* (за что) to hold on to; (чего́) to follow, to stick (to an opinion, a system, etc.).

при/дира́-ться II. *va.* (*Pf.* -дра́ться 8. [a 3.]) (к кому́) to pick a quarrel (with); (к чему́) to cavil, to nag at.

приди́р/ка *s.* (*gpl.* -рок) quarrelling; cavil, nagging, chicanery || **–чивый** *a.* captious, quarrelsome || **–щик** *s.* squabbler, quarrelsome person.

при/доро́жный *a.* on the roadside, roadside- || **–дра́ться** *cf.* **–дира́ться.**

придти́ *cf.* **приходи́ть.**

при/ду́мыва-ть II. *va.* (*Pf.* -ду́ма-ть II.) to think (out), to devise, to imagine, to contrive, to meditate (on) || **´–дурь** *s. f.* silliness, touch of madness; eccentricity || **–душ=и́ть** I. [c] *va. Pf.* to strangle, to choke outright; to quench (a fire) || **–дыха́ние** *s.* (*gramm.*) aspiration || **–дыха́тельный** *a.*, **~ звук** *or* **–дыха́тельная** (*as s.*) (*gramm.*) aspirate.

при/еда́-ть II. *va.* (*Pf.* -е́сть 42. [a]) to eat up (all), to devour || **–е́зд** *s.* arrival || **–езжа́-ть** II. *vn.* (*Pf.* -е́хать 45. [b]) to come, to arrive (other than on foot) || **–е́зжий** (-ая, -ее) (*as s.*) newcomer, stranger (who has arrived by car).

приём/ *s.* reception, receiving, dose; manner, deportment, way; (*mil.*) manual exercise || **–ка** *s.* (*gpl.* -мок) receiving, reception || (**é**)**–ник** *s.* (*chem.*) receiver, recipient || **–ный** *a.* reception-; **~ оте́ц** foster-father || **–ная** (*as s.*) drawing-room, reception-room || **–щик** *s.* receiver || **–ыш** *s.* an adopted child, foster-child.

при/е́сть *cf.* **–еда́ть** || **–жа́ть** *cf.* **–жима́ть** || **–же́чь** *cf.* **–жига́ть.**

прижив/а́лец *s.* (*gsg.* -льца) & **–а́льщик** *s.*, **–а́лка** *s.* (*gpl.* -лок) hanger-on || **–а́-ть** II. *va.* (*Pf.* прижи́ть 31. [a 4.]) to beget, to have (children) || **~** *vn.* (у кого́) to be on a visit to || **~ся** *vr.* to accustome o.s. (to one's surroundings), to become acclimatized; (*bot.*) to grow, to thrive.

при/жига́-ть II. *va.* (*Pf.* -же́чь 16. [a 2.]) to burn (up, out), to scorch; to cauterize (a wound) || **–жима́-ть** II. *va.* (*Pf.* -жа́ть 18. [a 1.]) to press (to), to squeeze; to oppress, to vex || **–жи́мка** *s.* (*gpl.* -мок) chicanery, oppression, cavilling || **–жи́ть** *cf.* **–жива́ть.**

приз *s.* prize (in competitions); (*mar.*) prize, capture.

приза/... with verbs indicates "a little, somewhat" || **–ду́мыва-ться** II. *vn.*

(*Pf.* -ду́ма-ться II.) (над чем) to be absorbed in, to become thoughtful, to be rather pensive.

при/зва́ние *s.* vocation, calling, mission **ˊзванный** *a.* able, qualified for, fit; called || **–зва́ть** *cf.* **–зыва́ть.**

призе́мистый *a.* stubby, of low stature.

при́зм/а *s.* prism || **–ати́ческий** *a.* prismatic(al).

при/знава́ть 39. *va.* (*Pf.* -зна́-ть II. [b]) to acknowledge, to own || **~ся** *vr.* (в чём) to confess, to avow; ~ (**сказа́ть**) frankly speaking, to tell the truth . . . || **ˊзнак** *s.* sign, token, indication, mark || **–зна́ние** *s.* confession, acknowledgment, avowal || **–зна́тельность** *s. f.* gratitude, thankfulness || **–зна́тельный** *a.* grateful, thankful.

при/зово́й *a.* prize- || **–зо́р** *s.* care, guardianship || **ˊзрак** *s.* vision, apparition, phantom || **ˊзрачный** *a.* imaginary, illusory, visionary, fantastic(al) || **–зрева́-ть** II. *va.* (*Pf.* -зр=е́ть II. [a]) to take care of, to provide for || **–зре́ние** *s.* care, provision (for).

при/зы́в *s.* call, citation, summons || **–зыва́-ть** II. *va.* (*Pf.* -зва́ть 10. [a 3.]) to call, to call upon, to summon; to invoke.

при́иск *s.* a find; (*min.*) mine; **золоты́е –и** gold-mine.

прии́с/кива-ть II. *va.* (*Pf.* -к-а́ть I. 4. [c]) to seek, to search for; to find out.

прийти́ *cf.* **приходи́ть.**

прика́/з *s.* order, command || **–за́ние** *s.* order, direction, instruction, injunction || **–за́ть** *cf.* **–зывать** || **–зчик** *s.* clerk, assistant (in a business) || **–зыва-ть** II. *va.* (*Pf.* -з-а́ть I. 1. [c]) to order, to command, to bid, to summon; ~ **до́лго жить** to die; **что прика́жете?** what can I do for you?

при/ка́лыва-ть II. *va.* (*Pf.* -кол-о́ть II. [c]) to fasten (with pins) || **–каса́-ться** II. *vc.* (*Pf.* -косн-у́ться I. [a]) (чего́, к чему́) to touch; (*fig.*) to attack || **–ка́тыва-ть** II. *va.* (*Pf.* -кат=и́ть I. 2. [c]) to roll towards, to roll up to || **–ка́щик** = **–ка́зчик** || **–ки́дыва-ть** II. *va.* (*Pf.* -кида́-ть II. & -ки́н-уть I.) to throw to, in, to add; to try on (a dress); to verify a weighing; to expose (a child) || **~ся** *vr.* to feign, to pretend || **–кла́д** *s.* trimmings *pl.* (for a dress); (*mil.*) butt (-end) || **–кладно́й** *a.* mixed, added; applied, practical || **–кла́дыва-ть** II. *va.* (*Pf.* -лож=и́ть I. [c]) to annex, to apply, to join, to add; to enclose; to set, to put, to affix (a seal, etc.) || **~ся** *vr.*, ~ **ружьё́м** to take aim at; ~ **ко кресту́** to kiss the cross || **–кле́ива-ть** II. *va.* (*Pf.* -кле́=ить II. [a & b]) to glue to, to paste to || **–кле́йка** *s.* glueing to, pasting on; piece pasted on || **–клоня́-ть** II. *va.* (*Pf.* -клон=и́ть II. [a]) to incline, to bend, to bow || **–ключа́-ться** II. *vr.* (*Pf.* -ключ=и́ться I. [a]) to happen, to occur || **–ключе́ние** *s.* event, occurrence, adventure; **иска́тель –ключе́ний** adventurer || **–ко́выва-ть** II. *va.* (*Pf.* -ко+ва́ть II. [a]) to forge on to; to chain; (*fig.*) to engross, to attract, to captivate || **–коко́шить** *cf.* **коко́шить** || **–кола́чива-ть** II. *va.* (*Pf.* -колот=и́ть I. 2. [c]) to nail to; to give a sound drubbing to || **–коло́ть** *cf.* **–ка́лывать** || **–командиро́выва-ть** II. *va.* (*Pf.* -командиро+ва́ть II. [b]) to attach.

прикосн/ове́ние *s.* contact, touch || **–ове́нность** *s. f.* (к + *D.*) contiguity; participation, implication || **–ове́нный** *a.* (к + *D.*) adjacent, adjoining, contiguous; participating (in) || **–у́ться** *cf.* **прикаса́ться.**

при/кра́са *s.* embellishment; ornament **–кра́шива-ть** II. *va.* (*Pf.* -кра́с=ить I. 3.) to embellish, to adorn, to beautify, to decorate; (*fig.*) to palliate || **–крепле́ние** *s.* fastening || **–крепля́-ть** II. *va.* (*Pf.* -креп=и́ть II. 7. [a]) to fasten, to fix (to) || **–крыва́-ть** II. *va.* (*Pf.* -кры́ть 28. [b 1.]) to cover, to screen; to defend, to protect || **–кры́тие** *s.* cover, screen; escort, convoy.

при/купа́-ть II. *va.* (*Pf.* -куп=и́ть II. 7. [c]) to buy up (all), to purchase more *or* in addition; to buy, to take (at cards) || **–ку́пка** *s.* (*gpl.* -пок) additional purchase; buying up; buying in (at cards) || **–купно́й** *a.* bought in addition; buying || **–ку́ска** *s.* (*gpl.* -сок) biting in addition; **пить чай в –ку́ску** to drink tea unsugared, but while holding a lump of sugar in the mouth || **–ку́сыва-ть** II. *va.* (*Pf.* -кус=и́ть I. 3. [c]) to take a bite of something along with; ~ **язы́к** to bite one's tongue.

при/ла́вок *s.* (*gsg.* -вка) counter || **–лага́тельное** *a.*, (**и́мя**) ~ (*gramm.*) adjective || **–лага́-ть** II. *va.* (*Pf.* -лож=и́ть I. [c]) to add, to join to; to subjoin, to enclose (in a letter) || **–ла́жива-ть** II. *va.* (*Pf.* -ла́д=ить I. 1.) to adjust, to adapt, to fit (to) || **–ласка́ть** *cf.* **ласка́ть** || **–лега́-ть** II. *vn.* (к чему́) to adjoin, to be adjacent to, to be contiguous (to), to border (upon); to put (against), to lean (against *e. g.* the wall) || **–лежа́ние** *s.* diligence, assiduity, application || **–ле́жный** *a.* diligent, assiduous, studious || **–лёт** *s.* flight, arrival of birds || **–лета́-ть** II. *vn.* (*Pf.* -лет=е́ть I. 2. [а]) to fly to, to come flying.

при/ли́в *s.* flow, confluence; flood; **~ и отли́в** ebb and flow || **–лива́-ть** II. *va.* (*Pf.* -ли́ть 27. [а 3.]) to pour to, to pour more || **~** *vn.* to rush, to flow (to); (*fig.*) to crowd in (upon); to mount (to one's head) || **–ли́зыва-ть** II. *va.* (*Pf.* -лиз-а́ть I. 1. [с]) to lick at, to lick (clean) || **~ся** *vr.* to smooth one's hair; (к кому́) to ingratiate o.s. (with) || **–липа́-ть** II. *vn.* (*Pf.* -ли́пнуть 52.) to stick, to cleave, to cling, to adhere (to); to be catching, to be communicated (of a disease) || **–ли́пчивость** *s. f.* contagiousness, infectiousness || **–ли́пчивый** *a.* contagious, catching, infectious || **–ли́ть** *cf.* **–лива́ть.**

прили́ч/ество+вать II. *vn.* to be becoming, to be fitting || **–ие** *s.* decency, decorum, propriety, seemliness || **–ный** *a.* decent, proper, becoming, seemly.

при/ложе́ние *s.* putting to, setting; application; affixing (*e. g.* a seal); addition, enclosure (in letters); supplement (to books); (*gramm.*) apposition; **с –ложе́нием ...** enclosing ... || **–ложи́ть** *cf.* **–кла́дывать** & **–лага́ть** || **–луча́-ть** II. *va.* (*Pf.* -луч=и́ть I. [а & с]) to attract, to allure, to decoy.

прильну́ть *cf.* **льну́ть.**

при́ма *s.* (*mus.*) first violin; string **a**, chord **la**; (*comm.*) prime bill (of exchange).

при/ма́зыва-ть II. *va.* (*Pf.* -ма́з-ать I. 1.) to paste to, to cement; to oil, to pomade || **–мани́ть** *cf.* **мани́ть** || **–ма́нка** *s.* (*gpl.* -нок) allurement, attraction; decoy, bait || **–ма́нчивый** *a.* attractive, alluring, enticing || **–ма́чива-ть** II. *va.* (*Pf.* -моч=и́ть I. [с]) to moisten, to wet (on the outside).

приме/не́ние *s.* comparison; application, adaptation || **–ни́мость** *s.f.* applicability, adaptability || **–ни́мый** *a.* comparable; applicable, adaptable, appliable (to) || **–ни́тельность = –ни́мость** || **–ни́тельный = –ни́мый** || **–ня́-ть** II. *va.* (*Pf* -н=и́ть II. [а & с]) (что к чему́) to compare (with), to refer (to); to adapt, to apply, to put in practice || **~ся** *vr.* (к чему́) to conform (to), to comply (with).

приме́р *s.* example, model, pattern; precedent; **показа́ть** (над кем) **~** to set an example; **на ~** for instance, for example.

при/мерза́-ть II. *vn.* (*Pf.* -мёрзнуть 52.) (к + *D.*) to freeze to; to perish with the frost (of plants) || **–ме́рива-ть** & **–меря́-ть** II. *va.* (*Pf.* -ме́р=ить II.) to try on || **–ме́рка** *s.* (*gpl.* -рок) trying on, try-on || **–ме́рность** *s. f.* exemplariness || **–ме́рный** *a.* exemplary; approximate, rough; sham (*e. g.* of a fight) || **–меря́ть** *cf.* **–ме́ривать.**

при́месь *s. f.* admixture, alloy.

приме́т/а *s.* sign, mark, characteristic || **–ить** *cf.* **примеча́ть** || **–ливость** *s. f.* attention, attentiveness || **–ливый** *a.* attentive, careful || **–ный** *a.* visible, perceptible, evident.

приме/ча́ние *s.* note, foot-note || **–ча́тельность** *s. f.* remarkableness, notableness || **–ча́тельный** *a.* remarkable, notable || **–ча́-ть** II. *va.* (*Pf.* -́т=ить I. 2.) to remark, to observe, to notice, to pay attention to; (за кем) to watch over.

при/ме́шива-ть II. *va.* (*Pf.* -меша́-ть II.) to add in kneading, to mix in with, to intermix, to mingle || **–мире́ние** *s.* reconciliation, peacemaking || **–мири́тель** *s. m.* reconciler, peacemaker || **–мири́тельный** *a.* conciliatory || **–миря́-ть** II. *va.* (*Pf.* -мир=и́ть II. [а]) to reconcile || **–мкну́ть** *cf.* **–мыка́ть** || **–мо́рский** *a.* maritime, seaside- || **–мочи́ть** *cf.* **–ма́чивать** || **–мо́чка** *s.* (*gpl.* -чек) moistening, wetting; compress; wash (for the eyes, etc.).

при/мч=а́ть I. [а] *va. Pf.* to bring along quickly || **~ся** *vn.* to run, to drive, to gallop along quickly || **–мыва́-ть** II. *va.* (*Pf.* -мы́ть 28.) to wash ashore; to flow, to float (against); to wash out (all) || **–мыка́-ть** II. *va.* (*Pf.* -мкн-у́ть I. [а]) (к чему́) to join on to; to close (a door), to shut tightly; to fix (bayonets) || **~** *vn.* & **~ся** *vn.* to join, to adjoin.

принад/леж=а́ть I. [а] *vn.* (кому́) to belong, to appertain (to) || **–ле́жность** *s. f.* attribute; appurtenance, belonging(s); (*in pl.*) utensils, parts *pl.*; (*leg.*) competence.

принево́ливать *cf.* **нево́лить.**

принесéние *s.* bringing, producing; ~ **присяги** taking an oath.
при/нести́, -нéсть *cf.* **-носи́ть.**
при/никá-ть II. *vn.* (*Pf.* -ни́кнуть 52.) to stoop, to bow down, to cower; (к + *D.*) to nestle closely to || **-нимá-ть** II. *va.* (*Pf.* -ня́ть 37. [c 4.], *Fut.* -мý, ∠мешь) to receive, to accept, to take; ~ **мéры** to take measures; ~ (когó) **за сы́на** to adopt; ~ **во внимáние** to take into account; ~ (что) **на себя́** to take on o.s., to assume; ~ **учáстие** (в чём) to take part in, to participate in || ~**ся** *vr.* (за что) to undertake, to set about; to commence, to begin || **-норáвлива-ть** II. *va.* (*Pf.* -норов=и́ть II. 7. [a & c]) to adjust, to fit (to); (*fig.*) to adapt || ~**ся** *vr.* (к чемý) to conform, to adapt o.s. to || **-нос=и́ть** I. 3. [c] *va.* (*Pf.* -нести́ & -нéсть 26. [a 2.]) to bring, to fetch; to bring in, to yield, to produce; to lodge, to prefer (a complaint); to take (an oath); to give, to return (thanks) || **-ношéние** *s.* offering, present, gift || **-нуди́тельный** *a.* compulsory || **-нуждá-ть** II. *va.* (*Pf.* -нýд=ить I. 1.) to compel, to force, to oblige || **-нуждéние** *s.* constraint, compulsion, force || **-нуждённость** *s. f.* constraint, stiffness, affectation || **-нуждённый** *a.* constrained, affected, stiff.
принц/ *s.* prince || **-éсса** *s.* princess || ∠**ип** *s.* principle || **-ипиáльный** *a.* on principle.
приня́т/ие *s.* reception, acceptation, admission || **-ь** *cf.* **принимáть.**
прио/бодря́-ть II. *va.* (*Pf.* -бодр=и́ть II. [a & b]) to encourage (one), to inspire (one) with courage || **-бодрéние** *s.* encouragement || **-бретáтель** *s. m.* acquirer || **-бретá-ть** II. *va.* (*Pf.* -брести́ & -брéсть 23. [a 2.], *Pret.* -брёл) to acquire, to obtain, to gain, to win, to get || **-бретéние** *s.* acquiring, acquisition, gain || **-бщá-ть** II. *va.* (*Pf.* -бщ=и́ть I. [a]) to unite, to join, to add, to associate; to incorporate; to administer (communion) || **-бщéние** *s.* subjoining, addition; incorporation; communion.
при́ор/ *s.* prior || **-итéт** *s.* priority.
приосá/нива-ться II. *vr.* (*Pf.* -н=иться II.) to assume a dignified air.
приостан/áвлива-ть II. & **-овля́-ть** II. *va.* (*Pf.* -ов=и́ть II. 7. [a & c]) to stop a little, to suspend a while || ~**ся** *vr.* to stand still, to stop, to cease || **-óвка** *s.* (*gpl.* -вок) & **-овлéние** *s.* stop, suspension.
приохó/чива-ть II. *va.* (*Pf.* -т=ить I. 2.) (когó к чемý) to inspire with a desire for || ~**ся** *vr.* (к чемý) to get a desire for something.
при/падá-ть II. *vn.* (*Pf.* -пáсть 22. [a 1.]) to fall down; to seize, to befall (one); to be indisposed; ~ **к ногáм** to fall on one's knees, to kneel down || **-пáдок** *s.* (*gsg.* -дка) attack, fit, paroxysm; touch (of fever, etc.) || **-пáива-ть** II. *va.* (*Pf.* -пая́-ть II.) to solder to || **-пáйка** *s.* (*gpl.* -пáек) soldering on; thing soldered on || **-пáрка** *s.* (*gpl.* -рок) fomentation; poultice || **-пáс** *s.* store, supply, provision, stock; **с'естны́е -пáсы** victuals, provisions *pl.*; **боевы́е -пáсы** ammunition || **-пасá-ть** II. *va.* (*Pf.* -пасти́ 26. [a 2.]) to lay in a store *or* a supply of; to procure, to provide o.s. (with) || **-пасéние** *s.* laying in a store, procuring || **-пáсть** *cf.* **-падáть** || **-пая́ть** *cf.* **-пáивать** || **-пéв** *s.* accompaniment; burden, refrain (of a song) || **-певá-ть** II. *va.* to accompany (with the voice), to sing (with one), to join in singing; **жить -певáючи** to live a cheerful life.
припёк/ *s.* sunny side, part exposed to the sun; sunstroke; burnt part (of bread); increase in weight (of a baked piece of bread).
при/пекá-ть II. *va.* (*Pf.* -пéчь 18. [a 2.]) to stick to the pan (in baking), to burn (in baking); to burn (of the sun) || **-печáтыва-ть** II. *va.* (*Pf.* -печáта-ть II.) to print (in addition), to insert || **-пирá-ть** II. *va.* (*Pf.* -перéть 14. [a 2.]) to close lightly; to press, to thrust against *or* close.
припи́/ска *s.* (*gpl.* -сок) postscript; rider (of a law); codicil (of a will) || **-снóй** *a.* added (as a postscript); counted in, incorporated || **-сыва-ть** II. *va.* (*Pf.* -с-áть I. 3. [c]) to add (in writing); to count in, to incorporate, to enrol.
при/плáта *s.* additional payment || **-плáчива-ть** II. *va.* (*Pf.* -плат=и́ть I. 2. [c] 2nd *sg. etc. pron.* -плóтишь) to pay in addition, to pay all (of debts) || **-плетá-ть** II. *va.* (*Pf.* -плести́ & -плéсть 23. [a 2.]) to plait to, to interweave; (когó к чемý) to implicate, to involve || ~**ся** *vr.* to be deeply implicated in.
приплóд/ *s.* increase (of cattle); brood || **-ный** *a.* brood-, for breeding.
при/плывá-ть II. *vn.* (*Pf.* -плы́ть 31. [a

3.]) to swim up to, to sail up to || **-плю́щива-ть** II. *va.* (*Pf.* -плю́сн-уть I.) to flatten out || **-пля́сыва-ть** II. *vn.* to dance (to a tune, to music) || **-поднима́-ть** II. *va.* (*Pf.* -подня́ть 37. [b 4.]) to raise, to lift (a little); to draw up a little (*e. g.* a curtain); to tuck up (the dress); to build (somewhat higher); to hoist (a sail) || **~ся** *vr.* to rise, to get up; to sit up (in bed); to shoot up || **-ползá-ть** II. *vn.* (*Pf.* -ползти́ & -по́лзть 25. [a 2.]) to crawl, to creep along to; **~ ползко́м** to come creeping along on all fours || **-помина́-ть** II. *va.* (*Pf.*-по́мн=ить II.) to remind, to put in mind of; to remember, to recollect.

припра́/ва *s.* seasoning, condiment, flavouring || **-вка** *s.* (*gpl.* -вок) & **-вле́ние** *s.* preparation; making ready, dressing (of food) || **-вля́-ть** II. *va.* (*Pf.* -в=ить II. 7.) to prepare, to make ready, to dress (of food); to season, to spice, to flavour.

припре́чь = припря́чь.

при/пры́гива-ть II. *vn.* (*Pf.* -пры́га-ть II. & -пры́гн-уть I.) to jump, to skip, to hop up to, to caper || **-пры́жка** *s.* (*gpl.* -жек) skipping, hopping || **-пряга́-ть** II. *va.* (*Pf.* -пря́чь [*pron.* -пре́чь] 15. [a 2.], *Pret.* -пря́г [*pron.* -прёг]) to harness to, to put to || **-пря́жка** *s.* (*gpl.* -жек) harnessing to; traces *pl.*, side-traces, harness (of the side-horse) || **-пряжно́й** *a.* harnessed to (in addition); **-пряжна́я ло́шадь** side-horse, by-horse || **-пря́тыва-ть** II. *va.* (*Pf.* -пря́т-ать I. 2.) to hide, to secrete carefully || **-пря́чь** *cf.* **-пряга́ть.**

при́пу/ск *s.* letting in; making longer *or* broader (a dress) || **-ска́-ть** II. *va.* (*Pf.* -ст=и́ть I. 4. [c]) to let in; to make longer *or* broader (a dress).

припу́/тыва-ть II. *va.* (*Pf.* -та-ть II.) to entangle, to embroil, to involve.

при/ра́внива-ть II. *va.* (*Pf.* -равня́-ть II.) to fill up, to level; (*Pf. also* -равн=и́ть II.) to equalize || **-раста́-ть** II. *vn.* (*Pf.* -расти́ 35. [a 2.]) (к чему́) to adhere to, to grow onto, to accrue; to increase || **-раща́-ть** II. *va.* (*Pf.* -раст=и́ть I. 4. [a]) to cause to grow to; to augment, to increase || **-раще́ние** *s.* augmentation, increase || **-ревнова́ть** *cf.* **ревнова́ть** || **-ре́зыва-ть** II. *va.* (*Pf.* -ре́з-ать I. 1.) to cut, to fit to; to add in; to kill (in large quantities) || **-ре́чный** *a.* (situated) near a river, riverside- || **-ро́да** *s.* nature || **-ро́дный** *a.* natural; of birth, by birth, innate || **-рождённый** *a.* inborn, innate || **-ро́слый** *a.* grown onto, excrescent || **-ро́ст** *s.* increase, growth || **-рости́ = -расти́** || **-рости́ть = -расти́ть.**

при/са́жива-ть II. *va.* (*Pf.* -сад=и́ть I. 1. [a & c]) (кого́ за что) to make to sit down to (work); to plant, to lay (in addition to) || **-сва́тыва-ть** II. *va.* (*Pf.* -сва́та-ть II.) (кому́) to make up a match for || **~ся** *vr.* (к кому́) to pay one's addresses to, to court, to woo, to ask in marriage || **-сви́стыва-ть** II. *vn.* (*Pf.* -сви́сн-уть I.) to accompany with whistling, to whistle now and then.

при/свое́ние *s.* appropriation, usurpation || **-сво́ива-ть** II. *va.* (*Pf.* -сво́=ить II.) (себе́) to appropriate, to arrogate to o.s.; to attribute to o.s., to usurp.

при/седа́-ть II. *vn.* (*Pf.* -се́сть 44.) to squat, to cower; to bend the knees; to make a curtsy, to curtsy || **-сёлок** *s.* (*gsg.* -лка) hamlet, small village || **-се́ст** *s.* sitting; **в оди́н ~** at a sitting || **-ска́зка** *s.* (*gpl.* -зок) embellishment, flourish (to a fairy-tale) || **-ска́кива-ть** II. *vn.* (*Pf.* -скак-а́ть I. 2. [c]) to leap, to jump along to; to come galloping || (*Pf.* -скоч=и́ть I. [c] & -скокн-у́ть I. [a]) to spring up, to leap, to jump up.

приско́рб/ие *s.* affliction, distress, grief, sorrow || **-ный** *a.* sorrowful, sad.

при/ску́чива-ть II. *vn.* (*Pf.* -ску́ч=ить I.) (кому́) to tire, to weary, to bore || **-сла́ть** *cf.* **-сыла́ть** || **-слоня́-ть** II. *va.* (*Pf.* -слон=и́ть II. [a & c]) (к чему́) to set up (against), to lean (against).

при/слу́га *s.* service, attendance; domestics, servants *pl.*; (*mil.*) crew (of a gun, etc.) || **-слу́жива-ть** II. *vn.* (кому́) to serve, to attend, to wait upon || **~ся** *vr.* to be obsequious to, to fawn on || **-слу́жливый** *a.* officious; obsequious || **-слу́жник** *s.*, **-слу́жница** *s.* servant; fawner, obsequious person || **-слу́шива-ть** II. *va.* (*Pf.* -слу́ша-ть II.) to listen to || **~ся** *vn.* (к чему́) to listen to, to give an ear to; to accustom one's ear to || **-сма́трива-ть** II. *vn.* (*Pf.* -смотр=е́ть II. [c]) (за чем) to look after, to keep an eye on; to observe || **~ся** *vn.* (к чему́) to examine carefully; (чему́) to get tired of looking at || **-смире́ть** *cf.* **смире́ть** || **-смире́лый** *a.* grown quiet || **-смо́тр** *s.* (за кем) superintendence, surveillance, supervision, inspection || **-смотре́ть** *cf.*

–смáтривать || **–смóтрщик** *s.* overseer, superintendent, supervisor || **–сни́ться** *cf.* **сни́ться.**

присно– *in cpds.* = ever; *e. g.* **присносýщий** (-ая, -ее) (*sl.*) everlasting.

присовé/тыва-ть II. *va.* (*Pf.* -то+вать II.) to advise, to counsel.

присово/куплéние *s.* junction, joining, addition || **–купля́-ть** II. *va.* (*Pf.* -куп=и́ть II. 7. [c]) to add, to join, to annex.

присоеди/нéние *s.* adjunction, annexation, incorporation || **–ня́-ть** II. *va.* (*Pf.* -н=и́ть II. [a]) to adjoin, to annex, to add, to incorporate.

при/сóхлый *a.* dried up || **–сóхнуть** *cf.* **–сыхáть.**

при/спевá-ть II. *vn.* (*Pf.* -спé-ть II.) to arrive in time; to approach, to draw near (of time).

приспосо/блéние *s.* adaptation; contrivance || **–бля́-ть** II. *va.* (*Pf.* -́б=ить II. 7.) (к чемý) to adapt, to fit, to adjust; to prepare; to apply (to a science) || **~ся** *vr.* to adapt o.s. to, to conform to.

при́став *s.* [b & c] (*pl.* -ы & -á) overseer, inspector, commissary; **судéбный ~** bailiff; **чáстный ~** police inspector.

при/ставáть 39. [a] *vn.* (*Pf.* -стáть 31. [b 1.]) to lodge, to put up, to stay, to stop; (к чемý) to land, to put in; to stick, to adhere; to join, to side (with), to take the part of; to pursue closely, to press hard upon, to bother; to be communicated (of a disease); to fit, to suit || **–стáвка** *s.* (*gpl.* -вок) addition; piece set on; (*gramm.*) prefix || **–ставля́-ть** II. *va.* (*Pf.* -стáв=ить II. 7.) (к чемý) to set on, to set to, to put to, to lean, to place (against); to appoint (as overseer); to sew onto || **–ставнóй** *a.* sewn onto.

при́стальный *a.* attentive, assiduous, diligent; fixed (of a look).

пристáнище *s.* refuge, shelter, asylum.

при́/стань *s. f.* landing-place, wharf, quay; refuge || **–стáть** *cf.* **–ставáть** || **–стёгива-ть** II. *va.* (*Pf.* -стегá-ть II.) to baste, to sew to slightly; to button, to buckle on; (*Pf.* -стегн-ýть I. [a]) to put alongside (a horse) || **–стёжка** *s.* (*gpl.* -жек) basting; what is sewn on; button, buckle, trace-hook || **–стóйность** *s. f.* decency, decorum, propriety || **–стóйный** *a.* decent, proper, decorous || **–стрá(ó)ива-ть** II. *va.* (*Pf.* -стрó=ить II.) to build to, to add (to a building); to procure, to provide (for) || **–стрáстие** *s.* partiality; passion (for) || **–стрáстный** *a.* partial; passionately fond of || **–стращá-ть** II. *va.* (*Pf.* -страст=и́ть I. 4. [a]) (когó к чемý) to arouse a person's passion, partiality (for) || **~ся** *vr.* (к чемý) to have a passion for, to be extremely fond of || **–стрáщива-ть** II. *va.* (*Pf.* -стращá-ть II.) to intimidate || **–стрóить** *cf.* **–стрáивать** || **–стрóйка** *s.* (*gpl.* -стрóек) side-building, outhouse, lean-to || **–стрýнива-ть** II. *va.* (*Pf.* -стрýн=ить II.) to be severe on, to press, to urge (one).

при́сту/п *s.* access, approach, admittance (to); beginning; (*mil.*) storm(ing), assault; **взять –пом** to storm, to take by storm || **–пá-ть** II. *vn.* (*Pf.* -п=и́ть II. 7. [c]) (к комý) to draw near, to approach; to enter on, to commence; to proceed to; to press closely, to importune || **~ся** *vn.* to approach, to come near, to accost.

при/стыжá-ть II. *va.* (*Pf.* -стыд=и́ть I. 1. [a]) to make ashamed, to cause to blush with shame || **–стя́жка** *s.* side-horse, by-horse, led horse || **–суждá-ть** II. *va.* (*Pf.* -суд=и́ть I. 1. [c]) (когó к чемý) to condemn, to sentence, to convict; (что комý) to adjudicate, to award; to advise (one) || **–суждéние** *s.* condemnation, sentence, judgment; adjudication || **–сýтственный** *a.* court-, law- || **–сýтствие** *s.* presence; session, audience; council-chamber || **–сýтство+вать** II. *vn.* to be present; to sit (by), to be sitting, to preside || **–сýтствующий** (*as s.*) bystander, spectator, assessor, senator || **–сýщий** (-ая, -ее) *a.* present (at).

при/сылá-ть II. *va.* (*Pf.* -слáть 40. [a]) to send to || **–сы́лка** *s.* (*gpl.* -лок) sending; thing sent || **–сыхá-ть** II. *vn.* (*Pf.* -сóхнуть 52.) to stick to in drying.

прися́г/а *s.* oath; **дать –у = прися́гáть; привести́ свидéтеля к –е** to swear a witness || **–á-ть** II. *vn.* (*Pf.* -н-ýть I. [a]) to swear, to take an oath.

прися́дка *s.*, **плясáть в –у** to dance in the Russian way (*i. e.* squatting on one's heels and shooting one's legs from under one and then springing up).

прися́жный *a.* on oath, sworn || **~** (*as s.*) juror.

при/тáива-ть II. *va.* (*Pf.* -та=и́ть II. [a]) to conceal, to secrete; **~ дыхáние** to hold one's breath || **–тáптыва-ть** II. *va.* (*Pf.* -топт-áть I. 2. [c]) to tread down, to stamp || **–тáскива-ть** II. *va.* (*Pf.* -тащ=и́ть I. [a & c]) to drag along.

притвó/р *s.* leaf (of a door); porch (of a church) || **–ри́ть** *cf.* **–ря́ть** || **–рный** *a.* feigned, pretended, hypocritical || **–рство** *s.* dissimulation, simulation, hypocrisy, pretence || **–ря́-ть** II. *va.* (*Pf.* -р=и́ть II. [a & c]) to shut, to close (not completely) || **~ся** *vr.* to feign, to pretend, to simulate; **~ больны́м** to feign illness.

при/текá-ть II. *vn.* (*Pf.* -тéчь 18. [a 2.]) to flow to, to run to || **–теснéние** *s.* oppression, persecution || **–тесни́тельный** *a.* oppressive, vexatious || **–тесня́-ть** II. *va.* (*Pf.* -тесн=и́ть II. [a]) to oppress, to persecute, to vex; to press close || **–тирáнье** *s.* paint, rouge, cosmetic || **–ти́скива-ть** II. *va.* (*Pf.* -ти́ска-ть II. & -ти́сн-уть I.) to press to, to squeeze against, to compress || **–тихá-ть** II. *vn.* (*Pf.* -ти́хнуть 52.) to become calm; to grow still || **–ткну́ть** *cf.* **–тыкáть.**

при/тóк *s.* tributary, affluent || **–тóм** *ad.* besides, moreover || **–тóн** *s.* haunt, den, nest (*esp.* of robbers) || **–топтáть** *cf.* **–тáптывать** || **–торгóвыва-ть** II. *va.* (*Pf.* -торго+вáть II.) to gain by trade || **–тóрный** *a.* insipid, sweetish, mawkish || **–трáва** *s.* bait || **–трóгива-ться** II. *vn.* (*Pf.* -трóн-уться I.) (до чегó) to touch lightly, to finger.

притти́ *cf.* **приходи́ть.**

при/туплéние *s.* blunting, dulling || **–тупля́-ть** II. *va.* (*Pf.* -туп=и́ть II. 7. [a & c]) to blunt, to dull; (*fig.*) to deaden.

при́тча *s.* parable, allegory.

при/тыкá-ть II. *va.* (*Pf.* -ткн-у́ть I. [a]) (чем) to stick to, to pin to || **–тягáтельный** *a.* of attraction, attractive || **–тя́гива-ть** II. *va.* (*Pf.* -тян-у́ть I. [c]) to draw to, to attract || **–тяжáтельный** *a.* appropriating; **–ное местоимéние** (*gramm.*) possessive pronoun || **–тяжéние** *s.* attraction || **–тязáние** *s.* (на что, к чему́) pretension, claim || **–тязáтельный** *a.* pretentious, fastidious || **–тязá-ть** II. [b]) *vn.* (к чему́) to lay claim to || **–тяну́ть** *cf.* **–тя́гивать.**

при/ударя́-ть II. *va.* (*Pf.* -удáр=ить II.) to whip (a horse); (за + *I. fam.*) to court || **–умножá-ть** II. *va.* (*Pf.* -умнóж=ить I.) to increase, to augment || **~ся** *vr.* to increase || **–урóчива-ть** II. *va.* (*Pf.* -урóч=ить I.) to fix, to appoint (a date) || **–учá-ть** II. *va.* (*Pf.* -уч=и́ть I. [c]) (к чему́) to habituate, to accustom, to train.

при/хвáрыва-ть II. *vn.* to be sickly *or* ailing; to be in bad health || **–хвáстыва-ть** II. *vn.* (*Pf.* -хвáста-ть II. & -хвастн-у́ть I. [a]) to add to one's boasts, to brag || **–хвáтыва-ть** II. *va.* (*Pf.* -хват=и́ть I. 2. [c]) to lay hold of, to seize; to borrow || **~** *v.imp.* to damage || **´–хвостень** *s. m.* (*gsg.* -тня) hanger-on, toady || **–хлебáтель** *s. m.* parasite, sponger, toady || **–хлóпыва-ть** II. *va.* (*Pf.* -хлóпн-уть I.) to clap to, to bang to (a door).

при/хóд *s.* coming, arrival; income, revenue; parish || **–ход=и́ть** I. 1. [c] *vn.* (*Pf.* -тти́ & -йти́ 48.) to come, to arrive (on foot); to approach, to draw near; (во что) to fall into; **~ в себя́** (*or* **в чу́вство**) to come to, to recover consciousness || **~ся** *vn.* to fit, to suit; to be obliged to, to have to; to happen; to cost, to amount to || **–хóдный** *a.* account-, income- || **–ходорасхóдный** *a.* of income and expenses, cash- || **–ходорасхóдчик** *s.* cashier || **–хóдский** *a.* parish-, parochial || **–хожáнин** *s.* (*pl.* -áне), **–хожáнка** *s.* (*gpl.* -нок) parishioner || **–хóжий** (-ая, -ее) *a.* foreign, newly come || **~** (*as s.*) newcomer || **–хóжая** (*as s.*) ante-room || **–хотли́вый** *a.* capricious, whimsical; squeamish || **´–хоть** *s. f.* caprice, whim, fancy || **–хрáмыва-ть** II. *vn.* to limp slightly.

при/цéл *s.* taking aim; target, butt, aim; sight (of a gun) || **–цéлива-ться** II. *vr.* (*Pf.* -цéл=иться II.) (во что) to aim at, to take aim at || **–цéльный** *a.* target- || **–цéнива-ться** II. *vr.* (*Pf.* -цен=и́ться II. [a & c]) (к чему) to ask the price || **–цéпка** *s.* (*gpl.* -пок) hooking; (*rail.*) coupling; (*fig.*) chicanery || **–цепля́-ть** II. *va.* (*Pf.* -цеп=и́ть II. 7. [c]) to hook on, to fasten to; (*rail.*) to couple.

при/чáл *s.* hawser, rope || **–чáлива-ть** II. *va.* (*Pf.* -чáл=ить II.) to lash to, to moor, to make fast || **–чáстие** *s.* Communion; (*gramm.*) participle || **–чáстник** *s.*, **–чáстница** *s.* communicant || **–чáстный** *a.* (чему́) sharing, participating in || **–чащá-ть** II. *va.* (*Pf.* -част=и́ть I. 4. [a]) to give communion to || **~ся** *vr.* to receive the Holy Communion || **–чащéние** *s.* giving the Communion; || **–чёска** *s.* (*gpl.* -сок) head-dress; hair-dressing || **–чéсть** *cf.* **–читáть** || **–чё-**

сыва-ть II. *va.* (*Pf.* -чес-а́ть I. 3. [c]) to comb, to dress (the hair) || **~ся** *vr.* to comb one's hair, to dress one's hair || **–чётник** *s.* churchman, sexton || **–чи́на** *s.* cause, reason, motive || **–чине́ние** *s.* causing, occasioning || **–чи́нный** *a.* being the cause of, causal || **–чиня́-ть** II. *va.* (*Pf.* -чин=и́ть II. [a]) to cause, to occasion, to be the cause of.

при/числя́-ть II. *va.* (*Pf.* -чи́сл=ить II.) to join, to add, to include || **~ся** *vr.* to rank o.s. amongst, to belong to || **–читá-ть** II. *va.* (*Pf.* -че́сть 24. [a 2.]) to add to an account; to impute, to attribute.

причт *s.* clergy; retinue.

причу́д/а *s.* caprice, whim, fancy || **–ливость** *s. f.* whimsicalness, fancifulness, oddness, capriciousness || **–ливый** *a.* whimsical, odd, fantastic, queer || **–ник** *s.* whimsical person.

пришéл/ец *s.* (*gsg.* -льца), **ица** *s.* newcomer, stranger.

при/ше́ствие *s.* arrival, advent || **–шибá-ть** II. *va.* (*Pf.* -шиб=и́ть I. [a]) to hurt, to damage; to kill, to despatch || **–шивá-ть** II. *va.* (*Pf.* -ши́ть 27. [a 1.]) to sew to || **–ши́вка** *s.* (*gpl.* -вок) sewing on; piece sewn on || **–шивно́й** *a.* sewn on.

при́/шлый *a.* newly come, arrived || **–шпи́лива-ть** II. *va.* (*Pf.* -шпи́л=ить II.) to pin to || **–шпо́рива-ть** II. *va.* (*Pf.* -шпо́р=ить II.) to spur (on).

при/щёлкива-ть II. *va.* (*Pf.* -щёлкн-уть I.) to latch (a door) || **~** *vn.* to snap one's fingers || **–щемля́-ть** II. *va.* (*Pf.* -щем=и́ть II. 7. [a]) to pinch, to nip || **–щу́рива-ть** II. *va.* (*Pf.* -щу́р=ить II.) to blink, to screw up (one's eyes).

при/ю́т *s.* asylum, refuge, shelter || **–ют=и́ть** I. 2. [a] *va. Pf.* to shelter, to give refuge to || **–я́зненный** *a.* benevolent, friendly || **–я́знь** *s. f.* benevolence, kindness, friendship || **–я́тель** *s. m.*, **–я́тельница** *s.* friend || **–я́тельский** *a.* friendly, amicable || **–я́тность** *s. f.* agreeableness, pleasantness, charm || **–я́тный** *a.* agreeable, pleasant, pleasing.

про/ *prp.* (+ *A.*) for; of, about || **–аккомпани́ровать** *cf.* **аккомпани́ровать** || **́–ба** *s.* trial, essay; sample || **–бавля́-ть** II. *va.* (*Pf.* -бáв=ить II. 7.) to dawdle, to trifle away || **~ся** *vr.* (чем) to make shift to live, to contrive to get on; to spend, to pass (the time) || **–бáлтыва-ть** II. *va.* (*Pf.* -болтá-ть II.) to prattle away (time); to rattle off (a lesson); to shake thoroughly (a liquid); to blab.

про/барабáнить *cf.* **барабáнить** || **–бе́г** & **–бегáние** *s.* running through, across || **–бегá-ть** II. *vn.* (*Pf.* -бежáть 46. [a]) to run through *or* across; to drift along (of clouds) || **~** *va.* to run through, to skim (a book) || **–бе́га-ть** II. *va. Pf.* to run around (a certain length of time), to run to and fro || **–бе́л** *s.* blank, gap, blank leaf (in a book) || **–бивá-ть** II. *va.* (*Pf.* -би́ть 27. [a 1.]) to pierce, to cut through, to make a hole in; to punch, to clip (tickets); to strike (of a clock) || **~ся** *vr.* to work *or* to press through (a crowd); to elbow one's way; (над *or* с чем) to exert o.s.; (*mil.*) to cut one's way through || **–бирá-ть** II. *va.* (*Pf.* -брáть 8. [a 1.]) to part, to separate; to pick out, to select; to lecture one, to censure severely; **меня́ –бирáет моро́з** I am freezing dreadfully || **~ся** *vr.* to elbow one's way, to force one's way.

проб/и́рка *s.* (*gpl.* -рок) (*chem.*) test-tube || **–и́рный** *a.* test-, for testing, for assaying || **–и́рщик** *s.* (*min.*) assayer, tester || **́–ка** *s.* (*gpl.* -бок) cork; **он глуп, как ~** he is an absolute ass || **́–ковый** *a.* cork, cork-.

пробле́м/а *s.* problem || **–ати́ческий** & **–ати́чный** *a.* problematic(al).

про́/блеск *s.* ray of light, flash, gleam || **–блуждáть** *cf.* **блуждáть.**

про́б/ный *a.* trial-, proof-, sample- || **–о+вать** II. *va.* (*Pf.* ис-, по-) to try, to test; to taste (wine, etc.).

про/бо́ина *s.* hole (of a bullet); hole (in a dress by rubbing through); (*mar.*) leak || **–бо́й** *s.* cramp(-iron) || **–бо́йник** *s.* punch || **–бо́йный** *a.* for punching holes || **–болтáть** *cf.* **–бáлтывать** || **–бо́р** *s.* parting (of the hair) || **–бормотáть** *cf.* **бормотáть.**

про́боч/ка *s.* (*gpl.* -чек) (small) cork || **–ник** *s.* cork-screw || **–ный** *a.* cork-.

про/брáть *cf.* **–бирáть** || **–бренчáть** *cf.* **бренчáть** || **–буждá-ть** II. *va.* (*Pf.* -буд=и́ть I. 1. [c]) to (a)wake, to rouse || **~ся** *vr.* to awake, to wake up || **–бужде́ние** *s.* (a)waking, rousing || **–букси́ровáть** *cf.* **букси́ровáть** || **–бурáвлива-ть** II. *va.* (*Pf.* -бурáв=ить II. 7.) to bore, to pierce || **–бывá-ть** II. *vn.* (*Pf.* -бы́ть 49.) to stay, to remain a certain time.

прова́/л *s.* falling in, downfall, gap; (*theat.*) trap(-door); **~ тебя́ возьми́!** deuce take you! || **–ла́ндаться** *cf.* **вала́ндаться** || **–лива-ть** II. *va.* (*Pf.* -л=и́ть II. [a & c]) to tumble through, to cast through, to throw across || **~** *vn.* to roll past, to pass by; **–ливай да́льше!** go to Jericho! || **~ся** *vr.* to fall through, to give way; to fall in (of the ceiling); to break into (on the ice); to sink in (*e. g.* a morass); (на экза́мене) to fail; **–ли́сь ты!** to the deuce with you! deuce take you! **куда́ он –ли́лся?** where on earth has he got to? || **–лина** *s.* place which has fallen in, gap, hole || **–льси́рова́ть** *cf.* **вальси́рова́ть.**

прова́нский *a.*, **–ое ма́сло** olive-oil, salad-oil.

про/веде́ние *s.* leading through; passing (of time) || **–ве́дыва-ть** II. *va.* (*Pf.* -ве́да-ть II.) (о чём) to make inquiries (about); (кого́) to ask (after), to call upon, to visit || **–везти́** & **–ве́зть** *cf.* **–вози́ть** || **–ве́рка** *s.* (*gpl.* -рок) examination, revision, control || **–веря́-ть** II. *va.* (*Pf.* -ве́р=ить II.) to examine, to look over, to verify, to control || **–ве́с** *s.* wrong weight, underweight || **–вести́** & **–ве́сть** *cf.* **–води́ть** || **–ве́трива-ть** II. *va.* (*Pf.* -ве́тр=ить II.) to air, to ventilate.

про/виа́нт *s.* provisions, victuals *pl.* || **–виде́ние** *s.* providence || **–ви́дение** *s.* foresight || **–ви́д=еть** I. 1. *va.* to foresee || **–ви́зия** *s.* victuals *pl.*; provision; commission || **–ви́зор** *s.* [& b] (*pl. also* -а́) dispenser || **–вини́ться** *cf.* **–виня́ться** || **–винти́ть** *cf.* **–ви́нчивать.**

провинц/иали́зм *s.* provincialism || **–иа́льный** *a.* provincial || **–́ия** *s.* province.

про/ви́нчива-ть II. *va.* (*Pf.* -винт=и́ть I. 2. [a]) to screw through || **–виня́-ться** II. *vc.* (*Pf.* -вин=и́ться II. [a]) (в чём пе́ред кем) to become guilty of something, to fall into error || **–влачи́ть** *cf.* **влачи́ть.**

прово́д/ *s.* leading about (of horses); conduit, turning aside, diversion (of water); transport (*e. g.* of prisoners).

про/вод=и́ть I. 1. [c] *va.* (*Pf.* -вести́ & -ве́сть 22. [a 2.]) to lead, to convey through; (*el.*) to conduct; to lay (a road, a water-pipe); to dupe, to deceive; to spend (time).

проводни́к *s.* [a] conductor; leader, guide; **~ теплоты́** conductor of heat.

про́воды *s. mpl.* funeral.

прово/жа́тель *s. m.* & **–жа́тый** (*as s.*) conductor, guide || **–жа́-ть** II. *va.* (*Pf.* -д=и́ть I. 1. [c]) to escort, to conduct, to accompany.

прово́з/ *s.* carriage, transport, conveyance || **–ве́стник** *s.* predicter, prophet, herald || **–веща́-ть** II. *va.* (*Pf.* -вест=и́ть I. 4. [a]) to predict, to foretell; to announce, to proclaim || **–веще́ние** *s.* prediction, prophecy; proclamation || **–глаша́-ть** II. *va.* (*Pf.* -глас=и́ть I. 3. [a]) to proclaim, to publish; **~ тост** to give a toast || **–глаше́ние** *s.* proclamation, publication, announcement.

про/воз=и́ть I. 1. [c] *va.* (*Pf.* -везти́ & -ве́зть 25. [a 2.]) to convey, to transport, to carry || **~ся** I. 1. [c] *vr. Pf.* (с кем, с чем) to worry o.s., to slave; to exert, to tire o.s. || **–во́зный** *a.* transport-, freight-.

про/вола́кива-ть II. *va.* (*Pf.* -воло́чь 18. [c 2.]) to trail through; to draw through; (*Pf.* -лоч=и́ть I. [c]) to spin out, to protract (a lawsuit) || **–́волока** *s.* wire || **–воло́чка** *s.* (*gpl.* -чек) protraction, delay || **–́волочный** *a.* wire-, of wire.

провоня́лый *a.* stinking.

прово́р/ность *s. f.* = **прово́рство** || **–ный** *a.* quick, nimble, agile, speedy, swift, ready, sharp || **–ство** *s.* quickness, nimbleness, agility, speed, swiftness.

про/га́лина *s.* place free from ice (on a river); glade (in a wood) || **–гимна́зия** *s.* preparatory gymnasium (a secondary school without the higher classes) || **–гла́тыва-ть** II. *va.* (*Pf.* -глот=и́ть I. 2. [c]) to swallow up, to devour || **–гля́дыва-ть** II. *va.* (*Pf.* -гляд=е́ть I. 1. [a]) to look at, to examine slightly; to overlook || **~** *vn.* (на что) to spend a certain time looking at || **~** *vn.* (*Pf.* -глян-у́ть I. [c]) to appear, to make one's appearance (of the sun, etc.) || **–гна́ть** *cf.* **–гоня́ть** || **–гне́ваться** *cf.* **гне́ваться** || **–гневля́ть** & **–гневи́ть** *cf.* **гневи́ть** || **–гнива́-ть** II. *vn.* (*Pf.* -гни́-ть II. [a]) to rot through || **–гно́з** *s.* prognosis || **–гова́рива-ться** II. *vr.* (*Pf.* -говор=и́ться II. [a]) to blab, to blurt out a secret; to betray o.s. in speaking || **–гове́ть** *cf.* **гове́ть** || **–голода́ть** *cf.* **голода́ть.**

прого́н/ *s.* driving (cattle); drifting, floating (wood); path leading to a pasture || **–ный** *a.* driven; floated || **–я́-ть**

II. *va.* (*Pf.* прогнáть 11. [c]) to drive through; to drive, to turn, to scare away, to dispel, to dissipate; to float (timber); ~ **сквозь строй** to make a person run the gauntlet.

про/горá-ть II. *vn.* (*Pf.* -гор=éть II. [a]) to burn through; to burn up || **-горéлый** *a.* burnt through || **-гóрькльій** *a.* rancid, rank, bitter || **-гóрькнуть** *cf.* **гóрькнуть** || **-гостúть** *cf.* **гостúть** || **-гремéть** *cf.* **гремéть.**

прогрéсс/ *s.* progress || **-úвный** *a.* progressive || **-úст** *s.* progressionist || **-ия** *s.* progression.

про/грохотáть *cf.* **грохотáть** || **-грызá-ть** II. *va.* (*Pf.* -грызть 25. [a 1.]) to gnaw through.

прогýл/ива-ть II. *va.* (*Pf.* -я́-ть II.) to miss (dinner) by walking; to neglect, to omit (lessons); to shirk (school); to loiter away (time); to spend, to squander (money) || **~ся** *vr.* to take a walk *or* a stroll, to go for a walk || **-ка** *s.* (*gpl.* -лок) walk, stroll; trip, excursion; ~ **верхóм** a ride || **-ьный** *a.* wasted.

про/давáть 39. *va.* (*Pf.* -дáть 38.) to sell, to dispose of || **-давéц** *s.* [a] (*gsg.* -вцá), **-давщúк** *s.*, **-давщúца** *s.* seller, vendor, dealer || **-дáжа** *s.* sale || **-дáжность** *s. f.* mercenariness, venality || **-дáжный** *a.* for sale; venal, mercenary, bribable.

про/девá-ть II. *va.* (*Pf.* -дéть 32.) to thread (a needle), to hang in (ear-rings) || **-дезинфицúровать** *cf.* **дезинфицúровать** || **-декламúровать** *cf.* **декламúровать** || **-дéлка** *s.* breach, opening; trick || **-дéлыва-ть** II. *va.* (*Pf.* -дéла-ть II.) to cut, to break through, to break (a hole); to husk, to shell; ~ **штýки** to show tricks || **-демонстрúровать** *cf.* **демонстрúровать.**

про/дёргива-ть II. *va.* (*Pf.* -дёрн-уть I.) to pull through, to thread || **-дéржива-ть** II. *va.* (*Pf.* -держ=áть I. [c]) to detain, to keep, to hold back (a thing) a certain time; to keep one waiting || **-дéть** *cf.* **-девáть** || **-дефилúровать** *cf.* **дефилúровать** || **-дешевúть** *cf.* **дешевúть** || **-диктовáть** *cf.* **диктовáть** || **-дирá-ть** II. *va.* (*Pf.* -дрáть 8. [a 3.]) to tear up *or* through (boots, etc.) || **~ся** *vr.* to force one's way through || **-дирижúровать** *cf.* **дирижúровать** || **-длéние** *s.* prolongation, lengthening; delay, retardation || **-длúть** *cf.* **длúть** || **-дневáть** *cf.* **дневáть.**

продовóльств/енный *a.* supply-, provision- || **-ие** *s.* necessaries of life, board, maintenance, victualling stores, supplies, provisions, victuals *pl.*, proviant.

продолбúть *cf.* **долбúть.**

продол/говáтый *a.* oblong, longish || **-жáтель** *s. m.* continuator || **-жá-ть** II. *va.* (*Pf.* -ж=úть I. [a] & ´-ж=ить I.) to continue, to keep on, to keep up; to prolong, to prolongate, to protract || **~ся** *vr.* to keep on, to last, to continue || **-жéние** *s.* continuation, duration, length; sequel; prolongation, protraction; **в** ~ (+ *G.*) during, in the course of, in the space of || **-жúтельность** *s. f.* long duration, tiresomeness || **-жúтельный** *a.* of long duration, lasting, continuous, wearisome.

про/дóльный *a.* longitudinal || **-дрáть** *cf.* **-дирáть** || **-дрем-áть** II. 7. [c] *vn. Pf.* to doze awhile, to take a short nap || **-дрóгнуть** *cf.* **дрóгнуть** || **-дубúть** *cf.* **дубúть** || **-дувá-ть** II. *va.* (*Pf.* -дý-ть II. [b]) to blow (through); to purify (gold); to dissipate, to gamble away (money) || **~ся** *vr.* (*fam.*) to spend all one's money (*e. g.* at cards) || **-дувнóй** *a.* for blowing through; purified (of gold); (*fig.*) cunning, sly.

продýкт/ *s.* product(ion), produce || **-úвность** *s. f.* productivity || **-úвный** *a.* productive.

про/дýть *cf.* **-дувáть** || **-дýшина** *s.* air-hole, vent(-hole) || **-дырáвливать** *cf.* **дырáвить.**

про/едá-ть II. *va.* (*Pf.* (-éсть 42.) to spend (in eating); to eat, to gnaw through; to corrode || **-éзд** *s.* passage, passing (through), riding *or* driving through; **-éзда нет** no thoroughfare; **-éздом** on the way through || **-éздка** *s.* (*gpl.* -док) driving *or* riding past; travelling through; breaking in (a horse) || **-езжá-ть** II. *vn.* (*Pf.* -éхать 45.) to drive, to ride through, by, past; ~ **верхóм чéрез гóрод** to ride through a town || ~ *va.* to travel (a distance, so many miles, etc.) || **~ся** *vn.* to go for a drive *or* a ride; (*Pf.* -éзд=ить I. 1.) to ride, to drive about || ~ *va.* to spend in riding *or* driving || **~ся** *vn.* to spend all one's money in riding *or* driving || **-éзживать** = **-езжáть** || **-éзжий** (-ая, -ее) *a.* public (of a way) || ~ (*as s.*) traveller.

проéкт/ *s.* project, scheme, plan || **-и́ро+вáть** II. [& b] *va.* to scheme, to project, to plan.

проéкция *s.* projection.

проём/ *s.* opening, hole pierced right through || **-ный** *a.* going right through.

про/éсть *cf.* **-едáть** || **-éхать** *cf.* **-езжáть.**

про/жáрива-ть II. *va.* (*Pf.* -жа́р=ить II.) to roast thoroughly || **-ждáть** *cf.* **ждать** || **-жёвыва-ть** II. *va.* (*Pf.* -же+вáть II. [a]) to chew, to masticate thoroughly || **-жéктор** *s.* searchlight || **-жéчь** *cf.* **-жигáть** || **-живá-ть** II. *vn.* (*Pf.* -жи́ть 31. [a 4.]) to live, to spend one's life, to reside || ~ *va.* to spend, to waste, to squander || **-жигá-ть** II. *va.* (*Pf.* -жéчь 16. [a 2.]) to burn through; ~ **жизнь** to lead a fast life.

прожóр/а *s. m&f.* glutton || **-ливость** *s. f.* gluttony, voracity || **-ливый** *a.* gluttonous, voracious.

прожужжáть *cf.* **жужжáть.**

прó/за *s.* prose || **-зáик** *s.* prose-writer, prosaist || **-заи́ческий** *a.* prosaic(al), prose-.

прозаклá/дыва-ть II. *va.* (*Pf.* -до+вать II.) to lose by betting.

про/звáние *s.* surname || **-звáть** *cf.* **-зывáть** || **-звенéть** *cf.* **звенéть** || **-́звище** *s.* byname, nickname || **-звучáть** *cf.* **звучáть** || **-зёвыва-ть** II. *va.* (*Pf.* -зевá-ть II.) to miss, to let slip, to omit.

прозели́т/ *s.*, **-ка** *s.* (*gpl.* -ток) proselyte.

прозимовáть *cf.* **зимовáть.**

прозор/ли́вец *s.* (*gsg.* -вца), **-ли́вица** *s.* sharp-sighted person || **-ли́вость** *s.f.* perspicacity, sharp-sightedness || **-ли́вый** *a.* sharp-sighted, perspicacious, sagacious.

прозрáч/ность *s. f.* transparency, pellucidness || **-ный** *a.* transparent; pellucid, clear (of water).

про/зывá-ть II. *va.* (*Pf.* -звáть 10. [a]) to surname, to name; to nickname || ~**ся** *vr.* to be called, to be surnamed, to be nicknamed || **-зябáемое** (*as s.*) vegetable, plant || **-зябá-ть** II. *vn.* (*Pf.* -зя́бнуть 52.) to vegetate, to shoot, to sprout (*cf.* зя́бнуть).

прои́грыва-ть II. *va.* (*Pf.* проигрá-ть II.) to lose at play, to gamble away; to spend in playing || ~**ся** *vr.* to ruin o.s. by play.

прóигрыш *s.* losses (at play, etc.).

произ/ведéние *s.* production, product, produce; derivation (of words) || **-води́тель** *s. m.* producer || **-води́тельность** *s.f.* productiveness, productivity; efficiency || **-води́тельный** *a.* productive || **-вод=и́ть** I. 1. [c] *va.* (*Pf.* -вести́ & -вéсть 22. [a 2.]) to produce, to yield, to bear; to cause, to effect; to promote; to derive || ~**ся** *vp.* to be produced, to take place, to happen || **-вóдный** *a.* derivative || **-вóдство** *s.* production; execution (of a work); promotion; derivation || **-вóл** *s.* pleasure, will, free-will; arbitrariness || **-вóльность** *s. f.* arbitrariness || **-вóльный** *a.* arbitrary; voluntary || **-несéние** *s.* recitation, recital; pronouncing || **-нос=и́ть** I. 3. [c] *va.* (*Pf.* -нести́ & -нéсть 26. [a 2.]) to pronounce, to deliver, to utter || **-ношéние** *s.* pronunciation || **-ойти́** *cf.* **происходи́ть** || **-растá-ть** II. *vn.* (*Pf.* -расти́ 35. [a 2.]) to grow up, to shoot up *or* out, to sprout forth.

прóиск *s.* (*us. in pl.*) intrigues *pl.*

проис/текá-ть II. *vn.* (*Pf.* -тéчь 18. [a 2.]) to flow (from), to emanate, to rise; to come, to result (from) || **-ход=и́ть** I. 1. [c] *vn.* (*Pf.* произойти́ 48. [a 2.]) to arise, to spring, to proceed from, to result, to emanate; to take place, to occur; to descend (from) || **-хождéние** *s.* origin, source, spring; descent, extraction, birth || **-шéствие** *s.* event, occurrence.

пройдóха *s. m&f.* clever rascal.

прóйма *s.* opening, hole; slit.

прок *s.* use, profit, benefit.

про/кажённый *a.* leprous || ~ (*as s.*) leper || **-кáза** *s.* leprosy || **-кáз=ить** I. 1. & **-кáзнича-ть** II. *vn.* (*Pf.* на-) to play pranks, to play tricks || **-кáзник** *s.*, **-кáзница** *s.* wag, rogue || **-кáзы** *s. fpl.* pranks, tricks *pl.*, roguery || **-кáлыва-ть** II. *va.* (*Pf.* -кол-óть II. [c]) to pierce through and through || **-кáпыва-ть** II. *va.* (*Pf.* -копá-ть II.) to dig through || **-кáрмлива-ть** II. *va.* (*Pf.* -корм=и́ть II. 7. [c]) to feed, to keep, to maintain a certain time; to spend in feeding || **-кáт** *s.* hire, lending on hire; **на** ~ on hire || **-кáтыва-ть** II. *va.* (*Pf.* -катá-ть II. & -кат=и́ть I. 2. [a & c]) to roll (out), to hammer out (metal) || ~**ся** *vn.* to take a drive || **-кипá-ть** II. *vn.* (*Pf.* -кип=éть II. 7. [a]) to boil thoroughly || **-ки́снуть** *cf.* **ки́снуть.**

про/клáдка *s.* (*gpl.* -док) interlayer; interleaf; (*typ.*) lead, space-line || **-клáдыва-ть** II. *va.* (*Pf.* -лож=и́ть I. [c]) (что по чём) to trace out, to open (a road; (*Pf. also* -класть 22. [a 1.]) (что чем) to lay between, to interleave; (*typ.*) to lead; to reckon, to calculate; to make a mistake in a calculation.

прокламáция *s.* proclamation.

про/клинá-ть II. *va.* (*Pf.* -клясть 36. [a 4.]) to curse || **-клятие** *s.* curse, malediction || **-клятый** *a.* cursed || **-кóл** *s.* piercing through; stab || **-колóть** *cf.* **-кáлывать** || **-контролировать** *cf.* **контролировать** || **-копáть** *cf.* **-кáпывать** || **-кормить** *cf.* **-кáрмливать** || **-кóрм** *s.* & **-кормлéние** *s.* maintenance, support, feeding, keep, board || **-корпéть** *cf.* **корпéть** || **-крáдыва-ться** II. *vn.* (*Pf.* -крáсться 22. [a]) to steal through, to creep, to steal in || **-куратýра** *s.* procuratorship || **-кýрива-ть** II. *va.* (*Pf.* -кур=ить II. [a & c]) to perfume; to spend in smoking || **-курóр** *s.* procurator, attorney || **-кýсывать** II. *va.* (*Pf.* -кус=ить I. 3. [c]) to bite (right) through || **-кýчива-ть** II. *va.* (*Pf.* -кут=ить I. 2. [c]) to squander, to dissipate, to waste.

про/лагáть = **-клáдывать** || **-лáза** *s. m&f.* sneak, toady, plotter || **-лáмыва-ть** II. *va.* (*Pf.* -ломá-ть II. & -лом=ить II. 7. [c]) to break through (an opening); to hew, to cut through (ice) || **~ся** *vn.* to break into, down (of ice bridges, etc.) || **-легá-ть** II. *vn.* (of a road) to lead to, to go, to run; to extend, to reach to || **-лежень** *s. m.* place *or* wound chafed from lying on; getting sore by lying, getting bedsore || **-лёжива-ть** II. *vn.* (*Pf.* -леж=áть I. [a]) to lie some time || **~** *va.* to chafe (one's skin) by lying, to get sore by lying || **-лезá-ть** II. *vn.* (*Pf.* -лéзть 25. [b]) to climb through, to crawl through || **-лепетáть** *cf.* **лепетáть** || **-лéсок** *s.* (*gsg.* -ска) clearing, clear space (in a wood) || **-лёт** *s.* flight; opening, aperture; arch, span (of a bridge); **на ~** through and through.

пролетар/иáт *s.* proletariat || **-ий** *s.* proletarian || **-ский** *a.* proletarian.

про/летá-ть II. *vn.* (*Pf.* -лет=éть I. 2. [a]) to fly through *or* past; to pass quickly (of time) || **-лётка** *s.* (*gpl.* -ток) a light four-wheeler || **-лéчива-ть** II. *va.* (*Pf.* -леч=ить I. [a]) to treat some time; to spend in medicines || **-лив** *s.* strait(s) || **-ливá-ть** II. *va.* (*Pf.* -лить 27. [a 4.]) to spill, to shed, to pour out; (*fig.*) to discharge, to vent || **-ливнóй** *a.*, **~ дождь** a heavy downpour || **-литие** *s.* effusion, shedding; **~ крóви** bloodshed, slaughter || **-лить** *cf.* **-ливáть** || **-лóг** *s.* prologue || **-ложить** *cf.* **-клáдывать** || **-лóм** *s.* breaking through, breach || **-ломáть** & **-ломить** *cf.* **-лáмывать.**

про/мáтыва-ть II. *va.* (*Pf.* -мотá-ть II.) to dissipate, to squander || **-мах** *s.* miss; fault, blunder, oversight; **дать ~** to miss (one's stroke); to commit a fault; **он не ~** he is no fool || **-мáхива-ться** II. *vn.* (*Pf.* -махн-ýться I. [a]) to miss (one's stroke, one's aim), to fail || **-мáчива-ть** II. *va.* (*Pf.* -моч=ить I. [c]) to soak; to wet through (now and then) || **-мá-яться** II. *vr.* to suffer some time || **-маячить** *cf.* **маячить** || **-медлéние** *s.* retardation, delay || **-мéдлить** *cf.* **мéдлить** || **-мéж(ду)** *prp.* (+ *G.*) between || **-межýток** *s.* (*gsg.* -тка) interval, intermediate space, space of time, distance || **-межýточный** *a.* intermediate; intervening || **-мелькá-ть** II. *vn.* (*Pf.* -мелькн-ýть I.) to flash, to pass as quick as lightning || **-мéн** *s.* exchange; truck, barter; rate of exchange; agio || **-мéнива-ть** II. *va.* (*Pf.* -меня-ть II.) (на что) to exchange, to barter || **-мéр** *s.* measuring; (*mar.*) sounding; mistake in measuring || **-мéрива-ть** II. *va.* (*Pf.* -мéр=ить II.) to measure, to sound || **-мерзá-ть** II. *vn.* (*Pf.* -мёрзнуть 52.) to freeze through || **-мёрзлый** *a.* frozen through || **-мерять** = **-мéривать** || **-мéшкать** *cf.* **мéшкать.**

про/минá-ть II. *va.* (*Pf.* -мять 33. [a 1.]) to knead thoroughly; to walk about (a horse) || **-мóзглость** *s. f.* mustiness, rankness, rottenness || **-мóзглый** *a.* musty, mouldy (of fruits); rancid, rank (of butter); rotten || **-мóзгнуть** *cf.* **мóзгнуть** || **-мóина** *s.* place worn away by action of water; former channel (of a stream); pool (on ice) || **-мокáтельный** *a.*, **-ная бумáга** blotting-paper || **-мокá-ть** II. *vn.* (*Pf.* -мóкнуть 52.) to get wet through, to be drenched || **-мóклый** *a.* wet through, drenched; **насквóзь ~** wet through and through, wringing-wet || **-мóлвить** *cf.* **мóлвить** || **-молчáть** *cf.* **-мáлчивать** || **-мотáть** *cf.* **-мáтывать** & **мотáть** || **-мочить** *cf.* **-мáчивать.**

промыв/áльный *a.* for washing || **-áльщик** *s.* buddler, ore-washer || **-áние** *s.* washing, buddling || **-á-ть** II. *va.* (*Pf.* промыть 28. [b]) to wash, to buddle.

про́/мысел *s.* (*gsg.* -сла) business, trade, profession; **горный ~** mining || **–мысл** *s.* providence || **–мысло́вый** *a.* professional, manufacturing || **–мы́ть** *cf.* **–мыва́ть** || **–мы́шленник** *s.* manufacturer || **–мы́шленность** *s. f.* industry || **–мы́шленный** *a.* industrial || **–мышля́-ть** II. *vn.* (*Pf.* -мы́слить 41.) (чем) to trade, to follow a business; (о чём) to care for || **~** *va.* to procure, to follow (a business), to get, to earn || **–мя́млить** *cf.* **мя́млить** || **–мя́ть** *cf.* **–мина́ть.**

про/на́шива-ть II. *va.* (*Pf.* -нос=и́ть I. 3. [c]) to wear for some time; to wear out || **–нести́** *cf.* **–носи́ть** || **–нза́-ть** II. *va.* (*Pf.* -нз=и́ть I. [a]) to pierce, to bore; to be piercing (of cold) || **–нзе́ние** *a.* piercing || **–нзи́тельный** *a.* piercing, penetrating, sharp, shrill; biting cold || **–ни́зыва-ть** II. *va.* (*Pf.* -низ-а́ть I. 1. [c]) to pierce through; to string (beads) || **–ника́-ть** II. *va.* (*Pf.* -ни́кнуть 52.) to penetrate, to permeate, to strike through; (*fig*) to see through, to fathom || **–нима́-ть** II. *va.* (*Pf.* -ня́ть 37., *Fut.* пройму́) to pierce, to penetrate (of the cold); to bring round, to bring to reason || **–ница́емость** *s. f.* penetrability, permeability || **–ница́емый** *a.* penetrable, permeable || **–ница́тельность** *s. f.* penetration, sagacity, shrewdness || **–ница́тельный** *a.* penetrating, searching, shrewd || **–ница́ть** *cf.* **–ника́ть.**

про/нос=и́ть I. 3. [c] *va.* (*Pf.* -нести́ & -не́сть 26.) to carry, to bear past; to spread, to circulate; to carry past; to drift (of water) || **~** *v.imp.* to purge, to have a motion || **~ся** *vr.* to rush past, to fly past; to circulate, to spread.

проны́р/а *s. m&f.* intriguer, slyboots || **–ливость** *s. f.* cunning, craftiness, slyness || **–ливый** *a.* intriguing, cunning, sly || **–ство** *s.* intrigues *pl.*, underhand practice.

про/ню́хива-ть II. *va.* (*Pf.* -ню́ха-ть II.) to smell, to ferret out || **–ня́ть** *cf.* **–нима́ть.**

пропага́нд/а *s.* propaganda || **–и́ро+вать** II. *va.* to carry out propaganda || **–и́ст** *s.*, **–и́стка** *s.* (*gpl.* -ток) propagandist.

про/пада́-ть II. *vn.* (*Pf.* -па́сть 22. [a 1.]) to be lost; to disappear; to perish, to be spoiled; **у меня́ –па́ла соба́ка** I have lost my dog; **куда́ же вы –па́ли?** where have you been all this time? || **–па́жа** *s.* loss; thing lost || **–па́лзывать = –полза́ть.**

про́/пасть *s. f.* precipice, abyss, gulf; multitude, a huge amount, a lot || **–па́сть** *cf.* **–пада́ть** || **–па́щий** (-ая, -ее) *a.* lost, ruined || **–пека́-ть** II. *va.* (*Pf.* -пе́чь 18. [a 2.]) to bake thoroughly, for some time; to scorch through (of the sun) || **–пе́ть** *cf.* **петь** || **–пива́-ть** II. *va.* (*Pf.* -пи́ть 27. [a 4.]) to spend (time, money) in drinking, to squander away in drink || **–пи́ска** *s.* (*gpl.* -сок) entry; visa; notification (to the police), omission (in writing) || **–писно́й** *a.*, **–на́я бу́ква** *s.* capital (letter) || **–пи́сыва-ть** II. *va.* (*Pf.* -пис-а́ть I. 3. [c]) to enter, to register; to visa; to notify one's arrival, etc.; to prescribe (a medicine); to spend time writing || **–пись** *s. f.* copy, copy-head.

про/пита́ние *s.* subsistence, livelihood || **–пи́тыва-ть** II. *va.* (*Pf.* -пита́-ть II.) to feed, to nourish, to support; to steep in, to impregnate || **–пи́ть** *cf.* **–пива́ть** || **–пи́хивать** II. *va.* (*Pf.* -пиха́-ть II. & -пихн-у́ть I. [a]) to push, to shove, to force through || **–пла́вать** *cf.* **пла́вать** || **–плута́ть** *cf.* **плута́ть** || **–плыва́-ть** II. *vn.* (*Pf.* -плы́ть 31. [a 3.]) to swim a certain distance; to swim, to sail through *or* across || **–пляса́ть** *cf.* **пляса́ть.**

пропове́д/ник *s.* preacher || **–нический** *a.* preacher's || **–ыва-ть** II. *va.* (*Pf.* -о+вать II.) to preach.

про́/поведь *s. f.* [c] sermon || **–полза́-ть** II. *vn.* (*Pf.* -ползти́ 25. [a 2.]) to crawl, to creep through *or* over.

пропо́рц/ия *s.* proportion || **–иона́льность** *s. f.* proportionality || **–иона́льный** *a.* proportional.

пропости́ться *cf.* **пости́ться.**

про́/пуск *s.* pass, permission to leave *or* pass, free pass; omission, gap || **–пуска́-ть** II. *va.* (*Pf.* -пуст=и́ть I. 4. [c]) to let pass, to allow (one) to pass; to let through; to let elapse, to let pass away (time); to let slip, to neglect (time, an opportunity); to let go, to slip; to omit, to leave out, to pass over, to skip; **~ слух** to circulate, to spread a rumour || **–пускно́й** *a.* of admission, admission-; for filtering; **–на́я бума́га** filter-paper; blotting-paper || **–пья́нство+вать** *va.* to spend in drink.

про/раста́-ть II. *vn.* (*Pf.* -расти́ 35. [a 2.]) to germinate, to spring up (of seed);

to grow up, to shoot out, to sprout; to grow through || **-рва́ть** *cf.* **-рыва́ть** || **-ре́з** *s.* cutting through; cut, slit || **-ре́зыва-ть** II. & **-реза́-ть** II. *va.* (*Pf.* -ре́з-ать I. 1.) to cut through || **~ся** *vr.* to be coming through (of the teeth); **у ребёнка зу́бы -ре́зываются** the child is teething || **-река́-ть** II. *va.* (*Pf.* -ре́чь 18.) to foretell, to predict, to prophesy || **-ре́ха** *s.* hole, slit, slash, vent seam (in a dress) || **-рица́лище** *s.* oracle || **-рица́тель** *s. m.* foreteller, prophet || **-рица́тельный** *a.* prophetic(al) || **-рица́ть** = **-река́ть** || **-ро́к** *s.* prophet || **-роня́-ть** II. *va.* (*Pf.* -рон=и́ть II. [c]) to let fall, to drop || **-роста́ть** = **-раста́ть** || **-ро́ческий** *a.* prophetic(al) || **-ро́чество** *s.* prophecy, prediction || **-ро́ч=ить** I. *vn.* (*Pf.* на-) to prophesy || **-ро́чица** *s.* prophetess || **-руба́-ть** II. *va.* (*Pf.* -руб=и́ть II. 7. [c]) to cut through, to break through || **∸рубь** *s. f.* ice-hole.

про/ры́в *s.* tearing asunder; breaking through, breach, cut || **-рыва́-ть** II. *va.* (*Pf.* -рв-а́ть I. [a]) to tear through, to rend (*e. g.* dresses); to break through (a dam); to cut open, to lance (an ulcer); (*Pf.* -ры́ть 28.) to dig through.

про/са́жива-ть II. *va.* (*Pf.* -сад=и́ть I. 1. [a & c]) to squander || **-са́к** *s.* scrape; **попа́сть в ~** to get into a scrape || **-са́лива-ть** II. *va.* (*Pf.* -са́л=ить II.) to grease; (*Pf.* -сол=и́ть II. [a]) to salt, to pickle thoroughly || **-са́чива-ться** II. *vr.* (*Pf.* -соч=и́ться I. [a]) to ooze through || **-сва́тыва-ть** II. *va.* (*Pf.* -сва́та-ть II.) to promise in marriage to || **-свежа́-ть** II. *va.* (*Pf.* -свеж=и́ть I. [a]) to air || **-све́рлива-ть** II. *va.* (*Pf.* -сверл=и́ть II. [a]) to bore through, to perforate.

просве́/т *s.* window-opening (in a wall); shining through of light; (*fig.*) bright spot || **-ти́тель** *s. m.* enlightener, one who spreads enlightenment || **-ти́тельный** *a.* enlightening || **-ти́ть** *cf.* **-ща́ть** || **-тле́-ть** II. *vn. Pf.* to clear up, to grow bright (of the sky); to grow cheerful (of the face) || **-тля́-ть** II. *va.* (*Pf.* -тл=и́ть II. [a]) to clarify, to clear; to make light *or* bright (a house); to cheer (the face).

про/све́чива-ть II. *vn.* (сквозь что) to shine, to glisten, to glitter through || **-свеща́-ть** II. *va.* (*Pf.* -свет=и́ть I. 6. [a]) to enlighten; to instruct || **-свеще́ние** *s.* enlightenment, instruction || **-сева́-ть** II. *va.* (*Pf.* -се́-ять II.) to sift, to bolt || **∸седь** *s. f.* some grey hairs || **∸се́ка** *s.* opening, gap (in a wood) || **-сека́-ть** II. *va.* (*Pf.* -се́чь 18. [a 1.]) to cut, to hew through || **-сёлок** (*gsg.* -лка) by-road, by-way || **-сёлочный** *a.*, **-ная доро́га** by-road || **-се́ять** *cf.* **-сева́ть** || **-си́жива-ть** II. *vn.* (*Pf.* -сид=е́ть I. 1. [a]) to be seated for some time; to sit up (to a certain time); **~ всю ночь** to sit up all night; **просиде́ть ве́чер** (у кого́) to spend the evening || **∸синь** *s.f.* bluish colour; **в ~** bluish.

проси́тель/ *s. m.*, **-ница** *s.* petitioner, suppli(c)ant || **-ный** *a.* of solicitation, containing a petition, petitionary.

прос=и́ть I. 3. [c] *va.* (*Pf.* по-) (кого́ о чём *or* у кого́ чего́) to beg, to ask, to pray, to entreat (a thing from one); (*leg.*) to petition (for); to invite, to bid (guests) || **~ся** *vr.* to request, to ask for; to apply (to one for); to solicit (one for), to petition; to sue (for a place); **~ в о́тпуск** to ask for leave of absence; **~ домо́й** to ask to be allowed home.

про/сия́-ть II. *vn. Pf.* to clear up, to begin to shine, to shine forth || **-ска́кива-ть** II. *vn.* (*Pf.* -скоч=и́ть I. [c] & -скокн-у́ть I. [a]) to jump, to leap through; to rush past; (*Pf.* -скак-а́ть I. 2. [c]) to gallop past, to gallop by || **-скольза́-ть** II. *vn.* (*Pf.* -скользн-у́ть I. [a]) to slip, to steal, to creep past *or* away, to slip through || **-сла́бить** *cf.* **сла́бить** || **-славле́ние** *s.* glorification || **-славля́-ть** II. *va.* (*Pf.* -сла́в=ить II. 7.) to glorify, to extol; to make famous (*cf.* сла́вить) || **-сле́до+вать** II. *vn.* to travel, to pass through *or* by || **-слез=и́ть** I. 1. [a] *va. Pf.* to move one to tears || **~ся** *vr.* to be moved to tears, to shed tears || **-служи́ть** *cf.* **служи́ть** || **-слу́шива-ть** II. *va.* (*Pf.* -слу́ша-ть II.) to hear out, to listen to; to hear (one his lessons), to make one say his lessons || **-слыва́ть** *cf.* **слыть** || **-слы́ш=ать** I. *va.* to hear, to know by hearsay.

про/сма́трива-ть II. *va.* (*Pf.* -смотр=е́ть II. [c]) to examine, to run over, to look over; to overlook, not to notice || **-смо́тр** *s.* examination, revision; oversight || **-сну́ться** *cf.* **-сыпа́ться.**

про́со *s.* millet.

про/со́выва-ть II. *va.* (*Pf.* -су́н-уть I.) to push, to shove, to thrust through || **~ся** *vr.* to force one's way through.

просо́дия *s.* prosody.
про/соли́ть *cf.* **–са́ливать** || **–со́нки** *s. mpl.* & **–со́нье** *s.* state between sleeping and waking; **в –со́нках** half asleep || **–со́хлый** *a.* dried up || **–со́хнуть** *cf.* **–сыха́ть** || **–сочи́ться** *cf.* **–са́чиваться** || **–спа́ть** *cf.* **–сыпа́ть.**
проспе́кт *s.* prospectus; a broad street.
про/спряга́ть *cf.* **спряга́ть** || **–сро́чение** *s.* expiration of a fixed period || **–сро́чива-ть** II. *va.* (*Pf.* -сро́ч=ить I.) to allow the term to expire; ~ **о́тпуск** to exceed one's leave of absence || **–сро́чка** *s.* (*gpl.* -чек) = **–сро́чение.**
проста́к *s.* [a] simpleton, booby, ninny.
просте́н/ок *s.* (*gsg.* -нка) partition; part of a wall between two windows *or* two doors || **–очный** *a.*, **–очное зе́ркало** pier-glass.
про/стира́-ть II. *va.* (*Pf.* -стере́ть 14. [a 1.]) to stretch, to spread out, to extend out || ~**ся** *vr.* (до + *G.*) to extend, to stretch, to reach; to amount to.
прости́тельный *a.* excusable, pardonable.
проститу́тка *s.* (*gpl.* -ток) prostitute || **–у́ция** *s.* prostitution.
прости́ть *cf.* **проща́ть.**
про́сто/ *ad.* simply, plainly, merely || **–ва́тость** *s. f.* simplicity; silliness || **–ва́тый** *a.* simple(-minded); silly, foolish || **–воло́сый** *a.* bare-headed || **–ду́шие** *s.* simplicity, artlessness, frankness, ingenuousness || **–ду́шный** *a.* simple-minded, artless, sincere, frank, ingenuous.
прост/о́й *a.* (*comp.* про́ще) simple, plain, homely; sincere, frank; ordinary, common; **–ы́ми глаза́ми** with the naked eye; **–е́йшие живо́тные** protozoa.
просто́й *s.* time after expiration of a fixed term; time during which a house remains unoccupied; lay-days.
просто/ква́ша *s.* curdled milk || **–лю́дин** *s.*, **–лю́динка** *s.* (*gpl.* -нок) plebeian || ~**-на́просто** *ad.* quite plainly; without beating about the bush || **–наро́дие** *s.* populace, mob; common people || **–наро́дный** *a.* popular; common, vulgar, plebeian || **–на́ть** *cf.* **стона́ть.**
просто́р/ *s.* spaciousness, room, space; leisure; **дай** ~! clear the way! || **–ный** *a.* spacious, roomy, ample; large.
просто/ре́чие *s.* popular speech || **–серде́чие** *s.* & **–серде́чность** *s.f.* candour, frankness, artlessness || **–серде́чный** *a.* candid, frank, artless || **–та́** *s.* simplicity, plainness, candour, frankness; silliness, foolishness || **–фи́ля** *s. m.&f.* noodle, ninny, nincompoop.
простра́н/ность *s. f.* spaciousness, roominess, vastness; diffuseness, verbosity || **–ный** *a.* spacious, vast; diffuse, prolix, verbose, circumtantial || **–ство** *s.* wideness, largeness, expanse, dimension.
про/стре́лива-ть II. *va.* (*Pf.* -стрел=и́ть II. [c]) to shoot through || **–сту́да** *s.* cold || **–сту́дный** *a.* cold-, of a cold, catarrhal || **–стужа́-ть** II. & **–сту́жива-ть** II. *va.* (*Pf.* -студ=и́ть I. 1. [c]) to cool; to chill || ~**ся** *vr.* to catch (a) cold, to get a cold || **–ступа́-ть** II. *vn.* (*Pf.* -ступ=и́ть II. 7. [c]) to rush, to step, to come forth, to appear || **–сту́пок** *s.* (*gsg.* -пка) offence, delinquency || **–стыва́-ть** II. *vn.* (*Pf.* -сты́н-уть I. & -сты́ть 32. [b]) to cool (down); to grow cold, cool || **–стыня́** *s.* sheet || **–стя́к** = **–ста́к.**
про/су́нуть *cf.* **–со́вывать** || **–су́шива-ть** II. *va.* (*Pf.* -суш=и́ть I. [a & c]) to dry (thoroughly); to air (of washing) || **–су́шка** *s.* drying (up) || **–существова́ть** *cf.* **существова́ть.**
просфора́ *s.* host, wafer.
про/счи́тыва-ть II. *va.* (*Pf.* -счита́-ть II.) to count for some time, to count over several times || ~**ся** *vr.* to make a mistake in counting || **–сы́п** *s.* awakening; **спать без –сы́пу** to sleep soundly; **он –сы́пу не зна́ет, он пьёт без –сы́пу** he is never sober, he is always drunk || **–сыпа́-ть** II. *vn.* (*Pf.* -сп=а́ть II. 7. [a]) to sleep for some time; **я –спа́л це́лый день** I slept the whole day || ~ *va.* to miss, to lose, to neglect by sleeping; to sleep away time (dinner, a train, etc.) || ~**ся** *vn.* to have one's sleep out; to sleep off (the results of drinking), to sleep o.s. sober || ~**ся** *vn.* (*Pf.* -сн-у́ться I. [a]) to awake, to rouse o.s. || **–сыпа́-ть** II. *va.* (*Pf.* -сы́п-ать II. 7.) to strew, to scatter, to spill || **–сыха́-ть** II. *vn.* (*Pf.* -со́хнуть 52) to dry up, to get dried.
про́сьба *s.* request; petition; **у меня́ до вас** ~ I have a request to make you.
просяно́й *a.* millet-, of millet.
прота́лин/а *s.*, *dim.* **–ка** *s.* (*gpl.* -нок) a place where the snow has melted.
про/та́лкива-ть II. *va.* (*Pf.* -толка́-ть II., *mom.* -толкн-у́ть I. [a]) to push through; to thrust, to push on, away (a boat over

a shallow place) || **\~ся** *vr.* to force one's way through || **–танцо+вáть** II. [b] *va.* to dance away *or* through || **\~** *vn.* to dance a certain time || **–тáптыва-ть** II. *va.* (*Pf.* -топт-áть I. 2. [c]) to tread out, to stamp in (a foot-path); to wear out (one's boots).

протеж/é *s.* protegé(e) || **–и́ро+вать** II. *va.* to favour, to protect, to patronize.

про/текá-ть II. *vn.* (*Pf.* -тéчь 18. [a 2.]) to run, to flow through, by, past; to be leaky, to leak; to go, to pass by (of time).

протéкц/ия *s.* protection || **–иони́зм** *s.* protectionism || **–иони́ст** *s.* protectionist.

про/телеграфи́ровать *cf.* **телеграфи́ровать** || **–терéть** *cf.* **–тирáть.**

протéст/ *s.* protest || **–анти́зм** *s.* Protestantism || **–áнтский** *a.* Protestant || **–áнт** *s.*, **–áнтка** *s.* (*gpl.* -ток) Protestant || **–о+вáть** II. [b] *vn.&a.* (*Pf.* о-) to protest against; **\~ вéксель** to protest a bill of exchange.

протéчь *cf.* **протекáть.**

прóтив *prp.* (+ *G.*) opposite to; against, contrary to; **за и \~** the pros and cons; **\~ течéния** upstream.

прóтивень *s. m.* (*gsg.* -вня) rectangular frying-pan.

проти́в=иться II. 7. *vr.* (*Pf.* вос-) to oppose, to resist.

проти́в/ник *s.*, **–ница** *s.* adversary, opponent, antagonist || **–ность** *s. f.* contrariety, adverseness; opposition; refractoriness, obstinacy || **–ный** *a.* opposite, contrary, adverse; opposed, counter-; repugnant, loathsome; **в –ном слу́чае** otherwise.

противо/бóрство *s.* opposition, antagonism || **–бóрство+вать** II. *vn.* (+ *D.*) to oppose, to resist || **–вéс** *s.* counterpoise, counter-weight || **–дéйствие** *s.* counteraction; reaction; resistance || **–дéйство+вать** II. *vn.* to counteract; to react; to resist, to oppose || **–естéственный** *a.* unnatural || **–закóнный** *a.* illegal, contrary to law || **–полагá-ть** II. *va.* (*Pf.* -полож=и́ть I. [c]) to oppose; to set against || **–положéние** *s.* opposition; antithesis || **–полóжность** *s. f.* opposition, contrast, difference || **–полóжный** *a.* opposite, contrary || **–речи́вый** *a.* contradictory || **–рéч=ить** I. *vn.* (+ *D.*) to contradict, to belie, to be at variance (with) || **–рéчие** *s.* contradiction; inconsistency || **–сто=я́ть** II. [a] *vn.* to confront; to resist; (*Pf.* -стáть 32.) to oppose o.s. to, to stand against || **–я́дие** *s.* antidote || **–я́дный** *a.* antidotal, acting as an antidote.

про/тирá-ть II. *va.* (*Pf.* -терéть 14. [a 1.]) to rub through, to rub sore; to strain (peas, etc.) || **\~ся** *vr.* to force one's way through || **–ти́скива-ть** II. *va.* (*Pf.* -ти́ска-ть II. & -ти́сн-уть I.) to press, to force through || **–ткну́ть** *cf.* **–тыкáть.**

прото/диáкон *s.* archdeacon || **–ерéй** *s.* archpriest.

протóк *s.* canal (through a watershed) connecting two river-basins.

протокóл *s.* record, minutes *pl.*, official report, protocol.

про/толкáть & **–толкну́ть** *cf.* **–тáлкивать** || **–топтáть** *cf.* **–тáптывать** || **–торгóвыва-ть** II. *va.* (*Pf.* -торго+вáть II. [b]) to lose in trading || **\~ся** *vr.* to ruin o.s. by trade || **–́тори** *s. fpl.* (*lcg.*) costs *pl.* || **–торя́-ть** II. *va.* (*Pf.* -тор=и́ть II.) to open up, to trace out, to beat (a way).

прототи́п *s.* prototype.

про/тóчина *s.* damage done by moths; worm-hole || **–тóчный** *a.* flowing through, running (of water) || **–трезвлéние** *s.* sobering || **–трезвля́-ть** II. *va.* (*Pf.* -трезв=и́ть II. 7. [a]) to sober || **\~ся** *vr.* to get sober || **–труб=и́ть** II. 7. [a & c] *vn. Pf.* to blow the trumpet for some time; (о чём) to divulge, to noise abroad || **–ту́хлый** *a.* tainted, spoiled, rotten, putrid || **–ту́хнуть** *cf.* **ту́хнуть** || **–тыкá-ть** II. *va.* (*Pf.* -ткн-у́ть I. [a]) to pierce through and through, to transfix, to spit || **–тя́гива-ть** II. *va.* (*Pf.* -тян-у́ть I. [c]) to stretch forth *or* out, to spread, to extend, to hold out; to protract, to spin out, to prolong; to linger; **–тяну́ть нóги** to die; (*fam.*) to kick the bucket || **\~ся** *vr.* to stretch o.s., to extend, to reach (to); to last, to linger, to hold out || **–тяжéние** *s.* extension, extent; expansion, dimension || **–тя́жность** *s. f.* slowness (of speech) || **–тя́жный** *a.* drawling, slow (of speech) || **–тяну́ть** *cf.* **–тя́гивать.**

проучá-ть II. & **проу́чива-ть** II. *va.* (*Pf.* -уч=и́ть I. [c]) to repeat a lesson, to learn for some time; to lecture, to give a lesson to; **я тебя́ проучу́!** I'll teach you!

профани́ро+вать II. *va.* to profane.

профáн *s.* layman.

профе́сс/ия *s.* profession || **–иона́льный** *a.* professional || **–ор** *s.* professor || **–орский** *a.* professorial; professor's || **–у́ра** *s.* professorship.

про́филь/ *s. m.* profile || **–ный** *a.* in profile.

про/фильтрова́ть *cf.* **фильтрова́ть** || **–ха́жива-ть** II. *vn.* (*Pf.* -ход=и́ть I. 1. [c]) to be walking for some time || **~ся** *vn.* (*only Ipf. aspect*) to go for a walk || **–хва́тыва-ть** II. *va.* (*Pf.* -хват=и́ть I. 2. [c]) to penetrate, to pierce (of cold) || **–хла́да** *s.* coolness, freshness (of the weather) || **–хлади́тельный** *a.* refreshing, cooling; refrigerating || **–хла́дность** *s. f.* freshness, coolness || **–хла́дный** *a.* fresh, cool || **–хлажда́-ть** II. *va.* (*Pf.* -хлад=и́ть I. 5. [a]) to refresh, to cool || **–хлажде́ние** *s.* refreshing, cooling.

про/хо́д *s.* passage, way, thoroughfare; (*an.*) conduit, duct; **го́рный ~** mountain-pass; **за́дний ~** anus || **–ходи́мец** = **пройдо́ха** || **–ход=и́ть** I. 1. [c] *vn.* (*Pf.* пройти́ 48., *Fut.* пройду́) to go, to pass through, along; to cross over, to traverse; to go past (of time); to expire, to elapse; to break up (of ice on a river); to walk, to go, to run about for some time || **~** *va.* to give a lecture; to look over, to run through, to examine (*cf.* -ха́живать) || **–ходно́й** *a.* pass-, passage-, serving as a passage; **–на́я ко́мната** connecting room || **–хожде́ние** *s.* going, walking through, crossing || **–хо́жий** (-ая, -ее) (*as s.*) passer-by || **–хохота́ть** *cf.* **хохота́ть.**

про/цвета́ние *s.* flourishing, thriving, prosperity || **–цвета́-ть** II. *vn.* (*Pf.* -цвести́ 23. [a 2.] *Pret.* -цвёл) to flower, to bloom, to blossom; to flourish, to thrive || **–цеду́ра** *s.* procedure || **–це́жива-ть** II. *va.* (*Pf.* -цед=и́ть I. 1. [a & c]) to filter, to strain || **–це́нт** *s.* interest, percentage, rate per cent; **приноси́ть –це́нты** to bear interest; **сло́жные –це́нты** compound interest; **по десяти́ –це́нтов в год** at ten per cent per annum || **–це́нтный** *a.* percentage- || **–це́сс** *s.* action, lawsuit; process || **–це́ссия** *s.* procession; **похоро́нная ~** funeral (procession) || **–че́сть** *cf.* **–чи́тывать.**

про/чёсыва-ть II. *va.* (*Pf.* -чес-а́ть I. 3. [c]) to comb thoroughly; to hackle thoroughly || **–чёт** *s.* mistake in calculation || **–чётный** *a.* miscalculated.

про́чий (-ая, -ее) *a.* other; remaining; **и –ее** (*abbr.* и пр.) et cetera; **ме́жду про́чим** among other things, besides.

про/чи́стить *cf.* **–чища́ть** || **–чи́стка** *s.* cleaning, cleansing || **–чи́тыва-ть** II. *va.* (*Pf.* -чита́-ть II. & -че́сть 24.) to read through, to have finished reading; (*only 1. Pf.*) to spend some time reading.

про́ч=ить I. *va.* to keep, to reserve, to lay by; (что за кого́ *or* кому́) to destine, to design.

про/чища́-ть II. *va.* (*Pf.* -чи́ст=ить I. 4.) to clean, to scour || **~ся** *vr.* to clear up (of the weather).

про́ч/ность *s. f.* solidity, durability, stability || **–ный** *a.* solid, durable, stable, lasting.

прочте́ние *s.* reading (through), perusal.

прочь *ad.* away, off; **поди́ ~!** be off! go away! **я не ~** (**от э́того**) I am not disinclined.

про/ше́дший *a.* past, bygone; **–ше́дшее вре́мя** (*gramm.*) past tense || **–ше́ние** *s.* petition; **пода́ть ~** to present a petition || **–шепта́ть** *cf.* **шепта́ть** || **–ше́ствие** *s.* lapse, expiration || **–ше́ствовать** *cf.* **ше́ствовать** || **–шиба́-ть** II. *va.* (*Pf.* -шиб=и́ть I. [a]) to knock, to strike through; to break open || **–шива́-ть** II. *va.* (*Pf.* -ши́ть 27. [a 1.]) to sew through; to sew for some time || **–шипе́ть** *cf.* **шипе́ть.**

прошлого́дный *a.* last year's, of last year.

про́шлое (*as s.*) (time) past.

про́шлый *a.* past, last.

прошну/ро́выва-ть II. *va.* (*Pf.* -ро+ва́ть II. [b]) to lace, to pass a string through.

про/ща́льный *a.* parting, farewell || **–ща́ние** *s.* leave-taking, farewell, parting || **–ща́-ть** II. *va.* (*Pf.* -ст=и́ть I. 4. [a]) to pardon, to forgive, to excuse; to remit (a guilt); to absolve (sins); **–ща́й(те)!** farewell! good-bye! || **~ся** *vr.* (с кем) to take one's leave, to bid good-bye || **–ще** *comp. of* просто́й || **–щелы́га** = **пройдо́ха** || **–ще́ние** *s.* pardon, forgiveness; remission, absolution.

про/экзаменова́ть *cf.* **экзаменова́ть** || **–явле́ние** *s.* manifestation, appearance, display; (*phot.*) development || **–явля́-ть** II. *va.* (*Pf.* -яв=и́ть II. 7. [a & c]) to manifest, to display, to show; to develop (a photo) || **~ся** *vn.* to appear, to come forth, to arise || **–ясне́-ть** II. *vr. Pf.* to clear up (of the weather) || **–ясня́-ть** II. *va.* (*Pf.* -ясн=и́ть II. [a])

to elucidate, to explain, to make one understand a thing, to illustrate.

пруд *s.* [a] pond.

пруд=и́ть I. 1. [a & c] *va.* (*Pf.* за-) to dam up (water).

прудово́й *a.* pond-.

пруж/и́на *s.* spring; (*fig.*) motive power, mainspring || **-и́нный** *a.* spring-.

руса́к *s.* [a] cockroach.

прут/ *s.* (*pl.* пру́тья) rod, twig; bar (of metal) || **-ко́вый** *a.* in bars.

прыг *s.* spring, leap, jump.

пры́г/а-ть II. *vn.* (*Pf.* -н-уть I.) to jump, to spring, to leap, to bound, to hop || **-у́н** *s.* [a], **-у́нья** *s.* jumper, skipper, hopper.

прыжо́к *s.* [a] (*gsg.* -жка́) jump, spring, hop, leap, bound; caper, gambol.

пры́ска-ть II. & **прыск-а́ть** I. 4. *va.* (*Pf.* пры́сн-уть I.) to sprinkle, to damp (linen) || **~** *vn.* to spurt, to spout; **~ со́ смеху** to burst out laughing.

пры́т/кий *a.* nimble, quick, swift || **-ь** *s. f.* rapid pace; swiftness, nimbleness; **во всю ~** at a headlong pace.

прыщ/ *s.* [a] pimple || **-ева́тый** *a.* pimply || **´-ик** *s.* small pimple.

прюне́ль *s. f.* prunella.

пряд/е́ние *s.* spinning || **-и́льный** *a.* spinning || **-и́льня** *s.* (*gpl.* -лен) spinning-mill || **-и́льщик** *s.*, **-и́льщица** *s.* spinner || **-ь** *s. f.* thread, yarn; **~ воло́с** lock of hair.

пря́ж/а *s.* spun yarn, spun goods *pl.* || **-ка** *s.* (*gpl.* -жек) buckle.

пря́лка *s.* (*gpl.* -лок) distaff, spinning-wheel.

прям/ёхонький *a.* quite straight || **-изна́** *s.* straightness || **-ико́м** *ad.* straight on || **-оду́шие** *s.* straightforwardness, uprightness || **-оду́шный** *a.* straightforward, upright, frank, honest || **-о́й** *a.* straight, erect; direct, right; frank, upright; true, real, downright || **´-о** *ad.* straight on; frankly, openly || **-а́я** (*as s.*) straight line || **-олине́йный** *a.* straightlined, rectilinear || **-ота́** *s.* frankness, uprightness || **-оуго́льник** *s.* rectangle || **-оуго́льный** *a.* rectangular || **-ь** *s. f.* straightness.

пря́н/ик *s.*, *dim.* **-ичек** *s.* (*gsg.* -чка) gingerbread || **-ичник** *s.*, **-ичница** *s.* gingerbread-baker || **-ость** *s. f.* spiciness; (*in pl.*) spices *pl.* || **-ый** *a.* spiced, spicy; spice-.

прясть 22. [a 1.] *va.* (*Pf.* с-, по-) to spin.

пря́т-ать I. 2. *va.* (*Pf.* с-) to keep, to hide, to conceal; **~ под замо́к** to lock away.

пря́тки *s. fpl.* (*G.* -ток) hide-and-seek; **игра́ть в ~** to play (at) hide-and-seek.

пря́ха *s.* spinner.

псал/мопе́вец *s.* (*gsg.* -вца) psalm-singer || **-мопе́ние** *s.* psalm-singing, psalmody || **-о́м** *s.* [a] (*gsg.* -лма́) psalm || **-о́мщик** *s.* psalm-reader || **-ти́рь** *s. f.* & **-ты́рь** *s. m.* [a] psalter.

пса́р/ный *a.* dog- || **-ня** *s.* (*gpl.* -рен) dog-kennel || **-ь** *s. m.* [a] dog-keeper, dog-feeder.

псевдони́м *s.* pseudonym.

пси́на *s.* dog's flesh.

пси́х/ика *s.* psychics *pl.* || **-и́ческий** *a.* psychic(al) || **-о́ло́г** *s.* psychologist || **-ологи́ческий** *a.* psychologic(al) || **-оло́гия** *s.* psychology.

псо́вый *a.* of dogs, of hounds.

пта́ш/ка *s.* (*gpl.* -шек) & **-ечка** *s.* (*gpl.* -чек) *dim.* bird.

птен/е́ц *s.* [a] (*gsg.* -нца́) & **´-чик** *s.* nestling, fledgeling; (*fig.*) youngest child, pet.

пти́ц/а *s.* bird || **-ево́д** *s.* bird-fancier || **-ело́в** *s.* bird-catcher.

пти́ч/ий (-ья, -ье) *a.* bird's, poultry- || **-ка** *s.* (*gpl.* -чек) small bird || **-ник** *s.* bird-fancier; bird-seller, dealer in birds; aviary; poultry-yard.

пу́бл/ика *s.* public || **-ика́ция** *s.* publication; notice, advertisement || **-ико+ва́ть** II. [b] *va.* (*Pf.* о-) to publish, to announce; to advertise || **-ици́ст** *s.* publicist || **-и́чность** *s. f.* publicity || **-и́чный** *a.* public; **~ дом** brothel; **-и́чная же́нщина** prostitute.

пу́г/ало *s.* scarecrow, bugbear || **-а́-ть** II. *va.* (*Pf.* ис-, *mom.* -н-у́ть I. [a]) to frighten, to scare, to terrify || **~ся** *vr.* (чего́) to be startled, to shock; to take fright; to shy (of a horse) || **-а́ч** *s.* [a] horn-owl || **-ли́вость** *s. f.* fearfulness, shyness; skittishness || **-ли́вый** *a.* fearful, shy, easily startled, skittish || **-ну́ть** *cf.* **-а́ть** || **-овица** *s.* button || **-овичный** *a.* button-.

пуд/ *s.* [b] pood (= 40 Russian pounds) **´-ель** *s. m.* [b & c] (*pl.* -и & -я́) poodle || **´-(д)инг** *s.* pudding || **-лингова́ние** *s.* puddling || **-линго+ва́ть** II. [b] *va.* to puddle || **-ови́к** *s.* [a] weight of one pood || **-ово́й** *a.* weighing one pood || **´-ра** *s.* powder || **´-реница** *s.* powder-box || **´-р=ить** II. *va.* (*Pf.* на-) to powder.

пуз/а́н *s.* [a], *dim.* **-а́нчик** *s.* big-bellied person; (*fam.*) paunch || **-а́(с)тый** *a.* big-bellied, pot-bellied || **-а́те-ть** II. *vn.*

(*Pf.* о-) to develop a paunch; (*vulg.*) to become pregnant || **-о** *s.* (*vulg.*) belly, paunch || **-ырёк** *s.* [a] (*gsg.* -ырька́) & **-ырёчек** *s.* (*gsg.* -чка) little bubble; (*med.*) vesicle; phial || **-ы́ристый** *a.* full of bubbles, bubbly || **-ы́рище** *s.* large bubble || **-ы́рь** *s. m.* [a] bubble; (*an.*) bladder; blister; phial.

пук/ *s.* [b] (*pl.* -и́ & пу́чья) bundle, bunch, fag(g)ot, truss; tuft (of hair) || **-а-ть** II. *vn.* (*Pf.* -н-уть I.) to pop, to burst; to crack (a whip).

пул/ево́й *a.* bullet- || **-емёт** *s.* machine-gun || **-емётчик** *s.* machine-gunner || **-ька** *s.* (*gpl.* -лек) small bullet; pool (in games) || **-ьс** *s.* pulse || **-ьсовый** *a.* of the pulse || **-я** *s.* bullet || **-я́рда** *s.* & **-я́р(д)ка** *s.* (*gpl.* -рок, -док) fat pullet.

пункт/ *s.* point, spot; article, part || **-и́рный** *a.* dotted, stippled; dotting, stippling || **-иро+ва́ть** II. [b] *va.* to dot, to stipple || **-уа́льность** *s. f.* punctuality || **-уа́льный** *a.* punctual.

пунсо́н *s.* (coin-)stamp; die, punch, matrix.

пунцо́вый *a.* flame-coloured, crimson.

пунш *s.* punch.

пуп/ *s.* [b°] navel || **-ови́на** *s.* navel-string, umbilical cord || **-о́к** *s.* [a] (*gsg.* -пка́) *dim. of* пуп || **-о́чный** *a.* umbilical.

пурга́ *s.* violent snow-storm.

пури́зм *s.* purism.

пу́рпур/ *s.* purple || **-овый** *a.* purple.

пуска́-ть II. *va.* (*Pf.* пуст=и́ть I. 4. [c]) to let, to let go, to allow to pass *or* to enter; to spread (a rumour); to let fly, to shoot, to dart; to sprout; **~ кровь** to bleed one; **~ на во́лю** to set at liberty; **~ в ход** to set going, to start (*cf.* пусть) || **~ся** *vn.* to undertake, to start, to begin, to fall to.

пуст/е́-ть II. *vn.* (*Pf.* о-) to become empty *or* desolate, to grow waste, deserted || **-о+ва́ть** II. [b] *vn.* to lie fallow (of land); to be unoccupied (of a house) || **-оголо́вый** *a.* shallow-brained, addle-pated, silly || **-о́й** *a.* empty, hollow; deserted; vain, void, idle, futile, useless || **-оме́л=ить** II. *vn.* to talk nonsense, to prate || **-оме́ля** *s. m&f.* chatterbox, babbler, prater || **-опоро́жний** *a.* empty, vacant; fallow, uncultivated || **-освя́т** *s.*, **-свя́тка** *s.* (*gpl.* -ток) hypocrite || **-осло́в=ить** II. 7. = **-оме́лить** || **-ота́** *s.* [h] emptiness, empty space, void, vacuum; futility, vainness || **-оцве́т** *s.* sterile (male) flower || **-ошь** *s. f.* [c] waste ground, uncultivated plot of land; (*fig.*) nonsense || **-ы́нник** *s.* hermit || **-ы́ннический** *a.* eremitic(al), solitary || **-ы́нничество** *s.* solitary life, life of a hermit || **-ы́нный** *a.* desert, waste || **-ынь** *s. f.* & **-ыня** *s.* hermitage || **-ы́ня** *s.* desert || **-ы́рь** *s.* [a] vacant place between two houses.

пуст/ь *Imp.* let, may; **~ бу́дет так** let it be so; **~ он де́лает что хо́чет** let him do as he likes; **~ подождёт!** let him wait! (*cf.* пуска́ть) || **-я́к** *s.* [a] (*esp. in pl.*) trifle; nonsense, fiddle-faddle || **-я́чный** *a.* trifling, nonsensical.

пу́т/аница *s.* intricacy, confusion, entanglement || **-а-ть** II. *va.* (*Pf.* на-) to entangle (in), to embroil; to confuse, to perplex || **~ся** *vr.* to get involved in; to become confused || **-еводи́тель** *s. m.* (railway-)guide, guide(-book) || **-ево́дный** *a.* guiding, leading || **-ево́й** *a.* road-, travelling- || **-е́ец** *s.* (*gsg.* -е́йца) civil engineer || **-еме́р** *s.* odometer || **-еше́ственник** *s.*, **-ница** *s.* traveller, wayfarer || **-еше́ствие** *s.* journey, travel(ling) || **-еше́ство+вать** II. *vn.* (*Pf.* по-) to travel, to voyage, to wander (about) || **-ик** *s.* trap (for small animals) || **-ник** *s.*, **-ница** *s.* traveller || **-ный** *a.* clever, intelligent, able, fit || **-ы** *s. fpl.* shackles, fetters *pl.*

путь *s. m.* [a] way, road, path; voyage, journey; (*astr.*) orbit; (*fig.*) way, means, manner, course; advantage, good; (*rail.*) track; **путём** thoroughly, severely; **водяны́м путём** by water; by sea; **по пути́** on the way; **сби́ться с пути́** to lose one's way; **мле́чный ~** the Milky Way.

пуф *s.* puff.

пух/ *s.* [°] down || **-ленький** *a.* chubby, plump || **-лый** *a.* swollen, puffed up, bloated, thick-set || **-нуть** 52. *vn.* (*Pf.* рас-) to swell up, out || **-ови́к** *s.* [a] feather bed, down-bed || **-ови́на** *s.*, *dim.* **-ови́нка** *s.* (*gpl.* -нок) a single down-feather || **-о́вка** *s.* (*gpl.* -вок) down-cushion || **-о́вый** *a.* of down, down-.

пуч/egла́зый *a.* goggle-eyed || **-и́на** *s.* abyss, gulf; whirlpool.

пу́ч=ить I. *va.* (*Pf.* вс-) to swell, to distend, to puff.

пучо́к *s.* [a] (*gsg.* -чка́) *dim.* bundle, pack, bunch.

пу́ш/ечка *s.* (*gpl.* -ечек) *dim. of* пу́шка || **-ечный** *a.* cannon- || **-и́нка** = **пуховинка** || **-и́стый** *a.* downy; woolly; flocky, flaky.

пуш=и́ть I. [a] *va.* (*Pf.* вс-) to loosen; (*Pf.* рас-) to scold, to chide (*cf.* опушать).

пу́ш/ка *s.* (*gpl.* -шек) cannon, gun, piece || **-но́й** *a.* fur-, furclad || ~ (*as s.*) furs *pl.* || **-о́к** *s.* [a] (*gsg.* -шка́) down (on chin).

пу́щ/е *ad.* more, most; ~ **всего́** most of all, chiefly || **-ий** (-ая, -ее) *a.* greater, worse.

пчел/а́ *s.* [d] (*pl.* пчёлы) bee || **-и́ный** *a.* bee-, of bees.

пчёлка *s.* (*gpl.* -лок) *dim. of* пчела́.

пчелово́д/ *s.* & **-ец** *s.* (*gsg.* -дца) bee-master, apiarist || **-ство** *s.* apiculture, bee-farming.

пче́льни́к *s.* apiary.

пшен/и́ца *s.* wheat || **-и́чный** *a.* wheat-, wheaten.

пшённый *a.* millet-.

пшено́ *s.* millet.

пыж/ *s.* [a] wad(ding) || **´ик** *s.* a small puffed up man.

пыл/ *s.* [°] flame, blaze, heat, fire; (*fig.*) glow, passion; **в -у́ спо́ра** in the heat of a dispute; **в -у́ гне́ва** in a fit of anger || **-а́-ть** II. *vn.* (*Pf.* вос-, за-) to flame, to blaze, to burn in full blaze, to be in flames (*also fig.*) || **-и́нка** *s.* (*gpl.* -нок) & **-и́ночка** *s.* (*gpl.* -чек) particle of dust.

пыл=и́ть II. [a] *vn.* (*Pf.* за-) to make dusty || **~ся** *vr.* to get dusty.

пы́л/кий *a.* ardent, passionate, fiery, violent, hot-spirited || **-кость** *s. f.* violence, ardour, fire, impetuosity || **-ь** *s. f.* [g] dust; (*bot.*) pollen || **-ьник** *s.* (*bot.*) anther || **-ьный** *a.* dusty, covered with dust.

пыре́й *s.* (*bot.*) couch-grass, spear-grass.

пыря́-ть II. *va.* (*Pf.* пырн-у́ть I. [a]) to butt, to thrust at.

пыта́-ть II. *va.* to try, to test; to question, to sound; to inquire (into); to torture, to torment || **~ся** *vr.* to make an attempt.

пы́т/ка *s.* (*gpl.* -ток) torture, rack; **подверга́ть -ке** to torture || **-ли́вость** *s. f.* inquisitiveness, inquiring disposition, desire for investigating || **-ли́вый** *a.* inquisitive, inquiring, searching, curious || **-очный** *a.* torture-.

пыхт=е́ть I. 2. [a] *vn.* (*Pf.* за-) to pant, to puff, to be out of breath.

пыш=а́ть I. [c] *vn.* (*Pf.* пы́хн-у́ть I. [a]) to blaze, to flame; to pant; ~ **гне́вом** to blaze with anger.

пы́ш/ка *s.* (*gpl.* -шек) dough-nut, puff (pastry) || **-ность** *s. f.* pomp, ostentation, splendour || **-ный** *a.* pompous, sumptuous, luxurious; showy, ostentatious.

пьедеста́л *s.* pedestal.

пье́са *s.* (*theat.*) piece.

пьян/е́-ть II. *vn.* (*Pf.* о-) to get drunk, to become intoxicated || **´ица** *s. m&f.* drunkard, toper || **´ство** *s.* drunkenness || **´ство+вать** II. *vn.* to tope, to be addicted to drink || **-чу́га** = **´ица** || **´ый** *a.* drunk, intoxicated, tipsy, inebriated || **-ю́га** = **´ица.**

пядь *s. f.* [c], *dim.* **пя́де́нь** *s. f.* [c] palm, span.

пя́л=ить II. *va.* (*Pf.* рас-) to stretch (in a frame), to stretch (out); ~ **глаза́** to open one's eyes wide.

пя́льцы *s. mpl.* embroidering frame.

пясть *s. f.* (*an.*) metacarpus.

пята́ *s.* [e] heel; **ходи́ть** (за кем) **по -а́м** to tread on the heels of a person; (*fig.*) to pursue one closely.

пят/а́к *s.* [a], *dim.* **-ачо́к** *s.* [a] (*gsg.* -чка́) five copeck piece || **-ери́к** *s.* [a] having five pieces, *e. g.* five to the pound || **-ери́цею** *ad.* five times || **-и́чный** *a.* fivefold, quintuple || **-ёрка** *s.* (*gpl.* -рок) the five (at cards, of a team) || **-ерно́й** *a.* composed of five parts || **´еро** *s.* five (of persons); **нас бы́ло** ~ there were five of us.

пяти/алты́нный *s.* fifteen copeck piece || **-гла́вый** *a.* five-headed, with five cupolas || **-гра́нник** *s.* pentahedron || **-гра́нный** *a.* pentahedral || **-десятиле́тний** *a.* fifty years old || **-десятирублёвка** *s.* (*gpl.* -вок) fifty rouble note || **-деся́тница** *s.* Whitsuntide, Pentecost || **-деся́тый** *num.* fiftieth || **-дне́вный** *a.* of five days || **-кни́жие** *s.* Pentateuch || **-копе́ечник** *s.* five copeck piece || **-копе́ечный** *a.* of five copecks || **-кра́тный** *a.* (repeated) five times || **-ле́тие** *a.* quinquennium, period of five years || **-ле́тний** *a.* of five years; five years old || **-ме́сячный** *a.* of five months || **-проце́нтный** *a.* five-per-cent- || **-рублёвка** *s.* (*gpl.* -вок) five rouble note || **-со́тый** *num.* five-hundredth || **-сто́пный** *a.* having five feet in the line; ~ **стих** pentameter.

пя́т=ить I. 2. *va.* (*Pf.* по-) to push, to drive back; to force back || **~ся** *vr.* to back, to fall back, to draw back, to retire; to withdraw (one's words).

пяти/уго́льник *s.* pentagon || **-уго́льный** *a.* pentagonal || **-фунто́вый** *a.* weighing five pounds.

пя́тка *s.* (*gpl.* -ток) heel; **показа́ть -и** to take to one's heels, to show a clean pair of heels.

пятнадцатиле́тний *a.* fifteen years old.

пятна́дцат/ый *num.* fifteenth || **-ь** *num.* fifteen.

пятна́-ть II. *va.* (*Pf.* за-) to smear, to spot, to stain; (*obs.*) to mark, to brand.

пя́тни/ца *s.* Friday; **по -цам** on Fridays || **-чный** *a.* of Friday, Friday's.

пят/но́ *s.* [d] spot, blot, stain, smear; **роди́мое ~** mole, birth-mark; **в ́-нах** spotted || **́-нышко** *s.* (*gpl.* -шек) *dim. of prec.*

пято́/к *s.* [a] (*gsg.* -тка́), *dim.* **-чек** *s.* (*gsg.* -чка) five, five things (*e.g.* five eggs). [one fifth.

пя́тый *num.* fifth; **пя́тая(часть)** a fifth,

пять/ *num.* five || **-деся́т** *num.* fifty || **-со́т** *num.* five hundred || **-ю́** *ad.* five times. [back.

пя́чение *s.* backing, falling back, pushing

Р

раб/ *s.* [a] slave, bond(s)man || **-а́** *s.* slave, bond(s)woman || **-оле́пие** *s.* servility; cringing || **-оле́пный** *a.* servile, cringing, slavish || **-оле́пство** *s.* servility, slavishness || **-оле́пство+вать** II. *vn.* to be servile, to cringe.

рабо́та *s.* work, labour, task.

рабо́та-ть II. *vn&a.* (*Pf.* по-) to work, to labour.

рабо́т/ник *s.* workman, worker, (day-) labourer || **-ница** *s.* workwoman || **-ный** = **рабо́чий** || **-ода́тель** *s. m.* employer || **-оспосо́бный** *a.* able, fit for work || **-я́щий** (-ая, -ее) *a.* laborious, industrious, hard-working.

рабо́чий (-ая, -ее) *a.* work-, working, worker's || **~** (*as s.*) workman.

ра́б/ский *a.* slavish, servile || **-ство** *s.* slavery, bondage; serfdom || **-ы́ня** *s.* (female) slave, bond(s)woman.

равви́н/ *s.* rabbi || **-ский** *a.* rabbinic(al).

ра́вен/ *cf.* **ра́вный** || **-ство** *s.* equality, parity.

равн/е́ние *s.* making even, levelling || **-ёшенько** *ad.* quite equally || **-и́на** *s.* plain, level ground || **-о́** *ad.* equally, alike; in like manner; **всё ~** all the same; **мне всё ~** it's all one to me.

равно/бе́дренный *a.* (*math.*) isosceles || **-ве́сие** *s.* equilibrium, equipoise, balance || **-ве́сный** *a.* in equilibrium || **-де́йствующий** *a.*, **-щая (си́ла)** resultant || **-де́нственный** *a.* equinoctial || **-де́нствие** *s.* equinox || **-ду́шие** *s.* equanimity, calmness || **-ду́шный** *a.* indifferent, unconcerned, cool || **-зна́чащий** *a.* equivalent, identical || **-ме́рный** *a.* proportional, symmetric(al), equal || **-обра́зный** *a.* uniform || **-пра́вие** *s.* equality, equal rights *pl.* || **-пра́вный** *a.* enjoying equal rights || **-си́льный** *a.* of equal force || **-сторо́нний** *a.* (*math.*) equilateral.

ра́вность *s. f.* equality, parity.

равно/уго́льный *a.* equiangular || **-це́нный** *a.* equivalent.

ра́вный *a.* (*pd.* ра́вен, -вна, -вно́, -вны) equal, (a)like, similar.

равня́-ть II. *va.* (*Pf.* по-) (что с чем) to equalize, to balance; to even, to level; (*mil.*) to dress (the ranks); (что чему́) to equal, to compare || **~ся** *vr.* to be on a par (with); (с + *I.*) to compare o.s. (to); to come up to.

рад/ *a.* glad, happy, pleased; **~ не ~** willy-nilly; **я э́тому о́чень ~** I am delighted to hear that || **-е́ние** *s.* zeal; assiduity || **-е́тель** *s. m.*, **-е́тельница** *s.* zealous person || **-е́-ть** II. *vn.* (*Pf.* по-) (кому́ *or* о ком, о чём) to take care (of), to devote o.s. (to) || **-ёхонек & -ёшенек** *a.* heartily glad, delighted || **́-и** *prp.* (+ *G.*) for, for the sake of, on account of; **~ тебя́, ~ вас** for your sake; **~ приме́ра** as an example; **~ Бо́га** for God's sake; **проси́ть Христа́ ~** to beg [*or* to ask for alms.

ра́дий *s.* radium.

радика́л/ *s.* radical || **-ьный** *a.* radical.

радиотелегра́фия *s.* wireless telegraphy.

ради́ска *s.* (*gpl.* -сок) radish.

ра́диус *s.* radius.

ра́до+вать II. *va.* (*Pf.* об-, по-) to delight, to rejoice, to gladden || **~ся** *vr.* (+ *D.*) to rejoice, to be delighted.

ра́дост/ный *a.* glad, joyous, joyful || **-ь** *s. f.* joy, rejoicing, gladness.

ра́ду/га *s.* rainbow || **-жный** *a.* rainbow-.

раду́ш/ие *s.* readiness, willingness, kindheartedness || **-ный** *a.* ready, willy, kind-hearted.

раёк *s.* [a] (*gsg.* райка́) (*theat.*) upper gallery, the gods; puppet-show; (*an.*) iris; (*phys.*) prism.

раз/ *s.* [b] (*gpl.* раз) time; **~, два, три** one, two, three; **два ~а** twice; **пять ~** five times; **не ~** more than once, often; **ни ~у** not once; **~ навсегда́** once for all || **~ом** *ad.* at once, at a stroke; **как ~** just, exactly, just in time; **вот тебе́ ~!** there we have it! || **~** *ad.* one day, once || **~** *c.* as soon as, when once.

раз– (*before voiceless consonants* **рас-**) prefix indicating division, separation.

раз/бавля́-ть II. *va.* (*Pf.* -бáв=ить II. 7.) to dilute || **–ба́лтыва-ть** II. *va.* (*Pf.* -болта́-ть II.) to shake, to stir up (of liquids); to blurt out, to blab, to divulge || **–бе́г** *s.* run; start || **–бега́-ться** II. *vn.* (*Pf.* -бежáться 46. [a]) to run away, to disperse; to take a run || **–беру́** *cf.* **–бира́ть** || **–бива́-ть** II. *va.* (*Pf.* -би́ть 27. [a 1.], *Fut.* разобью́, etc.) to break (to pieces), to shatter; to defeat, to cut to pieces (an enemy); to pitch (camp); (*typ.*) to space; **~ на страни́цы** to make up into pages || **–би́вка** *s.* (*gpl.* -вок) breaking (to pieces); **в –би́вку** separately, by the piece || **–би́вчивый** *a.* fragile; brittle || **–бира́тельство** *s.* examination, inquiry, discussion || **–бира́-ть** II. *va.* (*Pf.* -обра́ть 8. [a 3.], *Fut.* -беру́, -берёшь, etc.) to take to pieces; to undo, to take asunder; to sell off; to decipher; to examine, to discuss (an affair); to analyse, to review (a book); to sort (cards, etc.); (*typ.*) to distribute || **–би́тие** *s.* breaking (to pieces); defeat || **–битно́й** *a.* sprightly; smart; quick, energetic || **–би́ть** *cf.* **–бива́ть** || **–бла́говестить** *cf.* **бла́говестить** || **–богате́ть** *cf.* **богате́ть.**

разбо́й/ *s.* robbery, brigandage || **–ник** *s.* robber, highwayman, bandit, brigand || **–нича-ть** II. *vn.* to rob, to commit robbery || **–нический** & **–ничий** *a.* rapacious; of robbers, robber's || **–ничество** *s.* (highway-)robbery.

раз/болта́ть *cf.* **–ба́лтывать** || **–бо́р** *s.* choice, selection; distinction; discernment; sale; sort, quality; examination, analysis, review || **–бо́рка** *s.* (*gpl.* -рок) taking to pieces || **–бо́рный** *a.* that can be taken to pieces || **–бо́рчивый** *a.* fastidious, cautious; particular; distinct, legible (of writing) || **–бран=и́ть** II. *va.* *Pf.* to give a good scolding to, to rate soundly || **~ся** *vrc.* to wrangle, to quarrel || **–бра́сыва-ть** II. *va.* (*Pf.* -броса́-ть II. & -бро́с=ить I. 3.) to throw about, to scatter, to disperse; to squander || **–бро́с** *s.* scattering || **–буди́ть** *cf.* **буди́ть** || **–буха́-ть** II. *vn.* (*Pf.* -бу́хнуть 52.) to swell up || **–буше+ва́ться** II. [b] *vn.* *Pf.* (to begin) to rage, to storm.

раз/ва́л *s.* swinging, rocking; amble, soft trot; brim (of a vase); the crowd || **–ва́лива-ть** II. *va.* (*Pf.* -вал=и́ть II. [a & c]) to throw asunder *or* about; to pull down (a wall) || **~ся** *vr.* to fall to pieces; to come asunder; to stretch o.s. negligently || **–ва́лина** *s.* (*esp. in pl.*) ruin, debris || **–ва́лка** *s.* throwing asunder || **–ва́рива-ть** II. *va.* (*Pf.* -вар=и́ть II. [a & c]) to boil till soft || **–ва́рка** *s.* boiling till soft || **–варно́й** *a.* boiled soft *or* to rags.

ра́зве *ad.* then? perhaps? || **~** *c.* unless, if not; **~ то́лько** save, except.

раз/вева́-ть II. *va.* (*Pf.* -ве́-ять II.) to blow asunder, away, to scatter; to dispel; to dissipate; to bloat, to puff up (of the wind); to blow into a flame (fire) || **~ся** *vr.* to wave, to float (of a flag, etc.) || **–ве́дать** *cf.* **–ве́дывать** || **–веде́ние** *s.* taking to pieces; breeding (of animals); cultivation (of plants) || **–ве́дка** *s.* (*gpl.* -док) search, inquiry, exploration; (*min.*) prospecting || **–ве́дочный** *a.* search-; prospecting || **–ве́дыва-ть** II. *va.* (*Pf.* -ве́да-ть II.) (о чём) to inquire (into), to investigate, to explore; (*min.*) to prospect || **–веду́** *cf.* **–води́ть** || **–везти́** *cf.* **–вози́ть** || **–ве́нчива-ть** II. *va.* (*Pf.* -венча́-ть II.) to uncrown, to dethrone; to divorce || **–верну́ть** *cf.* **–вёртывать** || **–вёрстка** *s.* (*gpl.* -ток) equal distribution, repartition || **–вёрстыва-ть** II. *va.* (*Pf.* -верста́-ть II.) to distribute equally || **–вёртыва-ть** II. *va.* (*Pf.* -верн-у́ть I. [a]) to unwrap, to unfold, to unroll; to open (a letter) || **~ся** *vr.* to bloom, to open (of flowers); to unfold, to develop; (*mil.*) to deploy || **–веселя́-ть** II. *va.* *cf.* **весели́ть** || **–ве́систый** *a.* branched, branchy || **–ве́сить** *cf.* **–ве́шивать** || **–вести́** *cf.* **–води́ть** || **–ветвле́ние** *s.* ramification, branching || **–ветвля́-ть** II. *va.* (*Pf.* -ветв=и́ть II. 7. [a]) to ramify; to divide into several branches || **~ся** *vr.* to branch off, out, to ramify || **–ве́шива-ть** II. *va.* (*Pf.* -ве́ша-ть II.) to hang about, to hang out, up; (*Pf.* -ве́с=ить I. 3.) to weigh (out); to hang (of boughs); **~ у́ши** to prick up one's ears || **–ве́ять** *cf.* **–вева́ть** || **–вива́-ть** II. *va.* (*Pf.* -ви́ть 27. [a], *Fut.* -овью́, -овьёшь) to untwist, to unroll; to uncurl; to develop; to increase (speed) || **~ся** *vr.* to develop (into); to be developed || **-ви́лина** *s.* bifurcation || **-ви́листый** *a.* forked || **-ви́нчива-ть** II. *va.* (*Pf.* -винт=и́ть I. 2. [a]) to unscrew || **-ви́тие** *s.* development; growth; progress || **-ви́ть** *cf.* **-вива́ть** || **-влека́-ть** II. *va.* (*Pf.* -вле́чь 18. [a] 2.) to undo, to separate; to divert, to distract, to cheer || **~ся** *vr.* to seek diversion, to divert o.s. || **-влече́ние** *s.* distraction, diversion, recreation, amusement || **-во́д** *s.* distribution; divorce; (*mil.*) guard-parade; (*in pl.*) pattern (on cloth) || **-води́тель** *s. m.* cultivator, planter; breeder || **-вод=и́ть** I. 1. [c] *va.* (*Pf.* -вести́ & -ве́сть 22. [a 2.]) to separate; to divorce; to take apart; to dilute; to kindle (a fire); to lay out (a garden); to breed, to rear; to set (a saw) || **~ся** *vr.* to get separated; to get divorced; to multiply (of vermins) || **-во́дка** *s.* (*gpl.* -док) = **-веде́ние;** saw-set || **-во́дный** *a.* divorce-, of divorce || **-во́дная** (*as s.*) deed of divorce || **-воз=и́ть** I. 1. [c] *va.* (*Pf.* -везти́ & -ве́зть 25. [a 2.]) to convey, to carry, to transport || **-во́зка** *s.* (*gpl.* -зок) conveying, carrying, transport || **-воро́выва-ть** II. *va.* (*Pf.* -воро+ва́ть II. [b]) to rob, to plunder, to pillage || **-врати́тель** *s. m.* depraver, seducer || **-врати́тельный** *a.* perversive, corruptive || **-врати́ть** *cf.* **-враща́ть** || **-вра́тник** *s.* debauchee, libertine || **-вра́тнича-ть** II. *vn.* to lead a dissipated life || **-вра́тный** *a.* depraved, dissolute, lewd, vicious || **-враща́-ть** II. *va.* (*Pf.* -врат=и́ть I. 6. [a]) to deprave, to corrupt, to seduce || **~ся** *vr.* to grow depraved || **-враще́ние** *s.* corruption, perversion, seduction || **-вращённый** *a.* debauched, depraved || **-вя́зка** *s.* (*gpl.* -зок) result, denouement || **-вя́зный** *a.* easy, free, unconstrained || **-вя́зыва-ть** II. *va.* (*Pf.* -вяз-а́ть I. 1. [c]) to untie, to undo, to loosen; (*fig.*) to free, to deliver; ~ (кому́) **ру́ки** to give a free hand to; ~ **язы́к** to set a person's tongue wagging.

раз/га́вливаться = **-говля́ться** || **-га́дка** *s.* (*gpl.* -док) solution, key (of a riddle) || **-га́дчик** *s.*, **-га́дчица** *s.* guesser, solver (of a riddle) || **-га́дыва-ть** II. *va.* (*Pf.* -гада́-ть II.) to guess, to solve (a riddle); to find out || **-га́нивать** = **-гоня́ть** || **-га́р** *s.* highest point of heat; culmination; **в са́мом -га́ре** in the very thick of, in full swing || **-гиба́-ть** II. *va.* (*Pf.* -огн-у́ть I. [a]) to unbend, to straighten; to open a book || **-гильдя́й** *s.*, **-гильдя́йка** *s.* (*gpl.* -дя́ек) loafer, sloucher || **-глаго́льство+вать** II. *vn.* to converse; to twaddle || **-гла́жива-ть** II. *va.* (*Pf.* -гла́д=ить I. 1.) to smooth, to iron out || **-гла́ска** *s.* (*gpl.* -сок) publicity, spreading (of a report); disagreement || **-глаша́-ть** II. *va.* (*Pf.* -глас=и́ть I 3. [a]) to divulge, to noise abroad, to spread (a report) || **-гля́дыва-ть** II. *va.* (*Pf.* -гляд=е́ть I. 1. [a]) to view, to examine, to consider carefully || **-гне́вать** *cf.* **гневи́ть** || **-гова́рива-ть** II. *vn.* to converse (with); to discourse || ~ *va.* (*Pf.* -говор=и́ть II.) to dissuade (one) from (a thing) || **-говля́-ться** II. *vc.* (*Pf.* -гове́-ться II.) to commence to eat meat after Lent || **-гово́р** *s.* conversation, discourse, talk || **-говор=и́ться** II. *vr.* *Pf.* to enter into conversation with one, to become talkative || **-гово́рный** *a.* colloquial; spoken || **-го́н** *s.* running about; sending away (of post-horses); (*typ.*) spacing; **в -го́не** on the road (of post-horses) || **-го́нистый** *a.* wide apart, large (of writing) || **-гоня́-ть** II. *va.* (*Pf.* -огна́ть 11. [c]) to drive away, apart, asunder; to disperse || **-гора́-ться** II. *vn.* (*Pf.* -гор=е́ться II. [a]) to flame up, to blaze, to flare up; to take fire || **-горяча́ть** *cf.* **горячи́ть** || **-грабле́ние** *s.* plundering, pillage || **-грабля́-ть** II. *va.* (*Pf.* -гра́б=ить II. 7.) to pillage, to plunder, to sack || **-грани́чива-ть** II. *va.* (*Pf.* -грани́ч=ить I.) to fix boundaries *or* the limits of, to mark off; to partition off || **-графля́ть** *cf.* **графи́ть** || **-гро́м** *s.* destruction; ~ **в дому́** confusion, muddle, hurly-burly || **-громля́ть** *cf.* **громи́ть** || **-гружа́-ть** II. *va.* (*Pf.* -груз=и́ть I. 1. [a & c]) to unload, to discharge (a ship) || **-груже́ние** *s.* & **-гру́зка** *s.* (*gpl.* -зок) unloading, discharging (of a ship) || **-грыза́ть** *cf.* **грызть** || **-гу́л** *s.* drinking-bout, carouse; debauchery || **-гу́лива-ть** II. *vn.* to walk, to stroll (about) || ~ *va.* (*Pf.* -гуля́-ть II.) to drive away by walking (*e. g.* grief, sleep) || **~ся** *vr.* to take a walk; to be in good spirits by walking; to clear up (of the weather) || **-гу́льный** *a.* loose, unhampered; (*fam.*) extreme.

раз/дава́ть 30. *va.* (*Pf.* -да́ть 38. [a 4.])

to distribute, to spend, to give away, to hand about || **~ся** *vn.* to stretch; to make room; to make way; to resound, to ring, to be heard || **-да́влива-ть** II. *va.* (*Pf.* -дав=и́ть II. 7. [c]) to squash, to crush, to trample on || **-да́рива-ть** II. *va.* (*Pf.* -дар=и́ть II.) to give away, to distribute in presents || **-да́точный** *a.* for distribution || **-да́ть** *cf.* **-дава́ть** || **-да́ча** *s.* distribution || **-два́ивать** = **двои́ть** || **-двига́-ть** II. *va.* (*Pf.* -дви́н-уть I.) to move asunder, to remove; to spread out (one's feet) || **-движно́й** *a.* for moving asunder; ~ **стол** telescope-table, extending table || **-двое́ние** *s.* dividing in two parts, bipartition; bifurcation || **-двои́ть** *cf.* **двои́ть** || **-дева́-ть** II. *va.* (*Pf.* -де́ть 32. [b]) to undress; to uncover || **-де́л** *s.* separation; division; section; partition || **-де́лать** *cf.* **-де́лывать** || **-деле́ние** *s.* division, separation, distribution || **-дели́мый** *a.* divisible || **-дели́тельный** *a.* dividing || **-дели́ть** *cf.* **-деля́ть & дели́ть** || **-де́лыва-ть** II. *va.* (*Pf.* -де́ла-ть II.) to pay off || **~ся** *vr.* (с кем) to settle (with), to come to terms (with) || **-де́льный** *a.* divided, separated; of division || **-деля́-ть** II. *va.* (*Pf.* -дел=и́ть II. [a & c]) to divide, to share, to distribute; to disunite, to separate || **~ся** *vr.* to divide, to part, to separate; to be divided *or* separated || **-де́ть** *cf.* **-дева́ть** || **-дира́-ть** II. *va.* (*Pf.* -одра́ть 8. [a 3.], *Fut.* -деру́) to tear asunder, to rend; to lacerate (of wild animals) || **~ся** *vr.* to tear, to rend || ~ *vn.* to be torn, to burst asunder || **-добре́ть** *cf.* **добре́ть** || **-до́бр=ить** II. *va. Pf.* to make (a person) disposed towards one, to gain *or* to win one over || **~ся** *vr.* to become kind, generous || **-до́лье** *s.* ease, comfort; abundance, plenty || **-до́р** *s.* dissension, discord, quarrel || **-до́рный** *a.* quarrelsome || **-дража́-ть** II. *va.* (*Pf.* -драж=и́ть I. [a]) to irritate, to provoke, to exasperate || **-дражи́тельный** *a.* irritable, irascible; irritating, exasperating || **-дразни́ть** *cf.* **дразни́ть** || **-дробле́ние** *s.* parcelling, dismemberment; (*math.*) reduction || **-дробля́-ть** II. *va.* (*Pf.* -дроб=и́ть II. 7. [a]) to break into pieces; to parcel out; to dismember; (*math.*) to reduce || **-дружа́-ть** II. *va.* (*Pf.* -друж=и́ть I. [a]) to set at variance, to disunite || **-дува́-ть** II. *va.* (*Pf.* -ду́-ть II. [b]) to puff, to blow up, to swell out, to inflate; to blow away *or* asunder; to blow into a flame; ~ **спор** (*fig.*) to kindle a quarrel || **~ся** *vr.* to puff o.s. up, to brag; to pout, to be sulky || **-ду́мыва-ть** II. *va.* (*Pf.* -ду́ма-ть II.) (что о чём) to meditate, to ponder over a thing, to reflect upon, to think over; to change one's mind; to give up (an idea) || **-ду́мье** *s.* reflection, consideration; hesitation, irresolution || **-ду́ть** *cf.* **-дува́ть.**

раз/жа́лоб=ить II. 7. *va. Pf.* to move to pity, to touch || **~ся** *vr.* to be moved with pity; to be touched || **-жа́лование** *s.* degradation || **-жа́ло+вать** II. *va.* to degrade, to cashier; ~ **в рядовы́е** *or* **в солда́ты** to reduce to the ranks.

раз/жа́ть *cf.* **-жима́ть** || **-жёвыва-ть** II. *va.* (*Pf.* -же+ва́ть II. [a]) to chew; (кому́ что *fig.*) to repeat over and over again (to) || **-жёчь** *cf.* **-жига́ть** || **-жи́ва** *s.* gain, profit; winnings *pl.* || **-жива́-ться** II. *vc.* (*Pf.* -жи́ться 31. [a 3.]) to grow rich; (+ *I.*) to get, to obtain || **-жига́-ть** II. *va.* (*Pf.* -жёчь 16. [a 2.], *Fut.* -ожгу́, -жжёшь, -жгу́т) to heat, to stir (the fire), to make red-hot; (*fig.*) to excite, to arouse || **-жижа́-ть** II. *va.* (*Pf.* жид=и́ть I. 1. [a]) to dilute, to rarefy || **-жиже́ние** *s.* rarefaction; dilution || **-жима́-ть** II. *va.* (*Pf.* -жа́ть 33. [a], *Fut.* -ожму́, -ожмёшь) to open, to loosen; to force apart || **-жире́-ть** II. *vn. Pf.* to become stout *or* fat || **-жи́ться** *cf.* **-жива́ться.**

раз/задо́рива-ть II. *va.* (*Pf.* -задо́р=ить II.) to provoke, to incense, to excite || **~ся** *vr.* to grow warm, to get excited || **-знако́м=иться** II. 7. *vrc. Pf.* (с + *I.*) to break off one's acquaintance (with) || **-золо́чива-ть** II. *va.* (*Pf.* -золот=и́ть I. 2. [a]) to gild.

ра́з/ик *s.* (*dim. of* раз) just once; **ещё ~** just once more || **-и́нуть** *cf.* **-ева́ть** || **-и́ня** *s. m&f.* gaper, starer, dullard, drowsy fellow; jackanapes; idler, dawdler || **-и́тельный** *a.* striking, remarkable, impressive.

раз=и́ть I. 1. [a] *va.* to beat, to strike; to cut down || ~ *vn.* (чем) to smell of (*cf.* поража́ть).

раз/лага́-ть II. *va.* (*Pf.* -лож=и́ть I. [c]) (*chem.*) to analyse, to decompose; (*math.*) to transform || **-ла́д & -ла́дица** *s.* disagreement; discord, dissension; (*mus.*) dissonance, discordance || **-ла́жива-ть** II. *va.* (*Pf.* -ла́д=ить I. 1.)

(*mus.*) to put out of tune || ~ *vn.* to break off one's acquaintance; **они друг с другом -ла́дили** they have broken off their acquaintance || **-ла́ком=ить** II. 7. *va. Pf.* to make one's mouth water || **-ла́мыва-ть** II. *va.* (*Pf.* -лома́-ть II.) to break, to shatter; to tear up; to demolish, to pull down || **-лен=и́ться** II. [a & c] *vn. Pf.* to become *or* to grow lazy || **-лета́-ться** II. *vn.* (*Pf.* -лет=е́ться I. 2. [a]) to fly away, off, asunder || **-ле́чься** 43. [a 2.] *vr. Pf.* to stretch o.s. out, to lie down (to sleep) || **-ли́в** = **-ли́тие** || **-лива́(те)льный** *a.* for pouring out; **-ная ло́жка** (soup-) ladle || **-лива́нный** *a.*, **-ное мо́ре** drinks in abundance || **-лива́-ть** II. *va.* (*Pf.* -ли́ть 27. [a 4.], *Fut.* -олью́, -ольёшь) to draw off, to decant, to bottle; to pour out || **~ся** *vn.* to run over; to flow over, to overflow (of a river) || **-ли́тие** *s.* overflow(ing) (of a river) || **-лича́-ть** II. *va.* (*Pf.* -лич=и́ть I. [a]) to distinguish, to discern || **-личе́ние** *s.* distinction || **-ли́чие** *s.* discrimination, difference; diversity || **-ли́чный** *a.* distinct, different, diverse, various || **-ложе́ние** *s.* (*chem.*) analysis, decomposition; (*math.*) transformation || **-ложи́ть** *cf.* **-лага́ть** & **раскла́дывать** || **-ло́м** *s.* breaking, breach; (*med.*) fracture || **-лома́ть** *cf.* **-ла́мывать** || **-лу́ка** *s.* separation, parting || **-луча́-ть** II. *va.* (*Pf.* -луч=и́ть I. [c]) to part, to separate || **~ся** *vr.&rc.* to part, to separate || **-луче́ние** *s.* separation, parting || **-лу́чник** *s.* separator.

раз/мазня́ *s.* a very thin gruel; (*fig.*) drowsy fellow, milksop || **-ма́зыва-ть** II. *va.* (*Pf.* -ма́з-ать I. 1.) to smear, to spread upon; to grease, to oil; to fill, to stop up; (*fig.*) to amplify, to describe at length || **-ма́лыва-ть** II. *va.* (*Pf.* -мол-о́ть [c], *Fut.* -мелю́, -ме́лешь) to grind (fine) || **-ма́тыва-ть** II. *va.* (*Pf.* -мота́-ть II.) to unwind, to reel off; ~ **де́ньги** to squander || **-ма́х** *s.* swinging, oscillation; brandish, swing (of one's hand); flapping (of wings); **уда́рить всем -ма́хом, со всего́ -ма́ху** to hit with all one's might || **-ма́хива-ть** II. *va.* (*Pf.* -махн-у́ть I.) to brandish, to swing, to flourish, to wave; to oscillate; to throw open (a door); ~ **рука́ми** to gesticulate || **~ся** *vr.* to draw back one's hand for a blow; to spring open (of a door) || **-ма́чива-ть** II. *va.* (*Pf.* -моч=и́ть I. [c]) to soften, to moisten, to soak || **-ма́шистый** *a.* bold, virile (of handwriting, etc.) || **-межёвыва-ть** II. *va.* (*Pf.* -меже+ва́ть II. [b]) to limit, to mark the boundaries (of lands) || **-мельча́-ть** II. *va.* (*Pf.* -мельч=и́ть I. [a]) to pound, to crush, to grind to powder || **-ме́н** *s.* change, exchange || **-ме́нива-ть** II. *va.* (*Pf.* -меня́-ть II.) to change, to exchange || **~ся** *vrc.* to exchange, to interchange || **-ме́нный** *a.* of exchange, change || **-ме́р** *s.* dimension, proportion, scale; (*poet.*) rhythm, metre; (*mus.*) time, measure || **-ме́рива-ть** II. & **-меря́-ть** II. *va.* (*Pf.* -ме́р=ить II.) to measure off *or* out, to survey; (*fig.*) to proportion || **-мета́-ть** II. *va.* (*Pf.* -мести́ 23. [a 2.]) to sweep asunder (to both sides) || **-мётыва-ть** II. *va.* (*Pf.* -мета́-ть II. & -мет-а́ть I. 2. [c]) to throw about, to disperse, to scatter || **-ме́шива-ть** II. *va.* (*Pf.* -меша́-ть II.) to stir up || **-меща́-ть** II. *va.* (*Pf.* -мест=и́ть I. 4. [a]) to dispose, to distribute (in various places); ~ **по кварти́рам** to quarter || **-меще́ние** *s.* disposition, distribution; ~ **по кварти́рам** quartering; ~ **слов** order of words || **-мина́-ть** II. *va.* (*Pf.* -мя́ть 34. [a], *Fut.* -омну́, -омнёшь) to knead well; to walk about (a horse); to exercise (one's limbs) || **-множа́-ть** II. *va.* (*Pf.* -мно́ж=ить I.) to multiply, to increase || **~ся** *vr.* to multiply; to increase || **-множе́ние** *s.* multiplication, increase || **-мозжа́-ть** II. *va.* (*Pf.* -мозж=и́ть I. [a]) to crush, to dash to pieces; ~ (кому́) **го́лову** to batter a person's brains out || **-мо́л** *s.* grist; grinding fine || **-мо́лвка** *s.* (*gpl.* -вок) difference, variance, disagreement || **-моло́ть** *cf.* **-ма́лывать** || **-мота́ть** *cf.* **-ма́тывать** || **-моча́лить** *cf.* **моча́лить** || **-мочи́ть** *cf.* **-ма́чивать** || **-мо́чка** *s.* (*gpl.* -чек) soaking, moistening || **-мыва́-ть** II. *va.* (*Pf.* -мы́ть 28. [b 1.]) to wash thoroughly; to wash, to sweep away, to underwash || **-мышле́ние** *s.* reflection, consideration || **-мышля́-ть** II. *vn.* (*Pf.* -мы́слить 41.) to reflect (upon), to ponder, to meditate (on), to think over || **-мягча́-ть** II. *vn.* (*Pf.* -мягч=и́ть I. [a]) to soften, to mollify || **-мяка́-ть** II. *vn.* (*Pf.* -мя́кн-уть I.) to grow soft *or* tender (of meat); to grow mellow (of fruit) || **-мя́ть** *cf.* **-мина́ть**.

раз/на́шива-ть II. *va.* (*Pf.* -нос=и́ть I.

3. [c]) to wear out (boots) || **-нести́** *cf.* **-носи́ть** || **-нима́-ть** II. *va.* (*Pf.* -ня́ть 38. [c 4.]) to part, to separate; to take apart; to take to pieces, to cut up; to carve (roast-meat); ~ **дра́ку** to stop a fight.

ра́зн=иться II. [a] *vr.* to differ, to be different (from).

ра́зница *s.* difference.

разно/ви́дный *a.* of different form, not uniform, varied, various || **-гла́сие** & **-гла́сица** *s.* discordance, diversity, difference (of opinion), disagreement; (*mus.*) dissonance || **-гла́сный** *a.* discordant, of a different opinion; (*mus.*) dissonant || **-мы́слие** *s.* difference of opinion || **-обра́зие** *s.* inequality, variety || **-обра́зный** *a.* varied, various || **-племе́нный** *a.* of different race || **-речи́вость** *s. f.* contradiction || **-речи́вый** *a.* contradictory || **-ре́чие** *s.* contradiction, contradictory statement || **-ро́дный** *a.* heterogeneous.

раз/но́с *s.* & **-но́ска** *s.* (*gpl.* -сок) delivery (of letters); wearing out (of clothes); hawking, peddling || **-нос=и́ть** I. 3. [c] *va.* (*Pf.* -нести́ 26. [a 2.]) to deliver (letters); to blow away, to disperse (of a storm); to spread (news); ~ **това́ры** to hawk, to peddle || ~ *v.imp.* to swell, to inflate || ~**ся** *vr.* to be dispersed; to spread (of a rumour).

разн/осторо́нний *a.* (*geom.*) scalene || **-́ость** *s. f.* variety, diversity; (*math.*) difference || **-о́счик** *s.* hawker, pedlar; pos[tm]an, telegraph-boy; ~ **газе́т** newspap[e]r-boy || **-оцве́тный** *a.* many-coloured || **-очи́нец** *s.* (*gsg.* -нца) plebeian, commoner (free from imposts) || **-оязы́чный** *a.* polyglot || **-у́здыва-ть** II. *va.* (*Pf.* -узда́-ть II.) to unbridle; (*fig.*) to let loose || **-́ый** *a.* different, various, unlike || **-ю́хива-ть** II. *va.* (*Pf.* -ю́ха-ть II.) (*fig.*) to smell (out) || **-я́ть** *cf.* **-има́ть.**

раз/облача́-ть II. *va.* (*Pf.* -облач=и́ть I. [a]) to undress; ~ **свяще́нника** to unfrock; (*fig.*) to reveal; to unmask || **-облаче́ние** *s.* undressing; unfrocking; (*fig.*) revelation || **-обра́ть** *cf.* **-бира́ть** || **-обща́-ть** II. *va.* (*Pf.* -общ=и́ть I. [a]) to separate; to isolate; (*tech.*) to disconnect; (*mil.*) to head off || **-ово́й** *a.* for each performance || **-огна́ть** *cf.* **-гоня́ть** || **-огну́ть** *cf.* **-гиба́ть** || **-огрева́-ть** II. *va.* (*Pf.* -огре́-ть II.) to warm up *or* again || **-одева́-ть** II. *va.* (*Pf.* -оде́ть 32. [b]) to dress up, to trick out; to adorn, to deck out || **-одра́ть** *cf.* **-дира́ть** & **драть** || **-озли́ть** *cf.* **злить** || **-ойти́сь** *cf.* **расходи́ться** || **-о́к** *s.* [a] (*gsg.* -зка́) (*dim. of* раз) just once || **-орва́ть** *cf.* **-рыва́ть** & **рвать** || **-оре́ние** *s.* devastation, ruin, destruction; (*fig.*) downfall, ruin, misery || **-ори́тель** *s. m.* destroyer; (*fig.*) waster || **-ори́тельный** *a.* ruinous, wasteful || **-ори́ть** *cf.* **-оря́ть** || **-оружа́-ть** II. *va.* (*Pf.* -ору́ж=ить I.) (*mil.* & *mar.*) to disarm, to dismantle || **-оря́-ть** II. *va.* (*Pf.* -ор=и́ть II. [a]) to ruin, to destroy, to lay waste || ~**ся** *vr.* to go to ruin, to be ruined || **-осла́ть** *cf.* **рассыла́ть** || **-охо́чива-ть** II. *va.* (*Pf.* -охо́т=ить I. 2.) (кого́ к чему́) to give (one) a desire for || ~**ся** *vr.* to get a longing for || **-очарова́ние** *s.* disenchantment, disappointment || **-очаро́выва-ть** II. *va.* (*Pf.* -очаров+ва́ть II. [b]) to disappoint, to disenchant || **-о́чек** *s.* (*gsg.* -чка) *dim.* just once.

раз/раба́(о́)тыва-ть II. *va.* (*Pf.* -рабо́та-ть II.) to till (a field); (*min.*) to work, to exploit; (*fig.*) to treat of, to dwell on, to discuss || **-рабо́тка** *s.* (*gpl.* -ток) tilling, cultivation; (*min.*) working, exploitation || **-ра́внива-ть** II. *va.* (*Pf.* -ровня́-ть II.) to level, to smooth || **-ража́-ться** II. *vr.* (*Pf.* -раз=и́ться I. 1. [a]) to burst, to break out (of a storm); ~ **сме́хом** to burst out laughing || **-раста́-ться** II. *vn.* (*Pf.* -расти́сь 35. [a 2.]) to grow thickly *or* luxuriantly || **-режа́-ть** II. *va.* (*Pf.* -реди́ть) to thin out; to rarefy || **-ре́з** *s.* cut, slash; (*geom.*) section; (*arch.*) profile, section || **-ре́зыва-ть** II. *va.* (*Pf.* -ре́з-ать I. 1.) to cut up; to carve; to split || **-реша́-ть** II. *va.* (*Pf.* -реш=и́ть I. [a]) to solve, to decide; to permit, to allow; ~ **от грехо́в** to remit the sins of, to absolve || ~**ся** *vr.* to be solved, etc.; ~ **от бре́мени (сы́ном)** to be delivered (of a son) || **-реше́ние** *s.* solution, decision; remission; absolution; permission, leave; ~ **от бре́мени** delivery || **-реши́тельный** *a.* absolutory || **-ро́знива-ть** II. *va.* (*Pf.* -ро́зн=ить II.) to separate (things which properly go together) || **-руба́-ть** II. *va.* (*Pf.* -руб=и́ть II. 7. [c]) to cut out *or* asunder || **-руга́-ть** II. *va. Pf.* to scold, to slang || ~**ся** *vrc.* to abuse one another, to indulge in invectives || **-руша́-ть** II. *va.* (*Pf.* -ру́ш=ить

I.) to demolish, to destroy, to lay waste; to ruin; to frustrate (plans, etc.) || **–руше́ние** *s.* destruction, ruin; frustration || **–руши́тель** *s. m.* destroyer, waster || **–руши́тельный** *a.* destructive, ruinous || **–ры́в** *s.* breach, rent; (*med.*) rupture || **–рыва́-ть** II. *va.* (*Pf.* -орв-а́ть I. [a]) to tear, to rend; (*fig.*) to break off; to violate; to burst, to explode || **~ся** *vr.* to tear, to be torn || ~ *vn.* to burst, to explode; (*fig.*) to burst (with) || **–рыва́-ть** II. *va.* (*Pf.* -ры́ть 28. [b]) to dig out *or* up, to hollow out, to root up || **–рывно́й** *a.* for blowing up, explosive || **–рыхля́-ть** II. *va.* (*Pf.* -ры́хл=ить II.) to loosen, to mellow (land) || **–ря́д** *s.* category, division, section, class; (*elec.*) discharge || **–ряди́ть** *cf.* **–ряжа́ть** || **–ря́дка** *s.* (*gpl.* -док) (*typ.*) leads *pl.*; spacing || **–ря́дник** *s.* ejector (of a gun) || **–ря́дный** *a.* of rank; of classes; **–ря́дная кни́га** (*obs.*) list of noble families || **–ряжа́-ть** II. *va.* (*Pf.* -ряд=и́ть I. 1. [a & c]) to adorn, to deck; (*elec.*) to discharge; (*mil.*) to unload; (*typ.*) to space || **–ряже́ние** *s.* adorning; (*elec.*) discharge; (*mil.*) unloading || **–ува́-ть** II. *va.* (*Pf.* -у́-ть II.) to pull off, to take off (one's boots *or* stockings) || **–уверя́-ть** II. *va.* (*Pf.* -уве́р=ить II.) (кого́ в чём) to dissuade; to undeceive || **–узнава́ть** 39. *va.* (*Pf.* -узна́-ть II.) (что *or* о чём) to inquire about *or* after, to make inquiries || **–украша́-ть** II. *va.* (*Pf.* -укра́с=ить I. 3.) to adorn, to embellish.

ра́зум/ *s.* reason, sense, meaning, intellect || **–е́ние** *s.* understanding, intelligence || **–е́-ть** II. *va.* to understand, to comprehend || **~ся** *v.imp.*, **э́то само́ собо́ю –е́ется** that is self-evident, (that is a matter) of course.

разу́м/ник *s.* person of sense || **–ничa-ть** II. *vn.* to subtilize || **–ность** *s. f.* cleverness; reasonableness || **–ный** *a.* reasonable, prudent; clever.

раз/у́ть *cf.* **–ува́ть** || **–у́чива-ть** II. *va.* (*Pf.* -уч=и́ть I. [c]) to learn, to rehearse; to study, to exercise || **~ся** *vr.* (*only Pf.*) to forget, to unlearn, not to be in practice.

раз'/еда́-ть II. *va.* (*Pf.* -е́сть 44. [a 1.]) to eat up (all of); (*chem.*) to eat into, to corrode || **~ся** *vn.* to fatten, to thrive (on good food) || **–едине́ние** *s.* separation, retirement || **–единя́-ть** II. *va.* (*Pf.* -един=и́ть II. [a]) to separate, to retire, to isolate (one); (*elec.*) to disconnect || **–е́зд** *s.* setting-out, departure (of several persons); (*mil.*) horse-patrol || **–езжа́-ться** II. *vn.* (*Pf.* -е́хаться 45.) to set out, to depart; to pass, to give way one another (of carriages); to go to pieces || **–е́сть** *cf.* **–еда́ть** || **–яря́-ть** II. *va.* (*Pf.* -яр=и́ть II. [a]) to enrage, to infuriate || **~ся** *vr.* to become furious || **–ясне́ние** *s.* explanation, elucidation || **–ясня́-ть** II. *va.* (*Pf.* -ясн=и́ть II. [a]) to elucidate, to clear up, to explain || **~ся** *vr.* to become clear.

разы́/скива-ть II. *va.* (*Pf.* -ск-а́ть I. 4. [c]) to search, to investigate; to find out, to discover.

рай/ *s.* [b°] paradise || **–о́н** *s.* territory, province || **⁄–ский** *a.* of paradise, paradisiac(al).

рак/ *s.* crayfish; (*med.*) cancer; **морско́й** ~ crab || **⁄–а** *s.* shrine || **–е́та** *s.* rocket; racket || **–и́та** *s.* (*bot.*) willow || **–и́тник** *s.* (*bot.*) willow-plot || **⁄–овина** *s.* mussel; mussel-shell; (*arch.*) flute, channel || **–у́ша** *s.*, *dim.* **–у́шка** *s.* (*gpl.* -шек) mussel-shell.

ра́м/а *s.* frame || **–ка** *s.* (*gpl.* -мок) & **–очка** *s.* (*gpl.* -чек) *dim. of prec.* || **–очник** *s.* frame-maker || **–па** *s.* (*theat.*) footlights *pl.*

ра́на *s.* wound.

ранг/ *s.* rank, dignity || **⁄–овый** *a.* of rank || **–оут** *s.* (*mar.*) mast and yards, spars *pl.*

рандеву́ *s. n. indecl.* rendezvous.

ра́н/ее *cf.* **ра́нний** || **–е́нько** *ad.* rather early, too early || **–е́т** *s.* rennet, queen-apple || **–ёхонько** *ad.* very early (in the morning) || **–ец** *s.* (*gsg.* -нца) knapsack, haversack.

ра́н=ить II. *va. Ipf. & Pf.* to wound, to hurt.

ра́нка *s.* (*gpl.* -нок) a slight wound.

ра́нний *a.* (*comp.* ра́ньше & ра́нее) early.

ра́но *ad.* early, at an early hour, early in the morning.

ра́ночка *s.* (*gpl.* -чек) slight wound.

ран/т *s.* edge, brim, border || **–ь** *s. f.* the early morning, early hours || **⁄–ьше** (& **⁄–ее**) *ad.* earlier, sooner; formerly, before.

рап/и́ра *s.* rapier, foil || **⁄–орт** *s.* report, account || **–орто+ва́ть** II. [b] *vn.* (*Pf.* от-) to report || **–с** *s.* rape || **⁄–совый** *a.* rape-.

ра́с/а *s.* race || **–ка́ива-ться** II. *vc.* (*Pf.* -ка́я-ться II.) (в + *Pr.*) to repent, to regret || **–ка́лива-ть** II. *va.* (*Pf.* -кал=и́ть II.) to make red-hot, to make incandescent || **–ка́лыва-ть** II. *va.* (*Pf.* -кол-о́ть II. [c]) to cleave, to split; to crack; to slit || **–ка́пыва-ть** II. *va.* (*Pf.* -копа́-ть II.) to dig up, out, open || **–ка́т** *s.* sliding place, skating-rink; roll (of thunder) || **–ка́тистый** *a.* sloping; rolling, roaring || **–ка́тыва-ть** II. *va.* (*Pf.* -ката́-ть II.) to roll asunder, to unroll; to roll out (metals); ~ **те́сто** to roll dough || **~ся** *vr.* to rumble, to roll (of thunder) || **–ка́чива-ть** II. *va.* (*Pf.* -кача́-ть II.) to set swinging, to swing, to roll (of a ship) || **~ся** *vr.* to swing; to be shaken loose || **–ка́шлива-ться** II. *vn.* (*Pf.* -ка́шля-ться II.) to have a violent fit of coughing || **–ка́яние** *s.* repentance || **–ка́яться** *cf.* **–ка́иваться** || **–ква́с=ить** I. 3. *va.* *Pf.* to crush, to squash; (*fam.*) to beat to pulp || **–квита́ться** *cf.* **квита́ться** || **–кидно́й** *a.* for throwing open, folding, extending || **–ки́дыва-ть** II. *va.* (*Pf.* -кида́-ть II. & -ки́н-уть I.) to throw asunder; to disperse, to scatter; to pitch (a tent); to spread (one's legs) || **–киса́-ть** II. *vn.* (*Pf.* -ки́снуть 52.) to sour, to turn sour; (*fig.*) to grow tired || **–кла́дыва-ть** II. *va.* (*Pf.* разлож=и́ть I. [c]) to lay out, to spread (articles); to fix, to allot; to lay out (cards) || **–кла́нива-ться** II. *vrc.* (*Pf.* -кла́ня-ться II.) to greet, to salute; to make one's bow, to take leave of || **–кле́ива-ть** II. *va.* (*Pf.* -кле=и́ть II. [a & c]) to unglue || **~ся** *vr.* (*fig.*) to dissolve, to be broken up, to come to nothing || **–ко́выва-ть** II. *va.* (*Pf.* -кова́ть II. [a]) to hammer out; to unshoe (a horse); to unfetter (a prisoner) || **–ковы́рива-ть** II. *va.* (*Pf.* -ковыря́-ть II.) to scratch open (a wound) || **–ко́л** *s.* cleft, crack, crevice; (*ec.*) schism || **–кола́чива-ть** II. *va.* (*Pf.* -колот=и́ть I. 2. [c]) to break to pieces, to beat to pieces; to smash to pieces, to break; to stretch (boots on a last); (*fig.*) to beat, to defeat || **–коло́ть** *cf.* **–ка́лывать** & **коло́ть** || **–ко́льник** *s.* schismatic, sectarian, heretic || **–ко́льнический** *a.* schismatic(al) || **–ко́пка** *s.* (*gpl.* -пок) digging up; excavation || **–коше́лива-ться** II. *vr.* (*Pf.* -коше́л=иться II.) to get generous, to give liberally || **–краса́вица** *s.* a perfect beauty || **–кра́сить** *cf.* **–кра́шивать** || **–кра́ска** *s.* (*gpl.* -сок) colouring; painting || **–красне́-ть(-ся)** II. *vc.* *Pf.* to become, to grow red; to redden || **–кра́шива-ть** II. *va.* (*Pf.* -кра́с=ить I. 3.) to colour; to paint; (*fig.*) to embellish (a story) || **–критикова́ть** *cf.* **критикова́ть** || **–крич=а́ть** I. [a] *va.* *Pf.* (что *or* о чём) to publish by crying; ~ (кому́) **у́ши** to deafen one with one's cries || **~ся** *vr.* to utter loud cries, to begin to cry || **–кромса́ть** *cf.* **кромса́ть** || **–кроши́ть** *cf.* **кроши́ть** || **–кру́чива-ть** II. *va.* (*Pf.* -крут=и́ть I. 2. [a & c]) to untwist, to untwine || **–крыва́-ть** II. *va.* (*Pf.* -кры́ть 28. [b]) to unroof; to uncover, to unveil; to open (a window, a book, a table, etc.); to put up (an umbrella); (*fig.*) to discover, to reveal, to disclose || **–купа́-ть** II. *va.* (*Pf.* -куп=и́ть II. 7. [c]) to buy up *or* out || **–ку́порива-ть** II. *va.* (*Pf.* -ку́пор=ить II.) to uncork; to open (a parcel, etc.) || **–ку́рива-ть** II. *va.* (*Pf.* -кур=и́ть II. [a & c]) to colour by smoking (a pipe); to consume in smoking, to go off in smoke || **–ку́сыва-ть** II. *va.* (*Pf.* -кус=и́ть I. 3. [c]) to bite in two, to crack (nuts); (*fig.*) to understand, to see to the bottom of || **–ку́тыва-ть** II. *va.* (*Pf.* -ку́та-ть II.) to uncover, to unfold.

рас/пада́-ться II. *vn.* (*Pf.* -па́сться 22. [a 1.]) to fall to pieces, to go to ruin || **–паде́ние** *s.* falling to pieces, going to ruin || **–па́ива-ть** II. *va.* (*Pf.* -пая́-ть II.) to unsolder || **–паля́-ть** II. *va.* (*Pf.* -пал=и́ть II. [a]) to heat strongly; (*fig.*) to anger, to incense; to excite (passions) || **–па́рива-ть** II. *va.* (*Pf.* -па́р=ить II.) to soften, to moisten (by steam or in hot water); (*culin.*) to steam, to stew || **–па́рыва-ть** II. *va.* (*Pf.* -пор-о́ть II. [c]) to unrip, to rip open || **~ся** *vr.* to come unstitched, undone || **–па́сться** *cf.* **–пада́ться** || **–па́хива-ть** II. *va.* (*Pf.* -пах-а́ть I. 3. [c]) to plough up, to break up (fresh land); (*Pf.* -пахн-у́ть I. [a]) to throw, to fling wide open (a door, one's coat) || **–па́шка** *s.* (*gpl.* -шек) ploughing up, breaking up (fresh land) || **–пая́ть** *cf.* **–па́ивать** || **–пе́в** *s.* a drawling song *or* speech || **–пева́-ть** II. *va.* (*Pf.* -пе́ть 39. [a 1.]) to sing with a drawling voice || **–пека́-ть** II. *va.* (*Pf.* -пе́чь 18. [a 2.]) to soften by heat (stale bread); (*fig.*) to give one a good scolding || **–пере́ть** *cf.* **–пира́ть** || **–печа́тыва-ть** II. *va.* (*Pf.* -печа́та-ть II.) to unseal; to break the seal (of a letter, etc.) || **–пива́-ть** II. *va.* (*Pf.* -пи́ть 27. [a 1.], *Fut.* разопью́,

-пьёшь, etc.) to drink up *or* off together (*e. g.* a bottle of wine) || **–пи́вочный** *a.* retail, from the tap (of sale of liquors) || **–пи́лива-ть** II. *va.* (*Pf.* -пил=и́ть II. [a&c]) to saw to pieces *or* up || **–пина́-ть** II. *va.* (*Pf.* -пя́ть 34. [a] & разопн-у́ть I. [a]) to crucify || **–пира́-ть** II. *va.* (*Pf.* -пере́ть 13.) to thrust, to push asunder; to open by pressure (a lock, a casket) || **–писа́ние** *s.* colouring, painting; list; ~ **поездо́в** time-table || **–пи́ска** *s.* (*gpl.* -сок) painting; receipt, acknowledgment || **–пи́сыва-ть** II. *va.* (*Pf* -пис-а́ть I. 3. [c]) to paint, to cover with paintings; (*mil.*) to assign, to fix (quarters); to describe in detail || **~ся** *vn.* [b] (в получе́нии чего́) to receipt, to write *or* give a receipt || **–пи́ть** *cf.* **–пива́ть** || **–пи́хива-ть** II. *va.* (*Pf.* -пиха́-ть II.) to push, to shove aside *or* asunder || **–плавля́-ть** II. *va.* (*Pf.* -пла́в=ить II.) to melt, to fuse || **~ся** *vr.* to melt, to be liquified || **–пла́к-аться** I. 2. *vn. Pf.* to burst into tears, to begin to weep || **–пла́стывать** *cf.* **пласта́ть** || **–пла́та** *s.* pay, payment || **–пла́чива-ть-ся** II. *vn.* (*Pf.* -плат=и́ться I. 2. [c]) (с + *I.*) to pay off, to discharge; to be quits (with) || **–плета́-ть** II. *va.* (*Pf.* -плести́ & -пле́сть 23. [a 2.]) to untwine, to untwist, to undo || **–пложа́-ть** II. *va.* (*Pf.* -плод=и́ть I. 1. [a]) to propagate, to breed; (*fig.*) to spread || **–пложе́ние** *s.* propagation, breeding || **–плыва́-ть-ся** II. *vn.* (*Pf.* -плы́ться 31. [a 1.]) to separate (in swimming); to run out, to spread (of ink, etc.) || **–плы́вчивый** *a.* very fluid, running out (of ink) || **–плю́щива-ть** II. *va.* (*Pf.* -плю́щ=ить I. & -плю́сн-уть I.) to flatten out, to hammer out, to roll (metals) || **–познава́ть** 39. *va.* (*Pf.* -позна́-ть II. [b]) to distinguish, to discern || **–позна́ние** *s.* distinguishing, discerning || **–полага́-ть** II. *va.* (*Pf.* -полож=и́ть I. [c]) to place, to dispose; to distribute, to lay out; to station; to dispose of; to interest, to gain over (a person); (*Ipf. aspect*) to intend, to purpose || **~ся** *vr.* to be disposed, to be stationed; to camp; to resolve || **–полза́-ться** II. *vn.* (*Pf.* -ползти́сь 25. [a 2.]) to crawl asunder; to go to pieces, to unravel (of old clothes) || **–положе́ние** *s.* disposition, arrangement, order; tendency, inclination; ~ **ду́ха** humour, temper, frame of mind || **–поло́женный** *a.* disposed, inclined (to, towards) || **–положи́ть** *cf.* **–полага́ть** || **–по́рка** *s.* (*gpl.* -рок) stretcher, cross-bar, cross-rail, stay || **–поро́ть** *cf.* **–па́рывать & поро́ть** || **–поряди́тель** *s. m.* arranger, manager, steward; **дире́ктор** ~ managing director || **–поряди́тельный** *a.* active, orderly || **–поряди́ться** *cf.* **–поряжа́ться** || **–поря́док** *s.* (*gsg.* -дка) arrangement, order || **–поряжа́-ться** II. *vn.* (*Pf.* -поряд=и́ться I. 1. [a & c]) (+ *I.*) to arrange, to manage; to dispose; to order; **–поряжа́йтесь как до́ма** make yourself at home || **–поряже́ние** *s.* arrangement, disposition, order; disposal || **–потёш=ить** I. *va. Pf.* to amuse, to cause to laugh || **–поя́сыва-ть** II. *va.* (*Pf.* -поя́с-ать I. 3.) to ungirdle, to ungird || **–пра́ва** *s.* tribunal, court; justice; punishment || **–правля́-ть** II. *va.* (*Pf.* -пра́в=ить II. 7.) to set right, to redress; to straighten; to smooth || **~ся** *vr.* to make one's arrangements, to settle; (с кем) to manage (one) || **–пределе́ние** *s.* assignment, assessment, distribution, allocation || **–определя́-ть** II. *va.* (*Pf.* -предел=и́ть II.) to distribute, to share, to allocate, to assign; ~ **по кла́ссам** to classify || **–продава́ть** 39. *va.* (*Pf.* -прода́ть 38. [a 4.]) to sell off *or* out || **–прода́жа** *s.* sale; selling off || **–простира́-ть** II. *va.* (*Pf.* -простере́ть 14. [a 1.]) to stretch out (wings, one's arms); to extend (boundaries) || **–прост=и́ться** I. 4. [a] *vr.* (с кем) *Pf.* to take leave (of one) || **–простани́тель** *s. m.* propagator || **–пространя́-ть** II. *va.* (*Pf.* -простран=и́ть II.) to extend, to enlarge; to extend; to spread, to propagate; to diffuse || **~ся** *vr.* to extend; to become larger; (о чём) to expatiate; to spread (of rumours).

ра́спря *s.* quarrel, difference, dispute.

рас/пряга́ть = **отпряга́ть** || **–пуска́-ть** II. *va.* (*Pf.* -пуст=и́ть I. 4. [c]) to let go, to dismiss; to disband, to break up; to let loose; to unfurl; to spread (a rumour) || **~ся** *vr.* to dissolve; to open (of flowers) || **–пу́тица** *s.* season when the roads are bad; a bad road || **–пу́тник** *s.*, **–пу́тница** *s.* licentious, dissolute person || **–пу́тный** *a.* dissolute, licentious, loose || **–пу́тыва-ть** II. *va.* (*Pf.* -пу́та-ть II.) to unravel, to disentangle; to clear up (a question) || **–пу́тье** *s.* cross-roads *pl.* || **–пуха́-ть** II. *vn.* (*Pf.* -пу́хнуть 52.) to swell up *or* out; to warp (of wood) || **-пýхлый** *a.* swollen up, out || **-пушúть** *cf.* **пушúть** || **-пýщенный** *a.* dissolute, rakish, loose, wanton **-пылúтель** *s.m.* atomizer || **-пя́ливa-ть** II. *va.* (*Pf.* -пя́л=ить II.) to stretch, to spread, to extend || **-пя́тие** *s.* crucifixion; crucifix || **-пя́ть** *cf.* **-пинáть.**

рас/сáдка *s.* (*gpl.* -док) planting here and there; transplanting || **-сáдник** *s.* hot-bed; nursery(-garden) || **-сáживa-ть** II. *va.* (*Pf.* -сажá-ть II & -сад=úть I. 1. [a & c]) to plant here and there; to transplant; to place (pupils), to place apart || **-свéт** *s.* dawn, day-break || **-светá-ть** II. *v.imp.*, **-светáет** the dawn is breaking; **ужé -свелó** it is already light; **скóро -светёт** daylight will soon appear || **-севá-ть** II. *va.* (*Pf.* -сé-ять II.) to sow, to strew; to spread (rumours); to disperse, to scatter, to dissipate || **-сёдлывa-ть** II. *va.* (*Pf.* -седлá-ть II.) to unsaddle || **-секá-ть** II. *va.* (*Pf.* -сéчь 18. [a 1.]) to cut asunder, to hew up; (*med.*) to dissect || **-сéлина** *s.* crack, cleft, slit, crevice || **-селя́-ть** II. *va.* (*Pf.* -сел=úть II. [a & c]) to settle in different places, to transplant || **-сердúть** *cf.* **сердúть** || **-сéчь** *cf.* **-секáть** || **-сéяние** *s.* sowing; dispersion, dissipation || **-сéянный** *a.* dispersed, scattered; (*fig.*) confused, absent-minded || **-сéять** *cf.* **-севáть.**

расскá/з *s.* tale, story, narration || **-зчик** *s.* story-teller, narrator, relator || **-зывa-ть** II. *va.* (*Pf.* -з-áть I. 1. [c]) to relate, to recount, to narrate, to tell.

рас/слабевá-ть II. *vn.* (*Pf.* -слабé-ть II. & -слáбнуть 52.) to grow weak || **-слаблéние** *s.* weakening, prostration, enervation; (*med.*) palsy || **-слабля́-ть** II. *va.* (*Pf.* -слáб=ить II. 7.) to weaken, to enfeeble, to enervate || **-славля́-ть** II. *va.* (*Pf.* -слáв=ить II. 7.) to trumpet forth, to divulge, to proclaim; to spread (rumours) || **-слéдование** *s.* investigation, inquiry; exploration; research || **-слéдывa-ть** II. *va.* (*Pf.* -слéдо+вать II.) to investigate; to explore || **-слыш=áть** I. *va.* *Pf.* to hear distinctly || **-смáтривa-ть** II. *va.* (*Pf.* -смотр=éть II. [c]) to contemplate, to inspect, to behold; to examine, to consider || **-смешúть** *cf.* **смешúть** || **-сме-я́ться** II. [a] *vn.* *Pf.* to burst into laughter, to burst out laughing || **-смóтр** & **-смотрéние** *s.* examination, inspection, revision, scrutiny || **-смотрéть** *cf.* **-смáтривать**

|| **-снáстка** *s.* (*gpl.* -ток) dismantling (of a ship) || **-снáщивa-ть** II. *va.* (*Pf.* -снаст=úть I. 4. [c]) to dismantle (a ship) || **-сóвывa-ть** II. *va.* (*Pf.* -со+вáть II. [a & b] & -сýн-уть I.) to shove asunder; to put in here and there, to place here and there || **-сóл** *s.* brine; pickle || **-сóльник** *s.* a kind of soup of sour cucumbers || **-сóльный** *a.* salt, briny; salted, pickled || **-сóр=ить** II. *va.* *Pf.* to set at variance || **~ся** *vr.* to fall out, to disagree || **-сортировáть** *cf.* **сортировáть** || **-сóха** *s.* mould-board (of a plough); forked branch || **-сóхнуться** *cf.* **-сыхáться** || **-спрáшивa-ть** II. *va.* (*Pf.* -спрос=úть I. 3. [c]) (о чём) to question; to inquire; to make inquiries || **-срóчивa-ть** II. *va.* (*Pf.* -срóч=ить I.) to allow to pay by instalments; to postpone a payment, to prolong a term || **-срóчка** *s.* (*gpl.* -чек) prolongation of a term; **~ платежá** payment by instalments, instalment || **-ставáние** *s.* parting, leave-taking || **-ставáться** 39. *vn.* (*Pf.* -стáться 32. [b]) (с + *I.*) to part (with), to take leave (of), to separate || **-ставля́-ть** II. *va.* (*Pf.* -стáв=ить II. 7.) to set, to put, to place, to post (in various places) || **-станáвливa-ть** II. *va.* (*Pf.* -станов=úть II. 7. [c]) = *prec.* || **-станóвка** *s.* (*gpl.* -вок) setting in various places; interval; pause; **~ слов** (*gramm.*) arrangement of words || **-стáться** *cf.* **-ставáться** || **-стегáй** *s.* small pie (with fish stuffing) || **-стёгивa-ть** II. *va.* (*Pf.* -стегн-ýть I. [a]) to unbutton, to unfasten, to undo, to unbuckle || **-стилá-ть** II. *va.* (*Pf.* разостлáть 9. [c]) to spread out (a carpet) || **~ся** *vr.* to spread, to stretch; (*fig.*) to humble o.s., to cringe || **-стúлка** *s.* (*gpl.* -лок) spreading, extending; something spread out || **-стоя́ние** *s.* distance, extent; expanse; duration (of time) || **-стрá(ó)ивa-ть** II. *va.* (*Pf.* -стрó=ить II.) to put out of tune; to set at variance; to disorder, to disturb; to frustrate (plans); to put out of order; to derange, to disconcert || **-стрéливa-ть** II. *va.* (*Pf.* -стрeля́-ть II.) to shoot, to fire (away); to riddle with bullets; to execute (a criminal by shooting) || **-стрúга** *s.* an unfrocked priest *or* monk || **-стригá-ть** II. *va.* (*Pf.* -стрúчь 15. [c]) to degrade; to unfrock (a priest) || **-стрижéние** *s.* unfrocking, degradation || **-стрóить** *cf.*

–страивать || **–стройство** *s.* disorder, disarray, confusion; indisposition || **–ступа-ться** II. *vn.* (*Pf.* -ступ=иться II. 7. [c]) to go asunder; to give way, to make room; to make way; to open, to split (open), to burst (of the earth) || **–судительный** *a.* deliberate, considerate, judicious, sagacious, sensible, reasonable || **–судить** *cf.* **–суждать** || **–судок** *s.* (*gsg.* -дка) commonsense, understanding, judg(e)ment; **брак по –судку** "mariage de convenance"; **потерять** ~ to be out of one's wits || **–сужда-ть** II. *va.* (*Pf.* -суд=ить I. 1. [c]) to reason, to deliberate, to discuss, to consider || **–суждение** *s.* deliberation, consideration, reasoning || **–сунуть** *cf.* **–совывать** || **–счётливый** *a.* prudent, calculating; cautious, circumspect, sparing, economic(al) || **–считыва-ть** II. *va.* (*Pf.* -счита-ть II.) to count, to calculate, to compute; to settle (with), to pay off; (на что) to rely (on), to depend (upon) || **~ся** *vrc.* (с кем) to settle accounts, to come to terms (with one), to pay off || **–сыла-ть** II. *va.* (*Pf.* разослать 40. [a]) to send off, to despatch (in various directions) || **–сылка** *s.* (*gpl.* -лок) despatch, sending off || **–сылочный** *a.* for despatch(ing) || **–сыльный** (*as s.*) messenger, servant, errand-boy || **–сыпа-ть** II. *va.* (*Pf.* -сып-ать II. 7.) to disperse, to scatter, to spill; to strew || **~ся** *vr.* to be dispersed *or* scattered; to crumble to dust; ~ **в похвалах** (о ком) to launch into praises || **–сыпка** *s.* (*gpl.* -пок) scattering, dispersal, strewing || **–сыпной** *a.* crumbling; scattered, dispersed || **–сыпчатый** & **–сыпчивый** *a.* loose, crumbling; friable || **–сыха-ться** II. *vn.* (*Pf.* -сохнуться 52.) to dry up, to shrink; to come asunder (as a result of dryness).

рас/талкива-ть II. *va.* (*Pf.* -толка-ть II. & -толкн-уть I. [a]) to push asunder *or* apart || **–таплива-ть** II. *va.* (*Pf.* -топ=ить II. 7. [c]) to heat; to kindle (a fire in a stove); to melt (butter, wax, etc.) || **–таптыва-ть** II. *va.* (*Pf.* -топт-ать I. 2. [c]) to trample on, to tread under foot; to wear out (shoes) || **–таскива-ть** II. *va.* (*Pf.* -таска-ть II. & -тащ=ить I. [c]) to drag apart, asunder, to drag off, away || **–таять** *cf.* **таять** || **–твор** *s.* solution, mixture; mortar || **–творение** *s.* dissolving, dilution, solution || **–творимый** *a.* soluble || **–творитель** *s. m.* solvent || **–творя-ть** II. *va.* (*Pf.* -твор=ить II. [a & c]) to open; to dissolve; to mix || **–тека-ться** II. *vn.* (*Pf.* -течься 18. [a 2.]) to divide into arms *or* branches; to run, to be spilt (of liquids).

растение *s.* plant, vegetable.

рас/тереть *cf.* **–тирать** || **–терзыва-ть** II. *va.* (*Pf.* -терза-ть II.) to tear, to lacerate, to rend; to harrow, to torture || **–терива-ть** II. *va.* (*Pf.* -теря-ть II.) to lose || **~ся** *vr.* (*fig.*) to lose one's head, one's presence of mind || **–теряха** *s. m&f.* one who is always losing things || **–течься** *cf.* **–текаться.**

расти 35. [a 2.] *vn.* (*Pf.* вы-) to grow, to thrive; to increase.

рас/тира-ть II. *va.* (*Pf.* -тереть 14. [a 1.], *Fut.* разотру, -ёшь) to rub small, to grind, to triturate || **–тирка** *s.* (*gpl.* -рок) grinding, trituration || **–тискива-ть** II. *va.* (*Pf.* -тиска-ть II. & -тисн-уть I.) to press apart; to squash, to bruise.

растительный *a.* vegetable, vegetative.

раст=ить I. 4. [a] *va.* to grow, to cultivate (plants); to breed (animals).

рас/тлева-ть II. *va.* (*Pf.* -тл=ить II. [a]) to corrupt, to deprave; to seduce; to rape || **–тление** *s.* putrefaction; corruption || **–тлитель** *s. m.* corrupter, seducer || **–толкать** & **–толкнуть** *cf.* **–талкивать** || **–толковыва-ть** II. *va.* (*Pf.* -толко+вать II. [b]) to explain, to expound || **–толстеть** *cf.* **толстеть** || **–топить** *cf.* **–тапливать** || **–топка** *s.* (*gpl.* -пок) heating, firing; chips, shavings *pl.* (for lighting a fire) || **–топтать** *cf.* **–таптывать** || **–топырива-ть** II. *va.* (*Pf.* -топыр=ить II.) to spread out, open, wide (wings, the hands); to bristle up (one's feathers) || **–торга-ть** II. *va.* (*Pf.* -торгнуть 52.) to rend, to break; ~ **брак** to dissolve a marriage || **–торговыва-ться** II. *vn.* (*Pf.* -торго+ваться II. [b]) to extend one's business; to grow rich in business || **–торжение** *s.* break, rupture, dissolution; ~ **брака** divorce, dissolution of marriage || **–торопный** *a.* quick, smart; clever || **–точа-ть** II. *va.* (*Pf.* -точ=ить I. [a]) to squander, to waste, to dissipate, to lavish; to disperse (the enemy) || **–точитель** *s. m.* spendthrift, prodigal, waster || **–точительный** *a.* prodigal, wasteful.

растра *s.* (*mus.*) music-pen (for ruling paper).

рас/травле́ние *s.* opening, irritation (of a wound) || **–тра́влива-ть** II. & **–травля́-ть** II. *va.* (*Pf.* -трав⸗и́ть II. 7. [a & c]) to open, to irritate (a wound); to set on (dogs); (*chem.*) to corrode || **–транжи́рить** *cf.* **транжи́рить** || **–тра́та** *s.* squandering, waste, dissipation; defalcation || **–тра́тчик** *s.* squanderer, defalcator || **–тра́чива-ть** II. *va.* (*Pf.* -тра́т⸗ить I. 2.) to squander, to fling away; to run through; to lavish; to defalcate || **–трёпа** *s. m&f.* person with dishevelled hair, mop-head || **–трёпыва-ть** II. *va.* (*Pf.* -треп-а́ть II. 7. [c]) to dishevel, to tousle; to pick to pieces || **–тре́скива-ться** II. *vn.* (*Pf.* -тре́ска-ться II. & -тре́сн-уться I.) to crack, to burst, to split || **–тро́гива-ть** II. *va.* (*Pf.* -тро́га-ть II.) to put in disorder, to throw into confusion; to tear open (a wound); (*fig.*) to irritate, to move, to affect; ~ **до слёз** to move to tears || **–тру́б** *s.* funnel-shaped opening, bell (of a horn); boot-top || **–труси́ть** *cf.* **труси́ть** || **–тряса́-ть** II. *va.* (*Pf.* -трясти́ 26. [a 2.]) to jolt asunder; to spread, to scatter about; (*fig.*) to shake up, to bring one to || **–тря́ска** *s.* (*gpl.* -сок) jolting asunder; scattering about || **–тушёвыва-ть** II. *va.* (*Pf.* -туше+ва́ть II. [b]) to shade off *or* in (a drawing) || **–тя́гива-ть** II. *va.* (*Pf.* -тян-у́ть I. [c]) to stretch out, to extend, to distend; to expand; (*fig.*) to drag out || **–тяже́ние** *s.* extension, expansion || **–тяжи́мый** *a.* expansible || **–тя́жка** *s.* (*gpl.* -жек) stretching, extending || **–тяну́ть** *cf.* **–тя́гивать** || **–франт⸗и́ться** I. 2. [a] *vr. Pf.* to deck o.s. out *or* up.

рас/ха́жива-ть II. *vn.* to go up and down, to walk about || **~ся** *vn.* (*Pf.* -ход⸗и́ться I. 1. [c]) to get a fit of walking; to get angry || **–ха́ять** *cf.* **ха́ять** || **–хва́лива-ть** II. *va.* (*Pf.* -хвал⸗и́ть II. [c]) to laud, to extol, to praise greatly || **–хва́т** *s.* snatching away; quick disposal of wares; **на ~** bought up at once; (*fam.*) like hot cakes || **–хва́тыва-ть** II. *va.* (*Pf.* -хвата́-ть II. & -хват⸗и́ть I. 2. [c]) to snatch away, to sweep off; to buy up quickly || **–хвора́-ться** II. *vn. Pf.* to fall ill *or* sick (of), to be ill for a long while || **–хища́-ть** II. *va.* (*Pf.* -хи́т⸗ить I. 6.) to plunder, to rob || **–хище́ние** *s.* plunder, robbing || **–хлёбыва-ть** II. *va.* (*Pf.* -хлеба́-ть II.) to scoop out with a spoon, to sip up, to eat out || **–хо́д** *s.* expenditure, outlay; (*in pl.*) expenses *pl.*; sale; consumption || **–ход⸗и́ться** I. 1. [c] *vn.* (*Pf.* разойти́сь 48. [a 2.]) to separate, to part, to be dispersed; (of goods) to be sold, to be disposed of; (of money) to be spent; to dissolve, to melt; to become disjointed; to differ (of opinions); to pass by (without noticing), to miss (*cf.* -ха́живать) || **–хо́дный** *a.* for expenditure, of expense || **–хо́до+вать** II. *va.* (*Pf.* из-) to expend, to spend, to pay away || **–хола́жива-ть** II. *va.* (*Pf.* -холод⸗и́ть I. 1. [a]) to cool, to chill || **–хорохо́риться** *cf.* **хорохо́риться** || **–храбри́ться** *cf.* **храбри́ться** || **–ху́лива-ть** II. *va.* (*Pf.* -хул⸗и́ть II. [a]) to cut up, to blacken, to censure severely.

рас/цара́пыва-ть II. *va.* (*Pf.* -цара́па-ть II.) to scratch (open) || **–цве́т** *s.* blowing, opening (of flowers) || **–цвета́-ть** II. *vn.* (*Pf.* -цвести́ & -цве́сть 23. [a 2.]) to blow, to bloom, to blossom, to open (of flowers) || **–цело+ва́ть** II. [b] *va. Pf.* to kiss heartily || **–це́нива-ть** II. *va.* (*Pf.* -цен⸗и́ть II. [c]) to value, to estimate, to appraise || **–це́нка** *s.* (*gpl.* -нок) valuation, estimate, appraisement || **–цепле́ние** *s.* unhooking, unclasping, unloosing, uncoupling || **–цепля́-ть** II. *va.* (*Pf.* -цеп⸗и́ть II. 7. [c]) to unhook, to unclasp, to uncouple.

рас/че́сть *cf.* **–счи́тывать** || **–чёсыва-ть** II. *va.* (*Pf.* -чес-а́ть I. 3. [c]) to comb thoroughly; to part (one's hair); to scratch (while combing) || **–чёт** *s.* calculation, account, computation; consideration; **принима́ть в ~** to take into account, to take into consideration || **–чётливый** *a.* calculating, prudent; economic(al) || **–числе́ние** *s.* calculation, computation || **–числя́-ть** II. *va.* (*Pf.* -чи́сл⸗ить II.) to calculate, to compute || **–чи́стка** *s.* (*gpl.* -ток) clearing away, cleaning (the yard); clearing (a wood) || **–чища́-ть** II. *va.* (*Pf.* -чи́ст⸗ить I. 4.) to clear away, to clean, to clear.

рас/шага́-ться II. *vn. Pf.* to take long steps, to step out || **–шал⸗и́ться** II. *vn. Pf.* to be very frolicsome, to be naughty || **–ша́тыва-ть** II. *va.* (*Pf.* -шата́-ть II.) to shake loose || **~ся** *vr.* to be shaken loose, to become unsettled || **–шеве́лива-ть** II. *va.* (*Pf.* -шевел⸗и́ть II. [c]) to move, to stir up, to set in motion, to throw into disorder; (*fig.*) to inflame, to encourage || **–шиба́-ть** II.

va. (*Pf.* -шиб=и́ть I. [a]) to dash, to break, to smash to pieces || **-шива́-ть** II. *va.* (*Pf.* -ши́ть 27., *Fut.* разошью́, -ьёшь) to rip up, to unstitch; to embroider (a dress) || **-шире́ние** *s.* widening, enlargement; extension; (*phys.*) expansion, dilation || **-ширя́-ть** II. *va.* (*Pf.* -ши́р=ить II.) to widen, to enlarge, to extend; (*phys.*) to expand, to dilate || **-ши́ть** *cf.* **-шива́ть** || **-шифро́выва-ть** II. *va.* (*Pf.* -шифро+ва́ть II. [b]) to decipher, to decode || **-шнуро́выва-ть** II. *va.* (*Pf.* -шнуро+ва́ть II.) to untie, to unlace.

рас/ще́др=иться II. *vr. Pf.* to be liberal, to open one's purse || **-ще́пывать** *cf.* **щепа́ть.**

ратиф/ика́ция *s.* ratification || **-ици́ро+вать** II. *va.* to ratify.

ра́т/ник *s.* (*obs.*) warrior, soldier || **-ный** *a.* military, war- || **-о+вать** II. *vn.* to fight, to make war (upon).

ра́туша *s.* town-hall, city-hall.

рать *s. f.* army, host.

ра́ут *s.* rout, informal party.

рафин/а́д *s.* refined sugar, white sugar || **-и́ро+вать** II. *va.* to refine.

рахити́зм *s.* rachitis.

рацио́н/ *s.* ration || **-али́зм** *s.* rationalism || **-али́ст** *s.* rationalist || **-алисти́ческий** *a.* rationalistic(al) || **-а́льный** *a.* rational, reasonable.

рачи́тельный *a.* assiduous, careful, diligent.

ра́шкуль *s. m.* charcoal-crayon.

ра́шпер *s.* gridiron, grill (for roast meat).

ра́шпиль *s. m.* rasp.

раще́ние *s.* growing, growth.

рв-ать I. *va.* (*Pf.* разо-, изо-, *mom.* рван-у́ть I. [a]) to rend, to tear to pieces; (*Pf.* на-) to pluck, to cull, to gather; (*Pf.* вы́-) to tear out || ~ *v.imp.* to vomit; **его́ рвёт** he vomits; **его́ вы́рвало** he vomited.

рве́ние *s.* zeal, ardour.

рво́т/а *s.* vomiting || **-ина** *s.* vomit || **-ный** *a.* emetic || **-ное** (*as s.*) an emetic.

рву *cf.* **рвать.**

рде-ть(-ся) II. *vn.* (*Pf.* за-) to redden, to turn red.

реаге́нт & реакти́в *s.* (*chem.*) reagent.

реак/ционе́р *s.* reactionary || **´-ция** *s.* reaction.

реал/иза́ция *s.* realization || **-изи́ро+вать** II. & **-изо+ва́ть** II. [b] *va.* to realize || **-и́зм** *s.* realism || **-и́ст** *s.* realist.

реа́льный *a.* real; **-ое учи́лище** school at which the modern languages are taught.

ребён/ок *s.* (*pl.* ребя́та) child, baby; **грудно́й** ~ suckling; **ребя́та!** (in addressing soldiers) men! my men! || **-очек** *s.* (*gsg.* -чка) *dim. of prec.*

ребёрный *a.* rib-.

ребро́ *s.* [d] rib; edge, border, brink.

ре́бус *s.* rebus.

ребя́/та *cf.* **ребёнок** || **-ти́шки** *s. pl.* (*gpl.* -шек) *dim.* little children || **-ческий** *a.* childish; of children || **-чество** *s.* childhood, infancy; childishness || **-ч=иться** I. *vr.* (*Pf.* по-) to behave childishly.

рёв *s.* bellow(ing), roar(ing), scream(ing).

рева́нш *s.* satisfaction, requital.

ревен/ный *a.* (of) rhubarb || **-ь** *s. m.* [a] rhubarb.

ревера́нс *s.* reverence, bow, curtsy.

реве́рс *s.* counterfoil.

рев-е́ть I. [b] *vn.* (*Pf.* за-) to howl, to bellow, to roar, to low.

реви́з/ия *s.* revision || **-о+ва́ть** II. [b] *va.* (*Pf.* об-) to revise || **-о́р** *s.* inspector.

ревмат/и́зм *s.* rheumatism || **-и́ческий** *a.* rheumatic.

ревн/и́вец *s.* (*gsg.* -вца) jealous man || **-и́вица** *s.* jealous woman || **-и́вый** *a.* jealous || **-о+ва́ть** II. [b] *va.* (*Pf.* при-, воз-) to be jealous of.

ре́вност/ный *a.* zealous, fervent || **-ь** *s. f.* zeal, fervour; jealousy; envy.

рево́л/ьвер *s.* revolver || **-юционе́р** *s.* revolutionary || **-юцио́нный** *a.* revolutionary || **-ю́ция** *s.* revolution.

реву́н/ *s.*, **-ья** *s.* squaller, bawler.

рега́лия *s.* regalia.

ре́гент *s.* precentor, leader of a choir.

реги́стр/ *s.* (*mus.*) register || **-а́тор** *s.* registrar || **-ату́ра** *s.* registry.

регла́мент *s.* regulation, rule.

регули́ро+вать II. *va.* to regulate, to rule, to order.

ре́гул/ы *s. fpl.* menstruation || **-я́рный** *a.* regular || **-я́тор** *s.* regulator.

редакти́ро+вать II. *va.* to edit.

реда́к/тор *s.* editor || **-торство** *s.* editorship || **-ция** *s.* edition, editing.

ре́денький *a.* rather sparse, scarce.

реде́-ть II. *vn.* (*Pf.* по-) to grow thin(ner).

ре́дечка *s.* (*gpl.* -чек) *dim. of* ре́дька.

ред=и́ть I. 1. [a] *va.* to thin, to make thin.

ре́д/кий *a.* (*comp.* ре́же; *sup.* -ча́йший) thin; sparse, scarce || **-ко** *ad.* rarely,

seldom; thinly, at long intervals || **–кость** *s. f.* rarity, rareness; scarcity.
реду́т *s.* redoubt.
ре́дька *s.* (*gpl.* -дек) black radish.
рее́стр *s.* register, list, record.
ре́же *cf.* **ре́дкий.**
реж/и́м *s.* regime || **–иссёр** *s.* stage-manager.
реза́к *s.* [a] chopper; billhook; coulter [(of a plough).
ре́зальщик *s.* cutter, carver.
ре́з-ать I. 1. *va.* to cut, to carve, to slice || **~ся** *vrc.* to be cut; **у э́того ребёнка зу́бы ре́жутся** this child is cutting its teeth; (*Pf.* за-) to slaughter, to kill; (*Pf.* вы́-) to engrave, to cut; (*Pf.* с-) to cut off; to fail, to be plucked (in an examination) || **~ся** *vn.* to fail, to be plucked.
резв=и́ться II. 7. [a & c] *vr.* (*Pf.* по-) to sport, to frolic, to frisk; to be frolicsome, frisky.
ре́зв/ость *s. f.* friskiness; petulance, wantonness, exuberance of spirits || **–у́н** *s.* [a], **–у́нья** *s.* & **–у́ха** *s.*, **–у́шка** *s.* [*gpl.* -шек] frolicsome, wanton person || **–ый** *a.* sportive, playful, waggish, frolicsome; frisky, mettlesome.
резеда́ *s.* (*bot.*) mignonette.
резе́рв/ *s.* reserve || **–ный** *a.* reserve || **–уа́р** *s.* reservoir; container, tank.
резе́ц *s.* [a] (*gsg.* -зца́) graver, chisel; incisor.
резиде́н/т *s.* resident || **–ция** *s.* residence.
рези́н/а *s.*, *dim.* **–ка** *s.* (*gpl.* -нок) rubber, India rubber || **–овый** *a.* rubber.
ре́зк/а *s.* (*gpl.* -зок) cutting; cutting-knife; chopped up strand || **–ий** *a.* (*comp.* ре́зче) sharp, bitter, keen, shrill, piercing; loud, glaring, garish (of colours) || **–ость** *s. f.* sharpness, keenness, shrillness.
резн/о́й *a.* cut, carved, engraved || **–я́** *s.* massacre, slaughter, shambles *pl.*
резолю́ция *s.* resolution.
резо́н *s.* reason.
резона́нс *s.* resonance.
результа́т *s.* result.
ре́зч/е *cf.* **ре́зкий** || **–и́к** *s.* [a] engraver, carver.
резь/ *s. f.* stitch, gripe, colic || **–ба́** *s.* cutting, carving; carved work.
рей/ *s.* (*mar.*) (sail-)yard || **–д** *s.* (*mar.*) road (stead), anchorage || **́–ка** *s.* (*gpl.* ре́ек) (carpenter's) lath, sarking.
рейнве́йн *s.* Hock.
рейс *s.* (*mar.*) voyage, passage.
рейту́зы *s. mpl.* riding-breeches *pl.*

рек/а́ *s.* [e] river; stream; **~ слёз** (*fig.*) a flood of tears; **вверх по –е́** up-stream; **вниз по –е́** down-stream || **–визи́ция** *s.* requisition || **–ла́ма** *s.* advertisement, puff || **–лами́ро+вать** II. *va.* to puff up, to advertise.
рекогносциро́вка *s.* (*gpl.* -вок) (*mil.*) reconnoitring.
рекоменд/а́тельный *a.* of recommendation || **–а́ция** *s.* recommendation || **–о+ва́ть** II. [b] *va.* (*Pf.* за-, от-) to recommend, to commend.
ре́кр/ут *s.* recruit, conscript || **–у́тчина** *s.* recruitment; time of recruiting.
ре́ктор *s.* rector.
рели́г/ия *s.* religion || **–ио́зный** *a.* religious, pious.
рели́квии *s. fpl.* relics *pl.*
релье́ф/ *s.* relief || **–ный** *a.* relief.
рельс/ *s.* rail (of a railway); **сойти́ с ́–ов** to be derailed, to run off the rails || **́–овый** *a.*, **~ путь** (railway)line, railway-track.
реме́н/щик *s.* belt-maker || **–ь** *s. m.* [a] strap, belt; **бри́твенный ~** razor-strop.
реме́сл/енник *s.* tradesman, artisan || **–енный** *a.* artisan's, trade- || **–о́** *s.* [h] (*gpl.* -сел) handicraft, trade, profession.
реме́сса *s.* remittance.
ремешо́к *s.* [a] (*gsg.* -шка́) *dim. of* реме́нь.
реми́з *s.* fine (at cards).
ремитти́ро+вать II. *va.* to remit.
ремо́нт/ *s.* remount; repair || **–и́ро+вать** II. *va.* to remount; to repair.
ренега́т *s.* renegade.
ренесса́нс *s.* renaissance.
ренкло́д *s.* greengage.
ре́нта *s.* annuity, income.
ре́нтгеновский *a.*, **–ие лучи́** *m. pl.* X-rays.
реорганиз/а́ция *s.* reorganization || **–о+ва́ть** II. [b] *va.* to reorganize.
ре́па *s.* rape, turnip.
репе́й/ & **–ник** *s.* bur, burdock.
репертуа́р *s.* repertoire, repertory.
репет/и́тор *s.* tutor, crammer || **–и́ция** *s.* repetition; (*theat.*) rehearsal; **часы́ с –и́цией** repeater.
ре́п/ка *s.* (*gpl.* -пок) *dim. of* ре́па || **–ный** *a.* turnip-.
репортёр *s.* reporter.
репута́ция *s.* reputation, fame.
рескри́пт *s.* rescript, mandate.
ресни́ца *s.* (eye)lash.
респу́блик/а *s.* republic || **–а́нец** *s.* (*gsg.* -нца), **–а́нка** *s.* (*gpl.* -нок) republican || **–а́нский** *a.* republican.
рессо́р/а *s.* spring (of a carriage) || **–ный** *a.* spring-.

реставр/áция *s.* restoration || **–иро+вать** II. *va.* to restore.
рестор/áн *s.* restaurant || **–áтор** *s.* innkeeper, owner of a restaurant.
ретúвый *a.* eager, zealous, ardent, spirited; mettlesome (of horses).
ретирáда *s.* W.C. (water-closet), lavatory; (*mil.*) retreat.
ретиро+вáться II. [b] *vr.* (*Pf.* от-) to retire, to retreat.
ретóрта *s.* retort.
ретрогрáд *s.* reactionary.
ретуширо+вать II. *va.* to retouch.
рефер/áт *s.* report; review || **–éнция** *s.* reference; information.
рефлéк/с *s.* reflex, reflection || **–тор** *s.* reflector.
рефóрм/а *s.* reform || **–áтор** *s.* reformer || **–áтский** *a.* (*ec.*) reformed || **–áция** *s.* reformation.
рефрáктор *s.* refractor.
рехнýться *cf.* **ряхнýться.**
реценз/éнт *s.* reviewer, critic || **–иро+вать** II. *va.* to review.
рецéнзия *s.* review, critique.
рецéпт *s.* (*med.*) prescription; (*culin.*) recipe.
рецидúв *s.* (*med.*) relapse.
рéч/ка *s.* (*gpl.* -чек) & **–енька** *s.* (*gpl.* -нек) small river || **–úстый** *a.* eloquent, voluble || **–итатúв** *s.* recitation || **–нóй** *a.* river- || **–óнка** *s.* (*gpl.* -нок) (*abus.*) little river, rivulet.
речь *s. f.* [c] speech, oration; discourse, talk; word, term; language; **о чём ~?** what are you talking about? **об этом нé было и рéчи** that wasn't even mentioned.
решá-ть II. *va.* (*Pf.* реш=úть I. [a]) to decide, to settle, to determine; to solve; to make up one's mind, to resolve; **решенó!** agreed! || **~ся** *vr.* to resolve, to make up one's mind; **на что вы решáетесь?** what have you decided on? **не ~** to hesitate, to waver, to vacillate.
реш/éние *s.* decision, resolution; solution || **–ётка** *s.* (*gpl.* -ток) grating, grate, lattice; trellis-work; check, gridiron, grill; **орёл или ~!** head or tail! || **–ётник** *s.* sieve-maker || **–ётный** *a.* sieve-; sieved, riddled, bolted || **–етó** *s.* [h] sieve, riddle || **–ёточка** *s.* (*gpl.* -чек) *dim. of* решётка || **–ётчатый** *a.* checked; latticed, lattice- || **–úмость** *s. f.* resoluteness, determination || **–úтельный** *a.* decided, determined, resolute, decisive; peremptory.
рé-ять II. *vn.* (*Pf.* рúн-уть I.) to flow, to rush rapidly (of water); to blow (of the wind) || **~ся** *vr.* (на + *Pr.*) to rush on, to fly at; to attack one, to go for one, to pitch into one.
ржа/ & **´вина** *s.* rust; mildew || **´ве-ть** II. *vn.* (*Pf.* за-) to rust, to grow rusty || **´вистый** *a.* rather rusty || **´в=ить** II. 7. *va.* to cause to rust, to rust || **´вчина** *s.* rust; dross; mildew; blight || **´вый** *a.* rusty || **´ние** *s.* neighing || **–нóй** *a.*
рж-ать I. *vn.* (*Pf.* за-) to neigh. [rye-.
рúга *s.* corn-kiln.
рúз/а *s.* (*ec.*) chasuble, restments *pl.*; ornament (on ikon) || **–ница** *s.* sacristy, vestry.
рикошéт *s.* ricochet.
рúнуть *cf.* **рéять.**
рис *s.* rice.
риск/ *s.* risk, hazard, venture || **–óванный** *a.* risky, hazardous || **–о+вáть** II. [b] *va.* (*Pf.* -н-ýть I.) (что *or* чем) to risk, to hazard, to venture, to run the risk of.
рис/овáльный *a.* drawing-, for drawing || **–овáльщик** *s.* drawer, designer || **–овáние** *s.* drawing || **–о+вáть** II. [b] *va.* (*Pf.* на-) to draw, to sketch, to design || **~ся** *vr.* to parade, to show off || **–óвка** *s.* showing off, parading, putting on airs || **´овый** *a.* rice- || **–тáлище** *s.* hippodrome, racecourse || **–ýнок** *s.* (*gsg.* -нка) drawing, sketch, design.
ритм/ *s.* rhythm || **–úческий** *a.* rhythmic(al).
ритóр/ор *s.* rhetorician, orator || **–óрика** *s.* rhetoric || **–орúческий** *a.* rhetorical.
риф/ *s.* (*mar.*) reef || **´ма** *s.* rhyme, rime || **–мáч** *s.* [a] & **–моплёт** *s.* poetaster, versifier, rhymer || **–мо+вáть** II. [b] *vn.* to rhyme.
рóббер *s.* rubber (at whist).
роб/é-ть II. *vn.* (*Pf.* о-) to be timid, to quail; **не робéй!** cheer up! courage! || **´кий** *a.* (*comp.* рóбче) timid, cowardly, faint-hearted, timorous; fragile, brittle, frail, delicate || **´кость** *s. f.* timidity, shyness, fearfulness, faint-heartedness, timourousness; fragility, brittleness, frailty, delicacy.
ров/ *s.* (*gsg.* рва) ditch, pit, trench || **–éсник** *s.*, **–éсница** *s.* person of the same age; colleague, compeer; **он мой ~** he is the same age as I || **–éсный** *a.* of the same age || **´но** *ad.* just, exactly; positively; fluently, smoothly, evenly || **´ный** *s.* smooth, even, level, plain;

steady, monotonous (of life); fluent, easy (of reading, etc.) || **∠ня** *s. m&f.* (person) equal (in age and rank) || **–ня́-ть** II. *va. cf.* **выра́внивать.**

рог/ *s.* [b] horn || **–а́тина** *s.* boar-spear || **–а́тый** *a.* horned; **~ муж** cuckold || **–а́ч** *s.* [a] cuckold; (*zool.*) stag-beetle || **–ови́к** *s.* [a] horn-comb; (*min.*) hornstone || **–ово́й** *a.* of horn, horn-, horny || **–о́жа** *s., dim.* **–о́жка** *s.* (*gpl.* -жек) mat || **–о́жный** *a.* mat- || **–оно́сец** *s.* (*gsg.* -сца) cuckold.

род/ *s.* [c*] race, family; birth, descent; species, genus; kind, sort; way, manner; (*gramm.*) gender; **∠ом** by birth; **о́т-роду & с ро́ду (о́троду & сро́ду)** all one's (my, etc.) life ever; **ему́ 20 лет о́т-роду** he is 20 years of age || **–и́льница** *s.* woman in childbed || **–и́льный** *a.* lying-in-; of confinement; puerperal || **–и́льня** *s.* (*gpl.* -лен) lying-in hospital || **–и́мец** *s.* (*gsg.* -мца) & **–и́мчик** *s.* (*med.*) childish eclampsy || **–и́мый** *a.* native; birth-; related (to), dear; **–и́мое пятно́** birth-mark, mole || **∠ина** *s.* native country; birth-place || **∠инка** *s.* (*gpl.* -нок) a small birth-mark *or* mole || **–и́ны** *s. fpl.* confinement, delivery, accouchement || **–и́тель** *s. m.* father; (*in pl.*) parents *pl.* || **–и́тельница** *s.* mother || **–и́тельный** *s.*, **~ паде́ж** (*gramm.*) genitive (case) || **–и́тельский** *a.* parental; paternal || **–и́ть** *cf.* **рожда́ть** || **∠ич** *s.* relative || **–ни́к** *s.* [a] spring, source || **–нико́вый** *a.* spring- || **–ничо́к** *s.* [a] (*gsg.* -чка́) small spring || **–но́й** *a.* german, own; native; **~ брат** full brother || **~** (*as s.*) my dear friend; (*in pl.*) relatives *pl.* || **–ня́** *s.* relation, relative, kinsmann; **он мне ~** he is related to me; *coll.* kindred || **–ови́тый** *a.* of noble race, of illustrious descent; (of animals) thoroughbred || **–ово́й** *a.* of birth, patrimonial; generic; **–ово́е име́ние** family seat, ancestral estate || **–овспомога́тельный** *a.* obstetric; **–ное иску́сство** obstetrics *pl.* || **–оначальник** *s.* ancestor || **–оначальный** *a.* ancestral || **–осло́вие** *s.* genealogy || **–осло́вная** (*as s.*) genealogy, pedigree, family-tree || **–осло́вный** *a.* genealogical || **∠ственник** *s.* relative, kinsman || **∠ственница** *s.* relative, kinswoman || **∠ственный** *a.* of relationship, of kindred; kindred, related || **–ство́** *s.* relationship; **я с ним в –стве́** he and I are related || **∠ы** *s. mpl.* [c] childbed, delivery, confinement; **лежа́ть в ∠ах** to be confined.

рое́ние *s.* swarming (of bees).

ро́жа *s.* (*abus.*) phiz, face; (*med.*) erysipelas.

рожд/а́-ть II. *va.* (*Pf.* род=и́ть I. 1. [c]) to bear, to give birth to, to bring forth; to beget, to generate || **~ся** *vn.* to be born || **–е́ние** *s.* birth; **день –е́ния** birthday; **ме́сто –е́ния** birth-place || **–е́ственский** *a.* of Christmas, Christmas- || **–ество́** *s.* nativity, birth; **Р–ество́ Христо́во** Christmas; **до Р–ества́ Христо́ва** before the birth of Christ (*abbr.* B. C.); **по Р–естве́ Христо́вом** anno domini (*abbr.* A. D.).

рож/о́к *s.* [a] (*gsg.* -жка́) small horn; feeding-bottle; **га́зовый ~** gas-burner; **служово́й ~** ear-trumpet || **–о́н** *s.* [a] (*gsg.* -жна́) stake; (*culin.*) spit || **–ь** *s. f.* (*gsg.* ржи) rye.

ро́з/а *s.* rose || **–вальни** *s. fpl.* a broad sleigh || **–га** *s.* (*gpl.* -зог) twig, switch, rod || **–говенье** *s.* the first meat-day after the fast.

ро́з/дых *s.* rest, repose; (*mil.*) halt; **дать ~** to call a halt, to halt || **–е́тка** *s.* (*gpl.* -ток) rosette; (*min.*) rose-diamond || **–мари́н** *s.* rosemary || **–ница** *s.* separateness; **в –ницу** *cf.* **вро́зницу** || **–ничный** *a.* by retail, retail || **–ный** *a.* separate; unmatched, odd || **–нь** *s. f.* difference, diversity || **–овый** *a.* rose-, rose-coloured, rosy || **–очка** *s.* (*gpl.* -чек) *dim. of* ро́за || **–ыгрыш** *s.* quits (a drawn game) || **–ыск** *s.* inquest, inquisition, inquiry.

ро=и́ться II. [a] *vn.* (*Pf.* от-) to swarm.

рой *s.* swarm (of bees).

рок/ *s.* fate, destiny || **–ово́й** *a.* fateful, fated || **∠от** *s.* roll, grumble || **–от-а́ть** I. 2. [c] *vn.* (*Pf.* за-) to resound; to grumble, to roll (of thunder); to roar (of the sea).

ро́лик *s. dim.* roll; roller (on furniture).

роль *s. f.* (*theat.*) part, role.

ром *s.* rum.

рома́н/ *s.* novel, romance || **–и́ст** *s.* novelist || **–и́стка** *s.* (*gpl.* -ток) lady novelist || **–и́ческий** *a.* of romance, romantic || **–с** *s.* (*mus.*) romance || **–ти́зм** *s.* romanticism || **–ти́ческий** *a.* romantic(al).

рома́шка *s.* (*gpl.* -шек) camomile.

ромб/ *s.* rhomb(us); lozenge, diamond || **∠овый** *a.* rhombic || **–о́ид** *s.* rhomboid.

рондо́ *s. indecl.* rondeau.
роня́-ть II. *va.* (*Pf.* урон=и́ть II. [c]) to let fall, to drop; to lose.
ро́пот/ *s.* murmur, grumbling || **–ли́вый** *a.* morose, surly.
ропт-а́ть I. 2. [c] *vn.* (*Pf.* воз-, за-) to murmur, to grumble.
рос/а́ *s.* [d] dew || **–и́на** *s., dim.* **–и́нка** *s.* (*gpl.* -нок) dew-drop || **–и́стый** *a.* dewy, bedewed || **–и́ть** *v.imp.*, **–и́т** the dew is falling.
роско́шный *a.* sumptuous, luxurious, splendid, opulent; pompous; magnificent, lavish.
ро́скошь *s. f.* luxury, sumptuousness; magnificence, pomp, splendour.
ро́слый *a.* full-grown, grown up, tall.
ро́с/пись *s. f.* list, catalogue || **–пуск** *s.* dismissal (of pupils and workmen) || **–пуски** *s. mpl.* long and low waggon, dray || **–сыпь** *s. f.* scattered matter; shifting-sand; **золотоно́сная ~** auriferous sand; **в ~ = вроссыпь.**
рост/ *s.* stature, size, height; (*esp. in pl.*) interest, usury; **он –́ом с меня́** he is of my height; **во весь ~** at full length; **портре́т во весь ~** a full-length portrait || **–́биф** *s.* roastbeef || **–и́ть = расти́ть** || **–овщи́к** *s.* [a] usurer, money-lender || **–овщи́чество** *s.* usury || **–о́к** *s.* [a] (*gsg.* -тка́) sprout, shoot, germ.
рот/ *s.* (*gsg.* рта) mouth || **–́а** *s.* (*mil.*) company, squad || **–́ик** *s. dim. of* рот || **–́мистр** *s.* (cavalry) captain || **–́ный** *a.* company-, squad- || **–озе́й** *s.*, **–озе́йка** *s.* (*gpl.* -озе́ек) gaper || **–озе́йнича-ть** II. *vn.* to gape, to stare || **–озе́йство** *s.* gaping, staring || **–о́нда** *s.* rotunda.
ро́ща *s.* grove, wood.
роя́ль *s. m.* grand piano.
рта́чливый *a.* restive, obstinate (of horses).
рту́т/ный *a.* mercurial, mercury- || **–ь** *s. f.* mercury, quicksilver.
руб/а́ка *s. m.* bully, bravo || **–а́нок** *s.* (*gsg.* -нка) trying-plane, jack-plane || **–а́ха** *s.* shirt; chemise || **–а́шечка** *s.* (*gpl.* -чек) & **–а́шка** *s.* (*gpl.* -шек) *dim.* shirt; chemise, smock; **оста́ться в одно́й –а́шке** to be beggared, to be reduced to poverty || **–а́шечный** *a.* shirt- || **–ашо́нка** *s.* (*gpl.* -нок) miserable shirt || **–е́ж** *s.* [a] bound, limit || **–е́ц** *s.* [a] (*gsg.* -бца́) rib, groove; hem, seam; scar, cicatrice; paunch (of ruminants); (*in pl. culin.*) tripe || **–и́н** *s.* ruby || **–и́новый** *a.* ruby-.
руб=и́ть II. 7. [c] *va.* (*Pf.* на-) to cut down, to hew, to fell (wood); to chop up (cabbage); (*Pf.* об-) to hem || **~ся** *vrc.* (*fam.*) to fight (with).
ру́б/ище *s.* rags, tatters *pl.*; bad clothes || **–ка** *s.* (*gpl.* -бок) cutting down, felling; (*mar.*) round-house, deck-cabin || **–лё-вый** *a.* worth *or* costing one rouble || **–леный** *a.* minced; **–леное мя́со** minced meat, mince || **–лик** *s. dim. of* рубль || **–ль** *s. m.* [a] rouble || **–рика** *s.* rubric, title, heading || **–цы́** *s. mpl.* [a] tripe.
ру́г/ань *s. f.* & **–а́ние** *s.* abusing || **–а́тель** *s. m.* reviler, abuser || **–а́тельный** *a.* abusive, invective || **–а́тельство** *s.* abuse, abusiveness, invective || **–а́-ть** II. *va.* (*Pf.* об-, вы́-, *mom.* -н-у́ть I. [a]) to abuse, to revile, to rail at, to insult.
руд/а́ *s.* [e] ore || **–ни́к** *s.* [a] mine || **–ни́чный** *a.* mine-, mining || **–́ный** *a.* containing ore, of ore || **–око́п** *s.* miner || **–око́пня** *s.* mine || **–оно́сный** *a.* containing ore.
руж/е́йник *s.* gunsmith || **–е́йный** *a.* of gun(s), gun- || **–ьё** *s.* [d] gun, fire-arm, musket || **–ьецо́** *s. dim. of prec.*
руи́на *s.* ruin(s).
рук/а́ *s.* [f] arm; hand; handwriting; signature; **он на все –́и ма́стер** he is a Jack of all trades; **по –а́м!** agreed! **–о́й пода́ть** within a stone's throw (of) || **–а́в** *s.* [a] sleeve; arm, branch (of a river); hose (of a fire-engine) || **–ави́ца** *s.* mitten || **–оби́тие** *s.* handshake || **–оводи́тель** *s.m.* guide || **–оводи́тельный** *a.* guide- || **–оводи́тельство** *s.* direction, guidance || **–овод=и́ть** I. 1. [c] *va.* to guide, to lead, to direct || **–ово́дство** *s.* direction, guidance; manual, guide(-book); text-book || **–ово́дство+вать** II. *va.* to guide, to lead, to direct, to instruct, to conduct || **~ся** *vr.* (чем) to be guided (by), to follow || **–оде́лие** *s.* handiwork, handicraft || **–оде́льник** *s.* handicraftsman || **–омо́йник** *s.* wash-hand-basin || **–опа́шный** *a.*, **~ бой** a hand-to-hand fight || **–опи́сный** *a.* manuscript, written || **–́опись** *s. f.* manuscript || **–оплеска́ние** *s.* applause, clapping (of hands) || **–оплеск-а́ть** I. 4. [c] *vn.* to applaud, to clap one's hands || **–опожа́тие** *s.* handshake || **–ополага́-ть** II. *va.* (*Pf.* -ополож=и́ть I. [c]) to ordain (a priest) || **–оположе́ние** *s.* ordination || **–отво́рный** *a.* artificial, made by human hands

|| **–оя́тка** *s.* (*gpl.* -ток) handle, haft; hilt.
рул/а́да *s.* (*mus.*) roulade, run || **–ево́й** (*as s.*) helmsman, steersman || **–е́т** *s.* meat-roll || **–е́тка** *s.* (*gpl.* -ток) roulette; tape-measure || **–ь** *s. m.* [a] rudder, helm.
рум/я́нец *s.* (*gsg.* -нца) the natural red (of the cheeks) || **–я́н=ить** II. *va.* (*Pf.* на-) to rouge, to paint red || **~ся** *vr.* to rouge one's face || **–я́на** *s. fpl.* rouge || **–я́ный** *a.* rosy, ruddy.
рун/ду́к *s.* [a] raised estrade; box-seat || **´–ный** *a.* of fleece, fleece-; gregarious (of fish) || **–о́** *s.* [d] fleece; shoal (of fish) || **´–ы** *s. fpl.* Runes *pl.*, Runic characters.
ру́пор *s.* [b] speaking-trumpet, megaphone.
рус/а́к *s.* [a] grey hare || **–а́лка** *s.* (*gpl.* -лок) water-nymph || **–е́-ть** II. *vn.* (*Pf.* по-) to grow dark blond || **´–ло** *s.* [d] channel, bed (of a river); current; mill-trench || **´–ый** *a.* dark blond, light-brown.
рути́на *s.* routine.
ру́х/лый *a.* friable, brittle || **–лядь** *s. f.* furniture; *coll.* lumber; **мя́гкая ~** peltry || **–н-уть** I. & **~ся** *vn.* to fall down, to fall in, to fall into ruin.
руч/а́тельство *s.* bail, warranty, guarantee || **–а́-ться** II. *vc.* (*Pf.* поруч=и́ться I. [c]) (кому́ за кого́ *or* в чём чем) to answer for, to vouch for, to guarantee, to warrant, to go bail for one || **–еёк** *s.* [a] (*gsg.* -ейка́) & **–еёчек** *s.* (*gsg.* -еёчка) *dim.* runnel, brooklet || **–е́й** *s.* [c] (*gsg.* -ья́) brook, rill, stream || **–и́ща** *s.* large hand || **´–ка** *s.* (*gpl.* -чек) small hand; handle, haft; penholder; arm (of an arm-chair) || **–но́й** *a.* hand-, manual; tame; **~ бой** fisticuffs *pl.* || **–о́нка** *s.* (*gpl.* -нок) small hand.
ру́шить *cf.* **на–, об–, разру́шить.**
ры́б/а *s.* fish || **–а́к** *s.* [a] fisherman; fishmonger || **–а́цкий** & **–а́чий** (-ья, -ье) *a.* fisherman's, fishing- || **–а́чка** *s.* (*gpl.* -чек) fishwife || **–ий** (-ья, -ье) *a.* of fish; **~ клей** fish-glue; **~ жир** cod-liver oil || **–ка** *s.* (*gpl.* -бок) small fish || **–ный** *a.* fish-, of fish || **–ово́дство** *s.* pisciculture, fish-breeding || **–оло́в** *s.* fisherman, fisher || **–оло́вный** *a.* fishing- || **–оло́вство** *s.* fishing, fishery || **–опромы́шленник** *s.* fishmonger.
рыга́-ть II. *vn.* (*Pf.* рыгн-у́ть I.) to belch, to eructate.
рыда́-ть II. *vn.* (*Pf.* за-) to sob, to wail, to scream, to cry, to weep bitterly.
рыдва́н *s.* old type of travelling carriage.
рыж/еборо́дый *a.* red bearded, with a red beard || **–ева́тый** *a.* reddish (of hair) || **–е́-ть** II. *vn.* (по-) to grow red || **´–ий** *a.* redhaired; chestnut (of horses) || **´–ик** *s.* cibarius (a kind of red mushroom).
рык/ & **–а́ние** *s.* roar(ing), bellow(ing), growl || **–а́-ть** II. *vn.* (*Pf.* -н-у́ть I. [a]) to roar, to bellow.
ры́л/о *s.* muzzle, snout || **–ьце** *s.* (*pl.* -ьцы, -ьцев, etc.) spout, nozzle; *& dim. of prec.*
ры́н/ок *s.* (*gsg.* -нка) market || **–очный** *a.* market-.
рыс/а́к *s.* [a] trotter, courser || **–ачо́к** *s.* [a] (*gsg.* -чка́) *dim. of prec.* || **´–ий** (-ья, -ье) *a.* lynx-, of lynx || **–и́стый** *a.*, **–и́стая ло́шадь** (a good) trotter.
ры́ска-ть II. & **ры́ск-ать** I. 4. [·] *vn.* (*Pf.* по-) to run about, to travel about; to loaf about.
рыс/ца́ *s. dim.* gentle trot, jog-trot || **–ь** *s. f.* trot; **´–ью** at a trot; (*zool.*) lynx.
ры́т/ва & **–вина** *s.* ravine, gully.
рыть 28. [b 1.] *va.* (*Pf.* по-) to dig, to hollow, to excavate, to burrow; (*fig.*) to ransack || **~ся** *vn.* to scrape, to rake, to rummage in, to poke about in.
рыхл/е́-ть II. *vn.* (*Pf.* по-) to grow soft *or* loose, to loosen || **´–ый** *a.* soft, loose.
ры́цар/ский *a.* knightly, chivalrous || **–ство** *s.* knighthood, chivalry || **–ь** *s. m.* knight; **стра́нствующий ~** knight-errant.
рыч/а́г *s.* [a] lever || **–а́жный** *a.* lever- || **–ажо́к** *s.* [a] (*gsg.* -жка́) *dim. of* рыча́г || **–а́ние** *s.* bellow, roar, growl, shriek, scream.
рыч=а́ть I. [a] *vn.* to cry (of animals); to snarl (of dogs); to creak.
рья́ный *a.* fierce, fiery, ardent, fervent.
рю́м/ка *s.* (*gpl.* -мок) wineglass || **–очка** *s.* (*gpl.* -чек) *dim. of prec.*
ря́б/енький *a.* rather spotted, checkered; (of horses) dappled; rather pock-marked || **–е́-ть** II. *vn.* (*Pf.* по-) to become pock-marked; to ripple, to curl (of water) || **–и́на** *s.* pock-mark; (*bot.*) mountain-ash, quicken-tree || **–и́нка** *s.* (*gpl.* -нок) *dim. of prec.*; (*bot.*) milfoil || **–и́нник** *s.* grove of mountain-ash; (*orn.*) missel-thrush || **–и́новка** *s.* (*gpl.* -вок) cordial made of the berries of the mountain-ash || **–и́новый** *a.* mountain-ash.
ряб=и́ть II. 7. [a] *va.* to ripple (the sur-

face of water) || ~ *v.imp.*, (**у меня́**) **рябит в глаза́х** my sight is troubled.
ряб/о́й *a.* pock-marked; spotted, speckled || **´чик** *s.* wood-hen || **–ь** *s. f.* ripple, rippling (of water).
ряд/ *s.* [b°] row, file, line; series, train; **торго́вые –ы́** row of shops; **´ом** in a row, side by side.
ряд=и́ть I. 1. [a & c] *va.* (*Pf.* по-) to manage; to hire, to engage; (*Pf.* на-) to attire, to adorn.
ряд/ко́м *ad.* side by side, in a row || **´ный** *a.* according to contract, contractual || **–ово́й** *a.* common, ordinary, customary, usual, everyday || ~ (*as s.*) (*mil.*) private.
ряж/е́ние *s.* hiring, engaging; adorning || **´еный** *a.* masked, disguised.
ря́са *s.* cassock.
рявн-у́ться I. [a] *vn. Pf.* to lose one's senses, to go mad.

С

с *prp. before a double consonant* **со**; (+ *G.*) from; down from; since; (*fig.*) of, for; **я снял карти́ну со стены́** I took the picture down from the wall; **со стола́** from the table; **с головы́ до ног** from head to foot; **снача́ла до конца́** from beginning to end; **с утра́ до ве́чера** from morning till evening; **с ча́су на́ час** from hour to hour; **с не́которого вре́мени** for some time; **умере́ть с го́лоду** to die of hunger; **ката́ться со́ смеху** to burst one's sides with laughter; **с дозволе́ния** with permission; **сойти́ с ума́** to become mad || ~ (+ *A.*) about; approximately; as; **фу́нта с два ча́ю** about 2 pounds of tea; **с неде́лю** about a week; **с ме́сяц тому́ наза́д** about a month ago; **он ро́стом с меня́** he is as tall as I || ~ (+*I.*) with; by means of, by; on; **мы с ним** he and I; **мы с тобо́й** you and I; **что с ним?** what's the matter with him?
са́б/ельный *a.* sabre- || **–ля** *s.* sabre.
сабу́р/ *s.* aloes || **–овый** *a.* of aloes.
са́ван *s.* shroud, winding-sheet.
савра́с/ка *s.* (*gpl.* -сок) a roan (horse) || **–ый** *a.* roan.
са́га *s.* saga.
са́го/ *s.* sago || **–вый** *a.* sago-.
сад/ *s.* [b], *dim.* **´ик** *s.* garden.
сад=и́ть I. 1. [a & c] *va.* (*Pf.* по-) to set, to put; to plant; **посади́ть в тюрьму́** to imprison, to incarcerate || **~ся** *vr.* (*Pf.* сесть 44. [b]) to sit (down), to take a seat; to alight, to perch; to set (of the sun); to go down; to get into (a carriage); to mount (a horse); to contract, to shrink (of cloth); to begin, to commence, to start; **прошу́ ~!** please be seated!
садо́/вник *s.*, **–вница** *s.* gardener || **–во́д** *s.* gardener, horticulturist || **–во́дство** *s.* horticulture, gardening || **–вый** *a.* garden-.
садо́к *s.* [a] (*gsg.* -дка́) fish-pond; aviary, poultry-house; warren (for rabbits).
са́ечка *s.* (*gpl.* -чек) *dim. of* са́йка.
са́жа *s.* soot, smoke-black, smut.
сажа́-ть II. *va.* to place, to put; to plant (*cf.* сади́ть).
са́ж/енец *s.* [a] (*gsg.* -нца́) sapling, slip, set(ting) || **–е́нный** *a.* a fathom (= 7 feet) long.
са́же́нь *s. f.* [c] (*gpl.* -не́й & са́жен) measure of length = 7 feet.
сажу́ *cf.* **сади́ть.**
сайга́ *s.* (*gpl.* са́ег) saiga, antelope.
са́йка *s.* (*gpl.* са́ек) small roll (of bread).
сак/ *s.* bag-net, purse-net || **~-вoя́ж** *s.* carpet-bag, hold-all.
са́кля *s.* hut (in Caucasian highlands).
сала́з/ки *s. fpl.* (*G.* -зок), *dim.* **–очки** *s. fpl.* (*G.* -чек) small sleigh, sled.
салама́ндра *s.* salamander.
сала́т/ *s.* salad || **–ник** *s.* salad-bowl || **–ный** *a.* salad-.
са́лить *cf.* **заса́ливать.**
салици́ловый *a.* salicylic.
са́ло *s.* fat, tallow, suet; **гуси́ное ~** goose-fat.
сало́н *s.* saloon, drawing-room.
сало́п *s.* (woman's) mantle, cloak.
салото́пня *s.* tallow-boilery.
салфе́тка *s.* (*gpl.* -ток) (table-)napkin.
сальди́ро+вать II. *va.* (*comm.*) to balance. [account).
са́льдо *s. indecl.* (*comm.*) balance (of an
са́льный *a.* tallowy, suety, fatty; tallow-; (*fig.*) filthy, obscene. [salute.
салю́т/ *s.* salute || **–о+ва́ть** II. [b] *va.* to
сам *prn.* (сама́, само́, *pl.* са́ми) self, one's self; **я сам** I myself; **ты сам** you yourself; **оно́ –о́** itself; **он сам не свой** he is not himself; **сам-дру́г** himself and another; **сам-трете́й** himself and two others.
сам *s.* principal, head, chief (of a firm); (*Am.*) boss.
самаритя́нин *s.* (*pl.* -я́не, -я́н) Samaritan.

саме́ц *s.* [a] (*gsg.* -мца́) male, he (of animals); cock (of birds).
са́ми *cf.* **сам.**
са́мка *s.* (*gpl.* -мок) female, she (of animals); hen (of birds).
само́ *cf.* **сам.**
само/бы́тный *a.* original, independent || **–ва́р** *s.* samovar, tea-urn || **–ви́дец** *s.* (*gsg.* -дца) (eye-)witness || **–вла́стный** *a.* autocratic(al) || **–внуше́ние** *s.* autosuggestion || **–возгара́ние** *s.* spontaneous cumbustion || **–во́льный** *a.* self-willed, wilful; headstrong, arbitrary; unmanageable, disobedient, frisky (of children) || **–держа́вие** *s.* autocracy || **–довле́ющий** & **–дово́льный** *a.* self-satisfied; self-sufficient || **–ду́р** *s.*, **–ду́рка** *s.* (*gpl.* -рок) obstinate stupid person || **–зва́нец** *s.*, **–зва́нка** *s.* (*gpl.* -нок) usurper, pretender, impostor || **–ка́т** *s.* merry-go-round || **–лёт** *s.* flying-machine || **–ли́чный** *a.* personally present, present in person || **–люби́вый** *a.* selfish, egoistic(al) || **–лю́бие** *s.* selfishness, egoism || **–мне́ние** *s.* self-conceit || **–наде́янный** *a.* self-confident || **–обма́н** *s.* self-deception || **–оборо́на** *s.* self-defence || **–обуче́ние** *s.* self-instruction || **–отверже́ние** *s.* self-denial || **–произво́льный** *a.* voluntary; arbitrary; (*med.*) spontaneous || **–пря́лка** *s.* (*gpl.* -лок) spinning-wheel || **–ро́дный** *a.* native, virgin (of metals) || **–сохране́ние** *s.* self-preservation || **–стоя́тельный** *a.* independent || **–стре́л** *s.* cross-bow || **–су́д** *s.* lynch-law || **–уби́йство** *s.* suicide (act); felo de se || **–уби́йца** *s.* *m&f.* suicide (person); felo de se || **–уве́ренный** *a.* self-confident || **–упра́вный** *a.* arbitrary || **–учи́тель** *s. m.* self-instructor || **–у́чка** *s. m&f.* (*gpl.* -чек) self-taught person || **–хва́л** *s.*, **–хва́лка** *s.* (*gpl.* -лок) boaster, braggart || **–хва́льство** *s.* self-praise; boasting, bragging || **–цве́тный** *a.* of natural colour; genuine (of diamonds, etc.).
са́мый *prn.* same; very; **тот** ~ the same, that very; **в са́мом де́ле** indeed, in very deed; **в са́мом нача́ле** at the very beginning; ~ **но́вый** the newest; ~ **лу́чший** the very best.
сан *s.* rank, dignity.
сангвини́ческий *a.* sanguine.
санда́лия *s.* sandal.
са́ни *s. fpl.* [c] sledge, sleigh, sled.
санита́рный *a.* sanitary.
са́нки *s. fpl.* (*gpl.* -нок) *dim. of* са́ни.
санк/циони́ро+вать II. *va.* to sanction || **–́ция** *s.* sanction.
са́нный *a.* sledge-, sleigh-.
сан/ови́тый *a.* stately, dignified, distinguished || **–о́вник** *s.* dignitary || **–о́вный** *a.* of high rank.
са́почки *s. fpl.* (*gpl.* -чек) *dim. of* са́пи.
сантиме́тр *s.* centimetre.
сап *s.* glanders *pl.*
са́п/а *s.* (*mil.*) sap || **–ёр** *s.* (*mil.*) sapper.
сап/о́г *s.* [a] boot || **–о́жник** *s.* shoemaker, bootmaker || **–о́жничество** *s.* bootmaking || **–о́жный** *a.* boot-, shoe- || **–ожо́к** *s.* [a] (*gsg.* -жка́) *dim. of* сапо́г.
сапфи́р *s.* sapphire.
сара́й/ *s.* shed; coach-house; barn; **пожа́рный** ~ fire-station, engine-house; **това́рный** ~ (*rail.*) goods-station, goods-depot || **–чик** *s.* *dim. of prec.*
саранча́ *s.* locust, grasshopper.
сарафа́н *s.* sarafan (long sleeveless gown, worn by Russian peasant-women).
сардони́ческий *a.* sardonic.
са́ржа *s.* serge.
сарк/а́зм *s.* sarcasm || **–асти́ческий** *a.* sarcastic(al) || **–офа́г** *s.* sarcophagus.
сатан/а́ *s.* Satan, the devil || **–и́нский** *a.* satanic(al), diabolic(al).
сати́н/ *s.* satin || **–овый** *a.* satin-.
сати́р/а *s.* satire || **–ик** *s.* satirist || **–и́ческий** *a.* satiric(al).
сафья́н *s.* Morocco(-leather).
са́хар/ *s.* sugar; **щипцы́ для –у** sugar-tongs; **без –у** unsugared || **–и́стый** *a.* sugary; saccharine || **–ница** *s.* sugar-bowl, sugar-basin || **–ный** *a.* sugar- || **–ова́р** *s.* sugar-refiner || **–ова́рня** *s.* sugar-refinery.
сачо́к *s.* [a] (*gsg.* -чка́) = **сак.**
сба́вка *s.* (*gpl.* -вок) diminution, decrease; lessening, abatement; reduction, fall (in price).
сбавля́-ть II. *va.* (*Pf.* сба́в=ить II. 7.) to diminish, to decrease; ~ **с цены́** to lower, to reduce the price.
сба́вок *cf.* **сба́вка.**
сбега́-ть II. *vn.* (*Pf.* сбежа́ть 46. [a]) to run down, to come running down; to run off (of water) || **~ся** *vr.* to flock, to crowd together.
сбе́га-ть II. *vn. Pf.* to come running in haste; (за + *I.*) to fetch in haste, to hasten for.
сберега́тельный *a.* for saving; **–ая ка́сса** savings-bank.

сберега́-ть II. *va.* (*Pf.* сбере́чь 15. [a 2.]) to preserve, to keep; to save, to spare; to save up; **сбере́чь копе́йку на чёрный день** to lay by for the rainy day || **~ся** *vr.* to be preserved, to wear well.

сбереже́ние *s.* saving up, sparing; preserving.

сбива́-ть II. *va.* (*Pf.* сбить 27. [a 1.], *Fut.* собью́, -ьёшь) to strike off, to knock off, to beat off; to knock down, to fell; to churn (butter); to whip (cream); to beat (eggs); to join, to mortise; to heap together; to reduce, to lower (prices); **сбить** (кого́) **с то́лку** to disconcert, to confuse; **сбить** (кого́) **с пути́** to lead astray || **~ся** *vr.* to lose one's way, to go astray; (*fig.*) to become confused, to lose the thread of one's speech.

сби́вчивый *a.* confused, obscure.

сбира́ть *cf.* **собира́ть.**

сби́тен/щи́к *s.* seller of "сби́тень" || **–ь** *s. m.* (*gsg.* -тня) a popular Russian beverage made from water, honey and spices.

сбить *cf.* **сбива́ть.**

сблева́ть *cf.* **блева́ть.**

сближа́-ть II. *va.* (*Pf.* сбли́з=пть I. 1.) to bring near, to bring together || **~ся** *vr.* to come nearer, to approach.

сбо́ку *cf.* **бок.**

сбор/ *s.* assembling, collecting; collection, gathering; raising, levying (of taxes); (*mil.*) roll-call; **тамо́женный ~** custom-duty || **´ище** *s.* concourse, assembly, muster; crowd, mob || **´ка** *s.* (*gpl.* -рок) fold, plait (of a dress); assembling (a machine) || **´ник** *s.* collection (of articles, etc.) || **´щик** *s.* collector || **´ы** *s. mpl.* preparations *pl.*

сбра́сыва-ть II. *va.* (*Pf.* сбро́с=пть I. 3.) to throw, to fling down; (*Pf.* сброса́-ть II.) to fling together.

сбрехну́ть *cf.* **бреха́ть.**

сбрива́-ть II. *va.* (*Pf.* сбрить 30. [b]) to shave off.

сброд *s. coll.* rabble, riff-raff, gang of ruffians.

сбро́сить *cf.* **сбра́сывать.**

сброширова́ть *cf.* **брошировать.**

сбру́я *s.* harness.

сбыва́-ть II. *va.* (*Pf.* сбыть 49.) to get rid of; to sell off, to dispose of || **~** *vn.* to fall, to sink (of water, prices) || **~ся** *vn.* to be realized; to happen.

сбыт/ *s.* sale || **´очный** *a.* possible, feasible.

сбыть *cf.* **сбыва́ть.**

сва́д/ебный *a.* nuptial, wedding- || **–ьба** *s.* (*gpl.* -деб) wedding, nuptials *pl.*

сва́й/ка *s.* (*gpl.* сва́ек) a kind of game played with a large-headed nail and a ring; (*mar.*) marline-spike || **–ный** *a.* pile-, of piles.

сва́лива-ть II. *va.* (*Pf.* свал=и́ть II. [a & c]) to throw down; to upset; to unload; (с себя́) to relieve o.s. of; (на кого́) to impute to, to ascribe to || **~ся** *vn.* to fall down, to tumble down || **~** *va.* (*Pf.* сваля́-ть II.) to felt (together).

сва́лка *s.* (*gpl.* -лок) throng; scuffle, brawl; heap, accumulation; unloading.

свар/и́ть *cf.* **вари́ть** || **–ли́вый** *a.* quarrelsome, cross, waspish.

сват/ *s.* [b] (*pl.* -овья́, -ове́й, -овья́м, etc.) match-maker; father of the son- *or* daughter-in-law || **´ание** *s.* (за + *A.*) courting, wooing.

сва́та-ть II. *va.* (*Pf.* по-) to seek in marriage, to make a match for || **~ся** *vr.* to court, to woo.

сватовство́ *s.* match-making; wooing, courting.

сва́тья *s.* (*gpl.* -тий) mother of the son- *or* daughter-in-law.

сва́ха *s.* match-maker.

сва́я *s.* pile, stake.

све́да-ть II. *vn. Pf.* to learn, to get to know.

све́дение *s.* knowledge; intelligence, information; learning.

сведе́ние *s.* leading down; contraction (of the limbs); **~ счётов** settling.

сведённый *a.* step-; **~ брат** step-brother.

све́дущий (-ая, -ее) *a.* learned, skilled, well-informed.

свежева́тый *a.* somewhat fresh.

све́жесть *s. f.* freshness, coolness.

свеже́-ть II. *vn.* (*Pf.* по-) to become fresh, cool; to freshen.

све́жий *a.* (*pd.* свеж, -а́, -о́, -и́; *comp.* свеже́е) fresh, cool; new, recent.

свезти́ *cf.* **свози́ть.**

свеклови́ца *s.* beet(root).

свеко́льный *a.* beetroot-.

свёкор *s.* (*gsg.* -кра) father-in-law (the husband's father).

свекро́вь *s. f.* mother-in-law (the husband's mother).

сверга́-ть II. *va.* (*Pf.* све́ргнуть 52.) to throw off *or* down; to precipitate; **~ с престо́ла** to dethrone.

сверже́ние *s.* throwing off *or* down.

све́р/ить *cf.* **–я́ть** || **–ка** *s.* (*gpl.* -рок) comparison; (*comm.*) verification || **–ка́ние** *s.* scintillation, glitter; sparkling, (of stars) twinkling.

сверка́-ть II. *vn.* (*Pf.* сверкн-у́ть I. [a]) to sparkle, to glitter, to flash, to gleam, to twinkle; **молния сверкает** it lightens, the lightning flashes.

сверл/ение *s.* boring, drilling || **-ильный** *a.* for boring, drilling.

сверл=ить II. *va.* (*Pf.* про-) to bore, to drill, to perforate.

сверло *s.* [d] borer, drill, auger.

свернуть *cf.* **свёртывать.**

сверст/ник *s.*, **-ница** *s.* person of the same age *or* rank.

свёрстывать *cf.* **верстать.**

свертеть *cf.* **свёртывать.**

свёрток *s.* (*gsg.* -тка) roll (of paper, etc.), bundle.

свёртыва-ть II. *va.* (*Pf.* сверн-уть I. [a]) to turn, to twist off || **~ся** *vr.* to turn, to curdle (of milk) || **~** *vn.* to turn aside; to slip off, to escape.

сверх/ *prp.* (+ *G.*) beyond, above; besides, in addition to, over and above; **~ того** moreover; **~ земли** above the earth || **-сметный** *a.* above the estimate(s) || **⁀у** *ad.* from above; at the top, above, over, uppermost, on the surface || **-'естественный** *a.* supernatural.

сверчок *s.* [a] (*gsg.* -чка) cricket.

сверша-ть II. *va.* (*Pf.* сверш=ить I. [a]) to complete, to finish; (*fig.*) to achieve, to accomplish || **~ся** *vr.* to happen, to come to pass, to be realized *or* accomplished.

сверя-ть II. *va.* (*Pf.* свер=ить II.) to compare, to collate, to verify; to regulate (a clock).

свесить *cf.* **весить** & **свешивать.**

свести *cf.* **сводить.**

свет *s.* light, clearness, lighting; world; darling; **дневной ~** daylight; **выйти в ~** to come out, to be published (of a book); **тот ~** the next world.

света-ть II. *v.imp.* to dawn.

светёлка *s.* (*gpl.* -лок) small room with a large window.

светик *s.* darling.

свет/ило *s.* star; light || **-ильник** *s.* lamp, light || **-ильня** *s.* wick.

свет=ить I. 2. [a & c] *vn.* to shine (of the sun, the moon); (*Pf.* по-) (кому) to light (a person's way) || **~ся** *vn.* to gleam, to glisten; to beam (with joy).

свет/ленький *a.* brightish || **-лица** *s.* room with a large window || **-ложёлтый** *a.* light-yellow || **-локрасный** *a.* light-red || **-лосиний** *a.* light-blue || **⁀лость** *s. f.* brightness, lucidity; (as title) Serene Highness || **⁀лый** *a.* (*pd.* светел, -тла, -тло, -тлы; *comp.* светлее) light, bright, clear, shining, lucid || **-ляк** *s.* [a] glow-worm || **-овой** *a.* light-; world- || **-олечебница** *s.* light-cure institution || **⁀опись** *s. f.* photography || **-опреставление** *s.* the end of the world, doomsday || **-отень** *s. f.* (*art.*) light and shade, chiaroscuro || **⁀оч** *s.* torch || **⁀ский** *a.* worldly, mundane; (*ec.*) secular; **~ человек** man of the world.

свеч/а *s.* [e] & **⁀ка** *s.* (*gpl.* -чек) candle, light || **-ной** *a.* candle-.

свешива-ть II. *va.* (*Pf.* свес=ить I. 3.) to weigh; to let down, to lower, to hang down.

свиваль/ник *s.* swaddling-band (child's) || **-ный** *a.* for swathing, swaddling.

свива-ть II. *va.* (*Pf.* свить 27.) to roll up (paper); to twist together, to coil; to bind, to plait together; to swathe, to swaddle (a child); **~ гнездо** to build.

свид/ание *s.* meeting, appointment, rendezvous; **до -ания!** au revoir! || **-етель** *s. m.*, **-етельница** *s.* witness || **-етельство** *s.* evidence, testimony; certificate, testimonial || **-етельствование** *s.* evidence, testimony; attestation; examination; inspection, visitation || **-етельство+вать** II. *va.* (*Pf.* за-) to bear witness to, to testify to; to give evidence; to attest, to certify, to authenticate (documentarily); **~ свою личность** to prove one's identity; **~** (кому) **своё почтение** to pay one's respects, to give one's compliments to; (*Pf.* о-) (*mil.*) to examine, to inspect.

свид=еться I. 1. *vrc.* to meet, to come together.

свин/арня *s.* (*gpl.* -рен) pigsty || **-еводство** *s.* pig-keeping, hog-breeding || **-ец** *s.* [a] (*gsg.* -нца) lead || **-ина** *s.* pork.

свин/ка *s.* (*gpl.* -нок) small pig; (*med.*) mumps *pl.*; pig, block (of metal) || **-ой** *a.* pig-, pig's || **-опас** *s.* swine-herd || **⁀ский** *a.* swinish; filthy, dirty || **⁀ство** *s.* swinishness; filthiness, dirtiness; (*fig.*) dirty action || **-цовый** *a.* lead(en), of lead; lead-coloured || **-чатка** *s.* (*gpl.* -ток) a knuckle-bone loaded with lead (for playing).

свинчива-ть II. *va.* (*Pf.* свинт=ить I. 1. [a]) to screw together, to fasten with screws.

свинья *s.* [e] (*gpl.* -ней) pig, hog, swine; (female) sow.

свирель *s. f.* reed-pipe, shawm.

свирепе-ть II. *vn.* (*Pf.* о-) to grow fierce, savage, furious; to rage.

свире́п/ость *s. f.* ferocity, fury, rage, fierceness, cruelty || **–ство+вать** II. *vn.* to be furious, to ravage everything; to rage, to roar, to storm || **–ый** *a.* ferocious, fierce; violent, raging, furious.

свиса́-ть II. *vn.* (*Pf.* сви́снуть 52.) to hang over, to bend aside, to hang down, to sink down, to dangle, to droop.

сви́слый *a.* hanging down, dangling, drooping.

свист *s.* whistle.

свист-а́ть I. 4. [c] *vn.* (*Pf.* за-, *mom.* сви́стн-уть I.) to whistle.

свист=е́ть I. 4. [a] *vn.* = **свиста́ть.**

свист/о́к *s.* [a] (*gsg.* -тка́) pipe; whistle || **–у́лька** *s.* (*gpl.* -лек) bird-call || **–у́н** *s.* [a], **–у́нья** *s.* whistler.

сви́та *s.* suite, retinue, train; smock-frock.

сви́ток *s.* (*gsg.* -тка) roll, scroll (of papers).

свить *cf.* **свива́ть.**

сви́хива-ть II. *va.* (*Pf.* свихн-у́ть I. [a]) to dislocate, to put out of joint, to sprain, to wrench.

свищ *s.* [a] flaw, crack; worm-hole (in a nut); knot-hole (in wood); fistula.

свобо́д/а *s.* freedom liberty || **–ный** *a.* free, at liberty; exempt (from); disengaged, at leisure; easy, fluent || **–омы́слие** *s.* liberality; (*parl.*) liberalism || **–омы́слящий** (-ая, -ее) *a.* liberal.

свод *s.* bringing together; (*arch.*) vault, arch; ~ **счётов** settlement of accounts; ~ **зако́нов** code of laws.

свод=и́ть I. 1. [c] *va.* (*Pf.* свести́ & свесть 22. [a 2.]) to lead down; to assist down; to bring together; to lead away; to fell, to cut down (trees); to settle (accounts); ~ **знако́мство** to make an acquaintance; ~ **с ума́** to drive crazy, mad; ~ **концы́ с конца́ми** to make ends meet || **~ся** *vr.* to appear, to turn out; **де́ло сво́дится к тому́, что́бы** the result of all this is; it is now a question of . . .

сво́д/ка *s.* (*gpl.* -док) (*typ.*) revise || **–ник** *s.* pimp, procurer || **–ница** *s. f.* procuress || **–нича-ть** II. *vn.* to pimp, to procure || **–ничество** *s.* pimping || **–ный** *a.* combined, compound; vault-; ~ **брат** step-brother || **–ня** *s. coll.* procurer, procuress || **–чатый** *a.* vaulted, arched.

своё *cf.* **свой.**

свое/вре́менный *a.* seasonable, timely || **–коры́стие** *s.* self-interest, cupidity || **–коры́стный** *a.* selfish, self-interested, mercinary || **–ко́штный** *a.* at one's own expense || **–нра́вный** *a.* wilful, capricious || **–обра́зный** *a.* original, peculiar.

своз=и́ть I. 1. [c] *va.* (*Pf.* свезти́ & свезть 25. [a 2.]) to convey, to carry (in a vehicle); to carry off *or* away; *Pf.* to take, to bring (in a car).

сво́зка *s.* (*gpl.* -зок) removal, carrying.

свой *prn.* (своя́, своё, *pl.* свои́) his, her, its, their; my, your, our; (*always refers to subject of sentence*); one's own.

сво́й/ский *a.* own || **–ственник** *s.*, **–ственница** *s.* relative by marriage || **–ственный** *a.* native, innate, characteristic || **–ство** *s.* property, nature, virtue || **–ство́** *s.* relationship by marriage.

свола́кива-ть II. *va.* (*Pf.* своло́чь 18. [a]) to drag, to force away, to drag off, to draw, to pull down *or* away.

сво́лочь *s. f. coll.* rabble, mob, riff-raff.

сво́ра *s.* leash, couple (of hounds).

свора́чива-ть II. *va.* (*Pf.* сворот=и́ть I. 2. [c]) to displace, to remove; to roll down, away (*e. g.* a stone, a block); to tear away (of a bridge); to turn aside.

сво́р=ить II. *va.* to leash, to couple (hounds).

сво́рный *a.* in leash, coupled.

своррова́ть *cf.* **ворова́ть.**

своротить *cf.* **свора́чивать.**

своя́ *cf.* **свой.**

своя́к *s.* [a] brother-in-law (wife's sister's husband).

своя́/си *s. mpl.* (*G.* -сей) his property; **во** ~ home || **–че(и)ница** *s.* sister-in-law (wife's sister).

свыка́-ться II. *vr.* (*Pf.* свы́кнуться 52.) (с кем, с чем) to get, to grow, to become accustomed to, to accustom o.s. to.

свысока́ *ad.* from above; high-sounding, bombastic(al).

свы́ше *ad.* from on high; beyond, above; upwards of, over; ~ **ста** upwards of a hundred.

связа́ть *cf.* **свя́зывать.**

свя́з/ка *s.* (*gpl.* -зок) bundle, bunch (of clothes, straw); pack; (*med.*) ligament, tenon; (*gramm.*) copula || **–ность** *s. f.* connectedness, connection; conciseness (of speech); (*phys.*) coherence || **–ный** *a.* connected; concise; coherent || **–очка** *s.* (*gpl.* -чек) *dim. of* свя́зка.

свя́/зыва-ть II. *va.* (*Pf.* -з-а́ть I. 1. [c]) to bind, to tie fast, up, together, to fasten (to), to unite, to join (with); (*fig.*) to connect || **~ся** *vrc.* (с кем) to have intercourse, to keep company with one, to be in touch with; to engage in, to meddle with.

связь *s. f.* [c] junction; connection; tie, bond; coherence; (*chem.*) cohesion; **любо́вная ~** intrigue, love-affair.

святе́й/шество *s.* Holiness (as title) || **–ший** (-ая, -ее) *a.* most holy.

свят/и́лище *s.* sanctuary || **–и́тель** *s. m.* prelate.

свят=и́ть I. 6. [a] *va.* (*Pf.* о-) to consecrate; to inaugurate; to sanctify; to celebrate.

свя́т/ки *s. fpl.* (*G.* -ток) Christmas-tide (from 25th December to 6th January || **–о́й** *a.* (*pd.* свят, ´та, ´о, ´ы) holy, sacred; **Свята́я неде́ля** Easter-week || ~ (*as s.*) saint || **–ость** *s. f.* holiness, sanctity || **–ота́тец** *s.* (*gsg.* -тца) sacrilegious person || **–ота́тство** *s.* sacrilege || **–очный** *a.* Christmas- || **–о́ша** *s. m&f.* hypocrite, sanctimonious person || **–цы** *s. mpl.* church-calendar || **–ы́ня** *s.* shrine; holy relic.

свяще́нн/ик *s.* clergyman, priest || **–ический** *a.* priestly, sacerdotal; priest's || **–ичество** *s.* priesthood || **–одействие** *s.* celebration of divine service || **–оде́йство+вать** II. *vn.* to celebrate divine service, to say mass || **–ый** *a.* holy, consecrated.

свяще́нство *s.* priesthood; *coll.* clergy.

сгиб *s.* bend, turning, curve; joint, articulation; fold, plait; (*fig.*) dog's ear; (*typ.*) quire.

сгиба́-ть II. *va.* (*Pf.* согн-у́ть I. [a] to bend, to curve.

сгла́жива-ть II. *va.* (*Pf.* сгла́д=ить I. 1.) to make smooth *or* even || **~ся** *vr.* (*fig.*) to be settled, equalized, arranged.

сглода́ть *cf.* **глода́ть.**

сглупа́ *ad.* foolishly, in a foolish way.

сгнива́-ть II. *vn.* (*Pf.* сгн=ить II. [a 1.]) to rot, to putrefy; to decay.

сгнои́ть *cf.* **гнои́ть.**

сгова́рива-ть II. *va.* (*Pf.* сговор=и́ть II.) (кого́ за кого́) to betroth (with), to affiance (to) || **~** *vn.* (с кем) to talk over; to persuade, to convince (of) || **~ся** *vrc.* (с кем о чём) to agree upon (a thing with one), to come to an agreement.

сгово́р *s.* betrothal, engagement.

сгово́рчивый *a.* accomodating, compliant, yielding, ready, willing.

сгон/*s.* & **´ка** *s.* (*gpl.* -нок) driving away; floating (of timber).

сгоня́-ть II. *va.* (*Pf.* согна́ть 11. [c], *Fut.* сгоню́, сло́нишь) to drive away *or* off, to chase, to turn away; to scare away, to frighten away (birds); to float, to raft (timber).

скора́емый *a.* combustible.

сгора́-ть II. *vn.* (*Pf.* сгор=е́ть II. [a]) to burn up, down, off, away; to become bankrupt; to rot (of corn).

сго́рбить *cf.* **го́рбить.**

сгороди́ть *cf.* **городи́ть.**

сгоряча́ *ad.* in a passion, in the heat of passion.

сгреба́-ть II. *va.* (*Pf.* сгрести́ & сгресть 21. [a 2.]) to rake, to shovel away *or* up; to scrape, to rake together; to grasp, to seize, to lay hold of.

сгрёбка *s.* (*gpl.* -бок) raking away *or* together, etc.); (*in pl.*) scrapings, rakings *pl.*

сгруби́ть *cf.* **груби́ть.**

сгуби́ть *cf.* **губи́ть.**

сгуща́-ть II. *va.* (*Pf.* сгуст=и́ть I. 4. [a]) to thicken, to condense; to compress.

сгуще́ние *s.* thickening, condensation; compression.

сда́брива-ть II. *va.* (*Pf.* сдо́бр=ить II.) to appease; to improve; to give a better taste to, to season.

сдава́ть 39. *va.* (*Pf.* сдать 38.) to give up, to deliver; to resign (a post); to surrender; to deal (cards); to return, to give back; to give tit for tat; **~ экза́мен** to pass an examination || **~ся** *vr.* to surrender; to yield, to give in; **мне сдаётся** it seems to me.

сда́влива-ть II. *va.* (*Pf.* сдав=и́ть II. 7. [c]) to compress, to squeeze together.

сда́ча *s.* surrender; delivery; cession; change; deal (at cards); **у вас ~** your deal now.

сдвига́-ть II. *va.* (*Pf.* сдви́н-уть I.) to remove, to put aside, to move, to shove away, off, on; to move, to bring together.

сдвои́ть *cf.* **двои́ть.**

сде́лать *cf.* **де́лать.**

сде́лка *s.* (*gpl.* -лок) arrangement, settlement, agreement, terms *pl.*

сдёргива-ть II. *va.* (*Pf.* сдёрн-уть I.) to draw down *or* off, to drag, to pull down, to pull, to tear off (*e. g.* the counterpane, boots, etc.).

сде́ржанный *a.* reserved, modest.

сде́ржива-ть II. *va.* (*Pf.* сдерж=а́ть I. [c]) to support, to endure, to bear; to stop, to hold, to keep back; to check, to restrain; **~ сло́во** to keep one's word; **~ смех** to suppress a laugh.

сдёрнуть *cf.* **сдёргивать.**
сдира́-ть II. *va.* (*Pf.* содра́ть 8. [a 3.]) (с + *G.*) to skin; (*zool.*) to cast, to slough; to strip, to tear, to pull off.
сдо́бный *a.* prepared with milk, eggs and butter.
сдо́брить *cf.* **сда́бривать.**
сдоброва́ть (*only in Infinitive with* **не**) **не ~ тебе́** it will turn out badly for you.
сдружи́ть *cf.* **дружи́ть.**
сдува́-ть II. *va.* (*Pf.* сду-ть II. [b], *mom.* сду́н-уть I.) to blow away, off, down; (с кого́ что) to cheat one, to overreach; (*fam.*) to foist (a thing upon one); **с меня́ сду́ли мно́го де́нег** I was swindled out of a lot of money.
сду́ру *ad.* foolishly, from silliness.
сеа́нс *s.* sitting; (*art.*) seance.
себя́/ *prn. refl.* oneself; myself, yourself, etc. (*always refers to subject of sentence*); **та́к себе** so-so; **не по себе́** not feeling well || **–лю́бец** *s.* (*gsg.* -бца) egoist.
се́вер/ *s.* north; north wind || **–ный** *a.* northern, northerly.
северо/восто́к *s.* north-east || **–восто́чный** *a.* north-eastern, north-easterly || **–за́пад** *s.* north-west || **–за́падный** *a.* north-western, north-westerly.
севрю́га *s.* (*ich.*) (kind of) sturgeon.
сегме́нт *s.* segment.
сего́ *cf.* **сей.**
сего́/дня *ad.* to-day, this day || **–дняшний** *a.* to-day's, of to-day, this day's.
седа́лище *s.* seat, chair.
седе́-ть II. *vn.* (*Pf.* по-) to turn, to grow grey.
седина́ *s.* grey hair.
седла́-ть II. *va.* (*Pf.* о-) to saddle.
седло́ *s.* [d] (*pl.* сёдла) saddle.
седо/боро́дый *a.* grey-bearded || **–ва́тый** *a.* greyish || **–воло́сый** *a.* grey-haired || **–голо́вый** *a.* grey-headed.
седо́й *a.* grey.
седо́к *s.* [a] passenger; rider.
седьмо́й *num.* seventh.
сезо́н *s.* season.
сей *prn.* (сия́, сиё, *pl.* сии́) this; **сим** herewith; **при сём** enclosed, herein; **сию́ мину́ту** directly; **до сих пор** up to now.
сейча́с *ad.* at once; just now.
сейм *s.* diet.
секве́стр/ *s.* sequestration || **–о+ва́ть** II. [b] *va.* (*Pf.* за-) to sequester.
секи́ра *s.* (*obs.*) (battle-)axe.
секре́т/ *s.* secret || **–а́рство** *s.* secretaryship || **–а́рь** *s. m.* [a] secretary || **–ничать** II. *vn.* to be mysterious, to act secretly || **–ный** *a.* secret, mysterious.
се́кст/а *s.* (*mus.*) sixth || **–е́т** *s.* (*mus.*) sextette.
се́кт/а *s.* sect || **–а́нт** & **–а́тор** *s.* sectarian || **–ор** *s.* (*geom.*) sector.
секуляриза́ция *s.* secularization.
секу́нд/а *s.* second || **–а́нт** *s.* second (in a duel) || **–а́рный** *a.* secondary.
селёд/ка *s.* (*gpl.* -док) & **–очка** *s.* (*gpl.* -чек) *dim.* herring || **–очник** *s.*, **–очница** *s.* herring-seller || **–очный** *a.* herring-.
селезёнка *s.* (*gpl.* -нок) milt, spleen.
се́лезень *s. m.* (*gsg.* -зня) drake.
селе́н *s.* selenium.
селе́ние *s.* settlement; village.
сели́тра *s.* saltpetre, nitre.
сел=и́ть II. = **поселя́ть.**
село́ *s.* [d] village (with a church).
сельдере́й *s.* celery.
сель/ди́на *s.* & **–дь** *s. f.* [c] herring.
се́льский *a.* country, rural, rustic; village-.
се́льтерский *a.*, **–ая вода́** seltzer-water.
сель/цо́ *s. dim. of* село́ || **–чани́н** *s.* [h] (*pl.* -ча́не), **–ча́нка** *s.* (*gpl.* -нок) & **селяни́н** *s.* [h] (*gpl.* селя́не), **селя́нка** *s.* (*gpl.* -нок) villager.
семафо́р *s.* semaphore.
сёмга *s.* (*gpl.* сёмог) (*ich.*) salmon.
семе́й/ка *s.* (*gpl.* -е́ек) small family || **–(ствен)ный** *a.* family, domestic || **–ство** *s.* family.
семен=и́ть II. [a] *vn.* (*Pf.* за-) to swagger; to trip, to take short steps.
сем/ери́к *s.* [a] a measure of seven chetveriks; sold seven to the pound (candles, etc.) || **–ёрка** *s.* (*gpl.* -рок) seven (at cards).
се́меро *num.* seven (together); **нас бы́ло ~** there were seven of us.
семе́стр *s.* six months, half-year.
семи/ *in cpds.* = seven- || **–гла́вый** *a.* seven-domed, with seven cupolas || **–десятиле́тний** *a.* septuagenarian || **–деся́тый** *num.* seventieth || **–дне́вный** *a.* sevenday, lasting seven days || **–кра́тный** *a.* sevenfold, seven times repeated || **–ле́тний** *a.* seven years old, of seven years.
семина́р/ия *s.* seminary || **–и́ст** *s.* pupil of a seminary, seminarist.
семи/неде́льный *a.* seven weeks' || **–со́тый** *num.* seven-hundredth.
семна́дцат/ый *num.* seventeenth || **–ь** *num.* seventeen.
сёмог *cf.* **сёмга.**
сему́, сём *cf.* **сей.**

семь/ *num.* seven || **-десят** *num.* seventy || **-сот** *num.* seven hundred.
семья/ *s.* [e] (*gpl.* семей) family, household || **-нин** *s.* father of a family, paterfamilias.
сенат/ *s.* senate || **-ор** *s.* senator.
сени *s. fpl.* (entrance-)hall, vestibule.
сенн/ик *s.* [a] hayloft || **-ой** *a.* hay, of hay.
сено/ *s.* hay || **-вал** *s.* hayloft || **-ворошилка** *s.* (*gpl.* -лок) hay-turning machine || **-кос** *s.* haymaking, mowing; hay-time; **второй** ~ aftermath || **-косец** *s.* (*gsg.* -сца) haymaker, mower; (*zool.*) daddylonglegs || **-косный** *a.* mowing-.
сент/енция *s.* sentence; judg(e)ment; aphorism || **-иментальный** *a.* sentimental || **-ябрь** *s. m.* [a] September.
сень *s. f.* shade; (*fig.*) shelter, protection.
сепар/атизм *s.* separatism || **-атный** *a.* separate.
сера *s.* brimstone, sulphur; ~ **в ушах** ear-wax.
сераль *s. m.* seraglio.
серафим *s.* seraph.
серв/из *s.* service, set || **-иро+вать** II. [b] *vn.* to serve, to wait at table.
сердеч/ко *s.* (*gpl.* -чек) *dim. of* сердце || **-ный** *a.* hearty, cordial; ~ **друг** bosom-friend.
сердитый *a.* angry, vexed.
серд=ить I. 1. [c] *va.* (*Pf.* рас-) to anger, to vex, to annoy || ~**ся** *vr.* (на + *A.*) to become *or* to get angry (with).
сердо/больный *a.* merciful, compassionate || **-лик** *s.* (*min.*) carnelian.
сердце/ *s.* [b] heart; anger, wrath; indignation || **-биение** *s.* palpitation (of the heart) || **-вед** *s.* searcher of hearts || **-вина** *s.* heart, core, pith.
серебристый *a.* argentiferous; silvery.
серебр=ить II. [a] *va.* (*Pf.* по-, о-, вы-) to silver, to (silver)plate || ~**ся** *vn.* (*Pf.* за-) to gleam like silver.
серебро *s.* silver.
серебрян/ик *s.* silversmith; silver coin || **-ый** *a.* silver, of silver.
середин/а *s.*, *dim.* **-ка** *s.* (*gpl.* -нок) middle, midst; centre-piece.
серёжка *s.* (*gpl.* -жек) *dim.* ear-ring; ring, loop; (*bot.*) catkin.
серенада *s.* serenade.
сере-ть II. *vn.* (*Pf.* по-) to grow grey.
серия *s.* series.
сермя/га & **-жина** *s.* coat of coarse uncoloured cloth; caftan, smock-frock.
серн/а *s.* chamois || **-истый** *a.* sulphurous || **-окислый** *a.* sulphate, sulphuric.
серобурый *a.* greyish-brown.
серп/ *s.* [a] sickle, reaping-hook || **-овидный** *a.* sickle-shaped.
серьга *s.* [e] ear-ring.
серьёзный *a.* serious, in earnest; grave, stern, gloomy.
сессия *s.* session.
сестра *s.* [e] (*gpl.* сестёр) sister.
сестр/ин *a.* sister's || **-ица** *s.* dear sister (as address) || **-ичка** *s.* (*gpl.* -чек) little sister.
сесть *cf.* **садиться.**
сетка *s.* (*gpl.* -ток) *dim.* net; hair-net; (gas-)mantle.
сето+вать II. *vn.* (о чём) to sorrow (for), to grieve, to lament; (на что) to complain.
сет/очка *s.* (*gpl.* -чек) *dim. of* сетка || **-очный** *a.* net- || **-чатка** *s.* (*gpl.* -ток) reticular membrane, retina (of eye) || **-чатый** *a.* net-like; retiform, reticular || **-ь** *s. f.* [c] net; (*fig.*) trap, snare.
сеч/а *s.* hewing; wood-felling; clearing (in a wood) || **-ение** *s.* cutting up, cut; (*chir.* & *geom.*) section; whipping, flogging || **-ка** *s.* (*gpl.* -чек) chopper, clearer; chaff-cutter; chopped (up) straw.
сечь 18. [a 1.] *va.* (*Pf.* вы-, по-) to hack; to chop; to hew, to whip, to flog || ~**ся** *vr.* to whip, to scourge o.s. || ~ *vn.* to split (of hair); to unravel, to fray (of stuff).
сея/лка *s.* (*gpl.* -лок) drill-plough, sowing-machine || **-тель** *s. m.* sower.
се-ять II. *va.* (*Pf.* по-) to sow; (*Pf.* про-) to sift.
сжал=иться II. *vr. Pf.* (над + *I.*) to pity, to have pity *or* mercy (on).
сжарить *cf.* **жарить.**
сжат/ие *s.* pressure, compression || **-ость** *s. f.* compactness; closeness; conciseness (of the style); flattening (of the globe) || **-ый** *a.* compact; compressed; close; clinched (of the fist); (*gramm.*) concise || **-ь** *cf.* **сжимать.**
сжевать *cf.* **жевать.**
сжива-ть II. *va.* (*Pf.* сжить 31. [a 1.) to get rid of, to shake off || ~**ся** *vrc.* (с кем) to make o.s. at home (with), to accustome o.s. to.
сжига-ть II. *va.* (*Pf.* сжечь 16. [a 2.], *Fut.* сожгу, сожжёшь, etc.; *Pret.* сжёг, сожгла, etc.) to burn (down).
сжима-ть II. *va.* (*Pf.* сжать 33. [a 1.], *Fut.* сожму, -ёшь, etc.) to compress; to squeeze together; to condense; to clench (one's fist).

сжить *cf.* **сжива́ть.**
сза́ди *ad.* from behind || ~ *prp.* (+ *G.*) behind.
сзыва́-ть II. *va.* (*Pf.* созва́ть 10. [a 3.] to call together, to convene, to convoke; to invite (together), to bid (guests).
сибари́т *s.* sybarite.
си́в/ка *s.* (*gpl.* -вок) a grey horse || **-у́ха** *s.* bad brandy.
сиг *s.* [a] gang-fish, houting.
сига́р/а *s.* cigar || **-ный** *a.* cigar- || **-ка** *s.* (*gpl.* -рок) & **-очка** *s.* (*gpl.* -чек) cigarillo || **-очница** *s.* cigar-case.
сигна́л/ *s.* signal || **-ьный** *a.* signal-; ~ **аппара́т для пожа́ров** fire-alarm.
сигнату́ра *s.* signature; label; mark (on a package).
сиде́л/ец *s.* (*gsg.* -льца) shopman; barman || **-ка** *s.* (*gpl.* -лок) (sick-)nurse.
сиде́ние *s.* sitting; seat.
си́день *s. m.* (*gsg.* -дня) a child (not yet able to walk); a stick-at-home.
сид=е́ть I. 1. [a] *vn.* (*Pf.* по-, *iter.* си́жива-ть II.) to sit, to be seated; to perch, to roost (of birds); to fit, to suit (of clothes); (*mar.*) to draw, to run aground; ~ **я́йцах** to brood (of birds); ~ **до́ма** to be a stay-at-home; **ему́ не сиди́тся** (*fam.*) to be fidgety.
сидр *s.* cider.
си́дьмя *ad.* without moving, sitting continuously.
сидя́чий *a.* sitting; sedentary; **-ая ва́нна** hip-bath.
си́зый *a.* dove-coloured, greyish-blue.
сикомо́р *s.* sycamore.
си́л/а *s.* strength, vigour; (*fig.*) force, power, might; energy, intensity; (*mil.*) forces, troops *pl.* || **-а́ч** *s.* [a] stout, robust man, athlete || **-а́чка** *s.* (*gpl.* -чек) stout athletic woman || **-ен** *cf.* **си́льный.**
си́л=иться II. *vr.* to exert o.s.
сило́к *s.* [a] (*gsg.* -лка́) running-noose, snare.
силоме́р *s.* (*el.*) dynamometer.
силуэ́т *s.* silhouette.
си́льный *a.* (*pd.* си́лен & силён, сильна́, ∠льно, ∠льны; *comp.* -сильне́е) strong, vigorous, stout, robust, energetic; powerful, mighty; violent, severe.
сим *cf.* **сей.**
си́мвол/ *s.* symbol, emblem || **-и́ческий** *a.* symbolic(al).
симме́тр/ия *s.* symmetry || **-и́ческий** *a.* symmetric(al).
симп/ати́ческий *a.* sympathetic(al) || **-ати́чный** *a.* congenial (to one) || **-а́тия** *s.* sympathy || **-то́м** *s.* symptom.
симфон/и́ческий *a.* symphonious || **∠ия** *s.* symphony.
синаго́га *s.* synagogue.
си́ндик/ *s.* syndic || **-а́т** *s.* syndicate.
синева́/ *s.* blue colour, blueness; **небе́сная** ~ sky-blue; bruise, livid spot || **-тый** *a.* bluish, pale blue.
синеро́д *s.* (*chem.*) cyanogen.
сине́-ть II. *vn.* (*Pf.* по-) to grow *or* to become blue.
си́н/ий *a.* (dark-)blue; **-яя бума́жка** fifty rouble note || **-и́льник** *s.* (*bot.*) dyer's woad || **-и́льный** *a.* for dyeing (dark-)blue; **-и́льная кислота́** (*chem.*) prussic acid.
син=и́ть II. [a] *va.* (*Pf.* на-) to blue (washing); to dye (dark-)blue.
сини́ца *s.* (*orn.*) tomtit, titmouse.
сино́д *s.* synod.
сино́н/им *s.* synonym || **-и́мный** *a.* synonymous.
си́нтак/сис *s.* syntax || **-си́ческий** & **-ти́ческий** *a.* syntactic(al).
синь/ *s. f.* blue (colour) || **∠ка** *s.* (*gpl.* -нек) blue (for washing); blueing.
синя́к *s.* [a] bruise, livid mark (of a blow).
сип=е́ть II. 7. *vn.* to speak hoarsely, with a hoarse voice.
си́п/лость *s. f.* & **-ота́** *s.* hoarseness || **-лый** *a.* hoarse || **-нуть** 52. *vn.* (*Pf.* о-) to become hoarse.
сире́на *s.* siren.
сире́нь *s. f.* lilac.
си́речь *ad.* (*sl.*) namely, that is to say.
сиро́п *s.* syrup.
сирот/а́ *s.* [h] *m&f.* orphan; **кру́глый** ~ orphan who has lost both parents || **-е́-ть** II. *vn.* (*Pf.* о-) to become an orphan.
сиро́т/ка *s.* (*gpl.* -ток), *dim. of* сирота́ || **-и́нка** *s.* (*gpl.* -нок) & **-очка** *s. m&f.* (*gpl.* -чек) little orphan-child || **-ство** *s.* orphanhood.
си́рый *a.* orphan(ed).
систе́м/а *s.* system || **-ати́ческий** & **-ати́чный** *a.* systematic(al).
си́тец *s.* (*gsg.* -тца) chintz, printed calico.
си́течко *s.* (*gpl.* -чек) *dim. of* си́то.
си́т/ник *s.* bread made from bolted meal; (*bot.*) rush, bulrush || **-ный** *a.* sifted, bolted (of meal) || **-о** *s.* sieve, bolt || **-уа́ция** *s.* situation || **-цевый** *a.* chintz, of chintz.
си́фил/ис *s.* syphilis || **-(ит)и́ческий** *a.* syphilitic.
сифо́н *s.* siphon.
сия́/ние *s.* light, shine, brightness; radiance, nimbus; **се́верное** ~ northern

lights *pl.*, aurora borealis || **-тельный** *a.* illustrious, noble || **-тельство** *s.*, **Его С-** His Grace.
сия́-ть II. *vn.* (*Pf.* за-) to shine, to radiate, to sparkle, to gleam, to beam (with joy).
скабрёзный *a.* obscene, indecent.
сказ/а́ние *s.* narrative, tale, recital; legend, tradition || **-а́тель** *s. m.* narrator; interpreter || **-а́ть** *cf.* **говори́ть** & **´ывать.**
ска́/зка *s.* (*gpl.* -зок) tale, story, yarn; (*abus.*) fib || **-зочник** *s.* story-teller || **-зочный** *a.* fairy-tale; fabulous, legendary || **-зу́емое** (*as s.*) (*gramm.*) predicate || **-зыва-ть** II. *va.* (*Pf.* -з-а́ть I. 1. [c]) to say; to recite; to narrate, to relate, to tell; to order, to declare (*cf.* говори́ть) || **~ся** *vr.* (чем) to profess to be, to give o.s. out for.
скак-а́ть I. 2. [c] *vn.* (*Pf.* по-) to spring, to jump, to hop; to gallop; (*Pf.* ско-ч=и́ть I. [c], *mom.* скокн-у́ть I. [a]) to leap over *or* across, to make a spring.
скак/ово́й *a.* race-, racing || **-у́н** *s.* [a] leaper, jumper; racehorse.
скала́ *s.* [e] rock, cliff; (*bot.*) birch-bark.
ска́л/а *s.* (*mus. & phys.*) scale || **-и́стый** *a.* rocky, cliffy || **-ить** *cf.* **оска́ливать** || **-ка** *s.* (*gpl.* -лок) rolling-pin; mangle || **-озу́б** = **зубоска́л** || **-ыва-ть** II. *va.* (*Pf.* скол-о́ть II. [c]) to cleave off, to split off; to copy (a pattern) by pricking.
скальп/ *s.* scalp || **´ель** *s. m.* (*chir.*) scalpel || **-и́ро+вать** II. *va.* to scalp.
скам/е́ечка *s.* (*gpl.* -чек) *dim.* footstool || **-е́йка** *s.* (*gpl.* -е́ек) form (in schools), (small) bench || **-ья́** *s.* (*gpl.* -е́й) bench; **~ подсуди́мых** (*leg.*) dock.
сканда́л/ *s.* scandal || **-ьный** *a.* scandalous.
сканд(и́р)о+ва́ть II. [b] *vn.* to scan (verses).
ска́плива-ть II. *va.* (*Pf.* скоп=и́ть II. 7. [c]) to hoard up, to treasure (up), to lay up.
скарб *s.* household goods, utensils, goods and chattels *pl.*; **весь ~** (*fam.*) belongings *pl.*
ска́ред/ник *s.*, **-ница** *s.* nasty person; niggard, skinflint || **-ничa-ть** II. *vn.* to be stingy *or* niggardly || **-ный** *a.* stingy, niggardly; vile, odious.
скарлати́на *s.* (*med.*) scarlatina, scarlet fever.
ска́рмлива-ть II. *va.* (*Pf.* скорм=и́ть II. 7. [c]) to use up in feeding.

ска/т *s.* rolling down; slope, declivity || **-та́ть** *cf.* **´тывать** || **´ерть** *s. f.* [c] table-cloth || **´ыва-ть** II. *va.* (*Pf.* -т=и́ть I. 2. [a & c]) to roll down *or* off; (*Pf.* -та́-ть II.) to roll up.
ска́ч/ка *s.* (*gpl.* -чек) race, horse-race; leaping; **~ с препя́тствиями** steeple-chase || **-о́к** *s.* [a] (*gsg.* -чка́) jump, spring, leap.
сква́ж/ина *s.* chink, crevice, hole; pore || **-истый** *a.* porous.
сквер *s.* square.
скверно/сло́вие *s.* obscenity, smut || **-сло́в=ить** II. 7. *vn.* to talk smut *or* obscenely.
скве́рный *a.* filthy, dirty; nasty; obscene.
сквита́ться *cf.* **квита́ться.**
сквоз=и́ть I. 1. [a] *vn.* to pass through; to shine, to glimmer through; **здесь сквози́т** there is a draught.
сквозно́й *a.* transparent; through-; **~ ве́тер** a draught.
сквозь *prp.* (+ *A.*) through.
скворе́ц *s.* [a] (*gsg.* -рца́) starling.
скеле́т *s.* skeleton.
ске́пт/ик *s.* sceptic || **-ици́зм** *s.* scepticism || **-и́ческий** *a.* sceptic(al).
ски́/дка *s.* (*gpl.* -док) throwing down; abatement, discount, reduction (in price) || **-дыва-ть** II. *va.* (*Pf.* -да́-ть II. & -н-уть I.) to throw off *or* down; to heap up; to take off (one's clothes); to diminish, to deduct; to lower (prices).
ски́петр *s.* sceptre.
скипе́ть *cf.* **кипе́ть.**
скипида́р *s.* turpentine.
скирд/ & **-а́** *s.* hayrick, haystack; corn-stack.
скис/а́ть, ´нуть *cf.* **ки́снуть.**
скит/ *s.* [b] hermitage || **-а́лец** *s.* (*gsg.* -а́льца) stroller, rover, roamer, vagabond || **-а́-ться** II. *vc.* (*Pf.* по-) to stroll, to roam, to rove about || **´ник** *s.* hermit.
склад/ *s.* warehouse; proportions, dimensions *pl.*; fashion, cut; coherence (in speech); (*mus.*) harmony; **ни ´у, ни ла́ду** neither rhyme nor reason; [b] syllable; **чита́ть по -а́м** to spell || **´ка** *s.* (*gpl.* -док) piling up (of wood); (*comm.*) storage; laying together; fold (in dress) || **-но́й** *a.* folding- || **´ный** *a.* harmonious; well-proportioned; concise; connected (of speech) || **´очка** *s.* (*gpl.* -чек) small fold || **´очный** *a.* store-, ware-; clubbed together (of money) || **´чи́на** *s.* contribution (in money), clubbing together || **´ыва-ть**

II. *va.* (*Pf.* слож=йть I. [c]) to pile up, to stack (wood); (*comm.*) to store up; to lay *or* to put down (a load); to add (up); to spell; to invent, to compose; (*Pf. also* складть 22. [a 1.]) to put together; to lay together, to fold up; to put into (an envelope); **сидéть сложá рýки** to sit with folded arms.

склéива-ть II. *va.* (*Pf.* скле=йть II. [a]) to glue, to paste together.

склеп *s.* vault, crypt.

склепáть *cf.* **клепáть.**

склёпка *s.* (*gpl.* -пок) riveting; piece riveted on.

склерóз *s.* sclerosis.

склика́-ть II. & **склйк-ать** I. 2. *va.* (*Pf.* склйкн-уть I.) to call together.

склйчка *s.* (*gpl.* -чек) calling together.

скло/н *s.* persuading (to do a thing) || **–нéние** *s.* declivity, slope; (*gramm.*) declension; (*astr.*) declination || **–нйть** *cf.* **–нять & клонйть** || **⁄–нность** *s. f.* inclination, propensity || **⁄–нный** *a.* disposed, inclined, prone (to) || **–нятемый** *a.* (*gramm.*) declinable || **–ня́-ть** II. *va.* (*Pf.* -н=йть II. [c]) to incline, to bow, to bend, to stoop; (когó на что, к чемý) to dispose, to win over, to persuade, to persuade, to interest one in a thing; (*gramm. & phys.*) to decline || **~ся** *vr.* to bend, to bow down; to yield, to comply; (*Pf.* про-) (*gramm.*) to be declined.

склянка *s.* (*gpl.* -нок) phial, flask, (medicine-)bottle; sand-glass, hour-glass.

скобá *s.* [e] cramp, brace, clasp, handle.

скóбка *s.* (*gpl.* -бок) cramp; (*typ.*) brackets *pl.*

скобл=йть II. [a & c] *va.* (*Pf.* по-) to scrape (with a scraping-knife); to erase (with an indiarubber).

скóбочка *s.* (*gpl.* -чек) *dim. of* скóбка.

сковáть *cf.* **скóвывать.**

сковор/одá *s.* [e] (*pl.* скóвороды) frying-pan || **–óдка** *s.* (*gpl.* -док) *dim. of prec.*

скóвородень *s. m.* (*gsg.* -дня) dove-tail (in carpentry).

скóвыва-ть II. *va.* (*Pf.* ско+вáть II. [a]) to weld *or* to forge together; (*fig.*) to fetter.

скок/ *s.* bound, leap; **на –у** in a bound, at a gallop || **–нýть** *cf.* **скакáть.**

сколáчива-ть II. *va.* (*Pf.* сколот=йть I. 2. [c]) to knock off; to knock together, to join; to spare, to amass (money).

сколóть *cf.* **скáлывать.**

сколь *ad.* how much, how many; **~ ни** what(so)ever.

скольз=йть I. 1. [a] *vn.* (*Pf.* скользн-ýть I.) to slip, to slide; to skim over.

скóльзкий *a.* slippery; (*fig.*) ticklish.

скóлько *ad.* how much, how many; **~-нибýдь** (only) a little.

сколю́ *cf.* **скáлывать.**

скомáндовать *cf.* **комáндовать.**

скóмкать *cf.* **кóмкать.**

скомор/óх *s.* buffoon, juggler, mummer || **–óшество** *s.* buffoonery.

сконфýзить *cf.* **конфýзить.**

скончáние *s.* end, termination, conclusion.

скончá-ть II. *va.* to end, to finish, to terminate, to conclude || **~ся** *vr.* to cease, to stop, to be finished; to expire, to die.

скопéц *s.* [a] (*gsg.* -пцá) eunuch, castrated person; (*in pl.*) members of a sect practising mutilation.

скопидóм/ *s.*, **–ка** *s.* (*gpl.* -мок) thrifty housekeeper.

скопйровать *cf.* **копйровать.**

скопйть *cf.* **скáпливать.**

скóпище *s.* multitude, crowd; band, gang.

скоплéние *s.* accumulation; castration.

скоплять *cf.* **скáпливать.**

скóпческий *a.* of *or* belonging to the sect of the "скопцы́" (*cf.* скопéц).

скорб=éть II. 7. [a] *vn.* (*Pf.* вос-) to suffer, to be sick; to sorrow, to grieve, to mourn.

скóрб/ный *a.* sorrowful, mournful, sad; **~ лист** sick-list || **–ýт** *s.* scurvy || **–ь** *s. f.* [c] sorrow, grief, affliction, distress.

скорл/упá *s.* [e & f] shell (of eggs, nuts, etc.) || **–ýпка** *s.* (*gpl.* -пок) *dim.* thin shell.

скормйть *cf.* **скáрмливать.**

скорня́к *s.* [a] furrier.

скóро/ *ad.* quickly, rapidly, promptly; soon || **–говóрка** *s.* (*gpl.* -рок) quick speech; *m&f.* person who speaks very quickly || **–зрéлый** *a.* precocious, forward, early.

скор/óм=иться II. 7. *vr.* to eat forbidden food during Lent || **–óмный** *a.* forbidden during Lent.

скоро/печáтный *a.* quick-printing || **–пйсный** *a.* stenographic(al).

скóропись *s. f.* shorthand, stenography.

скоро/постйжный *a.* sudden, unexpected || **–преходя́щий** (-ая, -ее) *a.* transient, transitory || **–спéлый** *a.* precocious, early || **–стрéльный** *a.* quick-firing.

скóрость *s. f.* rapidity, speed; swiftness, quickness; velocity; vehemence; shortness; readiness, promptness.

скоро/тáть *cf.* **коротáть** || **–тéчный** *a.* transient, ephemeral; **–тéчная чахóт-**

ка galloping consumption || **–хо́д** *s.* quick runner; swift messenger.
скорпио́н *s.* scorpion.
ско́рчить *cf.* **ко́рчить.**
ско́рый *a.* (*comp.* скоре́е) fast, quick, swift, rapid; prompt; hasty; **~ по́езд** express (train).
скоси́ть *cf.* **коси́ть.**
скоти́на *s.* cattle; (*abus.*) beast, brute, blockhead.
скот/ *s.* [a] cattle || **ˊник** *s.* cow-herd, drover || **ˊница** *s.* cow-maid || **ˊный** *a.* of, for cattle; cattle- || **–ово́д** *s.* (cattle-) breeder || **–ово́дство** *s.* cattle-breeding || **–олече́бный** *a.* veterinary || **–опри-го́нный** *a.*, **~ двор** cattle-market || **–опромы́шленник** *s.* (cattle-)salesman || **ˊский** *a.* cattle-; bestial, beastly, brutish || **ˊство** *s.* bestiality, brutality.
скоше́ние *s.* mowing.
скра́дыва-ть II. *va.* (*Pf.* скрасть 22. [a 1.]) to steal, to take away; to hide, to conceal || **~ся** *vr.* to conceal o.s., to hide.
скра́ивать *cf.* **крои́ть.**
скра́шива-ть II. *va.* (*Pf.* скра́с=ить I. 3.) to embellish, to adorn, to decorate.
скреб/ни́ца *s.* curry-comb || **–ну́ть** *cf.* **скрести́** || **–о́к** *s.* [a] (*gsg.* -бка́) scraper.
скре́ж/ет *s.* gnashing, grinding (of teeth) || **–ет-а́ть** I. 6. [c] *vn.* (*Pf.* за-), **~ зуба́-ми** to gnash the teeth.
скре́/па & **–пле́ние** *s.* fastening; strengthening; countersign(ature) || **–пля́-ть** II. *va.* (*Pf.* -п=и́ть II. 7. [a]) to strengthen, to consolidate; to countersign; (*leg.*) to make valid.
скрести́ & **скресть** (√скреб-) 21. [a 2.] *va.* (*Pf.* скребн-у́ть I.) to scrape.
скреща́-ть II. & **скре́щива-ть** II. *va.* (*Pf.* скрест=и́ть I. 4. [a]) to cross; to fold (one's arms).
скрижа́ль *s. f.* (*ec.*) table; **–и заве́та** the tables of the Ten Commandments.
скри/п *s.* creaking; squeak || **–па́ч** *s.* [a], **–па́чка** *s.* (*gpl.* -чек) violinist; fiddler **–п=е́ть** II. 7. [a] *vn.* (*Pf.* за-, *mom.* ˊпн-уть I.) to creak, to grate, to squeak || **–пи́чный** *a.* violin- || **ˊпка** *s.* (*gpl.* -пок) violin, fiddle || **ˊпочка** *s.* (*gpl.* -чек) *dim. of prec.* || **–пу́чий** (-ая, -ее) *a.* creaking, squeaky || **–пчо́нка** *s.* (*gpl.* -нок) bad violin.
скрои́ть *cf.* **крои́ть.**
скро́м/ник *s.*, **–ница** *s.* modest, unassuming person || **–ный** *a.* modest, unassuming; plain, simple; frugal.
скру́пул *s.* scruple.
скру́чива-ть II. *va.* (*Pf.* скрут=и́ть I. 2. [a & c]) to twist together; to pinion, to bind; (*fig.*) to drive to straits.
скрыва́-ть II. *va.* (*Pf.* скрыть 28. [b 1.]) to conceal, to hide; to dissemble; to suppress || **~ся** *vr.* to be hid(den) *or* in hiding, to be secreted; to conceal o.s.
скры́тный *a.* concealed, hidden; secret; stealthy; reserved, close; (*phys.*) latent.
скрю́чива-ть II. *va.* (*Pf.* скрю́ч=ить I.) to crook, to bend; to oppress.
скря́га *s. m&f.* miser, niggard, curmudgeon.
скря́жнич/а-ть II. *vn.* to be miserly, stingy || **–ество** *s.* avarice, stinginess, niggardliness.
скуде́льный *a.* earthen, of clay; (*fig.*) fragile, brittle; frail.
ску́д/ный *a.* scanty, poor, miserable || **–оу́мный** *a.* stupid, dull, silly.
ску́ка *s.* tediousness, wearisomeness, boredom.
скул/а́ *s.* [d] cheek-bone; (*an.*) jaw(-bone) || **–а́стый** *a.* having prominent cheekbones || **–ьпту́ра** *s.* sculpture.
скупа́-ть II. *va.* (*Pf.* скуп=и́ть II. 7. [c]) to buy up, to forestall.
скупе́ц *s.* [a] (*gsg.* -пца́) miser.
скуп=и́ться II. 7. [c] *vc.* to be miserly *or* avaricious.
ску́п/ка *s.* (*gpl.* -пок) buying up || **–ова́-тый** *a.* somewhat miserly || **–о́й** *a.* miserly, stingy; scanty, sparing || **–ость** *s. f.* stinginess, miserliness, niggardliness, scantness || **–щик** *s.* [a] engrosser, forestaller.
скуф/е́йка *s.* (*gpl.* -е́ек) small skull-cap || **–ья́** *s.* [e] skull-cap.
скуча́-ть II. *vn.* (*Pf.* по-) to be tired, wearied, bored; to yearn, to long for.
ску́чива-ть II. *va.* (*Pf.* ску́ч=ить I.) to heap, to pile up.
скучнова́тый *a.* rather tedious.
ску́чный *a.* wearisome, tedious, boring; sad, melancholy.
ску́ша-ть II. *va. Pf.* to eat up, to consume.
слаб/е́-ть II. & **ˊнуть** 52. *vn.* (*Pf.* о-) to grow weak, to pine away; to slacken, to weaken || **–и́тельный** *a.* purgative, laxative.
сла́б=ить II. *v.imp.* (*Pf.* про-) to purge; **его́ сла́бит** he has diarrhoea.
слабо/ва́тый *a.* rather weak *or* feeble || **–ду́шный** *a.* pusillanimous || **–у́мный** *a.* weak-minded, imbecile.
сла́бый *a.* (*pd.* слаб, -ба́, ˊбо, ˊбы;

comp. слабе́е) weak, feeble, faint; delicate, slight.

сла́в/а *s.* glory, fame, praise; reputation; rumour, report; ~ **Бо́гу!** thank God! ~ **тебе́!** hail! **на -у** wonderfully well || **-ильщик** *s.* (Christmas) waits *pl.*, carol-singer.

сла́в=ить II. 7. *va.* (*Pf.* про-) to glorify, to extol, to praise; ~ **Христа́** to sing Christmas-carols || **~ся** *vr.* to be celebrated, famous.

сла́влива-ть II. *va.* (*Pf.* слов=и́ть II. 7. [c]) to catch, to seize.

сла́в/ный *a.* famous, renowned; capital, topping || **-о́нский** *a.* Slavonic || **-осло́в=ить** II. 7. *va.* to glorify, to extol || **-яни́н** *s.* (*pl.* -я́не), **-я́нка** *s.* (*gpl.* -нок) Slav || **-янофи́л** *s.* Slavophile || **-я́нский** *a.* Slav(onic).

слага́-ть II. *va.* (*Pf.* слож=и́ть I. [c]) to put together; to join; to fold (up); to add (up); to remit; to compose || **~ся** *vn.* to be formed of, to be composed of.

сла́д/енький *a.* sweetish || **-ить** *cf.* **сла́живать** || **-кий** *a.* (*pd.* сла́док, -дка́, -дко, -дки; *comp.* сла́ще) sweet; savoury, tasty; pleasant, agreeable || **-кова́тый** *a.* sweetish || **-козву́чный** *a.* melodious.

сла́до/стный *a.* sweet, delightful, charming, graceful, lovely || **-стра́стие** *s.* sensuality || **-стра́стный** *a.* voluptuous, sensual || **-сть** *s. f.* sweetness; (*fig.*) delight, pleasure, charm, grace, loveliness.

сла́жива-ть II. *va.* (*Pf.* сла́д=ить) I. 1.) to arrange, to settle || ~ *vn.* (с кем) to agree, to come to an understanding (with one); to become reconciled (with).

сла́зить *cf.* **ла́зить.**

сла́мыва-ть II. *va.* (*Pf.* слом-а́ть II. & слом=и́ть II. 7. [c]) to break, to demolish; to conquer, to subdue; **сломя́ го́лову** head over heels.

сла́нец *s.* (*gsg.* -нца) schist.

сла́сти *s. fpl.* [c] sweets, sweetmeats *pl.*

сласт=и́ть I. 4. [a] *va.* (*Pf.* по-) to sweeten.

сласто/лю́бец *s.* (*gsg.* -бца) sensual man || **-люби́вый** *a.* sensual.

сласть *s. f.* [c] sweetness.

слать 40. *va.* (*Pf.* по-) to send.

слащ/а́вый *a.* sweetish || **-е** *cf.* **сла́дкий.**

сле́ва *ad.* from the left.

слега́-ть II. *va.* (*Pf.* слечь 43. [b 2.]) to take to one's bed; to be bedridden.

слегка́ *ad.* lightly, slightly; superficially.

след *s.* [b°] track, footprint, footstep; (*fig.*) trace, vestige; sole of the foot.

след=и́ть I. 1. [a] *va.* (*Pf.* на-) to leave traces on; (*Pf.* о-, вы́-) to track, to trail, to pursue || ~ *vn.* (*Pf.* про-, по-) (за чем) to watch, to keep an eye on.

сле́д/ование *s.* (за кем) following; procession; (*mil.*) march; (чего́ *leg.*) inquiry || **-ова́тель** *s. m.*, **суде́бный** ~ (*leg.*) examining magistrate || **-о+вать** II. *vn.* (*Pf.* по-) (за + *I.*) to follow, to go after; (+ *D.*) to follow, to imitate || ~ *v.imp.* to be due *or* fit, to become (one); **ско́лько -ует с меня́?** how much do I owe you? **вам -ует учи́ться** you ought to learn || **-ственный** *a.* inquiry-, of inquiry || **-ствие** *s.* consequence, result; (*leg.*) inquest, investigation || **-ующий** (-ая, -ее) *a.* following, next; **на ~ день** the day after, the next day; **-ующим о́бразом** in the following way.

слёжива-ться II. *vn.* (*Pf.* слеж=а́ться I. [a]) to be spoiled by lying.

слеза́ *s.* [e] tear.

слеза́-ть II. *vn.* (*Pf.* слезть 25. [b 1.]) to descend, to come, to get down, to alight; to glide down; to wear off (of paint); to come off (of hairs); to peel off (of skin).

слези́нка *s.* (*gpl.* -нок) *dim. of* слеза́.

слез=и́ться II. [a] *vn.* to be full of tears (of the eyes).

слезли́вый *a.* tearful, weeping.

слёз/ный *a.* of tears; deplorable, woeful, sorrowful || **-но** *ad.* tearfully, with tears in the eyes.

слезотече́ние *s.* (*med.*) epiphora.

слезть *cf.* **слеза́ть.**

слеп/е́нь *s. m.* [a] (*gsg.* -пня́) gad-fly, horse-fly || **-е́ц** *s.* [a] (*gsg.* -пца́) a blind man || **-и́ть, -ля́ть** *cf.* **лепи́ть.**

сле́пнуть 52. *vn.* (*Pf.* о-) to become *or* to grow blind.

слеп/ова́тый *a.* weak-sighted, short-sighted || **-о́й** *a.* blind, sightless || ~ (*as s.*) a blind man || **-а́я** (*as s.*) a blind woman.

сле́пок *s.* (*gsg.* -пка) copy, impression, cast.

слепо/рождённый *a.* born blind || **-та́** *s.* blindness.

слес/а́р=ить II. & **-а́рнича-ть** II. *vn.* to follow the trade of a locksmith || **-а́рня** *s.* locksmith's shop || **´-арский** *a.* locksmith's || **´-арство** *s.* locksmith's trade || **´-арь** *s. m.* [& b] (*pl.* -и & -я́) locksmith.

слёт *s.* flying up, flight; flock (of birds).

слета́-ть II. *vn.* (*Pf.* слет=е́ть I. 2. [a]) to fly down, off, away; (с + *P.*) to fall down, to tumble down || **~ся** *vr.* to fly together, to flock.

слётом *s.* (*gsg.* -тка) fledgling.

слечь *cf.* **слегать.**

слива *s.* plum; plum-tree.

слива-ть II. *va.* (*Pf.* слить 27. [a 3.], *Fut.* солью, -ьёшь, etc.) to pour off; (*chem.*) to decant; to pour together; to cast, to found.

слив/ки *s. fpl.* (*G.* -вок) cream || **–ный** *a.* plum- || **–няк** *s.* [a] orchard of plum-trees || **–очник** *s.* cream-jug || **–очный** *a.* cream-, of cream || **–янка** *s.* (*gpl.* -янок) plum-brandy.

сли/зень *s. m.* (*gsg.* -зня) slug || **–зетечение** *s.* (*med.*) blennorrhea || **–зистый** *a.* slimy; (*med.*) mucous || **–зкий** *a.* (*comp.* слизче) slippery; slimy || **–зняк** *s.* [a] mollusc || **–зыва-ть** II. *va.* (*Pf.* -з-ать I. 1. [c], *mom.* -зн-уть I.) to lick off || **–зь** *s. f.* slime; (*med.*) mucus.

слинять *cf.* **линять.**

слипа-ть(-ся) II. *vn.* (*Pf.* слипнуть[-ся] 52.) to stick (to), to cling together; to shut, to close (of the eyes).

слит/ие *s.* pouring off; melting, fusion; blending || **–ковый** *a.* bar-, ingot- || **–ный** *a.* united, conjoint; (*gramm.*) inseparable || **–ок** *s.* (*gsg.* -тка) bar, ingot || **–ь** *cf.* **сливать.**

слича-ть II. *va.* (*Pf.* слич=ить I. [a]) to compare, to collate.

слишком *ad.* too; too much; **~ много** (much) too much; **~ сто рублей** more than a hundred roubles; **это ~!** that's going too far!

слияние *s.* union; confluence (of rivers); amalgamation, fusion (of interests).

слобода *s.* [f] large village on main road; (*obs.*) suburb.

словар/ик *s. dim. of* словарь || **–ный** *a.* of dictionary *or* lexicon || **–ь** *s. m.* [a] dictionary, lexicon.

словес/ник *s.* man of letters, literary man || **–ность** *s. f.* literature; letters *pl.* || **–ный** *a.* verbal, oral.

словечко *s.* (*gpl.* -чек) *dim.* word; **замолвить доброе ~** (за кого) to put in a good word for one.

словить *cf.* **ловить.**

слов/но *ad.* as, as if, as though, so to say || **–о** *s.* [b] word; term, speech, discourse, talk; **честное ~** honour bright, (upon my) word of honour; **дар –а** gift of eloquence; (*fam.*) gift of the gab; **~ в ~** word for word || **–олитец** *s.* (*gsg.* -тца) & **–олитчик** *s.* type-founder || **–олитня** *s.* type-foundry || **–оохотливый** *a.* talkative, wordy, verbose, loquacious || **–опрение** *s.* controversy || **–опроизводство** *s.* etymology || **–осочинение** *s.* syntax || **–оударение** *s.* accentuation of words || **–цо** *s. dim. of* слово.

слог *s.* [b°] syllable; style (of writing).

слоёный *a.*, **–ое тесто** puff-paste.

слож/ение *s.* joining, putting together; resignation (from an office); (bodily) constitution; temperament; (*math.*) addition || **–ить** *cf.* **складывать, класть** & **слагать** || **´ность** *s. f.* complexity; composite structure; **в ´ности** on an average, on the whole || **´ный** *a.* compound, composite; complicated, complex.

слоистый *a.* in layers, in strata; puff-paste-.

сло=иться II. [a] *vr.* to form layers; to be stratified; to peel off in layers *or* in scales, to scale.

слой *s.* [b°] layer, stratum; coating, coat (of paint).

слом/ *s.* & **´ка** *s.* (*gpl.* -мок) breaking down, demolition || **–ать, –ить** *cf.* **ломать.**

слон/ *s.* [a] elephant; (at chess) bishop || **–ёнок** *s.* (*pl.* -ята, etc.) young elephant || **–иха** *s.* female elephant, cow-elephant || **–овый** *a.* elephant's; **–овая кость** ivory.

слоня-ться II. *vr.* (*Pf.* по-) to stroll, to saunter about.

слопать *cf.* **лопать.**

слуга *s. m.* [e] servant.

служ/ака *s. m.* a zealous soldier *or* servant || **–анка** *s.* (*gpl.* -анок) servant (-maid, -girl), maid(servant) || **–ащий** (-ая, -ее) *a.* serving-, in service || **´ба** *s.* service; office; (*ec.*) ministration, (divine) service; (*in pl.*) domestic offices, outhouses *pl.* || **–ебник** *s.* mass-book, missal; ritual || **–ебный** *a.* service-, official || **–ивый** (*as s.*) soldier || **–итель** *s. m.*, **–ительница** *s.* official, attendant, servant || **–ительская** (*as s.*) servants' room.

служ=ить I. [c] *vn.* (*Pf.* по-, про-) to serve, to wait on one; to serve as, to be in one's service; to assist (with).

служка *s. m.* (*gpl.* -жек) servant (in monastery); bootjack.

слукавить *cf.* **лукавить.**

слупа-ть II. & **слупля-ть** II. *va.* (*Pf.* слуп=ить II. 7. [c]) to peel, to strip off; to shell; (с кого что *fig.*) to screw out of.

слух/ *s.* hearing; rumour, report, hearsay; **носится ~** it is rumoured; **о нём ни ∠у ни духу** nothing has been heard of him || **–овой** *a.* hearing, of hearing, auditory.

случ/ай *s.* occurrence, event; chance, opportunity; circumstance; **несчастный ~** accident; **в –ае** in case; **во всяком –ае** in any case, at all events || **–айно** *ad.* by chance, accidentally, casually || **–айный** *a.* accidental, casual, chance; fit, opportune.

случа-ть II. *va.* (*Pf.* случ=ить I. [a]) to pair, to couple || **~ся** *v.imp.* to happen, to occur, to come to pass; **мне случилось быть там** I happened to be there.

слушатель/ *s. m.*, **–ница** *s.* auditor, student; (*in pl.*) audience.

слуша-ть II. *va.* (*Pf.* по-) to hear, to listen to, to attend to; **слушай!** (*mil.*) attention! **слушаю-с!** certainly, Sir! at your service! || **~ся** *vn.* to obey, to take advice.

слыть 31. [a 3.] *vn.* (*Pf.* про-) (+ *I. or* за + *A.*) to be reputed, to pass for.

слых=ать I. [b] *vn.* (*Pf.* у-) to hear of.

слыш=ать I. *va.* (*Pf.* у-) to perceive, to notice, to hear || **~ся** *v.imp.* (*Pf.* по-), **мне слышится** I seem to hear, it seems to me.

слышный *a.* perceptible, audible; **что –но нового?** what news?; **–но** they say, it is reported that.

слюбля-ться II. *vrc.* (*Pf.* слюб=иться II. 7. [c]) to grow fond of one another.

слюда *s.* (*min.*) mica.

слюна *s.* [d] saliva, spit(tle), drivel.

слюн=ить II. *va.* (*Pf.* за-) to slaver, to (be)slabber, to drivel.

слюн/ка *s.* (*gpl.* -нок) (drop of) spittle; **у меня –ки текут** it makes my mouth water || **–отечение** *s.* salivation || **–явый** *a.* drivelling, slabbering.

слякот/ный *a.* slushy, damp || **–ь** *s. f.* slushy, damp weather.

сма/зка *s.* (*gpl.* -зок) greasing, smearing (over); grease || **–зливый** *a.* pretty, comely || **–зной** *a.* greased, smeared || **–зочный** *a.* grease-, oil- || **–зыва-ть** II. *va.* (*Pf.* -з-ать I. 1.) to grease, to smear; to lubricate || **–ь** *s. f.* grease.

смако+вать II. [b] *va.* (*Pf.* по-) to smack, to taste.

сманива-ть II. *va.* (*Pf.* сман=ить II. [a & c]) to entice, to lure, to decoy.

смарагд *s.* emerald.

смастерить *cf.* **мастерить.**

сматыва-ть II. *va.* (*Pf.* смота-ть II.) to wind off; to wind up (into a ball).

смач/ива-ть II. *va.* (*Pf.* смоч=ить I. [c]) to moisten, to wet || **–ный** *a.* tasty, savoury.

смежа-ть II. *va.* (*Pf.* смеж=ить I. [a]) to shut, to close (the eyes).

смеж/но *ad.* hard by, close by, near at hand || **–ность** *s. f.* neighbourhood, vicinity || **–ный** *a.* neighbouring, adjacent; (*geom.*) adjoining.

смекалка *s.* (*gpl.* -лок) perception, perceptive faculty, power of comprehension.

смека-ть II. *va.* (*Pf.* смекн-уть I. [a]) to understand, to comprehend.

смел/ость *s. f.* boldness, daring || **–ый** *a.* bold, daring || **–ьчак** *s.* [a] fearless man, dare-devil.

сме/на *s.* replacement, change; (*mil.*) relief; shift (of work) || **–нный** *a.* changeable || **–няемый** *a.* removable || **–ня-ть** II. *va.* (*Pf.* -н=ить II. [a & c]) to change, to exchange, to shift; to replace; (*mil.*) to relieve.

смерд=еть I. 1. [a] *vn.* to stink.

смерить *cf.* **мерить.**

смерка-ться II. *v.imp.* (*Pf.* смеркн-уться I.) to grow dark.

смерт/ельный *a.* mortal, deadly; excessive, utmost || **∠ность** *s. f.* mortality || **∠ный** *a.* mortal; deadly || **~** (*as s.*) a mortal || **–оносный** *a.* death-dealing || **–оубийство** *s.* manslaughter, murder || **–ь** *s. f.* [c] death; decease || **~** *ad.* extremely.

смерч *s.* water-, (wind-)spout, tornado, cyclone.

сместить *cf.* **смещать.**

смесь *s. f.* medley, mixture, mixing.

смет/а *s.* estimate, calculation || **–ана** *s.* sour cream.

смета-ть II. *va.* (*Pf.* смести 23. [a 2.]) to sweep off, away, down; to sweep up.

смётка *s.* (*gpl.* -ток) sweeping off; perception (of), cleverness, skill.

смет/ливый *a.* intelligent, sharp-sighted, penetrating || **–ный** *a.* estimated.

смётыва-ть II. *va.* (*Pf.* смета-ть II.) to throw, to fling down; to sew onto, to tack, to baste.

сме-ть II. *vn.* (*Pf.* по-) to dare, to risk, to venture.

смех/ *s.* laugh(ter); mirth, joke; **в ~** for fun; **со –у покатиться** to burst one's sides with laughter; **мне не до ∠у** I am not inclined for joking; **на ~** in defiance (of) || **–отворный** *a.* laughable, funny, droll.

смешéние *s.* mixture, mixing; confusion.
смéшива-ть II. *va.* (*Pf.* смешá-ть II.) to mix, to mingle (together); to jumble together; (*fig.*) to confound || **~ся** *vr.* to get mixed; (*fig.*) to get perplexed.
смеш=йть I. [a] *va.* (*Pf.* на-, по-, рас-) to make one laugh.
смеш/ли́вый *a.* disposed to laugh, fond of laughing || **-нó** *ad.*, **вам ~** you are joking || **-нóй** *a.* droll, funny, comical, ludicrous.
смещá-ть II. *va.* (*Pf.* смест=йть I. 4. [a]) to dismiss, to discharge.
сме-я́ться II. [a] *vc.* (*Pf.* за-) (+ *D.* or над + *I.*) to laugh (at), to deride, to make fun (of), to ridicule.
сми́ло+ваться II. *vr.* (над + *I.*) to have compassion, mercy (on).
сми/рéние *s.* reconciliation; humility, meekness || **-рé-ть** II. *vn.* (*Pf.* при-) to become gentle or meek || **-ри́тельный** *a.* appeasing, calming, taming; **~ дом** workhouse, house of correction; **-ая рубáшка** strait-waistcoat || **´-рный** *a.* mild, gentle, meek, tame || **-ря́-ть** II. *va.* (*Pf.* -р=йть II. [a]) to appease, to still, to soften down; to subdue, to tame, to master; to humiliate.
смогу́, смóжешь *cf.* **мочь.**
смóк/ва *s.* fig || **-óвница** *s.* fig-tree.
смол/á *s.* resin; tar; **чёрная ~** pitch; **гóрная ~** asphalt, bitumen || **-евóй** *a.* of resin; pitch-, tar-; tarred || **-и́стый** *a.* resinous.
смóлкнуть *cf.* **мóлкнуть.**
смóлоду *ad.* from one's youth.
смол/оти́ть *cf.* **молоти́ть** || **-óть** *cf.* **молóть** || **-чáть** *cf.* **молчáть** || **-ь** *s. f.* pitch; soot; **чёрный как ~** black as pitch, pitch-dark, jet-black || **´-ьный** *a.* of resin; pitch-, tar- || **´-ьня** *s.* tar-works *pl.* || **-янóй = ´-ьный.**
сморкá-ть(-ся) II. *va.*(*vr.*) (*Pf.* сморк-н-ýть[-ся] I. [a]) to blow one's nose.
сморóдина *s.* (red) currant; currant-bush.
смор/чóк *s.* [a] (*gsg.* -чкá) morel (mushroom) || **´-щить** *cf.* **мóрщить.**
смотáть *cf.* **смáтывать & мотáть.**
смотр/ *s.* inspection; (*mil.*) review, muster; **~ войскáм** parade || **-и́ны** *s. fpl.* visit of bridegroom to bride || **-и́тель** *s. m.* overseer, inspector || **-и́тельница** *s.* forewoman, overseer.
смотр=éть II. [c] *vn.* (*Pf.* по-) (на что) to look (at), to view, to see; (за кем, за чем) to look after, to superintend, to supervise; **смотри́** take care; **тогó и смотри́, что ...** before one is aware of it...; **смотря́** (по + *D.*) according to.
смочи́ть *cf.* **смáчивать & мочи́ть.**
смочь *cf.* **мочь.**
смошéнничать *cf.* **мошéнничать.**
смрад/ *s.* stench, stink, offensive smell || **´-ный** *a.* stinking, fetid.
смугл/é-ть II. *vn.* (*Pf.* по-) to grow or to become swarthy || **-оли́цый** *a.* tawny, swarthy, dark of complexion || **´-ость** *s. f.* swarthiness || **´-ый** *a.* tawny, swarthy, sunburnt (of skin) || **-я́нка** *s.* (*gpl.* -нок) woman with a swarthy complexion, brunette.
смудри́ть *cf.* **мудри́ть.**
смýрый *a.* dark-grey.
смýт/ность *s. f.* disturbance; uncertainty; confusion || **-ный** *a.* disturbed; uncertain; confused; gloomy; seditious.
смущ/á-ть II. *va.* (*Pf.* смут=йть I. 6. [a]) to disturb, to agitate; to shake; to confuse, to take aback, to nonplus || **~ся** *vr.* to be confused, perplexed, troubled || **-éние** *s.* disturbance, agitation; confusion.
смывá-ть II. *va.* (*Pf.* смыть 28. [b]) to wash off, away; (*fig.*) to wipe out.
смыкá-ть II. *va.* (*Pf.* сомкн-ýть I. [a]) to shut, to close (one's eyes); (*mil.*) to close up.
смысл *s.* sense, meaning; judg(e)ment, understanding; **здрáвый ~** common sense.
смы́слить 40. *va.* to understand, to know; to be skilled (in).
смыть *cf.* **смывáть.**
смы́ч/ка *s.* (*gpl.* -чек) (*tech.*) joining, clamp(ing) || **-кóвый** *a.* string-, stringed || **-óк** *s.* [a] (*gsg.* -чкá) fiddlestick, bow (of violin); leash, couple.
смышлёный *a.* intelligent, clever, smart, versed, skilled (in).
смяг/чá-ть II. *va.* (*Pf.* -ч=йть I. [a]) to moisten, to soften, to soak; (*fig.*) to assuage, to soothe, to calm, to appease, to mitigate || **-чéние** *s.* moistening; (*fig.*) softening, mollifying, soothing, mitigation.
смя́кнуть *cf.* **мя́кнуть.**
смят/éние *s.* disturbance, agitation, confusion, revolt, tumult, sedition, riot || **´-ка** *cf.* **всмя́тку.**
снаб/жá-ть II. *va.* (*Pf.* -д=йть I. 1. [a]) (чем) to provide, to supply, to furnish (with) || **-жéние** *s.* supply, provision, providing.

сна́добье *s.* ingredient, spice; condiment, seasoning; medicament.
снар/у́жи *ad.* outside, from outside, outwardly || **–я́д** *s.* (*esp. in pl.*) preparations, arrangements *pl.*; furniture, implements *pl.*, apparatus; equipment; (*mil.*) bomb, shell, projectile || **–яжа́-ть** II. *va.* (*Pf.* -яд=и́ть I. 1. [a]) to equip, to fit out, to furnish (with) || **–яже́ние** *s.* outfit, equipment, provision.
снасть *s. f.* tool, implement; (*mar.*) tackle, rigging.
снача́ла *ad.* at first, from the beginning; to begin with, anew, afresh.
сна́шива-ть II. *va.* (*Pf.* снос=и́ть I. 3. [c]) to bring together (from different places) (*iter. of* сноси́ть, снести́).
снег/ *s.* [b*] snow; ~ **идёт** it is snowing; **как ~ на́ голову** like a bolt from the blue || **–и́рь** *s. m.* [a] bullfinch || **–ово́й** *a.* snow-; **–ова́я вода́** snow-water || **–очисти́тель** *s. m.* (*rail.*) snow-plough || **–у́рка** *s.* (*gpl.* -рок) & **–у́рочка** *s.* (*gpl.* -чек) (*orn.*) snow-bunting; (in fairy-tales) Little Snow-white.
снеж/и́на *s.*, *dim.* **–и́нка** *s.* (*gpl.* -нок) snow-flake || **–и́стый** *a.* plenty of snow; ~ **год** year with plenty of snow || **–́ный** *a.* snowy, covered with snow; snow-white; snow-; ~ **обва́л** snow-drift || **–о́к** *s.* [a] (*gsg.* -жка́) *dim.* (light) snow; snowball; **игра́ть в –ки́** to play at snowballing, to snowball.
снесе́ние *s.* carrying away, tearing away (of water); bearing, enduring.
снести́ *cf.* **сноси́ть.**
снеги́рь = **снеги́рь.**
сни/зойти́ *cf.* **снисходи́ть** || **–́зу** *ad.* below, from below || **–́зыва-ть** II. *va.* (*Pf.* -з-а́ть I. 1. [c]) to string (beads, pearls, etc.).
снима́-ть II. *va.* (*Pf.* снять 37. [c 3.]) to take off, down, away; to trace (a plan); to gather in (a crop); to cut (cards); to take (a portrait); to skin (milk); to free, to release; to relieve; to snuff (a candle); to undertake; to raise (a siege); to refloat (a ship) || **~ся** *vr.* to fly away; to start off; to get one's portrait taken; **~ с я́коря** to weigh anchor.
сни́м/ка *s.* (*gpl.* -мок) taking off, down, etc. || **–ок** *s.* (*gsg.* -мка) copy; (*typ.*) impression.
сни́скива-ть II. *va.* (*Pf.* сниск-а́ть I. 4. [c]) to obtain, to earn, to gain, to win.
снис/ходи́тельный *a.* indulgent, compliant, condescending || **–ход=и́ть** I. 1. [c] *vn.* (*Pf.* снизойти́ 48.) to condescend; (к + *D.*) to yield, to agree to, to give ear (to one); (+ *D.*) to show indulgence to || **–хожде́ние** *s.* indulgence, condescension; granting || **–ше́ствие** *s.* descent.
сн=и́ться II. *v.imp.* (*Pf.* при-) to dream; **мне сни́лось** I dreamt.
снобро́д/ *s.*, **–ка** *s.* (*gpl.* -док) sleep-walker, somnambulist.
сно́ва *ad.* anew, (over)again.
сно+ва́ть II. [a] *va.* (*Pf.* про-) (*tech.*) to warp || ~ *vn.* to scurry about; to go, to run, to fly to and fro.
сно/виде́ние *s.* vision, phantom, dream || **–ви́дец** *s.* (*gsg.* -дца), **–ви́дица** *s.* [dreamer.
сноп *s.* [a] sheaf.
сноро́вка *s.* (*gpl.* -вок) skill, knack, dexterity.
снос *s.* taking away; demolition; theft; *coll.* stolen goods *pl.*
снос=и́ть I. 3. [c] *va.* (*Pf.* снести́ & снесть 26. [a 2.]) to bring down, to take down; to take away; to steal, to rob; to endure, to bear; to reduce, to deduct; to demolish; to discard (a card) || **~ся** *vr.* (с кем о чём) to concert, to agree; to confer, to treat about; to negotiate.
сно́с/ка *s.* (*gpl.* -сок) bringing down, taking off || **–ливый** *a.* patient, tolerant; strong, hardened, hardy || **–ный** *a.* stolen; discarded; tolerable, endurable.
снотво́рный *a.* narcotic, soporific.
снոха́ *s.* [e] daughter-in-law.
сноше́ние *s.* bearing, enduring; relation, intercourse, dealing.
снюхива-ться II. *vrc.* (*Pf.* снюха-ться II.) (с + *I.*) to come to a secret understanding (with one).
сня́тие *s.* taking down *or* off; (*mil.*) raising (of a siege).
снять *cf.* **снима́ть.**
со = **с.**
соба́/ка *s.* dog || **–чий** (-ья, -ье) *a.* dog's, dog- || **–чина** *s.* dog's flesh || **–чка** *s.* (*gpl.* -чек) *dim.* pup, puppy; **спуско-ва́я ~** trigger (of a gun) || **–чник** *s.* dog-fancier, dog-breeder || **–чо́нка** *s.* (*gpl.* -нок) little cur || **–чо́ночка** *s.* (*gpl.* -чек) nice little dog.
собесе́д/ник *s.*, **–ница** *s.* conversationalist || **–ование** *s.* conversation, colloquy || **–о+вать** II. *vn.* to converse, to bear one company. [collective.
собира́тель/ *s. m.* collector || **–ный** *a.*

собира́-ть II. *va.* (*Pf.* собра́ть 8. [a 3.]) to gather, to collect; to assemble; to hoard up. to heap up; to summon, to convoke, to convene; to get ready || **~ся** *vr.* to gather, to collect; to assemble, to meet; to prepare, to get ready; to be about to, to intend.

соблаговоля́ть *cf* **благоволя́ть.**

собла́з/н *s.* seduction; temptation || **–не́ние** *s.* seduction, enticement || **–ни́тель** *s. m.* seducer, tempter || **–ни́тельный** *a.* seductive, tempting || **–ня́-ть** II. *va.* (*Pf.* -н=и́ть II. [a]) to seduce, to entice, to tempt || **~ся** *vr.* to be seduced *or* tempted.

соблюд/а́-ть II. *va.* (*Pf.* соблюсти́ 22. [a 2.]) to observe, to keep, to fulfil, to accomplish, to perform || **–е́ние** *s.* observation, fulfilment, performance.

соболе́зно+вать II. *vn.* to condole.

собо́лий (-ья, -ье) *a.* (of) sable.

со́боль *s. m.* [c] sable; sable-skin.

собо́р/ *s.* cathedral; council, assembly; synod || **–ный** *a.* cathedral-; council- || **–о+вать** II. *va.* (*Pf.* о-) to administer extreme unction to || **~ся** *vr.* to receive extreme unction.

собра́н/ие *s.* collection, gathering; session, assembly, meeting; party, society, club || **–ьице** *s. dim. of prec.*

собра́т/ *s.* colleague, fellow || **–ство** *s.* brotherhood, confraternity.

собра́ть *cf.* **собира́ть.**

со́бств/енник *s.* proprietor, owner || **–енница** *s.* proprietress, owner || **–енно** *ad.* really, in truth; properly, strictly; **~ говоря́** strictly speaking || **–енору́чный** *a.* autograph || **–енность** *s. f.* property || **–енный** *a.* own; proper; real, true.

собуты́льник *s.* boon-companion, toper.

собы́тие *s.* event, fact.

сова́ *s.* [e] owl.

со+ва́ть II. [a & b] *va.* (*Pf.* су́н-уть I.) to shove, to push, to move; to pocket; to thrust || **~ся** *vr.* to shove by; to intrude, to meddle (with), to interfere (in).

совер/ша́-ть II. *va.* (*Pf.* -ш=и́ть I. [a]) to accomplish, to fulfil, to perform, to achieve; to commit; to conclude (a bargain); to make (a voyage) || **~ся** *vr.* to be accomplished, etc. || **–ше́ние** *s.* accomplishment, achievement; completion, performance; perpetration; conclusion || **–ше́нно** *ad.* quite, entirely, wholly, completely, perfectly || **–шеннолéтие** *s.* majority, (full) age || **–шеннолéтний** *a.* of age || **–ше́нный** *a.* perfect, accomplished; entire, whole, complete, total; (*gramm.*) perfect(ive) || **–ше́нство** *s.* perfection, accomplishment || **–ше́нство+вать** II. *va.* (*Pf.* у-) to improve on, to perfect || **–ши́тель** *s. m.* one who achieves, etc.

со́вест/ливый *a.* conscientious, scrupulous || **–ный** *a.* of conscience || **–ь** *s. f.* conscience.

сове́т/ *s.* counsel, advice; council; Soviet; decree, decision, conclusion || **–ник** *s.* counsellor, adviser || **–о+вать** II. *va.* (*Pf.* по-) to counsel, to advise || **~ся** *vrc.* (с кем) to consult, to deliberate (on, about), to take the advice (of) || **–ский** *a.* council-; Soviet-.

совещ/а́ние *s.* deliberation, conference, council; consultation || **–а́тельный** *a.* consulting, consultative.

сови́ный *a.* owl's.

совладе́/лец *s.* (*gsg.* -льца), **–лица** *s.* joint owner, copartner || **–ние** *s.* joint ownership; (*leg.*) joint possession.

совладе́-ть II. *vn.* *Pf.* (с + *I.*) to overpower, to conquer; to manage; to accomplish, to succeed in.

совлека́-ть II. *va.* (*Pf.* совле́чь 18. [a 2.]) to take off *or* down (the cloak, etc.); to strip, to divest.

совмести́мый *a.* compatible.

совме́стный *a.* compatible; (con)joint.

совме/ща́-ть II. *va.* (*Pf.* -ст=и́ть I. 4. [a]) to (re)unite, to put together; to agree upon, to arrange.

сово́к *s.* [a] (*gsg.* -вка́) scoop.

совоку/пле́ние *s.* union; (плотское) coition, copulation || **–пля́-ть** II. *va.* (*Pf.* -п=и́ть II. 7. [c]) to join, to unite || **~ся** *vr.* to join; to pair, to mate.

совоку́пный *a.* (con)joint, united.

совпад/а́-ть II. *vn.* (*Pf.* совпа́сть 22. [a 1.]) to coincide (with) || **–е́ние** *s.* coincidence.

соврати́тель/ *s. m.* debaucher, seducer || **–ный** *a.* seducing, leading astray.

совра́ть *cf.* **врать.**

совра/ща́-ть II. *va.* (*Pf.* -т=и́ть I. 6. [a]) to turn aside, to lead astray, to mislead; to seduce.

совреме́н/ник *s.*, **–ница** *s.* contemporary || **–ность** *s. f.* contemporariness; present time || **–ный** *a.* contemporary; present; up to date.

совсе́м *ad.* altogether, quite, wholly, entirely; **~ нет** not at all.

согла́с/ие *s.* harmony, unison, concord;

consent, assent || **-и́ть** *cf.* **соглаша́ть** || **-но** *ad.* in harmony; on good terms; (*D. or* с + *I.*) according to, in compliance with || **-ный** *a.* harmonious; conformable; consenting; **-ная бу́ква** (*gramm.*) consonant || **-ова́ние** *s.* concordance, accordance || **-о+ва́ть** II. [b] *va.* to conciliate; (*gramm.*) to make agree || **~ся** *vr.* (с + *I.*) to agree, to accord, to square (with).
согла/ша́тельство *s.* agreement || **-ша́-ть** II. *va.* (*Pf.* -с=и́ть I. 3. [a]) to induce; (с кем) to conciliate, to reconcile || **~ся** *vr.* (на что) to consent, to comply; (с кем в чём) to agree || **-ше́ние** *s.* agreement, terms *pl.*; assent, consent.
соглята́тай *s.* spy, scout.
согна́ть *cf.* **сгоня́ть.**
согну́ть *cf.* **сгиба́ть** & **гнуть.**
согрев/а́ние *s.* warming || **-а́тельный** *a.* warming || **-а́-ть** II. *va.* (*Pf.* согре́-ть II.) to heat, to warm (up), to make warm.
согре/ша́-ть II. *vn.* (*Pf.* -ш=и́ть I. [a]) to sin, to transgress || **-ше́ние** *s.* sin, transgression; offence.
согруби́ть *cf.* **груби́ть.**
со́да *s.* soda.
соде́йств/ие *s.* cooperation; assistance, help || **-о+вать** II. *vn.* (в чём) to cooperate, to concur; to assist one (in), to help one (to do a thing).
содерж/а́ние *s.* maintenance, keeping; keep, support; contents *pl.*, subject; salary; (*math.*) ratio || **-а́нка** *s.* (*gpl.* -нок) (kept) mistress || **-а́тель** *s. m.* owner, keeper, proprietor.
содерж=а́ть I. [c] *va.* to keep, to entertain; to detain to confine; to maintain, to support; to contain, to hold || **~ся** *vr.* to support o.s.; to be contained in.
содержи́мое (*as s.*) contents *pl.*
соде́ять *cf.* **де́ять.**
со́довый *a.* soda-.
содра́ть *cf.* **сдира́ть.**
содро/га́ние *s.* shudder, shiver, trembling || **-га́-ться** II. *vn.* (*Pf.* -гн-у́ться I. [a]) to shudder, to shiver, to tremble.
соеди/не́ние *s.* junction; (*fig.*) union; fusion || **-ни́тельный** *a.* joining-, junction-; uniting; (*gramm.*) copulative || **-ня́-ть** II. *va.* (*Pf.* -н=и́ть II. [a]) to unite, to join (with).
сожал/е́ние *s.* compassion, pity, regret (for); **к -е́нию** unfortunately || **-е́-ть** II. *vn.* (о + *Pr.*) to pity, to take pity, to be sorry, to regret.
сожже́ние *s.* burning, consuming.
сожига́ть *cf.* **сжига́ть.**
сожи́тель/ *s. m.*, **-ница** *s.* contemporary; inmate; spouse || **-ство** *s.* cohabitation || **-ство+вать** II. *vn.* (с кем) to cohabit.
сожи́тие *s.* cohabitation.
сожра́ть *cf.* **жрать.**
созва́ть *cf.* **сзыва́ть.**
созве́здие *s.* (*astr.*) constellation.
созвон=и́ться II. [a] *vn.* to communicate by telephone.
созву́ч/ие *s.* harmony; (*poet.*) assonance || **-ный** *a.* harmonious, euphonious.
соз/дава́ть 39. [a] *va.* (*Pf.* -да́ть 50.) to create, to make, to produce; to found || **-да́ние** *s.* creation; creature || **-да́тель** *s. m.* Creator, maker; founder.
созерц/а́ние *s.* contemplation, meditation || **-а́тель** *s. m.* contemplator || **-а́тельный** *a.* contemplative || **-а́-ть** II. *va.* to contemplate, to meditate; to penetrate.
созид/а́ние *s.* erection, construction || **-а́тель** *s. m.* builder, founder || **-а́-ть** II. *va.* to erect, to build; (*fig.*) to edify.
соз/нава́ть 39. [a] *va.* (*Pf.* -на́-ть II.) to acknowledge, to recognize; to be conscious *or* aware (of a thing) || **~ся** *vr.* to confess, to avow || **-на́ние** *s.* acknowledgment; confession, avowal || **-на́тельность** *s. f.* consciousness || **-на́тельный** *a.* conscious (of), done with thorough knowledge.
соз/рева́-ть II. *vn.* (*Pf.* -ре́-ть II.) to ripen, to mature || **-ре́лый** *a.* ripe, matured.
созы́/в *s.* convocation, summons || **-ва́ть** *cf.* **сзыва́ть.**
соизво/ле́ние *s.* consent, approval; approbation, sanction || **-ля́-ть** II. *vn.* (*Pf.* **-́**л=ить II.) to consent, to sanction.
соизда́тель *s. m.* co-editor.
соизмери́мый *a.* commensurable.
соиме́нный *a.* homonymous.
соиск/а́ние *s.* competition || **-а́тель** *s. m.* competitor, rival.
со́йка *s.* (*gpl.* со́ек) jay.
сойти́ *cf.* **сходи́ть.**
сок *s.* juice; gravy; (*bot.*) sap.
со́ко́/л *s.* hawk, falcon || **-лёнок** *s.* (*pl.* -ля́та) young hawk || **-́лик** *s. dim.* hawk || **-ли́ный** *a.* falcon's, hawk's || **-́льник** *s.* falconer.
сократи́тельный *a.* abbreviatory.
сокра/ща́-ть II. *va.* (*Pf.* -т=и́ть I. 6. [a]) to abbreviate, to abridge, to shorten, to curtail || **~ся** *vr.* to grow short; to di-

minish (of income); to shrink (of leather) || **-ще́ние** *s.* abbreviation; abridgment, epitome; (*math.*) reduction; shortening || **-щённый** *a.* abbreviated; abridged; short, concise.

сокрове́нный *a.* secret, occult; hidden, concealed.

сокро́вищ/е *s.* treasure; (*fig.*) rarity || **-ник** *s.* treasurer || **-ница** *s.* treasury, treasure-room.

сокру/ша́-ть II. *va.* (*Pf.* -ш=и́ть I. [a]) to break (up), to shatter, to smash (to pieces); (*fig.*) to subdue, to destroy, to ruin; to distress, to afflict || **~ся** *vr.* to be distressed; (*fig.*) to pine away (with grieve for) || **-ше́ние** *s.* breaking, shattering, destruction; subduing; affliction, grief; contrition, compunction || **-ши́тель** *s. m.* destroyer || **-ши́тельный** *a.* destructive.

сокрыва́ть *cf.* **скрыва́ть.**

солда́т/ *s.*, *dim.* **-ик** *s.* soldier || **-ка** *s.* (*gpl.* -ток) soldier's wife || **-ский** *a.* soldier's, soldierly || **-чина** *s.* military service; (*vulg.*) recruiting.

солева́р/ *s.* salter || **-ня** *s.* salt-works *pl.*

сол/е́ние *s.* salting || **-ёный** *a.* (*pd.* со́лон, солона́, со́лоно, -ы) salted || **-е́нье** *s.* salted provisions *pl.*

солида́рность *s. f.* solidarity.

соли́дный *a.* solid; strong, sound; steady.

соли́ст *s.* solist.

солите́р *s.* solitaire (jewel); (*zool.*) tapeworm.

сол=и́ть II. [a] *va.* (*Pf.* по-) to salt, to cure; (кому́ *fig.*) to spoil, to mar.

со́лн/ечный *a.* sun-, of the sun; solar; sunny || **-це** *s.* (*pl.* -ца & -цы) sun; sunshine || **-цестоя́ние** *s.* solstice || **-ышко** *s.* (*gpl.* -шек) *dim. of* со́лнце.

со́ло *s. indecl.* solo.

солове́й *s.* [a] (*gsg.* -вья́) nightingale.

солове́-ть II. *vn.* (*Pf.* по-, о-) to grow dim (of the eyes); to grow fallow-dun (of horses).

соло/во́й & **-́вый** *a.* fallow-dun (of horses).

со́лод/ *s.* malt || **-о́вник** *s.* maltster || **-о́вня** *s.* (*gpl.* -вен) malt-house.

соло́м/а *s.* straw; thatch || **-енный** *a.* of straw, straw; thatched || **-ина** *s.*, *dim.* **-инка** *s.* (*gpl.* -нок) a straw, stalk.

солон/е́-ть II. *vn.* (*Pf.* по-) to become salty || **-и́на** *s.* salt-meat.

соло́н/ка *s.* (*gpl.* -нок) salt-cellar || **-ова́тый** *a.* saltish || **-ча́к** *s.* [a] salt-marsh.

сол/ь *s. f.* [c & g] salt; (*fig.*) wit || **-я́нка** *s.* (*gpl.* -нок) a dish of cabbage with plenty of salt || **-яно́й** *a.* salt-, of salt.

сом/ *s.* [a] (*ich.*) silurus, sheat-fish, wels || **-кну́ть** *cf.* **смыка́ть** || **-намбули́ст** *s.* somnambulist || **-нева́-ться** II. *vc.* (*Pf.* усомн=и́ться II. [a]) to doubt, to suspect, to mistrust || **-не́ние** *s.* (в чём) doubt, suspicion, misgiving || **-ни́тельный** *a.* doubtful, uncertain; suspicious; mistrustful.

сон *s.* (*gsg.* сна) sleep; slumber; dream; **ви́деть во сне** to see in a dream, to dream (of).

сонасле́д/ник *s.* coheir, joint-heir || **-ница** *s.* coheiress, joint-heiress.

сона́та *s.* sonata.

соне́т/ *s.* sonnet || **-ка** *s.* (*gpl.* -ток) bell-rope, bell-pull.

сонли́вый *a.* sleepy, drowsy.

сонм *s.* assembly; crowd.

со́нник *s.* dream-book.

со́н/ный *a.* asleep, sleeping; drowsy, sleepy (of the eyes); sluggish, dull; dream- || **-я** *s. m&f.* sleepyhead, slugabed; (*zool.*) dormouse.

сообра/жа́-ть II. *va.* (*Pf.* -з=и́ть I. 1. [a]) to conform, to suit; to contrive; to examine, to consider || **~ся** *vr.* to conform, to comply (with) || **-же́ние** *s.* consideration, calculation, combination, comparison.

сообрази́тельный *a.* considering, weighing.

сообра́з/но *ad.* in conformity, suitably to; in accordance with || **-ный** *a.* conformable, suitable, uniform.

сооб/ща́ *ad.* conjointly, together || **-ща́-ть** II. *va.* (*Pf.* -щ=и́ть I. [a]) to communicate; to impart, to inform || **-ще́ние** *s.* communication || **-щи́тельный** *a.* communicative.

сообщ/ество *s.* society, company, corporation; association || **-ник** *s.* accomplice, party (to); partner, associate, companion || **-ничество** *s.* complicity, participation (in), interest; accord.

сооружа́-ть II. *va.* (*Pf.* -д=и́ть I. 1. [a]) to erect, to build (up) || **-же́ние** *s.* erection, building, structure; edifice.

соотве́тств/енно *ad.* (чему́) agreeably, suitably, correspondingly || **-енность** *s. f.* conformity, suitability, agreement || **-енный** *a.* conformable, agreeable, suitable || **-ие** *s.* agreement, conformity || **-о+вать** II. *vn.* (+ *D.*) to correspond, to suit, to agree (with); **~ це́ли** to answer the purpose.

сооте́чествен/ник *s.* (fellow-)countryman, compatriot || **-ница** *s.* (fellow-)countrywoman || **-ный** *a.* compatriot.

соотно/си́тельный *a.* correlative || **-ше́ние** *s.* correlation.
сопе́р/ник *s.* rival, competitor, antagonist, opponent || **-ничa-ть** II. *vn.* to rival, to emulate, to vie (with) || **-ничество** *s.* rivalry, competition.
соп=е́ть II. 7. *vn.* (*Pf.* за-, *mom.* соп-н-у́ть I. [a]) to snore to snort.
со́пка *s.* (*gpl.* -пок) small extinct volcano.
соплеме́нник *s.* man of the same tribe.
сопли́/вец *s.* (*gsg.* -вца), **-вица** *s.* snotty-nosed person || **-вый** *a.* snotty.
сопля́ *s.* (*us. in pl.* со́пли) snot.
сопну́ть *cf.* **сопе́ть.**
сопоста/вле́ние *s.* comparison; confrontation || **-вля́-ть** II. *va.* (*Pf.* ⌐в=ить II. 7.) to compare; to confront.
сопра́но *s. indecl.* soprano.
сопреде́льный *a.* adjacent, adjoining.
сопре́чь *cf.* **сопря́чь.**
сопри/каса́-ться II. *vrc.* (*Pf.* -косн-у́ться I.) to be adjacent, to adjoin; to be contiguous || **-косновение** *s.* contact || **-косновенный** *a.* adjacent, contiguous, in contact; (*jur.*) implicated, involved || **-ча́стник** *s.* participator, associate, accomplice || **-ча́стный** *a.* (чему́) participating, implicated || **-числя́-ть** II. *vn.* (*Pf.* -чи́сл=ить II.) (к чему́) to rank, to number (among).
сопрово/ди́тельный *a.* accompanying || **-жда́-ть** II. *va.* (*Pf.* -д=и́ть I. 1. [a]) to accompany, to conduct; (*mil.*) to escort || **-жде́ние** *s.* accompaniment; (*mil.*) escort.
сопроти/вле́ние *s.* resistance, opposition || **-вля́-ться** II. *vr.* (*Pf.* ⌐в=иться II. 7.) to resist, to oppose; to hold out.
сопряга́-ть II. *va.* (*Pf.* сопря́чь 15. [a 2.]) to join (with), to unite.
сопряже́ние *s.* union, junction.
сопу́н/ *s.* [a], **-ья** *s.* snorer.
сопу́тство+вать II. *vn.* (+ *D.*) to accompany, to travel (with one).
сор *s.* [°] litter, dirt, filth.
соразме́/рно *ad.* (чему́) in proportion to, according to || **-рность** *s. f.* proportionality, equality || **-рный** *a.* proportionate, fit, equal || **-ря́-ть** II. *va.* (*Pf.* -р=ить II.) to proportion; to regulate.
сора́тник *s.* companion in arms, fellow-soldier.
сорв/ане́ц *s.* [a] (*gsg.* -нца́) madcap, hare-brained fellow || **-а́ть** *cf.* **срыва́ть.**
соревн/ова́ние *s.* emulation, rivalry || **-о+ва́ть** II. [b] *vn.* (кому́ в чём) to rival, to emulate.
сор=и́ть II. [a & c] *va.* (*Pf.* на-) to fill with dirt; to stop up; (*Pf.* рас-) to squander, to waste.
со́рный *a.* dirty, filthy, full of litter; **-ая трава́** weed.
со́рок *num.* forty; **~-сороко́в** *s.* sixteen hundred; (*fig.*) a great number.
соро́к/а *s.* (*orn.*) magpie || **-адне́вный** *a.* of forty days || **-але́тие** *s.* forty years || **-арублёвый** *a.* worth forty roubles || **-ово́й** *num.* fortieth || **-оно́жка** *s.* (*gpl.* -жек) (*zool.*) milleped; wood-louse || **-опу́т** *s.* (*orn.*) speckled magpie.
соро́ч/ий (-ья, -ье) *a.* magpie's || **-ка** *s.* (*gpl.* -чек) shirt; blouse; (*an.*) caul; **он в -ке роди́лся** he was born with a silver spoon in his mouth.
сорт/ *s.* [b] sort, kind, class, quality || **-иро+ва́ть** II. [b] *va.* (*Pf.* рас-) to sort, to assort || **-иро́вка** *s.* (*gpl.* -вок) sorting, assortment || **-иро́вщик** *s.* sorter || **-ово́й** *a.* assorted.
сос-а́ть I. [a] *va.* (*Pf.* по-) to suck.
сосва́тыва-ть II. *va.* (*Pf.* сосва́та-ть II.) (кого́ кому́ *or* за кого́ *or* с кем) to betroth, to affiance (to).
сосе́д/ *s.* (*pl.* -и & -ы), **-ка** *s.* (*gpl.* -док) neighbour || **-ний** *a.* neighbouring || **-ский** *a.* neighbour's.
со́с/енка *s.* (*gpl.* -нок) small pine || **-и́ска** *s.* (*gpl.* -сок) small sausage || **-ка** *s.* (*gpl.* -сок) (children's) feeding-bottle.
соска́блива-ть II. *va.* (*Pf.* соскобл=и́ть II. [a & c]) to shave, to scrape off, to erase.
соска́кива-ть II. *vn.* (*Pf.* соскоч=и́ть I. [c]) to jump, to spring down *or* off; to fly off (of things), to come off; (*rail.*) to run off (the rails).
соска́льзыва-ть II. *vn.* (*Pf.* соскольз-н-у́ть I. [a]) to slip, to slide off *or* down.
соскреба́-ть II. *va.* (*Pf.* соскрести́ & соскре́сть [√скреб] 21. [a 2.]) to scrape, to scratch off *or* away.
соску́/чива-ться II. *vc.* (*Pf.* -ч=иться I.) to feel bored *or* dull, to find time hang heavy on one's hands.
сослага́тельный *a.*, **-ное наклоне́ние** (*gramm.*) subjunctive (mood).
сосла́ть *cf.* **ссыла́ть.**
сосло́в/ие *s.* class of society; **дворя́нское ~** the nobility || **-ный** *a.* of class, class-, of rank.
сослу/жи́вец *s.* (*gsg.* -вца) colleague || **-ж=и́ть** I. [c]) *va.*, **~** (кому́) **слу́жбу** to render s.o. a service.

сосн/á *s.* [e] pine(-tree), fir(-tree) || **-óвый** *a.* pine-, fir- || **-я́к** *s.* [a] pine-forest.
сосн-у́ть I. *vn.* to take a nap.
сосó/к *s.* [a] (*gsg.* -скá), *dim.* **-чек** *s.* (*gsg.* -чка) nipple, teat.
cóсочка *s.* (*gpl.* -чек) small feeding-bottle.
сосредо/тóченный *a.* concentrated || **-тóчива-ть** II. *va.* (*Pf.* -тóч=ить I.) (*mil.*) to concentrate (forces); to centralize (of administration).
состá/в *s.* composition, structure, formation; personnel; (*comm.*) staff; (*mil.*) effective force, complement; (*rail.*) rolling-stock || **-ви́тель** *s. m.* writer, author || **-влéние** *s.* composing, forming, making || **-вля́-ть** II. *va.* (*Pf.* -в=ить II. 7.) to put together, to prepare; to compose; to form, to constitute; to make up; to write, to draw up (a plan, etc.) || **-внóй** *a.* compound; composed; component.
состáрить *cf.* **стáрить.**
состо/я́ние *s.* state, condition; rank; power; means, wealth || **-я́тельность** *s. f.* solvency || **-я́тельный** *a.* solvent.
состо=я́ть II. *vn.* to be; ~ **на слу́жбе** to be in one's service; (из чегó, в чём) to be composed, to be made (of), to consist of || **~ся** *vn.* to be realized, to come true, to take place.
сострад/áние *s.* compassion, pity || **-áтельный** *a.* compassionate, pitiful.
состря́пать *cf.* **стря́пать.**
состя/зáние *s.* contention, controversy, dispute; competition || **-зáтель** *s. m.* competitor || **-зáтельный** *a.* controversial; competitive || **-зá-ться** II. *vrc.* to dispute, to contend; to compete (with one for).
сосу́д/ *s.* vessel, plates and dishes *pl.*; (*an.*) vessel || **-ец** *s.* (*gsg.* -дца) *dim. of prec.* || **-истый** *a.* (*an.*) vascular.
сосу́лька *s.* (*gpl.* -лек), **ледянáя ~** icicle.
сос/у́н *s.* [a], **-у́нья** *s.* suckling || **-цы́** *s. mpl.* nipples (of breast).
сосчи́тыва-ть II. *va.* (*Pf.* сосчитá-ть II.) to count, to calculate; to add up; to verify accounts.
сотво/рéние *s.* creation || **-ря́-ть** II. *va.* (*Pf.* -р=и́ть II.) to create, to produce, to make; to do, to commit (sins).
сóтен/ка *s.* (*gpl.* -нок) *dim. of* сóтня || **-ный** *a.* consisting of a hundred.
соткáть *cf.* **ткать.**
сóтн/ик *s.* centurion || **-я** *s.* (*gpl.* -тен) a hundred.
сотовáрищ *s.* copartner, companion, associate.
сотру́дн/ик *s.* collaborator || **-ичество** *s.* collaboration.
сотря/сá-ть II. *va.* (*Pf.* -стú 26. [a 2.]) to shake || **~ся** *vr.* to tremble, to vibrate || **-сéние** *s.* shaking; trembling; vibration.
сóтский (*as s.*) commissioner of police (in a village).
сóт/ы *s. mpl.* honeycombs *pl.* || **-ый** *num.* hundredth.
соумы́шленник *s.* fellow-conspirator, accomplice.
сóус/ *s.* sauce || **-ник** & **-ница** *s.* sauce-boat.
соучáст/во+вать II. *vn.* (в чём) to participate, to take part (in) || **-ие** *s.* participation; complicity || **-ник** *s.* associate; accomplice || **-ный** *a.* partaking, sharing, participant.
соуче/ни́к *s.*, **-ни́ца** *s.* school-mate, fellow-scholar.
соф/á *s.* sofa || **-и́зм** *s.* sophism || **-и́ст** *s.* sophist || **-исти́ческий** *a.* sophistic(al).
сохá *s.* [e] plough (used by Russian peasants).
сóхнуть 52. *vn.* to dry, to get dry, to wither, to fade, to dry up (of flower); to get thin, to lose flesh, to pine away.
сохра/нéние *s.* preservation; maintenance; safe-keeping || **´-нный** *a.* safe, secure, intact; deposit- || **-ня́-ть** II. *va.* (*Pf.* -н=и́ть II.) to preserve, to save; to maintain, to keep; to observe.
социáл/-демокрáт *s.* social-democrat || **-и́зм** *s.* socialism || **-и́ст** *s.* socialist || **-исти́ческий** *a.* socialistic || **-ьный** *a.* social.
социолóгия *s.* sociology.
сочéльник *s.* eve (of Christmas); **Рождéственский ~** Christmas-eve.
соче/тáние *s.* union, joining; combination; ~ **брáком** marriage || **-тавá-ть** II. *va.* (*Pf.* -тá-ть II.) to unite, to join.
сочи/нéние *s.* composition, work, treatise || **-ни́тель** *s. m.* author, writer || **-ня́-ть** II. *va.* (*Pf.* -н=и́ть II.) to compose, to write.
соч=и́ть I. [a] *va.* to draw the sap (of a tree); (у когó что) to get a thing out of one || **~ся** *vr.* to ooze out, to trickle out, to drip.
сочленéние *s.* (*an.*) articulation.
сóчный *a.* juicy, succulent; sappy.
сочу́вств/енный *a.* sympathetic || **-ие** *s.* interest, feeling, sympathy || **-о+вать** II. *vn.* (+ *D.*) to sympathize (with).
сошéствие *s.* descent; ~ **Св. Ду́ха** the descent of the Holy Ghost.

со́ш/ка s. (*gpl.* -шек) small plough; (*mil.*) gun-rack; **мелкая ~** (*fig.*) small fry || **-ни́к** s. [a] coulter, ploughshare.
сою́з/ s. union, alliance, confederation, coalition, league; (*gramm.*) conjunction || **-ный** a. allied, confederate || **-ник** s. ally, confederate.
спа/да́ние s. falling out (of hair, etc.); fall, sinking (of water); decline (of prices) || **-да́-ть** II. *va.* (*Pf.* спасть 22. [a 1.]) to fall down *or* off; to fall, to sink (of water); to decline (of prices); to fall out (of hair); **~ с те́ла** to grow thin || **-де́ние = -да́ние.**
спа́зма s. spasm.
спа́ива-ть II. *va.* (*Pf.* спая́-ть II.) to solder, to weld; (*Pf.* спо=и́ть II. [a]) (кого́) to intoxicate; to accustom to drink.
спа́йка s. (*gpl.* спа́ек) soldering, welding; place soldered.
спа́ленка (s. (*gpl.* -нок) small bedroom.
спа́л/зывать *cf.* **сполза́ть** || **-и́ть** *cf.* **пали́ть** || **-ьный** a. sleeping-; **~ колпа́к** night-cap; **~ ваго́н** sleeping-car; (*fam.*) sleeper || **-ьня** s. (*gpl.* -лен) bedroom.
спаньё s. sleeping.
спа́ржа s. asparagus.
спа́рыва-ть II. *va.* (*Pf.* спор=о́ть II. [c]) to rip up, to unsew, to unpick.
спас/ s. the Saviour || **-а́тельный** a. safety- || **-а́-ть** II. *va.* (*Pf.* спасти́ 26. [a]) to save, to deliver (from) || **~ся** *vr.* to save o.s., to escape || **-е́ние** s. rescue, safety; (*ec.*) welfare, salvation || **-и́бо** *ad.* thanks, thank you || **-и́тель** s. *m.* saviour, deliverer; (*ec.*) Saviour, Redeemer || **-и́тельный** a. salutary, wholesome; (life-)saving || **-ова́ть** *cf.* **пасова́ть** || **-ть** *cf.* **спада́ть.**
сп=ать II. 7. *vn.* (*Pf.* по-) to sleep, to be asleep; **итти́ ~** to go to bed; **уложи́ть ~** to put to bed || **~ся** *v.imp.*, **мне спи́тся всегда́ хорошо́** I always sleep soundly.
спая́ть *cf.* **спа́ивать..**
спева́-ться II. *vr.* (*Pf.* спе́ться 29. [a 2.]) to practise singing, to exercise.
спе́вка s. (*gpl.* -вок) song-rehearsal; (singing-)practice.
спекта́кль s. *m.* show, exhibition, play.
спектр/ s. spectrum || **-а́льный** a. spectral.
спекул/и́ро+вать II. *vn.* to speculate || **-я́нт** s. speculator || **-я́ция** s. speculation.
спелена́ть *cf.* **пелена́ть.**
спе́л/ость s. *f.* ripeness, maturity || **-ый** a. ripe.
сперв/а́ & -онача́ла *ad.* at first, in the beginning, in the first place.
спе́реди́ *ad.* in front.
спере́ть *cf* **спира́ть.**
спермаце́т s. spermaceti.
спёртый a. oppressive, heavy, musty, close, stifling, suffocating.
спес/и́вец s. (*gsg.* -вца) a. haughty man || **-и́в=иться** II. 7. *vr.* (*Pf.* за-) to be haughty, to be puffed up || **-и́вость** s. *f.* haughtiness, inflation, loftiness || **-и́вый** a. haughty, proud, puffed up || **-ь** s. *f.* pride, haughtiness.
спе-ть II. *vn.* (*Pf.* по-) to ripen, to become ripe (*cf.* петь).
спе́ться *cf.* **спева́ться.**
спех s. haste, speed, hurry; **э́то не к спе́ху** that is not an urgent matter.
специал/и́ст s. specialist, expert || **´ьность** s. *f.* speciality; (particular) line || **´ьный** a. special, especial, particular.
спе́ции s. *fpl.* ingredients *pl.*
специф/ика́ция s. specification || **-и́ческий** a. specific.
спе́шива-ть II. *va.* (*Pf.* спе́ш=ить I.) (*mil.*) to dismount || **~ся** *vr.* (*mil.*) to dismount.
спеш=и́ть I. [a] *vn.* (*Pf.* по-) to hasten, to hurry, to make haste; to be fast (of a clock).
спе́ш/но *ad.* hurriedly, hastily, in haste || **-ность** s. *f.* hurry, haste, promptitude || **-ный** a. hurried, hasty, speedy; quick, fast; urgent, pressing; **~ по́езд** express train.
спива́-ть II. *va.* (*Pf.* спить 27. [a 3.]) to drink off, to sip from a glass || **~ся** *vr.* to take to drinking, to be addicted to drink.
спин/а́ s. [f] back || **´ка** s. (*gpl.* -нок) *dim. of prec.*; back (of a chair, a dress, etc.) || **-но́й** a. back-, spinal.
спира́ль/ s. *f.* spiral || **-ный** a. spiral.
спира́-ть II. *va.* (*Pf.* спере́ть 14. [a 1.], *Fut.* сопру́, -ёшь, *Pret.* спёр, спёрла) to press together, to compress.
спири́т/ s. spiritist || **-и́зм** s. spiritism || **-уали́зм** s. spiritualism || **-уали́ст** s. spiritualist.
спирт/ s. spirit(s), alcohol || **´ный** a. spirit-, spirituous.
списа́ть *cf.* **спи́сывать.**
спи́/сок s. (*gsg.* -ска) copy; list, roll || **-сыва-ть** II. *va.* (*Pf.* -с-а́ть I. 3. [c]) to copy, to transcribe.
спить *cf.* **спива́ть.**

спи́хива-ть II. *va.* (*Pf.* спихн-у́ть I. [a]) to shove, to push, to thrust off, away, aside.
спи́ца *s.* pointed stake; knitting-needle; splinter; spoke (of wheel); spine, prickle (of a hedgehog).
спич *s.* speech.
спи́ч/ечница *s.* match-box || **–ечный** *a.* match-, of matches || **–ка** *s.* (*gpl.* -чек) match.
спла/в *s.* melting; rafting, floating || **–вля́-ть** II. *va.* (*Pf.* ́-в=ить II. 7.) to melt, to smelt; to float (wood) || **–вно́й** *a.* floating-, navigable (for rafts) || **́-вщик** *s.* smelter; raftsman.
сплани́ровать *cf.* **плани́ровать.**
спла́чива-ть II. *va.* (*Pf.* сплот=и́ть I. 2. [c]) to clamp, to join together.
спле́скива-ть II. *va.* (*Pf.* сплесн-у́ть I.) to dash off (water).
сплет/а́-ть II. *va.* (*Pf.* сплести́ & сплесть 23. [a 2.]) to tress, to plait; to interlace, to interweave; (*fig.*) to invent, to concoct || **–е́ние** *s.* tressing, plaiting; concoction || **́-ник** *s.*, **́-ница** *s.* gossip, telltale || **́-ннча-ть** II. *vn.* (*Pf.* на-) to gossip, to tattle || **́-ня** *s.* (*gpl.* -ен) gossip, talebearing, (tittle-)tattle.
сплин *s.* spleen, melancholy.
спло/ти́ть *cf.* **спла́чивать & плоти́ть** || **–че́ние** *s.* joining, clamping || **–шно́й** *a.* continuous, uninterrupted; compact; dense (of wood); **–шна́я неде́ля** a week without fast-days || **–шь** *ad.* without interruption, continuously, one after the other, without exception; very often, frequently.
сплутова́ть *cf.* **плутова́ть.**
сплыва́-ть II. *vn.* (*Pf.* сплыть 31. [a 1.]) to run off *or* over, to flow over, to overflow; to swim away, to drift.
сплю́/щива-ть II. *va.* (*Pf.* -щ=ить I. & -сн-уть I.) to flatten.
сподвиж/ник *s.*, **–ница** *s.* fellow-champion.
спо́дличать *cf.* **по́дличать.**
сподо/бля́-ть II. *va.* (*Pf.* ́-б=ить II. 7.) (чего́) to find, to think, to consider one worthy (of a thing); (чем) to reward, to invest one (with).
сподру́чный *a.* handy, convenient.
спозара́нку *ad.* very early (in the morning).
споить *cf.* **спа́ивать.**
споко́й/ный *a.* calm, quiet, still, tranquil; even-tempered; **–ной но́чи!** good night! || **–ствие & –ство** *s.* calmness, quiet, tranquility; repose.
спола́горя *ad.* with little trouble *or* care.
спола́скива-ть II. *va.* (*Pf.* сполосн-у́ть I. [a]) to rinse, to wash.
споза́-ть II. *vn.* (*Pf.* сползти́ 25. [a 2.]) to creep, to crawl, to glide *or* to slip down, off.
сполна́ *ad.* in full, fully; entirely, wholly.
сponде́й *s.* spondee.
спор/ *s.* quarrel, dispute, altercation difference; controversy || **–ади́ческий** *a.* sporadic.
спо́р=ить II. *vn.* (*Pf.* по-) (о чём) to dispute. to quarrel, to argue.
спор=и́ться II. [a] *v.imp.* to make rapid progress.
спо́р/ный *a.* disputable, controvertible || **–о́ть** *cf.* **спа́рывать** || **–т** *s.* sport || **–ти́вный** *a.* sportive || **–щик** *s.* quarrelsome person, quarreller, squabbler, disputant || **–ый** *a.* profitable, advantageous.
спо́соб/ *s.* method, way, manner, mode || **́-ность** *s. f.* talent, capacity, ability, aptitude || **́-ный** *a.* apt, able, capable, fit; convenient, suitable || **́-ство+вать** II. *vn.* (*Pf.* по-) (+ *D.*) to aid, to help; to promote, to further.
споспе́ш/е́ство+ва́ть II. [b] *va.* = *prec. verb.* || **–ник** *s.* aider, helper, furtherer.
спотык/а́-ться II. *vr.* (*Pf.* -н-у́ться I. [a]) to stumble, to trip.
спохва́/тыва-ться II. *vc.* (*Pf.* -т=и́ться I. 2. [a]) (+ *G.*) to become suddenly aware of, to miss suddenly, to remember by chance.
спра́/ва *ad.* from the right || **–ведли́вость** *s. f.* justice, righteousness; veracity, truth || **–ведли́вый** *a.* just, equitable, right(eous); upright; true || **–вка** *s.* (*gpl.* -вок) information, inquiry || **–вля́-ть** II. *va.* (*Pf.* -в=ить II. 7.) to redress, to set right again, to repair; to celebrate || **~ся** *vr.* (о чём) to inquire about; to consult (a book); to master || **–вочный** *a.* inquiry-; proof-; **~ лист** proof-sheet.
спра́шива-ть II. *va.* (*Pf.* спрос=и́ть I. 3. [c]) to question, to ask (for), to demand; to inquire; to beg.
спрова́жива-ть II. *va.* (*Pf.* спрова́д=ить I. 1.) to carry away, to transport; (кого́) to get rid of.
спрос/ *s.* question, demand, inquiry; request || **–и́ть** *cf.* **спра́шивать** || **–о́нья** *ad.* drowsy, half-asleep || **–та́** *ad.* unintentionally, innocently, without reflection; **э́то не ~** (*fam.*) it is not to be sneezed at.

спры́гива-ть II. *vn.* (*Pf.* спры́гн-уть I.) to jump down; (at gymnastics) to take off.
спры́скива-ть II. *va.* (*Pf.* спры́сн-уть I.) to (be)sprinkle.
спря/га́-ть II. *va.* (*Pf.* про-) (*gramm.*) to conjugate || **-же́ние** *s.* conjugation || **'-тать** *cf.* **пря́тать.**
спу́гива-ть II. *va.* (*Pf.* спугн-у́ть I. [a]) to frighten up, to rouse; to frighten, to scare away.
спуд *s.* (*sl.*) bushel.
спус/к *s.* descent, slope; ~ **корабля́** (**на́ воду**) launch(ing) || **-ка́-ть** II. *va.* (*Pf.* -т=и́ть I. 4. [c.]) to lower (down), to let down; to launch (a ship); to strike (a flag); to uncouple (dogs); to fly (a kite) || ~**ся** *vr.* to descend, to go, to step down.
спустя́ *prp.* (+ *A.*) after.
спу́/тник *s.* fellow-traveller; (*astr.*) satellite || **-тыва-ть** II. *va.* (*Pf.* -та-ть II.) to entangle, to mix up; to confound, to embarrass, to perplex; to trammel, to fetter || ~**ся** *vr.* to entangle o.s., to get involved (in); (*fig.*) to be confused *or* embarrassed.
спья́на *ad.* in a drunken fit.
спя́чка *s.* (*gpl.* -чек) sleepiness; coma, lethargy; **зи́мняя** ~ hibernation.
срабо́та-ть II. *va. Pf.* to make, to execute; to finish one's work.
срав/не́ние *s.* comparison; **сте́пень -не́ния** (*gramm.*) comparative (degree) || **'-нива-ть** II. *va.* (*Pf.* -н-и́ть II.) to compare; (*Pf.* -ня́-ть II.) to equalize, to balance; (*Pf.* сровня́-ть II.) to level, to make even || **-ни́тельно** *ad.* comparatively || **-ни́тельный** *a.* comparative, relative; **-ни́тельная сте́пень** (*gramm.*) comparative (degree).
сраж/а́-ть II. *va.* (*Pf.* сраз=и́ть) I. 1. [a]) to throw down, to strike down; to cut down, to kill; (*fig.*) to smite, to discourage, to dismay || ~**ся** *vrc.* to fight, to struggle || **-е́ние** *s.* fight, combat, battle, engagement.
сра́зу *ad.* at once, at one stroke.
срам = **срамота́.**
срам=и́ть II. 7. [a] *va.* (*Pf.* о-) (кого́) to shame, to cover with shame, to disgrace.
срам/ни́к *s.* shameless person, wretch, scoundrel || **'-ный** *a.* shameful, disgraceful, infamous, ignominious || **-ота́** *s.* shame, infamy, ignominy, disgrace.
сраста́-ться II. *vr.* (*Pf.* срасти́сь 35. [a]) to grow together.
сребролю́бец *s.* person fond of money.
сред/а́ *s.* [e] Wednesday || **-и́** *prp.* (+ *G.*) amidst, among || **-изе́мный** *a.* inland, mediterranean || **-и́на** *s.* middle, midst; centre; heart || **-и́нный** *a.* central- || **-невеко́вый** *a.* mediæval || **-невеко́вье** *s.* the Middle Ages *pl.* || **'-ний** *a.* middle; mean, average; ~ **род** (*gramm.*) neuter; **'-ним число́м** on an average || **-оточие** *s.* centre || **'-ственный** *a.* mediocre, commonplace || **'-ство** *s.* means *pl.*, resource; remedy.
сре́за́-ть II. & **сре́зыва-ть** II. *va.* (*Pf.* сре́з-ать I. 1.) to cut off; to fail, to pluck (at examination) || ~**ся** *vr.* (*fig.*) to fail.
срисо́выва-ть II. *va.* (*Pf.* срисо+ва́ть II. [b]) to draw; to copy a drawing.
сровня́ть *cf.* **сра́внивать.**
срод/н=и́ться II. [a] *vr. Pf.* (с кем) to become related to || **'-ный** *a.* inborn, innate || **'-ственник** *s.*, **'-ственница** *s.* relative || **-ство́** *s.* relationship, kindred; (*chem.*) affinity || **'-у** *ad.* from birth.
срок *s.* term, time; date; **в** ~ when due; ~ **да́вности** prescription; **по '-ам** by instalments, at stated times.
сро́чный *a.* of term; to be paid *or* executed at a fixed date; due, payable.
сру/б *s.* framework, woodwork || **-ба́-ть** II. *va.* (*Pf.* -б=и́ть II. 7. [c]) to fell, to cut down || **'-бка** *s.* (*gpl.* -бок) felling of wood || **'-бок** *s.* (*gsg.* -бка) cut timber.
срыва́-ть II. *va.* (*Pf.* сорв=а́ть I. [a 3.]) to tear off; to pluck off, to pick (*e.g.* fruits, flowers); ~ (с кого́) **взя́тку** to extort a thing (from one) || ~**ся** *vr.* to break, to become loose, to come off; to slip (of a word); (*Pf.* срыть 28. [b]) to level, to demolish, to raze.
сры́тие *s.* demolition (of a fortress).
ся́ду *ad.* one after another, successively; consecutively; **три дня** ~ for three consecutive days.
сса́д/ина *s.* scratch, excoriation || **-ка** *s.* (*gpl.* -док) setting down; shrinking (of cloth).
сса́жива-ть II. *va.* (*Pf.* ссад=и́ть I. 1. [a & c]) to set down, to take down (from a seat); to land, to put on shore; to scratch, to graze (the skin).
ссо́ра *s.* quarrel, altercation, dispute.
ссо́р=ить II. *va.* (*Pf.* по-) to set at variance || ~**ся** *vr.* (с + *I.*) to quarrel (with), to be at variance (with).
ссо́рливый *a.* quarrelsome.
ссу́д/а *s.* loan || **-ный** *a.* loan-.

ссужá-ть II. *va.* (*Pf.* ссуд=и́ть I. 1. [a & c]) (когó чем) to lend, to advance (money).
ссучи́ть *cf.* **сучи́ть.**
ссылá-ть II. *va.* (*Pf.* сослáть 40. [a]) to send away, to dismiss; to banish, to exile || **~ся** *vr.* (на когó, на что) to refer to, to appeal to; to cite, to quote.
ссы́л/ка *s.* (*gpl.* -лок) sending away; banishment, exile, deportation; quotation, reference || **–очный** *a.* banished, deported || ~ & **–ьный** (*as s.*) exile, outlaw, convict.
стáвень *s. m.* (*gsg.* -вня) (window-) shutter.
стáв=ить II. 7. *va.* (*Pf.* по-) to set, to put, to place; to consider, to value, to estimate.
стáвка *s.* (*gpl.* -вок) setting, putting (up), placing; tent; stake (at play).
стáд/ий & **–ия** *s.* stadium; stage (of development) || **–ный** *a.* herd-, drove- || **–о** *s.* [b] herd, drove; flock (of birds).
стáива-ть II. *vn.* (*Pf.* стá-ять II.) to melt away, to thaw.
стакáн/ *s.* glass, tumbler; barrel (of a pump) || **–ный** *a.* glass- || **–чик** *s. dim. of* стакáн.
сталелитéйный *a.* steel-foundry-.
стáлкива-ть II. *va.* (*Pf.* столкá-ть II.) to push off, down, away || **~ся** *vr.* to strike together, to come into collision, to collide; to stumble on a thing.
стáло-быть *c.* consequently, therefore.
сталь/ *s. f.* steel || **–нóй** *a.* steel-.
стамéзка *s.* (*gpl.* -зок) (driving) chisel; **крýглая ~** gouge.
стан/ *s.* stature, size; camp; police district; quarters, lodgings *pl.*; body (of a shirt); work-table, bench; den, haunt || **–иóль** *s. m.* tinfoil || **–и́ца** *s.* herd, drove; flock; migration, flight (of birds); Cossack village || **–ов=и́ть** II. 7. [c] = **стáвить** || **~ся** *vr.* (*Pf.* стать 32. [b]) to become, to get, to grow; (на что) to place o.s., to put o.s. (*cf.* стать) || **–овóй** *s.*, **~ при́став** commissary of rural police || **–óк** *s.* [a] (*gsg.* -нкá) bench, work-bench; stand, rack, frame; machine; **печáтный ~** printing-press; **токáрный ~** lathe; **ткáцкий ~** loom || **–с** *s.* stanza || **–циóнный** *a.* station-; **~ зал** waiting-room || **ˊ–ция** *s.* (railway)-station.
стáплива-ть II. *va.* (*Pf.* стоп=и́ть II. 7. [c]) to melt together, to fuse together.
стáптыва-ть II. *va.* (*Pf.* стопт-áть I. 2. [c]) to trample, to tread under foot; to wear on one side *or* down (at the heels).
стар/áние *s.* endeavour, effort, care, pains *pl.* || **–áтельный** *a.* careful, diligent, assiduous || **–á-ться** II. *vc.* (*Pf.* по-) (о чём) to endeavour, to strive, to take pains, to exert o.s. to; to apply o.s. to || **ˊ–енький** *a.* rather old, oldish || **–é-ть(-ся)** II. *vn.* (*Pf.* о-, по-, у-) to age, to grow old; to decay || **ˊ–ец** *s.* (*gsg.* -рца) old man, aged person; elder; monk || **–и́к** *s.* [a] an old man || **–инá** *s.* antiquity, times of yore, the good old days; (*s. m.*) old man || **–и́нный** *a.* ancient, antique, old.
стáр=ить II. *va.* (*Pf.* со-) to make old, to make look old || **~ся** *vr.* to grow old, to look old.
стáр/ица *s.* old woman; nun || **–ичóк** *s.* [a] (*gsg.* -чкá) *dim. of* стари́к.
старо/бы́тный *a.* old, ancient; old-fashioned || **–вéр** *s.*, **–вéрка** *s.* (*gpl.* -рок) old-believer (member of a Russian sect) || **–дáвний** *a.* ancient, as old as the hills || **–жи́л** *s.* & **–жи́лец** *s.* (*gsg.* -льца), **–жи́лка** *s.* (*gpl.* -лок) old inhabitant || **–закóнный** *a.* of the Old Testament || **–обрáзный** *a.* old-looking || **–обря́дец** = **–овéр** || **–печáтный** *a.* printed long ago.
стáр/оста *s. m.* bailiff (of a village); overseer; **сéльский ~** country-judge || **–остиха** *s.* wife of a village bailiff || **–ость** *s. f.* old age || **–ýха** *s.* an old woman || **–ýшка** *s.* (*gpl.* -шек) *dim. of prec.* || **–чество** *s.* old age, agedness || **–ше** (*comp. of* стáрый), **он ~ меня́** he is older than I || **–ший** *a.* older, elder, eldest; senior (in rank) || **–шинá** *s. m.* senior, chief, head; foreman (of a jury) || **–шинствó** *s.* seniority.
стá/рый *a.* (*pd.* стар, -á, -о, -ы; *comp.* стáрше) old, aged, elderly; decayed, shabby; former || **–рьё** *s.* old things, lumber, rubbish.
стáскива-ть II. *va.* (*Pf.* стаскá-ть II.) to drag together; (*Pf.* стащ=и́ть I. [c]) to drag off, down, away; to steal.
стасовáть *cf.* **тасовáть.**
стат/éйка *s.* (*gpl.* -éек) short article, essay || **–éйный** *a.* of article; **~ купéц** wholesale merchant || **ˊ–ика** *s.* statics *pl.* || **–и́ст** *s.* (*theat.*) super(numerary) || **–и́стик** *s.* statistician || **–и́стика** *s.* statistics *pl.* || **–исти́ческий** *a.* statistic(al) || **ˊ–ность** *s. f.* stateliness || **ˊ–ный** *a.* stately, shapely, well-shaped || **ˊ–очный** *a.* feasible, practicable, possible.
стат/с- *in cpds.* = state-, of state || **–ский**

a. civil; of state || **-у́йка** *s.* (*gpl.* -у́ек) small statue || **´-уя** *s.* statue.
стать *s. f.* form, figure, stature, shape; cause, purpose, reason; **с како́й ´-и?** why? for what purpose?
стать 32. [b] *vn.* to become, to get, to grow; to set, to put, to place; to stop, to cease; (*before Inf.*) to begin, to commence; **~ на коле́ни** to kneel down; **~ на я́корь** to anchor; **~ на́ мель** to run aground; **река́ ста́ла** the river is frozen; **ему́ ста́ло лу́чше** he began to feel better || **~ся** *v.imp.* to happen; **что с ним ста́лось?** what is the matter with him? (*cf.* станови́ться).
статья́ *s.* (*gpl.* -те́й) article; chapter, part; paragraph, clause, condition; item (of an account).
ста́чечник *s.* striker.
ста́ч/ива-ть II. *va.* (*Pf.* стача́-ть II.) to quilt together; (*Pf.* сточ=и́ть I. [c]) to grind off || **-ка** *s.* (*gpl.* -чек) quilting-seam, closing-seam; secret understanding, connivance; **~ рабо́чих** strike.
стащи́ть *cf.* **ста́скивать.**
ста́я *s.* flight, flock, covey; herd, drove, band.
ста́ять *cf.* **ста́ивать.**
ствол *s.* [a] trunk (of a tree); stalk, stem, shaft; barrel (of a gun); **~ пера́** quill.
створ/ *s.* (*us. in pl.* ство́ры) leaf (of a door); casement (of a window) || **-а́жива-ть** II. *va.* (*Pf.* -о́ж=ить I.) to cause to curdle || **´-ный** & **´-чатый** *a.* folding (of a door).
стеари́н/ *s.* stearin(e) || **-овый** *a.* stearin(e).
стеб/елёк *s.* [a] (*gsg.* -елька́) & **-елёчек** *s.* (*gsg.* -чка) *dim. of foll.* || **´-ель** *s. m.* [c] (*gsg.* -бля) stalk, stem.
стёганый *a.* quilted.
стега́-ть II. *va.* (*Pf.* со-) to quilt; (*Pf.* стегн-у́ть I. [a]) to whip.
стёжка *s.* (*gpl.* -жек) quilting(-seam).
стежо́к *s.* [a] (*gsg.* -жка́) stitch (in sewing).
стезя́ *s.* (foot-)path.
стека́-ть II. *vn.* (*Pf.* стечь 18. [a 2.]) to run off, down, to trickle down || **~ся** *vr.* to run, to flow together; to flock, to crowd together (of people).
стекло́/ *s.* [d] glass; pane of glass || **-ви́дный** *a.* glassy, vitreous || **-во́й** *a.* (*an.*) glass- || **-плави́льный** *a.*, **~ заво́д** glassworks *pl.*
стёклышко *s.* (*gpl.* -шек) *dim.* piece of glass.
стекля́/нный *a.* glass, of glass || **-рус** *s. coll.* glass-beads *pl.*
стеко́ль/ный *a.* glass-, glazier's || **-щик** *s.* glazier.
сте́ль/ка *s.* (*gpl.* -лек) inner sole || **-ная** *a.* in calf (of a cow).
стем *s.* (*mar.*) stem, bow.
стемне́ть *cf.* **темне́ть.**
стена́/ *s.* [f] wall || **-ние** *s.* groan(ing), sigh(ing).
стена́-ть II. *vn.* (*Pf.* за-) to groan, to moan.
сте́н/ка *s.* (*gpl.* -нок) *dim. of* стена́ || **-но́й** *a.* wall-, mural || **-огра́ф** *s.* stenographer, shorthand-writer || **-огра́фия** *s.* stenography, shorthand || **-опись** *s. f.* mural painting, fresco.
степе́нный *a.* sedate, steady, staid.
сте́п/ень *s. f.* [c] degree, grade, rank, class; (*math.*) power || **-но́й** *a.* of steppe, steppe- || **-ня́к** *s.* [a], **-ня́чка** *s.* (*gpl.* -чек) inhabitant of the steppe || **-ь** *s. f.* [c] steppe.
сте́рва *s.* carcase, carrion.
стереоско́п/ *s.* stereoscope || **-и́ческий** *a.* stereoscopic.
стереоти́п/ *s.* stereotype || **-ный** *a.* stereotype.
стере́ть *cf.* **стира́ть.**
стере́чь 15. [a 2.] *va.* (*Pf.* по-) to guard, to watch over.
сте́ржень *s. m.* (*gsg.* -жня) heart, core (of a tree); core (of a boil); nipple (of a gun); (*mech.*) spindle, rod, pin.
стерилиз/а́ция *s.* sterilization || **-о́ванный** *a.* sterilized.
сте́рл/ядь *s. f.* [c] (*ich.*) sterlet || **-я́жий** (-ья, -ье) *a.* of sterlet.
стерп=е́ть II. 7. [c] *va. Pf.* to bear, to tolerate.
стес/не́ние *s.* compulsion; constraint; uneasiness || **-ни́тельный** *a.* heavy, oppressive; troublesome || **-ня́-ть** II. *va.* (*Pf.* -н=и́ть II. [a]) to press (together); to bound, to limit, to hinder, to trouble, to disturb || **~ся** *vr.* to crowd (in a little room); to restrain o.s., to feel embarrassed.
стёсыва-ть II. *va.* (*Pf.* стес-а́ть I. 3. [c]) to hew off.
стетоскоп *s.* stethoscope.
стеч/е́ние *s.* flowing off; confluence, meeting (of two rivers); throng, concourse; concurrence || **-ь** *cf.* **стека́ть.**
сти́брить *cf.* **ти́брить.**
стиль/ *s. m.* style || **´-ный** *a.* of style.
стип/ендиа́т *s.* exhibitioner, holder of a scholarship || **-е́ндия** *s.* scholarship, exhibition.
стир/а́лка *s.* (*gpl.* -лок) dishcloth, duster || **-а́льный** *a.* washing-, for washing || **-а́-ть** II. *va.* (*Pf* вы́-) to wash (clothes); (*Pf.* стере́ть 14. [a 1.], *Fut.* сотру́, -ёшь, *Pret.* стёр, стёрла) to rub off; to gall; to

wipe off, to dust; to pulverize || **́ка** *s.* (*gpl.* -рок) wash, washing; **отдать в ́ку** to send to the wash.
стискива-ть II. *va.* (*Pf.* стисн-уть I.) to squeeze together, to compress.
стих/ *s.* [a] verse; (scriptural) sentence || **-áрь** *s. m.* [a] surplice || **-á-ть** II. *vn.* (*Pf.* ́нуть 52.) to grow calm, still, speechless; to fall (of the wind) || **-ийный** *a.* elementary || **-ия** *s.* element || **-оплёт** *s.* rhymer, poetaster || **-осложéние** *s.* versification || **-отворéние** *s.* poem || **-отвóрец** *s.* (*gsg.* -рца) poet || **-отвóрный** *a.* poetic(al) || **-отвóрство** *s.* poetry.
стишóк *s.* [a] (*gsg.* -шкá) *dim. of* стих.
стклянка = склянка.
стлать 9. [c] *va.*, ~ **ковры** to lay carpets; ~ **скáтерть** to lay the table; ~ **постéль** to make a bed; ~ **пол** to floor || **~ся** *vr.* to stretch, to extend; to creep (of plants).
сто *num.* hundred.
сто/г *s.* [b] (*pl.* -á & -и) haystack, hayrick || **-жóк** *s.* [a] (*gsg.* -жкá) *dim. of prec.*
стóик *s.* stoic.
стóимость *s. f.* value, price, worth.
стó=ить II. *vn.* to cost, to be worth, to amount to; to be worth while; **вам стóит тóлько сказáть** you have only to say; **не стóит!** don't mention!
сто/ицизм *s.* stoicism || **-ический** *a.* stoic(al).
стóй/ка *s.* (*gpl.* стóек) standing; bar, counter; stay, prop, support || **-кий** *a.* (*comp.* стóйче) steady, firm, steadfast || **-кóм** *ad.* upright, erect, on end || **-ло** *s.* (*gpl.* стóйл) stall (in a stable); horse-box || **-мя = -кóм.**
сток *s.* flow(ing), running off; drip, eaves *pl.*; sewer, drain.
стокрáтный *a.* hundredfold.
стол/ *s.* [a] table; board; meal, repast; **со -óм** with board; **сесть за -óм** to sit down to dinner; **óбщий ~** table d'hôte, ordinary; **áдресный ~** inquiry-office || **-б** *s.* [a] pillar, post, column || **-бенé-ть** *vn.* (*Pf.* о-) to be dumbfounded || **-бéц** *s.* [a] (*gsg.* -бцá) column || **́бик** *s. dim. of* столб || **-бняк** *s.* [a] tetanus || **-бовóй** *a.* post-, column- || **-éтие** *s.* century || **-éтний** *a.* centennial || **́ик** *s.* small table; stand || **-ица** *s.* residence, capital (city) || **-ичный** *a.* of capital || **-кáть** *cf.* **стáлкивать** || **-кновéние** *s.* collision || **-óвая** (*as s.*) dining-room || **-óвый** *a.* table- || **-оначáльник** *s.* head-clerk (in an office).
стол/п = столб || **-питься** *cf.* **толпиться** || **-плéние** *s.* crowd(ing).
столь/ *ad.* so; ~ **мнóго** so much, so many; ~ **мáло** so few || **́ко** *ad.* so much, thus much, as much.
столяр/ *s.* [a] joiner || **-ный** *a.* joiner's || **-ничество** *s.* joinery.
стон *s.* groan, moan, sigh.
стон-áть I. [c] *vn.* (*Pf.* за-, про-) to groan, to moan, to sigh.
стоп/ *int.* (*mar.*) stop! halt! || **-á** *s.* [e & f] sole (of the foot); foot-mark, footprint, footstep; foot (as measure); (*poet.*) foot; ream (of paper); goblet, rummer || **-тáть** *cf.* **стáптывать** & **топтáть.**
стор/го+вáться II. [b] *vrc. Pf.* to agree about the price, to conclude a bargain || **́ож** *s.* [b*] (*Pf.* -á) watchman, keeper || **-óжа** *s.* guard; **быть на -ожé** to be on the alert, to be on one's guard || **-ожевóй** *a.* on guard, of guard, guard-, watch-; **-ожевáя бýдка** sentry-box || **-ож=ить** I. [a] *va.* to guard, to watch; to lie in wait for || **-óжка** *s.* (*gpl.* -жек) sentry-box, watchman's box || **-онá** *s.* [f] side; region; **шýтки в ́ону** joking aside || **-он=иться** II. [c] *vr.* (*Pf.* по-) to stand aside, to make way || **-óнний** *a.* side-; irrelevant, that is beside the question; **это дéло -óннее** that is a mere detail || **-óнник** *s.* sider, follower, adherent.
сторублёвый *a.* hundred-rouble-.
стоско+вáться II. [b] *vc.* (по ком) *Pf.* to grieve, to pine away (with grief for).
сточить *cf.* **стáчивать.**
стóчный *a.*, **-ая яма** cesspool; **-ая трубá** sewer, drain, sink.
стоя/ние *s.* standing; height (of the barometer) || **-нка** *s.* (*gpl.* -нок) stay, abode; (*mil.*) quarters *pl.*; **якорная ~** anchorage.
сто=ять II. [a] *vn.* (*Pf.* по-) to stand, to be standing; to stay, to lodge (in an inn); to last, to continue; to stand still, to be stagnant (of matters); (за когó) to intercede, to stick up (for one), to defend; (*mil.*) to be quartered (upon); **(по)стóй(-те)!** halt! stop!; ~ **на часáх** to stand sentry; ~ **на якоре** to lie at anchor.
стоячий (-ая, -ее) *a.* standing, upright, erect; stagnant; ~ **воротник** stand-up collar.
стрáвлива-ть II. *va.* (*Pf.* страв=ить II.

7. [c]) to graze; to corrode, to etch; (когó с кем) to set on, to incite.

страдá/ *s.* heavy work in the fields during harvest-time || **–лец** *s.* (*gsg.* -льца) martyr || **–ние** *s.* suffering, pain || **–тельный** *a.* suffering; ~ **залóг** (*gramm.*) passive.

стра/дá-ть II. & **–д-áть** I. 5. [b] *vn.* (*Pf.* по-) to suffer, to endure, to bear; (по ком) to grieve.

стрáдный *a.*, **–ая порá, –ое врéмя** harvest-time.

страж/ *s.* guard, watchman, sentinel, sentry || **'–а** *s.* guard, watch; **под '–ею** under arrest; **взять** (когó) **под '–у** to arrest.

стран/á *s.* [a] country, region, land; **'–ы свéта** the cardinal points || **–íца** *s.* page (of a book) || **–íчный** *a.* paginal || **'–ник** *s.* traveller, wanderer, stranger || **'–нича-ть** II. *vn.* to travel, to wander; to affect singularity || **'–нический** *a.* travelling-, of travelling; **'–ническая жизнь** vagrant life || **–ноприíмный** *a.* hospitable || **'–ность** *s. f.* strangeness, queerness, oddness || **'–ный** *a.* strange; odd, singular, curious, queer || **'–ств(ован)ие** *s.* travelling, wandering, roving || **'–ство+вать** II. *vn.* to travel, to wander, to rove; **'–ствующий рыцарь** knight-errant.

страстíшка *s.* (*gpl.* -шек) (*abus.*) amour, love-intrigue.

страст/нóй *a.* of Our Lord's passion; **–нáя недéля** Holy Week; **–нáя пятница** Good Friday || **'–ность** *s. f.* passion || **'–ный** *a.* passionate || **–отéрпец** *s.* martyr.

страсть *s. f.* suffering, torment, pain; (к + *D.*) passion (for); terror, dread; **'–и Христóвы** the Passion of Our Lord || ~ *ad.* extraordinarily, exceedingly; (*fam.*) awfully.

стратéг/ *s.* strategist, commander || **–íческий** & **–íчный** *a.* strategic(al) || **–ия** *s.* strategy.

стрáус *s.* ostrich.

страх/ *s.* fear, dread, awe; fright, terror; risk, danger || ~ *ad.* extremely, dreadfully || **–овáние** *s.* insurance; ~ **от огнá** fire-insurance || **–овáтель** *s. m.* insured person, insured party || **–о+вáть** II. [b] *va.* (*Pf.* за-) to insure || **–овóй** *a.* insurance-, of insurance || **–овщíк** *s.* insurer.

страшí/лище & **–ло** *s.* scarecrow.

страш=íть I. [a] *va.* (*Pf.* у-) to frighten, to terrify, to strike (one) with awe || **~ся** *vr.* (чегó) to be frightened, to be afraid (of), to dread, to fear.

страш/лíвый *a.* timid, fearful || **'–но** *ad.* horribly, awfully; ~ **дóрого** awfully dear; **мне ~** I am afraid || **'–ный** *a.* terrible, frightful, dreadful, awful.

стращá-ть II. *va.* (*Pf.* по-) to intimidate, to threaten, to menace, to frighten.

стреко/зá *s.* [h] dragon-fly; (*fig.*) madcap || **–т-áть** I. 2. [c] *vn.* (*Pf.* -тн-ýть I.) to chirp (of a cricket); to chatter, to prattle, to jabber.

стрел/á *s.* [d] arrow, bolt; dart || **–éц** *s.* [a] (*gsg.* -льцá) rifleman, marksman; (*astr.*) Sagittarius || **'–ка** *s.* (*gpl.* -лок) small arrow; needle (of compass); hand (of a clock, etc.); tongue (of a balance); spit (of land); clock (of a stocking); (*rail.*) point, switch || **–овíдный** *a.* arrow-shaped || **–óк** *s.* [a] (*gsg.* -лкá) sharpshooter, rifleman || **'–очка** *s.* (*gpl.* -чек) *dim. of* стрéлка || **'–очник** *s.* (*rail.*) pointsman || **–ьбá** *s.* shooting, firing; volley, discharge || **'–ьбище** *s.* shooting-ground || **'–ьчатый** *a.* arrow-shaped || **–я́-ть** II. *vn.* (*Pf.* -ьн-ýть I.) (по ком, в когó) to shoot, to fire (off), to discharge || **~ся** *vrc.* to fight a duel.

стрем/глáв *a.* head foremost, headlong, head over heels || **–íтельный** *a.* impetuous, violent, rapid.

стрем=íть II. 7. [a] *va.* (*Pf.* у-) to drag, to carry away impetuously || **~ся** *vr.* to rush, to run, to flow rapidly; (к чемý *fig.*) to aspire (to), to strive (after).

стрем/лéние *s.* impetuous rush *or* flow; ardour, vehemence, impetuosity; aspiration, endeavour (after) || **–нíна** *s.* rapids *pl.*; steepness, precipice || **'–я** *s. n.* [b] (*pl.* -енá) stirrup || **–яннóй** (*as s.*) groom, ostler || **–я́нный** *a.* stirrup-.

стренóжить *cf.* **тренóжить.**

стриж/ *s.* [a] (*orn.*) martin; **кáменный** ~ black martin, swift || **'–ка** *s.* (*gpl.* -жек) shearing, cutting.

стричь 15. [c 1.] *va.* (*Pf.* по-, вы́-) to shear, to cut || **~ся** *vr.* to get one's hair cut.

строгá-ть II. *va.* (*Pf.* вы́-) to plane.

стрóгий *a.* (*comp.* стрóже; *sup.* строжáйший) severe, strict, precise; watchful, vigilant (of dogs).

стро/евóй *a.* building-, of building; front-; ~ **солдáт** soldier serving at the front || **–éние** *s.* constructing; construction, building; (*mus.*) tuning || **–жáйший** *cf.* **стрóгий** || **'–же** *cf.* **стрóгий** ||

–и́тель *s. m.* builder, architect || **–и́тельный** *a.* building-, for building.
стро́=ить II. *va.* (*Pf.* по-) to construct, to build, to erect; to dispose (of), to arrange; (*Pf.* на-) (*mus.*) to tune; (*Pf.* вы́-) (*mil.*) to draw up.
строй/ *s.* order, arrangement, regime; (*mus.*) tune; (*mil.*) line, front; **боево́й** ~ battle-array || **́ный** *a.* proportionate, well-shaped; (*mus.*) harmonious, in tune; **в ́ном ви́де** well ordered *or* arranged, well-disposed. [paragraph.
строка́ *s.* [f] line; **кра́сная ~** (a new)
строп/и́ло *s.* rafter; truss || **–ти́вый** *a.* stubborn, obstinate.
строфа́ *s.* [d] strophe.
строч=и́ть I. [c] *va.* (*Pf.* на-) to scribble.
стро́ч/ка *s.* (*gpl.* -чек) quilting-seam, backstitching; line || **–ный** *a.* line-; small (of letters).
струг *s.* [b] (*pl.* -а́) plane; scraper.
стру́жка *s.* (*gpl.* -жек) planing; chip, shaving.
струи́стый *a.* undulating, waving, wavy.
стру=и́ть II. [a] *va.* (*Pf.* за-) to pour out, to let escape || **~ся** *vr.* to flow softly, to purl, to ripple.
стру́й/ка *s.* (*gpl.* -ýек) *dim. of* струя́ || **–ный** *a.* of current, of stream || **–ча́тый** *a.* watered. [husk.
струк *s.* (*pl.* стру́чья, -ьев) pod, shell,
струн/а́ *s.* [e] string, chord || **́ка** *s.* (*gpl.* -нок) a thin string || **́ный** *a.* string-, stringed || **́очка** *s.* (*gpl.* -чек) *dim. of* стру́нка.
струп/ *s.* (*pl.* стру́пья) scurf, scab || **–ова́тый** *a.* scurvy, scabby.
стру́сить *cf.* **тру́сить.**
струч/кова́тый *a.* leguminous || **–ко́вый** *a.* shell-, husk- || **–о́к** *s.* [a] (*gsg.* -чка́) *dim.* pod || **́ья** *cf.* **струк.**
струя́ *s.* current, stream; jet, spout; (*in pl.*) waves, billows, waters *pl.*, flood.
стря́п/а-ть II. *va.* (*Pf.* со-) to cook, to prepare, to dress (food) || **–ание** & **–ня́** *s.* cooking, dressing (of food); dish, meal, cookery || **–у́ха** *s.* (female) cook || **–чий** (*as s.*) counsel, attorney, solicitor, lawyer.
стряса́-ть II. *va.* (*Pf.* стрясти́ 26. [a 2.]) to shake off; to shake thoroughly.
студ/ени́стый *a.* gelatinous || **–е́нт** *s.* student; **~-ме́дик** a medical student || **–е́нтка** *s.* (*gpl.* -ток) (lady-)student || **–е́нческий** & **–е́нтский** *a.* students' || **–ёный** *a.* cold || **–ёное** (*as s.*) & **́ень** *s. m.* jelly, brawn.
студ=и́ть I. 1. [a & c] *va.* (*Pf.* о-) to cool (down), to chill.
сту́жа *s.* cold, frost.
стук/ *s.* rap, tap, knock; chatter, noise, rattle || **́ать** & **́нуть** *cf.* **стуча́ть** || **–отня́** *s.* rumbling, noise, clatter; rattling (of carriages).
стул/ *s.* chair, seat; stool; (butcher's) block; trunk, stump (of a tree) || **́ик** *s.* *dim.* chair.
сту́/па *s.* mortar || **–па́-ть** II. *vn.* (*Pf.* -п=и́ть II. 7. [c]) to stride, to go, to tread, to step; **–па́й!** go ahead! get along! be off! || **–пе́нь** *s. f.* [c] step; rung (of a ladder) || **–пе́нька** *s.* (*gpl.* -нек) *dim.* step || **–пе́ньчатый** *a.* having many steps || **–пица** *s.* nave (of a wheel) || **–пня́** *s.* ball (of the foot), sole || **–почка** *s.* (*gpl.* -чек) small mortar.
стуч=а́ть I. [a] *va.* (*Pf.* за-, по-, *mom.* сту́кн-уть I.) to knock, to rap, to tap; to clatter; to rattle (of carriages) || **~ся** *vc.*, **~ в дверь** to knock at the door.
стушёвыва-ться II. *vn.* (*Pf.* стуше+ва́ться II. [b]) to vanish, to become of no importance.
стыд *s.* [a] shame.
стыд=и́ть I. 1. [a] *va.* (*Pf.* при-, у-) to shame, to make ashamed || **~ся** *vr.* to be ashamed, to feel ashamed (of).
стыд/ли́вый *a.* bashful, shy; modest, chaste || **́ный** *a.* shameful, disgraceful, base || **́но** *ad.* ashamed; **мне ́но** I am ashamed.
стык *s.* butt; groove; joint, splice.
сты́н-уть I. & **стыть** 32. *vn.* to grow cold, to cool.
сты́чка *s.* (*gpl.* -чек) quarrel; scuffle; (*mil.*) skirmish.
стяг/ *s.* [b] lever; (*obs.*) flag, standard || **́ива-ть** II. *va.* (*Pf.* стян-у́ть I. [c]) to draw together, to draw tight, to tie up; to pilfer, to purloin; to extort.
стяж/а́ние *s.* acquiring, acquisition; property || **–а́тельный** *a.* covetous, eager for gain || **–а́-ть** II. *va.* to acquire, to gain (treasures).
стяну́ть *cf.* **стя́гивать.**
суббо́т/а *s.* Saturday; Sabbath; **Вели́кая** ~ Easter eve || **–ний** *a.* of Saturday || **–ник** *s.* Sabbatarian. [jective.
суб'е́кт/ *s.* subject || **–и́вный** *a.* sub-
субордина́ция *s.* subordination.
субре́тка *s.* (*gpl.* -ток) (*theat.*) soubrette.
суб/сидиро+вать II. *va.* to subsidize || **–си́дия** *s.* subsidy || **–ста́нция** *s.* sub-
субти́льный *a.* subtile. [stance.

сугли́нок *s.* (*gsg.* -нка) soil of mixed sand and clay.
сугро́б *s.* heap of snow.
сугу́бый *a.* double, twofold.
суд/ *s.* [a] court of justice; jurisdiction; trial; judg(e)ment, conclusion; **вое́нный** ~ court martial; **стра́шный** ~ doomsday || **-а́к** *s.* [a] (*ich.*) sandre || **-а́рик** *s. dim. of* су́дарь || **-а́рка** *s.* (*gpl.* -рок) *dim. of foll.*; (*fam.*) mistress, sweetheart || **-а́рыня** *s.* madam, mam || **-́арь** *s. m.* sir; master || **-а́рь** *s. m.* (*sl.*) sudarium || **-а́ч=ить** I. *va.* (*Pf.* по-) (о ком *vulg.*) to carp at; (*fam.*) to backbite, to slander || **-е́бник** *s.* code of laws (of Ivan IV.) || **-е́бный** *a.* judicial; of justice, court-; ~ **при́став** usher, process-server || **-е́йский** *a.* judge's, judg(e)ment- || **-и́лище** *s.* tribunal, court of justice; court-room.
суд=и́ть I. 1. [c] *va.* (*Pf.* по-) (кого́) to judge, to try; (о чём) to judge (of, on, by), to criticize, to consider, to think, to be of (the) opinion; **судя́** (по + *D.*) to judge by || **~ся** *vrc.* (с кем) to go to law, to be at law (with).
су́д/но *s.* (*pl.* суда́) vessel, craft, ship || **-но́** *s.* (*pl.* су́дна) vessel, dish, basin || **-ный** *a.* juridical, court-; legal, of law || **-ово́й** *a.* ship-, ship's; ~ **ма́клер** ship-broker || **-овщи́к** *s.* [a] shipowner, bargeman || **-оговоре́ние** *s.* proceedings, pleadings *pl.* (at court) || **-о́к** *s.* [a] (*gsg.* -дка́) set of dishes; cruet-stand || **-омо́йка** *s.* (*gpl.* -мо́ек) scullion, kitchen-maid || **-опроизво́дство** *s.* law-proceedings *pl.*, administration of justice || **-орога** *s.* (*esp. in pl.*) cramp, convulsion || **-орожный** *a.* convulsive, spasmodic(al) || **-острое́ние** *s.* ship-building || **-острои́тель** *s. m.* ship-builder || **-острои́тельный** *a.* ship-building- || **-охо́дный** *a.* navigable || **-охо́дство** *s.* navigation || **-охозя́ин** *s.* (*pl.* -зя́ева) shipowner || **-ьба́** *s.* [e] (*gpl.* -деб) & **-ьби́на** *s.* fate, destiny, lot, fortune || **-ья́** *s. m.* [e] judge.
суеве́р/ *s.* a superstitious person || **-ие** *s.* superstition || **-ный** *a.* superstitious.
суета́ *s.* vanity; care, anxiety; bustle; *coll. m&f.* restless person, bustler.
сует=и́ться I. 2. [a] *vr.* (*Pf.* за-, по-) to bustle, to be restless; to be anxious; to fidget.
суетли́вый *a.* bustling, restless, anxious; troublesome.
су́ет/ность *s. f.* vainness, nothingness, futility || **-ный** *a.* vain, void, futile.
сужде́ние *s.* judg(e)ment, sentence; opinion.
суж/дёный & **-́еный** *a.* fated, destined.
су́жива-ть II. *va.* (*Pf.* су́з=ить I. 1.) to narrow, to make narrower || **~ся** *vr.* to shrink, to contract.
сук/ *s.* [a° & d°] (*pl. coll.* су́чья, etc.) branch, twig, bough; knot (in wood) || **-́а** *s.* bitch || **-́ин** *a.* of a bitch || **-но́** *s.* [d] cloth; **положи́ть де́ло под** ~ to shelve, to put off || **-нова́льня** *s.* (*gpl.* -лен) fulling-mill || **-нова́тый** *a.* knotty, branchy || **-о́нка** *s.* (*gpl.* -нок) (piece of) cloth, rag || **-о́нный** *a.* cloth, of cloth; made of cloth || **-о́нщик** *s.* draper, cloth-merchant.
сулема́ *s.* corrosive sublimate.
сул=и́ть II. [a] *va.* (*Pf.* по-) to offer, to promise.
султа́н *s.* sultan; plume, tuft (of feathers).
сума́ *s.* [e] bag, sack; wallet; **ходи́ть с -о́ю** to go begging.
сумасбро́д/ *s.* extravagant, mad person, fool || **-нича-ть** II. *vn.* to drivel; (*med.*) to rave; to do mad things || **-ный** *a.* extravagant, foolish, mad.
сумасше́дший (-ая, -ее) *a.* mad, insane || ~ (*as s.*) madman, lunatic; **дом -их** lunatic asylum.
сумато́ха *s.* bustle, confusion, uproar, hurly-burly.
сумбу́р/ *s.* absurdity, nonsense || **-ный** *a.* absurd, nonsensical.
су́мер/ечный *a.* crepuscular || **-ки** *s. fpl.* (*gpl.* -рек) twilight, dusk.
суме́ть *cf.* **уме́ть.**
су́мка *s.* (*gpl.* -мок) *dim.* bag, wallet; satchel.
су́мма *s.* sum, amount, total.
су́мр/ак *s.* twilight, dusk, obscurity || **-ачный** *a.* dark, dusky; cloudy, overcast (of the sky); gloomy.
сум/я́тица *s.* bustle, confusion, hurly-burly.
сунду́/к *s.* [a] chest, box, trunk, coffer || **-чо́к** *s.* [a] (*gsg.* -чка́) *dim. of prec.*
су́нуть *cf.* **сова́ть.**
суп/ *s.* soup || **-́ник** & **-́ница** *s.* (soup-) tureen || **-ово́й** *a.* soup- || **-о́нь** *s. f.* & **-о́ня** *s.* collar-belt, -thong (of a harness) || **-оро́сая** (*as s.*) with young (of a sow) || **-оста́т** *s.* enemy, adversary.
су́проти́в *prp.* opposite to, against; in comparison (with).
супру́/г *s.* husband, spouse || **-га** *s.* wife, spouse || **-жеский** *a.* conjugal || **-жество** *s.* matrimony, wedlock, marriage.

сургу́ч *s.* [a] sealing-wax.
сурди́н/а *s.*, *dim.* **–ка** *s.* (*mus.*) damper; **под –ку** secretly, covertly.
су́рик *s.* red lead.
суро́в/ость *s. f.* roughness, rudeness, harshness, rawness; austerity, severity; inclemency (of weather) || **–ый** *a.* rough, rude, harsh; inclement; austere, severe, rigorous.
суро́к *s.* [a] (*gsg.* -рка́) marmot.
суррога́т *s.* surrogate, substitute.
сурьма́ *s.* antimony.
сурьм=и́ть II. 7. [a] *va.* (*Pf.* на-) to blacken (the eyebrows).
суса́ль/ *s. f.* gold-leaf || **–ный** *a.* gold-leaf.
су́слик *s.* Siberian marmot.
су́сл=ить II. *va.* (*Pf.* за-) to sip; to beslabber, to slaver, to drivel.
су́с/ло *s.* mash || **–та́в** *s.* joint, articulation || **–та́вный** *a.* joint-, of articulation.
су́т/ки *s. fpl.* (*G.* -ток) a complete day (of 24 hours), day and night || **–олока** *s.* crowd, bustle, hurly-burly || **–очный** *a.* of 24 hours, diurnal || **–у́лина** *s.* curve, bend; crookedness || **–у́лова́тый** & **–у́лый** *a.* stooping, bent; humped, hump-backed.
сут/ь *s. f.* essential *or* main point, the substance, quintessence; the pith (of a story) (*cf.* быть) || **–я́га** *s. m&f.* intriguer, litigious person; plotter || **–я́ж=ить** I. & **–я́жнича-ть** II. *vn.* to intrigue, to be litigious, to be fond of going to law || **–я́жнический** *a.* litigious.
суфл/ёр *s.* (*theat.*) prompter || **–ёрский** *a.* prompter's || **–и́ро+вать** II. *vn.* to prompt.
суффи́кс *s.* suffix.
суха́р/ик *s.* small biscuit || **–ница** *s.* biscuit-box || **–ь** *s. m.* [a] biscuit.
су́х/о *ad.* drily; coldly, unfriendly || **–ова́тый** *a.* somewhat dry || **–ожи́лие** *s.* tendon, sinew || **–ожи́льный** *a.* sinew-; sinewy || **–о́й** *a.* (*comp.* су́ше) dry; thin, spare, lean; (*fig.*) cold, dry, unfeeling; **–и́м путём** by land || **–онький** *a.* nice and dry || **–опа́рый** *a.* lean, spare, thin || **–опу́тный** *a.* land-, by land || **–ость** *s. f.* & **–ота́** *s.* [h] dryness || **–о́тка** *s.* (*gpl.* -ток) consumption, tuberculosis || **–оща́вый** *a.* spare, lean, thin || **–оеде́ние** *s.* diet of dry food.
су́чий (-ья, -ье) *a.* of bitch.
суч=и́ть I. [a & c] *va.* (*Pf.* с-) to twist (thread); to knead, to roll out (paste); to roll up (one's sleeves).

су́ч/ка *s.* (*gpl.* -чек) small bitch || **–кова́тый** *a.* geniculated || **–о́к** *s.* [a] (*gsg.* -чка́) *dim. of* сук || **/–ья** *cf.* **сук.**
су́ш/а *s.* dry land, terra firma, continent || **–е** *cf.* **сухо́й** || **–е́ние** *s.* drying; dessication || **–и́льня** *s.* (*gpl.* -лен) drying-room, -loft.
суш=и́ть I. [a & c] *va.* (*Pf.* вы́-) to dry; (*Pf.* ис-) (*fig.*) to consume (of grief).
су́ш/ка *s.* (*gpl.* -шек) = **суше́ние.**
сушь *s. f.* dry matter; *coll.* brushwood; dryness, dry weather.
сущ/е́ственный *a.* essential, substantial, main || **–естви́тельный** *a.*, **и́мя –ное** (*gramm.*) substantive, noun || **–ество́** *s.* being, creature; essentiality, nature (of a thing) || || **–ествова́ние** *s.* being, existence || **–ество+ва́ть** II. [b] *vn.* to be, to exist || **/–ий** (-ая, -ее) *a.* existing, which (who) is; real, true; **/–ая пра́вда** (that's) the downright truth; **~ вздор** absolute nonsense || **/–ность** *s. f.* substance, nature, essence, essential *or* main point; **в /–ности** in the main.
суя́гная (*as s.*) in lamb (of a ewe).
сфальши́вить *cf.* **фальши́вить.**
сфе́р/а *s.* sphere || **–и́ческий** *a.* spheric(al).
сфинкс *s.* sphinx.
сформирова́ть *cf.* **формирова́ть.**
сфотографи́ровать *cf.* **фотографи́ровать.**
схва́/тка *s.* (*gpl.* -ток) conflict, scuffle; (*mil.*) skirmish, fray || **–тыва-ть** II. *va.* (*Pf.* -т=и́ть I. 2. [c]) to seize, to grasp; to catch (a cold, etc.) || **~ся** *vr.* (за что) to set about, to begin speedily; (чего́) to recollect, to remember suddenly || **~** *vrc.* to come to blows, to come to close quarters (with).
схе́м/а *s.* scheme || **–ати́ческий** *a.* schematic.
схи́зма *s.* schism.
схи́м/ник *s.*, **–ница** *s.* monk, nun of severest order || **–нический** *a.* ascetic(al).
схитри́ть *cf.* **хитри́ть.**
схлёбыва-ть II. *va.* (*Pf.* схлебн-у́ть I.) to sip up, to scoop out with a spoon.
сход/ *s.* descending, descent; meeting, crowd; **~ с ре́льсов** derailment || **/–бище** *s.* assembly, meeting.
сход=и́ть I. 1. [c] *vn.* (*Pf.* сойти́ 48. [a 2.]) to go down, to descend, to come down, to alight; to leave, to stir from; to disappear, to vanish; **сойти́ с ума́** to go mad; **сойти́ с ре́льсов** to be derailed; **снег сошёл** the snow has disappeared; **кра́ска сошла́** the colour faded || **~ся**

vn. to meet, to join, to come together; to assemble; to agree, to come to an agreement; to become reconciled.
схо́д/ка *s.* (*gpl.* -док) meeting, assembly || **–ня** *s.* (*mar.*) gang-way, (landing-) stage || **–ный** *a.* analogous, similar, like; cheap, moderate, low-priced, fair (of price) || **–ственный** *a.* conformable, analogous || **–ство** *s.* conformity, likeness, similarity.
схо́жий (-ая, -ее) *a.* like, similar.
схоласти́ческий *a.* scholastic.
схорони́ть *cf.* **хорони́ть.**
сцара́п/ыва-ть II. *va.* (*Pf.* -н-уть I.) to scratch, to graze (the skin); to pilfer.
сце́жива-ть II. *va.* (*Pf.* сцед=и́ть I. 1. [c]) to draw off, to decant, to strain, to filter.
сце́н/а *s.* (*theat.*) stage; (*theat.* & *fig.*) scene || **–и́ческий** *a.* scenic, theatrical || **–и́чный** *a.* scene-, stage-.
сцеп/ля́-ть II. *va.* (*Pf.* сцеп=и́ть II. 7. [c]) to hook, to chain, to link together; to join, to couple || **~ся** *vrc.* & *vr.* to be caught, to catch (in); (с кем) to come to blows || **–но́й** *a.* hooked in; coupling, for chaining together.
счаст/ли́вец *s.* (*gsg.* -вца), **–ли́вица** *s.* a lucky dog || **–ли́вый** *a.* fortunate, lucky; happy || **–́ие** & **–́ье** *s.* fortune, good luck; happiness; fate; **к –́ью** fortunately.
сче́рчива-ть II. *va.* (*Pf.* счерт=и́ть I. 2. [c]) to sketch, to copy, to draw (from).
счёсыва-ть II. *va.* (*Pf.* счес-а́ть I. 3. [c]) to comb off, to scrape off.
счёт/ *s.* [b] (*pl.* счета́ *only for account and bill*) account, bill; reckoning, calculation; costs *pl.*; **теку́щий ~** current account; **на свой ~** at one's own expense; **в ~** on account; **жить на чужо́й ~** to live at another person's expense; **по сему́ счёту де́ньги полу́чены** paid with thanks; (*pl.* счёты) abacus, counting-board || **–́ный** *a.* account-, of accounts.
счетово́д/ *s.* book-keeper || **–ство** *s.* book-keeping, keeping of accounts, accountantship.
счётчик *s.* accountant.
счис/ле́ние *s.* reckoning, calculation; (*math.*) numeration; **~ по ла́гу** (*mar.*) dead reckoning || **–ля́-ть** II. *va.* (*Pf.* –́л=ить II.) to count, to reckon, to calculate.
счи́стить *cf.* **счища́ть.**
счита́-ть II. *va.* (*Pf.* счесть 24. [a 2.], *Fut.* сочту́, -ёшь, *Pret.* счёл, сочла́, etc.) to count, to compute; to reckon, to calculate; to collate, to compare (with); (кого́ чем, за кого́) to think one, to take one for || **~ся** *vrc.* to settle accounts (with one); to be reputed (to be).
счища́-ть II. *va.* (*Pf.* счи́ст=ить I. 4.) to clean, to clear off, to brush off.
сшиба́-ть II. *va.* (*Pf.* сшиб=и́ть I. [a]) to knock off *or* down, to throw, to cast down, to overthrow; to tear one's skin || **~ся** *vr.* to lose one's way, to go astray || **~** *vrc.* to bound against one another; to come to blows; (*mil.*) to fall in (with).
сши́бка *s.* (*gpl.* -бок) struggle; (*mil.*) skirmish.
сшива́-ть II. *va.* (*Pf.* сшить 27. [a 1.], *Fut.* сошью́, -ьёшь) to sew up; to darn, to seam, to tack.
с'ед/а́-ть II. *va.* (*Pf.* с'есть 42.) to eat up, to devour; to gnaw, to corrode || **–о́бный** *a.* eatable, edible.
с'езд *s.* meeting, assembly, congress; descent.
с'езжа́-ть II. *vn.* (*Pf.* с'е́хать 45.) to come down, to descend (not on foot); to tumble down; (с кварти́ры) to change one's lodgings || **~ся** *vn.* to meet; to assemble.
с'ёжива-ть II. *va.* (*Pf.* с'ёж=ить I.) to draw together, to contract || **~ся** *vr.* to shrink up, to shrivel.
с'е́зжий (-ая, -ее) *a.* arrived (from different regions), assembled.
с'ём/ка *s.* (*gpl.* -мок) plan, survey; undertaking. contract; cut (at cards); taking (of a picture) || **–ный** *a.* for taking off, away, taken off, away || **–щик** *s.* land-surveyor; tenant.
с'ест/но́й *a.* eatable, edible; **–ные припа́сы** *mpl.* eatables, victuals *pl.* || **–ь** *cf.* **с'еда́ть.**
с'е́хать *cf.* **с'езжа́ть.**
сы́ворот/ка *s.* (*gpl.* -ток) whey || **–очный** *a.* whey-.
сы́грыва-ть II. *va.* (*Pf.* сыгра́-ть II.) (*theat.* & *mus.*) to play, to perform; to go through; to win back (at cards); **~** (с кем) **шу́тку** to play (one) a trick || **~ся** *vrc.* (*theat.* & *mus.*) to rehearse, to exercise, to practise (an instrument).
сы́з/мала *ad.* from a child || **–нова** *ad.* anew, again, once more.
сыма́ть *cf.* **снима́ть.**
сын/ *s.* [b] (*pl.* -овья́; [*fig.*] -ы́) son || **–и́шка** *s.* (*abus.*) bad son || **–о́вний** *a.* son's; filial || **–о́к** *s.* [a] (*gsg.* -нка́) & **–о́чек** *s.* (*gsg.* -чка) *dim. of* сын.

сы́п-ать II. 7. *va.* (*Pf.* по-) to strew, to pour, to scatter.
сыпу́чий (-ая, -ее) *a.* for scattering; **~ песо́к** quicksand.
сыпь *s. f.* (*med.*) rash, eruption.
сыр/ *s.* [b] cheese; **кусо́к ́у** a piece of cheese || **~-бо́р** *s.*, **~ загоре́лся** ("the damp spruce-wood has caught fire"); (*fig.*) much ado about nothing || **–е́-ть** II. *vn.* (*Pf.* о-) to grow moist *or* damp || **–е́ц** *s.* [a] (*gsg.* -рца́) raw material; **шёлк-~** raw silk || **́ный** *a.* cheese-; cheesy || **–ова́р** *s.* cheesemonger || **–ова́тый** *a.* dampish, somewhat damp, wet || **–оёжка** *s.* (*gpl.* -жек) kind of mushroom || **–о́й** *a.* damp, moist, wet; raw; unripe (of fruits); untanned (of leather); (*culin.*) underdone || **–опу́ст** & **–опу́стие** *s.* the last day before Lent || **–опу́стный** *a.* Shrove- || **́ость** *s. f.* dampness, moisture, humidity || **–ьё** *s. coll.* raw materials *pl.*
сыск/ *s.* search, quest, discovery, finding || **́ива-ть** II. *va.* (*Pf.* сыск-а́ть I. 4. [c]) to search (for), to seek out; to find out, to discover || **–но́й** *a.* detective-; **–на́я поли́ция** detective-force.
сы́т/ный *a.* satiating, nourishing; lucrative || **–ый** *a.* satiate(d), not hungry.
сыч *s.* [a] (*orn.*) dwarf-owl.
сы́щик *s.* detective, officer of the secret police.
сюда́ *ad.* here, hither.
сюже́т *s.* subject, matter.
сюрпри́з *s.* surprise.
сюрт/у́к *s.* [a] frock-coat || **–учо́к** *s.* [a] (*gsg.* -чка́) *dim. of prec.*
сюсю́ка-ть II. *vn.* (*Pf.* за-) to lisp.
сяжо́к *s.* [a] (*gsg.* -жка́) (*zool*). tentacle; antenna, feeler.
сяк/ *ad.* so; **так и ~** in every possible way, this way and that || **–о́й** *a.* such.
сям *ad.*, **там и ~** here and there.

Т

та *cf.* **тот.**
таба́к/ *s.* [a] tobacco; **ню́хательный ~** snuff || **–е́рка** *s.* (*gpl.* -рок) tobacco box, snuff-box || **–ово́дство** *s.* tobacco cultivation.
табач/и́шко *s.* bad, inferior tobacco; shag || **́ник** *s.*, **́ница** *s.* tobacco seller, tobacconist; tobacco smoker; snuff-taker || **́ный** *a.* of, for tobacco; tobacco-; **́ная ла́вка** tobacco-shop, tobacconist's || **–о́к** *s.* [a] (*gsg.* -чка́) a bit of tobacco, a pinch of snuff.
та́бель/ *s. f.* table, list; **~ о ра́нгах** official list, army-list || **–ный** *a.* table-, list-; **~ день** bank holiday, official holiday.
табл/е́тка *s.* tablet || **–и́ца** *s.* table; **~ умноже́ния** multiplication table || **–и́чка** *s.* (*gpl.* -чек) little table, list || **–и́чный** *a.* tabular, in tables.
та́бор *s.* gipsy camp *or* encampment.
табу́н/ *s.* [a] herd of horses || **–щик** *s.* horse-herd.
тавли́нка *s.* (*gpl.* -нок) tobacco-case of wood *or* birch-bark.
тавро́ *s.* brand; stamp, mark.
тага́н/ *s.*, *dim.* **–чик** *s.* andiron, fire-dog; iron tripod.
та́ег *cf.* **тайга́.**
таз/ *s.* [b] basin, wash-basin; (*an.*) pelvis || **́ик** *s. dim. of prec.* || **–и́ща** *s. m.* large basin || **́овый** *a.* of basin; (*an.*) pelvic; **́овая кость** pelvic bone.
таи́нствен/но *ad.* secretly, mysteriously || **–ность** *s. f.* secrecy, mysteriousness, mysticism.
та́ин/ственный *a.* sacramental || **–ство** *s.* secret, mystery; (*ec.*) sacrament.
та=и́ть II. [a] *va.* to conceal, to keep secret, to hide || **~ся** *vr.* (*Pf.* при-) to conceal, to hide o.s., to act mysteriously.
тайга́ *s.* (*gpl.* та́ег) thick wood, impassable forest (in Siberia).
тайко́м *ad.* in secret, secretly.
та́йн/а *s.* (*gpl.* тайн) secret; (*gpl.* та́ин) (*ec.*) sacraments *pl.* || **–и́к** *s.* secret place *or* passage; hiding-place, lurking-place || **–обра́чный** *a.* morganatic, left-handed; (*bot.*) cryptogamic || **–ость** *s. f.* secrecy, secret || **–ый** *a.* secret, clandestine, concealed; **~ сове́тник** Privy Councillor.
так *ad.* so; thus; to such an extent; **~ сказа́ть** so to say; **не ~-ли?** isn't that so? **то́чно ~** quite right, just so || **~-как** *c.* seeing that, since, as.
такела́ж *s.* (*mar.*) rigging.
та́кже *ad.* also, too, likewise, equally; **~ . . . как** as . . . as; **~ как и** in the same way as.
таки́ *c.*, **всё-~** nevertheless, however, all the same, for all that.
таково́й *a.* such a; **како́в поп тако́в и прихо́д** like master, like man.
тако́вский *a.* such a one.
тако́й *a.* such, such a one; **кто он ~?** who is he then?

такс *s.* dachshund, terrier.
та́кс/а *s.* set rate, tariff, fixed price; (*zool.*) terrier || **–а́ция** *s.* taxation || **–и́ро+вать** II. *va.* to tax, to assess || **–оме́р** *s.* taximeter.
такт *s.* tact; (*mus.*) time, measure.
та́кт/ик *s.* tactician || **–ика** *s.* (*mil.*) tactics *pl.* || **–и́ческий** *a.* tactic(al).
тала́нт/ *s.* talent || **–ливый** *a.* talented, gifted.
та́лер *s.* thaler.
та́ли *s. fpl.* (*mar.*) long-tackle.
талисма́н *s.* talisman.
та́л/ия *s.* shuffle, cutting (at cards) || **–ья** *s.* waist.
талму́д *s.* Talmud.
тало́н *s.* talon, dividend-warrant; coupon, check; stock (at cards).
та́лый *a.* thawed, melted.
тальк *s.* talc.
там *ad.* there; ~ **же** in the same place.
тамари́нд *s.* tamarind.
тамбу́р/ *s.* tambour-work (embroidery) || **–и́н** *s.* (*mus.*) tambourine, tabor.
тамо́жня *s.* custom-house.
та́мошний *a.* there, at that place (existing, to be found).
та́нгенс *s.* tangent.
та́ндем *s.* tandem.
та́нец *s.* (*gsg.* -нца) dance.
танк *s.* tank.
танни́н *s.* tannin.
танцме́йстер *s.* dancing-master.
танцова́льный *a.* dance-, dancing-, of dancing.
танцо+ва́ть II. [b] *va.* (*Pf.* по-) to dance.
танцо́в/щик *s.*, **–щица** *s.* dancer.
танцо́р/ *s.*, **–ка** *s.* (professional) dancer, ballet-dancer.
тапё́р/ *s.*, **–ша** *s.* piano-player (for dancing.
тапио́ка *s.* tapioca.
тапи́р *s.* tapir.
та́ра *s.* (*comm.*) tare.
тара́бар/ский *a.* gibberish; unintelligible; **э́то для меня́ –ская гра́мота** that's Greek to me || **–щина** *s.* gibberish, unintelligible talk.
тарака́н *s.* cockroach.
тара́н *s.* ram, battering-ram.
таранта́с *s.* a half covered-in vehicle, the body of which is supported on two longitudinal wooden bars, which act as springs.
тара́нтул *s.* (*zool.*) tarantula.
тара́нь *s. f.* (*ich.*) abramis vimba.
тарара́х *int.* crack! bang!
таратáйка *s.* (*gpl.* -та́ек) a two-wheeled vehicle.
тарато́р/а *s.*, **–ка** *s.* (*gpl.* -рок) babbler, prattler, chatterbox.
тарато́р=ить II. *vn.* to chatter, to prattle.
тара́щ=ить I. *va.* (*Pf.* вы́-) to open wide; (*fam.*) to gape || ~**ся** *vr.* to stretch out (one's hands) for.
таре́л/ка *s.* (*gpl.* -лок) plate; (*in pl.*) (*mus.*) cymbals *pl*; **он не в свое́й –ке** he is out of sorts, he is not in good spirits || **–очка** *s.* (*gpl.* -чек) small plate || **–очный** *a.* plate-.
тари́ф *s.* tariff.
тарлата́н *s.* light cotton stuff.
тарти́нка *s.* (*gpl.* -нок) small sandwich.
та́ска *s.* (*gpl.* -сок) dragging, pulling.
таска́-ть II. *va.* (*Pf.* на, по-, вы́-) to drag, to trail, to pull; to carry (on the back); to take, to drag away secretly; (*Pf.* ис-) to wear out (clothes); (*Pf.* от-) ~ (кого́) **за́ волосы** to pull (s.o.) by the hair || ~**ся** *vr.* to drag, to loaf about; to move slowly.
тасо+ва́ть II. [b] *va.* (*Pf.* с-) to shuffle (cards).
тасо́вка *s.* (*gpl.* -вок) shuffling (cards).
тата́р/ин *s.*, **–ка** *s.* (*gpl.* -рок) Ta(r)tar || **–щина** *s.* period of the Ta(r)tar dominion; (*fig.*) despotism.
татуи́ро+вать II. *va.* to tattoo.
тать *s. m.* thief.
тафт/а́ *s.* taffeta || **–яно́й** & **–я́ный** *a.* taffeta, of taffeta.
тача́-ть II. *va.* to sew through, to quilt.
та́чка *s.* (*gpl.* -чек) sewing through, quilting; wheelbarrow.
тащ=и́ть I. [a & c] *va.* (*Pf.* по-) to drag, to draw, to pull away *or* off || ~**ся** *vr.* to drag o.s. on.
та́-ять II. *vn.* (*Pf.* рас-) to melt, to thaw, to dissolve (*also fig.*); (с тоски́) to waste, to pine away; to be enraptured (with).
тварь *s. f.* creature.
тверде́-ть II. *vn.* (*Pf.* о-) to become hard *or* firm, to harden, to grow solid; to solidify.
тверд=и́ть I. 1. [a] *va.* to reiterate, to keep repeating, to repeat over and over; to learn by heart.
твё́рд/ость *s. f.* hardness, firmness; solidity; steadiness || **–ый** *a.* (*comp.* твё́рже) hard, firm (*also fig.*); sound (of sleep); (*phys.*) solid; (*fig.*) steady.
тверды́ня *s.* (*poet.*) fortress, stronghold.
твердь *s. f.*, **небе́сная** ~ firmament, the vault of heaven.
твё́рже *cf.* **твё́рдый.**
твой *prn. poss.* (твоя́, твоё, *pl.* твои́) thy, thine; your, yours; **по тво́ему** in your opinion, in your way.

твор/éние *s.* creation; production, work || **-éц** *s.* [a] (*gsg.* -рцá) creator; author || **-и́тельный** *a.*, ~ **падéж** (*gramm.*) instrumental (case).
твор=и́ть II. [a] *va.* (*Pf.* со-) to create; to produce, to make || **~ся** *vr.* to be made; to happen.
творóг *s.* [a] curds *pl.*
творóж/ник *s.* curd cake || **-ный** *a.* curd-.
творцá *cf.* **творéц.**
твóрческий *a.* creative.
твоя́ *cf.* **твой.**
т.-е. *abbr.* = **тó-есть.**
те *cf.* **тот** || ~ *particle added to the 1st pers. pl. of Pres., e. g.* **пойдёмте!** let us be off!
теáтр/ *s.* theatre || **-áльный** *a.* theatrical; theatre-.
тебé *D. & Pr. of* ты.
тебя́ *G. & A. of* ты.
тéзис *s.* thesis, dissertation.
тёзка *s. m&f.* (*gpl.* -зок) namesake.
тезоимени́тство *s.* name-day (of exalted personages).
текст *s.* text.
теку́чий (-ая, -ее) *a.* fluid, liquid; fluent, flowing (of language).
теку́щий (-ая, -ее) *a.* flowing; (*comm.* & of time) running, current; ~ **счёт** current account; 10-**го числá -его мéсяца** the 10th inst., the 10th of this month.
телéга *s.* (four-wheeled) cart (of peasants).
теле/грáмма *s.* telegram, wire || **-грáф** *s.* telegraph-office || **-графи́ро+вать** II. *va.* (*Pf.* про-) to telegraph, to wire || **-графи́ст** *s.*, **-графи́стка** *s.* (*gpl.* -ток) telegraphist || **-грáфный** *a.* telegraphic.
телён/ок *s.* (*pl.* теля́та) calf || **-очек** *s* (*gsg.* -чка) *dim. of prec.*
теле/скóп *s.* telescope || **-скопи́ческий** *a.* telescopic(al) || **-скóпный** *a.* of telescope || **´-сный** *a.* bodily, corporal; of the body || **-фóн** *s.* telephone || **-фони́ро+вать** II. *vn.* to telephone, to phone.
телéц *s.* [a] (*gsg.* тельцá) young ox; (*astr.*) Taurus, the Bull.
тел=и́ться II. [a & c] *vc.* (*Pf.* о-) to calve.
тёлка *s.* (*gpl.* -лок) heifer.
теллу́рий *s.* orrery.
тéло/ *s.* [b] body; the flesh || **-грéйка** *s.* (*gpl.* -грéек) body-warmer, comforter || **-движéние** *s.* (bodily) exercise || **-сложéние** *s.* structure of the body, build, stature, frame; constitution || **-храни́тель** *s. m. coll.* body-guard.
тéль/ный *a.* body-, of body || **-це** *s.* (*phys.*) small body.

теля́та *cf.* **телёнок.**
теля́тина *s.* veal.
теля́чий (-ья, ье) *a.* calf's; veal-.
тем *cf.* **тот** || ~ *ad.* therefore; (*before comp.*) the; ~ **бóльше** all the more; ~ **не мéнее** none the less.
тéма *s.* theme.
тембр *s.* timbre.
тéмень *s. f.* = **темнотá.**
темля́к *s.* [a] sword-knot.
тёмненький *a.* pretty dark, darkish.
темнé-ть II. *vn.* (*Pf.* за-, по-) to grow dusky, to get, to become dark || **~ся** *v.imp.* to appear dimly (in outline).
темн/ёхонький *a.* pitch-dark || **-и́ца** *s.* prison, jail, dungeon || **-и́чный** *a.* prison-, jail- || **´-о** *in cpds.* = dark-, *e. g.* **-обу́рый** dark-brown, **-окрáсный** dark-red || ~ *ad.* darkly; (*fig.*) obscurely, gloomily || **-отá** *s.* darkness, obscurity, gloom.
тёмный *a.* dark, obscure; gloomy; ignorant; vague; suspicious.
темп/ *s.* tempo; (*mus.*) time, measure; (*mil.*) movement || **-ерáмент** *s.* temperament || **-ерату́ра** *s.* temperature.
темь *s. f.* darkness; (*fig.*) ignorance.
тéмя *s. n.* (*gsg.* тéмени) the top, crown (of the head); summit, peak (of a mountain).
тенд/енциóзный *a.* tendentious || **-éнция** *s.* tendency, purpose.
тéндер *s.* tender (of an engine).
тенёта *s. npl.* hunting-net.
тени́стый *a.* shady, shadowy.
тенóр *s.* tenor
тень *s. f.* [c] shade, shadow; shadowing.
тео/крáтия *s.* theocracy || **´-лóг** *s.* theologian || **-логи́ческий** *a.* theologic(al) || **-лóгия** *s.* theology.
теор/éма *s.* theorem || **-ети́ческий** *a.* theoretic(al).
теóрия *s.* theory.
тепéр/ешний *a.* present, now existing || **-ь** *ad.* now, nowadays, at present.
тёпленький *a.* nice and warm.
теплé-ть II. *vn.* (*Pf.* по-) to become *or* to grow warm.
тепл/и́ца *s.* hothouse; (*esp. in pl.*) warm springs || **-и́чный** *a.* hothouse- || **-ó** *s.* warmth, heat, warm weather || ~ *ad.* warmly; heartily || **-овáтый** *a.* tepid, lukewarm || **-окрóвный** *a.* warm-blooded || **-омéр** *s.* calorimeter, thermometer || **-опровóдный** *a.* heat-conducting || **-орóдный** *a.* calorific || **-отá** *s.* heat; warmth; **скры́тая** ~ latent heat.

тёплый *a.* warm, hot; (*fig.*) fervent, ardent, eager; cordial, hearty.
теплынь *s. f.* great heat.
терапевт/ика *s.* therapeutics *pl.* || **–ический** *a.* therapeutic(al).
тереб=ить II. 7. [c] *va.* (*Pf.* рас-) to pull, to tug, to tousle; to pluck (a bird); (кого́) to trouble, to worry.
тéре/м *s.* [b], *dim.* **–мóк** *s.* [a] (*gsg.* -мка́) garret, attic.
терéть 14. *va.* (*Pf.* по-) to rub, to grate, to shave, to scrape, to rake.
терзá-ть II. *va.* (*Pf.* ис-, рас-) to lacerate (of wild animals); to tear to pieces, to tear up; (*fig.*) to torment, to torture, to plague.
тёрка *s.* (*gpl.* -рок) grater.
тéрмин/ *s.* term, expression || **–олóгия** *s.* terminology.
термит *s.* termite, white ant.
термóмéтр/ *s.* thermometer || **–ический** *a.* thermometrical.
тёрн *s.* sloe(thorn), blackthorn.
терн/истый *a.* thorny, prickly || **–óвка** *s.* (*gpl.* -вок) liqueur made from sloes || **–óвник** *s.* thorn-bush; furze, gorse || **–óвый** *a.* of thorns, thorn-; **~ венéц** crown of thorns.
тёрочка *s.* (*gpl.* -чек) small grater.
терпёж *s.*, **не в ~ стáло** it became unbearable (*cf.* терпéние).
терпели́вый *a.* patient, forbearing, indulgent, tolerant.
терпéние *s.* patience, forbearance, endurance.
терпенти́н *s.* turpentine.
терп=éть II. 7. [c] *va.* (*Pf.* по-) to suffer, to endure, to bear, to stand, to tolerate || ~ *vn.* (комý) to show indulgence to, to indulge (one in); to have patience, to wait patiently; **врéмя тéрпит** there is no hurry, there's plenty of time; **врéмя не тéрпит** time presses; **дéло не тéрпит отлагáтельства** the business admits of no delay.
терпи́мый *a.* tolerated.
тéрпкий *a.* bitter, sour, tart, acrid (of fruits).
террит/ориáльный *a.* territorial || **-óрия** *s.* territory.
террор/изи́ро+вать II. *va.* to terrorize || **–и́ст** *s.* terrorist.
тéрция *s.* (*mus.*) third; tierce (at cards and fighting); (*typ.*) great primer.
терá-ть II. *va.* (*Pf.* по-) to lose, to forfeit || **~ся** *vr.* to disappear; (*fig.*) to lose one's head.
тёс *s. coll.* planks, boards *pl.*
тесáк *s.* [a] side-arm, short sabre; (*mar.*) cutlass.
тес-áть I. 3. [c] *va.* (*Pf.* с-) to hew, to cut (lengthwise).
тесём/ка *s.* (*gpl.* -мок) *dim.* tape || **–очный** *a.* tape-.
тесни́на *s.* narrow pass; defile.
тесн=и́ть II. *va.* to press, to squeeze; (когó) to oppress || **~ся** *vr.* to squeeze (through), to press together, to crowd.
тéсный *a.* (*comp.* теснée) narrow, tight, close, tight-fitting (of garments); limited; crowded; straitened (of circumstances).
тесното́ *s.* narrowness; crowd, throng, press.
тесóвый *a.* of planks, of boards.
тéсто *s.* dough.
тесть *s. m.* father-in-law (the wife's father).
тéстюшка *s. m.* (*gpl.* -шек) (dear) father-in-law.
тесьмá *s.* (*gpl.* тесём) tape, braid, ribbon.
тéтерев *s.* [b] (*pl.* -евá, -евéй, etc.) grouse, woodcock.
тетивá *s.* [h] string (of a bow), bow-string.
тётка *s.* (*gpl.* -ток) aunt.
тетрá/дка *s.* (*gpl.* -док) *dim. of foll.* || **–дь** *s. f.* copy-book, exercise-book.
тёт/ушка *s.* (*gpl.* -шек) (dear) aunt || **–я** = **тётка.**
техн/и́ческий *a.* technical || **–ологи́ческий** *a.* technological || **–олóгия** *s.* technology.
течéние *s.* current, flow; course; **по –нию реки́** down-stream; **прóтив –ия реки́** up-stream; **в ~** (+ *G.*) in the course of, during.
тéчка *s.* (*gpl.* -чек) rut, heat (in animals).
течь [√тек] 18. [a 2.] *vn.* (*Pf.* по-) to stream, to flow; to pass (away); **врéмя течёт бы́стро** time flies; (*Pf.* про-) to leak (through); to trickle through (of rain); **бочёнок течёт** the cask is leaking.
течь *s. f.* leak; **получи́ть ~** to spring a leak.
тéш=ить I. *va.* (*Pf.* по-, у-) (когó) to do a thing to please one, to gratify (one's wishes), to amuse, to divert (one) || **~ся** *vr.* (чем) to delight in, to rejoice at, to be amused (with); (над кем) to make a fool of, to dupe.
тёща *s.* mother-in-law (the wife's mother).
тиáра *s.* tiara.
ти́гель/ *s. m.* crucible || **–ный** *a.* crucible-.
тигр/ *s.* tiger || **–ёнок** *s.* (*pl.* -я́та) young tiger || **–и́ца** *s.* tigress || **´–овый** *a.* tiger-, tiger's.
тик/ *s.* ticking (cloth); (*bot.*) teak; **~-так** tick-tack, ticking.
ти́ка-ть II. *vn.* to tick (of a watch); to chatter (of a woodpecker).

тимпа́н *s.* kettledrum; (*an.*) tympanum.
ти́н/а *s.* muddy ground || **–истый** *a.* muddy, slimy.
тинкту́ра *s.* tincture.
тип/ *s.* type || **–и́чный** *a.* typical || **–огра́фия** *s.* typography; printing-office.
тир/ *s.* target-practice; shooting-stand || **–а́да** *s.* tirade || **–а́ж** *s.* drawing (of a lottery).
тира́н/ *s.*, **–ка** *s.* (*gpl.* -нок) tyrant || **–и́ческий** & **–ский** *a.* tyrannic(al) || **–ство** *s.* tyranny || **–ство+вать** II. *vn.* to tyrannize.
тире́ *s. indecl.* hyphen, dash.
тис *s.* yew(-tree).
ти́ска-ть II. *va.* (*Pf.* с- & (с)ти́сн-уть I.) to squeeze, to press; to print, to imprint, to coin || **~ся** *vr.* to throng in, to squeeze, to press (through).
тиски́ *s. mpl.* press; vice; **быть в –а́х** (*fig.*) to be at a loss, in a fix, in sore straits. [impression.
тисне́ние *s.* printing; coining; edition,
ти́снуть *cf.* **ти́скать.**
ти́совый *a.* yew, of yew.
титани́ческий *a.* titanic.
ти́тло *s.* title, heading.
ти́ту́л *s.* title, title of honour.
титуло+ва́ть II. [b] *va.* to title, to give a title to, to entitle.
титуля́рный *a.* titular.
ти́тька *s.* (*gpl.* -тек) teat.
тиф/ *s.* typhus || **–о́зный** *a.* typhoid.
ти́хий *a.* (*comp.* ти́ше: *sup.* тиша́йший) still, quiet, silent; gentle, soft, mild; slow, calm (of the air, the sea); light (of sleep); low, dull (of sound).
тихомо́лком *ad.* silently, in secret.
тихо́нький *a.* very slow, very gentle.
тихо́ня *s. m&f.* quiet, modest, reserved person.
ти́хость *s. f.* quietness, gentleness, softness; calmness (of the sea); mildness (of weather); slowness.
тих/охо́д *s.* (*zool.*) sloth || **–о́хонький** *a.* very quiet, very still.
ти́ш/е (*comp. of* ти́хий), **~ е́дешь, да́льше бу́дешь** more haste, the less speed; **~!** hush! hist! silence! || **–ина́** & **–ь** *s. f.* calm, tranquility; quiet, quietness; silence.
ткань *s. f.* texture, tissue (*also fig.*).
тк-ать I. & 20. *va.* (*Pf.* на-, со-, вы́-) to weave. [loom.
тка́цкий *a.* weaving, weaver's; **~ стано́к**
ткач/ *s.* [a], **–и́ха** *s.* weaver.
ткнуть *cf.* **ты́кать.**
тлен/ *s.* mould, dust, rot || **´–ие** *s.* corruption, putrefaction, rottenness || **´–ный** *a.* perishable, corruptible.
тле-ть II. *vn.* (*Pf.* ис-) to rot, to putrefy, to moulder away; (*fig.*) to die || **~** (*Pf.* за-) & **~ся** *vn.* to glow, to smoulder, to burn slowly *or* faintly.
тля *s.* rottenness, mould; rust (on iron); moth; (*zool.*) plant-louse.
тмин *s.* cumin, caraway.
то *prn.*, **за то** for that; **в том** in that, therein; **к тому́** to that, thereto; **и без того́** without that, in any case; **то же** the same; **одно́ и то же** all the same; **~ и де́ло** continually, always, for ever (*cf.* тот) || **~** *c.* then, in that case; **~ . . . ~** now . . . now.
тобо́й *I. of* ты.
това́р/ *s.* merchandise, wares, goods *pl.* || **–ищ** *s.* companion, comrade, colleague, mate; (*comm.*) associate, partner; assistant || **–ищеский** *a.* companionable, social; of comrade, of partner || **–ищество** *s.* fellowship; association, union; (*comm.*) partnership, company; **~ с ограни́ченной отве́тственностью** limited-liability company || **–ный** *a.* goods-; **~ по́езд** goods train || **–опассажи́рский** *a.*, **~ поезд** mixed (goods and passenger) train.
то́га *s.* toga. [of that time.
тогда́/ *ad.* then, at that time || **–шний** *a.*
то́-есть *ad.* that is to say, namely.
то́ж/ественный & **–де́ственный** *a.* identical, equivalent.
то́же *ad.* also, too; likewise, equally; **~ да не то** not quite the same.
ток *s.* flow, current; flood (of tears); threshing-floor; pairing time (of birds).
тока́р/ный *a.* turner's, turning; **~ стано́к** turner's lathe || **–ня** *s.* turnery, turner's workshop || **–ь** *s. m.* [a] turner.
толк *s.* sense, meaning; doctrine; sect; rumour; **взять** (что) **в ~** to grasp, to comprehend; **знать** (в чём) **~** to know thoroughly, to be a good judge of, to be a connoisseur in.
толка́-ть II. *va.* (*Pf.* толкн-у́ть I. [a]) to thrust, to push, to shove; to give a blow || **~ся** *vr.* to push one another, to jostle; to hurt o.s.
толка́ч *s.* [a] pestle; pounder.
толк/ова́ние *s.* explaining, explanation, interpretation, commentary || **–ова́тель** *s. m.* interpreter, commentator.
толко+ва́ть II. [b] *va.* (*Pf.* ис-) to interpret, to explain, to comment on || **~** *vn.*

(*Pf.* по-) (о чём) to speak of, to talk over, to converse, to discuss, to confer (with).
толко́вый *a.* commented on; clever.
толкотня́ *s.* press, crowd, throng.
толку́ч/ий (-ая, -ее) *a.*, ~ **ры́нок** rag fair || **-ка** *s.* (*gpl.* -чек) = *prec.*
толма́ч *s.* [a] interpreter.
толма́ч=ить I. *va.* to interpret, to translate.
толо́ка *s.* manuring a field by letting cattle graze.
толокно́ *s.* [h] oatmeal (pounded in a mortar).
толо́чь 19. [a 2.] *va.* (*Pf.* ис-, на-) to pound, to grind, to crush || **~ся** *vr.* to lounge, to stroll, to saunter.
толпа́ *s.* crowd, throng, mob.
толп=и́ться II. 7. [a] *vr.* (*Pf.* с-) to crowd, to throng.
то́лстенький *a.* thickish, stoutish.
толсте́-ть II. *vn.* (*Pf.* по-, рас-) to put on flesh, to grow *or* to become stout.
толстёхонький *a.* very thick, stout.
толсто/брю́хий *a.* big-bellied || **-голо́вый** *a.* thick-headed || **-гу́бый** *a.* thick-lipped || **-ко́жий** *a.* thick-skinned; (*zool.*) pachydermous || **-та́** *s.* [h] thickness, stoutness; (*geom.*) solid contents *pl.*
толст/у́ха *s.* stout woman || **-у́шка** *s.* (*gpl.* -шек) *dim. of prec.*
то́лстый *a.* (*comp.* то́лще; *sup.* толсте́йший) thick, stout, fat, corpulent.
толстя́к *s.* [a] stout, corpulent man.
толче́ние *s.* pounding, crushing, stamping.
толчёный *a.* pounded.
толчея́ *s.* stamper; stamping-mill; surge (of the sea).
толчо́к *s.* [a] (*gsg.* -чка́) push, thrust, blow; jolt, bump, shock.
то́лща *s.* thickness, mass, lump.
то́лще *cf.* **то́лстый.**
толщина́ *s.* thickness, size.
то́лько *ad.* only, merely, but; ~ **тепе́рь** this moment; **как** ~ *or* ~ **что** just now; but now; **е́сли** ~ **возмо́жно** if at all possible.
том/ *s.* (*pl.* -ы & -а́) volume, tome || **-а́т** *s.* tomato || **-́ик** *s.* small volume || **-и́тельный** *a.* harassing, tiresome, heavy, oppressive.
том=и́ть II. 7. [a] *va.* (*Pf.* ис-, у-) to trouble, to plague, to oppress, to weary, to fatigue; to stain (wood); to stew (*e. g.* onions) || **~ся** *vr.* to fatigue, to tire o.s.; to be parched (with thirst).
томле́ние *s.* torment, trouble, weariness, fatigue; staining; stewing.
то́мный *a.* languid, tired, faint; half-dead (of fishes).
томпа́к *s.* pinchbeck (alloy of copper and zinc).
тому́ *cf.* **тот.**
тон *s.* (*mus.* & *fig.*) tone; sound (of instruments); (*mus.*) key; manner, habit.
то́ненький *a.* thinnish.
тони́ческий *a.* tonic.
то́нкий *a.* (*comp.* то́ньше; *sup.* тонча́йший) thin, fine; subtile, slender; acute, cunning, sly.
то́нн/а *s.* ton || **-а́ж** *s.* tonnage || **-е́ль** *s. m.* tunnel.
то́нок *cf.* **то́нкий.**
тон-у́ть I. [c] *vn.* (*Pf.* по-, за-) to sink, to go down; to founder (of ships); (*Pf.* у-) to drown, to be drowned (*esp.* of animals).
тонча́йший *cf.* **то́нкий.**
тонча́-ть II. *vn.* (*Pf.* ис-, по-) to grow thin.
то́ньше *cf.* **то́нкий.**
то́ня *s.* [c] haul *or* draught of fish, cast of a net; fishing, fischery; fishing-ground.
топа́з *s.* topaz.
то́па-ть II. *vn.* (*Pf.* за-, *mom.* то́пн-уть I.) to stamp with the feet, to trample.
топ=и́ть II. 7. [c] *va.* (*Pf.* за-, по-) (*mar.*) to sink, to scuttle; to inundate, to flood, to submerge; (*Pf.* ис-) to heat (the stove); (*Pf.* рас-) to melt, to smelt; (*Pf.* у-) to drown.
то́пка *s.* (*gpl.* -пок) firing; melting; mouth of an oven; (*tech.*) fire-place.
то́пкий *a.* boggy, marshy, swampy; easy to melt; good for fuel.
то́пливо *s.* fuel.
то́пнуть *cf.* **то́пать.**
топо/графи́ческий *a.* topographical || **-гра́фия** *s.* topography.
то́поль *s. m.* [c] poplar.
топо́р/ *s.*, *dim.* **-ик** *s.* axe, hatchet || **-́ища** *s. m.* large axe || **-и́ще** *s.* (*pl.* -и́ща) helve, handle of an axe || **-ный** *a.* of an axe; rough, clumsy, coarse (of work done).
то́пот *s.* stamping, trampling.
то́псель *s. m.* topsail.
топт-а́ть I. 2. [c] *va.* (*Pf.* за-) to tread down, to trample on, to crush; (*Pf.* с-) ~ **сапоги́** to wear boots down; (*Pf.* вы́-) to press (grapes).
топты́г/а *s. m&f.* big clumsy lout || **-ин** *s.* Bruin.
топы́р=ить II. *va.* (*Pf.* рас-) to ruffle (the feathers); to spread open, to open (*e. g.* the fingers).

топь *s. f.* swamp, marsh, fen.
то́рба *s.* (horse's) nose-bag.
торг *s.* trade, commerce; bargaining, bargain; market; (*esp. in pl.*) auction; **продава́ть с –о́в** to sell by auction.
торга́ш/ *s.* [a] dealer || **–ество** *s.* dealing, trading.
торго+ва́ть II. [b] *va.* (*Pf.* по-) (что) to trade, to deal in; to bid (for) || ~ *vn.* (*Pf.* с-) (чем) to bargain, to haggle (over).
торго́в/ец *s.* (*gsg.* -вца) tradesman, merchant, dealer, shopkeeper || **–ка** *s.* (*gpl.* -вок) tradeswoman, female dealer || **–ля** *s.* trade, commerce, traffic || **–ый** *a.* trading-, commercial; market-.
то́ре́ц *s.* the butt end of a beam.
торже́ст/венный *a.* solemn, festal; triumphal || **–во́** *s.* feast, festival; triumph || **–во+ва́ть** II. [b] *va.* (*Pf.* от-) to celebrate, to solemnize || ~ *vn.* (*Pf.* вос-) (над кем) to triumph (over).
то́ржище *s.* (*sl.*) market(-place).
тор=и́ть II. [a] *va.* (*Pf.* про-) to tread out, to beat, to level (a path, a road).
то́рмоз *s.* [b] (*pl.* -а́) drag, brake (*also fig.*); skid.
тормоз=и́ть I. 1. [a] *va.* (*Pf.* за-) to check, to brake, to put the brake on.
тормош=и́ть I. [a] *va.* (*Pf.* вс-, за-, по-) to pull (about), to maul; (кого́ *fig.*) to harass, to worry, to tease.
то́рный *a.* beaten, trodden down (of a path).
торова́тый *a.* liberal, generous, open-handed.
торопе́-ть II. *vn.* (*Pf.* о-) to get confused, perplexed, to grow timid.
тороп=и́ть II. 7. [c] *va.* (*Pf.* по-) to hasten, to hurry, to quicken, to urge one on || **~ся** *vr.* to hasten, to make haste, to hurry.
торопли́в/ость *s. f.* hurry, haste, speed, hastiness || **–ый** *a.* hasty, hurried, quick, speedy.
торпе́д/ный *a.* torpedo- || **–а** *s.* torpedo, torpedo-boat.
торс *s.* torso, trunk.
торт *s.* tart, cake.
торф/ *s.* turf, peat || **–яни́к** *s.* [a] turf-pit, peat-bog, -soil.
торцево́й *a.*, **–а́я мостова́я** wood *or* block pavement.
торч=а́ть I. [a] *vn.* to stand out, to project, to tower, to be prominent.
торч/ко́м & **–мя́** *ad.* on end, upright, erect.
тоск/а́ *s.* anguish, affliction, pain, grief; weariness, boredom, oppression; ~ **по ро́дине** home-sickness || **–ли́вый** *a.* afflicted, grieved (at), anxious (about), oppressed, melancholy, sad || **–о+ва́ть** II. [b] *vn.* (*Pf.* за-) to grieve (at, for), to be sorry (for, about), to be sad, to pine away; (по ком) to long (for).
тост *s.* toast.
тот *prn. dem.* (та, то, *pl.* те) that, this.
тотализа́тор *s.* totalizator.
то́тча́с *ad.* at once, immediately, directly, on the spot.
то́чечка *s.* (*gpl.* -чек) small point, dot.
точи́л/о *s.* whetstone, grindstone || **–ьный** *a.* for whetting, for sharpening; grinding-; ~ **реме́нь** (razor-)strop; ~ **ка́мень** whetstone || **–ьня** *s.* grind-mill || **–ьщик** *s.* sharpener, (knife-)grinder.
точ=и́ть I. [c] *va.* (*Pf.* на-) to sharpen, to whet; (*Pf.* ис-) to gnaw (to pieces); to pour out; (*fig.*) to exhale (of perfumes); ~ **слёзы** to shed tears.
то́чка *s.* (*gpl.* -чек) point; full stop; dot; ~ **зре́ния** point of view; ~ **в то́чку** thoroughly, exactly.
точ/нёхонько *ad.* exactly, to a nicety || **∠но** *ad.* exactly, accurately, punctually; ~ **так** just so, quite right, all right || **∠ность** *s. f.* exactness, accuracy, punctuality || **∠ный** *a.* accurate, exact, punctual, explicit.
точь-в-точь *or* ~ **в** ~ to a tittle, to a hair.
тошн=и́ть II. [a] *v.imp.* to cause nausea; **меня́ тошни́т** I am feeling sick.
тошнота́ *s.* sickness, nausea.
то́ш/ный *a.* causing nausea, nauseating; disgusting, nauseous, loathsome || **–но** *ad.*, **мне –о** I feel sick; I feel disgusted.
тоща́-ть II. *vn.* (*Pf.* о-) to grow *or* to get thin, to pine away, to waste away.
то́щий (-ая, -ее) *a.* lean, thin, gaunt, emaciated; fasting, empty (of stomach).
тпру *int.* gee! gee-(h)up! gee-wo!
трав/а́ *s.* [d] grass, herb || **–и́на** *s.*, *dim.* **–и́нка** *s.* (*gpl.* -нок) blade of grass.
трав=и́ть II. 7. [a & c] *va.* (*Pf.* за-) to hunt, to bait; (*Pf.* с-, вы́-) to graze down (a field); to destroy, to corrode away.
тра́в/ка *s.* (*gpl.* вок-) *dim.* blade of grass || **–ле́ние** *s.* hunting, baiting || **–ля** *s.* hunting with hounds, on horseback, coursing || **–мати́ческий** *a.* traumatic || **–ни́к** *s.* [a] herbarium; (*orn.*) hedge-sparrow || **–оя́дный** *a.* herbivorous || **–яно́й** *a.* grass-, of grass; herbaceous.
траге́дия *s.* tragedy.

тра́г/ик *s.* tragedian || **–и́ческий** *a.* tragic(al).
трад/ицио́нный *a.* traditional || **–и́ция** *s.* tradition.
траекто́рия *s.* trajectory.
тракт/ *s.* highroad, highway || **–а́т** *s.* treatise; treaty || **–и́р** *s.* inn, restaurant || **–и́рщик** *s.* innkeeper, landlord, host || **–о+ва́ть** II. [b] *va.* (кого́) to treat, to entertain || ~ *vn.* (о чём) to treat, to handle; (с кем) to negotiate, to treat (with one).
трамб/о+ва́ть II. [b] *va.* (*Pf.* у-) to ram, to beat || **–о́вка** *s.* (*gpl.* -вок) ramming; ram, paving-beetle.
трамва́й *s.* tramway.
транжи́р=ить II. *va.* (*Pf.* рас-) to squander, to dissipate.
транзи́т *s.* transit.
транскри́пция *s.* transcription.
тра́нспо́рт/ *s.* transport, conveyance; (in book-keeping) amount carried forward || **–и́р** *s.* (*math.*) protractor || **–и́ро+вать** II. *va.* to transport, to convey.
трансценде́нтный *a.* transcendental.
транше́я *s.* (*mil.*) trench.
трап *s.* (*mar.*) trap-ladder.
тра́п/е́за *s.* (*sl.*) table, food, meal; refectory (in monasteries) || **–е́ция** *s.* trapeze.
трасс/а́нт *s.* drawer (of a bill of exchange) || **–а́т** *s.* drawee (of a bill of exchange) || **–и́ро+ва́ть** II. [& b] *va.* to draw on (a bill of exchange).
тра́та *s.* extravagance.
тра́т=ить I. 2. *va.* (*Pf.* ис-, по-) to squander, to waste, to dissipate.
тра́тта *s.* bill of exchange, draft.
тра́ур/ *s.* mourning || **–ный** *a.* mourning-.
трафаре́т/ *s.* (*art.*) stencil || **–ный** *a.* stencilling-.
тра́ф=ить II. 7. *va.* (*Pf.* по-) to hit the mark; to catch a likeness.
трах *int.* crack! bang!
тре́б/а *s.* (*sl.*) sacrifice; religious ceremony || **–ник** *s.* missal || **–ование** *s.* demand, request, claim || **–овательный** *a.* exacting, particular, fastidious, hard to please.
тре́бо+вать II. *va.* (*Pf.* ис-, по-, вы́-) to claim, to demand, to exact; to require, to need; ~ (кого́) **в суд** to summon before a court || **~ся** *vn.* (*Pf.* по-) to be required, to be in demand.
требу/ха́ & **–ши́на** *s.* tripe, guts *pl.*, entrails *pl.*
трево́га *s.* unrest, disturbance, trouble, excitement; (*mil.*) alarm.
трево́ж=ить I. *va.* (*Pf.* вс-, по-) to disturb, to trouble, to disquiet; to alarm.
трево́жный *a.* alarming, troubling; restless, turbulent.
треволне́ние *s.* (*sl.*) violent storm; great agitation, alarm.
тregла́вый *a.* three-headed; with three cupolas.
трезво́н *s.* a treble peal of bells.
трезво́н=ить II. *vn.* to ring a treble peal of bells.
тре́звый *a.* sober, temperate.
трезу́бец *s.* (*gsg.* -бца) trident.
трек *s.* racecourse, track; cycle-track.
трел/ь/ *s. f.* trill, quaver || **–я́ж** *s.* trellis-work.
тре́нзель *s. m.* (horse's) snaffle.
тре́ние *s.* rubbing; friction.
трениро+ва́ть II. [b] *va.* to train.
трено́ж=ить I. *va.* (*Pf.* с-) to fetter (a horse), to hobble.
трено́жник *s.* tripod.
трепа́к *s.* [a] a Russian dance.
трепа́ло *s.* hemp-brake, flax-brake.
трепан/а́ция *s.* trepanning || **–и́ро+вать** II. *va.* to trepan.
треп-а́ть II. 7. [c] *va.* (*Pf.* вы́-) to break (hemp, flax); (*Pf.* по-, ис-) to tousle; to worry (of dogs).
тре́пет/ *s.* trembling, quaking, palpitation; ~ **се́рдца** palpitations *pl.*; anguish of mind || **–ный** *a.* trembling, quaking, shaking.
трепет-а́ть I. 6. [c] *vn.* (*Pf.* за-) to tremble, to quake; to flare (of light).
трёпка *s.* breaking (hemp, flax).
треск/ *s.* cracking, crackling (of fire); rattling (of rain); chirping (of crickets) || **–а́** *s.* cod(-fish).
тре́ска-ться II. *vr.* (*Pf.* ис-, рас-) to burst, to explode; to break up, to get slit up.
тресково́й *a.* cod-; ~ **жир** cod-liver oil.
трескотня́ *s.* continual cracking, crackling.
трску́чий (-ая, -ее) *a.* crackling (of firewood); ~ **моро́з** strong, hard frost.
трест *s.* trust.
трете́йский *a.* arbitrational, by arbitration; ~ **суд** arbitration.
тре́т/ий (-ья, -ье) *num.* third; **–ьего дня** the day before yesterday || **–и́чный** *a.* tertiary || **–ь** *s. f.* a third || **–ьего́дняшний** *a.* of the day before yesterday.
треуго́л/ка *s.* (*gpl.* -лок) three-cornered hat || **–ьник** *s.* triangle.
тре́фы *s. fpl.* clubs *pl.* (at cards).
трёхгра́нный *a.* three-sided.

трёх/колёсный *a.* three-wheeled || **-лéтний** *a.* of three years || **-лúстный** *a.* three-leaved || **-мáчтóвый** *a.* three-masted; ~ **корáбль** three-master || **-мéстный** *a.* three-seater, with three seats || **-мéсячный** *a.* quarterly || **-недéльный** *a.* every three weeks || **-рублёвка** *s.* three-rouble note || **-слóжный** *a.* trisyllabic(al) || **-сóтый** *num.* three-hundredth || **-ствóльный** *a.* three-barrelled || **-сторóнний** *a.* three-sided || **-цвéтный** *a.* three-coloured || **-члéнный** *a.* of three members || **-этáжный** *a.* with three storeys.

трещ=áть I. [a] *vn.* (*Pf.* за-) to crack, to crackle, to crash, to crunch (of snow); to wrinkle (of paper); to creak (of wheels, shoes, etc.); to chirp (of crickets); (*Pf.* трéсн-уть I.) to burst, to crack.

трéщин/а *s.* interstice, chink, cleft, crack rift; crevasse (of a glacier) || **-ка** *s.* (*gpl.* -нок) *dim. of prec.*

трещóтка *s.* (*gpl.* -ток) rattle; chatter-box.

три *num.* three.

триангуля́ция *s.* triangulation.

трибу́н/ *s.* tribune, popular speaker || **-а** *s.* tribune || **-áл** *s.* tribunal.

тривиáльный *a.* trivial.

тригоно/метрúческий *a.* trigonometric(al) || **-мéтрия** *s.* trigonometry.

трú/девять (*obs.*) thrice nine (in fairy-tales) || **-деся́тый** (*obs.*) thirtieth; far away (in fairy-tales).

тридцатилéтний *a.* thirty years old, of thirty years.

тридцáтый *num.* thirtieth.

трúдцать *num.* thirty.

трúжды *ad.* three times, thrice.

трúзна *s.* ancient feast in memory of the dead, celebrated with banqueting and games.

трикó/ *s. indecl.* tricot; (*theat.*) tights *pl.* || **-тáж** *s.* hosiery.

три/крáтный *a.* repeated three times; threefold, triple || **-лúстник** *s.* trefoil, clover || **-лóгия** *s.* trilogy || **-нáдцатый** *num.* thirteenth || **-нáдцать** *num.* thirteen.

трú/о *s.* trio || **-ста** *num.* three hundred || **-умвúр** *s.* triumvir || **-умвирáт** *s.* triumvirate || **-умфáльный** *a.* triumphal || **-цикл** *s.* tricycle.

трихúна *s.* (*zool.*) trichina.

трóгательный *a.* touching, affecting, moving.

трóга-ть II. *va.* (*mom.* трóн-уть I.) (что, когó) to touch, to handle; (когó чем *fig.*) to touch, to move, to affect || **~ся** *vr.* to move (o.s.); to leave (of a train); (*fig.*) to be moved *or* touched; to become bad *or* tainted (of eatables).

трóе/ *num. coll.* three things, *esp.* persons together; **их бы́ло ~** there were three of them || **-жéнство** *s.* trigamy || **-крáтный** *a.* repeated three times; threefold, triple || **-крáтно** *ad.* three times, thrice.

трóеч/ка *s.* (*gpl.* -чек) *dim.* small troika || **-ник** *s.* postillon, driver of a troika || **-ный** *a.* drawn by three horses harnessed abreast.

тро=úть II. [a] *va.* to divide into three equal parts, to trisect.

трóиц/а *s.* Trinity; Whitsuntide || **-ын** *a.* Whitsun-; ~ **день** Whitsunday.

трóй/ка *s.* (*gpl.* трóек) three (at cards); troika (vehicle drawn by three horses abreast); **éхать на -ке** to travel by troika || **-ни** *s. pl.* (*G.* -нёй) *m.&f.* triplets *pl.* || **-нóй** *a.* triple, threefold; **-нóе прáвило** (*math.*) rule of three || **-ственность** *f.* triplicity || **-ственный** *a.* triple, treble.

тромбóн *s.* trombone.

трон *s.* throne.

трóнуть *cf.* **трóгать.**

тропá *s.* path, pathway, foot-path.

тропáрь *s. m.* [a] (*ec.*) (short) hymn.

трóп/ик *s.* tropic || **-úнка** *s.* (*gpl.* -нок) & **-úночка** *s.* (*gpl.* -чек) foot-path, pathway || **-úческий** & **-úчный** *a.* tropic(al).

трост/úна *s.* reed || **-úнка** *s.* (*gpl.* -нок) slender reed || **-нúк** *s.* [a] rush, reed, sedge; place planted with reeds.

трóсточка *s.* (*gpl.* -чек) *dim.* walking-stick.

трость *s. f.* [c] reed, cane; walking-stick.

тротуáр *s.* pavement, side-walk.

трофéй *s.* trophy.

трохéй *s.* trochee.

троюрóдный *a.* related in the third degree; ~ **брат** second cousin; **-ная сестрá** second cousin.

троя́кий *a.* threefold, of three different sorts.

тру *cf.* **терéть.**

труб/á *s.* [d] pipe, tube, trumpet, trombone; **дымовáя** ~ chimney flue; **зрúтельная** ~ telescope; **пожáрная** ~ fire-engine || **-áч** *s.* [a] trumpeter.

труб=úть II. 7. [a & c] *vn.* (*Pf.* про-) to trumpet, to blow the trumpet, to sound; (*fig.*) to trumpet forth, to cry up, to puff.

тру́б/ка *s.* (*gpl.* -бок) tube, pipe; tobacco-pipe; roll, scroll; ~ **из бума́ги** small paper-bag || **–ный** *a.* pipe-, tube-, funnel-; trumpet-, of trumpet- || **–очи́ст** *s.* chimney-sweeper, sweep || **–очка** *s.* (*gpl.* -чек) *dim. of* тру́бка || **–очник** *s.* pipe-maker || **–ча́тый** *a.* tubular.

труд *s.* [a] trouble, pains *pl.*, labour, toil, work; trouble, difficulty.

труд=и́ться I. 1. [a & c] *vr.* (*Pf.* по-) to take pains, to exert o.s., to work hard, to take trouble, to occupy o.s. (with).

труд/нова́тый *a.* rather difficult || **-́ность** *s. f.* difficulty, hardship || **-́ный** *a.* difficult, hard, arduous || **–ово́й** *a.* earned by labour || **–олюби́вый** *a.* assiduous, industrious || **–олю́бие** *s.* assiduity, industry || **–оспосо́бный** *a.* capable of working.

тру́же/ник *s.*, **–ница** *s.* hard-working, laborious person, toiler.

трун=и́ть II. [c] *vn.* (*Pf.* по-) (над + *I.*) to make fun (of), to make a fool (of), to dupe, to chaff (one), to mock, to scoff (at), to banter (one).

труп/ *s.* corpse || **-́ный** *a.* corpse-; cadaverous.

тру́ппа *s.* troop, company (of actors).

трус *s.* coward, poltroon, craven.

тру́с=ить I. 3. *vn.* (*Pf.* с-) (+ *G.*) to be afraid (of), to be frightened, to fret (about), to lose courage.

трус=и́ть I. 3. [c] *va.* (*Pf.* на-, рас-, про-) to strew, to scatter, to sprinkle, to spread, to powder, to throw *or* to cast upon; to shake, to cast off (*e. g.* apples); to trot easily (of horses).

трус/и́ха *s.* cowardly woman || **–и́шка** *s. m.* (*gpl.* -шек) miserable coward || **–ли́вый** *a.* cowardly, faint-hearted, chicken-hearted, timid, timorous, anxious, fearful.

трут *s.* tinder.

тру́тень *s. m.* (*gsg.* -тня) (*zool. & fig.*) drone; (*fig.*) idler, loiterer.

трухле́-ть II. *vn.* (*Pf.* ис-) to grow rotten.

тру́хлый *a.* rotten, decayed.

тру́шу́ *cf.* **тру́си́ть.**

трущо́ба *s.* thicket; secret corner, lurking-place.

трын-трава́ *s.* trifle, nothing to speak of; **мне всё** ~ that's all one to me, I don't care a fig about that.

трюм *s.* hold (of a ship).

трюмо́ *s. indecl.* pier-glass.

трю́фель *s. m.* truffle.

тряпи́чник *s.* ragman, rag-picker.

тря́п/ка *s.* (*gpl.* -пок) rag, dish-clout, dish-cloth; (*fam.*) milksop || **–очка** *s.* (*gpl.* -чек) small rag, clout || **–ьё** *s. coll.* rags, tatters *pl.*

тряс/е́ние *s.* shaking, jolting; trembling, shivering || **–и́на** *s.* marsh, bog, moor, swamp, quagmire || **–и́нный** *a.* moory, marshy, boggy, swampy.

тря́ск/а *s.* (*gpl.* -сок) bumping, shaking, jolting (of a carriage); (*fig.*) a sound thrashing || **–ий** *a.* shaky; jolting (of a carriage); uneven, rough (of a road).

трясогу́зка *s.* (*gpl.* -зок) wagtail.

трясти́ 26. [a 2.] (*Pret.* тряс, трясла́, etc.) *va.* (*Pf.* тряхн-у́ть I. [a]) to shake, to jolt || ~**сь** *vr.* (*only in Ipf.*) to tremble, to shake, to quake, to wobble, to dodder.

трясу́чка *s.* (*gpl.* -чек) shaking palsy; (*bot.*) quaking-grass; (*orn.*) lesser bustard.

тс *int.* hush!

ту *cf.* **тот.**

туале́т/ *s.* toilet-stand; toilette, dress || **–ный** *a.* toilet-; dressing.

тубе́ркул/ *s.* tubercle || **–о́зный** *a.* tuberculous.

ту́го/ *ad.* stiffly, tightly; (*fig.*) hardly, dully || **–ва́тый** *a.* stiffish, rather tight.

туго́й *a.* (*comp.* ту́же) stiff, tight; (*fig.*) hard (of times); (*comm.*) dull; miserly, close-fisted; **он туг на́ ухо** he is hard of hearing.

ту́гость *s. f.* stiffness, tightness; (*fig.*) hardness, dul(l)ness.

туда́ *ad.* thither, there.

ту́же *cf.* **туго́й.**

туж=и́ть I. [a & c] *vn.* (*Pf.* по-) (о чём, по ком) to grieve, to mourn, to be sorry (for, about), to take to heart.

тужу́рка *s.* (*gpl.* -рок) everyday coat, undress coat.

тузе́м/ец *s.* (*gsg.* -мца), **–ка** *s.* (*gpl.* -мок) native || **–ный** *a.* native, indigenous.

туз *s.* [a] (*A.* -á) ace (at cards); (*fam.*) a swell, a bigwig.

тузлу́к *s.* brine, pickle (for fish, *esp.* for caviar).

ту́ловище *s.* trunk.

тулу́п/ *s.* sheepskin coat || **–ец** *s.* (*gsg.* -пца) *dim. of prec.* || **–чик** *s.* short sheepskin coat.

тума́к *s.* [a] (*A.* -á) blow with the fist, buffet, cuff; (*ich.*) tunny.

тума́н *s.* fog, mist, haze.

тума́н=ить II. *va.* (*Pf.* о-, за-) to envelop in a mist; to dim, to obscure, to darken || ~**ся** *vr.* to become foggy *or* misty.

тума́нный *a.* misty, foggy, gloomy, dim; (*fig.*) gloomy, melancholy.

ту́мба *s.* curb-stone.
ту́ндра *s.* tundra.
ту́нец *s.* (*gsg.* -нца) (*ich.*) tunny.
тунея́д/ец *s.* (*gsg.* -дца) idler, sluggard; parasite || **–ный** *a.* idle; parasitic(al) || **–ство** *s.* idleness, sloth, laziness; sponging.
тунне́ль *s. m.* tunnel.
тупе́-ть II. *vn.* (*Pf.* за-, по-, о-) to become blunt *or* dull.
тупи́к *s.* [a] blunt knife; blind alley, cul-de-sac; **поста́вить** (кого́) **в ~** to nonplus, to put out of countenance.
туп=и́ть II. 7. [a & c] *va.* (*Pf.* за-, ис-) to blunt, to dull.
туп/и́ца *s. m&f.* blockhead, dolt, stupid person || **–ова́тый** *a.* somewhat blunt, dull; rather stupid || **–оголо́вый** *a.* thick-headed, stupid, thick-skulled || **–о́й** *a.* blunt, dull; stupid, dull-witted; obtuse (of angles) || **–оно́сый** *a.* snub-nosed.
ту́по/сть *s. f.* bluntness, dul(l)ness; stupidity || **–уго́льный** *a.* obtuse-angled || **–у́мие** *s.* stupidity, dul(l)ness || **–у́мный** *a.* feeble-minded, stupid, doltish, dull-witted.
ту́ра *s.* castle, rook (at chess).
турби́на *s.* turbine.
тури́ст *s.* tourist.
турнике́т *s.* turnstile; (*chir.*) tourniquet.
турни́р *s.* tourney, tournament.
турн-у́ть I. *va. Pf.* to drive away; to spur, to urge (on).
туру́сы *s. mpl.* rubbish; **нести́ ~ на колёсах** (*fam.*) to talk stuff and nonsense, to twaddle.
турухта́н *s.* (*orn.*) ruff (a kind of strand-piper.
тусклова́тый *a.* dim, dullish.
ту́склый *a.* dull, dim, tarnished.
ту́скн-уть I. & **тускне́-ть** II. *vn.* (*Pf.* за-, по-) to become dim *or* dull.
тут/ *ad.* here, there; then || **~** *s.* mulberry-tree || **́–овый** *a.* mulberry-.
туф/ *s.* (*min.*) tufa, tuff || **́–ель** *s. m.* (*gsg.* ́–ля) slipper || **́–елька** *s.* (*gpl.* -лек) *dim.* slipper || **́–ля = ́–ель.**
ту́хлый *a.* rotten, tainted, decayed (of food).
ту́хнуть 52. *vn.* (*Pf.* про-) to get tainted, to begin to rot, to decay, to putrefy; (*Pf.* по-, за-) to be extinguished, to go out (of fire, a candle).
ту́ч/а *s.* storm-cloud; (*fig.*) (immense) swarm, throng || **–ка** *s.* (*gpl.* -чек) *dim.* storm-cloud.
тучне́-ть II. *vn.* (*Pf.* у-) to grow fat, stout, obese, to put on flesh.
ту́чный *a.* fat, stout, obese; well fed, corpulent; fertile, rich (of soil).
туш/ *s.* flourish of trumpets || **́–а** *s.* an eviscerated animal (*esp.* a pig) || **–ева́льный** *a.* for shading.
туше+ва́ть II. [b] *va.* (*Pf.* на-, от-) to draw with Indian ink; to shade.
тушёвка *s.* (*gpl.* -вок) shading.
туш=и́ть I. [a & c] *va.* (*Pf.* за-, по-) to extinguish, to put out, to stifle; (*fig.*) to settle, to soothe (a quarrel); **~ де́ло** to hush up a matter.
тушь *s. f.* Indian ink.
тфу = тьфу.
тща́тельный *a.* careful, attentive, accurate.
тщеду́ш/ие *s.* & **–ность** *s. f.* sickliness, infirmity, weak health || **–ный** *a.* infirm, feeble, weakly, sickly, emaciated.
тщесла́вие *s.* vanity, ostentation, boasting.
тщесла́в=иться II. 7. *vn.* (чем) to boast (of), to brag, to vaunt, to parade, to make a display (of).
тщесла́вный *a.* haughty, vain, ostentatious, boastful, puffed up.
тщё́т/но *ad.* in vain, vainly, to no purpose || **–ность** *s. f.* vainness, uselessness, failure || **–ный** *a.* vain, useless, fruitless.
ты *prn. pers.* (thou) you; **мы с тобо́ю** you and I; **быть** (с кем) **на ~** to be very intimate with a person, to thou (one).
ты́ка-ть II. *vn.* (кому́) to thee and thou.
ты́ка-ть II. & **ты́к-ать** I. 2. *va.* (*Pf.* ис- & ткн-уть I.) to thrust in, to stick in.
ты́кв/а *s.* pumpkin, gourd || **–енник** *s.* pumpkin-gruel || **–енный** *a.* pumpkin-.
тыл/ *s.* [°] back, rear, reverse || **́–ьный** *a.* back-, rear-.
тын *s.* paling, fence, hedge.
ты́сяч/а *num.* thousand || **–еле́тие** *s.* a thousand years, millennium || **–еле́тний** *a.* of a thousand years || **–ели́стник** *s.* (*bot.*) milfoil, common yarrow || **–ный** *num.* thousandth.
тычи́н/а *s.* pale, post, stake || **–ка** *s.* (*gpl.* -нок) *dim. of prec.*; (*bot.*) filament.
тычо́к *s.* [a] (*gsg.* -чка́) point, (sharp) edge (of a stone); **дать тычка́** to give a blow with the fist.
тьма *s.* darkness, obscurity; an immense number; **~ вопро́сов** a flood of questions; **~-тьму́щая** a prodigious number.
тьфу *int.* fie! **~ про́пасть!** deuce take it!
тюк *s.* bale, package.
тю́левый *a.* tulle, of tulle

тюл/ений (-ья, -ье) *a.* seal-, seal's || **-ень** *s. m.* seal; (*fig.*) lazy-bones, clumsy fellow.
тюль/ *s. m.* tulle || **-пан** *s.* tulip.
тюр/емщик *s.* gaoler || **-ьма** *s.* [d] gaol, jail, prison, dungeon.
тюря *s.* bread steeped in kvass.
тюф/як *s.* [a], *dim.* **-ячок** *s.* [a] (*gsg.* -чка) mattress.
тявкан/ие & **-ье** *s.* bark, yelp, barking, yelping.
тявка-ть II. *vn.* (*Pf.* тявкн-уть I.) to yelp, to bark.
тяг/а *s.* drawing; draught (of air); (*fig.*) **дать -у** to take to one's heels; **у сигары нет -и** the cigar is not drawing well.
тяга-ться II. *vr.* (*Pf.* по-) (с + *I.*) to litigate, to carry on a lawsuit; (*fig.*) to try conclusions (with one).
тягост/ный *a.* heavy, oppressive, burdensome, troublesome || **-ь** *s. f.* (*esp. fig.*) burden, weight, heaviness; weariness, fatigue.
тяготение *s.* (*phys.*) power of attraction, gravitation, gravity.
тяготе-ть II. *vn.* (*Pf.* о-) (на ком, на чём) to weigh on, to press heavily on; (*phys.*) to gravitate.
тягот=ить I. 2. [a] *va.* (*Pf.* о-) (что) to burden, to load; (кого) to trouble, to bother, to oppress || **~ся** *vr.* (чем) to feel the weight of, to feel burdened.
тягучий (-ая, -ее) *a.* ductile, tensile, malleable (of metals).
тяж/ба *s.* lawsuit, action, litigation || **-ебник** *s.*, **-ебница** *s.* litigant.
тяжеле-ть II. *vn.* (*Pf.* о-) to grow *or* to become heavy.
тяжело/ватый *a.* somewhat heavy || **-весный** *a.* ponderous, weighty.
тяжёл/ость *s. f.* heaviness, weight || **-ый** *a.* heavy, weighty; difficult (of work); indigestible (of food).
тяжесть *s. f.* heaviness, weight, load; (*phys.*) gravity; **центр -и** centre of gravity.
тяжкий *a.* (*esp. fig.*) heavy, grievous, oppressive; weighty, serious.
тян-уть [√тяг] I. [c] *va.* (*Pf.* по-) to draw; to stretch, to extend; to weigh; (*fig.*) to protract, to delay || **~** *v.imp.*, **меня тянет** I have an inclination || **~ся** *vr.* to stretch, to extend; (с + *I.*) to aspire (after, to), to strive to equal, to emulate.
тяпа-ть II. *va.* (*Pf.* тяпн-уть I.) to hack, to seize; to take hold (of); to tear away, to appropriate, to steal; to strike.
тяп/ка *s.* (*gpl.* -пок) chopper, cleaver; cut, stroke || **-кать** *va.* to hack, to chop (cabbage).
тят/енька *s. m.* (*gpl.* -нек) & **-я** *s. m.* (dear) papa.

У

у *prp.* (+ *G.*) by, to, at; near, close by *or* to; **~ самой двери** close to the door; **я купил лошадь ~ брата** I bought a horse of my brother; **~ себя** at home; **~ меня голова болит** I have a headache; **~ меня (есть) . . .** I have . . .; **~ него (есть) . . .** he has . . .; **~ меня был . . .** I had.
убá/вка *s.* (*gpl.* -вок) diminution, decrease, reduction || **-вление** *s.* diminishing, lessening, reducing || **-вля-ть** II. *va.* (*Pf.* -в=ить II. 7.) to diminish, to reduce, to lessen, to shorten; to deduct (of salary) || **~ся** *vr.* to diminish, to decrease, to grow less *or* shorter; to be on the wane (of the moon); to sink (of water).
убаюкива-ть II. *va.* (*Pf.* убаюка-ть II.) to lull, to sing to sleep.
убега-ть II. *vn.* (*Pf.* убежать 44.) to run away, off; to fly, to flee, to make one's escape, to desert; (чего) to avoid, to shun; to escape (a danger).
убедительный *a.* convincing, conclusive; earnest.
убежд/а-ть II. *va.* (*Pf.* убед=ить I. 5. [a]) (кого в чём) to persuade, to convince (of); (кого к чему, на что) to induce || **-ение** *s.* conviction, persuasion.
убежище *s.* refuge, shelter, asylum.
уберега-ть II. *va.* (*Pf.* уберечь 15. [a 2.]) что, кого, от чего) to guard, to keep, to preserve (from), to watch (over), to protect || **~ся** *vr.* to guard o.s., to protect o.s.
уби/ва-ть II. *va.* (*Pf.* убить 27. [a 1.]) to kill, to slay, to murder; to stamp (a path); to nail, to set with nails; to kill, to pass away (of time); (*fig.*) to grieve, to mortify, to discourage || **~ся** *vr.* to hurt o.s.; to be killed (by an accident); (по ком) to grieve, to pine away || **-ение** *s.* murder.
убий/ственный *a.* mortal, deadly; murderous; (*fig.*) wearisome, boring, terrible || **-ство** *s.* murder, assassination || **-ца** *s.* murderer, assassin; (*f.*) murderess.
убира-ть II. *va.* (*Pf.* убрать 8. [a]) to take off, away; to put away; to arrange, to

put in order (books, dishes); to hang away (clothes); to tidy up a room; ~ **голову** to dress (one's) hair; ~ **со стола** to remove the cloth, to take away; ~ **хлеб с поля** to gather in, to reap || ~**ся** *vr.* to attire, to dress o.s.; (с чем) to finish, to get done; (*fig.*) to be off, to depart, to make off; **убирайся!** be off! go to Jericho!

убить *cf.* **убивать.**

ублажа-ть II. *va.* (*Pf.* ублаж=ить I. [a]) to glorify; to entreat, to supplicate; to enrapture, to make happy.

ублюдок *s.* (*gsg.* -дка) mongrel, half-breed; (*bot.*) hybrid.

убо/гий *a.* poor, needy, wretched; crippled; silly || **-жество** *s.* poverty, wretchedness.

убой/ *s.* slaughter(ing) || **-ный** *a.* for slaughtering.

убор/ *s.* finery, set of jewels; **головной** ~ head-dress || **-истый** *a.* close (of handwriting) || **-ка** *s.* (*gpl.* -рок) trimming, decoration; arranging, putting in order; furnishing (of rooms); ~ **волос** hair-dressing; ~ **хлеба** gathering in, getting in the harvest || **-ная** (*as s.*) dressing-room; lavatory || **-ный** *a.* attired; dressing-.

убранство *s.* adornment, decoration, finery; ornament; equipment.

убрать *cf.* **убирать.**

убы/вание *s.* & **убыль** *s. f.* decrease, diminution, fall || **-ва-ть** II. *vn.* (*Pf.* убыть 49.) to decrease, to diminish; to decline (of the day), to wane (of the moon); to fall, to sink (of the water).

убыт/ок *s.* (*gsg.* -тка) loss, damage, detriment, disadvantage, prejudice; **продать в** ~ to sell at a loss || **-очный** *a.* detrimental, at a loss.

уваж/а-ть II. *va.* (*Pf.* уваж=ить II.) (кого) to esteem (highly), to honour, to respect; (что) to consider, to take into consideration, to appreciate || **-ение** *s.* (к + *D.*) esteem, respect; consideration, regard; **принять в** ~ to take into consideration || **-ительный** *a.* noteworthy, worthy of consideration; (*leg.*) valid; (к + *D.*) respectful.

увалень *s. m.* (*gsg.* -льня) sluggard, idler, lazy-bones.

уведом/ительный *a.* (*comm.*) of advice || **-ление** *s.* information, advice, notification; **согласно -ию** as advised, as per advice || **-ля-ть** II. *va.* (*Pf.* уведом=ить II. 7.) (кого о чём) to inform (one of a thing), to notify, to announce, to give notice, to send word of, to advertise; ~ **о получении письма** to acknowledge the receipt of a letter.

увезти *cf.* **увозить.**

увеко/вечива-ть II. *va.* (*Pf.* -веч=ить I.) to immortalize.

увели/чение & **-чивание** *s.* augmentation, enlargement, increase; (цен) rise || **-чива-ть** II. *va.* (*Pf.* -ч=ить I.) to augment, to enlarge, to increase; to magnify; to exaggerate; to prolong, to extend (a term) || ~**ся** *vr.* to increase, to grow.

увеличительный *a.* magnifying; **-ное стекло** magnifying-glass; (*gramm.*) augmentative.

увенчива-ть II. *va.* (*Pf.* увенча-ть II.) to crown; to wreathe.

уверение, *s.* assurance; certainty, surety.

увер/енность *s. f.* (в чём) assurance, certainty, confidence, firm belief, conviction || **-енный** *a.* convinced (of), assured, certain, sure || **-ить** *cf.* **-ять** || **-нуться** *cf.* **увёртываться** || **-овать** *cf.* **веровать.**

увёрт/ка *s.* (*gpl.* -ток) wrapping up, packing up; (*fig.*) subterfuge, evasion, shift || **-ливый** *a.* evasive, shifty, cunning || **-ыва-ться** II. *vr.* (*Pf.* увер-н-уться I. [a]) (от чего) to avoid, to evade, to use evasions; **он из-под рук увернулся** he slipped between my fingers.

увертюра *s.* (*mus.*) overture.

уверя-ть II. *va.* (*Pf.* увер=ить II.) (кого в чём) to assure (one of a thing), to convince || ~**ся** *vn.* (в чём) to ascertain, to make sure (of).

увесе/ление *s.* amusement, enjoyment, diversion || **-лительный** *a.* diverting, entertaining, amusing || **-ля-ть** II. *va.* (*Pf.* -л=ить II.) to amuse, to entertain, to divert.

увесистый *a.* weighty, ponderous.

увести *cf.* **уводить.**

уве/ч=ить I. *va.* (*Pf.* из-) to maim, to cripple, to mutilate, to disable || **-чный** *a.* lame, crippled, maimed || **-чье** *s.* mutilation, lameness.

увешива-ть II. *va.* (*Pf.* увеша-ть II.) to hang (with).

увещ/ание *s.* admonition, exhortation || **-атель** *s. m.* admonisher || **-ева-ть** II. *va.* (*Pf.* -а-ть II.) to admonish, to exhort.

увива-ть II. *va.* (*Pf.* увить 27. [a 3.]) (что чем) to twist, to twine, to wind round, to wrap up || ~**ся** *vr.* (около кого) to

court, to pay court to; to wheedle, to fawn on.
увидáть, увúдеть *cf.* **видáть & вúдеть.**
увúть *cf.* **увивáть.**
увúлива-ть II. *vn.* (*Pf.* увиль-нýть I. [a]) to come, to get off; to extricate o.s.; (*fam.*) to decamp.
увлек/áтельность *s. f.* attractiveness, charmingness || **-áтельный** *a.* attractive, charming, ravishing, captivating; tempting || **-á-ть** II. *va.* (*Pf.* увлéчь 18. [a 2.]) to carry away, to tear away, to draw along; (*fig.*) to attract, to charm, to captivate || **~ся** *vr.* (чем) to (allow o.s. to) be carried away, to be captivated.
увлечéние *s.* impulse, enthusiasm, passion.
увод=úть I. 1. [c] *va.* (*Pf.* увестú & увéсть 22. [a 2.]) to lead away, off, along; to entice away.
увоз=úть I. 1. [c] *va.* (*Pf.* увезтú & увéзть 25. [a 2.]) to carry *or* to take away (in a vehicle); to carry off, to abduct.
уволь/нéние *s.* discharge, leave; **~ в óтпуск** leave of absence, furlough; **~ в отстáвку** superannuation || **-нúтельный** *a.* of discharge || **-ня́-ть** II. *va.* (*Pf.* увóл=ить II.) to discharge, to dismiss; (когó от чегó) to free, to exempt from; **~ в óтпуск** to furlough, to give leave of absence; **~ в отстáвку** to pension off.
уврачевáть *cf.* **врачевáть.**
увы́ *int.* alas! woe!
увяд/áние *s.* withering, fading || **-á-ть** II. *vn.* (*Pf.* увя́нуть 52.) to wither, to fade, to droop.
увязá-ть II. *vn.* (*Pf.* увя́знуть 52.) to sink in, to stick fast in; to be caught, to catch (in).
увя́зыва-ть II. *va.* (*Pf.* увяз-áть I. 1. [c]) to tie (up); to pack up.
увя́нуть *cf.* **увядáть & вя́нуть.**
угадáть *cf.* **угáдывать.**
угáд/ка *s.* (*gpl.* -док) guess(ing); **на -ку** at random, hit or miss || **-чивый** *a.* good at guessing; resourceful || **-чик** *s.* guesser || **-ыва-ть** II. *va.* (*Pf.* -á-ть II.) to guess; to divine; to foresee, to see into, to understand.
угáр/ *s.* fumes *pl.* (from charcoal, from a stove) || **-ный** *a.* full of charcoal fumes.
угасá-ть II. *vn.* (*Pf.* угáснуть 52.) to go out, to be extinguished; (of passion) to cool.
угашá-ть II. *va.* (*Pf.* угас=úть I. 3. [a & c]) to extinguish, to quench; (*fig.*) to quell, to check, to suppress, to stifle.
угле/водорóд *s.* (*chem.*) carburetted hydrogen || **-кислотá** *s.* (*chem.*) carbonic acid || **-кúслый** *a.* (*chem.*) carbonic; **~ газ** carbonic acid gas; **-кúслая соль** carbonate || **-рóд** *s.* (*chem.*) carbon || **-рóдистый** *a.* containig carbon, carbonaceous || **-рóдный** *a.* carbon-.
угло/вáтость *s. f.* angularity; (*fig.*) awkwardness || **-вáтый** *a.* angular; (*fig.*) awkward, coarse || **-вóй** *a.* corner-, angle-; **~ дом** corner house || **-мéр** *s.* goniometer.
углу/блéние *s.* deepening, excavation, cavity, hole, hollow; (*fig.*) absorption (in a thing) || **-бля́-ть** II. *va.* (*Pf.* -б=úть II. 7. [a]) to deepen, to excavate || **~ся** *vr.* (*fig.*) to give o.s. up to, to become absorbed in.
угля́дыва-ть II. *va.* (*Pf.* угляд=éть I. 1. [a]) to perceive, to become aware of, to behold || **~** *vn.* (за + *I.*) to keep an eye on, to look after.
угнáть *cf.* **угоня́ть.**
угнет/áтель *s. m.* oppressor, pursuer || **-á-ть** II. *va.* (*Pf.* угнéсть 23. [a 2.]) to press (down), to squeeze (together), to compress; to stamp; (*fig.*) to oppress, to afflict || **-éние** *s.* compression; (*fig.*) oppression.
уговáрива-ть II. *va.* (*Pf.* уговор=úть II. [a]) to persuade (to do a thing), to talk over, to induce, to prevail upon || **~ся** *vrc.* (с кем) to concert, to agree, to arrange.
уговóр/ *s.* agreement, arrangement, settlement, condition; **с -ом ...** on condition ...
угóд/а *s.* gratification, contentment, satisfaction; **я готóв сдéлать емý э́то в -у** I am willing to oblige him in that || **-úть** *cf.* **угождáть.**
угóд/ливость *s. f.* obligingness, willingness to oblige, complaisance || **-ливый** *a.* obliging, willing to oblige *or* to please, complaisant || **-ник** *s.*, **-ница** *s.* obliging person; **~ Бóжий** a saint || **-ный** *a.* pleasing; **что вам -но?** what do you wish? **как вам -но** as you will, as you like, as you please; **-но ли вам ...?** do you want ...? || **-ье** *s.* (*esp. in pl.*) appurtenances, premises, grounds *pl.*
угождá-ть II. *va.* (*Pf.* угод=úть I. 1. [a]) (комý, на когó) to please, to gratify, to humour, to do one a favour; (чем во что) to strike, to hit.
ýгол/ *s.* [a] (*gsg.* углá) angle; corner; **óстрый ~** acute angle; **прямóй ~** right

angle; **тупой ~** obtuse angle || **–ёк** *s.* [a] (*gsg.* -лька́) & **–ёчек** *s.* (*gsg.* -чка) small piece of coal || **–о́вный** *a.* criminal, penal; **–о́вные зако́ны** *mpl* penal code || **–о́вщина** *s.* (*vulg.*) capital crime || **–о́к** *s.* [a] (*gsg.* -лка́) & **–о́чек** *s.* (*gsg.* -чка) small corner, angle.
у́гол/ь *s. m.* [c] (*pl.* у́гли, углёй, etc.; *coll.* -ья, -ьев, etc.) (ка́менный) coal; (древе́сный) charcoal || **–ье** *s. coll.* coal(s).
уго́ль/ник *s.* (carpenter's) square || **–ный** *a.* corner-.
у́голь/ник = **–щик** || **–ный** *a.* coal-, charcoal- || **–щик** *s.* charcoal-burner, coal-man; coal-merchant.
угомо́н *s.* quiet, rest, repose.
угомо/ня́-ть II. *va.* (*Pf.* -н=и́ть II. [a]) to quiet, to calm, to soothe, to appease, to still; to lull to sleep || **~ся** *vr.* to grow quiet, to calm, to abate; to be lulled to sleep.
уго́н/ *s.* & **–ка** *s.* (*gpl.* -нок) driving away.
уго́ня́-ть II. *va.* (*Pf.* угна́ть 11. [c]) to drive away *or* off, to turn away; to expel; to catch up, to overtake || **~** *vn.* to escape, to get off, to steal away, to drive away hastily || **~ся** *vc.* (за кем) to run, to hasten after, to pursue; to imitate, to equal, to emulate one.
уго́разд=ить I. 1. *va. Pf.* to urge, to induce.
уго/ра́-ть II. *vn.* (*Pf.* -р=е́ть II. [a]) to get sick from the fumes of charcoal || **–ре́лый** *a.* asphyxiated (by the fumes of charcoal).
у́горь *s. m.* [b] (*gsg.* у́гря) pimple, pustule; (*zool.*) eel.
угости́ть *cf.* **угоща́ть.**
угота́влива-ть II. & **уготовля́-ть** II. *va.* (*Pf.* уготóв=ить II. 7.) to prepare, to get ready.
угощ/а́-ть II. *va.* (*Pf.* угост=и́ть I. 4. [a]) to treat, to entertain || **–е́ние** *s.* treat, entertainment, reception.
угрева́тый *a.* pimply, blotched.
угрева́-ть II. *va.* (*Pf.* угре́-ть II.) to warm, to heat.
угрёвый *a.* eel's, eel-.
угро/жа́-ть II. *va.* (*Pf.* -з=и́ть I. 1. [a]) (кому́ чем) to threaten, to menace || **–жа́ющий** (-ая, -ее) *a.* threatening, menacing, impending.
угро́за *s.* threat, menace.
угрызе́ние *s.* bite, biting; **~ со́вести** the stings of conscience, remorse.
угрю́м/ость *s. f.* moroseness, surliness, gruffness, peevishness || **–ый** *a.* morose, surly, gruff, peevish, cross.

уда́ *s.* [e] (fish-)hook; **лови́ть удо́ю** to angle.
уда́брива-ть II. *va.* (*Pf.* удо́бр=ить II.) to manure.
уда́в *s.* (*zool.*) boa constrictor.
удава́ться 39. *vn.* (*only in the 3rd pers.* удаётся, удаю́тся (*Pf.* уда́ться 38. [a 2.] уда́стся, удаду́тся) to succeed; (в + *A.*) to resemble, to take after; **не ~** to miscarry.
удав=и́ть II. 7. [c] *va. Pf.* to strangle, to throttle, to choke.
уда́вленник *s.* a strangled person.
удал/е́ние *s.* removal; **~ от до́лжности** discharge, dismissal || **–е́ц** *s.* [a] (*gsg.* -льца́) bold *or* daring man; dare-devil || **–о́й** *a.* bold, daring, venturesome, foolhardy, rash.
у́даль/ *s. f.* & **–ство́** *s.* boldness, audacity, foolhardiness.
удаля́-ть II. *va.* (*Pf.* удал=и́ть II. [a]) (кого́ от чего́) to remove; to keep off; to banish; **~ от до́лжности** to dismiss, to discharge || **~ся** *vr.* to go away, to leave, to quit, to retire, to withdraw; (от кого́) to avoid, to shun.
уда́р/ *s.* stroke, blow, knock, hit; (*el.*) shock; (*med.*) apoplectic fit; **со́лнечный ~** sunstroke; **быть в –е** to be in luck, to be in high spirits; **быть не в –е** to be in low spirits; **~ кинжа́лом** a stab with a dagger || **–е́ние** *s.* striking; accent, stress, emphasis || **–ный** *a.* of percussion; **~ знак** bruise || **–я́-ть** II. *va.* (*Pf.* уда́р=ить II.) to beat, to strike, to smite, to hit; **~ в ко́локол** to ring the bell; to accentuate (a word); (на + *A.*) to fall on, to charge, to attack || **~ся** *vr.&n.* (обо что) to strike, to push, to bound against; to rush upon; (*fig.*) to give o.s. up to.
уда́ться *cf.* **удава́ться.**
уда́ч/а *s.* success, luck, chance, good fortune; **на –у** at random; **вы́стрел на –у** a random shot || **–ливый** = **–ный** || **–ник** *s.*, **–ница** *s.* lucky person, upstart || **–ный** *a.* lucky, fortunate.
удв/а́ивание & **–ое́ние** *s.* doubling, duplication || **–а́(о́)ива-ть** II. *va.* (*Pf.* -о=ить II.) to double, to duplicate.
уде́л/ *s.* lot, share; appanage || **–е́ние** *s.* allotment || **–ьный** *a.* appanaged; (*phys.*) specific; **~ вес** specific gravity || **–я́-ть** II. *va.* (*Pf.* удел=и́ть II. [c]) to allot, to apportion, to share.
у́держ/ *s.* stopping, delay; **без –у** without stopping || **–а́ние** *s.* keeping back, retaining, retention; stoppage.

удéр/жива-ть II. *va.* (*Pf.* -ж=áть I. [c]) to hold; to last (of colours); to stop, to hold in, to delay, to detain; to restrain, to check; to keep back, to deduct; to withhold, to retain; **~ что в пáмяти** to recollect, to remember || **~ся** *vr.* (за что) to cling to, to hold fast to *or* on to; (от чегó) to avoid, to shun; to abstain, to restrain (from), to forbear; **я не могý ~ от смéха** I cannot help laughing.

удеш/евлéние *s.* reduction, fall in price || **–евля́-ть** II. *va.* (*Pf.* -ев=и́ть II. 7. [a]) to reduce the prices.

удиви́тель/ный *a.* astonishing, amazing, wonderful, surprising || **–но** *ad.* wonderfully, surprisingly; **не ~ что . . .** no wonder that . . .

уди/влéние *s.* astonishment, wonder, surprise, amazement; **знак –влéния** note of exclamation (!) || **–вля́-ть** II. *va.* (*Pf.* -в=и́ть II. 7. [a]) to astonish, to surprise, to amaze || **~ся** *vr.* (чемý) to be astonished, amazed, surprised (at); to wonder (at); to admire.

уди́л/ище *s.* (fishing-)rod || **–о** *s.* [b] (*us. in pl.*) (horse-)bit || **–ьщик** *s.* angler.

удирá-ть II. *vn.* (*Pf.* удрáть 8. [a]) to take to one's heels, to scamper away, off, to make off.

уд=и́ть I. 1. [a & c] *va.* (*Pf.* на-, по-) to angle.

удли/нéние *s.* lengthening, prolongation || **–ня́-ть** II. *va.* (*Pf.* -н=и́ть II. [a]) to lengthen, to prolong, to stretch out.

удóб/ность *s. f.* convenience, comfort, easiness, ease || **–ный** *a.* convenient, comfortable, favourable, suitable; easy, handy; **–ное крéсло** easy chair || **–оварúмость** *s. f.* digestibility || **–овари́мый** *a.* digestible || **–оисполни́мый** *a.* feasible, practicable || **–опоня́тность** *s. f.* intelligibility || **–опоня́тный** *a.* intelligible, comprehensible.

удобр/éние *s.* manure; manuring || **–и́тельный** *a.* serving as manure; dung- || **–я́ть** *cf.* **удáбривать.**

удóбство *s.* convenience, accomodation; comfort.

удовлетво/рéние *s.* satisfaction, atonement, indemnification; amends *pl.*, reparation; granting (a request) || **–ри́тельность** *s. f.* satisfactoriness || **–ри́тельный** *a.* satisfactory || **–ря́-ть** II. *va.* (*Pf.* -р=и́ть II. [a]) to satisfy, to gratify; to indemnify, to make amends || **~ся** *vr.* to be satisfied *or* contented (with), to rest content (with), to acquiesce (in); to get redress.

удов/óльствие *s.* pleasure, enjoyment; gratification, diversion || **–óльствование** *s.* satisfying || **–óльствоваться** *cf.* **довóльствоваться.**

удóд *s.* (*orn.*) hoopoe.

удóй/ *s.* quantity of milk given by a cow at a milking || **–ливый** *a.* milch-; **–ливая корóва** a good milker, milch-cow || **–ник** *s.* milk-pail.

удостове/рéние *s.* evidence, testimony; assurance, attestation, legalization, confirmation, proof, certificate; testimonial; **в ~** (чегó) in testimony whereof; **представить ~ о своéй ли́чности** to give an account of o.s. || **–ри́тельный** *a.* certifying, attesting, legalizing || **–ря́-ть** II. *va.* (*Pf.* *–*р=ить II.) (когó в чём) to assure of, to convince of; (что) to certify, to warrant, to attest, to legalize, to certify, to assert, to confirm; **~ свою ли́чность** to give an account of o.s. || **~ся** *vr.* to ascertain, to make sure; to be assured.

удостóива-ть II. *va.* (*Pf.* удостó=ить II.) to honour; to deign, to consider one worthy; (когó чегó *or* чем) to consider, to esteem, to think one worthy (of a reward) || **~ся** *vr.* to be honoured, to be deemed worthy of; **я удостóился чéсти егó визи́та** I was honoured by his visit.

удосý/жива-ть II. *va.* (*Pf.* -ж=ить I.) (когó на что) to allow time (for), to give time || **~ся** *vn.* to find leisure (for), to have time (for).

ýдочка *s.* (*gpl.* -чек) *dim.* angle; **идти́ на –у** to take the bait.

удрáть *cf.* **удирáть.**

удружи́ть *cf.* **дружи́ть.**

удру/чá-ть II. *va.* (*Pf.* -ч=и́ть I. [a]) to oppress, to persecute, to overwhelm; to overburden (with work); **он –чён гóрестью** he is oppressed with grief || **–чéние** *s.* dejection, despondency; oppression || **–чённость** *s. f.* despondency.

удушá-ть II. *va.* (*Pf.* удуш=и́ть I. [c]) to choke, to strangle, to suffocate (*cf.* души́ть).

удýш/ливый *a.* suffocating, stifling, choking || **–ье** *s.* asthma; **ночнóе ~** nightmare.

уеди/нéние *s.* solitude, loneliness, isolation || **–нённость** *s. f.* solitariness, retirement, seclusion || **–нённый** *a.* solitary, isolated, lonely, retired, secluded || **–ня́-ть** II. *va.* (*Pf.* -н=и́ть II. [a]) to isolate, to separate, to detach || **~ся** *vr.* to retire (from the world), to live in solitude.

уéзд/ *s.* district || **-ный** *a.* district-; ~ **город** county town.

уезжá-ть II. *vn.* (*Pf.* уéхать 45.) to go away, to drive away, to set out, to depart.

уéзжива-ть II. *va.* to make smooth a road (by much driving and riding on); (*Pf.* уéзд=ить I. 1.) to tire out (a horse).

уж *s.* [a] adder, snake || ~ *ad.* (= ужé); **не ýж-то** really, indeed.

ужáлить *cf.* **жáлить.**

ýжас/ *s.* horror, terror, fright; dread, fear || ~ *ad.* (= ужáсно) horribly, awfully, dreadfully; ~ **как жáрко** it is awfully warm || **-á-ть** II. *va.* (*Pf.* -н-ýть I. [a]) (когó чем) to frighten, to terrify, to startle, to shock || **~ся** *vr.* (чегó, чемý) to be frightened, to be terrified, to be horrified, to be shocked (at); to fear, to dread.

ужáсный *a.* terrible, dreadful, horrible; fearful, hideous; awful.

ужé *ad.* already; ~ **не** no more, no longer; ~ **год** since a year, a year already.

ýже *cf.* **ýзкий.**

уж/éли & **-éль** *ad.* is it possible? indeed?

ужéние *s.* angling.

уживá-ться II. *vn.* (*Pf.* ужиться 31.) (у когó) to live long (with); to remain in (one's) service; (с кем, с чем) to accustom o.s. to, to get used to; to agree, to live in harmony (with), to get on well together.

ужúвчивый *a.* sociable, accommodating, easy to get on (with); peaceable, peaceful.

ужúмка *s.* (*gpl.* -мок) (*us. in pl.*) grimace, wry face.

ýжин/ *s.* supper || **-а-ть** II. *vn.* (*Pf.* **по-**) to sup, to take supper.

ужúться *cf.* **уживáться.**

ужó *ad.* afterwards, later || ~ *int.*, ~ **я тебя́!** (*pop.*) (threateningly) just you wait! wait a while!

узако/нéние *s.* ordinance, statute, decree, edict || **-ня́-ть** II. *va.* (*Pf.* ∠н=ить II.) to ordain, to decree; to legitimatize (a child).

узд/á *s.* [e] bridle; curb || **-éчка** *s.* (*gpl.* -чек) *dim. of prec.*

ýзел/ *s.* [a] (*gsg.* узлá) knot; bundle || **-óк** *s.* [a] (*gsg.* -лкá) *dim. of prec.*

ýзенький *a.* rather narrow.

ýзк/ий *a.* (*comp.* ýже) narrow, tight || **-околéйный** *a.* (*rail.*) narrow-gauge || **-ость** *s. f.* narrowness, tightness.

узло/вáтый *a.* knotty, knotted || **-вóй** *a.* knot-.

узнавáть 39. *va.* (*Pf.* узнá-ть II.) to recognize, to know; (что, о чём) to hear, to learn, to ascertain, to find out; to be informed of, to become acquainted (with).

ýзник *s.*, **ýзница** *s.* prisoner, captive, convict, slave.

узóр/ *s.* (*also in pl.*) pattern, design || **-ный** *a.* pattern || **-чатый** *a.* figured, flowered.

узрéть *cf.* **зреть.**

узурпáтор *s.* usurper.

ýзы *s. fpl.* bands, bonds, fetters, chains, shackles *pl.*

уйтú *cf.* **уходúть.**

укáз/ *s.* edict, ukase || **-áние** *s.* indication; hint; information, assignation, instruction, direction, order || **-áтель** *s. m.* guide, leader; indicator; index, table of contents; hand of a clock; ~ (**дорóги**) signpost; **желéзно-дорóжный** ~ a Bradshaw, railway-guide || **-áтельный** *a.* indicating; (*gramm.*) demonstrative; ~ **пáлец** forefinger; ~ **столб** signpost || **-ный** *a.* decreed, prescribed by ukase; lawful, legal; according to regulations || **-чик** *s.* overseer, master(-workman); instructor || **-ыва-ть** II. *va.* (*Pf.* указ-áть I. 1. [c]) to indicate; to point out, to show, to direct to; to appoint, to fix; to instruct, to inform; to order; (на что) to refer (to), to point (to, at).

укáлыва-ть II. *va.* (*Pf.* укол-óть II. [c]) to stab; to prick, to sting (*also fig.*).

укáтыва-ть II. *va.* (*Pf.* укатá-ть II.) to roll smooth; to ram; to level, to even; to full; (*Pf.* -т=úть I. 2. [a & c]) to roll away || ~ *vn.* to drive off; to be off.

укáчива-ть II. *va.* (*Pf.* укачá-ть II.) to rock, to lull to sleep || ~ *v.imp.* to cause to be seasick; **меня́ -чáло на мóре** I was seasick.

уклáд/ *s.* (puddle-)steel (for tools); agreement, arrangement || **-истый** *a.* roomy, spacious; easily packed || **-ка** *s.* (*gpl.* -док) folding up, packing (of goods); trunk; laying (rails) || **-чик** *s.* packer; ~ **путú** (*rail.*) plate-layer || **-ыва-ть** II. *va.* (*Pf.* улож=úть I. [c] (что во что) to lay *or* to put in, to pack, to pack up, to stow away (goods); to put, to place, to set up, to arrange; (в постéль) to put to bed; (что чем) to lay, to set, to pave || **~ся** *vr.* to pack up (one's things), to get ready to start; to find room in, to go into (a trunk).

уклóн/ *s.* slope, declivity, steepness; rake (of a mast) || **–éние** *s.* deviation, avoiding, evasion; declination (of magnetic needle) || **–чивый** *a.* yielding, compliant; close, reserved; subtle, cunning, sly || **–я́-ть** II. *va.* (*Pf.* уклон=и́ть II. [a]) to turn aside, to bend, to bow down; to prevent, to avert (a mischief); (когó) to remove || **~ся** *vr.* to shun, to avoid, to evade, to elude; (*phys.*) to deviate, to deflect.

уклю́чина *s.* (*mar.*) tholes *pl.*, rowlock.

укóл/ *s.* prick, sting, stab || **–óть** *cf.* **укáлывать.**

укомплектовáть *cf.* **комплектовáть.**

уконопá/чива-ть II. *va.* (*Pf.* -т=ить I. 2.) to caulk (thoroughly).

укó/р *s.* reproach, blame || **–рáчива-ть** II. *va.* (*Pf.* -рот=и́ть I. 2. [a & c]) to shorten (clothes) || **–реня́-ть** II. *va.* (*Pf.* -рен=и́ть II. [a]) to implant, to inculcate || **~ся** *vr.* to root, to take root, to be rooted || **–ри́зна** *s.* reproach, censure || **–ри́зненный** *a.* reproachable, blamable, censurable || **–ри́тельный** *a.* reproachful, upbraiding || **–роти́ть** *cf.* **–рáчивать** || **–ря́-ть** II. *va.* (*Pf.* -р=и́ть II. [a]) (когó чем, за что, в чём) to reproach, to upbraid one with a thing, to blame one for.

укóс/ *s.* mowing(-time) || **–ни́тельный** *a.* tardy, dilatory, slow.

укрáдкой *ad.* stealthily, secretly, silently, covertly.

украсть *cf.* **красть.**

укра/шá-ть II. *va.* (*Pf.* ́–с=ить I. 3.) to adorn, to decorate, to garnish, to embellish, to deck || **–шéние** *s.* adornment, decoration, finery, embellishment, ornament(ation).

укре/плéние *s.* fortress, fortification, bulwark, strengthening, fortifying || **–пля́-ть** II. *va.* (*Pf.* -п=и́ть II. 7. [a]) to fortify; to strengthen, to invigorate; to consolidate, to steady, to fasten; to settle (one's property on a person).

укрóм/ность *s. f.* seclusion, retirement; commodiousness, easiness, cosiness || **–ный** *a.* secluded, retired; commodious, comfortable, snug, easy.

укрóп *s.* (*bot.*) dill.

укроти́тель *s. m.* tamer.

укро/щá-ть II. *va.* (*Pf.* -т=и́ть I. 6. [a]) to tame, to domesticate (wild animals); to quell; (*fig.*) to appease, to calm, to check || **–щéние** *s.* taming; calming, appeasing.

укрыв/áтель *s. m.* concealer; (*leg.*) receiver (of stolen goods) || **–áтельство** *s.* concealment, hiding; receiving (of stolen goods) || **–á-ть** II. *va.* (*Pf.* укры́ть 28. [b 1.]) to cover; to protect, to shelter; to cover over, to wrap up; (*fig.*) to conceal, to hide (suspected people); to trump (at cards) || **~ся** *vr.* to take shelter, to hide o.s.

ýксус/ *s.* vinegar || **–ница** *s.* vinegar-bottle || **–нокúслый** *a.*, **–нокúслая соль** (*chem.*) acetate || **–ный** *a.* vinegar-.

укýпо/рива-ть II. *va.* (*Pf.* -р=ить II.) to cork, to bung; to pack up, to nail up (a box) || **–рка** *s.* (*gpl.* -рок) corking, bunging; packing, package || **–рщик** *s.* corker, packer.

укýс/ *s.* bite, biting || **–и́ть** *cf.* **кусáть.**

укýтыва-ть II. *va.* (*Pf.* укýта-ть II.) to wrap up, to muffle up; to envelop.

улáвлива-ть II. *va.* (*Pf.* улов=и́ть II. 7. [c]) to catch (up), to snatch; (*fig.*) to bide one's time.

улáжива-ть II. *va.* (*Pf.* улáд=ить I. 1.) to bring to pass, to bring about; to re-establish, to restore; to settle, to arrange (a thing); to make up (a quarrel); to reconcile (quarrellers).

улáмыва-ть II. *va.* (*Pf.* уломá-ть II.) to break off *or* away, to crumble off; to prevail upon, to persuade (with difficulty).

улáн *s.* Ulan, lancer.

улегá-ться II. *vr.* (*Pf.* улéчься 43.) to lie down, to go to bed; (*fam.*) to turn in; to go down (of the wind); to cease (of noise).

ýлей/ *s.* (*gsg.* ýлья) beehive || **́–ный** *a.* beehive-.

улепётыва-ть II. *vn.* (*Pf.* улепетн-ýть I. [a]) to slip away quietly; to take to one's heels.

улёт & **улетáние** *s.* flight, migration (of birds).

уле/тá-ть II. *vn.* (*Pf.* -т=éть I. 2. [a]) to fly off, away; to hasten, to hurry away; to volatilize, to evaporate; to pass away (of time); (*fig.*) to make one's escape || **–тýчива-ть** II. *va.* (*Pf.* -тýч=ить I.) (*chem.*) to exhale, to volatilize || **~ся** *vr.* to become volatile.

улещá-ть II. *va.* (*Pf.* улест=и́ть I. 4. [a]) to prevail upon by coaxing.

ули́з/ыва-ть II. *va.* (*Pf.* -н-ýть I. [a]) to lick at; to lick off, up || **~** *vn.* to slip off, to vanish, to disappear; to bolt, to make o.s. scarce.

ули́ка *s.* evidence, convincing proof (of a crime).

ули́т/ка *s.* (*gpl.* -ток) snail; **~ в ухе** (*an.*) cochlea || **–кови́дный** & **–кообра́зный** *a.* snaillike, helical, spiral || **–очка** *s.* (*gpl.* -чек) small snail.

у́лица *s.* street.

ули/ча́-ть II. *va.* (*Pf.* -ч=и́ть I. [a]) (кого́ в чём) to convict; **~** (кого́) **на де́ле** to take in the very act || **–че́ние** *s.* conviction || **–чи́тельный** *a.* convincing.

у́лич/ка *s.* (*gpl.* -чек) small street, lane || **–ный** *a.* street-.

уло́в/ *s.* a take, a catch (of fish) || **–ка** *s.* (*gpl.* -вок) trick, artifice, dodge, shift, expedient || **–ля́ть = ула́вливать.**

улож/е́ние *s.* packing up; statute, law; code || **–и́ть** *cf.* **укла́дывать.**

улома́ть *cf.* **ула́мывать.**

улу/ча́-ть II. *va.* (*Pf.* -ч=и́ть I. [a]) to bide (one's time), to wait for (a good opportunity); (кого́) to find, to meet with; (чем во что) to hit (the mark) || **–че́ние** *s.* biding (one's time); finding.

улуч/ша́-ть II. *va.* (*Pf.* -ш=и́ть I. [a]) to improve, to better || **–ше́ние** *s.* improvement, amelioration, bettering.

улыб/а́-ться II. *vc.* (*Pf.* -н-у́ться I. [a]) to smile; (кому́) to smile at *or* on || **́–ка** *s.* (*gpl.* -бок), *dim.* **́–очка** *s.* (*gpl.* -чек) smile.

ультима́тум *s.* ultimatum.

ультрамари́н *s.* ultramarine.

улюлю́кать *cf.* **люлю́кать.**

ум *s.* [a] mind, intellect, sense, wit; **мне пришло́ на ~** it struck me; **сойти́ с –а́** to go mad; **свести́** (кого́) **с –а́** to drive mad; **в –е́ ли ты?** have you taken leave of your senses? **быть без –а́** (от кого́, от чего́) to be passionately fond of.

умал/е́ние *s.* diminution, decrease || **́–ить** *cf.* **–я́ть.**

умалишённый *a.* mad, insane; feeble-minded; **дом –ых** lunatic asylum, madhouse.

ума́лч/ивание *s.* reserve, omission, passing over in silence || **–ива-ть** II. *va.* (*Pf.* умолч=а́ть I. [a]) (о + *Pr.*) to pass over in silence, to omit, to suppress.

умаля́-ть II. *va.* (*Pf.* ума́л=ить II. [a]) to diminish, to decrease, to lessen.

ума́слива-ть II. *va.* (*Pf.* ума́сл=ить II.) to oil, to grease, to anoint; (*fig.*) to persuade by coaxing, to coax a person into (doing something).

умаща́-ть II. *va.* (*Pf.* умаст=и́ть I. 4. [a]) (*sl.*) to anoint with balsam, to embalm.

ума́-ять II. *va. Pf.* (*pop.*) to fatigue, to tire out; to worry || **~ся** *vr.* to weary, to exhaust o.s. in; to be fatigued, to be tired out.

уме́ние *s.* knowledge, capacity, ability, understanding; attainments, acquirements *pl.*

умедля́-ть II. *va.* (*Pf.* уме́дл=ить II.) (что) to delay, to retard || **~** *vn.* (чем) to delay, to linger, to let slip the time.

умень/ша́-ть II. *va.* (*Pf.* -ш=и́ть I. [c]) to diminish, to lessen, to reduce; (*fig.*) to extenuate; **~ в пять раз** to divide by five || **~ся** *vr.* to diminish, to decrease, to grow small; to begin to fail (of strength); to sink (of water) || **–ше́ние** *s.* diminution, decrease, lessening || **–ши́тельный** *a.* diminishing, diminutive; **–ши́тельное сло́во** (*gramm.*) diminutive.

уме́р/енность *s. f.* moderation, temperance, sobriety || **–енно** *ad.* moderately, in moderation || **–енный** *a.* moderate, temperate, sober; middle || **–е́ть** *cf.* **умира́ть** || **–ить** *cf.* **–я́ть** || **–ший** (-ая, -ее) *a.* defunct, deceased || **–щвле́ние** *s.* killing, putting to death; (*fig.*) mortifying || **–щвля́-ть** II. *va.* (*Pf.* -тви́ть 13. [a]) to put to death, to kill; to mortify (the flesh) || **–я́-ть** II. *va.* (*Pf.* уме́р=ить II.) to moderate; to check, to restrain; to mitigate.

умест/и́тельный *a.* roomy, spacious; commodious, handy, easy to place (of things) || **–и́ть** *cf.* **умеща́ть** || **́–ный** *a.* seasonable, timely, opportune.

уме́-ть II. *va.* (*Pf.* с-) to know, to understand; to be able, to know how to.

уме/ща́-ть II. *va.* (*Pf.* -ст=и́ть I. 4. [a]) (в чём) to put in, to pack in, to make go in; (где) to set up, to put up, to put down || **~ся** *vr.* to go in, to find room in || **–ще́ние** *s.* putting in.

умил/е́ние *s.* emotion, feeling || **–и́тельный** *a.* touching, moving; fond || **–и́ть** *cf.* **–я́ть** || **–осе́рд=ить** I. 1. *va. Pf.* to move by entreaty, to touch, to rouse one's pity || **~ся** *vr.* (над кем) to have pity on, to take pity on.

умилостивля́-ть II. *va.* (*Pf.* уми́лостив=ить II. 7.) to propitiate, to conciliate || **~ся** *vr.* to pity, to have mercy on; to be touched *or* moved, to be propitiated.

уми́/льный *a.* touching; tender, fond, loving || **–ля́-ть** II. *va.* (*Pf.* -л=и́ть II. [a]) to touch, to move (to compassion).

умир/а́-ть II. *vn.* (*Pf.* умере́ть 14. [a 4.]) (от, с + *G. or I.*) to die, to expire; **он у́мер** he is dead; **~ с го́лоду** to starve (to death); ~ со́ смеху to die of laughter || **-е́ние** *s.* reconciliation; pacification || **-отворя́-ть** II. *va.* (*Pf.* -отвор=и́ть II. [c]) to pacify, to appease, to conciliate, to make peace between.

у́м/ненький *a.* really clever || **-не́-ть** II. *vn.* (*Pf.* по-) to grow wise || **-ник** *s.*, **-ница** *s.* clever, sensible person || **-ни-ча-ть** II. *vn.* (*Pf.* за-, с-) to argue, to subtilize || **-но́** *ad.* wisely, sensibly, cleverly.

умно/жа́-ть II. *va.* (*Pf.* ⌐ж=ить I.) to augment, to increase; (*math.*) to multiply || **-же́ние** *s.* augmentation, increase; (*math.*) multiplication; **табли́ца -же́ния** the multiplication table; **знак -же́ния** sign of multiplication.

у́мный *a.* (*pd.* умён, умна́, -о́, -ы́; *comp.* умне́е) wise, sensible, intelligent, clever.

умо/заключе́ние *s.* syllogism || **-зре́ние** *s.* (*phil.*) speculation || **-зри́тельный** *a.* speculative.

умо́л/ *s.* grinding; loss of meal in grinding || **-а́чива-ть** II. *va.* (*Pf.* -от=и́ть I. 2. [c]) to thrash out (a certain quantity) || **-и́ть** *cf.* **-я́ть** || **-ка́-ть** II. *vn.* (*Pf.* -кнуть 52.) to become silent, to hold one's tongue || **-оти́ть** *cf.* **-а́чивать** || **-о́т** *s.* yield (of grain) || **-ча́ть** *cf.* **ума́лчивать** || **-я́-ть** II. *va.* (*Pf.* умол=и́ть II. [c]) (кого́ о чём) to implore, to entreat, to beseech.

умопо/мраче́ние & **-меша́тельство** *s.* (mental) derangement, insanity.

умо́р/а *s.* humour, joke, laughing matter || **-и́тельный** *a.* laughable, funny, droll || **-и́ть** *cf.* **мори́ть.**

у́мств/енный *a.* mental, intellectual, abstract || **-о+вать** II. *vn.* to reason, to philosophize; to brood over a thing.

умуд/ря́-ть II. *va.* (*Pf.* -р=и́ть II. [a]) to teach, to make wiser; to render fit || **~ся** *vn.* to grow wise; to contrive.

умча́ть *cf.* **мчать.**

умыв/а́льник *s.* wash-basin || **-а́льный** *a.* wash-, toilet- || **-а́-ть** II. *va.* (*Pf.* умы́ть 28. [b 1.]) (кого́) to wash; (*fig.*) to cheat || **~ся** *vr.* to wash o.s.

у́мысел *s.* (*gsg.* -сла) (bad) intention, design, purpose.

умышле́ние *s.* intention, design; plot.

умы́шл/енный *a.* intentional, premeditated || **-я́-ть** II. *va.* (*Pf.* умы́слить 41.) to plot; to contrive, to intend, to premeditate.

умяг/ча́-ть II. *va.* (*Pf.* -ч=и́ть I. [a]) to soften, to mollify; to alleviate, to assuage || **-че́ние** *s.* softening; (*fig.*) alleviation.

унаво́/жива-ть II. *va.* (*Pf.* -з=ить I. 1.) to manure.

унасле́довать *cf.* **насле́довать.**

унести́, уне́сть *cf.* **уноси́ть.**

уни/а́т *s.* person belonging to the Uniate Church || **-а́тский** *a.* Uniate || **-вер-са́льный** *a.* universal; **~ шарни́р** (*tech.*) universal (joint) || **-версите́т** *s.* university || **-версите́тский** *a.* university-.

униж/а́-ть II. *va.* (*Pf.* уни́з=ить I. 1.) to lower; (*fig.*) to lower, to humble, to disgrace, to degrade; to underrate (merits) || **-е́ние** *s.* humiliation, degradation || **-ённость** *s. f.* humility, meekness || **-ённый** *a.* humbled, abased, humiliated; humble, submissive, meek.

униза́ть *cf.* **уни́зывать.**

унизи́тельный *a.* humiliating, degrading.

уни́зить *cf.* **унижа́ть.**

уни́зыва-ть II. *va.* (*Pf.* униза́-ть II.) (чем) to decorate, to lace, to trim (clothes); to stud (with pearls).

унима́-ть II. *va.* (*Pf.* уня́ть 37., *Fut.* уйму́, уймёшь) to repress, to restrain, to put down; to appease; to soothe, to alleviate (pain); to quiet (children); to silence (a noise); to stop, to staunch (bleeding) || **~ся** *vr.* to abate; to get quiet; to stop; to cease (of pain).

унисо́н *s.* unison.

уничи/жа́-ть II. *va.* (*Pf.* -ж=и́ть I. [a]) to humble, to humiliate; to degrade || **-же́ние** *s.* humiliation; degradation || **-жи́тельный** *a.* humiliating, degrading.

уничто/жа́-ть II. *va.* (*Pf.* ⌐ж=ить I.) to destroy, to ruin; to annul, to abolish, to abrogate, to repeal (a law) || **-же́ние** *s.* destruction; abolition, annulling, annulment, repeal || **-жи́тельный** *a.* destructive.

у́ния *s.* the Uniate Church (that part of the Greek Church in Communion with Rome).

уно́с *s.* taking, carrying away, off; theft, robbery.

унос=и́ть I. 3. [c] *va.* (*Pf.* унести́ & уне́сть 26.) to take, to carry away, off; to rob, to steal, to ravish.

унтер-офице́р *s.* non-commissioned officer.

у́нция *s.* ounce.

унын́а-ть II. *vn.* (*Pf.* уны́ть 28. [b 1.], *Fut. not in use*) to grow downcast, to lose courage.

уны́/лость *s. f.* dejection, despondency; dolefulness, melancholy || **–лый** dejected, lowspirited, downcast, sad, disconsolate || **–ние** *s.* dejection, despondency, low spirits *pl.*

уны́ть *cf.* **унывать.**

уня́тие *s.* repression; alleviation; soothing, calming; stopping (bleeding).

уня́ть *cf.* **унимать.**

упа́д/ *s.*, (**бе́гать, танцова́ть**) **до –у** (to run, to dance) till ready to fall || **–а́-ть** II. *vn.* (*Pf.* упа́сть 22. [a 1.]) to fall (down), to tumble; to sink; to go to ruin, to decay; **упа́сть в о́бморок** to faint; **упа́сть ду́хом** to lose courage || **–е́ние** *s.* (down)fall, falling down || **–ок** *s.* (*gsg.* -дка) decline, decay; growing worse; **~ сил** (*med.*) collapse.

упако́в/ка *s.* (*gpl.* -вок) packing, package || **–щик** *s.* packer || **–ыва-ть** II. *va.* (*Pf.* упако+ва́ть II. [b]) to pack (up).

упа́лзыва-ть = **уползать.**

упа́сть *cf.* **упадать.**

упека́-ть II. *va.* (*Pf.* упе́чь 18. [a 2.]) to bake thoroughly; to remove s.b.; **~ в солда́ты** to get a person enlisted.

упива́-ться II. *vr.* (*Pf.* упи́ться 27.) to get drunk.

упира́-ть II. *va.* (*Pf.* упере́ть 13. [a 1.]) (во что) to set (against), to lean, to prop; (на что) to fix; **~ глаза́** (на кого́) to fix one's eyes on, to stare at || **~ся** *vr.* to lean, to rest; (*fig.*) to persist in, to resist, to oppose.

упи́сыва-ть II. *va.* (*Pf.* упис-а́ть I. 3. [c]) to write in (in a certain space).

упи́ться *cf.* **упиваться.**

упла́та *s.* pay(ment), liquidation, discharge; **с –ою . . .** payable . . .

упла́чива-ть II. *va.* (*Pf.* уплат=и́ть I. 2. [c] *2nd sg. Fut. pron.* упло́тишь) to pay off (a debt), to discharge; to pay in full; **~ по частя́м** to pay by instalments.

уплета́-ть II. *va.* (*Pf.* уплести́ & упле́сть 23. [a 2.]) to plait together; (чем) to plait round, to twist about || **~** *vn.* to devour, to eat greedily || **~** & **~ся** *vr.* to make off, to take to one's heels; (от кого́) to disengage o.s. (from).

уплыва́-ть II. *vn.* (*Pf.* уплы́ть 31. [a 3.]) to swim *or* to sail away, off; (*fig.*) to pass, to elapse (of time).

упов/а́ние *s.* hope, trust, confidence || **–а́-ть** II. *vn.* (на кого́) to trust one, to have confidence in one, to count, to rely on.

уподо/бле́ние *s.* comparison, equalization || **–бля́-ть** II. *va.* (*Pf.* ∠б=ить II. 7.) to compare (with), to place on a par (with), to resemble, to liken to.

упо/е́ние *s.* rapture, frenzy, transport, ecstasy || **–ённый** *a.* enraptured, intoxicated, elated (with) || **–и́тельный** *a.* intoxicating.

упок/ое́ние & **–о́й** *s.* rest, repose; reassurance, ease of mind.

уполза́-ть II. *vn.* (*Pf.* уполз-ти́ I. [a]) to creep, to crawl away.

уполно/мо́ченный (*as s.*) person authorized to act for another; person having power of attorney || **–мо́чение** *s.* authorization, power of attorney || **–мо́чива-ть** II. *va.* (*Pf.* -мо́ч=ить I.) (кого́ на что) to authorize, to empower, to invest with full power, to give a power of attorney to || **–мо́чивающий** (*as s.*) (*leg.*) mandator, constituent.

упом/ина́ние *s.* mention(ing) || **–ина́-ть** II. *va.* (*Pf.* -ян-у́ть I. [c]) (о чём) to mention (by the way), to make mention of, to refer to; to cite, to quote; (кому́ о чём) to remind one of.

упо́мн=ить II. *va. Pf.* to keep in mind; to remember, to recollect.

упо́р/ *s.* resistance; prop, stay, point of support; (*arch.*) buttress; (*rail.*) bulkhead; **стреля́ть** (в кого́) **в ~** to shoot point-blank || **–ность** *s. f.* stubbornness, obstinacy, tenacity || **–ный** *a.* stubborn *or* obstinate, headstrong || **–ство** = **–ность** || **–ство+вать** II. *vn.* to be stubborn, obstinate; to persist in; to make a point of || **–ха́-ть** II. *vn.* (*Pf.* -хн-у́ть I. [a]) to flutter *or* to fly off, away.

употре/би́тельность *s. f.* use, customariness || **–би́тельный** *a.* usual, customary, in use || **–бле́ние** *s.* use, employment, application; **вы́шедший из –бле́ния** out of use || **–бля́-ть** II. *va.* (*Pf.* -б=и́ть II. 7. [a]) to use, to make use of, to employ; to apply; **~ все уси́лия** to do one's utmost, to leave no stone unturned || **~ся** *vr.* to be used, to be in use.

упра́/ва *s.* board, office; (*leg.*) court; administration, management || **–ви́тель** *s. m.* administrator, manager; **~ име́ния** (land-)steward || **–вле́ние** *s.* administration, management, direction || **–вля́-ть** II. *va.* (*Pf.* ∠в=ить II.) (+ *I.*) to govern, to rule, to reign over; to conduct, to manage, to direct; to administer; to hold (an office); to carry on (a business); (*mus.*) to conduct; ~

имением to administer, to manage an estate || **~ся** *vr.* (+ *I.*) to get on, to cope (with one), to manage, to master (one); to finish, to get done, to be accomplished || **-вляющий** *a.* managing, governing || ~ (*as s.*) manager, director, administrator; ~ **банком** bank-director; ~ **имением** steward.

упраж/нение *s.* practice, exercise; occupation || **-ня-ть** II. *va.* (когó чем) to instruct, to drill; to employ, to occupy || **~ся** *vr.* to exercise in, to practise; to occupy o.s. (in, with).

упразд/нение *s.* abolition (of a law); vacancy (of an office); breaking-up (of a meeting); suppression || **-ня-ть** II. *va.* (*Pf.* -н=ить II. [a]) to abolish, to annul; to break up, to close (a school, etc.).

упрашива-ть II. *va.* (*Pf.* упрос=ить I. 3. [c]) to entreat, to beg, to beseech; to move by begging.

упрежда-ть II. *va.* (*Pf.* упред=ить I. 5. [a]) to anticipate, to forestall.

упрёк *s.* reproach, reproof; **взаимные -и** mutual recriminations; **без -а** blameless.

упрека-ть II. *va.* (*Pf.* упрекн-уть I. [a]) to reproach one (with), to reprove, to blame.

упросить *cf.* **упрашивать.**

упростить *cf.* **упрощать.**

упрочение *s.* strengthening, consolidation.

упрочива-ть II. *va.* (*Pf.* упроч=ить I.) to strengthen, to consolidate; to secure.

упрощ/а-ть II. *va.* (*Pf.* упрост=ить I. 4. [a]) to simplefy || **-ение** *s.* simplification.

упруг/ий *a.* elastic || **-ость** *s.f.* elasticity.

упряж/ка *s.* (*gpl.* -жек) team (of horses) || **-ной** *a.* draught-, coach-, team-.

упряжь *s. f.* harness (for horses).

упря/мец *s.* (*gsg.* -мца), **-мица** *s.* a stubborn, obstinate person || **-м=иться** II. 7. *vr.* to be obstinate, stiff-necked, stubborn || **-мство** *s.* obstinacy, stubbornness, wilfulness || **-мый** *a.* obstinate, stubborn, headstrong, stiff-necked.

упрятыва-ть II. *va.* (*Pf.* упрят-ать I. 2.) to hide, to conceal; to keep; to put aside; to put in.

упуска-ть II. *va.* (*Pf.* упуст=ить I. 4. [c]) to let escape, to let go, to let fall, to let slip; to lose, to fail, to let pass, to miss; to neglect.

упущение *s.* neglect, negligence, omission.

ура *int.* hurra(h)!

уравнение *s.* levelling, smoothing; (*math.*) equation.

уравн/ива-ть II. *va.* (*Pf.* уровня-ть II.) to level, to even, to smooth; (*Pf.* уравн=ить II. [a] & уравня-ть II.) to equalize, to counterbalance, to place on a par (with) || **-ительный** *a.* equalizing; ~ **вес** specific gravity; **-ительная пошлина** differential duty || **-овешива-ть** II. *va.* (*Pf.* -овес=ить I. 3.) to balance, to place in equilibrium || **-ять** *cf.* **-ивать.**

ураган *s.* hurricane.

уразу/мева-ть II. *va.* (*Pf.* -ме-ть II.) to understand, to comprehend, to conceive, to grasp || **-мение** *s.* comprehension, understanding.

урвать *cf.* **урывать.**

урезо/нива-ть II. *va.* (*Pf.* -н=ить II.) to bring one to his senses, to make a person listen to reason.

урезыва-ть II. *va.* (*Pf.* урез-ать I. 1.) to cut off, away; to shorten.

урина *s.* urine.

урна *s.* urn.

уров/ень *s. m.* (*gsg.* -вня) level; water-level; **в ~** horizontal || **-нять** *cf.* **уравнивать.**

урод/ *s.* monster; abortion, deformed being || **-ец** *s.* (*gsg.* -дца) *dim. of prec.* || **-ить** *cf.* **-овать** || **-ина** *s.* (*abus.*) *coll.* monster, ugly being || **-ище** *s.* big monster || **-ливость** *s. f.* monstrosity; deformity; abnormity || **-ливый** *a.* monstrous, deformed; misshapen, crippled; abnormal || **-о+вать** II. *va.* (*Pf.* урод=ить I. 1.) to cripple, to stunt, to maim, to deform, to disfigure; to mutilate; to spoil, to bungle.

урожай/ *s.* (abundant) harvest, crop, yield || **-ный** *a.*, ~ **год** year with an abundant harvest.

урож/(д)а-ть II. *va.* (*Pf.* урод=ить I. 1. [c]) to bring forth, to produce; to yield || **~ся** *vr.* to be born; to grow well, to thrive (of crops) || **-дённый** *a.* born, by birth || **-енец** *s.* (*gsg.* -нца), **-енка** *s.* (*gpl.* -нок) native; **она -енка Парижа** she is a native of Paris.

урок *s.* lesson, lecture; task; **давать -и** to give lessons; **частный ~** private lesson.

урон/ *s.* loss || **-ить** *cf.* **ронять.**

урочный *a.* fixed, determined; appointed.

урчание *s.* rumbling (of the bowels); purr (of cats).

урыва́-ть II. *va.* (*Pf.* урв-а́ть I. [a]) to tear off; to pluck off; to snatch (a moment's leisure).
уры́вка *s.* (*gpl.* -вок) a moment's leisure; **-ами** in leisure moments, by fits and starts. [of the Cossacks.
уря́дник *s.* village policeman; sergeant
ус *s.* [a] (*us. in pl.* усы́) moustache; feeler (of insects); shoot (of a vine); beard (of corn); **кито́вый ~** whalebone; **он себе́ и в ~ не ду́ет** it's all one to him.
уса́д/ебка *s.* (*gpl.* -бок) *dim. of* уса́дьба || **-ебный** *a.* farm- || **-ьба** *s.* (*gpl.* -деб) farm, farm-house; manor-house.
уса́жива-ть II. *va.* (*Pf.* усад=и́ть I. 1. [a & c]) (кого́) to seat, to set down, to place; to show one to a seat; (чем) to set (with plants), to plant all over (with trees) || **~ся** *vr.* (*Pf.* усе́сться 44.) to sit down, to take place *or* a seat; to get in (in a carriage, etc.).
ус/а́тый *a.* moustached || **-а́ч** *s.* [a] a man with bushy moustache; (*zool.*) wood-beetle.
усвое́ние *s.* appropriation.
усво́(а́)ива-ть II. & **усвоя́-ть** II. *va.* (*Pf.* усво́=ить II.) to appropriate to o.s., to seize; to adopt; to master.
усева́-ть II. *va.* (*Pf.* усе́-ять II.) to sow (with).
усека́-ть II. *va.* (*Pf.* усе́чь 18. [a 1.]) to hew (stones); to cut off, away, to chop off, to beat off; to truncate; to apocopate (syllables, etc.).
усекнове́ние *s.* (*sl.*), **~ главы́** decapitation, beheading.
усе́рд/ие *s.* & **-ность** *s. f.* zeal, ardour, eagerness, assiduity || **-ный** *a.* zealous, assiduous, fervent, ardent, eager || **-ство+вать** II. *vn.* (кому́, чему́, в чём) to be zealous, to be assiduous; to take pains, to strive, to use one's best endeavours.
усе́сться *cf.* **уса́живаться.**
усеч/е́ние *s.* cutting off, away; **~ оконча́ния сло́ва** (*gramm.*) apocope || **-ённый** *a.* cut off, away; **~ ко́нус** a truncated cone, frustrum.
усе́чь *cf.* **усека́ть.**
усе́ять *cf.* **усева́ть.**
уси́д/чивый *a.* persevering || **-чивость** *s. f.* perseverance.
уси́жива-ть II. *vn.* (*Pf.* усид=е́ть I. 1. [a]) to keep one's seat, to remain seated; (*fig.*) to persist in, to be very persevering || **~ся** *vr.* (*fig.*) to get used to, to accustom o.s. to, to remain in (one's) office.
у́сик *s. dim. of* ус.

уси/ле́ние & **´ливание** *s.* reinforcement, strengthening; recrudescence || **´лива-ть** II. *va.* (*Pf.* **´л=ить** II.) to reinforce, to strengthen || **~ся** *vr.* to increase; to augment; to aggravate; to spread, to gain ground (of fire); (*fig.*) to exert o.s. || **´лие** *s.* effort, exertion || **´льный** *a.* pressing, urgent; earnest.
уска́кива-ть II. *vn.* (*Pf.* ускак-а́ть I. 2. [c]) to gallop off, away.
уска́льзыва-ть II. & **ускольза́-ть** II. *vn.* (*Pf.* ускользн-у́ть I. [a]) to slip off, away; (*fig.*) to steal away, to escape.
ускор/е́ние *s.* acceleration, hastening || **-я́-ть** II. *va.* (*Pf.* уско́р=ить II.) to accelerate, to hasten, to quicken.
усла́д/а *s.* delight, pleasure, solace || **-и́тельный** *a.* delightful, pleasant, refreshing, comfortable, agreeable.
услажд/а́-ть II. *va.* (*Pf.* услад=и́ть I. 1. & 6. [a]) to delight, to charm, to cheer, to comfort, to solace || **-е́ние** = **усла́да.**
услаща́-ть II. *va.* (*Pf.* усласт=и́ть I. 4. [a]) to sweeten.
услежа́-ть II. *vn.* (*Pf.* услед=и́ть I. 1. [a]) (+ *I.*) to observe, to watch one; to attend (to a thing).
усло́/вие *s.* condition, stipulation, proviso; agreement, contract; **по -вию** upon condition, according to agreement || **-вленный** *a.* stipulated, agreed upon; conventional || **-влива-ться** II. *vr.* (*Pf.* -в=иться II. 7.) (с кем в чём) to agree upon a thing with one, to make an agreement, to settle a thing with one, to come to terms; to condition, to stipulate; to reserve a thing for o.s. || **-вно** *ad.* conditionally, on condition || **-вный** *a.* conditional; according to contract, stipulated; conventional.
услож/не́ние *s.* complication || **-ня́-ть** II. *va.* (*Pf.* -н=и́ть II. [a]) to entangle, to complicate.
услу́га *s.* service, good turn; help, aid; *coll.* servants, domestics *pl.*
услуже́ние *s.* service; serving, waiting on; **быть** (у кого́) **в -ии** to be in (one's) service.
услу́/жива-ть II. *vn.* (*Pf.* -ж=и́ть I. [c]) to serve, to wait on; (кому́) to do one a service *or* a good turn || **-жливый** *a.* obliging, kind; officious.
услыха́ть *cf.* **слыха́ть.**
услы́шать *cf.* **слы́шать.**
усма́трива-ть II. *va.* (*Pf.* усмотр=е́ть II. [c]) to perceive, to observe, to discern, to descry.

усмеха́-ться II. *vn.* (*Pf.* усмехн-у́ться I. [a]) to smile at, to smirk.
усме́шка *s.* (*gpl.* -шек) smile, smirk.
усми/ре́ние *s.* pacification, peacemaking || **-ри́тель** *s. m.* peacemaker; subduer || **-ри́тельный** *a.* pacifying, appeasing || **-ря́-ть** II. *va.* (*Pf.* -р=и́ть II. [a]) to pacify; to appease; to quell, to put down (a riot).
усмотре́ние *s.* perceiving, observing; discerning; **де́лайте по ва́шему -ию** use your own discretion.
усмотре́ть *cf.* **усма́тривать.**
усну́ть *cf.* **усыпа́ть.**
усоверше́нство/вание *s.* perfection, improvement || **-вать** *cf.* **соверше́нствовать.**
усо́вещива-ть II. *va.* (*Pf.* усо́вест=ить I. 4.) to exhort, to admonish, to remind.
усомни́ться *cf.* **сомнева́ться.**
усо́пший *a.* deceased, departed, late lamented || ~ (*as s.*) the deceased.
усо́хнуть *cf.* **усыха́ть.**
успева́-ть II. *vn.* (*Pf.* успе́-ть II.) (в чём) to succeed, to be successful, to get on, to improve in; to progress, to make progress in; to come in time; ~ **де́лать** (что) to have time to do something; **он успе́л** he has been successful.
успе́х *s.* success, improvement; progress; **без -а** unsuccessfully.
успе́н/ие *s.* decease; **У- Пресвяты́я Богоро́дицы** the Assumption of the Holy Virgin || **-ский** *a.* of the Assumption.
успе́ш/ность *s. f.* success(fulness) || **-ный** *a.* successful.
успок/ое́ние *s.* appeasing, calming, soothing, solace; rest, tranquility || **-о́(а́)ива-ть** II. *va.* (*Pf.* -о́=ить II.) to appease, to quiet, to calm, to soothe; to reassure, to set at ease || **-ои́тельный** *a.* calming, soothing; reassuring, quieting.
уста́ *s. npl.* mouth; lips *pl.*
уста́в *s.* statute; regulations, bylaws *pl.*; **тамо́женный** ~ custom-house regulations; **па́спортный** ~ passport regulations.
устава́ть 39. *va.* (*Pf.* уста́ть 32.) to tire, to fatigue; to get tired, to be fatigued.
уставля́-ть II. *va.* (*Pf.* уста́в-ить II. 7.) to place, to put, to set up; to set in order, to arrange; to fix, to settle, to appoint, to dispose of; to direct || **~ся** *vr.* to go on, to find room in, on; to resist, to turn restive against; to continue, to last (of the weather).
уста́ива-ть II. *vn.* (*Pf.* усто=я́ть II. [a]) (про́тив кого́, чего́) to withstand, to offer resistance, to resist; to bear up (against), to keep one's ground || **~ся** *vn.* to settle (of liquids); (*chem.*) to filter, to decant.
уста́л/ость *s. f.* weariness, fatigue, lassitude, exhaustion || **-ый** *a.* tired, weary, exhausted.
у́сталь *s. f.*, **без -ли** untiring.
устан/а́влива-ть II. *va.* (*Pf.* -ов=и́ть II. 7. [c]) to place, to set, to put right; to dispose, to arrange || **~ся** *vr.* to find room in; (*mil.*) to form (in square, etc.); to settle, to grow settled (of the weather) || **-о́вка** *s.* (*gpl.* -вок) & **-овле́ние** *s.* putting, setting; institution, establishment; ordinance, statute, law || **-овля́ть** = **-а́вливать.**
устар/е́лый *a.* aged, elderly; grown old, antiquated, obsolete || **-е́ть** *cf.* **старе́ть.**
устерега́-ть II. *va.* (*Pf.* устере́чь 15. [a]) to spy on, to observe, to keep an eye on; to preserve, to take care of, to guard || **~ся** *vr.* to have a care, to take heed, to look out, to be on one's guard (against), to beware of.
устила́-ть II. *va.* (*Pf.* устла́ть 9.) to cover (with); to pave, to floor.
у́стный *a.* mouth-; verbal, oral.
усто́й/ *s.* cream; (*arch.*) abutment, vaulting pillar; pier (of bridges) || **-чивость** *s. f.* stability; perseverance || **-чивый** *a.* stable; persevering; true to one's word.
устоя́ть *cf.* **уста́ивать.**
устра́(о́)ива-ть II. *va.* (*Pf.* устро́=ить II.) to arrange, to organize, to get up; to establish, to found, to institute; to settle, to place.
устра/не́ние *s.* removal, setting aside || **-ня́-ть** II. *va.* (*Pf.* -н=и́ть II. [a]) to remove, to set, to put aside; to keep away || **~ся** *vr.* (от + *G.*) to keep (from), to avoid.
устра/ша́-ть II. *va.* (*Pf.* -ш=и́ть I. [a]) to frighten, to terrify, to intimidate, to overawe || **~ся** *vr.* to get frightened, to be afraid of; to fear (*cf.* страши́ть) || **-ше́ние** *s.* frightening, terrifying; intimidation.
устре/мле́ние *s.* directing, turning, bending || **-мля́-ть** II. *va.* (*Pf.* -м=и́ть II. 7. [a]) to direct, to turn, to bend; to cast (a look at), to fix (one's eyes upon) || **~ся** *vr.* (на + *A.*) to rush on, to swoop down on (*cf.* стреми́ть).
у́стр/ица *s.* oyster || **-ичный** *a.* oyster-.
устро́ить *cf.* **устра́ивать.**

устройство *s.* arrangement, organization; order.
усту́/п *s.* landing, step, terrace; **–пами** terraced || **–па́-ть** II. *va.* (*Pf.* -п=и́ть II. 7. [c]) (что кому́) to give up, to yield up, to leave; (*leg.*) to cede (a thing to one); (кому́ в чём) to give way, to concede, to grant, to relent, to abate; (*comm.*) to abate, to discount || **∠пистый** *a.* resembling steps, in the form of a terrace, terraced || **–пи́тельный** *a.* conceding, granting; (*leg.*) concessive, of cession.
усту́п/ка *s.* (*gpl.* -пок) yielding; (*leg.*) concession, cession; (*comm.*) abatement, allowance || **–очный** *a.* abated, reduced, allowed off (the price) || **–чивый** *a.* yielding, compliant.
устыжа́-ть II. *va.* (*Pf.* устыд=и́ть I. 1. [a]) to shame, to make ashamed, to put to shame.
у́стье *s.* estuary, mouth (of a river); muzzle (of a gun).
усугу/бле́ние *s.* reduplication; increase **–бля́-ть** II. *va.* (*Pf.* -б=и́ть II. 7. [a]) to reduplicate, to redouble; to increase.
усчи́тыва-ть II. *va.* (*Pf.* усчита́-ть II.) (*comm.*) to discount, to deduct; to check, to verify (an account).
усыла́-ть II. *va.* (*Pf.* усла́ть 40.) to send out to dispatch (a messenger); to banish, to exile.
усыно/ви́тель *s.m.* foster-father, adopter || **–ви́тельница** *s.* foster-mother, adoptress || **–вле́ние** *s.* adoption || **–вля́-ть** II. *va.* (*Pf.* -в=и́ть II. 7.) to adopt (a child).
усып/а́льница *s.* mausoleum, burial vault || **–а́-ть** II. *vn.* (*Pf.* усп-у́ть I. [a]) to fall asleep || ~ *va.* (*Pf.* усы́п-ать II. 7.) to bestrew; (*fig.*) to stud || **–и́тельный** *a.* lulling; sleeping-, soporific, narcotic; ~ **порошо́к** sleeping-powder || **–и́ть** *cf.* **–ля́ть.**
усы́/пка *s.* (*gpl.* -пок) (be)strewing; litter || **–пле́ние** *s.* lulling to sleep; stupefaction || **–пля́-ть** II. *va.* (*Pf.* -п=и́ть II. 7. [a]) to lull to sleep; (*med.*) to stupefy.
усыха́-ть II. *vn.* (*Pf.* усо́хнуть 52.) to dry up.
ута́ива-ть II. *va.* (*Pf.* ута=и́ть II.) to conceal, to secrete, to hide; to receive (stolen goods); to embezzle (funds); to intercept (letters).
ута́й/ка *s.* (*gpl.* ута́ек) concealment, hiding; receiving (stolen property); embezzlement (of funds) || **–щик** *s.* concealer; (*leg.*) receiver.
ута́птыва-ть II. *va.* (*Pf.* утопт-а́ть I. 2. [c]) to stamp, to tread smooth (a path).
ута́скива-ть II. *va.* (*Pf.* утащ=и́ть I. [a & c]) to drag off, away; (*fig.*) to take away, to steal.
у́тварь *s. f. coll.* utensils *pl.*; furniture; implements *pl.*; **церко́вная** ~ church-plate.
утвер/ди́тельный *a.* affirmative, positive || **–жда́-ть** II. *va.* (*Pf.* -д=и́ть I. 1. [a]) to affirm, to assert, to declare; to confirm, to corroborate; to ratify || **–жде́ние** *s.* assertion, affirmation; confirmation, corroboration; ratification.
утёк *s.* flight; **пусти́ться на** ~ to take to one's heels.
утека́-ть II. *vn.* (*Pf.* уте́чь 18. [a 2.]) to flow, to run off, away; (*fig.*) to pass (of time).
утён/ок *s.* (*pl.* утя́та), **–очек** *s.* (*gsg.* -чка), **–ыш** *s.* duckling, young duck.
утере́ть *cf.* **утира́ть.**
||**утерп=е́ть** II. 7. [c] *va. Pf.* to suffer, to endure, to bear, to have patience.
утёс/ *s.* rock, cliff, steep side of a rock || **–истый** *a.* rocky, craggy.
утесня́-ть II. *va.* (*Pf.* утесн=и́ть II. [a]) to narrow, to limit, to restrain, to force in; (*fig.*) to oppress, to press hard.
уте́ха *s.* delight, enjoyment, diversion; consolation, solace.
уте́чка *s.* (*gpl.* -чек) running out; (*comm.*) leakage, ullage.
уте́чь *cf.* **утека́ть.**
утеш/а́-ть II. *va.* (*Pf.* уте́ш=ить I.) to cheer, to divert, to delight, to amuse; to console, to solace, to soothe || **–е́ние** *s.* delight, pleasure, comfort; consolation, solace; relief || **–и́тель** *s. m.*, **–и́тельница** *s.* comforter, consoler || **–и́тельный** *a.* delightful, pleasing, consoling, comforting, consolatory.
утил/иза́ция *s.* utilization || **–изи́ро+вать** II. *va.* to utilize || **–ита́рный** *a.* utilitiarian.
ути́ный *a.* duck's, of duck, duck-.
утира́-ть II. *va.* (*Pf.* утере́ть 14.) to wipe (one's face), to wipe dry; to wipe away, to dry (tears).
ути́рка *s.* (*gpl.* -рок) wiping away; wiper, duster.
утиха́-ть II. *vn.* (*Pf.* ути́хнуть 52.) to grow calm, still; to abate *or* to go down.
утиша́-ть II. *va.* (*Pf.* утиш=и́ть I. [a]) to calm, to soften (down), to still, to appease, to soothe.
у́тка *s.* (*gpl.* -ток) duck; ~ **газе́тная** canard.

уткнýть *cf.* **утыкáть.** [bill.
утконóс *s.* (*zool.*) ornithorhynchus, duck-
ýтлый *a.* (*prov.*) fragile, frail; rotten,
утóк *s.* woof, weft. [leaky.
утол/éние *s.* alleviation, relief (of pain); quenching, appeasing (of thirst, hunger) || **–úтельный** *a.* appeasing, allaying, calming || **–úть** *cf.* **–я́ть** || **–щá-ть** II. *va.* (*Pf.* -ст=úть I. 4. [a]) to thicken; to condense || **–щéние** *s.* thickening; condensation || **–я́-ть** II. *va.* (*Pf.* утол=úть II. [a]) to appease, to allay, to alleviate; to quench (thirst); to appease, to satisfy (hunger); to gratify (passions).
утом/úтельность *s. f.* fatigue, tiresomeness || **–úтельный** *a.* tiresome, wearisome, fatiguing || **–лéние** *s.* fatigue, weariness; faintness, lassitude, exhaustion || **–ля́-ть** II. *va.* (*Pf.* утом=úть II. 7. [a]) to fatigue, to tire, to weary, to exhaust || **~ся** *vr.* to get *or* to grow tired, to be weary *or* fatigued, to fatigue o.s.
утонýть *cf.* **утопáть** & **тонýть.**
утон/чá-ть II. *va.* (*Pf.* -ч=úть I. [a]) to thin, to make thinner; (*fig.*) to refine, to purify || **–чéние** *s.* refining, refinement || **–чённость** *s. f.* refinement (of manners) || **–чённый** *a.* refined, subtle, nice, delicate.
утоп/á-ть II. *vn.* (*Pf.* утон-ýть I. [c]) to drown; to sink, to founder; (*fig.*) to be dissolved (in tears); to wallow in (abundance) || **–úть** *cf.* **–ля́ть.**
утóп/ия *s.* utopia || **–ленник** *s.*, **–ленница** *s.* a drowned person || **–лéние** *s.* drowning || **–ля́-ть** II. *va.* (*Pf.* утоп=úть II. 7. [a & c]) to drown; to scuttle, to sink (a ship) || **–тáть** *cf.* **утáптывать** || **–ший** (-ая, -ее) *a.* drowned.
ýточка *s.* (*gpl.* -чек) *dim. of* ýтка.
утрам/бóвыва-ть II. *va.* (*Pf.* -бо+вáть II. [b]) to ram.
утрáта *s.* loss. [to lose.
утрáчива-ть II. *va.* (*Pf.* утрáт=ить I. 2.)
ýтрен/ний *a.* morning-, early || **–ник** *s.* morning frost; (*theat.*) matinée || **–я** *s.* early mass, morning-service, matins *pl.*
утрúро+вать II. *va.* to exaggerate, to overdo, to lay it on thick.
ýтро *s.* [b] morning; **по –ý, по –áм** in the morning; **в семь часóв –á** at seven in the morning.
утрóба *s.* (*sl.*) belly, abdomen.
утроéние *s.* trebling.
утрáива-ть II. & **утроя́-ть** II. *va.* (*Pf.* утрó=ить II.) to treble.
ýтром *ad.* in the morning; **зáвтра ~** to-morrow morning.
утружд/á-ть II. *va.* (*Pf.* утруд=úть I. 1. [a]) (когó чем) to trouble, to molest, to inconvenience || **–éние** *s.* troubling, molestation, annoyance, inconvenience.
утучня́-ть II. *va.* (*Pf.* утучн=úть II. [a]) to fatten, to bring up by feeding.
утыкá-ть II. *va.* (*Pf.* уты́ка-ть II. & уты́к-ать I. 2.) to stick (into), to fix in, to put in; to stop up (a chink); (*Pf.* уткн-ýть I. [a]) to stick, to shove into.
утю́/г *s.* [a] iron, flat-iron || **–жéние** *s.* ironing || **–ж=ить** I. *va.* (*Pf.* вы́-) to iron || **–жный** *a.* ironing-, (flat-)iron- || **–жóк** *s.* [a] (*gsg.* -жкá) *dim. of* утю́г.
утя́гива-ть II. *va.* (*Pf.* утян-ýть I. [c]) (за собóю) to draw away, to drag away *or* along, to pull after *or* towards o.s.; to bind, to tie; to draw tight; (у когó что *fig.*) to bargain, to haggle, to squeeze a thing out of one.
ух *int.* oh! pooh!
ухá *s.* fish-soup.
ухáб/ & **–ина** *s.* hole, hollow (worn in a road) || **–истый** *a.* full of holes *or* hollows (of a road).
ухáж/ивание *s.* (за кем) service, attendance; supervision; (за больны́ми) nursing; (óколо когó) courting, love-making, wooing || **–ива-ть** II. *vn.* *Pf.* (за + *I.*) to serve, to attend; to nurse, to tend; to court, to woo, to pay attentions to.
ýхание *s.* shouting "yo-ho" etc. (at works).
ýхар/ский *a.* audacious, daring, bold, foolhardy, rash || **–ь** *s. m.* daring man, dare-devil.
ухвá/т *s.* oven-fork || **–тка** *s.* (*gpl.* -ток) manners *pl.*, way; trick, knack || **–тыва-ть** II. *va.* (*Pf.* -т=úть I. 2. [c]) to lay hold of, to seize, to grasp || **~ся** *vr.* (за + *A.*) to clutch at; to cling to, to clasp, to take hold of, to hold fast to.
ухитря́-ться II. *vr.* (*Pf.* ухитр=úться II. [a]) to contrive, to set one's wits to work.
ухищр/éние *s.* cunning, artifice, craftiness || **–ённый** *a.* cunning, artful, crafty.
ухмыля́-ться II. *vn.* (*Pf.* ухмыльн-ýться I. [a]) to smile, to smirk.
ýхо/ *s.* (*pl.* ýши, ушéй, etc.) ear; **он туг нá ~** he is dull of hearing; **навострúть ýши** to prick up one's ears; **пропускáть мúмо ушéй** to turn a deaf ear to; **сказáть** (комý что) **нá ~** to whisper

to; **по́ уши** over head and ears, up to the ears; **он и -м не ведёт** he doesn't care a jot about it || **-вёртка** *s.* (*gpl.* -ток) ear-pick; (*zool.*) earwig.

ухо́д *s.* going away, setting out, departure; care, attendance, nursing.

уход=и́ть I. 1. [c] *vn.* (*Pf.* уйти́ 48., *Fut.* уйду́, уйдёшь) to go, to go away, off, to go out, to leave, to depart; to make off, to withdraw, to retire; to run away, off; to pass, to go by (of time); to be fast (of a watch) || ~ *va. Pf.* to spend, to squander; to kill, to make away (with) || **~ся** *vn. Pf.* to exhaust o.s.; to grow calm, to abate.

ухочи́стка *s.* (*gpl.* -ток) ear-pick.

ухудша́-ть II. *va.* (*Pf.* уху́дш=ить I.) to make worse, to aggravate.

уцеле́-ть II. *vn. Pf.* to remain whole, safe, undamaged; to be spared, to escape.

уцепля́-ть II. *va.* (*Pf.* уцеп=и́ть II. 7. [c]) (за что) to hook on, to catch at, to fasten to.

уча́ст/во+вать II. *vn.* (*Pf.* по-) (в чём) to participate, to take part in, to share in, to have a hand in || **-ие** *s.* partaking, participation, share; interest || **-и́ть** *cf.* **учаща́ть** || **-ник** *s.*, **-ница** *s.* participant, partaker; partner; ~ **в преступле́нии** accomplice || **-ок** *s.* (*gsg.* -тка) part, share, portion; quarter of a town; district; lot, allotment, piece (of land) || **-очек** *s.* (*gsg.* -чка) *dim. of prec.*

у́часть *s. f.* fate, destiny, lot.

уча/ща́тельный *a.* (*gramm.*) frequentative || **-ща́-ть** II. *va.* (*Pf.* -ст=и́ть I. 4. [a]) to reiterate, to repeat frequently || **-ще́ние** *s.* reiteration, repetition.

учёб/ник *s.* school-book, manual, compendium (of instruction) || **-ный** *a.* school-, of teaching, educational.

уче́н/ие *s.* learning; studying, study; apprenticeship; teaching, instruction; doctrine; science; (*mil.*) drill || **-и́к** *s.* [a] pupil, scholar, schoolboy; disciple; apprentice || **-и́ца** *s.* pupil, schoolgirl.

учён/ость *s. f.* learning, erudition || **-ый** *a.* learned, erudite, scholarly, scientific(al) || ~ (*as s.*) scholar, learned man.

уче́сть *cf.* **учи́тывать.**

учёт/ *s.* discount(ing); deduction || **-ный** *a.* discounting-, of discount.

учетверя́-ть II. *va.* (*Pf.* учетвер=и́ть II. [a]) to quadruple.

учи́лищ/е *s.* school, college, academy || **-ный** *a.* school-.

учиня́-ть II. *va.* (*Pf.* учин=и́ть II. [a]) to do, to perpetrate, to commit; to take (an oath).

учи́тель/ *s. m.* [& b] (*pl.* -и & -я́) teacher, schoolmaster, master || **-ница** *s.* teacher, (school)mistress || **-ский** *a.* teacher's; for teachers || **-ство+вать** II. *vn.* to teach, to be a teacher.

учи́тыва-ть II. *va.* (*Pf.* уче́сть 24.) = **усчи́тывать.**

уч=и́ть I. [c] *va.* (*Pf.* на-) (кого́ чему́) to teach, to instruct, to drill || **~ся** *vr.* (чему́) to learn, to study; to be apprenticed || ~ *va.* (*Pf.* при-) to train, to drill; (*Pf.* вы́-) to learn by heart.

учреди́тель/ *s.m.* founder || **-ница** *s.* foundress.

учрежд/а́-ть II. *va.* (*Pf.* учред=и́ть I. 1. & 5. [a]) to found, to establish, to institute || **-е́ние** *s.* foundation, establishment, institution.

учти́в/ость *s. f.* politeness, civility, courteousness || **-ый** *a.* polite, civil, courteous.

уша́стый *a.* having long ears, long-eared.

уша́т *s.* tub.

ушиб *s.* thrust, blow; hurt, bruise, contusion.

ушиба́-ть II. *va.* (*Pf.* ушиби́ть 51. [a]) to thrust, to strike; to hurt, to bruise, to wound.

уши́ца *s.* fish-soup.

уш/ко́ *s.* (*pl.* -ки́, ко́в) small ear; eye (of a needle); shank (of a button); strap (of a boot) || **-но́й** *a.* ear-, of the ear(s); auricular.

уще́лье *s.* pass, defile, gorge.

ущемля́-ть II. *va.* = **щеми́ть.**

уще́рб *s.* damage, detriment, prejudice, loss; wane (of the moon).

ущи́пыва-ть II. *va.* (*Pf.* ущипн-у́ть I. [a]) to pinch off, to nip off.

ую́т/ *s.* comfortableness; comfort, cosiness || **-ность** *s. f.* snugness, cosiness || **-ный** *a.* snug, cosy, comfortable; agreeable, easy, well-to-do.

уяз/ви́мый *a.* vulnerable || **-вле́ние** *s.* wounding, wound; bite, sting || **-вля́-ть** II. *va.* (*Pf.* -в=и́ть II. 7. [a]) to wound, to sting; (*fig.*) to offend, to hurt.

уяс/не́ние *s.* explanation, elucidation, interpretation || **-ня́-ть** II. *va.* (*Pf.* -н=и́ть II. [a]) to clear up, to explain, to elucidate || **~ся** *vr.* to be cleared up, to be explained.

Ф

фа́бра *s.* wax, pomade (for the moustache).
фа́брик/а *s.* factory, mill, works *pl.* || **–а́нт** *s.* manufacturer || **–а́т** *s.* manufacture || **–а́ция** *s.* manufacture || **–о+ва́ть** II. [b] *va.* (*Pf.* с-) to manufacture.
фабри́чный *a.* manufactured, manufacturing; factory- || ~ (*as s.*) factory-hand, workman.
фа́була *s.* subject-matter, plot (of a drama).
фавн *s.* faun.
фавори́т/ *s.*, **–ка** *s.* (*gpl.* -ток) favourite, pet, favoured one.
фаго́т *s.* (*mus.*) bassoon.
фаза́н/ *s.*, *dim.* **–чик** *s.* pheasant.
фаз & **фа́зис** *s.* phase.
фа́кел/ *s.* torch || **–ьщик** *s.* torch-bearer, link-man.
факи́р *s.* fakir.
факси́миле *s.* facsimile.
факт/ *s.* fact, matter of fact || **–и́ческий** *a.* actual, founded on fact || **´–ор** *s.* factor, foreman; agent || **´–орство** *s.* factorship; commission-agency || **–о́тум** *s.* factotum || **–у́ра** *s.* invoice.
факуль/тати́вный *a.* facultative, optional || **–те́т** *s.* faculty.
фала́нга *s.* phalanx.
фал/бала́ *s.* & **–бора́** *s.* [h] furbelow, flounce.
фа́лда *s.* fold, plait; (*us. in pl.*) skirt, flap, tail (of a coat).
фальсифи/ка́ция *s.* falsification || **–ци́ро+вать** II. *va.* to falsify.
фальц/ *s.* groove, mortise || **–е́т** *s.* falsetto.
фальш/и́вый *a.* incorrect; false, spurious, counterfeit; insincere || **–ь** *s. f.* falsification; falsehood; deceit, fraud.
фами́л/ия *s.* surname; **как ва́ша** ~ what is your (sur)name? || **–ьный** *a.* family || **–ья́рнича-ть** II. *vn.* (с кем) to be (too) familiar (with) || **–ья́рный** *s.* familiar.
фанабе́рия *s.* haughtiness, arrogance.
фана́т/ик *s.* fanatic || **–и́ческий** *a.* fanatic(al).
фане́р/а *s.* & **–ка** *s.* (*gpl.* -рок) veneer.
фант/ *s.* forfeit (at games); **игра́ть в ´–ы** to play forfeits || **–азёр** *s.*, **–азёрка** *s.* visionary || **–а́зия** *s.* fancy, imagination || **–асти́ческий** *a.* fantastic(al), fanciful, chimerical || **–о́м** *s.* phantom, vision.
фанфаро́н *s.* boaster, braggart, swaggerer, windbag.
фарва́тер *s.* (*mar.*) track, channel, fairway.
фарисе́йский *a.* pharisaic(al).
фарма/коло́гия *s.* pharmacology || **–це́втика** *s.* pharmaceutics *pl.* || **–цевти́ческий** *a.* pharmaceutical.
фарс *s.* (*also in pl.* -ы́) (*theat.*) farce.
фа́рт/ук *s.* apron || **–учек** *s.* (*gsg.* -чка) small apron, pinafore.
фарфо́р/ *s.* porcelain, china || **–овый** *a.* porcelain, china; ~ **заво́д** china-factory.
фарш/ *s.* (*culin.*) stuffing, filling; **мясно́й** ~ force-meat || **–иро+ва́ть** II. [& b] *va.* to stuff.
фаса́д *s.* façade, front (of a building).
фасо́ль *s. f.* (*bot.*) kidney-bean.
фасо́н *s.* cut, fashion; pattern.
фат *s.* fop, coxcomb.
фатал/и́зм *s.* fatalism || **–и́ст** *s.*, **–и́стка** *s.* (*gpl.* -ток) fatalist || **–исти́ческий** *a.* fatalist(ic).
фата́льный *a.* fatal.
фау́на *s.* fauna.
фаши́зм *s.* Fascism.
фаши́на *s.* (*mil.*) fascine.
фаэто́н *s.* phaeton.
фая́нс/ *s.* faience, crockery-ware, delf || **–овый** *a.* of faience, delf-.
февра́ль/ *s. m.* [a] February || **–ский** *a.* of February, February.
федера́ция *s.* (con)federation.
фейерве́рк *s.* firework.
фельд/ма́ршал *s.* Field Marshal || **–фе́бель** *s. m.* (*pl.* -я́) (*mil.*) sergeant major || **´–шер** *s.* (*pl.* -ы & -а́) assistant-surgeon, hospital-assistant.
фельд'е́герь *s. m.* (*pl.* -я́) courier, king's messenger.
фельето́н *s.* feuilleton.
фемини́ст *s.* feminist.
фе́никс *s.* phoenix.
фено́мен/ *s.* phenomenon || **–а́льный** *a.* phenomenal.
феода́льный *a.* feudal.
ферзь *s. f.* the queen (at chess).
фе́рма *s.* farm.
ферме́нт *s.* ferment.
фе́рмер *s.* farmer.
фе́рт(ик) *s.* (*pop.*) fop, swell, dandy.
фе́ска *s.* (*gpl.* -сок) fez.
фесто́н *s.* festoon.
фе́тиш *s.* fetish.
фехт/ова́льный *a.* fencing- || **–ова́льщик** *s.* fencer || **–ова́ние** *s.* fencing || **–о+ва́ть** II. [b] *vn.* to fence.
фешене́бельный *a.* fashionable.
фиа́л/ка *s.* (*gpl.* -лок), *dim.* **–очка** *s.* (*gpl.* -чек) violet.
фиа́ско *s.* fiasco.
фи́бра *s.* fibre.
фи́га *s.* fig.

фигля́р/ *s.* juggler || **-ничa-ть** II. *vn.* to juggle || **-ство** *s.* jugglery.
фи́говый *a.* fig-.
фигу́р/а *s.* figure; form, shape; (в ка́ртах) court-card, picture-card || **-а́льный** *a.* figurative, metaphoric(al) || **-а́нт** *s.*, **-а́нтка** *s.* (*gpl.* -ток) (*theat.*) ballet-dancer || **-ка** *s.* (*gpl.* -рок) *dim.* *of* фигу́ра || **-ный** *a.* figured.
фи́жмы *s. fpl.* farthingale, hoop petticoat.
фи́з/ик *s.* physicist || **-ика** *s.* physics *pl.* || **-иогра́фия** *s.* physiography || **-иоло́гия** *s.* physiology || **-ионо́мия** *s.* physiognomy || **-и́ческий** *a.* physical.
фикси́ро+вать II. *va.* to fix.
фикти́вный *a.* fictitious.
фи́кция *s.* fiction.
филантро́п/ *s.*, **-ка** *s.* (*gpl.* -пок) philanthropist || **-ия** *s.* philanthropy || **-и́ческий** *a.* philanthropic(al).
филе́й *s.* fillet (of beef).
филё́н/ка *s.* (*gpl.* -нок) panel || **-чатый** *s.* (of a door) panelled.
филигра́н *s.* filigree.
фи́лин *s.* (*zool.*) horn-owl.
фили́пповки *s. fpl.* (*G.* -вок) forty days fast at Advent.
фило́/ло́г *s.* philologist || **-логи́ческий** *a.* philologic(al) || **-ло́гия** *s.* philology.
фило́/соф *s.* philosopher || **-софи́ческий** *a.* philosophic(al) || **-со́фия** *s.* philosophy || **-со́фский** *a.* philosophic(al); philosopher's.
фи́льма *s.* film.
фильтр/ *s.* filter || **-о+ва́ть** II. [b] *va.* (*Pf.* про-) to filter.
фимиа́м *s.* (*sl.*) incense.
фина́л *s.* (*mus.*) finale.
фина́нс/овый *a.* financial || **-ы** *s. mpl.* finances *pl.*
фи́ник *s.* date.
фи́ниш *s.* (*sport*) finish.
фини́фть *s. f.* enamel.
финт=и́ть I. 2. [a] *vn.* (*Pf.* с-) to feint; to shuffle, to beat about the bush.
фиоле́товый *a.* violet.
фи́рма *s.* (*comm.*) firm.
фиск/ *s.* state-treasury || **-а́л** *s.* spy, informer || **-а́л=ить** II. *vn.* (*Pf.* с-) to spy out, to denounce, to inform against || **-а́льный** *a.* fiscal || **-а́льство** *s.* denunciation.
фиста́шка *s.* (*gpl.* -шек) pistachio(-nut).
фи́стула *s.* (*med.*) fistula; (*mus.*) falsetto.
фита́ *s.* the letter Θ (*now replaced by* Ф).
фити́ль *s. m.* [a] tinder, match, fuse.
фи́ш/а *s.*, *dim.* **-ка** *s.* (*gpl.* -шек) counter (in games).

флаг/ *s.* (*mar.*) flag; **англи́йский ~** the Union Jack; **подня́ть ~** to hoist the flag || **´-ман** *s.* chief of squadron, squadron-commander || **´-манский** *a.* flag-; **´-манское су́дно** flagship || **-што́к** *s.* flagstaff.
флако́н/ *s.*, *dim.* **-чик** *s.* flask, small bottle, flagon.
фланг/ *s.* (*mil.*) flank || **-о́вый** *a.* flank-.
флане́л/евый *a.* flannel || **-ь** *s. f.* flannel.
флан/ё́р *s.* stroller, lounger || **-и́ро+вать** II. *vn.* to stroll *or* to lounge about || **-ки́ро+ва́ть** II. [& b] *vn.* (*mil.*) to flank.
фле́гм/а *s.* phlegm || **-а́тик** *s.* phlegmatic man || **-ати́ческий** *a.* phlegmatic.
фле́йт/а *s.* flute || **-и́ст** *s.* flute-player.
фле́ксия *s.* (*gramm.*) flexion.
флё́р/ *s.* gauze, crape || **´-овый** *a.* crape.
фли́гель *s. m.* (*pl.* -и & -я́) wing (of a building); (*mus.*) grand piano.
фло́ра *s.* flora.
флот/ *s.* fleet; (*esp.*) **вое́нный ~** the navy || **-и́лия** *s.* flotilla, squadron || **´-ский** *a.* fleet-, naval.
флюга́рка *s.* (*gpl.* -рок) cowl.
флю́гер *s.* [b] (*pl.* -а́) weathercock, vane, turn-cap; (*fig.*) time-server, a fickle person.
флюс *s.* catarrh; (*met.*) melting, fusion.
фля́/га *s.* & **-жка** *s.* (*gpl.* -жек) flask.
фойе́ *s. indecl.* (*theat.*) foyer, lobby.
фок *s.* (*mar.*) foremast; foresail.
фо́кус/ *s.* focus; jugglery, legerdemain || **-ник** *s.* juggler, conjurer || **-ничa-ть** II. *vn.* to juggle, to conjure || **-ный** *a.* focal-.
фолиа́нт *s.* folio.
фон *s.* background.
фона́р/ик *s. dim. of* фона́рь || **-щик** *s.* lantern-maker; lamp-lighter || **-ь** *s. m.* [a] lantern, lamp.
фо́нд/ы *s. mpl.* stocks *pl.*, public funds *pl.* || **-овый** *a.* stock-.
фон/е́тика *s.* phonetics *pl.* || **-ети́ческий** *a.* phonetic(al) || **-о́гра́ф** *s.* phonograph || **-та́н** *s.* fountain.
форе́йтор *s.* outrider; postilion.
форе́ль *s. f.* (*ich.*) trout.
фо́рм/а *s.* form, shape; model, pattern; uniform; mould, cast; **по -е** according to regulations || **-али́зм** *s.* formalism; **канцеля́рский ~** red-tape || **-а́льность** *s. f.* formality || **-а́льный** *a.* formal; punctilious || **-а́т** *s.* (*typ.*) form, chase; size (of a book) || **-а́ция** *s.* formation || **-иро+ва́ть** II. [b] *va.* (*Pf.* с-) (*mil.*) to form || **-о+ва́ть** II. [b] *va.* (*Pf.* с-) to form, to fashion, to shape; (*tech.*) to

mould, to model, to cast || **–о́вка** *s.* (*gpl.* -вок) moulding, casting || **–овщи́к** *s.* moulder, caster || **–ула** *s.* formula || **–ули́ро+вать** II. *va.* to formulate || **–уля́р** *s.* formulary; service-list.
форпо́ст *s.* (*mil.*) outpost, picket(s).
форси/ро+ва́ть II. [b] *va.* to force || **–ро́ванный** *a.*, ~ **марш** forced march.
форс=и́ть I. 3. [a] *vn.* (*Pf.* по-) to brag, to boast, to swagger.
форт/ *s.* (*mil.*) fort || **–́ель** *s. m.* trick, turn, dodge || **–епиа́но** *s. indecl.* piano-(forte) || **–ифика́ция** *s.* (*mil.*) fortification.
фо́рт/ка *s.* (*gpl.* -ток), *dim.* **–очка** *s.* (*gpl.* -чек) sliding-window, vasistas.
форту́н/а *s.* fortune; fate, destiny || **–ка** *s.* (*gpl.* -нок) game of chance.
форшта́т *s.* suburb.
форшу́ *cf.* **форси́ть.**
фосфа́т *s.* phosphate.
фо́сфо́р *s.* phosphorus.
фото́гра́ф/ *s.* photographer || **–и́ро+ва́ть** II. [& b] *va.* (*Pf.* с-) to photograph || **–и́ческий** *a.* photographic.
фотогра́фия *s.* photography.
фо́фан *s.* (*pop.*) blockhead, fool, ninny.
фра́з/а *s.* phrase; (*in pl.*) windy rhetoric, claptrap || **–еоло́гия** *s.* phraseology || **–ёр** *s.*, **–ёрка** *s.* (*gpl.* -рок) phrasemonger, prattler; pompous writer *or* talker || **–иро́вка** *s.* (*gpl.* -вок) (*theat.*) delivery.
фрак *s.* dress-coat.
франк/ *s.* franc || **–и́ро+ва́ть** II. [& b] *va.* to prepay (letters) || **~-масо́н** = **масо́н** || **–́о** *ad.* post-paid, post-free; ~ **до су́дна** free on board (f. o. b.).
франт/ *s.*, *dim.* **–́ик** *s.* dandy, swank, fop.
франт=и́ть I. 2. [a] *vn.* (*Pf.* по-) to play the swell, to cut a great dash.
франт/и́ха *s.* fashionable lady || **–овство́** *s.* dandyism.
фрахт/ *s.* freight || **–о+ва́ть** II. [b] *va.* (*Pf.* за-) to freight, to charter (a vessel) || **–о́вый** *a.* freight-; ~ **догово́р** charter-party || **–овщи́к** *s.* freighter.
фра́чный *a.* dress-.
фрега́т *s.* frigate; (*zool.*) frigate-bird.
фре́йлина *s.* maid of honour.
френоло́гия *s.* phrenology.
фре́ска *s.* fresco.
фриз *s.* baize (stuff); (*arch.*) frieze.
фронт *s.* front (of a building); (*mil.*) front.
фрукт/ *s.* fruit || **–овщи́к** *s.* [a] fruiterer, fruit-seller.
фу́г/а *s.* (*mus.*) fugue || **–а́нок** *s.* (*gsg.* -нка) rabbet-plane.
фу́ка-ть II. *va.* (*Pf.* фу́кн-уть I.) to huff (at draughts).
фукс *s.* fluke (at billiards).
фуля́р *s.* foulard.
фунда́мент/ *s.* foundation, basis, groundwork || **–а́льный** *a.* fundamental.
фу́нкция *s.* function.
фунт *s.*, *dim.* **–́ик** *s.* pound || **–ови́к** *s.* [a] pound-weight || **–ово́й** *a.* of one pound; pound-.
фу́р/а *s.* cart, van, waggon || **–а́ж** *s.* (*mil.*) forage, fodder || **–а́жный** *a.* forage-, foraging || **–а́жечка** *s.* (*gpl.* -чек) small cap || **–ажи́ро+вать** II. *vn.* to forage || **–а́жка** *s.* (*gpl.* -жек), **фо́рменная** ~ (*mil.*) forage-cap || **–го́н** *s.* tilt-cart, covered baggage-waggon, furniture-van || **–ия** *s.* fury || **–ма́нка** *s.* (*gpl.* -нок) small cart, waggon || **–о́р** *s.* furore, ecstasy || **–шта́т** *s.* (*mil.*) *coll.* baggage-train.
фут *s.* foot (as measure).
футля́р/ *s.*, *dim.* **–чик** *s.* box, case, sheath.
фуфа́йка *s.* (*gpl.* -а́ек) jacket, undervest.
фы́рка-ть II. *vn.* (*Pf.* фы́ркн-уть I.) to snort (of horses); (*fig.*) to burst out (with), to pop out; ~ **со́ смеху** to burst out laughing.

Х

ха́живать *iter. of* ходи́ть.
хала́т/ *s.*, *dim.* **–ик** *s.* dressing-gown || **–ный** *a.* (*fig.*) careless, negligent, languid.
ха́лда *s.* impudent woman, hussy.
халу́й *s.* (*prov.*) low fellow, lackey, lickspittle, toady.
хам *s.* menial; boor, coarse fellow.
хан *s.* khan (Eastern prince).
хандра́ *s.* melancholy, spleen, depression.
хандр=и́ть II. *vn.* to be melancholy, to have a fit of the blues.
ханж/а́ *s. m&f.* sanctimonious person, hypocrite, bigot, devotee || **–ество́** *s.* hypocrisy, sanctimoniousness, bigotry.
ханж=и́ть I. [a] *vn.* to play the hypocrite, to affect piety.
ха́нство *s.* khanate.
хао́/с *s.* chaos || **–ти́ческий** *a.* chaotic.
ха́па-ть II. *va.* (*Pf.* ха́пн-уть I.) to snatch, to clutch, to seize.
хара́ктер/ *s.* character || **–изо+ва́ть** II. [b] *va.* (*Pf.* о-) to characterize || **–исти́-**

ческий *a.* characteristic(al) || **-ность** *s. f.* firmness of character, backbone || **-ный** *a.* firm of character; character-, of character.
ха́рка-ть II. *vn.* (*Pf.* ха́ркн-уть I.) to spit out; to bring up (blood, slime).
ха́ртия *s.* chart, document; charter, deed of gift.
харч/ *s.* [a] (*us. in pl.*) provisions, victuals *pl.*; board || **-е́вня** *s.* eating-house.
ха́ря *s.* grimace, caricature; mask.
ха́т/а *s.* hut (*esp.* of Ukrainian peasants); **моя́ ~ с кра́ю, ничего́ не зна́ю** the matter doesn't concern me at all || **-ка** *s.* (*gpl.* -ток) & **-очка** *s.* (*gpl.* -чек) *dim. of prec.*
ха́-ять II. *va.* (*Pf.* за-, о-, по-, рас-) to blame, to scold, to reprove; to disapprove of, to carp at.
хвал/а́ *s.* praise, eulogy; **~ Бо́гу** God be praised || **-е́бный** *a.* laudatory, eulogistic || **-е́ние** *s.* praising, eulogizing.
хвал=и́ть II. [c] *va.* (*Pf.* по-) to praise, to commend, to extol || **~ся** *vr.* to boast of, to glory in, to vaunt.
хвальба́ *s.* (*gpl.* -леб) boasting, ostentation.
хва́ста-ть II. (*Pf.* по-) & **~ся** *vn.* (чем) to boast, to brag.
хвастли́вый *a.* boastful, vain, self-conceited.
хваст/овство́ *s.* boasting, bragging, vaunting || **-у́н** *s.*, **-у́нья** *s.* boaster, braggart, swaggerer.
хват *s.* sharp lad, the devil of a fellow.
хвата́-ть II. *va.* (*Pf.* хват=и́ть I. 2. [c]) to take hold of, to seize; to snatch at, to strike, to hit (with) || **~** *vn.* (до чего́) to be sufficient; **у меня́ де́нег не хвата́ет** I have not sufficient money || **~ся** *vr.* (за что) to grasp at; to take hold of; to undertake; **~ за у́м** (*fig.*) to come to one's senses.
хво́й/ный *a.*, **~ лес** pine-wood; coniferous trees *pl.* || **-ные** (*as s. mpl.*) pines and firs, conifers *pl.*
хвора́-ть II. *vn.* to be indisposed, to be ailing *or* sickly.
хво́рост/ *s. coll.* dry branches *pl.*, brushwood; underwood; windfall || **-и́на** *s.* a long switch *or* rod || **-ный** *a.* of brushwood.
хво́р/ость & -ь *s. f.* sickliness || **-ый** *a.* sickly, ailing.
хвост/ *s.* [a] tail; train, skirt || **-а́тый** *a.* tailed || **⁄ик** *s. dim. of* хвост.
хвощ *s.* [a] (*bot.*) shave-grass, horse-tail.
хво́я *s.* needles, branches *pl.* (of needle-leaved trees).
херуви́м *s.* cherub.
хи́жин/а *s.*, *dim.* **-ка** *s.* (*gpl.* -нок) hut.
хи́лый *a.* frail, weak, sickly, infirm.
химе́р/а *s.* chimera || **-и́ческий** *a.* chimerical.
хи́м/ик *s.* chemist || **-и́ческий** *a.* chemical || **-ия** *s.* chemistry.
хини́н *s.* quinine.
хире́-ть II. *vn.* (*Pf.* за-) to grow feeble, to pine away.
хирома́нтия *s.* chiromancy.
хирото́ния *s.* consecration, ordination; imposition of hands.
хиру́рг/ *s.* surgeon || **-и́ческий** *a.* surgical || **-ия** *s.* surgery.
хитре́ц *s.* [a] crafty, sly man.
хитр=и́ть II. [a] *vn.* (*Pf.* по-, с-) to act craftily, to dodge.
хи́тр/ость *s. f.* slyness, cunning, craftiness || **-ый** *a.* sly, cunning, crafty, artful.
хихи́ка-ть II. *vn.* (*Pf.* хихи́кн-уть I.) to titter, to giggle.
хище́ние *s.* robbery, theft, rape.
хи́щ/ник *s.* robber, spoiler || **-нический** *a.* rapacious || **-ничество** *s.* rapine, pillage, plunder || **-ный** *a.* rapacious, predatory; **-ные живо́тные** *mpl.* carnivorous animals; **-ные пти́цы** *fpl.* birds of prey.
хладнокро́в/ие *s.* coolness, presence of mind, coldbloodedness || **-ный** *a.* cool, cool-headed; calm.
хла́дный = холо́дный.
хлам *s. coll.* rubbish, odds and ends.
хлеба́-ть II. *va.* (*Pf.* по-, *mom.* хлебн-у́ть I.) to ladle out; to sup, to sip.
хлеб/ *s.* (*pl.* хле́бы, -ов, etc.) bread; means of subsistence; **быть** (у кого́) **на ⁄ах** to board (with); (*pl.* -а́, -о́в) grain, corn || **⁄ец** *s.* (*gpl.* -бца) & **⁄ик** *s.* a small loaf of bread || **⁄ник** *s.*, **⁄ница** *s.* baker || **⁄ный** *a.* of bread, bread-; corn-, grain-; (*fig.*) lucrative || **-опа́шество** *s.* agriculture || **-опа́шец** *s.* (*gsg.* -шца) agriculturist || **-опека́рня** *s.* bakery, bakehouse || **-оро́дный** *a.* fertile || **-осо́л** *s.*, **-осо́лка** *s.* (*gpl.* -лок) hospitable person || **-осо́льный** *a.* hospitable || **-осо́льство** *s.* hospitality.
хле́б-соль *s. f.* (*gsg.* хле́ба-со́ли) hospitality; **хле́б да соль!** good appetite!
хлев/ *s.* [a] (*gsg.* хле́ва, *pl.* -а́, -о́в, etc.) cow-house, cattle-shed; sty (for pigs) || **-о́к** *s.* [a] (*gsg.* -вка́) *dim. of prec.*
хлёст *s.* lash.
хлест=а́ть I. 4. [c] *va.* (*Pf.* хлес(т)н-у́ть I. [a]) to whip, to lash.

хлёс(т)кий *a.* easy; quick, swift; slippery.
хлоп *int.* bang! bump! splash! (*fam.*) flop!
хло́пальщ/ик *s.*, **–ица** *s.* clapper, applauder.
хло́па-ть II. *vn.* (*Pf.* по-, *mom.* хло́пн-уть I.) to knock; to clap, to bang; **~ в ладо́ши** to applaud; **~ глаза́ми** (*fig.*) to blink.
хло́пок *s.* (*gsg.* -пка) flock (of wool); flake (of snow); cotton.
хлопот-а́ть I. 2. [c] *vn.* (*Pf.* по-) (о чём) to busy o.s. (with), to bestir o.s., to give o.s. much trouble; to exert o.s., to toil and moil; to be concerned *or* anxious about.
хлопот/ли́вый *a.* busy, bustling; troublesome ‖ **–у́н** *s.*, **–у́нья** *s.* busy-body.
хло́поты *s. fpl.* (*G.* хлопо́т, *D.* хло́потам, etc.) efforts *pl.*, trouble, toil, drudgery, worry, vexatiousness, difficulties *pl.*
хлопу́шка *s.* (*gpl.* -шек) pop-gun, cracker; fly-flap.
хлопча́т/ник *s.* cotton-plant ‖ **–обума́жный** *a.* cotton-, of cotton.
хло́пья *s. npl.* flakes, flocks *pl.*
хлор/ *s.* chlorine ‖ **´–истый** *a.* chloridic ‖ **´–ный** *a.* chloride of, chloric- ‖ **–офо́рм** *s.* chloroform.
хлы́н-уть I. *vn. Pf.* to gush out, to pour forth, to burst forth (of water, blood).
хлыст/ *s.* [a] (riding-, horse-)whip; switch, rod; (*fig.*) gallows-bird; (sect) flaggellant ‖ **´–ик** *s. dim. of prec.*
хлябь *s. f.* abyss.
хмелёк *s.*, **он под хмелько́м** he is slightly elevated *or* a little drunk.
хмеле́-ть II. *vn.* (*Pf.* о-) to get intoxicated, tipsy, drunk.
хмель/ *s. m.* (*gsg.* хме́ля *or* -лю; во -лю́) hop (plant); intoxication, inebriety ‖ **–но́й** *a.* drunk, tipsy, intoxicated; (of drinks) strong, heady, intoxicating.
хму́р=ить II. *cf.* **нахму́ривать.**
хму́рый *a.* (*prov.*) morose, gloomy; cloudy.
хны́ка-ть II. & **хны́к-ать** I. 2. *vn.* (*mom.* хны́кн-уть I.) to whimper, to whine, to sob.
хо́бот/ *s.*, *dim.* **–о́к** *s.* [a] (*gsg.* -тка́) trunk, proboscis.
ход/ *s.* [b°] course; going, march, way; move (at chess); turn (at cards); motion, movement; rate, speed, velocity; vogue, fashion; entrance, issue, passage; **~ де́ла** the course of an affair; **судя́ по хо́ду дел** to judge by the way things are going; **ваш ~** *or* **за ва́ми ~** it is your turn, your move now (at games); **по́льный ~** full speed; **э́тот рома́н в большо́м ходу́** this novel is in great vogue; **э́тот това́р в большо́м ходу́** these goods are in great demand; **чёрный ~** back-entrance; **ему́ хо́ду нет** he doesn't get on ‖ **–а́тай** *s.* interceder, mediator ‖ **–а́тайство** *s.* intercession, mediation ‖ **–а́тайство+вать** II. *vn.* (*Pf.* по-) (за кого́) to intercede, to mediate, to make intercession (for s.o.).
ход=и́ть I. 1. [c] *vn.* (*Pf.* с-) to walk, to go; to play (out) (a card); to move (at chess); to pass current (of money); (за + *I.*) to tend, to take care of, to look after; **~ по́ миру** to go begging (*cf. also* итти́).
хо́д/кий *a.* (*comp.* хо́дче) that goes easily (of carriages); turning easily (of wheels) ‖ **–ово́й** *a.* passable, practicable (of a path); **~ я́корь** kedge-anchor; **~ коне́ц сна́сти** draw-line; **–ово́е колесо́** tread-mill; **~ това́р** goods in good demand ‖ **–о́к** *s.* [a] a good pedestrian *or* walker; foot-messenger; pettifogger ‖ **–у́льный** *a.* affected, mincing, stilted ‖ **–у́ля** *s.* (*us. in pl.*) stilt.
хо́дче *cf.* **хо́дкий.**
ходьба́ *s.* walking *or* going about.
ходя́чий (-ая, -ее) *a.* current.
хожде́ние *s.* going, walking; (за + *I.*) nursing, looking after; **~ горы́** mountaineering.
хожу́ *cf.* **ходи́ть.**
хоз/я́ин *s.* (*pl.* -я́ева, -я́ев, etc.) master, chief, principal; host; proprietor, (ship)-owner; **~ гости́ницы** innkeeper ‖ **–я́йка** *s.* (*gpl.* -я́ек) mistress of the house; hostess, landlady; proprietress.
хозя́й/ничa-ть II. *vn.* (*Pf.* по-) to keep house ‖ **–ственный** *a.* household-, of economy; economic(al) ‖ **–ство** *s.* household, housekeeping, household management, economy.
хозя́юшка *s.* (*gpl.* -шек) *dim. of* хозя́йка.
холе́р/а *s.* cholera ‖ **–ик** *s.* choleric, hot-tempered person ‖ **–и́ческий** *a.* choleric, hot-tempered.
хо́л=ить II. *va.* (*Pf.* по-) to dress, to deck out; to take care of, to tend, to nurse; to foster, to caress, to pamper, to fondle, to pet.
холм/ *s.* [b], *dim.* **´–ик** *s.* hillock, hill, mount ‖ **–и́стый** *a.* hilly, undulating ‖ **–ого́рье** *s.* hilly land ‖ **–обра́зный** *a.* hill-like, like a hill.

хо́лод/ *s.* [b] cold, coldness || **-é-ть** II. *vn.* to cool (down) || **-и́льник** *s.* cooler, cooling-vat, cooling-tube; refrigerator; condenser || **-и́льный** *a.* refrigerating.

холод=и́ть I. 1. [a] *va.* (*Pf.* о-, по-) to cool, to refrigerate.

холодне́-ть II. *vn.* (*Pf.* по-) to grow colder (of the weather).

холоднова́тый *a.* coolish, rather cool.

холо́д/ный *a.* (*pd.* хо́лоден, -дна́, -дно́, *pl.* -дны́; *comp.* -дне́е) cold; **-ная одёжда** light dress, summer-dress; **-ное ору́жие** cold steel; **здесь хо́лодно** it is cold here || **-ное** (*as s.*) cold viands *pl.*

холодо́к *s.* [a] (*gsg.* -дка́) coolness, freshness.

холо́п/ *s.* serf, thrall, bondman; (*fig.*) bootjack || **-ский** *a.* servile, slavish || **-ство** *s.* bondage, serfdom.

холост=и́ть I. 4. [a] *va.* (*Pf.* вы́-) to castrate, to geld.

холост/о́й *a.* single, unmarried; **-а́я жизнь** celibacy, single state; **~ патро́н** blank cartridge; **~ вы́стрел** blank shot || ~ (*as s.*) & **-я́к** *s.* [a] bachelor.

холст/ *s.* [a] linen, sheeting || **-и́на** *s.* linen || **-и́нный** & **-яно́й** *a.* linen, made of linen.

хо́ля *s.* fondling, caressing, petting; cosiness, comfortableness.

хому́т *s.* [a] collar (for horse); (*fig.*) yoke.

хомя́к *s.* [a] (*zool.*) hamster; (*fig.*) dawdler, trifler.

хор/ *s.* chorus; (*in pl.* хо́ры) choir, church-gallery || **-а́л** *s.* choral || **´-да** *s.* (*geom.*) chord || **-е́й** *s.* trochee || **-еогра́фия** *s.* choreography || **-ёк** *s.* [a] (*gsg.* -ька́) (*zool.*) polecat || **-и́ст** *s.*, **-и́стка** *s.* (*gpl.* -ток) chorist; chorus-singer || **-ово́д** *s.* a kind of round dance with singing.

хоро́мы *s. fpl.* large wooden dwelling-house.

хорон=и́ть II. [c] *va.* (*Pf.* по-) to bury, to inter; (*Pf.* с-) to hide, to conceal.

хорохо́р=иться II. *vn.* (*Pf.* рас-) (*pop.*) to brag, to talk big, to ride the high horse.

хоро́ш/енький *a.* pretty, fine || **-е́нько** *ad.* well, soundly, smartly; **мы его́ ~ поколоти́ли** we have given him a sound thrashing || **-é-ть** II. *vn.* (*Pf.* по-) to grow prettier || **-ий** (-ая, -ее) *a.* (*comp.* лу́чше; *sup.* лу́чший) good, fine; **~ (собо́ю)** pretty, handsome || **-о́** *ad.* well, very well, all right.

хору́гвь *s. f.* (church) standard, banner.

хорь *s. m.* [a] *cf.* **хорёк.**

хот-е́ть I. 2. [c] *va.* (*pl. Pres.* хоти́м, -и́те, -я́т) (*Pf.* за-) to wish, to desire; **я хоте́л бы** I should like; **хо́чешь не хо́чешь** willy-nilly || **~ся** *v.imp.*, **мне хо́чется, мне хоте́лось** I want to; **чего́ вам хо́чется?** what would you like? **мне хо́чется есть** I am hungry.

хотя́, хоть *c.* although, though; **хоть бы** if only, at least.

хохла́т/ка *s.* (*gpl.* -ток) crested bird *or* hen || **-ый** *a.* crested.

хохо́л/ *s.* [a] (*gsg.* -хла́) tuft (of hair); crest, plume of feathers; nickname of the Ukrainians || **-о́к** *s.* [a] (*gsg.* -лка́) *dim. of prec.*

хо́хот *s.* laughter, burst of laughter.

хохот-а́ть I. 2. [c] *vn.* to laugh, to burst out laughing; **~ во всё го́рло** to roar with laughter.

хохоту́н *s.* [a] great laugher.

храбре́ц/ *s.* [a] a brave man || **-кий** *a.* brave; hero's.

храбре́-ть II. *vn.* (*Pf.* по-) to become brave *or* audacious.

храбр=и́ться II. [a] *vr.* (*Pf.* рас-) to act bravely; to brag, to boast.

хра́бр/ость *s. f.* valour, bravery, courage, boldness || **-ый** *a.* brave, valorous, courageous.

храм/ *s.* temple; church || **-ово́й** *a.* temple-; church-.

хран/е́ние *s.* keeping, safe-keeping; care || **-и́лище** *s.* repository; receptacle || **-и́тель** *s. m.*, **-и́тельница** *s.* keeper, preserver, custodian; guardian; **а́нгел ~** guardian angel.

хран=и́ть II. [a] *va.* (*Pf.* со-) to conserve, to preserve, to keep, to guard; to keep, to observe (a law); **храни́ Бог!** God forbid! **Бо́же царя́ храни́!** God save the King!

храп *s.* snoring, snore; snout (of animals); (*tech.*) click, brake.

храп=е́ть II. 7. [a] *vn.* (*Pf.* по-, *mom.* храпн-у́ть I.) to snore; to snort (of a horse).

храпу́н/ *s.* [a], **-ья** *s.* snorer.

хребе́т *s.* [a] (*gsg.* -бта́) mountain-ridge; (*an.*) spine, backbone.

хрен *s.* (*bot.*) horse-radish; **ста́рый ~** old fogey.

хрестома́тия *s.* chrestomathy.

хрип/ & **-е́ние** *s.* hoarseness; rattle.

хрип=е́ть II. 7. [a] *vn.* to rattle in one's throat; to speak hoarsely.

хри́п/лость *s. f.* & **-ота́** *s.* hoarseness || **-лый** *a.* hoarse.

хри́пн-уть I. *vn.* to be *or* to become hoarse.
христ/ара́днича-ть II. *vn.* to beg, to go begging, to ask for alms || **–иа́ни́н** *s.* (*pl.* -иа́не, -иа́н, etc.), **–иа́нка** *s.* (*gpl.* -нок) Christian || **–иа́нский** *a.* Christian || **–иа́нство** *s.* Christendom, Christianity || **Х–о́в** *a.* of Christ; ~ **день** Easter Sunday || **–олюби́вый** *a.* Christian (in spirit) || **–о́со+ваться** II. *vrc.* (*Pf.* по-) to kiss one another on Easter Sunday.
хром/ *s.* chromium || **–ати́ческий** *a.* chromatic(al).
хрома́-ть II. *vn.* to limp, to halt, to be lame; to be slack (of trade).
хро́м/истый *a.* chromic || **–о́й** *a.* lame, halting || **–олитогра́фия** *s.* chromolithography || **–оно́гий** *a.* limping || **–оно́жка** *s.* (*gpl.* -жек) *coll.* a lame person || **–ота́** *s.* lameness.
хро́н/ика *s.* chronicle || **–и́ческий** *a.* chronic(al) || **–о́ло́г** *s.* chronologer || **–ологи́ческий** *a.* chronologic(al) || **–о́ме́тр** *s.* chronometer.
хру́пкий *a.* (*comp.* хру́пче) brittle, frail, fragile.
хруст *s.* crackling; crunching (of snow).
хруста́ль/ *s. m.* [a] crystal || **–ный** *a.* crystal, of crystal.
хруст=е́ть I. 4. [a] *vn.* (*Pf.* хру́с[т]н-уть I.) to crack *or* to burst asunder; to crackle; to grit, to crunch.
хрущ *s.* [a] cockchafer.
хрыч *s.* [a] old fogey.
хрю́ка-ть II. *vn.* (*Pf.* хрю́кн-уть I.) to grunt (of pigs).
хрящ/ *s.* [a] cartilage, gristle; gravel, grit || **–ева́тый** *a.* gristly || **´–ик** *s. dim. of* хрящ.
худе́-ть II. *vn.* (*Pf.* по-) to get thin, to lose flesh.
ху́д/о *s.* evil || ~ *ad.* badly || **–оба́** *s.* [h] thinness, leanness; evil, injustice.
худо́ж/ественный *a.* artistic(al) || **–ество** *s.* art || **–ник** *s.*, **–ница** *s.* artist.
худо́й *a.* (*comp.* ху́же; *sup.* ху́дший) bad, evil, wicked; (*comp.* худе́е) thin, lean, emaciated.
худоща́вый *a.* lean, thin, lank.
ху́дший *cf.* **худо́й.**
ху́же *cf.* **худо́й.**
хула́ *s.* blame, censure, dispraise.
хулига́н *s.* hooligan.
хули́тель *s. m.* blamer; blasphemer.
хул=и́ть II. [c] *va.* (*Pf.* о-, по-) to blame, to censure, to reproach; to abuse, to defame, to blaspheme.
ху́тор *s.* [b] farm, farm-house.

Ц

ца́па-ть II. *va.* (*Pf.* ца́пн-уть I.) to seize, to clutch, to grasp at; to tear away; (*fam.*) to snatch (at) || **~ся** *vr.* (за + *A.*) to be caught, to catch in; to hang on to.
ца́пля *s.* (*zool.*) heron.
ца́пнуть *cf.* **ца́пать.**
ца́пфа *s.* (*tech.*) pin, axle, pivot; (*in pl. mil.*) trunnions *pl.* (of a cannon).
цара́па-ть II. *va.* (*Pf.* цара́пн-уть I.) to scratch, to scar; (*Pf.* рас-) to claw; (*Pf.* на-) (*fig.*) to scrawl, to scribble.
цара́пина *s.* scratch, scar.
царе́в/ич *s.* son of the tsar || **–на** *s.* (*gpl.* -вен) daughter of the tsar.
цар/едво́рец *s.* (*gsg.* -рца) courtier || **–ёк** *s.* [a] (*gsg.* -рька́) *dim. of* царь || **–еуби́йство** *s.* regicide (act) || **–еуби́йца** *s. m&f.* regicide (person).
ца́р=ить II. [a] *vn.* to rule, to reign.
цар/и́ца *s.* tsarina (tsar's wife) || **–и́цын** *a.* tsarina's || **´–ский** *a.* tsar's, imperial; **´–ские врата́** (*npl.*) *or* **две́ри** (*fpl.*) door leading to the Holy of Holies in Russian churches || **´–ственный** *a.* imperial, of the empire || **´–ство** *s.* kingdom, empire; government || **´–ствование** *s.* reign || **´–ство+вать** II. *vn.* to reign.
царь *s. m.* [a] tsar (*formerly* emperor of Russia); (*sl.*) Lord, Almighty; (*fig.*) king; ~ **небе́сный** the heavenly Father; **~-пу́шка** name of a huge cannon in the Kremlin; **~-ко́локол** name of a huge bell in the Kremlin; **~-пти́ца** the king of birds (in Russian fairy-tales).
цвести́ & цвесть 23. [a 2.] *vn.* to bloom, to flower, to blossom; (*fig.*) to flourish.
цвет/ *s.* [b] (*pl.* -а́) colour; (*pl.* -ы́) blossom, bloom, flower; **в –у́** in bloom; **в ´–е лет** in the prime of life || **–е́ние** *s.* blooming || **´–ик** *s. dim. of* цвет || **–и́стый** *a.* flowery, full of *or* rich in flowers; blooming, blossoming; richly coloured, glaring; florid (of style) || **–ни́к** *s.* [a] flower-bed; (*us.*) flower-garden || **–но́й** *a.* coloured; full of flowers, flowered, figured || **–ово́дство** *s.* floriculture || **–о́к** *s.* [a] (*gsg.* -тка́), *dim.* **–о́чек** *s.* (*gsg.* -чка) flower, bloom || **–о́чник** *s.*, **–о́чница** *s.* florist, horticulturist.
це́вка *s.* (*gpl.* -вок) (weaver's) spool.
цеди́лка *s.* (*gpl.* -лок) filter, strainer, colander.
цед=и́ть I. 1. [c] *va.* (*Pf.* про-, на-) to filter, to strain.

цеже́ние *s.* filtering, straining, filtration; drawing off, bottling (of beer).
цезу́ра *s.* caesura.
целе́бный *a.* salubrious, salutary; healing, medicinal.
целесообра́зный *a.* suitable, expedient.
целико́м *ad.* entirely, completely, all, on the whole.
цели́тельный *a.* healing, curative.
цели́ть *cf.* **исцели́ть.**
це́л=ить II. & **~ся** *vn.* (*Pf.* при-) (в кого́, во что) to aim at, to take aim at; to allude to, to drive at, to strive, to aspire (after).
целко́вый (*as s.*) a silver rouble.
цело+ва́ть II. [b] *va.* (*Pf.* по-) to kiss.
целому́дренный *a.* chaste, pure.
це́л/ость *s. f.* integrity, entirety || **-ый** *a.* entire, whole, complete; integral, intact, solid, pure; **~ день** the whole day || **-ь** *s. f.* aim; mark, target; purpose, design; intention || **-ьный** *a.* complete, undivided, whole.
цеме́нт *s.* cement.
цена́ *s.* [f] price; value, worth.
ценз/ *s.* census || **´-ор** *s.* (*pl.* -ы & -а́) censor || **´-орство** *s.* censorship || **-у́ра** *s.* censorship, censoring.
цени́тель *s. m.* appraiser, valuer; connoisseur, expert; reviewer, critic.
цен=и́ть II. [a & c] *va.* (*Pf.* о-) to value, to appraise; (*fig.*) to appreciate.
це́нн/ость *s. f.* value, price; costliness; (*in pl.*) bonds, securities *pl.* || **-ый** *a.* valuable, of great value; dear, costly.
цент *s.* cent.
цента́вр *s.* centaur.
це́нтнер *s.* hundredweight (*abbr.* cwt.).
центр/ *s.* centre; **~ тя́жести** centre of gravity || **-ализа́ция** *s.* centralization || **-ализи́ро+вать** II. & **-ализо+ва́ть** II. [b] *va.* to centralize || **-а́льный** *a.* central || **-обе́жный** *a.* centrifugal || **-остреми́тельный** *a.* centripetal.
цеп *s.* [a] flail.
цепене́лый *a.* stiff, numb, benumbed.
цепене́-ть II. *vn.* (*Pf.* о-) to stiffen, to grow stiff, to get benumbed.
це́пкий *a.* climbing, winding, clinging to; sticky, viscid; (*fig.*) quarrelsome.
цепля́-ться II. *vr.* (за + *A.*) to fasten o.s. (to); to cling (to); (*fig.*) to pick a quarrel (with).
цепно́й *a.* chain-.
цепо́чка *s.* (*gpl.* -чек) small chain; **~ у часо́в** *or* **~ к часа́м** watch-chain.
цеппели́н *s.* Zeppelin (airship).
церем/онна́л *s.* ceremonial || **-онна́льный** *a.* ceremonial, ceremonious, of ceremony || **-о́н=иться** II. *vc.* (*Pf.* по-) to stand on ceremony, to make a fuss || **-о́ния** *s.* ceremony || **-о́нный** *a.* formal, ceremonious.
церко́в/ник *s.* cleric, churchman; sexton || **-ный** *a.* church-, ecclesiastical.
це́рковь *s. f.* [c] church.
цесаре́в/ич *s.* heir to the throne (*formerly* in Russia) || **-на** *s.* (*gpl.* -вен) wife of the heir to the throne.
цеса́рка *s.* (*gpl.* -рок) guinea-fowl.
цех *s.* guild, corporation, society.
циа́нистый *a.* cyanic; **-ая кислота́** prussic acid.
цивилиз/а́ция *s.* civilization || **-о+ва́ть** II. [b] *va.* to civilize.
циви́льный *a.* civil (as opposed to military).
цикл/ *s.* cycle || **-и́ст** *s.* cyclist.
цико́рий *s.* chicory.
цили́ндр/ *s.* cylinder, roller; tall hat, silk hat, topper || **-и́ческий** *a.* cylindrical.
ци́н/ик *s.* cynic || **-и́ческий** & **-и́чный** *a.* cynic(al).
цинк/ *s.* zinc || **´-овый** *a.* zinc, of zinc.
цирк/ *s.* circus || **´-уль** *s. m.* pair of compasses (for drawing) || **-уля́р** *s.* circular || **-уля́ция** *s.* circulation.
цисте́рна *s.* cistern.
цитаде́ль *s. f.* citadel.
цита́та *s.* quotation, citation.
цити́ро+вать II. & **цито+ва́ть** II. [b] *va.* to quote, to cite.
цифербла́т *s.* dial, face (of a watch).
ци́фра *s.* cipher, figure, numeral.
ци́церо *s. indecl.* pica (type).
цо́коль *s. m.* (*arch.*) socle.
цуг *s.* team of horses (harnessed one behind the other).
цы́бик *s.* tea-chest (of leather).
цыга́н/ *s.* (*pl.* -а́не, -а́н), **-ка** *s.* (*gpl.* -нок) gipsy || **-ский** *a.* gipsy.
цымба́лы *s. fpl.* cymbals *pl.*
цынг/а́ *s.* (*med.*) scurvy || **-о́тный** *a.* scorbutic.
цыно́вка *s.* (*gpl.* -вок) double mat (of bast).
цыплён/ок *s.* (*pl.* -ля́та), *dim.* **-очек** *s.* (*gsg.* -чка) young chick(en).
цыпля́тина *s.* flesh of young chicken.
цы́почки *s. fpl.* (*G.* -чек) tiptoe, the tips of the toes.
цырю́льн/ик *s.* barber || **-я** *s.* barber's (shop).
цыц *int.* quiet! be quiet! lie down! (to dogs).

Ч

ча́вка-ть II. *vn.* (*Pf.* ча́вкн-уть I.) to munch; to smack (one's lips).

чад *s.* vapour (of burning coal), steam; smell of burning; smoke.

чад=и́ть I. 1. [a] *va.* (*Pf.* на-) (чем) to vapour, to steam, to smell of burning; to smoke, to fume.

ча́до/ *s.* (*sl.*) child (to be baptized) || **-люби́вый** *a.* fond of children || **-лю́бие** *s.* love of children.

чадра́ *s.* long veil (worn by Caucasian women).

чаёк *s.* [a] (*gsg.* чайка́) *dim.* tea; **дать на ~** to give a tip.

чаепи́тие *s.* tea-drinking.

ча́ешь *cf.* **ча́ять.**

чажу́ *cf.* **чади́ть.**

чай *s.* [b°] (*gsg. also* ча́ю, *pl.* чаи́) tea; **ча́шка ча́ю** a cup of tea; **дать на ~** to give a tip, to tip; **~ в накла́дку** tea taken with sugar in it; **~ в прику́ску** tea taken without sugar in it, a piece of lump sugar being held in the mouth.

чай *ad.* probably, possibly, perhaps.

ча́йка *s.* (*gpl.* ча́ек) (*orn.*) sea-gull.

ча́йник *s.* tea-pot.

ча́йница *s.* tea-canister; tea-caddy.

ча́йнича-ть II. *vn.* (*pop.*) to pass time in drinking tea.

ча́й/ный *a.* tea-; **-ная ча́шка** tea-cup; **-ная ло́жка** tea-spoon; **~ прибо́р** tea-things, tea-set || **-ная** (*as s.*) tea-room.

ча́лить *cf.* **прича́лить.**

чалма́ *s.* turban.

ча́лый *a.* roan, mottled grey (of a horse).

чан *s.* [b] coop, tub, vat.

чапра́к *s.* [a] saddle-cloth, housing(s), caparison.

ча́рка *s.* (*gpl.* -рок) dram-glass, small glass (for liqueur *or* brandy).

чаро+ва́ть II. [b] *vn.* (*Pf.* о-) (*sl.*) to bewitch, to charm.

чаро́де́й/ *s.* (*sl.*) magician, sorcerer, enchanter || **-ка** *s.* (*gpl.* -де́ек) witch, sorceress || **-ственный** *a.* magic, bewitching || **-ство** *s.* magic, witchcraft, sorcery || **-ство+вать** II. *vn.* to practise magic.

ча́рочка *s.* (*gpl.* -чек) *dim. of* ча́рка.

ча́ры *s. fpl.* sorcery, charms *pl.*, witchcraft, spells *pl.*

час *s.* [b°] (*gsg.* ча́са; *after* два, три, четы́ре: часа́) hour; (*in pl.*) clock, watch; timepiece; **би́тый ~** a full hour; **кото́рый ~?** what time is it? what o'clock is it? **уже́ два часа́** it's already two o'clock; **в шесть часо́в утра́** at six o'clock in the morning; **полчаса́** half an hour; **не в ~** untimely; **наня́ть по часа́м** to hire by the hour; **в до́брый ~!** good luck! **на часа́х** on guard; **час** one o'clock; **три часа́** three o'clock; **тро́е часо́в** three clocks.

ча́с/ик *s. dim.* час; (*in pl.*) small clock, watch || **-о́венка** *s.* (*gpl.* -нок) *dim. of foll.* || **-о́вня** *s.* chapel, oratory || **-ово́й** *a.* of one hour, that lasts an hour; hour-; clock-, watch-; **-ова́я стре́лка** hour-hand; **-ова́я цепо́чка** watch-chain || **~** (*as s.*) sentry, sentinel || **-овщи́к** *s.* [a] watch-maker, clockmaker || **-о́к** *s.* [a] (*gsg.* -ска́) & **-о́чек** *s.* (*gsg.* -чка) *dim. of* час || **-осло́в** *s.* prayer-book.

част/е́нько *ad.* pretty often, frequently || **-и́ца** *s.* particle, small part, small piece.

ча́ст/ность *s. f.*, **в -ности** in particular || **-ный** *a.* partial, particular, special; private, confidential || **-о** *ad.* often, frequently, many a time; closely, densely, thickly || **-око́л** *s.* palisade, paling, stockade || **-ый** *a.* (*comp.* ча́ще) frequent, repeated; close, thick, dense.

част/ь *s. f.* [c] part, portion, share; ward, quarter (of a town); police-station; branch (of knowledge); **бо́льшею ˊью** for the most part; **по -я́м** in instalments.

часы́ *s. mpl.* clock; **карма́нные ~** watch, timepiece; **~ с буди́льником** alarm-clock; **со́лнечные ~** sundial; **стоя́ть на -а́х** (*mil.*) to stand sentry, to be on guard.

ча́хлый *a.* emaciated, pining away.

ча́хнуть 52. *vn.* (*Pf.* за-, ис-) to pine away, to waste away.

чахо́т/ка *s.* consumption, phthisis || **-очный** *a.* consumptive.

ча́ш/а *s.* bowl, cup, goblet; chalice || **-ечка** *s.* (*gpl.* -чек) *dim. of foll.* || **-ка** *s.* (*gpl.* -шек) cup; **цвето́чная ~** (*bot.*) calyx; **коле́нная ~** knee-pan.

ча́ща *s.* thicket, dense, thick forest; jungle.

ча́ще *cf.* **ча́стый.**

ча́яние *s.* expectation, anticipation, hope; **сверх -ия** unexpectedly.

ча́-ять II. *va.* to expect, to anticipate; to trust, to hope.

чва́н=иться II. *vn.* (чем) to pride o.s. (on); to pride (in); to boast, to brag.

чван/ли́вый & **ˊный** *a.* self-conceited, proud; boastful || **ˊство** *s.* self-conceit, pride; boast, vaunt.

чей *prn. poss. & interr.* (чья, чьё, *pl.* чьи) whose?; to whom?; ~ **этот дом?** whose house is that? **чьё это ружьё?** to whom does that gun belong?
чек *s.* cheque, check.
чека́ *s.* linchpin (of a wheel); peg, pin; sap-wood.
чека́н *s.* punch (tool); die, stamp.
чека́н=ить II. *va.* (*Pf.* ис-, вы́-) to coin (money); to strike (medals); to emboss; to chase.
чека́н/ка *s.* (*gpl.* -нок) coining; embossing; chasing || **-ный** *a.* stamping-; chased, embossed || **-щик** *s.* coiner, stamper; chaser.
чекме́нь *s. m.* Cossack's coat.
чёлн & **челно́к** *s.* [a] canoe; **тка́цкий** ~ shuttle.
чело́ *s.* (*obs.*) forehead; **бить** (кому́) **-о́м** to make obeisance to.
челове́к/ *s.* (*pl.* лю́ди) man, person, individual; servant, waiter || **-олюби́вый** *a.* philanthropic(al), humane || **-олю́бие** *s.* philanthropy, humanity || **-оненави́стник** *s.* misanthrope.
челове́ч/ек *s.* (*gsg.* -чка) *dim. of* челове́к || **-еский** *a.* human || **-ество** *s.* mankind; humanity || **-ный** *a.* humane.
че́люсть *s. f.* jaw, jaw-bone.
че́лядь *s. f. coll.* servants, domestics *pl.*
чем (*I. of* что) with what? by what? || ~ *c.* than (*after comp.*); ~ **бы** instead of (*with Inf.*); ~ **бы поду́мать** (о + *Pr.*) instead of thinking of; ~ . . . **тем** the . . . the; ~ **скоре́е тем лу́чше** the quicker the better; ~ **да́льше тем ху́же** from bad to worse, worse and worse; ~ **свет** as soon as it was daylight, at the break of day.
чём *Pr. of* что.
чему́ *D. of* что.
чемода́н/ *s.* travelling-trunk, -box, portmanteau; **ручно́й** ~ hand-bag || **-чик** *s. dim. of prec.*
чепе́ц *s.* [a] (*gsg.* -пца́) (woman's) cap.
чепуха́ *s.* nonsense, rubbish, twaddle.
че́пчик *s. dim. of* чепе́ц.
че́рв/и *s. fpl.* [c] hearts (at cards); **туз -е́й** the ace of hearts || **-и́вый** *a.* wormy, full of worms; worm-eaten || **-лёный** *a.* purple, scarlet || **-о́нец** *s.* (*gsg.* -нца) a ducat, a ten rouble-piece || **-о́нка** *s.* (*gpl.* -нок) a heart (at cards) || **-о́нный** *a.* of hearts; very fine (of gold) || **-ообра́зный** *a.* vermiform; ~ **отро́сток** (vermiform) appendix || **-ото́чина** *s.* worm-hole; (*bot.*) dry-rot || **-ото́чный** *a.* worm-eaten.
черв/ь *s. m.* [c] worm || **-я́к** *s.* [a], *dim.* **-ячо́к** *s.* [a] (*gsg.* -чка́) worm, maggot.
черд/а́к *s.* [a] garret, loft; attic || **-а́чный** *a.* garret-, attic- || **-ачо́к** *s.* [a] (*gsg.* -чка́) *dim. of* черда́к.
черёд & **черед/а́** *s.* turn, order; (*bot.*) bud-marigold; **тепе́рь моя́** ~ it's my turn now || **-о+ва́ться** II. [b] *vrc.* to follow by turns *or* in succession; to take turns (with one), to alternate.
че́рез *prp.* (+ *A.*) over, across; along, through, by, via; from; within, in, after; ~ **год** in a year; ~ **Москву́** via Moscow; **я узна́л э́то** ~ **ва́шего бра́та** I heard of that from your brother; ~ **час по ло́жке** a spoonful every hour.
черём(у)ха *s.* black-alder (tree); bird-cherry (fruit).
че́рен/ *s.* (*pl.* чере́нья, -ьев, etc.) & **-о́к** *s.* [a] (*gsg.* -нка́) handle, haft, helve; graft, scion.
че́реп/ *s.* [b*] (*an.*) skull, brain-pan; cranium, shell (of crustaceans) || **-а́ха** *s.* (sea) turtle; (land) tortoise; tortoise-shell || **-а́ховый** *a.* (of) tortoise-shell || **-а́ший** (-ья, -ье) *a.* turtle's, of turtle; tortoise- || **-и́ца** *s.* tile || **-и́чный** *a.* of tile(s), tile, tiled || **-но́й** *a.* skull-, cranial || **-о́к** *s.* [a] (*gsg.* -пка́) potsherd, piece of broken glass.
чересполо́сный *a.*, **-ное владе́ние** a property, in which the fields are separated from each other by strips of land belonging to other proprietors.
чересчу́р *ad.* too, too much, too many; overmuch, exceedingly.
чере́шня *s.* wild cherry-tree, bird-cherry (tree).
черка́-ть II. *va.* (*Pf.* черкн-у́ть I. [a]) to scribble, to scrawl; to strike, to blot out, to cancel; to write, to put, to note down.
че́рмный *a.* (*sl.*) dark-red; **Че́рмное Мо́ре** the Red Sea.
черна́вка *s.* (*gpl.* -вок) brunette.
чёрненький *a.* blackish.
черн/ёхонький *a.* jet-black, pitch dark || **-е́ц** *s.* [a] monk, friar || **-и́ка** *s. coll.* bilberries, whortleberries *pl.* || **-и́ла** *s. npl.* ink || **-и́льница** *s.* inkstand || **-и́льный** *a.* ink-; ~ **оре́шек** gall-nut, oak-apple.
черн=и́ть II. *va.* (*Pf.* о-) to black(en); to colour black; (*fig.*) to slander, to calumniate; (*Pf.* за-) to dirty, to stain, to soil.
черн/и́ца *s.* nun || **-и́чка** *s.* (*gpl.* -чек) *dim. of* черни́ка || **-обу́рый** *a.* dark-brown || **-ова́тый** *a.* blackish, rather

black || **–ово́й** *a.* in the rough || **–ово-ло́сый** *a.* black-haired || **–огла́зый** *a.* black-eyed || **–озём** *s.* black earth, mould || **–окни́жие** *s.* the black art, magic || **–окни́жник** *s.* magician || **–окни́жный** *a.* magic(al) || **–оле́сье** *s. coll.* leafy forest *or* wood || **–ома́зый** *a.* (*pop.*) dark-complexioned, swarthy || **–о́окий** = **–огла́зый** || **–орабо́чий** (*as s.*) (unskilled) workman || **–осли́в** *s. coll.* (dried) plums || **–ота́** *s.* [h] blackness, darkness.

чёрный *a.* (*pd.* чёрен, черна́, -о́, чёрны; *comp.* черне́е) black, dark, of a deep colour; soiled, dirty; **–ное бельё** soiled linen; **~ день** a fatal, unlucky day; **бере́чь де́нежку на ~ день** to lay by for the rainy day; **–ное де́рево** ebony; **–ное духове́нство** friars, monks *pl.*; **–ная ле́стница** backstairs *pl.*; **–ная кни́га** daybook; **–ная рабо́та** rough, dirty work; **–ная со́тня** the mob, the rabble; **–ная куха́рка** inferior cook, cook's help; **черны́м-черно́** jet-black, pitch dark.

чернь *s. f.* mob, rabble.

черп/а́к *s.* [a] scoop, well-bucket || **–а́ло** *s.*, *dim.* **–а́льце** *s.* scoop, ladle.

че́рпа-ть II. *va.* (*Pf.* черпн-у́ть I. [a]) to draw *or* to scoop out, to draw up; (*fig.*) to borrow (from), to obtain, to get.

черстве́-ть II. *vn.* (*Pf.* за-, о-, по-) to grow stale (of bread); (*fig.*) to harden.

чёрствый *a.* stale (of bread); hard, rude, unfeeling.

чёрт *cf.* **чорт.**

черт/а́ *s.* line, mark, dash; (*gramm.*) stroke; feature, lineament, trait || **–ёж** *s.* [a] plan, sketch, design, draught, outline, contour || **–ёжник** *s.* draughtsman, designer || **–ёжный** *a.* for drawing, drawing-; **–ёжная доска́** drawing-board.

чертёнок *s.* (*pl.* -еня́та) imp, little devil; dare-devil.

черт=и́ть I. 2. [a & c] *va.* (*Pf.* на-) to draw, to sketch, to trace, to design, to outline.

черто́в/ка *s.* (*gpl.* -вок) witch, hag, sorceress || **–ский** *a.* devilish, diabolical || **–щи́на** *s.* devilry, devilment, devilish trick.

черто́г *s.* state-room; (*in pl.*) palace.

чертополо́х *s.* (*bot.*) thistle.

чёрточка *s.* (*gpl.* -чек) *dim. of* черта́.

черче́ние *s.* drawing, tracing, sketching, outlining.

чеса́лка *s.* (*gpl.* -лок) carding-comb, wool-card.

чеса́ние *s.* carding, hackling.

чес-а́ть I. 3. [c] *va.* (*Pf.* по-) to scratch; to card, to hackle; (*Pf.* при-) to comb, to dress (the hair) || **~ся** *vr.* to scratch, to rub o.s. || **~** *vn.* to itch; **рука́ че́шется** my hand itches; (*fig.*) **у него́ язы́к че́шется** he is itching to speak.

чёска *s.* (*gpl.* -сок) carding, hackling.

чесно́/к *s.* [a] (*bot.*) garlic || **–чный** *a.* garlic-.

чесо́т/ка *s.* itch; mange (in dogs) || **–очный** *a.* scabbed, itchy; mangy.

че́ст/вование *s.* reverence, mark of honour, honouring; greeting; solemn reception || **–во+вать** II. *va.* to esteem, to respect, to honour, to do *or* to pay honour to one, to celebrate.

чест=и́ть I. 4. [a] *va.* to honour; (*fig.*) to scold, to abuse, to asperse one.

че́ст/ность *s. f.* honesty, probity, integrity || **–ный** *a.* honest, upright, of honour; **–ное сло́во!** honour bright! on my word of honour! || **–олю́бец** *s.* (*gsg.* -бца), **–олю́бица** *s.* an ambitious person || **–олюби́вый** *a.* ambitious, aspiring || **–олю́бие** *s.* ambition.

честь *s. f.* honour; reputation, respect; **име́ю ~** I have the honour to (*with Inf.*); **отда́ть ~** (*mil.*) to salute; **по че́сти!** honour bright!; **не име́ю че́сти знать его́** I have not the honour of being acquainted with him; **на́до и ~ знать** one must draw the line somewhere, one must not go too far.

честь [т/чт] 24. [a 2.] *va.* to regard (as), to deem, to assume; to think one . . ., to take one for . . .

чёт *s.* even number; **~ или не́чет** odd or even.

чета́ *s.* pair, couple; **он вам не ~** he cannot be compared to you, he is not your equal.

четве́рг/ *s.* [a] Thursday; **Вели́кий ~** Holy Thursday, Maundy Thursday || **–о́вый** *a.* of Thursday.

четвере́ньки *s. fpl.* hands and feet (of men); all fours (of animals); **ходи́ть на –ах** to go on all fours.

четвери́к *s.* [a] a Russian measure for corn = roughly 3 pecks; **све́чи-~** four candles to the pound; **~ лошаде́й** carriage and four.

четвёрка *s.* (*gpl.* -рок) four (at cards); four-in-hand, a team of four horses; four-oar (boat).

четвер/но́й *a.* fourfold, quadruple || **–ня́** *s.* four-in-hand; (*in pl.*) four at a birth.

че́тверо/ *num.* (+ *G.*) *coll.* four; **нас ~** there are four of us || **–но́гий** *a.* quadruped, four-footed.

четверт/а́к *s.* [a], **–ачо́к** *s.* [a] (*gsg.* -чка́) quarter of a rouble, 25 copecks (silver coin).

четвёртка *s.* (*gpl.* -ток) quarter; **кни́га в –у** a book in quarto; **~ ча́ю** a quarter pound of tea.

четверт/но́й *a.* quarter-, containing a quarter || **–на́я** (*as s.*) twenty-five rouble note || **–о+ва́ть** II. [b] *va.* to quarter.

четвёртый *num.* fourth; **~ час** between three and four; **в –ых** fourthly.

че́тверть *s. f.* [c] quarter; corn-measure (about 6 bushels); **без –и три часа́** a quarter to three; **два часа́ с –ью** a quarter past two; **~ пя́того** a quarter past four; **по –и часа́** every quarter of an hour; **по –я́м** (**го́да**) quarterly.

чётки *s. fpl.* (*G.* -ток) rosary, beads *pl.*

чёт/кий *a.* legible || **–кость** *s. f.* legibility || **–ный** *a.* even (of numbers).

четы́ре/ *num.* four || **–жды** *ad.* four times || **–ста** *num.* four hundred || **–уго́льник** *s.* (*geom.*) quadrangle, tetragon.

четырёх/дне́вный *a.* (of) four days' || **–ле́тний** *a.* (of) four years' || **–ме́сячный** *a.* (of) four months' || **–со́тый** *num.* four-hundredth || **–сторо́нний** *a.* (*geom.*) quadrilateral || **–чле́нный** *a.* four-limbed, of four members.

четы́рнадцат/ый *num.* fourteenth || **–ь** *num.* fourteen.

че́тьи-мине́и *s. fpl.* martyrology, legends of the saints.

чехо́л *s.* [a] (*gsg.* -хла́) cover, case.

чехарда́ *s.* leap-frog.

чечев/и́ца *s.* lentil || **–и́чный** *a.* lentil.

че́/чет *s.* (*orn.*) finch || **–чётка** *s.* (*gpl.* -ток) hen-finch.

чешу́й/ка *s.* (*gpl.* -у́ек) *dim. of* чешуя́ || **–ный** *a.* scaly, squamous; scale- || **–чатый** *a.* scaly.

чешуя́ *s.* scale.

чи́бис *s.* (*orn.*) peewit, lapwing.

чиж/ *s.* [a] & **´ик** *s.* (*orn.*) siskin, greenfinch || **–о́вка** *s.* (*gpl.* -вок) hen-siskin; (*fam.*) detention-room (for prisoners under arrest).

чи́ка-ть II. *vn.* (*Pf.* чи́кн-уть I.) to chirp (of young birds); to cut with scissors.

чили́ка-ть II. *vn.* (*Pf.* чили́кн-уть I.) to chirp, to twitter (of birds).

чин *s.* [b] rank, grade; post, office, calling.

чина́р *s.* (Caucasian) plane-tree.

чин=и́ть II. [a & c] *va.* (*Pf.* у-) to make, to do, to execute; (*Pf.* на-) to stuff, to fill, to cram; (*Pf.* по-) to mend, to repair; (*Pf.* о-) to point, to sharpen || **~ся** *vr.* to stand on ceremony.

чи́н/но *ad.* as is fitting *or* becoming; dedecently, decorously || **–о́вник** *s.* official, functionary || **–о́вный** *a.* having rank *or* grade || **–оположе́ние** *s.* church-service, ritual; ceremonial || **–опочита́ние** *s.* respect due to rank, discipline || **–опроизво́дство** *s.* promotion.

чи́рей *s.* (*gsg.* -рья) boil, ulcer, abcess.

чири́кать = чили́кать.

чи́сл/енность *s. f.* number, quantity; (*mil.*) strength || **–и́тель** *s. m.* (*math.*) numerator || **–и́тельный** *a.*, **и́мя –и́тельное** (*gramm.*) numeral.

чи́сл=ить II. *va.* to count, to number, to reckon.

число́ *s.* [d] number, figure; quantity; date, day of the month; **дро́бное ~** (*math.*) fraction; **дели́мое ~** (*math.*) dividend; **ча́стное ~** (*math.*) quotient; **кото́рое (како́е) сего́дня ~?** what day of the month is it? **кото́рого –а́?** on what date? **от сего́ –а́** (*comm.*) from to-day; **сре́дним –о́м** on an average; **еди́нственное & мно́жественное ~** singular & plural (number).

чистога́н/ *s.* cash, ready money || **–ом** *ad.* in cash, on the nail.

чи́ст/енький *a.* neat, tidy || **–и́лище** *s.* Purgatory || **–и́льщик** *s.* cleaner, cleanser.

чи́ст=ить I. 4. *va.* (*Pf.* по-, вы́-) to cleanse, to clean, to scour; to sweep, to brush; to polish; to peel (potatoes); to shell (peas); to gut (fishes).

чи́ст/ка *s.* (*gpl.* -ток) cleaning, cleansing, scouring; brushing; polishing || **–ога́н = чистога́н** || **–окро́вный** *a.* thorough-bred || **–описа́ние** *s.* penmanship, calligraphy || **–опло́тный** *a.* clean, neat, tidy || **–осерде́чный** *a.* candid, frank, sincere || **–ота́** *s.* cleanness, cleanliness, purity || **–ый** *a.* (*comp.* чи́ще) clean, neat, tidy; pure; clear; correct; virgin (of metal).

чит/а́льня *s.* reading-room || **–а́тель** *s. m.*, **–а́тельница** *s.* reader.

чита́-ть II. *vn.* (*Pf.* по-) to read; to deliver (a lecture), to lecture; **~ по склада́м** to spell.

чиха́нье *s.* sneezing.

чиха́-ть II. *vn.* (*Pf.* чихн-у́ть I. [a]) to sneeze.

чичеро́не *s. indecl.* cicerone, guide.

чи́ще *cf.* **чи́стый.**
член/ *s.* limb; member, fellow (of society); (*gramm.*) article; (*math.*) term || **–овреди́тельство** *s.* mutilation || **⁄–ский** *a.* of member, fellow- || **⁄–ство** *s.* membership, fellowship.
чмок *s.* smacking, smack; hearty kiss.
чмо́ка-ть II. *vn.* (*Pf.* по- & чмо́кн-уть I.) to kiss with a sharp noise; to smack.
чо́ка-ться II. *vn.* (*Pf.* чо́кн-уться I.) to clink glasses.
чо́лка *s.* (*gpl.* -лок) forelock (of horses).
чолн = **чёлн.**
чо́порный *a.* pedantic, punctilious; affected, mincing.
чорт/ *s.* [c] (*gsg. also* черта́, *pl.* че́рти, -е́й, etc.) devil; (*fam.*) old Nick, deuce, dickens; **~ возьми́!** deuce take it! **~ тебя́ побери́!** go to Jericho! || **⁄–ов** *a.* devil's.
чо́тки = **чётки.**
чрев/а́тый *a.* big-bellied, paunch-bellied; big, full || **–а́тая** (*fam.*) pregnant || **–овеща́ние** *s.* ventriloquism || **–овеща́тель** *s. m.* ventriloquist || **–оугóдие** *s.* (*sl.*) gluttony || **–оугóдник** *s.*, **–оугóдница** *s.* glutton.
чреда́ = **череда́.**
чрез = **че́рез.**
чрез/выча́йный *a.* extraordinary, excessive; unusual, uncommon || **–ме́рный** *a.* excessive; exorbitant, immoderate, inordinate, extravagant.
чте́ние *s.* reading; lecture, delivery (of a lecture); **библио́тека для –ия** library.
чтец *s.* [a], **чти́ца** *s.* reader; reciter.
чт=ить I. *va.* (*Pf.* по-) to honour, to esteem, to respect.
что *prn. rel. & interr.* that; what? **~ с ва́ми?** what is the matter with you? **~ за несча́стие!** what a misfortune! **~ за де́рзость!** what impudence! **~-нибу́дь, ~́-либо** something, anything; **~ бы ни случи́лось** whatever happens; **для чего́?** why?; **не́ за ~** don't mention; **ни по чём** it's all one to me; **~ до меня́, ~ каса́ется до меня́** as for me, for my part.
что́б(ы) *c.* that, in order that.
чу *int.* hear! hist!
чуб/ *s.* tuft; (*fam.*) head of hair; crest (of birds) || **–а́рый** *a.* mottled, spotted, speckled (*esp.* of horses) || **–у́к** *s.* [a] a long pipe-tube (as used in Turkey).
чу́вств/енный *a.* sensual, sensuous || **–и́тельный** *a.* tender, feeling, sensitive (of persons); acute, severe, painful || **–о** *s.* sense; *e. g.* **~ слу́ха** sense of hearing; feeling, sensation; sentiment; **лиши́ться чувств** to lose consciousness || **–о+вать** II. *va.* (*Pf.* по-) to feel, to perceive, to be sensible of, to have the sensation of || **~ся** *vr.* to be felt, to be perceived, to make itself felt.
чугу́н/ *s.* [a] pig-iron, cast-iron; cast-iron vessel || **–ка** *s.* (*gpl.* -нок) cast-iron stove; (*pop.*) railway || **–ный** *a.* cast-iron || **–олите́йный** *a.*, **~ заво́д** cast-iron foundry, smelting-house || **–оплави́льный** *a.*, **–оплави́льная печь** smelting-furnace.
чуд/а́к *s.* [a] queer fellow, odd character; eccentric person, original || **–е́сный** *a.* wonderful, marvellous, miraculous.
чуд=и́ть I. 1. [a] *vn.* (*Pf.* на-, по-) to behave queerly, to play tricks || **~ся** *vc.* (*sl.*) to be astonished, to be surprised, to wonder.
чу́д=иться *v. imp.* to seem, to appear; to occur, to happen.
чу́д/ный *a.* wonderful, marvellous || **–о** *s.* (*pl.* чудеса́, -де́с, -деса́м) miracle; marvel, wonder || **–о́вище** *s.* monster, prodigy || **–о́вищный** *a.* monstrous, unnatural || **–оде́й** *s.* droll person; wag || **–оде́йственный** *a.* (*sl.*) miraculous, performing miracles || **–отво́рный** *a.* wonder-working; **~ о́браз** miraculous image.
чуж/а́к *s.* [a], **–а́чка** *s.* (*gpl.* -чек) (*pop.*) stranger, foreigner || **–би́на** *s.* foreign country || **–да́-ться** II. *vrc.* to become estranged (with); to retire, to withdraw; to shun, to avoid || **⁄–дый** *a.* foreign, stranger to; strange, incomprehensible; not taking part in, standing aloof from || **–езе́мец** *s.* (*gsg.* -мца), **–езе́мка** *s.* (*gpl.* -мок) *s.* foreigner || **–езе́мный** *a.* foreign || **–естра́нец** *s.* (*gsg.* -нца), **–естра́нка** *s.* (*gpl.* -нок) foreigner || **–естра́нный** *a.* foreign, outlandish || **–ея́дный** *a.* parasitic(al) || **–о́й** *a.* foreign, strange; of another, of others, of a third party.
чула́н/ *s.* lumber-room; larder, storeroom || **–ец** *s.* (*gsg.* -нца) & **–чик** *s.* *dim. of prec.*
чул/о́к *s.* [a] (*gsg.* -лка́) stocking, sock || **–о́чек** *s.* (*gsg.* -чка) *dim. of prec.* || **–о́чник** *s.*, **–о́чница** *s.* stocking-knitter.
чум/а́ *s.* plague, pest || **–а́зый** *a.* (*pop.*) dirty, filthy, nasty, slovenly || **–и́чка** *s.* (*gpl.* -чек) skimmer, ladle; (*fig.*) *coll.* dirty fellow, pig; sloven, slut || **⁄–ный**

a. plague-; pestilential, pestiferous, plague-stricken.
чур/ *s.* boundary, limit ‖ ~ *int.*, ~ **молча́ть!** silence! ~ **пополáм!** I cry halves! ~ **меня́!** leave me alone! ‖ **–бáн** *s.* [a] block, log.
чу́т/кий *a.* quick (of ear); sharp (of hearing); light (of sleep); perceptible, sensible ‖ **–очку** *ad.* a little, a bit.
чуть *ad.* almost; hardly; ~ **не** nearly, on the point of; ~-~ within a hairbreadth; ~-**свет** at day-break.
чутьё *s.* feeling, hearing, taste; (*esp.*) scent, smell; instinct (of animals).
чу́чело *s.* a stuffed bird; scarecrow, bugbear; **сне́жное** ~ snowman.
чу́шка *s.* (*gpl.* -шек) a young pig.
чушь *s. f.* nonsense, stuff, twaddle.
чу́-ять II. *va.* (*Pf.* по-) to scent, to smell, to perceive; to divine.

Ш

ша́баш Sabbath.
шабáш *s.* rest from work, (time of) rest ‖ ~ *int.* enough! stop!
шабáш=ить I. *vn.* (*Pf.* за-) to leave off *or* to cease working.
шаблóн *s.* model, mould, pattern.
шáвка *s.* (*gpl.* -вок) shepherd's dog.
шаг/ *s.* [b°] (*after* два, три, четы́ре: шагá) step, stride, pace; ~ **за** **´ом** step by step; **´ом** at a walk; **скóрым** **´ом** with rapid strides; **ти́хим** **´ом** with measured steps.
шагá-ть II. *vn.* (*Pf.* шагн-у́ть I. [a]) to stride, to step (along).
шагомéр *s.* pedometer.
шагрéнь *s. f.* shagreen.
шажóк *s.* [a] (*gsg.* -жкá) *dim. of* шаг.
шáйка *s.* (*gpl.* шáек) (wooden) pail; band, gang; ~ **разбóйников** gang of robbers.
шайтáн *s.* Satan, the devil (Tartaric).
шакáл *s.* jackal.
шалáш *s.* [a] hut, shelter, tent (made of branches).
шалé-ть II. *vn.* (*Pf.* о-) to grow crazy, to become insane, to be off one's head.
шал=и́ть II. [a] *va.* (*Pf.* на-, по-) to play pranks, to sport, to frolic, to be in riotous spirits; to steal, to pilfer.
шалнéр = **шарни́р.**
шаловли́вый *a.* sportive, frolicsome, wanton, mischievous.
шалопáй *s.* lounger, idler, loafer, good-for-nothing.
шáл/ость *s. f.* prank, frolic; friskiness, mischievousness ‖ **–у́н** *s.* [a], **–у́нья** *s.* scamp, madcap, mischievous monkey (of children) ‖ **–фéй** *s.* (*bot.*) sage.
шаль/ *s. f.* shawl ‖ **–нóй** *a.* crazy, insane, mad; **как** ~ like a madman; **–нáя горя́чка** (*fam.*) the jim-jams *pl.*; **–нáя пу́ля** a random shot.
шампáнский *a.* champagne-.
шампиньóн *a.* mushroom.
шампу́нь *s. f.* shampoo.
шандáл *s.* candlestick.
шáнец *s.* (*gsg.* -нца) (*mil.*) entrenchment, trench.
шанс *s.* chance.
шантáж *s.* [a] blackmail, extortion.
шáпка *s.* (*gpl.* -пок) (fur-)cap.
шапо-кля́к *s.* opera-hat, crush hat.
шáпоч/ка *s.* (*gpl.* -чек) *dim. of* шáпка ‖ **–ник** *s.* capmaker ‖ **–ный** *a.* cap-; **–ное знакóмство** (с кем) nodding acquaintance; **к –ному разбóру** at the very end, too late.
шар/ *s.* [b & a] ball; globe; sphere; **возду́шный** ~ balloon; **хоть –óм покати́** swept clean, without leaving a trace ‖ **–абáн** *s.* charabanc ‖ **–áда** *s.* charade.
шарáхн-уться I. *vn.* to tumble down, to fall, to rush headlong; to run away, to bolt (of horses).
шарж *s.* caricature.
шáрик *s. dim. of* шар.
шáр=ить II. *va.* (*Pf.* об-) to search thoroughly, to rummage in, to fumble in, to ransack.
шáрканье *s.* scraping (with the feet).
шáрка-ть II. *vn.* (*Pf.* шáркн-уть I.) to scrape (with the feet); ~ **ногáми** to make *or* to scrape a bow.
шарлатáн/ *s.* charlatan, quack ‖ **–ство** *s.* charlatanism, quackery.
шармáн/ка *s.* (*gpl.* -нок) barrel-organ ‖ **–щик** *s.* organ-grinder.
шарни́р *s.* hinge, joint.
шаровáры *s. fpl.* wide breeches *pl.*, trunk hose(s).
шаро/ви́дный & **–обрáзный** *a.* globular, spheric(al).
шарф *s.* scarf, sash.
шатá-ть II. *va.* (*Pf.* шатн-у́ть I. [a]) to shake, to joggle, to rock ‖ ~**ся** *vr.* to move, to budge; to stagger, to waver, to reel, to totter; to stroll, to ramble.
шатёр/ *s.* [a] (*gsg.* -трá) tent ‖ **–ный** *a.* tent-.
шáткий *a.* tottering, unsteady; wavering, shaky; uncertain, precarious, fickle, inconstant, doubtful, variable.

шатну́ть *cf.* **шата́ть.**
шатра́ *cf.* **шатёр.**
шату́н *s.* [a] rover, stroller, idler; (*tech.*) connecting-rod.
ша́ф/ер *s.* best man (at a wedding) || **-ра́н** *s.* saffron.
шах *s.* shah (of Persia); check (at chess); **коро́ль стои́т под ⁓ом** *or* **на ⁓у́** the king is in check; ⁓ **и мат** checkmate.
ша́хмат/ный *a.* chess-; chequered, check; **-ная доска́** chess-board; ⁓ **игро́к** chess-player || **-ы** *s. mpl.* chess.
ша́хта *s.* shaft (of a mine).
ша́шеч/ница *s.* draught-board, chess-board || **-ный** *a.* of draughts; **-ная игра́** draughts.
ша́шка *s.* (*gpl.* -шек) (Caucasian) sabre; man, piece (at draughts); **игра́ть в ⁓и** to play draughts.
ша́шни *s. fpl.* intrigues, plots *pl.*
шва́бра *s.* mop; (*mar.*) swab.
шва́льня *s.* tailor's workshop.
шве́й/ка *s.* (*gpl.* шве́ек) = **швея́** || **-ный** *a.* sewing- || **-ца́р** *s.* porter, concierge, door-keeper.
швея́ *s.* needlewoman, seamstress.
швыря́-ть II. *vn.* (*Pf.* швырн-у́ть I. [a]) to hurl, to fling, to throw.
шевел=и́ть II. [a & c] *vn.* (*Pf.* по-, *mom.* шевельн-у́ть I. [a]) to move, to stir (up), to rouse.
шевро́н *s.* (*mil.*) stripe, chevron.
шедёвр *s.* masterpiece.
ше́дший *cf.* **итти́.**
шей/, ⁓те *cf.* **шить.**
ше́й/ка *s.* (*gpl.* ше́ек) *dim.* neck || **-ный** *a.* neck-.
шёл *cf.* **итти́.**
ше́лест *s.* rustle, rustling.
шелест=и́ть I. 4. [a] *vn.* to rustle (of leaves, paper, silk).
шёлк *s.* [g°] silk; **на шелку́** silk-lined.
шелко/ви́на *s.* a silk thread || **-ви́стый** *a.* silky || **-ви́ца** & **-ви́чник** *s.* mulberry-tree || **-ви́чный** *a.*, ⁓ **червь** silkworm || **-во́д** *s.* rearer of silkworms || **-во́дство** *s.* sericulture, rearing of silkworms.
шёлковый *s.* silken; silk-, of silk.
шелко/де́лие *s.* silk manufacture || **-заво́дчик** *s.* silk manufacturer || **-пря́д** *s.* (*zool.*) silk-moth || **-пряде́ние** *s.* silk-spinning || **-пряди́льня** *s.* silk-factory.
шелохну́ть *cf.* **шелыха́ть.**
шёлуди *s. mpl.* scurf, scab; mange (of dogs).
шелуди́вый *a.* scurvy, scabby; mangy.
шелуха́ *s.* shell (of eggs *or* nuts), hull, husk; **ры́бья** ⁓ scale of fish.
шелуш=и́ть I. [a] *va.* (*Pf.* о-) to shell, to hull, to husk.
шелыха́-ть II. *va.* (*Pf.* шелохн-у́ть I. [c]) to move, to stir, to agitate; to scare away || **⁓ся** *vr.* to move (o.s.), to stir, to be agitated.
ше́льма *s. m&f.* rascal, rogue.
шельмо+ва́ть II. [b] *va.* (*Pf.* о-) to treat like a rascal; to defame.
шельмовство́ *s.* roguery, rascality.
шемизе́тка *s.* (*gpl.* -ток) chemisette, shirt-front.
шепеля́вый *a.* lisping.
шепе/ля́-ть II. & **-т-а́ть** I. 2. [c] *vn.* (*Pf.* про-) to lisp.
шептала́ *s. coll.* dried peaches *pl.*
шепт-а́ть I. 2. [c] *vn.* (*Pf.* про-, *mom.* шепн-у́ть I. [a]) to whisper; ⁓ (кому́) **на́ ухо** to whisper into one's ear.
шепту́н/ *s.* [a], **-ья** *s.* whisperer; tale-bearer, slanderer.
шербе́т *s.* sherbet.
шере́нга *s.* (*gpl.* -нг) (*mil.*) rank, file.
шеромы́жник *s.* swindler, sharper; loafer; sponger.
шерохова́тый *a.* rough, rugged.
шерсти́нка *s.* (*gpl.* -нок) a single woollen hair.
шёрстка *s.* (*gpl.* -ток) *dim. of* шерсть.
шерсто/бо́й *s.* wool-beater || **-пряди́льня** *s.* wool-spinning mill.
шерст/ь *s. f.* [c] wool; hair; **про́тив ⁓и** against the grain, the wrong way || **-яно́й** *a.* woollen; wool-.
шерхе́бель *s. m.* (*tech.*) jack-plane.
шерша́вый *a.* shaggy, hirsute, rough.
ше́ршень *s.m.* (*gsg.* -шня) (*zool.*) hornet.
шест *s.* [a] pole, perch.
ше́ств/ие *s.* procession, train || **-о+вать** II. *vn.* to walk gravely along, to walk in a procession.
шест/ери́к *s.* [a] anything made up of six similar things, *e. g.* **свеча́** ⁓ six candles to the pound; **гвоздь** ⁓ a six-inch nail, etc. || **-ёрка** *s.* (*gpl.* -рок) six-in-hand, a team of six horses; six oared boat; six (at cards) || **-ерно́й** *a.* six-fold, of six parts || **-ерня́** *s.* (*tech.*) driving-wheel, cog-wheel; lantern-wheel.
ше́ст/еро *num.* six together; **нас** ⁓ there are six of us, we are six || **-idне́вный** *a.* six days' || **-иле́тний** *a.* six years' || **-идеся́тый** *num.* sixtieth || **-исо́тый** *num.* six-hundredth || **-исторо́нний** *a.* six-sided, hexahedral || **-иуго́льный** *a.* hexagonal || **-на́дцатый** *num.* six-

teenth || **-на́дцать** *num.* sixteen || **-ой** *num.* sixth.
шесто́к *s.* [a] (*gsg.* -тка́) hearth (of a Russian oven).
шесть/ *num.* six || **-деся́т** *num.* sixty || **-со́т** *num.* six hundred || **-ю́** *ad.* six times.
шеф *s.* chief, principal.
ше́я *s.* neck.
ши́бкий *a.* (*comp.* ши́бче) swift, rapid, quick; violent.
ши́ворот *s.* collar; **взять** (кого́) **за ~** to catch a person by the scruff of the neck; **~ на вы́ворот** upside down, topsy-turvy.
шик/ *s.* elegance, stylishness, taste || **-а́рный** *a.* chic, stylish, elegant.
ши́ка-ть II. *vn.* (*Pf.* о-, по-, *mom.* ши́кн-уть I.) to hiss.
ши́л/о *s.* (*pl.* ши́лья, -ьев, etc.), *dim.* **-ьце** *s.* awl.
ши́на *s.* tyre, wheel-band.
шине́ль *s. f.* cloak, greatcoat.
шинка́р/ство *s.* ale-house, tavern || **-ь** *s. m.* ale-house keeper, tavern-keeper.
шинко+ва́ть II. [b] *va.* (*Pf.* на-) to chop, to shred (cabbage).
шино́к *s.* [a] (*gsg.* -нка́) tavern, ale-house.
шинши́лла *s.* (*zool.*) chinchilla.
шип *s.* [a] (*bot.*) spine; (*also fig.*) thorn, prickle; sharp scale (of fishes); hobnail (of a horseshoe); (*arch.*) tenon.
шипе́ние *s.* hissing, sizzling, frothing; buzzing (of a spindle).
шип=е́ть II. 7. [a] *vn.* (*Pf.* про- & шипн-у́ть I. [a]) to hiss; to froth (up), to sparkle (of wine).
шипова́тый *a.* thorny, prickly.
шипо́вник *s.* wild rose, dog-rose.
шипу́чий (-ая, -ее) *a.* sparkling, effervescent.
ши́р/е *cf.* **широ́кий** || **-ина́** *s.* breadth, width.
ши́р=ить II. *va.* (*Pf.* рас-) to widen, to broaden; to spread (*e. g.* wings).
ши́рма *s.* (*us. in pl.*) (folding-)screen, stove-screen.
широ́к/ий *a.* (*pd.* широ́к, -а́, -о́, *pl.* -и́; *comp.* ши́ре) broad, wide; unrestrained; **жить на -ую ногу** to live in grand style || **-опле́чий** *a.* broad-shouldered || **-опо́лый** *a.* wide-skirted (of a coat); wide-brimmed (of a hat).
широта́ *s.* [h] (*astr. & geog.*) latitude; **ни́зкие широ́ты** low latitudes.
широча́йший *sup. of* широ́кий.
ширь *s. f.* = **ширина́.**
шить 27. *va.* (*Pf.* с-, *Fut.* сошью́, -ьёшь) to sew; to embroider.
шитьё *s.* sewing; needlework; sewing-implements *pl.*
ши́фер *s.* (*min.*) slate, schist.
шифонье́рка *s.* (*gpl.* -рок) (шкап) chiffonier.
шифр/ *s.* (*mil.*) monogram (of tsar) || **-́а** *s.* (*us. in pl.*) cipher, code, secret writing || **-о+ва́ть** II. [b] *va.* to write in cipher.
шиш/ *s.* [a], **ни -а́** not a fig || **~** *int.* hush! quiet! || **-́ечка** *s.* (*gpl.* -чек) *dim. of foll.* || **-́ка** *s.* (*gpl.* -шек) bump, swelling; boss; knob || **-кова́тый** *a.* knobby, knotty.
шка́лик *s.* fire-pot, small lamp (for illumination); small glass (of brandy).
шкап & шкаф *s.* [b] cupboard, clothes-press; **де́нежный шкаф** safe.
шкату́лка *s.* (*gpl.* -лок) casket.
шквал *s.* (*mar.*) (a sudden) squall.
шкво́рень *s. m.* (*gsg.* -рня) (*tech.*) coupling-bolt.
шкив *s.* (*tech.*) sheave (of a block).
шки́пер *s.* (*pl.* -а́) skipper.
шко́ла *s.* school.
шко́л=ить II. *va.* (*Pf.* вы́-) to school, to train.
шко́ль/ник *s.* schoolboy, scholar, pupil || **-ница** *s.* schoolgirl, scholar || **-ничество** *s.* schoolboy's tricks *pl.* || **-ный** *a.* school-.
школя́р *s.* scholar, schoolboy, disciple.
шку́на *s.* schooner.
шку́р/а *s.* hide, skin, pelt; **спасти́ свою́ -у** to save one's bacon; **содра́ть -у** (с кого́) to give a good whipping to, to fleece one || **-ка** *s.* (*gpl.* -рок) *dim. of prec.*
шла *cf.* **итти́.**
шлагба́ум *s.* barrier, turnpike.
шлак *s.* (*met.*) scoria, slag.
шла́фрок *s.* dressing-gown.
шлейф *s.* train (of a dress).
шлем *s.* helmet; slam (at whist).
шлёп *int.* smack! flop! bump!
шлёпа-ть II. *vn.* (*Pf.* шлёпн-уть I.) to slap, to clap; to dash; **~ башмака́ми** to shuffle || **~ся** *vr.* to fall down with a flop, to flop down.
шлея́ *s.* [a] (*exc. N. pl.* шле́и) breeching (of a harness).
шлиф/ова́льщик *s.* polisher || **-о+ва́ть** II. [b] *va.* (*Pf.* от-, вы́-) to polish.
шло *cf.* **итти́.**
шлюз *s.* sluice, lock, flood-gate.
шлю́п/ка *s.* (*gpl.* -пок) (*mar.*) jolly-boat || **-очка** *s.* (*gpl.* -чек) *dim. of prec.*
шля́п/а *s.* hat (*esp.* man's); **де́ло в -е** (*fig.*) the business is settled || **-ёнка** *s* (*gpl.* -нок) (*abus.*) bad hat || **-ка** *s.* (*gpl.*

-пок) small hat; woman's hat; ~ **гвоздя́** head of a nail || **–ник** & **–очник** *s.* hatter || **–ный** & **–очный** *a.* hat-.
шля́-ться II. *vc.* (*Pf.* по-) (*pop.*) to saunter, to stroll about.
шлях/е́тский *a.* noble (in Poland) || **–е́тство** & **ʹ–та** *s.* nobility (in Poland) || **ʹ–тич** *s.* (Polish) noble.
шмель *s. m.* [a] drone, humble-bee.
шмыг *int.* hush! quick!
шмы́га-ть II. *vn.* (*Pf.* шмыгн-у́ть I. [a]) (*pop.*) to hasten to and fro, to scuttle, to slip in (quickly).
шнур/ *s.* [a] lace, cord, string, line || **–о+ва́ть** II. [b] *va.* (*Pf.* за-) to lace, to tie up, to cord, to string || **–о́вка** *s.* (*gpl.* -вок) lacing, tying; **сапожо́к со –о́вкой** lace-boots *pl.* || **–о́к** *s.* [a] (*gsg.* -рка́) *dim. of* шнур.
шныря́-ть II. *vn.* (*Pf.* шнырн-у́ть I. [a]) to move about quickly; to slip away quickly.
шов *s.* (*gsg.* шва) seam; joint; (*chir.* & *an.*) suture.
шовини́ст *s.* chauvinist.
шокола́д/ *s.* chocolade || **–ный** *a.* (of) chocolade.
шо́мпол *s.* (*pl.* -ы & -а́) ramrod (of a gun).
шо́пот *s.* whisper(ing); **–ом** in a whisper.
шо́рник *s.* harness-maker, saddler.
шо́рох *s.* (dull) noise; rustling (of dry leaves).
шо́ры *s. fpl.* harness, set of harness; blinkers *pl.*
шосс/е́ *s. indecl.* highway, causeway, highroad || **–иро+ва́ть** II. [b] *va.* to macadamize.
шоф(ф)ёр *s.* chauffeur.
шпа́га *s.* sword.
шпа́жный *a.* sword-.
шпа́ла *s.* (*rail.*) sleeper.
шпале́р *s.* (*us. in pl.*) espalier, trellis; (*mil.*) line (of troops).
шпа́нка *s.* (*gpl.* -нок) (Spanish) cherry.
шпа́р=ить II. *va.* (*Pf.* о-) to scald.
шпат *s.* (*min.*) spar.
шпа́ция *s.* (*typ.*) space, distance.
шпик/ *s.* bacon || **–о+ва́ть** II. [b] *va.* (*Pf.* на-) (*culin.*) to lard.
шпиль/ *s. m.* spire; (*mar.*) capstan || **ʹ–ка** *s.* (*gpl.* -лек) hairpin; shoemaker's peg *or* brad; tack; (*fig.*) taunt.
шпина́т *s.* (*bot.*) spinach.
шпио́н/ *s.* spy || **–ство** *s.* espionage, spying.
шпио́н=ить II. *va.* (*Pf.* по-) to spy (out).
шпиц *s.* spire (of a church); Pomeranian dog, pom.
шпон *s.* riglet; (*typ.*) space-line; composing-rule.
шпо́ра *s.* spur.
шпо́р=ить II. *va.* (*Pf.* при-) to spur (on).
шприц *s.* squirt, syringe.
шпу́лька *s.* (*gpl.* -лек) spool; bobbin.
шрам *s.* scar, gash, slash.
шрапне́ль *s. f.* shrapnel.
шрифт *s.* type, character, print.
штаб/ *s.* (*mil.*) staff; **гла́вный** *or* **генера́льный ~** general staff || **~-офице́р** *s.* staff-officer || **ʹ–ский** *a.* staff- || **–с-капита́н** *s.* (*mil.*) second captain.
штамб *s.* stem, trunk (of a tree).
штамп *s.* (*tech.*) punch, stamp.
шта́нга *s.* (upright) post.
штанда́рт *s.* standard.
штани́шки *s. mpl.* (*G.* шек) (*abus.*) bad trousers *pl.*
штаны́ *s. mpl.* trousers, breeches *pl.*
штат/ *s.* (*mil. & parl.*) Estimates *pl.*, establishment; civil list || **ʹ–ный** *a.* state-, established.
штати́в *s.* (*phot.*) support, rest.
штем/пеле+ва́ть II. [b] & **ʹ–пел=ить** II. *va.* to stamp || **ʹ–пель** *s. m.* stamp.
штибле́ты *s. fpl.* high-lows, half-boots *pl.*
штиль *s. m.* (*mar.*) a calm.
шти́фтик *s.* (*tech.*) pin, tack.
што́льня *s.* (*min.*) adit, gallery.
што́пальщица *s.* darner, patcher, mender (of stockings, old clothes).
што́па-ть II. *va.* (*Pf.* за-) to mend, to patch, to darn (stockings, etc.).
што́пор *s.* cork-screw.
што́ра *s.* roller-blind, window-blind.
шторм *s.* (*mar.*) storm, tempest.
штос *s.* a card game.
штоф *s.* a liquid measure (about 2 pints); square bottle (for brandy); damask (stuff).
штраф/ *s.* fine || **–о+ва́ть** II. [b] *va.* (*Pf.* о-) to fine.
штри́пка *s.* (*gpl.* -пок) band, strap (on trousers).
штрих *s.* [a] stroke, dash (of pen).
шту́к/а *s.* piece; ~ **сукна́** a bale of cloth; trick, juggling-tricks *pl.* || **–а́рь** *s. m.* [a] a tricker, juggler; slyboots || **–ату́р=ить** II. *va.* (*Pf.* вы́-) (*arch.*) to rough-cast, to stucco || **–ату́рка** *s.* (*gpl.* -рок) stucco || **–ату́рщик** *s.* stucco-worker.
штурм/ *s.* (*mil.*) storm, storming || **ʹ–ан** *s.* (*pl.* -а́) (*mar.*) steersman, pilot || **–о+ва́ть** II. [b] *va.* to storm, to take by storm.
шту́цер *s.* carbine.
шту́ч/ка *s.* (*gpl.* -чек) *dim. of* штука || **–ный** *a.* piecemeal, in pieces, made of pieces; ~ **пол** parquet(te)-floor.
штык *s.* [a] bayonet; bar (of metal).
шу́б/а *s.* fur, fur-coat || **–ка** *s.* (*gpl.* -бок) *dim. of* шуба; short fur-cloak (lady's).

шу́лер/ *s.* [b*] (card-)sharper, shark || **-ство** *s.* (card-)sharping.
шум *s.* noise, din, roar, uproar; murmur; **~ в уша́х** buzzing in the ears; **мно́го ⁻у из-за пустяко́в** much ado about nothing.
шум=е́ть II. 7. [a] *vn.* (*Pf.* на-, по-) to make a great noise, to be noisy, to kick up a row, to brawl; to roar (of the wind).
шум/и́ха *s.* tinsel || **-ли́вый** *a.* noisy, clamorous.
шу́мный *a.* noisy, loud.
шумо́вка *s.* (*gpl.* -вок) skimmer.
шумо́к *s.* [a] (*gsg.* -мка́) *dim. of* шум.
шу́рин *s.* [b & c] (*pl.* шу́рья, -ьев, etc.) brother-in-law (the wife's brother).
шу́стрый *a.* (*prov.*) vigilant, expert, dexterous.
шут *s.* [a] jester, buffoon, wag.
шут=и́ть I. 2. [c] *vn.* (*Pf.* по-) to jest, to joke; to make merry (with); (над + *I.*) to make fun of; **шутя́** in jest, jestingly, for fun; **не шутя** in earnest, joking apart || **~** *v.imp.* to haunt; **в э́том лесу́ шу́тит** this wood is haunted.
шут/и́ха *s.* (female) jester; (fireworks) cracker || **⁻ка** *s.* (*gpl.* -ток) jest, joke, fun; (*theat.*) farce; **в ⁻ку** in jest, as a joke; **без ⁻ок** in earnest, seriously; **⁻ки в сто́рону** joking aside; **мне не до ⁻ок** I'm not inclined for joking, I'm in no joking (laughing) mood; **де́ло пошло́ не на ⁻ку** things begin to look serious || **-ли́вый** *a.* jocular, jocose; droll, laughable, funny || **-ни́к** *s.* [a], **-ни́ца** *s.* joker, jester, buffoon, wag; banterer || **-овско́й** *a.* droll, comical; foolish, foppish || **-овство́** *s.* bufoonery; tomfoolery || **⁻очка** *s.* (*gpl.* -чек) *dim. of* шу́тка || **⁻очный** *a.* playful, droll, funny, facetious.
шу́шера *s.* (*pop.*) *coll.* trash, lumber, rubbish; (*fig.*) mob, rabble, riffraff.
шушу́ка-ть II. *vn.* (*Pf.* по-) to whisper || **~ся** *vrc.* to whisper together.
шхе́ры *s. fpl.* cliffs and fiords of Scandinavia.
шьёшь, шью *cf.* **шить.**

Щ

щаве́ль *s. m.* [a] (*bot.*) sorrel, dock.
щад=и́ть I. I. [a] *va.* (*Pf.* по-) to have mercy on, to spare.
щебен=и́ть II. [a] *va.* (*Pf.* за-) to fill up with rubble.
щё́бень *s. m.* (*gsg.* -бня) rubble, gravel.
щё́бет *s.* twitter, chirping.
щебет-а́ть I. 2. [c] *vn.* to chirp, to twitter.
щегл/ё́нок *s.* (*gsg.* -нка) goldfinch || **-о́вка** *s.* hen-goldfinch.
щего́л/ *s.* [a] (*gsg.* -гла́) = **щеглё́нок** || **-ева́тый** *a.* elegant, smart || **-и́ха** *s.* woman fond of dressing elegantly, fond of finery, woman of fashion.
щё́голь/ *s. m.* fop, dandy, swell || **-ско́й** *a.* foppish; fashionable, smart || **-ство́** *s.* foppishness; showiness, boasting.
щеголя́-ть II. *vn.* (*Pf.* по-) to play the dandy, to cut a dash; to parade, to make a show of.
ще́дрый *a.* liberal, generous, open-handed.
щека́ *s.* [f] (*pl.* щё́ки) cheek.
щеко́лда *s.* latch (of a door).
щекот-а́ть I. 2. [c] *va.* (*Pf.* по-) to tickle.
щеко́т/ка *s.* (*gpl.* -ток) tickling || **-ли́вый** *a.* ticklish (*also fig.*); sensitive.
щели́стый *a.* fissured, cracked, chinky; full of cracks, chinks *pl.*
щё́лка *s.* (*gpl.* -лок) *dim. of* щель.
щё́лка-ть & щелка́-ть II. *vn.* (*Pf.* щё́лкн-уть & щелкн-у́ть I. *the 2. accentuation esp. for va.*) to smack; to chatter (of the teeth); to crack (of a whip); to snap (of fingers *or* a lock); to click (one's tongue); to warble (of nightingale) || **~** *va.* to crack (nuts); **~** (кого́) **по́ носу** to fillip one.
щелку́н *s.* [a] leaping-beetle.
щё́лоч/ный *a.* alkaline || **-ь** *s. f.* alkali.
щелчо́к *s.* [a] (*gsg.* -чка́) rap; fillip.
щель *s. f.* [c] (*pl. also* ще́лья) chink, cleft, crevice, crack.
щем=и́ть II. 7. [a] *va.* (*Pf.* за-, у-) to pinch, to nip; to press in, to squeeze in, to jam in; **~ оре́хи** to crack nuts with nut-crackers; (*fig.*) to wring (one's heart).
щен=и́ться II. [a] *vn.* (*Pf.* о-) to pup, to whelp (of dogs).
щено́к *s.* [a] (*gsg.* щенка́, *pl. also* щеня́та) pup, whelp, cub.
щепа́ *s.* splinter, chip (of wood).
щепа́-ть II. *va.* (*Pf.* рас-) to split, cleave.
щепети́льный *a.* pedantic, petty.
щё́п/ка *s.* (*gpl.* -пок) *dim. of* щепа́ || **-но́й** *a.* of chips.
щепо́т/ка *s.* (*gpl.* -ток) *dim. of foll.* || **-ь** *s. f.* pinch (of snuff, salt, etc.).
щё́почка *s.* (*gpl.* -чек) *dim. of* щё́пка.
щерб/а́тый *a.* cracked, gapped, jagged || **-и́на** *s.* chink, crevice; gap; tooth, notch, jag; scratch, scar; pock-mark.

щети́н/а *s.* bristle; *coll.* bristles *pl.* || **-истый** *a.* bristly.
щети́н=иться II. *vr.* (*Pf.* о-) to bristle up, to stand on end (of hair).
щёт/ка *s.* (*gpl.* -ток) brush; **головна́я ~** hairbrush; **сапо́жная ~** boot-brush; **зубна́я ~** tooth-brush; **~ для ногте́й** nail-brush || **-очка** *s.* (*gpl.* -чек) *dim. of prec.* || **-очник** *s.* brush-maker.
щёчка *s.* (*gpl.* -чек) *dim. of* щека́.
щи *s. fpl.* (*G.* щей) cabbage-soup.
щи́кол/ка *s.* (*gpl.* -лок), **-отка** *s.* (*gpl.* -ток), **-оток** *s.* (*gsg.* -тка) (*an.*) ankle.
щип-а́ть II. 7. [c] *va.* (*Pf.* по-, *mom.* щипн-у́ть I. [a]) to pinch, to nip; to be sharp (of wine); to peck, to pluck, to pull.
щип/о́к *s.* [a] (*gsg.* -пка́) pinch, nip; grip; **-ко́м** (*mus.*) piccicato || **-цы́** *s. mpl.* tongs, pincers *pl.*; **столя́рные ~** nippers *pl.*; **свечны́е ~** snuffers *pl.*; **~ для са́хару** sugar-tongs *pl.*; **оре́шные ~** nut-crackers *pl.*; **свечны́е ~** snuffers *pl.*; **завива́льные ~** curling-irons *pl.* || **∠чики** *s. mpl. dim. of prec.*
щит *s.* [a] shelter, shield; buckler; screen; **ками́нный ~** fire-screen; **ге́рбовый ~** (*her.*) escutcheon; **~ от гря́зи** splash-board; target, butt, mark.
щу́ка *s.* (*ich.*) pike.
щуп/ *s.* (*med.*) probe || **∠альце** *s.* feeler, antenna (of insects).
щу́па-ть II. *va.* (*Pf.* по-) to feel, to touch, to finger, to handle; to grope (about); (*med.*) to sound, to probe.
щур *s.* [a] bullfinch, chaffinch.
щу́р=ить II. *va.* (*Pf.* за-, при-) to screw up (one's eyes for looking at a thing) || **~ся** *vr.* to wink, to twinkle, to blink.
шуру́п *s.* screw.
щу́чка *s.* (*gpl.* -чек) *dim. of* щу́ка.

Э

эвак/уа́ция *s.* evacuation || **-уи́ро+вать** II. *va.* to evacuate.
эволю́ция *s.* (*mil.*) evolution.
эги́да *s.* (*myth.*) aegis.
эго/и́зм *s.* ego(t)ism, selfishness || **-и́ст** *s.*, **-и́стка** *s.* ego(t)ist || **-исти́ческий** *a.* ego(t)istic(al), selfish.
эде́м/ *s.* Eden, Paradise || **-ский** *a.* of Eden, of Paradise; paradisiacal.
эди́кт *s.* edict.
эй *int.* hey! halloo!
эква́тор/ *s.* equator || **-иа́льный** *a.* equatorial.
экви/вале́нт *s.* equivalent || **-либри́ст** *s.* rope-dancer.
экза́мен/ *s.* examination || **-о+ва́ть** II. [b] *va.* (*Pf.* про-) to examine || **~ся** *v.pass.* to submit to examination; to be examined.
экзеку́/тор *s.* usher; (*leg.*) executor || **-ция** *s.* execution.
экземпля́р *s.* copy; (*bot.*) specimen.
экзоти́ческий *a.* exotic.
экиво́к *s.* ambiguity.
э́кий *prn.* what a . . .! what!
экип/а́ж *s.* carriage, turn-out; crew (of ship) || **-и́ро+ва́ть** II. [& b] *va.* to fit out, to equip; (*mar.*) to man || **-иро́вка** *s.* (*gpl.* -вок) equipment, accoutrement; fitting-out; (*mar.*) armament.
эклиптика *s.* ecliptic.
э́кой = э́кий.
эконо́/м *s.* housekeeper, steward || **-м=ить** II. 7. *vn.* to be sparing of, to be economical, to economize || **-ми́ческий** *a.*, **-ми́ческие де́ньги** savings *pl.* || **-мия** *s.* economy, thrift; housekeeping || **-мка** *s.* (*gpl.* -мок) housekeeper || **-мный** *a.* economical, thrifty, sparing.
экра́н *s.* (fire-)screen.
экс/ку́рсия *s.* excursion || **-панси́вный** *a.* expansive || **-педи́тор** *s.* forwarder, consignor; forwarding-agent || **-педицио́нный** *a.* forwarding-.
экспериме́нт/ *s.* experiment || **-а́льный** *a.* experimental.
экспе́рт *s.* expert.
эксплуат/а́ция *s.* exploitation || **-и́ро+вать** II. *va.* to exploit.
экспони́ро+вать II. *va.* to set forth.
экспо́рт/ *s.* export || **-и́ро+вать** II. *va.* to export.
экспро́мпт/ *s.* impromptu; improvisation || **-ом** *ad.* impromptu, extempore.
экста́з *s.* ecstasy.
экстрава́га́нтный *a.* extravagant.
экстра́кт *s.* extract.
э́кстренный *a.* extra, special.
эксцентри́ч/еский & -ный *a.* eccentric(al).
эласти́чный *a.* elastic.
элева́тор *s.* elevator.
элега́нтный *a.* elegant, smart.
эле́г/ия *s.* elegy || **-и́ческий** *a.* elegiac.
электр/изо+ва́ть II. [b] *va.* (*Pf.* на-) to electrify || **-ифика́ция** *s.* electrification || **-ифици́ро+вать** II. *va.* to electrify || **-и́ческий** *a.* electric(al) || **-и́чество** *s.* electricity || **-омагни́тный** *a.* electromagnetic || **-о́н** *s.* electron || **-оско́п** *s.* electroscope || **-отерапи́я** *s.* electro-

therapeutics *pl.* || **–отéхник** *s.* electrician, electrical engineer || **–отéхника** *s.* electrotechnics *pl.* || **–охи́мия** *s.* electrochemistry.
элемéнт/ *s.* (*phys.* & *chem.*) element || **–а́рный** *a.* elementary.
э́линг *s.* stocks, slips *pl.* (for launching ship).
элли́п/с & **э́ллипсис** *s.* ellipsis || **–ти́ческий** *a.* elliptic(al).
эма́л/евый *a.* enamel- || **–иро+ва́ть** II. [b] *va.* to enamel || **–ь** *s. f.* enamel.
эманcипа́ция *s.* emancipation.
эмблемати́ческий *a.* emblematic(al).
эмбри/оло́гия *s.* embryology || **–óн** *s.* embryo.
эмигр/а́ция *s.* emigration || **–и́ро+вать** II. *vn.* to emigrate.
эмиссио́нный *a.* of emission.
эмпири́ческий *a.* empiric(al).
энерги́ч/еский & **–ный** *a.* energetic(al).
энéргия *s.* energy.
энтузиа́/зм *s.* enthusiasm || **–ст** *s.*, **–стка** *s.* (*gpl.* -ток) enthusiast.
энцикло/педи́ческий *a.* (en)cyclop(a)edic(al) || **–пéдия** *s.* (en)cyclop(a)edia.
эпигра́мма *s.* epigram.
эпи́гра́ф *s.* epigraph, motto.
эпидéмия *s.* epidemic.
эпизóд *s.* episode.
э́пик *s.* epic poet.
эпикурéец *s.* epicurean.
эпилéп/сия *s.* epilepsy || **–ти́ческий** *a.* epileptic.
эпилóг *s.* epilogue.
эпита́фия *s.* epitaph.
эпи́тет *s.* epithet.
эпи́ческий *a.* epic.
эполéт *s.* epaulet(te).
э́пос *s.* epos, epic (poem).
эпóха *s.* epoch.
э́ра *s.* era.
эроти́ческий *a.* erotic.
эрцгéрцог *s.* archduke.
эска́др/а *s.* (*mar.*) squadron || **–óн** *s.* (*mil.*) squadron.
эски́з *s.* sketch, outline.
эскóрт *s.* escort.
эспаньóлка *s.* imperial (beard).
эссéнция *s.* essence.
эста́мп *s.* engraving; (*esp.*) copperplate.
эстети́ческий *a.* æsthetic(al).
эстафéта *s. m.* courier, express (messenger).
э́та *cf.* **э́тот.**
эта́ж/ *s.* storey, floor || **–éрка** *s.* (*gpl.* -рок) a what-not, shelf.
э́такий *a.* such, such a.
эта́п *s.* (*mil.*) halting-place, station.

э́тика *s.* ethics *pl.*
этикéт/ *s.* etiquette, ceremonial || **–ка** *s.* ticket, label.
этимолóг/ *s.* etymologist || **–и́ческий** *a.* etymological || **–ия** *s.* etymology.
этно/гра́фия *s.* ethnography || **–лóгия** *s.* ethnology.
э́тот *prn. dem.* (э́та, э́то, *pl.* э́ти) this, that; **э́то я** it is I; **что э́то с Ва́ми (такóе)?** what's the matter with you?
эфéс *s.* hilt.
эфи́р *s.* (*chem.*) ether; the heavens *pl.*
эф(ф)éкт *s.* effect.
эх *int.* ah!
э́хо *s.* echo.
эшафóт *s.* scaffold.
эшелóн *s.* (*mil.*) echelon.

Ю

юбил/éй *s.* jubilee || **–éйный** *a.* jubilee- || **–я́р** *s.* person celebrating his jubilee.
ю́б/ка *s.* (*gpl.* -бок) petticoat; skirt || **–очка** *s.* (*gpl.* -чек) *dim. of prec.*
ювели́р/ *s.* jeweller || **–ный** & **–ский** *a.* of jeweller, jeweller's.
юг/ *s.* south; **к –́у** southward(s) || **–о-востóк** *s.* south-east || **–овостóчный** *a.* south-east(ern) || **–оза́пад** *s.* south-west || **–оза́падный** *a.* south-west(ern).
юдóль *s. f.* (*sl.*) valley, vale; **~ пла́ча** vale of tears.
юдо/фи́л *s.* pro-semite || **–фóб** *s.* anti-semite || **–фóбский** *a.* antisemitic.
ю́ж/ный *a.* southern || **–а́нин** *s.* (*pl.* -а́не), **–а́нка** *s.* Southerner.
юла́ *s.* whirligig; (*fig.*) fidgety person, madcap.
юл=и́ть II. [a] *vn.* (пéред кем) to turn and twist; to wheedle, to ingratiate o.s. (with one), to curry favour (with one), to cajole.
ю́мор/ *s.* humour || **–и́ст** *s.* humorist || **–исти́ческий** *a.* humorous.
ю́нга *s. m.* cabin-boy.
юнé-ть II. *vn.* to grow young again, to revive.
ю́нкер *s.* (*mil.*) cadet.
ю́н/ость *s. f.* youth, youthfulness || **–оша** *s. m.* (a) youth, lad, stripling || **–ошеский** *a.* youthful, juvenile || **–ошество** *s.* youth, adolescence; *coll.* boys || **–ый** *a.* youthful, young.
юр *s.* open exposed place; plain, level field; **на –у́** in the crowd; on an exposed place; **~ реки́** whirlpool.
юриди́ческий *a.* juridic(al).

юрис/ди́кция *s.* jurisdiction || **-ко́нсу́льт** *s.* jurisconsult || **-пруде́нция** *s.* jurisprudence.
юри́ст *s.* jurist.
юрк *int.* hush! quick!
ю́рка-ть II. *vn.* (*Pf.* ю́ркн-уть I.) to disappear, to dive (under water).
ю́ркий *a.* active, quick, nimble; frisky, wanton.
юро́ди́вый *a.* imbecile, crazy (from birth).
ю́рта *s.* nomad's tent (in East Sibiria).
юсти́ция *s.* justice.
ют *s.* (*mar.*) poop.
ют=и́ться I. 2. [a] *vr.* (*Pf.* при-) to seek shelter, to take shelter; to nestle down (in).
юфт/ь *s. f.* Russian leather || **-яно́й** *a.* of Russian leather.

Я

я *prn.* I.
я́бед/а *s.* slander, calumny, aspersion || **-ник** *s.*, **-ница** *s.* slanderer; plotter || **-нича-ть** II. *vn.* (*Pf.* на-) (на кого́) to slander, to calumniate, to intrigue || **-нический** *a.* slanderous, calumnious, intriguing.
я́бл/око *s.* apple; **ада́мово ~** (*an.*) larynx; **глазно́е ~** eyeball; **~ раздо́ра** (*fig.*) bone of contention || **-онный** *a.* of apple-tree || **-оновка** *s.* (*gpl.* -вок) apple-wine || **-оня** *s.* apple-tree || **-очко** *s.* (*gpl.* -чек) small apple || **-очный** *a.* apple-.
яви́ть *cf.* **явля́ть.**
я́в/ка *s.* (*gpl.* -вок) showing, exhibition (of a passport, etc.); (*leg.*) notice; **~ в суд** appearance || **-ле́ние** *s.* appearance; (*theat.*) scene || **-ля́-ть** II. *va.* (*Pf.* яв=и́ть II. 7. [a & c]) to show, to exhibit, to manifest, to display; to produce, to exhibit || **~ся** *vr.* to appear, to make one's appearance; to prove to be, to appear to be || **-но** *ad.* manifestly, evidently, ostensibly || **-нобра́чный** *a.* phanerogamic || **-ность** *s. f.* clearness, ostensibility || **-ный** *a.* manifest, evident, visible, ostensible, clear || **-ственный** *a.* distinct, clear; legible (of writing) || **-ство+вать** II. *vn.* to be apparent, to appear.
яга́-ба́ба *s.* old witch, hag.
ягнё́н/ок *s.* (*pl.* ягня́та) lamb || **-очек** *s.* (*gsg.* -чка) lambkin.
ягн=и́ться II. [a] *vc.* (*Pf.* о[б]-) to lamb.
ягня́тник *s.* (*orn.*) lammergeyer.
я́год/а *s.* berry; **ви́нная ~** dried fig; **одного́ по́ля -ы** birds of a feather || **-ица** *s.* (*sl.*) rump, buttock || **-ка** *s.* (*gpl.* -док) small berry || **-ник** *s.* berry-wine; berry-garden; berry-seller || **-ный** *a.* berry-.
ягта́ш = яхта́ш.
ягуа́р *s.* jaguar.
яд/ *s.* poison, venom; (*med.*) virus || **-ови́тый** *a.* poisonous, venomous; (*fig.*) virulent || **-рё́ный** *a.* juicy (of fruits); strong, stout, lusty, vigorous || **-ро́** *s.* [d] (*pl.* я́дра, я́дер, *etc.*) kernel (of a nut); stone (of a plum); **пу́шечное ~** cannon-ball; (*an.*) testicle; (*fig.*) gist, substance.
я́зв/а *s.* boil, abcess; (*med.*) ulcer; (**моро-ва́я**) **~** plague, pestilence || **-енный** *a.* sore; gangrenous || **-и́тельный** *a.* caustic, biting; (*fig.*) spiteful, wicked.
язв=и́ть II. 7. [b & a] *va.* (*Pf.* у-) to wound, to hurt; (*fig.*) to taunt, to nag, to jeer (at).
язы́к/ *s.* [a] tongue; language; clapper, tongue (of a bell) || **-ове́дение** & **-озна́ние** *s.* philology.
язы́ч/еский *a.* heathenish, heathen, pagan || **-ество** *s.* heathenism, paganism || **-ник** *s.*, **-ница** *s.* heathen, pagan || **-ный** *a.* tongue-, of the tongue; lingual || **-о́к** *s.* [a] (*gsg.* -чка́) small tongue; small clapper; bolt (of a lock); (*an.*) uvula.
яи́ч/ко *s.* (*gpl.* -чек) small egg || **-ник** *s.* egg-merchant; (*an.*) ovary || **-ница** *s.* egg-seller; (*culin.*) fried egg; scrambled egg || **-ный** *a.* egg-, of eggs.
яйце/ви́дный & **-обра́зный** *a.* oval, egg-shaped.
яйцо́ *s.* [d] (*gpl.* яи́ц) egg.
я́корь *s. m.* [& b] (*pl.* -и & -я́) anchor; **стать на ~** to cast anchor, to come to anchor; **стоя́ть на я́коре** to lie at anchor; **сня́ться с я́коря** to weigh anchor.
я́лик *s.* (*mar.*) yawl, skiff.
ялове́-ть II. *vn.* (*Pf.* о-) to be barren, sterile (of cattle).
я́ловый *a.* barren, sterile; **-ая коро́ва** cow without milk.
я́ма *s.* ditch, pit, hole; cavity, hollow.
ямб/ *s.* iambus || **-и́ческий** *a.* iambic.
я́м/ка *s.* (*gpl.* -мок) & **-очка** *s.* (*gpl.* -чек) small hole; dimple || **-ско́й** *a.* cart- || **-ска́я** (*as s.*) a quarter *or* street where carters live || **-щи́к** *s.* [a] postillion, coachman; carter, driver, wag(g)oner, carrier.

янва́р/ский *a.* of January, January || **-ь** *s. m.* January.
янта́р/ный *a.* amber, of amber || **-ь** *s. m.* [a] amber.
яр *s.* [°] cliff, bluff; steep bank.
ярала́ш *s.*, *us.* **ерала́ш** nonsense; hotchpotch, medley; a card-game.
яре́м/ *s.* [a] (*gsg.* ярма́) (*sl.*) yoke || **-ный** *a.* yoke-; of burden, draught-.
яр=и́ть II. [a] *va.* to irritate, to provoke || **~ся** *vr.* to get furious, to fly into a passion.
я́ркий *a.* (*comp.* я́рче) clear, bright; shrill (of sounds); glaring (of colours); dazzling (of light); blazing (of fire).
ярлы́к *s.* [a] label, ticket.
ярма́ *cf.* **яре́м.**
я́рмарка *s.* (*gpl.* -рок) fair.
ярмо́ *s.* [d] (*gpl.* я́рем) yoke; (*fig.*) load, burden.
ярово́й *a.* spring-, summer (of corn).
я́рост/ный *a.* furious, fierce, raging, enraged, mad || **-ь** *s. f.* fury, rage, wrath, madness, frenzy.
я́рус *s.* storey, floor; layer, stratum, couch, bed; (*theat.*) tier, row, circle, gallery, lobby.
я́рче *cf.* **я́ркий.**
ары́ж/ник *s.* loafer, wastrel, drinker || **-ный** *a.* dissipated.
я́рый *a.* choleric, passionate, violent; ardent, eager, spirited; piercing (of wind).
яса́к *s.* [a] tribute (in furs).
я́сельный *a.* manger-, crib-.
я́сен/евый *a.* ash-, ashen || **-ь** *s. m.* ash, ash-tree.
я́сли *s. mpl.* manger, crib; crèche, home for infants.
я́сн/енький *a.* nice and bright || **-е́-ть** II. *vn.* (*Pf.* про-) to clear up, to brighten, to become bright || **-ый** *a.* clear, bright; (*fig.*) clear, distinct, evident, plain || **-ови́дение** *s.* second-sight; clear-sightedness || **-ови́дец** *s.* (*gsg.* -дца), **-ови́дица** *s.* clairvoyant || **-ови́дящий** (-ая, -ее) *a.* clairvoyant || **-ость** *s. f.* clearness, brightness, serenity; (*fig.*) clearness, distinctness.
я́ства *s. npl.* (*sl.*) food, eatables *pl.*
я́стреб/ *s.* [& b] (*pl.* -á) (*orn.*) hawk || **-ёнок** *s.* (*pl.* -я́та) young hawk.
я́хонт/ *s.* precious stone; **~ кра́сный** ruby; **~ си́ний** sapphire || **-овый** *a.* of precious stone.
я́хта *s.* yacht.
ягта́ш *s.* game-bag.
я́хт-клуб *s.* yacht-club.
яче́/йка *s.* (*gpl.* -е́ек) *dim. of foll.* || **-я́** *s.* cell; mesh (of a net, a stocking).
ячме́н/ный *a.* of barley, barley- || **-ь** *s. m.* [a] barley.
я́шм/а *s.* (*min.*) jasper || **-овый** *a.* jasper, of jasper.
я́щер/ *s.* scaly animal, armadillo || **-ица** *s.* lizard.
я́щ/ик *s.* box, chest, case, trunk; drawer; **заря́дный ~** ammunition waggon; **откла́дывать де́ло в до́лгий ~** to put off, to shelve, to postpone indefinitely || **-ичек** *s.* (*gsg.* -чка) *dim. of prec.* || **-ур** *s.* inflammation of the tongue (of horses and cattle); (*zool.*) dormouse.

Θ

This letter has now been replaced by **Ф.**

V

This letter, formerly used in a few words borrowed from Greek, has now been replaced by **И.**

Наиболее употребительные личные имена

A List of the more usual Christian Names

Абра́м = **Авраам.**
А́вгуст Augustus.
Авдо́тья = **Евдокия.**
А́вель Abel.
Авраа́м Abraham.
Агафо́н Agathon.
Ага́фья Agatha.
Агне́са Agnes.
Аграфе́на, Агриппи́на Agrippina.
Ада́м Adam.
Аделаи́да, Аде́ль Adelaide.
Адо́льф Adolph.
Адриа́н Adrian.
Аки́м = **Иоаким.**
Акси́нья = **Ксения.**
Алексе́й Alexis.
Алекса́ндр Alexander.
Алекса́ндра Alexandra.
Алёна = **Елена.**
Алёша *dim. of* **Алексей.**
Али́са Alice.
Альбе́рт Albert.
Альфо́нс Alphonso.
Альфре́д Alfred.
Ама́лия Amelia.
Амвро́сий Ambrosius.
Анаста́сия Anastasia.
Анато́лий Anatolius.
Андре́й Andrew.
А́нна Ann, Anna.
Анто́н, Анто́ний Anthony.
Аню́та *dim. of* **Анна.**
Аполло́н Apollo.
Ари́на = **Ирина.**
Арка́дий Arcadius.
Арно́льд Arnold.
Арсе́ний Arsenius.
Арту́р Arthur.
Архи́п Archippus.
Афана́сий Athanasius.
Афроси́нья = **Евфросинья.**

Беатри́са Beatrice, Beatrix.
Берна́рд Bernard.
Бе́рта Bertha.
Богда́н Bogdan.
Бори́с Boris.
Бо́ря *dim. of prec.*

Валенти́н Valentine.
Валериа́н, Валерья́н Valerian.
Вале́рий Valerius.
Вале́рия Valeria.
Ва́льтер Walter.
Ва́ля *dim. of* **Валентин, Валентина, Валерий.**
Ва́ня *dim. of* **Иван.**
Варва́ра Barbara.
Варна́ва Barnabas, Barnaby.
Ва́ря *dim. of* **Варвара.**
Варфоломе́й Bartholomew.
Васи́лий Basil.
Ва́ся *dim. of prec.*
Венеди́кт Benedict.
Вениами́н Benjamin.
Ве́ра Vera.
Вике́нтий Vincent.
Ви́ктор Victor.
Вильге́льм William.
Ви́тя *dim. of* **Виктор.**
Влади́мир Vladimir.
Владисла́в Vladislaus, Ladislaus.
Воло́дя *dim. of* **Владимир.**
Вячесла́в Venceslaus.

Гара́льд, Гаро́льд Harold.
Гви́до, Гвидо́н Guy.
Ге́нрих Henry.
Генриэ́тта Henrietta.
Гео́ргий George.
Ге́рман Herman.
Гермоге́н Hermogenes.
Гертру́да Gertrude.
Глафи́ра Glaphyra.
Гла́ша *dim. of prec.*
Глеб Gleb.
Глике́рия Glyceria.
Го́тфрид Geoffrey.
Григо́рий Gregory.
Гри́ша *dim. of prec.*
Гру́ня, Гру́ша *dim. of* **Аграфена.**
Гу́берт Hubert.
Гу́го Hugh.

Дави́д, Давы́д David.
Дании́л, Дани́ло Daniel.
Да́рья Dorothy.
Да́ша *dim. of prec.*
Демья́н Damian.
Дени́с = **Дионисий.**
Дими́трий Demetrius.
Диони́сий Denis.
Дми́трий = **Димитрий.**
Дороте́я Dorothy.
Ду́ня *dim. of* **Евдокия.**

Е́ва Eva.
Евге́ний Eugene.
Евге́ния Eugenia.
Евдоки́м Eudokimus.
Евдоки́я Eudoxia.
Евпра́ксия Eupraxia.
Евста́фий Eustace.
Евфроси́нья Euphrosyne.
Его́р = **Георгий.**
Екатери́на Catherine.
Еле́на Helen.
Елизаве́та, Елисаве́та Elizabeth.
Ереме́й = **Иеремия.**
Ефи́м = **Иоаким.**
Ефре́м Ephraim.

Же́ня *dim. of* **Евгений, Евгения.**
Жорж *dim. of* **Георгий.**

Заха́р, Заха́рий Zacharias.
Зи́на *dim. of foll.*
Зинаи́да Zencide.
Зино́вий Zenobius.

Ива́н = **Иоанн.**
Игна́тий Ignatius.
И'да Ida.
Иереми́я Jeremiah.
Инсу́с Jesus.
Иларио́н Hilarion.
Илья́ Elias, Elijah.
Илю́ша *dim. of prec.*
Иоаки́м Joachim.
И'ов Job.
Иоа́н John.
Иоа́нна Joanna.
Ионафа́н Jonathan.
Ио́сиф Joseph.
Ири́на Irene.
И'род Herod.
Исаа́к Isaac.
Иса́й, Иса́йя Isaiah.

Карл Charles.
Кароли́на Caroline.
Катери́на = **Екатерина.**
Ка́тя *dim. of prec.*
Кла́вдий Claudius.
Кла́вдия Claudia.
Кла́ра Clara.
Кла́ша *dim. of* **Клавдия.**
Клеме́нтий, Кли́мент Clement.
Ко́ля *dim. of* **Николай.**
Кондра́т, Кондра́тий, Конра́д Conrad.
Константи́н Constantine.
Корне́лий, Корни́л Cornelius.
Ко́стя *dim. of* **Константин.**
Ксе́ния Xenia.
Кузьма́ Cosmus.

Лавре́нтий Laurence.
Ла́зарь Lazarus.
Ларио́н = **Иларион.**
Лёв Leo.
Лёля *dim. of* **Елена.**
Леони́д Leonidas.
Леопо́льд Leopold.
Ли́за *dim. of* **Елизавета.**
Луи́за Louisa.
Лука́ Luke.
Луке́рья = **Гликерия.**
Лукья́н Lucian.
Лю́ба *dim. of foll.*
Любо́вь Amy.
Людми́ла Ludmila.
Людо́вик Louis.

Маври́кий Maurice.
Магдали́на Magdalen.
Мака́р Macarius.
Макс, Макси́м, Максимилиа́н Maximilian.
Мала́нья = **Мелания.**
Маргари́та Margaret.
Maриа́нна Marianne.
Мари́я, Ма́рья Maria, Mary.
Марк Mark.
Марти́н, Марты́н Martin.
Ма́рфа Martha.
Матве́й Matthew.
Мати́льда Mathilda.
Ма́ша *dim. of* **Мария.**
Мела́ния Melanie.
Ми́тя *dim. of* **Димитрий.**
Михаи́л, Миха́йло Michael.
Ми́ша *dim. of prec.*
Моисе́й Moses.
Мори́с = **Маврикий.**

Навуходоно́сор Nebuchadnezzar.
Наде́жда Esperantia.
На́дя *dim. of prec.*
Наста́сья = **Анастасия.**
На́стя *dim. of prec.*
Ната́лия Natalie.
Ната́ша *dim. of prec.*
Ники́та Nikita.
Никоди́м Nicodemus.
Никола́й Nicholas.
Ной Noah.

Оле́г Oleg.
О'льга Olga.
О'ля *dim. of prec.*
Оре́ст Orestes.
Осва́льд Oswald.
О'сип = **Иосиф.**
Оска́р Oscar.

Па́вел Paul.
Па́вла Pauline.
Павлу́ша *dim. of* **Павел.**
Пала́ша *dim. of* **Пелагея.**
Пара́ша *dim. of* **Прасковья.**
Па́ша *dim. of* **Павел, Павла, Пелагея.**
Пелаге́я Pelagia.
Пётр Peter.
Петру́ша, Пе́тя *dims. of prec.*
Плато́н Plato.
Поли́на Pauline.
По́ля *dim. of prec. and of* **Пелагея.**
Праско́вья = **Евпраксия.**
Проко́п, Проко́фий Prokope.

Рахи́ль Rachel.
Реве́кка Rebecca, Rebekah.
Робе́рт Robert.
Ро́за Rosa.
Роза́лия Rosalie.
Рудо́льф Rudolph.
Руфь Ruth.

Са́вва Sabbas.
Само́йло = **Самуил.**
Сампсо́н, Самсо́н Samson.
Самуи́л Samuel.
Са́ра Sarah.
Са́ша *dim. of* **Александр, Александра.**
Святосла́в Sviatoslaff.
Севастья́н Sebastian.
Семён = **Симеон.**
Се́ня *dim. of prec.*
Серге́й Sergius.
Серёжа *dim. of prec.*
Симео́н, Си́мон Simon.
Соломо́н Solomon.
Со́ня *dim. of foll.*
Софи́я, Со́фья Sophia.
Стёпа *dim. of foll.*
Степа́н, Стефа́н Stephen.
Суса́нна Susan.

Тере́за Theresa.
Тимофе́й Timothy.
Тимо́ша *dim. of prec.*
Тит Titus.
Ти́хон Tychon.
Ти́ша *dim. of prec.*

У'ленька *dim. of foll.*
Улья́на = **Юлиана.**

Фадде́й Thaddeus.

Фёдор, Феóдор Theodore.
Федóра, Феодóра Theodora.
Федóсий, Феодóсий Theodosius.
Федóсья, Феодóсия Theodosia.
Федя *dim. of* **Федор.**
Фёкла Thecla.
Фéликс Felix.
Фели́ция Felicia.
Фердинáнд Ferdinand.
Фили́пп Philip.
Флор Florus.
Фомá Thomas.

Франц Francis.
Фрол = **Флор.**
Фрóся *dim. of* **Евфросинья.**

Христиáн Christian.
Христофóр Christopher.

Цеци́лия Cecily.

Шарлóтта Charlotte.

Эдгáр Edgar.
Эдмýнд Edmund.
Эдуáрд Edward.
Элеонóра Eleanor.
Эмануи́л Immanuel.
Эми́лия Emily.
Э'рих, Э'рик Eric.
Эрнéст Ernest.
Эсфи́рь Esther.

Юлиáн Julian.
Юлиáна Juliana.
Ю'лий Julius.
Ю'лия Julia.
Ю'рий = **Георгий.**

Я'ков Jacob, James.
Ярослáв Yaroslaff.
Я'ша *dim. of* **Яков.**

Важнейшие географические имена

A List of the more important Geographical Names

Абисси́ния Abyssinia.
Австрáлия Australia.
А'встрия Austria.
Адриати́ческое море the Adriatic.
А'зия Asia || **азиáт** *m.*, **азиáтский** *a.* Asiatic.
Азóв Azof || **Азóвское мóре** Sea of Azof.
Азóрские островá the Azores.
Албáния Albania.
Александри́я Alexandria.
Алжи́р Algiers.
А'льпы the Alpes.
Амазóнская река the Amazon.
Амéрика America || **американец** *m.*, **америкáнский** *a.* American.
А'нглия England || **англичáнин** Englishman || **áнглийский** English.
Анды the Andes.
Антвéрпен Antwerp.
Анти́льские островá the Antilles.
Антиохи́я Antioch.
Апенни́ны the Apennines.
Арáбия Arabia || **арáб** *m.*, **арáбский** *a.* Arab, Arabian.
Аргенти́на Argentina.
Ардéнны the Ardennes.
Армéния Armenia || **армяни́н** *m.*, **армя́нский** *a.* Armenian.
Архáнгельск Archangel.
Архипелáг the Archipelago.
А'страхань Astrakhan.
Атланти́ческий океан the Atlantic.
Афи́ны Athens || **афи́нянин** *m.*, **афи́нский** *a.* Athenian.
А'фрика Africa || **африкáнец** *m.*, **африкáнский** *a.* African.

Бавáрия Bavaria.
Бáзель Bale.
Байкáл Lake Baïkal.
Бакý Baku.
Балéарские островá the Balearic Isles.
Балкáны Balkan.
Балти́йское мóре the Baltic.
Башки́р Bashkir.
Белгрáд Belgrad.
Бéлое мóре the White Sea.
Бéльгия Belgium.
Бенгáлия Bengal.
Бéрингов проли́в Behring's Strait.
Бессарáбия Bessarabia.
Богéмия Bohemia.
Бóденское óзеро the Lake of Constance.
Болгáрия Bulgaria || **болгáрин** *m.*, **болгáрский** *a.* Bulgarian.
Бордó Bordeaux.
Бóсния Bosnia || **босня́к** Bosnian.
Ботни́ческий зали́в the Gulf of Bothnia.
Брази́лия Brazil.
Брaýншвейг Brunswick.
Бреслáвль Breslau.
Бретáнь Brittany || **бретóнец** *m.*, **бретóнский** *a.* Breton.
Británия Britain.
Брю́гге Bruges.
Брю́ссель Brussels.
Булóнь Boulogne.
Бургýндия Burgundy.
Бухáра Bucharia.

Вавилóн Babylon.
Вайт Wight.
Валáхия Wallachia.
Вáллис Valais.
Варшáва Warsaw.
Вашингтóн Washington.
Везýвий Vesuvius.
Великобритáния Great Britain.
Вéна Vienna.
Вéнгрия Hungary || **венгр, венгéрец** *m.*, **венгéрка** *f.*, **венгéрский** *a.* Hungarian.

Венéция Venice || **венециáнец** *m.*, **венециáнский** Venetian.
Версáль Versailles.
Вест-Индия the West Indies.
Вестфáлия Westphalia.
Византия Byzantium.
Вúсла the Vistula.
Вифлеéм Bethlehem.
Владивостóк Vladivostok.
Вогéзы the Vosges.
Вóлга Volga.
Вюртембéрг Wurtemberg.

Гáага the Hague.
Галилéя Galilee.
Гáллия Gaul || **галл** Gaul.
Галúция Galicia || **галичáнин** *m.*, **гáлицкий** *a.* Galician.
Гáмбург Hamburg.
Ганнóвер Hannover.
Гаскóнь Gascony.
Гебрúды the Hebrides.
Гéльголанд Heligoland.
Гéнуя Genoa || **генуэ́зец** *m.*, **генуэ́ский** *a.* Genoese.
Гермáния Germany.
Гéссен Hesse.
Голлáндия Holland || **голлáндец** Dutchman || **голлáндский** Dutch.
Грéция Greece || **грек** *m.*, **гречáнка** *f.*, **грéческий** *a.* Greek.
Гренлáндия Greenland.
Грýзия Georgia || **грузúн** Georgian.

Далмáтия Dalmatia.
Дáния Denmark || **дáтчанин** Dane || **дáтский** Danish.
Двинá Duna.
Дерпт Dorpat.
Днепр Dnieper.
Дунáй the Danube.
Дюнкéрк, Дюнкúрхен Dunkirk.
Еврóпа Europa.
Евфрáт Euphrates.
Египет Egypt || **египтянин** *m.*, **египетский** *a.* Egyptian.

Женéва Geneva.

Зелáндия Zealand.
Зю́йдерзе the Zuider Zee.

Иерусалúм Jerusalem.
И'ндия India.
Ирлáндия Ireland.
Islándия Iceland.
Испáния Spain.
Итáлия Italy || **итальянец** *m.*, **итальянский** *a.* Italian.
Иудéя Judea.

Кавкáз the Caucasus.
Кáдикс Cadiz.
Казáнь Kazan.
Калáбрия Calabria.
Калифóрния California.
Калмы́к Kalmuck.
Кáма Kama.
Камерýн Cameroon.
Канáрские островá the Canaries.
Кáндия Candia.
Карúнтия Carinthia.
Карпáты the Carpathians.
Каспúйское мóре the Caspian Sea.
Кастúлия Castile.
Каталóния Catalonia.
Кёльн Cologne.
Киев Kieff.
Кипр Cyprus.
Китáй China.
Константинóполь Constantinople.
Копенгáген Copenhagen.
Кордилье́ры the Cordilleras.
Корéя Corea.
Коринф Corinth.
Кóрсика Corsica || **корсикáнец** *m.*, **корсикáнский** *a.* Corsican.
Крайн Carniola.
Крáков Cracow.
Крит Crete.
Крым the Crimea.
Курля́ндия Courland.
Ламáнш the British Channel.
Лаплáндия Lapland.
Лáтвия Lettonia.
Латы́ш Lett || **латы́шский** Lettish.
Лéйпциг Leipsic.
Ленингрáд Leningrad.

Либáва Libau.
Ливáн the Lebanon.
Лилль Lisle.
Лиóн Lyons.
Лиссабóн Lisbon.
Литвá Lithuania || **литвúн** *m.*, **литóвский** *a.* Lithuanian.
Лифля́ндия Livonia.
Ломбáрдия Lombardy.
Лопáрь Lapp, Lapplander.
Лотарúнгия Lorraine.
Лужúцы Lusatia.
Львов Lemberg.
Льеж, Лю́ттих Liege.
Люцéрн Luzerne.

Мавр Moor || **мавритáнский** Moorish.
Мадéра Madeira.
Майнц Mentz.
Македóния Macedonia.
Мáльта Malta || **мальтúец** *m.*, **мальтúйский** Maltese.
Марóкко Morocco.
Марсéль Marseilles.
Мéксика Mexico || **мексикáнец** *m.*, **мексикáнский** *a.* Mexican.
Мёртвое мóре the Dead Sea.
Милáн Milan.
Митáва Mitau.
Мóзель the Moselle.
Молдáвия Moldavia || **молдавáнин** *m.*, **молдáвский** *a.* Moldavian.
Молýккские островá the Moluccas.
Монáко Monaco.
Монгóлия Mongolia || **монгóл** *m.*, **монгóльский** *a.* Mongol.
Морáвия Moravia.
Москвá Moscow || **москвúч** *m.*, **москóвский** *a.* inhabitant of Moscow.
Мю́нхен Munich.

Неáполь Naples.
Невá Neva.
Нéмец *m.*, **нéмка** *f.*, **немéцкий** *a.* German.
Немéцкое мóре the North Sea.
Нидерлáнды the Netherlands, the Low Countries.

Ни́жний-Но́вгород Nijni-Novgorod.
Нил the Nile.
Ни́цца Nice.
Но́вгород Novgorod.
Норве́гия Norway || **норве́жец** *m.*, **норве́жский** *a.* Norwegian.
Норма́ндия Normandy.
Ну́бия Nubia.
Нью-Йорк New York.
Ню́рнберг Nuremberg.

Оде́сса Odessa.
Ока́ Oka.
Ост-И'ндия the East Indies.

Палести́на Palestine.
Патаго́ния Patagonia.
Пенсильва́ния Pensylvania.
Пе́рсия Persia || **перс, персия́нин** *m.*, **перси́дский** *a.* Persian.
Перу́ Peru || **перуа́нец** Peruvian.
Петербург = Санкт-Петербург.
Пирине́и the Pyrenees.
Пи́тер = Санкт-Петербург.
Пиэмо́нт Piedmont.
Позна́нь Posen.
По́льша Poland || **поля́к** *m.*, **по́лька, поля́чка** *f.* Pole || **по́льский** Polish.
Помера́ния Pomerania.
Португа́лия Portugal || **португа́лец** *m.*, **португа́льский** *a.* Portuguese.
Пра́га Prague.
Пру́ссия Prussia || **пруса́к** *m.*, **пру́сский** Prussian.
Псков Pskoff.
Пфальц the Palatinate.
Ре́вель Revel.
Ре́генсбург Ratisbon.
Рейн the Rhine.
Ри́га Riga.
Рим Rome || **ри́млянин** *m.*, **ри́мский** *a.* Roman.
Росси́я, Русь Russia || **ру́сский** Russian.
Румы́ния Roumania || **румы́н** *m.*, **румы́нский** *a.* Roumanian.
Ряза́нь Riazan, Ryazan.

Саво́йя Savoy.
Саксо́ния Saxony.
Сама́ра Samara.
Сара́тов Saratoff.
Сарди́ния Sardinia.
Саха́ра Sahara.
Севасто́поль Sebastopol.
Се́на Seine.
Се́рбия Servia || **серб** *m.*, **се́рбский** *a.* Servian.
Сиби́рь Siberia || **сибиря́к** *m.*, **сибиря́чка** *f.*, **сиби́рский** Siberian.
Сиде́зия Silesia.
Си́рия Syria.
Сици́лия Sicily.
Скандина́вия Scandinavia.
Славяни́н Sclavonian.
Соединённые Шта́ты the United States.
Средизе́мное мо́ре the Mediterranean.
Суда́н Soudan.
Суде́ты the Sudetic Mountains.

Тата́рин Tartar.
Тегеран Teheran.
Темза the Thames.
Тигр the Tigris.
Тиро́ль the Tyrol.
Тифли́с Tiflis.
Ти́хий Океа́н the Pacific.
Трир Treves.
Тро́я Troja.
Ту́рция Turkey || **ту́рок** *m.*, **турча́нка** *f.* Turk || **туре́цкий** Turkish.
Тюри́нгия Thuringia.

Украи́на, Укра́йна Ukraine.
Ура́л Ural.
Уэ́льс Wales.

Фермопи́лы Thermopylae.
Фесса́лия Thessaly.
Фи́вы Thebes.
Финля́ндия Finland || **финн** Finn || **фи́нский** Finnish || **Фи́нский зали́в** Gulf of Finland.
Флама́ндец Fleming || **флама́ндский** Flemish.
Фла́ндрия Flanders.
Флоре́нция Florence || **флоренти́нец** *m.*, **флоренти́нский** Florentine.
Франко́ния Franconia.
Фра́нкфурт Frankfort.
Фра́нция France || **францу́з** *m.*, **францу́женка** *f.* Frenchman || **францу́зский** French.

Ха́рьков Charkow.
Хорва́тия Croatia.

Царьгра́д Constantinople.
Цю́рих Zurich.

Черке́с Circassian.
Черного́рия Montenegro.
Чёрное мо́ре the Black Sea.
Чехослова́кия Czecho-Slovakia || **чех** *m.*, **че́шский** *a.* Bohemian.
Чухо́нец Finn.

Швейца́рия Switzerland.
Шве́ция Sweden || **швед** Swede || **шве́дский** *a.* Swedish.
Ше́льда the Sheldt.
Шотла́ндия Scotland || **шотла́ндец** Scot, Scotchman || **шотла́ндский** Scotch, Scottish.
Шти́рия Styria.

Эге́йское мо́ре the Aegaen Sea.
Э'зель Oesel.
Э'льба Elbe.
Эльза́с Alsace.
Эрзеру́м Erzeroom.
Эстля́ндия Esthonia || **эсто́нец** *m.*, **эсто́нский** Esthonian.
Э'тна Etna, Ætna.

Югосла́вия Yougoslavia.

Япо́ния Japan || **япо́нец** *m.*, **япо́нский** *a.* Japanese.
Яросла́вль Yaroslavl.

PART TWO
ENGLISH—RUSSIAN

English and Russian

A

A 1. (эй уан) (*fam.*) первоклассный, превосходный.

a, an (ä, ё; äн, ён) *artic.* (нет в русском языке) || **once a day** рас в день || **half an hour** полчаса || **ten pense an hour** по десяти пенсов за час.

aback (ёбä'к) *ad.* назад, задом || **taken ~** смущённый; изумлённый. |*mpl.*

abacus (ä'бёкас) *s.* (*arch.*) абака; счёты

abaft (ёбä'фт) *ad.* (*mar.*) сзади, с кормы.

abandon/ (ёбä'ндон) *va.* по-кидать, -кинуть; ост-авлять, -авить || **to ~ all hope** потерять всякую надежду || **~** (äбäндо'нг) *s.* непринуждённость *f.* || **-ed** *a.* (*deserted*) оставленный, покинутый, погибший; (*corrupt*) порочный || **an ~ wretch** от'явленный негодяй || **-ment** *s.* оставление; (*jur.*) отречение, отказ; (*fig. despair*) отчаяние; (*recklessness*) непринуждённость *f.*

abase/ (ёбэй'с) *va.* у-нижать, -низить || **-ment** *s.* унижение.

abash (ёбäш) *va.* при-водить, -вести в замешательство; сму-щать, -тить, конфузить, с-.

abate/ (ёбэй'т) *va.* (*diminish*) сбавлять, сбавить; (*pain, etc.*) унимать, унять; (*price*) пон-ижать, -изить; (*law.*) уничтожать, -тожить || **~** *vn.* уменьш-аться, -иться; стихать, стихнуть || **-ment** *s.* уменьшение; смягчение; (*comm.*) уступка, сбавка с цены.

abat(t)is (ä'бётис) *s.* засека.

abattoir (äбäтуо'р) *s.* ското-бойня.

abb/acy (ä'б-ёси) *s.* звание аббата, игуменство || **-ess** *s.* (*Catholic*) аббатисса; (*Greek church*) игуменья; настоятельница || **-ey** *s.* аббатство; (*Greek church*) лавра, монастырь *m.* || **-ot** *s.* (*Catholic*) аббат; (*Greek church*) игумен; настоятель *m.*

abbreviat/e (ёбрий'виэйт) *va.* со-кращать, -кратить || **-ion** (ёбрийвиэй'шн) *s.* сокращение; (*sign*) знак сокращения.

ABC (эй бий сий) *s.* азбука; (*fig.*) первые начала.

abdicat/e (ä'бдикэйт), *va&n.* отказ-ываться, -аться (от престола); от-рекаться, -речься; (*jur.*) лиш-ать, -ить права наследства || **-ion** (äбдикэй'шн) *s.* отречение (от престола).

abdom/en (äбдоу'мён) *s.* живот; брюхо || **-inal** (äбдо'минёл) *a.* брюшной || **-inous** (äбдо'минёс) *a.* брюхастый.

abduct/ (äбда'кт) *va.* от-водить, -вести; (*steal*) по-хищать, -хитить; (*a woman*) у-возить, -везти (девицу против воли её родителей) || **-ion** *s.* похищение; увоз; отвод || **-or** *s.* похититель *m.*

abeam (ёбий'м) *ad.* поперёк.

abed (ёбэ'д) *ad.* (*obsol.*) в постели, в постель.

aberration (äбёрэй'шн) *s.* уклонение, совращение с пути; (*astr.*) аберрация.

abet/ (ёбэ'т) *va.* подстрек-ать, -нуть; содействовать || **-ment** *s.* подстрекательство; побуждение || **-tor** *s.* подстрекатель *m.*; сообщник.

abeyance (ёбэй'ёнс) *s.* состояние нахождения без владельца || **in ~** (*jur.*) выморочный; (*fig.*) перешённый.

abhor/ (äбхо'р) *va.* гнушаться; иметь отвращение к || **-rence** (äбхо'рёнс) *s.* отвращение, омерзение || **-rent** (äбхо'рёнт) *a.* гнусный; отвратительный; противный.

abid/e (ёбай'д) *va.irr.* (*await*) ждать, о-; (*endure*) выносить, вынести || **~** *vn.* (*remain*) оставаться, остаться; (*last*) продолжаться, -житься; (*dwell*) пре-бывать, -быть; про-живать, -жить || **to ~ by** держаться || **-ing** (-инг) *a.* постоянный, продолжительный || **-ing-place** *s.* место пребывания, место жительства.

ability (ёби'лити) *s.* ловкость *f.*; способность *f.*; талант || **to the best of my ~** по мере сил; что силы есть.

abintestate (äбинтэ'стёт) *a.* (*jur.*) умерший без духовного завещания.

abject/ (ä'бджэкт) *a.* презренный, подлый, низкий || **-ion** (äбджэ'кшн) *s.*, **-ness** *s.* унижение, презренность *f.*

abjur/ation (äбджурэй'шн) *s.* отречение || **-e** (äбджу'р) *va.* от-рекаться, -речься; отказываться, -казаться.

ablative (ä'блётив) *s.* (*gramm.*) творительный падеж.

ablaze (ёблэй'з) *ad.* в огне, пылающий.

able (э́йбл) *a.* (*capable*) способный || **to be ~ to** мочь, быть в состоянии; (*gifted*) даровитый; талантливый; (*active*) ловкий || **~-bodied** (-бодид) *a.* дюжий, сильный; работоспособный; (*mar.*) способный к службе.
abloom (ёблу'м) *ad.* в цвету, цветущий.
ablution (аблу'шн) *s.* очищение, омовение || **to perform one's -s** совершать омовение.
ably (эй'бли) *ad.* искусно, ловко.
abnegation (абнигэй'шн) *s.* отречение, отвержение.
abnorm/al (абно'рм-ёл) *a.* ненормальный; уродливый || **-ality** (абнормä'лити) *s.*, **-ity** (-ити) *s.* ненормальность *f.*; уродливость *f.*
aboard (ёбо̄'рд) *ad.* на корабль; на судно; на корабле; на борт.
abode (ёбо̄у'д) *s.* (*stay*) пребывание; (*place*) местопребывания; (*dwelling*) жилище.
abol/ish (ёбо'лиш) *va.* отмен-ять, -ить; уничт-ожать, -ожить || **-ishment** *s.*, **-ition** (аболи'шн) *s.* уничтожение; отмена.
abomin/able (ёбо'мин-ёбл) *a.* отвратительный, ужасный; гнусный || **-ableness** *s.* гнусность *f.*; мерзость *f.* || **-ate** (-эйт) *va.* гнушаться; иметь отвращение к || **-ation** (ёбоминэй'шн) *s.* омерзение; мерзость *f.*; предмет отвращения || **to hold in ~** иметь отвращение к.
aborigin/al (абори'джин-ёл) *a.* первобытный || **-es** (-ийз) *spl.* аборигены *mpl.*
abort/ion (ёбо̄'ршн) *s.* выкидыш; (*fig.*) недоносок, урод || **-ive** (ёбо̄'ртив) *a.* преждевременный; (*fig.*) (*imperfect*) незрелый; (*fruitless*) неудачный, пустой || **to prove ~** не иметь успеха.
abound/ (ёбау'нд) *vn.* изобиловать; иметь в изобилии || **-ing** *a.* изобильный, богатый.
about (ёбау'т) *ad.* (*around*) в окружности, кругом; (*near*) близко; (*on the point of*) (**to be ~ to**) быть готовым, собираться; (*more or less*) приблизительно || **~** *prp.* (*around*) вокруг, около; (*concerning*) касательно; (*on account of*) из-за || **man ~ town** светский человек, гуляка *m.* || **to have ~ one** иметь при себе || **be quick ~ it!** проворнее! || **that's all ~ it** на этом покончим || **left ~, right ~** (*mil.*) на лево, на право кругом.
above/ (ёба'в) *ad.* наверху; наверх; (*in Heaven*) на небесах; (*more*) более; (*higher*) выше || **~** *prp.* выше, над; свыше; (*more*) более || **~ all** особенно || **that is ~ me** я этого не понимаю || **over and ~** сверх, в прибавку || **as ~** как выше, как выше сказано || **~ board** *ad.* открыто, бесхитростно || **~ ground** *a.* в живых || **~-mentioned, ~-named** *a.* вышеименованный, вышеозначенный.
abrade (абрэй'д) *va.* стирать, стереть.
abrasion (абрэй'жн) *s.* стирание; трение; выскабливание.
abreast (ёбрэ'ст) *ad.* рядом, бок-о-бок || **~ of** против.
abridge/ (ёбри'дж) *va.* сокр-ащать, -атить; укор-ачивать, -отить || **-ment** *s.* сокращение.
abroad (ёбро̄'д) *ad.* вне дома, снаружи; (*in foreign countries*) за границей, в чужих краях; (*to foreign countries*) за границу, в чужие края || **there is a report ~** слух носится || **from ~** из-за границы.
abrogat/e (ä'брогэйт) *va.* отмен-ять, -ить; уничт-ожать, -ожить || **-ion** (аброгэй'шн) *s.* отмена, уничтожение.
abrupt/ (ёбра'пт) *a.* (*steep*) обрывистый; крутой; (*sudden*) внезапный, (*curt*) грубый, резкий || **-ness** *s.* обрывистость *f.*; внезапность *f.*; резкость *f.*; грубость *f.*
abscess (ä'бсис) *s.* веред, абсцесс, нарыв.
abscind (абси'нд) *va.* от-резывать, -резать.
abscissa (абси'сё) *s.* абсцисса.
abscond (абско'нд) *vn.* прятаться, укрываться.
absence (ä'бсёнс) *s.* отсутствие || **~ of mind** рассеянность *f.* || **leave of ~** отпуск.
absent/ (ä'бсёнт) *a.* отсутствующий; (*inattentive*) невнимательный || **to be ~** быть в отлучке || **~** (абсэ'нт) *va.* **to ~ oneself** отсутствовать; (*stay away*) отлуч-аться, -иться || **-ee** (абсёнтий') *s.* отсутствующий (из своих поместий) || **~-minded** *a.* рассеянный.
absinthe (ä'бсинþ) *s.* абсент.
absolute/ (ä'бсёлют) *a.* абсолютный; (*unconditional*) безусловный; (*arbitrary*) самодержавный; (*perfect*) совершенный || **-ly** *ad.* положительно; совершенно; совсем; (*fam.*) да, действительно || **-ness** *s.* неограниченность *f.*; совершенство.
absolution (абсолю'шн) *s.* разрешение, отпущение.
absolutism (ä'бсёлютизм) *s.* абсолютизм.
absolve (ёбзо'лв) *va.* освобо-ждать, -дить; (*eccl.*) разре-шать, -шить; отпус-кать, -тить (грехи).
absorb/ (абсо̄'рб) *va.* вс-асывать, -осать; впит-ывать, -ать || **to be -ed in** углубляться, -иться в || **-ent** *a.* всасывающий || **-ing** *a.* (*fig.*) очень интересный.
absorption (абсо̄'рпшн) *s.* всасывание, поглощение.

abstain/ (ăбстэй'н) *vn.* воз-дéрживаться, -держáться (от) || **-er** *s.* воздéрживающийся || **total -er** трéзвенник *m.*; анти-алкогóлик. [умéренный.
abstemious (ăбстий'миёс) *a.* воздéржный;
abstention (ăбстэ'ншн) *s.* воздержáние; воздéржность *f.*
abstinen/ce (ă'бстинёнс) *s.* воздéржность *f.*; воздержáние; (*from alcohol*) трéзвость *f.*; (*eccl.*) пост, пощéние || **a day of ~** пóстный день || **-t** *a.* воздéржный.
abstract/ (ăбстрă'кт) *va.* от-влекáть,-влéчь; (*draw away*) отдел-я́ть, -и́ть; (*steal*) укрáсть; (*chem.*) дистилли́ровать || **~** (ă'бстрăкт) *s.* извлечéние; (*summary*) крáткий обзóр, вы́писка || **in the ~** сáмо по себé || **~** *a.* отвлечённый, абстрáктный || **-ed** *a.* отвлечённый; (*absent-minded*) рассéянный || **-ion** *s.* отвлечéние; похищéние; (*of mind*) рассéянность *f.*
abstruse/ (ăбстрӯ'с) *a.* скры́тный; нея́сный; непоня́тный || **-ness** *s.* непоня́тность *f.*; нея́сность *f.*
absurd/ (ăбсё'рд) *a.* нелéпый; (*foolish*) глýпый || **-ity** *s.* вздор, чепухá; нелéпость *f.*
abund/ance (ёба'ндёнс) *s.* изоби́лие; избы́ток; достáток || **-ant** *a.* оби́льный; богáтый.
abus/e (ёбю'с) *s.* (*corrupt practice*) злоупотреблéние; неудóбство; (*language*) брань *f.*; оскорблéние; (*violation*) искажéние || **~** (ёбю'з) *va.* (*scold*) брани́ть, ругáть, оскорбля́ть; (*violate*) злоупотреб-ля́ть, -и́ть; искa-жáть, -зи́ть || **-ive** *a.* брáнный, ругáтельный, грýбый || **-iveness** *s.* грýбость *f.*; ругáтельство.
abut (ёба'т) *vn.* примыкáть, грани́чить.
abys/mal (ёби'змёл) *a.* бездóнный || **-s** (ёби'с) *s.* бéздна; прóпасть *f.*; (*in sea*) пучи́на.
acacia (ёкэй'шё) *s.* акáция.
academ/ic(al) (ăкёдэ'мик) *a.* академи́ческий || **-ician** (ёкăдими'шн) *s.* акадéмик, член акадéмии || **-y** (ёкă'дими) *s.* акадéмия; (*school*) учéбное заведéние.
acanthus (ёкă'нѳёс) *s.* медвéжья лáпа, борщеви́к, акáнт; (*arch.*) акáнф, акáнт.
accede (ăксий'д) *vn.* согла-шáться, -си́ться || **to ~ to the throne** всту-пáть, -пи́ть на престóл.
accelerat/e (ёксэ'лёрэйт) *va.* у-скоря́ть, -скóрить || **-ion** (ăксэлёрэй'шн) *s.* ускорéние.
accent/ (ă'ксёнт) *s.* (*stress*) ударéние; (*pronunciation*) произношéние, акцéнт; (*mark*) знак ударéния || **-s** *spl.* (*poet.*) гóвор, гóлос || **~** (ăксэ'нт), **-uate** (ёксэ'нтюэйт) *va.* произ-носи́ть, -нести́ с осóбенным ударéнием; стáвить, по- ударéние на слóве; (*fig.*) напрáть на, обра-щáть, -ти́ть осóбое внимáние на || **-uation** (ёксэнтюэй'шн) *s.* словоударéние.
accept/ (ăксэ'пт) *va.* при-нимáть, -ня́ть; (*agree*) согл-aшáться, -аси́ться; (*comm.*) акцептовáть; (*recognize*) при-знавáть, -знáть || **-able** *a.* удóбный для приня́тия; прия́тный || **-ance** приня́тие; признáние; (*agreement*) соглáсие; (*usual meaning*) значéние; (*comm.*) акцептáция || **-er, -or** *s.* (*comm.*) акцептáнт, приёмщик.
access/ (ăксэ'с) *s.* дóступ; (*admission*) вход; (*increase*) увеличéние; (*med.*) припáдок || **-ibility** *s.* (ăксэсиби'лити) достýпность *f.* || **-ible** *a.* достýпный: (*fig.*) снисходи́тельный || **-ion** *s.* (*to a proposition*) соглашéние; (*to a throne*) вошéствие; (*increase*) увели́чение; прибавлéние; (*med.*) припáдок || **-ory** (ă'ксэсори) *s.* соучáстник, сообщник || **~** *a.* побóчный; причáстный || **accessories** *spl.* принадлéжности *fpl.*
accid/ence (ă'ксидёнс) *s.* этимолóгия || **-ent** *s.* случáйность *f.*; несчáстный слýчай; злополýчие || **by ~** случáйно || **-ental** (ăксидэ'нтёл) *a.* случáйный, нечáянный.
acclaim (ăклэй'м) *va.* одобря́ть восклицáниями, аплоди́ровать; рукоплескáть.
acclamation (ăклёмэй'шн) *s.* восклицáние, кри́ки одобрéния; аплодисмéнты *mpl.*
acclimat/ization (ăклай'мётайз-эй'шн) *s.* акклиматизáция || **-ize** (–) *va.* акклиматизи́ровать.
acclivity (ăкли'вити) *s.* под'ём; покáтость *f.*
accolade (ăколэй'д) *s.* об'я́тие.
accomodat/e (ёко'мёдэйт) *va.* (*adapt*) приспо-собля́ть, -сóбить; (*lodge*) по-мещáть, -мести́ть; (*supply*) устр-áивать, -óить; (*with a loan*) давáть, дать комý дéнег || **-ing** *a.* сговóрчивый || **-ion** (ёкомёдэй'шн) *s.* (*adaptation*) приспособлéние; (*supply*) снабжéние; (*favour*) ссýда, вы́дача вперёд дéнег; (*room*) помещéние || **-ion-bill** *s.* бестовáрный вéксель.
accompan/iment (ёка'мпён-имэнт) *s.* сопровождéние; (*mus.*) аккомпанимéнт || **-ist** *s.* аккомпаниатор || **-y** *va.* сопровождáть, -ди́ть; (*mus.*) аккомпани́ровать.
accomplice (ёко'мплис) *s.* соучáстник, сообщник.
accomplish/ (ёко'мплиш) *va.* совер-шáть, -ши́ть, ис-полня́ть, -пóлнить || **-ed** (-т) *a.* окóнченный; (*fig.*) образóванный, благовоспи́танный || **-ment** *s.* (*state*) испол-

не́ние, соверше́ние; (*attainments*) тала́нт, позна́ние.

accord/ (ёко́'рд) *s.* (*agreement*) согла́сие; (*harmony*) гармо́ния; (*free will*) во́ля; (*mus.*) созву́чие; акко́рд || **of one's own ~** доброво́льно, во́лею || **with one ~** единоду́шно, единогла́сно || **~** *va.* (*adapt*) соглас-ова́ть, -и́ть; (*grant*) согл-аша́ться, -си́ться на что || **–ance** *s.* соглаше́ние || **in ~ with** согла́сно (*dat.*) || **–ing, ~ to** по (*dat.*); согла́сно (*dat.*); **~ as** смотря́ по (*dat.*) || **–ingly** *ad.* поэ́тому || **–ion** (-йён) *s.* гармо́ника.

accost (ёко'ст) *va.* (*approach*) под-ходи́ть, -ойти́; при-ступа́ть, -ступи́ть к; (*address*) обра-ща́ться, -ти́ться с ре́чью к.

accouch/ement (ёку'шмё́нт) *s.* ро́ды *mpl.*; родоразреше́ние || **–eur** (ёкушё'р) *s.* акушёр || **–euse** (ёкушё'з) *s.* акушёрка, повива́льная ба́бка.

account/ (ёкау'нт) *s.* (*explanation*) об'ясне́ние; (*narrative*) расска́з; (*consideration*) соображе́ние; (*list*) ро́спись *f.*; (*importance*) значе́ние; (*reason*) причи́на; (*comm.*) счёт || **of no ~** нева́жный, малова́жный || **on ~** (*comm.*) в счёт || **by all –s** по всем изве́стиям || **on my ~** ра́ди меня́ || **on no –** никаки́м о́бразом || **on ~ of** из-за: ра́ди || **to give an ~ of** дава́ть, дать отчёт в || **to keep –s** вести́ счётные кни́ги || **to turn a thing to ~** полу-ча́ть, -чи́ть вы́году от || **to take into ~** принима́ть, -ня́ть что в соображе́ние || **to settle –s** заплати́ть по счета́м; (*fig.*) своди́ть, свести́ счёты || **~** *va.* сч-ита́ть, -есть за; ду́мать || **~** *vn.*, **to ~ for** дава́ть, дать отчёт; пред-ставля́ть, -ста́вить причи́ну || **there is no –ing for tastes** о вку́се не спор || **–ability** (-ёби'лити) *s.* отве́тственность *f.*; отчётность *f.* || **–able** *a.* отве́тственный, отчётный || **–ant** *s.* счетово́д || **~-book** *s.* счётная кни́га || **~-current** *s.* теку́щий счёт, контокорре́нт.

accoutre/ (ёкӯ'тёр) *va.* нар-яжа́ть, -яди́ть; обмунди́ровать; вооруж-а́ть, -и́ть || **–ments** *spl.* доспе́хи *mpl.*; экипиро́вка.

accredit (ёкрэ'дит) *va.* дава́ть, дать ве́рющую гра́моту; уполно-мо́чивать, -мо́чить; (*of ambassadors*) аккредит-о́вывать, -ова́ть.

accrescence (ӑкрэ'сёнс) *s.* приращéние.

accretion (ӑкрий'шн) *s.* приумноже́ние, наро́ст.

accrue (ӑкрӯ') *vn.* при-раста́ть, -рости́; при-бавля́ться, -ба́виться; при-носи́ть, -нести́.

accumulat/e (ӑкю'мюл-эйт) *va.* со-бира́ть, -бра́ть в ку́чу; на-копля́ть, -копи́ть || **~** *vn.* нако-пля́ться, -пи́ться; умножа́ться, умно́житься || **–ion** (-эй'шн) *s.* накопле́ние, скопле́ние || **–ive** (-ётив) *a.* приба́вочный || **–or** (-эйтёр) *s.* (*electr.*) аккумуля́тор.

accur/acy (ӑ'кюр-ёси) *s.* то́чность *f.*; аккура́тность *f.* || **–ate** *a.* то́чный; аккура́тный.

accurse/ (ёкё'рс) *va.* про-клина́ть, -кля́сть || **–d** (-т) *a.* прокля́тый.

accus/ation (ӑкюзэй'шн) *s.* обвине́ние || **–ative** (ӑкю'зётив) *s.* (*gramm.*) вини́тельный паде́ж || **–atory** (ӑкю'зётёри) *a.* обвини́тельный || **–e** (ӑкю'з) *va.* обвин-я́ть, -и́ть || **–ed** (ӑкю'зд) *a.&s.* обвиня́емый, обвинённый; подсуди́мый; отве́тчик || **–er** (ӑкю'зёр) *s.* обвини́тель *m.*, -ница *f.*; исте́ц, изве́тник.

accustom/ (ёка'стём) *va.* приуч-а́ть, -и́ть; де́лать, с- привы́чным || **–ed** *a.* привы́чный; (*usual*) обыкнове́нный || **to become ~ to** при-выка́ть, -вы́кнуть к.

ace (эйс) *s.* (*cards*) туз; (*dice*) очко́; (*fig.*) са́мое ма́ло расстоя́ние, коли́чество || **within an ~ of** на во́лос, почти́, чуть не, чуть-чуть не.

acerbity (ёсё'рбити) *s.* те́рпкость *f.*; жёсткость *f.*

acet/ate (ӑ'ситэйт) *s.* уксуснокислая соль || **–ic** (ёсий'тик) *a.* у́ксусный || **–ylene** (ёсэ'тилийн) *s.* ацетиле́н.

ache (эйк) *s.* боль f.; ломо́та || **~** *vn.* боле́ть, скорбе́ть || **my head –s** у меня́ голова́ боли́т.

achieve/ (ёчий'в) *va.* совер-ша́ть, -ши́ть; до-води́ть, -вести́ до конца́; (*to win*) приобрета́ть, -обрести́ || **–ment** *s.* соверше́ние; произведе́ние, (*deed*) по́двиг.

achromatic (ӑкромӓ'тик) *a.* ахромати́ческий.

acid/ (ӑ'сид) *s.* кислота́ || **~** *a.* ки́слый; о́стрый, е́дкий || **–ification** (ӑсидификэй'шн) *s.* окисле́ние || **–ify** (ёси'дифай) *va.* окисля́ть || **–ity** (ёси'дити) *s.* кислота́; е́дкость *f.* || **–ulate** (ёси'дюлэйт) *va.* подкисля́ть.

acknowledg/e (ӑкно'лидж) *va.* (*confess*) приз-нава́ть, -на́ть; созн-ава́ть, -а́ть; (*receipt*) удосто-веря́ть, -ве́рить || **–ment** *s.* (*admission*) призна́ние, созна́ние; (*receipt*) удостовере́ние; (*gratitude*) призна́тельность *f.*; вознагражде́ние.

acme (ӑ'кми) *s.* верши́на, вы́сшая то́чка, вы́сшая сте́пень; (*med.*) кри́зис боле́зни.

acolyte (ӑ'кёлайт) *s.* аколи́т; церко́вный прислу́жник; после́дователь.

aconite (ä′кёнайт) *s.* аконит; волчий ко́рень.
acorn (э̄й′корн) *s.* жёлудь *m.*
acoustic/ (ёкӯ′стик) *a.* акустический || **–s** *spl.* аку́стика.
acquaint/ (ёкуэ̄й′нт) *va.* знакомить; уведомля́ть, -ве́домить; сообщ-а́ть, -и́ть || **to be –ed with** знать || **to get –ed with** познако́миться с || **–ance** *s.* (*knowledge*) знако́мство; (*person*) знако́мый, знако́мая || **to make the ~ of** познако́миться с.
acquiesc/e (äкуиэ′с) *vn.* согла-ша́ться, -си́ться || **–ence** *s.* согла́сие, подчине́ние || **–ent** *a.* согла́сный, поко́рный.
acquire (ёкуай′ёр) *va.* прио-бретать, -брести́; (*learn*) изуч-а́ть, -и́ть.
acquisition (äкуизи′шн) *s.* приобрете́ние; стяжа́ние; изуче́ние.
acquit/ (ёкуи′т) *va.* опра́вд-ывать, -а́ть; (*debt*) заплати́ть; (*jur.*) освобо-жда́ть, -ди́ть || **to ~ oneself** вести́ себя́ || **to ~ oneself of** распл-а́чиваться, -ати́ться с || **–tal** *s.* освобожде́ние; оправда́ние || **–tance** *s.* исполне́ние; (*debts*) упла́та; очи́стка до́лга.
acre/ (э̄й′кёр) *s.* акр (= ·37 десяти́ны) || **–age** *s.* коли́чество акро́в; простра́нство земли́.
acrid/ (ä′крид) *a.* о́стрый; (*biting*) е́дкий; (*bitter*) го́рький || **–ity** (äкри′дити) *s.* е́дкость *f.*; язви́тельность *f.*
acrimon/ious (äкримо̄у′ниёс) *a.* го́рький, язви́тельный || **–y** (ä′кримёни) *s.* е́дкость *f.*; язви́тельность *f.*
acrobat/ (ä′кробäт) *s.* акроба́т || **–ic** (äкробä′тик) *a.* акробати́ческий.
acropolis (ёкро′пёлис) *s.* акро́поль *m.*
across (ёкро′с, ёкро̄′с) *ad.&prp.* че́рез, сквозь, попере́к, на́крест || **to come ~ one** встре́тить || **to come ~ one's mind** прийти́ на мысль.
acrostic (ёкро′стик) *s.* акро́стих || **~** *a.* акрости́ческий.
act/ (äкт) *s.* (*deed*) де́йствие, де́ло; (*exploit*) по́двиг; (*performance*) дея́ние; (*reality*) действи́тельность *f.*; (*theat.*) акт, де́йствие; (*jur.*) докуме́нт, акт; (*parl.*) постановле́ние парла́мента || **–s of the Apostles** дея́ния апо́столов || **to be in the ~ of** собира́ться что-нибу́дь де́лать; быть гото́вым к || **in the very ~** на са́мом де́ле || **~** *va.* (*perform*) де́йствовать; (*behave as*) вести́ себя́; (*impersonate*) представля́ть; (*theat.*) игра́ть || **~** *vn.* (*work, do*) де́йствовать; поступ-а́ть, -и́ть; (*behave*) вести́ себя́; (*theat.*) игра́ть; (*med.*) влия́ть на || **to ~ up to** де́йствовать сообра́зно чему́ || **–ing** *s.* представле́ние, игра́.

actinic (äкти′ник) *a.* актини́ческий.
action/ (ä′кшён) *s.* (*activity*) де́ятельность *f.*; (*deed*) посту́пок; (*gesture*) жест; (*agency*) посре́дство; (*mil.*) би́тва, бой, де́ло; (*jur.*) иск, проце́сс || **to bring an ~ against one** иска́ть с кого́ || **to be in ~** быть в де́ле || **to put out of ~** ли-ша́ть, -ши́ть возмо́жности продолжа́ть сраже́ние || **–able** *a.* подлежа́щий суду́.
activ/e (ä′ктив) *a.* (*acting, busy*) де́ятельный; (*energetic*) энерги́чный; (*nimble*) ло́вкий; (*in operation*) де́йствующий; (*gramm.*) действи́тельный || **on ~ service** на акти́вной слу́жбе || **–ity** (äкти′вити) *s.* де́ятельность *f.*; ло́вкость *f.*
actor (ä′ктёр) *s.* (*theat.*) актёр.
actress (ä′ктрис) *s.* актри́са.
actual/ (ä′ктюёл) *a.* (*real*) действи́тельный; (*present*) настоя́щий || **–ity** (äктюä′лити) *s.* действи́тельность || **–ly** *ad.* действи́тельно.
actuary (ä′ктюäри) *s.* актуа́риус, регистра́тор.
actuate (ä′ктюэйт), *va.* по-бужда́ть, -буди́ть; на-правля́ть, -пра́вить.
acu/ity (äкю̄′-ити) *s.* ре́зкость *f.*; острота́ || **–men** (-мён) *s.* острота́, проница́тельность *f.*; то́нкость понима́ния || **–te** (-т) *a.* о́стрый; (*of intelligence*) остро-у́мный || **~ angle** о́стрый у́гол || **~ accent** знак о́строго ударе́ния || **–te-angled** *a.* остро-уго́льный || **–teness** *s.* проница́тельность *f.*; острота́.
adage (ä′дидж) *s.* посло́вица, погово́рка.
Adam/ (ä′дём) *s.*, **~'s ale** (*fam.*) вода́ || **~'s apple** ада́мово я́блоко, кады́к || **not to know from ~** совсе́м не знать.
adamant (ä′дёмäнт) *s.* адама́нт, алма́з.
adapt/ (ёдä′пт) *va.* при-ла́живать, -ла́дить; при-способля́ть, -спосо́бить; (*modify*) при-меня́ть, -мени́ть || **–ability** (ёдäптёби′лити) *s.* применя́емость *f.* || **–able** *a.* примени́мый || **–ation** (äдäптэ̄й′шн) *s.* приспособле́ние, примене́ние.
add/ (äд) *va.* скла́дывать, сложи́ть; при-бавля́ть, -ба́вить || **–endum** (ёдэ′ндём) *s.*, *pl.* **addenda** (ёдэ′ндё) прибавле́ние, приложе́ние.
adder (ä′дёр) *s.* гадю́ка, ядови́тая змея́.
addict/ (äди′кт) *va.*, **to be –ed to** пре-дава́ться, -да́ться || **–ion** *s.* пре́данность *f.*; привы́чка (к).
addition/ (äди′шн) *s.* прибавле́ние; увеличе́ние; (*arith.*) сложе́ние || **in ~ to** кро́ме, сверх || **–al** *a.* доба́вочный, при-ба́вочный, прида́точный.
addle/ (äдл), **–d** (ä′длд) *a.* пусто́й; испо́рченный; гнило́й || **an ~ egg** болту́н, яйцо́

без зарбдыша || ~-**headed, ~-brained, ~-pated** *a.* пустоголо́вый, безмо́зглый.
address/ (ёдрэ'с) *s.* (*speech*) речь *f.*; (*petition*) а́дрес, проше́ние; (*skill*) ло́вкость *f.*; иску́сство; (*tact*) такт; (*of a letter*) а́дрес || **to pay one's -es to** уха́живать за || ~ *va.* (*write to*) адресова́ть; (*speak to*) обра-ща́ться, -ти́ться к; (*a letter, etc.*) от-правля́ть, -пра́вить || **-ee** (ёдрэсий') *s.* адреса́т.
adduce (ёдю'с) *va.* пред-ставля́ть, -ста́вить; при-води́ть, -вести́.
adenoids (ä'дипойдз) *spl.* адено́иды.
adept (ёдэ'пт) *s.* знато́к || ~ *a.* иску́сный, о́пытный.
adequa/cy (ä'дикуё-си) *s.* доста́точность *f.*; соразме́рность *f.*; спосо́бность *f.* || **-te** (-т) *a.* доста́точный; соразме́рный || **-teness** (-тнэс) *s. cf.* **adequacy.**
adher/e (ёдхий'р) *vn.* при-липа́ть, -ли́пнуть; (*to a party*) при-става́ть, -ста́ть к; (*to an opinion*) держа́ться || **-ence** *s.* прилипа́ние; (*fig.*) привя́занность *f.* || **-ent** *s.* приве́рженец, единомы́шленник.
adhes/ion (ёдхий'-жён) *s.* прилипа́ние || **-ive** (-зив) *a.* вя́зкий, кле́йкий || **-iveness** *s.* ли́пкость *f.*; кле́йкость *f.*
adieu! (ёдю') (*int.*) с Бо́гом!; до свида́ния! || **to bid ~ (to)** про-ща́ться, -сти́ться (с).
adipose (ä'дипоус) *a.* жирово́й; са́льный.
adjac/ency (ёджэй'с-ёнси) *s.* сосе́дство, сме́жность *f.*; бли́зость *f.* || **-ent** *a.* прилежа́щий, сме́жный.
adjectiv/al (äджиктай'вёл) *a.* прилага́тельный || **-e** (ä'джиктив) *s.* и́мя прилага́тельное.
adjoin/ (ёджой'н) *vn.* прилега́ть, примыка́ть, быть сме́жным || **-ing** *a.* прилежа́щий, сме́жный, примыка́ющий.
adjourn/ (ёджё'рн) *va.* откла́дывать, отложи́ть до друго́го дня; от-сро́чивать, -сро́чить || ~ *vn.* пре-краща́ть, -ти́ть на вре́мя || **-ment** *s.* отсро́чка || ~ **sine die** (*jur.*) отсро́чка на неопределённое вре́мя.
adjud/ge (ёджа'дж) *va.* при-сужда́ть, -суди́ть; ре-ша́ть, -ши́ть; суди́ть || **-gment** *s.* присужде́ние, при́говор || **-icate** (ёджӯ'дикэйт) *vn. cf.* **adjudge** || **-ication** (ёджӯдикэй'шн) *s.* присужде́ние, реше́ние || **-icator** (ёджӯ'дикэйтёр) *s.* присуди́тель.
adjunct (ä'джангкт) *s.* адъю́нкт; помо́щник; принадле́жность *f.*; (*gramm.*) дополне́ние.
adjur/ation (äджурэй'шн) *s.* заклина́ние, закля́тие; прися́га, кля́тва || **-e** (ёджӯ'р) *va.* за-клина́ть, -кля́сть; умол-я́ть, -и́ть.
adjust/ (ёджа'ст) *va.* при-ла́живать, -ла́дить; при-гоня́ть, -гна́ть; (*to correct*) выверя́ть, вы́верить; (*to regulate*) приводи́ть, -вести́ в поря́док; (*a machine*) соб-ира́ть, -ра́ть || **-ment** *s.* принора́вливание; устано́вка.
adjutan/cy (ä'джутён-си) *s.* адъюта́нтство || **-t** *s.* адъюта́нт.
administer (ёдми'нистёр) *va.* (*law*) управля́ть, отправля́ть; (*supply*) пред-ставля́ть, -ста́вить; раз-дава́ть, -да́ть; (*med.*) дава́ть, дать || **to ~ an oath** при-води́ть, -вести́ к прися́ге || **to ~ the Holy Sacrament** приоб-ща́ть, -щи́ть Святы́х Тайн.
administrat/ion (ёдминистрэй'шн) *s.* управле́ние, администра́ция; (*of justice*) отправле́ние || **-ive** (ёдми'нистрётив) *a.* администрати́вный || **-or** (ёдми'нистрэйтёр) *s.* администра́тор, прави́тель *m.*: (*jur.*) душеприка́зчик.
admirable/ (ä'дмирёбл) *a.* удиви́тельный, замеча́телный; (*excellent*) превосхо́дный || **-ness** *s.* замеча́тельность *f.*
admiral/ (ä'дмирёл) *s.* адмира́л || **-ty** *s.* адмиралте́йство; морско́е министе́рство || **First Lord of the ~** морско́й мини́стр.
admir/ation (äдмирэй'шн) *s.* удивле́ние, восхище́ние || **note of ~** знак восклица́ния || **to ~** превосхо́дно, восхити́тельно || **-e** (ёдмай'ёр) *va.* удив-ля́тсья, -и́ться; восхи-ща́ться, -ти́ться; (*be in love with*) любова́ться (чем) || **-er** (ёдмай'рёр) *s.* почита́тель *m.*; (*lover*) обожа́тель *m.*
admiss/ibility (ёдмисиби'лити) *s.* допуска́емость *f.*; прие́млемость *f.* || **-ible** (ёдми'сибл) *a.* допуска́емый, приѐмлемый || **-ion** (ёдми'шн) *s.* приня́тие; до́ступ, вход; (*confession*) призна́ние || **ticket of ~** вхо́дный билёт || ~ **free** вход беспла́тный.
admit/ (ёдми'т) *va.* (*let in*) допус-ка́ть, -ти́ть; (*acknowledge*) при-знава́ть, -зна́ть; (*permit*) поз-воля́ть, -во́лить || **to ~ of** дозволя́ть, -во́лить || **-tance** *s.* приня́тие; вход, до́ступ || **no ~!** вход воспреща́ется!
admixture (ёдми'ксчёр) *s.* смесь *f.*; при́месь *f.*
admonish/ (ёдмо'ниш) *va.* увещ-ева́ть, -а́ть; предостер-ега́ть, -е́чь || **-er** *s.* увеща́тель || **-ment** *s.* увеща́ние.
admonit/ion (äдмони'шн) *s.* увеща́ние, вы́говор; предостереже́ние || **-ory** (ёдмо'нитёри) *a.* увеща́тельный.
ado (ёдӯ') *s.* хло́поты *fpl.*; затрудне́ние; шум || **much ~ about nothing** мно́го шу́ма из-за пустяко́в || **without more ~** без церемо́ний, пря́мо, прямико́м.
adolescen/ce (äдолэ'с-ёнс) *s.* ю́ность *f.*; || **-t** *s.* ю́ноша, о́трок; ю́ная деви́ца || ~ *a.* ю́ный.

adopt/ (ёдо'пт) *va.* усынов-ля́ть, -и́ть; прин-има́ть, -я́ть; (*an opinion*) соглаша́ться с || **–er** *s.* усынови́тель *m.* || **–ion** *s.* усыновле́ние; приня́тие || **–ive** *a.* усыновлённый; при́нятый || **an ~ child** приёмное дитя́.

ador/ability (ăдŏрёби'лити) *s.* восхити́тельность *f.* || **–able** (ёдŏ'рёбл) *a.* обожа́емый, восхити́тельный || **–ableness** (ёдŏ'рёблнэс) *s.* восхити́тельность *f.* || **–ation** (ăдорэ̆й'шн) *s.* обожа́ние, поклоне́ние || **–e** (ёдŏ'р) *va.* поклоня́ться; обожа́ть || **–er** (ёдŏ'рёр) *s.* обожа́тель *m.*; покло́нник. [**–ment** *s.* украше́ние.

adorn/ (ёдŏ'рн) *va.* укр-аша́ть, -а́сить ||

adown (ёдау'н) *ad.* внизу́.

adrift (ёдри'фт) *ad.* по тече́нию воды́; по во́ле слу́чая; науга́д || **to turn, to set ~** прог-оня́ть, -на́ть.

adroit/ (ёдрой'т) *a.* ло́вкий, прово́рный || **–ness** (-нэс) *s.* ло́вкость *f.*

adulat/ion (ăдюлэ̆й'шн) *s.* лесть *f.*; льсти́вость *f.* || **–or** (ă'дюлэйтёр) *s.* льстец, льсти́вая же́нщина || **–ory** (ă'дюлётёри) *a.* льсти́вый, ласка́тельный. [лый.

adult (ёда'лт) *s&a.* взро́слый; возмужа́-

adulter/ate (ёда'лтёрэйт) *va.* подде́л-ывать, -ать; под-ме́шивать, -меша́ть || **–ation** (ёдалтёрэ̆й'шн) *s.* подде́лка, подме́шивание; по́дмесь *f.* || **–er** (ёда'лтёрёр) *s.* прелюбоде́й *m.* || **–ess** (ёда'лтрэс) *s.* прелюбоде́йка || **–ine** (ёда'лтёрайн) *a.* незаконнорождённый; (*spurious*) подло́жный || **–ous** (ёда'лтёрёс) *a.* прелюбоде́йный, прелюбоде́йственный || **–y** (ёда'лтёри) *s.* прелюбоде́йство, прелюбодея́ние || **to commit ~** прелюбоде́йствовать.

adumbrat/e (ăда'мбрэйт) *va.* слегка́ начерта́ть; (*suggest*) намек-а́ть, -ну́ть || **–ion** (ăдамбрэ̆й'шн) *s.* очерта́ние, эски́з.

advance/ (ёдвā'нс) *s.* (*act*) движе́ние вперёд, выступле́ние; (*promotion*) повыше́ние; (*improvement*) улучше́ние; (*in price*) прибавле́ние; (*loan*) вы́дача вперёд де́нег; (*mil.*) наступле́ние || **in ~** вперёд || **to make –s (to)** уха́живать за || **~** *va.* (*bring forward*) подв-ига́ть, -и́нуть; (*in rank*) по-выша́ть, -вы́сить; (*price*) воз-выша́ть, вы́сить; (*pay, lend*) дава́ть, дать вперёд; (*an opinion*) пред-лага́ть, -ложи́ть; (*mil.*) двига́ть, дви́нуть вперёд || **~** *vn.* (*go forward*) идти́; по-двига́ться, -дви́нуться, вперёд || (*progress*) соверше́нствоваться; (*of prices*) увели́ч-иваться, -иться || **–d** (-т) *a.* вы́двинутый; (*late*) по́здний; (*fig.*) передово́й || **~ years** преклóнные лета́ || **~-guard** *s.* аванга́рд || **–ment** *s.* движе́ние вперёд; (*success*) успе́х; (*in rank*) повыше́ние.

advantage (ёдвā'нтидж) *s.* вы́года, по́льза; преиму́щество || **to ~** вы́годно || **to take ~ of** воспо́льзоваться || **you have the ~ of me** я не име́ю че́сти быть с ва́ми знако́мым || **–ous** (ăдвёнтэ̆й'джёс) *a.* вы́годный, поле́зный, аванта́жный || **–ousness** *s.* вы́года, по́льза.

advent/ (ă'двэнт) *s.* восше́ствие; вступле́ние, прише́ствие Спаси́теля; (*eccl.*) ме́сяц пе́ред Рождество́м || **–itious** (ăдвёнти'шёс) *a.* случа́йный; побо́чный || **–ure** (ёдвэ'нчёр) *s.* приключе́ние, слу́чай, похожде́ние; авантю́ра; отва́га || **~** *va&n.* отва́живаться; рискова́ть || **–urer** (ёдвэ'нчёрёр) *s.* авантюри́ст; иска́тель приключе́ний || **–uress** (ёдвэ'нчёрэс) *s.* авантюри́стка || **–urous** (ёдвэ'нчёрёс) *a.* (*daring*) отва́жный, сме́лый; (*enterprising*) предприи́мчивый.

adverb/ (ă'двёрб) *s.* наре́чие || **–ial** (ёдвё'рбиёл) *a.* употребля́емый в смы́сле наре́чия.

advers/ary (ă'двёрсёри) *s.* проти́вник, сопе́рник, враг || **–e** (ă'двёрс) *a.* (*hostile*) проти́вный, вражде́бный; (*contrary*) противополо́жный; (*unpropitious*) несча́стный || **–ity** (ёдвё'рсити) *s.* напа́сть *f.*; невзго́да; несча́стие.

advert/ (ёдвё'рт) *vn.* обра-ща́ть, -ти́ть внима́ние на; (*allude to*) намек-а́ть, -ну́ть (на) || **–ence** *s.* внима́ние || **–ise** (ă'двёртайз) *vn&a.* уведом-ля́ть, -и́ть; публикова́ть, о-; (*in a paper*) об'яв-ля́ть, -и́ть || **–isement** (ăдвё'ртизмэнт) *s.* уведомле́ние; об'явле́ние, публика́ция || **–iser** (ăдвёртай'зёр) *s.* тот кто об'явля́ет; (*journal*) газе́та.

advice (ёдвай'с) (*counsel*) сове́т; (*opinion*) мне́ние; (*information*) уведомле́ние, изве́стие || **as per ~ of** по сове́ту || **to take ~** сове́товаться || **take my ~** послу́шайтесь меня́ || **letter of ~** уведоми́тельное *or* ави́зное письмо́.

advis/ability (ёдвайзёби'лити) *s.* благоразу́мие; жела́тельность *f.* || **–able** (ёдвай'з-ёбл) *a.* благоразу́мный; уме́стный; жела́тельный || **–e** (ёдвай'з) *va&n.* (*counsel*) сове́товать, по; (*warn*) предостер-ега́ть, -е́чь; (*inform*) сообщ-а́ть, -и́ть || **–ed** (ёдвай'зд) *a.* обду́манный || **ill ~** неблагоразу́мный || **be ~!** береги́тесь! || **be ~ by me!** после́дуйте моему́ сове́ту! || **–edly** (ёдвай'зидли) *ad.* обду́манно || **–er** (ёдвай'зёр) *s.* сове́тник || **–ory** (ёдвай'-зёри) *a.* име́ющий пра́во сове́товать.

advoc/acy (ă'двок-ёси) *s.* защи́та || **-ate** *s.* защи́тник, засту́пник; адвока́т || ~ (-эйт) *va.* защи-ща́ть, -ти́ть; (*an opinion*) под-де́рживать, -держа́ть; (*propose, recommend*) сове́товать, рекомендова́ть.
advow/ee (ăдвау-ий') *s.* (*jur.*) пове́ренный, представи́тель (духо́вного лица́); патро́н (духо́вный); покрови́тель || **-son** (ăдвау'зн) *s.* пра́во представи́тельства; пра́во на-[тро́на.
adze (ăдз) *s.* струг, тесло́.
aegis (ий'джис) *s.* эги́да; (*protection*) защи́та. [ве́чность *f.*
aeon (ий'ён) *s.* века́ неизмери́мые *mpl.*;
aerate/ (ă'ёрэйт) *va.* на-сыща́ть, -сы́тить у́гольною кислото́ю || **-d waters** шипу́чие во́ды.
aerial (ё-ий'риёл) *s.* (*wireless*) анте́нна || ~ *a.* возду́шный.
aerie (ă'ёри) *s. cf.* **eyry.**
aerify (ă'ёрифай) *va.* соединя́ть с во́здухом.
aero/lite (ă'ёро-лайт) *s.* аэроли́т || **-naut** (-нōт) *s.* аэрона́вт; воздухопла́ватель *m.* || **-nautics** (-нōтикс) *spl.*; аэрона́втика || **-plane** (-плэйн) *s.* аэропла́н.
æsthetic/ (иисфэ'тик) *a.* эстети́ческий || **-s** *spl.* эсте́тика.
afar (ёфā'р) *ad.* далеко́ || ~ **off** вдали́; || **from** ~ и́здали.
affab/ility (ăфёби'лити) *s.* приве́тливость *f.*, учти́вость *f.* || **-le** (ă'фёбл) *a.* приве́тливый, ла́сковый.
affair (ёфā'р) *s.* де́ло; (*mil.*) сраже́ние, схва́тка || ~ **of honour** де́ло че́сти, дуэ́ль *f.* || **Secretary of State for Foreign A-s** мини́стр иностра́нных дел || **that is your ~!** э́то твоё де́ло! || **a love** ~ любо́вная интри́га.
affect/ (ёфэ'кт) *va.* де́лать, с- впечатле́ние; (*influence*) влия́ть на; (*move*) тро́гать, тро́нуть; (*pretend*) притворя́ться, принима́ть, -ня́ть вид || **-ation** (ăфиктэй'шн) *a.* жема́нство, чо́порность *f.*; аффекта́ция; притво́рство || **-ed** *a.* (*ad.* **-edly**) жема́нный, чо́порный, притво́рный || **-edness** *s.* жема́нство || **-ing** *a.* тро́гательный, умили́тельный || **-ion** *s.* (*feeling*) благоскло́нность *f.*; расположе́ние (к); (*fondness*) любо́вь *f.*; не́жность *f.*; (*med.*) боле́знь *f.* || **to have an ~ for** люби́ть || **-ionate** *a.* не́жный, любя́щий || **-ioned** *a.* располо́женный.
affiance (ёфай'ёнс) *s.* (*trust*) дове́рие || ~ *va.* помо́лвить; сговори́ть; доверя́ть.
affidavit (ăфидэй'вит) *s.* (*jur.*) показа́ние под прися́гою.
affiliat/e (ăфи'лиэйт) *va.* (*adopt*) усыно-в-ля́ть, -и́ть; (*as member*) при-нима́ть, -ня́ть в чле́ны о́бщества || **-ion** (ăфилиэй'шн) *s.* усыновле́ние; приня́тие в чле́ны о́бщества.
affinity (ёфи'нити) *s.* родство́; (*resemblance*) схо́дство; (*chem.*) сродство́.
affirm/ (ёфё'рм) *va.* утвер-жда́ть, -ди́ть; подтвер-жда́ть, -ди́ть || ~ *vn.* об'яв-ля́ть, -и́ть под прися́гою || **-ation** (ăфёрмэй'шн) *s.* утвержде́ние, подтвержде́ние || **-ative** *a.* утверди́тельный || **in the ~** утверди́тельно.
affix (ă'фикс) *s.* приста́вка; доба́вка || ~ (ăфи'кс) *va.* при-ставля́ть, -ста́вить; прилага́ть, -ложи́ть; (*tie on*) при-крепля́ть, -крепи́ть. [ве́ние.
afflatus (ăфлэй'тёс) *s.* дунове́ние, вдохно-
afflict/ (ёфли'к-т) *va.* огор-ча́ть, -чи́ть || **-ion** (-шн) *s.* (*state*) печа́ль *f.*; (*distress*) несча́стие; (*infirmity*) боле́знь *f.*
affluen/ce (ă'флу-ёнс) *s.* (*abundance*) оби́лие; (*wealth*) дово́льство; зажи́точность *f.* || **-t** *a.* оби́льный; бога́тый, зажи́точный.
afflux (ă'флакс) *s.* прили́в, скопле́ние.
afford (ёфō'рд) *va.* (*spare*) быть в состоя́нии; (*supply*) до-ставля́ть, -ста́вить || **I cannot ~ to spend so much** я не в состоя́нии так мно́го расхо́довать.
afforest/ (ёфо'рист) *va.* зарости́ть ле́сом; облеси́ть || **-ation** (ăфористэй'шн) *s.* зараще́ние ле́сом; лесоразведе́ние.
affranchise (ёфрā'нчиз) *va.* освобожда́ть от по́дати.
affray (ёфрэй') *s.* схва́тка, дра́ка, раздо́р.
affright (ёфрай'т) *s.&va. cf.* **fright(en).**
affront (ёфра'нт) *s.* оби́да, оскорбле́ние || **to put up with an ~** проглота́ть оскорбле́ние || ~ *va.* оскорб-ля́ть, -и́ть.
affusion (ăфю'жён) *s.* влива́ние.
afield (ёфий'лд) *ad.* в по́ле, на по́ле || **far ~** далеко́.
afire (ёфай'ёр) *ad.* в огне́, горя́щий || **to set ~** заж-ига́ть, -е́чь.
aflame (ёфлэй'м) *ad.* в пла́мени, пыла́ющий.
afloat (ёфлōу'т) *ad.* по тече́нию воды́, на́ море, пла́вающий; на ходу́ || **to set ~** выводи́ть, вы́вести на глубину́ воды́ || **a rumour is ~** хо́дит слух.
afoot (ёфу'т) *ad.* пешко́м.
afore/named (ёфō'р-нэйнд), **-said** *a.* вышеупомя́нутый, вышеска́занный || **-thought** *a.* предумы́шленный.
afraid (ёфрэй'д) *a.* боязли́вый || **to be ~ of** боя́ться || **I am very much ~ that** я о́чень опаса́юсь, что . . .
afresh (ёфрэ'ш) *ad.* сно́ва, опя́ть, вновь.
aft (ăфт) *ad.* сза́ди; (*mar.*) с кормы́

after/ (ā'фтэр) *ad.* пόсле || **shortly ~** спустя́ нéсколько врéмени; вскόре пόсле э́того || **the day ~** на слéдующий день; на другόй день || **~** *prp.* за; касáтельно, о, об; по; пόсле (+ *gen.*) || **~ death** по смéрти, пόсле смéрти || **~ all** в концé концόв || **day ~ day** день зá день; изо дня́ в день || **one ~ the other** друг за дру́гом || **he was named ~ his father** ему́ дáли и́мя егό отцá || **~ this manner** таки́м όбразом || **~** *a.* слéдующий, бу́дущий || **~-crop** *s.* втори́чная жáтва, подрόст || **~-dinner** *a.* послеобéденный || **~-glow** *s.* вечéрняя заря́ || **~-growth, –math** (-мäþ) *s.* вторόй сенокόс, подрόст || **–most** *a.* сáмый послéдний || **–noon** *s.* послеобéденное врéмя || **in the ~** пополу́дни || **this ~** сегόдня пόсле обéда || **–thought** *s.* размышлéние || **~-times** *spl.* бу́дущие временá || **–wards** *ad.* пόсле, впослéдствии; пόсле тогό.

again (ёгэ'н, ёгэй'н) *ad.* опя́ть, снόва, ещё раз; крόме тогό || **~ and ~, time and ~** мнόго раз, чáсто || **as much ~** ещё стόлько же || **once ~, over ~** снόва, ещё раз.

against (ёгэ'нст) *prp.* (*opposed*) прόтив; (*in provision for*) про || **~ the end of the week** к концу́ недéли || **~ a rainy day** про чёрный день || **~ the wall** у стены́, на стенé.

agape (ёгэй'п) *ad.* рази́ня рот.

agate (ä'гēт) *s.* агáт.

agave (ёгэй'ви) *s.* агáва.

age/ (эйдж) *s.* вόзраст; (*period*) век; (*old age*) стáрость *f.* || **of ~** совершеннолéтний || **of great ~** преклόнных лет || **under ~** несовершеннолéтний || **middle –s** срéдний век || **to come of ~** дост-игáть, и́гнуть совершеннолéтия || **it is an ~ since** кáжется век что не . . . || **~** *vn.* старéть, по- || **–d** (эй'джид) *a.* стáрый, пожилόй || **~** (эйджд) **forty** сорокá лет.

agen/cy (эй'джён-си) *s.* (*effect*) дéйствие; (*means*) посрéдство; (*comm.*) агéнтство, агенту́ра || **by the ~ of** посрéдством *gen.* || **–da** (äджэ'ндё) *spl.* записнáя кни́жка || **–t** *s.* агéнт.

agglomerat/e (ёгло'мёрэйт) *va.* соб-ирáть, -рáть; накоп-ля́ть, -и́ть; ску́ч-ивать, -ить || **–ion** (äгломёрэй'шн) *s.* накоплéние, агломерáция.

agglutinate (ёглӯ'тинэйт) *va.* скл-éивать, -éить; (*gramm.*) присоедин-я́ть, -и́ть.

aggrandize/ (ä'грäндайз) *va.* увел-и́чивать, -и́чить; возвели́ч-ивать, -ить || **–ment** *s.* увели́чение, возвели́чение.

aggravat/e (ä'грёвэйт) *va.* отяго-щáть, -ти́ть; (*increase*) увели́ч-ивать, -ить; (*to vex*) раздраж-áть, -и́ть; до-саждáть, са-ди́ть || **–ing** *a.* увели́чивающий вину́, отягощáющий; (*vexatious*) раздражáющий; досади́тельный || **–ion** (äгрёвэй'шн) *s.* отягощéние; увели́чение; досáда, раздражéние.

aggregat/e (ä'григэт) *s.* совоку́пность *f.*; итόг; (*chem.*) агрегáт; (*math.*) су́мма || **in the ~** вообщé || **~** (ä'григэйт) *va* соедин-я́ть, -и́ть; при-нимáть, -ня́ть в όбщество || **–ion** (äгригэй'шн) *s.* собрáние, соединéние, агрегáция.

aggress/ion (äгрэ'-шн) *s.* нападéние || **–ive** (-сив) *a.* наступáтельный, враждéбный || **–iveness** *s.* задόрность *f.*; приди́рчивость *f.* || **–or** (-сёр) *s.* зачи́нщик, зади́рщик.

aggrieve (ёгрий'в) *va.* огорч-áть, -и́ть.

aghast (ёгā'ст) *a.* поражённый, приведённый в у́жас.

agil/e (ä'джил) *a.* провόрный, ги́бкий, лόвкий || **–ity** (ёджи'лити) *s.* лόвкость *f.*; провόрство.

agio/ (ä'джи-ōу) *s.* áжио; рáзница в валю́те; надбáвка || **–tage** (-ётидж) *s.* ажиотáж.

agitat/e (ä'джитэйт) *va.* приводи́ть в движéние; колебáть; агити́ровать, волновáть, вз- || **–ion** (äджитэй'шн) *s.* агитáция; (*commotion*) волнéние || **–or** *s.* агитáтор.

aglow (ёглōу') *ad.* горя́чий, жáркий.

agnail (ä'гнэйл) *s.* ногтоéда, заусéница.

agnate (ä'гнэйт) *s.* срόдник по отцу́, рόдственник со стороны́ отцá.

agnomen (äгнō'умён) *s.* прόзвище.

ago (ёгōу') *ad.* тому́ назáд || **awhile ~, some time ~** нéсколько врéмени тому́ назáд || **long ~** давнό || **many years ~** мнόго лет тому́ назáд.

agog (ёгō'г) *ad.* в возбуждённом состоя́нии.

agon/ize (ä'гён-айз) *va&n.* му́чить, му́читься; страдáть || **–y** *s.* агόния; отчáянная (предсмéртная) борьбá, страдáние.

agrarian (ёгрā'риён) *a.* поземéльный, агрáрный.

agree/ (ёгрий') *vn.* согла-шáться, -си́ться; сходи́ться, сойти́сь; жить соглáсно || **that dish does not ~ with me** э́того ку́шанья мой желу́док не переносит || **–ability** (-ёби'лити) *s.* прия́тность *f.* || **–able** *a.* соотвéтственный, соглáсный; (*pleasant*) прия́тный || **–d** *ad.* пусть так! соглáсен! || **–ment** *s.* схόдство; (*accord*) гармόния; (*consent*) соглáсие; (*contract*) контрáкт, дόговор || **to come to an ~** договори́ться || **by mutual ~** по взаи́мному соглашéнию.

agricultur/al (ӑгрика'лчёр-ёл) *a.* земледе́льческий || **–ist** *s.* земледе́лец, агроно́м || **–e** (–) *s.* агрикульту́ра, земледе́лие.
agrimony (ӑ'гримёни) *s.* (*bot.*) репе́йник.
agronomy (ёгро'номи) *s.* агроно́мия, нау́ка о земледе́лии.
aground (ёграу'нд) *ad.* на мели́ || **to run ~** стать на́ мель; (*fig.*) не име́ть успе́ха.
agu/e (э̄й'гю) *s.* перемежа́ющаяся лихора́дка || **–ish** *a.* лихора́дочный.
ah! (ā) *int.* ах! ох! || **~ me!** беда́ мне!
aha! (ахā') *int.* ага́!
ahead (ёхэ'д) *ad.* впереди́, вперёд || **right ~** пря́мо вперёд || **go ~!** вперёд!
ahem! (ахэ'м) *int.* гм!
aid (э̄йд) *s.* по́мощь *f.* || **~** *va.* по-мога́ть, -мо́чь || **to ~ and abet** соде́йствовать кому́.
aide-de-camp (э̄й'дёко'нг) *s.* адъюта́нт.
aider (э̄й'дёр) *s.* помо́щник || **~ and abettor** сообщник в преступле́нии.
aigrette (э̄й'грэт) *s.* плюма́ж, султа́н; украше́ние из пе́рьев.
ail/ (э̄йл) *va.* боле́ть, беспоко́ить || **~** *vn.* боле́ть, быть нездоро́вым || **what –s you?** что с Ва́ми? || **what –s him?** что у него́ боли́т? || **–ing** *s.* нездоро́вый, больно́й, неду́жный || **–ment** *s.* не́дуг, боле́знь *f.*
aim/ (э̄йм) *s.* цель *f.*; (*object*) цель *f.*; наме́рение || **to take ~ at** прице́ливаться в || **to miss one's ~** промахну́ться || **~** *va.&n.* прице́л-иваться, -иться; (*have in view*) намерева́ться; име́ть це́лью || **–less** *a.* бесце́льный.
ain't (э̄йнт) (*vulg.*) = **am not, is not, are not, have not, has not.**
air/ (āр) *s.* (*atmosphere*) во́здух; ве́тер; (*appearance*) вид, нару́жность *f.*; (*mus.*) пе́сня || **–s** мане́ры; ва́жничанье || **to take the ~** прогуля́ться || **to give oneself –s** ва́жничать, за- || **to build castles in the ~** мечта́ть || **castles in the ~** возду́шные за́мки || **in the open ~** под откры́тым не́бом || **~** *va.* (*ventilate*) прове́тр-ивать, -ить; (*clothes*) класть, положи́т пе́ред огнём; суши́ть у огня́; (*an opinion*) выдава́ть, вы́дать себя́ || **~-gun** *s.* духово́е ружьё || **–ily** *ad.* легко́, ве́село || **–iness** *s.* возду́шность *f.*; жи́вость *f.*; развя́зность *f.* || **–ing** *s.* (*exposure*) прове́тривание; (*walk, ride, etc.*) прогу́лка || **–less** *a.* безвозду́шный || **–man** *s.* аэрона́вт || **–pump** *s.* возду́шный насо́с || **–ship** *s.* дирижа́бль *m.* || **–tight** *a.* гермети́ческий || **–y** *a.* возду́шный; возвы́шенный; (*empty*) неоснова́тельный; (*thoughtless*) беззабо́тный; (*nonchalant*) развя́зный.
aisle (айл) *s.* крыло́, боково́й приде́л хра́ма.
aitch (э̄йч) бу́ква «H» англи́йского алфави́та.
ajar (ёджā'р) *ad.* полуотво́ренный, приоткры́тый.
[боче́нясь.
akimbo (ёки'мбоу) *ad.*, **with arms ~** под-
akin (ёки'н) *a.&ad.* родно́й; (*similar*) схо́дный, сро́дный.
alabaster (ӑ'лёбā'стёр) *s.* алеба́стр.
alacrity (ёлӑ'крити) *s.* (*eagerness*) весёлая гото́вность *f.*; (*vivacity*) жи́вость *f.*
alarm/ (ёлā'рм) *s.* (*warning*) трево́га; (*terror*) страх, беспоко́йство; (*clock*) буди́льник; буди́льные часы́ *mpl.*; (*mil.*) трево́га || **to give the ~** бить наба́т || **to sound the ~** бить трево́гу || **to take ~** испуга́ться; встрево́житься || **~** *va.* (*warn*) де́лать трево́гу; трево́жить; (*frighten*) пуга́ть, ис-; (*disturb*) беспоко́ить || **~-bell** *s.* наба́тный ко́локол || **~-clock** *s. cf.* **alarm** || **~-gun** *s.* вестова́я пу́шка || **–ing** *a.* трево́жный || **–ist** *s.* распространи́тель трево́жных слухо́в.
alarum (ёлӑ'рём) *s.* трево́га; трево́жный сигна́л; буди́льник.
alas! (ёлā'с) *int.* увы́!
alb (ӑлб) *s.* стиха́рь *m.*
albatross (ӑ'лбётрос) *s.* альбатро́с.
albeit (о̄лби̇й'ит) *conj.* хотя́.
albino (ӑлбий'ноу) *s.* альбино́с, альбино́ска; какерла́к.
albugineous (ӑлбюджи'ниёс) *a.* бело́чный.
album (ӑ'лбём) *s.* альбо́м.
album/en (ӑлбю̄'мён) *s.* белкови́на || **–inous** (-ёс) *a.* белко́вый.
alcaic (ӑлкэ̄й'ик) *a.* алкаи́ческий.
alchem/ist (ӑлким-ист) *s.* алхи́мик || **–y** *s.* алхи́мия.
alcohol/ (ӑ'лкохол) *s.* алкого́ль *m.* || **–ic** (ӑлкохо'лик) *a.* алкоголи́ческий || **–ism** *s.* алкоголи́зм.
alcove (ӑ'лко̄ув) *s.* альков, ни́ша.
alder (о̄'лдёр) *s.* о́льха.
alderman (о̄'лдёрмӑн) *s.* альдерма́н, член городско́го управле́ния; старшина́.
ale (э̄йл) *s.* эль *m.*, све́тлое пи́во.
alee (ёлий') *ad.* под ве́тром.
ale-house (э̄й'л-хаус) *s.* пивна́я, каба́к.
alembic (ёлэ'мбик) *s.* але́мбик.
alert/ (ёлё'рт) *a.* бди́тельный; (*nimble*) прово́рный || **on the ~** на чеку́ || **–ness** *s.* бди́тельность *f.*; прово́рство.
algebra/ (ӑ'лджибрё) *s.* а́лгебра || **–ic(al)** (ӑлджибрэ̄й'икёл) *a.* алгебраи́ческий || **–ist** (ӑ'лджибрэйист) *s.* алгебраи́ст.
alias (э̄й'лиёс) *s.* (*jur.*) и́наче называ́емый; вы́мышленное и́мя || **~** *ad.* и́наче || **A. ~ P. A.** он же П.

alibi (ä'либай) *s.* присутствие в другóм мéсте || **to establish an ~** доказáть алйби || **the accused could prove an ~** обвинённый доказáл, что он в то врéмя находился в другóм мéсте.

alien/ (эй'лиён) *s.* чужестрáнец || **~** *a.* чужóй, инозéмный; (*fig.*) протйвный || **-able** *a.* отчуждáемый || **-ate** (-эйт) *va.* отчуж-дáть, -дйть || **-ation** *s.* отчуждéние || **~ of mind** умопомешáтельство, безýмие.

alight (ёлай'т) *a.* зажжённый || **to be ~** горéть || **~** *vn.* (*descend*) слезáть, слезть с || сходйть, сойтй с; (*settle*) спускáться, спустйться.

align/ (ёлай'н) *va.* вырáвнивать, выровнять || **-ment** *s.* вырáвнивание || (*of a way*) начертáние.

alike (ёлай'к) *a.* схóдный, одинáкий || **~** *ad.* схóдно, одинáково.

aliment/ (ä'лимэнт) *s.* пища || **-ary** (ä лимэ'нтëри) *a.* питáтельный || **~ duct, ~ canal** пищеприёмный канáл || **-ation** (äлимëнтэй'шн) *s.* питáние, кормлéние.

alimony (ä'лимëни) *s.* закóнная часть, выдáемая мýжем на содержáние жены при развóде.

aliquot (ä'ликуот) *a.* аликвóтный || **~ part** дробь *f.*

alive (ёлай'в) *a.* живóй; (*living*) в живых; (*lively*) бóдрый, весёлый; (*cognisant*) чувствйтельный, сочýвственный || **look ~!** не копáйся || **no man ~** никтó || **to be ~ to** сознавáть || **to be ~ with** кипéть; кишéть.

alkali/ (ä'лкëл-и) *s.* алкáли || **-ne** (-айн) *a.* алкалйческий, щёлочный || **-oid** (-ойд) *s.* алкалóид.

all (ōл) *s.* всё || **above ~, before ~** прéжде всегó, бóлее всех || **after ~** в концé концóв || **when ~ is said and done** вообщé, сóбственно говоря || **~'s well that ends well** «конéц дéлу венéц» || **~** *a.* весь, все, всякий || **for ~ the world** действйтельно || **at ~ events** во всякои слýчае || **on ~ fours** на четверéньках || **~ the year round** крýглый год || **with ~ my heart** от всегó сéрдца || **~ sorts of** всякий, рáзный || **once for ~** раз навсегдá || **~** *ad.* **at ~, not at ~** вóвсе нет || **~ at once, ~ of a sudden** вдруг || **~ but** почтй, чуть-чуть не || **~ right** хорошó, лáдно || **~ the better** тем лýчше || **~ the more** тем бóлее || **~ the same** всё равнó || **it is ~ up with me** мне конéц, со мнóю кóнчено || **~-Fools'-day** *s.* пéрвое апрéля || **~-Hallows** (-хäлоуз) *s.* прáздник всех святых || **~-powerful** *a.* всемогýщий || **~-saints'-day** *s.* прáздник всех святых || **~-souls'-day** *s.* день всех усóпших; помйнки *fpl.*

allay (ёлэй') *va.* утихомйрить; успокóить; облег-чáть, -чйть.

alleg/ation (äлигэй'шн) *s.* утверждéние || **-e** (ёлэ'дж) *vn.* докáзывать, доказáть; утверждáть || **-ed** (ёлэ'джд) *a.* выдающий себя за || **-iance** (ёлий'джëнс) *s.* верноподдáнство; вéрность *f.* || **oath of ~** присяга на пóдданство.

allegor/ic(al) (äлиго'рикёл) *a.* аллегорйческий || **-ist** (ä'лигорист) *s.* аллегорйст || **-y** (ä'лигори) *s.* аллегóрия.

alleviat/e (ёлий'виэйт) *va.* облег-чáть, -чйть || **-ion** (ëлийвиэй'шн) *s.* облегчéние.

alley (ä'ли) *s.* переýлок, прохóд || **blind ~** тупйк.

alliance (ёлай'ëнс) *s.* союз, лйга || **to form an ~, to enter into an ~** за-ключáть, -ключйть союз || **offensive and defensive ~** наступáтельный и оборонйтельный союз.

alligator (ä'лигэйтëр) *s.* каймáн, аллигáтор.

alliterat/e (äли'тëрэйт) *vn.* аллитерйровать || **-ion** (äлитëрэй'шн) *s.* аллитерáция.

allocat/e (ä'локэйт) *va.* распредел-ять, -йть; на-значáть, -знáчить || **-ion** (äлокэй'шн) *s.* назначéние.

allocution (äлокю'шн) *s.* речь *f.*, обращéние.

allodium (ëлоу'диëм) *s.* аллóд; помéстье, свобóдное от лéнных повйнностей.

allopath/ic (äлопä'фик) *a.* аллопатйческий || **-ist** (äло'пëфист) *s.* аллопáт || **-y** (äло'пëфи) *s.* аллопáтия.

allot/ (ёло'т) *va.* распредел-ять, -йть; определ-ять, -йть || **-ment** *s.* (*of land*) надéл; часть *f.* || **on ~** (*comm.*) при раздéле.

allotropy (äло'тропи) *s.* аллотрóпия.

allow/ (ёлау') *va.* (*concede*) давáть, дать; (*permit*) поз-волять, -вóлить; доз-волять, -вóлить; (*admit*) приз-навáть, -нáть || **to ~ for** при-нимáть, -нять в уважéние: стáвить, по- на счёт || **-able** *a.* позволйтельный || **-ance** *s.* (*permission*) дозволéние; (*deduction*) скйдка; сбáвка цены; (*sum granted*) пéнсия, жáлованье || **to make -s for** не взыскивать, взыскáть с когó за что || **to make ~ for** при-нимáть, -нять в уважéние || **to put upon ~** посадйть на диéту.

alloy (ëлой') *s.* лигатýра; прймесь *f.*; сплав || **~** *va.* смéшивать, смешáть; легировáть.

allspice (ō'лспайс) *s.* ямáйский пéрец.

allude (äлю'д) *vn.* намек-áть, -нýть; ссылáться, сослáться на.

allure/ (äлю'р) *va.* при-влекáть, -влéчь; заманивать, -манйть || **-ment** *s.* примáнка.

alluring (ăлю'рииг) *a.* привлека́тельный; зама́нчивый.
allus/ion (ăлю'жн) *s.* намёк || **to make an ~ to** намек-а́ть, -ну́ть || **–ive** (ăлю'сив) *a.* намека́ющий.
alluv/ial (ăлю'в-иёл) *a.* нано́сный, намывно́й || **–ium** *s.* нано́с; примо́ина; приса́дина.
ally (ёлай') *s.* (*pl.* **allies**) сою́зник || **~** *va.*, **to ~ o.s.** соедин-я́ться, -и́ться || **allied to** схо́дный, сро́дный (с).
almanac (ōл'мёнăк) *s.* календа́рь *m.*; альмана́х.
almight/iness (ōлмай'т-инэс) *s.* всемогу́щество || **–y** *a.* всемогу́щий || **~** *ad.* (*fam.*) о́чень.
almond (ā'мёнд) *s.* минда́лина; *pl.* минда́ль *m.*
almoner (ă'лмёнёр) *s.* раздава́тель ми́лостыни.
almost (ō'лмоуст) *ad.* почти́, чуть не.
alms/ (ā'мз) *spl.* ми́лостыня, подая́ние || **~-house** *s.* богаде́льня.
aloe (ă'лоу) *s.* ало́э, ало́й *m.*; сабу́р.
aloft (ёло'фт) *ad.* наверху́; в во́здухе.
alone (ёлōу'н) *ad.* оди́н, одино́кий; еди́нственный || **to let ~** оста́вить в поко́е; не тро́-гать, -нуть || **let ~** не говоря́ . . . || **all ~** оди́н || **not ~, but also** не то́лько, но и.
along/ (ёло'нг) *ad.* вперёд; вме́сте || **come ~!** идёмте! || **all ~** снача́ла до конца́ || **~** *prp.* вдоль || **~ with** с || **~-side** *ad.* борт с бо́ртом || **~ of** бок-о́-бок.
aloof/ (ёлӯ'ф) *ad.* в отдале́нии || **to stand, to keep, to hold ~** не вме́шиваться, вмеша́ться || **–ness** *s.* безуча́стность *f.*
aloud (ёлау'д) *ad.* вслух, гро́мко.
alpaca (ăлпă'кё) *s.* альпага́ || **~-silver** альфени́д.
alpenstock (ă'лпёнсток) *s.* го́рная па́лка.
alphabet/ (ă'лфёбэт) *s.* а́збука, алфави́т || **–ical** (ăлфёбэ'тикёл) *a.* а́збучный, алфави́тный.
alpin/e (ă'лпайн) *a.* альпи́йский || **–ist** (ă'лпинист) *s.* иссле́дователь А́льп.
already (ō'лрэ'ди) *ad.* уже́.
also (ō'лсоу) *ad.* та́кже, то́же; прито́м.
altar/ (ō'лтёр) *s.* престо́л, алта́рь *m.* || **to lead to the ~** жени́ться; вести́ под вене́ц || **high ~** гла́вный алта́рь || **~-cloth** *s.* напресто́льная пелена́, антими́нс || **~-piece** *s.* запресто́льный о́браз.
alter/ (ō'лтёр) *va.&n.* изме-ня́ть (-ся), -ни́ть (-ся); перемен-я́ть (-ся), -и́ть (-ся) || **-able** *a.* изменя́емый || **–ation** (-эй'шн) *s.* измене́ние, переме́на || **–cate** (-кэйт) *vn.* спо́рить, ссо́риться || **–cation** (-кэй'шн) *s.* пре́ние, спор, ссо́ра || **–nate** (олтё'рнёт) *a.* поочерёдный, обою́дный || **~** (ō'лтёрнэйт) *vn.* чередова́ться; пере-межа́ться, -межи́ться || **–native** (олтё'рнётив) *s.* альтернати́ва; вы́бор (ме́жду двумя́ предме́тами); одно́ из двух || **to have no ~** не мочь выбира́ть || **~** *a.* попереме́нный.
although (ōлðōу') *conj.* хотя́; несмотря́ на то что; е́сли и.
alt/itude (ă'лтитюд) *s.* высота́, вышина́; (*fig.*) верши́на || **–o** (ă'лтоу) *s.* альт.
altogether (ōлтугэ'ðёр) *ad.* (*on the whole*) оконча́тельно, вообще́; (*entirely*) совсе́м, соверше́нно.
altru/ism (ă'лтру-изм) *s.* бескоры́стие, альтруи́зм || **–ist** *s.* альтруи́ст || **–istic** *a.* бескоры́стный, альтруисти́ческий.
alum/ (ă'лём) *s.* квасцы́ *mpl.* || **–inium** (ăлуми'ниём) *s.* алюми́ний *m.*
always (ō'луэйз, ō'луёз) *ad.* всегда́.
am (ăм) *vn. cf.* **be** || **I ~** я . . .; **I ~ to** я до́лжен.
amain (ёмэй'н) *ad.* все́ми си́лами.
amalgam/ (ёмă'лгём) *s.* амальга́ма, смесь *f.* || **–ate** (-эйт) *vn.* амальгами́ровать; соедин-я́ться, -и́ться || **–ation** (-эй'шн) *s.* амальгами́рование; соедине́ние.
amanuensis (ёмăню-э'нсис) *s.* секрета́рь *m.*; перепи́счик.
amaranth/ (ă'мёрăнþ) *s.* амара́нт || **–ine** (ăмёрă'нþин) *a.* амара́нтовый.
amass/ (ёмă'с) *va.* копи́ть, с-; со-бира́ть, -бра́ть || **–ing** *s.* скопле́ние, накопле́ние.
amateur/ (ă'мётю̄р) *s.* люби́тель *m.*; аматёр || **~-photographer** фото́граф-люби́тель || **–ish** (ăмётю̄'риш) *a.* не специа́льный, дилета́нтский.
amat/ive (ă'мёт-ив) *a.* влю́бчивый || **–ory** *a.* любо́вный, эроти́ческий.
amaz/e (ёмэй'з) *va.* (*astound*) изум-ля́ть, -и́ть; удив-ля́ть, -и́ть; (*bewilder* запу́т-ывать, -ать || **to be –ed** удив-ля́ться, -и́ться || **–ement** *s.* удивле́ние, изумле́ние || **–ing** *a.* удиви́тельный, изуми́тельный.
amazon (ă'мёзон) *s.* амазо́нка.
ambassador (ăмбă'сёдёр) *s.* посо́л, посла́нник.
amber/ (ă'мбёр) *s.* янта́рь *m.*; а́мбра || **~** *a.* янта́рный || **–gris** (-грийс) *s.* се́рая а́мбра.
ambi/dexterity (ăмби-дэкстэ'рити) *s.* двору́чность *f.* || **–dextrous** (-дэ'кстрёс) *a.* владе́ющий одина́кого обе́ими рука́ми.
ambigu/ity (ăмбигю'ити) *s.* двусмы́сленность *f.* || **–ous** (ăмби'гюёс) *a.* двусмы́сленный, двоя́кий.
ambit (ă'мбит) *s.* окру́жность *f.*; об'ём.
ambiti/on (ăмби'ш-н) *s.* честолю́бие, властолю́бие; амби́ция, тщесла́вие || **–ous** *a.* честолюби́вый, властолюби́вый, тщесла́вный || **–ousness** *s.* честолю́бие, властолю́бие, тщесла́вие.

amble (ă'мбл) *s.* и́ноходь *f.* || ~ *vn.* ходи́ть и́ноходью; (*fig.*) неторопли́во дви́-гаться, -нуться.

ambros/ia (ăмбрō'зиё) *s.* амбро́зия || **-ial** (-л) *a.* благоуха́ющий амбро́зией; благоуха́нный.

ambulance (ă'мбюлĕнс) *s.* полево́й го́спиталь; лазаре́тная пово́зка; (*fam.*) ско́рая по́мощь.

ambulatory (ă'мбюлĕтори) *a.* перехо́дный.

ambuscade (ăмбĕскэ̄й'д) *s.* заса́да || ~ *va.* за-влека́ть, -вле́чь в заса́ду.

ambush (ă'мбуш) *s&va.* *cf.* **ambuscade.**

ameer (ăмий'р) *s.* эми́р.

ameliorat/e (ёмий'лиёр-эйт) *va&n.* у-лучша́ть, -лучши́ть || **-ion** (-э̄й'шн) *s.* улучше́ние.

amen (э̄й'мэ'н) *int.* ами́нь || **say ~ to** соглаша́ться, -гласи́ться на.

amenable (ёмий'нёбл) *a.* отве́тственный; досту́пный.

amend/ (ёмэ'нд) *va.* ис-правля́ть, -пра́вить; по-правля́ть, -пра́вить; (*change*) переде́-л-ывать, -ать; (*to better*) улучш-а́ть, -и́ть || **-ment** *s.* исправле́ние, попра́вка; переде́лка || **-s** *s.* вознагражде́ние || **to make ~ for** вознаграж-да́ть, -ди́ть.

amenity (ёмэ'нити) *s.* прия́тность *f.*; *pl.* ве́жливость *f.*; любе́зность *f.*

Americanism (ёмэ'рикĕнизм) *s.* американи́зм.

amethyst (ă'миѳист) *s.* амети́ст.

amiab/ility (э̄ймиёби'лити) *s.* любе́зность *f.*; прия́тность *f.* || **-le** (э̄й'миёбл) *a.* любе́зный, ми́лый, прия́тный.

amicable (ă'микĕбл) *a.* дру́жеский, прия́тельский; полюбо́вный.

amid(st) (ёми'дст) *prp&ad.* среди́, ме́жду.

amidships (ёми'дшипс) *ad.* в средине корабля́.

amir *cf.* **ameer.**

amiss (ёми'с) *a&ad.* ху́до, некста́ти, ду́рно сде́лано || **to take ~** оскорби́ться.

amity (ă'мити) *s.* дру́жба, согла́сие, хоро́шие отноше́ния *npl.*

ammoni/a (ёмō'ун-иё) *s.* аммониа́к || **-ac(al)** (-иакл) *a.* аммиа́ковый || **sal ~** наша́тырь *m.* || **-um** (-иём) *s.* аммо́ний *m.*

ammunition (ăмюни'шн) *s.* аммуни́ция, боевы́е запа́сы || **~-bread** *s.* солда́тский хлеб.

amnesty (ă'мнэсти) *s.* амни́стия || **general ~** всепроще́ние || ~ *va.* ми́ловать, по-.

among(st) (ёма'нгст) *prp.* ме́жду, посреди́.

amorous/ (ă'мёрёс) *a.* влюблённый, влю́бчивый || **-ness** *s.* любо́вь *f.*; влю́бчивость *f.*

amorphous (ăмō'рфёс) *a.* амо́рфный, некристалли́ческий.

amortis/ation (ёмōртизэ̄й'шн) *s.* амортиза́ция || **-e** (ёмō'ртиз) *va.* амортизи́ровать.

amount/ (ёмау'нт) *s.* ито́г, су́мма; счёт || ~ *vn.* простира́ться, доходи́ть (до) || **that -s to the same thing** э́то одно́ и то же.

amour (ёмӯ'р) *s.* любо́вная интри́га; *pl.* аму́ры *mpl.*

ampere (ăмпă'р) *s.* ампе́р.

amphi/bian (ăмфи'биён) *s.* амфи́бия || **-bious** (ăмфи'биёс) *a.* земново́дный || **-theatre** (ăмфиѳий'ётёр) *s.* амфитеа́тр.

amphora (ă'мфорё) *s.* амфо́ра.

ampl/e (ă'мпл) *a.* обши́рный; (*in abundance*) оби́льный; (*enough*) доста́точный || **-eness** *s.* полнота́; обши́рность *f.*; доста́точность *f.* || **-ification** (ăмплификэ̄й'шн) *s.* распростране́ние; преувеличе́ние; многоре́чие, многосло́вие || **-ify** (-ифай) *va.* рас-ширя́ть, -ши́рить; преувели́ч-ивать, -ить || **-itude** (-итюд) *s.* широта́; обши́рность *f.*; полнота́; (*astr.*) амплиту́да.

ampulla (ăмпа'лё) *s.* ампу́лла.

amputat/e (ă'мпютэйт) *va.* ампути́ровать || **-ion** (ăмпютэ̄й'шн) *s.* ампута́ция.

amuck (ёма'к), **to run ~** бежа́ть в бе́шеном состоя́нии поража́я всех попада́ющихся на пути́.

amulet (ă'мюлэт) *s.* амуле́т, ла́данка, талисма́н.

amus/e (ёмю̄'з) *va.* забавля́ть; увесел-я́ть, -и́ть; по-теша́ть, -те́шить; весели́ть || **-ement** *s.* заба́ва, увеселе́ние || **-ing** *a.* заба́вный.

an (ăн, ён) *art. cf.* **a.**

anabaptist (ăнёбă'птист) *s.* анабапти́ст, перекре́щенец.

anachronism (ёнă'кронизм) *s.* анахрони́зм.

anaconda (ăнёко'ндё) *s.* анако́нда.

anæm/ia (ăний'м-иё) *s.* анеми́я, малокро́вие || **-ic** *a.* анеми́чный, анеми́ческий, малокро́вный.

anæsthetic (ăнисѳэ'тик) *s.* анестезиру́ющее сре́дство.

anagram (ă'нёгрăм) *s.* анагра́мма.

analog/ical (ăнёло'джикĕл) *a.* аналоги́ческий || **-ous** (ёнă'логёс) *a.* схо́дный, аналоги́чный || **-y** (ёнă'лоджи) *s.* анало́гия.

analys/e (ă'нёл-айз) *va.* анализи́ровать; иссле́д-ывать, -овать || **-is** (ёнă'лисис) *s.* ана́лиз || **-ist** *s.* анали́тик.

analytic(al) (ăнёли'тикĕл) *a.* аналити́ческий.

anapæst (ă'нёпэст) *s.* анапе́ст.

anarch/ic(al) (ăнă'ркикĕл) *a.* анархи́ческий || **-ist** (ă'нёркист) *s.* анархи́ст || **-y** (ă'нёрки) *s.* ана́рхия, безуря́дица.

anathema/ (ёнă'ѳимё) *s.* ана́фема, церко́вное прокля́тие || **-tize** *va.* пере-дава́ть, -да́ть ана́феме.

anatom/ic(al) (ăнёто'микĕл) *a.* анатоми́ческий || **-ist** (ёнă'томист) *s.* анато́м || **-y** (ёнă'томи) *s.* анато́мия.

ancest/or (ä'нсистёр) *s.* родоначáльник, прéдок, прародитель *m.* || **–ral** (ёнсэ'стрёл) *a.* прародительский || **–ress** (ä'нсистрэс) прабáбка, прародительница || **–ry** (ä'нсистри) *s.* прéдки *mpl.*

anchor/ (ä'нгкёр) *s.* якорь *m.* || **at ~** на якоре || **to cast ~** брóсить, спускáть якорь || **to weigh ~** под-ымáть, -нять якорь || **to ride at ~** стоять на якоре || **~** *va.* постáвить на якорь; (*fig.*) утвер-ждáть, -дить || **–age** *s.* якорное мéсто, якорная стоянка.

anchor/et (ä'нгкёр-эт), **–ite** *s.* анахорéт, пустынножитель *m.*; пустынник, отшéльник.

anchoring (ä'нгкёрпнг) *s.* якорное мéсто.

anchovy (äнчōу'ви) *s.* анчóус.

ancient (эй'ншёнт) *s.*, **the Ancient of Days** Бог, Предвéчный || **the ancients** жители дрéвнего мира || **~** *a.* дрéвний, вéтхий; (*old*) старинный, античный; (*former*) бывший, прéжний.

ancipital (äнси'питёл) *a.* обоюдоóстрый.

and (äнд, ёнд, ён) *conj.* и, а, с || **better ~ better** всё лучше и лучше || **by ~ by** сейчáс || **by little ~ little** мáло по мáлу || **now ~ then** иногдá || **two ~ two** попáрно.

andiron (ä'ндайёрн) *s.* тагáн.

androphagous (äндро'фёгёс) *a.* прéданный людоéдству.

anecdote (ä'нигдоут) *s.* анекдóт, расскáз.

anemometer (äнимо'митёр) *s.* анемомéтр; измеритель ветрá.

anemone (äнимōу'ни) *s.* анемóн.

anent (ёнэ'нт) *prp.* касáтельно, относительно.

aneroid (ä'нёройд) *a.&s.* анерóид, анерóидный барóметр.

anew (ёню') *ad.* снóва, вновь.

angel/ (эй'нджёл) *s.* áнгел || **–ic(al)** (äнджэ'ликёл) *a.* áнгельский || **–us** (ä'нджилёс) *s.* (*eccl.*) молитва к Пресв. Богорóдице; áнгельский привéт.

anger (ä'нг-гёр) *s.* гнев, сéрдце || **~** *va.* сердить, рас-; раздраж-áть, -ить.

angle/ (ä'нгл) *s.* (*geom.*) ýгол; (*for fishing*) ýдочка || **~** *va.* ýдить, ýживать || **–r** *s.* удильщик.

angling/ (ä'нглинг) *s.* ужéние || **~-rod** *s.* прут; удилище.

angry (ä'нгри) *a.* (**angrily** *ad.*) сердитый, гнéвный; (*med.*) воспалённый || **to get ~** сердиться, рас-.

anguish (ä'нггуиш) *s.* боль *f.*; мучéние, страдáние || **~ of mind** сердéчное мучéние.

angular/ (ä'нггюл-ёр) *a.* угловáтый; (*of persons*) худóй || **–ity** (-ä'рити) *s.* угловáтость *f.*

anhydrous (äнхай'дрёс) *a.* безвóдный.

aniline (ä'нилайн) *s.* анилин || **~** *a.* анилиновый.

animadver/sion (äнимёдвё'р-шн) *s.* порицáние, осуждéние || **–t** *vn.* (*to blame*) порицáть, осу-ждáть, -дить.

animal/ (ä'нимёл) *s.* живóтное, скотина; (*wild*) зверь *m.* || **~** *a.* живóтный, скóтский || **~ kingdom** цáрство живóтных || **~ spirits** *spl.* живость *f.* || **–cule** (äнимä'лкюл) *s.* микроскопическое живóтное || **–ism** *s.* живóтность *f.*; анимализм || **–ize** *va.* превра-щáть, -тить в живóтное.

animat/e (ä'нимёт) *a.* живóй, одушевлённый || **~ nature** живóтный мир || **~** (ä'нимэйт) *va.* (*give life to*) ожив-лять, -ить; одушев-лять, -ить; (*stir up*) ободр-ять, -ить; развесел-ять, -ить || **–ing** (ä'нимэйтинг) *a.* оживляющий, одушевляющий || **–ion** (äнимэй'шн) *s.* оживлéние; (*liveliness*) живость *f.*

animosity (äнимо'сити) *s.* враждá, враждéбность *f.*; злóба.

aniseed (ä'нисийд) *s.* анис.

ankle (ä'нгкл) *s.* щиколка, лодыжка ноги.

annal/ist (ä'нёл-ист) *s.* летописец, бытописáтель *m.* || **–s** *spl.* лéтописи *fpl.*; аннáлы.

anneal (ённй'л) *va.* обж-игáть, -ечь; отжигáть; прокáливать, нагревáть.

annex/ (ёнэ'кс) *va.* (*unite*) присоедин-ять, -ить; (*seize*) при-свóивать, -свóить себé; (*append*) при-лагáть, -ложить; (*add*) прибавлять, -бáвить || **–ation** (äнэксэй'шн) *s.* присвоéние || **–e** (–) *s.* прибавлéние; принадлéжность *f.*; (*building*) пристрóйка.

annihilat/e (ёнай'хилэйт) *va.* унич-тожáть, -тóжить; истре-блять, -бить || **–ion** (ёнайхилэй'шн) *s.* уничтожéние, истреблéние.

anniversary (äнивё'рсёри) *s.* годовщина, годовóй прáздник, годовáя панихида || **~ of one's birth** день рождéния.

annotat/e (ä'нотэйт) *va.* от-мечáть, -мéтить; дéлать отмéтки || **–ion** (äнотэй'шн) *s.* отмéтка, толковáние || **–or** *s.* дéлающий отмéтки, толковáтель *m.*

announce/ (ёнау'нс) *va.* об'яв-лять, -ить; (*make known*) давáть, дать знать; (*in newspapers*) публиковáть; (*persons*) доклáдывать, -ложить о приéзде *или* прихóде || **–ment** *s.* (*act*) об'явлéние; возвещéние; (*notice*) извещéние; (*news*) нóвость *f.*

annoy/ (ёнoй') *va.* (*worry*) доса-ждáть, -дить; (*disquiet*) беспокóить, о-; (*anger*) сердить, рас- || **–ance** *s.* досáда, неприя́тность *f.* ‖ **-ing** *a.* беспоко́ющий, ску́чный.

annual/ (ä'нюёл) *s.* ежего́дник; (*bot.*) одноле́тнее расте́ние ‖ ~ *a.* годи́чный, годово́й; (*recurring yearly*) ежего́дный ‖ **-ly** *ad.* ежего́дно. [ре́нта, аннюите́т.

annuity (äню'ити) *s.* ежего́дный дохо́д,

annul (ёна'л) *va.* отмен-я́ть, -и́ть; уничт-ожа́ть, -о́жить.

annular (ä'нюлёр) *a.* кольцеобра́зный.

annulment (ёна'лмёнт) *s.* отме́на, уничтоже́ние. [веще́ние.

Annunciation (ёнанси-э́й'шн) *s.* Благо-

anode (ä'ноуд) *s.* ано́д. [сре́дство.

anodyne (ä'подайн) *s.* боле-утоля́ющее

anoint/ (ёной'нт) *va.* ма́зать, пома́з-ывать, -ать ‖ **-ing, -ment** *s.* (*eccl.*) пома́зание.

anomal/ous (äно'мёл-ёс) *a.* анома́льный, непра́вильный ‖ **-y** *s.* анома́лия, уклоне́ние от пра́вила.

anon (ёно'н) *ad.* то́тчас, вдруг ‖ **ever and ~** помину́тно, то и де́ло.

anonymous (äно'нимёс) *a.* анони́мный, безымённый.

another (ёна'ðёр) (*different*) друго́й; (*one more*) ещё оди́н ‖ **one ~** друг дру́га ‖ **one after ~** сря́ду.

answer/ (ä'нсёр) *s.* отве́т; (*solution*) реше́ние ‖ ~ *va&n.* (*reply to*) от-веча́ть, -ве́тить; (*be suitable for*) соотве́тствовать, годи́ться; удовлетвор-я́ть, -и́ть ‖ **to ~ for** от-веча́ть, -ве́тить за; быть отве́тственным за ‖ **to ~ the purpose** соотве́тствовать це́ли ‖ **-able** *a.* (*responsible*) отве́тственный; (*suitable*) соотве́тственный.

ant (äнт) *s.* мураве́й *m.* ‖ **~-hill** *s.* мураве́йник.

antagon/ism (äнтä'гон-изм) *s.* антагони́зм; сопе́рничество ‖ **-ist** *s.* проти́вник; сопе́рник, антагони́ст ‖ **-istic** (-и'стик) *a.* проти́вный ‖ **-ize** *va.* противобо́рствовать.

antarctic (äнтā'рктик) *a.* антаркти́ческий, ю́жный.

anteced/ence (äнтисий'д-ёнс) *s.* пе́рвенство ‖ **-ent** *a.* предше́ствующий ‖ **-ents** *spl.* проше́дшее, пре́жняя жизнь.

antechamber (ä'нтичэ́йнбёр) *s.* пере́дняя, прихо́жая.

antedate (ä'нтидэ́йт) *va.* от-меча́ть, -ме́тить за́дним число́м. [ный.

antediluvian (äнтидилю́'виён) *a.* допото́п-

antelope (ä'нтилоуп) *s.* антило́па, са́йга.

antemeridian (äнтимэри'диён) *a.* дополу́денный.

antenna (äнтэ'нё) *s.* (*wireless*) анте́нна.

antepenultimate (äнтипина'лтимёт) *a.* запредпосле́дний слог.

anterior (äнтий'риёр) *a.* пере́дний, пре́жний; предше́ствовавший. [хо́жая.

anteroom (ä'нтирӯм) *s.* пере́дняя, при-

anthem (ä'нþэм) *s.* антифо́н ‖ **the National A–** наро́дный гимн.

anther (ä'нþёр) *s.* пы́льник.

anthology (äнþо'лоджи) *s.* антоло́гия; собра́ние цвето́в.

anthracite (ä'нþрёсайт) *s.* антраци́т.

anthrax (ä'нþрäкс) *s.* (*med.*) антра́кс.

anthrop/oid (ä'нþропойд) *a.* человекоподо́бный ‖ **-ological** (äнþроуполо'джикёл) *a.* антропологи́ческий ‖ **-ologist** (äнþропо'лоджист) *s.* антропо́ло́г ‖ **-ology** (äнþропо'лоджи) *s.* антрополо́гия ‖ **-ophagy** (äнþропо'фёги) *s.* людое́дство.

antic/ (ä'нтик) *a.* смешно́й; (*grotesque*) причу́дливый; (*strange*) стра́нный ‖ **-s** *spl.* шутовство́; шту́ки *fpl.*

antichrist (ä'нтикрайст) *s.* анти́христ.

anticip/ate (äнти'сип-эйт) *va.* предупре-жда́ть, -ди́ть; (*forestall*) предваря́ть; опере-жа́ть, -ди́ть; (*expect*) ожида́ть; (*foresee*) предви́деть, предчу́вствовать ‖ **-ation** *s.* предваре́ние; предупрежде́ние; ожида́ние ‖ **in ~** вперёд, зара́нее.

anticlimax (äнтиклай'мäкс) *s.* обра́тное приращ́ение.

anticyclone (ä'нтисайклоун) *s.* антицикло́н. [до́т.

antidote (ä'нтидоут) *s.* противоя́дие, анти-

antimony (ä'нтимони) *s.* сурьма́, антимо́ний *m.*

antipath/etic (äнтипёþэ'тик) *a.* антипати́чный, проти́вный ‖ **-y** (äнти'пёþи) *s.* антипа́тия, отвраще́ние. [*mpl.*

antipodes (äнти'подийз) *spl.* антипо́ды

antiqu/arian (äнтикуä'риён) *s.* антиква́рий *m.* ‖ ~ *a.* дре́вний ‖ **-ary** (ä'нтикуёри) *s.* антиква́рий *m.* ‖ **-ated** (ä'нтикуэйтид) *a.* устаре́вший; выше́дший из употребле́ния ‖ **-e** (äнтий'к) *s.* анти́к ‖ ~ *a.* анти́чный, дре́вний ‖ **-ity** (äнти'куити) *s.* дре́вность *f.*; старина́.

antiseptic (äнтисэ'птик) *s.* антисе́птика ‖ ~ *a.* антисепти́ческий. [тивополо́же́ние.

antithesis (äнти'þисис) *s.* антите́за, про-

antler (ä'нтлёр) *s.* оле́ний рог.

anus (эй'нёс) *s.* за́дний прохо́д.

anvil (ä'нвил) *s.* накова́льня.

anx/iety (äнгзай'ити) *s.* беспоко́йство; озабо́ченность *f.*; (*desire*) си́льное жела́ние; (*impatience*) нетерпе́ние ‖ **-ious** (ä'нгшёс) *a.* озабо́ченный; находя́щийся в стра́хе; си́льно жела́ющий ‖ **to be ~ to** стреми́ться.

any/ (э'ни) *a.* како́й-нибу́дь; не́сколько; (*every*) вся́кий ‖ **in ~ case** во вся́ком слу́-

час || **-body** *prn.* кто-нибу́дь, како́й бы то ни́ был || **-how** *ad.* ко́е-как, как-нибу́дь || ~ *c.* всё таки́, при всём том || **-one** *prn.* вся́кий, кто́-бы то ни́ был || **-thing** *s.* что́-нибу́дь, всё || **-way** *ad.* всё таки́, при всём том || **-where** *ad.* где-нибу́дь, где уго́дно; всю́ду, везде́.

aorist (эй'орист) *s.* аори́ст.

apace (ёпэй'с) *ad.* ско́ро, бы́стро.

apart/ (ёпа̄'рт) *ad.* осо́бо, отде́льно; (*aside*) в сто́рону; (*excepted*) исключа́я || ~ **from this** кро́ме э́того || **-ment** *s.* ко́мната; (*in hotel*) но́мер; (*pl.*) кварти́ра.

apath/etic(al) (äпёþэ'тикёл) *a.* апати́чный, равноду́шный || **-y** (ä'пёþи) *s.* апа́тия, равноду́шие.

ape (эйп) *s.* обезья́на || ~ *va.* обезья́нничать, подража́ть.

aperient (ёпий'риёнт) *s.* слаби́тельное сре́дство.

aperture (ä'пёртюр) *s.* аперту́ра; отве́рстие; (*chink*) сква́жина; (*passage*) прохо́д.

apex (эй'пикс) *s.* верши́на, верху́шка.

aphelion (äфий'лиён) *s.* (*astr.*) афе́лий *m.*

aphorism (ä'форизм) *s.* афори́зм.

apiar/ist (эй'пиёр-ист) *s.* пчелово́д || **-y** *s.* пче́льник, па́сека.

apiculture (эйпика'лчёр) *s.* пчелово́дство.

apiece (ёпий'с) *ad.* ка́ждый; за шту́ку; за ка́ждого || **six pence** ~ по шести́ пе́нсов за шту́ку.

apish (эй'пиш) *a.* обезья́нский, смешно́й.

apocalypse (ёпо'кёлипс) *s.* апокали́псис.

apocrypha (ёпо'крифё) *spl.* апокрифи́ческие, неканони́ческие кни́ги *fpl.*

apogee (ä'поджий) *s.* апоге́й *m.*; (*fig.*) вы́сшая то́чка.

apolog/etic(al) (ёполоджэ'тикёл) *a.* оправда́тельный, извиня́ющийся || **-etics** (ёполоджэ'тикс) *spl.* апологе́тика || **-ist** (ёпо'лоджист) защи́тник, побо́рник; аполо́гет || **-ize** (ёпо'лоджайз) *vn.* извин-я́ться, -и́ться || **-ue** (ä'полог) *s.* аполо́г, поучи́тельное иносказа́ние || **-y** (ёпо'лоджи) *s.* извине́ние, аполо́гия.

apo(ph)thegm (ä'поþэм) *s.* апоффе́гма, кра́ткое и остроу́мное изрече́ние.

apop/lectic (äпёплэ'ктик) *a.* апоплекти́ческий || **-lexy** (ä'пёплэкси) *s.* апопле́ксия, уда́р, кондра́шка.

apost/asy (ёпо'ст-ёси) *s.* вероотсту́пничество, апоста́зия || **-ate** *s.* отсту́пник, апоста́т, раско́льник || **-atize** *vn.* отступ-а́ть, -и́ть от ве́ры.

apost/le (ёпо'сл) *s.* апо́стол || **-olic** (äпосто'лик) *a.* апо́стольский.

apostroph/e (ёпо'строф-и) *s.* (*in speech*) апостро́фа́; (*sign*) апо́строф, знак сокраще́ния || **-ize** *va.* об-раща́ться, -рати́ться с ре́чью (к кому́).

apothecary (ёпо'þикёри) *s.* апте́карь *m.* || **the ~'s (shop)** апте́ка.

apotheosis (äпоþиоу'сис) *s.* апофео́з, боготворе́ние.

appal/ (ёпо̄'л) *va.* потрас-а́ть, -ти́; ужас-а́ть, -ну́ть || **-ling** *a.* ужа́сный.

appanage (ä'пёнидж) *s.* уде́л, достоя́ние.

apparatus (äпёрэй'тёс) *s.* аппара́т, прибо́р.

apparel (ёпа̄'рёл) *s.* оде́жда, наря́д || ~ *va.* од-ева́ть, -е́ть; наря-жа́ть, -ди́ть.

appar/ent (ёпа̄'рёнт) *a.* (*visible*) я́сный, ви́димый; (*evident*) очеви́дный; (*seeming*) ка́жущийся || **-ition** (äпёри'шн) *s.* появле́ние; (*ghost*) привиде́ние, при́зрак.

appeal/ (ёпий'л) *s.* воззва́ние; (*for help*) обраще́ние к по́мощи; (*jur.*) апелля́ция || **Court of A-** апелляцио́нный суд || **to lodge an** ~ апелли́ровать || ~ *vn.* (*jur.*) апелли́ровать || **to** ~ **to** обра-ща́ться, -ти́ться за по́мощью к; (*to please*) нра́виться.

appear/ (ёпий'р) *vn.* (*be manifest*) явля́ться, -и́ться; по-ка́зываться, -каза́ться; (*seem*) каза́ться, име́ть вид || **-ance** *s.* появле́ние; вне́шний вид; вне́шность *f.*, нару́жность *f.* || **to all** ~ по всей вероя́тности || **to make an ~, to put in an** ~ по-ка́зываться, -каза́ться || **to keep up -s** соблюда́ть прили́чие.

appeas/e (ёпий'з) *va.* укро-ща́ть, -ти́ть; успок-а́ивать, -о́ить; (*thirst, etc.*) утол-я́ть, -и́ть || **-ement** *s.* укроще́ние, успоко́ение || **-er** *s.* укроти́тель *m.*

appell/ant (ёпэ'л-ёнт) *s.* подаю́щий апелля́цию; доно́сящий, апелля́нт || **-ation** *s.* и́мя, назва́ние || **-ative** *a.* (*gramm.*) нарица́тельный.

append/ (ёпэ'нд) *va.* приве́-шивать, -сить; (*to add*) при-лага́ть, -ложи́ть; при-бавля́ть, -ба́вить || **-age** *s.* принадле́жность *f.*; аксесуа́р || **-icitis** (-исай'тис) *s.* апендици́т || **-ix** *s.* прибавле́ние; приложе́ние; приве́ска, подве́ска || **vermiform** ~ (*anat.*) червообра́зный отро́сток.

appertain (äпёртэй'н) *vn.* принадлежа́ть, каса́ться.

appetite (ä'питайт) *s.* аппети́т.

appetizing (ä'пётай'зинг) *a.* аппети́тный.

applau/d (ёпло̄'д) *va.* аплоди́ровать; (*praise*) хвали́ть; (*approve*) од-обря́ть, -о́брить || **-der** *s.* аплоди́рующий || **-ding, -se** (ёпло̄'з) *s.* аплодисме́нты *mpl.*; аплодиро́вка, рукоплеска́ние.

apple (äпл) *s.* я́блоко || ~ **of the eye** глазно́й зрачо́к || ~ **of one's eye** (*fig.*) зени́ца о́ка || **~-pie** *s.* я́блочный пиро́г || **in ~ order** тща́тельно уло́женный, в образ-

цо́вом поря́дке || ~-sauce *s.* я́блочный мармела́д || ~-tree *s.* я́блоня, я́блонь *f.*
appliance (ёплай'ёнс) *s.* приложе́ние; (*instrument*) инструме́нт, аппара́т, прибо́р.
applicab/ility (ӓпликёби'лити) *s.* примени́мость *f.* || **-le** (ӓ'пликёбл) *a.* примени́мый, приложи́мый; (*suitable*) соотве́тственный.
applic/ant (ӓ'плик-ёнт) *s.* обраща́ющийся; (*for a position*) кандида́т; (*petitioner*) проси́тель *m.* || **-ation** *s.* (*act*) приложе́ние, прикла́дывание; (*of means*) употребле́ние; (*med.*) пла́стырь *m.*; припа́рка; (*petition*) про́сьба; домога́тельство; (*study, industry*) прилежа́ние, внима́ние || **-atory** *a.* приложи́мый, примени́мый.
applied (ёплай'д) *a.* приложи́мый || ~ **-mathematics** прикладна́я матема́тика.
apply (ёплай') *va.* (*lay on*) при-лага́ть, -ложи́ть; (*employ*) употреб-ля́ть, -и́ть || ~ *vn.* обра-ща́ться, -ти́ться к.
appoint/ (ёпой'нт) *va.* (*fix*) постанов-ля́ть, -и́ть; (*assign*) определ-я́ть, -и́ть; (*nominate*) наз-нача́ть, -на́чить; (*furnish*) снаря-жа́ть, -ди́ть; меблирова́ть || **-ment** *s.* (*office*) до́лжность *f.*; (*nomination*) назначе́ние, определе́ние; (*rendezvous*) свида́ние; (*equipment*) снаряже́ние.
apportion (ёпо̄'ршён) *va.* надел-я́ть, -и́ть; раз-деля́ть, -дели́ть.
apposite/ (ӓ'позит) *a.* подходя́щий, соотве́тственный || **-ness** *s.* соотве́тственность *f.*
appraise/ (ёпрэ̄й'з) *va.* о-це́нивать, -цени́ть || **-r** *s.* оце́нщик.
appreci/able (ёприй'ш-йёбл) *s.* цени́мый; (*noticeable*) заме́тный; (*considerable*) значи́тельный || **-iate** (-иэйт) *va.* цени́ть; о-це́нивать, -цени́ть; (*esteem*) уважа́ть || **-iation** (-иэ̄й'шн) *s.* оце́нка; (*esteem*) уваже́ние || **-iative** (-иётив) *a.* ценя́щий; уважа́ющий.
apprehen/d (ӓприхэ'н-д) *va.* (*seize*) захва́тывать, -хвати́ть; (*arrest*) арес-то́вывать, -това́ть; (*mentally*) по-стига́ть, -сти́гнуть; (*dread*) боя́ться, опаса́ться || **-sible** *a.* постижи́мый; задержи́мый || **-sion** *s.* арестова́ние; (*fear*) опасе́ние, боя́знь *f.*; (*mental*) понима́ние || **-sive** *a.* боязли́вый, опа́сливый.
apprentice/ (ёпрэ'нтис) *s.* учени́к; ма́льчик || ~ *va.* от-дава́ть, -да́ть на вы́учку, на обуче́ние ремеслу́ || **-ship** *s.* уче́ние; ме́сто ученика́.
apprise (ёпрай'з) *va.* сооб-ща́ть, -щи́ть; уведом-ля́ть, -и́ть.
approach (ёпро̄у'ч) *s.* приближе́ние; наступле́ние; (*access*) до́ступ; (*mil.*) *pl.* апро́ши *fpl.*; прико́пы *mpl.* || **easy of** ~ досту́пный || ~ *va.* (*bring near*) при-ближа́ть, -бли́зить; (*resemble*) походи́ть на || ~ *vn.* (*draw near*) при-ближа́ться, -бли́зиться; наступ-а́ть, -и́ть; (*approximate*) с-ближа́ться, -бли́зиться || **-able** *a.* досту́пный; (*consent*) согла́сие.
approbation (ӓпро̄бэ̄й'шн) *s.* одобре́ние;
appropriat/e (ӓпро̄у'при-ёт) *a.* уме́стный, соотве́тственный || ~ (-эйт) *va.* при-сва́ивать, -сво́ить || **-eness** (-ётнэс) *s.* уме́стность *f.*; соотве́тственность *f.* || **-ion** (-э̄й'шн) *s.* присвое́ние.
approv/able (ёпрӯ'в-ёбл) *a.* заслу́живающий одобре́ния || **-al** *s.* одобре́ние || **-e** *va.* о-добря́ть, -одо́брить; (*praise*) хвали́ть || **-ed** *a.* испы́танный || **-ing** *a.* одобри́тельный.
approximat/e (ёпро'ксим-ёт) *a.* бли́жний; приблизи́тельный || ~ (-эйт) *va.&vn.* приближа́ть(-ся), -бли́зить (-ся); с-ближа́ть (-ся), -бли́зить(-ся) || **-ion** (-э̄й'шн) *s* приближе́ние, сближе́ние; приблизи́тельность *f.* || **-ive** (-ётив) *a.* приблизи́тельный.
appurtenance (ёпё̄'ртинёнс) *s.* принадле́жность *f.*
apricot/ (э̄й'прикот) *s.* абрико́с; желтосли́в || ~-**tree** *s.* абрико́совое де́рево.
April/ (э̄й'прил) *s.* апре́ль *m.* || ~-**fool** *s.* челове́к, даю́щийся в обма́н пе́рвого Апре́ля.
apron/ (э̄й'прён) *s.* пере́дник; фа́ртук || ~-**strings** *spl.* ле́нты у пере́дника.
apropos (ӓпропо̄у') *ad.* кста́ти, во́-время, впопа́д; ме́жду про́чим || ~ *prp.* (~ *of*) относи́тельно, каса́тельно.
apse (ӓпс), **apsis** (ӓ'псис) *s.* (*arch. & astr.*) апси́да.
apt/ (ӓпт) *a.* (*suitable*) го́дный, спосо́бный; (*inclined*) скло́нный; (*clever*) поня́тливый || **-itude, -ness** *s.* накло́нность *f.*; гото́вность *f.*; соотве́тственность *f.*
aqua/ (ӓ'куё) *s.*, ~ **fortis** кре́пкая во́дка; аквафо́рта || ~ **regia** ца́рская во́дка || ~ **vitæ** во́дка || **-marine** *s.* аквамари́н, бери́лл || **-relle** (-рэ'л) *s.* акваре́ль *f.* || **-rellist** (-рэ'лист) *s.* акварели́ст || **-rium** (ёкӱӓ'риём) *s.* аква́риум, аква́рий *m.* || **-tic** (ӓкуӓ'тик) *a.* водяно́й || **-tics** (ӓкуӓ'тикс) *spl.* водяно́й спорт || **-tint** (ӓ'куётинт) *s.* аквати́нта.
aque/duct (ӓ'куидакт) *s.* акведу́к, водопрово́д || **-ous** (э̄й'куиёс) *a.* водя́ный, водяни́стый.
aquiline (ӓ'куилайн) *a.* орли́ный.
arab/ (ӓ'рёб) *s.*, **street** ~ у́личный ма́льчишка (в Ло́ндоне) || **-esque** (-э'ск) *s.* арабе́ск || **-ist** *s.* араби́ст.

arable (а̄′рёбл) *a.* па́хотный, го́дный для возде́лывания.
arbit/er (а̄′рбит-ёр) *s.* арби́тр, посре́дник, трете́йский судья́ ‖ **–rage** (-рэдж), **–rament** (арби′трёмёнт) *s.* реше́ние, при́говор; трете́йский суд ‖ **–rariness** (-рёрнэс) *s.* произво́л; деспоти́зм ‖ **–rary** (-рёри) *a.* (*capricious*) произво́льный; (*absolute*) неограни́ченный ‖ **–rate** (-рэйт) *vn.* реша́ть; реша́ть трете́йским судо́м ‖ **–ration** (-рэй′шн) *s.* реше́ние трете́йским судо́м; при́говор трете́йского суда́.
arbor/eal (арбо̄′риёл) *a.* древе́сный ‖ **–iculture** (а̄′рбёрика′лчёр) *s.* разведе́ние дере́вьев.
arbour (*Am.* **arbor**) (а̄′рбёр) *s.* бесе́дка из зе́лени, свод из дере́вьев.
arbutus (а̄′рбютёс) *s.* землянйчное де́рево, ежо́вка.
arc/ (а̄рк) *s.* сгиб, дуга́, а́рка ‖ **–ade** (аркэй′д) *s.* арка́да, свод ‖ **–anum** (аркэй′нём) *s.* та́йна.
arch (а̄рч) *s.* а́рка, дуга́; свод ‖ **triumphal ~** триумфа́льная а́рка ‖ **~** *a.* (*cunning*) хи́трый, кова́рный; (*waggish*) шутли́вый ‖ **~** *va&n.* гнуть дуго́ю; стро́ить в фо́рме а́рки.
archæolog/ical (а̄ркиоло′джикёл) *a.* археологи́ческий ‖ **–ist** (а̄ркио′лоджист) *s.* архео́лог ‖ **–y** (а̄ркио′лоджи) *s.* археоло́гия.
archaic (аркэй′ик) *a.* дре́вний, архаи́ческий, вы́шедший из употребле́ния.
arch/angel (а̄′ркэйнджёл) *s.* арха́нгел ‖ **–bishop** (а̄′рчбишёп) *s.* архиепи́скоп, архиере́й *m.* ‖ **–bishopric** (а̄рчби′шёприк) *s.* архиепи́скопство, архиере́йство ‖ **–deacon** (а̄′рчдийкён) *s.* архидиа́кон ‖ **–duchess** (а̄′рчда′чис) *s.* эрцгерцоги́ня ‖ **–duchy** (а̄′рчда′чи) *s.* эрцге́рцогство ‖ **–duke** (а̄′рчдю′к) *s.* эрцге́рцог ‖ **~-enemy** (а̄′рч-э′нёми) *s.* гла́вный враг, закля́тый враг.
archer/ (а̄′рчёр) *s.* стрело́к из лу́ка; (*formerly*) лу́чник ‖ **–y** *s.* стрельба́ из лу́ка.
archetype (а̄′ркитайп) *s.* оригина́л, прототи́п.
arch/-foe (а̄′рч-фо̄у′) *s.* закля́тый враг ‖ **–fiend** *s.* князь тьмы; сатана́ ‖ **–hypocrite** *s.* ужа́сный лицеме́р.
archi/episcopal (а̄рки-эпи′скёпёл) *a.* архиепи́скопский, архиере́йский ‖ **–mandrite** (-мӓ′ндрайт) *s.* архимандри́т.
arching (а̄′рчинг) *a.* вы́пуклый, со́гнутый.
archipelago (а̄ркипэ′лёгоу) *s.* архипела́г.
architect/ (а̄′ркитэкт) *s.* архите́ктор, зо́дчий *m.*; (*fig.*) творе́ц ‖ **–ural** (а̄ркитэ′кчёрёл) *a.* архитекту́рный ‖ **–ure** (а̄′ркитэ′кчёр) *s.* архитекту́ра, зо́дчество.
archiv/es (а̄′ркайвз) *spl.* архи́в ‖ **–ist** (а̄′ркивист) *s.* архива́риус, архива́рий.
archness (а̄′рчнэс) *s.* лука́вство, насме́шливость *f.*
archpriest (а̄′рчприй′ст) *s.* архипресби́тер, протопо́п.
archway (а̄′рчуэй) *s.* арка́да, кры́тый ход.
arc-lamp (а̄′рклӓмп) *s.* дугова́я ла́мпа.
arctic (а̄′рктик) *a.* аркти́ческий, се́верный, поля́рный.
arden/cy (а̄′рдён-си) *s.* жар, пы́лкость *f.*; рве́ние ‖ **–t** *a.* горя́чий, пы́лкий.
ardour (*Am.* **ardor**) (а̄′рдёр) *s.* жар, пыл; (*enthusiasm*) увлече́ние, усе́рдность *f.*
arduous/ (а̄′рдюёс) *a.* тру́дный, круто́й ‖ **–ness** *s.* кру́тость *f.*; тру́дность *f.*
are (а̄р) *cf.* **to be.**
area/ (э̄′риё) *s.* (*space*) пове́рхность *f.*; простра́нство; (*of a house*) двор.
arena (ёрий′нё) *s.* аре́на.
argentiferous (а̄рджёнти′фёрёс) *a.* среброно́сный, сереброро́дный.
argillaceous (а̄рджилэй′шёс) *a.* гли́нистый.
argilliferous (а̄рджили′фёрёс) *a.* глинно́сный.
argosy (а̄′ргоси) *s.* (*poet.*) большо́е купе́ческое су́дно.
argu/e (а̄′ргю) *va.* (*to suggest*) до-ка́зывать, -каза́ть ‖ **~** *vn.* спо́рить; (*reason*) рассу-жда́ть, -ди́ть; убе-жда́ть, -ди́ть; (*discuss*) обсу-жда́ть, -ди́ть ‖ **–ing, –mentation** (-мёнтэй′шн) *s.* аргумента́ция, приведе́ние до́водов ‖ **–ment** *s.* до́вод; аргуме́нт; (*dispute*) спор; (*discussion*) рассужде́ние ‖ **to advance an ~** при-води́ть, -вести́ доказа́тельство ‖ **to hold an ~** обсу-жда́ть, -ди́ть ‖ **–mentative** (-мэ′нтётив) *a.* доказа́тельный; (*quarrelsome*) лю́бящий спо́рить, рассужда́ть.
arid/ (ӓ′рид) *a.* безво́дный, сухо́й ‖ **–ity** (ёри′дити) *s.* су́хость *f.*; беспло́дность *f.*
aright (ёрай′т) *ad.* испра́вно, хорошо́, здра́во ‖ **to set ~** исправля́ть.
arise (ёрай′з) *vn.irr.* (*get up*) встава́ть, встать; под-нима́ться, -ня́ться; (*of the sun*) восходи́ть, взойти́; (*from the dead*) вос-креса́ть, -кре́снуть; (*originate*) происходи́ть, -зойти́.
aristoc/racy (ӓристо′крёси) *s.* аристокра́тия ‖ **–rat** (ёри′стократ) *s.* аристокра́т ‖ **–ratic(al)** (ӓристокрӓ′тикёл) *a.* аристократи́ческий.
arithmetic/ (ёри′фмётик) *s.* арифме́тика ‖ **mental ~** исчисле́ние в уме́ ‖ **–al** (ӓрифмэ′тикёл) *a.* арифмети́ческий ‖ **–ian** (ёрифмэти′шн) *s.* арифме́тик.
ark (а̄′рк) *s.* киво́т, ковче́г ‖ **Noah's A–** Но́ев ковче́г.

arm (āрм) *s.* рука́; (*of a tree*) ве́тка; (*of the sea*) зали́в, рука́в; (*weapon*) ору́жие; (*branch of military service*) войска́ *npl.*, (*pl.*) ору́жие || **to keep at ~'s length** держа́ть на расстоя́нии || **to walk ~ in ~** итти́ под ру́ку || **coat of -s** герб || **fire--s** огнестре́льные ору́жия || **to lay down one's -s** положи́ть ору́жие, сда́ться || **to rise in -s** воз-муща́ться, -мути́ться || **to take up -s** взя́ться за ору́жие || **ground -s!** ружьё к ноге́! || **present -s!** на карау́л! || **shoulder -s!** на плечо́! || **to -s!** к ору́жию! || **~ va.** вооруж-а́ть, -и́ть || **~ vn.** вооруж-а́ться, -и́ться || **-ada** (армэ́й'-дё) *s.* арма́да || **-adillo** (армёди'лоу *s.* (*zool.*) бронено́сец, армади́лл || **-ament** (-ёмэнт) *s.* вооруже́ние || **-ature** (-ётюр) *s.* армату́ра; (*arms*) вое́нные снаря́ды || **-chair** *s.* кре́сло, кре́сла *npl.* || **~-hole** *s.* мы́шка, подмы́шка || **-ed** *a.* вооружённый; (*armoured*) бронено́сный || **-ful** *s.* оха́пка || **-ing** *s.* вооруже́ние || **-istice** (-истис) *s.* переми́рие || **-let** *s.* нарука́вник, запя́стье; (*of the sea*) небольшо́й рука́в || **-orial** (армо̄'риёл) *a.* гербово́й, геральди́ческий.

armour/ (*Am.* **armor**) (ā'рмёр) *s.* бро́ня, па́нцырь *m.*, ла́ты *fpl.* || **chain-~** кольчу́га || **suit of ~** па́нцырь *m.* || **~-clad** (-кля̈д) *a.* бронено́сный || **~ vessel** *s.* бронено́сец || **-ed** *a.* бронено́сный || **-er** *s.* оруже́йный ма́стер || **-y** (*Am.* **armory**) *s.* оруже́йный магази́н; арсена́л.

armpit (ā'рмпит) *s. cf.* **arm-hole.**

army/ (ā'рми) *s.* а́рмия, во́йско; (*great number*) толпа́ || **~-corps** *s.* арме́йский ко́рпус || **~-list** *s.* та́бель (*f.*) о арме́йских ра́нгах.

aroma/ (ёро̄у'мё) *s.* благово́ние, арома́т || **-tic** (ёромӓ'тик) *a.* арома́тичный, души́стый.

arose (ёро̄у'з) *cf.* **arise.**

around (ёрау'нд) *ad.* вокру́г, круго́м, о́коло.

arouse (ёрау'з) *va.* воз-бужда́ть, -буди́ть; (*awaken*) разбуди́ть.

arpeggio (арпэ'джио̄у) *s.* арпе́джио.

arquebus (ā'ркуёбас) *s.* (*arch.*) пища́ль *f.*; самопа́л.

arrack (ӓ'рёк) *s.* ара́к, ри́совая во́дка.

arraign/ (ёрэ̄й'н) *va.* привл-ека́ть, -е́чь к суду́; (*accuse*) обвин-я́ть, -и́ть || **-ment** *s.* обвине́ние, представле́ние пред судо́м.

arrange/ (ёрэ̄й'ндж) *va.* устр-а́ивать, -о́ить; (*put in order*) при-води́ть, -вести́ в поря́док; (*prepare*) при-готовля́ть, -гото́вить; (*settle a dispute*) ула́-живать, -дить; (*agree*) согла-ша́ться, -си́ться || **~ vn.** уго-в-а́риваться, -ори́ться || **-ment** *s.* распоряже́ние; (*order*) поря́док; (*settlement*) соглаше́ние; (*in pl.*) пла́ны.

arrant (ӓ'рёнт) *a.* настоя́щий, изве́стный, от'я́вленный || **an ~ fool** наби́тый дура́к.

array (ёрэ̄й') *s.* составле́ние спи́ска; (*poet. martial order*) строй, боево́й поря́док; (*dress*) наря́д || **~ va.** (*dress*) наря-жа́ть, -ди́ть; (*marshal forces*) стро́ить, ста́вить в боево́й поря́док.

arrears (ёри́й'рз) *spl.* недои́мочные де́ньги; недои́мка; (*of work*) запозда́лая рабо́та || **in ~** с запозда́нием, в недои́мке.

arrest (ёрэ'ст) *s.* аре́ст || **~ va.** (*apprehend*) арест-о́вывать, -ова́ть; (*to stop*) оста-н-а́вливать, -ови́ть.

arriv/al (ёрай'в-ёл) *s.* прие́зд, прибы́тие, достиже́ние; (*person*) прие́зжий; (*fam.*) новорождённый || **-e** (-) *vn.* приходи́ть; при-быва́ть, -бы́ть; (*of events*) случа́ться || **to ~ at** дост-ига́ть, -и́гнуть.

arrog/ance (ӓ'рог-ёнс) *s.* высокоме́рие, надме́нность *f.* || **-ant** *a.* высокоме́рный, надме́нный || **-ate** (-эйт) *va.* при-сва́ивать, -сво́ить; при-пи́сывать, -писа́ть себе́ || **-ation** *s.* присвое́ние.

arrow/ (ӓ'ро̄у) *s.* стрела́ || **~-head** *s.* желе́зко на стреле́ || **~-root** *s.* арору́т, арору́товая мука́ || **-y** *a.* как стрела́.

arse (āрс) *s.* (*vulg.*) за́дница, жо́па.

arsenal (ā'рсинёл) *s.* арсена́л.

arsen/ic (ā'рсник) *s.* мышья́к, арсе́ник || **-ious** (арсий'ниёс) *a.* мышьякови́стый.

arsis (ā'рсис) *s.* повыше́ние зву́ка при чте́нии стихо́в.

arson (ā'рсён) *s.* (*jur.*) поджо́г.

art (āрт) *cf.* **to be.**

art (āрт) *s.* иску́сство; (*painting, etc.*) худо́жество; (*slyness*) хи́трость *f.*; кова́рство.

arter/ial (артий'риёл) *a.* артериа́льный || **-y** (ā'ртёри) *s.* арте́рия.

artesian (артий'жин) *a.* артезиа́нский.

artful/ (ā'ртфул) *a.* хи́трый, лука́вый || **-ness** *s.* хи́трость *f.*; лука́вство.

artichoke (ā'ртичоук) *s.* артишо́к || **Jerusalem ~** земляна́я гру́ша.

article (ā'ртикл) *s.* (*clause*) огово́рка в усло́вии; (*thing*) вещь *f.*; (*literary*) статья́; (*comm.*) това́р, материа́л; (*gramm.*) член || **to sign -s** подписа́ть контра́кт поступле́ния на слу́жбу || **~ va.** от-дава́ть, -да́ть в уче́ние.

articulat/e (арти'кюл-ёт) *a.* вня́тный; (*of speech*) членоразде́льный || **~** (-эйт) *va.* (*speak*) вня́тно произн-оси́ть, -ести́; (*join*) сочлен-я́ть, -и́ть суста́вами || **-ion** (-эй'шн) *s.* (*speech*) произноше́ние; (*joint*) суста́в, коле́но.

artific/e (а'ртифис) *s.* (*skill*) искýсство; (*devise*) продéлка; (*cunning*) хи́трость *f.* || **–er** (арти'фисёр) *s.* ремéсленник, механик || **–ial** (артифи'шёл) *a.* искýсственный, поддéльный; (*feigned*) фикти́вный || **–iality** (артифишиа'лити) *s.* искýсственность *f.*

artiller/ist (арти'лёр-ист) *s.* артиллери́ст || **–y** *s.* артиллéрия || **field-~** полевáя артиллéрия || **siege-~** тяжёлая артиллéрия || **–y-man** *s.* артиллери́ст.

artisan (артизä'н) *s.* ремéсленник, мастеровóй.

artist/ (а'ртист) *s.* худóжник, арти́ст || **–e** (арти'ст) *s.* арти́ст, арти́стка || **–ic** (арти'стик) *a.* худóжественный, артисти́ческий.

artless/ (а'ртлэс) *a.* (*crude*) безыскýсственный; (*guileless*) простодýшный, бесхи́тростный || **–ness** *s.* безыскýсственность *f.*; простодýшие.

aryan (ä'риён) ари́йский, и́ндо-европéйский.

as (äз, ёз) *ad.* как || **~** *c.* потомý что; когдá || **~ I live** ей Бóгу, действи́тельно || **~ I went along** когдá я шёл || **don't go away, ~ I want you** не уходи́те, потомý что вы мне нужны́ || **twice ~ fine** вдвóе краси́вее || **~ rich ~ he is** как он ни богáт || **~ sure ~ I see you** тáкже вéрно, как я вас ви́жу || **~ cold ~ ice** хóлоден как лёд || **~ for, ~ to** что касáется || **~ yet** до сих пор || **~ if** как бýдто || **~ it were** так сказáть || **~ soon ~** как тóлько || **~ long ~** éжели тóлько || **~ though** как бýдто || **~ good ~** чуть не, почти́ || **~ well** крóме тогó; тáкже как || **you might ~ well!** позвóльте!

asafoetida (äсёфэ'тидё) *s.* асафети́да.

asbestos (äзбэ'стёс) *s.* асбéст, гóрный лён.

ascend (ёсэ'нд) *va.&n.* (*of aeroplane, etc.*) подн-имáться, -я́ться; восходи́ть, взойти́; (*a mountain*) вз-лезáть, -лезть (*fig. & of prices*) по-вышáться, -вы́ситься || **–ancy, –ency** *s.* власть *f.*; влия́ние || **–ant, –ent** *s.* восхождéние; (*fig.*) власть *f.*; влия́ние.

ascen/sion (ёсэ'н-шн) *s.* восхождéние; (*to Heaven*) вознесéние || **~ Day** Вознесéние Госпóдне || **–t** *s.* восхождéние; (*of a balloon*) подня́тие; (*aeroplane*) подъём; (*slope*) подъём; (*flight of steps*) лéстница.

ascertain/ (äсёртэй'н) *va.* удосто-веря́ть (-ся), -вéрить (-ся); (*find out*) узн-авáть, -áть || **–ment** *s.* удостоверéние.

ascetic/ (ёсэ'тик) *s.* аскéт; отшéльник || **~** *a.* аскети́ческий || **–ism** (ёсэ'тисизм) *s.* аскети́зм.

ascrib/able (ёскрай'б-ёбл) *a.* котóрый мóжно припи́сывать || **–e** *va.* припи́сывать, -писáть; от-носи́ть, -нести́.

ascription (ёскри'пшн) *s.* приписáние.

aseptic (äсэ'птик) *a.* асепти́ческий.

asexual (äсэ'кшуёл) *a.* бесполый.

ash/ (äш) *s.* (*tree*) я́сень *m.* || **mountain ~** ряби́на; (*usually in pl.* **ashes** [ä'шиз]) золá, пéпел.

ashamed (ёшэй'мд) *a.* присты́жённый || **to be ~ of** стыди́ться || **I am ~** мне сты́дно.

ash-coloured (ä'шка'лёрд) *a.* пéпельный.

ashen (ä'шён) *a.* блéдный как полотнó.

ashlar (ä'шлёр) *s.* необтёсанный кáмень, бут.

ashore (ёшō'р) *ad.* на берегý; на мели́ || **to run ~** стать нá мель || **to put ~** вы́садить на бéрег.

Ash-Wednesday (äшуэ'нзди) *s.* средá на пéрвой недéле вели́кого постá.

ashy (ä'ши) пéпельный; блéдный как полотнó.

aside (ёсай'д) *s.* произноси́мое в стóрону || **~** *ad.* на сторонé; в стóрону; (*to oneself*) про себя́; (*apart*) отдéльно; (*from the way*) с дорóги || **to put ~** от-клáдывать, -ложи́ть || **to set ~** (*quash*) пре-кращáть, -ти́ть.

asinine (ä'синайн) *a.* осли́ный; (*stupid*) глýпый.

ask (äск) *va.&n.* сп-рáшивать, -роси́ть; (*request*) проси́ть, по-; (*invite*) при-глашáть, -гласи́ть; (*require*) трéбовать.

askance (ёскä'нс) *ad.* искосá, кóсо; (*suspiciously*) недовéрчиво.

askew (ёскю') *ad.* кóсо; покáто; нáискось.

asking (ä'скинг) *s.* прóсьба; испрошéние || **you may have it for the ~** вам тóлько стóит попроси́ть.

aslant (ёслā'нт) *ad.* покáто, наклóнно; нáискось.

asleep (ёслий'п) *ad.* спя́щий, во снé; (*dead*) умéрший || **to be ~** спать || **to fall ~** заснýть || **to be fast ~** крéпко спать.

aslope (ёслōу'п) *ad.* наклонённо.

asp (äсп, äсп) *s.* (*tree*) оси́на; (*snake*) áспид.

asparagus (ёспä'рёгёс) *s.* спáржа.

aspect (ä'спэкт) *s.* (*appearance*) вид, нарýжность; (*situation*) положéние; (*point of view*) тóчка зрéния.

aspen (ä'спён) *s.* оси́на || **~** *a.* оси́новый.

asperity (äспэ'рити) *s.* (*of manner*) грýбость *f.*; (*of climate*) сурóвость *f.*; (*harshness*) жёсткость *f.*

aspers/e (ёспё'р-с) *va.* понoси́ть, клеветáть на; (*eccl.*) окроп-ля́ть, -и́ть || **-ion** (-шн) *s.* (*calumniation*) клеветá, поношéние; (*eccl.*) окроплéние.

asphalt (ä'сфäлт) *s.* асфáльт, гóрная смолá.

asphodel (ä'сфодэл) *s.* (*poet.*) асфоди́ль *f.*; златоцвéтник.

asphyx/iate (ӑсфи'ксиэйт) *va.* задуш-áть, -и́ть; удуш-áть, -и́ть || **-iation** (ӑсфиксиэй'шн) *s.* задушéние, удушéние || **-y** (ӑ'сфикси) *s.* (*med.*) асфи́ксия; óбморок.
aspic (ӑ'спик) *s.* сту́день *m.*
aspir/ant (ӑ'спир-ёнт) *s.* стремя́щийся; искáтель *m.*; претендéнт, кандидáт || **-ate** *s.* придыхáтельный звук || ~ *a.* придыхáтельный || ~ (-эйт) *va.* произ-носи́ть, -нести́ с придыхáнием || **-ation** (-эй'шн) *s.* (*gramm.*) придыхáние; (*ambition*) домогáтельство, си́льное желáние; (*breathing*) вдыхáние || **-ator** *s.* вентиля́тор, души́к || **-e** (ёспай'ёр) *vn.* (**to ~ to**) домогáться чегó; до-бивáться, -би́ться чегó; (*desire*) желáть || **-ing** (ёспай'ринг) *a.* честолюби́вый.
asquint (ёскуи'нт) *ad.* кóсо, вкось; кося́ глазáми.
ass (ӑс, ӑс) *s.* осёл; (*fool*) глупéц, дурáк || **she-~** осли́ца || **to make an ~ of o.s.** срами́ться; дéлаться, с- дуракóм || **to make an ~ of** дурáчить, о- когó.
assail/ (ёсэй'л) *va.* насту-пáть, -пи́ть; нападáть, -пáсть (на) || **-ant** *s.* нападáющий; зачи́нщик.
assassin/ (ёсӑ'син) *s.* уби́йца || **-ate** (-эйт) *va.* у-бивáть, -би́тьковáрным óбразом || **-ation** *s.* уби́йство.
assault (ёсо'лт) при́ступ, штурм; (*attack*) нападéние, атáка; (*jur.*) покушéние на наси́лие || ~ *va.* на-падáть, -пасть; атак-óвывать, -овáть; (*to storm*) штурмовáть, брать при́ступом.
assay (ёсэй') *s.* прóба метáллов || ~ *va.* прóбовать; дéлать, с- прóбу.
assembl/age (ёсэ'мбл-идж) *s.* собрáние, сбóрище; скóпище || **-e** (–) *va.* со-бирáть, -брáть; со-зывáть, -звáть || ~ *vn.* собирáться, -брáться || **-ing** *s.* собирáние, созывáние || **-y** *s.* собрáние, с'езд; собóр.
assent/ (ёсэ'нт) *s.* соглáсие, соизволéние || **with one ~** единоглáсно || ~ *vn.* со-глашáться, -гласи́ться; одобря́т, одóбрить || **-ient** (ёсэ'ниёнт) *a.&s.* соглашáющийся.
assert/ (ёсё'рт) *va.* (*declare*) у-веря́ть, -вéрить; (*affirm*) утвер-ждáть, -ди́ть; (*defend*) защи-щáть, -ти́ть || **-ion** (ёсё'ршн) *s.* утверждéние; (*defence*) защи́та || **-ive** *a.* утверди́тельный, догмати́ческий.
assess/ (ёсэ'с) *va.* об-лагáть, -ложи́ть пóдатью; оцен-я́ть, -и́ть; (*estimate*) определ-я́ть, -и́ть || **-ment** *s.* обложéние, оклáд; оцéнка || **-or** *s.* распредели́тель подáтей; (*in court*) заседáтель, помóщник судьи́.
assets (ӑ'ситс) *spl.* нали́чность *f.*; нали́чное иму́щество, нали́чный капитáл || ~ **and liabilities** акти́в и насси́в.
asseverat/e (ёсэ'вёрэйт) *vn.* торжéственно утвер-ждáть, -ди́ть || **-ion** (ӑсэвёрэй'шн) *s.* кля́твенное утверждéние.
assidu'ity (ӑсидю'ити) *s.* усéрдие, прилежáние; (*pl.*) ухáживание || **-ous** (ёси'дюёс) *a.* (*diligent*) прилéжный, усéрдный; (*constant*) постоя́нный.
assign/ (ёсай'н) *s.* уполномóченный, агéнт || ~ *va.* определ-я́ть, -и́ть; (*appoint*) назн-ачáть, -áчить; (*ascribe*) припи́с-ывать, -áть; (*money*) ассигновáть || **-ation** (ӑсигнэй'шн) *s.* (*rendexvous*) свидáние; (*comm.*) трансфéрт, передáча; ассигнáция || **-ee** (ӑсиний') *s.* тот, кому́ передаётся прáво на сóбственность || **-ment** *s.* назначéние, ассигновáние || **-or** (ӑсинō'р) *s.* уполномóчивающий; (*jur.*) довери́тель *m.*
assimilat/e (ёси'милэйт) *va.&n.* упо-добля́ть (-ся), -дóбить (-ся); усв-áивать (-ся), -óить (-ся); ассимили́ровать (-ся) || **-ion** (ёсимилэй'шн) *s.* уподоблéние; усвоéние.
assist/ (ёси'ст) *va.&n.* по-могáть, -мóчь; содéйствовать, по-; (*be present*) прису́тствовать || **-ance** *s.* пóмощь *f.*; содéйствие || **-ant** *s.* помóщник, ассистéнт || ~ *a.* помогáющий.
assize (ёсай'з) *s.* сéссия судéй, присяжных; постановлéние для назначéния цен хлéба, мя́са, и пр.
assoc/iable (ёсōу'ш-иёбл) *a.* могу́щий быть соединённым || **-iate** (-иёт) *s.* (*colleague*) товáрищ, коллéга, сослужи́вец; (*confederate*) соучáстник; (*comm.*) член óбщества || ~ (-иэйт) *va.&n.* соедин-я́ть, -и́ть; принимáть, -ня́ть в óбщество || ~ *vn.* (**to ~ with**) води́ться с || **-iation** (ёсōушиэй'шн) *s.* óбщество; ассоциáция, союз; (*intercourse*) обхождéние, обращéние || ~ **of ideas** связь мы́слей.
asson/ance (ӑ'сон-ёнс) *s.* созву́чие; (*of vowels*) схóдство глáсных зву́ков; (*rhyme*) несовершéнная ри́фма || **-ant** *a.* созву́чный.
assort/ (ёсō'рт) *va.* подбирáть, сортировáть || ~ *vn.* (*suit, harmonize*) согласовáться || **-ment** *s.* ассортимéнт, подбóр, вы́бор товáров, распределéние; (*collection*) собрáние.
assuage/ (ёсуэй'дж) *va.* (*pain*) утол-я́ть, -и́ть; смягч-áть, -и́ть; (*mitigate*) облегч-áть, -и́ть; (*soothe*) успок-áивать, -óить || **-ment** *s.* смягчéние; утолéние; облегчéние, успокоéние.

assum/e (ёсю'м) *va.* (*take upon oneself*) при-нима́ть, -ня́ть на себя́; присв-а́ивать, -о́ить себе́; об-лека́ться, -ле́чься; (*simulate*) притвор-я́ться, -и́ться || ~ *vn.* предполага́ть, -ложи́ть; допус-ка́ть, -ти́ть || **–ed** *a.* (*simulated*) напускно́й || **it is ~ that** все полага́ют, что || **–ing** *a.* надме́нный, самомня́щий || **–ption** (ёса'мшён) *s.* (*arrogance*) надме́нность *f.*; самомне́ние; (*assuming*) присвое́ние себе́; (*taking for granted*) предположе́ние тре́бующее дока́зательства; (*eccl.*) Успе́ние (Бо́жией Ма́тери) || **–ptive** (ёса'мтив) *a.* кото́рый мо́жно предположи́ть.

assur/ance (ёшӯ'р-ёнс) *s.* (*positive assertion*) увере́ние, утвержде́ние; (*self-confidence*) самоуве́ренность *f.*; (*impudence*) бессты́дство; (*surety*) обеспе́чение; (*insurance*) страхова́ние || **–e** (–) *va.* (*assert positively*) у-веря́ть, -ве́рить; утвер-жда́ть, -ди́ть; (*make sure*) обеспе́ч-ивать, -ить; (*insure*) застрах-о́вывать, -ова́ть || **–edly** *ad.* коне́чно, ве́рно || **–edness** *s.* уве́ренность *f.*; обеспе́ченность *f.*

aster (а̄'стёр, ӓ'стёр) *s.* (*bot.*) а́стра.

asterisk (ӓ'стёриск) *s.* астери́ск, звёздочка.

astern (ёстё̄'рн) *ad.* за кормо́ю, сза́ди.

asteroid (ӓ'стёройд) *s.* (*astr.*) астеро́ид, плането́ид.

asthma/ (ӓ'смё) *s.* а́стма; оды́шка || **–tic** (ӓсмӓ'тик) *a.* астмати́ческий, страда́ющий оды́шкой.

astigmatism (ёсти'гмётизм) *s.* астигмати́зм.

astir (ёстё̄'р) *ad&a.* (*in motion*) в движе́нии; (*out of bed*) подня́вшись; (*fig.*) в волне́нии.

astonish/ (ёсто'ниш) *va.* изум-ля́ть, -и́ть; удив-ля́ть, -и́ть || **–ing** *a.* удиви́тельный, изуми́тельный || **–ment** *s.* удивле́ние, изумле́ние.

astound/ (ёстау'нд) *va.* пора-жа́ть, -зи́ть; удив-ля́ть, -и́ть || **–ing** *a.* порази́тельный, удиви́тельный.

astraddle (ёстрӓ'дл) *ad.* верхо́м, растопыри́в но́ги.

astrakhan (ӓстрёкӓ'н) *s.* мерлу́шка, кара́куль *m.*

astral (ӓ'стрёл) *a.* звёздный.

astray (ёстрэ̄й') *ad.* не пря́мо, ко́со; в заблужде́нии || **to go ~** сби-ва́ться, сби́ться с пути́; заблу-жда́ться, -ди́ться || **to lead ~** вводи́ть, ввести́ в заблужде́ние.

astride (ёстрай'д) *ad.* верхо́м, с раздви́нутыми нога́ми.

astringent (ёстри'нджёнт) *s.* вя́жущее сре́дство || ~ *a.* вя́жущий.

astro/labe (ӓ'стролэ̄йб) *s.* астроля́бия || **–loger** (ёстро'лоджёр) *s.* астро́лог || **–logical** (ӓстроло'джикёл) *a.* астрологи́ческий || **–logy** (ёстро'лоджи) *s.* астроло́гия || **–nomer** (ёстро'номёр) *s.* астро́ном || **–nomical** (ӓстроно'микёл) *a.* астрономи́ческий || **–nomy** (ёстро'номи) *s.* астроно́мия.

astute/ (ёстю̄'т) *a.* (*discerning*) остроу́мный; (*cunning*) хи́трый, кова́рный || **–ness** *s.* хи́трость *f.*; проница́тельность *f.*

asunder (ёса'ндёр) *ad.* по́рознь, отде́льно || **to take ~** разобра́ть по частя́м || **to break ~** разломи́ть.

asylum (ёсай'лём) *s.* (*refuge*) убе́жище, прию́т; (*lunatic*) дом умалишённых.

asymmetr/ical (ӓсимэ'трикёл) *a.* несимметри́ческий || **–y** (ӓси'мнтри) *s.* асимме́трия.

asyndeton (ӓси'ндитон) *s.* (*gramm.*) про́пуск сою́зов в ре́чи; бессою́зная констру́кция.

at (ӓт) *prp.* в, у, по, за, при, на || **~ best** в са́мом благоприя́тном слу́чае || **~ sea** в мо́ре || **~ home** до́ма || **an ~-home** журфи́кс || **to be ~ home with** быть знако́мым с; знать || **~ your house** у вас || **to be ~ a loss** быть в недоуме́нии || **~ first** в нача́ле || **~ last, ~ length** наконе́ц || **~ one blow** ра́зом || **~ all events** во вся́ком слу́чае || **~ once** то́тчас; сра́зу || **~ one (with)** согла́сно || **~ that** кро́ме того́.

atavism (ӓ'тёвизм) *s.* атави́зм.

ate (эт, э̄йт) *cf.* **eat.**

athe/ism (э̄й'ђи-изм) *s.* атеи́зм, безбо́жие || **–ist** *s.* атеи́ст, безбо́жник || **–istic** (-и'стик) *a.* атеисти́ческий, безбо́жный.

athirst (ёђё̄'рст) жа́ждущий; (*fig.*) жа́дный (к).

athlet/e (ӓ'ђлийт) *s.* атле́т || **–ic** (ӓђлэ'тик) *a.* атлети́ческий || **–ics** (ӓђлэ'тикс) *spl.* атле́тика.

athwart (ёђуо̄'рт) *ad.* на́-зло, вопреки́ || ~ *prp.* поперёк; (*mar.*) на тра́версе; чрез.

atlas (ӓ'тлёс) *s.* (*book of maps*) а́тлас; (*paper*) атла́сная бума́га; (*cloth*) атла́с.

atmospher/e (ӓ'тмёсфийр) *s.* атмосфе́ра || **–ic(al)** (ӓтмёсфэ'рикёл) *a.* атмосфери́ческий.

atoll (ӓ'тол) *s.* ато́л; кора́лловый риф.

atom/ (ӓ'тём) *s.* а́том; недели́мое || **–ic** (ёто'мик) *a.* атоми́ческий || **–y** (ӓ'томи) *s.* а́том; (*pygmy*) ка́рлик.

atone/ (ёто̄у'н) *vn.*, (**to ~ for**) искуп-а́ть, -и́ть; за-гла́живать, -гла́дить || **–ment** *s.* искупле́ние, вознагражде́ние, загла́живание.

atonic (ӓто'ник) *a.* атони́ческий, беззву́чный.

atop (ёто'п) *ad.* на верху́.

atrabilious (ӓтрёби'лиёс) *a.* же́лчный; страда́ющий же́лчью; раздражи́тельный.

atroc/ious (ётрӧу'шёс) *a.* жесто́кий; (*heinous*) гну́сный; (*execrable*) отврати́тельный || **-ity** (ётро'сити) *s.* жесто́кость *f.*; отврати́тельность *f.*

atrophy (ä'трофи) *s.* атрофи́я; недоста́ток пита́ния.

atropine (ä'тропайн) *s.* атропи́н.

attach/ (ётä'ч) *va.&n.* (*to fasten*) прикреп-ля́ть, -и́ть; при-вя́зывать, -вяза́ть (*to cause to adhere*) при-кле́ивать, -кле́ить; (*to unite*) соедин-я́ть, -и́ть; (*to attribute*) от-носи́ть, -нести́; (*fig. of friendship*) при-вя́зывать, -вяза́ть к себе́; (*jur.*) арестова́ть; за-де́рживать, -держа́ть || **-é** (ätä'шэй) *s.* атташе́; причи́сленный к посо́льству || ~ **case** портфе́ль *m.* || **-ment** *s.* привя́занность *f.*; (*affection*) любо́вь *f.*; расположе́ние.

attack (ётä'к) *s.* ата́ка, нападе́ние; (*med.*) припа́док, при́ступ || ~ *va.* атак-о́вывать, -ова́ть; на-пада́ть, -па́сть (на).

attain/ (ётэ̄й'н) *va.* до-стига́ть, -сти́гнуть; до-ходи́ть, -йти́, до-бира́ться, -бра́ться (до); (*obtain*) получ-а́ть, -и́ть || **-able** *a.* достижи́мый.

attainder (ётэ̄й'ндёр) *s.* сме́ртный пригово́р за госуда́рственную изме́ну, с конфиска́цией име́ния и лише́нием всех прав.

attainment/ (ётэ̄й'нмёнт) *s.* достиже́ние, приобре́тение || **-s** *spl.* позна́ния *npl.*; образова́ние.

attaint (ётэ̄й'нт) *va.* изоблич-а́ть, -и́ть в преступле́нии; призна́ть вино́вным в госуда́рственной изме́не; (*dishonour*) позо́рить, о-.

attar (ä'тар) *s.* а́ттар, эссе́нция из роз.

attemper (ётэ'мпёр) *va.* у-меря́ть, -ме́рить; (*modify*) при-меня́ть, -мени́ть; (*mix*) сме́шивать, смеша́ть.

attempt (ётэ'мт) *s.* попы́тка, о́пыт; покуше́ние || ~ *va.* пыта́ться, по-; про́бовать, по-; по-куша́ться, -куси́ться.

attend/ (ётэ'нд) *va.&n.* (*accompany*) сопровожда́ть, сопу́тствовать; (*be present at*) прису́тствовать; (*pay heed to*) слу́шать, обраща́ть, обрати́ть внима́ние; (*to see to*) за-нима́ться, -ня́ться; (*a sick person*) ходи́ть за || **-ance** *s.* служе́ние, прислу́живание; (*servants*) прислу́га; (*on a sick person*) ухо́д || **to dance ~ on** низкопокло́нно прислу́живать; лаке́йствовать || **-ant** *s.* служи́тель *m*; слуга́ *m.* || ~ *a.* сопровожда́ющий, после́дующий.

atten/tion (ётэ'ншён) *s.* внима́ние; почте́ние; (*pl.*) уха́живание || ~! *int.* сми́рно! || **-tive** *a.* внима́тельный; почти́тельный || **-tiveness** *s.* внима́тельность *f.*

attenuat/e (ётэ'нюэйт) *va.* раз-жижа́ть, -жиди́ть; (*weaken*) о-слабля́ть, -сла́бить || **-ion** (ётэнюэ̄й'шн) *s.* разжиже́ние; уменьше́ние; истоще́ние.

attest/ (ётэ'ст) *va.* свиде́тельствовать, за-; подтвер-жда́ть, -ди́ть под прися́гой || **-ation** (äтэстэ̄й'шн) *s.* засвиде́тельствование; подтвержде́ние под прися́гой.

attic (ä'тик) *s.* черда́к, манса́рд.

attire (ётай'ёр) *s.* наря́д, оде́жда || ~ *va.* наря-жа́ть, -ди́ть; о-дева́ть, -де́ть.

attitud/e (ä'титю̄д) *s.* по́за, оса́нка, положе́ние те́ла || **-inize** (äтитю̄'динайз) *vn.* при-нима́ть, -ня́ть неесте́ственные по́зы; лома́ться.

attorney (ётё'рни) *s.* стря́пчий *m.*; пове́ренный || **power of ~** дове́ренность *f.*; полномо́чие || **A—General** гла́вный прокуро́р.

attract/ (ётрä'кт) *va.* при-тя́гивать, -тяну́ть; при-влека́ть, -вле́чь || **-ion** (ётрä'кшён) *s.* притяже́ние; привлека́тельность *f.*; пре́лесть *f.* || **-ive** *a.* притяга́тельный; привлека́тельный || **-iveness** *s.* привлека́тельность *f.*

attribut/e (ä'трибю̄т) *s.* принадле́жность *f.*; атрибу́т; (*gramm.*) определе́ние || ~ (äтри'бю̄т) *va.* при-пи́сывать, -писа́ть, от-носи́ть, -нести́ || **-ion** (äтрибю̄'шн) *s.* приписа́ние || **-ive** (ётри'бютив) *a.* относя́щийся к определе́нию.

attrition (ётри'шён) *s.* тре́ние; истре́ние; (*fig.*) ме́дленное истоще́ние.

attune (ётю̄'н) *va.* настр-а́ивать, -ить; соглас-о́вывать, -ова́ть.

auburn (ō'бёрн) *a.* све́тло-кашта́нового цве́та; рыжева́то-кори́чневый.

auction/ (ō'кшён) *s.* аукцио́н; прода́жа с молотка́ || ~ *va.* про-дава́ть, -да́ть с аукцио́на || **-eer** (-ий'р) *s.* аукциона́тор, оце́нщик.

audac/ious (ōдэ̄й'шёс) *a.* (*daring*) сме́лый, отва́жный; (*impudent*) де́рзкий || **-ity** (ōдä'сити) *s.* сме́лость *f.*; отва́га; де́рзость *f.*

audible (ō'дибл) *a.* слы́шимый, слы́шный; вня́тный.

audience/ (ō'диёнс) *s.* аудие́нция; (*theatre, etc.*) слу́шатели *mpl.* || **~-chamber** *s.* аудие́нц-зал.

audit/ (ō'дит) *s.* пове́рка счето́в отве́тственным лицо́м || ~ *va.* ревизова́ть; контроли́ровать || **-or** *s.* (*hearer*) слу́шатель *m.*; (*who audits*) контроле́р || **-ory** *s.* слу́шатели *mpl.*; аудито́рия || ~ *a.* слухово́й.

auger (ō'гёр) *s.* бура́в, сверло́.

aught (ōт) *s.* (*poet.*) что́-либо, не́что,

augment/ (о̄гмэ'нт) *va&n.* ум-ножа́ть (-ся), -но́жить (-ся); увели́чи-вать (-ся), -ть (-ся) || **-ation** (о̄гмёнтэ̄й'шн) *s.* умноже́ние, увели́чение || **-ative** *a.* увеличи́тельный.

augur/ (о̄'гёр) *s.* авгу́р || ~ *vn.* пред-ска́зывать, -сказа́ть; прорица́ть; пред-веща́ть, -вести́ть || **-y** (о̄'гйёри) *s.* прорица́ние, предсказа́ние, предвеща́ние.

August (о̄'гёст) *s.* А́вгуст ме́сяц || **a-** (о̄га'ст) *a.* августе́йший, высоча́йший.

aunt (а̄нт) *s.* тётя, тётка.

aur/eole (о̄'риоул) *s.* лучеза́рный вене́ц; сия́ние, орео́л || **-icle** (о̄'рикл) *s.* (*an.*) нару́жное у́хо || **-icular** (ори'кюлёр) *a.* секре́тный; ска́занный на́ ухо || **-iferous** (ори'фёрёс) *a.* золоти́стый || **-ora** (оро̄'рё) *s.* авро́ра; у́тренняя заря́ || ~ **borealis** се́верное сия́ние.

auscultation (о̄скалтэ̄й'шн) *s.* аускульта́ция, выслу́шивание.

auspic/e (о̄'спис) *s.* предзнаменова́ние; *pl.* покрови́тельство || **-ious** (о̄спи'шёс) *a.* благоприя́тный; (*of weather*) попу́тный.

auster/e (о̄стий'р) *a.* суро́вый, стро́гий; (*unadorned*) просто́й || **-ity** (о̄стэ'рити) *s.* суро́вость *f.*

austral (о̄'стрёл) *a.* ю́жный.

authentic/ (о̄ѳэ'нтик) *a.* (*trustworthy*) достове́рный; (*genuine*) по́длинный || **-ate** (-эйт) *va.* свиде́тельствовать, за-; удостоверя́ть, -ве́рить || **-ity** (о̄ѳэнти'сити) *s.* достове́рность *f.*; по́длинность *f.*

author (о̄'ѳёр) *s.* а́втор, писа́тель *m.*; (*producer*) вино́вник; (*cause*) причи́на || **-itative** (о̄ѳо'ритэйтив) *a.* авторите́тный || **-ity** (о̄ѳо'рити) *s.* авторите́т; (*permission*) разреше́ние; (*pl.*) вла́сти *fpl.*; нача́льство || **-ize** *va.* уполномо́ч-ивать, -ить; (*to permit*) разреш-а́ть, -и́ть.

auto/biography (о̄тёбай-о'грёфи) *s.* автобиогра́фия || **-car** (о̄'тёка̄р) *s.* автомоби́ль *m.* || **-chthonous** (о̄то'кѳёнёс) *a.* тузе́мный || **-cracy** (о̄то'крёси) *s.* самодержа́вие, автокра́тия || **-crat** (о̄'тёкрäт) *s.* самоде́ржец || **-cratic** (о̄тёкрä'тик) *a.* самодержа́вный, автократи́ческий || **-graph** (о̄'тогра̄ф) *s.* автогра́ф || **-graphic** (о̄тогрä'фик) *a.* собственнору́чный || **-matic** (о̄томä'тик) *s.* автомати́ческий пистоле́т || ~ *a.* автомати́ческий || **-maton** (о̄то'мётон) *s.* автома́т || **-mobile** (о̄'тёмёбий'л) *s.* автомоби́ль *m.* || **-nomous** (о̄то'номёс) *a.* самостоя́тельный, автоно́мный || **-nomy** (о̄то'номи) *s.* автоно́мия || **-psy** (о̄то'пси) *s.* собственное рассмотре́ние; (*post-mortem*) вскры́тие тру́па, ауто́псия || **-type** (о̄'тотайп) *s.* автоти́п.

autumn/ (о̄'тём) *s.* о́сень *f.* || **-al** (о̄та'мнёл) *a.* осе́нний.

auxiliary (огзи'лйёри) *s.* помо́щник; (*gramm.*) вспомога́тельный глаго́л || **auxiliaries** *spl.* (*mil.*) вспомога́тельные войска́ || ~ *a.* вспомога́тельный.

avail/ (ёвэ̄й'л) *s.* по́льза, вы́года || **without** ~ напра́сно || ~ *va.* служи́ть, помога́ть || **to** ~ **o.s. of** воспо́льзоваться чем || ~ *vn.* быть поле́зным || **-able** *a.* го́дный; (*obtainable*) предоста́вленный в распоряже́ние.

avalanche (ä'вёла̄нш) *s.* лави́на, сне́жный обва́л.

avaric/e (ä'вёрис) *s.* ску́пость *f.*; па́дкость (*f.*) на де́ньги || **-ious** (äвёри'шёс) *a.* скупо́й; па́дкий на де́ньги.

avaunt! (ёво̄'нт) *int.* вон! пошёл!

ave (э̄й'ви) *int.* сла́ва тебе́! || ~ *s.* & **A-Maria** (- мёрай'ё) Богоро́дице Де́во, ра́дуйся.

avenge (ёвэ'ндж) *va.* мсти́ть, от- (кому́) || **-r** *s.* мсти́тель *m.*; мсти́тельница.

avenue (ä'вению̄) *s.* алле́я; у́лица, обса́женная дере́вьями; (*Am.*) широ́кая у́лица.

aver (ёвё̄'р) *vn.* утвер-жда́ть, -ди́ть; у-веря́ть, -ве́рить.

average (ä'вридж) *s.* сре́днее число́; сре́дний вы́вод; (*mar.*) авари́я || **on an** ~ сре́дним путём, сре́дним число́м || ~ *a.* сре́дний || ~ *va.* де́лать, с- сре́дний вы́вод.

averment (ёвё̄'рмёнт) *s.* утвержде́ние, увере́ние.

avers/e (ёвё̄'рс) *a.* име́ющий отвраще́ние, проти́вный || **I am not ~ to . . .** я гото́в . . ., я не про́чь . . . || **I am ~ to . . .** я про́тив . . . || **-ion** (ёвё̄'ршён) *s.* отвраще́ние; (*person*) отврати́тельный челове́к || **he is my pet ~** он для меня́ са́мый отврати́тельный челове́к.

avert (ёвё̄'рт) *va.* отклон-я́ть, -и́ть; (*ward off*) отвра-ща́ть, -ти́ть.

aviary (э̄й'вйёри) *s.* пти́чник.

aviat ion (э̄йви-э̄й'шн) *s.* авиа́ция || **-or** (э̄й'ви-эйтёр) *s.* авиа́тор.

avid/ (ä'вид) *a.* жа́дный, а́лчный || **-ity** (ёви'дити) *s.* жа́дность *f.*; а́лчность *f.*

avocation (äвокэ̄й'шн) *s.* заня́тие; до́лжность *f.*

avoid (ёвой'д) *va.* из-бега́ть, -бе́гнуть; уклон-я́ться, -и́ться от || **-able** *a.* избе́жный || **-ance** *s.* избежа́ние; уклоне́ние от.

avoirdupois (äвёрдюпой'з) *s.* систе́ма весо́в в А́нглии.

(**aver**) утвер-жда́ть, -ди́ть.

avouch (ёвау'ч) *vn.* руча́ться, поручи́ться;

avow/ (ёвау') *vn.* при-знава́ть (-ся), -зна́ть (-ся) || **-al** *s.* призна́ние, откры́тое заявле́ние || **-edly** *ad.* гла́сно, откры́то.

await (ё-уэй'т) *va.* ждать, ожидать; (*be in store for*) предстоять.
awake (ё-уэй'к) *a.* не спящий; (*vigilant*) бдительный || **to be ~** не спать || **to be ~ to** знать || **wide ~** (*fig.*) хитрый || ~ *va.* будить, раз- || ~ *vn.* про-сыпаться, -снуться; про-буждаться, -будиться.
awaken (ё-уэй'кн) *va.* будить, раз- || ~ *vn.* про-сыпаться, -снуться.
award (ё-уо̄'рд) *s.* (*decision*) приговор; (*reward*) награда || ~ *va.* при-суждать, -судить; при-говаривать, -говорить; (*jur.*) произ-носить, -нести приговор. [знать.
aware (ё-уа̄'р) *a.* знающий || **to be ~ of**
away (ё-уэй') *ad.* в отсутствии || **to go ~** уходить, уйти || **to run ~** убежать || **to fire ~** продолжать стрелять || **to make ~ with** убить || **~!** *int.* прочь! вон! убирайтесь!
awe/ (о̄') *s.* благоговейный страх *или* удивление; ужас || ~ *va.* устраш-ать, -ить; внуш-ать, -ить страх || **–some** *a.* страшный, ужасный || **–struck** *a.* проникнутый благоговением.
awful/ (о̄'фул) *a.* страшный, ужасный; (*fam.*) чрезвычайный || **–ly** *ad.* ужасно; (*fam.*) чрезвычайно.
awhile (ё-хуай'л) *ad.* несколько времени, не на долго.
awkward/ (о̄'куёрд) *a.* неловкий, неуклюжий; (*inconvenient*) неудобный; (*difficult*) трудный || **–ness** *s.* неловкость *f.*;
awl (о̄л) *s.* шило. [неуклюжесть *f.*
awning (о̄'нинг) *s.* тент, намёт.
awoke (ё-уо̄у'к) *cf.* **awake.**
awry (ёрай') *ad.* на бок, вкось, поперёк; (*amiss*) худо, дурно сделано.
axe (äкс) *s.* топор. [ома'тик) *a.* аксиомный.
axiom/ (ä'ксиём) *s.* аксиома || **–atic** (äкси-
axis (ä'ксис) *s.* ось *f.*; центральная линия.
axle (ä'кcл) *s.* ось колеса.
ay (ай) *int.* да, конечно. [~ вовеки веков.
aye (эй) *ad.* вечно, вовеки || **for ever and**
azalea (ёзэй'лиё) *s.* азалия.
azimuth (ä'зимёѳ) *s.* азимут.
azure (эй'жёр) *s.* лазурь *f.* || ~ *a.* лазоревый, светло-голубой.

B

baa (бā) *vn.* блеять.
babble (бä'бл) *s.* болтовня; (*of a stream*) журчание; (*nonsense*) вздор || ~ *vn.* бормотать, болтать; (*murmur*) журчать; (*divulge*) выдавать, выдать (тайну).
babe (бэйб) *s.* младенец, малютка.
babel (бэйбл) *s.* суматоха; замешательство.
baboon (бёбӯ'н) *s.* павиан.
baby/ (бэй'би) *s.* младенец, малютка || **–hood** *s.* младенчество || **–ish** *a.* младенческий, детский, ребяческий.
baccarat (бäкёрā') *s.* баккара.
bacchan/al (бä'кёнёл) *s.* кутила, пьяница || **–alian** (бäкёнэй'лиён) *a.* вакханальный; пьяный.
baccy (бä'ки) *s.* (*fam.*) табак.
bachelor/ (бä'чёлёр) *s.* холостяк; (*of Arts*) бакалавр || **–hood** *s.* холостая жизнь; безбрачие.
bacillus (бёси'лёс) *s.* бацилла.
back/ (бäк) *s.* спина, хребет; (*of a chair*) спинка; задняя сторона; (*of a book*) корешок || ~ *ad.* назад, сзади; (*again*) опять, снова; (*ago*) тому назад || **to come ~** воз-вр-ащаться, -атиться || ~ *va.* (*help*) по-могать, -мочь; под-держивать, -держать; (*to move backwards*) ото-двигать, -двинуть назад; (*to bet on*) держать пари || **a ~ number** (*fam.*) немодный человек || **to ~ up** по-могать, -мочь || **–bite** *va.* злословить за глаза, клеветать || **–biting** *s.* клевета || **–bone** *s.* спинной хребет; (*character*) твёрдость *f.* || **–door** *s.* чёрный ход || **–er** *s.* закладчик || **–gammon** *s.* игра, схожая с трикраком || **–ground** *s.* фон, задний план; отдаление; (*theatre*) глубина сцены || **to keep in the ~** держаться в стороне || **–handed** *a.* (*fig.*) неожиданный; косвенный || **–side** *s.* задница || **–slide** *vn.* отступ-ать, -ить; от-падать, -пасть || **–stairs** *spl.* чёрная лестница || ~ *a.* (*fig.*) скрытный, тайный || **–ward** *a.* (*slow*) медлительный, вялый; (*shy*) опасливый; (*dull*) тупой || ~ *ad.* & **–wards** *ad.* назад, обратно; в обратном направлении; (*fig.*) к худшему; на спину || **–water** *s.* вода, задержанная плотиной; затон || **–woods** *spl.* девственные леса *mpl.*
bacon (бэй'кён) *s.* копчёная свиная грудинка || **to save one's ~** спа-саться, -стись.
bacter/iology (бäктийрио'лоджи) *s.* бактериология || **–iologist** (бäктийрио'лоджист) *s.* бактериолог || **–ium** (бäктий'риём) *s.* бактерия.
bad/ (бäд) *a.* дурной, плохой, скверный; (*wicked*) злой; (*wrong*) неправильный; (*injurious*) вредный || **–ly** *ad.* (*fig.*) порядочно, сильно.
badge (бäдж) *s.* знак, значок; орден.
badger (бä'джёр) *s.* барсук || ~ *va.* надоедать, мучить.
baffle (бä'фл) *va.* сб-ивать, -ить с толку; (*frustrate*) помешать, разрушить.

bag (бäг) мешо́к, су́мка; *pl.* (*fam.*) штаны́ *mpl.* || ~ *va.* класть в мешо́к; (*fam.*) укра́сть, сти́брить.
bagatelle (бäгётэ'л) *s.* безде́лица, безде́лка.
baggage (бä'гидж) *s.* бага́ж, покла́жа; (*mil.*) обо́з; (*fam.*) де́рзкая же́нщина.
baggy (бä'ги) *a.* мешкова́тый.
bag/man (бä'г-мäн) *s.* (*fam.*) комми-вояжёр || **~-pipe** *s.* волы́нка.
baignoire (бэнуä'р) *s.* (*theat.*) бенуа́р.
bail (бэ̆йл) *s.* поручи́тельство, пору́ка || ~ *va.* руча́ться, поручи́ться; пред-ставля́ть, -ста́вить обеспе́чение.
bailie (бэ̆й'ли) *s.* (*Sc.*) член городско́й упра́вы.
bailiff (бэ̆й'лиф) *s.* суде́бный при́став.
bailiwick (бэ̆й'ли-уик) *s.* суде́бный о́круг.
bairn (бā'рн) *s.* (*Sc.*) дитя́.
bait (бэ̆йт) *s.* блёвка, притра́ва; (*for fish*) нажи́вка; (*fig.*) прима́нка || ~ *va.* надева́ть прима́нку на крючо́к; (*fig.*) при-ма́нивать, -мани́ть; (*torment*) раздраж-а́ть, -и́ть; (*to worry*) трави́ть соба́ками.
baize (бэ̆йз) *s.* ба́йка.
bake/ (бэ̆йк) *va.* печь, ис-; за-пека́ть, -пе́чь; (*bricks, etc.*) обж-ига́ть, -е́чь || ~ *vn.* пе́чься, ис-; за-пека́ться, пе́чься || **-house** (-хаус) *s.* пека́рня, бу́лочная || **-r** *s.* пе́карь *m.*; бу́лочник || **baker's dozen** трина́дцать || **baker's (shop)** бу́лочная || **-ry** *s.* пека́рня, бу́лочная.
baksheesh (бä'кшийш) *s.* бакши́ш, (де́ньги) на чай.
balance (бä'лёнс) *s.* (*scales*) весы́ *mpl.*; (*equilibrium*) равнове́сие; (*of a watch*) ма́ятник; (*comm.*) бала́нс, счётный свод; (*remainder*) оста́ток || ~ *va.* держа́ть в равнове́сии; взве́-шивать, -сить; (*to compare*) с-ра́внивать, -равни́ть; (*to even*) уравно-ве́шивать, -ве́сить; (*comm.*) заклю-ча́ть, -чи́ть счёты || ~ *vn.* колеба́ться; держа́ться в равнове́сии.
balcony (бä'лкёни) *s.* балко́н.
bald/ (бо̄'лд) *a.* лы́сый, плеши́вый; (*bare*) го́лый; (*plain*) просто́й; (*not detailed*) без подро́бностей || **-head** *s.* плеши́вец || **-ness** *s.* плеши́вость *f.*; пусты́нность *f.* || **-pate** *s.* плеши́вец.
baldachin (бä'лдёкин) *s.* балдахи́н.
balderdash (бо̄'лдёрдäш) *s.* вздор.
baldric (бо̄'лдрик) *s.* пе́ревязь *f.*
bale (бэ̆йл) *s.* (*poet.*) зло, несча́стие; (*comm.*) тюк, ки́па || ~ *va.* выче́рпывать, вы́черпать.
balefire (бэ̆й'лфайёр) *s.* сигна́льный ого́нь.
baleful (бэ̆й'лфул) *a.* печа́льный, мра́чный, па́губный.
balk (бо̄к) *s.* бревно́, ба́лка; (*hindrance*) поме́ха; (*disappointment*) неуда́ча || ~ *va.* (*hinder*) меша́ть; (*thwart*) препя́тствовать, вос-; (*deprive*) лиша́ть, лиши́ть; об-ма́нывать, -ману́ть; (*to shy*) пуга́ться, ис-.
ball (бо̄л) *s.* шар; (*for playing*) мяч; (*of wool, etc.*) клубо́к; (*bullet*) пу́ля; (*social*) бал; (*of the eye*) я́блоко; (*of the foot*) ступня́ у ноги́.
ballad (бä'лёд) *s.* балла́да, рома́нс.
ballast (бä'лёст) *s.* балла́ст; балластиро́вка || ~ *va.* нагру-жа́ть, -зи́ть балла́стом.
ball-bearings (бо̄'лбā'рингз) *spl.* шарико́вый подши́пник.
ballet (бä'лит) *s.* бале́т.
ballistic/ (бёли'стик) *a.* баллисти́ческий || **-s** *spl.* балли́стика.
balloon/ (бёлӯ'н) *s.* балло́н, возду́шный шар || **-ist** *s.* воздухопла́ватель *m.*
ballot (бä'лёт) *s.* балл; баллотиро́вка || ~ *vn.* баллоти́ровать. (ща́ться с.
ballyrag (бä'лирäг) *va.* (*fam.*) ду́рно обра-
balm/ (бāм) *s.* бальза́м; (*fragrance*) благоуха́ние || **-y** *a.* бальза́мный; (*fragrant*) благово́нный.
balsam (бо̄'лсём) *s.* бальза́м.
balust/er (бä'лёстёр) *s.* баля́сина || **-rade** (бäлёстрэ̆й'д) *s.* пери́ла *npl.*; баллюстра́да.
bamboo (бäмбӯ') *s.* бамбу́к.
bamboozle (бäмбӯ'зл) *va.* (*fam.*) об-ма́нывать, -ману́ть.
ban (бäн) *s.* (*eccl.*) отреше́ние, ана́фема; прокля́тие || ~ *va.* про-клина́ть, -кля́сть; (*forbid*) запре-ща́ть, -ти́ть.
banal/ (бä'нёл) *a.* бана́льный, по́шлый || **-ity** (бёнä'лити) *s.* бана́льность *f.*; по́шлость *f.*
banana (бёнā'нё) *s.* бана́н.
band/ (бäнд) *s.* перевя́зка; (*ribbon*) ле́нта; (*strap*) полоса́; (*of robbers, etc.*) ша́йка; (*crowd*) толпа́; (*music*) орке́стр || ~ *va.* свя́зывать, связа́ть; соедин-я́ть, -и́ть || **-age** *s.* банда́ж, бинт || ~ *va.* бандажи́ровать, наложи́ть банда́ж || **-box** *s.* карто́нка.
banderole (бä'ндёрол) *s.* бандеро́ль *f.*; пе́ревязь *f.*
bandit (бä'ндит) *s.* банди́т, разбо́йник.
bandmaster (бä'ндмāстёр) *s.* капельме́йстер, дирижёр.
bandog (бä'ндог) *s.* дворо́вая соба́ка.
bandoleer (бäндёлий'р) *s.* патронта́ш, надева́емый че́рез плечо́.
band/saw (бä'нд-со̄) *s.* ле́нточная пила́ || **-sman** (бä'ндзмäн) *s.* музыка́нт.
bandy (бä'нди), **-legged** *a.* кривоно́гий || ~ *va.&n.* обме́ниваться; (*discuss*) обсужда́ть || **to ~ words** перебра́ниваться.
bane/ (бэ̆йн) *s.* яд, отра́ва; зара́за || **-ful** *a.* ядови́тый; па́губный.

bang (бäнг) *s.* неожи́данный гро́мкий шум; (*explosion*) взрыв ‖ ~ *ad.*, **to go** ~ взорва́ться ‖ ~ *va.* бить, тузи́ть.
bangle (бäнг-гл) *s.* запя́стье, брасле́т.
banish/ (бä'ниш) *va.* из-гоня́ть, -гна́ть ‖ **-ment** *s.* изгна́ние; ссы́лка.
banisters (бä'нистёрз) *spl.* баллюстра́да.
banjo (бä'нджо̄у) *s.* ба́нджо (гита́ра не́гров).
bank/ (бä'нгк) *s.* вал, на́сыпь *f.*; (*of a river*) бе́рег; (*bench*) скаме́йка; (*money, cards*) банк ‖ ~ *va.* окруж-а́ть, -и́ть ва́лом; (*money*) поме-ща́ть, -сти́ть в банк ‖ **-er** *s.* банки́р; (*at cards*) банкёр ‖ **-note** *s.* креди́тный биле́т, ассигна́ция ‖ **-rupt** (-рапт) *s.* банкро́т ‖ ~ *a.* банкро́тный ‖ **to become** ~ обанкро́титься ‖ **-ruptcy** (-рёпси) *s.* банкро́тство.
banner (бä'нёр) *s.* зна́мя *n.*; штанда́рт.
bannock (бä'нёк) *s.* овся́ная лепёшка.
banns (бäнз) *spl.* церко́вное оглаше́ние о бра́ке.
banquet (бä'нг-куит) *s.* пир, пи́ршество; банке́т ‖ ~ *va.* дава́ть, дать пир ‖ ~ *vn.* пирова́ть.
bantam (бä'нтём) *s.* малоро́слая поро́да кур.
banter (бä'нтёр) *s.* доброду́шная шу́тка; подтру́нивание ‖ ~ *va.* доброду́шно шути́ть.
baptism/ (бä'птизм) *s.* креще́ние, окреще́ние, крести́ны *fpl.* ‖ **-al** (бäпти'змёл) *a.* крёстный ‖ ~ **certificate** метри́ческое свиде́тельство о креще́нии.
baptist/ (бä'птист) *s.* крести́тель *m.*; (*sect*) бапти́ст ‖ **-ry** *s.* церко́вный приде́л, в кото́ром соверша́ется креще́ние.
baptize (бäптай'з) *va.* крести́ть, о-.
bar (ба̄р) *s.* кусо́к, полоса́; (*of gate, etc.*) засо́в; (*hindrance*) препя́тствие; (*counter*) сто́йка; (*legal*) суд, сосло́вие адвока́тов; (*mus.*) черта́ ме́жду та́ктами ‖ ~ *va.* заго-р-а́живать, -оди́ть; (*to bolt*) за-пира́ть, -пере́ть засо́вом; (*hinder*) препя́тствовать; (*not count*) исклю-ча́ть, -чи́ть.
barb/ (ба̄рб) *s.* борода́; шип; (*of arrow*) крюк; (*of hook*) крючо́к; (*poetic*) берберийская ло́шадь ‖ ~ *va.* при-ставля́ть, -ста́вить зубе́ц ‖ **-ed wire entanglement** (*mil.*) про́волочное огражде́ние.
barbar/ian (барба̄'риён) *s.* ва́рвар, дика́рь ‖ ~ *a.* ва́рварский, ди́кий ‖ **-ic** (барба̄'рик) *a.* ва́рварский, жесто́кий, инозе́мный ‖ **-ism** (ба̄'рбёризм) *s.* ва́рварство, жесто́кость *f.*; (*gramm.*) варвари́зм ‖ **-ity** (барба̄'рити) *s.* ва́рварство; бесчелове́чность *f.* ‖ **-ous** (ба̄'рбёрёс) *a.* ва́рварский, жесто́кий; некульту́рный.
barber (ба̄'рбёр) *s.* цирю́льник, парикма́хер.
barberry (ба̄'рбёри) *s.* барбари́с.
barbette (барбэ'т) *s.* барбе́т, барбе́тная батаре́я.
barbican (ба̄'рбикён) *s.* бойни́ца.
bard (ба̄рд) *s.* бард, поэ́т ‖ **-ic** (-ик) *a.* относя́щийся к ба́рдам.
bare/ (ба̄р) *a.* наго́й, го́лый; (*uncovered*) непокры́тый; (*unadorned*) неприукра́шенный; (*poor*) бе́дный; (*mere*) настоя́щий ‖ ~ *va.* обнаж-а́ть, -и́ть; рас-крыва́ть, -кры́ть ‖ **-faced** *a.* (*fig.*) на́глый, бессты́дный ‖ **-headed** *a.* с непокры́той голово́й ‖ **-ly** *ad.* едва́-едва́; наси́лу ‖ **-ness** *s.* нагота́; (*scantiness*) ску́дность *f.*; (*poverty*) бе́дность *f.*
bargain (ба̄'ргён) *s.* торг; догово́р; торго́вая сде́лка; вы́годная поку́пка ‖ **into the** ~ сверх чего́ ‖ **'tis a** ~! по рука́м! идёт! ‖ **to strike a** ~ заключи́ть сде́лку ‖ ~ *vn.* торгова́ться, ряди́ться; (*stipulate*) усло́вливать, -и́ть.
barge/ (ба̄рдж) *s.* ба́ржа ‖ **-man** *s.* ло́дочник.
baritone (бä'ритōун) *s.* барито́н.
barium (ба̄'риём) *s.* ба́рий *m.*
bark (ба̄рк) *s.* (*of trees*) древе́сная кора́; (*of dog*) лай *m.*; (*small ship*) ба́рка; (*poet.*) су́дно ‖ ~ *va.* сдира́ть, содра́ть кору́ ‖ ~ *vn.* об-дира́ться, -одра́ться; (*of dogs*) ла́ять.
barley (ба̄'рли) *s.* ячме́нь *m.* ‖ ~ *a.* ячме́нный.
barm (ба̄'рм) *s.* пивны́е дро́жжи.
bar/maid (ба̄'р-мэйд) *s.* сиде́лица в кабаке́ ‖ **-man** *s.* каба́чник.
barmy (ба̄'рми) *a.* бродя́щий, пе́нистый; (*mad*) сумасше́дший.
barn (ба̄рн) *s.* хле́бный амба́р, жи́тница.
barnacle (ба̄'рнёкл) *s.* (*goose*) каза́рка.
baromet/er (бäро'митёр) *s.* баро́метр ‖ **-rical** (бäромэ'трикёл) *a.* барометри́ческий.
baron/ (бä'рён) *s.* баро́н ‖ **-age** *s.* сосло́вие баро́нов; баро́нский ти́тул ‖ **-ess** *s.* барон́есса ‖ **-et** *s.* бароне́т ‖ **-etage** (-этидж) *s.* спи́сок бароне́тов ‖ **-etcy** (-этси) *s.* зва́ние бароне́та ‖ **-y** *s.* баро́нство.
baroque (бäро'к) *s.* стиль баро́к ‖ ~ *a.* стра́нный, причу́дливый.
barouche (бäрӯ'ш) *s.* коля́ска, кабриоле́т.
barque (ба̄рк) *s.* (*poet.*) ба́рка, су́дно.
barrack (бä'рёк) *s.* рабо́чий бара́к, каза́рма.
barrage (ба̄'ридж) *s.* прегражде́ние реки́.
barratry (бä'рётри) *s.* барата́рия.
barrel (бä'рёл) *s.* бо́чка, бочёнок; (*of a gun*) ствол, ду́ло ‖ ~ *va.* класть в бо́чки.
barren (бä'рён) *a.* беспло́дный; (*of a woman*) непло́дная; (*dull*) тупо́й.
barricade (бä'рикэ̄й'д) *s.* баррика́да; эстака́да ‖ ~ *va.* баррикади́ровать, за-.

barrier (бă'риёр) *s.* барьёр, застáва; (*mil.*) эстакáда; (*obstacle*) препя́тствие, преграда.
barrister (бă'ристёр) *s.* адвокáт, присяжный повéренный.
barrow (бă'рōу) *s.* ручнáя телéжка, лотóк; (*archæology*) моги́льный курган.
barter (бā'ртёр) *s.* мéна, обмéн; меновóй торг || ~ *va.* меня́ть; вымéнивать, вы́менять. [базáльтовый.
basalt/ (бёсō'лт) *s.* базáльт || **-ic** (-ик) *a.*
base/ (бэ̄йс) *s.* основáние, бáзис; фундáмент; (*of a hill*) поднóжие; (*of statue*) пьедестáл; (*mil.*) бáза || ~ *a.* ни́зкий, пóдлый; (*low-born*) неблагорóдный; (*of metals*) низкопрóбный || ~ *va.* ос-нóвывать, -новáть; по-нижáть, -ни́зить стóимость || **-ball** *s.* америкáнская игрá в мяч || **~-born** *a.* ни́зкого происхождéния || **-less** *a.* без основáния, неосновáтельный || **-ment** *s.* подвáльный этáж, подвáл || **-ness** *s.* ни́зость *f.*; пóдлость *f.*; низкопрóбность *f.*
bash (бăш) *va.* бить, колоти́ть.
bashful/ (бă'шфул) *a.* стыдли́вый, застéнчивый || **-ness** *s.* стыдли́вость *f.*; застéнчивость *f.*
basic (бэ̄й'сик) *a.* основнóй.
basilica (бăси'ликё) *s.* бази́лика, собóр.
basilisk (бă'зилиск) *s.* бази́лиск.
basin (бэ̄й'сн) *s.* посу́да для воды́; чáшка; (*washing*) лахáнь *f.*; лахáнка; таз; (*of a river*) бассéйн; (*dock*) док; (*harbour*) бу́хта; (*tank*) резервуáр.
basis (бэ̄й'сис) (*pl.* **bases,** бэ̄й'сийз) *s.* основáние, бáзис; пьедестáл; тóчка опóры; (*mil.*) бáза.
bask (бāск) *vn.* грéться, нéжиться на сóлнце.
basket/ (бā'скит) *s.* корзи́на; лукóшко || **-work** *s.* плетёные издéлия.
bas-relief (бāрилий'ф) *s.* барелье́ф.
bass (бăс) *s.* (*fish*) óкунь *m.* || ~ (бэ̄йс) *s.* бас || ~ (бэ̄йс) *a.* басовóй.
bassinet (бăсинэ'т) *s.* колыбéль *f.*
bassoon (бёсӯ'н) *s.* (*mus.*) фагóт.
bast (бāст, бăст) *s.* лы́ко.
bastard (бă'стёрд) *s.* побóчное дитя́; ублю́док || ~ *a.* незаконнорождённый; (*fig.*) лóжный.
baste (бэ̄й'ст) *va.* (*to cudgel*) бить пáлкой; (*cookery*) поливáть жаркóе на вéртеле.
bastinado (бăстинэ̄й'доу) *s.* наказáние пáлками по пя́ткам.
bastion (бă'стиён) *s.* бастиóн. [*etc.*) лáпта.
bat (бăт) *s.* (*animal*) летучая мышь; (*cricket,*
batch (бăч) *s.* коли́чество хлебóв, вмещáющихся в печь; ку́ча, цéлый ряд чегó.

bate/ (бэ̄йт) *va.* сбавля́ть, сбáвить; усту-п-áть, -и́ть || **with -d breath** понизив гóлос.
bath/ (бāþ) (*pl.* **baths,** бāðз) *s.* вáнна, бáня || ~ *va.* купáть || **-chair** *s.* крéсло на колёсах для прогу́лок.
bathe (бэ̄йð) *s.* купáние || ~ *va.* купáть, обмывáть, -мы́ть || ~ *vn.* купáться.
bathing-dress (бэ̄й'ðинг-дрэс) *s.* купáльный костю́м.
bathos (бэ̄й'þос) *s.* напы́щенность (*f.*) слóга.
bathroom (бā'þрум) *s.* вáнная кóмната.
batiste (бёти'ст) *s.* бати́ст.
baton (бă'тён) *s.* жезл, пáлка.
batsman (бă'тсмён) *s.* сшибáтель *m.* шáра (в кри́кете).
battalion (бăтă'лйён) *s.* батальóн.
batten (бă'тн) *s.* дрáнка, драни́ца; плáнка || *va.* задрáи-вать, -ть || ~ *vn.* от-кáрмливаться, -корми́ться.
batter/ (бă'тёр) *s.* би́тое тéсто || ~ *va.* бить; раз-бивáть, -би́ть; обкол-áчивать, -оти́ть; (*mil.*) громи́ть пу́шками || **-ing-ram** *s.* тарáн || **-y** (-и) *s.* батарéя || **assault and ~** (*jur.*) оскорблéние дéйствием.
battle/ (бăтл) *s.* би́тва, сражéние || ~ *vn.* сра-жáться, -зи́ться; борóться || **-axe** *s.* секи́ра || **-dore** (-дōр) *s.* ракéт для игры́ в волáн || **-ment** *s.* стеннóй зубéц, бойни́ца || **-ship** *s.* боевóе су́дно.
battue (бăтю') *s.* охóта с облáвой; избиéние.
bauble (бōбл) *s.* безделу́шка, игру́шка.
bawd/ (бōд) *s.* свóдница || **-y** *a.* посты́дный.
bawl/ (бōл) *s.* грóмкий крик, вопль *m.* || ~ *va.&n.* кр-ичáть, -и́кнуть; орáть, горлáнить || **-er** *s.* крику́н.
bay/ (бэ̄й) *s.* зали́в, бу́хта; (*tree*) лáвровое дéрево; (*window*) вы́ступ; (*of a dog*) лай *m.* || **to bring to ~** загнáть в безвы́ходное мéсто || **to stand at ~** отчáянно защищáться вслéдствие крáйности своегó положéния || ~ *a.* гнедóй, каштáновый || **a ~ horse** гнедкó || ~ *vn.* лáять; (*of hounds*) голоси́ть || **-ing** *s.* лай *m.*
bayonet (бэ̄й'ёнэт) *s.* штык || ~ *va.* за-кáлывать, -колóть штыкóм. [ступом.
bay-window (бэ̄й-уи'ндоу) *s.* окнó с вы́-
bazaar (бёзā'р) *s.* базáр.
be (бий) *vn.* быть, существовáть || **to ~ hungry** голодáть || **to ~ off** уйти́, убрáться вон || **to let ~** о-ставля́ть, -стáвить в покóе || **~ it so!** да бу́дет так!
beach (бийч) *s.* поберéжье; взмóрье || ~ *va.* вытáскивать, вы́тащить на бéрег.
beacon (бий'кён) *s.* маяк; вéха, бáкен; сигнáльный огóнь.

bead/ (бийд) *s.* бу́са, бу́сина, ша́рик, би́серина; *pl.* чётки ‖ **to draw a ~ on** прице́ливаться в ‖ **–ing** *s.* аграма́нт.

beadle (бий'дл) *s.* церко́вный сто́рож; педе́ль *m.*

beady (бий'ди) *a.* ма́ленький и я́сный.

beagle (бий'гл) *s.* коротконо́гая го́нчая соба́ка.

beak (бийк) *s.* клюв; о́стрый коне́ц (чего́-либо); (*of a ship*) нос; (*spout*) носо́к; (*slang*) судья́.

beaker (бий'кёр) *s.* ча́ша, ку́бок.

beam (бийм) *s.* (*of light*) луч; (*of timber*) бревно́; ба́лка; (*of ship*) ширина́, бимс ‖ **~** *va.&n.* сия́ть; блесте́ть, блиста́ть; броса́ть лучи́.

bean (бийн) *s.* боб

bear/ (бäр) *s.* медве́дь *m.*; (*rough person*) грубия́н, неве́жа; (*stock exchange*) спекуля́нт на пониже́ние фо́ндов ‖ **the Great B–** (*astr.*) больша́я медве́дица ‖ **~** *va.* носи́ть, нести́; (*to endure*) пере-носи́ть, -нести́; (*sustain*) выде́рживать, вы́держать; (*to produce*) произ-води́ть, -вести́; роди́ть ‖ **~** *va.&n.* (*endure*) терпе́ть ‖ **to ~ a hand** уча́ствовать ‖ **to ~ away** подходи́ть ‖ **to ~ down** уничт-ожа́ть, -о́жить; опро-верга́ть, -ве́ргнуть ‖ **to ~ down upon** надвига́ться на ‖ **to ~ off** *va.* у-вози́ть, -везти́; *vn.* удал-я́ться, -и́ться ‖ **to ~ upon** каса́ться ‖ **to ~ out** подтвержда́ть, -ди́ть ‖ **to ~ with** переноси́ть, терпе́ть ‖ **to ~ witness** свиде́тельствовать ‖ **–able** *a.* сно́сный, выноси́мый.

beard/ (бийрд) *s.* борода́; (*bot.*) ость *f.* ‖ **~** *va.* не боя́ться; вызыва́ть, вы́звать ‖ **–ed** *a.* борода́тый ‖ **–less** *a.* безборо́дный.

bear/er (бä'рёр) *s.* носи́тель *m.*; пода́тель *m.*; предъяви́тель *m.*; (*stretcher*) носи́льщик ‖ **–ing** *s.* (*behaviour*) поведе́ние; (*relation*) отноше́ние; (*of machines*) подши́пник.

bearish (бä'риш) *a.* медве́жий, гру́бый.

beast/ (бийст) *s.* зверь *m.*; живо́тное; скот; (*fig.*) зве́рский челове́к ‖ **–liness** *s.* скотство́, зве́рство ‖ **–ly** *a.* звери́ный, ско́тский; (*fig.*) отврати́тельный.

beat (бийт) *s.* уда́р, ударе́ние, бие́ние; (*appointed round*) дозо́р; (*battue*) охо́та с обла́вой ‖ **~** *va.* бить, у-даря́ть, -да́рить; (*to thrash*) колоти́ть, по-, выкола́чивать, вы́колотить; (*defeat*) об-ы́грывать, -ыгра́ть ‖ **~** *vn.* би́ться, пульси́ровать ‖ **to ~ about** би́ться; ходи́ть вокру́г; (*to tack*) лави́ровать ‖ **to ~ against** ударя́ться о ‖ **to ~ time** отбива́ть такт ‖ **–er** *s.* загонщи́к.

beatif/ic (бий-ёти'фик) *a.* блаже́нный, спаси́тельный ‖ **–ication** (би-ätификэй'шн) *s.* беатифика́ция, причте́ние к ли́ку святы́х ‖ **–y** (би-ä'тифай) *va.* при-числя́ть, -чи́слить к ли́ку святы́х.

beating (бий'тинг) *s.* побо́и *mpl.*; бие́ние; уда́ры *mpl.*; пульса́ция.

beatitude (би-ä'титю́д) *s.* блаже́нство.

beau (бо́у) *s.* щёголь *m.*; франт.

beaut/eous (бю'тиёс), **–iful** *a.* прекра́сный, краси́вый ‖ **–ify** *va.* у-краша́ть, -кра́сить ‖ **–y** *s.* красота́; (*a person*) краса́вица.

beaver (бий'вёр) *s.* бобр.

becalm (бика̄'м) *va.* (*mar.*) заштиле́ть.

became (бикэй'м) *cf.* **become.**

because (бико̄'з) *c.* потому́ что, ра́ди того́.

beck (бэк) *s.* знак, манове́ние ‖ **to be at one's ~ and call** соверше́нно подчиня́ться.

beckon (бэ'кн) *vn.* кив-а́ть, -ну́ть; по-да-ва́ть, -да́ть знак; мани́ть, по-.

becloud (биклау'д) *va.* завола́кивать облака́ми, затемня́ть.

becom/e (бика'м) *vn.* сде́латься, стать ‖ **~** *va.* (*to suit*) годи́ться, прили́чествовать; быть досто́йным; (*of clothes*) итти́ ‖ **–ing** *a.* прили́чный, соотве́тствующий; (*of dress*) изя́щный ‖ **–ingly** *ad.* прили́чно.

bed (бэд) *s.* посте́ль *f.*; ло́же; (*flowers*) клу́мба; (*river*) русло́, ложби́на; (*layer*) слой *m.*; пласт.

bedabble (бида̄'бл) *va.* оро-ша́ть, -си́ть; омочи́ть.

bedaub (бидо̄'б) *va.* опа́чкать; за-ма́рывать, -мара́ть.

bed/chamber (бэ'д-чэй'мбёр) *s.* спа́льня ‖ **–clothes** *spl.* посте́льное бельё.

bedding (бэ'динг) *s.* посте́льное бельё; подсти́лка.

bedeck (бидэ'к) *va.* у-краша́ть, -кра́сить.

bedel(l) (бий'дл) *s.* педе́ль *m.*

bedevil/ (бидэ'вил) *va.* при-води́ть, -вести́ в бе́шенство; взбеси́ть.

bedew (бидю́') *va.* по-крыва́ть, -кры́ть росо́й.

bedim (биди'м) *va.* омрач-а́ть, -и́ть; затемн-я́ть, -и́ть.

bedizen (бидай'зн) *va.* разукр-а́шивать, -а́сить.

bedlam (бэ'длём) *s.* дом умалишённых; (*fig.*) гвалт, сумато́ха.

bedraggle (бидрä'гл) *va.* грязни́ть, за-; па́чкать, ис-.

bed/ridden (бэ'д-ридн) *s.* прико́ванный к посте́ли, больно́й ‖ **–stead** *s.* крова́ть *f.*

bee (бий) *s.* пчела́.

beech (бийч) *s.* бук ‖ **~** *a.* бу́ковый.

beef/ (бийф) *s.* говя́дина ‖ **roast ~** ро́стбиф ‖ **–eater** *s.* насме́шливая кли́чка лейбгварде́йцев ‖ **–steak** *s.* бифште́кс ‖ **–tea** *s.* кре́пкий говя́жий бульо́н.

bee/-hive (бий'-хайв) *s.* ýлей *m.* || **~-line** (-лайн) *s.* прямáя лúния.
been (бийн) *cf.* **be.**
beer (бий'ёр) *s.* пúво.
beestings (бий'стингз) *spl.* молокó новотéльной корóвы.
bees-wax (бий'з-уäкс) *s.* воск.
beet (бийт) *s.* свекловúца, крáсная свёкла.
beetl/e (бийтл) *s.* жук, таракáн; (*washing*) колотýшка || **–ing** *a.* навúсший.
beeves (бийвз) *spl.* быкú *mpl.*; рогáтый скот.
befall (бифō'л) *vn.* случ-áться, -úться; приключ-áться, -úться.
befit (бифи'т) *va.* годúться; прилúчествовать.
befog (бифо'г) *va.* по-крывáть, -крыть тýманом.
befool (бифý'л) *va.* одурáч-ивать, -ить.
before (бифō'р) *prp.* пред; до; прéжде || **~** *ad.* пéред, в присýтствии; впередú; рáньше; прéжде || **~** *c.* прéжде чем.
befoul (бифау'л) *va.* загрязн-ять, -úть.
befriend (бифрэ'нд) *va.* покровúтельствовать.
beg (бэг) *va.* просúть, по-; (*entreat*) умолять || **~** *vn.* просúть мúлостыни; просúть Христá рáди; нúщенствовать.
begad (бигä'д) *int.* ей Бóгу!
began (бигä'н) *cf.* **begin.**
beget (бигэ'т) *va.* рождáть, родúть; зачáть; произ-водúть, -вестú.
beggar/ (бэ'гёр) *s.* нúщий *m.*; просúтель *m.* || **poor ~** несчáстный || **–ly** *a.* нúщенский, бéдный; (*fig.*) нúзкий || **–y** *s.* нúщенство, нищетá.
begin/ (биги'н) *va.* на-чинáть, -чáть || **~** *vn.* на-чинáться, -чáться; приступ-áть, -úть к || **–ner** *s.* начинáющий; новичóк *m.*; новúчка *f.* || **–ning** *s.* начáло; происхождéние || **at the ~** сначáла.
begone (биго'н) *int.* вон! убирáйся!
begonia (бигōу'ниё) *s.* бегóния.
begot(ten) (биго'тн) *a. cf.* **beget.**
begrime (биграй'м) *va.* марáть, замарáть; пáчкать, запáчкать, загряз-нять, -нúть.
begrudge (бигра'дж) *va.* завúдовать; жалéть, по-.
beguile (бигай'л) *va.* об-мáнывать, -манýть; оболь-щáть, -стúть || **to ~ the time with** про-водúть, -вестú в чём врéмя.
begun (бига'н) *cf.* **begin.**
behalf (бихā'ф) *s.* пóльза, вы́года || **on ~ of** рáди.
behav/e (бихэ̄й'в) *vn.* вестú себя; держáть себя || **to ~ o.s.** вестú себя прилúчно || **–iour** (-йёр) *s.* поведéние; манéры.
behead (бихэ'д) *va.* обезглáв-ливать, -ить; отруб-áть, -úть гóлову.
beheld (бихэ'лд) *cf.* **behold.**
behest (бихэ'ст) *s.* приказáние, повелéние.
behind/ (бихай'нд) *prp.* за; пóсле; позадú || **~ time** с запоздáнием || **~** *ad.* сзáди, позадú, назадú || **–hand** *a.* запоздáло; (*in arrears*) в недоúмке.
behold/ (бихōу'лд) *va.* смотрéть, созерцáть; увúдеть || **~!** *int.* смотрú! вот! || **–en** *a.* обязанный, одолженный; признáтельный.
behoof (бихý'ф) *s.* пóльза, удóбство, вы́года.
behove (бихōу'в), **behoove** (бихý'в) *vn.* долженствовáть, прилúчествовать.
being (бий'-инг) *s.* существó; бытиё; состояние.
belabour (билэ̄й'бёр) *va.* колотúть, отбúть, из-; отвалять.
belated (билэ̄й'тид) *a.* запоздáлый.
belay/ (билэ̄й') *va.* (*mar.*) закреп-лять, -úть снасть || **–ing** *a.*, **~ pin** кáфельнáгель *m.*
belch (бэлч) *s.* рыгáние, отры́жка; изрыгáние || **~** *va.* рыгáть; изрыг-áть, -нýть.
beldam(e) (бэ'лдём) *s.* бáба, бáбушка; стáрая вéдьма.
beleaguer (билий'гёр) *va.* о-саждáть, -садúть; окруж-áть, -úть.
belfry (бэ'лфри) *s.* колокóльня.
belie (билай') *va.* изоблич-áть, -úть во лжи; (*contradict*) противорéчить.
belief (билий'ф) *s.* вéра; (*opinion*) мнéние.
believe/ (билий'в) *va.* вéрить, повéрить || **~** *vn.* дýмать, вообра-жáть, -зúть || **–r** *s.* вéрующий || **a true ~** правовéрный.
belittle (били'тл) *va.* умал-ять, -úть.
bell (бэл) *s.* кóлокол, колокóльчик; (*on door*) звонóк; (*on harness, etc.*) бубéнчик; (*of flowers*) чáшечка.
belle (бэл) *s.* (пéрвая) красáвица.
bellicose (бэликōу'с) *a.* воинственный.
bellied (бэ'лид) *a.* толстобрю́хий; (*swelling*) вы́гнутый, вы́пуклый.
belligerent (бэли'джёрёнт) *s&a.* воюющий, ведýщий войнý.
bell-metal (бэ'л-мэтёл) *s.* колокóльный метáлл.
bellow (бэ'лоу) *vn.* (*of cattle*) мычáть, ревéть; (*of persons*) кричáть, бушевáть.
bellows (бэ'лоуз) *spl.* мехú *mpl.*
bell-ringer (бэ'л-рингёр) *s.* звонáрь *m.*
belly/ (бэ'ли) *s.* живóт, брю́хо; (*fam.*) пýзо || **~** *vn.* на-дувáться, -дýться, пýчиться || **~-band** *s.* подбрю́шник у седлá.
belong/ (било'нг) *vn.* принадлежáть, быть присýщим; (*Am.*) быть осéдлым || **–ings** *spl.* имýщество.
beloved (била'вд) *s&a.* возлюбленный, возлюбленная.
below (билōу') *ad.* внизý || **~** *prp.* под; нúже; мéнее.
belt/ (бэлт) *s.* пóяс, ремéнь *m.*; связь *f.*; (*surgical*) бандáж || **~** *va.* опоя́с-ывать,

-ать; бить пóясом || **-ing** *s.* матерпáл для пóясов; передáточные бесконéчные ремни́ для маши́н. [бить.

bemaul (бимо̄'л) *va.* дýрно обращáться с;

bemoan (бимо̄у'н) *va.* оплáк-ивать, -ать; тужи́ть, по-. [тáх.

bemused (бимю'зд) *a.* в усыплéнии, в меч-

bench (бэнч) *s.* скамья́, скамéйка; (*legal*) суд, присýтствие; (*tech.*) станóк, верстáк.

bend/ (бэнд) *s.* сгиб, изги́б; изви́лина; (*turn*) поворóт; (*of a river*) лукá; (*mar.*) ýзел || ~ *va.irr.* гнуть, со-; сгибáть; пре-клон-я́ть, -и́ть; (*subdue*) покор-я́ть, -и́ть; (*direct*) на-правля́ть, -прáвить; (*mar.*) при-вя́зывать, -вязáть || ~ *vn.irr.* гнýться, со-; сгибáться; преклон-я́ться, -и́ться; (*to turn*) дéлать поворóт, повор-áчиваться, -оти́ться || **to ~ forward** наклон-я́ться, -и́ться вперёд || **-ed** *a.*, **on ~ knee** на колéнях || **-ing** *s. cf.* **bend** *s.*

beneath (бинии'þ) *prp.* под, внизý; ни́же; (*unworthy*) недостóйный || **~ your notice** недостóйный вáшего внимáния.

bene/diction (бэни-ди'кшн) *s.* благословéние; (*eccl.*) освящéние || **-factor** *s.* благодéтель *m.*; благотвори́тель *m.* || **-factress** (-фǣ'ктрэс) *s.* благодéтельница; благотвори́тельница || **-fice** (бэ'нифис) *s.* бенефи́ция || **-ficed** (бэ'нифист) *a.* пóльзующийся бенефи́цией || **-ficence** (бинэ'фисэнс) *s.* благотвóрность *f.*; благотвори́тельность *f.* || **-ficent** (бинэ'фисэнт) *a.* благодéтельный, благотвори́тельный || **-ficial** (бэнифи'шёл) *a.* благотвóрный || **-ficiary** (бэнифи'шиёри) *s.* пóльзующийся бенефи́цией || **-fit** (бэ'нифит) *s.* (*advantage*) вы́года, пóльза; (*theat.*) бенефи́с; (*allowance*) пéнсия || ~ *va.* дéлать добрó; по-могáть, -мóчь || ~ *vn.* пóльзоваться, вос-; из-влекáть, -влéчь вы́году из || **-volence** (бинэ'волэнс) *s.* благосклóнность *f.*; милосéрдие; благотвори́тельность *f.*; (*kindness*) добротá || **-volent** (бинэ'волэнт) *a.* благосклóнный, благотвори́тельный, дóбрый.

benighted (бинай'тид) *a.* засти́гнутый нóчью; (*fig.*) невéжественный, тёмный.

benign/ (бинай'н) *a.* крóткий, милосéрдый, дóбрый; благотвóрный; (*med.*) доброкáчественный || **-ant** (бини'гнёнт) *a.* крóткий, дóбрый || **-ity** (бини'гнити) *s.* крóтость *f.*; благотвóрность *f.*

bent (бэнт) *s.* склóнность *f.*; наклóнность *f.* || **to the top of one's ~** от всегó сéрдца || ~ *a.* сóгнутый; наклонённый.

benumb/ (бина'м) *va.* при-води́ть, -вести́ в состоя́ние окоченéлости, онемéлости; притупля́ть || **-ed** *a.* окоченéлый, оцепенéлый; притуплённый.

benz/ine (бэ'нзиин) *s.* бензи́н || **-oin** (бэ'нзōуин) *s.* бензóй *m.*

bequeath/ (бикуии'ð) *va.* от-кáзывать, -казáть; завещáть по наслéдству || **-er** *s.* завещáтель *m.*

bequest (бикуэ'ст) *s.* завещáние.

bereave/ (бирии'в) *va.irr.* лиш-áть, -и́ть; от-нимáть, -ня́ть || **-ment** *s.* лишéние; (*loss*) потéря.

bereft (бирэ'фт) *cf.* **bereave.**

berg (бёрг) *s.* ледянáя горá.

bergamot (бё'ргёмот) *s.* (*fruit*) бергамóт; (*perfume*) бергамóтная эссéнция.

berlin (бёрли'н) *s.* (*carriage*) берли́н || **~ blue** берли́нская лазýрь.

berry (бэ'ри) *s.* я́года.

berserk (бё'рсёрк) *s.* нéистовый вои́н, берсéркер; (*fig.*) нéистовый человéк.

berth (бёрþ) *s.* (*sleeping ~*) мéсто, кóйка; (*cabin*) кають́а; (*at wharf*) мéсто стоя́нки в пóрту; (*situation*) служéбное мéсто, пост || **to give a wide ~ to** из-бегáть, -бéгнуть || ~ *va.* причáли-вать, -ть.

beryl (бэ'рил) *s.* бери́л, аквамари́н.

beseech/ (бисии'ч) *va.* моли́ть, умоля́ть || **-ing** *a.* умоля́ющий.

beseem/ (бисии'м) *va.&n.* соответствовать, прили́чествовать || **-ing** *a.* прили́чный, прили́чествующий.

beset/ (бисэ'т) *va.irr.* оса-ждáть, -ди́ть; (*assail*) на-падáть, -пáсть; (*perplex*) смущáть, -ти́ть || **-ting** *a.* обы́чный.

beside (бисай'д) *prp.* ря́дом, пóдле, вóзле; поми́мо || **~ the question** нецелесообрáзный || **~ o.s.** вне себя́ от гнéва.

besides (бисай'дз) *prp.* сверх, поми́мо, крóме || ~ *ad.* притóм же, к томý же; крóме тогó; (*on the other hand*) с другóй стороны́.

besiege/ (бисии'дж) *va.* оса-ждáть, -ди́ть || **-r** *s.* осаждáющий; осаждáтель *m.*

besmear (бисмии'р) *va.* за-мáрывать, -марáть, запáчкать.

besmirch (бисмё'рч) *va.* пáчкать, за-; марáть, за-.

besom (бии'зём) *s.* метлá, вéник.

besotted (бисо'тид) *a.* пья́ный, одурéвший.

besought (бисо̄'т) *cf.* **beseech.** [камп.

bespangle (биспǣ'нг-гл) *va.* усéять блёст-

bespatter (биспǣ'тёр) *va.* забры́зг-ивать, -ать гря́зью; (*fig.*) оклеветáть.

bespeak (биспии'к) *va.irr.* (*order*) за-кáзывать, -казáть; заруч-áться, -и́ться; (*imply*) обнарýж-ивать, -ить.

bespoke (биспо̄у'к) *cf.* **bespeak.**

besprinkle (биспри'нг-кл) *va.* окроп-ля́ть, -и́ть; у-сыпа́ть, -сы́пать.
best (бэст) *s.*, **at ~** в лу́чшем слу́чае || **to make the ~ of it** воспо́льзоваться как мо́жно лу́чше || **to get the ~ of** одержа́ть верх || **to the ~ of my knowledge** наско́лько я зна́ю || **to do one's ~** стара́ться и́зо всех сил || **~** *a.* лу́чший, наилу́чший || **~ girl** (*fam.*) люббвница || **~ man** ша́фер || **~ seller** (*fam.*) популя́рный рома́н || **~** *ad.* лу́чше || **~** *va.* одержа́ть верх.
bestial/ (бэ'стиёл) *a.* звери́ный, ско́тский || **-ity** (бэстиä'лити) *s.* скотство́, зве́рство.
bestir (бисте̄'р) *va.*, **to ~ o.s.** шевели́ться, встрепену́ться; притти́ в движе́ние.
bestow/ (бисто̄у') *va.* дава́ть, дать; дарова́ть; жа́ловать, по- || **to ~ in marriage** от-дава́ть, -да́ть за́муж || **-al** *s.* дар, даре́ние; разда́ча.
bestride (бистрай'д) *va.* сади́ться, сесть верхо́м.
bet (бэт) *s.* закла́д, пари́ *n.* (*indecl.*) || **to lay, to make a ~** ста́вить, по- в закла́д || **to take a ~** держа́ть пари́ || **~** *va.&n.* би́ться об закла́д, держа́ть пари́ || **you ~!** (*Am.*) коне́чно.
betake (битэ̄й'к) *va.irr.*, **to ~ o.s.** отправля́ться, -пра́виться; при-нима́ться, -ня́ться за что; (*fig.*) при-бега́ть, -бе́гнуть к.
bethink (бифи'нгк) *va.irr.* вспомина́ть, вспо́мнить || **to ~ o.s.** оду́маться.
betide (битай'д) *vn.* случ-а́ться, -и́ться; ста́ться.
betimes (битай'мз) *ad.* (*early*) ра́но; (*in good time*) своевре́менно, во́время.
betoken (бито̄у'кн) *va.* о-знача́ть,-зна́чить; у-ка́зывать, -каза́ть.
betook (биту'к) *cf.* **betake.**
betray/ (битрэ̄й') *va.* (*a person*) пре-дава́ть, -да́ть; (*a secret*) выдава́ть, вы́дать; (*indicate*) обнару́ж-ивать, -ить || **-al** *s.* изме́на, преда́тельство.
betroth/ (битро̄'ð) *va.* помо́лвить; обруч-а́ть, -и́ть || **-al** *s.* помо́лвка, обруче́ние.
better (бэ'тёр) *a.* лу́чший || **~** *ad.* лу́чше, бо́льше || **so much the ~** тем лу́чше || **I had ~ go** бы́ло бы лу́чше уйти́ || **to think ~ of** измени́ть своё реше́ние || **to get the ~ of** одержа́ть верх || **~ off** в лу́чшем положе́нии || **~ half** дража́йшая полови́на; (*fam.*) жена́, супру́га || **~** *va.* у-лучша́ть, -лу́чшить.
betting (бэ'тинг) *s.* пари́, закла́д.
between (битуий'н), **betwixt** (битуи'кст) *prp.* ме́жду, в промежу́ток || **~ whiles** иногда́, по времена́м || **the space ~** промежу́точное простра́нство || **~ you and me** наедине́, с глазу на́ глаз || **~ five and six o'clock** в шесто́м часу́.
bevel/ (бэ'вил) *s.* ма́лка, науго́льник; косо́й у́гол; скос || **~** *a.* косо́й, сре́занный на́искось || **~** *va.* скоси́ть; разре́зать на́искось || **-ling** *s.* обтёсывание по ма́лке.
beverage (бэ'вёридж) *s.* питьё, напи́ток.
bevy (бэ'ви) *s.* ста́я; (*of persons*) о́бщество, собра́ние.
bewail/ (биуэ̄й'л) *va.* опла́кивать || **~** *vn.* сокруша́ться о || **-ing** *s.* опла́кивание, се́тование.
beware (биуа̄'р) *vn.* остер-ега́ться, -е́чься; бере́чься.
bewilder/ (би-уи'лдёр) *va.* с-бива́ть, -бить с то́лку; запу́т-ывать, -ать; сму-ща́ть, -ти́ть || **-ing** *a.* кото́рый запу́тывает || **-ment** *s.* смуще́ние, недоуме́ние.
bewitch/ (би-уи'ч) *va.* окол-до́вывать, -дова́ть; очаро́вывать; об-воро́живать, -ожи́ть || **-ing** *a.* очарова́тельный, волше́бный || **-ment** *s.* волшебство́; ча́ры *fpl.*; колдовство́.
bey (бэ̄й) *s.* бей *m.*
beyond (би-йо'нд) *prp.* вы́ше, над; вне; за; да́льше || **~** *ad.* вдали́, на расстоя́нии || **it is ~ me** э́то я не понима́ю || **the ~** жизнь *f.* за гро́бом.
bezel (бэ'зил) *s.* гнездо́ (у пе́рстня).
bias (бай'ёс) *s.* переве́с; (*inclination*) скло́нность *f.*; (*prejudice*) предубежде́ние || **without ~** непредубеждённый || **~** *va.* наклон-я́ть, -и́ть; склон-я́ть, -и́ть; (*to prejudice*) преду-бежда́ть, -беди́ть.
bib/ (биб) *s.* де́тский нагру́дник || **~** *vn.* пить; на-пива́ться, -пи́ться || **-acious** (-э̄й'шёс) *a.* пью́щий, лю́бящий напива́ться.
bibl/e (байбл) *s.* би́блия || **-ical** (би'бликёл) *a.* библе́йский || **-iographer** (библио'грёфёр) *s.* библиогра́ф || **-iography** (библио'грёфи) *s.* библиогра́фия || **-iomania** (библиомэ̄й'ниё) *s.* библиома́ния || **-iophile** (би'блиофил) *s.* библиофи́л.
bibulous (би'бюлёс) *a.* ноздрева́тый; (*fig.*) пре́данный пья́нству.
bicarbonate (байка̄'рбёнэйт) *s.* двууглеки́слое соедине́ние.
biceps (бай'сэпс) *s.* би́цепс, двугла́вая мы́шца.
bicker/ (би'кёр) *vn.* спо́рить; ме́лочно ссо́риться || **-ing** *s.* ссо́ра, ра́спря.
bicycl/e (бай'сикл) *s.* велосипе́д, би́цикл || **-ist** *s.* велосипеди́ст.
bid (бид) *s.* предложе́ние цены́ (на аукцио́не) || **~** *va.* при-ка́зывать, -каза́ть; (*order*) веле́ть, по-; (*offer*) пред-лага́ть, -ожи́ть (це́ну); (*invite*) при-глаша́ть, -гласи́ть || **to ~ adieu to** прости́ться с || **to ~ defiance** вызыва́ть на бой || **to ~ fair to**

vn. подавать надежды || **-ding** *s.* наддача цены; (*order*) приказ, приказание, повеление.

bide (байд) *va.irr.* выносить, терпеть; ждать, вы- || ~ *vn.irr.* жить, проживать; (*remain*) о-ставаться, -статься.

biennial (бай-э'ниёл) *a.* двугодовалый, двухлетний; происходящий каждые два года.

bier (бий'р) *s.* катафалк; носилки *fpl.*

biff (биф) *s.* (*fam.*) удар.

bifurcation (байфёркэй'шн) *s.* раздвоение, развилина.

big/ (биг) *a.* большой, крупный; (*huge*) обширный; (*haughty*) высокомерный, надутый; (*pregnant*) беременная, (*fam.*) чреватая; (*important*) важный || **-ness** *s.* величина, размер; тучность *f.* || **~-wig** *s.* (*fam.*) важный человек.

bigam/ist (би'гём-ист) *s.* двоеженец; двумужница || **-y** *s.* двоеженство; двумужество.

bight (байт) *s.* бухта.

bigot/ (би'гёт) *s.* изувер, фанатик; ханжа || **-ed** *a.* слепо приверженный, фанатичный || **-ry** *s.* слепая приверженность; ханжество.

bike (байк) *s.* (*fam.*) велосипед, бицикл.

bilberry (би'лбёри) *s.* черника.

bile (бай'л) *s.* жёлчь *f.*; (*anger*) гнев.

bilge/ (билдж) *s.* (*mar.*) выпуклая часть днища (корабля) || **~-water** *s.* трюмная вода.

bilingual (байли'нг-гуёл) *a.* говорящий на двух языках.

bilious (би'лиёс) *a.* жёлчный; (*peevish*) брюзгливый.

bilk (билк) *va.* (*fam.*) об-манывать, -мануть; на-дувать; -дуть.

bill (бил) *s.* (*of birds*) клюв; (*mil.*) алебарда; (*note*) записка; (*account*) счёт; (*placard*) об'явление, афиша; (*Parl.*) билль *f.*; проект закона; (*an I. O. U.*) вексель *m.* || ~ **of exchange** вексель *m.*, перевод денег || ~ **of fare** карточка, прейскурант || ~ **of health** карантинное свидетельство || ~ **of lading** коносcамент || ~ **of sale** счёт за продажу || ~ *va.* об'яв-лять, -ить; публиковать, о- || ~ *vn.* ласкаться || **~-broker** (-броукёр) *s.* биржевой маклер.

billet (би'лэт) *s.* записка, билет; (*of wood*) полено, чурбан; (*mil.*) билет для постоя; (*position*) пост, служебное место || ~ *va.* (*mil.*) ставить на постой; расквартир-овывать, -овать.

bill-hook (би'л-хук) *s.* резак, кривой нож.

billiard -ball (би'лйёрд-бол) *s.* бильярдный шар || **~-cloth** *s.* бильярдное сукно || **~-cue** *s.* бильярдный кий || **~-room** *s.* бильярдная || **-s** *spl.* бильярд || **~-table** *s.* бильярдный стол.

billingsgate (би'лингзгэйт) *s.* площадная ругань.

billion (би'лйён) *s.* биллион.

billow/ (би'лоу) *s.* волна, вал; зыбь *f.* || ~ *vn.* волноваться || **-y** *a.* взволнованный, волнующийся; волнистый.

billy (би'ли) *s.* жестянка.

billycock (би'ликок) *s.* (*hat*) котелок.

billy-goat (би'ли-гоут) *s.* (*fam.*) козёл.

bimetallism (баймэ'тёлизм) *s.* биметаллизм.

bimonthly (баймa'нфли) *a.* двухмесячный.

bin (бин) *s.* ларь *m.*; закром; ящик || **dust** ~ мусорная яма.

binary (бай'нёри) *a.* двойной.

bind/ (байнд) *va.irr.*) с-вязывать, -вязать; при-вязывать, -вязать; об-вязывать, -вязать; (*books*) пере-плетать, -плести; (*to edge*) об-шивать, -шить; (*ratify*) утверждать, -дить; (*oblige*) об-язывать, -язать || **to ~ over** (*jur.*) обязать явиться в суд || **to ~ apprentice** отдать в учение || ~ *vn.* сж-иматься, -аться; твердеть: (*med.*) производить запор || **-er** *s.* переплётчик || **-ing** *s.* (*of books*) переплёт; (*border*) обшивка; все то, что связывает.

binnacle (би'нёкл) *s.* нактоуз, компасная тумба.

binocular (бино'кюлёр) *s.* бинокль *m.* || ~ *a.* двуглазый.

binomial (байноу'миёл) *a.* (*math.*) двучленный, биномиальный.

biograph/er (байо'грёф-ёр) *s.* биограф || **-y** *s.* биография.

biology (байо'лоджи) *s.* биология.

bipartite (бай'па'ртай'т) *a.* раздвоенный; (*bot.*) двураздельный.

biped (бай'пид) *s.* двуногий *m.*

biphosphate (байфо'сфёт) *s.* двух-фосфорное соединение.

biplane (бай'плэйн) *s.* биплан.

birch (бёрч) *s.* берёза; розга || ~ *va.* пороть, выпороть.

bird/ (бёрд) *s.* птица || ~ **of prey** хищная птица || ~ **of passage** перелётная птица || **-s of a feather** люди одного сорта || **-cage** *s.* клетка || **-catcher** *s.* птицелов || **-lime** *s.* птичий клей, омела **~'s-eye**, ~ **view** перспектива с птичьего полёта.

birth/ (бёрф) *s.* рождение; (*lineage*) родовитость *f.*; (*origin*) происхождение; (*parturition*) роды *mpl.* || **-day** *s.* день рождения || **-place** *s.* место рождения, родина || **-right** *s.* право происхождения, первенства.

biscuit (би'скит) *s.* сухарь *m*; бисквит; (*porcelain*) бисквит, неоглазуренный фарфор.

bisect/ (байсэ'кт) *va.* разрезать на двое || **-ion** (байсэ'кшн) *s.* деление на две равные части.

bishop/ (би'шёп) *s.* епископ, архиерей *m.*; (*chess*) слон || **–ric** (-рик) *s.* епископство, архиерейство.
bismuth (би'смёþ) *s.* висмут.
bison (бай'сён) *s.* бизон, дикий американский бык.
bisulphate (бай'са'лфёт) *s.* кислая сернокислая соль.
bit (бит) *s.* кусочек; (*of a key*) бородка; (*of bridle*) удило, мундштук; (*of an auger*) перка || **~ by ~** мало по малу || **every ~** вовсе, совсем || **not a ~ of it!** совсем нет! || **a little ~** немножко.
bitch (бич) *s.* сука; (*female of animals*) самка; (*vulg.*) любодейка.
bite (байт) *s.* укушение; (*fishing*) клёв; (*bit*) кусочек || **~** *va.irr.* кусать, укусить; (*fishing*) клевать, клюнуть; разедать; (*fig.*) язвить || **to ~ the dust** у-мирать, -мереть || **~** *vn.irr.* кусаться.
biting (бай'тинг) *a.* едкий; (*keen*) бстрый; (*sarcastic*) язвительный.
bitten (би'тн) *cf.* **bite.**
bitter/ (би'тёр) *a.* горький; (*to taste*) терпкий; (*fig.*) резкий, грубый; (*sarcastic*) едкий, язвительный || **~ enemy** смертельный враг || **to the ~ end** до последнего издыхания.
bittern (би'тёрн) *s.* выпь *f.*
bitter/ness (би'тёр-нэс) *s.* горечь *f.*; злоба, едкость *f.* || **–s** *spl.* горькая настойка.
bitum/en (битю'мин) *s.* горная смола || **–inous** (-ёс) *a.* смолистый.
bivalve (бай'вälв) *s.* устрица || **~** *a.* двустворчатый.
bivouac (би'ву-äк) *s.* бивак, лагерь *m.* || **~** *vn.* стоять на биваке; бивакировать; раз-бивать, -бить лагерь.
bizarre (биза̄'р) *a.* странный, эксцентричный.
blab/ (бläб) *s.* болтун, сплетник || **~** *va.* разбалтывать, -болтать || **~** *vn.* болтать || **–ber** *s.* болтун, сплетник.
black/ (бläк) *a.* чёрный; (*dark*) тёмный; (*dark, gloomy*) угрюмый; (*foul*) гнусный || **to give one a ~ eye** подбить кому глаз || **to beat ~ and blue** избить до синяков || **to put on ~** на-девать, -деть траур || **to have a thing in ~ and white** иметь что в рукописи || **~ art** чернокнижие || **~ sheep** негодяй || **–amoor** (-ёмӯр) *s.* арап, негр || **–ball** *s.* чёрный шар для баллотировки || **~** *va.* забаллотировать || **–berry** *s.* ежевика, черника || **–bird** *s.* чёрный дрозд || **–board** *s.* чёрная доска || **–en** *va.* чернить; (*to darken*) за-темнять, -темнить; (*to paint black*) красить, вы- в чёрный цвет; (*boots*) чистить || **–guard** (бlä'га̄рд) *s.* негодяй, мерзавец || **–guardly** (бlä'га̄рдли) *a.* подлый, гнусный || **–ing** *s.* сапожная вакса || **–ish** *a.* черноватый || **–lead** *s.* графит || **–leg** *s.* плут, выжига; штрейкбрехер || **~-letter** *s.* готическая буква || **–mail** *s.* шантаж, вымогательство; выпыт || **–ness** *s.* чернота; (*darkness*) мрак; (*fig.*) гнусность *f.* || **–smith** *s.* кузнец || **–thorn** *s.* терновник, тёрн.
bladder (бlä'дёр) *s.* пузырь *m.*; (*fig.*) болтун.
blade (блэйд) *s.* (*of plant*) былинка, листик; (*of sword*) клинок, лезвеё, лезвие; (*of oar*) лопасть *f.*; (*fig. sword*) меч, шпага; (*fellow*) молодец, кутила.
blain (блэйн) *s.* прыщ, чирей *m.*
blamable (блэй'мёбл) *a.* достойный порицания, виноватый.
blame/ (блэйм) *s.* вина; (*censure*) порицание, упрёк, хула || **to lay the ~ on** сваливать вину на || **~** *va.* винить, хулить; порицать; осу-ждать, -дить || **to be to ~** заслуживать порицания || **–ful** *a.* достойный порицания || **–fulness** *s.* вина, виновность *f.* || **–less** *a.* безупречный, невиновный || **–lessness** *s.* безупречность *f.*; беспорочность *f.* || **–worthiness** *s.* предосудительность *f.* || **–worthy** *a.* предосудительный, укоризненный.
blanch (бла̄нч) *va.* белить; (*plants*) о-чищать, -чистить; (*almonds*) лупить, об- || **~** *vn.* бледнеть, по-.
bland/ (бläнд) *a.* кроткий, ласковый, нежный || **–ishment** (-ишмэнт) *s.* ласка, лесть *f.*; ласкательство || **–ness** *s.* мягкость обращения, ласковость *f.*
blank (бläнгк) *s.* бланк, пробел; пример, форма || **~** *a.* (*pale*) белый, бледный; (*vacant*) пустой; (*of the expression*) невыразительный; (*paper*) неписанный; без подписи; чистый; (*nonplussed*) смущённый || **to look ~** смутиться || **a ~ cartridge** холостой патрон || **~ verse** белый стих || **point ~** прямо, наотрез.
blanket (бlä'нг-кит) *s.* шерстяное одеяло; покрывало || **born on the wrong side of the ~** незаконнорождённый.
blankness (бlä'нгкнэс) *s.* бледность *f.*; смущение.
blare (бла̄р) *s.* рёв, шум; трубный глас || **~** *vn.* громко трубить; реветь, орать.
blarney (бла̄'рни) *s.* приятная лесть || **~** *va.* обманывать льстивыми речами.
blasphem/e (бläсфий'м) *va.* злоречить; богохульствовать || **~** *vn.* сплетничать || **–er** *s.* богохульник || **–ing** *s.* богохульствование || **–ous** (бlä'сфимёс) *a.* богохульный || **–y** (бlä'сфими) *s.* богохульство, богохуление.

blast/ (бласт) *s.* дуновéние; порыв вéтра; (*explosion*) взрыв; (*of a trumpet*) звук || ~ *va.* (*wither*) повредить вéтром, морóзом; (*blow up*) взрывáть, взорвáть; (*ruin*) разбить; губить, по-; (*curse*) про-клинáть, -клясть || ~**-furnace** *s.* дóменная печь, дóмна || **-ing** *a.* разрушáющий, уничтожáющий || **-ing-powder** *s.* минный пóрох.

blat/ancy (блэй'т-ёнси) *s.* шумливость *f.* || **-ant** *a.* шумливый, мычáщий.

blaz/e (блэй'з) *s.* плáмя *n.*; (*of sun*) блеск, свет; (*on animals*) бéлое пятнó на лбу; (*Am. on a tree*) зарýбка || **in a ~** пылáющий || **like -es** ужáсно || **go to -es** (*Am.*) пошёл к чóрту! || ~ *vn.* пылáть; блестéть; сверкáть || **to ~ up** (*fig.*) беситься, пышáть гнéвом || ~ *va.* (*Am.*) по-мечáть, -мéтить зарýбками || **to ~ abroad** разгла-шáть, -сить; распускáть слух || **-er** *s.* фланéлевая фуфáйка || **-on** *s.* герáльдика || ~ *va.* из'яснять гербы || **to ~ forth** раз-глашáть, -гласить.

bleach/ (блийч) *va.* белить (на вóздухе) || ~ *vn.* белéть || **-er** *s.* белильщик || **-ing** *s.* белéние.

bleak/ (блийк) *a.* холóдный, мрáчный; блéдный || **-ness** *s.* хóлод, мрáчность *f.*; блéдность *f.*; наготá.

blear/ (блийр) *a.* тýсклый, неясный || **~-eyed** *a.* тýсклый || **he is ~** у негó гноятся глазá.

bleat (блийт) *vn.* блеять.

bled *cf.* **bleed.**

bleed (блийд) *va.* отвор-ять, -ить; пус-кáть, -тить кровь || ~ *vn.* исходить, изойти крóвью; истекáть; (*fig.*) обливáться крóвью.

blemish (блэмиш) *s.* физический недостáток: порок; (*stain*) пятнó; (*fig.*) позóр || ~ *va.* запятнáть; попóртить; (*fig.*) очерн-ять, -ить.

blench (блэнч) *va&n.* колебáться; отступ-áть, -ить.

blend (блэнд) *s.* смешéние; сочетáние || ~ *va.irr.* смéшивать, смешáть, мешáть; соедин-ять, -ить || ~ *vn.irr.* смéшиваться, смешáться; соедин-яться, -иться; (*of sounds*) сочетáться.

bless/ (блэс) *va.* благослов-лять, -ить; (*to make happy*) дéлать, с- счастливым || **~ me! ~ my heart!** о Бóже! || **-ed** (блэст, блэ'сид) *a.* благословéнный, блажéнный; (*happy*) счастливый; (*vulg.*) проклятый || **the Blessed Virgin** Пресвятáя Дéва || **-edness** (блэ'сиднэс) *s.* блажéнство; счáстие || **single ~** безбрáчие || **-ing** *s.* благословéние, благодáть *f.* || **what a ~!** какóе счáстие!

blether/ (блэ'ðёр) *s.* пустяки *mpl.*; вздор || ~ *vn.* говорить пустяки; молóть вздор || **-skite** (-скайт) *s.* болтýн, говорýн; пустомéля.

blew (блӯ) *cf.* **blow.**

blight/ (блайт) *s.* ржа; изгáрина; все, что уничтожáет и панóсит вред || ~ *va.* приносить, -нести вред; губить, по-; пóртить, ис- || **-er** *s.* дурáк, глупéц.

Blighty (блай'ти) *s.* (*fam.*) отéчество; Англия.

blind/ (блай'нд) *s.* заслóн; (*excuse*) отговóрка; притвóрство; (*window*) штóра || **Venetian ~** жалюзи *n. indecl.* || ~ *a.* слепóй; (*dark*) тёмный, неясный || **~ alley** тупик, глухóй переýлок || **he is stone ~** он совсéм слеп || **to be in a ~ fury** беспокóиться; кипéть яростью || **~ side** слáбая сторонá || ~ *va.* ослеп-лять, -ить; (*darken*) затем-нять, -нить; (*to fool*) об-мáнывать, -манýть || **-fold** *va.* за-вязывать, -вязáть глазá || **-ly** *ad.* слéпо; безрассýдно; наугáд || **-man's-buff** *s.* жмýрки *fpl.* || **-ness** *s.* слепотá, слéпость *f.*

blink/ (блинг-к) *vn.* морг-áть, -нýть; мигáть, мигнýть; щýрить глазá; (*of light*) мерцáть || **-ers** *spl.* наглáзники *mpl.*

bliss/ (блис) *s.* блажéнство, благополýчие, счáстие || **-ful** *a.* блажéнный; счастливый.

blister (блу'стёр) *s.* пузырь *m.*; волдырь *m.*; (*med.*) нарывнóй плáстырь || ~ *va.* (*med.*) стáвить мýшку; производить волдыри.

blithe (блайð) *a.* весёлый, рáдостный.

blizzard (бли'зёрд) *s.* выóга, бурáн.

bloat/ (блōут) *va.* вз-дувáть, -дуть || **-ed** *a.* раздýтый, опýхлый || **~ face** распýхлое лицó || **a ~ person** дýтыш.

bloater (блōу'тёр) *s.* копчёная селёдка.

blob (блоб) *s.* мáленький кусóчек, кáпля; (*of ink*) клякса.

blobber-lipped (бло'бёр-липт) *a.* толстогýбый.

block/ (блок) *s.* (*of wood*) обрýбок, чурбáн; (*of stone*) блок; (*of ice*) глыба; (*for execution*) плáха; (*for notes*) блок-нóт; (*for hats*) болвáн; (*of houses*) ряд домóв; квартáл; (*in traffic*) задéржка; (*mar.*) блок; (*fig.*) препятствие || **to be a chip of the ~** походить на родителей || ~ *va.* загор-áживать, -одить; (*the entrance*) за-крывáть, -крыть; (*hats*) оболвáн-ивать, -ить || **-ade** (блокэй'д) *s.* блокáда; обложéние; осáда || **to raise the ~** снимáть, снять блокáду || **-head** *s.* глупéц, дурáк, болвáн || **-house** *s.* блокгáуз.

bloke (блōук) *s. fam.* молодéц, пáрень *m.*

blond(e) (блонд) *a.* белокýрый, рýсый || ~ *s.* блондинка; (*lace*) блóнда.

blood/ (блад) *s.* кровь *f.*; (*lineage*) родовитость *f.* || **-hound** *s.* ищейка; (*fig.*) детектив || **-less** *a.* бескровный || **-shot** *a.* налитой кровью, кровоподтёчный, воспалённый || **-stain** кровавое пятно || **-sucker** *s.* кровопийца; (*fig.*) ростовщик || **-thirsty** *a.* кровожадный, жестокий; лютый || **~-vessel** *s.* кровеносный сосуд || **-y** *a.* кровавый, окровавленный; жестокий.

bloom/ (блўм) *s.* цвет, расцвет || **~** *vn.* цвести, цветать || **-ers** *spl.* женские шаровары *fpl.* || **-ing** *a.* цветущий, в цвету; (*vulg.*) проклятый.

blossom (бло'сём) *s.* цвет || **~** *vn.* цвести, цветать.

blot (блот) *s.* (*of ink*) клякса; (*blemish*) помарка, пятно; (*dishonour*) бесчестие, позор || **~** *va.* пятнать, пачкать, на-; (*disgrace*) безчестить, опозорить || **to ~ out** вычеркнуть, вымарать.

blotch/ (блоч) *s.* тёмное пятно; (*med.*) пустула, прыщ || **-ed** (блочт) *a.* угреватый.

blotter (бло'тёр), **blotting-paper** (бло'тинг-пэйпёр) *s.* промокательная бумага.

blouse (блауз) *s.* блуза, кофточка.

blow/ (блōу) *s.* удар, толчок; (*disaster*) несчастие || **at a ~** разом || **without striking a ~** без боя || **to come to -s** вступить в рукопашный бой || **~** *va.irr.* раз-дувать, -дуть; на-дувать, -дуть || **to ~ away** развеять || **to ~ one's nose** сморкаться || **to ~ up** вз-рывать, -орвать || **~** *vn.irr.* дуть; веять; (*be out of breath*) задыхаться || **-hole** *s.* дыхало || **-pipe** *s.* паяльная трубка.

blubber (бла'бёр) *s.* (китовая) ворвань *f.* || **~** *vn.* плакать.

bluchers (блў'чёрз) *spl.* ботфорты.

bludgeon (бла'джён) *s.* дубина, толстая палка.

blue/ (блў) *s.* (*colour*) синева, синета, синий цвет, голубой цвет; (*for washing*) синька || **to have a fit of the -s** предаваться мрачным мыслям || **~** *a.* (*dark*) синий; (*light*) голубой || **to beat s.o. black and ~** избить кого до-синя || **-bell** *s.* (*bot.*) колокольчик || **-bottle** *s.* мясная муха, поплёвка || **-jacket** *s.* матрос || **-stocking** *s.* "синий чулок", учёная женщина.

bluff (блаф) *s.* (*headland*) отвесный берег, мыс; (*fig.*) запугивание || **~** *a.* (*of persons*) грубый, неотёсанный || **~** *va.* брать нахальством; (*Am.*) за-пугивать, -пугать.

bluish (блў'иш) *a.* синеватый; голубоватый.

blunder/ (бла'ндёр) *s.* промах, грубая ошибка || **~** *vn.* ошиб-аться, -иться; запутаться, сбиться в речи || **-buss** (-бас) *s.* мушкетон || **-er** *s.* делающий промахи, взбалмошный человек || **-ing** *s.* ошибка || **~** *a.* взбалмошный.

blunt/ (блант) *a.* тупой; (*plainspoken*) откровенный; (*rough*) грубый || **~** *va.* тупить; притуп-лять, -ить || **-ed** *a.* тупой; (*of feelings*) притуплённый, безчувственный || **-ness** *s.* тупость *f.*; грубость *f.*; грубая откровенность.

blur (блёр) *s.* пятно, помарка || **~** *va.* запятнать; делать, с- неясным; затем-нять, -нить.

blurt (блёрт) *va.*, **to ~ out** сказать необдуманно, сболтнуть.

blush (блаш) *s.* румянец, краска на лице || **~** *vn.* краснеть, по-; закраснеться; (*fig.*) стыдиться.

bluster/ (бла'стёр) *s.* (*of wind*) бушевание, бой; (*swagger*) хвастовство, хвастливые речи || **~** *vn.* шуметь, кричать; (*of wind*) бушевать; (*swagger*) куражиться || **-ing** *s.* бушевание; хвастовство.

bo (бōу) *int.*, **he cannot say ~ to a goose** это трус.

boa (бōу -ё) *s.* боа; (*snake*) удав, боа.

boar (бōр) *s.* кабан; (*wild*) вепрь *m.*

board/ (бōрд) *s.* доска; (*food*) стол, пища; (*council*) совет; суд; (*mar.*) борт; (*book*) картон, папка; (*pl. theat.*) сцена || **above ~** открыто, явно || **~ of directors** наблюдательный совет || **B- of Trade** министерство торговли || **~ and lodging** квартира со столом || **full ~** полный пансион || **on ~** на корабле; **over ~** за борт || **~** *va.* уст-илать, -лать досками; (*a vessel*) абордировать; (*to feed*) кормить, столовать, содержать на хлебах || **~** *vn.* столоваться, жить нахлебником, (*of a woman*) нахлебницею || **-er** *s.* нахлебник, пансионер; (*woman*) нахлебница || **-ing** (*mar.*) абордаж; (*feeding*) столование, стол || **-ing-house** *s.* пансион || **-ing-school** *s.* закрытое среднее учебное заведение; пансион || **~-school** *s.* народное училище.

boarish (бō'риш) *a.* свинский, жестокий.

boast/ (бōуст) *s.* хвастовство, важничание || **~** *va.* хвалиться чем || **~** *vn.* хвастаться, хвалиться || **-er** *s.* хвастун, бахвал || **-ful** *a.* хвастливый, бахвальный, тщеславный || **-ing** *s.* хвастовство, хвастливость *f.* самохвальство || **~** *a.* хвастливый.

boat/ (бōут) *s.* лодка, бот, шлюпка; (*steamer*) пароход || **~-builder** *s.* шлюпочный мастер || **~-hook** *s.* багор || **~-house** *s.* шлюпочный сарай || **-ing** *s.* перевозка на лодках, катание на лодке || **-man** *s.* лодочник, яличник || **~-race** *s.* гонка на лодках || **-swain** (бōу'сн) *s.* боцман.

bob (боб) *s.* подвеска, серьга; балансир; маятник; (*curtsy*) книксен, реверанс;

(*fam.*) ши́ллинг || ~ *va.* уда́рить; (*a horse's tail*) под-реза́ть, -ре́зать || ~ *vn.* болта́ться; висе́ть, кача́ться.
bobbin (бо'бин) *s.* коклю́шка, веретено́, шпу́лька, це́вка.
bobby (бо'би) *s.* (*fam.*) городово́й.
bob-sleigh (бо'б-слэй) *s.* са́ни *fpl.*; дро́вни *fpl.*
bobtail/ (бо'бтэйл) *s.* остри́женный хвост; (*fig.*) чернь *f.* || **tag-rag and ~** вся́кая сво́лочь || **-ed** *a.* ку́цый, короткохво́стый.
bode (бо́уд) *vn.* предзнамен-о́вывать, -ова́ть; предвеща́ть
bodice (бо'дис) *s.* лиф, корса́ж, шнуро́вка.
bodily (бо'дили) *a.* теле́сный, пло́тский; физи́ческий || ~ *ad.* целико́м, по́лностью.
bodkin (бо'дкин) *s.* ши́ло, ши́льце.
body/ (бо'ди) *s.* те́ло; (*the flesh*) плоть *f.*; (*main part*) гла́вная часть; (*bodice*) лиф; (*person*) челове́к, осо́ба; (*band*) ку́ча, толпа́, отря́д || **wine of good ~** кре́пкое вино́ || **-guard** *s.* лейбгва́рдия.
bog (бог) *s.* боло́то, тряси́на.
bogey *cf.* **bogy.**
boggle (бо'гл) *vn.* колеба́ться, не реша́ться.
boggy (бо'ги) *a.* боло́тистый, то́пкий.
bogie (бо́у'ги) *s.* теле́жка.
bogus (бо́у'гёс) *a.* фальши́вый.
bogy (бо́у'ги) *s.* чу́чело, пу́гало; привиде́ние.
boil/ (бойл) *s.* боля́чка, чи́рей *m.* || ~ *va.* кипяти́ть; вари́ть, с- || ~ *vn.* кипяти́ться; вари́ться, с-; кипе́ть || **to ~ with rage** кипе́ть я́ростью || **-er** *s.* куб; (*of engine*) котёл, парови́к || **-ing** *a.* кипя́щий || **~ hot** горя́чий как кипято́к || **~ point** то́чка кипе́ния.
boisterous (бой'стёрёс) *a.* бу́рный; бу́йный; пылкий.
bold/ (бо́улд) *a.* (*daring*) сме́лый, отва́жный; (*impudent*) де́рзкий, на́глый; (*of cliffs*) круто́й; (*type*) жи́рный || **~-faced** *a.* на́глый, де́рзкий || **-ness** *s.* сме́лость *f.*; хра́брость *f.*; де́рзость *f.*; на́глость *f.*
bole (бо́ул) *s.* ствол.
boll (бо́ул) *s.* коро́бочка.
bolster (бо́у'лстёр) *s.* изголо́вье, поду́шка || ~ *va.*, **to ~ up** ока́зывать подде́ржку.
bolt/(бо́улт) *s.* болт; (*on a door*) засо́в, запо́р; (*arrow*) стрела́ || **like a ~ from the blue** как снег на́ голову || **to make a ~ for it** убежа́ть || ~ *va.* запира́ть, запере́ть засо́вом; (*one's food*) прогл-а́тывать, -оти́ть || ~ *vn.* убе-га́ть, -жа́ть || **~-upright** *ad.* перпендикуля́рно.
bomb/ (бом) *s.* бо́мба || **-ard** (бомба̄'рд) *va.* бомбарди́ровать || **-ardment** (бомба̄'рдмэнт) *s.* бомбардиро́вка || **-ast** (бо'мбаст) *s.* напу́тость *f.* || **-astic** (бомба̄'стик) *a.* наду́тый, высокопа́рный || **~-proof** (бо'м-*a.* непроница́емый для бомб || **~-shell** *s.* бо́мба.
bond/ (бонд) *s.* связь *f.*; сою́з; у́зы *fpl.*; (*comm.*) контра́кт || **in ~** под надзо́ром тамо́жни || **-age** *s.* нево́ля, ра́бство || **-ed** *a.*, **~ goods** това́ры, сда́нные на сохране́ние в пакга́уз || **~ warehouse** казённый пакга́уз || **-(s)man** *s.* раб, нево́льник || **-(s)woman** *s.* рабы́ня, нево́льница.
bone/ (бо́ун) *s.* кость *f.* || **~ of contention** я́блоко раздо́ра || **I have a ~ to pick with you** нам с ва́ми ну́жно об'ясни́ться || **to make no -s about** не стесни́ться || **~-black** *s.* жжёная кость || **~-setter** *s.* костопра́в.
bonfire (бо'нфайёр) *s.* торже́ственные огни́
bonnet (бо'нит) *s.* же́нская шля́па || **to have a bee in one's ~** быть немно́го поме́шанным.
bonny (бо'ни) *a.* краси́вый; (*merry*) весёлый, бо́дрый.
bonus (бо́у'нёс) *s.* пре́мия.
bony (бо́у'ни) *a.* кости́стый; (*thin*) костля́вый; (*of bones*) костяно́й.
boo! (бӯ) *int.* мык!
booby (бӯ'би) *s.* болва́н, олух, дура́к.
boodle (бӯ'дл) *s.* (*Am.*) де́ньги *fpl.*
book/ (бук) *s.* кни́га; (*small*) кни́жка || **~ of reference** спра́вочная кни́га || **to bring to ~** тре́бовать, по- у кого́ отчёта || ~ *va.* (*enter*) вн-оси́ть, -ести́ в кни́гу; (*tickets*) брать, взять || **to ~ through to** брать, взять биле́т прямо́го сообще́ния в . . . || **-binder** *s.* переплётчик || **-binding** *s.* переплётное ремесло́ || **-case** *s.* кни́жный шкаф || **-ie** (-и) *s.* (*fam.*) букме́кер || **-ing-office** *s.* биле́тная ка́сса || **~-keeper** *s.* бухга́лтер, счетово́д || **~-keeping** *s.* бухгалте́рия, счетово́дство, веде́ние счётных книг || **~-learning** *s.* кни́жная учёность || **-maker** *s.* букме́кер || **-mark** *s.* кни́жная закла́дка || **-seller** *s.* книготорго́вец, книгопрода́вец || **-shelf** *s.* кни́жная по́лка || **-shop** *s.* кни́жная ла́вка || **-stall** *s.* прила́вок || **~-stand** *s.* кни́жная подста́вка для чте́ния || **-worm** *s.* (*fig.*) букво́ед, книгоро́й.
boom (бӯм) *s.* (*mar.*) вся́кое выстре́ливающееся де́рево; (*barrier*) бон и́ли цепь загражда́ющая вход в га́вань; (*sound*) глухо́й рёв; (*comm.*) оживле́ние торго́вых сде́лок, повыше́ние ку́рса || ~ *va.* вз-ду-ва́ть, -дуть (це́ны) || ~ *vn.* шуме́ть, реве́ть.
boomerang (бӯ'мёранг) *s.* бумера́нг.
boon (бӯн) *s.* ми́лость *f.*; (*favour*) одолже́ние.
boon-companion (бӯн-компӓ'ниён) *s.* собуты́льник.

boor/ (бӯр) *s.* мужи́к, деревéнщина *m.&f.*; бурла́к || **-ish** *a.* мужикова́тый, гру́бый || **-ishness** *s.* гру́бость *f.*; невéжество.

boot/ (бӯт) *s.* сапо́г, боти́нка || **to ~** *ad.* в прида́чу, сверх того́ || **~** *vn.* быть вы́годным || **~-black** *s.* чисти́льщик сапо́г || **-ed** (-ид) *a.* обу́тый в сапоги́ || **~-hook** *s.* сапо́жный крючо́к || **~-jack** *s.* хло́пец; слу́жка || **-maker** *s.* сапо́жник || **~-tree** *s.* сапо́жная коло́дка.

booth (бӯþ) *s.* хи́жина, шала́ш; (*stall*) балага́н.

bootlegger (бӯ'тлэгёр) *s.* контрабанди́ст.

bootless (бӯ'тлэс) *a.* без сапо́г; (*of no use*) бесполéзный.

boots (бӯтс) *s.* (*fam.*) чисти́льщик сапо́г, номерно́й.

booty (бӯ'ти) *s.* добы́ча.

booz/e (бӯз) *s.* бра́жничание; попо́йка || **~** *vn.* бра́жничать; пирова́ть || **-er** *s.* бра́жник; пья́ница || **-y** *a.* пья́ный.

bo-peep (бōу-пий'п) *s.* дéтская игра́ в пря́тки.

borax (бō'ракс) *s.* бура́.

border/ (бō'рдёр) *s.* край *m.*; окра́ина; (*frontier*) грани́ца; (*edging*) бордю́р || **~** *va.* ограни́чивать; об-шива́ть, -ши́ть вокру́г || **~** *vn.* грани́чить || **-er** *s.* пограни́чный жи́тель, граничáнин || **-land** *s.* пограни́чная земля́, окра́ина.

bore/ (бōр) *s.* (*hole*) бурова́я сква́жина; кана́л; (*diameter*) кали́бр; (*of a gun*) ду́ло; (*fig.*) ску́чный человéк, ску́ка; (*tidal wave*) высо́кий прили́в || **~** *va.* (*perforate*) про-свéрливать, -сверли́ть; бура́вить; (*hollow out*) выда́лбливать, вы́долбить; (*fig.*) надо-еда́ть, -éсть; на-скуча́ть, -ску́чить || **I am -d** мне ску́чно.

boreal (бō'риёл) *a.* сéверный.

boredom (бō'рдём) *s.* ску́ка, тоска́.

borer (бō'рёр) *s.* бура́в; сверло́; бур.

boric (бō'рик) *a.*, **~ acid** бо́рная кислота́.

boring (бō'ринг) *s.* буравлéние; сверлéние || **~** *a.* (*fig.*) ску́чный.

born (бōрн) *a.*, **I was ~** я роди́лся; *cf.* bear.

borne *cf.* **bear.**

borough (ба'рё) *s.* го́род.

borrow/(бо'рōу) *va.* брать, взять взаймы́, в долг; заи́мствовать, по- || **-er** *s.* заёмщик, беру́щий взаймы́.

boscage (бо'скидж) *s.* ро́ща, леси́стое ме-стéчко.

bosh (бош) *s.* вздор, чепуха́.

bosket (бо'скит) *s.* ро́щица.

bosom/ (бу'зём) *s.* грудь *f.*; па́зуха; (*heart*) сéрдце; (*embrace*) объя́тия *npl.*; (*fig.*) нéдра; глубина́ || **~-friend** *s.* сердéчный друг, запа́зушный друг.

boss (бос) *s.* (*protuberance*) горб, вы́пуклость *f.*; (*of a shield*) ши́шка; (*ornament*) вы́пуклое украшéние; (*fam.*) хозя́ин, нача́льник || **~** *va.* нача́льствовать, стоя́ть во главé.

botan/ic(al) (бота'никёл) *a.* ботани́ческий || **-ist** (бо'тёнист) *s.* бота́ник || **-y** (бо'тёни) *s.* бота́ника.

botch/ (боч) *s.* запла́та, запла́тка || **~** *va.* класть запла́ты, ла́тать; говня́ть, на-; по́ртить, ис- || **-er** *s.* кропа́льщик; (*fig.*) плохо́й ремéсленник || **-y** *a.* покры́тый запла́тами; ла́танный; ко́е-как сдéланный.

both (бōуþ) *prn.* о́ба *m.&n.*; о́бе *f.*; тот и друго́й || **~ ... and ...** та́кже ... как ...

bother/ (бо'ðер) *s.* затруднéние; (*fig.*) ску́ка || **~** *va.* затруд-ня́ть, -ни́ть; надо-еда́ть, -éсть, му́чить || **~** *vn.* труди́ться, по-; стара́ться, по- || **don't ~!** не беспоко́йтесь! || **-some** *a.* ску́чный; тя́гостный.

bottle (ботл) *s.* буты́лка; (*med.*) скля́нка || **~** *va.* раз-лива́ть, -ли́ть по буты́лкам.

bottom/ (бо'тём) *s.* дно, дни́ще; низ; ни́жняя часть; (*fam.*) за́дница; (*ship*) су́дно, кора́бль *m.*; (*cause*) причи́на; (*foundation*) основа́ние || **~** *a.* ни́жний; (*last*) са́мый послéдний || **-less** *a.* бездо́нный; (*fig.*) непостижи́мый || **-ry** *s.* (*mar.*) бодмерéя.

boudoir (бу'дуар) *s.* будуа́р.

bough (бау) *s.* сук; ветвь *f.*

bought (бōт) *cf.* **buy.**

boulder (бōу'лдёр) *s.* валу́н.

bounce/ (баунс) *s.* прыжо́к; (*fig.*) хвастовство́ || **~** *vn.* пры́гать, пры́гнуть; (*fig.*) хва́стать || **-er** *s.* смéлая ложь || **-ing** *a.* смéлый, шу́мный; здоро́вый.

bound/ (баунд) *s.* (*leap*) прыжо́к, скачо́к; (*boundary*) грани́ца || **out of all -s** чрезмéрный || **~** *a.* (*tied*) свя́занный, привя́занный; (*compelled*) обя́занный; (*of books*) переплетённый || **~ for** иду́щий в || **where are you ~ to?** куда́ отправля́ешся? || **he is ~ to fall** он непремéнно падёт || **~** *va.* огран-и́чивать, -и́чить || **~** *vn.* пры́-гать, -гнуть; скак-а́ть, -ну́ть.

boundary (бау'ндёри) *s.* рубéж, грани́ца; предéл.

bounden (бау'ндён) *a.*, **one's ~ duty** свящéнный долг.

bounder (бау'ндёр) *s.* невéжливый человéк.

boundless (бау'ндлэс) *a.* беспредéльный, безграни́чный.

bount/eous (бау'нчёс), **-iful** (бау'нт-ифул) *a.* щéдрый, торова́тый || **-y** *s.* щéдрость *f.*; благотвори́тельность *f.*; (*money*) прéмия.

bouquet (бу'кэ) *s.* букéт.

bourn (бōрн) *s.* (*destination*) цель *f.*; (*boundary*) предéл; (*stream*) пото́к, ручéй *m.*

bout (баут) *s.* раз; схва́тка || **a drinking ~** кутёж, о́ргия.

bovine (бо̄у'вайн) *a.* относя́щийся к рога́тому скоту́; (*fig.*) тупо́й, глу́пый.
bow (бо̄у) *s.* (*curve*) луга́; (*weapon*) лук; (*knot*) пе́тля, у́зел; бант; (*of a violin*) смычо́к || **to draw the long** ~ преувели́ч-ивать, -ить || ~ (бау) *s.* покло́н; (*mar.*) корабе́льный нос || ~ (бау) *va.* (*bend*) гнуть, со-; сгиба́ть; (*crush*) покор-я́ть, -и́ть; (*one's head*) преклон-я́ть, -и́ть || **to ~ out** отпусти́ть покло́ном || ~ (бау) *vn.* (*salute*) кла́няться; (*bow down*) наклон-я́ться, -и́ться; (*submit*) сдава́ться, сда́ться || **to ~ and scrape** расша́рк-иваться, -нуться.
bowdlerize (бау'длёрайз) *va.* мни́мыми попра́вками ис-кажа́ть, -кази́ть.
bowels (бау'илз) *spl.* кишки́, вну́тренности *fpl.*; (*fig.*) се́рдце.
bower (бау'ёр) *s.* (*garden*) бесе́дка; (*lady's*) спа́льня, светёлка; (*mar.*) носово́й я́корь.
bowl (бо̄ул) *s.* ча́ша, ча́шка; (*of a pipe*) ча́шка; (*at bowls*) ке́гельный шар; (*of spoon*) углубле́ние || ~ *va.* кат-а́ть, -и́ть как шар; броса́ть шар || ~ *vn.* игра́ть в шары́.
bowler (бо̄у'лёр) *s.* (*hat*) котело́к.
bowline (бо̄у'лайн) *s.* (*mar.*) бу́линь *f.*
bowling/ (бо̄у'линг) *s.* игра́ в ке́гли || **~-alley** *s.* ке́гельный като́к.
bowls (бо̄улз) *spl.* игра́ в ке́гли.
bowman (бо̄у'мён) *s.* стрело́к (из лу́ка).
bowsprit (бо̄у'сприт) *s.* (*mar.*) бу́шприт, бу́гшприт.
bowstring (бо̄у'стринг) *s.* тетива́ (лу́ка); уда́вка.
bow-wow (бау'-уау') *s.* ам-ам; (*dog*) соба́чка.
box/ (бокс) *s.* сунду́к, я́щик; коро́бка; (*theat.*) ло́жа; (*of a coach*) ко́злы *fpl.*; (*tree*) букс || **a ~ on the ear** уда́р по́ уху; пощёчина; заушина || **a Christmas ~** пода́рки к Рождеству́ || ~ *va.*, **to ~ one's ears** дава́ть, дать пощёчину || ~ *vn.* бокси́ровать, бо́ксать; би́ться на кула́чках || **–er** *s.* кула́чный бое́ц; боксёр || **–ing** *s.* кула́чки *mpl.*; бокс; бокси́рование || **–ing-match** *s.* кула́чный бой.
Boxing-day (бо'ксинг-дэ̄й) *s.* пе́рвая бу́день по́сле Рождества́ Христо́ва.
boy (бой) *s.* ма́льчик, мальчи́шка; па́рень *m.*; (*servant*) слуга́ || **a yellow ~** (*fam.*) соверéн.
boycott (бой'кот) *va.* бойкоти́ровать.
boy/hood (бой'-худ) *s.* о́трочество, де́тство || **–ish** *a.* мальчи́шеский, ребя́ческий.
brace (брэ̄йс) *s.* (*clasp*) связь *f.*; (*strap*) реме́нь *m.*; (*couple*) па́ра; (*arch.*) подко́сок, упо́рка; (*mar.*) брас || ~ *va.* (*gird*) при-вя́зывать, -вяза́ть; (*tighten*) на-тя́гивать, -тяну́ть; (*strengthen*) укреп-ля́ть, -и́ть. [заруќавье.
bracelet (брэ̄й'слит) *s.* брасле́т, запя́стье, заруќавье.
braces (брэ̄й'сиз) *spl.* подтя́жки *fpl.*; по́мочи *fpl.*
bracing (брэ̄й'синг) *a.* освежи́тельный, оживля́ющий.
bracken (брä'кён) *s.* па́поротник.
bracket (брä'кит) *s.* (*support*) подста́вка; (*of a wall*) кронште́йн; (*print.*) ско́бка || ~ *va.* ста́вить в ско́бках.
brackish (брä'киш) *a.* солонова́тый.
brad/ (брäд) *s.* шти́фтик || **~-awl** *s.* ши́ло.
bradbury (брä'дбёри) *s.* (*fam.*) фунт (сте́рлингов).
brag/ (брäг) *s.* хвастовство́, хвастовня́ || ~ *va&n.* хва́стать, по-; хвали́ться || **–gadocio** (-ёдо̄у'шиоу) *s.* хвастовство́ || **–gart** (-ёрт), **–ger** *s.* хвасту́н || **–gart** (-ёрт), **–ging** *a.* тщесла́вный, хвастли́вый.
braid (брэ̄йд) *s.* плетёная тесьма́; галу́н; обши́вка || ~ **of hair** ло́кон, коси́чка || ~ *va.* спле-та́ть, -сти́; (*to trim*) об-шива́ть, -ши́ть галуно́м.
brain/ (брэ̄йн) *s.* мозг (головно́й); (*fig.*) ум, понима́ние || **he has no –s** он глуп || **to blow out some one's –s** прострели́ть кому́ го́лову || **to rack one's –s** лома́ть го́лову || ~ *va.* выкол-а́чивать, -оти́ть мозги́ из головы́ || **–less** *a.* безмо́зглый, безу́мный || **~-fever** *s.* воспале́ние мо́зга || **~-pan** *s.* че́реп || **~-work** *s.* у́мственное заня́тие || **–y** *a.* (*Am.*) остроу́мный, изобрета́тельный.
braise (брэ̄йз) *va.* души́ть; жа́рить.
brake (брэ̄йк) *s.* (*bracken*) па́поротник; (*thicket*) за́росль *f.*; ча́ща; (*carriage*) брек; (*of a wheel*) то́рмоз || **hand ~** ручно́й то́рмоз || **foot ~** ножно́й то́рмоз.
bramble (брä'мбл) *s.* терно́вник.
bran (брäн) *s.* о́труби *fpl.*
branch/ (брäнч) *s.* (*of a tree*) ве́тка, сук; (*offshoot*) о́трасль *f.*; (*department*) отделе́ние; (*of a river*) рука́в || ~ *vn.* пуска́ть ве́тви || **to ~ off** развет-вля́ться, -ви́ться || **to ~ out** раз-раста́ться, -расти́сь || **~-establishment** *s.* филиа́льное отделе́ние || **–line** *s.* железнодоро́жная ве́тка.
branchy (брä'нчи) *a.* ветви́стый.
brand/ (брäнд) *s.* (*mark*) тавро́, клеймо́; знак; (*torch*) фа́кел; (*comm.*) това́рный знак; (*kind, quality*) ма́рка, сорт; (*stigma*) пятно́ на че́сти; прижи́г || ~ *va.* клейми́ть, ста́вить ма́рку; (*cattle*) на-лага́ть, -ложи́ть тавро́; (*fig.*) позо́рить, о- || **–ing** *s.* клейме́ние; наложе́ние тавра́ на.
brandish (брä'ндиш) *va.* маха́ть, разма́хивать.

brand-new (брä'нд-ню) *a.* новёхонький; совсём новый; только-что с иголки.
brandy (брä'нди) *s.* коньяк.
brant(-goose) (брä'нт-гӯс) *s.* казарка.
brass/ (брāс) *s.* жёлтая медь; латунь *f.*; бронза; (*fam. money*) деньги *fpl.*; (*fam. impudence*) бесстыдство || **~-band** *s.* духовой оркестр || **–y** *a.* медный, бронзовый.
brat (брäт) *s.* (*fam.*) мальчишка.
bravado (брёвā'доу) *s.* хвастовство; чванство.
brave/ (брэйв) *a.* храбрый; (*elegant*) нарядный; (*handsome*) красивый || **~** *va.* през-ирать, -реть; пренебрегать; бравировать || **–ry** *s.* храбрость *f.*; мужество; (*elegance*) нарядность *f.*
bravo! (брā'воу) *int.* браво! || **~** *s.* наёмный убийца.
brawl/ (брōл) *s.* ссора, свара, брань *f.* || **~** *vn.* шумно ссориться; (*of streams*) журчать || **–er** *s.* горлан; сварливый человек.
brawn/ (брōн) *s.* (*culinary*) студень *m.*; (*fig.*) сила мускулов || **–y** *a.* мускулистый; жилистый.
bray (брэй) *s.* крик осла; шум || **~** *vn.* реветь по ослиному; (*of trumpets*) громко звучать.
brazen/ (брэйзн) *a.* медный, бронзовый; (*fig.*) бесстыдный || **~** *va.*, **to ~ out** брать, взять бесстыдством || **~-faced** *a.* бесстыдный, наглый.
brazier (брэй'зиёр) *s.* жаровня; (*tradesman*) медник.
breach (брийч) *s.* (*gap*) пролом; разрыв; (*mil.*) брешь; (*violation*) нарушение; (*quarrel*) размолвка || **~** *va.* сделать брешь, пролом.
bread (брэд) *s.* хлеб; (*fig.*) пропитание || **~-and-butter** *s.* бутерброт, хлеб с маслом || **~-crumb** *s.* хлебная крошка.
breadth (брэдþ) *s.* ширина; (*of material*) полотнище.
breadwinner (брэ'д-уинёр) *s.* кормилец.
break/ (брэйк) *s.* отверстие; пустое место; (*interruption*) промежуток, перерыв; (*in a wood*) просвет || **~ of day** рассвет || **without a ~** беспрерывно || **~** *va.irr.* разбивать, -бить; ломать, с-; (*to violate*) нарушать, -рушить; преступ-ать, -ить; (*to interrupt*) прер-ывать, -вать; (*to weaken*) о-слаблять, -слабить; (*to ruin*) разор-ять, -ить; погубить; (*financially*) обанкротить || **~** *vn.irr.* лопаться; ломаться, с-; (**to ~ forth**) раз-ражаться, -разиться; (*of waves*) раз-биваться, -биться || **to ~ a horse** выезжать лошадь || **to ~ down** *va.* раз-рушать, -рушить. повалить || **~** *vn.* разрыдаться || **to ~ forth** *vn.* вырываться, вырваться; прояв-ляться, -иться || **to ~ loose** срываться, сорваться; вырываться, вырваться || **to ~ off** (*fig.*) пре-рывать, -рвать || **to ~ up** рас-пускать, -пустить; разойтись || **–able** *a.* ломкий, хрупкий || **–age** *s.* ломка; перелом || **–er** *s.* (*wave*) бурун || **~-down** *s.* обрушение; обвал; крушение || **–fast** (брэ'кфёст) *s.* (утренний) завтрак || **~** *vn.* завтракать, по- || **–neck** *a.* опасный, рискованный || **–water** *s.* мол; волнолом, волнорез.
breast/ (брэст) *s.* грудь *f.*; грудина || **to make a clean ~ of** со-знаваться, -знаться; сказать всю правду || **~** *va.* противиться; бороться с || **–bone** *s.* грудная кость || **–plate** *s.* нагрудник || **–work** *s.* бруствер, парапет.
breath (брэþ) *s.* (*respiration*) дыхание; (*of wind*) дуновение; (*pause*) отдых; (*instant*) мгновение; (*exhalation*) дух, запах || **gasping for ~** тяжёлое дыхание || **shortness of ~** запых; одышка || **the last ~** последний вздох || **in the same ~** в одно мгновение || **to be out of ~** запыхаться || **under one's ~** шопотом.
breathe (брийð) *va.* вдыхать, вдохнуть; выдыхать, выдохнуть || **~** *vn.* дышать; (*live*) жить.
breathing (брий'ðинг) *s.* дыхание, вдыхание; (*gramm.*) придыхание || **~-space** *s.* время отдыха, передышка.
breathless (брэ'þлэс) *a.* запыхавшийся.
bred (брэд) *cf.* **breed.**
breech/ (брийч) *s.* (*of trousers*) задница; (*of gun*) казённая часть; казёнка || **–es** *spl.* штаны *mpl.*; брюки *mpl.*; шаровары *fpl.*; панталоны || **–loader** *s.* ружьё, заряжаемое с казны.
breed/ (брийд) *s.* порода, род || **~** *va.irr.* родить, по-рождать, -родить; (*to cause*) производить; (*to rear*) вос-питывать, -питать || **~** *vn.irr.* родить детей, рождаться; (*increase*) плодиться || **–ing** *s.* рождение; распложение; воспитание; (*fig.*) воспитанность *f.*; манеры *mpl.*
breeze (брийз) *s.* бриз; ветерок; (*fam.*) ссора.
breezy (брийзи) *a.* ветренный; свежий; (*fig.*) свободный, весёлый.
brethren (брэ'ðрён) *spl.* братья.
breve (брийв) *s.* (*mus.*) целая *или* белая нота.
brevet/ (брэ'вит) *s.* почётный чин || **~-rank** *s.* (*mil.*) военный чин без содержания.
breviary (брий'виёри) *s.* молитвенник.
brevity (брэ'вити) *s.* краткость *f.*; (*conciseness*) точность *f.*
brew/ (брӯ) *s.* настойка; варя || **~** *va.* (*beer*) варить; настаивать; при-готовлять, -готовить; (*fig.*) за-мышлять, -мыслить || **~**

vn. (*fig. to impend*) готовиться; собира́ться || **–er** *s.* пивова́р || **–ery** *s.* пивова́рня, пивова́рный заво́д.
briar (брай'ёр) *s.* терно́вник; (*fig.*) (кури́тельная) тру́бка.
bribe/ (брайб) *s.* по́дкуп, взя́тка || ~ *va.* подкуп-а́ть, -и́ть; задо́бр-ивать, -ить кого́ пода́рками || **–ry** *s.* подкупа́ние, по́дкуп.
bricabrac (бри'кёбрä'к) *s.* безде́лки *fpl.*
brick/ (брик) *s.* кирпи́ч; (*fam.*) молоде́ц; сла́вный ма́лый || ~ *a.* кирпи́чный || ~ *va.* класть кирпичи́; выстила́ть, вы́стлать кирпичём || **–bat** *s.* обло́мок кирпича́ || **–layer** *s.* ка́менщик || **–work** *s.* кирпи́чная кла́дка.
bridal (брай'дёл) *s.* сва́дьба || ~ *a.* сва́дебный, бра́чный.
bride/ (брайд) *s.* неве́ста; новобра́чная || **–groom** *s.* жени́х; новобра́чный || **–smaid** *s.* подру́жка неве́сты.
bridge (бридж) *s.* мост, мо́стик; (*of nose*) перено́сье; (*of violin*) кобы́лка; (*game*) игра́ в ка́рты вро́де ви́ста || **suspension** ~ вися́чий мост || ~ *va.* мости́ть; выма́щивать, вы́мостить; на-води́ть, -вести́ мост.
bridle/ (брайдл) *s.* узда́, по́вод || ~ *va.* держа́ть ло́шадь на узде́; (*fig. to curb*) обу́здывать, обузда́ть; сде́рживать, сдержа́ть || ~ *vn.*, **to ~ up** ва́жничать; при-нима́ть, -ня́ть ва́жный вид || **~-path** *s.* ко́нная тропа́.
brief/ (брийф) *s.* (*papal*) па́пская гра́мота; бре́ве; (*legal*) вы́писка из де́ла; суде́бное предписа́ние; резюме́ || ~ *a.* кра́ткий; (*concise*) то́чный || **–less** *a.* без заня́тий (об адвока́те).
brier (брай'ёр) *cf.* **briar.**
brig (бриг) *s.* бриг (двумачто́вое су́дно); [(*Sc.*) мост.
brigad/e (бригэй'д) *s.* брига́да || **–ier** (бригёдий'р) *s.* бригади́р; нача́льник брига́ды.
brigand/ (бри'гёнд) *s.* разбо́йник, граби́тель *m.* || **–age** *s.* разбо́йничество.
brigantine (бри'гёнтийн) *s.* (*mar.*) бриганти́на.
bright/ (брайт) *a.* я́ркий, све́тлый; (*clear*) я́сный; (*cheerful*) весёлый; (*clever*) у́мный || **honour ~!** че́стное сло́во! || **–en** *va.* сде́лать све́тлым; освети́ть; у-краша́ть, -кра́сить || ~ *vn.* про-яснЯ́ться, -ясни́ться; ожив-ля́ться, -и́ться || **–ness** *s.* блеск, свет; я́сность *f.*; весёлость *f.*; ум.
brill (брил) *s.* ка́мбала.
brill/iance (бри'лйёнс), **–iancy** *s.* (бри'лйёнси) *s.* блеск; блиста́тельность *f.*; (*fig.*) великоле́пие || **–iant** (бри'лйёнт) *s.* бриллья́нт, шлифо́ванный алма́з || ~ *a.* блестя́щий, блиста́тельный; (*fig.*) великоле́пный || **–iantine** (бри'лйёнтийн) *s.* брилльянти́н (для воло́с).
brim/ (брим) *s.* край *m.*; (*of a hat*) по́ле, поля́ *npl.* || ~ *vn.*, **to ~ over** на-полня́ться, -по́лниться (до краёв) || **–ful** *a.* напо́лненный до краёв || **–mer** *s.* до краёв напо́лненный стака́н.
brimstone (бри'мстён) *s.* се́ра.
brindled (бри'ндлд) *a.* пе́гий; пёстрый; с кра́пинками.
brine (брайн) *s.* рассо́л, солёная вода́; (*fig.*) мо́ре.
bring (бринг) *va.irr.* при-носи́ть, -нести́; (*carry*) носи́ть, вози́ть; (*lead*) при-води́ть, -вести́; (*induce*) причин-я́ть, -и́ть || **to ~ about** быть причи́ною; устр-а́ивать, -о́ить || **to ~ forth** (*to give birth to*) роди́ть; (*to cause*) произ-води́ть, -вести́ || **to ~ forward** (*comm.*) сде́лать перено́с счёта (на сле́дующую страни́цу) || **to ~ out** выноси́ть, вы́нести; (*a book*) выпуска́ть, вы́пустить || **to ~ up** вос-пи́тывать, -пита́ть.
bringing-up (бри'нгинг-а'п) *s.* воспита́ние.
brink (брингк) *s.* край *m.*; бе́рег.
briny (брай'ни) *a.* солонова́тый || **the ~** (*fam.*) мо́ре.
briquette (брикэ'т) *s.* брике́т.
brisk (бриск) *a.* живо́й, прово́рный; (*cheerful*) весёлый; (*comm.*) оживлённый || ~ *vn.* ожив-ля́ться, -и́ться.
brisket (бри'скит) *s.* груди́нка.
briskness (бри'скнэс) *s.* жи́вость *f.*; прово́рство.
bristle (бри'сл) *s.* щети́на || ~ *vn.* ощети́н-иваться, -иться: под-ыма́ться, -ня́ться ды́бом || **to ~ with** изоби́ловать (чем), быть перепо́лненным (чем).
bristly (бри'сли) *a.* щети́нистый.
brittle/ (бри'тл) *a.* ло́мкий, хру́пкий || **–ness** *s.* ло́мкость *f.*; хру́пкость *f.*
broach (бро́уч) *s.* ве́ртел; (*for boring*) сверло́ || ~ *va.* (*a cask*) почина́ть, поча́ть; (*pierce*) про-ка́лывать, -коло́ть || **to ~ a subject** на-води́ть, -вести́ разгово́р на что.
broad/ (бро̄д) *a.* широ́кий, просто́рный; (*direct*) откры́тый; (*tolerant*) либера́льный; (*indecent*) непристо́йный; (*coarse*) гру́бый || **~-brimmed** *a.* с широ́кими поля́ми || **–cloth** *s.* то́нкое сукно́ || **–en** *va.* рас-ширя́ть, -ши́рить || ~ *vn.* рас-ширя́ться, -ши́риться; распростран-я́ться, -и́ться || **~-minded** *a.* толера́нтный, либера́льный || **–ness** *s.* ширина́; гру́бость *f.*; толера́нтность *f.*; либера́льность *f.* || **~-set** *a.* корена́стый; дю́жий || **–side** *s.* (*mar.*) лаг, сторона́ корабля́; все пу́шки одного́ бо́рта || **–sheet** *s.* брошю́ра || **–sword** *s.* пала́ш; са́бля.

brocade' (брокэй'д) *s.* парча́, глазе́т, брока́т || **–d** *a.* парчёвый.
broccoli (бро'коли) *s.* бро́коли (род капу́сты).
brochure (бро'шӯр) *s.* брошю́ра, брошю́рка.
brogue (бро̄уг) *s.* гру́бый башма́к; башма́к для го́льфа; (*fig.*) испо́рченное наре́чие.
broil (бройл) *s.* ссо́ра, раздо́р; шум || ~ *va.* жа́рить на ра́шпере || ~ *vn.* жа́риться, пе́чься (на со́лнце).
broke (бро̄ук) *cf.* **break.**
broken/ (бро̄у'кн) *a.* ло́манный, сло́манный; разло́манный; (*not continuous*) перерывочный; (*infirm*) дря́хлый; (*fig. of voice*) прерыва́ющийся; (*of ground*) неро́вный; (*ruined*) банкро́тный || **to speak a ~ English** кове́ркать английский язы́к || **~-down** *a.* (*fig.*) разори́вшийся, пропа́щий || **~-hearted** *a.* с разби́тым се́рдцем, с сокрушённым се́рдцем || **~-winded** *a.* с оды́шкой; (*of horses*) с запа́лом.
broker/ (бро̄у'кёр) *s.* ма́клер || **–age** *s.* курта́ж, ма́клерский сбор.
brom/ic (бро̄у'м-ик) *a.*, ~ **acid** бро́мовая кислота́ || **–ide** *s.* бро́мистое соедине́ние || **–ine** *s.* бром.
bronch/ial (бро'нг-киёл) *a.* бронхиа́льный || **–itis** (бронг-кай'тис) *s.* бронхи́т, воспале́ние бро́нхов.
bronze/ (бронз) *s.* бро́нза || ~ *a.* бро́нзовый || **the B– Age** бро́нзовый век || **–d** *a.* (*of face*) загоре́лый.
brooch (бро̄уч) *s.* бро́шка, була́вка, застёжка.
brood/ (брӯд) *s.* вы́вод, вы́водок; (*of birds*) птенцы́ *mpl.*; (*of other animals*) припло́док; (*progeny*) пото́мки *mpl.*; (*race*) род, пле́мя *n.* || ~ *vn.* сиде́ть на я́йцах || **to ~ over** помышля́ть о чём || **~-hen** *s.* насе́дка || **–ing** *s.* сиде́ние на я́йцах; (*fig.*) помышле́ние, заду́мчивость *f.*
brook/ (брук) *s.* руче́й *m.*; ручеёк || ~ *va.* терпе́ть, сноси́ть || **–let** *s.* ручеёк, ручеёчек || **~-lime** *s.* (*bot.*) верббника руче́йная.
broom/ (брӯм) *s.* (*bot.*) дрок; (*besom*) метла́, щётка, голи́к || **–stick** *s.* метлови́ще, мете́льная па́лка.
broth (броѳ) *s.* бульо́н.
brothel (бро'ѳл) *s.* борде́ль *f.*; борда́к; публи́чный дом.
brother (бра'ðёр) *s.* брат; (*colleague*) колле́га, това́рищ || **–hood** *s.* бра́тство || **~-in-law** *s.* (*wife's brother*) шу́рин; (*husband's brother*) де́верь *m.*; (*sister's husband*) зять *m.* || **–ly** *a.* бра́тский.
brougham (брӯм) *s.* бру́гем; лёгкая двухме́стная каре́та.
brought (бро̄т) *cf.* **bring.**

brow/ (брау) лоб, чело́; (*eye-brow*) бровь *f.*; (*of hill*) гре́бень *m.* || **–beat** *va.irr.* смотре́ть на кого́ с нахму́ренными бровя́ми; за-пу́гивать, -пуга́ть.
brown/ (браун) *a.* кори́чневый, бу́рый; (*dark ~*) тёмнобу́рый; (*of eyes*) ка́рий; (*of face*) сму́глый; (*sunburnt*) загоре́лый || **to do ~** под-жа́ривать, -жа́рить; (*fam.*) обма́нывать, обману́ть || ~ **bread** чёрный хлеб || ~ **paper** обёрточная бума́га || **a ~ study** (*fig.*) мра́чная заду́мчивость || ~ *va.* де́лать, с- кори́чневым || **–ie** (-и) *s.* домово́й; ко́больд; (*camera*) род фотографи́ческого ко́дака || **–ish** *a.* коричнева́тый; смуглова́тый; темнова́тый.
browse (брауз) *va.* щипа́ть траву́ || ~ *vn.* пасти́сь.
bruin (брӯ'-ин) *s.* медве́дь *m.*; ми́шка; пота́пыч.
bruise (брӯз) *s.* синя́к, кровоподтёк; желва́к; уши́бленная ра́на || ~ *va.* из-бива́ть, -би́ть; ушиби́ть; (*to pound*) толо́чь, ис-; (*to powder*) рас-тира́ть, -тере́ть.
bruiser (брӯ'зёр) *s.* (*fam.*) боксёр.
bruit (брӯт), (**to ~ about, abroad**) *va.* рас-пуска́ть, -пусти́ть молву́.
brummagem (бра'мёджэм) *a.* подде́льный.
brunette (брунэ'т) *s.* брюне́тка.
brunt (брант) *s.* си́ла уда́ра; гла́вный на́тиск.
brush/ (браш) *s.* щётка, щёточка; (*brush-wood*) кусты́ *mpl.*; куста́рник; (*besom*) метла́, голи́к; (*arts*) кисть *f.*; ки́сточка; (*fig.*) схва́тка; (*of a fox*) хвост || ~ *va.* чи́стить щёткой; кра́сить ки́стью; (*to sweep*) мести́; мета́ть; (*touch*) за-дева́ть, -де́ть || **to ~ up** (*fig.*) ожив-ля́ть, -и́ть || ~ *vn.* легко́ пройти́сь (по чему́-либо) || **–wood** *s.* кусты́ *mpl.*; куста́рник.
brusque/ (браск) *a.* гру́бый, ре́зкий || **-ness** *s.* гру́бость *f.*
brutal/ (брӯ'тёл) *a.* ско́тский, зве́рский; жесто́кий; бесчелове́чный || **–ity** (брутӓ'лити) *s.* ско́тство; бесчелове́чность *f.* || **–ize** *va.* де́лать, с- гру́бым, ско́тским.
brute (брӯт) *s.* скот, скоти́на; (*fig.*) отврати́тельный челове́к || ~ *a.* ско́тский, зве́рский.
brutish (брӯ'тиш) *a.* ско́тский; (*fig.*) бесчу́вственный.
bryony (брай'они) *s.* (*bot.*) брио́ния, бе́лая ма́тица.
bubble (ба'бл) *s.* пузы́рь *m.*; (*fig. chimera*) химе́ра, мечта́; (*fraud*) обма́н; (*comm.*) ду́тое предприя́тие || ~ *vn.* пузы́риться; испуска́ть пузыри́; клокота́ть || **to ~ up** вскип-а́ть, е́ть.
bubonic (бюбо'ник) *a.*, ~ **plague** бубо́нная чума́.
buccaneer (бакёний'р) *s.* корса́р, пира́т; морско́й разбо́йник.

buck/ (бак) *s.* олéнь *m.*; (*male*) самéц; (*fig.*) хват, щёголь *m.* || ~ *vn.* лягáться с нагнýтою головóю || **to ~ up** *vn.* спешить.
bucket (ба'кит) *s.* ведрó, бадья́ || **to kick the ~** (*fam.*) у-мирáть, -мерéть.
buckhound (ба'к-хаунд) *s.* гóнчая собáка.
buckle (ба'кл) *s.* пря́жка; скóбка || ~ *va.* за-стёгивать, -стегнýть пря́жкой || ~ *vn.* гнýться.
buckler (ба'клёр) *s.* щит; (*fig.*) защи́та.
buckram (ба'крём) *s.* клеёный холст.
buck/shot (ба'к-шот) *s.* крýпная дробь || **-skin** *s.* козлóвая кóжа; козёл || **-thorn** *s.* подорóжник примóрский || **-wheat** *s.* грéча, гречи́ха. [стýшеский.
bucolic (бюко'лик) *a.* буколи́ческий, па-
bud (бад) *s.* бутóн, пóчка, глазóк || **to nip in the ~** истреб-ля́ть, -и́ть при сáмом начáле || ~ *vn.* пус-кáть, -ти́ть пóчки; распус-кáться, -ти́ться.
budding (ба'динг) *a.* распускáющийся.
budge (бадж) *va.* шевели́ть, по-; дви́гать, дви́нуть || ~ *vn.* шевели́ться, по-; дви́гаться, дви́нуться. [запáс.
budget (ба'джит) *s.* бюджéт; (*of news*)
buff (баф) *s.* волóвья кóжа; (*colour*) тёмножёлтый цвет; (*skin*) кóжа || **stripped to the ~** нагóй.
buffalo (ба'фёлоу) *s.* бýйвол.
buffer (ба'фёр) *s.* (*rail.*) бýфер; (*fam.*) дружи́ще.
buffet (ба'фит) *s.* пощёчина, удáр кулакóм || ~ (бу'фэ) *s.* буфéт || ~ *va.* ударя́ть, ударить; дать пощёчину || ~ *vn.* (*fig.*) барáхтаться.
buffoon/ (бафӯ'н) *s.* шут, скоморóх || **-ery** *s.* шутовствó, скоморóшничество.
bug (баг) *s.* клоп.
bugbear (ба'гбэр) *s.* пýгало, бýка.
buggery (ба'гёри) *s.* педерáстия, мужелóжство.
buggy (ба'ги) *s.* лёгкий экипáж.
bugle (бю'гл) *s.* горн, трубá.
bugler (бю'глёр) *s.* горни́ст.
buhl (бӯл) *s.* инкрустáции зóлотом.
build/ (билд) *s.* констрýкция, фóрма; (*fig.*) сложéние, состáв || ~ *va.irr.* стрóить, по-; (*a nest*) свивáть, свить || ~ *vn.irr.* **to ~ on** (*fig.*) по-лагáться, -ложи́ться на когó || **-er** *s.* строи́тель; подря́дчик (строи́тельных рабóт) || **-ing** *s.* пострóйка, строéние, здáние.
bulb (балб) *s.* лýковица; клýбень *m.*; ши́шка; (*of thermometer*) шáрик.
bulge (балдж) *s.* вы́пуклость *f.* || ~ *vn.* выпýчиваться, вы́пучиться.
bulgy (ба'лджи) *a.* вы́пученный.
bulk (балк) *s.* мáсса; величинá; (*volume*) об'ём; (*comm.*) вмести́мость *f.*; груз (корабля́) || **in the ~** гуртóм, óптом || **-head** *s.* (*mar.*) переборка || **-iness** *s.* об'ём; величинá; громóздкость *f.* || **-y** *a.* большóй; громóздкий, неуклáдный.
bull/ (бул) *s.* (*ox*) бык; (*male*) самéц; (*comm.*) спекуля́нт на повышéние кýрса, повышáтель; (*astr.*) телéц; (*papal*) бýлла; (*Irish*) забáвная нелéпость || ~ *vn.* спекули́ровать на повышéние кýрса || **-dog** *s.* бульдóг. [проницáемый для пуль.
bullet/ (бу'лит) *s.* пýля || **~-proof** *a.* не-
bulletin (бу'лэтин) *s.* бюллетéнь *m.*
bullfinch (бу'лфинч) *s.* снеги́рь *m.*
bullion (бу'лйён) *s.* неотчекáненный драгоцéнный метáлл.
bull's-eye (бу'лзай') *s.* центр мишéни; (*lantern*) глухóй фонáрь, потаённый фонáрь.
bully (бу'ли) *s.* хвастýн, буя́н; забия́ка || ~ *a.* (*Am.*) превосхóдный || ~ *va.* забивáть, -би́ть когó; за-пýгивать, -пугáть.
bulrush (бу'лраш) *s.* тростни́к.
bulwark (бу'луёрк) *s.* больвéрк; (*mar.*) фáльшборт; (*fig.*) защи́та, оплóт.
bum/ (бам) *s.* зáдница || **~-bailiff** *s.* помóщник судéбного при́става.
bumble-bee (ба'мблбий') *s.* шмель *m.*
bumboat (ба'мбоут) *s.* маркитáнтская лóдка.
bump (бамп) *s.* (*thump*) глухóй удáр; (*swelling*) ши́шка || **~ of knowledge** ши́шка мýдрости || ~ *va.* удари́ть || ~ *vn.* натолкнýться.
bumper (ба'мпёр) (*full glass*) бокáл, нали́тый до краёв; (*lie*) большáя ложь; (*theat.*) перепóлненный теáтр.
bumpkin (ба'мпкин) *s.* деревéнщина; нéуч; неловкий, неуклюжий человéк
bumptious (ба'мшёс) *a.* напы́щенный.
bumpy (ба'мпи) *a.* бугри́стый, нерóвный; (*of road*) ухáбистый.
bun (бан) *s.* род лепёшки.
bunch (банч) *s.* свя́зка, пучóк; грозд; (*of people*) грýппа || **~ of flowers** букéт || **~ of grapes** виногрáдная кисть || ~ *va.* свя́зывать, связáть в пучки́.
bundle (бандл) *s.* свя́зка, пучóк; (*parcel*) пакéт; (*of papers*) свёрток || ~ *va.* свя́зывать, связáть в пучóк, в ýзел; (*to send away*) отослáть в попыхáх || ~ *vn.* (**to ~ away, off, out**) убирáться, убрáться в попыхáх. [*s.* бóчечная дырá.
bung/ (банг) *s.* втýлка, заты́чка || **~-hole**
bungalow (ба'нг-гёлōу) *s.* дáчная деревя́нная пострóйка.

bungle/ (банг-гл) *s.* гру́бая оши́бка, про́мах; нело́вкость *f.* || ~ *va.&n.* по́ртить ис-; рабо́тать ко́потно и ду́рно || **–r** *s.* плохо́й, нео́пытный рабо́тник; кропа́ла *m.*; пачку́н || **–ing** *s.* дрянна́я рабо́та, нело́вкость *f.*; пачкотня́ || ~ *a.* нело́вкий.

bunion (ба'нйён) *s.* мозо́ль *f.*

bunk (бангк) *s.* ко́йка || **to do a ~** удра́ть || ~ *vn.* удра́ть; убежа́ть.

bunker (ба'нг-кёр) *s.* (*mar.*) у́гольная я́ма; (*golf*) на́сып; (*fam.*) препя́тствие.

bunkum (ба'нг-кём) *s.* вздор, чепуха́.

bunny (ба'ни) *s.* кро́лик.

bunt/ (бант) *s.* (*mar.*) пу́зо па́руса || **–ing** *s.* (*flag-material*) фла́гдук; (*flags*) фла́ги; (*bird*) подоро́жник.

buoy/ (бой) *s.* (*mar.*) буй *m.*; ба́кен || ~*va.* (**to ~ up**) под-де́рживать, -держа́ть || **–ancy** *s.* спосо́бность (*f.*) пла́вать, плову́честь *f.*; лёгкость *f.*; (*fig.*) бо́дрость *f.*; весёлость *f.* || **–ant** *a.* плову́чий; лёгкий; весёлый.

bur (бёр) *s.* (*bot.*) лопу́х, репе́йник.

burbot (бё'рбёт) (*fish*) нали́м.

burden/ (бё'рдн) *s.* (*load*) бре́мя *n.*, вьюк; (*mar.*) вмести́мость су́дна; (*refrain*) припе́в; (*theme*) предме́т; те́ма || **beast of ~** вью́чное живо́тное || ~ *va.* на-лага́ть, -ложи́ть бре́мя; обремен-я́ть, -и́ть || **–some** *a.* обремени́тельный; неудо́бный; (*oppressive*) тя́гостный.

burdock (бё'рдок) *s.* (*bot.*) репе́йник, лопу́шник.

bureau/ (бюрōу') *s.* (*desk*) пи́сьменный стол; (*office*) бюро́, конто́ра; (*department*) прису́тствие || **–cracy** (бюро'крёси) *s.* бюрокра́тия || **–crat** (бю'рократ) *s.* бюрокра́т || **–cratic** (бюрокрä'тик) *a.* бюрократи́ческий.

burgee (бё'рджий') *s.* (*mar.*) вы́мпел.

burgeon (бё'рджён) *s.* буто́н, глазо́к.

burgess (бё'рджёс) *s.* граждани́н.

burgher (бё'ргёр) *s.* граждани́н.

burglar/ (бё'рглёр) *s.* соверша́ющий кра́жу со взло́мом; вор || **–y** *s.* воровство́ (кра́жа) со взло́мом.

burgle (бё'ргл) *va.&n.* совер-ша́ть, -ши́ть кра́жу со взло́мом.

burgomaster (бё'ргома́'стёр) *s.* бургоми́стр.

burial/ (бэ'риёл) *s.* погребе́ние, по́хороны *fpl.* || **~-ground, ~-place** *s.* кла́дбище || **~-service** *s.* панихи́да.

burin (бю'рин) *s.* резе́ц.

burke (бёрк) *va.* (*fig.*) замя́ть.

burlesque (бёрлэ'ск) *s.* драмати́ческая паро́дия, фарс || ~ *a.* шу́точный, коми́ческий || ~ *va.* пароди́ровать.

burl/iness (бё'рли-нэс) *s.* доро́дность *f.*; дю́жесть *f.* || **–y** (–) *a.* дородный, дю́жий.

burn/ (бёрн) *s.* обжо́г, ожо́г; (*stream*) руче́й *m.*; ручеёк || ~ *va.irr.* жечь, с-; пали́ть, с-; об-жига́ть, -жёчь || ~ *vn.irr.* горе́ть; пыла́ть || **–er** *s.* (*gas*) рожо́к; (*of a lamp*) горе́лка || **–ing** *s.* горе́ние, жже́ние; (*conflagration*) пожа́р || ~ *a.* горя́щий; (*of the sun*) зно́йный; (*fig.*) пы́лкий, горя́чий || **a ~ question** животрепе́щущий вопро́с || **it's a ~ shame** сты́дно || **–ing-glass** *s.* зажига́тельное стекло́.

burnish (бё'рниш) *va.* полирова́ть, ворони́ть (сталь).

burnt (бёрнт) *a.* сожжёный, пережжёный || **a ~ child dreads the fire** "пу́ганная воро́на куста́ бои́тся" || **a ~ offering** всесожига́емая (же́ртва).

burr (бёр) *s.* горлово́е произноше́ние бу́квы "**R**".

burrow (ба'рōу) *s.* нора́ || ~ *va.* рыть нору́ || ~ *vn.* пря́таться в нору́.

bursar/ (бё'рсёр) *s.* эконо́м учи́лища; (*holder of a bursary*) стипендиа́т || **–y** *s.* стипе́ндия.

burst (бёрст) *s.* взрыв, треск; (*sudden outbreak*) вспы́шка || ~ *va.irr.* раз-рыва́ть, -орва́ть; выла́мывать, вы́ломать; вз-рыва́ть, -орва́ть || **to ~ open** выла́мывать, вы́ломать || ~ *vn.irr.* тре́скаться; раз-рыва́ться, -орва́ться; ло́п-аться, -нуть; (*fig.*) раз-ража́ться, -рази́ться || **to ~ out laughing** разрази́ться сме́хом || **to ~ forth** про-рыва́ться, -рва́ться || **to ~ out with** сказа́ть что необду́манно || **to ~ into tears** зали́ться слеза́ми.

burthen (бё'рдён) *s.* *cf.* **burden.**

bury (бэ'ри) *va.* (*to hide*) за-рыва́ть, -ры́ть; (*to inter*) хорони́ть; по-греба́ть, -грести́ || **to ~ the hatchet** пре-краща́ть, -крати́ть ссо́ру || **to ~ oneself** (*fig.*) за-рыва́ться, -ры́ться.

bus (бас) *s.* (*fam.*) о́мнибус; (*mil. fam.*) аэропла́н.

busby (ба'зби) *s.* гуса́рская ша́пка, ки́вер.

bush (буш) *s.* куст; (*thicket*) куста́рник; (*woodland*) лесо́к, ро́ща; (*tech*) подши́пник || **to beat about the ~** говори́ть обиняка́ми || **good wine needs no ~** "хоро́ший това́р сам себя́ хва́лит."

bushel (бу'шёл) *s.* бу́шель (хле́бная ме́ра) || **to hide one's light under a ~** зары́ть свой тала́нт.

bush/man (бу'ш-мӓн) *s.* жи́тель лесо́в || **Bushmen** бошисма́ны *mpl.*; бушме́ны *mpl.* || **–ranger** *s.* бе́глый ка́торжник (в Австра́лии); разбо́йник || **–y** *a.* покры́тый куста́рником; густо́й.

busied (би'зид) *a.* занято́й (чем).

busily (би'зили) *ad. cf.* **busy.**

business/ (би'знэс) *s.* (*busy state*) дѣло, занятіе; (*duty*) должность *f.*; (*firm, shop*) торговля, торговый домъ; (*profession*) профессія; (*trade*) ремесло; (*matter*) дѣло || **to mean ~** не шутить || **to carry on ~** вести дѣло || **to send one about his ~** от-пускать, -пустить кого || **go about your ~!** убирайтесь || **to mind one's own ~** не вмѣшиваться || **that is my ~!** это моё дѣло! || **what ~ have you to ...?** что тебя побудило ...? || **-like** *a.* деловой; (*serious*) серьёзный.

buskin (ба'скин) *s.* котурн (у древнихъ трагическихъ актёровъ); (*fig.*) драма.

bust (баст) *s.* бюст.

bustle/ (ба'сл) *s.* шумъ, суматоха, суета || **~** *va.* торопить; подгонять || **~** *vn.* хлопотать; суетиться || **-r** *s.* суетливый человѣкъ.

busy/ (би'зи) *a.* (*occupied*) занятой; (*diligent*) дѣятельный, прилежный; (*meddlesome*) вмѣшивающійся въ чужія дѣла || **~** *va.* за-нимать, -нять || **to ~ oneself with** за-ниматься, -няться чѣмъ || **to be busied with** сидѣть за || **-body** *s.* человѣкъ, вмѣшивающійся въ чужія дѣла.

but (бат) *prp.* кромѣ || **all ~** почти, чуть-чуть || **last ~ one** предпослѣдній || **~ just now** только-что || **~** *c.* (*yet*) но, однако; (*except*) кромѣ; (*only*) только || **~ for** безъ, если бы не || **~ that** если бы не || **I cannot ~ ...** я не могу не ... || **~** *prn.* который не ...

butcher/ (бу'чёр) *s.* мясникъ || **~** *va.* у-бивать, -бить || **-y** *s.* резня, бойня.

butler (ба'тлёр) *s.* дворецкій.

butt/ (бат) *s.* (*end*) конецъ; (*object aimed at*) цѣль *f.*; предметъ; (*thrust*) ударъ; (*cask*) бочка; мѣра жидкости (= 572.5 л.) || **-s** *spl.* тиръ || **to come full ~ against somebody** столкнуться съ кѣмъ || **~** *va&n.* бодать (-ся); ударять (-ся) || **~-end** *s.* (*of a gun*) прикладъ; (*thicker end*) утолщённый конецъ.

butter/ (ба'тёр) *s.* масло (коровье) || **~** *va.* мазать, по- масломъ; (*fig. to flatter*) льстить || **-cup** *s.* лютикъ || **-fly** *s.* бабочка || **-milk** *s.* пахтанье || **-y** *s.* кладовая.

buttocks (ба'тёкс) *spl.* задница; (*fam.*) жопа.

button/ (батн) *s.* пуговица; (*electr.*) кнопка; (*bot.*) почка || **it's not worth a ~** ломаннаго гроша не стоитъ || **not to care a ~ for** нисколько не заботиться || **-s** *s.* мальчикъ (при гостиницѣ) || **~** *va.* застёгивать, -стегнуть || **-hole** *s.* петля, петелька, петлица; (*bouquet*) цвѣточекъ въ петлицѣ || **~** *va.* заставить выслушать держа за петлицу || **~-hook** *s.* крючокъ для застёгиванія пуговицъ.

buttress (ба'трис) *s.* контр-форсъ, подпора; (*fig.*) опора || **~** *va.* под-пирать, -перéть подпорою; (*fig.*) под-держивать, -держать.

buxom (ба'ксём) *a.* здоровый, бодрый.

buy/ (бай) *va.irr.* покупать, купить || **-er** *s.* покупатель.

buzz (баз) *s.* жужжаніе || **~** *vn.* жужжать.

buzzard (ба'зёрд) *s.* сарычъ.

buzzing (ба'зинг) *s.* жужжаніе.

by/ (бай) *ad.* возлѣ, мимо || **close ~, hard ~** близкій || **~** *prp.* посредствомъ, съ помощью; черезъ; отъ; (переводиться въ большинствѣ случаевъ творительнымъ падежомъ.) || **~ and ~** въ скоромъ времени || **~-the-way** между прочимъ || **~ degrees** мало по малу; постепенно || **to come ~** получить || **to do ~** по-ступать, -ступить къ || **to go ~ Paris** ѣхать черезъ Парижъ || **to stand ~** (*to assist*) по-могать, -мочь || **~ force** силою || **~ day** днёмъ || **~ my watch** по моимъ часамъ || **~ good luck** по счастію || **~ the pound** по фунтамъ || **-election** *s.* частичные выборы *mpl* || **-gone** *a.* прошедшій || **let -s be -s** забудемъ прошлое || **~-lane** *s.* переулокъ || **~-law** *s.* мѣстный законъ || **~-path** *s.* боковая тропа.

byre (бай'ёр) *s.* хлѣвъ.

by/stander (бай'стäндёр) *s.* присутствующій || **-way** *s.* окольный путь || **-word** *s.* поговорка.

C

C музыкальная нота Ц или До.

cab/ (кäб) *s.* кэбъ, кабріолетъ; дрожки *fpl.*; калиберъ; (*railway*) будка паровоза.

cabal/ (кёбä'л) *s.* кабалистика; тайный заговоръ, козни *f.*; коварство || **~** *vn.* интриговать; строить козни || **-ler** *s.* заговорщикъ, интриганъ.

cabaret (кä'бёрэт) *s.* трактиръ.

cabby (кä'би) *s.* (*fam.*) извозчикъ.

cabbage/ (кä'бидж) *s.* капуста || **~-lettuce** *s.* кочанный салатъ || **~-stump** *s.* кочерыжка.

cab-driver (кä'бдрайвёр) *s.* извозчикъ.

cabin/ (кä'бин) *s.* хижина, шалашъ; (*on ships*) каюта || **~-boy** *s.* юнга, каютъ-юнга || **-et** *s.* кабинетъ; (*furniture*) комодъ || **Cabinet-Council** *s.* совѣтъ министровъ || **~ edition** *s.* кабинетное изданіе || **-et-maker** *s.* столяръ || **-et-work** *s.* столярная работа.

cable/ (кэйбл) *s.* (*mar.*) канатъ, тросъ; (*teleg.*) кабель *m.* || **~** *va&n.* телеграфиро-

вать по кабелю || **-gram** s. телеграмма по кабелю, кабельная депеша || **~-transfer** s. уплата по кабелю, кабельный перевод.
cabman (кä'бмäн) s. извозчик.
caboose (кёбӯ'с) s. (*mar.*) камбуз, судовая кухня.
cabriolet (кäбриолэй') s. кабриолет.
cabstand (кä'бстäнд) s. биржа.
cacao/ (кёкä'оу) s. какао || **~-tree** s. какаовое дерево.
cachalot (кä'шёлот) s. пот, кашалот.
cachinnation (кäкинэй'шн) s. громкий истерический хохот.
cackl/e (кäкл) s. кудахтание, гоготание; (*fig.*) болтовня, каляканье || **~** *vn.* кудахтать, гоготать; (*fig.*) сплетничать, калякать; подсмеиваться || **-er** s. птица которая кудахчет; (*fig.*) болтун, -ья || **-ing** s. кудахтание, гоготание.
cacophony (кäко'фони) s. какофония, дурное созвучие.
cactus (кä'ктёс) s. кактус.
cad (кäд) s. подлец, плут.
cadaverous/ (кёдä'вёрёс) *a.* помертвелый, трупный; (*emaciated*) сильно исхудавший || **-ness** s. трупное состояние.
caddish (кä'диш) *a.* подлый.
caddy (кä'ди) s. чайный ящик, чайница.
cadence (кэй'дёнс) s. (*mus.*) каденца, кадáнс; фиоритура.
cadet/ (кёдэ'т) s. кадет; (*younger*) младший брат || **-ship** s. (*mil.*) кадетство; положение младшего брата.
cadge/ (кäдж) *vn.* попрошайничать, блюдолизничать || **-r** s. коробейник; попрошайка.
cadmium (кä'дмиём) s. кадмий *m.*
caesura (сизю'рё) s. цезура.
café (кä'фэй) s. кофейня.
caffein (кä'фиайн) s. кофеин.
cage (кэйдж) s. клетка; тюрьма || **~** *va.* сажать в клетку; (*confine*) упрятать в тюрьму.
cairn (кäрн) s. могильник; горка камней.
caisson (кэй'сён) s. кэссон; (*mil.*) зарядный ящик.
caitiff (кэй'тиф) s. раб; (*fig.*) негодяй, подлец || **~** *a.* рабский, подлый.
cajole/ (кёджоу'л) *va.* уго-варивать, -ворить; умасл-ивать, -ить || **-r** s. льстец || **-ry** s. искательство, лесть *f.*; ласкательство.
cake (кэйк) s. сладкий пирог, пирожное, торт; (*slab*) кусок, плита, плитка; (*layer*) слой || **~** *vn.* твердеть; свёр-тываться, -нуться; (*of blood*) за-пекаться, -печься.
calabash (кä'лёбäш) s. горлянка; тыква.
calamit/ous (кёлä'мит-ёс) *a.* несчастный, злосчастный; пагубный, бедственный || **-y** s. бедствие, несчастие, пагуба.
calamus (кä'лёмас) s. аир, ир благовонный.
calcareous (кäлкä'риёс) *a.* известковый.
calcin/ation (кäлсинэй'шн) s. кальцинация, превращение в известь || **-e** (кä'лсин) *va.* кальцинировать; об-жигать, -жечь, испепелить.
calcium (кä'лсиам) s. кальций *m.*
calcul/able (кä'лкюл-ёбл) *a.* исчислимый, вычислимый || **-ate** *va.* вычислять, вычислить; ис-числять, -числить; считать, счесть || **-ating** *a.* рассчётливый || **-ation** s. счёт; исчисление, вычисление, рассчёт || **-ator** s. счётчик, счетовод || **-us** s. вычисление, счисление.
caldron (кō'лдрён) s. котёл.
calefac/ient (кäли-фэй'шёнт), **-tive** (-фä'ктив) *a.* нагревающий, согревательный || **-tion** (-фä'кшн) s. нагревание, согревание || **-tor** (-фä'ктёр) s. нагреватель *m.*
calendar (кä'лёндёр) s. календарь *m.*; альманах; (*register*) список, перечень *m.*
calender/ (кä'лёндёр) s. каток, каландр || **~** *va.* катать, лощить || **-ing** s. катанье, лощение.
calends (кä'лёндз) *spl.* календы.
calf/ (кäф), (*pl.* **calves** [кäвз]) s. телёнок, телок, тёлка; (*of deer*) молодой олень; (*of foot*) икра; (*fool*) глупец; (*coward*) трус || **~-skin** s. опоек.
caliber (кä'либёр) s. калиб(е)р.
calico/ (кä'ликоу) s. коленкор, миткаль || **printed ~** ситец || **~-printer** s. набойщик, выбойщик.
caliph/ (кä'лиф) s. калиф || **-ate** s. калифат.
calk (кōк) s. шип.
call/ (кōл) s. зов, призыв; созывание; (*visit*) визит, посещение || **~** *va.* (*to name*) наз-ывать, -вать; (*to summon*) звать; приз-ывать, -вать; (*a meeting*) соз-ывать, -вать || **~** *vn.* кричать, крикнуть || **to ~ at, to ~ on** посе-щать, -тить || **to ~ back** отзывать, -озвать || **to ~ for** спрашивать, требовать || **to ~ fort** вызывать, вызвать || **to ~ names** ругаться || **to ~ out** вызывать, вызвать; кричать, крикнуть || **to ~ to account** приз-ывать, -вать к ответу || **to ~ to the Bar** ввести в адвокатскую корпорацию || **to ~ to witness** брать в свидетели || **to ~ up** вызывать, вызвать; (*fig. to arouse*) про-буждать, -будить || **to ~ upon** заходить к; сделать визит || **~-bell** s. колокол к обеду || **-er** s. (*visitor*) визитёр.
calligraphy (кёли'грёфи) s. чистописание, каллиграфия.
calling (кō'линг) s. зов; (*occupation*) звание, призвание; должность *f.*; (*trade*) ремесло.

callipers (кă'липёрз) *spl.* крон-циркуль *m.*
callosity (кёло'сити) *s.* затвердение; мозоль *f.*
callous/ (кă'лёс) *a.* затвердéлый; (*unfeeling*) бесчýвственный || **–ly** *ad.* бесчýвственно, грýбо || **–ness** *s.* грýбость *f.*; бесчýвственность *f.*
callow (кă'лоу) *a.* беспёрый, неоперúвшийся; (*fig.*) неóпытный.
calm/ (кăм) *s.* покóй *m.*; спокóйствие, тишинá; (*mar.*) безвéтрие, штиль *m.* || ~ *a.* спокóйный, тúхий || ~ *va.* успок-áивать, -óить; у-тишáть, -тúшить; (*to still*) смир-ять, -úть || **–ness** *s.* спокóйствие, покóй *m.*; тишинá.
calomel (кă'ломэл) *s.* каломéль *f.*
calor/ic (кăло'рик) *s.* теплорóд || ~ *a.* калорúческий || **–ie** (кă'лори) *s.* калория, единúца теплоты́ || **–ific** (кăлори'фик) *a.* теплорóдный || **–imeter** (кăлори'митёр) *s.* калоримéтр, тепломéр.
caltrop (кă'лтроп) *s.* (*mil.*) подмётные карáкули; (*bot.*) чилúм, звёздочный чертополóх.
calumn/iate (кёла'мниэйт) *va.* клеветáть на; оклеветáть; злослóвить || **–iation** (кёламниэ̄й'шн) *s.* клеветá, злослóвие || **–iator** (кёла'мниэйтёр) *s.* клевет-нúк, -нúца || **–ious** (кёла'мниёс) *a.* клеветнúческий, злослóвный || **–y** (кă'лёмни) *s.* клеветá, злослóвие.
Calvary (кă'лвёри) *s.* подóбие Голгóфы, хóлмик с крестóм на вершúне. [calf.
calve/ (кāв) *vn.* телúться, о- || **–s** *spl. cf.*
calvin/ism (кă'лвин-изм) *s.* кальвинúзм || **–ist** *s.* кальвинúст || **–istic** (-и'стик) *a.* кальвинистúческий.
calx (кă'лкс) *s.* úзвесть *f.*
calyx (кă'ликс) *s.* (*bot.*) чáшечка.
cam (кăм) *s.* кулáк, пáлец (у вáла).
cambric (кă'мбрик) *s.* батúст, кáмбрик.
came (кэ̄йм) *cf.* **come.**
camel (кă'мёл) *s.* верблю́д.
camellia (кёмэ'лиё) *s.* камéлия.
cameo (кă'миоу) *s.* камéя.
camera (кă'мёрё) *s.* кáмера; (*phot.*) кóдак.
camisole (кă'мисōул) *s.* кóфта.
camomile (кă'момайл) *s.* ромáшка.
camouflage (кёмуфлā'ж) *s.* переряжéние, мáска || ~ *va.* пере-ряжáть, -рядúть.
camp (кăмп) *s.* лáгерь *m.*; стан || ~ *va.&n.* располож-úть (-ся) лáгерем, стáном; бивакúровать || **to ~ out** про-водúть, -вестú ночь на гóлой землé.
campaign/ (кăмпэ̄й'н) *s.* кампáния, похóд || ~ *vn.* учáствовать в похóде || **–er** *s.*, **old ~** ветерáн.
campan/ile (кă'мпён-айл) *s.* колокóльня || **–ula** (кёмпă'нюлё) *s.* колокóльчик.
camp/-bed (кă'мп-бэд) *s.* похóдная кровáть || **~-follower** *s.* маркитáнт.
camphor/ (кă'мфёр) *s.* камфарá || **–ated** *a.* камфáрный.
camp/-meeting (кă'мп-мийтинг) *s.* религиóзная схóдка под открытым нéбом || **–stool** *s.* складнóй стул.
can/ (кăн) *s.* крýжка, крýжечка; жбан, манéрка || ~ *va.* закýпоривать в жестя́нки || ~ *vn.* мочь, умéть, знать || **I ~** я могý.
canaille (кёнā'йий) *s.* канáлья, чернь *f.*
canal/ (кёнă'л) *s.* канáл || **–ization** (кăнёлайзэ̄й'шн) *s.* канализáция || **–ize** (кă'нёлайз) *va.* канализúровать.
canard (кёнā'рд) *s.* газéтная ýтка.
canary/ (кёнā'ри) *s.* канарéйка || **~-seed** *s.* канарéечное сéмя.
cancel (кă'нсл) *va.* вычёркивать, вы́черкнуть; унич-тожáть, -тóжить; (*annul*) отмен-ять, -úть. [вúдный.
cancer/ (кă'нсёр) *s.* рак || **–ous** *a.* ракоcandelabrum (кăндёлэ̄й'брём), *pl.* **candelabra**, *s.* канделя́бр.
candid (кă'ндид) *a.* úскренний, откровéнный; (*blunt*) прямóй.
candid/ate (кă'ндид-эйт) *s.* кандидáт; конкурéнт || **–ature** (-ётюр) *s.* кандидатýра.
candidness (кă'ндиднэс) *s.* откровéнность *f.*; úскренность *f.* [лáсковый.
candied (кă'ндид) *a.* обсáхаренный; (*fig.*)
candle/ (кă'ндл) *s.* свечá, свéчка || **~-end** *s.* огáрок, огáрочек || **–light** *s.* свет свечú || **–mas** (-мёс) *s.* Срéтение Госпóдне || **–power** *s.* числó свечéй || **–stick** *s.* подсвéчник, шандáл.
candour (кă'ндёр) (*Am.* **candor**) *s.* откровéнность *f.*; úскренность *f.* [карамéль *f.*
candy (кă'нди) *s.* конфéты *fpl.*; леденéц,
cane (кэ̄йн) *s.* трость *f.*; трóсточка; (*bot.*) тростнúк, камы́ш || ~ *va.* бить, по-; бить пáлкою; колотúть, по-.
canicular (кёни'кюлёр) *a.* каникуля́рный, канúкульный || **~ days** *spl.* канúкулы *fpl.*
canine (кă'найн) *a.* собáчий || **~ laugh** сардонúческий хóхот || **~ tooth** глазнóй зуб; (*of animals*) клык.
caning (кэ̄й'нинг) *s.* побóи *mpl.* || **he got a good ~** егó поря́дочно поколотúли.
canister/ (кă'нистёр) *s.* жестя́нка, я́щик || **~-shot** *s.* (*mil.*) картéчная гранáта.
canker/ (кă'нгкёр) *s.* я́зва, гангрéна; рак || ~ *va.* раз'-едáть, -éсть; рас-тлевáть, -тлúть || **–ed** *a.* раз'éденный; заражённый || **–ous** *a.* раз'едáющий.
canned (кăнд) *a.* в жестя́нках.

cannibal/ (кӓ'нибӗл) *s.* людоед, каннибал || **–ism** *s.* людоедство, каннибализм.
cannon/ (кӓ'нӗн) *s.* пушка, орудие; (*billiards*) карамболь *m.* || **–ade** (кӓнӗнэй'д) *s.* канонада || **~-shot** *s.* пушечный выстрел.
cannot (кӓ'нӗт) = **can not.**
canny (кӓ'ни) *a.* (**cannily** *ad.*) хитрый; (*thrifty*) бережливый.
canoe (кӗну'') *s.* челнок, кану, душегубка; [пирога.
canon (кӓ'нӗн) *s.* канон; (*person*) каноник.
cañon (кӓ'нйӗн) *s.* ущелье.
canon/ess (кӓ'нӗн-эс) *s.* канонисса || **–ic(al)** (кӗно'никӗл) *a.* канонический || **–icals** (кӗно'никӗлз) *spl.* полное церковное облачение || **–ization** *s.* канонизация || **–ize** *va.* канонизировать || **~-law** *s.* каноническое право.
canoodle (кӗну'дл) *va.&n.* (*fam.*) ласкать.
canop/ied (кӓ'ноп-ид) *a.* покрытый балдахином || **–y** *s.* балдахин || **the ~ of heaven** свод небесный.
cant (кӓнт) *s.* (*hypocrisy*) лицемерие; (*slang*) жаргон; (*slope*) уклонение от прямой линии; (*jerk*) толчок || **~** *va.&n.* наклон-ять, -ить; наклон-яться, -иться || **~** *vn.* лицемерничать; говорить на жаргоне.
can't (кӓ'нт) = **can not.**
cantankerous (кӓнтӓ'нгкӗрӗс) *a.* сварливый; вспыльчивый.
canteen (кӓнтий'н) *s.* (*soldier's*) манерка, фляжка; (*in barracks*) солдатский буфет.
canter (кӓ'нтӗр) *s.* лёгкий галоп; рысь *f.* || **~** *vn.* ехать лёгким галопом. [мухи *fpl.*
cantharides (кӓнѳӓ'ридийз) *spl.* шпанские
canticle (кӓ'нтикл) *s.* церковная песнь; церковный гимн.
cantilever (кӓ'нтилийвӗр) *s.* подпорка.
canting (кӓ'нтинг) *a.* лицемерный.
cantle (кӓнтл) *s.* отрубок; задняя лука седла.
canto (кӓ'нтоу) *s.* стих.
canton (кӓнто'н) *s.* кантон.
cantonment (кӗнто'нмӗнт) *s.* размещение войск по квартирам; постой *m.*
canvas (кӓ'нвӗс) *s.* канва; (*fig.*) паруса *mpl.*; (*painting*) холст || **under ~** (*mil.*) в палатках; (*mar.*) под парусами.
canvass/ (кӓ'нвӗс) *s.* просьба о подаче голоса; вербование голосов || **~** *va.* вербовать голоса || **–er** *s.* вербовщик голосов.
canyon (кӓ'нйӗн) *s.* ущелье.
caoutchouc (кау'чук) *s.* каучук.
cap (кӓп) *s.* шапка; (*for women*) чепчик; (*cover*) крышка; (*percussion-cap*) капсюля || **~** *va.* (*surpass*) превосходить, превзойти.
capability (кэйпӗби'лити) *s.* способность *f.*
capable (кэй'пӗбл) *a.* способный.
capac/ious (кӗпэй'шӗс) *a.* поместительный; просторный; вместительный || **–ity** (кӗпӓ'сити) *s.* вместительность *f.*; ёмкость *f.*; (*quality*) качество.
cap-a-pie (кӓпӗпий') *ad.* с головы до ног.
caparison (кӗпӓ'рисӗн) *s.* попона, чапрак || **~** *va.* по-крывать, -крыть попоной; наря-жать, -дить.
cape (кэйп) *s.* (*garment*) пелерина; (*headland*) мыс.
caper (кэй'пӗр) *s.* прыжок, скачок || **~ sauce** соус с каперсами || **~** *vn.* делать прыжки, скачки.
capercailzie (кӓпӗркэй'лзи) *s.* глухарь *m.*
capillary (кӓ'пилӗри) *a.* капиллярный.
capital/ (кӓ'питӗл) *s.* (*letter*) прописная буква; (*town*) столица; (*money*) капитал; (*arch.*) капитель *f.* || **~** *a.* главный; (*excellent*) прекрасный, отличный; (*of crimes*) уголовный; (*typ.*) прописной || **–ist** *s.* капиталист || **–ize** *va.* капитализировать.
capitation (кӓпитэй'шн) *s.* поголовное исчисление.
capitulat/e (кӗпи'тюлэйт) *vn.* капитулировать || **–ion** (кӗпитюлэй'шн) *s.* капитуляция.
capon (кэй'пӗн) *s.* каплун.
capric/e (кӗприй'с) *s.* каприз; причуда || **–ious** (кӗпри'шӗс) *a.* капризный; причудливый || **–iousness** (кӗпри'шӗснэс) *s.* капризность *f.*
Capricorn (кӓ'прикорн) *s.* (*astr.*) козерог.
capriole (кӓ'приоул) *s.* прыжок лошади на одном месте.
capsicum (кӓ'псикӗм) *s.* стручковый перец.
capsize (кӓпсай'з) *va.&n.* опро-кидывать (-ся), -кинуть (-ся).
capstan (кӓ'пстӗн) *s.* (*mar.*) шпиль *m.*
capstone (кӓ'пстоун) *s.* угловой камень.
capsule (кӓ'псюл) *s.* капсюля.
captain/ (кӓ'птин) *s.* (*leader*) начальник; (*mil. & mar.*) капитан; (*mar.*) шкипер || **~** *va.* начальствовать || **–cy** (кӓ'птӗнси) *s.* капитанство; капитанский чин.
caption (кӓ'пшӗн) *s.* заголовок.
captious (кӓ'пшӗс) *a.* склонный к осуждению; придирчивый.
captiv/ate (кӓ'птив-эйт) *va.* плен-ять, -ить; очар-овывать, -овать || **–ating** *a.* пленительный, очаровательный || **–ation** *s.* пленение || **–e** (–) *s.* пленник; невольник || **~** *a.* пленённый, пленный || **~ balloon** привязной (воздушный) шар || **–ity** (кӓпти'вити) *s.* плен; неволя.
captor (кӓ'птӗр) *s.* берущий в плен.
capture (кӓ'пчӗр) *s.* взятие силой; взятие в плен; захват; (*mar.*) приз; (*booty*) добыча || **~** *va.* брать, взять силой; захватывать, -хватить.

Capuchin (кӓ'пючин) *s.* капуци́н.
car (кāр) *s.* пово́зка; (*poet.*) колесни́ца; (*motor*) автомоби́ль *m.*; (*tram & rail.*) ваго́н.
carabineer (кäрёбиний'р) *s.* карабинёр.
caracole (кä'рёкол) *s.* гарцова́ние || ~ *vn.* гарцова́ть.
carafe (кёрä'ф) *s.* графи́н.
caramel (кä'рёмэл) *s.* караме́ль *f.*
carapace (кä'рёпэйс) *s.* па́нцырь (*m.*) черепа́хи.
carat (кä'рёт) *s.* кара́т.
caravan/ (кä'рёвäн) *s.* карава́н || **–serai** (кäрёвä'нсёрай) *s.* каравансара́й.
caraway-seed (кä'рёуэй-сийд) *s.* тмин.
carbide (кā'рбайд) *s.* карби́д.
carbine (кā'рбайн) *s.* караби́н.
carbolic (карбо'лик) *a.*, ~ **acid** карбо́ловая кислота́.
carbon/ (кā'рбон) *s.* углеро́д || ~**-copy** *s.* (*comm.*) ко́пия с у́гольной бума́ги || **–ic** (карбо'ник) *a.*, ~ **acid** углекислота́ || **–iferous** (кāрбёни'фёрёс) *a.* углеро́дный, углеро́дистый || **–ize** (кā'рбёнайз) *va.* карбонизи́ровать; пре-враща́ть, -врати́ть в у́голь || ~**-paper** *s.* (*comm.*) у́гольная бума́га.
carbuncle (кā'рбанг-кл) *s.* карбу́нкул.
carburett/ed (кā'рбюрэт-ид) *a.*, ~ **hydrogen** углеводоро́дный газ || **–er, –or** *s.* карбюра́тор.
carcass (кā'ркёс) *s.* о́стов; труп.
card/ (кāрд) *s.* ка́рта; (*for carding*) ка́рда, чеса́лка; (*visiting, etc.*) ка́рточка || **game of –s** игра́ в ка́рты || **pack of –s** коло́да карт || **a queer** ~ чуда́к || ~ *va.* чеса́ть; расчёсывать || **–board** *s.* карто́н || ~ **box** коро́бка || **–er** *s.* чеса́льщик.
cardiac (кā'рдиäк) *a.* серде́чный.
cardigan (кā'рдигён) *s.* шерстяна́я жиле́тка.
cardinal (кā'рдинёл) *s.* кардина́л || ~ *a.* гла́вный; нача́льный; основно́й || ~ **numbers** коли́чественные числи́тельные.
card-sharper (кā'рд-шāрпёр) *s.* шу́лер.
care (кāр) *s.* забо́та, попече́ние; (*caution*) осторо́жность *f.*; (*carefulness*) забо́тливость *f.*; тща́тельность *f.* || **free from** ~ беззабо́тный || ~ **of** по а́дресу || **to take** ~ быть осторо́жным || **to take** ~ **of** бере́чь || ~ *vn.* забо́титься; трево́житься || **to** ~ **for** (*to take* ~ *of*) бере́чь; (*to like*) люби́ть, быть располо́женным к || **I don't** ~ мне всё равно́ || **what do I** ~**?** мне како́е де́ло?
careen (кёрий'н) *va.* (*mar.*) килева́ть, кренгова́ть || ~ *vn.* крени́ться.
career (кёрий'р) *s.* (*running*) бег; (*of horse*) карье́р; (*in life*) карье́ра, по́прище; профе́ссия || ~ *vn.* нести́сь в карье́р.
careful/ (кā'рфул) *a.* (*solicitous*) забо́тливый; (*watchful*) осторо́жный; (*provident*) благоразу́мный; (*attentive*) внима́тельный, тща́тельный || **be** ~**!** береги́тесь! || **–ness** *s.* забо́тливость *f.*; осторо́жность *f.*; тща́тельность *f.*
careless/ (кā'рлис) *a.* (*unconcerned*) беззабо́тный; (*heedless*) невнима́тельный; (*untidy*) небре́жный || **–ness** *s.* беззабо́тность *f.*; небре́жность *f.*
caress (кёрэ'с) *s.* ла́ска || ~ *va.* ласка́ть.
caret (кä'рэт) *s.* знак про́пуска.
care/taker (кā'р-тэйкёр) *s.* сто́рож || **–worn** *a.* изнурённый.
cargo (кā'ргоу) *s.* (*pl.* **cargoes**) груз.
caribou (кäрибу') *s.* кана́дский се́верный оле́нь.
caricatur/e (кä'рикётю'р) *s.* карикату́ра || ~ *va.* изо-бража́ть, -брази́ть в карикату́ре || **–ist** *s.* карикатури́ст.
carillon (кä'рилйён) *s.* кура́нты *mpl.*
carking (кā'ркинг) *a.*, ~ **care** снеда́ющая забо́та.
carman (кā'рмäн) *s.* ломово́й изво́зчик; возни́ца *m.*
Carmelite (кā'рмёлайт) *s.* кармели́т.
carmine (кā'рмин) *s.* карми́н || ~ *a.* карми́нного цве́та.
carnage (кā'рнидж) *s.* кровопроли́тие, се́ча, резня́.
carnal (кā'рнёл) *a.* (*fleshly*) пло́тский; (*sexual*) полово́й.
carnation (карнэй'шён) *s.* (*bot.*) садо́вая гвозди́ка; (*colour*) колори́т те́ла.
carnelian (карний'лиён) *s.* сердоли́к.
carnival (кā'рнивёл) *s.* карнава́л, ма́сляница.
carnivorous (карни'вёрёс) *a.* плотоя́дный.
carol (кä'рёл) *s.* песнь *f.*; пе́ние; гимн || **Christmas** ~ Рожде́ственская пе́сня || ~ *vn.* петь, воспева́ть.
carotid (кёро'тид) *s.* со́нная арте́рия.
carousal (кёрау'зёл), **carouse** (кёрау'з) *s.* попо́йка; о́ргия.
carous e (кёрау'з) *vn.* бра́жничать; кути́ть || **–er** *s.* кути́ло; бра́жник.
carp (кāрп) *s.* карп, саза́н || ~ *va.&n.* пересу́живать; придира́ться к.
carpent/er (кā'рпёнт-ёр) *s.* пло́тник || **–ry** *s.* пло́тничье ремесло́; пло́тничная рабо́та.
carpet/ (кā'рпит) *s.* ковёр || ~ *va.* у-стила́ть, -стлать ковра́ми || **to be on the** ~ быть предме́том разгово́ра || ~**-bag** *s.* саквоя́ж.
carping (кā'рпинг) *a.* ко́лкий, сатири́ческий.
carriage/ (кä'ридж) *s.* (*carrying*) прово́з, перево́з; (*cost*) пла́та за прово́з; (*mien*) вид; (*conduct*) поведе́ние; (*vehicle*) каре́та, экипа́ж; (*rail.*) ваго́н; (*of a cannon*) лафе́т || ~**-entrance** *s.* в'езд || ~**-free**, *a.* с беспла́тной пересы́лкой || ~**-paid** с упла́-

ченным провозом || ~-**forward** с наложенным платежом.

carrier/ (кä'риёр) *s.* носильщик, перевозчик кладей; (*comm.*) возчик || ~-**pigeon** *s.* почтовый голубь.

carrion (кä'риён) *s.* падаль *f.*; мертвечина || ~-**crow** *s.* ворона стервоядная.

carrot/ (кä'рот) *s.* морковь *f.* || **-y** *a.* (*of hair*) рыжий.

carry/ (кä'ри) *va.* носить, нести; (*convey*) возить, везти; (*math.*) переносить; (*mil.*) брать, взять приступом || **to ~ away** у-носить, -нести; у-водить, -вести; (*to charm*) у-влекать, -влечь || **to ~ forward** пере-носить, -нести || **to ~ off** у-носить, -нести || **to ~ on** заниматься (чем); дурно вести себя || **to ~ out** выносить, вынести; (*accomplish*) выполнять, выполнить || **to ~ over** пере-носить, -нести || **to ~ through** выполнять, выполнить || **to ~ o.s.** вести себя || **to ~ things too far** преступ-ать, -ить в чём меру || **to ~ weight** иметь влияние || ~ *vn.* (*of a gun*) хватать; бить || ~-**all** *s.* саквояж || **-ing** *s.* носка, перевозка || ~-**trade** фрахтовый торг || **-ings-on** *spl.* шалости *fpl.*

cart/ (кāрт) *s.* телега, повозка, воз; (*hand-cart*) тачка || ~ *va.* возить, везти в телеге, и т. д. || **-age** *s.* провоз в телеге; плата за провоз.

carte (кāрт) *s.*, ~ **blanche** полномочие.

cartel (кāртэ'л) *s.* картель *f.*; (*challenge*) вызов; (*mil.*) договор о размене пленных.

cart/er (кā'рт-ёр) *s.* возчик || **-horse** *s.* ломовая лошадь || **-load** *s.* воз; полная телега.

Carthusian (карѳю'жён) *s.* картезианец.

cartilage (кā'ртилидж) *s.* хрящ.

cartographer (карто'грёфёр) *s.* картограф.

cartoon (картӯ'н) *s.* (политический) шарж.

cartridge/ (кā'ртридж) *s.* патрон || ~-**paper** *s.* рисовальная бумага. [стер, тележник.

cartwright (кā'ртрайт) *s.* тележный ма-

caruncle (кёра'нг-кл) *s.* карункул.

carv/e (кāрв) *va.&n.* (*wood, etc.*) вырезывать, вырезать; (*stone*) высекать; (*at table*) раз-резывать, -резать мясо за столом; (*arts*) гравировать || **-er** *s.* резчик, гравировальщик; тот, кто разрезает мясо за столом; (*knife*) резак, большой нож для разрезывания жаркого || **-ing** *s.* резьба, резная работа; (*at table*) разрезывание мяса.

caryatid (кäриä'тид) *s.* кариатида.

cascade (кäскэй'д) *s.* каскад, водопад.

case/ (кэйс) *s.* (*box*) ларчик; ящик; (*of leather, etc.*) футляр; (*of a pillow*) наволочка; (*bookcase*) книжный шкаф; (*event*) случай *m.*; (*state*) положение; (*question*) вопрос; (*gramm.*) падеж || **in ~** в случае || **in any ~** во всяком случае || ~-**harden** *va.* за-каливать, -калить || ~-**shot** *s.* [картечь *f.*

casein (кэй'си-ин) *s.* казеин.

casemate (кэй'смэйт) *s.* каземат.

casement (кэй'смёнт) *s.* оконный створ; оконница; (*poet.*) окно.

caseous (кэй'сиёс) *a.* сырный, творожный.

cash/ (кäш) *s.* наличные деньги *fpl.*; чистоган; (*comm.*) касса || **hard ~** звонкая монета || **petty ~** мелочь *f.* || **to pay ~ down** уплатить чистоганом || **to be short of ~** не иметь денег || **to be in ~** быть при деньгах || ~ **on delivery** (*abbr.* **c.o.d.**) с наложением платежа || ~ *va.* променять на наличные деньги; пре-вращать, -вратить в деньги || **to ~ a check** получать деньги по чеку || ~-**account** *s.* кассовый счёт || ~-**book** *s.* кассовая книга || **-ier** (кёший'р) *s.* кассир || ~ *va.* от-решать, -решить от должности; (*mil.*) разжаловать || ~-**payment** *s.* платёж наличными.

cashmere (кäшмий'р) *s.* кашемир.

casing (кэй'синг) *s.* покрышка, оболочка.

casino (кёсий'ноу) *s.* казино.

cask (кāск) *s.* бочка, бочёнок.

casket (кā'скэт) *s.* шкатулка, ларчик.

casque (кāск) *s.* каска, шлем.

cassation (кäсэй'шн), **Court of C-** касса-

cassia (кä'сиё) *s.* кассия. [ционный суд.

cassock (кä'сёк) *s.* ряса; сутан.

cassowary (кä'со-уёри) *s.* казуар.

cast (кāст) *s.* (*act*) бросание; метание; (*distance*) пространство, пролетаемое брошенным телом; (*squint*) косоглазие, косость глаз; (*theat.*) распределение ролей; (*arts*) (гипсовый) отливок || ~ *va.irr.* бросать, бросить; кидать, кинуть; метать; (*theat.*) распре-делять, -делить (роли); (*to mould*) от-ливать, -лить || **to ~ about for** искать || **to ~ a spell on** очаровывать || **to ~ away** бросить || **to ~ down** (*fig. depress*) угнетать || **to ~ off** бросить, с- || **to ~ up** (*reckon*) считать; вычислять, вычислить; (*add up*) складывать, сложить.

castanet (кā'стёнэ'т) *s.* кастаньета.

castaway (кā'стёуэй) *s.* потерпевший кру-

caste (кāст) *s.* каста. [шение.

castig/ate (кä'стиг-эйт) *va.* на-казывать, -казать || **-ation** *s.* наказание. [голос.

casting (кā'стинг) *a.*, ~ **vote** решающий

cast-iron (кастай'ёрн) *s.* чугун || ~ *a.* чугунный.

castle (кā'сл) *s.* замок; (*chess*) башня, тура || ~ *vn.* (*chess*) рокировать.

castor (кä'стёр) *s.* (*fam.*) шля́па; (*for pepper*) пе́речница; (*salt*) соло́нка; (*furniture*) ро́лик || ~ **oil** касто́ровое ма́сло.
castr/ate (кä'стр-эйт) *va.* скопи́ть, о-; (*animals*) холости́ть, о- || **-ation** *s.* оскопле́ние; холоще́ние; кастра́ция.
casual/ (кä'зюёл) *a.* случа́йный; неча́янный || **-ty** *s.* слу́чай *m.*; случа́йность *f.*; несча́стие; (*fam.*) ра́неный; **casualties** *spl.* спи́сок уби́тых и ра́неных.
casuist/ (кä'зюист) *s.* казуи́ст || **-ry** *s.* казуи́стика.
cat/ (кäт) *s.* (*male*) кот; (*female*) ко́шка || **they lead a ~-and-dog life** они живу́т как ко́шка с соба́кою || **to let the ~ out of the bag** проболта́ться || **it rained -s and dogs** дождь ли́нул как из ведра́.
cataclysm (кä'тёклизм) *s.* пото́п; переворо́т.
catacomb (кä'тёкōум) *s.* катако́мба.
catafalque (кä'тёфäлк) *s.* катафа́лк.
catalepsy (кä'тёлэпси) *s.* катале́псия.
catalogue (кä'тёлог) *s.* катало́г || ~ *va.* вн-оси́ть, -ести́ в катало́г.
catapult (кä'тёпалт) *s.* катапу́льт.
cataract (кä'тёрäкт) *s.* водопа́д; (*med.*) катара́кт.
catarrh (кётā'р) *s.* ката́рр, на́сморк.
catastroph/e (кётä'строфи) *s.* катастро́фа || **-ic** (кäтёстро'фик) *a.* катастрофи́ческий.
catcall (кä'ткōл) *s.* свисто́к.
catch/ (кäч) *s.* (*grasp*) захва́т; (*thing caught*) добы́ча; (*of fish*) уло́в, (*on door*) задви́жка; (*in voice*) переры́в; (*fam.*) нахо́дка || ~ *va.irr.* (*grasp*) лови́ть, пойма́ть; (*overtake*) до-гоня́ть, -гна́ть; (*med.*) схвати́ть; (*a train*) поспе́ть; (*fam.*) разуме́ть; по-стига́ть, -сти́чь || **to ~ a cold** простужа́ться, -ди́ться || **to ~ one napping** засти́гнуть кого́ враспло́х || **to ~ sight of** уви́деть || ~ *vn.* (*become fastened*) за-цепля́ться, -цепи́ться (за) || **to ~ on** (*fam.*) разуме́ть || **-ing** *a.* (*infectious*) зарази́тельный; (*captivating*) привлека́тельный || **-word** (-уёрд) *s.* загла́вное сло́во.
catech/ism (кä'тик-изм) *s.* катехи́зис || **-ize** *va.* рас-пра́шивать, -проси́ть.
categor/ic(al) (кäтиго'рик) *a.* категори́ческий || **-y** (кä'тигори) *s.* катего́рия.
cater/ (кэй'тёр) *vn.* поставля́ть с'естны́е припа́сы || **-er** *s.* поставщи́к с'естны́х припа́сов.
caterpillar (кä'тёрпилёр) *s.* гу́сеница.
caterwaul (кä'тёрурōл) *vn.* мяу́кать.
catgut (кä'тгат) *s.* кише́чная струна́.
cathedral (кёṗий'дрёл) *s.* собо́р || ~ *a.* собо́рный.
catheter (кä'ṗитёр) *s.* кате́тер.
catholic (кä'ṗёлик) *a.* католи́ческий.
catkin (кä'ткин) *s.* (*bot.*) серёжка, бара́шек.
cat-o'-nine-tails (кäтёнай'нтэйлз) *s.* ко́шки *fpl.*
catoptrics (кäто'птрикс) *spl.* като́птрика.
cattle/ (кäтл) *s.* скот, рога́тый скот || **~-show** *s.* вы́ставка рога́того скота́.
caucus (кō'кёс) *s.* ча́стный ми́тинг для перегово́ров пе́ред вы́борами.
caught (кōт) *cf.* **catch.**
caul (кōл) *s.* (*med.*) соро́чка.
cauldron (кō'лдрён) *s.* котёл.
cauliflower (ко'лифлауёр) *s.* цветна́я капу́ста.
caulk (кōк) *va.* (*mar.*) конопа́тить.
causal (кō'зёл) *a.* причи́нный, кауза́льный.
causation (кōзэй'шн) *s.* причине́ние.
cause/ (кōз) *s.* (*reason*) причи́на; (*source*) исто́чник; (*side, party*) де́ло, па́ртия; (*jur.*) проце́сс || ~ *va.* причин-я́ть, -и́ть; произ-води́ть, -вести́ || **to ~ a thing to be done** заста́вить сде́лать что́-либо || **-less** *a.* беспричи́нный; (*groundless*) необосно́ванный.
causeway (кō'зуэй) *s.* насыпна́я доро́га; шоссе́.
caustic (кō'стик) *a.* е́дкий; (*sarcastic*) язви́тельный.
cauter/ize (кō'тёр-айз) *va.* при-жига́ть, -же́чь; каутеризова́ть || **-y** *s.* прижига́ние, каутериза́ция; (*instrument*) прижига́льник.
caution/ (кō'шён) *s.* (*providence*) осторо́жность *f.*; осмотри́тельность *f.*; (*warning*) предостереже́ние; (*fam.*) стра́нный *или* некраси́вый челове́к || ~ *va.* предупрежда́ть, -ди́ть; предостер-ега́ть, -е́чь || **-ary** *a.* предупреди́тельный.
cautious/ (кō'шёс) *a.* осторо́жный, осмотри́тельный || **-ness** *s.* осторо́жность *f.*; осмотри́тельность *f.*
caval/cade (кäвёлкэй'д) *s.* кавалька́да || **-ier** (кäвёлий'р) *s.* вса́дник; (*gallant*) кавале́р; (*historical*) роялист при Ка́рле I. || ~ *a.* кавале́рский || **-ry** (кä'вёлри) *s.* кавале́рия.
cave (кэйв) *s.* пеще́ра, подземе́лье || ~ *vn.*, **to ~ in** обру́ш-иваться, -иться; про-ва́ливаться, -вали́ться; (*to submit*) сда́ться.
cavern/ (кä'вёрн) *s.* пеще́ра, верте́п || **-ous** *a.* с пеще́рами, пеще́ристый; (*deep*) глубо́кий.
caviar(e) (кä'виāр) *s.* икра́.
cavil/ (кä'вил) *va.* придира́ться ко всему́; де́лать пусты́е возраже́ния || **-ling** *a.* придирчивый, привя́зчивый.
cavity (кä'вити) *s.* пустота́, углубле́ние, по́лость *f.*
cavort (кёвō'рт) *vn.* (*Am.*) пры́гать.
caw (кō) *vn.* ка́ркать.
cayenne (кэй-йэ'н), ~ **pepper** кае́нский пе́рец.

cease/ (сийс) *s.*, **without** ~ непреста́нно || ~ *va.* пре-краща́ть, -крати́ть || ~ *vn.* пере-става́ть, -ста́ть; пре-краща́ться; -крати́ться || **-less** *a.* непреста́нный.

cedar (сий'дёр) *s.* кедр || ~ *a.* кедро́вый.

cede (сийд) *va.* уступ-а́ть, -и́ть.

cedilla (сиди'лё) *s.* кавы́чка (под францу́зским «с»); седи́ль *f.*

ceiling (сий'линг) *s.* потоло́к.

celebr/ate (сэ'либр-эйт) *va.* про-славля́ть, -сла́вить; (*a festival*) пра́здновать; (*a victory, etc.*) торжествова́ть || **-ated** *a.* знамени́тый || **-ation** *s.* пра́зднование || ~ **of Divine Service** отправле́ние богослуже́ния || **-ity** (силэ'брити) *s.* знамени́тость *f.*; изве́стность *f.*; (*person*) изве́стный челове́к.

celerity (силэ'рити) *s.* ско́рость *f.*; бы-

celery (сэ'лёри) *s.* сельдере́й *m.* [строта́.

celestial (силэ'счёл) *s.* сын не́ба; (*Chinaman*) кита́ец || ~ *a.* небе́сный.

celib/acy (сэ'либ-ёси) *s.* безбра́чие || **-ate** *s.* холостя́к || ~ *a.* безбра́чный, холосто́й.

cell (сэл) *s.* (*monk's*) ке́лья; (*prison*) ка́мера; (*honey comb*) ячея́; (*organic*) кле́точка; (*electr.*) элеме́нт.

cellar (сэ'лёр) *s.* подва́л, по́греб.

cello (чэ'лоу) *s.* виолонче́ль *f.*

cellul/ar (сэ'люл-ёр) *a.* клетча́тый; яче́истый || **-e** (-) *s.* кле́тка, кле́точка || **-oid** *s.* целлуло́ид || **-ose** (сэлюлō'с) *s.* целлуло́за. [зового ве́ка.

celt (сэлт) *s.* ору́дие ка́менного и́ли бро́н-

cement (симэ'нт) *s.* цеме́нт || ~ *va.* цементи́ровать; (*fig.*) скреп-ля́ть, -и́ть; упро́ч-ивать, -ить.

cemetery (сэ'митёри) *s.* кла́дбище.

cenobite (сэ'нобайт) *cf.* **coenobite.**

cenotaph (сэ'нотāф) *s.* кенота́фия.

censer (сэ'нсёр) *s.* кади́ло, кади́льница.

censor/ (сэ'нсёр) *s.* це́нзор; кри́тик || **-ious** (сэнсō'риёс) *a.* крити́ческий; стро́го, крити́чески относя́щийся.

censure (сэ'ншёр) *s.* цензу́ра; кри́тика; (*blame*) порица́ние || ~ *va.* критикова́ть; осу-жда́ть, -ди́ть; порица́ть.

census (сэ'нсёс) *s.* пе́репись (*f.*) населе́ния.

cent (сэнт) *s.* (*Am.*) цент || **per** ~ проце́нт.

centaur/ (сэ'нтōр) *s.* цента́вр, кента́вр || **-y** (сэ'нтōри) *s.* белоли́ст.

centenar/ian (сэнтинā'риён) *s.* столе́тний || **-y** (сэ'нтинёри) *s.* столе́гие, столе́тняя годовщи́на. [ва́ющий ка́ждое столе́тие.

centennial (сэнтэ'ниёл) *a.* векова́й; бы-

centi/grade (сэ'нти-грэйд) *a.* стогра́дусный || **-meter** *s.* сантиме́тр, центиме́тр || **-pede** (-пийд) сороко́жка.

central/ (сэ'нтрёл) *a.* центра́льный || **-ize** *va.* централизи́ровать; сосредото́чить.

centre (сэ'нтёр) *s.* центр, середи́на || ~ **of gravity** центр тя́жести || ~ *va.* сосредото́чить.

centri/fugal (сэнтри'-фюгёл) *a.* центробе́жный, центрифуга́льный || **-petal** (-питёл) *a.* центростреми́тельный, центрипета́льный.

centur/ion (сэнтю'риён) *s.* центурио́н; со́тник || **-y** (сэ'нчёри) *s.* столе́тие, век; (*a hundred*) со́тня.

ceramic/ (сирā'мик) *a.* керами́ческий; гонча́рный || **-s** *spl.* кера́мика.

cereals (сий'риёлз) *spl.* зерновы́е хлеба́

cerebral (сэ'рибрёл) *a.* мозгово́й. [*mpl.*

ceremon/ial (сэримōу'ниёл) *s.* церемониа́л, обря́д || ~ *a.* церемониа́льный, обря́дный || **-ious** *a.* церемо́нный || **-y** (сэ'римёни) *s.* церемо́ния || **without** ~ без церемо́ний, за́просто || **to stand upon** ~ церемо́ниться.

certain/ (сё'ртин) *a.* (*sure*) ве́рный, достове́рный, уве́ренный; (*fixed*) определённый; (*indefinite*) не́который || **-ly** *ad.* коне́чно; наве́рно || **-ty** *s.* уве́ренность *f.*; ве́рное.

certif/icate (сёрти'фикёт) *s.* удостовере́ние; пи́сьменное свиде́тельство; аттеста́т || ~ **of birth** метри́ческое свиде́тельство || ~ **of marriage** свиде́тельство о бракосочета́нии || **-y** (сё'ртифай) *va.* удостоверя́ть, -ве́рить; свиде́тельствовать, за-; (*inform*) опове-ща́ть, -сти́ть.

certitude (сё'ртитю̄д) *s.* уве́ренность *f.*; несомне́нность *f.*

cerulean (сирӯ'лиён) *a.* голубо́й.

cess (сэс) *s.* по́дать *f.*; нало́г.

cessation (сэсэ̄й'шн) *s.* остано́вка, прекраще́ние.

cession (сэ'шён) *s.* усту́пка; переда́ча.

cesspool (сэ'спӯл) *s.* сто́чная я́ма, помо́йная я́ма. [ме́йства кито́вых.

cetacean (ситэ̄й'шён) *s.* живо́тное из се-

chafe (чэ̄йф) *va.* (*rub*) тере́ть, рас-; (*to warm*) греть (тре́нием); (*irritate*) раздража́ть, серди́ть || ~ *vn.* (*be irritated*) раздража́ться, серди́ться.

chafer (чэ̄й'фёр) *s.* жук.

chaff (чāф) *s.* мяки́на, ме́лкая соло́ма || (*fig. banter*) доброду́шная шу́тка и́ли насме́шка, подтру́нивание || ~ *va.* доброду́шно шути́ть; подтру́н-ивать, -и́ть.

chaffer (чā'фёр) *vn.* торгова́ться.

chaffinch (чā'финч) *s.* зя́блик.

chagrin (шёгрий'н) *s.* огорче́ние; доса́да || ~ *va.* доса-жда́ть, -ди́ть; огор-ча́ть, -чи́ть.

chain/ (чэйн) *s.* цепь *f.*; (*small & for ornament*) цепочка; (*fig. of events*) сцепление; (*in pl.*) оковы *fpl.*, узы *fpl.* || ~ *va.* сажать, посадить на цепь; наложить оковы (на кого) || **~-mail** *s* кольчуга || **~-stitch** *s.* шитьё в тамбур.
chair/ (чэ'р) *s.* стул; (*professorship*) кафедра; (*chairman's*) председательство || **take a ~!** садитесь!; прошу садиться! || ~ *va.* носить на кресле в знак торжества || **-man** председатель (*m.*) собрания.
chalcedony (кälсэ'дёни) *s.* халцедон.
chalice (чä'лис) *s.* потир; чаша.
chalk/ (чок) *s.* мел || **by a long ~, by long -s** гораздо || ~ *va.* мелить; удобрить мелом; чертить мелом.
challenge (чä'линдж) *s.* вызов на поединок; (*mil.*) оклик часового || ~ *va.* вызывать, вызвать; (*mil.*) о-кликать, -кликнуть; (*jur.*) отводить.
chamber/ (чэй'мбёр) *s.* комната; (*of a gun*) казённая часть; (*of Peers, etc.*) палата || **-lain** (-лён) *s.* камергер || **-maid** *s.* горничная || **-pot** *s.* ночной горшок.
chameleon (кёмий'лиён) *s.* хамелеон.
chamfer (чä'мфёр) *s.* маленькая ложбина; выемка || ~ *va.* желобить.
chamois (ша'муа) *s.* серна, дикая коза || ~ *a.* (шä'ми), ~ **leather** замша.
champ (чäмп) *va&n.* жевать, чавкать.
champagne (шäмпэй'н) *s.* шампанское (вино).
champion/ (чä'мпиён) *s.* боец, витязь *m.*; (*defender*) защитник; (*sport*) чемпион || ~ *va.* защищать || **-ship** *s.* чемпионат.
chance (чäнс) *s.* случай *m.*; шанс; (*risk*) риск; (*possibility*) возможность *f.* || **to stand a ~** иметь шансы || **by ~** случайно || **games of ~** азартные игры || ~ *a.* случайный, нечаянный || ~ *va.* (*to risk*) рисковать, рискнуть || ~ *vn.* случ-аться, -иться || **to ~ upon** встретиться с.
chancel (чä'нсёл) *s.* алтарь *m.*; амвон; святилище.
chancell/ery (чä'нсёл-ёри) *s.* канцелярия || **-or** (-ёр) *s.* канцлер || **~ of the Exchequer** министр финансов || **the Lord High ~** государственный канцлер.
chancery (чä'нсёри) *s.* канцелярия; совестный суд || **to get one's opponent's head in ~** схватить под мышку голову противника (при боксе).
chancy (чä'нси) *a.* рискованный. [люстра.
chandelier (шäндёлий'р) *s.* канделябр,
chandler/ (чä'ндлёр) *s.* мелочной торговец || **-y** *s.* мелочная торговля.
change/ (чэйндж) *s.* перемена; изменение; превратность *f.*; (*coins*) мелкие деньги *fpl.*; мелочь *f.*; (*Exchange*) биржа || ~ *va.* менять, из-; перемен-ять, -ить; променивать, -менять; выменивать, выменять; (*money*) раз-менивать, -менять || **to ~ colour** измен-яться, -иться в лице **to ~ one's mind** передумать || ~ *vn.* (*rail.*) пересаживаться || **all ~ here!** всем выходить! || **-able** *a.* непостоянный, переменчивый || **-less** *a.* постоянный || **-ling** *s.* подменённое дитя.
channel (чä'нёл) *s.* (*of a river*) русло; (*fig. agency*) средство, путь *m.*; (*Geog.*) канал, пролив.
chant/ (чäнт) *s.* пение || ~ *va&n.* петь, воспевать || **-icleer** (-иклийр) *s.* петух.
chaos (кэй'ос) *s.* хаос.
chaotic (кэй-о'тик) *a.* хаотический.
chap (чäп) *s.* (*fellow*) парень *m.*; (*crack in skin*) щель *f.*; трещина; (*jaw of cattle*) челюсть *f.* || ~ *va&n.* раскалывать; трескаться; расседаться.
chapel (чä'пёл) *s.* часовня; придел || **~ of ease** часовня приходской церкви.
chaperon (шä'пёрон) *s.* дама, сопровождающая молодых девиц вместо матери || ~ *va.* сопровождать молодую девицу.
chaplain (чä'плён) *s.* капелан.
chaplet (чä'плит) *s.* гирлянда, венок.
chapter/ (чä'птёр) *s.* (*in a book*) глава; собрание каноников, капитул || **~-house** *s.* дом капитула.
char (чäр) *va&n.* обугли-вать (-ся), -ть (-ся); об-жигать, -жечь.
char-à-banc (шä'ребäнг) *s.* шарабан.
character/ (кä'рäктёр) *s.* характер; (*sign*) знак; (*letter*) буква; (*nature*) свойство; (*quality*) качество; (*person*) человек, лицо; (*theat.*) действующее лицо; (*reputation*) репутация; (*testimonial*) аттестат || **-istic** (-и'стик) *a.* характерный; (*distinctive*) отличительный || **-ize** *va.* характеризовать.
charade (шäрä'д) *s.* шарада.
charcoal (чä'ркоул) *s.* древесный уголь.
chare (чäр) *vn.* работать подённо.
charge (чäрдж) *s.* бремя *n.*, тяжесть *f.*; (*filling*) заряд; (*expense, price*) счёт; цена; (*duty*) должность *f.*; (*care, custody*) попечение; (*thing given in charge*) то, что возложено в попечение; (*accusation*) обвинение; (*attack*) нападение, атака || ~ *va.* (*a gun, etc.*) заря-жать, -дить; (*accuse*) обвин-ять, -ить; (*of price*) просить цену за; (*attack*) атаковать.
charger (чä'рджёр) *s.* боевой конь.

charily (чӑ'рили) *ad. cf.* **chary.**
chariot/ (чӑ'риёт) *s.* колесница || **-eer** (чӑриётий'р) *s.* возница.
charit/able (чӑ'рит-ёбл) *a.* милостивый; благотворительный || **-y** *s.* милосердие; (*alms*) милостыня || **to ask for ~** просить Христа ради || **-y-school** бесплатная школа для бедных.
charlatan (шӑ'рлётӑн) *s.* шарлатан, обманщик.
charm/ (чӑрм) *s.* чары *mpl.*; (*attractiveness*) прелесть *f.*; очарование; (*amulet*) талисман || **~** *va.* очар-бвывать, -овать; околд-бвывать, -овать || **-er** *s.* чародей *m.*; чародейка *f.*; (*beautiful woman*) очаровательная женщина || **-ing** *a.* очаровательный, прелестный.
charnel-house (чӑ'рнёл-хау'с) *s.* помещение, где хранились собранные кости мёртвых.
chart (чӑрт) *s.* карта (морская).
charter/ (чӑ'ртёр) *s.* патент; хартия; привилегия || **~** *va.* (*a ship*) зафрахт-бвывать, -овать; (*a vehicle, etc.*) на-нимать, -нять || **~-party** *s.* чертепартия.
chartreuse (шӑртрё'з) *s.* шартрёз.
charwoman (чӑ'р-уумён) *s.* подёнщица, судомойка.
chary (чӑ'ри) *a.* бережливый; осторожный; экономный.
chase/ (чэйс) *s.* ловля, охота; погоня || **~** *va.* (*to engrave*) чеканить, ис-; (*pursue*) гнаться за || **-r** *s.* (*mar.*) кормовое орудие.
chasm (кӑзм) *s.* отверстие в земле; бездна; (*in sea*) пучина.
chassis (шӑ'сий) *s.* (*of motor-car*) шасси.
chast/e (чэйст) *a.* целомудренный; (*modest*) скромный; (*pure*) чистый || **-en** (чэй'сн) *va.* на-казывать, -казать; карать, по-; (*to mortify*) умерщвлять; (*to purify*) о-чищать, -чистить || **-ise** (чӑстай'з) *va.* на-казывать, -казать; карать, по- || **-isement** (чӑстай змэнт) *s.* наказание; исправление || **-ity** (чӑ'стити) *s.* целомудрие; скромность *f.*; чистота.
chasuble (чӑ'сюбл) *s.* (*eccl.*) риза.
chat (чӑт) *s.* болтовня; беседа || **~** *vn.* беседовать, по-; болтать.
chattels (чӑ'тлз) *spl.* имение; пожитки *mpl.* || **goods and ~** всё имущество.
chatter/ (чӑ'тёр) *s.* болтовня; (*of birds*) щебетание || **~** *vn.* щебетать; (*fam.*) болтать, пустословить || **-box** *s.* болтун, болтунья; говорун, говорунья.
chatty (чӑ'ти) *a.* болтливый, говорливый.
chauffeur (шоуфё'р) *s.* шофёр.
cheap/ (чийп) *a.* дешёвый || **-en** *va.* сбивать цену; сбавить с цены.
cheat (чийт) *s.* обманщик; плут || **~** *va&n.* об-манывать, -мануть.
check/ (чэк) *s.* всякая задержка, препятствие, остановка; (*interruption*) перерыв; (*disappointment*) неудача; (*restraint*) узда; (*of ticket*) контрмарка; (*Am. cheque*) чек || **~** *va.* (*in chess*) давать шах; (*to stop*) остановить; (*to rebuke*) выговаривать, выговорить кому за что; (*to curb*) у-держивать, -держать; (*to control*) контролировать || **-mate** (-мэй'т) *s.* шах и мат, шахмат || **~** *va.* сделать мат.
cheddar (чэ'дёр) *s.* сорт сыра.
cheek/ (чийк) *s.* щека; (*fig. effrontery*) бесстыдство, наглость *f.* || **~ by jowl** с глазу на глаз || **-y** *a.* (*fam.*) наглый, дерзкий, нахальный.
cheep (чийп) *vn.* чирикать, щебетать.
cheer/ (чийр) *s.* (*spirits*) весёлость *f.*; бодрость *f.*; (*food*) стол, угощение; (*shout*) ура || **~** *va.* (*to ~ up*) развесел-ять, -ить; веселить; ободр-ять, -ить; (*applaud*) аплодировать || **~** *vn.* кричать ура || **to ~ up** развесел-яться, иться || **-ful** *a.* весёлый || **-less** *a.* печальный, мрачный || **-y** *a.* весёлый.
cheerio (чий'риоу) *int.* не робей! смело! (*fam.*) до свидания!
cheese/ (чий'з) *s.* сыр || **-monger** *s.* торговец сыром || **-paring** *a.* (*fig.*) скаредный.
chef (шэф) *s.* повар.
chemical (кэ'микёл) *s.* химический продукт || **~** *a.* химический.
chemise (шимий'з) *s.* женская рубашка, сорочка.
chemist/ (кэ'мист) *s.* химик; (*apothecary*) аптекарь *m.* || **the ~'s (shop)** аптека || **-ry** *s.* химия.
cheque/ (чэк) *s.* чек || **~-book** (-бук) *s.* чековая книжка.
chequer/ (чэ'кёр) *va.* на-водить, -вести клетки на || **-ed** *a.* клетчатый; (*fig.*) изменчивый.
cherish (чэ'риш) *va.* лелеять; покровительствовать; (*fig. of hope, etc.*) питать; (*to value*) ценить.
cheroot (шёрӯ'т) *s.* манильская сигара.
cherry/ (чэ'ри) *s.* вишня || **~** *a.* вишнёвый || **~-brandy** *s.* вишнёвка.
cherub (чэ'рёб) *s.* херувим.
chess/ (чэ'с) *s.* шахматы *mpl.* || **-board** *s.* шахматная доска, шашечница || **-men** *spl.* шахматные фигуры || **~-player** *s.* шахматист.
chest (чэст) *s.* ящик, сундук; (*of body*) грудь *f.*; грудная полость || **~ of drawers** комод. [(*couch*) диван.
chesterfield (чэ'стёрфийлд) *s.* пальто;
chestnut (чэ'снат) *s.* (*nut*) каштан; (*tree*) каштановое дерево; (*stale joke*) избитая шутка, старый анекдот || **~** *a.* каштано-

вый; (*of hair*) темнорусый; (*of horses*) бурый. [шёе зеркало.
cheval-glass (шёва'л-глас) *s.* трюмо, боль-
chevalier (шэвёлий'р) *s.* рыцарь *m.*
chevron (шэ'врён) *s.* (*mil.*) шеврон.
chew (чў) *va.&n.* жевать || **to ~ the cud** отрыгать жвачку; (*fig.*) обдумывать.
chic (шик) *a.* изящный; по моде; модный.
chicane/ (шикэй'н) *va.&n.* шиканить, шиканировать; интриговать || **–ry** (-ёри) *s.* крючки *mpl.*; интриганство.
chick/ (чик), **–en** (чи'кн) *s.* цыплёнок || **–en-hearted** *a.* трусливый, малодушный || **–en-pox** *s.* ветряная оспа. [ник.
chickweed (чи'куийд) *s.* (*bot.*) курослёп-
chicory (чи'кёри) *s.* цикорий *m.*
chide (чайд) *va.&n.irr.* журить, осуждать; ворчать.
chief/ (чийф) *s.* начальник, глава; предводитель *m.* || **~** *a.* главный || **–ly** *ad.* главным образом; особенно || **–tain** (-тин) *s.* начальник, предводитель *m.* || **–taincy** (-тёнси), **–tainship** (-тёншип) *s.* власть начальника.
chilblain (чи'лблэйн) *s.* ознобь *f.*, зазноба.
child/ (чайлд) *s.* (*pl.* **children** чи'лдрён) дитя *n.*; ребёнок || **with ~** беременная || **~'s play** (*fig.*) игрушка || **–bed** *s.* роды *mpl.* || **to die in ~** скончаться родами || **–birth** *s.* роды *mpl.* || **–hood** *s.* детство, младенчество || **–ish** *a.* детский; (*silly*) ребяческий, глупый.
chill/ (чил) *s.* (*coldness*) холод; (*chilly feeling*) дрожь *f.*; озноб; (*med.*) простуда || **to catch a ~** просту-жаться, -диться || **to take the ~ off** отогреть || **~** *a.* холодный, студёный || **~** *va.* студить; охла-ждать, -дить; (*metals*) за-каливать, -калить || **–iness** *s.* холод; озноб || **–ing**, **–y** *a.* холодный.
chime (чайм) *s.* (*of bells*) куранты *mpl.*; колокольная игра; (*agreement*) согласование, гармония || **~** *vn.* бить; звучать; (*to agree*) согласоваться.
chimer/a (кимий'рё) *s.* химера; мечта || **–ical** (кимэ'рикёл) *a.* химерический.
chimney/ (чи'мни) *s.* дымовая труба; (*of lamp*) стекло || **~-corner** *s.* местечко около камина || **~-piece** *s.* наличник у камина || **~-sweep** *s.* трубочист.
chimpanzee (чимпанзий') *s.* шимпанзе.
chin (чин) *s.* подбородок.
china/ (чай'нё) *s.* фарфор || **~-clay** *s.* фарфоровая глина, каолин || **~-ware** *s.* фар-
chinchilla (чинчи'лё) *s.* шиншилла. [фор.
chine (чайн) *s.* (*ravine*) ущелье; (*backbone*) хребет.

chink (чингк) *s.* (*narrow slit*) трещина, щель *f.*; (*sound*) звон || **~** *vn.* звенеть.
chintz (чинц) *s.* ситец.
chip/ (чип) *s.* осколок; щепка; кусочек || **he is a ~ of the old block** он весь в своего отца || **–s** (*fam.*) жареный картофель || **~** *va.* резать на мелкие куски, щепать || **~** *vn.* расщепляться на куски || **to ~ in** (*fam.*) вмешаться в разговор || **–ping** *s.* ломтик || **–py** *a.* неинтересный; (*irritable*) раздражительный.
chiro/graphy (кайро'грёфи) *s.* чистописание || **–mancy** (кай'романси) *s.* хиромантия, рукогадание.
chirp (чёрп), **chirrup** (чи'рёп) *s.* чириканье, щебетание || **~** *vn.* чирикать, щебетать. [живой.
chirrupy (чи'рапи) *a.* (*fam.*) весёлый;
chisel (чи'зёл) *s.* долото; стамеска; (*sculptor's*) резец || **~** *va.* долбить; ваять; чеканить. [товня.
chit/ (чит) *s.* ребёнок || **~-chat** *s.* бол-
chival/rous (ши'вёл-рёс) *a.* рыцарский || **–ry** *s.* рыцарство.
chives (чайвз) *spl.* резанец; мелкий лук.
chlor/ate (клō'р-ёт) *s.* хлорноватокислая соль || **–ide** *s.* хлорид || **–ine** (-ин) *s.* хлор || **–oform** (-офōрм) *s.* хлороформ || **~** *va.* хлороформировать.
chock-full (чо'кфул) *a.* набитый битком.
chocolate (чо'колёт) *s.* шоколад.
choice (чойс) *s.* выбор, избрание; (*selection*) отбор || **to have Hobson's ~** не иметь выбора || **~** *a.* выбранный; отличный, превосходный.
choir (куай'ёр) *s.* хор; (*in church*) клирос.
choke (чōук) *va.* душить, у-; задавить; (*to suppress*) заглу-шать, -шить; (*a pipe*) засор-ять, -ить || **~** *vn.* за-дыхаться, -дохнуться; за-соряться, -сориться.
choker (чōу'кёр) *s.* (*fam.*) галстук. [вый.
choky (чōу'ки) *a.* удушающий; удушли-
choler/ (ко'лёр) *s.* жёлчь *f.*; (*anger*) гнев, ярость *f.* || **–a** (-ё) *s.* холера || **–ic** *a.* вспыльчивый.
choose (чўз) *va.&n.irr.* выбирать, выбрать; из-бирать, -брать; (*prefer*) предпо-читать, -честь.
chop/ (чоп) *s.* отрез, удар; кусок; (*mutton*) котлета; (*jaw*) челюсть *f.* || **~** *va.* рубить, резать; отёсывать || **–fallen** *a.* опечаленный, унылый || **~-house** *s.* харчевня || **–per** *s.* косарь *m.*; соломорезный нож || **–py** *a.* (*of the sea*) беспокойный || **–stick** *s.* палочка, служащая вилкой у китайцев.
chorale (кора̄'л) *s.* хорал. [(*geom.*) хорда.
chord (кōрд) *s.* аккорд; (*string*) струна;

chorister (ко'ристёр) *s.* хори́ст.
chorography (коро'грёфи) *s.* хорогра́фия.
chorus (ко̄'рёс) *s.* хор; (*refrain*) припе́в.
chose/ (чоуз), **-n** *cf.* **choose.**
chrism (кризм) *s.* ми́ро.
christen/ (крисн) *va.* крести́ть; окре-ща́ть, -сти́ть || **-dom** *s.* христиа́нство; (*christians*) христиа́не || **-ing** *s.* кре-ще́ние.
christian/ (кри'стиён) *s.* христиа́нин || ~ *a.* христиа́нский || ~ **name** и́мя || **-ity** (кристиа̄'нити) *s.* христиа́нство.
Christmas/ (кри'смёс) *s.* Рождество́ Христо́во || ~ **day** день Рождества́ Христо́ва || ~ **eve** сочёльник || ~**-box** *s.* рожде́ствен-ский пода́рок || ~**-tree** *s.* (рожде́ствен-ская) ёлка.
chromatic (крома̄'тик) *a.* хромати́ческий.
chromium (кро̄у'миём) *s.* хром.
chromo-lithograph (кро̄у'моли'ѳёгра̄ф) *s.* хромолитогра́фия.
chronic (кро'ник) *a.* хрони́ческий.
chronicle (кро'никёл) *s.* хро́ника; ле́то-пись *f.*; **Chronicles** (*bibl.*) кни́ги пара-липомено́н || ~ *va.* в-носи́ть, -нести́ в ле́топись.
chrono/graph (кро'нogра̄ф) *s.* хроногра́ф || **-logist** (кроно'лоджист) *s.* хроноло́г || **-logy** (кроно'лоджи) *s.* хроноло́гия; ле-тосчисле́ние || **-meter** (кроно'митёр) *s.* хрономе́тр.
chrysalis (кри'сёлис) *s.* ку́колка.
chrysanthemum (криса̄'нѳимам) *s.* хри-занте́ма, златоцве́т.
chrysolite (кри'солайт) *s.* хризоли́т.
chub (чаб) *s.* бычо́к.
chubb/iness (ча'б-инэс) *s.* пу́хлость *f.* || **-y, -y-faced** *a.* толстощёкий.
chuck (чак) *s.* (*of hens*) куда́хтание; (*tap*) лёгкий уда́р; (*of a lathe*) ба́бка, гнездо́ || ~ *va.* (*under the chin*) трепа́ть, по-; (*to throw*) швыр-я́ть, -ну́ть || **to ~ out** вы́-кинуть || ~ **it!** прекрати́! || **to ~ up** пре-кра-ща́ть, -ти́ть; броса́ть, бро́сить || ~ *vn.* куда́хтать.
chuckle/ (чакл) *s.* смех про себя́; хихи́-канье || ~ *vn.* смея́ться про себя́; хихи́-кать || **-head** *s.* глупе́ц.
chum (чам) *s.* закады́чный друг, пани-бра́т || ~ *vn.* быть инти́мным (с).
chump (чамп) *s.* чурба́н, коло́да; (*fam.*) глупе́ц.
chunk (чангк) *s.* чурба́н, коло́да; кусо́к.
church/ (чё'рч) *s.* це́рковь *f.* || **-goer** *s.* посети́тель (*m.*) це́ркви || **-man** *s.* челове́к духо́вного зва́ния || **-warden** *s.* церко́вный ста́роста; (*pipe*) дли́нная гли́няная тру́бка для куре́ния || **-yard** *s.* кла́дбище. || **-ishness** *s.* гру́бость *f.*
churl/ (чёрл) *s.* грубия́н || **-ish** *a.* гру́бый ||
churn (чёрн) *s.* маслобо́йка || ~ *va&n.* сбива́ть, па́хтать ма́сло; (*fig.*) трясти́.
chute (шӯт) *s.* у́зкий круто́й спуск.
chutney (ча'тни) *s.* инди́йская пря́ность.
cicatrice (си'кётрис) *s.* шрам, рубе́ц.
cicerone (чичёрбу'ни) *s.* чичеро́не; про-во́дни́к.
cider (сай'дёр) *s.* сидр.
cigar/ (сига̄'р) *s.* сига́ра || ~**-case** *s.* порт-сига́р, сига́рочница || ~**-holder** *s.* мунд-шту́к (для сига́р) || **-ette** (сигёрэ'т) *s.* папиро́са || **-ette-case** папиро́сница.
cincture (си'нгкчёр) *s.* по́яс.
cinder (си'ндёр) *s.* зола́.
Cinderella (синдёрэ'лё) *s.* золу́шка; за-мара́ха; замара́шка || ~ **dance** та́нец до двена́дцати часо́в но́чи.
cinema/ (си'нёмё) *s.* (*fam.*) кинотеа́тр, ки́но; кинематогра́ф || **-tograph** (синё-ма̄'тогра̄ф) *s.* кинематогра́ф.
cinerary (си'нёрёри) *a.* пе́пельный.
cinnabar (си'нёба̄р) *s.* ки́новарь *f.*
cinnamon (си'нёмён) *s.* кори́ца.
cipher (сай'фёр) *s.* (*nought*) нуль *m.*; (*number*) ци́фра, число́; (*code*) ши́фры; (*fig.*) нева́жный челове́к || ~ *va&n.* вычисля́ть; писа́ть ци́фры; писа́ть ши́фры.
circle (сё'ркл) *s.* круг, окру́жность *f.*; (*ring*) кольцо́; (*gathering*) собра́ние, кру-жо́к; (*theat.*) балко́н || ~ *va&n.* верте́ть (-ся) вокру́г чего́; враща́ться вокру́г це́н-тра.
circlet (сё'рклит) *s.* кружо́к; (*diadem*) ди-аде́ма.
circuit/ (сё'ркит) *s.* о́круг; (*jur.*) суде́бный о́круг || **-ous** (сёркю'итёс) *a.* окру́жный; (*roundabout*) око́льный.
circular/ (сё'ркюлёр) *s.* циркуля́р; объявле́-ние || ~ *a.* кру́глый; кругово́й; циркуля́р-ный || ~ **letter** циркуля́р || ~ **ticket** кру-гово́й биле́т || ~ **tour** кругово́е путеше́-ствие || **-ize** *va.* рассыла́ть циркуля́ры.
circulat/e (сё'ркюлэйт *va.* (*of money*) пу-с-ка́ть, -ти́ть в обраще́ние, в ход: (*rumour*) распростран-я́ть, -и́ть || ~ *vn.* (*of money*) быть в обраще́нии, ходи́ть; обраща́ться; циркули́ровать || **-ing** *a.* циркули́рую-щий; обраща́ющийся || ~ **decimal** перио-ди́ческая дробь || ~ **library** библиоте́ка-чита́льня || **-ion** (сёркюлэ̄й'шн) *s.* обра-ще́ние; циркуля́ция; (*of the blood*) крово-обраще́ние.
circum/cise (сё'ркём-сайз) *va.* соверш-а́ть, -и́ть обре́зание || **-cision** (сёркёмси'жн) *s.* обре́зание || **-ference** (сёрка'мфёрёнс) *s.* круг, окру́жность *f.* || **-flex** (сё'ркём-

флэкс) *a.*, ~ *s.* (*accent*) циркумфлекс; ударение протяжное || -locution *s.* речь с околичностями || -navigate *va.* плавать вокруг || -scribe (сёркёмскрай'б) *va.* ограничи-вать, -ть || -scription (сёркёмскри'пшн) *s.* ограничение || -spect (сё'ркёмспэкт) *a.* осторожный, осмотрительный || -spection (сёркёмспэ'кшн) *s.* осторожность *f.*; осмотрительность *f.* || -stance (сё'ркёмстänс) *s.* обстоятельство; обстоятельность *f.*; (*detail*) точность *f.*; *pl.* состояние, положение || -stantial (сёркёмстä'ншёл) *a.* зависящий от обстоятельств; (*detailed*) подробный || ~ evidence (*jur.*) доказательство косвенными уликами || -vent (сёркёмвэ'нт) *va.* перехитр-ять, -ить; про-водить, -вести || -vention (сёркёмвэ'ншн) *s.* перехитрение.

circus (сё'ркёс) *s.* цирк.

cirrus (си'рёс) *s.* перистое облако; барашек.

Cistercian (систё'ршён) *s.* цистерцианский монах.

cistern (си'стёрн) *s.* цистерна; водохранилище; водоём.

citadel (си'тёдэл) *s.* цитадель *f.*; крепость *f.*

citation (сайтэй'шн) *s.* цитат; ссылка (на); (*before a court*) вызов к суду, повестка.

cite (сайт) *va.* (*to quote*) цитировать; приводить, -вести чьи-либо слова; (*before a court*) вызывать, вызвать (в суд).

citizen (си'тизён) *s.* гражданин; гражданка.

citrate (си'трёт) *s.* лимоннокислая соль.

citron (си'трён) *s.* цитрон.

city (си'ти) *s.* город || the C– сити; (*fig.*) финансовый мир || a C– man знаток финансовой части.

civet (си'вит) *s.* мускус; (*animal*) виверра.

civic (си'вик) *a.* гражданский; городской.

civil/ (си'вил) *a.* гражданский; (*not military*) штатский: (*polite*) учтивый, вежливый; (*internecine*) междоусобный || -ian (сиви'лйён) *s.* штатский, гражданин || ~ *a.* штатский; не военный || -ity (сиви'лити) *s.* учтивость *f.*; вежливость *f.* || -ization *s.* цивилизация || -ize *va.* цивилизовать.

clack (кläк) *s.* непрекращающаяся болтовня.

clad (клäд) *cf.* clothe.

claim/ (клэйм) *s.* требование; (*jur.*) иск; (*right*) право || to lay ~ to требовать || ~ *va.&n.* требовать по праву; претендовать на; (*jur.*) искать по суду || -ant *s.* тот, кто требует; (*jur.*) истец.

clairvoyant (клäрвой'ёнт) *a.* ясновидец, ясновидица.

clam (клäм) *s.* американская устрица.

clamber (клä'мбёр) *vn.* карабкаться, вс-.

clammy (клä'ми) *a.* клейкий, липкий; сырой.

clamorous (клä'мёрёс) *a.* крикливый, шумный.

clamour (*Am.* clamor) (клä'мёр) *s.* крик, шум; буча || ~ *vn.* кричать, шуметь.

clamp (клäмп) *s.* окова, скобка; (*vice*) тиски *mpl.* || ~ *va.* смыкать, сомкнуть; соедин-ять, -ить; скреп-лять, -ить с кобою.

clan (клäн) *s.* племя *n.* клан (в Шотландии); (*clique*) клика.

clandestine (клäндэ'стин) *a.* тайный, скрытый.

clang (клäнг) *s.* звон, звук; шум, крик; стук, дребезг || ~ *va.* греметь, шуметь || ~ *vn.* звучать, за-; раздаваться (о звуке); издавать звук.

clangour (*Am.* clangor) (клä'нгёр) *s.* звук; шум.

clank (клäнгк) *s.* лязг; шум, звук || ~ *vn.* лязг-ать, -нуть.

clansman (клä'нзмён) *s.* член клана (в Шотландии).

clap/ (клäп) *s.* хлопание; (*of thunder*) удар; (*vulg.*) гонорея || ~ *va.* хлопать, бить; (*applaud*) аплодировать; (*to apply*) приложить; (*in prison*) заклю-чать, -чить || ~ *vn.* хлопать; аплодировать || to ~ eyes on увидеть || to ~ hands рукоплескать || -per *s.* (*of bell*) язык || ~-trap *s.* чепуха, вздор; стремление производить эффект.

claret (клä'рёт) *s.* кларет; красное вино.

clarify (клä'рифай) *va.* клеровать; о-чищать, -чистить; сделать прозрачным || ~ *vn.* о-чищаться, -чиститься.

clarion/ (клä'риён) *s.* рожок, горн || -ette (кläрйёнэ'т) *s.* кларнет.

clarity (клä'рити) *s.* ясность *f.*; чистота.

clash/ (клäш) *s.* удар, стук; бряцание; (*collision*) столкновение; (*conflict*) несогласие || ~ *va.* громко ударять, ударить; бряцать || ~ *vn.* громко ударяться друг о друга; (*to collide*) сталкиваться, столкнуться; (*be at variance with*) быть в противоречии; (*of colours*) не гармонировать || -ing *a.* (*of colours*) негармоничный.

clasp/ (клäсп) *s.* (*buckle*) пряжка; (*of book*) застёжка; (*embrace*) об'ятие; (*handshake*) рукопожатие || ~ *va.* за-стёгивать, -стегнуть; (*embrace*) об-нимать, -нять; обхватывать, -хватить; (*hands*) по-жимать, -жать || ~-knife *s.* складной нож || ~-lock *s.* замок с пружиной.

class/ (клäс) *s.* класс; разряд || ~ *va.* классифицировать; распредел-ять, -ить по классам || no ~ негодный || -ic(al) (клä'сикёл) *a.* классический || -ification (клäсификэй'шн) *s.* классификация || -ify (клä'сифай) *va.* классифицировать.

clatter/ (клä'тёр) *s.* стук, шум; топот, топтание || ~ *va.&n.* стучать; (*with the feet*) топтать; колотить || -ing *s.* топтание.

clause (клōз) *s.* оговóрка; добáвочное услóвие.
claustral (клō'стрēл) *a.* монастырский.
clave (клэйв) *cf.* **cleave.**
clavicle (клǎ'викл) *s.* ключи́ца.
claw (клō) *s.* кóготь *m.*; (*of crab*) клешня́ || ~ *va.* царáпать, по-; рвать когтя́ми; схвáтывать, схвати́ть. |*a.* гли́нистый.
clay/ (клэй) *s.* гли́на || ~ *a.* гли́няный || **-ish**
claymore (клэй'мō'р) *s.* (*Sc.*) меч.
clean/ (клийн) *a.* чи́стый; (*guiltless*) неви́нный; (*nimble*) лóвкий; (*successful*) удáчный || ~ *ad.* (*fam.*) совершéнно, совсéм || ~ *va.* чи́стить; о-чищáть, -чи́стить; (*to wash*) мыть || **~-limbed** (-лимд) *a.* стáтный, стрóйный || **-liness** (клэ'нлинэс) *s.* чистотá, опря́тность *f.* || **-ly** (клэ'нли) *a.* чи́стый, опря́тный.
cleanse (клэнз) *va.* о-чищáть, -чи́стить.
clear/ (клийр) *a.* я́сный; (*bright*) свéтлый; (*of sky*) безóблачный; (*transparent*) прозрáчный; (*pure*) чи́стый; (*obvious*) очеви́дный, я́вный || ~ *ad.* совершéнно, вполнé || **three ~ days** три пóлных дня || **to get ~** освободи́ться || **to keep, to steer ~ of** отдаля́ться; избегáть || **~ profit** (*comm.*) чи́стая при́быль || ~ *va.* (*to clean*) о-чищáть, -чи́стить; (*a tube, etc.*) прочищáть, -чи́стить; (*to empty*) опо-рáжнивать, -рóжнить; (*to free*) освободи́ть; (*vindicate*) о-прáвдывать, -правдáть || **to ~ away** убрáть || **to ~ off** (*a debt*) погаси́ть || **to ~ up, to ~ a ship** разгрузи́ть сýдно || **to ~ a ship for action** приготóвиться к бóю || **to ~ one's throat** откáркиваться, откáшливаться || **to ~ the table** собрáть со столá || ~ *vn.* (*Am. & fam.*) убежáть || **to ~ up** (*of weather*) проясни́ться || **-ance** *s.* очищéние товáров в таможне || **~ sale** распродáжа || **-ing** *s.* очищéние; погашéние долгóв || **-ing-house** (*comm.*) кли́рин-гаус || **-ness** *s.* я́сность *f.*; чистотá || **~-sighted** (-сайтид) *a.* зóркий; проницáтельный.
cleat (клийт) *s.* (*mar.*) кнехт.
cleav/age (клий'в-идж) *s.* раскáлывание; (*dissension*) раскóл || **-e** (-) *va.irr.* раскáлывать, -колóть; рас-секáть, -сéчь || ~ *vn.*, **to ~ to** прили́пнуть, прилепи́ться || **-er** *s.* большóй нож у мясникóв.
cleek (клийк) *s.* осóбенная пáлка для гóльфа (с металли́ческой голóвкой).
clef (клэф) *s.* (*mus.*) ключ.
cleft/ (клэфт) *s.* рассéлина; щель *f.*; трéщина || ~ *va.* *cf.* **cleave** || **~-footed** (-футид) *a.* двукопы́тный.
clematis (клэ'мēтис) *s.* (*bot.*) ломонóс.
clemen/cy (клэ'мēн-си) *s.* милосéрдие; (*of weather*) мя́гкость *f.* || **-t** *a.* милосéрдный; (*of weather*) мя́гкий.
clench (клэнш) *va.*, **to ~ one's fist, one's teeth** сжимáть, сжать.
clergy/ (клē'рджи) *s.* духовéнство || **-man** *s.* свящéнник; (*Protestant*) пáстор; (*Catholic*) ксёндз.
cleric/ (клэ'рик) *s.* свящéнник || **-al** *a.* духóвный; клерикáльный || **~ error** опи́ска.
clerk/ (клāрк) *s.* чинóвник; комми́; (*in office*) контóрщик; (*eccl.*) причётник || **-ship** *s.* звáние чинóвника, контóрщика, и пр.
clever/ (клэ'вēр) *a.* искýсный, свéдущий; ýмный; лóвкий || **-ness** *s.* искýсство; умéние; спосóбности *fpl.*
click (клик) *s.* щёлк; защёлка || ~ *va.&n.* щёлк-ать, -нуть; из-давáть, -дáть щёлк.
client/ (клай'ēнт) *s.* клиéнт || **-age** *s.* клиентýра, клиéнты *mpl.*
cliff (клиф) *s.* скалá, утёс.
clim/acteric (клайм-äктэ'рик) *a.* климактери́ческий || **-ate** *s.* кли́мат || **-ax** (-ëкс) *s.* (*in rhetorics*) приращéние; апогéй *m.*
climb/ (клайм) *s.* взлезáние на, восхождéние || ~ *va.&n.* взлезáть, взлезть; карáбкаться, вс-; взбирáться, взобрáться || **-er** *s.* тот, кто лéзет навéрх; (*plant*) вью́щееся растéние || **-ing** *s.* лáзание.
clime (клайм) *s.* (*poet.*) кли́мат, странá.
clinch/ (клинш) *s.* хвáтка || ~ *va.* заклепáть || **that -es the matter** э́тим дéло кóнчено || ~ *vn.* хватáться.
cling (клинк) *vn.irr.* цепля́ться; приставáть, прилипáть; (*fig.*) держáться.
clinical (кли'никēл) *a.* клини́чный.
clink/ (клингк) *s.* звук метáлла; бренчáние, брякотня́ || ~ *va.&n.* звенéть, бряцáть || **to ~ glasses** чóкать, чóкнуть || **-er** *s.* шлак.
clip (клип) *s.* стри́жка; обрéзывание; (*for holding together*) скóбочка; (*fam.*) лóвкий удáр || ~ *va.* стричь; обрéз-ывать, -ать; подрéз-ывать, -ать. [рéзывание.
clipper (кли'пēр) *s.* кли́ппер.
clipping (кли'пинг) *s.* обрéзывание, под-
clique (клийк) *s.* кли́ка, пáртия.
cloak/ (клōук) *s.* плащ; мáнтия; манти́лья; (*fig.*) предлóг || ~ *va.* (*fig.*) скрывáть, скрыть || **~-room** *s.* гардерóб; (*rail.*) приём багáжа, багáжная кáсса.
clock/ (клок) *s.* часы́ *mpl.*; (*on sock*) стрéлка || **-maker** *s.* часовщи́к || **-work** *s.* часовóй механи́зм.
clod/ (клод) *s.* ком, глы́ба || **-dy** (-и) *a.* пóлный комкóв || **-hopper** *s.* мужи́к; деревéнщина.

clog (клог) *s.* (*shoe*) деревя́нный башма́к; (*fig.*) поме́ха, препя́тствие || ~ *va.* (*fig.*) ста́вить препя́тствие || ~ *vn.* прилипа́ть к; свёртываться, сверну́ться.
cloister (клой'стёр) *s.* монасты́рь *m.*; монасты́рский перехо́д.
close/ (клōуз) *s.* коне́ц, заключе́ние || **to bring to a ~** до-води́ть, -вести́ до конца́ || **to draw to a ~** приближа́ться к концу́ || ~ (клōус) *s.* загоро́женное ме́сто || ~ (клōус) *a.* (*shut*) за́пертый, закры́тый; (*narrow*) те́сный, у́зкий; (*near*) бли́зкий; (*intimate*) инти́мный; (*compact*) пло́тный; (*suffocating*) спёртый, ду́шный; (*diligent*) приле́жный; (*secret*) та́йный; (*secretive*) скры́тный; (*miserly*) скупо́й || **a ~ thing, a ~ shave** едва́ не || **to come to ~ quarters** вступи́ть в рукопа́шный бой || **~ time** вре́мя, когда́ запрещено́ охо́титься || ~ (клōуз) *va.* за-пира́ть, -пере́ть; затвор-я́ть, -и́ть; за-крыва́ть, -кры́ть; (*to end*) за-ка́нчивать, -ко́нчить || ~ (клōуз) *vn.* за-пира́ться, -пере́ться; затвор-я́ться, -и́ться; за-крыва́ться, -кры́ться; (*to come to an end*) за-ка́нчиваться, -ко́нчиться; (*of wounds*) зажива́ть; (*to come to an agreement*) притти́ к соглаше́нию; (*to grapple with*) схвати́ться || **~-fisted** (клōус-фистёд) *a.* скупо́й || **–ness** (клōу'снэс) *s.* бли́зость *f.*; за́мкнутость *f.*; (*mustiness*) духота́.
closet (кло'зит) *s.* шкап, (*small room*) кабине́т; (*W.C.*) ватерклозе́т.
closure (клōу'жёр) *s.* оконча́ние, коне́ц.
clot (клот) *s.* комо́чек, комо́к; (*of blood*) сгу́сток || ~ *vn.* сгу-ща́ться, -сти́ться; свёртываться, сверну́ться.
cloth (клōþ) *s.* сукно́, ткань *f.*; (*table-cloth*) ска́терть *f.* || **the ~** (*fig.*) духове́нство || **to lay the ~** накрыва́ть на стол || **(bound in) ~** с полотня́ным переплётом || ~ *a.* суко́нный.
clothe (клōуð) *va.irr.* о-дева́ть, -де́ть; облека́ть, -ле́чь; по-крыва́ть, -кры́ть.
clothes/ (клōуðз, клōуз) *spl.* оде́жда, пла́тье || **a suit of ~** по́лный костю́м, пла́тье || **~-basket** *s.* белева́я корзи́на || **~-brush** *s.* платяна́я щётка || **~-press** *s.* платяно́й шкап.
clothier (клōу'ðиёр) *s.* суко́нщик; торго́вец су́кнами; торго́вец пла́тьем.
clothing (клōу'ðинг) *s.* пла́тье; оде́жды *fpl.*; одея́ние.
clotted (кло'тид) *a.* сгущённый; запёкшийся.
cloud/ (клауд) *s.* о́блако, ту́ча; (*fig.*) печа́ль *f.* || **under a ~** в стеснённых обстоя́тельствах || **to be in the –s** быть рассе́янным || ~ *va.* застила́ть облака́ми; (*to darken*) омрач-а́ть, -и́ть || ~ *vn.*, **to ~ over** (*of the sky*) завола́киваться облака́ми; помрача́ться || **–ed** *a.* покры́тый облака́ми; (*fig.*) гру́стный; (*of liquids*) му́тный || **–iness** *s.* па́смурность *f.*; о́блачность *f.*; грусть *f.* || **–y** *a.* о́блачный; тёмный, мра́чный; (*fig. gloomy*) печа́льный.
clout (клаут) *s.* (*patch*) запла́та; (*fam.*) уда́р, тума́к, пощёчина || ~ *va.* што́пать, класть запла́ту; чини́ть; (*fam.*) тре́снуть.
clove (клōув) *s.* гвозди́ка || ~ *va. cf.* **cleave.**
cloven/ (клōу'вён) *pp. cf.* **cleave** || **~-hoofed** (-хуфт) *a.* двукопы́тный.
clover (клōу'вёр) *s.* кле́вер || **to be in ~** (*fig.*) ката́ться как блин в ма́сле.
clown/ (клаун) *s.* (*circus*) кло́ун; (*boor*) дереве́нщина || **–ish** *a.* гру́бый, мужикова́тый.
cloy (клой) *va.* насы́тить; накорми́ть до пресыще́ния.
club/ (клаб) *s.* дуби́на, па́лица; (*cards*) тре́фы *fpl.*; (*social*) клуб; (*gathering*) кружо́к, о́бщество || ~ *va.* бить дуби́ной || ~ *vn.* сложи́ться в складчи́ну (для како́го-нибу́дь о́бщего де́ла); де́лать на о́бщий счёт; соедин-я́ться, -и́ться || **~-foot** *s.* лошади́ная стопа́ || **~-house** *s.* клуб.
cluck (клак) *vn.* клохта́ть, куда́хтать.
clue (клӯ) *s.* клубо́к; (*fig.*) нить *f.*; указа́ние.
clump (кламп) *s.* чурба́н; глы́ба; (*of bushes, trees, etc.*) гру́ппа.
clums/iness (кла'мз-инэс) *s.* неуклю́жесть *f.*; нело́вкость *f.*; топо́рность *f.* || **–y** *a.* неуклю́жий; нело́вкий; топо́рный.
clung (кланг) *cf.* **cling.**
cluster (кла'стёр) *s.* пучо́к; (*of grapes*) кисть *f.*; гроздь *m.*; (*mass*) ма́сса; (*of people*) толпа́; (*of bees*) рой *m.* || ~ *vn.* со-бира́ться, -бра́ться в пучо́к, и пр.; расти́ кистя́ми; толпи́ться, с-.
clutch (клач) *s.* об'я́тие; хва́тка; (*pl. fig.*) ко́гти, ла́пы; (*of chickens*) птенцы́ *mpl.* || ~ *va.* с-хва́тывать, -хвати́ть в ру́ки, в ко́гти; держа́ть в ру́ке.
coach/ (кōуч) *s.* каре́та; (*rail.*) ваго́н; (*tutor*) репети́тор || **a slow-~** (*fig.*) неповоро́тливый мешо́к, ме́дленный челове́к || ~ *va.* на-уча́ть, -учи́ть || **~-builder** *s.* каре́тник || **~-house** *s.* каре́тный сара́й || **–man** *s.* ку́чер.
coadjutor (кōу-ёджӯ'тёр) *s.* помо́щник, сотру́дник.
coagulate (кōу-ӓ'гюлэйт) *vn.* сгу-ща́ть, -сти́ть; свёртываться, сверну́ться.
coal/ (кōул) *s.* ка́менный у́голь || **to call, haul over the –s** (*fig.*) де́лать, с- вы́говор || ~ *va.* снаб-жа́ть, -ди́ть у́глем; обу́гли-вать, -ть || ~ *vn.* запаса́ться у́глем

|| ~-**black** *a.* чёрный как уголь || ~-**bunker** *s.* (*mar.*) угольная яма || ~-**cellar** *s.* угольная яма (при доме).
coalesce (кōу-ёлэ'с) *vn.* соедин-яться, -иться.
coal-gas (кōу'л-гäс) *s.* светильный газ.
coalition (кōу-ёли'шн) *s.* коалиция, союз.
coal/-miner (кōу'л-майнёр) *s.* углекоп || ~-**pit** *s.* угольная копь || ~-**scuttle** *s.* ящик для угля || ~-**tar** *s.* угольная смола.
coamings (кōу'мингз) *spl.* (*mar.*) коминсы *mpl.*
coarse/ (кō'рс) *a.* грубый; (*ordinary*) пошлый; (*not refined*) необработанный, сырой || -**ness** *s.* грубость *f.*; неучтивость *f.*
coast/ (кōуст) *s.* берег; (*sea-coast*) прибрежье, побережье; приморье || **the** ~ **is clear** (*fig.*) путь свободен, опасности нет || ~ *va&n.* плавать вдоль берегов || -**er** *s.* каботажное судно || -**guard** *s.* таможенная стража; береговой сторож || -**ing** *a.* каботажный || ~ **trade** каботажная торговля || -**line** *s.* берег; прибережье.
coat/ (кōут) *s.* верхнее платье, пальто, кафтан; (*fleece of animals*) шкура, шерсть *f.*; (*layer*) слой *m.*; плёнка || ~ **of arms** герб || ~ **of mail** кольчуга || ~ *va.* о-девать, -деть; (*cover*) по-крывать, -крыть; (*to lay on*) на-кладывать, -ложить слой || -**ing** *s.* (*covering*) покрывание; (*layer*) слой.
coax/ (кōукс) *va.* ласкать, при-; у-говаривать, -говорить лаской || -**ing** *a.* ласка; ласкательство; уговоры лаской.
cob (коб) *s.* коренастая лошадка; (*maize-cob*) колос кукурузы.
cobalt (кōу'бōлт) *s.* кобальт.
cobble/ (кобл) *s.* булыжник || ~ *va.* чинить обувь || -**r** *s.* сапожник; кропатель.
cobra (кōу'брё) *s.* кобра.
cobweb (ко'буэб) *s.* паутина.
cocaine (кōу'кё-айн) *s.* кокаин.
cochineal (ко'чинийл) *s.* кошениль *f.*
cock (кок) *s.* петух; (*of birds, in general*) самец; (*of gun*) курок; (*of hay*) небольшой стог; (*inclination*) наклонение; (*vulg.*) мужской член || ~-**and-bull story** невероятный рассказ || ~ *va.* (*a gun*) взводить курок; (*one's hat*) на-девать, -деть на бекрень; (*one's ears*) навострить.
cockade (кокэ̄й'д) *s.* кокарда.
cock/atoo (кокётӯ') *s.* какаду || -**atrice** (ко'кётрайс) *s.* василиск || ~-**boat** (ко'к-бōут) *s.* маленькая лодка, челнок || ~-**chafer** (ко'к-чэ̄йфёр) *s.* майский жук || -**ed** (кокт) *a.*, ~ **hat** треуголка || -**erel** (ко'кёрёл) *s.* петушок, молодой петух.
cockle (кокл) *s.* гребёнка; (*bivalve*) съедобная сердцевидка; (*in corn*) куколь *m.*
cockney (ко'кни) *s.* коренной житель Лондона.
cockpit (ко'кпит) *s.* (*mar.*) кубрик.
cockroach (ко'крōуч) *s.* таракан.
cockscomb (ко'кскōум) *s.* (*fig.*) фат, франт.
cocksure (ко'кшӯ'р) *a.* безусловно верный; самоуверенный.
cockswain (ко'ксён) *s.* (*mar.*) рулевой (в лодке).
cocktail (ко'ктэ̄йл) *s.* американский напиток из различных ликёров.
cocoa/ (кōу'кōу) *s.* какао || -**nut** *s.* кокосовый орех.
cocoon (кокӯ'н) *s.* кокон.
cod (код) *s.* (*fish*) треска; (*joke*) шутка || ~ *va.* об-манывать, -мануть.
coddle (кодл) *va.* баловать.
code (кōуд) *s.* свод законов, уложение; (*comm.*) телеграфный код; словарь сокращённых телеграфных слов.
codex (кōу'дэкс) *s.* кодекс; древняя рукопись.
codfish (ко'дфиш) *s.* треска.
codger (ко'джёр) *s.* скаредник; чудак.
codicil (ко'дисил) *s.* кодицилл; приписка к духовному завещанию.
codify (ко'дифай) *va.* кодифицировать.
cod-liver-oil (ко'д-ливёр-ойл) *s.* рыбий жир.
coefficient (кōуёфи'шёнт) *s.* коэффициент.
coequal (кōу-пӣ'куёл) *a.* соравный.
coerc/e (кōу-ё̄'рс) *va.* приневол-ивать, -ить; при-нуждать, -нудить силой || -**ion** (кōу-ё̄'ршн) *s.* принуждение || -**ive** *a.* принудительный.
co/eternal (кōу-ийтё̄'рнёл) *a.* совечный || -**eval** (кōу-ий'вёл) *a.* современный || -**exist** (кōу-игзи'ст) *vn.* сосуществовать.
coffee/ (ко'фи) *s.* кофе || ~-**bean** *s.* кофейный боб || ~-**house** *s.* кофейня || ~-**pot** *s.* кофейник || ~-**room** *s.* столовая (в гостиннице.)
coffer (ко'фёр) *s.* ящик; денежный сундук.
coffin (ко'фин) *s.* гроб.
cog (ког) *s.* зубец (у колеса).
cogent (кōу'джёнт) *a.* сильный; (*convincing*) убедительный; неоспоримый.
cogitate (ко'джитэйт) *vn.* думать, мыслить, размышлять.
cognac (ко'н-йак) *s.* коньяк.
cognate (ко'гнэйт) *a.* близкий (по крови); родственный; одноплеменный.
cogniz/ance (ко'гниз-ёнс) *s.* (*jur.*) подсудность *f.*; (*knowledge*) ведение || -**ant** *a.* уведомленный, знающий.
cognomen (когнōу'мён) *s.* прозвище, фамилия.
cog-wheel (ко'г-хуийл) *s.* зубчатое колесо.
cohabit (кōухä'бит) *vn.* сожительствовать.
coheir (кōу'-äр) *s.* сонаследник.

coher/e (кохий'р) *vn.* быть свя́занным, сце́пленным || **-ence** *s.* сцепле́ние; связь *f.*; (*of speech*) свя́зность *f.* || **-ent** *a.* сце́пленный; (*of speech*) свя́зный.
cohes/ion (ко-хий'жён) *s.* сцепле́ние || **-ive** (ко-хий'зив) *a.* что мо́жет сцепля́ться.
cohort (кбу'хорт) *s.* кого́рта.
coif (койф) *s.* че́пчик.
coiffure (куо'фӯр) *s.* головно́й убо́р, куафю́ра.
coign (койн) *s.* у́гол || ~ **of vantage** (*fig.*) [вы́годная пози́ция.
coil (койл) *s.* свёрток; (*elect.*) кату́шка; (*obs.*) шум || ~ *va.* свёртывать, сверну́ть || ~ *vn.* свёртываться, сверну́ться.
coin/ (койн) *s.* де́ньга, моне́та; (*money*) де́ньги *fpl.* || **base, counterfeit** ~ фальши́вая моне́та || ~ **of the realm** госуда́рственная моне́та || **to pay one back in the same** ~ отплати́ть кому́ тем же || ~ *va.* чека́нить моне́ту; (*fig.*) выду́мывать, вы́думать || **-age** *s.* битьё моне́ты; ходя́чая моне́та; (*invention*) вы́думка.
coincid/e (кбу-инсай'д) *vn.* сов-пада́ть, -па́сть; (*math.*) сов-меща́ться, -мести́ться; (*of opinions*) соглаша́ться || **-ence** (кбу-и'нсидёнс) *s.* совпаде́ние; стече́ние обстоя́тельств; одновре́менность *f.*
coin/er (кой'н-ёр) *s.* моне́тчик; (*of counterfeit coin*) де́латель фальши́вой моне́ты, фальши́во-моне́тчик || **-ing** *s.* битьё моне́ты, чека́нка моне́т.
coition (кбу-и'шн) *s.* совокупле́ние.
coke (кбук) *s.* кокс.
cold/ (коулд) *s.* хо́лод; сту́жа; (*med.*) просту́да || ~ **in one's head** на́сморк || **to catch** ~ простуди́ться || **to leave out in the** ~ не обраща́ть внима́ния на || ~ *a.* холо́дный, студёный; (*deliberate*) обду́манный || **to give one the** ~ **shoulder** пренебрега́ть || ~ **feet** (*fam.*) малоду́шие || ~**-blooded** *a.* равноду́шный; жесто́кий || ~**-cream** *s.* кольдкре́м || ~**-hearted** *a.* бесчу́вственный || **-ish** *a.* холоднова́тый || **-ness** *s.* хо́лод, хо́лодность *f.*; сту́жа; (*fig.*) равноду́шие.
colewort (кбу'луёрт) *s.* молода́я капу́ста.
colic (ко'лик) *s.* ко́лика.
collabor/ate (кола́'бёрэйт) *vn.* сотру́дничать || **-ation** (кола̄бёрэй'шн) *s.* сотру́дничество.
collaps/e (кола́'пс) *s.* спаде́ние; (*med.*) колла́пс || ~ *vn.* спада́ться; (*of a house*) развали́ться; (*med.*) ослабе́ть; (*of plans, etc.*) не уда́ться, не сбы́ться || **-ible** *a.* складно́й.
collar/ (ко'лёр) *s.* (*dog's*) ошéйник; (*horse's*) хому́т; (*dress*) воротни́к; (*linen*) воротничо́к || **stand-up** ~ стоя́чий воротничо́к || **turn-down** ~ отложно́й воротничо́к || ~ *va.* (*to seize*) пойма́ть; (*to press*) свёртывать (мя́со) || **-ed** *a.* (*of meat*) свёрнутый.
collate (колэй'т) *va.* (*a book*) слич-а́ть, -и́ть кни́гу с ру́кописью.
collateral (кола́'тёрёл) *a.* боково́й; побо́чный. [ку́ска.
collation (колэй'шн) *s.* (*light meal*) за-
colleague (ко'лийг) *s.* колле́га, това́рищ.
collect/ (колэ'кт) *va.* со-бира́ть, -бра́ть; на-бира́ть, -бра́ть || **to** ~ **o.s.** со-бира́ться, -бра́ться с мы́слями, с си́лами || ~ (ко'лэкт) *s.* кра́ткая моли́тва || **-ed** *a.* равноду́шный; хладнокро́вный || **-ion** (колэ'кшн) *s.* собира́ние; собра́ние; колле́кция; сбо́рник || **-ive** *a.* коллекти́вный; совоку́пный || **-or** *s.* собира́тель *m.*; (*tax-*~) сбо́рщик.
colleg/e (ко'лидж) *s.* колле́гия; (*secondary school*) сре́днее уче́бное заведе́ние, гимна́зия || **-ian** (колий'джён) *s.* член колле́гии; гимнази́ст || **-iate** (колий'джиёт) *a.* коллегиа́льный, факульте́тский.
collide (колай'д) *vn.* столкну́ться.
collie (ко'ли) *s.* шотла́ндская овча́рка.
collier (ко'лиёр) *s.* (*miner*) углеко́п; (*ship*) у́гольщик. [ко́пь.
colliery (ко'лйёри) *s.* каменноу́гольная
collision (коли'жн) *s.* столкнове́ние; (*fig.*) спор, противоре́чие.
collodion (колбу'диён) *s.* колло́дий *m.*
collop (ко'лёп) *s.* ло́мтик мя́са.
colloquial/ (колбу'куиёл) *a.* коллоквиа́льный, разгово́рный || **-ism** *s.* выраже́ние разгово́рного, обихо́дного языка́.
colloquy (ко'локуи) *s.* разгово́р.
collus/ion (колӯ'жён) *s.* соумышле́ние; та́йный сгово́р || **-ive** (колӯ'зив) *a.* соумы́шленный; тайко́м усло́вленный.
Cologne, eau-de-~ (ōу-дё-колбу'н) *s.* одеколо́н. [кишка́.
colon (кбу'лон) *s.* двоето́чие; (*an.*) то́лстая
colonel (кё'рнёл) *s.* полко́вник.
colon/ial (колбу'ниёл) *a.* колониа́льный || **-ist** (ко'лёнист) *s.* колони́ст, колони́стка || **-ization** (колонайзэй'шн) *s.* колониза́ция || **-ize** (ко'лонайз) *va.* колониз-и́ровать, -ова́ть.
colonnade (ко'лёнэй'д) *s.* колонна́да.
colony (ко'лёни) *s.* коло́ния.
colophon (ко'лофон) *s.* после́дняя страни́ца кни́ги.
color/ (*Am.*) *cf.* **colour** || **-ation** (колёрэй'шн) *s.* краше́ние; колори́т.
coloss/al (коло'сёл) *a.* колосса́льный, исполи́нский; необыча́йно огро́мный; (*fam.*)

великоле́пный || **–eum** (колëсий'ём) *s.* колизе́й *m.* || **–us** (коло'сëс) *s.* коло́сс.
colour/ (*Am.* **color**), (ка'лëр) *s.* цвет; кра́ска, ко́лер; (*complexion*) румя́нец; цвет лица́; (*fig. appearance*) вид; (*pretence*) предло́г || **–s** *pl.* зна́мя *n.*; штанда́рт || **local ~** лока́льный тон || **off ~** (*fig.*) нездоро́вый || **to change ~** измен-я́ться, -и́ться в лице́ || **to strike one's –s** сда́ться || **~** *va.* кра́сить; окра́-шивать, -сить; (*to exaggerate*) преувел-и́чивать, -и́чить; (*misrepresent*) пред-ставля́ть, -ста́вить в фальши́вом ви́де; (*to blush*) красне́ть, по- || **~-blind** *a.* не различа́ющий цвето́в || **–ed** *a.* окра́шенный || **a ~ gentleman** (*Am.*) негр || **–ing** *s.* окра́ска; (*arts*) колори́т || **–less** *a.* бесцве́тный || **~-sergeant** *s.* знаме(но) но́сец.
colportage (ко'лпо̄ртидж) *s.* торго́вля в разно́ску.
colt (кōулт) *s.* жеребёнок.
coltsfoot (кōу'лтсфут) *s.* (*bot.*) белокопы́тник.
columbine (ко'лёмбайн) *s.* (*bot.*) водосбо́р; (*theat.*) колумби́на.
column (ко'лём) *s.* столб; (*mil.*) коло́нна; (*of a newspaper, etc.*) столбе́ц.
colza/ (ко'лзё) *s.* полева́я ре́па, рапс || **~-oil** ре́пное ма́сло, ра́псовое ма́сло.
coma/ (кōу'мё) *s.* (*med.*) о́бморочное состоя́ние || **–tose** (-тōус) *a.* (*med.*) комато́зный, сонли́вый.
comb (кōум) *s.* гребёнка, гре́бень *m.*; (*cock's*) гре́бень *m.*; гребешо́к; (*honeycomb*) сот || **~** *va.* чеса́ть; рас-чёсывать, -чеса́ть || **~** *vn.* (*of waves*) беле́ться как гре́бень.
combat/ (ка'мбăт) *s.* бой *m.*; би́тва, сраже́ние; борьба́ || **single ~** поеди́нок || **~** *va.* противобо́рствовать; (*an opinion*) осп-а́ривать, -о́рить || **~** *vn.* би́ться, сража́ться || **–ant** *s.* сража́ющийся; бое́ц || **–ive** *a.* лю́бящий сража́ться; драчли́вый.
combin/ation (комбинэ̄й'шн) *s.* комбина́ция; соедине́ние; коали́ция || **–s** *pl.* (*lady's*) комбина́ция || **–e** (комбай'н) *s.* (*Am.*) трест || **~** *va.* комбини́ровать; соедин-я́ть, -и́ть; сме́ш-ивать, -а́ть || **~** *vn.* соедин-я́ться, -и́ться; сме́ш-иваться, -а́ться.
combust/ible (комба'с-тибл) *s.* топли́во || **~** *a.* легко́ возгора́ющийся; горю́чий || **–ion** (-чён) *s.* горе́ние; пожа́р.
come/ (кам) *vn.irr.* приходи́ть, притти́ || **the life to ~** бу́дущая жизнь || **years to ~** бу́дущность *f.* || **to ~ and see** посети́ть || **to ~ to nothing** не сбы́ться || **to ~ to o.s.** притти́ в себя́ || **to ~ to pass** случи́ться || **to ~ to the same thing** выходи́ть на одно́ и то́же || **to ~ to terms** согласи́ться || **to ~ true** оказа́ться ве́рным || **~ what may** пусть бу́дет что бу́дет! || **coming** сейча́с! || **to ~ about** случи́ться || **to ~ across** находи́ть, случа́йно встре́тить || **~ along!** пошёл! || **to ~ at** доста́ть, добра́ться до || **to ~ back** воз-враща́ться, -врати́ться || **to ~ by** доста́ть || **to ~ in for** получ-а́ть, -и́ть || **to ~ into a fortune** унасле́довать иму́щество || **to ~ out** выходи́ть; обнару́ж-иваться, -иться || **to ~ round** (*recover*) притти́ в себя́; (*to an opinion*) согласи́ться || **to ~ to** притти́ в себя́ || **to ~ up to** соотве́тствовать || **to ~ up with** нагна́ть, насти́гнуть || **to ~ upon** напада́ть; (*find*) находи́ть || **~! ~!** ну же! || **–atable** (-ă'тёбл) *a.* достижи́мый; (*fig.*) досту́пный.
comed/ian (комий'диён) *s.* комедиа́нт; (*writer*) сочини́тель коме́дий || **–y** (ко'мёди) *s.* коме́дия.
comel/iness (ка'млинэс) *s.* красота́, смазли́вость *f.* || **–y** (ка'мли) *a.* смазли́вый, краси́вый.
comer (ка'мёр) *s.* прише́дший.
comestibles (комэ'стиблз) *spl.* с'естны́е припа́сы.
comet (ко'мит) *s.* коме́та.
comfit (ка'мфит) *s.* конфе́тка.
comfort/ (ка'мфёрт) *s.* комфо́рт, удо́бство; (*consolation*) утеше́ние; (*enjoyment*) дово́льство || **~** *va.* утеша́ть, уте́шить || **–able** (-ёбл) *a.* комфорта́бельный; удо́бный || **–er** (-ёр) *s.* утеши́тель *m.*; утеши́тельница; (*shawl*) шерстяно́й шарф || **–ing** *a.* утеши́тельный; отра́дный || **–less** *a.* безуте́шный, безотра́дный.
comfy (ка'мфи) *a.* (*fam.*) = **comfortable.**
comic(al) (ко'микёл) *a.* коми́ческий, смешно́й.
coming (ка'минг) *s.* прихо́д; (*approach*) приближе́ние || **~** *a.* бу́дущий, гряду́щий.
comity (ко'мити) *s.* ве́жливость *f.*; обходи́тельность *f.*
comma/ (ко'мё) *s.* запята́я || **inverted –s** кавы́чки *fpl.*
command/ (комā'нд) *s.* приказа́ние, повеле́ние; (*fig.*) власть *f.*; управле́ние; (*of languages*) владе́ние; (*mil. & mar.*) кома́нда || **word of ~** кома́нда || **second in ~** второ́й в кома́нде || **~** *va.* прика́зывать; управля́ть; (*fig.*) владе́ть; (*mil. & mar.*) кома́ндовать || **to ~ respect** внуша́ть уваже́ние || **~** *vn.* кома́ндовать || **–ant** (комёндā'нт) *s.* коменда́нт || **–eer** (комёндий'р) *va.* наложи́ть реквизи́цию на || **–er** (комā'ндёр) *s.* (*ship's*) команди́р; комен-

да́нт; (*of an order*) командо́р || ~**-in-chief** главнокома́ндующий || **-ing** *a.* повели́тельный || ~ **position** госпо́дствующее положе́ние || **he has a** ~ **presence** он внуша́ет уваже́ние || **-ment** *s.* за́поведь *f.*

commemor/ate (комэ'мёрэйт) *va.* помина́ть, вс-; пра́здновать па́мять (чего́) || **-ation** (комэмёрэй'шн) *s.* вспомина́ние; поми́нки *fpl.*

commence/ (комэ'нс) *va.&n.* на-чина́ть (-ся), -ча́ть(-ся) || **-ment** *s.* нача́ло.

commend/ (комэ'нд) *va.* хвали́ть, по-; о-добря́ть, -до́брить; (*recommend*) рекомендова́ть || **-able** *a.* похва́льный; достохва́льный || **-ation** (комёндэй'шн) *s.* хвала́, похвала́; рекоменда́ция.

commensurable (комэ'нсюрёбл) *a.* соизмери́мый.

comment/ (ко'мэнт) *s.* коммента́рий *m.*; примеча́ния *npl.*; (*explanation*) об'ясне́ние || ~ (комэ'нт) *vn.* коменти́ровать; снаб-жа́ть, -ди́ть примеча́ниями; об'ясня́ть, -ни́ть || **-ary** (ко'мёнтёри) *s.* коммента́рий *m.*; толкова́ние || **-ator** (ко'мёнтэйтёр) *s.* комментатор.

commerc/e (ко'мёрс) *s.* комме́рция; торго́вля, торг || **-ial** (комё'ршёл) *s.* коммивояжёр || ~ *a.* комме́рческий, торго́вый || ~ **traveller** коммивояжёр.

comminate (ко'минэйт) *va.* грози́ть кому́ чем.

commingle (коми'нг-гл) *va.&n.* сме́шивать(-ся), смеша́ть (-ся).

commiserate (коми'зёрэйт) *va.* жале́ть, со-; име́ть сожале́ние с.

commissariat (комисӑ'риёт) *s.* комиссариа́т, интенда́нство.

commissary (ко'мисёри) *s.* комисса́р.

commission/ (коми'шен) *s.* (*job*) до́лжность *f.*; чин; (*order*) поруче́ние; (*mil.* & *mar.*) пате́нт; (*committee*) коми́ссия; (*comm.*) пла́та за коми́ссию; комиссио́нные (де́ньги *fpl.*) || ~ *va.* поруч-а́ть, -и́ть; уполномо́ч-ивать, -ить; наз-на-ча́ть, -на́чить || **-er** *s.* комисса́р; уполномо́ченный.

commit/ (коми'т) *va.* (*to do*) сде́лать; (*a crime*) соверша́ть, -и́ть; (*to pledge*) обя́зывать, обяза́ть; (*to prison*) заключа́ть, -чи́ть || **to** ~ **to memory** за-помина́ть, -по́мнить; заучи́ть || **to** ~ **o.s.** скомпромети́роваться || **-tal, -ment** *s.* арестова́ние; заключе́ние (в тюрьму́).

committee (коми'ти) *s.* комите́т, коми́ссия.

commode (комо̆у'д) *s.* комо́д.

commodious (комо̆у'дйёс) *a.* удо́бный; (*roomy*) поместительный.

commodities (комо'дитиз) *spl.* това́ры *mpl.*, проду́кты *mpl.*

commodore (ко'модо̆р) *s.* нача́льник эска́дры; командо́р.

common/ (ко'мён) *s.* (*land*) о́бщий вы́гон, па́стбище || **above the** ~ необыкнове́нный || ~ *a.* (*shared*) о́бщий; (*public*) обще́ственный; (*usual*) обыкнове́нный; обы́чный; (*mean*) по́шлый, пло́ский; (*simple*) просто́й || **-alty** (ко'мёнӑлити) *s.* о́бщество; наро́д || **-er** *s.* челове́к, недворя́нского происхожде́ния; член ни́жней пала́ты || **-ness** *s.* о́бщность *f.* || **-place** *a.* по́шлый, бана́льный || **-s** *spl.* просто́й наро́д; (*food*) пропита́ние, стол || **House of Commons** ни́жняя пала́та || **-sense** *s.* здра́вый смысл || ~ *a.* разу́мный || **-wealth** *s.* госуда́рство; респу́блика.

commotion (комо̆у'шён) *s.* волне́ние, смяте́ние; (*fig.*) шум.

communal (комю̆'нёл) *a.* о́бщинный, обще́ственный, коммуна́льный.

commune (ко'мюн) *s.* о́бщина; комму́на || ~ (комю̆'н) *vn.* (*to* ~ *with*) инти́мно обща́ться с.

communic/ant (комю̆'ник-ёнт) *s.* прича́стник, прича́стница || **-ate** (-эйт) *va.* сооб-ща́ть-, -щи́ть || ~ *vn.* сноси́ться, снести́сь; сооб-ща́ться, -щи́ться с; (*eccl.*) приоб-ща́ться, -щи́ться Святы́х Та́ин || **-ation** *s.* сообще́ние; (*intercourse*) сноше́ние; (*infection*) зараже́ние; (*passage*) прохо́д || **-ative** *a.* сообщи́тельный; зарази́тельный.

communion (комю̆'нйён) *s.* обще́ние; (*eccl.*) вероисповеда́ние; (*sacrament*) приобще́ние Святы́х Та́ин; о́бщинное иму́щество.

commun/ism (ко'мюн-изм) *s.* коммуни́зм || **-ist** *s.* коммуни́ст, -ка || **-ity** (комю̆'нити) *s.* о́бщность *f.*; о́бщина; о́бщество.

commutat/ion (комютэ̆й'шн) *s.* переме́на, заме́на; (*jur.*) смягче́ние || **-or** (ко'мютэ̆йтёр) *s.* (*el.*) коммута́тор.

commute (комю̆'т) *va.* меня́ть, замен-я́ть, -и́ть; (*punishment*) смяг-ча́ть,-чи́ть; (*el.*) переключ-а́ть, -и́ть.

compact (ко'мпӑкт) *s.* догово́р, контра́кт || ~ (компӑ'кт) *a.* компа́ктный, пло́тный, сжа́тый.

compan/ion (компӑ'нйён) *s.* компаньо́н, това́рищ || **-y** (ка'мпёни) *s.* компа́ния, о́бщество; (*comm.*) това́рищество; (*theat.*) тру́ппа; (*mil.*) ро́та; (*a band*) толпа́, сбо́рище || **joint stock** ~ акционе́рное о́бщество, компа́ния на а́кциях || **limited**

liability ~ общество с ограниченной ответственностью || **to keep ~ with** водиться с || **to part ~** рас-ставаться, -статься с.

compar/able (ко'мпёрёбл) *a.* сравнимый || **–ative** (компа'рётив) *s.* (*gramm.*) степень сравнения || **–e** (компа'р) *va.* сравнивать, сравнить || **to ~ notes** сооб-щать, -щить друг другу || **–ison** (компа'рисён) *s.* сравнение; сопоставление || **beyond all ~** бесподобный.

compartment (компа'ртмёнт) *s.* отделение.

compass/ (ка'мпёс) *s.* круг; (*circumference*) окружность *f.*; об'ём; (*limit*) предел; (*mar.*) компас || **a pair of –es** циркуль *m.* || **~** *va.* (*encompass*) окруж-ать, -ить; (*accomplish*) осуществ-лять, -ить; (*to plot*) замышлять; (*besiege*) о-саждать, -садить || **~-card** *s.* картушка.

compassion/ (компа'шён) *s.* сострадание || **to have ~ on** иметь сострадание к || **–ate** *a.* сострадательный.

compat/ibility (компатиби'лити) *s.* совместимость *f.* || **–ible** (компа'тибл) *a.* совместимый.

compatriot (компэй'триёт) *s.* соотечественник, соотечественница; компатриот.

compeer (ко'мпийр) *s.* ровня, товарищ.

compel (компэ'л) *va.* при-нуждать, -нудить; за-ставлять, -ставить || **to ~ admiration** вызывать, вызвать удивление.

compend/ious (компэ'нд-иёс) *a.* сокращённый, краткий || **–ium** (-иём) *s.* сокращение; краткое изложение.

compensat/e (ко'мпёнсэйт) *va.* вознаграждать, -градить || **–ion** (компёнсэй'шн) *s.* вознаграждение; компенсация || **~-balance** компенсатор || **–ory** (компэ'нсётёри) *a.* вознаграждающий; равноценный. [соперничать.

compete (компий'т) *vn.* конкурировать;

compet/ence (ко'мпит-энс) *s.* компетенция; достаток || **–ency** *s.* достаток, необходимые средства к жизни || **–ent** *a.* (*jur.*) компетентный; способный.

competit/ion (компити'шн) *s.* конкуренция; соперничество; конкурс || **–ive** (компэ'титив) *a.* конкурсный || **–or** (компэ'титёр) *s.* конкурент; соперник.

compil/ation (компилэй'шн) *s.* компиляция || **–e** (компай'л) *va.* компилировать, с-.

complac/ency (комплэй'с-ёнси) *s.* внутреннее довольство; (*kindliness*) любезность *f.* || **–ent** *a.* довольный; (*kindly*) любезный.

complain/ (комплэй'н) *vn.* жаловаться, по-; сетовать; (*to murmur*) роптать || **–ing** *s.* жалоба; роптание || **–t** *s.* жалоба; неудовольствие; (*malady*) недуг, болезнь *f.*

complais/ance (ко'мплэйз-ёнс) *s.* любезность *f.*; снисходительность *f.* || **–ant** *a.* любезный, снисходительный; (*obliging*) обязательный, услужливый.

complement/ (ко'мплимэнт) *s.* полный состав, комплект; (*gramm.*) дополнение || **–ary** (комплимэ'нтёри) *a.* дополнительный, добавочный || **~ colours** дополнительные цвета.

complet/e (комплий'т) *a.* комплектный; исполненный; (*finished*) доконченный, оконченный; (*entire*) полный, целый; (*perfect*) совершенный || **~** *va.* комплектовать; (*to finish*) о-канчивать, -кончить; (*to perfect*) за-вершать, -вершить; до-вершать, -вершить; по-полнять, -полнить || **–eness** *s.* цельность *f.*; полнота || **–ion** (комплий'шён) *s.* совершение, окончание; комплектование.

complex (ко'мплэкс) *s.* состав; сложная масса || **~** *a.* сложный, составной.

complexion (комплэ'кшён) *s.* цвет лица; (*aspect*) вид. [*f.*; многосложность *f.*

complexity (комплэ'ксити) *s.* сложность

complian/ce (комплай'ёнс) *s.* уступчивость *f.*; (*assent*) согласие || **–t** *a.* уступчивый; послушный.

complic/acy (ко'мплик-ёси) *s.* сложность *f.* || **–ate** (-эйт) *va.* услож-нять, -нить; (*med.*) ослож-нять, -нить; (*make intricate*) запут-ывать, -ать || **–ated** (-эйтид) *a.* сложный, составной; (*intricate*) запутанный; (*med.*) осложнённый || **–ation** *s.* усложнение; осложнение; запутанность *f.* || **–ity** (компли'сити) *s.* соучастие, сообщничество.

compliment/ (ко'мплимэнт) *s.* комплимент; (*written*) привет; (*in pl.*) поклон || **give my –s to** прошу кланяться *dat.* || **~** (комплимэ'нт) *va.&n.* приветствовать; поздравлять, -здравить || **–ary** (комплимэ'нтёри) *a.* поздравительный; лестный; почётный.

comply (комплай') *vn.* сообразоваться с; покор-яться, -иться; подчин-яться, -иться; снисходить, снизойти.

component (компоу'нёнт) *s.* одна из составных частей (сложного тела) || **~** *a.* составной.

comport/ (компо'рт) *va.*, **to ~ o.s.** вести себя, держаться || **~** *vn.*, **to ~ with** согласоваться || **–ment** *s.* поведение.

compos/e (компоу'з) *va.* (*form*) со-ставлять, -ставить; (*arrange*) поправить; (*soothe*) успок-а́ивать, -бить; (*a quarrel*) у-ла́живать, -ла́дить; (*be author of*) сочин-я́ть, -и́ть; писа́ть, на-; (*mus.*) компони́ровать; *typ.*) набирать || **to ~ o.s.** успок-а́иваться, -биться || **to be -ed of** состоя́ть из || **-ed** *a.* степе́нный, спокойный || **-er** *s.* (*mus.*) композитор; сочини́тель *m.*; писа́тель *m.*; а́втор || **-ite** (ко'мпозит) *a.* составно́й, сло́жный || **-ition** (компёзи'шён) *s.* составле́ние; (*mixture*) компози́ция, смесь *f.*; соста́в; (*typ.*) набо́р; (*comm.*) полюбо́вное соглаше́ние; (*mus.*) компози́ция || **-itor** (компо'зитёр) *s.* (*typ.*) набо́рщик.

compost (ко'мпост) *s.* компо́ст, компо́стное удобре́ние. [споко́йствие.

composure (компо̄у'жёр) *s.* степе́нность *f.*;

compote (ко'мпот) *s.* компо́т.

compound (ко'мпаунд) *s.* соста́в; смесь *f.*; (*gramm.*) сло́жное сло́во || ~ *a.* составно́й, сло́жный || ~ **interest** проце́нты на проце́нты, сло́жные проце́нты || ~ *va.* составля́ть, -ста́вить; (*to mix*) сме́шивать, смеша́ть; (*to settle by mutual consent*) ула́-живать, -ла́дить по взаи́мному соглаше́нию || ~ *vn.* догова́риваться.

comprehend (комприхэ'нд) *va.* по-нима́ть, -ня́ть; разуме́ть; (*to comprise*) заключа́ть, -чи́ть в себе́.

comprehens/ion (комприхэ'н-шён) *s.* понима́ние, разуме́ние; ра́зум || **-ive** (-сив) *a.* обши́рный.

compress/ (ко'мпрэс) *s.* компре́сс || ~ (компрэ'с) *va.* с-жима́ть, -жать; с-да́вливать, -дави́ть || **-ed air** сжа́тый во́здух || **-ible** (компрэ'сибл) *a.* сжима́емый || **-ion** (компрэ'шён) *s.* сжима́ние, сжа́тие; сда́вливание; сжа́тость *f.*

comprise (компрай'з) *va.* включ-а́ть, -и́ть; заключа́ть в себе́.

compromise (ко'мпромайз) *s.* соглаше́ние; компроми́сс || ~ *va.* компромети́ровать; (*to settle*) у-ла́живать, -ла́дить.

compuls/ion (кёмпа'л-шён) *s.* принужде́ние; наси́лие || **under ~** понево́ле || **-ory** (-сёри) *a.* принуди́тельный; (*obligatory*) обяза́тельный || **-orily** (-сёрили) *ad.* по принужде́нию; си́лой.

compunct/ion (кёмпа'нг-кшён) *s.* раска́яние; сокруше́ние; угрызе́ние со́вести || **-ious** (-кшёс) *a.* раска́ивающийся; сокрушённый.

comput/ation (компютэ̄й'шн) *s.* вычисле́ние; вы́кладка; (*estimate*) рассчёт, сме́та **-e** (компю̄'т) *va.* вычисля́ть, вы́числить; оцен-я́ть, -и́ть.

comrade (ка'мрид) *s.* това́рищ.

con/ (кон) *s.*, **the pros and -s** за́ и про́тив || ~ *va.* изуч-а́ть, -и́ть; выу́чивать наизу́сть. [пле́ние.

concatenation (конкэ̆тинэ̄й'шн) *s.* сце-

concave (ко'нкэ̄йв) *a.* во́гнутый.

concavo/-concave (конкэ̄й'воу-ко'нкэ̄йв) *a.* двояко-во́гнутый || **-convex** *a.* во́гнуто-вы́пуклый.

conceal/ (кёнсий'л) *va.* скрыва́ть, скрыть; пря́тать, с- || **-ment** *s.* (*act*) скрыва́ние, пря́тание; (*secrecy*) та́йна; (*hiding-place*) убе́жище.

concede (кёнсий'д) *va.* уступ-а́ть, -и́ть; (*agree*) соглаша́ться, -си́ться; (*admit*) допус-ка́ть, -ти́ть.

conceit/ (кёнсий'т) *s.* мысль *f.*; иде́я; (*vanity*) тщесла́вие, самомне́ние; (*fancy*) мечта́, фанта́зия || **-ed** *a.* самодово́льный, тщесла́вный.

conceiv/able (кёнсий'в-ёбл) *a.* постижи́мый; поня́тный || **-ably** (-ёбли) *ad.* поня́тно || **-e** (-) *va.* вообра-жа́ть, -зи́ть; по-стига́ть, -сти́чь || ~ *vn.* зача́ть; забере́менеть.

concentrat/e (ко'нсёнтрэйт) *va.* сосредото́чи-вать, -ть; концентри́ровать || **-ion** (консёнтрэ̄й'шн) *s.* сосредото́чение; концентри́рование; концентра́ция.

concentric/ (консэ'нтрик) *a.* концентри́ческий; одноце́нтренный || **-ity** (консёнтри'сити) *s.* концентри́чность *f.*

concept/ (ко'нсэпт) *s.* о́бщее поня́тие; конце́пция || **-ion** (кёнсэ'пшён) *s.* мысль, иде́я; конце́пция, поня́тие; (*of women*) зача́тие.

concern/ (кёнсё̄'рн) *s.* (*affair*) де́ло; (*firm*) фи́рма; (*interest*) интере́с, уча́стие; (*anxiety*) беспоко́йство; (*structure*) постро́йка || **it is no ~ of yours!** не ва́ша забо́та! || ~ *va.* каса́ться, относи́ться; (*interfere*) вме́шиваться; озабо́титься || **-ing** *ad.* каса́тельно, относи́тельно; в отноше́нии к.

concert/ (ко'нсёрт) *s.* согла́сие, единомы́слие; (*mus.*) конце́рт || ~ (кёнсё̄'рт) *va.* усло́в-ливаться, -иться; с-говариваться, -говори́ться; принима́ть сообща́ ме́ры || **-ina** (консёртий'нё) *s.* концерти́на. [усту́пка.

concession (консэ'шён) *s.* конце́ссия;

conchology (конг-ко'лоджи) *s.* конхоло́гия.

conciliat/e (кёнси'ли-эйт) *va.* прим-ир-я́ть, -и́ть; сниска́ть любо́вь *или* благорасположе́ние || **-ion** (консили-э̄й'шн) *s.* примире́ние; соглаше́ние; сниска́ние (благорасположе́ния) || **-ory** (кёнси'лиётёри) *a.* примири́тельный.

concise/ (кёнсай'с) *a.* кра́ткий; сжа́тый || **–ness** *s.* кра́ткость *f.*; сжа́тость *f.*
conclave (ко'нклэйв) *s.* конкла́в; (*fig.*) совеща́ние.
conclud/e (конклӯ'д) *va.* (*to end*) конча́ть, ко́нчить; о-ка́нчивать, -ко́нчить; (*a bargain, peace, etc.*) заключ-а́ть, -и́ть || ~ *vn.* (*to end*) конча́ться, ко́нчиться; (*to infer*) заклю-ча́ть, -чи́ть; (*to resolve*) реш-а́ться, -и́ться || **to** ~ в заключе́ние || **–ing** *a.* после́дний, заключи́тельный.
conclus/ion (конклӯ'жён) *s.* (*end*) оконча́ние; (*inference*) вы́вод, заключе́ние; (*of a bargain, etc.*) заключе́ние || **to bring to a** ~ конча́ть, ко́нчить || **–ive** (конклӯ'сив) *a.* (*convincing*) убеди́тельный.
concoct/ (конко'кт) *va.* вари́ть; перева́ривать; (*to fabricate*) из-мышля́ть,-мы́слить; (*to prepare*) гото́вить, из- || **–ion** (конко'кшён) *s.* пищеваре́ние; (*invention*) вы́думка.
concomitant (конко'митёнт) *a.* сопу́тствующий, совоку́пный.
concord/ (ко'нкōрд) *s.* согла́сие; гармо́ния; (*gramm.*) согласова́ние || **–ance** (конкō'рдёнс) *s.* конкорда́нция || **–ant** (конкō'рдёнт) *a.* согла́сный || **–at** (конкō'рдäт) *s.* конкорда́т. [толпа́.
concourse (ко'нкōрс) *s.* стече́ние (наро́да),
concret/e (ко'нкрийт) *s.* (*logic*) конкре́тное поня́тие; (*tech.*) бето́н || ~ *a.* конкре́тный; (*compact*) сгущённый; (*tech.*) бето́нный || ~ *va.* бетони́ровать || **–ion** (конкрий'шн) *s.* сгуще́ние; сгущённая ма́сса.
concubin/age (конкю'бинидж) *s.* незако́нное сожи́тельство, конкубина́т, нало́жничество || **–e** (ко'нг-кюбайн) *s.* незако́нная жена́, нало́жница, любо́вница.
concupiscence (конкю'писёнс) *s.* по́хоть *f.*; похотли́вость *f.*
concur/ (конкё'р) *vn.* сходи́ться; (*to agree*) соглаша́ться || **–rence** (конка'рёнс) *s.* стече́ние (обстоя́тельств); соде́йствие || **–rent** (конка'рёнт) *a.* совпада́ющий; соде́йствующий.
concussion (конка'шён) *s.* уда́р, толчо́к || ~ **of the brain** сотрясе́ние мо́зга.
condemn/ (кондэ'м) *va.* (*to death, etc.*) пригова́ривать, -говори́ть; (*to blame*) порица́ть; осужда́ть, осуди́ть; (*pronounce unfit*) забракова́ть || **–ation** (кондэмнэ̄й'шн) *s.* осужде́ние || **–atory** (кондэ'мнётёри) *a.* обвини́тельный.
condens/ation (кондэнсэ̄й'шн) *s.* конденса́ция, сгуще́ние; сжима́ние || **–e** (кондэ'нс) *va.* конденси́ровать; сгуща́ть, сгусти́ть; сжима́ть, сжать || ~ *vn.* сгуща́ться, сгусти́ться; сжима́ться, сжа́ться || **–er** (кондэ'нсёр) *s.* конденса́тор.
condescend/ (кондисэ'нд) *vn.* снисходи́ть (к кому́); благоволи́ть, со- || **–ing** *a.* снисходи́тельный; любе́зный.
condescension (кондисэ'ншён) *s.* снисходи́тельность *f.*; любе́зность *f.*
condign (кондай'н) *a.* досто́йный, заслу́женный.
condiment (ко'ндимэнт) *s.* припра́ва.
condition/ (кёнди'шён) *s.* положе́ние; состоя́ние; (*rank*) зва́ние; (*stipulation*) усло́вие; конди́ция || **–al** *s.* (*gramm.*) усло́вное наклоне́ние || ~ *a.* усло́вный.
condol/e (кондо̄у'л) *vn.* сочу́вствовать; соболе́зновать (кому́ о ком) || **–ence** *s.* соболе́знование.
condone (кондо̄у'н) *va.* про-ща́ть, -сти́ть; отпус-ка́ть, -ти́ть.
condor (ко'ндор) *s.* ко́ндор.
conduc/e (кондю'с) *vn.* спосо́бствовать; служи́ть к || **–ive** *a.* спосо́бствующий.
conduct/ (ко'ндакт) *s.* (*behaviour*) поведе́ние; (*of an affair*) веде́ние; (*management*) управле́ние || ~ (конда'кт) *va.* вести́; (*to guide*) про-вожа́ть, -води́ть; (*to manage*) управля́ть || **to** ~ **o.s.** вести́ себя́ || **–ion** (конда'кшён) *s.* прово́дность *f.* || **–ive** (конда'ктив) *a.* проводя́щий || **–ivity** (кондакти'вити) *s.* проводи́мость *f.* || **–or** (конда'ктёр) *s.* (*mus.*) дирижёр; (*rail. & tram.*) конду́ктор; (*phys.*) проводни́к; (*el.*) про́вод || **lightning** ~ громоотво́д.
conduit (ко'ндит) *s.* прово́д; труба́; кана́л.
cone (ко̄ун) *s.* ко́нус. [бесе́довать.
confabulate (конфä'бюлэйт) *vn.* болта́ть;
confection/ (конфэ'кшён) *s.* конфе́тка || **–er** *s.* конди́тер || **–ery** *s.* (*shop*) конди́терская; (*sweets*) конфе́ты *fpl.*
confeder/acy (конфэ'дёрёси) *s.* конфедера́ция; сою́з; (*conspiracy*) загово́р || **–ate** (конфэ'дёрёт) *s.* конфедера́т, сою́зник; (*accomplice*) соуча́стник || **–ation** (конфэдёрэ̄й'шн) *s.* конфедера́ция, сою́з.
confer/ (конфё'р) *va.* слич-а́ть, -и́ть; (*bestow*) жа́ловать, по- || ~ *vn.* совеща́ться; разгова́риваться || **–ence** (ко'нфёрёнс) *s.* конфере́нция; совеща́ние.
confess/ (конфэ'с) *va.* при-знава́ть, -зна́ть; со-знава́ть, -зна́ть; (*of a priest, to hear a confession*) испове́д-ывать, -ать || ~ *vn.* испове́д-ываться, -аться || **–edly** *ad.* по всео́бщему призна́нию; я́вно || **–ion** (конфэ'шён) *s.* призна́ние, созна́ние; (*to a priest*) и́споведь *f.*; (*creed*) вероиспове́дание || **–ional** (конфэ'шёнёл) *s.* испове-

днáя || **-or** (конфэ′сёр) *s.* духовнúк, исповéдатель; (*one who confesses*) испо-вéдник, исповéдница.

confetti (конфэ′ти) *spl.* конфéтти, *pl. indecl.*

confid/ant (конфидá′нт) *s.* напéрсник; блúзкий друг || **-ante** (конфидá′нт) *s.* напéрсница; блúзкая подрýга || **-e** (кён-фай′д) *va.* по-верúть, -вéрить; вверúть, ввéрить || ~ *vn.* полагáться; вверúться (комý); от-крывáть, -кры́ть комý своё сéрдце || **-ence** (ко′нфидёнс) *s.* довéрие; (*in God*) уповáние; (*firm belief*) увéрен-ность *f.*; (*boldness*) смéлость *f.*; (*secret*) тáйна || **~-man** надувáла, обмáнщик || **~-trick** обмáн, плутовствó || **-ent** (ко′н-фидёнт) *a.* увéренный; (*positive*) убе-ждённый; (*trusting*) довéрчивый; (*bold*) смéлый || **-ential** (конфидэ′ншёл) *a.* кон-фиденциáльный; доверúтельный.

configuration (конфигйёрэ́й′шн) *s.* очер-тáние; конфигурáция; нарýжный вид.

confine/ (ко′нфайн) *s.* грaнúца; предéл || ~ (конфай′н) *va.* огранúч-ивать, -ить; (*to imprison*) за-пирáть, -перéть || **-d** (конфай′нд) *a.* ограни́ченный; (*of space*) ýзкий, тéсный || **to be ~** (*med.*) быть в рóдах || **-ment** (кёнфай′нмёнт) *s.* (*re-straint*) лишéние свобóды; (*imprison-ment*) заключéние в тюрьмé; (*med.*) рóды *mpl.*

confirm/ (кёнфё′рм) *va.* подтвер-ждáть, -дúть; утвер-ждáть, -дúть; (*eccl.*) кон-фирмовáть || **-ation** (конфёрмэ́й′шн) *s.* подтверждéние; (*proof*) утверждéние; (*eccl.*) конфирмáция || **-ative** (-ётив) *a.* подтвердúтельный; утвердúтельный || **-ed** (кёнфё′рмд) *a.* (*rooted*) закоренéлый; (*in-corrigible*) неисправúмый; (*chronic*) хро-нúческий.

confiscat/e (ко′нфискэйт) *va.* конфиско-вáть || **-ion** (конфискэ́й′шн) *s.* конфис-кáция.

conflagration (конфлäгрэ́й′шн) *s.* пожáр; [сожжéние.

conflict/ (ко′нфликт) *s.* конфлúкт; (*col-lision*) столкновéние; (*contest*) сражéние, бúтва; (*struggle*) борьбá; (*fig. discrep-ancy*) противорéчие || **-ing** (конфли′кт-инг) *a.* противоположный; (*fig.*) проти-воречúвый.

conflu/ence (ко′нфлу-ёнс) *s.* слиянние; (*of people*) толпá, стечéние нарóда || **-ent** *s.* притóк || ~ *a.* (*of rivers*) сливáющийся; (*fig.*) соединяющийся.

conform/ (конфō′рм) *va.* сообраз-óвывать, -овáть; принор-áвливать, -овúть || ~ *vn.* сообраз-óвываться, -овáться; принор-áвливаться, -овúться; подчин-ńться, -úть-ся || **-able** *a.* сообрáзный; соотвéтствен-ный || **-ist** *s.* (*eccl.*) конформúст || **-ity** *s.* сообрáзность *f.*; соглáсие; схóдство с чем || **in ~ with** сообрáзно с.

confound/ (кёнфау′нд) *va.* (*mix*) смéши-вать, смешáть; (*perplex*) сму-щáть, -тúть; (*overthrow*) уничт-ожáть, -óжить || **~ it!** чорт возьмú! || **-ed** *a.* (*fam.*) отвратú-тельный, проклятый.

confraternity (конфрётё′рнити) *s.* (со)-[брáтство.

confrère (ко′нгфрäр) *s.* товáрищ; сослу-жúвец.

confront (кёнфра′нт) *va.* смéло наступáть; (*to face*) стоять лицóм к лицý (пéред кем, чем); (*to bring face to face*) стáвить на очнýю стáвку.

confus/e (кёнфю′з) *va.* (*mix up*) мешáть; смéшивать, смешáть; (*disconcert*) при-водúть, -вестú в замешáтельство, кон-фýзить, с- || **-ed** *a.* смéшанный; (*of sound*) смýтный, неясный; (*in disorder*) беспорядочный || **-ing** *a.* смущáющий; конфýзящий || **-ion** (кёнфю′жён) *s.* смешéние; запýтанность *f.*; (*disorder*) беспорядок; (*tumult*) суматóха; (*perplex-ity*) смущéние, замешáтельство; (*shame*) стыд.

confut/ation (конфютэ́й′шн) *s.* опровер-жéние || **-e** (конфю′т) *va.* опро-вергáть, -вéргнуть; изоблич-áть, -úть в неправде.

congeal (конджий′л) *va.* замор-áживать, -óзить || ~ *vn.* за-мерзáть, -мёрзнуть; за-стывáть, -сты́ть.

congener (ко′нджинёр) *s.* однорóдный че-ловéк; однорóдное живóтное úли растé-ние.

congenial (кёнджий′ниёл) *a.* (*kindred*) схóдный, срóдный; (*sympathetic*) сим-патúчный. [дённый.

congenital (конджэ′нитёл) *a.* (*med.*) врож-

conger(-eel) (ко′нг-гёр-ийл) *s.* морскóй ýгорь. [мáсса.

congeries (конджий′ри-ийз) *s.* скоплéние;

congest/ (конджэ′ст) *a.* со-бирáть, -брáть; накоп-лять, -úть || **-ion** *s.* кýча, скоплé-ние; (*med.*) прилúв крóви, конгéстия.

conglomerat/e (кон-гло′мёрёт) *s.* конгло-мерáт || **-ion** (кон-гломёрэ́й′шн) *s.* ско-плéние; конгломерáция.

congratulat/e (кон-грä′тюлэйт) *va.* по-з-дравлять, -дрáвить || **-ion** (кон-грäтю-лэ́й′шн) *s.* поздравлéние || **-ory** (кон-грä′тюлётëри) *a.* поздравúтельный.

congregat/e (ко′нг-григэйт) *va&n.* со-бирáть(-ся), -брáть(-ся); скоп-лять(-ся), -úть(-ся) || **-ion** (конг-григэ́й′шн) *s.*

конгрегáция; сбóрище || **–ional** (конггригэ̄й'шёнёл) *a.* конгрегациóнный || **–ionalist** (конг-григэ̄й'шёнёлист) *s.* конгрегационалúст.
congress (ко'нг-грэс) *s.* конгрéсс || **C–** (*Am.*) законодáтельное собрáние.
congru/ence (ко'нг-гру-ёнс) *s.* соглáсие, сообрáзность *f.* || **–ent** *a.* сообрáзный; соотвéтственный || **–ity** (конгрӯ'ити) *s.* соотвéтственность *f.*; сообрáзность *f.*
con/ic (ко'ник) *a.* конúческий || ~ **sections** конúческие сечéния || **–ical** *a.* конусообрáзный, конúческий || **–ics** *spl.* наýка о конúческих сечéниях.
conifer/ (кōу'нифёр) *s.* шишконóсное дéрево || **–ous** (кони'фёрёс) *a.* шишконóсный.
conjectur/able (конджэ'кчёр-ёбл) *a.* предположúтельный || **–al** *a.* оснóванный на предположéниях; гадáтельный || **–e** (–) *s.* коньектýра; предположéние; (*guess*) догáдка || ~ *va&n.* предполагáть, -ложúть; догáдываться о чем.
conjoint/ (конджой'нт) *a.* соединённый || **–ly** *ad.* сообщá.
conjugal (ко'нджугёл) *a.* супрýжеский; брáчный.
conjugat/e (ко'нджугёт) *a.* соединённый; свя́занный || ~ (ко'нджугэйт) *va.* (*gramm.*) спрягáть || **–ion** (конджугэ̄й'шн) *s.* (*gramm.*) спряжéние; (*anat.*) соединéние.
conjunct/ (конджа'нг-кт) *a.* соединённый; приобщённый || **–ion** (-кшён) *s.* соединéние, связь *f.*; (*of events*) стечéние; (*gramm.*) союз || **–ive** (-тив) *s.* (*gramm.*) сослагáтельное наклонéние || **–ure** (-кчёр) *s.* стечéние обстоя́тельств; коньюнктýра.
conjur/ation (конджурэ̄й'шн) *s.* убедúтельная прóсьба; заклинáние || **–e** (конджӯ'р) *va.* убедúтельно просúть когó; умоля́ть || ~ (ка'нджёр) *va.* за-клинáть, -кля́сть; вызывáть, вы́звать || ~ (ка'нджёр) *vn.* фóкусничать || **–er** (ка'нджёрёр) *s.* колдýн, волшéбник; (*at sleight of hand*) фóкусник.
connect/ (кёнэ'кт) *va.* соедин-я́ть, -úть; свя́зывать, связáть || **–ed** *a.* роднóй; (*related*) рóдственный; (*of speech*) свя́зный || **he is highly, well** ~ у негó богáтая родня́ || **we are distantly** ~ мы дáльные рóдственники || **–ing-rod** *s.* шатýн || **–ion, connexion** (кёнэ'кшён) *s.* связь *f.*; (*relationship*) отношéние; (*relation*) рóдственник, рóдственница; (*clientèle*) клиентýра || **in this** ~ относúтельно э́того дéла.
conning-tower (ко'нингтау'ёр) *s.* площáдка для командúра (в дрéдноте).
conniv/ance (конай'в-ёнс) *s.* потвóрство; молчалúвое соглáсие || **–e** (–) *vn.* потвóрствовать; смотрéть сквозь пáльцы (на что).
connoisseur (конисё̄'р) *s.* знатóк.
connote (кон-нōу'т) *va.* знáчить.
connubial (коню̄'биёл) *a.* супрýжеский, брáчный.
conquer/ (ко'нгкёр) *va.* заво-ёвывать, -евáть; завлад-евáть, -éть; брать, взять; (*to defeat*) покор-я́ть, -úть || **–or** *s.* завоевáтель; победúтель; покорúтель.
conquest (ко'нгкуэст) *s.* завоевáние; завладéние; покорéние; (*fig.*) укрощéние; (*what is conquered*) добы́ча || **to make a** ~ (*fig.*) плен-я́ть, -úть сéрдце.
consanguinity (консáнг-гуи'нити) *s.* единокрóвность *f.*; крóвное родствó.
conscience (ко'ншёнс) *s.* сóвесть *f.* || **on my** ~! говоря́ по сóвести.
conscientious/ (конши-э'ншёс) *a.* сóвестливый; добросóвестный || **–ness** *s.* добросóвестность *f.*; сóвестливость *f.*
conscious/ (ко'ншёс) *a.* сознáтельный; сознающий; находя́щийся в сознáнии || **–ness** *s.* сознáтельность *f.*; сознáние || **to lose** ~ пáдать, упáсть в óбморок.
conscript/ (ко'нскрипт) *s.* новобрáнец, рéкрут || ~ (конскри'пт) *va.* на-бирáть, -брáть (рéкрут) || **–ion** (конскри'пшён) *s.* внесéние в спúски; всеóбщая вóинская повúнность; конскрúпция.
consecrat/e (ко'нсикрэйт) *va.* посвящáть, -тúть; (*a church*) освя-щáть, -тúть; (*to anoint*) помáз-ывать, -ать || **–ion** (консикрэ̄й'шн) *s.* посвящéние; освящéние.
consecutive (консэ'кютив) *a.* послéдовательный; (*of narrative*) склáдный || **three** ~ **days** три дня сря́ду.
consensus (консэ'нсёс) *s.* соглáсие.
consent/ (консэ'нт) *s.* соглáсие; соизволéние || **with one** ~, **by common** ~ единодýшно || **by mutual** ~ по взаúмному соглашéнию || ~ *vn.* согла-шáться, -сúться; соиз-воля́ть, -вóлить || **–ient** (-иёнт) *a.* единодýшный.
consequence (ко'нсикуёнс) *s.* (*result*) слéдствие, послéдствие; (*importance*) вáжность *f.*; значéние || **in** ~ слéдовательно || **in** ~ **of** вслéдствие || **of** ~ вáжный || **of no** ~ маловáжный; невáжный.
consequent/ (ко'нсикуёнт) *s.* (по)слéдствие || ~ *a.* послéдовательный || **–ial** (консикуэ'ншёл) *a.* котóрый слéдует, вытекáет из; (*pompous*) напы́щенный || **–ly** *ad.* слéдовательно; вслéдствие тогó.

conserv/ation (консёрвэй'шн) *s.* сохранение; предохранение || **-atism** (консё'рвётизм) *s.* консерватизм || **-ative** (консё'рвётив) *s.* консерватор || ~ *a.* консервативный || **-ator** (ко'нсёрвэйтёр) *s.* хранитель; смотритель || **-atorium** (консёрвёто'риём) *s.* консерватория || **-atory** (консё'рвётори) *s.* зимний сад; теплица.

conserve (консё'рв) *s.* (*obs.*) консервы *mpl.* || ~ *va.* сохран-ять, -ить; предохран-ять, -ить; консервировать.

consider/ (конси'дёр) *va.* (*to gaze at*) рассматривать, -смотреть; (*to contemplate*) раз-мышлять, -мыслить о; обдум-ывать, -ать; (*to take into account*) при-нимать, -нять что в соображение; (*be thoughtful of*) уважать, уважить; (*esteem*) думать, полагать || ~ *vn.* думать; размышлять || **-able** *a.* значительный; достойный внимания || **-ate** *a.* относящийся с уважением (к чему); внимательный к || **-ation** *s.* (*reflection*) размышление; (*thoughtfulness*) уважение; (*importance*) важность *f.*; (*recompense*) вознаграждение || **to take into** ~ при-нимать, -нять что в соображение || **-ing** *a.* в виду; принимая во внимание; потому что || ~ **that** принимая в соображение, что . . .

consign/ (консай'н) *va.* пере-давать, -дать; (*to entrust*) поруч-ать, -ить; (*comm.*) отправлять, -править || **-ee** (консайний') *s.* товарополучатель *m.* || **-ment** *s.* отправление товаров; накладная; то, что отправлено.

consist/ (конси'ст) *vn.*, **to** ~ **of, in** состоять в, из; заключаться в || **-ency** *s.* состав; консистенция, плотность *f.*; (*fig.*) постоянство, последовательность *f.* || **-ent** *a.* (*solid*) плотный; густой; (*harmonious*) согласный; (*of statements, etc.*) совместимый; (*compatible*) сообразный; (*uniform*) последовательный || **-orial** (консисто'риёл) *a.* консисториальный || **-ory** *s.* консистория.

consol/ation (консолэй'шн) *s.* утешение; отрада || ~ **prize** утешительный приз || **-atory** (консо'лётёри) *a.* утешительный.

console/ (ко'нсоул) *s.* консоль *m.*; кронштейн || ~ (консоу'л) *va.* утешать, утешить || ~**-table** *s.* пристенный стол.

consolid/ate (консо'лидэйт) *va.* укреп-лять, -ить; (*make strong*) делать, с- твёрдым; (*combine into a whole*) соедин-ять, -ить в одно || **-ated** *a.*, ~ **fund** консолидированный фонд.

consols (консо'лз) *spl.* государственная рента; консолидированный государственный фонд.

consommé (консомэ') *s.* бульон, крепкий суп.

conson/ance (ко'нсён-ёнс) *s.* согласность *f.*; согласие; сообразность *f.*; (*mus.*) гармония, созвучие || **-ant** *s.* (*gramm.*) согласная, согласный звук || ~ *a.* согласный; сообразный; (*mus.*) созвучный.

consort (ко'нсорт) *s.* (*companion*) сотоварищ; (*husband, wife*) супруг, супруга; (*mar.*) конвойр, судно идущее в компании с другим || **Prince-C**~ супруг королевы || ~ (консо'рт) *vn.* (*match*) соответствовать, быть согласным с; (*to associate*) водиться, знаться с.

conspectus (консиэ'ктёс) *s.* конспект; краткое обозрение, синопсис.

conspicuous (конспи'кюёс) *a.* (*distinct*) ясный, видимый; (*prominent*) бросающийся в глаза; выдающийся.

conspir/acy (конспи'р-ёси) *s.* заговор, конспирация || **-ator** *s.* заговорщик || **-e** (конспай'ёр) *va.* умышлять; задум-ывать, -ать || ~ *vn.* сост-авлять, -авить заговор; сговариваться.

constab/le (ко'нстёбл, ка'нстёбл) *s.* полицейский, городовой || **-ulary** (констă'бюлёри) *s.* полиция; городовые *mpl.*

constan/cy (ко'нстён-си) *s.* постоянство; настойчивость *f.*; твёрдость *f.* || **-t** *s.* (*math.*) постоянная (величина) || ~ *a.* постоянный; настойчивый; твёрдый; неизменяемый.

constellation (констэлэй'шн) *s.* созвездие.

consternation (констёрнэй'шн) *s.* смущение, изумление, ужас.

constipation (констипэй'шн) *s.* (*med.*) запор.

constituen/cy (консти'тюён-си) *s.* (*Parl.*) избиратели *mpl.* || **-t** *s.* составная часть; составитель *m.*; (*Parl.*) избиратель *m.* || ~ *a.* составной; составляющий часть.

constitut/e (ко'нститют) *va.* со-ставлять, -ставить; (*to found*) устан-авливать, -овить; (*to appoint*) на-значать, -значить || **-ion** (конститю'шн) *s.* составление; (*med. & pol.*) конституция; (*disposition*) темперамент; (*of body*) телосложение || **-ional** (конститю'шёнёл) *s.* прогулка || ~ *a.* конституционный; (*med.*) конституциональный.

constrain/ (кёнстрэй'н) *va.* при-нуждать, -нудить; стесн-ять, -ить || **-ed** *a.* принуждённый || **-t** *s.* принуждение; принуждённость *f.*; стеснение.

constriction (констри'кшён) *s.* сжимание; (*med.*) с'ужение.

constringent (констри'нджёнт) *a.* (*med.*) вяжущий.
construct/ (констра'к-т) *va.* стро́ить; выстра́ивать, вы́строить || **-ion** (-шён) *s.* постро́йка, строе́ние; (*meaning*) смысл; (*explanation*) толкова́ние; (*gramm.*) констру́кция || **-ional** (-шёнёл) *a.* конструкти́вный || **-ive** (-тив) *a.* конструкти́вный.
consubstantiation (консабстӓнши-э̄й'шн) *s.* пресуществле́ние.
consul/ (ко'нсёл) *s.* ко́нсул || **-ate** (ко'нсюлэт) *s.* ко́нсульство.
consult/ (конса'лт) *va.* сове́товаться с; совеща́ться; (*a book*) справля́ться, спра́виться с; (*a person's wishes*) сообра-з-о́бываться, -ова́ться с || **-ation** *s.* совеща́ние; (*med. & leg.*) консульта́ция || **-ing** *a*, **~-physician** консультати́вный до́ктор; консульта́нт || **~-room** приёмная.
consum/e (кёнсю'м) *va.* (*destroy*) уничт-ожа́ть, -о́жить; (*eat*) с'еда́ть, с'есть; (*use up*) потреб-ля́ть, -и́ть || **-er** *s.* потреби́тель *m.* || **-ing** *a.* (*fig.*) горя́чий, пла́менный.
consummat/e (конса'мэт) *a.* испо́лненный, соверше́нный; от'я́вленный || **~** (ко'нсёмэйт) *va.* исполня́ть, испо́лнить; доверш-а́ть, -и́ть; до-води́ть, -вести́ до соверше́нства || **-ion** (консамэ̄й'шн) *s.* доверше́ние; осуществле́ние; коне́ц, сконча́ние.
consumpt/ion (кёнса'мп-шён) *s.* истребле́ние, расхо́д; (*med.*) чахо́тка || **-ive** (-тив) *a.* чахо́точный.
contact (ко'нтӓкт) *s.* соприкоснове́ние; (*tech.*) конта́кт.
contag/ion (контэ̄й'дж-ён) *s.* зараже́ние || **-ious** (-ёс) *a.* зарази́тельный.
contain/ (контэ̄й'н) *va.* содержа́ть; заключа́ть в себе́; (*control*) сде́рживать || **to ~ o.s.** сде́рживаться || **-er** *s.* приёмник.
contamin/ate (контӓ'мин-эйт) *va.* осквер-н-я́ть, -и́ть; (*to infect*) за-ража́ть, -рази́ть || **-ation** *s.* осквернéние; зараже́ние.
contemn (контэ'м) *va.* презира́ть; неуважа́ть.
contemplat/e (ко'нтэмплэйт) *va.* (*look at*) рассма́тривать; (*reflect on*) обду́мывать; (*intend*) намерева́ться || **~** *vn.* размышля́ть || **-ion** (контэмплэ̄й'шн) *s.* размышле́ние; созерца́ние || **-ive** (контэ'мплётив) *a.* созерца́тельный; заду́мчивый.
contempor/aneous (контэмпёрэ̄й'ниёс) *a.* совреме́нный || **-ary** (контэ'мпёрёри) *s.* совреме́нник || **~** *a.* совреме́нный.
contempt/ (контэ'мпт) *s.* презре́ние; пренебреже́ние || **worthy of ~** досто́йный презре́ния, ни́зкий || **to hold in ~** презира́ть || **beneath ~** гну́сный || **~ of court** нея́вка в суд || **-ible** *a.* досто́йный презре́ния, ни́зкий || **-uous** (-юёс) *a.* презри́тельный; (*haughty*) надме́нный.
contend (контэ'нд) *vn.* оспа́ривать, оспо́рить; (*dispute*) спо́рить; состяза́ться; (*strive*) стара́ться, по-; (*maintain*) утвержда́ть; уверя́ть, уве́рить.
content/ (контэ'нт) *s.* ёмкость *f.*; вмести́мость *f.*; (*satisfaction*) дово́льство; удово́льствие || **-s** *spl.* содержи́мое; (*of a book, etc.*) содержа́ние || **table of -s** оглавле́ние || **~** *a.* дово́льный || **~** *va.* де́лать, с-дово́льным; удовлетвор-я́ть, -и́ть; (*fig.*) уго-жда́ть, -ди́ть || **to ~ o.s. with** дово́льствоваться, у- чем || **-ed** *a.* дово́льный; поко́рный || **-edly** *ad.* с удово́льствием; в дово́льстве || **-edness** *s.* дово́льство; удово́льствие.
contention/ (контэ'нш-ён) *s.* (*quarrel*) ра́спря, ссо́ра; (*argument*) пре́ние, спор; (*contended point*) спо́рный пункт || **the bone of ~** я́блоко раздо́ра || **-ious** *a.* сварли́вый.
contentment (контэ'нтмёнт) *s.* удово́льствие; удовлетворе́ние.
contest/ (ко'нтэст) *s.* состяза́ние, борьба́; спор || **~** (контэ'ст) *va.* (*strive for*) стара́ться, по-; (*dispute*) о-спа́ривать, -спо́рить || **~** *vn.* состяза́ться; спо́рить || **-ant** (контэ'стёнт) *s.* спо́рщик || **-ed** (контэ'стид) *a.* спо́рный.
context/ (ко'нтэкст) *s.* связь в ре́чи || **-ure** (контэ'ксчёр) *s.* сплете́ние, ткань *f.*
contigu/ity (контигю'ити) *s.* сме́жность *f.*; соприкоснове́ние || **-ous** (конти'гюёс) *a.* сме́жный; соприкаса́ющийся.
contin/ence (ко'нтин-ёнс), **-ency** *s.* воздержа́ние, чистота́ (нра́вов); (*chastity*) целому́дрие || **-ent** *s.* матери́к, контине́нт || **~** *a.* возде́ржанный; (*chaste*) целому́дренный || **-ental** (континэ'нтёл) *a.* континента́льный.
conting/ency (конти'ндж-ёнси) *s.* случа́йность *f.*; слу́чай *m.* || **-ent** *s.* (*event*) де́ло слу́чая; (*portion*) соразме́рная часть; (*mil.*) континге́нт || **~** *a.* случа́йный; непредви́денный.
continu/al (кёнти'ню-ёл) *a.* посто́янный; непреры́вный || **-ance** *s.* постоя́нство; непреры́вность *f.* || **-ation** *s.* постоя́нство; (*duration*) продолжи́тельность *f.*; продолже́ние || **-e** (-) *va.* (*carry on*) продолжа́ть; (*extend*) продли́ть || **to**

be -ed продолжение следует ‖ ~ *vn.* продолжаться; длиться; (*to stay*) находиться, пребывать; (*to persevere*) упорствовать ‖ **-ed** *a.* продолженный, беспрерывный, постоянный ‖ **-ity** (континю'ити) *s.* беспрерывность *f.*; связь *f.* ‖ **-ous** *a.* сплошной; беспрерывный.

contort/ (контō'р-т) *va.* искрив-лять, -ить; скручивать, скрутить ‖ **-ion** (-шён) *s.* искривление; судорога.

contour (ко'нтӯр) *s.* контур; абрис.

contraband/ (ко'нтрёбӑнд) *s.* контрабанда ‖ ~ *a.* контрабандный ‖ **-ist** контрабандист.

contract/ (ко'нтрӓкт) *s.* контракт; договор; (*for work*) подряд; (*marriage*) помолвка ‖ ~ (контрӓ'кт) *va.* (*draw together*) с-жимать, -жать; (*shorten*) сокра-щать, -тить; (*a disease*) на-живать, -жить; схватить; (*a debt*) входить в; (*a habit*) при-нимать, -нять на себя; (*one's brows*) морщить ‖ ~ *vn.* (*shrink*) суживаться, сузиться; (*agree*) рядиться; подря-жаться, -диться; догов-ариваться, -ориться ‖ **-ible** (контрӓ'ктибл) *a.* сжимаемый ‖ **-ile** (контрӓ'ктил) *a.* сжимающийся ‖ **-ing** (контрӓ'ктинг) *a.*, **the ~ parties** договаривающиеся стороны ‖ **-ion** (контрӓ'кшён) *s.* сжимание; сжатие; с'ёживание; (*abbreviation*) сокращение ‖ **-or** (контрӓ'ктёр) *s.* поставщик; подрядчик ‖ **builder and ~** антрепренёр постройки.

contradict/ (контрё-ди'кт) *va.* противоречить; оспаривать, оспорить; (*to deny*) опро-вергать, -вергнуть ‖ **-ion** *s.* противоречие; прекословие ‖ **in ~ to** в противоположность (*dat.*) ‖ **-ory** *a.* противоречивый; (*inconsistent*) несогласный.

contradistinction (контрёдисти'нгкшён) *s.* противоположность *f.*; контраст.

contralto (контрӓ'лтоу) *s.* (*mus.*) контральт.

contraposition (контрёпёзи'шён) *s.* противоречие; контраст.

contrar/iety (контрёрай'ёти) *s.* противность *f.*; противоположность *f.* ‖ **-iness** (ко'нтрёринэс) *s.* противность *f.*; противоположность *f.*; (*contradictoriness*) противоречивость *f.* ‖ **-iwise** (ко'нтрёриуайз) *ad.* с противоположной стороны; обратно ‖ **-y** (ко'нтрёри) *s.* противное, противоположное; несогласный; несоответствующий ‖ **on the ~** напротив ‖ ~ *a.* противный; противоположный.

contrast (ко'нтрӑст) *s.* контраст; противоположность *f.* ‖ ~ (контрӑ'ст) *va.* противопо-ставлять, -ставить.

contraven/e (контрёвий'н) *va.* (*obstruct*) на-рушать, -рушить; (*violate*) престу-п-ать, -ить ‖ **-tion** (контрёвэ'ншён) *s.* нарушение; преступление.

contribut/e (контри'бют) *va.* вн-осить, -ести; платить, за-; устроить складчину ‖ ~ *vn.* содействовать; способствовать ‖ **to ~ to a paper** сотрудничать в газете ‖ **-ion** (контрибю'шён) *s.* контрибуция; уплата, взнос; вклад; статья посланная в журнал ‖ **-ory** *a.* дающий долю; содействующий ‖ **-or** *s.* вкладчик; содействующий; участник; (*to a paper*) сотрудник.

contrit/e (ко'нтрайт) *a.* кающийся; разбитый; сокрушённый сердцем ‖ **-ion** (контри'шён) *s.* сокрушение; раскаяние.

contriv/ance (контрай'в-ёнс) *s.* (*act*) выдумывание; выдумка; снаряд, механизм; (*trick*) уловка ‖ **-e** (–) *va.* (*invent*) придум-ывать, -ать; из-мышлять, -мыслить; (*to plot*) за-мышлять, -мыслить; (*bring about*) делать, с- ‖ ~ *vn.* уметь, с-; успеть.

control/ (контрōу'л) *s.* контроль *m.*; (*restraint*) обуздание; (*authority*) власть *f.*; (*rule*) управление ‖ ~ *va.* контролировать; про-верять, -верить; (*restrain*) об-уздывать, -уздать; сдерживать, сдержать; (*to rule*) управлять ‖ **-ler** *s.* контролёр.

controvers/ial (контровё'ршёл) *a.* спорный; относящийся к спору ‖ **-y** (ко'нтровёрси) *s.* спор, полемика.

controvert/ (ко'нтровё'рт) *va.* спорить; оспаривать; (*refute*) опро-вергать, -вергнуть ‖ **-ible** *a.* оспоримый; спорный.

contumac/ious (контюмэй'шёс) *a.* упорный, упрямый; оказывающий дерзкое сопротивление законной власти ‖ **-iousness** *s.* упорство, упрямство; упорное ослушание ‖ **-y** (ко'нтюмёси) *s.* упорное ослушание.

contumel/ious (контюмий'лиёс) *a.* оскорбительный; обидный ‖ **-y** (контю'мили) *s.* оскорбление; поношение; позор, бесчестие.

contus/e (контю'з) *va.* ушибить; контузить; толочь, ис- ‖ **-ion** (контю'жн) *s.* контузия; ушиб.

conundrum (кона'ндрём) *s.* загадка; игра слов.

convalescent (конвёлэ'сёнт) *a.* выздоравливающий ‖ **~ home, ~ hospital** приют для выздоравливающих.

convene (конвий'н) *va.* со-бирать, -брать; со-зывать, -звать ‖ ~ *vn.* сходиться, сойтись; со-бираться, -браться.

convenien/ce (конвий'ниён-с) *s.* приличие; удобство; сообразность *f.*; преимущество

|| -t *a.* удо́бный, го́дный; прили́чный; (*suitable*) подходя́щий.
convent/ (ко'нвёнт) *s.* монасты́рь *m.* || **-icle** (конвэ'нтикл) *s.* та́йное собра́ние || **-ion** (конвэ'ншён) *s.* собра́ние, с'езд; (*agreement*) догово́р; конве́нция; усло́вный обы́чай || **-ional** (конвэ'ншёнёл) *a.* усло́вный; определённый усло́вием, догово́ром || **-ual** (конвэ'нтюёл) *a.* монасты́рский; мона́шеский.
converg/e (конвё'рдж) *vn.* сходи́ться, сойти́сь (в одну́ то́чку); стреми́ться к одному́ || **-ence** *s.* стече́ние в одно́й то́чке || **-ent** *a.* сходя́щийся (в одну́ то́чку).
convers/ant (ко'нвёрсёнт) *a.* знако́мый; све́дущий; зна́ющий || **-ation** *s.* разгово́р, бесе́да || **-ational** *a.* разгово́рный || **-azione** (конвёрсäцибу'нё) *s.* литерату́рная вечери́нка || **-e** (ко'нвёрс) *s.* разгово́р, бесе́да; (*intercourse*) сноше́ние; (*log.*) обра́тное предложе́ние; (*math.*) обра́тная теоре́ма || ~ *a.* обра́тный || ~ (конвё'рс) *vn.* разгова́ривать, бесе́довать || **-ion** (конвё'ршён) *s.* обраще́ние; превраще́ние.
convert/ (ко'нвёрт) *s.* новообращённый || ~ (конвё'рт) *va.* обра-ща́ть, -ти́ть; превра-ща́ть, -ти́ть; переводи́ть; (*financial*) измен-я́ть, -и́ть || **-ible** (конвё'ртибл) *a.* преврати́мый; обрати́мый.
convex/ (ко'нвэкс) *a.* вы́пуклый || **-ity** (конвэ'ксити) *s.* вы́пуклость *f.* || **-o-concave** (конвэ'ксоу-ко'нкэйв) *a.* вы́пуклово́гнутый || **-o-convex** (конвэ'ксоу-ко'нвэкс) *a.* двоя́ко-вы́пуклый.
convey/ (кёнвэ́й') *va.* носи́ть, нести́; переноси́ть, -нести́; вози́ть, везти́; перевози́ть, -везти́; (*communicate*) сообщ-а́ть, -и́ть; до-ставля́ть, -ста́вить; (*jur.*) передава́ть, -да́ть; (*to express*) выража́ть, вы́разить || **-ance** *s.* во́зка, перево́зка; несе́ние; вся́кий экипа́ж *или* пово́зка; (*jur.*) переда́ча; (*deed*) переда́точная за́пись.
convict/ (ко'нвикт) *s.* престу́пник; осуждённый; ка́торжник || ~ (кёнви'кт) *va.* изоблич-а́ть, -и́ть; об'яв-ля́ть, -и́ть вино́вным || **-ion** (кёнви'кшён) *s.* осужде́ние; изобличе́ние; (*firm belief*) убежде́ние.
convinc/e (кёнви'нс) *va.* убе-жда́ть, -ди́ть; у-веря́ть, -ве́рить || **-ing** *a.* убеди́тельный; неопровержи́мый.
conviv/ial (конви'виёл) *a.* весёлый, общи́тельный, пи́ршественный || **-iality** (конвивиа́'лити) *s.* весёлость *f.* (за столо́м); общи́тельность *f.*
convoc/ate (ко'нвок-эйт) *va.* созыва́ть, созва́ть; со-бира́ть, -бра́ть || **-ation** *s.* (*act*) созыва́ние; (*assembly*) собра́ние; (*eccl.*) собо́р духо́вных лиц.
convoke (конво̄у'к) *va.* со-зыва́ть, -зва́ть; со-бира́ть, -бра́ть.
convolut/e (ко'нволю̄т) *a.* свёрнутый, свито́й || **-ion** (конволю'шн) *s.* свёртывание, свива́ние; (*anat.*) изви́лина (мо́зга, и пр.).
convolvulus (конво'лвюлёс) *s.* (*bot.*) вьюно́к.
convoy (ко'нвой) *s.* конво́й *m.*; (*ship*) конво́ир; (*mil.*) обо́з || ~ *va.* конвои́ровать.
convuls/e (кёнва'лс) *va.* трясти́; потряса́ть, -сти́ || **to be -ed with laughter** помира́ть со сме́ху || **-ion** *s.* конву́льсия, су́дорога; колеба́ние, потрясе́ние; волне́ние || **-ive** *a.* конвульси́вный, су́дорожный.
cony (ко̄у'ни, ка'ни) *s.* кро́лик.
coo (кӯ) *vn.* воркова́ть; (*fig.*) милова́ться.
cook/ (кук) *s.* (*male*) по́вар; (*female*) куха́рка || ~ *va.&n.* стря́пать; гото́вить; (*to falsify*) подде́лывать; (*to concoct*) замышля́ть, -мы́слить || **-ery** *s.* пова́ренное, кулина́рное иску́сство; стряпня́ || **~-book** пова́ренная кни́га || **~-shop** *s.* харчёвня.
cool/ (кӯл) *s.* прохла́да, све́жесть *f.* || ~ *a.* све́жий, прохла́дный; (*fig.*) (*indifferent*) равноду́шный; (*unfriendly*) холо́дный || ~ *va.* прохла-жда́ть, -ди́ть; охла-жда́ть, -ди́ть; студи́ть, о- || ~ *vn.* охла-жда́ться, -ди́ться; сты́нуть; о-стыва́ть, -сты́ть || **-er** *s.* (*for wine, etc.*) холоди́льник.
coolie (кӯ'ли) *s.* ку́ли *m. indecl.*
cooling (кӯ'линг) *s.* прохлади́тельный.
coolness (кӯ'лнэс) *s.* прохла́да, све́жесть *f.*; (*fig.*) споко́йствие; (*indifference*) равноду́шие; (*unfriendliness*) хо́лодность *f.*
coon (кӯн) *s.* (*Am. fam.*) па́рень; дитя́.
coop/ (кӯп) *s.* куря́тник || ~ *va.* за-пира́ть, -пере́ть в куря́тник; (*keep in confinement*) за-ключ-а́ть, -и́ть в те́сное простра́нство || **-er** *s.* боча́р, ку́пор || **-erage** *s.* боча́рня; (*work*) боча́рное ремесло́.
co-oper/ate (коу-о'пёр-эйт) *vn.* сотру́дничать; соде́йствовать || **-ation** *s.* коопера́ция; сотру́дничество; соде́йствие || **-ative** *a.* кооперати́вный; соде́йствующий.
coopery (кӯ'пёри) *s.* боча́рня.
coopt (коу-о'пт) *va.* выбира́ть, вы́брать в чле́ны.
coordin/ate (коу-о̄'рдин-эйт) *va.* координи́ровать || ~ (-ёт) *a.* одного́ разря́да; той же сте́пени || **-ation** *s.* координа́ция || **-ates** (-ётс) *spl.* (*math.*) координа́ты *fpl.*
coot (кӯт) *s.* лысу́ха.
cop (коп) *va.* (*fam.*) забра́ть, арестова́ть.

copal (кōу'пēл) *s.* копа́ловая смола́, копа́л.

copartner/ (коупа̄'ртнēр) *s.* сотова́рищ; соуча́стник || **-ship** *s.* сотова́рищество; (*comm.*) торго́вое това́рищество.

cope (кōуп) *s.* (*vestment*) ри́за; (*of heaven*) свод; (*covering*) кры́шка || ~ *vn.* (**to ~ with**) боро́ться с; справля́ться, спра́виться.

copeck (кōу'пэк) *s.* копе́йка.

copestone (кōу'пстōун) *s.* краеуго́льный ка́мень. кры́шка (у стены́).

coping (кōу'пинг) *s.* (*arch.*) отли́вина,

copious/ (кōу'пиёс) *a.* оби́льный; бога́тый || **-ness** *s.* оби́лие, изоби́лие; бога́тство.

copper/ (ко'пēр) *s.* медь *f.*; (*cauldron*) ме́дный котёл; (*coin*) ме́дная моне́та; (*fam.*) городово́й || ~ *a.* ме́дный || **-as** (-ӓс) *s.* ме́дный купоро́с || **-plate** *s.* ку́пферштих, гравю́ра (на ме́ди) || ~ *a.* (*of writing*) о́чень краси́вый || **-smith** *s.* ме́дник.

coppice (ко'пис) *s.* молодо́й лесо́к.

copra (ко'прё) *s.* ко́пра.

copse (копс) *s.* = **coppice**.

copul/a (ко'пюл-ё) *s.* (*gramm.*) свя́зка || **-ate** (-эйт) *vn.* совокуп-ля́ться, -и́ться || **-ation** *s.* совокупле́ние || **-ative** *a.* соедини́тельный.

copy/ (ко'пи) *s.* ко́пия; спи́сок; (*of a map, etc.*) сни́мок; (*manuscript*) ру́копись *f.*; (*of a book*) экземпля́р || **rough** ~ черно́вик || ~ *va.* копирова́ть; снима́ть, снять ко́пию с; пере-пи́сывать, -писа́ть; (*to imitate*) подража́ть || **~-book** *s.* тетра́дь *f.*; (*comm.*) копирова́льная кни́га || **-hold** *s.* ле́нное име́ние || **-ing** *s.* перепи́сывание || **-ing-ink** копирова́льные черни́ла *npl.* || **-ing-press** копирова́льный пресс || **-ist** *s.* перепи́счик || **-right** *s.* а́вторское пра́во, изда́тельское пра́во.

coquet/ (кокэ'т) *vn.* коке́тничать || **-ry** (ко'кēтри) *s.* коке́тство || **-te** (–) *s.* коке́тка || **-tish** *a.* коке́тливый.

coracle (ко'рёкл) *s.* ло́дка из шкур.

coral/ (ко'рёл) *s.* кора́лл || ~ *a.* кора́лловый || **-line** (-айн) *a.* кора́лловый, коралло-ви́дный.

corbel (кō'рбёл) *s.* крагште́йн, кроншта́йн; ни́ша.

corbie (кō'рби) *s.* (*Sc.*) во́рон.

cord/ (кō'рд) *s.* верёвка; шнур, шнуро́к || **umbilical** ~ пупови́на || **-age** *s.* (*mar.*) снасть *f.*; такела́ж; верёвки *fpl.* || **-ed** *a.* свя́занный верёвкою; верёвчатый || **-elier** (кōрдёлий'р) *s.* мона́х францискáнского о́рдена.

cordial/ (кō'рдиёл) *s.* укрепля́ющее лека́рство || ~ *a.* серде́чный, кордиа́льный, раду́шный || **-ity** (кōрди-ӓ'лити) *s.* раду́шие, кордиа́льность *f.*

cordon (кō'рдён) *s.* (*mil.*) кордо́н; (*of an order*) о́рденская ле́нта.

corduroy (кōрдёрой') *s.* полоса́тый бума́жный ба́рхат. суть *f.*

core (кōр) сердцеви́на, середи́на; (*fig.*)

co/regent (кōу-рий'джёнт) *s.* соправи́тель *m.* || **-religionist** *s.* единове́рец || **-respondent** *s.* сообвинённый в бракоразво́дном проце́ссе.

cork/ (кōрк) *s.* про́бка; (*tree*) про́бковый дуб || ~ *va.* заку́пор-ивать, -ить про́бкою || **-screw** *s.* про́бочник, што́пор || **-y** *a.* про́бковый.

cormorant (кō'рмёрӓнт) *s.* бакла́н, корморáн.

corn/ (кōрн) *s.* зерно́; (*grain*) хлеб, зерново́й хлеб; (*wheat*) пшени́ца; (*Am.*) маи́с, кукуру́за; (*on foot*) мозо́ль *f.* || ~ *va.* соли́ть, по- || **~-cob** *s.* кукуру́зный коча́н || **-crake** (-крэйк) *s.* дерга́ч || **-ed beef** *s.* солёное мя́со.

cornel (кō'рнёл) *s.* дерён; кизи́л.

cornelian (корний'лиён) *s.* сердоли́к.

corner (кō'рнёр) *s.* у́гол, уголо́к; (*fig. difficulty*) замеша́тельство; затрудни́тельное положе́ние; (*comm.*) монопо́лия || ~ *va.* за-гоня́ть, -гна́ть втупи́к; (*comm.*) монополизи́ровать.

cornet (кō'рнэт) *s.* (*mil.*) корне́т; (*mus.*) корне́т-а-писто́н.

corn/field (кō'рн-фийлд) *s.* по́ле засе́янное хле́бом, па́шня || **-flower** *s.* василёк; лоску́тница.

cornice (кō'рнис) *s.* карни́з.

cornucopia (кōрнюкōу'пиё) *s.* рог изоби́лия.

corolla (коро'лё) *s.* (*bot.*) ве́нчик.

corollary (коро'лёри) *s.* из предиду́щего вы́веденное заключе́ние.

corona (корōу'нё) *s.* (*astr.*) вене́ц, кольцо́ вокру́г со́лнца или луны́.

coronation (корёнэй'шн) *s.* корона́ция.

coroner (ко'рёнёр) *s.* коронёр, осмо́трщик мёртвых тел || **~'s inquest** суде́бный осмо́тр тру́па.

coronet (ко'рёнёт) *s.* коро́на (ге́рцогская).

corpor/al (кō'рпёр-ёл) *s.* капра́л, ефре́йтор || ~ *a.* (*bodily*) теле́сный, пло́тский; (*material*) материа́льный || **~ punishment** теле́сное наказа́ние || **-ate** *a.* корпорати́вный, соединённый в о́бщество || **-ation** *s.* корпора́ция, о́бщина; (*of a town*) городска́я ду́ма; (*fam.*) пу́зо, брю́хо || **-eal** (корпō'риёл) *a.* теле́сный, пло́тский; материа́льный.

corps (кōр) *s.* (*mil.*) ко́рпус.

corpse (кōрпс) *s.* труп; мёртвое те́ло.

corpul/ence (кō'рпюл-ёнс) *s.* доро́дность *f.*; толстота́ || **-ent** *a.* доро́дный, то́лстый.

Corpus-Christi (ко̄'рпёс кри'сти) *s.* тéло Христóво; прáздник тéла Госпóдня.

corpusc/le (ко̄'рпесл) *s.* тéльце, атóм || **–ular** (корпа'скюлёр) *a.* частúчный, атомúческий.

corral (корä'л) *s.* (*Am.*) загóн, загорóженное мéсто для скотá || ~ *va.* за-гонять, -гнáть в зáгороду.

correct/ (кёрэ'кт) *a.* прáвильный, вéрный, безошúбочный; (*of behaviour*) коррéктный || ~ *va.* ис-правлять, -прáвить; поправлять, -прáвить; (*to punish*) накáзывать, -казáть; (*proofs*) корректúровать || **–ion** (кёрэ'кшён) *s.* исправлéние; поправлéние, попрáвка; (*punishment*) исправúтельное наказáние || **–ive** *a.* исправúтельный; (*med.*) смягчúтельный || **–ness** *s.* корректность *f.*; прáвильность *f.* || **–or** *s.* исправúтель *m.*; коррéктор.

correlat/e (корилэ̄й'т) *vn.* взаúмствоваться || **–ion** *s.* взаúмное отношéние, соотношéние || **–ive** (корэ'лётив) *a.* находящийся во взаúмном отношéнии.

correspond/ (кориспо'нд) *vn.* (*agree*) соотвéтствовать, согласовáться; (*communicate*) перепúсываться, вестú перепúску с, корреспондúровать || **–ence** *s.* (*congruity*) схóдство; согласовáние; (*communication*) корреспондéнция, перепúска; (*intercourse*) сношéние; (*letters*) пúсьма *npl.*; корреспондéнция || **–ent** *s.* корреспондéнт; (*of a newspaper*) репортёр || **–ing** *a.* соотвéтствующий; сообрáзный || ~ **member** член-корреспондéнт.

corridor (ко'ридо̄р) *s.* коридóр || ~ **carriage** проходнóй вагóн || ~ **train** коридóрный пóезд.

corrig/endum (корнджэ'ндём) *s.* попрáвка ||**–ible** (ко'риджибл) *a.* исправúмый, поправúмый.

corroborat/e (коро'бёр-эйт) *va.* укреп-лять, -úть; утвер-ждáть, -дúть; заверять, -вéрить || **–ive** (-ётив) *a.*, **–ory** (-ётори) *a.* подтверждáющий.

corrode (коро̄у'д) *va.* раз'-едáть, -éсть; с'-едáть, -éсть || ~ *vn.* ржáветь, за-.

corros/ion (коро̄у'жён) *s.* раз'едáние || **–ive** (коро̄у'сив) *s.* éдкое срéдство || ~ *a.* éдкий, раз'едáющий.

corrugate/ (ко'ругэйт) *va.* мóрщить || **–d iron** волнúстое желéзо.

corrupt/ (кёра'пт) *a.* испóрченный, искажённый; (*putrid*) гнилóй; (*fig. depraved*) развращённый; (*dishonest*) нечéстный; (*not genuine*) поддéльный; (*venal*) подкупнóй || ~ *va.* пóртить, ис-; иска-жáть, -зúть; (*fig. to bribe*) под-купáть, -купúть; (*to deprave*) развра-щáть, -тúть; (*falsify*) под-дéлывать, -дéлать || ~ *vn.* (*to rot*) гнить || **–ibility** *s.* тлéнность *f.*; подкýпность *f.* || **–ible** *a.* тлéнный; подвéрженный пóрче; (*venal*) подкупнóй || **–ion** *s.* (*act*) заражéние, искажéние; (*state*) пóрча, испóрченность *f.*; (*putrid matter*) гной *m.*; (*corrupt version*) поддéлка; (*bribery*) пóдкуп.

corsage (ко̄'рсидж) *s.* тáлья.

corsair (ко̄'рсäр) *s.* корсáр, пирáт; (*ship*) разбóйничий корáбль.

corselet (ко̄'рслит) *s.* нагрýдник.

corset (ко̄'рсит) *s.* корсéт.

cortege (ко̄ртэ̄й'ж) *s.* торжéственное шéствие; кортéж.

coruscate (кора'скэйт) *vn.* сверкáть; блистáть.

corvette (ко̄рвэ'т) *s.* корвéт.

cosecant (ко̄усий'кёнт) *s.* косéканс.

cosily (ко̄у'зили) *cf.* **cosy**.

cosine (ко̄у'сайн) *s.* кóсинус.

cosiness (ко̄у'зинэс) *s.* ую́тность *f.*; прия́тность *f.*

cosmetic (козмэ'тик) *s.* космéтика || ~ *a.* косметúческий.

cosmic(al) (ко'змикёл) *a.* космúческий.

cosmography (козмо'грёфи) *s.* космогрáфия.

cosmopolitan (козмопо'литён) *a.* космополитúческий.

cossack (ко'сäк) *s.* казáк || ~ *a.* казáчий, казáцкий.

cosset (ко'сит) *va.* баловáть, из-.

cost/ (кост) *s.* ценá; стóимость *f.*; (*expense*) расхóд; (*fig.*) вред, ущéрб || **net** ~ ценá без сбáвки *или* без запрóса || **to my** ~ в ущéрб самомý себé || **–s** *spl.* (*jur.*) издéржки по судéбным делáм, прóтори *fpl.* || ~ *va.irr.* стóить.

costermonger (ко'стёрманг-гёр) *s.* ýличный торгóвец (фрýктами, и пр.).

costive (ко'стив) *a.* страдáющий запóром.

cost/liness (ко'стлинэс) *s.* дорогáя ценá || **–ly** (ко'стли) *a.* óчень дорогóй.

costum/e (ко'стюм) *s.* костю́м, одéжда || **–ier** (костю̄'мийёр) *s.* торгóвец костю́мами, костюмéр.

cosy (ко̄у'зи) *s.* покры́шка из матéрии на чáйник || ~ *a.* прия́тный, ую́тный.

cot (кот) *s.* (*small boat*) мáленькая лóдка; (*bed*) дéтская кровáтка; (*cottage*) дóмик; хáта.

cotangent (коутä'нджёнт) *s.* котáнгенс.

cote (ко̄ут) *s.* овчáрня.

coterminous (коутё̄'рминёс) *a.* сосéдний, прилежáщий к.

cottage/ (ко'тидж) *s.* дóмик, хáта; деревéнский дом || ~**-piano** пианúно || **–r** (-ёр) *s.* крестья́нин; деревéнский жúтель.

cotter (ко'тёр) *s.* закрéпка, чекá.

cotton/ (ко'тн) *s.* хлопча́тая бума́га || ~ *a.* хлопчатобума́жный, бума́жный || ~ *vn.* соглаша́ться с; при-става́ть, -ста́ть к || ~**-wool** *s.* ва́та.

couch (кауч) *s.* (*bed*) посте́ль *f.*; ло́же; (*sofa*) дива́н; (*tech.*) грунт || ~ *va.* (*lay in bed*) положи́ть на ло́же, и пр.; (*express*) выража́ть, вы́разить; (*a lance*) брать на переве́с; (*med.*) с-нима́ть, -нять бельмо́ с глаза́ || ~ *vn.* (*lie*) ложи́ться; (*crouch*) при-седа́ть, -се́сть.

cougar (кӯ'гар) *s.* кугуа́р, пу́ма.

cough/ (коф, ко̄ф) *s.* ка́шель *m.* || **church-yard** ~ чахо́точный ка́шель || ~ *va.* (*to ~ up*) отка́шливать || ~ *vn.* ка́шлять || **-drop** *s.* конфе́тка от ка́шля.

could (куд) *cf.* **can.**

couldn't (ку'днт) = **could not.**

coulter (ко̄у'лтёр) *s.* реза́к (у плу́га).

council/ (кау'нсил) *s.* сове́т; ду́ма || **-lor** (-ёр) *s.* член сове́та.

counsel/ (кау'нсил) *s.* сове́т; (*consultation*) совеща́ние; (*jur.*) адвока́т || ~ *va.* сове́товать, по- || **-lor** (-ёр) *s.* сове́тователь *m.*; сове́тник.

count/ (каунт) *s.* (*title*) граф; (*reckoning*) счёт, числе́ние; (*jur.*) обвини́тельный пункт || ~ *va.* с-чита́ть, -честь, со-счи́тывать, -счита́ть; (*to calculate*) ис-числя́ть, -чи́слить || ~ *vn.* (*be of value*) быть ва́жным; (*to rely*) рас-счи́тывать, -счита́ть на; по-лага́ться, -ложи́ться на || **without -ing** несмотря́ на; исключа́я || **that does not** ~ э́то не ва́жно.

countenance (кау'нтинёнс) *s.* лицо́, физионо́мия; (*expression*) выраже́ние (лица́); (*fig. favour*) покрови́тельство || **to change** ~ измен-я́ться, -и́ться в лице́ || **to keep one's** ~ не теря́ть прису́тствия ду́ха || **to put one out of** ~ сму-ща́ть, -ти́ть || ~ *va.* под-де́рживать, -держа́ть; покрови́тельствовать.

counter/ (кау'нтёр) *s.* (*calculator*) счётчик; (*at cards*) фи́шка, ма́рка; (*in a shop*) прила́вок, сто́йка; (*parry*) обра́тный уда́р || ~ *a.* проти́вный || ~ *ad.* про́тив, напро́тив; вопреки́ || **-act** (-ä'кт) *va.* противоде́йствовать; (*defeat*) уничт-ожа́ть, -о́жить || **-action** (-ä'кшн) *s.* противоде́йствие || **-attraction** (-ётрä'кшён) *s.* обра́тное притяже́ние || **-balance** (-бä'лёнс) *va.* уравно-ве́шивать, -ве́сить || **-feit** (-фит) *s.* подде́лка, фальсифика́ция, || ~ *a.* подло́жный; подде́льный, фальши́вый; (*invented*) вы́мышленный || ~ *va.* подде́л-ывать, -ать; (*to imitate*) подража́ть || **-foil** *s.* корешо́к || **-mand** (-мā'нд) *s.* контрприка́з || ~ *va.* от-меня́ть, -мени́ть приказа́ние || **-mine** (-май'н) *va.* вести́ контрми́ны || ~**-order** (-ō'рдёр) *va.* от-меня́ть, -мени́ть приказа́ние || **-pane** *s.* стёганое одея́ло || **-part** *s.* соотве́тственная часть; дублика́т || **-plot** за́говор про́тив за́гово́ра || **-point** *s.* контрапу́нкт || **-poise** *s.* противове́с, противополо́жный вес || ~ *va.* уравнове́шивать, -ве́сить || ~**-revolution** *s.* контрреволю́ция || **-sign** *s.* (*mil.*) ло́зунг, паро́ль *m.* || ~ (-сай'н) *va.* контрасигни́ровать || **-stroke** *s.* отве́тный уда́р || **-vail** (-вэ̄й'л) *va.* уравно-ве́шивать, -ве́сить; (*make up for*) вознагра-жда́ть, -ди́ть (за что), компенси́ровать что чем.

countess (кау'нтис) *s.* графи́ня.

counting-house (кау'нтинг-хаус) *s.* конто́ра.

countless (кау'нтлис) *a.* бесчи́сленный.

countrified (ка'нтрифайд) *a.* дереве́нский; провинциа́льный.

country/ (ка'нтри) *s.* страна́; земля́; (*opposed to town*) дере́вня; (*native* ~) оте́чество, ро́дина || ~ **dance** контрда́нс || ~ **house** поме́стие, во́тчина || ~ *a.* дереве́нский, се́льский, провинциа́льный || **-man** *s.* крестья́нин, дереве́нский жи́тель; (*compatriot*) соотечественник, земля́к || **-woman** *s.* крестья́нка; соотечественница, земля́чка.

county (кау'нти) *s.* гра́фство; прови́нция (в А́нглии).

coupé (кӯ'пэ̄й) *s.* купе́.

coupl/e (капл) *s.* па́ра, чета́; (*for hounds*) сво́ра, смычо́к (соба́к) || **a newly-married** ~ молоды́е, новобра́чные || **a ~ of** два, две || ~ *va.* соедин-я́ть, -и́ть, свя́зывать, связа́ть попа́рно; сочет-ава́ть, -а́ть; (*tech.*) сцеп-ля́ть, -и́ть || ~ *vn.* совоку-пля́ться, -и́ться || **-et** *s.* купле́т, двусти́шие || **-ing** *s.* совокупле́ние; сочета́ние соедине́ние; (*of railway carriages*) соедини́тельный крюк.

coupon (кӯ'пён) *s.* купо́н.

courage/ (ка'ридж) *s.* сме́лость *f.*; хра́брость *f.*; му́жество || **to pluck up ~, to take** ~ со-бира́ться, -бра́ться с ду́хом, ободр-я́ться, -и́ться || **to take one's ~ in both hands** отва́ж-иваться, -иться || **-ous** (кёрэ̄й'джёс) *a.* му́жественный; хра́брый, сме́лый.

courier (ку'риёр) *s.* курье́р, гоне́ц.

course/ (ко̄рс) *s.* тече́ние; продолже́ние; по́прище (жи́зни); ход; (*of ship*) курс, ход; (*run*) бег; (*racecourse*) бегово́й ипподро́м; риста́лище; (*sequence*) ряд, о́чередь *f.*; (*series of lectures*) курс; (*measure*) ме́ра; (*layer*) строй *m.*; (*at* *table*) переме́на блюд, блю́до || **in due ~** в надлежа́щее вре́мя || **of ~** коне́чно, без сомне́ния || **that's a matter of ~** э́то само́ собо́ю разуме́ется || **in the ~ of a week** в тече́ние неде́ли || **~** *va.* гна́ться (за кем); (*hares*) трави́ть || **~** *vn.* бе́гать, скака́ть || **–r** *s.* (*poet.*) быстроно́гая ло́шадь; конь *m.*

court/ (ко̄рт) *s.* двор; (*palace*) дворе́ц; (*judicial*) суд; зда́ние суда́; суде́бная пала́та || **~ martial** *s.* вое́нный суд || **~ dress** придво́рное пла́тье || **~ plaster** англи́йский пла́стырь || **~** *va.* уха́живать (за кем) волочи́ться, ласка́ться: (*to solicit*) домога́ться; (*to seek*) иска́ть || **-card** *s.* фигу́ра (в ка́ртах) || **–eous** (ко̄'рчёс, кё'рчёс) *a.* ве́жливый, учти́вый; любе́зный || **–esan** (ко̄'ртизӓн, кё'рт-) *s.* куртиза́нка; блудни́ца || **–esy** (ко̄'ртиси, кё'ртиси) *s.* ве́жливость *f.*; учти́вость *f.*; (*favour*) ми́лость *f.*; услу́га || **–ier** *s.* царедво́рец, придво́рный || **–ly** *a.* ве́жливый; изя́щный || **–ship** *s.* уха́живание, сватовство́ || **–yard** *s.* двор (при до́ме).

cousin (ка'зин) *s.* (*male*) двою́родный брат; (*female*) двою́родная сестра́ || **second ~** трою́родный брат, трою́родная сестра́.

cove (ко̄ув) *s.* бу́хточка, ма́ленький зали́в; (*fam.*) па́рень *m.*; ма́лый.

covenant (ка'винёнт) *s.* усло́вие; догово́р || **~** *vn.* усло́вливаться, догова́риваться.

Coventry (ко'вёнтри) *s.*, **to send to ~** исключа́ть из о́бщества; бойкоти́ровать.

cover/ (ка'вёр) *s.* кры́шка, покры́шка; (*at table*) столо́вый прибо́р; куве́рт; (*protection*) прикры́тие, защи́та; защищённая пози́ция; (*~ of night*) покро́в; (*hunting*) нора́, ло́говище; (*comm.*) покры́тие || **to take ~** пря́таться; при-крыва́ться, -кры́ться || **~** *va.* крыть; за-крыва́ть, -кры́ть; по-крыва́ть, -кры́ть; на-крыва́ть, -кры́ть; (*to hide*) с-крыва́ть, -крыть; (*to enclose*) заключ-а́ть, -и́ть в себе́; (*of animals*) случ-а́ть, -и́ть; (*to aim at*) прице́л-иваться, -иться (ружьём) в || **to ~ the expenses** для покры́тия расхо́дов || **–ing** *s.* кры́шка, покры́шка; оболо́чка; (*dress*) пла́тье || **–let** *s.* посте́льное одея́ло || **–t** *s.* убе́жище (зве́ря), покро́в; (*thicket*) ча́ща (ле́са) || **~** *a.* прикры́тый; (*fig.*) скры́тый, та́йный || **–tly** *ad.* укра́дкою || **–ture** (-тюр) *s.* (*legal*) состоя́ние жены́ под вла́стью му́жа.

covet/ (ка'вит) *va.* жела́ть, жа́ждать (чего́); домога́ться (чего́); за́риться (на что); (*to envy*) зави́довать (кому́ в чём) || **–ous** *a.* жа́дный, а́лчный; (*grasping*) скупо́й.

covey (ка'ви) *s.* вы́вод, ста́я (птиц).

cow (кау) *s.* коро́ва; (*of some animals*) са́мка || **~** *va.* за-пу́гивать, -пуга́ть.

coward/ (кау'ёрд) *s.* трус; подле́ц || **~** *a.* (*poet.*) трусли́вый || **–ice** (-ис) *s.* тру́сость *f.*; трусли́вость *f.*; малоду́шие || **–ly** *a.* трусли́вый; по́длый.

cowboy (кау'бой) *s.* (*Am.*) пасту́х, ско́тник.

cower (кау'ёр) *vn.* съ́ёживаться; припада́ть, -па́сть к земле́ (от стра́ха); прижима́ться, -жа́ться (к).

cow/herd (кау'-хёрд) *s.* пасту́х (коро́в), ско́тник || **–house** *s.* коро́вник, коро́вий хлев || **–pox** *s.* коро́вья о́спа || **–slip** *s.* (*bot.*) бе́лая бу́квица.

cowl (каул) *s.* клобу́к, (мона́шеская) ря́са (с капишо́ном); (*hood*) капишо́н; (*fig. monk*) рясоно́сец.

cox/ (кокс) *s.* рулево́й (в ло́дке) || **–comb** *s.* фат, хлыщ, наха́л || **–swain** (ко'ксн) *s.* рулево́й (в ло́дке).

coy/ (кой) *a.* скро́мный, засте́нчивый || **–ness** *s.* скро́мность *f.*; засте́нчивость *f.*

cozen/ (ка'зн) *va.* об-ма́нывать, -ману́ть; на-дува́ть, -ду́ть || **–age** *s.* обма́н, надува́тельство.

crab/ (крӓб) *s.* краб; рак; (*~ apple*) ди́кое я́блоко || **–bed** (-ид), **–by** (-и) *a.* сварли́вый; брюзгли́вый; шерохова́тый; (*difficult*) по́лный тру́дности || **~-tree** *s.* ди́кая я́блоня.

crack/ (крӓк) *s.* тре́щина, щель *f.*; (*of a shot*) треск; звук вы́стрела; (*Sc. talk*) разгово́р, бесе́да; (*of a whip*) хло́пание; (*blow*) уда́р; (*burglary*) грабёж, кра́жа со взло́мом || **in a ~** ми́гом || **~** *a.* (*fam.*) отли́чный || **~** *va.* коло́ть; рас-ка́лывать, -коло́ть; (*a whip*) щёлкать; (*a bottle*) отку́порить; (*a joke*) от-ка́лывать, -коло́ть || **to ~ a crib** (*fam.*) соверш-а́ть, -и́ть кра́жу со взло́мом || **~** *vn.* тре́скаться; растре́ск-иваться, -аться; треща́ть, щёлкать; (*of voice*) меня́ть го́лос; (*to chat*) (*Sc.*) разгова́ривать, бесе́довать || **~-brained** *a.* сумасше́дший || **–er** *s.* (*biscuit*) бискви́т; (*firework*) шути́ха; (*fam. lie*) ложь *f.* || **–le** *s.* трескотня́; хруст || **~** *vn.* ти́хо треща́ть; хрусте́ть, хру́с(т)нуть; шелести́ть || **–nel** *s.* бара́нка, су́шка || **–sman** *s.* соверша́ющий кра́жу со взло́мом || **–y** *a.* сумасше́дший.

cradle (крэ̄йдл) *s.* колыбе́ль *f.*; лю́лька; (*Russian suspended ~*) кача́лка; (*typ.*) теле́жка (у станка́); (*surgical*) лубо́к; (*mar.*) та́чка || **~** *va.* класть, положи́ть в лю́льку; ня́нчить.

craft/ (крафт) *s.* ловкость *f.*; (*cunning*) хитрость *f.*; (*trade*) ремесло; (*art*) искусство; (*vessel*) водоходное судно, корабль *m.* ‖ **the gentle ~** ужение ‖ **-sman** *s.* мастер; ремесленник ‖ **-y** *a.* хитрый; лукавый, коварный; (*dexterous*) ловкий.
crag/ (краг) *s.* скала, утёс ‖ **-gy** (-ги) *a.* скалистый, утёсистый.
crake (крэйк) *s.* дергач (птица).
cram/ (крам) *s.* теснота, толпа, толкотня; (*coaching*) вдалбливание (в голову); (*crammer*) репетитор; (*fam. lie*) ложь *f.* ‖ **~** *va.* на-полнять, -полнить; (*to stuff*) на-бивать, -бить битком; (*to coach*) готовить к экзамену, вдалбливать, вдолбить кому что в голову; (*to feed*) от-кармливать, -кормить ‖ **~** *vn.* (*to be coached*) готовиться к экзамену; зубрить, вызубрить; (*to eat ravenously*) жадно есть ‖ **-mer** *s.* репетитор; (*a lie*) ложь *f.*
cramp/ (крамп) *s.* судорога, корча ‖ **~** *va.* стесн-ять, -ить; затруд-нять, -нить ‖ **-ed** *a.* (*of handwriting*) неразборчивый.
cranberry (кра'нбёри) *s.* брусника.
crane (крэйн) *s.* (*bird*) журавль *m.*, (*instrument*) кран ‖ **~** *va.* под-нимать, -нять краном; (*one's neck*) вытягивать, вытянуть ‖ **~'s-bill** *s.* (*bot.*) гераний *m.*; журавлинник.
cran/iology (крэйниоʼлоджи) *s.* краниология ‖ **-ium** (крэйʼниём) *s.* череп.
crank/ (крангк) *s.* коленчатая ручка; (*of a machine*) шатун; мотыль *m.*; (*fig. fad*) каприз; (*person*) чудак, чудачка ‖ **-y** *a.* (*cross*) сердитый; (*mar.*) валкий; (*capricious*) капризный. [тайное место.
cranny (кра'ни) *s.* трещина, щель *f.*;
crape (крейп) *s.* креп, флёр.
crash (краш) *s.* треск; (*of thunder*) грохот; (*collapse*) крах, обрушение ‖ **~** *vn.* трещать, за-; (*of thunder*) грохотать, за-; грохнуть; (*of aeroplane*) нис-падать, -пасть ‖ **~** *i.&ad.* хруп! хлоп! бух!
crass (крас) *a.* глупый; грубый.
crate (крэйʼт) *s.* плетёная корзина.
crater (крэйʼтёр) *s.* кратер (вулкана).
cravat (крёва'т) *s.* галстук.
crav/e (крэйв) *va.* (*to ask*) умолять, молить (о чём); (*to desire*) жаждать ‖ **-en** *s.* трус ‖ **~** *a.* трусливый ‖ **-ing** *s.* страстное желание; жажда.
craw/ (кро) *s.* зоб ‖ **-fish** *s.* = **cray-fish.**
crawl/ (крол) *s.* ползание ‖ **~** *vn.* ползать; ползти; пресмыкаться; (*fig.*) с трудом ходить ‖ **to be -ing with** кишеть ‖ **to ~ out** выползать, выползти ‖ **-er** *s.* (*louse*) вошь.
crayfish (крэйʼфиш) *s.* речной рак.
crayon (крэйʼён) *s.* карандаш (рисовальный), пастельный карандаш.
craz/e (крэйз) *s.* мания ‖ **~** *va.* сводить, свести с ума; о-слаблять, -слабить рассудок ‖ **-y** *a.* слабоумный, помешанный; (*eager*) жадный, алчный; (*of a building*) ветхий, шаткий.
creak (крийк) *s.* скрип ‖ **~** *vn.* скрипеть.
cream/ (крийм) *s.* сливки *fpl.*; (*fig. the best*) цвет ‖ **whipped ~** взбитые сливки ‖ **~ of tartar** кремортартар ‖ **~ cheese** сливочный сыр ‖ **~** *a.* кремовый, бледно-жёлтый ‖ **~** *va.* сн-имать, -ять сливки (с молока) ‖ **~** *vn.* уст-аиваться, -ояться (о молоке); (*to foam*) пениться ‖ **-ery** *s.* молочное заведение; молочная; молочная торговля.
crease (крийс) *s.* складка, морщина ‖ **~** *va.* делать складки, морщины; мять, измять.
creat/e (крийэйʼт) *va.* творить, со-; создавать, -здать; (*to produce*) произ-водить, -вести ‖ **to ~ a part** (*theat.*) создавать роль ‖ **he was -ed an earl** ему пожаловали графское достоинство ‖ **-ion** (крийэйʼшн) *s.* сотворение, создание, творение; (*production*) произведение; (*universe*) вселенная, мир ‖ **-ive** *a.* творческий ‖ **-or** *s.* создатель *m.*; (*God the ~*) Творец, Бог ‖ **-ure** (криʼчёр) *s.* креатура; создание, творение, тварь *f.*; (*fig.*) креатура, любимец, временщик.
cred/ence (крийʼдёнс) *s.* вера, доверие ‖ **letter of ~** рекомендательное письмо ‖ **-entials** (кридэʼншёлз) *spl.* верительные грамоты (посла), кредитив ‖ **-ible** (крэʼдибл) *a.* достойный веры, вероятный ‖ **-it** (крэʼдит) *s.* доверие; (*belief*) вера; (*reputation*) репутация, слава; (*honour*) честь *f.*; (*comm.*) кредит ‖ **letter of ~** кредитив; кредитное письмо ‖ **to give ~ to** верить ‖ **to give ~** (*comm.*) давать, дать в долг ‖ **to take on ~** (*comm.*) брать, взять на кредит ‖ **~** *va.* верить; доверять; (*to ~ with*) при-писывать, -писать (кому что); (*comm.*) за-писывать, -писать кому в приход, кредитовать ‖ **-itable** (крэʼдитёбл) *a.* достоверный; уважаемый, достойный уважения ‖ **-itor** (крэʼдитёр) *s.* кредитор; заимодавец; (*in bookkeeping, abbr. Cr.*) кредит, расход ‖ **-ulity** (кридюʼлити) *s.* легковерность *f.* ‖ **-ulous** (крэʼдюлёс) *a.* легковерный.
creed (крийд) *s.* вера, верование; (*eccl.*) символ веры, вероисповедание; (*political, etc.*) кредо, убеждения *npl.* ‖ **the Apostles' Creed** апостольский символ веры.

creek (криик) *s.* залив, бухточка; (*Am. small river*) речка.
creel (криил) *s.* ивовая корзина.
creep/ (криип) *vn.irr.* ползать; ползти; пресмыкаться; (*of plants*) расстилаться; (*with repugnance*) содрогаться (от отвращения) || **to ~ in** вползать, вползти; (*fig.*) вкрадываться, вкрасться (в доверие) || **it makes me ~ all over, it makes my flesh ~** меня подирает по коже, мне страшно || **–er** *s.* (*bot.*) ползучее растение || **~-hole** *s.* лазейка; (*fig.*) отговорка || **–ing** *a.* ползающий; (*fig.*) низкий, подлый || **–y** *a.* страшный.
cremat/ion (кримӣй'шн) *s.* кремация, сжигание трупов || **–ory** (крэ'мётори) *s.* крематория.
crenellated (крэ'нёлэйтид) *a.* зубчатый.
creole (крий'ōул) *s.* креол, креолка.
creosote (крий'осоут) *s.* креозот.
crêpe (крэйп) *s.* креп, флёр.
crepitat/e (крэ'питэйт) *vn.* трещать, хрустеть || **–ion** (крэпитэ̄й'шн) *s.* треск, хруст; (*med.*) крепитация.
crept (крэпт) *cf.* **creep.**
crepuscular (крипа'скюлёр) *a.* сумеречный; бледный, мерцающий.
crescent (крэ'сёнт) *s.* полумесяц; нарастающий месяц || **~** *a.* возрастающий; (*crescent-shaped*) в виде полумесяца.
cress (крэс) *s.* (*bot.*) кресс, кресс-салат.
cresset (крэ'сит) *s.* маячный огонь, факел.
crest/ (крэст) *s.* (*comb*) петушиный гребешок; хохолок; (*of waves, mountains, etc.*) гребень *m.*; (*of horse*) грива; (*of helmet*) нашлемник, шеломник || **~** *va.* снаб-жать, -дить гребнем, хохлом и пр.; (*a hill*) всходить, взойти на || **–fallen** *a.* упавший духом, унылый.
cretaceous (критэ̄й'шёс) *a.* меловой, меловатый.
cretin (крий'тин) *s.* кретин.
cretonne (крэто'н) *s.* кретон.
crev/asse (крива'с) *s.* трещина в леднике || **–ice** (крэ'вис) *s.* щель *f.*; трещина, расселина.
crew (кр*ӯ*) *s.* экипаж (корабля), команда (судовая); (*fam.*) толпа, шайка.
crewel (крӯ'ёл) *s.* тонкая шерстяная пряжа.
crib/ (криб) *s.* ясли *mpl.*; стойло (для скота); (*child's bed*) детская кроватка; (*fam.*) подстрочный перевод; (*plagiarism*) выкрадывание из чужих сочинений || **~** *va.&n.* за-пирать, -переть; заключ-ать, -ить в тесное помещение; (*to steal*) красть, у-; стягивать, стянуть || **–bage** *s.* род карточной игры.
crick (крик) *s.* ревматическая боль; (**~** *in the neck*) кривошея.
cricket/ (кри'кит) *s.* (*game*) крикет; (*zool.*) сверчок || **–er** *s.* игрок в крикет.
cried (крайд) *cf.* **cry.**
crier (край'ёр) *s.* крикун; (*public*) глашатай.
crikey (край'ки) *int.* (*fam.*) Боже мой!
crim/e (крайм) *s.* преступление || **–inal** (кри'минёл) *s.* преступник || **~** *a.* преступный; (*legal*) уголовный || **~ career** преступничье поприще || **~ proceedings** уголовное судопроизводство || **~ conversation, ~ connexion** незаконное половое сообщение || **–inate** (кри'минэйт) *va.* обвин-ять, -ить в преступлении || **–inatory** (кри'минётёри) *a.* обвинительный.
crimp/ (кримп) *s.* вербовщик (обманом) солдат *или* матросов || **~** *va.* вербовать солдат *или* матросов обманом *или* насилием; (*hair*) за-вивать, -вить; курчавить; (*cloth*) гофрировать || **–ing-iron** *s.* завивальные щипцы *mpl.*
crimson (кри'нзён) *a.* малиновый || **~** *va.* красить в малиновый цвет || **~** *vn.* краснеть, по-.
cringe (криндж) *vn.* раболепствовать, низкопоклонничать.
crinkle (кри'нгкл) *s.* складка, морщина || *va.&n.* извивать (-ся); морщить (-ся); мять.
crinoline (кри'нолин) *s.* кринолин.
cripple (крипл) *s.* калека; увечный; (*with one arm*) одноручка; (*lame person*) хромой, хромая || **~** *va.* калечить, ис-; увечить, из-; (*to disable*) делать, с- неспособным; повре-ждать, -дить.
crisis (край'сис) *s.* (*pl.* **crises,** край'сийз) кризис.
crisp (крисп) *a.* (*curly*) кудрявый; курчавый; (*brittle*) хрупкий; (*of air, etc.*) свежий и бодрящий; (*of pastry*) рассыпчатый, хрусткий; (*of style*) живой, пикантный || **~** *va.* рябить (поверхность воды); (*hair*) за-вивать, -вить; курчавить.
criss-cross (кри'с-крōс) *s.*, **~ row** азбука || **~** *a.* крестообразный.
criterion (крайтий'риён) *s.* критерий, критериум, отличительный признак.
critic/ (кри'тик) *s.* критик; (*reviewer*) рецензент || **–al** *a.* критический || **–ism** (кри'тисизм) *s.* критика || **–ize** (кри'тисайз) *va.* критиковать, о-; (*find fault with*) осуждать, осудить; хулить, по-.
critique (критий'к) *s.* критика, рецензия.
croak (крōук) *s.* (*of frogs*) кваканье; (*of crows*) карканье || **~** *vn.* квакать; каркать; (*be hoarse*) говорить хриплым голосом; (*fam. to die*) издохнуть.
crochet (крōу'ши) *s.* вязальный, тамбурный крючок; тамбурная работа || **~** *va.&n.* вязать тамбурным крючком.

crock/ (крок) *s.* глиняный кувшин, горшок; (*broken-down horse*) старая лошадь, кляча; (*fam.*) дряхлый человек || **-ery** *s.* глиняная *или* фаянсовая посуда.
crocodile (кро'кодайл) *s.* крокодил || **~'s tears** притворные слёзы.
crocus (крōу'кēс) *s.* крокус, дикий шафран.
croft/ (крофт) *s.* маленькая ферма, хутор || || **-er** *s.* арендатор. [памятник).
cromlech (кро'млэк) *s.* кромлек (друидский
crony (крōу'ни) *s.* наперсник; старый друг.
crook/ (крук) *s.* изгиб, сгиб; (*hook*) крюк, крючок; (*crozier*) посох; (*bend of road*) поворот; (*dishonest person*) нечестный человек || **by hook or by ~** так или иначе, правдами и неправдами || **~** *va.* сгибать, согнуть; кривить; искрив-лять, -ить || **~** *vn.* сгибаться, согнуться; кривиться || **~-back(ed)** *a.* горбатый || **-ed** *a.* согнутый, кривой; (*fig.*) нечестивый, неправдивый; лукавый.
croon (крӯн) *va&n.* напевать; журчать.
crop/ (кроп) *s.* (*harvest*) урожай; сбор (хлеба, и пр.); (*of fowl*) зоб; (*hunting ~*) кнутовище, хлыст || **~** *va.* стричь (овец); срез-ывать, -ать; остр-игать, -ичь коротко; (*to harvest*) собирать жатву; жать; (*to mow*) косить; (*to eat*) щипать || **~** *vn.*, **to ~ out** обнаружиться || **to ~ up** появ-ляться, -иться || **-per** *s.*, **to come a ~** [упасть.
croquet (крōу'кэ) *s.* крокет.
crosier (крōу'жйёр) *s.* посох.
cross/ (крōс, крос) *s.* крест; (*~-breed*) помесь *f.*; скрещивание; (*fig.*) страдания *npl.*; печаль *f.* || **to make the sign of the ~** пере-крещиваться, -креститься || **~** *a.* крестообразный; (*transverse*) поперечный; (*opposing*) противный; (*adverse*) неблагоприятный; (*fig.*) (*peevish*) злой, раздражительный; (*angry*) сердитый || **to look ~** нахмуриваться || **to get ~** сердиться, рас- || **~** *va.* крестить; перекрестить; (*to lay across*) скрещать, скрестить; класть, положить накрест; (*cancel*) вычёркивать, вычеркнуть; (*bestride*) садиться, сесть верхом; (*breeds*) припус-кать, -тить (животное одной породы, для приплода, к животному другой породы); (*fig.*) (*interfere with*) мешать, препятствовать; (*to thwart*) поперечить кому; (*annoy*) до-саждать, -садить || **to ~ out** вычёркивать, вычеркнуть || **to ~ o.s.** пере-крещиваться, -креститься || **to ~ one's mind** при-ходить, притти на мысль; вздуматься (*dat.*) || **to ~ one's path** встретиться на дороге || **~** *vn.* скрещиваться, скреститься; (*of lines*) пере-секаться, -сечься || **-bow** *s.* самострел || **-breed** *s.* помесь *f.* || **~-examination** *s.* перекрёстный допрос || **~-examine** *va.* делать перекрёстный допрос (кому) || **~-fire** *s.* перекрёстный огонь || **~-grained** *a.* (*fig.*) сварливый, угрюмый || **-ing** *s.* скрещение; переезд, переход (через); (*cross-roads*) перекрёсток; (*rail.*) раз'езд || **-ness** *s.* дурное расположение духа, сварливость *f.* || **~-roads** *spl.* перекрёсток; распутье || **~-section** *s.* поперечный разрез || **-wise** *ad.* крест-накрест; поперёк.
crotchet/ (кро'чит) *s.* крючок; (*mus.*) четвертная нота; (*fig.*) каприз, причуда || **-y** *a.* (*fig.*) причудливый, капризный, прихотливый.
crouch (крауч) *vn.* при-падать, -пасть (к земле); притаиться; (*fig.*) подличать, пресмыкаться.
croup (крӯп) *s.* (*of horse*) зад; (*med.*) круп.
croupier (крӯ'пиёр) *s.* крупьё.
crow/ (крōу) *s.* (*bird*) ворона; (*cry*) пение (петуха) || **as the ~ flies** прямолинейно || **I have a ~ to pluck with you** мне ещё расправиться с тобою || **~'s-feet** *spl.* куриные лапки (у углов глаз) || **~'s-nest** *s.* (*mar.*) бочка (на мачте) || **~** *va&n.* петь петухом; (*fig.*) хвастаться || **to ~ over** торжествовать над || **-bar** *s.* лом.
crowd (крауд) *s.* толпа (народа); множество || **~** *va.* на-полнять, -полнить; на-бивать, -бить битком || **to ~ all sail on** итти на всех парусах || **~** *vn.* толпиться, с-; собираться толпой.
crown/ (краун) *s.* корона, венец; (*fig.*) (*sovereignty*) государство, казна; (*of the head*) маковка; (*of a mountain*) вершина; (*of a cap*) тулья; (*coin*) крона (монета в пять шиллингов) || **the C~ Prince** наследный принц, кронпринц || **~** *va.* короновать; венчать (на царство) || **to ~ someone king** короновать кого королём || **a ~ed head** коронованное лицо || **his efforts were ~ed with success** его страдание было увенчано успехом || **~-glass** *s.* кронглас || **~-land** *s.* коронная земля.
crozier (крōу'жйёр) *s.* = **crosier.**
cruc/ial (крӯ'шёл) *a.* испытующий; критический || **-ible** (крӯ'сибл) *s.* тигель *m.*; плавильник || **~ steel** тигельная сталь || **-iferous** (крӯси'фёрёс) *a.* крестоносный || **-ifix** (крӯ'сификс) *s.* распятие || **-ifixion** (крӯсифи'кшён) *s.* распятие на кресте; (*picture*) образ распятого Спасителя || **-ify** (крӯ'сифай) *va.* расп-инать, -ять (на кресте); (*fig.*) (*to mortify*) умерщвлять.

crud/e (крӯд) *a.* сырóй; (*not ripe*) незрéлый; (*not finished*) необработанный, необдéланный; (*uncooked*) неварёный; (*fig.*) (*rude*) грýбый || **–ity** *s.* сы́рость *f.*; незрéлость *f.*; необрабóтанность *f.*; грýбость *f.*

cruel/ (крӯ'ёл) *a.* жестóкий; лю́тый, свирéпый; (*fam.*) (*very*) ужáсно || **–ty** *s.* жестóкость *f.*; лю́тость *f.*

cruet/ (крӯ'ит) *s.* с(т)кля́нка; (*for vinegar*) ýксусница || **~-stand** *s.* судóк.

cruise/ (крӯз) *s.* крейсеровáние; поéздка пó морю || **~** *vn.* крейсеровáть || **–r** *s.* крéйсер.

crumb/ (крам) *s.* крóшка (хлéба), крóхотка; (*soft part of bread*) мя́киш || **–le** (крамбл) *va.* кроши́ть, рас-, по-, ис- || **~** *vn.* крошиться, рас-, по-, ис; рас-падáться, -пáсться || **–ling** (кра'мблинг) *s.* превращéние в крóшки; осыпáние, обвáл || **–ly** (кра'мбли) *a.* крóшущийся, ры́хлый.

crumpet (кра'мпит) *s.* лепёшка; (*slang*) головá.

crumple/ (кра'мпл) *va&n.* смóрщ-ивать (-ся), -ить (-ся); мять (-ся), с-; свёртывать (-ся) в комóк; (*of people*) (**to ~ up**) свáливаться, свали́ться с ног || **–d** *a.* сóгнутый, кривóй.

crunch (кранч) *va.* грызть зубáми || **~** *vn.* (*of gravel, etc.*) хрустéть.

crupper (кра'пёр) *s.* (*strap*) подхвóстник; (*horse's croup*) зад.

crusade/ (крусэ̄й'д) *s.* крестóвый похóд || **–r** *s.* крестонóсец.

cruse (крӯс) *s.* крýжка.

crush/ (краш) *s.* столкновéние; дáвка || **~ hat** шапокля́к || **~** *va.* раздроб-ля́ть, -и́ть; дроби́ть; раз-дáвливать, -дави́ть; (*to squeeze*) сж-имáть, -ать; (*to defeat*) покор-я́ть, -ить; (*to destroy*) уничт-ожáть, -óжить || **~** *vn.* раз-дáвливаться, -дави́ться || **–er** *s.* (*tech.*) дроби́ло.

crust/ (краст) *s.* корá; кóрка; (*scab*) струп || **the ~ of the earth** земнáя корá || **~** *va&n.* покрывáть (-ся), -кры́ть (-ся) корóй, кóркой || **–acea** (-э̄й'шиё) *spl.* ракообрáзные; скорлупняки́, скорлýпные живóтные || **–aceous** (-э̄й'шёс) *a.* ракови́дный, скорлýпчатый || **–iness** *s.* (*of persons*) сварли́вость *f.*; угрю́мость *f.* || **–y** *a.* покры́тый корóй, кóркой; (*of persons*) сварли́вый, угрю́мый.

crutch (крач) *s.* косты́ль *m.* [затруднéние.

crux (кракс) *s.* трýдный пункт, недоумéние,

cry/ (край) *s.* крик; (*weeping*) плач, плáкание; (*exclamation*) восклицáние; (*entreaty*) умоля́ние, моли́тва || **~** *va.* провоз-глашáть, -гласи́ть; кричáть, про-; (*to announce*) об'яв-ля́ть, -и́ть || **~** *vn.* кричáть, кри́кнуть; (*to weep*) плáкать; (*to exclaim*) вос-клицáть, -кли́кнуть || **to ~ down** урони́ть в мнéнии (свéта), ослáвить || **to cry up** прославля́ть, превозноси́ть || **–ing** *a.* (*fig.*) вопию́щий.

crypt/ (кри'пт) *s.* склеп || **–ic** *a.* скры́тый, тáйный || **–ogam** (-огӓм) *s.* (*bot.*) тайнобрáчное растéние || **–ogram** (-огрӓм) *s.* тáйное письмó.

crystal/ (кри'стёл) *s.* кристáлл; (*glass*) хрустáль *m.* || **~** *a.* кристáльный; хрустáльный || **–line** *a.* кристáльный; кристалли́ческий; (*fig.*) прозрáчный || **–lize** *va&n.* кристаллизовáть (-ся), о-.

cub (каб) *s.* детёныш, щенóк (звéря) || **~** *va&n.* метáть (детёнышей); щени́ться, о-; (*of wolves*) волчи́ться, о-.

cube (кю̄б) *s.* куб, трéтья стéпень || **~** *va.* воз-вышáть, -вы́сить в куб, в трéтью стéпень || **~ root** *s.* куби́ческий кóрень.

cubic (кю̄'бик) *a.* куби́ческий.

cubit (кю̄'бит) *s.* лóкоть *m.*

cuckold (ка'кёлд) *s.* рогонóсец (муж, обмáнутый женóю). [(*mpl.*) с кукýшкой.

cuckoo (ку'кӯ) *s.* кукýшка || **~ clock** часы́

cucumber (кю̄'камбёр) *s.* огурéц || **~ salad** огурéчный салáт. [вáть жвáчку.

cud (кад) *s.* жвáчка || **to chew the ~** же-

cuddle (кадл) *s.* тéсное об'я́тие || **~** *va.* обнимáть, ласкáть || **~** *vn.* при-жимáться, [-жáться.

cuddy (ка'ди) *s.* (*mar.*) камбýз.

cudgel/ (ка'джёл) *s.* пáлка, дуби́на || **to take up the –s for** защищáть, заступи́ться за (*acc.*) || **~** *va.* дубáсить, от-; бить пáлкой || **to ~ one's brains** ломáть себé гóлову. [рéплика; (*hint*) намёк.

cue (кю̄) *s.* (*billiard ~*) кий *m.*; (*theat.*)

cuff/ (каф) *s.* манжéтка; рукáвчик (крахмáльный); обшлáг (мунди́ра); (*blow*) удáр ладóнью || **~** *va.* бить ладóнью || **~-link** *s.* зáпонка.

cuirass/ (куирӓ'с) *s.* кирáс || **–ier** (куирёсий'р, кюрёсий'р) *s.* кираси́р.

culinary (кю̄'линёри) *a.* кулинáрный.

cull (кал) *va.* со-бирáть, -брáть; из-влекáть, -влéчь; (*to select*) из-бирáть, -брáть.

cullender (ка'лёндёр) *s.* си́то, решетó.

culminate (ка'лминэйт) *vn.* до-стигáть, -сти́гнуть наибóльшей высоты́; кульмини́ровать. [ди́мый.

culpable (ка'лпёбл) *a.* винóвный.

culprit (ка'лприт) *s.* преступник; подсу-

cult/ (калт) *s.* культ; (*religion*) религия || **–ivate** (-ивэйт) *va.* культиви́ровать; (*the soil*) воздéл-ывать, -ать; (*plants*) раз-водить, -вести; (*fig.*) образовать || **-ivation** (-ивэй'шн) *s.* культивирование, возделывание; разведение; образование || **-ivator** (-ивэйтёр) *s.* земледелец || **-ure** (ка'лтйёр, ка'лчёр) *s.* культура; (*bacteriological*) разводка || **-ured** (ка'лчёрд) *a.* культурный; хорошо образованный; утончённый.

culverin (ка'лвёрин) *s.* змейка (пушка).

culvert (ка'лвёрт) *s.* подземная труба (для стока воды); подземная водопроводная труба.

cumber/ (ка'мбёр) *va.* обремен-ять, -ить; (*to hinder*) препятствовать; затрудн-ять, -ить || **-some** *a.* громоздкий; затруднительный, стеснительный; (*heavy*) тяжёлый.

cumbrous (ка'мбрёс) *a. cf.* **cumbersome.**

cummerbund (ка'мёрбанд) *s.* кушак; пояс.

cum(m)in (ка'мин) *s.* (*bot.*) тмин.

cumulative (кю'мюлётив) *a.* накопленный, образовавшийся от накопления чего; кумулятивный.

cumulus (кю'мюлёс) *s.* кучевое облако.

cuneiform (кюний'-иформ) *a.* клинообразный.

cunning (ка'нинг) *s.* (*arch.*) искусство, знание; (*cleverness*) хитрость *f.*; коварство || ~ *a.* хитрый, коварный; (*arch.*) искусный.

cup/ (кап) *s.* чаша, чашка; кубок || **in one's -s** пьяный || ~ *va.* ставить, побанки, рожки; пус-кать, -тить рожковую кровь || **-bearer** *s.* кравчий; виночерпий || **-board** (ка'бёрд) *s.* шкаф || **-ping-glass** *s.* банка, рожок.

cupid/ (кю'пид) *s.* купидон, амур || **-ity** (кюпи'дити) *s.* алчность *f.*; жадность *f.*

cupola (кю'полё) *s.* купол; глава (церкви); (*metall.*) вагранка; (*revolving gun-turret*) вращательная броневая башня.

cupreous (кю'приёс) *a.* медянистый.

cur (кёр) *s.* (*dog*) дворняжка, дрянная собака, собачонка; (*person*) подлец, трус.

cur/able (кю'рёбл) *a.* излечимый, исцелимый || **-acy** *s.* должность (*f.*) священника; викарство || **-ate** *s.* викарий; викарный священник; младший священник || **-ative** *a.* целительный || **-ator** (кюрэй'тёр) *s.* куратор; попечитель *m.*; опекун.

curb (кёрб) *s.* (*for horses*) цепочка; (*fig.*) узда, обуздание; (~ *stone*) тумба || ~ *va.* сдерживать, сдержать; об-уздывать, -уздать.

curd/ (кёрд) *s.* свернувшееся молоко; творог || **-le** (кёрдл) *va.&n.* свёртывать (-ся), свернуть (-ся); створ-аживать (-ся), -óжить (-ся); (*of the blood*) за-стывать, -стыть.

cure (кюр) *s.* лечение, излечение; (*remedy*) лекарство; (*recovery*) выздоровление; (*eccentric*) чудак, оригинал || ~ **of souls** духовная паства || ~ *va.* исцел-ять, -ить; излечить; вылечивать, вылечить; (*to salt*) солить; (*to dry*) сушить, вы-.

curfew (кё'рфю) *s.* вечерний звон.

curio/ (кю'риоу) *s.* редкость *f.* || **-sity** (кюрио'сити) *s.* любопытство; (*a rare thing*) редкость *f.* || **-us** (кю'риёс) *a.* любознательный; (*inquisitive*) любопытный; (*strange*) курьёзный; (*rare*) редкий.

curl/ (кёрл) *s.* (*of hair*) локон, букля; (*bend*) извилина, кривая линия || ~ *va.* за-вивать, -вить; (*hair*) курчавить; (*the water*) кружить, вс- || **to ~ up one's nose** морщить нос || ~ *vn.* за-виваться, -виться; курчаветь; виться в кудри; (*of water*) кружиться, вс-; (*to writhe*) извиваться; (*of smoke*) клубиться || **to ~ up** свёртываться || **-ew** (-ю) *s.* каравайка (птица) || **-ing-tongs** *spl.* щипцы для завивки волос, завивальные щипцы || **-y** *a.* кудрявый, курчавый.

curmudgeon (кёрма'джён) *s.* скупердяй, скряга.

currant (ка'рёнт) *s.* смородина; (*dried* ~) изюм.

curren/cy (ка'рён-си) *s.* обращение; (*money*) валюта, ходячая монета || **paper ~** бумажные деньги *fpl.* || **to give ~ to** распростран-ять, -ить || **-t** *s.* течение; струя; ток; (*tendency*) настроение || ~ *a.* находящийся в обращении; ходячий; (~ *year*, ~ *week*, *etc.*) текущий; (*generally accepted*) общепринятый || **the rumour is ~** слух носится, молва ходит || **to pass ~** (*of money*) находиться в обращении; (*of rumours*) носиться.

curriculum (кёри'кюлём) *s.* курс (наук).

currier (ка'риёр) *s.* кожевник.

curry/ (ка'ри) *s.* кэри (очень крепкая индейская соя) || ~ *va.* (*skins*) выделывать кожу; (*a horse*) чистить, вычистить скребницею || **to ~ favour with one** приласкиваться к кому, приобретать чью благосклонность лестью || **~-comb** *s.* скребница.

curse/ (кёрс) *s.* проклятие || ~ *va.* проклинать, -клясть || ~ *vn.* клясться; богохульствовать || **-d** (-ид) *a.* проклятый.

curs/ive (кё'рс-ив) *a.* курсивный || **-orily** *ad.* курзорно; слегка; поверхностно || **-ory** *a.* скорый, беглый, поверхностный.

curt (кöрт) *a.* корóткий; невéжливо лакони́чный.
curtail (кёртэ̄й'л) *va.* урéз-ывать, -ать; сокр-ащáть, -ати́ть; (*to limit*) ограни́чить.
curtain (кё'ртин) *s.* гарди́на, штóра; (*theat.*) зáнавес; (*in fortifications*) курти́на || **a ~ lecture** (*fig.*) головомóйка.
curtsy (кё'ртси) *s.* реверáнс, кни́ксен.
curv/ature (кё'рв-ётюр) *s.* кривизнá; изги́б, изги́бина || **-e** (-) *s.* сóгнутость *f.*; изги́б; кривизнá; (*math.*) кривáя, кривáя ли́ния; (*rail.*) закруглéние; поворóт || **~** *va.&n.* гнуть (-ся); сгибáть (-ся); изгибáть (-ся), -огну́ть (-ся); (*of a road*) заворáчиваться || **-ed** *a.* сóгнутый, изóгнутый; кривóй || **-et** (кё'рвит, кёрвэ'т) *s.* курбéт (лóшади) || **~** *vn.* дéлать, с- курбéты; скакáть || **-ilinear** (кёрвили'ниёр) *a.* криволинéйный.
cushat (ка'шёт) *s.* (*poet.*) вя́хирь *m.*; вятютень *m.*
cushion (ку'шён) *s.* поду́шка; (*at billiards*) борт.
cuss (кас) *s.* (*fam.*) пáрень *m.*; мáлый.
custard (ка'стёрд) *s.* слáдкая подли́вка (из молокá, яи́ц и пр.).
custod/ian (кастōу'диён) *s.* страж, охрани́тель *m.*; стóрож || **-y** (ка'стёди) *s.* сохранéние, охрáна; (*imprisonment*) заключéние в тюрьму́ || **to take into ~** арестовáть.
custom/ (ка'стём) *s.* оби́чай; обыкновéние, привы́чка; (*customers*) постоя́нные покупáтели; (*duty*) пóшлина || **-ary** *a.* обы́чный, обыкновéнный; употреби́тельный || **-er** *s.* (постоя́нный) покупáтель || **~-house** *s.* тамóжня || **-s, ~-duties** *spl.* тамóженные сбóры; пóшлина.
cut (кат) *s.* рéзание; сечéние: обрéз, разрéз; отрéзок (от чегó); (*slice*) кусóк; (*engraving*) гравю́ра; (*blow*) удáр; (*of dress*) покрóй || **a short ~** сокращённый путь || **~** *va.irr.* рéзать; раз-рéзывать, -рéзать; (*corn*) жать, с-; (*hay*) коси́ть, с-; (*to split*) рас-секáть, -сéчь; (*divide*) раздел-я́ть, -и́ть; (*a dress*) крои́ть, вы́кроить; (*a screw*) на-рéзывать, -рéзать; (*precious stones*) грани́ть; (*to engrave*) вырéзывать, вы́резать; (*to castrate*) холости́ть; (*at cards*) сн-имáть, -ять (колóду карт); (*not recognize*) не за-мечáть, -мéтить когó; проходи́ть ми́мо (когó) не клáняясь || **~** *vn.* удрáть || **to ~ across** (*fam.*) перебегáть, -бежáть (у́лицу) || **the child has ~ a tooth** у ребёнка прорéзался зуб || **to ~ and run** удрáть || **to ~ a dash** *или* **a figure** разыгрáть из себя́ вáжную персóну || **to ~ capers** дéлать пры́жки́ || **to ~ in** (*fam.*) вмéшиваться, вмешáться (в разговóр) || **to ~ off with a shilling** лиши́ть наслéдства || **to ~ short** (*to shorten*) сокра-щáть, -ти́ть; (*to put an end to*) прекра-щáть, -ти́ть; (*to silence*) застáвить замолчáть || **to ~ up** рас-секáть, -сéчь на чáсти || **to be ~ up** быть огорчённым (чем).
cute (кю̄т) *a.* хи́трый; свéдущий, у́мный.
cuticle (кю'тикл) *s.* эпидéрма.
cutlass (ка'тлёс) *s.* палáш; тесáк.
cutler/ (ка'тлёр) *s.* ножевщи́к; ножéвник || **-y** *s.* ножóвый товáр.
cutlet (ка'тлит) *s.* котлéта.
cuttle-fish (ка'тл-фиш) *s.* каракáтица.
cut/purse (ка'т-пёрс) *s.* вор, граби́тель *m.* || **-ter** *s.* резáк; (*tailor's*) закрóйщик; (*mar.*) кáтер, тéндер || **-throat** *s.* уби́йца; разбóйник || **-ting** *s.* рéзание; (*railway ~*) вы́емка; (*newspaper ~*) вы́резка; (*in a wood*) ру́бка || **~** *a.* (*fig.*) кóлкий, рéзкий.
cycl/e (сайкл) *s.* цикл; круг; (*bicycle*) биси́кл, велосипéд || **~** *vn.* éздить *or* éхать на велосипéде, велосипéдить || **-ing** *s.* ездá на велосипéде || **-ist** *s.* велосипеди́ст (-ка), цикли́ст (-ка) || **-one** (-оун) *s.* циклóн || **-op** (-оп) *s.* циклóп || **-opædia** (-ёпий'диё) *s.* энциклопéдия || **-opean** (-ōу'пиён) *a.* циклопи́ческий, гигáнтский.
cygnet (си'гнит) *s.* молодóй лéбедь.
cylind/er (си'линдёр) *s.* цили́ндр || **-rical** (сили'ндрикёл) *a.* цилиндри́ческий.
cymbal (си'мбёл) *s.* кимвáл, цымбáлы *fpl.*
cynic/ (си'ник) *s.* ци́ник || **-al** *a.* цини́ческий.
cynosure (сий'носюр) *s.* (*fig.*) то, что привлекáет внимáние к себé.
cypher (сай'фёр) *s.* = **cipher.**
cypress (сай'прис) *s.* кипари́с.
czar (тса̄р, за̄р) *s.* царь *m.*

D

D (дий) музыкáльная нóта Де *или* Ре.
dab (дӑб) *s.* (*blow*) удáр; (*lump*) комóк; (*fish*) кáмбала; (*fam. adept*) знатóк, мáстер || **~** *va.* слегкá у-дарять, -дáрить чем-нибу́дь мя́гким *или* мóкрым.
dabble (дӑ'бл) *va.* забры́згать гря́зью, запáчкать || **~** *vn.* плескáться, барахтáться (в водé); вмéшиваться; дéлать повéрхностно.
dace (дэ̄йс) *s.* плотвá.
dactyl (дӑ'ктил) *s.* дáктиль *m.*
dad/ (дӑд) *s.*, **-dy** (дӑ'ди) *s.* папáша, тя́тя || **-dy-long-legs** долгонóжка полевáя, комáр кóнский.
daffodil (дӑ'фодил) *s.* жёлтый нарци́сс.
daft (да̄фт) *a.* безу́мный.

dagger/ (дä'гёр) *s.* кинжáл; (*typ.*) крéстик || **to look –s at** бросáть на когó злóбные взгля́ды || **at –s drawn** на ножáх.
dahlia (дэ̄й'лиё) *s.* дáлия, георги́на.
daily (дэ̄й'ли) *s.* ежеднéвная газéта || ~ *a.* ежеднéвный || ~ *ad.* ежеднéвно.
daintiness (дэ̄й'нтинэс) *s.* нéжность *f.*; изя́щество; прия́тный вкус; разбóрчивость *f.*
dainty (дэ̄й'нти) *s.* лáкомый кусóк || ~ *a.* (*tasty*) лáкомый, вкýсный; (*delicate*) нéжный, тóнкий; (*fastidious*) разбóрчивый; (*elegant*) изя́щный.
dairy/ (дä'ри) *s.* молóчня || **~-farm** *s.* молóчная фéрма || **–maid** *s.* молóчница || **–man** *s.* молóчный торгóвец, молóчник.
dais (дэ̄й'ис) *s.* эстрáда, возвышéние.
daisy (дэ̄й'зи) *s.* маргари́тка.
dale (дэ̄йл) *s.* доли́нка.
dall/iance (дä'л-иёнс) *s.* лáски *fpl.*; бáлы *fpl.*; (*delay*) проволóчка || **–y** *vn.* (*to trifle*) занимáться пустякáми; теря́ть врéмя на пустяки́; (*to delay*) мéдлить, мéшкать.
dam (дäм) *s.* (*of animals*) мáтка; (*embankment*) дáмба, запрýда, плоти́на || ~ *va.* пруди́ть; за-прýживать, -пруди́ть.
damag/e (дä'мидж) *s.* пóрча; (*injury*) повреждéние; (*loss*) убы́ток || **–es** *pl.* (*jur.*) вознаграждéние (за убы́тки) || ~ *va.* пóртить, по-; по-вреждáть, -вреди́ть; вреди́ть || **–ed** дефéктный; испóрченный || **–ing** *a.* врéдный.
damask (дä'мёск) *s.* ткань дамáст; камкá || ~ *a.* камчáтный; (*of steel*) дамáсский; (*red*) крáсный || ~ *va.* (*steel*) дамаскировáть. [(*fam.*) жéнщина.
dame (дэ̄йм) *s.* госпожá, хозя́йка; дáма;
damn/ (дäм) *s.* проклятие || ~ *va.* про-клинáть, -кля́сть; (*to condemn*) о-суждáть, -суди́ть; (*theat.*) освистáть; (*eccl.*) о-суждáть, -суди́ть на вéчную мýку || ~ **you!** чорт возьми́! || ~! ~ **it!** тфу прóпасть! || **–able** (-нёбл) *a.* проклятый; пáгубный; чертóвский || **–ation** (-нэ̄й'шн) *s.* проклятие || ~ *int.* тфу прóпасть! || **–ing** (-инг) *a.* содержáщий в себé осуждéние || ~ **evidence** подавля́ющие ули́ки *fpl.*
damp/ (дäмп) *s.* сы́рость *f.*; влáжность *f.*; (*fig.*) уны́ние || ~ *a.* сырóй, влáжный; (*fig.*) уны́лый || ~ *va.* см-áчивать, -очи́ть; увлаж-ня́ть, -ни́ть; (*fig.*) угнетáть, приводи́ть, -вести́ в уны́ние || **–er** *s.* то, что *или* тот, кто привóдит в уны́ние; (*tech.*) дéмфер || **–ishness** *s.* сыровáтость *f.*
damsel (дä'мзл) *s.* деви́ца, дéвушка.
damson (дä'мзн) *s.* дамáсская сли́ва.

dance (дāнс) *s.* тáнец, пля́ска; (*ball*) бал || **to lead the ~** (*fig.*) итти́ в главé || **St. Vitus's ~** Ви́това пля́ска || **to lead one a ~** дéлать комý мнóго хлопóт || ~ *va.* танцовáть, про- || **to ~ attendance on** лакéйствовать || ~ *vn.* танцовáть, про-; плясáть, про-; (*to spring*) пры́гать.
dancer (дā'нсёр) *s.* танцóр; плясýн; балéтчик.
dancing/ (дā'нсинг) *s.* танцовáние; пляса́ние; пля́ска || **–master** *s.* учи́тель (*m.*) танцовáния || **–school** *s.* танцовáльная шкóла, тáнцклассы *mpl.*
dandelion (дä'ндилайён) *s.* одувáнчик.
dander (дä'ндёр) *s.*, **to get one's ~ up** рассерди́ть. [лем.
dandify (дä'ндифай) *va.* наряжáть щёго-
dandle (дä'ндл) *va.* качáть на рукáх; пя́н-
dandruff (дä'ндрёф) *s.* пéрхоть *f.* [чить.
dandy (дä'нди) *s.* дéнди, франт.
danger/ (дэ̄й'нджёр) *s.* опáсность *f.* || **–ous** *a.* опáсный, рискóванный.
dangle (дä'нгл) *va.* качáть || ~ *vn.* качáться, висéть, болтáться || **to ~ after** волочи́ться (за).
dank/ (дä'нгк) *a.* сырóй, промóзглый, сля́котный || **–ness** *s.* промóзглость *f.*
dapper (дä'пёр) *a.* опря́тный; наря́дный.
dapple/ (дäпл) *a.* пёстрый; (*of horses*) пéгий || **~-grey** сéрый с я́блоками || **~-grey horse** сéрая лóшадь в я́блоках.
dare/ (дäр) *vn.* (*venture*) сметь; осмéливаться, -иться; рисковáть, рискнýть; (*defy*) проти́виться, презирáть || **~-devil** *s.* смельчáк, отвáжный человéк || ~ *a.* смéлый, отвáжный || **–say** (дä'рсэ̄й'), **I ~** надéюсь, полагáю, что . . . ; вероя́тно (*cf.* **say**).
daring (дä'ринг) *s.* смéлость *f.*; отвáга || ~ *a.* смéлый, отвáжный.
dark/ (дāрк) *s.* тьма, мрак, темнотá || **in the ~** впотьмáх, в потёмках || ~ *a.* (*without light*) тёмны , мрáчный; (*in colour*) смýглый, тёмного цвéта; (*not clear*) нея́сный, непоня́тный; (*secret*) скры́тый, потаённый, секрéтный; (*gloomy*) грýстный || ~ **lantern** потаённый фонáрь || ~ **room** (*phot.*) тёмная кóмната || ~ **days** (*fig.*) несчáстие || **to keep a thing ~** сохран-я́ть, -и́ть в тáйне || **to keep ~** *vn.* пря́таться || **–en** *va.* затм-евáть, -и́ть; затемн-я́ть, -и́ть; (*of the face, etc.*) помрач-áть, -и́ть; (*fig.*) омрач-áть, -и́ть || ~ *vn.* затм-евáться, -и́ться; помрач-áться, -и́ться; темнéть, за-; мéркнуть, по- || **–ish** *a.* темновáтый; смугловáтый || **–ness** *s.* тьма, темнотá, потёмки *fpl.*;

мрак || **the powers of ~** дьявол, сатана́ || **-some** *a.* (*poet.*) тёмный, мра́чный || **-y** *s.* (*fam.*) негр.

darling (да̄'рлинг) *s.* люби́мец, люби́мица || **my ~!** душа́ моя́! || **~** *a.* ми́лый, дорого́й.

darn (да̄рн) *s.* што́пание, почи́нка; што́панное ме́сто || **~** *va.* што́пать, за-, чини́ть, по-; (*Am.*) = **damn.**

darning/ (да̄'рнинг) *s.* што́пание, почи́нка || **~-cotton** *s.* што́пальная бума́га || **~-needle** *s.* што́пальная игла́.

dart (да̄рт) *s.* дро́тик, стрела́; (*fig. spring*) прыжо́к || **~** *va.* мет-а́ть, -ну́ть; броса́ть, бро́сить || **~** *vn.* броса́ться, бро́ситься; лете́ть стрело́й.

dash/ (дӓш) *s.* (*collision*) столкнове́ние; (*onset*) на́тиск; напо́р; (*admixture*) при́месь *f.*; (*stroke*) толчо́к; уда́р; (*daring*) отва́га; (*display*) наря́дность *f.*; (*mark*) тире́ || **to cut a ~** име́ть представи́тельный вид || **~** *va.* (*strike*) уда́рить; (*break*) раз-бива́ть, -би́ть; (*throw*) броса́ть, бро́сить; (*bespatter*) обры́згать; (*destroy*) уничт-ожа́ть, -о́жить; раз-руша́ть, -ру́шить || **to ~ off** начерти́ть на́скоро || **to ~ out** выбива́ть, вы́бить; вышиба́ть, вы́шибить || **to ~ out one's brains** про-ла́мывать, -ломи́ть го́лову || **to ~ one's hopes** лиш-а́ть, -и́ть кого́ наде́жды || **~ it (all)!** тфу про́пасть! чорт возьми́ || **~** *vn.* броса́ться, бро́ситься || **to ~ against** уда́риться || **to ~ by, past, through** побежа́ть во весь опо́р; проскака́ть || **-board** *s.* щит от гря́зи.

dashing (дӓ'шинг) *a.* (*spirited*) энерги́чный, сме́лый; (*smart*) щегольско́й.

dastard/ (дӓ'стёрд) *s.* подле́ц, трус || **~ & -ly** *a.* по́длый, трусли́вый; ни́зкий.

data *cf.* **datum.**

date (дэ̄йт) *s.* число́, день (*m.*) ме́сяца; (*on coins*) год; (*fruit*) фи́ник || **~** *va.* (*a letter*) ста́вить, по- число́ || **out of ~** вы́шедший из употребле́ния; устаре́лый, немо́дный || **of recent ~** но́вый || **up to ~** мо́дный.

dative (дэ̄й'тив) *s.* да́тельный паде́ж.

datum (дэ̄й'тём) *s.* (*pl.* **data** [дэ̄й'тё]) да́нная, изве́стная величина́.

daub (до̄б) *s.* (*smear*) пятно́; пачкотня́; (*painting*) дурна́я жи́вопись; (*person*) плохо́й живопи́сец, пачку́н || **~** *va.* ма́зать; па́чкать, на-.

daughter/ (до̄'тёр) *s.* дочь *f.* || **~-in-law** *s.* сноха́, неве́стка || **-ly** *a.* до́черний.

dauntless (до̄'нтлэс) *a.* отва́жный, бесстра́шный.

dauphin (до̄'фин) *s.* дофи́н.

davit (дэ̄й'вит) *s.* шлюпба́лка, бо́канец.

Davy-lamp (дэ̄'йвиламп) *s.* ла́мпа Дэ́ви.

daw (до̄) *s.* га́лка. [-вести́ в безде́лии.

dawdle (до̄дл) *va.* (**to ~ away**) про-води́ть,

dawn/ (до̄н) *s.* рассве́т, заря́; (*fig.*) рожде́ние, нача́ло || **~** *vn.* бре́зжиться; света́ть, рас- || **it -ed upon me** (*fig.*) мне вспо́мнилось.

day/ (дэ̄й) *s.* день *m.*; (*of 24 hours*) су́тки *fpl.* || **by ~** днём || **-s of grace** отсро́чные дни || **break of ~, peep of ~** рассве́т, у́тренняя заря́ || **this ~** сего́дня || **this ~ week** че́рез неде́лю || **~ after ~** изо дня в день || **the ~ after** на сле́дующий день; на друго́й день || **the ~ after to-morrow** послеза́втра || **to ask one the time of ~** спроси́ть кого́ кото́рый час || **to wish one good ~** поздоро́ваться с || **-book** *s.* дне́вник; журна́л || **-break** *s.* рассве́т, у́тренняя заря́ || **-dream** *s.* мечта́ || **-dreamer** *s.* мечта́тель *m.* || **~-labourer** *s.* подёнщик || **-light** *s.* дневно́й свет || **~-school** *s.* уче́бное заведе́ние для приходя́щих уча́щихся || **-time** *s.*, **in the ~** днём || **-star** *s.* у́тренняя звезда́.

daze (дэйз) *va.* оглуш-а́ть, -и́ть; слепи́ть; ослеп-ля́ть, -и́ть.

dazzl/e (дӓ'зл) *va.* слепи́ть; ослеп-ля́ть, -и́ть бле́ском; (*fig.*) прель-ща́ть, -сти́ть || **-ing** *a.* ослепи́тельный, блестя́щий; порази́тельный. [диакони́сса.

deacon/ (дий'кён) *s.* диа́кон || **-ess** *s.*

dead/ (дэд) *s.*, **in the ~ of night** глубо́кой но́чью || **the ~** *spl.* уме́ршие || **~** *a.* мёртвый, уме́рший; (*lifeless*) безжи́зненный; (*fig. spiritless*) уны́лый; бесчу́вственный; (*motionless*) неподви́жный; (*numb*) онеме́лый; (*useless*) бесполе́зный; (*flat*) безвку́сный; (*of sounds*) глухо́й; (*certain*) реши́тельный; (*unerring*) безоши́бочный; (*empty*) пусто́й; (*complete*) соверше́нный || **he is as ~ as a doornail** он у́мер, «помина́й как зва́ли» || **~-alive** *a.* ску́чный; (*mechanical*) машина́льный || **-beat** *a.* уста́лый до полусме́рти || **~-broke** *a.*, **he is ~** «он гол как со́кол» || **-en** *va.* ослабля́ть, осла́бить; (*sounds*) заглуш-а́ть, -и́ть; (*to blunt*) притуп-ля́ть, -и́ть || **~-letter** (*fig.*) неде́йствующий бо́лее зако́н || **-liness** *s.* смерте́льность *f.*; смертоно́сность *f.* || **-lock** *s.* по́лная остано́вка || **at a ~** ни вперёд, ни наза́д || **~-reckoning** *s.* (*mar.*) счисле́ние по ла́гу || **~-weight** *s.* (*comm.*) мёртвый капита́л || **-ly** *a.* смерте́льный, смертоно́сный; (*fig.*) неумоли́мый || **-ness** *s.* безжи́зненность *f.*; онеме́лость *f.*

deaf/ (дэ'ф) *a.* глухо́й || ~ **and dumb** глухонемо́й || **–en** *va.* оглуш-а́ть, -и́ть || ~**-mute** *s.* глухонемо́й || **–ness** *s.* глухота́.

deal/ (дийл) *s.* (*portion*) часть *f.*; коли́чество; (*great deal*) большо́е коли́чество, мно́го; (*at cards*) сда́ча; (*comm.*) сде́лка; (*wood*) ело́вое де́рево || **not by a great** ~! во́все нет! ника́к нет! || **it is your** ~ ва́ша сда́ча; вам сдава́ть || ~ *a.* ело́вый || ~ *va.irr.* (*distribute*) распредел-я́ть, -и́ть; раз-дава́ть, -да́ть; (*cards*) сд-ава́ть, -ать || ~ *vn.* (*traffic*) торгова́ть; (*behave*) поступа́ть, де́йствовать; обраща́ться с || **to have to** ~ **with** име́ть де́ло с || **–er** *s.* торго́вец, купе́ц; (*at cards*) сдаю́щий ка́рты || **–ing** *s.* (*conduct*) о́браз де́йствия, посту́пок; поведе́ние; (*intercourse*) сноше́ние; (*traffic*) торго́вля, торг.

dean (дийн) *s.* дека́н; (*eccl.*) собо́рный дека́н.

dear/ (дийр) *a.* ми́лый, ми́лая || ~ *a.* дорого́й, це́нный; (*fig.*) ми́лый || ~ *int.*, ~ **me!** Бо́же мой! || **–ness** *s.* не́жность *f.*; (*costliness*) дорогови́зна.

dearth (дёрђ) *s.* недоста́ток; го́лод; голодо́вка; (*barrenness*) беспло́дность *f.*

deary (дий'ри) *s.* (*fig.*) голу́бчик; ми́лочка.

death/ (дэђ) *s.* смерть *f.*; кончи́на || ~**-bed** *s.* сме́ртный одр || ~**-bell** *s.* звон по усо́пшем || **–less** *a.* бессме́ртный; ве́чный || **–like** *a.* подо́бный сме́рти || **–ly** *a.*, ~ **pale** смерте́льно бле́дный || ~**-rate** *s.* ци́фра сме́ртности || ~**-rattle** *s.* предсме́ртный хрип.

debar (диба̄'р) *va.* исклю-ча́ть, -и́ть (из); (*hinder*) препя́тствовать.

debarkation (дэба̄ркэ̄й'шн) *s.* (*of goods*) вы́грузка; (*of people*) вы́садка.

debase/ (дибэ̄й'с) *va.* у-нижа́ть, -ни́зить; позо́рить; (*adulterate*) под-ме́шивать, -меша́ть; (*customs, etc.*) по́ртить || **–ment** *s.* униже́ние; низведе́ние на ни́зшую сте́пень: подме́шивание.

debat/able (дибэ̄й'т-ёбл) *a.* спо́рный || **–e** (–) *s.* деба́т, пре́ние, спор || ~ (–) *va.&n.* рассужда́ть (о чём); обсужда́ть (что); совеща́ться.

debauch/ (дибо̄'ч) *s.* невозде́ржанность *f.*; распу́тство || ~ *va.* раз-враща́ть, -врати́ть; по́ртить; (*a woman*) соблазн-я́ть, -и́ть || **–ee** (дэбоший') *s.* распу́тник, развра́тник || **–ery** *s.* распу́щенность *f.*; развра́тность *f.*

debenture (дибэ'нчёр) *s.* долгова́я расписка, долгово́е обяза́тельство.

debilit/ate (диби'лит-эйт) *va.* рас-слабля́ть, -сла́бить, о-слабля́ть, -сла́бить || **–y** *s.* сла́бость *f.*; рассла́бленность *f.*; тщеду́шность *f.*

debit (дэ'бит) *s.* де́бет; прихо́д || ~ *va.* дебити́ровать; вн-оси́ть, -ести́ в де́бет.

debonair (дэбона̄'р) *a.* любе́зный, ве́жливый.

debouch (дибӯ'ш) *vn.* выходи́ть (из у́зкого места); дебуши́ровать.

debris (дэ'бри) *s.* разва́лины *fpl.*

debt/ (дэ'т) *s.* долг || **outstanding** ~ недои́мка || **national** ~ госуда́рственный долг || ~ **of honour** долг на че́стное сло́во || **to be in** ~ быть в долгу́ || **to run into** ~ де́лать, с- долги́ || **–or** *s.* должни́к, должни́ца; (*comm. in ledger*) прихо́д.

debut (дибю̄') *s.* дебю́т.

decade (дэ'кёд) *s.* деся́ток; (*of years*) десятиле́тие.

decad/ence (дэ'кёд-ёнс) *s.* упа́док, паде́ние; декаде́нтство || **–ent** *s.* декаде́нт.

decagon (дэ'кёгон) *s.* десятиуго́льник, десятисторо́нник.

decahedron (дэ'кёхийдрён) *s.* дека́эдр.

decalogue (дэ'кёлог) *s.* десятисло́вие, де́сять за́поведей.

decamp (дика̄'мп) *vn.* у-дира́ть, -дра́ть; дава́ть, дать тя́гу.

decant/ (дика̄'нт) *va.* пере-лива́ть, -ли́ть || **–er** *s.* графи́н.

decapitate (дика̄'питэйт) *va.* обезгла́вливать, -ить (кого́); отруб-а́ть, -и́ть го́лову (кому́).

decay/ (дикэ̄й') *s.* (*rotting*) по́рча, гние́ние; (*weakening*) увяда́ние; упа́док; (*disrepair*) ве́тхость *f.*; обветша́лость *f.* || ~ *vn.* гнить; сгн-ива́ть, -ить; у-вяда́ть, -вя́нуть; ослаб-ева́ть, -е́ть; раз-руша́ться, -ру́шиться; притти́ в упа́док || **–ed** *a.* прише́дший в упа́док; обветша́лый; увя́дший.

decease/ (дисий'с) *s.* кончи́на, смерть *f.* || **–d** (-т) *s.* поко́йник || ~ *a.* поко́йный, усо́пший.

deceit/ (дисий'т) *s.* лука́вство; обма́н; надува́тельство || **–ful** *a.* обма́нчивый; моше́ннический || **–fulness** *s.* обма́нчивость *f.*

deceiv/e (дисий'в) *va.* об-ма́нывать, -мануть; в-води́ть, -вести́ в заблужде́ние || **–er** *s.* обма́нщик, обма́нщица; плут.

December (дисэ'мбёр) *s.* дека́брь *m.*

decemvirate (дисэ'мвёрэйт) *s.* децемвира́т.

decency (дий'сёнси) *s.* прили́чие, благопристо́йность *f.*; скро́мность *f.*

decennial (дисэ'ниёл) *a.* десятиле́тний.

decent (дий'сёнт) *a.* (*decorous*) благопристо́йный; прили́чный; (*moderate*) скро́мный; (*fam. good*) до́брый, поря́дочный.

decentralize (дисэ'нтрёлайз) *va.* децентрализи́ровать.

decept/ion (дисэ'п-шён) *s.* обма́н, надува́тельство || **–ive** (-тив) *a.* обма́нчивый.

decid/e (дисай'д) *va.* реш-áть, -и́ть; суди́ть, рас-; разреш-áть, -и́ть || ~ *vn.* реш-áться, -и́ться || **-ed** *a.* решённый; (*firm*) твёрдый, реши́тельный || **-edly** *ad.* реши́тельно || ~ **not!** вовсе не! никáк не!
decimal (дэ'симёл) *s.* десяти́чная дробь || ~ *a.* десяти́чный, децимáльный.
decimate (дэ'симэйт) *va.* истреб-ля́ть, -и́ть.
decimetre (дэ'симийтёр) *s.* дециме́тр.
decipher (дисай'фёр) *va.* читáть; (*a code*) раз-бирáть, -обрáть; дешифри́ровать.
decis/ion (диси'жён) *s.* (*judgment*) реше́ние; (*firmness*) реши́тельность *f.*; реши́мость *f.* || **a man of ~** реши́тельный челове́к || **-ive** (дисай'сив) *a.* реши́тельный.
deck/ (дэк) *s.* (*mar.*) пáлуба, дек; (*cards*) колóда карт || ~ **chair** складнóй стул || ~ *va.* (*cover*) по-крывáть, -кры́ть; (*dress*) о-девáть, -де́ть; (*adorn*) у-крашáть, -крáсить; (*mar.*) настилáть пáлубой || **-ed** *a.* укрáшенный; (*mar.*) пáлубный.
declaim/ (диклэй'м) *va.&n.* деклами́ровать, про-; (*a speech*) произноси́ть; рáтовать || **-er** *s.* декламáтор, орáтор.
declam/ation (дэклёмэй'шн) *s.* декламáция || **-atory** (дикла'мётори) *a.* декламáторский.
declar/atory (дикла'рётори) *a.* деклараци́онный || **-ation** (дэклёрэй'шн) *s.* деклáрáция, об'явле́ние; об'ясне́ние, при-знáние; (*customs*) декларáция.
declare/ (диклä'р) *va.* об'яв-ля́ть, -и́ть; (*maintain*) утвер-ждáть, -ди́ть; (*customs*) де́лать, с- заявле́ние || **-d** *a.* (*avowed*) я́вный, откры́тый; (*professed*) об'яснённый.
declension (диклэ'ншён) *s.* паде́ние; (*gramm.*) склоне́ние.
declination (дэклинэй'шн) *s.* упáдок; отклоне́ние, уклоне́ние.
decline (диклай'н) *s.* паде́ние, упáдок; (*deterioration*) ухудше́ние; (*diminution*) уменьше́ние, убавле́ние; (*med.*) чахóтка || ~ *va.* (*bend*) наклон-я́ть, -и́ть; (*refuse*) не при-нимáть, -ня́ть; (*gramm.*) склон-я́ть, про- || ~ *vn.* (*refuse*) от-кá зываться, -казáться; (*turn aside*) уклон-я́ться, -и́ться; отклон-я́ться, -и́ться; (*grow feeble*) ослаб-евáть, -е́ть; (*diminish*) уменьш-áться, -и́ться; убывáть; (*of prices*) пáдать.
declivity (дикли'вити) *s.* склон, скат; покáтость *f.*
decoct/ (дико'кт) *va.* отвáривать; настáивать || **-ion** (дико'кшён) *s.* отвáр, декóкт.
decode (дикōу'д) *va.* дешифри́ровать.
decolleté (дико'лтё) *s.* декольте́.
decompos/e (дийком-пōу'з) *vn.* раз-лагáть, -ложи́ть || ~ *vn.* раз-лагáться, -ложи́ться; (*to rot*) тлеть, ис-тлевáть, -тле́ть || **-ition** (-пози'шён) *s.* разложе́ние; (*rotting*) гле́ние.
decorat/e (дэ'кёрэйт) *va.* декори́ровать; у-крашáть, -крáсить; у-бирáть, -брáть; пожáловать óрденом || **-ion** *s.* декорáция; украше́ние, убóр; (*order*) óрден || **-ive** (дэ'кёрётив) *a.* украшáющий; декорати́вный || **-or** *s.* декорáтор.
decor/ous (дёкō'рёс) *a.* прили́чный, пристóйный || **-um** (дикō'рём) *s.* прили́чие.
decorticate (дикō'ртикэйт) *va.* сдирáть, содрáть корý (с чегó).
decoy (дикой') *s.* (*bait*) примáнка; (*trap*) ловýшка, западня́; (*bird*) примáнная пти́ца || ~ *va.* за-мáнивать, -мани́ть в ловýшку; за-влекáть, -влéчь; обманýть.
decrease (дикрий'с) *s.* уменьше́ние, убывáние; ослабле́ние || ~ *va.* уменьш-áть, -и́ть; убавля́ть, убáвить || ~ *vn.* уменьш-áться, -и́ться; убавля́ться, убáвиться; убывáть.
decree (дикрий') *s.* укáз, прикáз, декре́т; (*jur.*) пригово́р, постановле́ние; (*decision*) реше́ние || ~ *va.&n.* из-давáть, -дáть прикáз; постанов-ля́ть, -и́ть; реш-áть, -и́ть.
decrement (дэ'кримэнт) *s.* уменьше́ние, убавле́ние.
decrepit (дикрэ'пит) *a.* престаре́лый, дря́хлый.
decrepitude (дикрэ'питю̄д) *s.* дря́хлость *f.*; престаре́лость *f.*
decrier (дикрай'ёр) *s.* хули́тель *m.*; порицáтель *m.*
decry (дикрай') *va.* хули́ть, о-; порицáть.
dedic/ate (дэ'дик-эйт) *va.* посвя-щáть, -ти́ть; освя-щáть, -ти́ть || **-ation** *s.* посвяще́ние; освяще́ние || **-ator** *s.* посвящáющий || **-atory** (-ётори) *a.* посвяти́тельный.
deduc/e (дидю̄'с) *va.* выводи́ть, вы́вести заключе́ние; заключ-áть, -и́ть || **-ible** *a.* поддаю́щийся заключе́нию.
deduct/ (дида'кт) *va.* ски́дывать, ски́нуть; с-бавля́ть, -бáвить; вычитáть, вы́честь || **. . . being -ed** за вы́четом . . . || **-ion** *s.* (*subtraction*) вы́чет; (*abatement*) ски́дка, устýпка; (*inference*) вы́вод, заключе́ние || **-ive** *a.* дедукти́вный.
deed (дийд) *s.* де́ло; (*action*) дея́ние, де́йствие; (*exploit*) пóдвиг; (*jur.*) докуме́нт, акт.
deem (дийм) *va.* дýмать; почитáть, считáть.
deep/ (дий'п) *s.* глубинá; (*fig.*) мóре || ~ *a.* глубóкий; (*of voice*) си́льный; (*secret*) тáйный; (*crafty*) хи́трый; (*of colour*) тём-

ный; (*of sounds*) ни́зкий, густо́й || **to be ~ in something** (*fig.*) углуб-ля́ться, -и́ться в || **-en** *va.* углуб-ля́ть, -и́ть || ~ *vn.* углуб-ля́ться, -и́ться || **-laid** *a.* та́йный, скры́тый || **-ness** *s.* глубина́; ни́зкость *f.*; густота́; (*fig. craftiness*) хи́трость *f.*

deer/ (диир) *s.* кра́сный зверь; оле́нь *m.* || **~-hound** *s.* борзо́й *m.* || **~-hunt, ~-stalking** *s.* охо́та на кра́сного зве́ря.

deface (дифэ́й'с) *va.* обезобра́-живать, -зить; (*disfigure*) уро́довать, (*obliterate*) стира́ть, стере́ть; ис-гла́живать, -гла́дить.

defalcation (диифа̀лкэ́й'шн) *s.* ута́йка; растра́та.

defam/ation (дэфёмэ́й'шн) *s.* клевета́; бесче́стие, злосло́вие || **-atory** (дифа́'мётори) *a.* клеветни́ческий || **-e** (дифэ́й'м) *va.* позо́рить, о-; бесче́стить, о-; клевета́ть, на-.

default/ (дифо̄'лт) *s.* (*defect*) недоста́ток; (*fault*) вина́; (*neglect*) упуще́ние; (*jur.*) нея́вка по вы́зову в суд || **-er** *s.* тот, кто не исполня́ет своего́ до́лга; вино́вный в ута́йке; неиспра́вный должни́к.

defeat (дифии'т) *s.* пораже́ние, разби́тие; (*fig.*) расстро́йство || ~ *va.* (*overthrow*) раз-бива́ть, -би́ть; пора-жа́ть, -зи́ть; (*baffle*) рас-стра́ивать, -стро́ить.

defect/ (дифэ'кт) *s.* недоста́ток, поро́к || **-ion** *s.* отложе́ние, отпаде́ние; вероотсту́пничество || **-ive** *a.* несоверше́нный; (*lacking*) недоста́точный; (*faulty*) непра́вильный.

defence/ (дифэ'нс) *s.* защи́та, оборо́на; (*vindication*) оправда́ние || **-less** *a.* беззащи́тный.

defend/ (дифэ'нд) *va.* защи-ща́ть, -ти́ть; оборон-я́ть, -и́ть; опра́вдывать || **-ant** (-ёнт) *s.* отве́тчик, отве́тчица || **-er** (-ёр) *s.* защи́тник.

defens/ible (дифэ'нс-ибл) *a.* защити́мый || **-ive** *s.* оборони́тельное положе́ние || ~ *a.* защити́тельный, оборони́тельный.

defer/ (дифё̄'р) *va.* от-лага́ть, -ложи́ть; отсро́ч-ивать, -ить || ~ *vn.* под-верга́ть, -ве́ргнуть себя́ || **-ence** (дэ'фёрёнс) *s.* уваже́ние, почте́ние || **-ential** (дэфёрэ'ншёл) *a.* почти́тельный.

defiance (дифа́й'ёнс) *s.* вы́зов, брави́рование || **in ~ of** вопреки́ || **to bid ~ to, to set at ~** вызыва́ть, вы́звать; брави́ровать; дава́ть, дать отпо́р.

defiant (дифа́й'ёнт) *a.* вызыва́ющий, сме́лый, де́рзкий.

defic/iency (дифи'ш-ёнси) *s.* неиме́ние; недоста́ток || **-ient** (-ёнт) *a.* недоста́точный; несоверше́нный; непо́лный || **to be ~ in** име́ть в чём недоста́ток || **-it** (дэ'фисит) *s.* дефици́т, недочёт.

defilade (дэфилэ́й'д) *s.* дефили́рование; прикры́тие вну́тренности укрепле́ния от вы́стрелов.

defile/ (дии'файл) *s.* уще́лье; тесни́на; дефиле́й || ~ (дифа́й'л) *va.* мара́ть, пятна́ть; оскверн-я́ть, -и́ть || ~ *vn.* (*mil.*) дефили́ровать || **-ment** (дифа́й'лмэнт) *s.* мара́ние; оскверне́ние.

definable (дифа́й'нёбл) *a.* определя́емый, определи́мый.

defin/e (дифа́й'н) *va.* определ-я́ть, -и́ть; устан-а́вливать, -ови́ть; об'ясн-я́ть, -и́ть **-ite** (дэ'финит) *a.* определённый; (*precise*) то́чный; (*distinct*) я́сный || **-ition** (дэфини'шён) *s.* определе́ние, дефини́ция, об'ясне́ние || **-itive** (дифи'нитив) *a.* определённый, положи́тельный; (*decisive*) реши́тельный; (*final*) оконча́тельный.

deflagrate (дэ'флёгрэйт) *va.* сжига́ть.

deflect/ (дифлэ'кт) *va.* отклон-я́ть, -и́ть || ~ *vn.* отклон-я́ться, -и́ться; склон-я́ться, -и́ться; со-враща́ться, -врати́ться с пути́ || **-ion** *s.* уклоне́ние, отклоне́ние; склоне́ние.

defloration (дэфлорэ́й'шн) *s.* (*of a maiden*) расстле́ние, лише́ние де́вственности; (*bot.*) отцвета́ние.

deflower (дифла́у'ёр) об-рыва́ть, -орва́ть (цветы́); (*fig.*) (*ravish*) лиш-а́ть, -и́ть неви́нности; раст-лева́ть, -ли́ть.

deform/ (дифо̄'рм) *va.* обезобр-а́живать, -а́зить; уро́довать, из- || **-ed** безобра́зный, уро́дливый || **-ity** *s.* безобра́зие, уро́дливость *f.*; уро́дство.

defraud/ (дифро̄'д) *va.* об-ма́нывать, -ману́ть; от-нима́ть, -ня́ть обма́ном || **-er** *s.* обма́нщик; моше́нник, похити́тель *m.*

defray/ (дифрэ́й') *va.* плати́ть, за- (изде́ржки); по-крыва́ть, -кры́ть (изде́ржки) || **-al** *s.* упла́та, платёж; покры́тие.

deft (дэфт) *a.* ло́вкий, прово́рный. [ный.

defunct (дифа'нгкт) *a.* уме́рший, поко́й-

defy (дифа́й') *va.* (*challenge*) вызыва́ть, вы́звать; (*to brave*) брави́ровать.

degener/acy (диджэ'нёр-ёси) *s.* дегенера́ция, испо́рченность *f.* || **-ate** *a.* выроже́нный; (*morally*) развра́тный || ~ (-эйт) *vn.* дегенери́ровать; вырожда́ться, вы́родиться; (*to change*) пре-враща́ться, -врати́ться || **-ation** *s.* дегенера́ция, вырожде́ние.

deglutition (дэглӯти'шён) *s.* глота́ние, прогла́тывание.

degrad/ation (дэгрёдэ́й'шн) (*mil., etc.*) разжа́лование, лише́ние чи́на; (*disgrace*) униже́ние || **-e** (дигрэ́й'д) *va.* разжа́ловать; лиш-áть, -и́ть чинóв; у-нижáть, -ни́зить || **–ing** (дигрэ̄й'динг) *a.* унизи́тельный, позóрный.

degree/ (дигрий') *s.* грáдус; (*rank*) чин, ранг; (*University*) стéпень *f.* || **by –s** постепéнно, мáло по мáлу || **by slow –s** мéдленно, мáло по мáлу || **to take one's ~** приобрести́ стéпень бакалáвра *или* маги́стра.

deification (дий-ификэ̄й'шн) *s.* боготворéние.

deify (дий'ифай) *va.* боготвори́ть; (*worship*) обожáть.

deign (дэ̄йн) *va.&n.* соблаговоли́ть, соизвóлить.

deism (дий'-изм) *s.* деи́зм.

deity (дий'ити) *s.* божествó || **the D–** Бог.

deject/ (диджэ'кт) *va.* при-води́ть, -вести́ в уны́ние || **–ed** *a.* уны́лый, с упáвшим дýхом || **–ion** *s.* уны́ние, упáдок дýха.

delay (дилэ̄й') *s.* задéржка, замедлéние, промедлéние || **without ~** не мéдля || **~** *va.* за-дéрживать, -держáть; за-медля́ть, -мéдлить || **~** *vn.* мéдлить.

delect/able (дилэ'ктёбл) *a.* прия́тный, восхити́тельный || **–ation** (диилэктэ̄й'шн) *s.* удовóльствие, наслаждéние; забáва.

delegat/e (дэ'лигёт) *s.* делегáт, депутáт, уполномóченный || **~** (дэ'лигэйт) *va.* назначáть, -нáчить; пору-чáть, -чи́ть; уполномóч-ивать, -ить || **–ion** (дэлигэ̄й'шн) *s.* делегáция, депутáция.

delete (дилий'т) *va.* вычёркивать, вы́черкнуть.

deleterious (дэлитий'риёс) *a.* врéдный; пáгубный.

deletion (дилий'шён) *s.* вычёркивание.

delf (дэлф) *s.* фая́нс || **~** *a.* фая́нсовый.

deliber/ate (дили'бёр-ёт) *a.* обдýманный; (*premeditated*) предумы́шленный; (*careful*) осторóжный; (*slow*) мéдленный || **~** (-эйт) *va.* обдýм-ывать, -ать; обсу-ждáть, -ди́ть || **~** *vn.* рассуждáть, совещáться || **–ation** *s.* осмотри́тельность *f.*; обдýмывание; совещáние || **–ative** *a.* совещáтельный.

delic/acy (дэ'лик-ёси) *s.* деликáтность *f.*; (*tenderness*) нéжность *f.*; (*of feeling*) чувстви́тельность *f.*; (*tact*) такт; (*softness*) мя́гкость *f.* || **–ate** *a.* деликáтный; (*tender*) нéжный; (*soft*) мя́гкий, чýткий; (*of foods*) лáкомый; (*of feeling*) чувстви́тельный.

delicious (дили'шёс) *a.* слáдостный, прия́тный, прелéстный, вкýсный.

delict (дили'кт) *s.* (*jur.*) преступлéние.

delight/ (дилай'т) *s.* рáдость *f.*; востóрг; наслаждéние || **~** *va.* рáдовать, об-; приводи́ть, -вести́ в востóрг || **~** *vn.* рáдоваться, наслаждáться; находи́ть удовóльствие в || **–ful** *a.* прия́тный; прелéстный, восхити́тельный || **–fulness** *s.* прéлесть *f.*

delimit/ (дили'мит) *va.* разграни́ч-ивать, -ить || **–ation** *s.* разграничéние.

deline/ate (дили'ни-эйт) *va.* черти́ть, на-; начертáть; (*portray*) изобра-жáть, -зи́ть; (*describe*) о-пи́сывать, -писáть || **–ation** *s.* óчерк, эски́з; (*description*) описáние.

delinquen/cy (дили'нгкуён-си) *s.* (*crime*) преступлéние; (*fault*) простýпок || **–t** *a.* престýпник; винóвный в простýпке.

deliquescence (деликуэ'сёнс) *s.* расплывáние.

delir/ious (дили'р-иёс) *a.* брéдящий || **–ium** *s.* бред || **~ tremens** бéлая горя́чка, запóйный бред.

deliver/ (дили'вёр) *va.* (*free*) освобо-ждáть, -ди́ть; (*save*) спасáть, спасти́; (*transfer*) пере-давáть, -дáть; (*convey*) до-ставля́ть, -стáвить; (*utter*) произ-носи́ть, -нести́; выражáть, вы́разить; (*letters*) выдавáть, вы́дать; (*med.*) при-нимáть, -ня́ть (младéнца) || **to ~ over** пре-давáть, -дáть || **to ~ up** пере-давáть, -дáть; с-давáть, -дать || **to be –ed of a son** разреш-áться, -и́ться сы́ном || **to ~ o.s. of** (*words*) произ-носи́ть, -нести́; (*a duty*) ис-полня́ть, -пóлнить || **–ance** *s.* (*setting free*) освобождéние; (*utterance*) произношéние (рéчи) || **–y** *s.* отдáча, передáча, вы́дача; (*of goods*) достáвка; (*med.*) разрешéние от брéмени; рóды *mpl.*; (*mil.*) сдáча.

dell (дэл) *s.* доли́на.

delph (дэлф) *s.* фая́нс.

delta (дэ'лтё) *s.* дéльта.

deltoid (дэ'лтойд) *s.* мы́шца дельтови́дная.

delude (дилю'д) *va.* об-мáнывать, -манýть.

deluge (дэ'людж) *s.* потóп; (*fig.*) потóк || **~** *va.* затоп-ля́ть, -и́ть; наводн-я́ть, -и́ть.

delus/ion (дилю'жн) *s.* обмáн; (*error*) заблуждéние; (*illusion*) иллю́зия, мечтá || **–ive** (дилю'сив) *a.* обмáнчивый.

delve (дэлв) *va.&n.* копáть, рыть.

demagnetize (диймá'гнётайз) *va.* размагни́тить.

demagogue (дэ'мёгог) *s.* демагóг.

demand (димá'нд) *s.* прошéние; (*claim*) трéбование; (*comm.*) спрос || **on ~** (*comm.*) по пред'явлéнию || **this article is in ~** на э́тот товáр спрос || **~** *va.&n.* проси́ть, по-; (*claim*) трéбовать, по-; спрáшивать.

demarcation (диймаркэ̄й'шн) *s.* демаркáция; обозначéние грани́ц; разграничéние.

demean/ (диний'н) *va.*, **to ~ o.s.** (*to behave*) вести́ себя́; держáться; (*to lower o.s.*) унichи-жáться, -жи́ться || **–our** *s.* поведéние.

demented (димэ'нтид) *a.* сумасше́дший, безу́мный.
demesne (димэ̄й'н) *s.* име́ние, поме́стие, во́тчина.
demi/ (дэ'ми) *a.* полови́нный; (*in compounds*) полу- || **-god** *s.* полубо́г || **-john** *s.* больша́я оплетённая буты́ль || **-monde** (-монд) *s.* полусве́т, демимо́нд || **~-semiquaver** *s.* (*mus.*) трёхвя́зная но́та.
demise (дима́й'з) *s.* смерть *f.*; конч́ина; (*jur.*) переда́ча || **~** *va.* пере-дава́ть, -да́ть.
demob (димо'б) *va.* (*fam.*) = **demobilize.**
demobiliz/ation (дийм̄убилайзэ̄й'шн) *s.* демобилиза́ция || **-e** (дийм̄у'билайз) *va.* демобилизи́ровать.
demo/cracy (димо'крёси) *s.* демокра́тия || **-crat** (дэ'мёкрāт) *s.* демокра́т || **-cratic(al)** (дэмёкрā'тик) *a.* демократи́ческий.
demol/ish (димо'лиш) *va.* с-ла́мывать, -лома́ть; (*a house*) сноси́ть, снести́; (*destroy*) раз-руша́ть, -ру́шить || **-ition** (дэмоли'шён) *s.* сло́мка, сла́мывание; снесе́ние; разруше́ние; разоре́ние.
demon/ (дий'мён) *s.* де́мон; бес || **-iac** (димо̄у'ниāк) одержи́мый бе́сом || **-iacal** (диймёнай'ёкёл) *a.* демони́ческий, дья́вольский; бесо́вский.
demonstr/able (димо'нстр-ёбл) *a.* доказу́емый || **-ate** (дэ'монстрэйт) *va.* до-ка́зывать, -каза́ть; демонстри́ровать; (*political*) устр-а́ивать, -о́ить демонстра́цию || **-ation** (дэмонстрэ̄й'шн) *s.* (*political & mil.*) демонстра́ция; (*proof*) доказа́тельство, до́вод; (*show*) проявле́ние || **-ative** *a.* демонстрати́вный; доказа́тельный; (*gramm.*) указа́тельный || **-ator** (дэ'монстрэйтёр) *s.* демонстра́нт.
demoraliz/ation (диморёлайзэ̄й'шн) *s.* деморализа́ция; по́рча нра́вов, нра́вственная испо́рченность || **-e** (димо'рёлайз) *va.* деморализи́ровать; по́ртить, ис- (нра́вы).
demur (димё'р) *s.* сомне́ние, нереши́мость *f.* || *vn.* сомнева́ться, колеба́ться.
demure/ (димю̄'р) *a.* (*staid*) сде́ржанный; (*coy*) скро́мный, засте́нчивый || **-ness** *s.* скро́мность *f.*; сде́ржанность *f.*
demurrage (дима'ридж) *s.* (*comm.*) просто́йные де́ньги *fpl.* [на что.
demurrer (дима'рёр) *s.* (*jur.*) возраже́ние
demy (дэ'ми) *s.* бума́га сре́днего форма́та.
den (дэн) *s.* (*cave*) пеще́ра; (*lair*) ло́говище, берло́га; (*of thieves*) верте́п; (*fam.*) ко́мната, кварти́ра.
denationalize (динā'шёнёлайз) *va.* лиш-а́ть, -и́ть национа́льности.
denaturalize (динā'чёрёлайз) *va.* денатурализи́ровать.
deni/able (динай'-ёбл) *a.* отрица́емый, отверга́емый || **-al** *s.* отрица́ние; (*refusal*) отка́з; (*disowning*) отверже́ние, отрече́ние. [тель *m.*
denizen (дэ'низён) *s.* жи́тель *m.*; обита́-
denominat/ion (диномина̄й'шн) *s.* назва́ние; (*class*) класс, разря́д; (*sect*) се́кта, вероиспове́дание || **-ional** (-ёнёл) *a.* каса́ющийся вероиспове́дания || **-or** (дино'минэйтёр) *s.* (*math.*) знамена́тель *m.* || **common ~** о́бщий знамена́тель.
denot/ation (дийнотэ̄й'шн) *s.* обозначе́ние; при́знак, знак || **-e** (диноу'т) *va.* о-знача́ть, -зна́чить. [разреше́ние.
denouement (дэйнӯ'ма̄нг) *s.* развя́зка,
denounce/ (динау'нс) *va.* до-носи́ть, -нести́ о; (*to accuse*) обвин-я́ть, -и́ть; об'-явля́ть, -яви́ть кого́ пред судо́м || **-ment** *s.* доно́с.
dens/e (дэ'нс) *a.* густо́й, пло́тный; (*stupid*) глу́пый || **-ity** *s.* густота́, пло́тность *f.*; (*stupidity*) глу́пость *f.*
dent (дэнт) *s.* вы́емка, вдавле́ние; (*notch*) зару́бка, зубе́ц || **~** *va.* вда́вливать; зазу́бривать, -зубри́ть.
dent/al (дэ'нт-ёл) *s.* зубна́я бу́ква || **~** *a.* зубно́й || **~ surgeon** зубно́й врач || **-ate(d)** *a.* зубча́тый || **-ifrice** (-ифрис) *s.* зубно́й порошо́к || **-ist** *s.* данти́ст, зубно́й врач || **-ition** (-и'шён) *s.* проре́зывание зубо́в || **-ure** (-тюр, -чёр) *s.* фальши́вые зу́бы.
denude (диню̄'д) *va.* огол-я́ть, -и́ть; (*fig.*) лиш-а́ть, -и́ть.
denunciat/ion (динанси-э̄й'шн) *s.* доно́с, изве́т || **-ory** (дина'нши̇ётёри) *a.* доно́счивый.
deny (динай') *va.* отрица́ть; (*not confess*) не при-знава́ться, -зна́ться в; (*refuse*) отка́зывать, -каза́ть (кому́ в чём); (*disown*) от-река́ться, -ре́чься от.
deodor/ant (ди-о̄у'дёр-āнт) *s.* дезодора́тор || **-ize** *va.* дезодори́ровать.
depart/ (дипа̄'рт) *va.*, **to ~ this life** у-мира́ть, -мере́ть || **~** *vn.* (*go away*) от-бы-ва́ть, -бы́ть; у-езжа́ть, -е́хать; (*on foot*) уходи́ть, уйти́; (*of trains*) от-ходи́ть, -ойти́; (*to die*) у-мира́ть, -мере́ть; (*diverge*) от-клон-я́ться, -и́ться || **-ed** *a.* уме́рший, усо́пший || **-ment** *s.* департа́мент; отде́л; (*sphere*) специа́льность *f.*; часть *f.* || **-mental** (-мэ'нтёл) *a.* департа́ментский || **-ure** (дипа̄'рчёр) *s.* ухо́д, отхо́д; отправле́ние.
depend/ (дипэ'нд) *vn.* (*to hang*) висе́ть; (*be dependent*) зави́сеть; (*to rely*) полага́ться на || **~ upon it!** будь уве́рен! || **-able** *a.* на кото́рый мо́жно положи́ться || **-ant** *s.* подчинённый || **-ence** *s.* за-

висимость *f.*; уверенность *f.* || **–ency** *s.* колония, зависимое государство || **–ent** *a.* (*hanging*) висящий; (*contingent*) зависящий; подчинённый.
depict (дипи'кт) *va.* рисовать; изобр-ажать, -азить; (*to describe*) о-писывать, -писать.
depilatory (дипи'лётори) *s.* средство для вытравливания волос.
deplet/e (диплий'т) *va.* опустош-ать, -ить || **–ion** *s.* опоражнивание.
deplor/able (дипло̄'р-ёбл) *a.* плачевный, прискорбный; жалкий, жалостный || **–e** (–) *va.* оплакивать; сожалеть (о чём).
deploy (диплой') *vn.* (*mil.*) раз-вёртываться, -вернуться.
depolarize (дийпо̄у'лёрайз) *va.* уничт-ожать, бжить поляризацию света.
deponent (дипо̄у'нёнт) *s.* (*jur.*) показатель *m.*; свидетель *m.*; (*gramm.*) отложительный глагол.
depopulate (дийпо̄'пюлэйт) *va.* обезлюдить; опусто-шать, -шить.
deport/ (дипо̄'рт) *va.* ссылать, сослать в ссылку || **to ~ o.s.** вести себя, держаться || **–ation** *s.* ссылка, сослание; изгнание || **–ment** *s.* (*conduct*) поведение; (*carriage*) вид, осанка.
depose (дипо̄у'з) *va.* низ-лагать, -ложить; свергать, свергнуть; (*a monarch*) свергать, свергнуть с престола; отреш-ать, -ить || **~** *vn.* свидетельствовать; по-казывать, -казать.
deposit/ (дипо'зит) *s.* (*chem.*) осадок, отстой *m.*; (*in a bank*) вклад; (*security*) залог; заклад || **~** *va.* (*to place*) класть, положить; (*entrust*) от-давать, -дать на хранение; (*leave as pledge*) в-носить, -нести залог; (*in a bank*) вкладывать, вложить; (*chem.*) осаждать, давать осадок || **–ion** (дэпози'шён) *s.* осадочный слой; (*from office*) отставка; (*of monarchs*) свержение с престола; (*jur.*) свидетельство, показание || **–or** *s.* вкладчик, вкладчица || **–ory** *s.* депо, складочное место; хранилище.
depot (дипо̄у', дий'поу) *s.* депо, склад; складочное место; (*rail. Am.*) станция; (*mil.*) главная квартира полка.
deprav/e (дипрэ̄й'в) *va.* нравственно портить, ис-; развра-щать, -тить || **–ed** *a.* испорченный; развратный || **–ity** (дипра'вити) *s.* порча, испорченность (*f.*) нравов; разврат.
deprecat/e (дэ'прикэйт) *va.* просить, умолять об отвращении (чего дурного); (*to regret*) сожалеть; (*to condemn*) не одобрять, одобрить || **–ion** *s.* умаливание, испрашивание прощения; (*regret*) сожаление; (*condemnation*) неодобрение.
depreciate (диприй'ши-эйт) *va.* уменьшать, -ить стоимость; сбавлять, сбавить цену; (*disparage*) хулить || **~** *vn.* падать в цене, терять свою стоимость.
depredat/ion (дэпридэ̄й'шн) *s.* грабёж; опустошение || **–or** (дэ'придэйтёр) *s.* грабитель *m.*; опустошитель *m.*
depress/ (дипрэ'с) *va.* опус-кать, -тить; (*to lower*) по-нижать, -низить; (*to dispirit*) угнетать, угнести; при-водить -вести в уныние || **–ed** *a.* унылый || **–ion** *s.* опускание, понижение; (*indentation*) углубление; (*of land*) ложбина; (*low spirits*) уныние; (*comm.*) застой; (*math.*) превращение; (*med.*) упадок сил.
depriv/ation (дэпривэ̄й'шн) *s.* лишение; (*destitution*) нищета; (*eccl.*) лишение сана || **–e** (дипрай'в) *va.* лиш-ать, -ить; (*eccl.*) лиш-ать, -ить духовного сана.
depth (дэпѳ) *s.* глубина; (*fig. middle*) середина; (*of colour*) темнота, густота; (*width*) ширина; (*fig. cleverness*) остроумие.
deput/ation (дэпютэ̄й'шн) *s.* депутация; депутаты *mpl.* || **–e** (дипю̄'т) *va.* назн-ачать, -ачить депутатом || **–y** (дэ'пюти) *s.* выборный, депутат; (*substitute*) заместитель *m.*; (*jur.*) уполномоченный || **~** *a.* исправляющий должность.
derail/ (дирэ̄й'л) *va.* заставить сойти с рельсов || **~** *vn.* сходить, сойти с рельсов || **–ment** *s.* сход с рельсов.
derang/e (дирэ̄й'ндж) *va.* при-водить, -вести в беспорядок; расстр-аивать, -оить || **–ed** *a.* беспорядочный; (*mentally*) умопомешанный || **–ement** *s.* беспорядок, расстройство; (*mental*) умопомешательство.
derelict (дэ'рилихт) *a.* покинутый, оставленный.
deride (дирай'д) *va.* о-смеивать, -смеять.
deris/ion (дири'жён) *s.* осмеяние, насмешка || **–ive** (дирай'сив) *a.* насмешливый; шутливый.
deriv/ation (дэривэ̄й'шн) *s.* происхождение; произведение || **–ative** (дири'вётив) *s.* дериват.
derive (дирай'в) *va.* произ-водить, -вести; из-влекать, -влечь; (*to obtain*) получ-ать, -ить.
dermatology (дёрмёто'лоджи) *s.* дерматология.
derogat/e (дэ'рогэйт) *va.&n.* поносить; опорочивать; (*to lessen*) умал-ять, -ить || **–ion** *s.* унижение; умаление || **–ory** (диро'гётёри) *a.* унизительный; оскорбительный.
derrick (дэ'рик) *s.* (*mar.*) дерик-фал; (*crane*) кран.

dervish (дё'рвиш) *s.* дéрвиш.
descant (дискä'нт) *vn.* распростран-я́ться, -и́ться (о чём).
descend/ (дисэ'нд) *vn.* сходи́ть, сойти́; спус-ка́ться, -ти́ться; (*be transmitted*) пере-дава́ться, -да́ться; (*to attack*) напада́ть, -па́сть || **-ant** *s.* потóмок.
descension (дисэ'ншён) *s.* падéние; спуск.
descent (дисэ'нт) *s.* (*act*) сход, схождéние; (*fall*) падéние; (*declivity*) склон, пока́тость *f.*; (*way down*) сход, спуск; (*fig. attack*) нападéние; (*landing*) вы́садка, деса́нт.
describe (дискрай'б) *va.* о-пи́сывать, -писа́ть; изобра-жа́ть, -зи́ть.
descrip/tion (дискри'п-шён) *s.* описа́ние; приме́ты *fpl.*; (*class*) сорт || **-tive** *a.* описа́тельный, изобрази́тельный.
descry (дискрай') *va.* ви́деть, у-; замеча́ть, -ме́тить.
desecrat/e (дэ'сикрэйт) *va.* оскверн-я́ть, -и́ть || **-ion** *s.* осквернéние.
desert/ (дизё'рт) *s.* заслу́га, достóинство || ~ (дэ'зёрт) *s.* пусты́ня || ~ (дэ'зёрт) *a.* пусты́нный; необита́емый || ~ (—) *va.* покида́ть, -ки́нуть; о-ставля́ть, -ста́вить || ~ (—) *vn.* (*mil.*) дезерти́ровать; бежа́ть, у- (из вóйска) || **-er** *s.* дезерти́р, беглéц || **-ion** *s.* покида́ние, оставлéние; (*mil.*) дезерти́рование, бéгство.
deserv/e (дизё'рв) *va.* за-слу́живать, -служи́ть; быть достóйным (чегó) || **-edly** *ad.* по заслу́гам, достóйно || **-ing** *a.* достóйный; похва́льный; заслу́жённый.
deshabille (дэ'зäбий'л) *s.* ночна́я, дома́шняя одéжда.
desideratum (дисидёрэ́й'тём) *s.* желáемое; недоста́ток, пробéл.
design/ (дизай'н) *s.* (*sketch*) рису́нок, план; (*purpose*) намéрение, умышлéние; (*pattern*) узóр || **by** ~ нарóчно, умы́шленно || ~ *va.* (*draw*) рисова́ть, на-; (*to plan*) у-мышля́ть, -мы́слить; (*to purpose*) намéреваться; (*to devote*) предна-знача́ть, -зна́чить || **-ate** (дэ'зигнэйт) *va.* у-ка́зывать, -каза́ть; на-знача́ть, -зна́чить || **-ation** (дэзигнэ́й'шн) *s.* указа́ние; назначéние || **-er** *s.* рисова́льщик; (*fig.*) интрига́н || **-ing** *a.* кова́рный, хи́трый.
desir/able (дизай'р-ёбл) *a.* жела́тельный; прия́тный || **-e** (дизай'ёр) *s.* жела́ние, хотéние; (*lust*) вождéлéние || ~ *va.&n.* жела́ть, хотéть; (*to ask*) проси́ть, по- || **-ous** *a.* жела́ющий, жа́ждущий || **to be ~ of** жела́ть.
desist (дизи'ст) *vn.* пере-става́ть, -ста́ть; пре-краща́ть, -крати́ть.
desk (дэск) *s.* пи́сьменный стол; контóрка, пюпи́тр.
desolat/e (дэ'солёт) *a.* безлю́дный, пусты́нный; опустéлый; (*comfortless*) уны́лый, безуте́шный || ~ *va.* обезлю́дить; опустоша́ть, -ши́ть || **-ion** (дэсолэ́й'шн) *s.* опустошéние; (*despair*) отча́яние, безуте́шность *f.*
despair/ (диспä'р) *s.* отча́яние || ~ *vn.* отча́-яваться, -яться (**of** = в) || **-ing** *a.* отча́янный, пóлный отча́яния.
despatch (диспä'ч) *s.* депéша; (*letter*) письмó; (*promptness*) поспéшность *f.*; (*speed*) быстрота́; (*sending*) отправлéние, посыла́ние || ~ *va.* (*to send*) по-сыла́ть, -сла́ть; от-правля́ть, -пра́вить; (*to dispose of*) о-ка́нчивать, -кóнчить; (*to kill*) у-бива́ть, -би́ть.
desperado (дэспёрэ́й'доу) *s.* головорéз.
desperat/e (дэ'спёрёт) *a.* отча́янный; (*fig.*) ужа́сный || **-ion** *s.* отча́яние.
despicable (дэ'спикёбл) *a.* презрéнный, пóдлый.
despise (диспай'з) *va.* пре-зира́ть, -зрéть; прене-брега́ть, -брéчь (чем).
despite/ (диспай'т) *s.* (*contempt*) презрéние; (*defiance*) сопротивлéние; (*malignity*) злóба, нéнависть *f.* || **in ~ of** вопреки́ || ~ *prp.* вопреки́ || **-ful** *a.* злóбный, злонамéренный.
despoil (диспой'л) *va.* (*deprive*) лиш-а́ть, -и́ть; об-ира́ть, -обра́ть; (*to plunder*) гра́бить, о-.
despond/ (диспо'нд) *vn.* отча́-яваться, -яться; па́дать ду́хом || **-ency** *s.* упа́док ду́ха, уны́ние || **-ent** *a.* уны́лый.
despot/ (дэ'спот) *s.* дéспот, тира́н || **-ic(al)** (диспо'тик) *a.* деспоти́ческий || **-ism** *s.* деспоти́зм.
dessert (дисё'рт) *s.* десéрт.
destination (дэстинэ́й'шн) *s.* назначéние; (*place*) мéсто назначéния.
destin/e (дэ'стин) *va.* на-знача́ть, -зна́чить; об-река́ть, -рéчь (на что) || **-y** *s.* рок, судьба́; у́часть *f.*
destit/ute (дэ'ститтют) *a.* поки́нутый; (*deprived of*) лишённый (чегó); (*poor*) нужда́ющийся || **-ution** (дэститю́'шн) *s.* лишéние; нищета́.
destroy/ (дистрой') *va.* уничт-ожа́ть, -óжить; раз-руша́ть, -ру́шить; (*annihilate*) истреб-ля́ть, -и́ть; (*to kill*) умерщвля́ть, -тви́ть || **-er** *s.* разори́тель *m.*; истреби́тель *m.*; разруши́тель *m.*; (*mar.*) миноистреби́тель *m.*
destruct/ible (дистра'кт-ибл) *a.* разруши́мый, истреби́мый || **-ion** *s.* уничтожéние; разрушéние; истреблéние; (*ruin*) падéние || **-ive** *a.* разруши́тельный; па́губный || **-iveness** *s.* разруши́тельность *f.*; па́губность *f.*

desuetude (дэ'суитю̄д) *s.* неупотребле́ние.
desultor/iness (дэ'сё̄лтёринэс) *s.* несвя́зность *f.*; нескла́дность *f.*; отры́вочность *f.* || **–y** *a.* несвя́зный, нескла́дный; непостоя́нный; отры́вочный.
detach/ (дитӭ'ч) *va.* (*separate*) отдел-я́ть, -и́ть; (*mil. & mar.*) отря-жа́ть, -ди́ть; по-сыла́ть, -сла́ть || **–ment** *s.* (*act*) отделе́ние; (*mil. & mar.*) отря́д; (*of mind*) об'екти́вность *f.*
detail/ (дий'тэ̄й'л) *s.* подро́бность *f.*; ме́лочь *f.* || **in ~** подро́бно || **~** (дитэ̄й'л) *va.* подро́бно рас-ска́зывать, -сказа́ть; (*mil.*) отряди́ть, откомандирова́ть || **–ed** *a.* подро́бный.
detain (дитэ̄й'н) *va.* за-де́рживать, -держа́ть; у-де́рживать, -держа́ть.
detect/ (дитэ'кт) *va.* от-крыва́ть, -кры́ть; обнару́ж-ивать, -ить || **–ion** *s.* откры́тие, обнару́жение || **–ive** *s.* сы́щик.
detention (дитэ'ншён) *s.* (*detaining*) задержа́ние; (*jur.*) аре́ст.
deter (дитё̄'р) *va.* отсове́т-ывать, -овать стра́хом; у-дё̄рживать, -держа́ть.
deteriorat/e (дитий'риё̄рэйт) *va.* по́ртить, ис-; у-худша́ть, -худши́ть || **~** *vn.* по́ртиться, ис-; у-худша́ться, -худши́ться || **–ion** *s.* по́рча, ухудше́ние.
determin/able (дитё̄'рмин-ёбл) *a.* определи́мый || **-ant** *s.* (*math.*) детермина́нт || **-ate** *a.* определё̄нный; реши́тельный || **–ation** *s.* реши́тельность *f.*; реши́мость *f.*; (*decision*) реше́ние; (*settling*) определе́ние.
determin/e (дитё̄'рмин) *va.* определ-я́ть, -и́ть; за-ставля́ть, -ста́вить реши́ться; реш-а́ть, -и́ть || **~** *vn.* реш-а́ться, -и́ться; намерева́ться || **–ed** *a.* реши́тельный.
deterrent (дитё̄'ре́нт) *s.* то, что уде́рживает.
detest/ (дитэ'ст) *va.* ненави́деть; пита́ть отвраще́ние к || **-able** *a.* отврати́тельный, омерзи́тельный || **–ation** (дийтэстэ̄й'шн) *s.* не́нависть *f.*; отвраще́ние, омерзе́ние.
dethrone (дифро̄у'н) *va.* сверга́ть, све́ргнуть с престо́ла.
detonat/e (дэ'тонэйт) *va.* произ-води́ть, -вести́ взрыв; вз-рыва́ть, -орва́ть || **~** *vn.* вспы́х-ивать, -нуть с тре́ском; вз-рыва́ться, -орва́ться || **–ion** *s.* вспы́шка, взрыв, детона́ция || **–ing** *a.* грему́чий.
detour (дитӯ'р) *s.* око́льный путь.
detract/ (дитрӭ'кт) *va.* уменьш-а́ть, -и́ть; умал-я́ть, -и́ть; (*to take away*) от-нима́ть, -ня́ть; (*fig.*) поноси́ть (кого́) || **–ion** *s.* поноше́ние; клевета́ || **–or** *s.* поноси́тель *m.*; клеветни́к.
detriment/ (дэ'триме̄нт) *s.* убы́ток; уще́рб; вред || **–al** (дэтримэ'нтё̄л) *a.* убы́точный; вре́дный.
deuce/ (дю̄с) *s.* (*cards*) два очка́; (*devil*) чорт || **–d** *a.* черто́вский, ужа́сный.
Deuteronomy (дю̄тёро'номи) *s.* второзако́ние.
devastat/e (дэ'вё̄стэйт) *va.* опусто-ша́ть, -ши́ть; разгром-ля́ть, -и́ть || **–ion** *s.* опустоше́ние; погро́м.
develop/ (дивэ'лёп) *va.* раз-вива́ть, -ви́ть; (*phot.*) прояв-ля́ть, -и́ть || **~** *vn.* развива́ться, -ви́ться; (*phot.*) прояв-ля́ться, -и́ться || **–er** *s.* (*phot.*) прояви́тель *m.* || **–ment** *s.* разви́тие.
deviat/e (дий'ви-эйт) *vn.* отклон-я́ться, -и́ться от прямо́го пути́; уклон-я́ться, -и́ться || **–ion** *s.* отклоне́ние, уклоне́ние.
device (дивай'с) *s.* вы́думка; (*contrivance*) сре́дство; (*plan*) план; (*invention*) изобре́тение; (*heraldic*) деви́з.
devil/ (дэ'вил) *s.* дья́вол, чорт || **poor ~!** бедня́жка! || **the ~!** тфу про́пасть! || **~ take him!** чорт его́ побери́! || **go to the ~!** чорт тебя́ побери́! || **~** *va.* жа́рить с кре́пкой припра́вой пе́рца || **–ish** *a.* дья́вольский, черто́вский || **–ment** *s.* дья́вольство; черто́вская зло́ба || **~-may-care** *a.* беззабо́тный, отва́жный.
devious (дий'виёс) *a.* отклоня́ющийся; заблужда́ющийся; (*roundabout*) око́льный.
devise (дивай'з) *va.* приду́м-ывать, -ать; изобре-та́ть, -сти́; (*bequeath*) завеща́ть.
devoid (дивой'д) *a.* лишё̄нный; свобо́дный (от).
devolution (дэволю̄'шн) *s.* (*jur.*) переда́ча [из рук в ру́ки.
devolve (диво'лв) *vn.* до-става́ться, -ста́ться; пере-ходи́ть, -йти́.
devot/e (диво̄у'т) *va.* посвя-ща́ть, -ти́ть || **–ed** *a.* пре́данный; посвящё̄нный || **–edness** *s.* пре́данность *f.* || **–ee** (дэвотий') *s.* фана́тик || **–ion** *s.* посвяще́ние; (*piety*) на́божность *f.*; (*attachment*) пре́данность *f.* || **–ional** *a.* на́божный, религио́зный.
devour/ (дивау'ё̄р) *va.* по-жира́ть, -жра́ть || **–ing** *a.* пожира́ющий || **~ curiosity** горя́чее любопы́тство.
devout/ (дивау'т) *a.* (*pious*) на́божный; (*heartfelt*) и́скренний || **–ness** *s.* на́божность *f.*; и́скренность *f.*
dew/ (дю̄') *s.* роса́ || **~-drop** *s.* роси́нка || **–iness** *s.* роси́стость *f.*
dewlap (дю̄'лӭп) *s.* подгру́док (у быка́).
dewy (дю̄'-и) *a.* роси́стый.
dexter/ity (дэкстэ'рити) *s.* ло́вкость *f.*; прово́рство || **–ous** (дэ'кст[ё]рёс) *a.* ло́вкий, прово́рный.
diabetes (дай-ёбий'тийз) *s.* диабет, са́харная боле́знь.

diabolic(al) (дай-ёбо′ликёл) *a.* дьявольский.
diaconate (дай-а′конёт) *s.* диа́конство.
diadem (дай′-ёдэм) *s.* диаде́ма, вене́ц.
diæresis (дай-э′рисис) *s.* (*gramm.*) разделе́ние двугла́сной бу́квы *или* сло́га на два сло́га (на пр. **aërate**).
diagnos/e (дайёгноу′з) *va.* распо-знава́ть, -зна́ть; определ-я́ть, -и́ть (боле́знь) || **-is** (-оу′сис) *s.* диагно́з, распознава́ние боле́зни.
diagonal (дай-а′гонёл) *s.* диагона́ль *f.* || ~ *a.* диагона́льный.
diagram (дай′ёграм) *s.* диагра́мма.
dial (дай′ёл) *s.* цифербла́т.
dialect (дай′ёлэкт) *s.* диале́кт; ме́стный язы́к.
dialogue (дай′ёлог) *s.* диало́г, разгово́р.
diameter (дайа′митёр) *s.* диа́метр.
diametrical (дай-ёмэ′трикёл) *a.* диаметра́льный.
diamond (дай′мёнд) *s.* алма́з; (*polished*) брилья́нт; (*at cards*) бу́бны *fpl.*; (*geom.*) ромб || ~ *a.* алма́зный; брилья́нтовый.
diapason (дай-ёпэй′зён) *s.* диапазо́н; камерто́н.
diaper (дай′ёпёр) *s.* камча́тное полотно́.
diaphanous (дайа′фёнёс) *a.* прозра́чный, просве́чивающийся.
diaphragm (дай′ёфрам) *s.* диафра́гма; (*anat.*) грудобрю́шная прегра́да.
diarrhœa (дай-ёрий′ё) *s.* поно́с; диарре́я.
diary (дай′ёри) *s.* дневни́к.
diatribe (дай′-ётрайб) *s.* диатри́ба; ре́зкая кри́тика; бра́нная речь.
dibs (дибз) *spl.* (*fam.*) де́ньги *fpl.*
dice/ (дайс) *spl.* игра́льные ко́сти *fpl.* || **to play at** ~ игра́ть в ко́сти || **-box** *s.* стака́н для косте́й.
dickens (ди′кинз) *s. cf.* **devil** || **the** ~! тфу чорт!
dick(e)y (ди′ки) *s.* (*of a carriage*) сиде́ние для лаке́я назади́ екипа́жа; (*shirt-front*) грудь (*f.*) соро́чки.
dicta *cf.* **dictum.**
dictat/e (ди′ктэйт) *s.* предписа́ние; внуше́ние || ~ (диктэй′т) *va.* диктова́ть, про-; (*to order*) пред-пи́сывать, -писать; вну-ш-а́ть, -и́ть || **-ion** (диктэй′шн) *s.* (*act*) диктова́ние; (*what is dictated*) дикто́вка; (*command*) приказа́ние, повеле́ние || **-or** (диктэй′тёр) *s.* дикта́тор || **-orial** (диктёто′риёл) *a.* дикта́торский; повели́тельный.
diction/ (ди′кшён) *s.* ди́кция || **-ary** *s.* словарь *m.*
dictum (ди′ктём) *s.* (*pl.* **dicta,** ди′ктё) поговорка.
did (дид) *cf.* **do.**
didactic/ (дида′ктик) *a.* дидакти́ческий, поучи́тельный || **-s** *spl.* дида́ктика.
diddle (дидл) *va.* (*fam.*) об-ма́нывать, -мануть.
die (дай) *s.* (*pl.* **dice** дайс) игра́льная кость || **the** ~ **is cast** (*fig.*) жре́бий бро́шен || ~ (*pl.* **dies** дайз) ште́мпель *m.*; чека́н || ~ *vn.* у-мира́ть, -мере́ть; сконча́ться; (*of animals*) из-дыха́ть, -до́хнуть; (*to wither*) вя́нуть; (*of a fire*) га́снуть; (*of sound*) замира́ть, замере́ть; (*fig.*) утиха́ть, ути́хнуть.
diet/ (дай′ит) *s.* (*food*) пи́ща; (*med.*) дие́та; (*assembly*) собра́ние || ~ *va.* сажа́ть, посади́ть на дие́ту || **-ary** *a.* диэти́ческий || **-etics** (-э′тикс) *spl.* диэте́тика.
differ/ (ди′фёр) *vn.* (*be dissimilar*) отлича́ться, ра́зниться; (*to disagree*) не соглаша́ться, расходи́ться; (*to quarrel*) ссо́риться || **-ence** *s.* разли́чие, ра́зница; (*quarrel*) ссо́ра; (*disagreement*) несогла́сие, разногла́сие; (*point in dispute*) спо́рный вопро́с; (*math.*) ра́зность *f.* || **-ent** *a.* ра́зный, ино́й; отли́чный; разли́чный || **-ential** (-э′ншёл) *s.* (*math.*) дифференциа́л || ~ *a.* дифференциа́льный || **-entiate** (-э′ншиейт) *va.* различ-а́ть, -и́ть; (*math.*) дифференци́ровать.
difficult/ (ди′фикалт) *a.* тру́дный, затрудни́тельный; (*of persons*) капри́зный, упря́мый || **-y** *s.* тру́дность *f.*; (*hindrance*) препя́тствие; (*dispute*) ра́спря, ссо́ра.
diffid/ence (ди′фид-ёнс) *s.* недове́рие, недове́рчивость *f.*; ро́бкость *f.*; скро́мность *f.*; засте́нчивость *f.* || **-ent** *a.* недове́рчивый; (*shy*) ро́бкий, скро́мный.
diffraction (дифра′кшён) *s.* дифра́кция, уклоне́ние луче́й све́та.
diffus/e (дифю′с) *a.* распространённый; (*of speech*) многоречи́вый || ~ *va.* распростран-я́ть, -и́ть; рас-сева́ть, -се́ять || **-ed** *a.* рассе́янный || **-ion** *s.* распростране́ние; (*phys.*) диффу́зия || **-ive** *a.* распространённый; (*prolix*) многоречи́вый.
dig (диг) *s.* (*fam.*) толчо́к, уда́р || ~ *va.irr.* копа́ть, рыть; (*to thrust*) дать толчо́к.
digest/ (диджэ′ст) *va.* (*to classify*) распределя́ть, раздели́ть; (*food*) пере-ва́ривать, -вари́ть; (*chem.*) на-ста́ивать, -стоя́ть что на чём || ~ (дай′джэст) *s.* резюме́; пе́речень *m.* || **-ible** *a.* удобовари́мый || **-ion** *s.* диге́стия; пищеваре́ние || **-ive** *s.* дигести́вное сре́дство || ~ *a.* дигести́вный, спосо́бствующий пищеваре́нию.
digger (ди′гёр) *s.* копа́тель *m.*; (*gold*) золотоиска́тель *m.*; (*grave*) моги́льщик.
diggings (ди′гингз) *spl.* (*fam.*) ко́мната.
digit/ (ди′джит) *s.* (*finger*) па́лец; (*figure*) едини́ца, число́ в одну́ ци́фру || **-al** *a.* пальцево́й, пе́рстный || **-alis** (-эй′лис) *s.* (*bot.*) напе́рсточник.

dignif/ied (ди'гнифай-д) *a.* достойный, благородный || **–y** (–) *va.* воз-водить, -вести в достоинство; удостои-вать, -ть; величать.
dignit/ary (ди'гнитёри) *s.* сановник || **–y** *s.* достоинство, сан; (*of appearance*) благородный вид.
digress/ (дигрэ'с) *vn.* отступ-ать, -ить; уклон-яться, -иться || **–ion** *s.* отступление (от главного предмета); уклонение || **–ive** *a.* отступающий, уклоняющийся от предмета.
dike (дайк) *s.* ров, канава; (*dam*) плотина.
dilapidat/ed (дилä'пидэйтид) *a.* развалившийся || **–ion** *s.* разрушение; обветшание.
dilat/able (дайлэй'т-ёбл, дил-) *a.* расширимый, расширяемый || **–e** (–) *va.* расширять, -ширить || ~ *vn.* рас-ширяться, -шириться; (*fig.*) распростран-яться, -иться (о чём) || **–ion** *s.* расширение; распространение || **–oriness** (ди'лётёринэс) *s.* медлительность *f.*; запоздалость *f.* || **–ory** (ди'лётёри) *a.* медленный; запоздалый; (*lazy*) ленивый.
dilemma (дилэ'мё) *s.* дилемма; затруднительное положение.
dilettant (ди'литäнт) *s.* дилетант; любитель *m.*
dilig/ence (ди'лидж-ёнс) *s.* (*industry*) прилежание, усердие; (*coach*) дилижанс || **–ent** *a.* прилежный, усердный.
dilly-dally (ди'ли-дä'ли) *vn.* шататься, болтаться.
dilut/e (дилю'т) *va.* раз-жижать, -жидить; раз-бавлять, -бавить (водою) || **–ion** *s.* разжижение, разбавление.
diluvial (дилю'виёл) *a.* дилювиальный, наносный.
dim (дим) *a.* тусклый; непрозрачный; (*of glance*) томный; (*dark*) тёмный; (*fig.*) тупой || ~ *va.* помрач-ать, -ить; затемн-ять, -ить; делать, с- тусклым.
dime (айм) *s.* (*Am.*) серебряная десятицентовая монета.
dimension (димэ'ншён) *s.* размер, величина, об'ём; (*math.*) измерение.
dimin/ish (дими'н-иш) *va.* уменьш-ать, -ить; убавлять, убавить || ~ *vn.* уменьш-аться, -иться; убавляться, убавиться || **–ution** *s.* уменьшение, убавление || **–utive** *s.* (*gramm.*) уменьшительное слово || ~ *a.* уменьшительный; (*tiny*) маленький.
dimity (ди'мити) *s.* бумазея, плис.
dimness (ди'мнэс) *s.* темнота; тусклость *f.*; (*of vision*) слабость (*f.*) зрения.
dimple/ (димпл) *s.* ямочка (на щеке) || **–d** *a.* с ямочками.
din (дин) *s.* шум, грохот; гул || ~ *va.* оглуш-ать, -ить.
dine/ (дай'н) *va.* давать, дать обед || ~ *vn.* обедать, по- || **–r** *s.*, **~-out** обедающий не у себя, вне дома.
ding-dong (ди'нг-до'нг) *s.* динь-динь; звон.
dinghy (ди'нг-ги) *s.* маленькая шлюпка.
dingily *cf.* **dingy.**
dinginess (ди'нджинэс) *s.* тёмный, смуглый цвет лица; тусклость *f.*
dingle (ди'нг-гл) *s.* долина, ложбина.
dingy (ди'нджи) *a.* тёмный, мрачный; (*dull*) тусклый.
dining/-car (дай'нинг-кāр) *s.* вагон-ресторан || **~-room** *s.* столовая.
dinner/ (ди'нёр) *s.* обед || **~-time** *s.* обеденный час || **~-party** *s.* гости, приглашённые к обеду || **~-service** *s.* обеденный сервиз || **~-table** *s.* обеденный стол.
dint (динт) *s.* (*blow*) удар; (*dent*) след, отпечаток; (*fig.*) (*force*) сила || **by ~ of** силою (+ *gen.*).
dioces/an (дай-о'сисён) *s.* епархиальный епископ || ~ *a.* епархиальный || **–e** (дай'-осис) *s.* епархия.
diorama (дай-ёрā'мё) *s.* диорама.
dip (дип) *s.* (*hollow*) углубление; (*of compass*) наклонение; (*slope*) падение, уклон; (*bath*) купание; (*candle*) свеча || ~ *va.* погру-жать, -зить; окн ать, -уть; мак-ать, -нуть || ~ *vn.* погру-жаться, -зиться; окун-аться, -уться; наклон-яться, -иться.
diphtheria (диффий'риё) *s.* дифтерит.
diphthong (ди'ффонг) *s.* двугласная буква; двугласный звук.
diplom/a (диплōу'м-ё) *s.* диплом; свидетельство, аттестат || **–acy** *s.* дипломатия || **–at** (ди'пломäт) *s.* дипломат || **–atic** (дипломä'тик) *a.* дипломатический.
dipper (ди'пёр) *s.* (*vessel*) ковш; (*bird*) нырок.
dire (дай'ёр) *a.* ужасный, страшный; зловещий.
direct/ (дирэ'кт, дайрэ'кт) *a.* прямой || ~ *va.* править, управлять (чем); (*to point*) на-правлять, -править; (*to show*) на-казывать, -казать; (*to order*) приказывать, -казать; (*inscribe*) адресовать || **–ion** *s.* (*course*) направление; (*instruction*) приказание; (*on a letter*) адрес; (*management*) дирекция, правление || **–ly** *ad.* сейчас, немедленно || ~ *c.* как только || **–ness** *s.* прямизна; прямота || **–or** *s.* директор; управляющий, начальник || **–orate** *s.* директория || **–ory** *s.* адрес-календарь *m.*
direful (дай'ёрфул) *a.* ужасный, страшный: зловещий.
dirge (дёрдж) *s.* погребальная песнь, надгробная песнь.

dirigible (ди'риджибл) *s.* дирижа́бль *m.*
dirk (дёрк) *s.* кинжа́л.
dirt/ (дёрт) *s.* говно́, грязь *f.*; нечистота́; сор; (*fig.*) ме́рзость *f.* || **~-cheap** *a.* по грошо́вой цене́; дешёвый до́ смеха || **–iness** *s.* грязь *f.*; нечистота́; (*fig.*) ме́рзость *f.* || **–y** *a.* гря́зный; запа́чканный; (*fig.*) га́дкий; (*of weather*) нена́стный || **~** *va.* грязни́ть, за-; па́чкать, за-.
disability (дисёби'лити) *s.* неспосо́бность *f.*; (*jur.*) неправоспосо́бность *f.*
disable (дисэ̄й'бл) *va.* де́лать, с- неспосо́бным; (*to cripple*) изуве́ч-ивать, -ить; (*mil.*) лиш-а́ть, -и́ть кого́ возмо́жности продолжа́ть бой.
disabuse (дисёбю'з) *va.* раз-уверя́ть, -уве́рить; выводи́ть, вы́вести из заблужде́ния.
disaccustom (дисёка'стём) *va.* отуч-а́ть, -и́ть кого́ от; от-ва́живать, -ва́дить кого́ от.
disadvantag/e (дисёдва̄'нтидж) *s.* невы́года; (*loss*) убы́ток, уще́рб || **–eous** (дисёдвёнтэ̄й'джёс) *a.* невы́годный, убы́точный; неблагоприя́тный.
disaffected (дисёфэ'ктид) *a.* недово́льный.
disagree/ (дисёгрий') *vn.* не согла-ша́ться, -си́ться, ссо́риться; (*med.*) быть вре́дным || **–able** *a.* неприя́тный; проти́вный || **–ment** *s.* несогла́сие; несхо́дство; (*dispute*) ссо́ра.
disallow (дисёлау') *va.* (*forbid*) запреща́ть, -ти́ть; (*not allow*) не поз-воля́ть, -во́лить.
disappear/ (дисёпий'р) *vn.* ис-чеза́ть, -че́знуть || **–ance** *s.* исчеза́ние.
disappoint/ (дисёпой'нт) *va.* разочар-о́вывать, -ова́ть; (*hopes*) об-ма́нывать, -мануть в наде́жде || **–ment** *s.* разочарова́ние; обма́нутая наде́жда; доса́да.
disapprobation (дисäпробэ̄й'шн) *s.* неодобре́ние, порица́ние.
disapprov/al (дисёпрӯ'в-ёл) *s.* неодобре́ние, порица́ние || **–e** (–) *va.* не о-добря́ть, -до́брить; порица́ть.
disarm (диса̄'рм) *va.* обезору́ж-ивать, -ить.
disarrange/ (дисёрэ̄й'ндж) *vn.* рас-страивать, -стро́ить; при-води́ть, -вести́ в беспоря́док || **–ment** *s.* расстро́йство, беспоря́док.
disarray (дисёрэ̄й') *s.* беспоря́док.
disassociate (дисёсоу'шиэйт) *va.* раз-обща́ть, -общи́ть.
disaster (диза̄'стёр) *s.* катастро́фа; несча́стие.
disastrous (диза̄'стрёс) *a.* несча́стный, злополу́чный.
disavow/ (дисёвау') *va.* отрица́ть || **–al** *s.* отрица́ние.
disband/ (дисбä'нд) *va.* рас-пуска́ть, -пусти́ть (во́йско) || **~** *vn.* расходи́ться, разойти́сь || **–ment** *s.* распуще́ние (во́йска).
disbelief (дисбилий'ф) *s.* неве́рие.
disbeliev/e (дисбилий'в) *va.* не ве́рить || **–er** *s.* неве́рующий.
disburden (дисбё̄'рдён) *va.* снима́ть, снять тя́жесть с; освобо-жда́ть, -ди́ть || **to ~ one's mind** облег-ча́ть, -чи́ть своё се́рдце.
disburse/ (дисбё̄'рс) *va.* из-де́рживать, -держа́ть; тра́тить, ис- || **–ment** *s.* расхо́дование (де́нег); изде́рживание.
disc (диск) *s.* диск.
discard (диска̄'рд) *va.* с-бра́сывать, -бро́сить; от-бра́сывать, -бро́сить; (*clothes*) не носи́ть бо́лее; (*give up*) прогна́ть.
discern/ (дисё̄'рн) *va.* (*to discriminate*) различ-а́ть, -и́ть; распо-знава́ть, -зна́ть; (*to perceive*) у-сма́тривать, -смотре́ть || **–ing** *a.* проница́тельный; уме́ющий различа́ть || **–ment** *s.* проница́тельность *f.*; уме́ние различа́ть.
discharge (дисча̄'рдж) *s.* (*unloading*) разгруже́ние; (*of a gun*) вы́стрел; спуск; (*of liquid*) вы́пуск; (*med.*) выделе́ние; (*liberation*) освобожде́ние; (*acquittal*) оправда́ние; (*dismissal*) увольне́ние; (*payment*) упла́та || **~** *va.* (*unload*) разгружа́ть, -зи́ть; (*a gun*) выстре́ливать, вы́стрелить; (*a battery*) раз-ряжа́ть, -ряди́ть; (*to give forth*) выпуска́ть, вы́пустить; (*med.*) выделя́ть, вы́делить; (*to liberate*) освобо-жда́ть, -ди́ть; (*dismiss*) у-вольня́ть, -во́лить; (*acquit*) опра́вдывать, оправда́ть; (*to pay*) у-пла́чивать, -плати́ть.
discipl/e (дисай'пл) *s.* учени́к; после́дователь *m.* || **–inarian** (дисиплина̄'риён) *s.* формали́ст || **~** *a.* дисциплина́рный || **–ine** (ди'сиплин) *s.* дисципли́на; (*punishment*) наказа́ние || **~** *va.* дисциплини́ровать; на-ка́зывать, -каза́ть.
disclaim/ (дисклэ̄й'м) *va.* от-ка́зываться, -каза́ться; от-река́ться, -ре́чься || **–er** *s.* отрица́ние (чего́); отрече́ние (от чего́).
disclos/e (дисклōу'з) *va.* от-крыва́ть, -кры́ть; (*to reveal*) обнару́ж-ивать, -ить; выска́зывать, вы́сказать || **–ure** (дисклōу'жёр) *s.* откры́тие; обнару́жение.
discoid (ди'скойд) *a.* дискообра́зный.
discoloration (дисколёрэ̄й'шн) *s.* обесцве́чивание, измене́ние в цве́те; (*stain*) пятно́.
discolour (*Am.* **discolor**) (диска'лёр) *va.* обесцве́-чивать, -тить; (*to dirty*) запа́чкать.
discomfiture (диска'мфичур) *s.* смуще́ние.
discomfort (диска'мфёрт) *s.* неудо́бство, неприя́тность *f.*; неприя́тное чу́вство.
discommode (дискомо̄у'д) *va.* беспоко́ить, о-; меша́ть.

discompos/e (дискомпо̄у'з) *va.* (*disarrange*) при-водить, -вести в беспорядок; (*to confuse*) сму-щать, -тить ‖ **-ure** (дискомпо̄у'жёр) *s.* беспорядок; смущение.
disconcert (дисконсё'рт) *va.* сму-щать, -тить.
disconnect (диконэ'кт) *va.* раз'един-ять, -ить; разоб-щать, -щить.
disconsolate (диско'нсолёт) *a.* неутешный; упадший духом.
discontent/ (дисконтэ'нт), **-edness, -ment** *s.* неудовольствие ‖ **-ed** *a.* недовольный.
discontinu/ance (дисконти'ню-ёнс) *s.* прекращение, прервание; (*interruption*) перерыв ‖ **-e** (–) *va.* пре-кращать, -кратить; прер-ывать, -вать ‖ ~ *vn.* прекращаться, -кратиться ‖ **-ity** (дисконтинӣо'ити) *s.* отсутствие непрерывности ‖ **-ous** *a.* прерванный; прерывистый.
discord/ (ди'скōрд) *s.* (*mus.*) диссонанс; (*disagreement*) несогласие; (*strife*) раздор ‖ **-ance** (дискō'рдёнс) *s.* несогласие, разногласие ‖ **-ant** (дискō'рдёнт) *a.* несогласный; неблагозвучный.
discount/ (ди'скаунт) *s.* дисконт, учёт; сбавка ‖ **at a** ~ ниже номинальной стоимости ‖ ~ *va.* дисконтировать; у-читывать, -честь ‖ **-enance** (дискау'нтёнанс) *s.* нерасположение; порицание ‖ ~ *va.* (*disapprove*) не од-обрять, -обрить; порицать.
discourage/ (диска'ридж) *va.* обескураж-ивать, -ить; отсовет-ывать, -овать ‖ **-ment** *s.* уныние; приведение в состояние уныния.
discours/e (дискō'рс) *s.* (*conversation*) разговор; (*speech*) речь *f.* ‖ ~ *va.&n.* говорить; толковать, разговаривать ‖ **-ive** *a.* разговорчивый.
discourt/eous (дискё'р-тёс) *a.* невежливый ‖ **-esy** (-тиси) *s.* невежливость *f.*
discover/ (диска'вёр) *va.* от-крывать, -крыть; (*disclose*) рас-крывать, -крыть; (*find*) на-ходить, -йти; (*to learn*) у-знавать, -знать; (*reveal*) высказывать, высказать ‖ **-er** *s.* открыватель *m.* ‖ **-y** *s.* открытие; раскрытие; (*a find*) находка.
discredit/ (дискрэ'дит) *s.* (*disbelief*) недоверие; (*disgrace*) позор ‖ ~ *va.* (*disbelieve*) не верить; лиш-ать, -ить доверия; (*disgrace*) позорить, о- ‖ **-able** *a.* позорный, позорящий.
discreet (дискрий'т) *a.* (*careful*) осторожный; (*silent*) молчаливый; скромный.
discrep/ancy (дискрэ'п-ёнси) *s.* несогласие, противоречие; различие ‖ **-ant** *a.* различный; несогласный; противоречивый.
discretion/ (дискрэ'шён) *s.* (*judgment*) осторожность *f.*; благоразумие; (*silence*) молчаливость *f.*; (*tact*) такт; (*freedom of action*) произвол ‖ **years of** ~ зрелый возраст ‖ **at** ~ по усмотрению ‖ **to surrender at** ~ сдаваться, сдаться на милость победителя ‖ **to use one's** ~ поступать по своему усмотрению ‖ **-ary** *a.* неограниченный, произвольный.
discriminat/e (дискри'минэйт) *va.* распознавать, -знать; различ-ать, -ить; отлич-ать, -ить ‖ **-ing** *a.* разборчивый, умеющий распознавать ‖ **-ion** *s.* различие, отличие; разборчивость *f.*
discursive (дискё̄'рсив) *a.* умозаключительный.
discus (ди'скёс) *s.* диск.
discuss/ (диска'с) *va.* об-суждать, -судить; рас-сматривать, -смотреть; (*a bottle*) выпивать, выпить ‖ **-ion** *s.* обсуждение; учёный спор.
disdain/ (дисдэ̄й'н) *s.* презрение, пренебрежение ‖ ~ *va.* пре-зирать, -зреть; прене-брегать, -бречь ‖ **-ful** *a.* презрительный, пренебрежительный.
disease/ (дизий'з) *s.* болезнь *f.*; страдание ‖ **-d** *a.* больной, нездоровый.
disembark (дисимба̄'рк) *va.* (*to unload*) выгружать, выгрузить; (*to set on land*) высаживать, высадить на берег.
disembarrass (дисимба̄'рёс) *va.* освобождать, -дить; из-бавлять, -бавить (от).
disembody (дисимбо'ди) *va.* лиш-ать, -ить телесной оболочки.
disembogue (дисимбо̄у'г) *vn.* выливаться, вылиться; впадать, втекать.
disembowel (дисимбау'ил) *va.* выпотрошить.
disenchant/ (дисинча'нт) *va.* разочар-овывать, -овать ‖ **-ment** *s.* разочарование.
disencumber (дисинка'мбёр) *va.* освобождать, -дить.
disengage/ (дисин-гэ̄й'дж) *va.* выпутывать, выпутать; высвобождать, высвободить; освобо-ждать, -дить; отдел-ять, -ить ‖ **-d** *a.* свободный, несвязанный, незанятой.
disentangle (дисинтä'нг-гл) *va.* распут-ывать, -ать; высвобождать, высвободить.
disestablish (дисистä'блиш) *va.* разлучение церкви от государства.
disfavour (дисфэ̄й'вёр) *s.* нерасположение, неприязненность *f.* ‖ ~ *va.* не одобрять, одобрить.
disfigur/ation (дисфигюрэ̄й'шн) *s.* уродование, обезображивание; уродство ‖ **-e** (дисфи'гёр) *va.* уродовать, из-; обезобра-живать, -зить.
disfranchise (дисфрä'нчайз) *va.* лиш-ать, -ить привилегии (*особ.* избирательных).

disgorge (дисгӧ'рдж) *va.* из-вергать, -вергнуть; выбрасывать, выбросить; (*fig.*) возвратить отнятое обманом.
disgrace/ (дисгрэй'с) *s.* бесчестие, позор; (*disfavour*) немилость *f.* || ~ *va.* бесчестить, о-; позорить, о- || **-ful** *a.* бесчестный, позорный.
disguise (дисгай'з) *s.* (*dress*) переряжение; маска, личина; (*fig.*) вид || **in** ~ переодетый || ~ *va.* пере-ряжать, -рядить; перео-девать, -деть; (*fig.*) скрывать, скрыть; маскировать.
disgust/ (дисга'ст) *s.* отвращение, омерзение || ~ *va.* отвра-щать, -тить; внуш-ать, -ить отвращение || **to be -ed** иметь отвращение от; сердиться, рас- || **-ing** *a.* отвратительный, омерзительный.
dish (диш) *s.* (*plate, food*) блюдо; (*cup*) чашка; (*pl.*) посуда || ~ *va.* по-давать, -дать на стол.
dishabille (дисёби'л) *s. cf.* **deshabille.**
dish/-cloth (ди'ш-клоѳ) *s.* посудное полотенце || ~**-cover** *s.* крышка для блюда.
dishearten (дисха'ртн) *va.* при-водить, -вести в уныние.
dishevel (дишэ'вл) *va.* вз'ерош-ивать, -ить; рас-трёпывать, -трепать; всклоч-ивать, -ить.
dishful (ди'шфул) *s.* полное блюдо чего.
dishon/est (дисо'н-ист) *a.* нечестный, бесчестный || **-esty** *s.* нечестность *f.*; бесчестность *f.* || **-our** *s.* бесчестие; позор || ~ *va.* бесчестить, о-; позорить, о-; (*a cheque*) не акцептовать || **-ourable** *a.* бесчестный; позорный.
disillusion/ (дисилю'жн) *va.* разочар-овывать, -овать || **-ment** *s.* разочарование.
disinclination (дисинклинэй'шн) *s.* отсутствие охоты к; отвращение.
disinfect/ (дисинфэ'кт) *va.* дезинфицировать, про- || **-ant** *s.* дезинфекционное средство || **-ion** *s.* дезинфекция.
disingenuous (дисинджэ'нюёс) *a.* недобросовестный, бессовестный.
disinherit (дисинхэ'рит) *va.* лиш-ать, -ить наследства.
disintegrate (диси'нтигрэйт) *va.* дезинтегрировать; раздел-ять, -ить (на составные части).
disinter (дисинтё'р) *va.* вырывать, вырыть (мёртвое тело); (*fig.*) выводить, вывести на свет.
disinterested (диси'нтёрэстид) *a.* (*unselfish*) бескорыстный; (*impartial*) беспристрастный.
disjoint/ (дисджой'нт) *va.* вывихнуть; расчлен-ять, -ить; раз-бирать, -обрать (на части) || **-ed** *a.* расчленённый; плохо подобранный; (*fig.*) несвязный.
disjunct/ (дисджа'нгкт) *a.* вывихнутый, расчленённый || **-ive** *a.* разделительный.
disk = disc.
dislike (дислай'к) *s.* нерасположение, отвращение || ~ *va.* не любить; питать отвращение к.
dislocat/e (ди'слокэйт) *va.* вывихнуть; сдвигать, сдвинуть с места || **-ion** *s.* (*med.*) вывих; (*fig.*) перемещение; (*of traffic*) дислокация.
dislodge (дисло'дж) *va.* выгонять, выгнать; сбивать, сбить.
disloyal (дислой'ёл) *a.* неверный.
dismal (ди'змёл) *a.* (*dark*) мрачный; (*depressing*) жалобный, заунывный.
dismantle (дисма'нтл) *va.* обнаж-ать, -ить; лиш-ать, -ить вооружения; (*a ship*) разоруж-ивать, -ить.
dismay (дисмэй') *s.* ужас, страх; смущение || ~ *va.* ужас-ать, -нуть; сму-щать, -тить.
dismember (дисмэ'мбёр) *va.* расчлен-ять, -ить; раз-рывать, -орвать.
dismiss/ (дисми'с) *va.* (*a servant, etc.*) отпус-кать, -тить; у-вольнять, -волить; (*a meeting*) распус-кать, -тить; (*fig.*) про-гонять, -гнать; (*jur.*) от-казывать, -казать || **-al** *s.* увольнение, отставка.
dismount (дисмау'нт) *va.* (*to unhorse*) сбрасывать, сбросить с лошади; выбивать, выбить из седла; (*a cannon*) сн-имать, -ять со станка; (*cavalry*) спешивать, -ть || ~ *vn.* спеш-иваться, -иться; слезать, слезть с лошади.
disobed/ience (дисобий'д-иёнс) *s.* ослушание, непослушание || **-ient** *a.* непослушный, ослушливый.
disobey (дисобэй') *va.* ослуш-иваться, -аться; (*the law*) на-рушать, -рушить.
disobliging (дисоблай'джинг) *a.* неуслужливый, неучтивый.
disorder/ (дисӧ'рдёр) *s.* беспорядок; (*confusion*) замешательство; суматоха; расстройство; (*disease*) болезнь *f.* || ~ *va.* при-водить, -вести в беспорядок; рас-страивать, -строить; делать, с- больным || **-ly** *a.* беспорядочный; (*turbulent*) бесчинный; (*disreputable*) развратный.
disorganize (дисӧ'ргёнайз) *va.* дезорганизировать; рас-страивать, -строить.
disown (дисбу'н) *va.* от-рекаться, -речься (от); отрицать.
disparage/ (диспа'ридж) *va.* уничиж-ать, -ить; хулить; умал-ять, -ить || **-ment** *s.* уничижение; хула; презрение.

disparate (ди'спёрёт) *a.* несхóдный, различный || **–ity** (диспā'рити) *s.* (*in size, etc.*) несоразмéрность *f.*, несоотвéтствие; нерáвенство.
dispassionate (диспā'шёнёт) *a.* бесстрáстный; (*calm*) спокóйный; (*impartial*) беспристрáстный.
dispatch *cf.* **despatch.**
dispel (диспэ'л) *va.* раз-гонять, -огнáть; про-гонять, -гнáть; (*to dissipate*) рассевáть, -сéять.
dispens/ary (диспэ'нс-ёри) *s.* даровáя лечéбница, аптéка || **–ation** *s.* (*distribution*) раздáча; (*from some obligation*) разрешéние; (*eccl.*) диспенсáция || **–e** (–) *va.* распредел-ять, -ить; (*to distribute*) раздавáть, -дáть; расточ-áть, -ить; (*medicine*) при-готовлять, -готóвить и отпус-кáть, -тить лекáрства || **to ~ with** обходиться, -ойтись без || **–er** *s.* аптéкарь || **–ing** *a.*, **~ chemist** аптéкарь *m.*
dispers/al (диспё'рс-ёл) *s.* разогнáние, рассéяние || **–e** (–) *va.* распростран-ять, -ить; (*a crowd, etc.*) раз-гонять, -огнáть; (*to spread*) раз-носить, -нести || **~** *vn.* распростран-яться, -иться; расходиться, разойтись.
dispirit/ (диспи'рит) *va.* при-водить, -вести в уныние || **–ed** *a.* упáдший дýхом || **–edness** *s.* уныние, упáдок дýха.
displace/ (дисплэй'с) *va.* переме-щáть, -стить; (*dismiss*) от-ставлять, -стáвить (от дóлжности) || **–ment** *s.* перемещéние; отрешéние от дóлжности; (*mar.*) водоизмещéние.
display (дисплэй') *s.* проявлéние; выставка на покáз; (*parade*) парáд || **~** *va.* (*to show*) выставлять, выставить (на покáз); прояв-лять, -ить; (*to spread out*) раз-вёртывать, -вернýть; (*to parade*) парадировать.
displeas/e (дисплий'з) *va.* не нрáвиться; причин-ять, -ить неудовóльствие; (*to offend*) оскорб-лять, -ить || **–ed** *a.* недовóльный, сердитый || **–ing** *a.* неприятный, противный || **–ure** (дисплэ'жёр) *s.* неудовóльствие; досáда; (*disfavour*) немилость *f.*
disport (диспō'рт) *vn.*, **to ~ o.s.** развлекáться, забавляться.
dispos/al (диспōу'з-ёл) *s.* распоряжéние; (*bestowal*) передáча; (*arrangement*) расположéние || **to place at one's ~** предоставлять, -стáвить что в распоряжéние когó || **–e** (–) *va.* распо-лагáть, -ложить; (*to arrange*) раз-мещáть, -местить || **to ~ of** располагáть (чем); (*to finish*) по-кáнчивать, -кóнчить; (*to sell*) про-давáть, -дáть || **–ition** (диспози'шён) *s.* расположéние; размещéние; (*power*) распоряжéние; (*tendency*) склóнность *f.*; (*temperament*) расположéние, наклóнность *f.*; (*mil.*) диспозиция.
dispossess/ (диспоззэ'с) *va.* лиш-áть, -ить владéния; от-нимáть, -нять сóбственность || **–ion** *s.* лишéние владéния; отнятие сóбственности.
dispraise (диспрэй'з) *s.* осуждéние, порицáние || **~** *va.* осу-ждáть, -дить.
disproof (диспрý'ф) *s.* опровержéние.
disproportion/ (диспропō'ршён) *s.* несоразмéрность *f.*; непропорционáльность *f.*; нерáвенство || **–al, –ed, –ate** *a.* непропорционáльный; несоразмéрный.
disprove (диспрý'в) *va.* опро-вергáть, -вéргнуть.
disput/able (диспю'т-ёбл) *a.* спóрный, оспоримый || **–ant** (ди'спютāнт) *s.* спóрщик, диспутáнт || **–ation** *s.* дебáт, учёный спор || **–atious** *a.* любящий спóрить; придирчивый || **–e** (–) *s.* дебáт; диспут; ссóра || **matter, point in ~** спóрный пункт || **beyond ~** бесспóрный || **~** *va.* оспáривать, об-суждáть, -судить || **~** *vn.* спóрить; держáть диспут; ссóриться.
disqualif/ication (дискуолификэй'шн) *s.* неспосóбность *f.*; то, что дéлает неспосóбным || **–y** (дискуо'лифай) *va.* лиш-áть, -ить прáва (на что); дéлать, с- неспосóбным (к чемý).
disquiet/ (дискуай'ёт) *va.* беспокóить; тревóжить, вс- || **–ing** *a.* внушáющий беспокóйства; тревóжный; неприятный || **–ude** *s.* беспокóйство.
disquisition (дискуизи'шён) *s.* исслéдование.
disregard/ (дисригā'рд) *s.* непочтéние; неуважéние; (*indifference*) равнодýшие; (*contempt*) презрéние; пренебрежéние || **~** *va.* ни во что стáвить; неуважáть; покáзывать, -казáть равнодýшие; пренебрегáть, -брéчь || **–ful** *a.* невнимáтельный; равнодýшный (к).
disrelish (дисрэ'лиш) *s.* (*distaste*) дурнóй вкус; (*fig.*) отвращéние (к) || **~** *va.* не любить; питáть отвращéние (к).
disreput/able (дисрэ'пютёбл) *a.* позóрный; (*of bad repute*) бесслáвный, опорóченный || **–e** (дисрипю'т) *s.* дурнáя слáва; бесслáвие; позóр.
disrespect/ (дисриспэ'кт) *s.* неуважéние; пренебрежéние || **–ful** *a.* непочтительный, неучтивый; грýбый.
disrobe (дисрōу'б) *va&n.* раз-девáть(-ся), -дéть(-ся).
disruption (дисра'пшён) *s.* разрыв; перелóм.

dissatis/faction (дисӓтис-фӓ'кшён) *s.* неудовольствие; огорчение || **–factory** (-фӓ'ктёри) *a.* неудовлетворительный || **–fied** (дисӓ'тисфайд) *a.* недовольный || **–fy** (дисӓ'тисфай) *va.* не удовлетвор-ять, -ить; причин-ять, -ить неудовольствие.

dissect/ (дисэ'кт) *va.* (*bodies*) анатомировать; вскрывать, вскрыть; (*fig.*) разбирать, -обрать || **–ing** *a.*, **~-knife** скальпель *m.*; секционный нож || **–ion** *s.* анатомирование, вскрытие трупов; (*fig.*) подробное рассмотрение, разбор.

dissembl/e (дисэ'мбл) *va.* скрывать, скрыть || **~** *vn.* притвор-яться, -иться || **–ing** *a.* притворный; лицемерный.

disseminat/e (дисэ'минэйт) *va.* рас-севать, -сеять; (*to spread*) распростран-ять, -ить || **–ion** *s.* распространение.

dissension (дисэ'ншён) *s.* несогласие, разлад.

dissent/ (дисэ'нт) *s.* разногласие, противоположность (*f.*) во мнении || **~** *vn.* не согла-шаться, -ситься; не сходиться, сойтись во мнениях || **–er** *s.* диссидент; (*eccl.*) диссентер (иноверец) || **–ient** (-ш[и]ёнт) *a.* несогласный.

dissertation (дисёртэй'шн) *s.* диссертация.

disservice (дисё'рвис) *s.* вред, ущерб; дурная услуга.

dissident (ди'сидёнт) *a.* несогласный, разномыслящий.

dissimilar/ (диси'милёр) *a.* непохожий; (*of opinions*) несходный || **–ity** (дисимилӓ'рити) *s.* несходство; различие, разность *f.*

dissimulat/e (диси'мюлэйт) *va.* скрывать, скрыть || **–ion** *s.* притворство; лицемерие.

dissipat/e (ди'сипэйт) *va.* рас-севать, -сеять; раз-гонять, -огнать; (*fig.*) проматывать, -мотать; рас-точать, -точить || **–ed** *a.* распутный, развратный || **–ion** *s.* (*dispersion*) рассыпание, разогнание; (*of money, etc.*) мотовство, трата; расточение; (*dissoluteness*) распутство.

dissociat/e (дисōу'ши-эйт) *va.* раздел-ять, -ить; раз'един-ять, -ить || **–ion** *s.* разделение; раз'единение.

dissol/uble (дисо'л-юбл) *a.* растворимый || **–ute** (ди'солют) *a.* развратный, распутный || **–uteness** *s.* разврат, распутство || **–ution** *s.* (*chem.*) растворение; (*of an assembly*) распущение; (*of marriage, alliance, etc.*) расторжение; (*death*) смерть *f.*; кончина || **–ve** (дизо'лв) *va.* (*chem.*) раствор-ять, -ить; (*marriage, an alliance, etc.*) рас-торгать, -торгнуть; (*parliament*) распус-кать, -тить; (*to destroy*) уничт-ожать, -ожить || **~** *vn.* (*chem.*) раствор-яться, -иться; (*to decompose*) раз-лагаться, -ложиться; (*to separate*) расходиться, разойтись || **–vent** (дизо'лвёнт) *s.* растворяющее средство.

disson/ance (ди'сон-ёнс) *s.* (*mus.*) диссонанс; (*fig.*) разногласие, несогласие, разлад || **–ant** *a.* (*mus.*) нестройный; разногласный.

dissua/de (дисуэй'-д) *va.* отсовет-ывать, -овать (кому что); отгов-аривать, -орить (кого от чего) || **–sion** (-жён) *s.* отсоветывание, отговаривание || **–sive** (-сив) *a.* отсоветывающий, отговаривающий.

disyllabic (дисилӓ'бик) *a.* двусложный.

distaff (ди'стӓф) *s.* прялка.

distan/ce (ди'стёнс) *s.* дистанция; даль *f.*; (*space*) расстояние; (*remoteness*) отдаление; (*fig. coolness*) сдержанность *f.*; скрытность *f.*; (*arts*) даль *f.* || **in the ~** издали, вдали || **~** *va.* дистанцировать; (*fig.*) пре-восходить, -взойти || **–t** *a.* (*remote*) отдалённый, далёкий; (*slight*) слабый; (*reserved*) сдержанный, сухой || **~ relation** отдалённый родственник.

distaste/ (дистэй'ст) *s.* отвращение, омерзение || **–ful** *a.* отвратительный; неприятный.

distemper (дистэ'мпёр) *s.* (*disorder*) болезнь *f.*; (*in dogs*) чума (собак); (*ill humour*) дурное расположение духа; (*arts*) водяная краска || **~** *va.* (*make ill*) делать, с- больным; (*to anger*) рас-страивать, -строить (кого).

distend (дистэ'нд) *va.* рас-тягивать, -тянуть; (*to inflate*) раз-дувать, -дуть; (*the fingers*) растопыр-ивать, -ить || **~** *vn.* рас-тягиваться, -тянуться; раз-дуваться, -дуться.

distension (дистэ'ншён) *s.* растягивание; расширение; (*med.*) растяжение.

distich (ди'стик) *s.* двустишие, дистих.

distil/ (дисти'л) *va.* дистиллировать, перегонивать, -гнать || **~** *vn.* капать, капнуть || **–lation** *s.* дистилляция, перегонка || **–ler** *s.* дистиллятор || **–lery** *s.* винокуренный завод.

distinct/ (дисти'нгкт) *a.* отличный, различный; (*exact*) точный; (*clear*) внятный || **–ion** *s.* (*difference*) различие; (*of character*) благородство; (*eminence*) знатность *f.*; важность *f.* || **–ive** *a.* отличительный.

distinguish/ (дисти'нг-гуиш) *va.* различ-ать, -ить; распо-знавать, -знать || **–ed** *a.* знатный; (*famous*) знаменитый, славный || **–ing** *a.* отличительный.

distort/ (дистō'рт) *va.* искрив-лять, -ить; иска-жать, -зить; (*to disfigure*) обезобра-живать, -зить; коверкать, ис- || **-ion** *s.* искривление; обезображение, искажение.

distract/ (дистрä'кт) *va.* раз-влекать, -влечь; от-влекать, -влечь; (*fig.*) сводить, -ести с ума || **-ed** *a.* (*fig.*) сумасшедший, помешанный || **-ion** *s.* развлечение; (*madness*) сумасшедствие.

distrain/ (дистрэй'н) *va.* на-лагать, -ложить арест на имущество || **-t** *s.* наложение ареста на имущество.

distress/ (дистрэ'с) *s.* (*of mind*) горе; прискорбие; (*of body*) боль *f.*; мука; (*destitution*) бедность *f.*; нужда; (*calamity*) несчастие; (*mar.*) бедствие; (*jur.*) = **distraint** || ~ *va.* огор-чать, -чить; мучить, по-; (*to tire*) утом-лять, -ить; (*jur.*) = **distrain** || **-ing** *a.* прискорбный, грустный; мучительный.

distribut/e (дистри'бют) *va.* раз-давать, -дать; распредел-ять, -ить; (*justice*) примен-ять, -ить || **-ion** *s.* раздача, разделение; распределение; (*of justice*) применение || **-ive** *a.* распределительный || **-ively** (дистри'бютивли) *ad.* каждому порознь, отдельно.

district (ди'стрикт) *s.* округ, страна; уезд.

distrust/ (дистра'ст) *s.* недоверчивость *f.*; недоверие || ~ *va.* не до-верять, -верить (кому, чему); быть недоверчивым к || **-ful** *a.* недоверчивый || **-fulness** *s.* недоверчивость *f.*

disturb/ (дистё'рб) *va.* (*confuse*) мешать, по-; рас-страивать, -строить; при-водить, -вести в беспорядок; (*to annoy*) беспокоить, о-; тревожить, вс- || **-ance** *s.* беспокойство, тревога; (*noise*) шум; (*riot*) возмущение.

disun/ion (дисю'ниён) *s.* раз'единение; (*disagreement*) несогласие || **-ite** (дисюнай'т) *va.* раз'един-ять, -ить.

disuse/ (дисю'с) *s.* неупотребление || **-d** (дисю'зд) *a.* (*obsolete*) обветшалый; вышедший из употребления.

ditch (дич) *s.* канава, ров.

dithyrambic (дифирä'мбик) *a.* дифирамбический.

ditto (ди'тоу) *s.* то-же самое || ~ *ad.* тоже; как сказано выше.

ditty (ди'ти) *s.* песенка.

diuretic (дай-юрэ'тик) *s.* мочегонное средство || ~ *a.* мочегонный.

diurnal (дай-ё'рнёл) *a.* суточный, дневной.

divan (дивä'н) *s.* диван.

divaricate (дайвä'рикэйт) *vn.* раз-дваиваться, -двоиться.

div/e (дай'в) *s.* прыжок головою вперёд; (*Am.*) кабак || ~ *va.* запус-кать, -тить (руку) || ~ *vn.* ныр-ять, -нуть; бросаться, броситься в воду головою вперёд || **to ~ into** (*fig.*) углуб-ляться, -иться || **-er** *s.* (*professional*) водолаз; (*bird*) нырок.

diverg/e (дивё'рдж) *vn.* расходиться, разойтись || **-ence** *s.* расхождение || **-ent** *a.* расходящийся.

divers (дай'вёрз) *a.&spl.* многие, разные.

divers/e (дивё'рс) *a.* разный, различный || **-ification** *s.* разнообразие; перемена || **-ified** *a.* разнообразный || **-ify** *va.* разнообразить || **-ion** *s.* отвлечение; отвод; (*mil.*) диверсия; (*pastime*) развлечение || **-ity** *s.* различие, несходство; разнообразие.

divert (дивё'рт) *va.* отклон-ять, -ить; отвлекать, -влечь; (*to amuse*) раз-влекать, -влечь; за-бавлять, -бавить.

divest (дивэ'ст) *va.* (*strip*) раз-девать, -деть; (*deprive*) лиш-ать, -ить.

divid/e (дивай'д) *s.* водораздел || ~ *va.* делить; раздел-ять, -ить; (*to separate*) отдел-ять, -ить; (*to deal out*) раз-давать, -дать || ~ *vn.* делиться; раздел-яться, -иться; (*to part*) разлуч-аться, -иться; (*parl.*) по-давать, -дать голоса по группам || **-end** (ди'видэнд) *s.* (*comm.*) дивиденд; (*arithmetic*) делимое || **-er** *s.* делитель *m.* || **-ers** *spl.* циркуль-делитель *m.*

divin/ation (дивинэй'шн) *s.* предсказание будущего; прорицание; (*fig.*) гадание || **-e** (дивай'н) *s.* духовная особа; (*theologian*) богослов || ~ *a.* божеский, божественный; (*fig.*) восхитительный || ~ *va.* (*foretell*) пред-сказывать, -сказать; (*foresee*) предчувствовать; до-гадываться, -гадаться || **-er** (дивай'нёр) *s.* гадатель *m.*; прорицатель *m.*

diving-bell (дай'винг-бэл) *s.* водолазный колокол.

divin/ing-rod (дивай'нинг-род) *s.* волшебный жезл || **-ity** (диви'нити) *s.* божественность *f.*; (*God*) Бог; (*theology*) богословие.

divis/ibility (дивизиби'лити) *s.* делимость *f.* || **-ible** (диви'зибл) *a.* делимый, разделимый || **-ion** (диви'жён) *s.* (*arith.*) деление; (*mil. & mar.*) дивизия; (*partition*) разделение; (*part*) отделение; (*district*) округ; (*parl.*) подача голосов по группам, голосование; (*variance*) несогласие, раздор || **-ional** *a.* дивизионный || **-or** (дивай'зёр) *s.* (*arith.*) делитель *m.*

divorce (дивō'рс) *s.* расторжение брака разводом; развод || ~ *va.* раз-водить, -вести.

divulge (дива'лдж) *va.* раз-глашать, -гласить.

dizz/iness (ди'з-инэс) *s.* дурнота́, головокруже́ние || **–y** *a.* (*giddy*) подве́рженный головокруже́нию; (*heedless*) неразу́мный || **I am ~** у меня́ голова́ кру́жится.
do (дӯ) *va.irr.* де́лать, с-; (*to accomplish*) ис-полня́ть, -по́лнить; (*to tidy*) при-водить, -вести́ в поря́док; (*to prepare, cook*) стря́пать, гото́вить; (*to humbug*) на-дува́ть, -ду́ть **to ~ away with** удал-я́ть, -и́ть; (*to kill*) убива́ть, уби́ть: (*to destroy*) уничт-ожа́ть, -о́жить || **to ~ for** у-бива́ть, -би́ть || **to ~ up** (*to pack*) укла́дывать, уложи́ть || **to ~ without** обходи́ться, -ойти́сь без || **~** *vn.* де́лать, с-; поступ-а́ть, -и́ть; (*to behave*) вести́ себя́ || **that won't ~** это не годи́тся || **that will ~** дово́льно || **how ~ you ~?** как пожива́ете? || **~ tell me** скажи́те же мне || **to have to ~ with** име́ть де́ло с || **~ make haste!** пожа́луйста поспеши́те!
docile (до'сил) *a.* послу́шный, поко́рный.
dock (док) *s.* (*mar.*) док; (*bot.*) щаве́ль *m.* || **dry ~** сухо́й док || **floating ~** плаву́чий док || **~** *va.* (*mar.*) вв-оди́ть, -ести́ в док; (*a horse's tail*) отруб-а́ть, -и́ть хвост; под-реза́ть, -ре́зать.
docket (до'кит) *s.* пе́речень *m.*; (*label*) ярлы́к || **~** *va.* впи́сывать, вписа́ть в пе́речень; накле́ивать ярлыки́ (на това́ры).
doctor/ (до'ктёр) *s.* до́ктор; (*physician*) врач, ле́карь *m.* || **~'s stuff** (*fam.*) лека́рство || **~** *va.* по́льзовать, лечи́ть; лека́рить; (*fig.*) фальсифици́ровать || **–ate** *s.* до́кторство || **–ess** *s.* же́нщина-врач.
doctrin/al (до'ктрин-ёл) *a.* доктринёрский; догмати́ческий || **–e (–)** *s.* уче́ние, доктри́на.
document/ (до'кюмёнт) *s.* докуме́нт || **–ary** (докюмэ'нтёри) *a.* осно́ванный на докуме́нтах; документа́льный.
dodder (до'дёр) *s.* (*bot.*) повили́ка, со́рчий лён || **~** *vn.* потряса́ться. [гра́нник.
dodecagon (доудэ'кёгон) *s.* двена́дцати-
dodg/e (додж) *s.* (*movement*) скачо́к, прыжо́к в сто́рону; увёртка; (*trick*) уло́вка, хи́трость *f.*; плу́тня || **~** *va.* увёртываться; из-бега́ть, -бе́гнуть || **~** *vn.* избега́ть; хитри́ть || **–er** *s.* хитре́ц, продувно́й па́рень || **–y** *a.* хи́трый.
doe/ (до̄у) *s.* лань *f.* || **–r** (дӯ'ёр) *s.* де́латель *m.* || **–s** (даз) *cf.* **do**.
doeskin (до̄у'скин) *s.* за́мша.
doff (доф) *va.* снима́ть, снять; под-нима́ть, -ня́ть.
dog/ (дог) *s.* соба́ка; (*astr.*) пёс || **a sly ~** хитре́ц || **to go to the –s** поги́бнуть || **a ~'s life** (*fig.*) соба́чья жизнь || **~** *va.* пресле́довать; сле́довать за; (*to spy on*) следи́ть, про- за || **–berry** *s.* дерён || **~-biscuit** гале́та для соба́к || **–cart** *s.* догка́рт || **~-days** *spl.* каникуля́рное вре́мя, кани́кулы *fpl.*
doge (до̄удж) *s.* дож.
dogged/ (до'гид) *a.* упря́мый; упо́рный || **–ness** *s.* упря́мство; упо́рство.
doggerel (до'гёрёл) *s.* ви́рши, скве́рные стихи́. [вый, гру́бый.
doggish (до'гиш) *a.* соба́чий; (*fig.*) сварли́-
dog/-kennel (до'г-кэ'нёл) *s.* соба́чья кону́ра || **~ Latin** *s.* ва́рварская латы́нь || **–like** *a.* похо́жий на соба́ку; (*fig.*) ве́рный.
dogma/ (до'гмё) *s.* до́гмат || **–tic** (догмä'тик) *a.* догмати́ческий || **–tize** *vn.* говори́ть догмати́ческим то́ном.
dogrose (до'гро̄уз) *s.* шипо́вник.
dog's-ear (догзий'р) *s.* заги́бка, за́гнутый у́гол (в кни́ге) || **~** *va.* за-гиба́ть, -гну́ть углы́ листо́в кни́ги.
dog-star (до'гста̄р) *s.* Си́риус (звезда́).
doings (дӯ'-ингз) *spl.* дела́ *npl.*; дея́ния
doit (дойт) *s.* (*fig.*) безде́лица. [*npl.*
doldrums (до'лдрёмз) *spl.* (*mar.*) штилева́я полоса́ у эква́тора || **in the ~** (*fig.*) не в ду́хе, в дурно́м расположе́нии ду́ха.
dole/ (до̄ул) *s.* до́ля, часть *f.*; (*charity*) ми́лостыня || **~** *va.* раз-деля́ть, -дели́ть || **–ful** *a.* гру́стный, плачёвный; зауны́в-
doll (дол) *s.* ку́кла. [ный.
dollar (до'лёр) *s.* до́ллар.
dolly (до'ли) *s.* ку́кла, ку́колка.
dolmen (до'лмэн) *s.* дольме́н.
dolorous (до̄у'лёрёс) *a.* скорбный, печа́льный, боле́зненный. [грусть *f.*; скорбь *f.*
dolour (до̄у'лёр) (*Am.* **dolor**) *s.* боль *f.*;
dolphin (до'лфин) *s.* дельфи́н. [пый.
dolt/ (до̄улт) *s.* блух, дура́к || **–ish** *a.* глу́-
domain (домэ̄й'н) *s.* владе́ние; (*sphere*) часть *f.*; (*district*) о́бласть *f.*; (*property*) поме́стие, име́ние.
dome (до̄ум) *s.* ку́пол; (*fig.*) небе́сный свод.
domestic/ (домэ'стик) *s.* слуга́, прислу́га || **~** *a.* (*of the home*) дома́шний; (*tame*) ручно́й; (*not foreign*) тузе́мный || **~ economy** *s.* эконо́мия; домохозя́йство || **–ate** *va.* приуч-а́ть, -и́ть к семе́йной жи́зни; (*to tame*) де́лать, с- ручны́м, прируч-а́ть, -и́ть || **–ation** *s.* приуче́ние || **–ity** (до̄умэсти'сити) *s.* семе́йная жизнь.
domicil/e (до'мисил) *s.* жили́ще; ме́сто жи́тельства; местожи́тельство || **–iary** (домиси'лйёри) *a.*, **~ visit** о́быск до́ма.
domin/ance (до'мин-ёнс) *s.* преоблада́ние; превосхо́дство || **–ant** *a.* госпо́дствующий,

преобладающий || **–ate** *va&n.* господствовать, преобладать || **–eer** (-ий'р) *vn.* тиранить; господствовать || **–eering** *a.* повелительный; дерзкий || **–ican** (доми'никён) *s.* доминиканец || **–ion** (доми'нйён) *s.* (*rule*) власть *f.*; (*country*) государство || **–o** *s.* домино (*indecl.*); **dominoes** *spl.* игра в домино.

don (дон) *s.* (*Spanish*) дон; (*professor*) профессор || **~** *va.* на-девать, -деть.

donation (донэй'шн) *s.* дарование, пожалование; (*gift*) дар, подарок.

done (дан) *cf.* **do.** [(*tech.*) донка.

donkey/ (до'нг-ки) *s.* осёл || **~-engine** *s.*

donor (дōу'нёр) *s.* даритель *m.*; датель *m.*

don't (дōунт) = **do not.**

doom/ (дӯм) *s.* (*sentence*) приговор; (*fate*) судьба; (*ruin*) гибель *f.* || **~** *va.* (*condemn*) осу-ждать, -дить; пригов-аривать, -орить; (*destine*) об-рекать, -речь || **–sday** *s.* день страшного суда.

door/ (дōр) *s.* дверь *f.*; дверцы *fpl.* || **next ~ to** рядом с; близко || **out of –s** на дворе || **in –s** дома || **it lies at his ~** (*fig.*) это его вина || **~-bell** *s.* дверной звонок || **–keeper** *s.* швейцар, привратник || **–mat** *s.* половик || **–plate** *s.* дверная дощечка || **–post** *s.* дверной косяк || **–step** *s.* порог || **–way** *s.* дверь *f.*

dormant (дō'рмёнт) *a.* спящий; (*fig.*) (*not active*) тайный, скрытый; (*comm.*) мёртвый. [ховое окно.

dormer-window (дō'рмёр-уи'ндōу) *s.* слу-

dormitory (дō'рмитёри) *s.* дортуар.

dormouse (дō'рмаус) *s.* (*zool.*) соня.

dorsal (дō'рсёл) *a.* спинной.

dose (дōус) *s.* (*med.*) доза, приём || **~** *va.* пичкать лекарствами; дозировать.

doss-house (до'схаус) *s.* ночлег.

dot (дот) *s.* точка || **~** *va.* пунктировать, на-; ставить точки; у-севать, -сеять (чем).

dot/age (дōу'т-идж) *s.* старческое слабоумие; (*fondness*) безумная любовь || **–ard** *s.* слабоумный старик; страстно влюблённый || **–e** (–) *vn.* завираться; бредить || **to ~ upon** любить до безумия || **–ing** *a.* безумно любящий.

double/ (дабл) *s.* двойное число; двойное количество; (*fold*) складка; (*bend*) сгиб; (*second self*) двойник || **at the ~** (*mil.*) беглым шагом || **~** *a.* двойной; двоякий; (*fig.*) (*deceitful*) лукавый || **~** *va.* (*fold*) складывать, сложить вдвое; (*multiply by two*) у-дваивать, -двоить; (*mar.*) опрокидывать, -кинуть (на корабле); об-гибать, -огнуть || **~** *vn.* (*be doubled*) удваиваться, удвоиться; (*turn*) возвра-щаться, -титься по своим следам || **to ~ up** (*fig.*) рухнуть || **~-barrelled** *a.* двуствольный || **~-bass** *s.* контрбас || **~-dealing** *s.* обман, лживость *f.*; лукавство || **~** *a.* лживый, лукавый || **~-dyed** *a.* (*fig.*) (*utter*) совершенный || **~-edged** *a.* обоюдоострый || **~-entry** *s.* (*comm.*) двойная бухгалтерия || **~-meaning** *s.* двусмыслие; двоякое значение || **–ness** *s.* двойственность *f.*; (*fig.*) лживость *f.* || **~-quick** *a.*, **in ~ time** скорым шагом. [фуфайка.

doublet (да'блит) *s.* дублет; (*garment*)

double-tongued (да'бл-та'нгд) *a.* (*fig.*)

doubloon (даблу'н) *s.* дублон. [лживый.

doubly (да'бли) *ad.* вдвое; вдвойне; двояко.

doubt/ (даут) *s.* сомнение || **without, beyond ~** без сомнения || **to be in ~** сомневаться || **~** *va.* сомневаться в || **~** *vn.* сомневаться; (*hesitate*) колебаться || **–ful** *a.* сомнительный; (*hesitating*) нерешительный; (*suspicious*) подозрительный || **–fulness** *s.* сомнительность *f.*; нерешительность *f.* || **–less** *ad.* конечно; несомненно; (*presumably*) вероятно.

douche (дӯш) *s.* душ || **~** *va&n.* при-нимать, -нять душ.

dough (дōу) *s.* тесто.

dought/iness (дау'тинэс) *s.* доблесть *f.*; храбрость *f.* || **–y** *a.* доблестный, храбрый.

dour (дӯр) *a.* (*Sc.*) суровый, упрямый.

douse (даус) *va.* окунуть в воду.

dove/ (дав) *s.* голубь *m.*; голубка || **–cot(e)** *s.* голубятня || **–tail** *s.* (*tech.*) сковородня || **~** *va.* вязать в лапу; скреплять, скрепить сковороднем.

dowager (дау'иджёр) *s&a.* вдовствующая.

dowdy (дау'ди) *a.* неряшливый.

dower (дау'ёр) *s.* приданое; (*of a widow*) вдовья часть || **~** *va.* одар-ять, -ить; дать приданое.

down/ (даун) *s.* (*hill*) холм; (*of sand*) дюна; (*of birds*) пух, пушинка; (*of the face*) пух || **~** *ad&prp.* вниз, внизу || **up and ~** вверх и вниз; взад и вперёд || **~ with . . .!** долой . . .! смерть! (*dat.*) || **~ in the mouth** унылый, печальный || **–cast** *a.* унылый, печальный || **–fall** *s.* падение, ниспровержение || **~-hearted** *a.* унылый || **–hill** *s.* склон, покатость *f.* || **–iness** *s.* пушистость *f.* || **–pour** *s.* ливень *m.* || **–right** *a.* (*fig.*) откровенный; (*utter*) совершенный || **-stairs** *ad.* вниз || **~-stream** *ad.* по течению реки || **~-train** *s.* поезд идущий из Лондона || **–trodden** *a.* попранный; (*fig.*) угнетённый || **–ward(s)** *ad.* вниз, сверху вниз || **–y** *a.* пушистый, покрытый пухом; (*fam.*) хитрый.

dowry (дау'ри) *s.* приданое.

dowse (дауз) *va.* = **douse.**
doxology (доксо'лоджи) *s.* славосло́вие.
doze (до̄уз) *s.* лёгкий сон || ~ *vn.* дрема́ть, вздремну́ть.
dozen (да'зн) *s.* дю́жина || **by the** ~ дю́жинами || **a baker's** ~ трина́дцать.
drab (дрӓб) *s.* (*slut*) проститу́тка, неря́ха; (*cloth*) драп тёмного цве́та || ~ *a.* тёмного цве́та; (*fig.*) (*monotonous*) моното́нный.
drachm (дрӓм) *s.* = **dram.**
draft (дра̄'фт) *s.* (*traction*) во́зка; (*plan*) набро́сок; (*comm.*) тра́тта; переводно́й ве́ксель; (*mil. & mar.*) кома́нда, отря́д || ~ *va.* на-бра́сывать, -броса́ть; (*mil. & mar.*) отря-жа́ть, -ди́ть.
drag (дрӓг) *s.* (*on a wheel*) то́рмаз; (*hindrance*) препя́тствие; (*vehicle*) лине́йка; (*grapnel*) дрег, дрек; ко́шка; (*pull*) дёргание || ~ *va.* таска́ть, тащи́ть; (*to pull*) тяну́ть; (*a river*) драги́ровать || ~ *vn.* тащи́ться, волочи́ться; (*mar. of the anchor*) не держа́ться; (*fig.*) ме́дленно дви́гаться.
draggle (дрӓгл) *va.* грязни́ть, за-; па́чкать, за-.
drag-net (дрӓ'г-нэт) *s.* не́вод.
dragoman (дрӓ'гомён) *s.* драгома́н.
dragon/ (дрӓ'гён) *s.* драко́н || ~**-fly** *s.* стреко́за́.
dragoon (дрёгӯ'н) *s.* драгу́н || ~ *va.* принужда́ть, -ну́дить наси́льственными ме́рами.
drain/ (дрэ̄йн) *s.* (*sewer*) дрена́жная труба́, сто́чная кана́ва; (*exhaustion*) истоще́ние || ~ *va.* (*land*) осу-ша́ть, -ши́ть (по́чву); (*a glass*) осуш-а́ть, -и́ть; (*fig.*) (*exhaust*) истощ-а́ть, -и́ть || ~ *vn.* стека́ть постепе́нно || **-age** *s.* дрена́ж; (*of land*) осуше́ние || **-er** *s.* решётка.
drake (дрэ̄йк) *s.* се́лезень *m.*
dram (дрӓм) *s.* дра́хма; (*fig.*) глото́к, ча́рка.
drama/ (дра̄'мё) *s.* дра́ма || **-tic** (дрёмӓ'тик) *a.* драмати́ческий || **-tist** (дрӓ'мётист) *s.* драмату́рг || **-tize** (дрӓ'мётайз) *va.* драматизи́ровать.
drank (дрӓнгк) *cf.* **drink.**
drap/e (дрэ̄й'п) *va.* драпирова́ть, за-; облека́ть, -ле́чь || **-er** *s.* торго́вец сукно́м; суко́нщик || ~**'s shop** суко́нная ла́вка || **-ery** *s.* (*trade*) торг сукно́м; (*fabrics*) су́кна *npl.*; (*shop*) суко́нная ла́вка.
drastic (дрӓ'стик) *a.* драсти́ческий; (*med.*) си́льно де́йствующий.
draught/ (дра̄фт) *s.* (*dragging*) таще́ние; (*of fish*) уло́в; (*drink*) напи́ток; (*sketch*) набро́сок; (*of air*) сквозно́й ве́тер, сквозня́к; (*mar.*) углубле́ние в во́ду; (*of a furnace*) тя́га; (*comm. & mil.*) = **draft** || **at a** ~ одни́м ду́хом, за́лпом || **there is a** ~ здесь сквози́т || **rough** ~ чернови́к, черново́е || ~**-animal** *s.* возово́е живо́тное || ~**-beer** *s.* бо́чечное пи́во || ~**-board** *s* ша́шечница || ~**-horse** *s.* упряжна́я, возова́я ло́шадь || **-s** *spl.* игра́ в ша́шки, в да́мки || **-sman** *s.* рисова́льщик; (*at draughts*) ша́шка || **-y** *a.* подве́рженный сквозны́м ве́трам.
draw/ (дро̄) *s.* (*pull*) таска́ние; (*lot*) жре́бий *m.*; (*drawn game*) игра́, го́нка и пр. ни в чью, ро́зыгрыш || ~ *va.* (*pull*) тяну́ть, по-; (*drag*) тащи́ть, по-; (*a tooth*) вы́тащить; выдёргивать, вы́дернуть; (*breath*) вд-ыха́ть, -охну́ть; (*extract*) извлека́ть, -вле́чь; (*water*) брать; (*beer*) цеди́ть, на-; (*attract*) при-влека́ть, -вле́чь; (*suck*) вс-а́сывать, -оса́ть; (*sketch*) рисова́ть, на-; (*describe*) изобра-жа́ть, -зи́ть; (*choose at random*) выбира́ть, вы́брать; (*a sword*) выта́скивать, вы́тащить; (*a fowl*) потроши́ть, вы́потрошить; (*derive*) получ-а́ть, -и́ть; (*elicit*) выве́дывать, вы́ведать; (*comm.*) трассирова́ть; (*mar.*) сиде́ть (сто́лько-то фут в воде́) || **to** ~ **along** тащи́ть, влечь || **to** ~ **aside** отвести́, оттащи́ть в сто́рону || **to** ~ **back** оттащи́ть наза́д || **to** ~ **lots** тяну́ть жре́бий || **to** ~ **off** сн-има́ть, -ять || **to** ~ **on** на-влека́ть, -вле́чь; (*shoes, etc.*) на-дева́ть, -де́ть || **to** ~ **out** из-влека́ть, -вле́чь || **to** ~ **up** (*a document*) соста́вить; (*mil.*) постро́ить в боево́й поря́док || **-back** *s.* невы́года || **-bridge** *s.* под'ёмный мост || **-ee** (-ий') *s.* (*comm.*) трасса́т || **-er** *s.* (*comm.*) векселеда́тель *m.*; (*in a table*) выдвижно́й я́щик || **-ers** *spl.* кальсо́ны *mpl.*; подшта́нники *mpl.*
drawing/ (дро̄'-инг) *s.* (*pulling*) волоче́ние, таска́ние; (*sketch*) рису́нок, чертёж; (*lottery*) тира́ж, ро́зыгрыш || ~**-board** *s.* рисова́льная доска́ || ~**-master** *s.* учи́тель (*m.*) рисова́ния || ~**-paper** *s.* рисова́льная бума́га || ~**-pen** *s.* рейсфе́дер || ~**-pin** *s.* кно́пка || ~**-room** *s.* гости́ная; (*at court*) приём.
drawl (дро̄л) *s.* протя́жное произноше́ние || ~ *vn.* говори́ть протя́жно.
drawn (дро̄н) *cf.* **draw.**
dray/ (дрэ̄й) *s.* ломова́я теле́га || ~**-horse** *s.* ломова́я ло́шадь.
dread/ (дрэд) *s.* боя́знь *f.*; страх; у́жас || ~ *a.* стра́шный, ужа́сный, ужаса́ющий; (*awesome*) августе́йший || ~ *va.&n.* боя́ться, по-; ужаса́ться || **-ful** *a.* стра́шный, ужа́сный || **-nought** *s.* дре́днот.
dream/ *s.* сон; (*fig.*) грёза; мечта́ || ~ *va.irr.* ви́деть, у- во сне || ~ *vn.irr.* сни́ться, при-; мечта́ть || **-er** *s.* (*fig.*)

мечта́тель *m.* || **–iness** *s.* заду́мчивость *f.*, мечта́тельность *f.* || **–y** *a.* сонли́вый; (*fig.*) мечта́тельный.

drear/ (дрийр), **–y** *a.* мра́чный; (*fig.*) безотра́дный || **–iness** *s.* мра́чность *f.*; (*fig.*) безотра́дность *f.*

dredg/e (дрэдж) *s.* землечерпа́тельная маши́на || ~ *va.* очища́ть и углубля́ть || **–ing** *s.* очище́ние и углубле́ние ру́сла, землечерпа́ние || **–ing-machine, –er** *s.* землечерпа́тельная маши́на.

dregs (дрэгз) *spl.* подо́нки *mpl.*; (*fig.*) отбро́сы *mpl.*

drench/ (дрэнч) *s.* по́йло; (*veterinary*) слаби́тельное || ~ *va.* мочи́ть насквозь; прома́чивать, -мочи́ть; (*a horse*) дава́ть, дать слаби́телное || **–er** *s.* проливно́й дождь.

dress/ (дрэс) *s.* пла́тье, оде́жда; наря́д || **evening** ~ фрак; вече́рний туале́т || **fancy** ~ маскара́дный костю́м || **full** ~ пара́дное пла́тье || ~ *va.* (*attire*) о-дева́ть, -де́ть; наря-жа́ть, -ди́ть; (*to cook*) пригото́вля́ть, -то́вить; (*a salad, etc.*) заправля́ть, -пра́вить; (*leather, etc.*) выде́лывать, вы́делать; (*one's hair*) при-чёсывать, -чеса́ть; (*mil.*) выстра́ивать, вы́строить в ли́нию || **to ~ o.s.** о-дева́ться, -де́ться || **to ~ a wound** пере-вя́зывать, -вяза́ть || ~ *vn.* (*mil.*) равня́ться || **~-circle** *s.* (*theat.*) балко́н; пе́рвый я́рус || **–er** *s.* шкаф (для посу́ды), буфе́т.

dressing/ (дрэ'синг) *s.* одева́ние, наряже́ние; (*culinary*) сна́добье; (*manure*) удобре́ние; (*med.*) перевя́зка; банда́ж; (*fam.*) лу́пка || **~-gown** *s.* хала́т; (*lady's*) пеньюа́р || **~-room** *s.* убо́рная || **~-table** *s.* туале́тный стол.

dress/maker (дрэ'с-мэйкёр) *s.* портни́ха || **–making** *s.* (да́мское) портня́жничество || **–y** щегольски́ оде́тый; мо́дный.

drew (дрӯ) *cf.* **draw.**

dribble (дрибл) *s.* сли́на, слюна́ || ~ *vn.* ка́пать, ли́ться по ка́плям; (*to slaver*) слюня́виться.

dried (драйд) *cf.* **dry.**

drift (дрифт) *s.* (*direction*) направле́ние; (*current*) стремле́ние; (*mass*) сугро́б; (*fig.*) (*design*) цель *f.*; наме́рение; (*meaning*) смысл; (*geol.*) нано́с; (*mar.*) дрейф || ~ *va.* гнать (ве́тром); (*of snow*) наноси́ть в ку́чу || ~ *vn.* со-бира́ться, -бра́ться (в ку́чу); (*mar.*) дре́йфовать.

drill (дрил) *s.* (*exercise*) обуче́ние, вы́правка; муштро́вка; (*tool*) сверло́; (*row*) борозда́; (*stuff*) тик || ~ *va.* (*perforate*) сверли́ть; про-све́рливать, -сверли́ть; (*train*) выправля́ть, вы́править; муштрова́ть; (*to sow*) се́ять ряда́ми || ~ *vn.* (*mil.*) учи́ться.

drily (драй'ли) *ad.* *cf.* **dry.**

drink/ (дрингк) *s.* питьё, напи́ток; (*craving*) пья́нство || **to take to** ~ преда́ться пья́нству || ~ *va.irr.* пить; выпива́ть, вы́пить || **to ~ in** впи́тывать, впита́ть || **to ~ off, up** вы́пить за́лпом || **to ~ one's fill** напива́ться, -пи́ться до́сыта || ~ *vn.* пить; (*drink to excess*) запива́ть; пья́нствовать || **to ~ to one** пить, вы́пить за чьё-либо здоро́вье || **–able** *a.* го́дный для питья́ || **–er** *s.* пья́ница *m.* || **–ing** *s.* питьё; пья́нство.

drip/ (дри'п) *s.* ка́пание; (*drop*) ка́пля || ~ *vn.* ка́пать, за-, по-; ка́пнуть || **–ping** *s.* ка́панье || ~ *a.*, **he is ~ wet** он насквозь промо́к.

drive (драйв) *s.* (*outing*) прогу́лка (в экипа́же); (*road*) проездна́я алле́я; (*blow*) уда́р || **to take a** ~ прое́хаться || ~ *va.irr.* (*force forward*) гнать; (*compel*) принужда́ть, -ну́дить; (*knock in*) вгоня́ть, вогна́ть; (*expel*) выгоня́ть, вы́гнать; (*convey*) вози́ть, везти́; (*a horse, a vehicle*) пра́вить || **to ~ away, off** отгоня́ть, отогна́ть || **to ~ out** (*to expel*) выгоня́ть, вы́гнать; (*to take for a drive*) ката́ть || **to ~ one mad** довести́ (кого́) до сумасше́дствия || ~ *vn.* (*fly along*) буть гони́му, нести́сь; (*take a drive*) прое́хаться; ката́ться, про-; (*strike*) кида́ться на || **~ on!** пошёл! || **to let ~** бить, колоти́ть.

drivel/ (дри'вл) *s.* (*slaver*) слюна́; (*nonsense*) болтовня́, вздор || ~ *vn.* (*to slaver*) слю́ниться; (*to talk nonsense*) нести́ чепуху́ || **–ler** *s.* слюнтя́й; (*fig.*) дура́к.

driver (драй'вёр) *s.* ку́чер; изво́зчик; (*of an engine*) машини́ст.

drizzl/e (дризл) *s.* ме́лкий дождь || ~ *vn.* мороси́ть || **–y** *a.* моробя́щий.

droll/ (дро̄ул) *a.* смешно́й, заба́вный || **–ery** *s.* шу́тка, прока́зы *fpl.*

dromedary (дра'мидёри) *s.* дромаде́р.

drone (дро̄ун) *s.* тру́тень *m.*; (*sound*) гуде́ние; (*fig. lazy person*) лентя́й || ~ *va.&n.* гуде́ть, за-.

droop (дрӯп) *s.* томле́ние; (*fig.*) упа́док ду́ха || ~ *va.* опус-ка́ть, -ти́ть (го́лову) || ~ *vn.* изне-мога́ть, -мо́чь; (*of flowers*) вя́нуть; (*fig.*) пони́кнуть (голово́й).

drop/ (дроп) *s.* ка́пля; (*fall*) паде́ние; (*trap-door*) западна́я дверь; (*of a gallows*) опуска́льная доска́ (ви́селицы) || ~ *va.* (*to let fall, to lose*) роня́ть, урони́ть; (*fig. utter*) пророни́ть; (*to give up*) пре-краща́ть, -крати́ть || ~ *vn.* ка́пать, ка́пнуть; (*to fall*) па́дать, пасть; (*descend*) спус-ка́ться, -ти́ться || **to ~ in** (*fam.*) загляну́ть

|| **to ~ asleep** заснýть || **-ping** *s.* кáпание || **-pings** *spl.* помёт.
drops/ical (дро'псикёл) *a.* водя́ночный || **-y** *s.* водя́нка.
dross (дрос) *s.* вы́гарки *mpl.*; (*fig. rubbish*) [мýсор.
drought/ (драут) *s.* зáсуха, бездóждие; (*thirst*) жáжда || **-y** *a.* сухóй, безвóдный; томи́мый жáждою.
drov/e (дрōув) *s.* стáдо, гурт || **-er** *s.* пастýх; скотопромы́шленник || ~ *va. cf.* **drive.**
drown/ (драун) *va.* топи́ть, у-; (*to deluge*) затоп-ля́ть, -и́ть; (*fig. a sound*) заглуш-áть, -и́ть || **to be -ed** тонýть, у- || ~ *vn.* тонýть, у-.
drows/e (драу'з) *vn.* дремáть, вз-, за- || **-iness** *s.* дремóта, сонли́вость *f.* || **-y** *a.* сóнный, дремли́вый, сонли́вый; (*dull*) тупóй. [(*a good* ~) лýпка.
drub/ (драб) *va.* колоти́ть, от- || **-bing** *s.*
drudge/ (драдж) *s.* рабóтник; трýженик; ни́зшая прислýга || ~ *vn.* рабóтать, труди́ться над тяжёлой рабóтой || **-ry** (-ёри) *s.* чёрная рабóта, скýчная рабóта.
drug (драг) *s.* москоти́льный товáр; (*in pl.*) мóскоть *f.* || **a ~ in the market** перепроизвóдство || ~ *va.* (*stupefy*) одурмáн-ивать, -ить; (*surfeit*) пре-сыщáть, [-сы́тить.
drugget (дра'гит) *s.* дрогéт.
druggist (дра'гист) *s.* дроги́ст, аптéкарь *m.*
drug-store (дра'гстōр) *s.* (*Am.*) аптéка.
druid/ (дрӯ'-ид) *s.* друи́д || **-ic** (дру-и'дик) *a.* друиди́ческий.
drum/ (драм) *s.* барабáн; (*an.*) барабáнная перепóнка || **beat of ~** барабáнный бой || **roll of -s** барабáнная дробь || ~ *va.*, **to ~ into one** (*fam.*) вдáлбливать, вдолби́ть комý что в гóлову || **to ~ out of the regiment** выгоня́ть, вы́гнать солдáта из полкá || ~ *vn.* барабáнить; (*with one's fingers*) барабáнить пáльцами; (*of the heart*) би́ться, трепетáть || **-mer** *s.* барабáнщик; (*Am.*) коммивояжёр.
drunk/ (дрангк) *cf.* **drink** || ~ *a.* пья́ный, опьянéвший || **blind ~, dead ~** мертвéцки пья́ный || **~ with delight** упоённый востóргом || **-ard** *s.* пья́ница || **-en** *a.* пья́ный.
dry (драй) *a.* (**drily** [драй'ли] *ad.*) сухóй; пересóхший; (*fig. thirsty*) томи́мый жáждою; (*sarcastic*) кóлкий, язви́тельный; (*cold*) холóдный; (*of bread*) без мáсла; (*uninteresting*) скýчный; (*of wine*) жёсткий || ~ *va.* суши́ть; высýшивать, вы́сушить || **to ~ up** вы́сушить || ~ *vn.* сóхнуть; высыхáть, вы́сохнуть; пере-сыхáть, -сóх- [нуть.
dryad (драй'ёд) *s.* дриáда.
dry/-as-dust (драй'-ăздаст) *s.* скýчный учёный || **-ness** *s.* сýхость *f.*; зáсуха || **~-nurse** *s.* ня́нька || **~-shod** *a.* не замочá ног.
dual/ (дю'ёл) *s.* (*gramm.*) двóйственное числó || ~ *a.* двойнóй; двóйственный || **-ism** *s.* дуали́зм || **-ity** (дю-ă'лити) *s.* двóйственность *f.*
dub (даб) *va.* по-свящáть, -святи́ть в ры́цари; (*fam.*) на-зывáть, -звáть.
dubious (дю'биёс) *a.* нереши́тельный, сомни́тельный; недостовéрный.
ducal (дю'кёл) *a.* гéрцогский.
ducat (да'кёт) *s.* дукáт. [гéрцогство.
duch/ess (да'ч-ис) *s.* герцоги́ня || **-y** *s.*
duck/ (дак) *s.* (*stuff*) паруси́на; (*bird*) ýтка; (*movement*) наклонéние (головы́); (*darling*) голýбчик || **to play -s and drakes with** транжи́рить, рас- || ~ *va.* купáть, вы́купать; наклон-я́ть, -и́ть || ~ *vn.* ныр-я́ть, -нýть; на-гибáться, -гнýться || **-ing** *s.* купáние || **-ling** *s.* утёнок || **~'s-egg** *s.* (*fam.*) нуль *m.* || **-y** *s.* (*fam.*) голýбчик.
duct (дакт) *s.* протóк, канáл.
ductil/e (да'ктил) *a.* ги́бкий; кóвкий; (*fig.*) послýшный || **-ity** (дакти'лити) *s.* ги́бкость *f.*; кóвкость *f.*
dud (дад) *s.* (*fam.*) пустáя попы́тка; пу-
dude (дюд) *s.* франт. [стóй человéк.
dudgeon (да'джён) *s.* гнев, я́рость *f.*
duds (дадз) *spl.* вéтошь *f.*
due (дю) *s.* дóлжное, прáво; (*tax*) налóг; (*fee*) вознаграждéние || ~ *a.&ad.* (**duly** *ad.*) (*owing*) дóлжный; (*just*) достóйный, заслýженный; (*appropriate*) подобáющий; (*caused by*) причинённый; (*comm.*) подлежáщий уплáте || **the train is ~** пóезд ожидáется.
duel/ (дю'-ёл) *s.* дуэ́ль *f.*; поеди́нок || ~ *vn.* би́ться на дуэ́ли || **-list** *s.* дуэли́ст.
duet (дю-э't) *s.* дуэ́т.
duffer (да'фёр) *s.* глупéц, дурáк.
dug/ (даг) *va. cf.* **dig** || ~ *s.* вы́мя *n.* || **~-out** *s.* лóдка, вы́долбленная из однóй колóды.
duke/ (дюк) *s.* гéрцог || **-dom** *s.* гéрцог- [ство.
dulcet (да'лсит) *a.* слáдкий.
dulcimer (да'лсимёр) *s.* гýсли *fpl.*
dull/ (дал) *a.* (**dully** *ad.*) тупóй; (*stupid*) глýпый, тупоýмный; (*sluggish*) лени́вый, мéдленный; (*insensible*) оцепенéлый, притуплённый; (*uninteresting*) скýчный; (*dispirited*) уны́лый; (*of sky*) пáсмурный; (*of sounds*) глухóй; (*of the eye*) тýсклый; (*comm.*) ти́хий || ~ *va.* тупи́ть, притупля́ть; заглуш-áть, -и́ть; (*pain*) у-нимáть, -ня́ть; облег-чáть, -чи́ть || **-ard**

s. глупе́ц, дура́к || **–ness** s. ту́пость f.; тупоу́мие; оцепене́лость f.; ту́склость f.; мра́чность f.; ску́ка; уны́ние; притуплённость f.
duly (дю́'ли) ad. cf. **due.**
dumb/ (да'м) a. немо́й, безгла́сный || **to strike ~** (fig.) огоро́шить || **~-bell** s. ги́ря (гимнасти́ческая) || **–found** va. поража́ть, -зи́ть; изум-ля́ть, -и́ть || **–ness** s. немота́.
dummy (да'ми) s. (*dumb person*) немо́й, нема́я; (*theat.*) стати́ст, стати́стка; (*lay figure*) манеке́н; (*at cards*) болва́н.
dump (дамп) va. сбра́сывать с во́за || **~** vn. па́дать, хло́пнуться.
dumpling (да'мплинг) s. род пу́динга.
dumps (дампс) spl., **in the ~** упа́дший ду́хом, уны́лый.
dumpy (да'мпи) a. то́лстый и коро́ткий; корена́стый.
dun (дан) s. доку́чливый кредито́р || **~** a. кори́чневый; солово́й || **~** va. насто́йчиво тре́бовать упла́ты до́лга.
dunce (данс), **dunderhead** (да'ндёрхэд) s. болух; глупе́ц.
dune (дюн) s. дю́на.
dung (данг) s. наво́з; помёт; (*manure*) удобре́ние.
dungeon (да'нджён) s. ба́шня; тюрьма́, темни́ца.
dunghill (да'нг-хил) s. наво́зная ку́ча.
duodecimal (дю-оудэ'симёл) a. двенадцати́чный.
dupe (дюп) s. обма́нутый || **~** va. об-ма́нывать, -ману́ть; на-дува́ть, -ду́ть.
duplic/ate (дю'пликэт) s. дублика́т, ко́пия, второ́й экземпля́р || **~** a. двойно́й || **~** va. у-два́ивать, -дво́ить; (*to copy*) копирова́ть, с- || **–ity** (дюпли'сити) s. дво́йственность f.; (*fig.*) кова́рство.
durab/ility (дюрёби'лити) s. про́чность f.; долгове́чность f. || **–le** (дю'рёбл) a. про́чный, долгове́чный.
durance (дю'рёнс) s. (*jur.*) заключе́ние в тюрьму́.
duration (дюрэ́й'шн) s. вре́мя n., продолже́ние вре́мени; продолжи́тельность f.
duress (дю'рэс, дюрэ'с) s. (*jur.*) принужде́ние, нево́ля; заключе́ние в тюрьму́.
during (дю'ринг) prp. во вре́мя; в тече́ние, в продолже́ние.
durst cf. **dare.**
dusk/ (да'ск) s. су́мерки fpl.; су́мрак, темнота́ || **–iness** s. мра́чность f.; тёмный цвет || **–y** a. су́мрачный; (*dark*) черново́ва́тый, сму́глый.
dust/ (даст) s. пыль f.; прах || **~ and ashes** прах и пе́пел || **to trample in the ~** уничт-ожа́ть, -о́жить || **~** va. стира́ть, стере́ть пыль; счища́ть, счи́стить пыль; (*to beat*) выкола́чивать, вы́колотить пыль; (*to cover with dust*) запыли́ть, присыпа́ть порошко́м || **~-bin** s. му́сорная я́ма || **~-cart** s. му́сорная теле́га || **–er** s. метёлка || **–iness** s. пы́льность f. || **~-pan** s. сово́к для сгреба́ния со́ра || **–y** a. пы́льный; запылённый.
dut/eous (дю'т-йёс) s. послу́шный; (*respectful*) почти́тельный || **–iable** a. подлежа́щий опла́те тамо́женной по́шлиной || **–iful** a. послу́шный; почти́тельный || **–y** s. обя́занность f.; долг; (*respects*) почти́тельность f.; (*service*) до́лжность f.; слу́жба; (*impost*) нало́г, (тамо́женная) по́шлина || **on ~** (*mil.*) на часа́х || **~-free** беспо́шлинный.
dwarf/ (дуо̄'рф) s. ка́рла; ка́рлик, ка́рлица || **~** a. малоро́слый || **~** va. меша́ть ро́сту (дере́вьев) || **–ish** a. ма́ленький, малоро́слый.
dwell/ (дуэ'л) vn.irr. (*reside*) жить, обита́ть; (*sojourn*) пребыва́ть, находи́ться || **to ~ on** (*fig.*) (*a subject*) распространя́ться о; (*gaze at*) при́стально смотре́ть на || **–er** s. жи́тель m.; обита́тель m || **–ing** s. жильё, жили́ще, дом || **~-house** дом, жили́ще || **~-place** жили́ще, местожи́тельство.
dwindle (дуи'ндл) vn. уменьш-а́ться, -и́ться || **to ~ into nothing** преврати́ться в ничто́.
dye/ (дай') s. кра́ска || **~** va. кра́сить; о-кра́шивать, -кра́сить || **–r** s. краси́льщик.
dying (дай'инг) a. умира́ющий.
dyke = dike.
dynam/ic (дина́'мик, дай-) a. динами́ческий || **–ics** spl. дина́мика || **–ite** (дай'нёмайт) s. динами́т || **~** a. динами́тный || **–o** (дай'нёмоу) s. дина́мо.
dynas/tic (динӓ'стик) a. династи́ческий || **–ty** (ди'нёсти) s. дина́стия.
dysentery (ди'сэнтёри) s. дисенте́рия, крова́вый поно́с.
dyspep/sia (диспэ'п-сиё) s. диспе́псия, сла́бость (f.) пищеваре́ния || **–tic** a. страда́ющий диспе́псией.

E

E (ий) s. (*mus.*) но́та Е или Ми.
each (ийч) a. ка́ждый || **~ other** друг дру́га.
eager/ (ий'гёр) a. пы́лкий, усе́рдный, ре́вностный; (*impatient*) нетерпели́вый; (*desirous*) жа́дный к, па́дкий на || **–ness** s. пыл, рве́ние; (*desire*) жела́ние.
eagle/ (ий'гл) s. орёл || **~-eyed** a. зо́ркий || **–t** s. орлёнок.
ear/ (ийр) s. у́хо; (*of a cap*) нау́шник; ушна́я ло́пасть; (*hearing*) слух; (*attention*) внима́ние; (*of corn*) ко́лос || **all –s** по́лный внима́ния || **to set by the –s**

осбрить, по- || **-ache** *s.* ушна́я боль || **-drop** *s.* серьга́, серёжка || **-drum** *s.* бараба́нная перепо́нка || **-ed** *a.* (*of corn*) колоси́стый.
earl (ёрл) *s.* эрл (англи́йский дворя́нский ти́тул, приблизи́тельно соотве́тствующий гра́фскому).
earlap (ии́'рлäп) *s.* ушна́я мо́чка.
earldom (ё'рлдём) *s.* гра́фство.
earliness (ё'рлинэс) *s.* рань *f.*; (*of fruits, etc.*) скороспе́лость *f.*; (*prematureness*) преждевре́менность *f.*
early (ё'рли) *a.* ра́нний; (*of fruits*) скороспе́лый; (*premature*) преждевре́менный || ~ *ad.* (*in the morning*) ра́но; (*in good time*) заблаговре́менно, во́-время.
earmark (ии́'рмäрк) *s.* ме́тка, заме́тка || ~ *va.* от-меча́ть, -ме́тить.
earn (ёрн) *va.* зарабо́т-ывать, -ать; до-быва́ть, -бы́ть; (*to deserve*) за-слу́живать, -служи́ть.
earnest/ (ё'рнист) *s.* (*seriousness*) серьёзность *f.*; (*pledge*) зало́г || **in** ~ серьёзно, не шутя́ || ~ *a.* (*serious*) серьёзный; (*eager*) пы́лкий; (*sincere*) ре́вностный; (*persistent*) насто́йчивый || **~-money** *s.* (*comm.*) зада́ток || **-ness** *s.* пы́лкость *f.*; серьёзность *f.*; ре́вность *f.*; насто́йчивость *f.*
earnings (ё'рнингз) *spl.* за́работок.
ear/ring (ии́'р-ринг) *s.* серьга́, серёжка || **-shot** *s.* расстоя́ние достига́емости зву́ка || **he is out of** ~ его́ не слы́шно, ему́ нас не слы́шно.
earth/ (ёрþ) *s.* земля́; (*soil*) по́чва || ~ *va.*, **to** ~ **up** по-крыва́ть, -кры́ть землёю || ~ *vn.* пря́таться под землёй || **-en** *a.* земно́й, земляно́й; (*of clay*) гли́няный || **-enware** *s.* гли́няная посу́да || **-iness** *s.* земли́стость *f.* || **-ly** *a.* земно́й, мирско́й; (*conceivable*) постижи́мый, вообража́емый || **-nut** *s.* земляно́й оре́х || **-quake** *s.* землетрясе́ние || **-work** *s.* (*mil.*) око́п || **-y** *a.* земляно́й; земли́стый.
ear/-trumpet (ии́'р-тра'мпит) *s.* слухова́я тру́бка || **-wax** *s.* ушна́я се́ра || **-wig** *s.* уховёртка.
ease (ииз) *s.* (*quiet*) поко́й *m.*; (*comfort*) дово́льство, удо́бство; (*relief*) облегче́ние; (*informality*) непринуждённость *f.*; (*facility*) лёгкость *f.* || **at** ~ свобо́дно, непринуждённо || **ill at** ~ принуждённый || **with** ~ легко́ || **to stand at** ~ (*mil.*) стоя́ть во́льно || ~ *va.* (*pain*) облег-ча́ть, -чи́ть; (*of a burden*) смяг-ча́ть, -чи́ть; (*relieve*) освобо-жда́ть, -ди́ть (от); (*fam.*) (*rob*) о-грабля́ть, -гра́бить.
easel (иизл) *s.* мо́льберт.
eas/ily (ии́'з-или) *ad. cf.* **easy** || **-iness** *s.* (*comfort*) удо́бство; (*of bearing*) свобо́да, непринуждённость *f.*; (*facility*) лёгкость *f.*; (*of motion*) ро́вность *f.*
east (иист) *s.* восто́к || ~ *a.* восто́чный || ~ **of . . .** к восто́ку от . . . || ~ *ad.* к восто́ку.
Easter/ (ии́'стёр) *s.* Свята́я неде́ля; Па́сха (христиа́нская) || **-day** *s.* Све́тлое Воскресе́ние || **-egg** *s.* пасха́льное яйцо́; кра́сное яйцо́, пи́санка || **-eve** *s.* Вели́кая Суббо́та.
east/erly (ии́'стёрли) *a.* восто́чный || **-ern** *a.* (*easterly, oriental*) восто́чный || **-ward** *a.&ad.*, **-wards** *ad.* к восто́ку, на восто́к.
easy/ (ии́'зи) *a.* (**easily** *ad.*) (*not difficult*) лёгкий; (*comfortable*) удо́бный; (*free from pain*) споко́йный; (*not anxious*) беззабо́тный, беспе́чный; (*lax*) пода́тливый; нетвёрдый; (*unconstrained*) непринуждённый; свобо́дный; (*fluent*) пла́вный; (*well fitting*) поко́йный || **in** ~ **circumstances** состоя́тельный || **~-chair** *s.* кре́сло || **~-going** *a.* беззабо́тный.
eat/ (иит) *va.irr.* есть, с'-; ку́шать, по- || **to** ~ **one's fill** на-еда́ться, -е́сться до́сыта || **to** ~ **away** вытравля́ть, вы́травить || **to** ~ **out** выеда́ть, вы́есть || **to** ~ **up** по-жира́ть, -жра́ть; по-еда́ть, -е́сть; (*to destroy*) уничт-ожа́ть, -о́жить || **to** ~ **one's words** от-ка́зываться, -каза́ться от свои́х слов || **to** ~ **one's heart out** та́йно печа́литься, тоскова́ть || ~ *vn.* пита́ться; есть, по- || **-able** *a.* с'естно́й, с'едо́бный || **-ables** *spl.* с'естны́е припа́сы *mpl.*; пи́ща || **-er** *s.* едо́к, еду́н || **he is a great** ~ он мно́го ест || **he is a poor** ~ он о́чень ма́ло ест.
eating/ (ии́'тинг) *s.* еда́ || **~-house** *s.* харче́вня; кухми́стерская.
eaves/ (ии́вз) *spl.* кро́вельный жёлоб || **-drop** *vn.* подслу́ш-ивать, -ать || **-dropper** *s.* подслу́шник.
ebb (эб) *s.* морско́й отли́в; (*fig.*) упа́док, у́быль *f.* || ~ *vn.* у-быва́ть, -бы́ть; (*fig.*) умень-ша́ться, -ши́ться.
ebony (э'бёни) *s.* чёрное де́рево.
ebull/ient (иба'лиёнт) *a.* кипя́щий; (*fig.*) взволно́ванный || **-ition** (эбали'шён) *s.* кипе́ние; (*fig.*) волне́ние.
eccentric/ (эксэ'нтр-ик) *s.* чуда́к, оригина́л; (*tech.*) эксце́нтрик || ~ *a.* эксцентри́ческий; (*fig.*) эксцентри́чный, стра́нный || **-ity** (-и'сити) *s.* эксцентри́чность *f.*; стра́нность *f.*
ecclesiastic/ (иклийзиä'стик) *s.* духо́вное лицо́ || ~ **& -al** *a.* церко́вный, духо́вный.

echo (э'коу) *s.* бхо; отголбсок || ~ *va.* от-давать, -дать || ~ *vn.* от-даваться, -даться; пов-торять, -торить (звук); от-зываться, -озваться.
eclectic (иклэ'ктик) *a.* эклектический.
eclipse (иклп'пс) *s.* затмение || **lunar** ~ лунное затмение || **solar** ~ сблнечное затмение || ~ *va.* за-тмевать, -тмить; помра-ч-ать, -ить. [ный путь.
ecliptic (икли'птик) *s.* эклиптика; сблнеч-
eclogue (э'клог) *s.* эклбга.
econom/ical (ий'коно'м-икёл) *a.* экономический; (*thrifty*) бережливый || **-ics** *spl.* экономия || **-ist** (ико'номист) *s.* экономист, политико-экономист || **-ize** (ико'но-майз) *va.* экономничать; бережливо обходиться с чем || ~ *vn.* экономничать || **-y** (ико'номи) *s.* экономия; (*thrift*) бережливость *f.* [хищение; (*med.*) экстаз.
ecstasy (э'кстёси) *s.* (*of joy*) восторг, вос-
ecstatic (икстä'тик) *a.* восторженный; экстатический. [лишай.
eczema (э'кзимё) *s.* экзема; мокнущий
eddy (э'ди) *s.* (*current*) встречное течение; (*whirlpool*) водоворот; (*whirlwind*) вихрь *m.* || ~ *vn.* крутиться; вихриться, за-.
edge/ (эдж) *s.* (*of a sword*) лезвие, остриё; (*brink*) край *m.*; (*border*) бордюр; (*fig.*) (*keenness*) острота; (*acrimony*) кблкость *f.*; язвительность *f.* || ~ *va.* точить, на-; (*to trim*) об-шивать, -шить; (*one's way*) про-талкиваться, -толкаться || ~ *vn.*, **to** ~ **away** ото-двигаться, -двинуться || **-d** *a.* острый; окаймлённый || **-ways, -wise** *ad.* ребром; острым концом.
edible (э'дибл) *a.* с'естной.
edict (ий'дикт) *s.* эдикт, указ.
edif/ication (эдификэй'шн) *s.* назидание; поучение || **-ice** (э'дифис) *s.* здание || **-y** (э'дифай) *va.* назидать; подавать пример || **-ying** *a.* назидательный.
edit/ (э'дит) *va.* из-давать, -дать; редактировать || **-ion** (иди'шён) *s.* издание || **-or** *s.* издатель *m.*; редактор || **-orial** (эдитō'риёл) *s.* передовая статья || ~ *a.* редакторский.
educ/ate (э'дюк-эйт) *va.* вос-питывать, -питать || **-ation** *s.* воспитание || **-ational** *a.* воспитательный, образовательный.
educe (идю'с) *va.* выводить, вывести; из-
eel (ийл) *s.* угорь *m.* [влекать, -влечь.
e'en (ийн) = **even.**
e'er (äр) *ad.* = **ever.**
eer/ie (ий'ри) *a.* страшный; неприятный || **-iness** *s.* страшный характер.
efface/ (ифэй'с) *va.* стереть; вычёркивать, вычеркнуть; (*from memory*) из-глаживать, -гладить || **-ment** *s.* вычёркивание, стирание; изглаживание.
effect/ (ифе'кт) *s.* эффект; (*consequence*) следствие; (*impression*) впечатление || **-s** *pl.* пожитки *mpl.* || **in** ~ действительно || **without** ~ напрасно || **to no** ~ тщетно, напрасно || **to be of** ~ действовать, по- || **to carry into** ~, **to give** ~ **to** осущест-влять, -вить || ~ *va.* (*to cause*) причи-н-ять, -ить; (*to accomplish*) совер-шать, -шить; осущест-влять, -вить || **-ive** *a.* действительный; действующий; (*useful*) годный; (*mil.*) наличный || ~ **strength** (*mil.*) наличный состав || **-ual** *a.* действительный; верный || **-uate** *va.* ис-полнять, -полнить; осущест-влять, -вить.
effemin/acy (ифэ'мин-ёси) *s.* изнеженность *f.* || **-ate** *a.* изнеженный.
effervesc/e (эфёрвэ'с) *vn.* вскип-ать, -еть; шипеть, про- || **-ence** *s.* шипение || **-ent** *a.* кипучий; шипучий.
effete (эфий'т) *a.* истощённый; слабый.
efficacious/ (эфикэй'шёс) *a.* действующий; целебный, полезный || **-ness** *s.* действие.
efficacy (э'фикёси) *s.* действие.
effic/ience (ифи'ш-ёнс), **-iency** *s.* действие; (*of persons*) способность *f.*; (*mil.*) способность (*f.*) к бою || **-ient** *a.* действующий; (*of persons*) способный; (*mil.*) способный к бою.
effigy (э'фиджи) *s.* образ; (*on coin*) изображение.
efflorescence (эфлорэ'сёнс) *s.* (*bot.*) цветение; (*chem.*) выветривание.
efflu/ence (э'флуёнс) *s.* испарение; истечение || **-ent** *a.* истекающий.
effluvium (ифлӯ'виём) *s.* (*pl.* **effluvia** ифлӯ'виё) испарение; миазма.
efflux (э'флакс) *s.* истечение, излияние.
effort (э'фёрт) *s.* усилие, старание, напряжение. [бесстыдство.
effrontery (ифра'нтёри) *s.* наглость *f.*;
effulg/ence (ифа'лдж-ёнс) *s.* блеск, лучезарность *f.* || **-ent** *a.* блестящий, лучезарный.
effus/ion (ифю'-жён) *s.* пролитие; (*fig.*) (*utterance*) излияние; (*of words*) поток || **-ive** (-зив) *a.* демонстративный || **-iveness** *s.* демонстративность *f.*
egg/ (эг) *s.* яйцо || **soft, hard-boiled** ~ яйцо всмятку, вкрутую || **to lay -s** нести яйца || ~ *vn.*, **to** ~ **on** на-ущать, -устить, под-бивать, -бить || **~-cup** *s.* рюмка, бокальчик для яиц || **-er** *s.*, **~-on** подстрекатель *m.*; наустйтель *m.* || **~-shaped** *a.* яйцеобразный || **~-shell** *s.* яичная скорлупа || **~-spoon** *s.* ложечка (для еды яиц

всмя́тку) || ~-whisk s. ве́ничек (для сбива́ния белко́в).

eglantine (э'глёнтайн) s. души́стый шипо́вник.

ego/ism (э'гоу-изм) s. эгои́зм || -ist s. эгои́ст || -istic(al) (-и'стик) a. эгоисти́ческий.

egregious (игрий'джиёс) a. чрезвыча́йный || an ~ liar отъя́вленный лгун || an ~ fool наби́тый дура́к.

egress (ий'грэс) s. вы́ход, ухо́д.

egret (э'грит) s. бе́лая ца́пля.

eh (эй) int. как! эх!

eider/-down (ай'дёр-даун) s. гага́чий пух || -duck s. га́га, га́вка.

eight/ (ёй'т) a. во́семь || -een (-ий'н) a. восемна́дцать || -eenth (-ий'нф) a. восемна́дцатый || -fold a. восьмикра́тный || -th s. восьму́шка, восьма́я (часть) || ~ a. восьмо́й || -y a. во́семьдесят.

either (ай'ðёр) prn. тот или друго́й; оди́н из двух || ~ c. и́ли || ~ ... or и́ли ... и́ли || ~ ad. то́же, та́кже.

ejacul/ate (иджä'кюл-эйт) va. из-верга́ть, -ве́ргнуть; (to utter) произ-носи́ть, -нести́ || -ation s. изверже́ние; (utterance) восклица́ние; поры́в души́, усе́рдная моли́тва || -atory a., ~ prayer коро́ткая усе́рдная моли́тва.

eject/ (иджэ'кт) va. из-верга́ть, -ве́ргнуть; (drive out) выгоня́ть, вы́гнать; (from one's house) выжива́ть, вы́жить из || -ion s. изверже́ние; изгна́ние, вы́гнание || -ment s. предписа́ние вы́ехать из име́ния; выжива́ние || -or s. (of a rifle) разря́дник, разряжа́тельное приспособле́ние.

eke/ (ийк) va., to ~ out по-полня́ть, -по́лнить || he -s out a miserable livelihood он ко́е-как перебива́ется.

elaborat/e (илä'бёрёт) a. вы́работанный, обрабо́танный; тща́тельно зако́нченный || ~ (илä'бёрэйт) va. вырабатывать, вы́работать; обраба́тывать, -рабо́тать || -eness s. вы́работка, обрабо́тка; тща́тельная зако́нченность || -ion s. вы́работка; выраба́тывание.

elapse (илä'пс) vn. про-ходи́ть, -йти́.

elastic/ (илä'стик) s. рези́новая тесьма́ || ~ a. эласти́ческий, упру́гий || -ity (иилёсти'сити) s. эласти́чность f.; упру́гость f.

elat/ed (илэй'т-ид) a. надме́нный; возгорди́вшийся || -ion s. надме́нность f.; го́рдость (f.) успе́хом.

elbow/ (э'лбоу) s. ло́коть m.; (bend) изги́б, у́гол || out at -s с про́дранными локтя́ми || ~ va. толк-а́ть, -ну́ть ло́ктем || to ~ one out of the way от-та́лкивать, -толкну́ть || to ~ a way through про-дира́ться -дра́ться сквозь || ~ vn. про-дира́ться, дра́ться || ~-grease s. (fam.) труд; стара́ние || ~-room s. (fig.) просто́р, свобо́да де́йствий.

elder/ (э'лдёр) s. (senior) ста́рший; (eccl.) старшина́ m.; (in a Russian village) ста́роста m.; (tree) бузина́ || ~ a. ста́рший; (bot.) бузи́нный || ~-berry s. бузи́нная я́года || -ly a. пожило́й.

eldest (э'лдист) a. ста́рший.

elect/ (илэ'кт) a. и́збранный, вы́борный, вы́бранный || ~ va. из-бира́ть, -бра́ть; выбира́ть, вы́брать || -ion s. избира́ние; вы́бор || -ioneer vn. заи́скивать при вы́борах || -ive a. избира́тельный; вы́борный || -or s. избира́тель m.; (prince) ку́рфирст || -oral a. избира́тельный; курфи́ршеский || -orate s. избира́тели mpl.; (territory) владе́ние ку́рфирста, курфи́ршество.

electr/ic(al) (илэ'ктр-икёл) a. электри́ческий || -ician (элэктри'шён) s. электроте́хник || -ify va. электризова́ть; (fig.) одушев-ля́ть, -и́ть || -icity (элэктри'сити) s. электри́чество || -ode s. електро́д || -olysis (иилэктро'лисис) s. электро́лиз || -olyze (-олайз) va. под-верга́ть, подве́ргнуть электро́лизу || -ometer (иилэктро'митёр) s. электроме́тр || -oplate va. по-крыва́ть, -кры́ть серебро́м посре́дством гальванопла́стики || -oscope s. электроско́п || -otype s. электроти́пия.

eleg/ance (э'лиг-ёнс) s. изя́щность f.; элега́нтность f.; (in dress) наря́дность f. || -ant a. элега́нтный; изя́щный; наря́дный.

eleg/iac (элиджай'ёк, илий'джиäк) a. элеги́ческий || -y (э'лиджи) s. эле́гия.

element/ (э'лимёнт) s. элеме́нт; осно́ва (просто́е не сло́жное те́ло) || the four -s четы́ре стихи́и || the -s (of a science, etc.) нача́льное основа́ние || -al (элимэ'нтёл) a. элемента́рный; стихи́йный || -ary (элимэ'нтёри) a. нача́льный; (easy) просто́й.

elephant/ (э'лифёнт) s. слон || -ine (элифä'нтайн) a. слоно́вый; (huge) огро́мный.

elevat/e (э'ливэйт) va. воз-выша́ть, -вы́сить; (to raise) под-нима́ть, -ня́ть; (in rank) воз-води́ть, -вести́ || -ed a. высо́кий, возвы́шенный; (tipsy) пья́ный || ~ & ~ railway (Am.) возду́шная, надзе́мная желе́зная доро́га || -ion s. возвыше́ние, приподня́тие; (fig.) возноше́ние; (hill) холм; (dignity) досто́инство, сан; (height) высота́, возвы́шенность f.; (arch.) боково́й вид || -or s. (Am.) (lift) элева́тор, подъёмная маши́на.

eleven/ (илэ'вн) *a.* одиннадцать || **–th** *a.* одиннадцатый.
elf/ (э'лф) *s.* (*pl.* **elves** элвз) эльф; карлик || **–in, –ish** *a.* эльфообразный; (*mischievous*) резвый. [вызывать, вызвать.
elicit (или'сит) *va.* из-влекать, -влечь;
eligible (э'лиджибл) *a.* избираемый; (*suitable*) подходящий.
eliminat/e (или'минэйт) *va.* исключ-ать, -ить; выкидывать, выкинуть; (*to strike out*) вычёркивать, вычеркнуть || **–ion** *s.* исключение; вычёркивание.
elision (или'жён) *s.* (*gramm.*) элизия.
elixir (или'ксёр) *s.* эликсир.
elk (элк) *s.* лось *m.*
ell (эл) *s.* локоть *m.* (мера: около аршина).
ellip/se (или'п-с) *s.* (*geom. & gramm*) эллипс || **–sis** *s.* (*gramm.*) эллипс, эллипсис || **–tic(al)** *a.* эллиптический.
elm (элм) *s.* вяз.
elocution/ (элокю'шён) *s.* оборот речи; выбор и расположение слов; красноречие || **–ist** *s.* декламатор.
elongat/e (ий'лонг-гэйт) *va.* продолж-ать, -ить; удлин-ять, -ить || **–ion** *s.* продолжение; удлинение.
elope/ (илōу'п) *vn.* убежать; тайно бежать || **–ment** *s.* тайное бегство (жены, девушки от родителей, и т. д.).
eloqu/ence (э'локу-ёнс) *s.* красноречие, витийство || **–ent** *a.* красноречивый; витиеватый.
else/ (элс) *a.* иной, другой || ~ *ad.*, **anybody** ~ ещё кто || **anything** ~ что-нибудь другое; ещё что-нибудь || **nobody** ~ никто другой; более никто || **somebody** ~ ещё кто || **what** ~**?** ещё что? || **nowhere** ~ нигде кроме || ~ *c.* ещё, кроме; иначе, или || **–where** *ad.* в другом месте.
elucidat/e (илю'сидэйт) *va.* раз'ясн-ять, ить; истолк-овывать, -овать || **–ion** *s.* раз'яснение; истолкование.
elude (илю'д) *va.* из-бегать, -бегнуть (чего); увёртываться; (*the law*) обходить, обойти.
elus/ion (илӯ'жн) *s.* увёртка; хитрость *f.* || **–ive** (илӯ'сив) *a.* избегающий; обманчивый; уклончивый || **–oriness** (илӯ'-сёринэс) *s.* обманчивость *f.* || **–ory** (илӯ'-сёри) *a.* обманчивый; призрачный.
elysian (или'зиён) *a.* елисейский.
emaciat/e (имэ̄й'ши-эйт) *va.* изнур-ять, -ить; истощ-ать, -ить || ~ *vn.* худеть, по-; чахнуть, за-, ис- || **–ion** *s.* изнурение; худоба; чахлость *f.*
emanat/e (э'мёнэйт) *vn.* ис-текать, -течь про-исходить, -изойти || **–ion** *s.* про-истекание; исхождение; (*phys.*) эманация, истечение.
emancipat/e (имä'нсипэйт) *va.* эманципировать; отпус-кать, -тить на волю; освобо-ждать, -дить || **–ion** *s.* эманципация; освобождение; отпущение на волю.
emasculate (имä'скюлэйт) *va.* оскоп-лять, -ить; (*fig.*) изнеж-ивать, -ить.
embalm (имба̄'м) *va.* бальзамировать; на-полнять, -полнить благовонием.
embank/ (имбä'нгк) *va.* окруж-ать, -ить валом, насыпью || **–ment** *s.* плотина; (*in London*) набережная; (*rail.*) насыпь *f.*; полотно железной дороги.
embargo (имба̄'ргоу) *s.* амбарго || **to lay an** ~ **on** на-лагать, -ложить амбарго на.
embark (имба̄'рк) *va.* (*persons*) посадить на судно; (*goods*) нагру-жать, -зить || ~ *vn.* садиться, сесть на корабль.
embarrass/ (имбä'рёс) *va.* мешать, по-(кому); затрудн-ять, -ить; при-водить, -вести в замешательство; (*pecuniary*) запутывать, -путать || **–ment** *s.* затруднение; замешательство; стеснение; (*pecuniary*) запутанность *f.*
embattled (имбä'тлд) *a.* в боевом порядке.
embellish/ (имбэ'лиш) *va.* у-крашать, -красить; прикра-шивать, -сить || **–ment** *s.* украшение.
ember/ (э'мбёр) *s.* (*in pl.*) пепел; горячая зола || **–days** *spl.* трёхдневный пост по четвертьям года у католиков.
embezzle/ (имбэ'зл) *va.* у-таивать, -таить; при-сваивать, -своить || **–ment** *s.* утайка; растрата || **–r** *s.* присвоитель *m.*
embitter (имби'тёр) *va.* раздраж-ать, -ить; ожесточ-ать, -ить.
emblem/ (э'мблим) *s.* эмблема; символ || **–atic(al)** (эмблимä'тик-ёл) *a.* эмблематический; символический.
embod/iment (имбо'д-имёнт) *s.* соединение в одно целое; воплощение || **–y** *va.* соедин-ять, -ить в одно целое; вопло-щать, -тить; (*to comprise*) заключ-ать, -ить в себе.
embolden (имбōу'лдён) *va.* ободр-ять, -ить; при-давать, -дать смелость.
emboss (имбо'с) *va.* у-крашать, -красить выпуклыми фигурами; чеканить выбивкою.
embrace (имбрэ̄йс) *s.* об'ятия *npl.* || ~ *va.* (*clasp*) об-нимать, -нять; (*kiss*) целовать, по-; (*comprise*) заключ-ать, -ить в себе; (*a profession, etc.*) из-бирать, -брать; (*a religion*) при-нимать, -нять; (*an opportunity*) пользоваться, вос- || ~ *vn.* об-ниматься, -няться.

embrasure (имбрэй'жёр) *s.* амбразура; (*of a window*) пролёт. [для втирания.
embrocation (эмброкэй'шн) *s.* примочка
embroider/ (имброй'дёр) *va.* вышивать, вышить, (*fig.*) при-крашивать, -красить || **-y** *s.* вышивание; вышивка.
embroil/ (имброй'л) *va.* запут-ывать, -ать; во-влекать, -влечь (во что); ссорить || **-ment** *s.* путаница; замешательство;
embryo (э'мбри-оу) *s.* зародыш. [ссора.
emend/ (имэ'нд) *va.* ис-правлять, -править; у-лучшать, -лучшить || **-ation** (иимэндэй'шн) *s.* исправление; поправление; поправка.
emerald (э'мёрёлд) *s.* изумруд || ~ *a.* изумрудный || **the E- Isle** Ирландия.
emerg/e (имё'рдж) *vn.* воз-никать, -никнуть; выходить, выйти; появ-ляться, -иться || **-ency** *s.* необходимый случай; случай нужды; случайность *f.* || ~ **exit** запасный выход || **-ent** *a.* возникающий.
emery (э'мёри) *s.* наждак.
emetic (имэ'тик) *s.* рвотное (средство).
emigr/ant (э'мигр-ёнт) *s.* эмигрант; переселенец || **-ate** (-эйт) *vn.* пересел-яться, -иться (на чужбину); эмигрировать || **-ation** *s.* переселение; эмиграция.
emin/ence (э'мин-ёнс) *s.* (*height*) высота, возвышение; (*title*) преосвященство; (*an.*) выпуклость *f.* || **-ent** *a.* высокий; (*distinguished*) знаменитый.
emiss/ary (э'мисёри) *s.* эмиссар; (*spy*) лазутчик || **-ion** (имп'шён) *s.* эмиссия; выпускание; (*of coin*) выпуск; (*phys.*) испускание.
emit (имп'т) *va.* испус-кать, -тить; извергать, -вергнуть; (*smell*) распростран-ять, -ить; (*coin*) пус-кать, -тить в обращение.
emollient (имо'лиёнт) *a.* мягчительный.
emolument (имо'люмёнт) *s.* жалованье.
emotion (имоу'шн) *s.* душевное волнение; эмоция. [присяжных.
empanel (импа'нёл) *va.* составлять список
emperor (э'мпёрёр) *s.* император.
emphas/is (э'мфёс-ис) *s.* эмфаз; выразительность *f.*; ударение (на слове) || **-ize** *va.* делать, с-особое ударение (на слове); напирать на.
emphatic(al) (эмфа'тикёл) *a.* эмфатический; выразительный, сильный; энергичный. [власть *f.*
empire (э'мпайёр) *s.* империя, держава;
empiric (импи'рик) *a.* эмпирический.
employ/ (имплой') *s.* занятие; должность *f.*; служба || ~ *va.* (*give work to*) давать, дать занятие, дело; (*to use*) употреблять, -ить; примен-ять, -ить || **-ee** (эмплой-ийи') *s.* служащий || **-er** *s.* работодатель *m.*; хозяин || **-ment** *s.* (*occupation*) занятие, дело; (*service*) служба; (*use*) употребление.
emporium (импо'риём) *s.* складочное место; большой торговый рынок.
empower (импау'ёр) *va.* уполномочивать.
empress (э'мприс) *s.* императрица. [суета.
emptiness (э'мтинэс) *s.* пустота; (*fig.*)
empty/ (э'мти) *a.* пустой; порожний; (*meaningless*) ничтожный; (*useless*) тщетный || ~ *va.* опор-ажнивать, -ожнить; (*a glass*) осуш-ать, -ить; выпить || ~ *vn.* пустеть, о- || **~-headed** *a.* глупый.
empyrean (импи'риён) *a.* небесный || ~ *s.*
emu (ий'мю) *s.* эму. [небо, небесный свод.
emul/ate (э'мюл-эйт) *va.* соревновать; соперничать; (*imitate*) подражать (кому) || **-ation** *s.* соревнование; соперничество || **-ous** *a.* соревнующий, соперничаю-
emulsion (има'лшён) *s.* эмульсия. [щий.
enable (инэй'бл) *va.* дать возможность.
enact/ (ина'кт) *va.* (*to act*) соверш-ать, -ить; исполнять, -полнить; (*decree*) установ-лять, -ить; постановл-ять, -ить || **-ment** *s.* проведение закона; указ.
enamel (ина'мл) *s.* эмаль *f.*; финифть *f.* || ~ *a.* эмалевый || ~ *va.* эмалировать; покрывать, -крыть эмалью.
enamoured (ина'мёрд) *a.* влюблённый.
encamp/ (инка'мп) *vn.* расположиться станом; стать лагерем || **-ment** *s.* расположение войска лагерем; лагерь *m.*
encase (инкэй'с) *va.* заключ-ать, -ить в футляр, в ящик; окруж-ать, -ить.
enceinte (онг-сэй'нт) *a.* беременная.
enchant/ (инча'нт) *va.* очар-овывать, -овать; околд-овывать, -овать || **-ing** *a.* очаровательный || **-ment** *s.* очарование, восхищение; волшебство || **-ress** *s.* обворожительница; волшебница.
encircle (инсё'ркл) *va.* окруж-ать, -ить; опоясывать; (*to embrace*) об-нимать, -нять.
enclos/e (инклоу'-з) *va.* (*shut in*) огор-аживать, -одить; (*surround*) окруж-ать, -ить; (*insert*) при-лагать, -ложить || **-ure** (-жёр) *s.* (*thing enclosed*) вложение; (*ground*) загороженное место; (*fence*) забор.
encom/iast (инкоу'м-иаст) *s.* панегирист || **-ium** *s.* похвала; похвальное слово.
encompass (инка'мпёс) *va.* (*surround*) окруж-ать, -ить; (*include*) заклю-чать, -чить в себе.
encore (онг-ко'р) *ad.* ещё; (*theat.*) бис.

encounter (инкау'нтёр) *s.* (*meeting*) случайная встреча; (*combat*) стычка, схватка; (*duel*) дуэль *f.* || ~ *va.* (*meet*) встр-ечать, -етить; (*attack*) сразиться с.
encourage/ (инка'ридж) *va.* о-бодрять, -бодрить; (*to urge on*) поощр-ять, -ить || **–ment** *s.* ободрение; поощрение.
encroach/ (инкрōу'ч) *vn.* переходить границы; захватывать || **–ment** *s.* захват; переход границы.
encrust (инкра'ст) *va.* об-кладывать, -ложить.
encumber (инка'мбёр) *va.* (*to burden*) обремен-ять, -ить; загромо-ждать, -оздить; (*to hinder*) мешать, по-.
encumbrance (инка'мбрёнс) *s.* бремя *n.*; долг; (*hindrance*) препятствие.
encyclical (инсай'кликёл) *s.* энциклика; окружное послание (папы).
encyclopædia (инсайклопий'диё) *s.* энциклопедия.
end/ (энд) *s.* конец; (*death*) кончина; (*result*) последствие; (*object*) цель *f.*; намерение || **no ~ of** чрезвычайно много || **in the ~** в конце концов || **to no ~** бесполезно || **to the ~ that** для того чтобы || **to have at one's fingers' –s** знать как свои пять пальцев || **to make both –s meet** свести концы с концами || **my hair stands on ~** волосы дыбом становятся || ~ *va.* кончать, кончить; прекращать, -тить; при-водить, -вести к концу || ~ *vn.* кончаться, кончиться; прекращаться, -титься.
endanger (индэ̄й'нджёр) *va.* под-вергать, -вергнуть опасности.
endear/ (индий'р) *va.* заставить полюбить; сделать милым || **–ing** *a.* нежный, ласковый || **–ment** *s.* ласка; нежность *f.*
endeavour (индэ'вёр) *s.* старание, усилие || ~ *vn.* стараться, по-; до-биваться, -биться.
endemic (индэ'мик) *a.* эндемический, местный.
ending (э'ндинг) *s.* окончание.
endive (э'ндив) *s.* (*bot.*) эндивий *m.*; садовый цикорий.
endless/ (э'ндлис) *a.* бесконечный; (*eternal*) вечный || **–ness** *s.* бесконечность *f.*
endmost (э'ндмоуст) *a.* самый дальный.
endors/e (индō'рс) *va.* индоссировать; сделать передаточную надпись на обороте (векселя); (*sanction*) дать своё разрешение на || **–ee** (эндорсий') *s.* индоссат || **–ement** *s.* индоссамент, передаточная надпись на обороте векселя; (*consent*) разрешение || **–er** *s.* индоссант; переводчик векселя.
endow/ (индау') *va.* одарить, наделить; пожертвовать вклад (в церковь, больницу, и пр.); (*to give a dowry*) дать приданое || **–ment** *s.* наделение; доход, вклад; (*dowry*) приданое.
endur/able (индю̄'рёбл) *a.* сносный, выносимый || **–ance** *s.* выносливость *f.*; (*continuance*) продолжительность *f.*; (*suffering*) страдание; (*patience*) терпение || **beyond ~, past ~** несносный, невыносимый || **–e** *va.* выносить, вынести; переносить, -нести; терпеть, по- || ~ *vn.* продолж-аться, -иться || **–ing** *a.* прочный; долговременный; продолжительный.
end/ways (э'нд-уэ̄йз), **–wise** *ad.* перпендикулярно; прямо; концами.
enema (иний'мё) *s.* клистир.
enemy (э'ними) *s.* враг, недруг; неприятель *m.*
energ/etic(al) (энёрджэ'тик[ёл]) *a.* энергичный; (*forcible*) сильный || **–y** (э'нёрджи) *s.* энергия; сила; (*of character*) твёрдость *f.*
enervat/e (э'нёрвэйт) *va.* рас-слаблять, -слабить; обессилить || **–ion** *s.* расслабление, ослабление.
enfeeble (инфий'бл) *va.* рас-слаблять, -слабить; изнур-ять, -ить.
enfeoff (инфэ'ф) *va.* давать, дать лен, поместье.
enfilade (энфилэ̄й'д) *s.* анфилада орудий || ~ *va.* анфилировать.
enfold (инфō'улд) *va.* (*wrap*) за-вёртывать, -вернуть; (*to embrace*) об-нимать, -нять.
enforce/ (инфō'рс) *va.* (*compel*) вынуждать, вынудить у кого что; (*give force to*) принуждать, -нудить повиноваться (закону) || **–ment** *s.* принуждение, приведение в силу.
enfranchise (инфрā'нчиз, -чайз) *va.* (*to free*) отпустить на волю; освобо-ждать, -дить; (*to honour*) дать права гражданства.
engag/e (ингэ̄й'дж) *va.* (*pledge*) от-давать, -дать в залог; (*make liable*) обязывать, обязать; (*in marriage*) помолв-ливать, -ить; (*servants, etc.*) на-нимать, -нять; при-нимать, -нять в службу; (*a room, etc.*) взять, брать вперёд; (*occupy*) занимать, -нять; (*mil.*) вступ-ать, -ить в сражение с || **to ~ for a dance** ангажировать; пригла-шать, -сить на танец || ~ *vn.* (*to undertake*) обязываться, обязаться; давать, дать слово || **–ed** *a.* (*bound*) обязанный; (*to be married*) помолвленный; (*occupied*) занятый || **–ement** *s.* (*obligation*) обязательство; (*marriage promise*) помолвка; (*occupation*) занятие; (*situation*) место, служба; (*invitation, etc.*) приглашение; (*mil.*) сражение || **–ing** *a.* привлекательный.
engender (инджэ'ндёр) *va.* произ-водить, -вести; рождать, родить.

engine/ (э'нджин) *s.* машина; орудие; (*rail.*) локомотив || **~-driver** *s.* машинист || **-er** (-ий'р) *s.* инженер; (*Am.*) машинист || ~ *va.* направлять (дело); проводить (меру) || **-ering** (-ий'ринг) *s.* инженерное искусство; (*fam.*) интриги *fpl.*
engrav/e (ингрэй'в) *va.* гравировать || **-er** *s.* гравёр || **-ing** *s.* гравирование; гравюра, гравированная картина.
engross/ (ин-грбу'с) *va.* писать крупным почерком; (*absorb attention*) приковывать к себе (внимание) || **-ment** *s.* списывание набело крупным почерком; копия; монополия.
engulf (инга'лф) *va.* погло-щать, -тить.
enhance/ (инха'нс) *va.* воз-вышать, -высить; (*to increase*) увелич-ивать, -ить; (*to intensify*) усил-ивать, -ить || **-ment** *s.* возвышение; увеличение; усиление.
enigma/ (ини'гмё) *s.* энигма; загадка || **-tic(al)** (ийнигмä'тик-ёл) *a.* энигматический, загадочный.
enjoin (инджой'н) *va.* при-казывать, -казать; (*to command*) повелеть.
enjoy/ (инджой') *va.* на-слаждаться, -сладиться; (*have the use of*) пользоваться; владеть (чем) || **to ~ o.s.** веселиться || **-able** *a.* приятный || **-ment** *s.* наслаждение, удовольствие; владение.
enkindle (инки'ндл) *va.* воспламен-ять, -ить; раз-жигать, -жечь.
enlace (инлэй'с) *va.* сплетать, сплести; об-вивать, -вить.
enlarge/ (инлā'рдж) *va.* рас-ширять, -ширить; увелич-ивать, -ить || ~ *vn.* увелич-иваться, -иться; (*to expatiate*) распростран-яться, -иться || **-ment** *s.* расширение, увеличение.
enlighten/ (инлай'тён) *va.* (*to instruct*) просве-щать, -тить || **-ment** *s.* просвещение.
enlist/ (инли'ст) *va.* (*mil.*) вербовать, забирать || ~ *vn.* (*mil.*) поступ-ать, -ить в рекруты || **-ment** *s.* вербовка; поступление в рекруты.
enliven (инлай'вн) *va.* (*animate*) ожив-лять, -ить; (*to cheer up*) развесел-ять, -ить.
enmesh (инмэ'ш) *va.* ловить в сети: опут-ывать, -ать.
enmity (э'нмити) *s.* неприязнь *f.*; вражда.
ennoble (инбу'бл) *va.* (*make a noble*) жаловать, по- дворянством; воз-водить, -вести кого в дворянское достоинство; (*to make noble*) облаго-роживать, -родить.
enorm/ity (инō'рм-ити) *s.* (*of a crime*) гнусность *f.*; чудовищность *f.* || **-ous** *a.* громадный; чудовищный || **-ousness** *s.* громадность *f.*
enough (ина'ф) *a.* достаточный || ~ *ad.* довольно, достаточно || **more than ~** более, чем потребно || **~!** (*fam.*) полно! || **I've had ~ of him** он наскучил меня! || **to have ~ to do to** с трудом успеть.
enounce (инау'нс) *va.* произ-носить, -нести.
enow (инау') = **enough.**
enquire (инкуай'ёр) *cf.* **inquire.**
enrage (инрэй'дж) *va.* раз'яр-ять, -ить.
enrapture (инрä'пчёр) *va.* вос-хищать, -хитить; при-водить, -вести в восторг.
enrich (инри'ч) *va.* обога-щать, -тить.
enrol/ (инрбу'л) *va.* вносить, внести в список; (*mil.*) вербовать || **-ment** *s.* внесение в список; вербовка.
ensconce (инско'нс) *va.*, **to ~ o.s.** прятаться.
enshrine (иншрай'н) *va.* класть, положить в ковчег; заключ-ать, -ить (во что).
enshroud (иншрау'д) *va.* совершенно покрывать, -крыть.
ensign (э'нсайн) *s.* (*flag*) знамя *n.*; (*mar.*) флаг; (*badge*) отличительный знак, признак; (*mil.*) прапорщик.
enslave/ (инслэй'в) *va.* порабо-щать, -тить || **-ment** *s.* порабощение; (*slavery*) рабство.
ensnare (инснā'р) *va.* поймать в ловушку.
ensu/e (инсю') *vn.* следовать, по- || **-ing** *a.* последующий.
ensure (иншӯ'р) *va.* обеспеч-ивать, -ить.
entablature (интä'блётюр) *s.* архитрав.
entail (интэй'л) *s.* заповедное имение; майорат; непродажное родовое имение || ~ *va.* укреп-лять, -ить имение за кем, с воспрещением отчуждать его; (*to necessitate*) при-нуждать, -нудить.
entangle/ (интä'нг-гл) *va.* в-путывать, -путать; с-путывать, -путать; (*to involve*) втягивать, втянуть || **-ment** *s.* запутывание; замешательство; (*perplexity*) смущение.
enter (э'нтёр) *va.* (*go, come in*) входить, войти; вступ-ать, -ить; (*make entry of*) вносить, внести; (*commence*) на-чинать, -чать || ~ *vn.* входить, войти; вступ-ать, -ить.
enteric (энтэ'рик) *a.* кишечный.
enterpris/e (э'нтёрпрайз) *s.* (*undertaking*) предприятие; (*disposition*) предприимчивость *f.* || **-ing** *s.* предприимчивый.
entertain/ (энтёртэй'н) *va.* (*a guest*) угощать, угостить; (*fig. to harbour*) питать; (*consider*) при-нимать, -нять в уважение; (*to amuse*) за-бавлять, -бавить || **-ing** *a.* развлекающий, забавный; интересный || **-ment** *s.* угощение; увеселение; (*performance*) представление.

enthral (инþро̄'л) *va.* пораб-ощáть, -оти́ть; (*fig. to captivate*) очар-óвывать, -овáть.
enthrone (инþро̄у'н) *va.* возвести́ на престóл.
enthuse (инþӯ'з) *vn.* (*fam.*) восторгáться; [восхищáться.
enthusias/m (инþӯ'зи-äзм) *s.* энтузиáзм, востóрг; (си́льное) одушевлéние || **–t** (-äст) *s.* энтузиáст || **–tic** (-ä'стик) *a.* пóлный энтузиáзма; востóрженный.
entic/e (интай'с) *va.* за-влекáть, -влéчь; при-мáнивать, -мани́ть || **–ement** *s.* примáнка; примáнчивость *f.* || **–ing** *a.* соблазни́тельный; замáнчивый; искушáющий.
entire/ (интай'ёр) *a.* цéлый; пóлный; (*complete*) совершённый || **–ly** *ad.* совершéнно || **–ty** *s.* цéльность *f.*; цéлость *f.*; совокýпность *f.*; (*sum total*) сýмма.
entitle (интай'тл) *va.* (*a book*) заглáв-ливать, -ить; (*to give the right to*) давáть, дать прáво (комý на что).
entity (э'нтити) *s.* сýщность *f.*; существó.
entomb (интӯ'м) *va.* хорони́ть, по-.
entomolog/ial (энтомоло'джикёл) *a.* энтомологи́ческий || **–ist** (энтомо'лоджист) *s.* энтомолóг || **–y** (энтомо'лоджи) *s.* энтомолóгия.
entrails (э'нтрэ̄йлз) *spl.* внýтренности *fpl.*; кишки́ *fpl.*; (*of animals*) пóтрохи *mpl.*; (*fig. centre*) нéдро, внýтренность *f.*
entrain (интрэ̄й'н) *vn.* сади́ться, сесть в пóезд.
entrance/ (э'нтрёнс) *s.* вход, в'езд; вступлéние; (*commencement*) начáло || ~ *va.* при-води́ть, -вести́ в востóрг, в восхищéние || **~-fee** *s.* плáта за вход || **–ment** (интрā'нсмёнт) *s.* восхищéние, востóрг.
entrancing (интрā'нсинг) *a.* восхити́тельный. [попýт-ывать, -ать.
entrap (интрä'п) *va.* поймáть в ловýшку;
entreat/ (интрий'т) *va.* моли́ть; умоля́ть; уми́льно проси́ть || **–y** *s.* прóсьба, мольбá; умолéние.
entree (о'нг-трэ̄й) *s.* дóступ, вход; (*dish*) антрé, пéрвое блю́до.
entrench/ (интрэ'нч) *va.* укреп-ля́ть, -и́ть окóпами || **–ment** *s.* окóп; захвáт.
entrust (интра'ст) *va.* вверя́ть, ввéрить; до-веря́ть, -вéрить.
entry (э'нтри) *s.* вход; вступлéние; (*in a book*) зáпись *f.*; внóска.
entwine (интуай'н) *va.* об-вивáть, -ви́ть; перепле-тáть(-ся), -сти́(-сь).
enumerat/e (иню̄'мёрэйт) *va.* пере-числя́ть, -чи́слить || **–ion** *s.* перечислéние.
enunciat/e (ина'нсиэйт) *va.* формáльно заяв-ля́ть, -и́ть; (*pronounce*) произносить, -нести́ || **–ion** *s.* я́сное заявлéние; провозглашéние; из'яснéние.
envelop/ (инвэ'лёп) *va.* (*cover*) по-крывáть, кры́ть кругóм; окýт-ывать, -ать; (*to surround*) окруж-áть, -и́ть || **–e** (э'нвёлоуп) *s.* обёртка; (*of letter*) конвéрт || **–ment** *s.* обёртывание; (*mil.*) обхóд.
envenom (инвэ'нём) *va.* (*to poison*) отрав-ля́ть, -и́ть; (*to enrage*) разгнéвать; раздраж-áть, -и́ть; (*to make bitter*) уязв-ля́ть, -и́ть.
envious (э'нвиёс) *a.* зави́стливый; зави́дливый || **to be ~ of s.o.** зави́довать комý.
environ/ (инвай'рён) *va.* окруж-áть, -и́ть || **–ment** *s.* окружáющие || **–s** (-з & э'нвирёнз) *spl.* окрéстности *fpl.*
envoy (э'нвой) *s.* пóсланный.
envy (э'нви) *s.* зáвисть *f.* || ~ *va.* зави́довать, по-. [нýть.
enwrap (инрä'п) *va.* за-вёртывать, -вер-
epact (ий'пäкт) *s.* эпáкта.
epaulet(te) (э'полэт) *s.* эполéт.
ephemer/a (ифэ'мёрё) *spl.* подёнка || **–al** *a.* эфемéрный, однодневный; (*not lasting*) кратковрéменный; (*transitory*) скóро проходя́щий. [эпи́ческий.
epic (э'пик) *s.* э́пос; епи́ческая поэ́ма || ~ *a.*
epicene (э'писийн) *a.* (*gramm.*) двупóлый.
epicur/e (э'пикю̄р) *s.* эпикурéец; сластолю́бец || **–ean** (эпикюрий'ён) *a.* эпикурéйский; сластолюби́вый.
epidemic (эпидэ'мик) *s.* эпидéмия; повáльная болéзнь || ~ *a.* эпидеми́ческий; повáльный. [рýжная кóжица.
epidermis (эпидё̄'рмис) *s.* эпидéрма; на-
epiglottis (эпигло'тис) *s.* надгортáнный [хрящ.
epigram (э'пиграм) *s.* эпигрáмма.
epigraph (э'пиграф) *s.* эпигрáф; нáдпись *f.*
epilep/sy (э'пилэпси) *s.* эпилéпсия; падýчая (болéзнь) || **–tic** (эпилэ'птик) *a.* эпилепти́ческий.
epilogue (э'пилог) *s.* эпилóг. [щéние.
Epiphany (ипи'фёни) *s.* Богоявлéние, Кре-
episcop/acy (ипи'скёп-ёси) *s.* епархиáльное управлéние; епи́скопство; епи́скопы *mpl.* || **–al** *a.* епи́скопский || **–alian** (ипискёпэ̄й'лиён) *a.* епископáльный, англикáнский || **–ate** *s.* власть епи́скопа, епи́скопство; епи́скопы *mpl.*
episode (э'писōуд) *s.* эпизóд, случáйное происшéствие.
epist/le (ипи'сл) *s.* письмó; (*of an Apostle*) послáние || **–olary** (ипи'стёлёри) *a.* пи́сьменный; эпистоля́рный.
epitaph (э'питäф) *s.* эпитáфия; надгрóбная нáдпись. [ное.
epithet (э'пиþэт) *s.* эпи́тет, прилагáтель-

epitom/e (ипи'том-и) *s.* сокращéние; извлечéние; крáткое изложéние || **-ize** *va.* [сокра-щáть, -тить.
epoch (ий'пок) *s.* эпóха.
epos (э'пёс) *s.* эпи́ческая поэ́ма. [соль.
Epsom (э'псём), ~ **salts** *spl.* англи́йская
equab/ility (иикуёби'лити) *s.* рáвность *f.*; (*uniformity*) однообрáзие; равномéрность *f.* || **-le** (ий'куёбл) *a.* рáвный; равномéрный; (*uniform*) однообрáзный; (*smooth*) глáдкий.
equal/ (ий'куёл) *s.* рóвня || ~ *a.* рáвный; одинáкий, одинáковый; (*proportionate*) соотвéтственный; (*competent*) спосóбный, равноси́льный || ~ *va.* быть рáвным || **-ity** (иикуо'лити) *s.* рáвность *f.*; рáвенство; одинáковость *f.*; (*evenness*) рóвность *f.* || **-ize** *va.* у-рáвнивать, -равня́ть.
equanimity (иикуёни'мити) *s.* спокóйствие дýха; хладнокрóвие; равнодýшие.
equat/e (икуэ́й'т) *va.* урáвнивать, уравни́ть || **-ion** *s.* уравнéние; (*math.*) рáвенство || **-or** *s.* эквáтор || **-orial** (иикуётō'риёл) *a.* экваториáльный. [мéйстер.
equerry (э'куёри) *s.* коню́ший *m.*; штал-
equestrian (икуэ'стриён) *s.* верховóй ездóк || ~ *a.* кóнный.
equi/angular (иикуи-ä'нг-гюлёр) *a.* равноугóльный || **-distant** *a.* равноотстоя́щий || **-lateral** *a.* равносторóнний || **-librate** *va.* держáть в равновéсии || **-librist** (икуи'либрист) *s.* эквилибри́ст; плясýн на канáте || **-librium** (-ли'бриём) *s.* равновéсие.
equine (ий'куайн) *a.* лошади́ный.
equi/noctial (иикуино'кшёл) *s.* равнодéнственная ли́ния || ~ *a.* равнодéнственный || **-nox** (ий'куинокс) *s.* равнодéнствие; равнонóщие.
equip/ (икуи'п) *va.* снаря-жáть, -ди́ть; экипи́ровать; снаб-жáть, -ди́ть всем нýжным || **-age** (э'куипидж) *s.* снаряжéние; (*carriage*) экипáж; (*retinue*) сви́та || **-ment** *s.* снаряжéние; снабжéние всем нýжным; (*accoutrements*) экипирóвка.
equipoise (ий'куипойз) *s.* равновéсие || ~ *va.* держáть в равновéсии.
equit/able (э'куит-ёбл) *a.* справедли́вый, правосýдный; (*fair, impartial*) беспристрáстный || **-y** *s.* справедли́вость *f.*; беспристрáстность *f.*
equival/ence (икуи'вёл-ёнс) *s.* равноцéнность *f.*; равноси́льность *f.*; (*chem.*) эквивалéнтность *f.* || **-ent** *s.* вещь рáвной цены́; соотвéтствующая сýмма, равноцéнность *f.*; (*chem.*) эквивалéнт || ~ *a.* равноцéнный; равноси́льный; (*of same meaning*) равнознáчащий.
equivoc/al (икуи'вок-ёл) *a.* двусмы́сленный; (*questionable*) подозри́тельный || **-ate** *vn.* говори́ть двусмы́сленно || **-ation** [*s.* двусмы́сленность *f.*
era (ий'рё) *s.* э́ра.
eradicat/e (ирä'дикэйт) *va.* вырывáть, вы́рвать с кóрнем; искорен-я́ть, -и́ть; (*med.*) удал-я́ть, -и́ть радикáльно || **-ion** *s.* вырывáние с кóрнем.
eras/e (ирэ́й'з) *va.* (*to rub out*) выскáбливать, вы́скоблить; (*to obliterate*) изглáживать, -дить; (*fig.*) (*to destroy*) разрушáть, -рýшить || **-er** *s.* рези́нка || **-ure** (ирэ́й'жёр) *s.* выскáбливание; изглáживание.
ere (äр) *prp.* скорéе чем; прéжде || ~ **long** скóро, в непродолжи́тельном врéмени || ~ **now** до настоя́щего врéмени.
erect/ (ирэ'кт) *a.* прямóй; стóя, стоймя́; вертикáльный || ~ *va.* (*set upright*) стáвить, по- пря́мо; (*a monument*) воз-двигáть, -дви́гнуть; соору-жáть, -ди́ть; (*to build*) стрóить, по-; (*fig.*) (*to found*) учреждáть, -ди́ть || **-ion** *s.* сооружéние; учреждéние; (*physiol.*) эрéкция || **-or** *s.* воздвигáтель *m.*; сооруди́тель *m.*; (*an.*) поднимáющая мы́шца. [ник.
eremite (э'римайт) *s.* отшéльник, пусты́н-
ergot (ё'ргот) *s.* бодéц. [горностáевый.
ermine (ё'рмин) *s.* горностáй *m.* || ~ *a.*
erode (ирōу'д) *va.* раз'-едáть, -éсть; (*of a river*) под-мывáть, -мы́ть.
erosion (ирōу'жн) *s.* раз'едáние; (*of a river*) подмы́вка.
erotic (эро'тик) *a.* эроти́ческий.
err (ёр) *vn.* (*to make a mistake*) заблуждáться, -ди́ться; ошиб-áться, -и́ться; (*to sin*) греши́ть, со-.
errand/ (э'рёнд) *s.* посы́лка; поручéние || **~-boy** *s.* мáльчик для посы́лок.
errant (э'рёнт) *a.* скитáющийся || **a knight** ~ *s.* стрáнствующий ры́царь.
erratic (ирä'тик) *a.* (*roving*) стрáнствующий; (*geol.*) эррати́ческий, перенóсный; (*irregular*) непрáвильный. [опечáтка.
erratum (эрэ́й'тём) *s.* (*pl.* **errata** эрэ́й'тё)
erroneous (эрōу'ниёс) *a.* оши́бочный; непрáвильный, невéрный, лóжный.
error (э'рёр) *s.* (*mistake*) оши́бка; (*transgression*) погрéшность *f.* || **to be in** ~ заблуждáться. [тогó.
erstwhile (ё'рстхуайл) *ad.* прéжде, прéжде
erubescent (эрюбэ'сёнт) *a.* краснéющий.
eructation (ииракт'эй'шн) *s.* отры́жка.
erudit/e (э'рудайт) *a.* учёный || **-ion** (эруди'шён) *s.* учёность *f.*
erupt/ion (ирä'п-шён) *s.* извержéние; (*med.*) высыпáние; сыпь *f.* || **-ive** (-тив)

a. вырывающийся; (*med.*) сопровождающийся высыпанием. [стое воспаление.
erysipelas (эриси'пилäс) *s.* рожа, рожи-
escal/ade (эскёлэй'д) *s.* эскалада, приступ || **-ator** (э'скёлэйтёр) *s.* двигающаяся лестница.
escapade (эскёпэй'д) *s.* проделка.
escape/ (искэй'п) *s.* побег, бегство; (*leakage*) течь *f.* || ~ *va.* избегнуть; убе-гать, -жать от || ~ *vn.* спас-аться, -тись; (*break forth*) вырываться, вырваться; (*to flow out*) вытекать, вытечь || **-ment** *s.* (*of a clock*) уравнитель *m.*
escarpment (иска'рпмёнт) *s.* эскарп.
eschatology (эскёто'лоджи) *s.* эсхатология.
escheat (эсчий'т) *s.* выморочное, упалое имение || ~ *va.* конфисковать || ~ *vn.* переходить во владение (кого-либо) вследствие неимения наследников *или* по конфискации. [от.
eschew (эсчу') *va.* избегать; воздержаться
escort (э'скорт) *s.* эскорт; конвой, прикрытие || ~ (искo'рт) *va.* эскортировать; при-крывать, -крыть; сопро-вождать, -водить; конвоировать.
escritoire (э'скритуōр) *s.* письменный стол.
esculent (э'скюлёнт) *a.* съедобный, съест-
escutcheon (эска'чён) *s.* щит герба. [ной.
esoteric (эсотэ'рик) *a.* назначенный для посвящения в мистерии. [лёры *fpl.*
espalier (эспä'лиёр) *s.* шпалерник; шпа-
esparto (эспā'ртоу) *s.* испанский камыш.
especial (испэ'шёл) *a.* специальный; осо-
espial (испай'ёл) *s.* шпионство. [бенный.
espionage (э'спионидж) *s.* шпионство.
esplanade (эсплёнэй'д) *s.* эспланада, площадь *f.*
espous/al (испау'з-ёл) *s.* (*of a cause*) защищение; (*pl.*) обручение, сговор || **-e** (–) *va.* (*to marry*) жениться; (*to give in marriage*) выдать замуж (за); (*to support*) защи-щать, -тить. [тить.
espy (испай') *va.* увидеть; за-мечать, -ме-
esquire (искуай'ёр) *s.* титул на письмах („Его Высокоблагородию").
essay/ (э'сэй) *s.* (*composition*) статья, сочинение; (*test*) проба; (*attempt*) попытка || ~ *va.* (*to test*) пробовать, по-; (*to attempt*) пытаться, по- || **-ist** *s.* автор мелких статей. [(*extract*) эссенция.
essence (э'сёнс) *s.* существо, сущность *f.*;
essential (эсэ'ншёл) *s.* существо; главное; основание || ~ *a.* существенный; (*peculiar to*) свойственный; (*indispensable*) необходимый; (*of oils*) эфирный.
establish/ (иста'блиш) *va.* (*to found*) осно-вывать, основать; учре-ждать, -дить, устанавливать, -ановить; (*to prove*) утверждать, -дить || **-er** *s.* учредитель *m.*; основатель *m.* || **-ment** *s.* основание, учреждение, установление; (*institution*) заведение.
estate (истэй'т) *s.* (*state*) состояние; (*rank*) чин; (*domain*) поместье; (*property*) имение, имущество || **man's** ~ мужеский возраст, зрелый возраст || **real** ~ недвижимое имущество || **the fourth** ~ (*fam.*) пресса.
esteem (истий'м) *s.* уважение, почтение || ~ *va.* (*to consider*) считать, счесть; (*to admire*) почитать, почтить.
estim/able (э'стим-ёбл) *a.* достопочтенный; достоуважаемый || **-ate** *s.* оценка; смета || ~ (-эйт) *va.* оценивать, оценить; вычислять, вычислить || **-ation** *s.* (*opinion*) мнение; (*esteem*) почтение, уважение.
estrange/ (истрэй'ндж) *va.* отчуж-дать, -дить; ссорить, по- (кого с кем) || **-ment** *s.* отчуждение; ссора; холодность *f.*
estuary (э'стюёри) *s.* устье реки.
etch/ (эч) *va.* вытравливать, вытравить; гравировать крепкой водкою || **-ing** *s.* гравюра.
etern/al (итё'рн-ёл) *a.* вечный; бесконечный || **-ity** *s.* вечность *f.*; бесконечность *f.*
ether/ (ий'ѳёр) *s.* эфир || **-eal** (иѳий'риёл) *a.* эфирный; (*of the sky*) небесный.
ethic/al (э'ѳикёл) *a.* этический || **-s** *spl.* этика.
ethno/graphy (иѳно'-грёфи) *s.* этнография || **-logy** *s.* этнология.
etiquette (э'тикэт) *s.* этикет.
etymology (этимо'лоджи) *s.* этимология.
eucharist (ю'кёрист) *s.* евхаристия, святое причастие.
eulog/ist (ю'лодж-ист) *s.* хвалитель *m.* || **-istic** *a.* хвалебный || **-ize** *va.* хвалить, по- || **-y** *s.* хвала, похвальное слово.
eunuch (ю'нак) *s.* евнух. [выражение.
euphemism (ю'фимизм) *s.* смягчающее
euphon/ic (юфо'ник) *a.* благозвучный || **-y** (ю'фони) *s.* благозвучие.
evacu/ant (ивä'кю-ёнт) *s.* (*med.*) слабительное || **-ate** (-эйт) *va.* (*to empty*) опор-ажнивать, -ожнить; (*to withdraw from*) выводить, вывести войско из || **-ation** *s.* очищение; испражнение.
evade (ивэй'д) *va.* из-бегать, -бегнуть; увёртываться; (*the law*) об-ходить, -ойти.
evanesc/e (эвёнэ'с) *vn.* ис-чезать, -чезнуть || **-ent** *a.* исчезающий.
evangel/ical (эвёнджэ'ликёл) *a.* евангелический || **-ist** (ивä'нджилист) *s.* евангелист.

evaporat/e (ива́'пёрэйт) *va.* испар-я́ть, -и́ть; выпа́ривать, вы́парить || ~ *vn.* испар-я́ться, -и́ться; (*to disappear*) исчеза́ть, -чёзнуть || **-ion** *s.* испаре́ние; превраще́ние в пары́; (*chem.*) выпа́ривание.
evas/ion (ивэ́й'жн) *s.* уклоне́ние (от); (*evasive answer*) отгово́рка, увёртка || **-ive** (ивэ́й'сив) *a.* уклончивый.
eve (ийв) *s.* кану́н || **on the ~ of** накану́не.
even/ (ий'вён) *s.* (*poet.*) = **evening** || ~ *a.* (*level, smooth*) ро́вный, гла́дкий; (*uniform*) одина́ковый; (*fig.*) (*calm*) равноду́шный; (*of numbers*) чётный; (*impartial*) беспристра́стный || ~ *va.* ура́внивать, уровня́ть; (*to smooth*) сгла́живать, сгла́дить || ~ *ad.* да́же; равно́; е́сли да́же || ~ **so** то́чно так || **not ~** да́же не || **-handed** *a.* беспристра́стный.
evening (ий'вниг) *s.* ве́чер || ~ *a.* вече́рний.
evenness (ий'вён-нэс) *s.* ра́вность *f.*; гла́дкость *f.*; ро́вность *f.*
event/ (ивэ'нт) *s.* слу́чай *m.*; приключе́ние; происше́ствие; собы́тие || **in the ~ of** в слу́чае, когда́; е́сли случи́тся, что || **at all -s** во вся́ком слу́чае || **-ful** *a.* по́лный приключе́ний || **-ual** (ивэ'нчуёл) *a.* случа́ющийся как сле́дствие (чего́-либо); оконча́тельный.
ever/ (э'вёр) *ad.* всегда́ || **for ~** ве́чно || ~ **after, ~ since** с тех пор || ~ **and anon** от вре́мени до вре́мени || **-green** *s.* (*bot.*) барви́нок; живу́чка || **-lasting** (-ла́'стинг) *a.* ве́чный; (*immortal*) бессме́ртный || **-more** (-мо́'р) *ad.* ве́чно, всегда́; беспреста́нно.
every/ (э'ври) *a.* ка́ждый, вся́кий || ~ **bit** весь, целико́м || ~ **now and then** от вре́мени до вре́мени || **-body** *s.* вся́кий, ка́ждый || **-day** *a.* ежедне́вный; (*workday*) бу́днишний; (*ordinary*) обыкнове́нный || **-thing** *s.* всё || **-where** *ad.* всю́ду, повсю́ду, везде́.
evict/ (иви'кт) *va.* выселя́ть, вы́селить || **-ion** *s.* выселе́ние.
evid/ence (э'вид-ёнс) *s.* очеви́дность *f.*; свиде́тельское показа́ние; (*witness*) свиде́тель *m.* || ~ *va.* я́сно до-ка́зывать, -каза́ть || **-ent** *a.* очеви́дный; я́вный.
evil/ (ий'вл) *s.* зло || ~ *a.* злой; дурно́й || **the E– One** дья́вол || **-doer** *s.* злоде́й || **-doing** *s.* злоде́йство.
evince (иви'нс) *va.* пока́зывать, показа́ть; выка́зывать, вы́казать.
eviscerate (иви'сёрэйт) *va.* вы́потрошить.
evocation (эвокэ́й'шн) *s.* вызыва́ние.
evoke (ивоу'к) *va.* вызыва́ть, вы́звать.
evolution (эволю́'шн) *s.* эволю́ция; передвиже́ние; (*math.*) извлече́ние корне́й.
evolve (иво'лв) *va.* раз-вёртывать, -верну́ть; раз-вива́ть, -ви́ть; (*to invent*) вы-ду́мывать, вы́думать || ~ *vn.* раз-вёртываться, -верну́ться; раз-вива́ться, -ви́ться.
evulsion (ива'лшён) *s.* вырыва́ние.
ewe (ю) *s.* овца́.
ewer (ю'ёр) *s.* кувши́н.
exacerbate (игзэ́'сёрбэйт) *va.* раздраж-а́ть, -и́ть.
exact/ (игзэ́'кт) *a.* то́чный; аккура́тный; (*correct*) ве́рный || ~ *va.* взы́скивать, взыска́ть; тре́бовать, ис-, по- || **-ing** *a.* взыска́тельный || **-ion** *s.* взы́скиванпе, тре́бование; (*extortion*) вымога́тельство || **-itude, -ness** *s.* то́чность *f.*; аккура́тность *f.*; испра́вность *f.* || **-ly** *ad.* (*in reply*) то́чно так.
exaggerat/e (игзэ́'джёрэйт) *va.* преувели-ч-ивать, -ить; при-бавля́ть, -ба́вить || **-ion** (игзэджёрэ́й'шн) *s.* преувеличе́ние.
exalt/ (игзо́'лт) *va.* экзальти́ровать; (*to raise*) воз-выша́ть, -вы́сить; (*raise in rank*) воз-води́ть, -вести́ (в сан); (*to laud*) превоз-носи́ть, -нести́ || **-ation** (эгзолтэ́й'шн) *s.* экзальта́ция; возноше́ние; (*rapture*) восхище́ние, упое́ние || **-ed** *a.* возвы́шенный; (*high*) высо́кий.
exam (игзэ́'м) *s.* (*fam.*) = **examination.**
examin/ation (игзэминэ́й'шн) *s.* экза́мен; осмо́тр; (*investigation*) испыта́ние; (*legal*) допро́с; (*med.*) иссле́дование || **-e** (игзэ́'мин) *va.* экзаменова́ть, про-; (*to test*) ис-пы́тывать, -пыта́ть; (*to question*) допра́шивать, -проси́ть; (*investigate*) иссле́д-ывать, -овать; (*to observe*) ос-ма́тривать, -мотре́ть || **-er** (игзэ́'минёр) *s.* экзамена́тор.
example (игзэ́'мпл) *s.* приме́р; (*sample*) образе́ц || **for ~** наприме́р || **to take ~ from** *or* **by one** брать, взять кого́ себе́ в приме́р || **to set a good ~** по-дава́ть, -да́ть хоро́ший приме́р || **to make an ~ of one** на-ка́зывать, -каза́ть кого́ в приме́р други́м.
exasperat/e (игзэ́'спёрэйт) *va.* (*to irritate*) раздраж-а́ть, -и́ть; (*to aggravate*) ухудша́ть, -шить || **-ion** *s.* раздраже́ние, ожесточе́ние.
excavat/e (э'кскёвэйт) *va.* выка́пывать, вы́копать; рыть, копа́ть; рас-ка́пывать, -копа́ть || **-ion** *s.* (*act*) выка́пывание, вырыва́ние, раска́пывание; (*hole*) я́ма.
exceed/ (иксий'д) *va.&n.* пре-восходи́ть, -взойти́; пре-выша́ть, -вы́сить || **-ing** *a.* чрезвыча́йный, черезме́рный || **-ingly** *ad.* чрезвыча́йно, о́чень.
excel/ (иксэ'л) *va.* (*surpass*) пре-восходи́ть, -взойти́ || ~ *vn.* (*distinguish o.s.*) отли-

ч-а́ться, -и́ться || **-lence** (э'ксёлёнс) *s.* превосхо́дство || **-lency** (э'ксёлёнси) *s.* превосходи́тельство || **-lent** (э'ксёлёнт) *a.* превосхо́дный.

except/ (иксэ'пт) *va.* исключ-а́ть, -и́ть; выключа́ть, вы́ключить || ~ *prp.* кро́ме, исключа́я || **-ing** *prp.* исключа́я, кро́ме, за исключе́нием || **-ion** *s.* исключе́ние; из'я́тие; (*objection*) возраже́ние || **to take ~ to** обижа́ться, оби́деться || **-ionable** *a.* предосуди́тельный; подлежа́щий оспа́риванию || **-ional** *a.* исключи́тельный; осо́бенный.

excerpt (э'ксёрпт) *s.* вы́писка, вы́пись *f.* || ~ (иксё'рпт) *va.* выпи́сывать, вы́писать; де́лать, с- вы́писки.

excess/ (иксэ'с) *s.* эксце́сс, чрезме́рность *f.*; кра́йность *f.*; (*immoderation*) неуме́ренность *f.*; (*outrage*) вы́ходка; (*intemperance*) невозде́ржность *f.* || **-ive** *a.* чрезме́рный; неуме́ренный.

exchange/ (иксчэ̄й'ндж) *s.* ме́на; проме́н, разме́н; (*building*) би́ржа || **bill of ~** ве́ксель *m.* || **rate of ~** ве́ксельный курс || **in ~ for** взаме́н, за || ~ *va.* меня́ть; разме́нивать, -меня́ть; (*for something*) обме́нивать, -меня́ть; (*to interchange*) переме́н-я́ть, -и́ть || **~-broker** *s.* ве́ксельный ма́клер || **~-office** *s.* меня́льная ла́вка.

exchequer/ (иксчэ'кёр) *s.* казна́; казначе́йство; (*fam.*) де́ньги *fpl.* || **~-bill** *s.* биле́т казначе́йства.

excis/e (иксай'з) *s.* акци́з || **-eman** *s.* сбо́рщик акци́за || **-ion** (икси'жён) *s.* отреза́ние; выре́зывание.

excit/able (иксай'т-ёбл) *a.* возбужда́емый; раздражи́тельный || **-ation** *s.* возбужде́ние || **-e** (-) *va.* воз-бужда́ть, -буди́ть; (*hate, etc.*) поро-жда́ть, -ди́ть; (*incite*) поощря́ть, -ри́ть || **-ement** *s.* (*act*) возбужде́ние; (*state*) волне́ние, смуще́ние || **-ing** *a.* возбуди́тельный; интере́сный.

exclaim (иксклэ̄й'м) *vn.* вос-клица́ть, -кли́кнуть.

exclamat/ion (экскл-ёмэ̄й'шн) *s.* восклица́ние || **-ory** (иксклä'мётёри) *a.* восклица́тельный.

exclu/de (иксклӯ'-д) *va.* (*to except*) исключ-а́ть, -и́ть; выключа́ть, вы́ключить. изыма́ть, из'я́ть; (*to thrust out*) выта́лкивать, вы́толкнуть || **-sion** *s.* исключе́ние, выключе́ние; (*exception*) из'я́тие || **to the ~ of** за исключе́нием || **-sive** (-сив) *a.* исключи́тельный || ~ **of** за исключе́нием, исключа́я.

excogitate (экско'джитэйт) *va.* вы́думывать, вы́думать.

excommunicat/e (экскомю̄'никэйт) *va.* отреш-а́ть, -и́ть, отлуч-а́ть, -и́ть от це́ркви || **-ion** *s.* отлуче́ние от це́ркви.

excoriate (икско̄'ри-эйт) *va.* ссади́ть ко́жу.

excorticate (икско̄'ртикэйт) *va.* сдира́ть, содра́ть кору́ с.

excrement (э'кскримёнт) *s.* испражне́ние; кал; помёт.

excresc/ence (экскрэ'с-ёнс) *s.* наро́ст || **-ent** *a.* изли́шний.

excret/e (иксрий'т) *va.* испра-жня́ть, -здни́ть; из-верга́ть, -ве́ргнуть || **-ion** *s.* изверже́ние, испражне́ние.

excruciat/e (экскрӯ'ши-эйт) *va.* му́чить; пыта́ть; терза́ть || **-ing** *a.* мучи́тельный.

exculpate (э'кскалпэйт) *va.* опра́вдывать, оправда́ть.

excursion/ (икскё̄'ршён) *s.* пое́здка; экску́рсия || **-ist** *s.* уча́стник в пое́здке, в экску́рсии; экскурса́нт.

excursive (икскё̄'рсив) *a.* блужда́ющий; уклоня́ющийся.

excuse (икскю̄'с) *s.* извине́ние; (*justification*) оправда́ние; (*pretended reason*) предло́г || ~ (икскю̄'з) *va.* извин-я́ть, -и́ть; (*to justify*) опра́вдывать, оправда́ть; (*to let off*) освобо-жда́ть, -ди́ть от || ~ **me!** винова́т! извини́те!

execr/able (э'ксикр-ёбл) *a.* отврати́тельный, гну́сный || **-ate** *va.* (*curse*) проклина́ть, -кля́сть; (*to abhor*) име́ть отвраще́ние от, гнуша́ться (чем) || **-ation** *s.* омерзе́ние; прокля́тие || **to hold in ~** гнуша́ться.

execut/e (э'ксикю̄т) *va.* (*perform*) ис-полня́ть, -по́лнить; при-води́ть, -вести́ в исполне́ние; (*to kill*) казни́ть сме́ртью || **-ion** *s.* выполне́ние; (сме́ртная) казнь || **-ioner** *s.* пала́ч || **-ive** (игзэ'кютив) *s.* исполни́тельная власть || ~ *a.* исполни́тельный || **-or** (игзэ'кютёр) *s.* душеприка́зчик || **-orship** (игзэ'кютёршип) *s.* обя́занность (*f.*) душеприка́зчика || **-rix** (игзэ'кютрикс) *s.* душеприка́зчица.

exegesis (эксиджий'сис) *s.* изложе́ние Свяще́нного Писа́ния.

exemplar/ (игзэ'мплāр) *s.* образе́ц, приме́р || **-y** (игзэ'мплёри) *a.* приме́рный.

exemplif/ication (игзэмплификэ̄й'шн) *s.* об'ясне́ние приме́ром || **-y** (игзэ'мплифай) *va.* поясн-я́ть, -и́ть приме́ром.

exempt/ (игзэ'мпт) *a.* из'я́тый; (*free from*) неподве́рженный || ~ *va.* изыма́ть, из'я́ть; освободи́ть от || **-ion** *s.* из'я́тие, увольне́ние; освобожде́ние, льго́та.

exequies (э'ксикуиз) *spl.* по́хороны *fpl.*

exercise (э'ксёрсайз) *s.* упражне́ние; моцио́н; (*mil.*) уче́ние, экзерци́ция || ~ *va.* упражня́ть; учи́ть; обуч-а́ть, -и́ть; (*one's* *mind*) изощ-ря́ть, -ри́ть || ~ *vn.* упражня́ться; учи́ться.

exert/ (игзё'рт) *va.* напр-яга́ть, -я́чь; употреб-ля́ть, и́ть || **to ~ o.s.** стара́ться, по-; си́литься || **-ion** *s.* уси́лие.

exfoliate (эксфо̄у'ли-эйт) *vn.* слои́ться; рас-сла́иваться, -слои́ться.

exhal/ation (эксёлэ̄й'шн) *s.* испаре́ние || **-e** (игзэ̄й'л) *va.* испус-ка́ть, -ти́ть; издава́ть, -да́ть; испар-я́ть, -и́ть.

exhaust/ (игзо̄'ст) *s.* пароотво́дная труба́ || ~ *va.* исчёрп-ывать, -ать; истощ-а́ть, -и́ть; (*spend*) тра́тить, ис- || **-ion** *s.* истоще́ние; (*exhausted state*) кра́йняя уста́лость || **-ive** *a.* истоща́ющий; основа́тельный || **~-pipe** *s.* пароотво́дная труба́ || **~-valve** *s.* вытяжно́й кла́пан.

exhibit/(игзи'бит)*s.*вы́ставленный предме́т, экспози́т || ~ *va.* по-ка́зывать, -каза́ть; выставля́ть, вы́ставить; пред'-явля́ть, -яви́ть || **-ion** (экскиби'шён) *s.* представле́ние; вы́ставка; (*display*) зре́лище; (*prize*) стипе́ндия || **-ioner** (экскиби'шёнёр) *s.* стипендиа́т.

exhilarat/e (игзи'лёрэйт) *va.* весели́ть, развесел-я́ть, -и́ть || **-ion** *s.* развеселе́ние.

exhort/ (игзо̄'рт) *va.* увещ-ава́ть, -а́ть; ободр-я́ть, -и́ть || **-ation** (экзортэ̄й'шён) *s.* увеща́ние || **-ative** *a.* увеща́тельный.

exhum/ation (эксюмэ̄й'шн) *s.* вы́рытие мёртвого те́ла; выка́пывание || **-e** (эксю'м) *va.* выка́пывать, вы́копать.

exig/ence (э'ксидж-ёнс), **-ency** *s.* на́добность *f.*; нужда́; (*emergency*) кра́йность *f.* || **-ent** *a.* безотлага́тельный.

exiguous (игзи'гюёс) *a.* ма́лый, ме́лкий.

exile (э'ксайл) *s.* (*state*) ссы́лка; изгна́ние; (*person*) изгна́нник; ссы́льный || ~ *va.* ссыла́ть, сосла́ть; из-гоня́ть, -гна́ть.

exist/ (игзи'ст) *vn.* существова́ть; быть; (*to live*) жить || **-ence** *s.* существова́ние; бытие́; жизнь *f.* || **to be in ~** существова́ть || **-ing** *a.* существу́ющий; настоя́щий.

exit (э'ксит) *s.* (*way out*) вы́ход; (*theat.*) ухо́д; (*fig. death*) отше́ствие || ~ **P.** (*theat.*) П. ухо́дит. [Исхо́да.

exodus (э'ксёдёс) *s.* исхо́д; (*Bibl.*) кни́га

exonerat/e (игзо'нёрэйт) *va.* опра́вдывать, оправда́ть; снима́ть, снять вину́ || **-ion** *s.* оправда́ние.

exorbit/ance (игзо̄'рбит-ёнс) *s.* чрезме́рность *f.*; непоме́рность *f.* || **-ant** *a.* непоме́рный, чрезме́рный.

exorcize (э'ксорсайз) *va.* закл-ина́ть, -я́сть; из-гоня́ть, -гна́ть бе́са.

exotic (игзо'тик) *s.* экзоти́ческое расте́ние || ~ *a.* экзоти́ческий; инозе́мный; чужестра́нный.

expand (икспа̄'нд) *va.* рас-тя́гивать, -тяну́ть; рас-ширя́ть, -ши́рить; (*to spread*) распростран-я́ть, -и́ть; (*to open out*) распус-ка́ть, -ти́ть || ~ *vn.* рас-ширя́ться, -ши́риться; (*open out*) распус-ка́ться, -ти́ться; (*spread*) распростран-я́ться, -и́ться; (*become broader*) раз-дава́ться, -да́ться; (*of metals*) рас-тя́гиваться, -тяну́ться.

expans/e (икспа̄'нс) *s.* протяже́ние; простра́нство || **-ible** *a.* могу́щий расширя́ться || **-ion** *s.* расшире́ние; растяже́ние, растя́гивание || **-ive** *a.* расшири́тельный, растя́гивающий; (*fig. extensive*) простра́нный; (*genial*) экспанси́вный.

expatiate (икспэ̄й'шн-эйт) *vn.* распростран-я́ться, -и́ться (о чём).

expatriate (икспэ̄й'три-эйт) *va.* из-гоня́ть, -гна́ть, высыла́ть, вы́слать из оте́чества || **to ~ o.s.** о-ставля́ть, -ста́вить оте́чество.

expect/ (икспэ'кт) *va.* ждать, ожида́ть; (*suppose*) предпо-лага́ть, -ложи́ть || **-ancy** *s.* ожида́ние; (*hope*) наде́жда || **-ant** *a.* ожида́ющий; по́лный ожида́ния || **-ation** *s.* ожида́ние; (*hope*) наде́жда, упова́ние.

expectorate (икспэ'ктёрэйт) *va.* выха́ркивать, вы́харкать, вы́харкнуть; плева́ть, плю́нуть.

exped/ience (икспи́'д-иёнс), **-iency** *s.* целесообра́зность *f.*; (*convenience*) удо́бство || **-ient** *s.* сре́дство, спо́соб; (*contrivance*) вы́думка || ~ *a.* целесообра́зный; (*convenient*) удо́бный.

expedit/e (э'кспидайт) *va.* (*to dispatch*) от-правля́ть, -пра́вить; (*to quicken*) у-скоря́ть, -ско́рить || **-ion** (экспиди'шён) *s.* экспеди́ция; (*sending off*) отпра́вка; (*promptness*) быстрота́, ско́рость *f.*; (*haste*) поспе́шность *f.* || **-ious** (экспиди'шёс) *a.* бы́стрый; ско́рый || **-ionary** (экспиди'шёнёри) *a.* экспедицио́нный.

expel (икспэ'л) *va.* выгоня́ть, вы́гнать; (*from school*) исключ-а́ть, -и́ть.

expend/ (икспэ'нд) *va.* тра́тить; истра́чивать, -тить; из-де́рживать, -держа́ть || **-iture** (-итюр) *s.* тра́та, расхо́ды *mpl.*

expens/e (икспэ'нс) *s.* тра́та, расхо́ды *mpl.* || **-es** *spl.* изде́ржки *fpl.* || **-ive** *a.* дорого́й.

experience/ (икспи́'риёнс) *s.* о́пыт; о́пытность *f.*; испыта́ние || **by, from ~** из о́пыта || **a man of ~** челове́к о́пытный || ~ *va.* ис-пы́тывать, -пыта́ть; претерпева́ть, -пе́ть || **-d** *a.* о́пытный.

experiment/ (икспэ'римёнт) *s.* экспериме́нт; о́пыт || ~ *vn.* эксперименти́ровать;

произ-водить, -вести опыты; делать, с-опыты || **-al** (иксперимэ'нтёл) *a.* эксперимента́льный, опытный.

expert/ (э'кспёрт) *s.* эксперт; знаток || **~** (иксп ё'рт) *a.* сведущий; опытный; (*skilful*) искусный || **-ness** *s.* уменье; искусство.

expiat/e (э'кспи-эйт) *va.* искуп-ать, -ить; за-глаживать, -гладить || **-ion** *s.* искупление; заглаживание.

expir/ation (экспирэй'шн) *s.* выдыхание; (*exhalation*) испарение, пар; (*termination*) конец, истечение срока || **-e** (икспай'ёр) *va.* (*exhale*) выдыхать, выдохнуть; испус-кать, -тить || **~** *vn.* (*to die*) у-мирать, -мереть; (*of time*) ок-анчиваться, -ончиться; ис-текать, -течь || **-y** (икспай'ри) *s.* конец, истечение срока.

explain (иксплэй'н) *va.* об'ясн-ять, -ить; толковать; растолк-овывать, -овать.

explan/ation (эксплёнэй'шн) *s.* об'яснение; толкование || **-atory** (иксплä'нётори) *a.* об'яснительный, пояснительный.

expletive (э'ксплитив) *s.* ругательство, проклятие.

explic/able (э'ксплик-ёбл) *a.* об'яснимый || **-ative, -atory** *a.* об'яснительный || **-it** (иксплп'сит) *a.* (*distinct*) ясный; (*definite*) точный; (*outspoken*) откровенный || **-itness** *s.* ясность *f.*; точность *f.*

explode (иксплоу'д) *va.* (*a theory, etc.*) опро-вергать, -вергнуть || **~** *vn.* взрываться, взорваться; вспых-ивать, -нуть.

exploit/ (э'ксплойт) *s.* подвиг || **~** (иксплой'т) *va.* эксплуатировать || **-ation** *s.* эксплуатация.

explor/ation (эксплорэй'шн) *s.* исследование; взвешивание || **-e** (иксплō'р) *va.* исследовать; вз-вешивать, -весить; испытывать, -пытать || **-er** (иксплō'рёр) *s.* исследователь *m.*

explos/ion (иксплоу'-жён) *s.* взрыв || **-ive** (-сив) *a.* взрывчатый; взрывающийся.

exponent (икспоу'нёнт) *s.* экспонент; (*math.*) показатель *m.*

export/ (э'кспорт) *s.* вывозной товар; (*in pl.*) вывозные товары || **~** (икспō'рт) *va.* экспортировать; вывозить, вывезти, отпус-кать, -тить товары за границу || **-ation** (экспортэй'шн) *s.* экспорт; вывоз товаров за границу || **-er** (икспō'ртёр) *s.* экспортёр.

expos/e (икспоу'з) *va.* выставлять, выставить; под-вергать, -вергнуть; (*to disclose*) от-крывать, -крыть; (*to make known*) разоблач-ать, -ить; (*phot.*) экспонировать || **-ition** (экспози'шён) *s.* (*exhibition*) выставление; (*explanation*) толкование, изложение || **-itor** (икспо'зитёр) *s.* об'яснитель *m.*; толкователь *m.*

expostulat/e (икспо'стюл-эйт) *vn.* увещ-авать, -ать; делать представления || **-ion** (-эй'шн) *s.* представление; увещание.

exposure (икспоу'жёр) *s.* выставление; подвергание; (*showing up*) разоблачение, огласка; (*phot.*) экспозиция.

expound (икспау'нд) *va.* из'ясн-ять, -ить; толковать; из-лагать, -ложить.

express/ (икспрэ'с) *s.* (*messenger*) нарочный; (*train*) скорый поезд, курьерский поезд || **~** *a.* нарочный; (*quick*) скорый; (*clear*) ясный, точный; (*formal*) формальный || **~** *ad.* нарочно; скоро || **~** *va.* выражать, выразить; (*declare*) об'яв-лять, -ить || **-ion** *s.* выражение || **-ive** *a.* выразительный.

expropriat/e (икспроу'при-эйт) *va.* отчуждать, -дить; лиш-ать, -ить собственности || **-ion** (-эй'шн) *s.* лишение собственности; отчуждение.

expulsion (икспа'лшён) *s.* изгнание.

expunge (икспа'ндж) *va.* вычёркивать, вычеркнуть; из-глаживать, -гладить.

exquisite (э'кскуизит) *s.* фат, франт || **~** *a.* изысканный; превосходный; (*fine*) тонкий; (*tasty*) вкусный.

extant (экстä'нт) *a.* существующий.

extempor/aneous (икстэмпёрэй'ниёс), **-ary** (икстэ'мпёрёри) *a.* импровизированный || **-e** (икстэ'мпёри) *ad.* без приготовления; экспромптом || **-ize** (икстэ'мпёрайз) *va.* импровизировать.

extend (икстэ'нд) *va.* (*stretch out*) протягивать, -тянуть; рас-тягивать, -тянуть; (*to widen*) рас-ширять, -ширить; (*prolong*) от-тягивать, -тянуть; (*offer*) простирать, -стереть || **~** *vn.* рас-тягиваться, -тянуться; простираться.

extens/ion (икстэ'н-шён) *s.* растяжение; простирание; (*of credit*) продление; отсрочка; (*addition*) наставка || **-ive** (-сив) *a.* пространный; обширный || **-iveness** *s.* обширность *f.*; пространность *f.*

extent (икстэ'нт) *s.* протяжение; пространство; (*degree*) степень *f.* || **to such an ~** до такой степени || **to a certain ~** некоторым образом; так сказать.

extenuat/e (икстэ'ню-эйт) *va.* смяг-чать, -чить || **-ing circumstances** *spl.* обстоятельства, уменьшающие вину || **-ion** *s.* смягчение.

exterior (икстий'риёр) *s.* наружность *f.*; наружный вид; наружная сторона || **~** *a.* наружный; внешний.

extermin/ate (инкстё'рминэйт) *va.* (*to root out*) искорен-я́ть, -и́ть; (*utterly destroy*) истреб-ля́ть, -и́ть; (*vermin*) выводи́ть, вы́вести || **-ation** *s.* искорене́ние; истребле́ние; изведе́ние.

external (икстё'рнёл) *a.* нару́жный; вне́шний; (*foreign*) посторо́нний.

exterritorial (экстэрито̄'риёл) *a.* не подлежа́щий ме́стным зако́нам.

extinct/ (иксти'нгкт) *a.* (*quenched*) потýхший; уга́сший; (*of life*) прекращённый; (*dead*) мёртвый; (*obsolete*) устаре́лый || **-ion** *s.* потуха́ние, погаше́ние; прекраще́ние.

extinguish/ (иксти'нг-гуиш) *va.* (*to quench*) гаси́ть, по-; туши́ть, по-; (*to eclipse*) затмева́ть, -тми́ть; (*destroy*) уничт-ожа́ть, -о́жить || **-er** *s.* гаси́льник || **fire-~** огнетуши́тель *m.*

extirpat/e (э'кстёрпэйт) *va.* искорен-я́ть, -и́ть; истреб-ля́ть, -и́ть || **-ion** *s.* истребле́ние; изведе́ние; искорене́ние.

extol (иксто'л) *va.* превоз-носи́ть, -нести́; про-славля́ть, -сла́вить.

extort/ (иксто̄'рт) *va.* вынужда́ть, вы́нудить; вымога́ть, вы́мочь; (*by threats, etc.*) выпы́тывать, вы́пытать || **-ion** *s.* вынужде́ние; вымога́тельство || **-ioner** *s.* вымога́тель *m.*

extra (э'кстрё) *a.* (*additional*) доба́вочный; (*special*) отме́нный || ~ *ad.* (*besides*) сверх того́; не в счёт; (*more than usually*) необыкнове́нно.

extract/ (э'кстрӑкт) *s.* экстра́кт; извлече́ние; (*written*) вы́писка, кра́ткое изложе́ние || ~ (икстрӑ'кт) *va.* из-влека́ть, -влёчь; (*copy out*) выпи́сывать, вы́писать; (*a tooth*) вырыва́ть, вы́рвать || **-ion** *s.* извлече́ние; (*origin*) происхожде́ние.

extradition (экстрёди'шён) *s.* вы́дача (престу́пника).

extraneous (икстрэ̄й'ниёс) *a.* чу́ждый, чужо́й; (*external*) нару́жный.

extraordinary (икстро̄'рдинёри) *a.* чрезвыча́йный; необыкнове́нный; экстраордина́рный.

extravag/ance (икстрӑ'вёг-ёнс) *s.* расточи́тельность *f.*; (*conduct*) сумасбро́дство, безрассу́дство || **-ant** *a.* расточи́тельный; безрассу́дный, сумасбро́дный.

extrem/e (икстрий'м) *s.* (*verge*) кра́йность *f.*; (*excess*) изли́шество || **to an ~** до кра́йней сте́пени || ~ *a.* кра́йний; чрезме́рный || **-ely** *ad.* о́чень, весьма́ || **-ity** (икстрэ'мити) *s.* край *m.*; коне́ц; кра́йность *f.*; (*extreme distress*) кра́йняя нужда́ || **the -ities** коне́чности *fpl.*

extricat/e (э'кстрикэйт) *va.* выпу́тывать, вы́путать; высвобожда́ть, вы́свободить; освобо-жда́ть, -ди́ть || **-ion** *s.* выпу́тывание; освобожде́ние, высвобожде́ние.

extrinsic (икстри'нсик) *a.* вне́шний; не относя́щийся (к).

extru/de (икстрӯ'д) *va.* выта́лкивать, вы́толкнуть || **-sion** *s.* вытесне́ние.

exuber/ance (игзю'бёр-ёнс) *s.* оби́лие; изли́шество; (*richness*) бога́тство || **-ant** *a.* оби́льный; изли́шний; бога́тый.

exud/e (игзю'д) *va.* вы́потеть || ~ *vn.* проса́чиваться, -сочи́ться || **-ation** (эксюдэ̄й'шн) *s.* вы́потение; проса́чивание; (*med.*) эксуда́т; (*matter exuded*) вы́пот.

exult/ (игза'лт) *vn.* ликова́ть, воз-; торжествова́ть, вос- || **-ant** *a.* лику́ющий; торжеству́ющий || **-ation** (эксалтэ̄й'шн) *s.* ликова́ние; торжество́; упое́ние.

eye/ (ай) *s.* глаз, о́ко; (*fig. sight*) зре́ние; (*of needle*) ушко́; (*for hook*) пе́тля; (*bot.*) по́чка, глазо́к || **-s right!** глаза́ напра́во || **to keep a sharp ~ on** име́ть стро́гий надзо́р над || **with the naked ~** без зри́тельного стекла́ || **to have an ~ to** име́ть в виду́ || ~ *va.* смотре́ть на; следи́ть глаза́ми || **-ball** *s.* глазно́е я́блоко || **-brow** *s.* бровь *f.* || **~-glass** *s.* очки́ *npl.*; (*monocle*) моно́кль *m.* || **-lash** *s.* ресни́ца || **-let** (-лит) *s.* глазо́к; (*mar.*) лю́берс || **-lid** *s.* ве́ко || **~-opener** *s.* удиви́тельный факт || **-shot** *s.* расстоя́ние, на кото́рое ви́дит глаз || **-sight** *s.* зре́ние || **-sore** *s.* то, что неприя́тно для гла́за || **-tooth** *s.* глазно́й зуб || **-wash** *s.* (*fam.*) обма́н || **-witness** *s.* очеви́дец.

eyrie (ий'ри) *s.* гнездо́ хи́щной пти́цы.

F

Fa (фа̄) *s.* (*mus.*) но́та Фа *или* Эф.

Fabian (фэ̄й'биён) *a.* осторо́жный и настойчивый.

fable (фэ̄й'бл) *s.* ба́сня, ба́сенка; (*invention*) вы́думка; ложь *f.* || ~ *va.* вымышля́ть, вы́мыслить || ~ *vn.* сочин-я́ть, -и́ть ба́сни.

fabric/ (фӑ'брик) *s.* (*building*) зда́ние, постро́йка; (*structure*) строе́ние; (*material*) ткань *f.* || **-ate** (-эйт) *va.* (*invent*) выду́мывать, вы́думать; (*to forge*) подде́л-ывать, -ать || **-ation** *s.* вы́думка; ложь *f.*

fabul/ist (фӑ'бюл-ист) *s.* баснопи́сец || **-ous** *a.* баснослóвный; (*wonderful*) удиви́тельный.

façade (фёса̄'д) *s.* фаса́д.

face/ (фэ̄йс) *s.* лицо́; (*aspect*) вид; (*grimace*) грима́са; (*effrontery*) на́глость *f.*; бес-

стыдство; (*presence*) присутствие; (*façade*) фасад; (*surface*) поверхность *f.*; (*of a clock*) циферблат || ~ **to** ~ лицом к лицу || **a brazen** ~ медный лоб || **to set one's** ~ **against** противиться чему || **to make –s** гримасничать || ~ **value** нарицательная цена || ~ *va.* стоять лицом к лицу; (*to oppose*) сопро-тивляться, -тивиться; об-кладывать, -ложить || **to** ~ **about** сделать оборот || **to** ~ **out** брать наглостью.
facet (фä'сит) *s.* фацет, грань *f.*
facetious/ (фёсий'шёс) *a.* шутливый; (*witty*) остроумный || **–ness** *s.* шутливость *f.*; остроумие.
facial (фэй'шёл) *a.* лицевой.
facil/e (фä'сил) *a.* удобный, лёгкий; (*fluent*) плавный; (*complaisant*) любезный; (*dexterous*) ловкий || **–itate** (фёси'литэйт) *va.* облег-чать, -чить; упро-щать, -стить || **–ity** (фёси'лити) *s.* (*easiness*) лёгкость *f.*; (*complaisance*) любезность *f.*; (*dexterity*) ловкость *f.*; (*opportunity*) удобное время.
facing (фэй'синг) *s.* лицевая, наружная отделка; (*of uniform*) отворот. [*indecl.*
facsimile (фäкси'мили) *s.* факсимиле *n.*
fact (фäкт) *s.* факт; быль *f.* || **as a matter of** ~, **in** ~ в самом деле, действительно.
faction (фä'кшён) *s.* партия; (*dissension*) разлад.
factious (фä'кшёс) *a.* мятежный.
factitious (фäкти'шёс) *a.* искусственный, поддельный.
factor/ (фä'ктёр) *s.* фактор || **–y** *s.* фабрика || **–y-hand** рабочий *m.*
factotum (фäктоу'тём) *s.* управляющий.
faculty (фä'кёлти) *s.* (*aptitude*) способность *f.*; (*of a university*) факультет.
fad (фäд) *s.* любимая страсть.
fade (фэйд) *vn.* блёкнуть, по-; увядать, увянуть; (*disappear*) ис-чезать, -чезнуть.
faeces (фий'сийз) *spl.* испражнения *npl.*
fag (фäг) *s.* (*drudgery*) утомительная работа; (*at school*) ученик, исполняющий обязанности слуги старшего товарища; (*fam.*) (*cigarette*) папироса || ~ **end** *s.* остальная часть || ~ *va.* утом-лять, -ить || ~ *vn.* утом-ляться, -иться; усиленно работать.
faggot (фä'гёт) *s.* пук прутьев.
fail/ (фэйл) *s.*, **without** ~ непременно || ~ *vn.* быть несостоятельным (в); (*to err*) ошиб-аться, -иться; (*be insufficient*) недоставать, -стать; (*not keep one's word*) не держать, с- слова; (*not succeed*) не дост-игать, -игнуть (цели); не иметь успеха; (*to go bankrupt*) обанкрутиться; (*in examination*) не выдерживать, выдержать экзамена, провалиться на экзамене || **–ing** *s.* слабость *f.* || **–ure** *s.* недостаток; несостоятельность *f.*; слабость *f.*; (*omission*) упущение; неуспех; (*bankruptcy*) банкрутство.
fain (фэйн) *ad.*, **I would** ~ я хотел бы.
faint/ (фэйнт) *s.* обморок || ~ *a.* (*feeble*) слабый; (*dispirited*) унылый; (*timid*) робкий || ~ *vn.* падать в обморок || **~-hearted** *a.* трусливый || **–ing** *s.* обморок || **–ness** *s.* слабость *f.*; робкость *f.*; бледность *f.*
fair/(фäр) *s.* ярмарка || ~ *a.* (*beautiful*) прекрасный; (*ample*) достаточный; (*blond*) белокурый; (*just*) справедливый; (*pretty good*) ничего себе; (*of weather*) ясный; (*wind*) попутный || ~ *ad.* прекрасно; открыто; честно || **~-dealing** *s.* честность *f.* || **–ness** *s.* красота; честность *f.*; справедливость *f.* || **~-play** *s.* справедливость *f.*; прямота отношений || **~-spoken** *a.* сладкоречивый. [**~-tale** *s.* сказка.
fairy/ (фä'ри) *s.* фея || ~ *a.* волшебный ||
faith/ (фэйþ) *s.* вера; (*faithfulness*) честность, верность || **in good** ~ добросовестно || **–ful** *a.* верный; честный || **–fully** *ad.* верно; честно || **yours** ~ с совершенным почтением || **–less** *a.* неверный; (*unbelieving*) неверующий; (*perfidious*) вероломный.
fake (фэйк) *s.* (*fam.*) подделка || ~ *va.* под-делывать, -делать.
falchion (фо'лчён) *s.* палаш, меч.
falcon/ (фо'кён) *s.* сокол || **–et** *s.* фальконет (пушка) || **–ry** *s.* соколиная охота.
fall (фол) *s.* (*falling*) падение; (*cataract*) водопад; (*Am. autumn*) осень *f.*; (*slope*) покатость *f.*; (*bibl.*) грехопадение; (*wrestling bout*) рукопашный бой || ~ *vn.irr.* падать, упасть; пасть; (*to become less*) уменьш-аться, -иться; (*of sound*) по-нижаться, -низиться; (*to subside*) спадать, спасть; убывать; (*of wind*) за-тихать, -тихнуть; (*to one's share*) выпадать, выпасть (на долю) || **to** ~ **asleep** заснуть || **to** ~ **away** (*revolt*) бунтоваться, вз-; (*decline*) ослаб-евать, -еть; чахнуть || **to** ~ **back** отступ-ать, -ить || **to** ~ **back on** при-бегать, -бегнуть к || **to** ~ **behind** мешкать || **to** ~ **due** наступ-ать, -ить || **to** ~ **in love** влюб-ляться, -иться || **to** ~ **in with** встречать, встретить; (*agree*) согла-шаться, -ситься с || **to** ~ **off** (*decrease*) уменьш-аться, -иться; (*to revolt*) бунтоваться, вз-; (*to withdraw*) отступ-ать, -ить || **to** ~ **out** (*to quarrel*) ссориться, по-; (*to happen*) случ-аться, -иться || **to** ~ **short** недоставать; не соответствовать || **to** ~ **sick** заболеть || **to** ~ **through** не удаваться, удаться || **to** ~ **to** на-чинать,

-чáть || **to ~ under** под-падáть, -пáсть || **to ~ upon** на-падáть, -пáсть.
fallac/ious (фёлэй'шёс) *a.* обмáнчивый, лóжный || **–y** (фä'лёси) *s.* заблуждéние, лóжное заключéние.
fallen (фō'лн) *cf.* **fall.** [*или* согрешúть.
fallible (фä'либл) *a.* могýщий ошибáться
falling/ (фō'линг) *s.* падéние || **~-away, ~-off** *s.* упáдок; отпадéние || **~-out** *s.* рáспря, ссóра || **~-sickness** *s.* падýчая (болéзнь) || **~-star** *s.* пáдающая звездá.
fallow/ (фä'лоу) *s.* пар || **~** *a.* (*yellow*) рыжевáтый; (*unsown*) под пáром, паровóй; (*fig.*) без употреблéния || **~-deer** *s.* крáсный зверь.
false (фōлс) *a.* лóжный; (*incorrect*) невéрный, непрáвильный; (*spurious*) поддéльный; (*hypocritical*) притвóрный || **~ teeth** фальшúвые зýбы || **–hood** *s.* лóжность *f.*; лжúвость *f.*; (*lie*) ложь *f.*
falsetto (фолсэ'тоу) *s.* (*mus.*) фальцéт.
falsif/ication (фолсифик**э**й'шн) *s.* фальсификáция; поддéлка || **–y** (фō'лсифай) *va.* фальсифицúровать; поддéл-ывать, -ать.
falsity (фō'лсити) *s.* лóжность *f.*; лжúвость *f.*
falter (фō'лтёр) *vn.* запинáться, запнýться; (*to waver*) не решáться; (*to stumble*) спотыкáться, споткнýться.
fame/ (фэйм) *s.* (*renown*) слáва; извéстность *f.*; (*rumour*) молвá || **–d** *a.* знаменúтый.
familiar/ (фёми'лйёр) *s.* интúмный друг; (*spirit*) домовóй || **~** *a.* (*affable*) фамильярный; (*domestic*) семéйный; (*usual*) обыкновéнный; (*intimate*) интúмный, блúзкий; (*well-known*) извéстный || **to be on ~ terms with** обходúться с кем корóтко || **to make o.s. ~ with** освó-иваться, -иться с || **–ity** (фёмилиä'рити) *s.* фамильярность *f.* || **–ize** *va.* фамильярничать || **to ~ o.s. with** освó-иваться, -иться с.
family/ (фä'мили) *s.* семья́, семéйство; (*race*) род || **a ~ man** семéйный человéк || **in the ~ way** (*fam.*) в интерéсном положéнии, берéменная || **~-tree** *s.* родослóвная.
fam/ine (фä'мин) *s.* гóлод, бесхлéбица || **–ish** (фä'миш) *va.* морúть, за-, у- гóлодом || **~** *vn.* умирáть с гóлоду || **–ishing** *a.* (*fam.*) голóдный.
famous (фэй'мёс) *a.* слáвный; знаменúтый; (*fam.*) превосхóдный, отлúчный.
fan/ (фäн) *s.* вéер, опахáло; (*tech.*) вентиля́тор || **~** *va.* махáть вéером, опахáлом; опáхивать, опахнýть; (*to winnow*) вéять; (*of breeze*) вéять || **~-light** *s.* окнó, имéющее фóрму вéера || **~-tail** *s.* трубáстый гóлубь.
fanatic/ (фёнä'тик) *s.* фанáтик; изувéр || **~ & –al** *a.* фанатúческий; изувéрный || **–ism** *s.* фанатúзм; изувéрство.
fanci/er (фä'нси-ёр) *s.* большóй любúтель (чегó-либо) || **–ful** *a.* мечтáтельный; (*whimsical*) причýдливый; (*imaginary*) воображáемый; (*unreal*) ненастоя́щий; фантастúческий.
fancy/ (фä'нси) *s.* воображéние; фантáзия; (*delusion*) иллю́зия; (*idea*) идéя, мысль *f.*; (*caprice*) прúхоть *f.*; (*taste*) вкус; (*inclination*) склóнность *f.* || **~** *va.* воображáть, -зúть; любúть; имéть склóнность к || **~** *vn.* мечтáть; пред-ставля́ть, -стáвить себé || **~ dress** маскарáдный костю́м || **~ ball** маскарáд; бал-маскарáд || **~ goods** *spl.* галантерéйные товáры || **~ work** вышивáние.
fane (ф**э**йн) *s.* храм.
fanfare (фäнфä'р) *s.* фанфáра (трýбная мýзыка).
fang (фäнг) *s.* клык.
fantas/tic (фёнтä'стик) *a.* фантастúчный; (*eccentric*) причýдливый; (*quaint*) стрáнный || **–y** (фä'нтёси) *s.* фантáзия; капрúз.
far/ (фāр) *s.*, **from ~** издалекá || **by ~** горáздо || **~** *a.* далёкий; отдалённый || **~** *ad.* далекó, вдалекé; (*much*) горáздо || **~ off** отдалённый || **~ and wide** вездé; повсю́ду || **~ and away** горáздо || **~-fetched** *a.* (*fig.*) натя́нутый || **~-seeing** *a.* дальновúдный || **~-sighted** *a.* дальнозóркий; (*prudent*) дальновúдный.
farc/e (фāрс) *s.* фарс; шýтка; (*force-meat*) фарш || **–ical** *a.* шýточный, забáвный.
fardel (фā'рдёл) *s.* свя́зка.
fare/ (фāр) *s.* (*sum*) дéньги за проéзд; (*person*) пассажúр, седóк; (*food*) стол, кýшанье || **bill of ~** меню́ || **~** *vn.* находúться в (хорóшем *или* дурнóм) положéнии; (*to happen*) при-ключáться, -ключúться; (*poet.*) иттú, путешéствовать || **–well** *s.* прощáние || **~** *a.* прощáльный || **~!** *int.* прощáй! прощáйте!
farinaceous (фäринэй'шёс) *a.* мучнúстый.
farm/ (фāрм) *s.* хýтор; фéрма || **~** *va.* брать, взять на óткуп; от-давáть, -дáть на óткуп; (*cultivate*) воздéл-ывать, -ать || **–er** *s.* землéдéлец; фéрмер; арендáтор || **–ing** *s.* обрабóтка землú; землéдéлие || **–stead** (-стэд) *s.* дом фéрмера; крестья́нская усáдьба || **–yard** *s.* двор при усáдьбе.
faro (фä'роу) *s.* фáро; игрá в банк.
farrago (фёрэй'гоу) *s.* смесь *f.*; всякая вся́чина.

farrier/ (фä'риёр) *s.* (*horse-doctor*) коновáл; (*smith*) кузнéц || **-ý** *s.* ремеслó коновáла.
farrow (фä'роу) *s.* помёт поросят || ~ *vn.* поросúться, о-.
fart (фāрт) *s.* (*vulg.*) вéтры *mpl.*; пердёж || ~ *vn.* пердéть, пéрнуть.
far/ther (фā'р-ðёр) *a.* дальнéйший || **-thest** *a.* сáмый отдалённый.
farthing (фā'рðинг) *s.* монéта (чéтверть пéнни *или* копéйка).
fascia (фä'шиё) *s.* (*arch.*) кордóн.
fascicle (фä'сикл) *s.* (*bot.*) пучóк.
fascinat/e (фä'синэйт) *va.* очар-óвывать, -овáть; прель-щáть, -стúть || **-ing** *a.* прельстúтельный; очаровáтельный || **-ion** *s.* очаровáние; обаяние.
fascine (фёсий'н) *s.* фашúна.
fashion/ (фä'шён) *s.* (*style*) мóда; (*way, manner*) óбраз; (*custom*) обыкновéние; (*cut*) фасóн, покрóй *m.*; (*fig.*) мóдный свет || **in ~** по мóде || **out of ~** не по мóде || **to come into ~** входúть, войтú в мóду || **a man of ~** мóдник || ~ *va.* дéлать, с-; формировáть || **-able** *a.* мóдный; по мóде || **-ably** *ad.* по мóде || **-ed** *a.*, **new-~** новомóдный; **old-~** старомóдный.
fast/(фäст) *s.* пост; пóстничание || **to break one's ~** зáвтракать, по- || ~ *a.* (*firm*) твёрдый; крéпкий; (*quick*) скóрый, быстрый; (*dissipated*) распýтный; (*mar.*) укреплённый || **the watch is three minutes ~** часы идýт вперёд на три минýты || ~ *ad.* (*firmly*) крéпко, сúльно; (*in quick succession*) чáсто || ~ *vn.* постúться; пóстничать; держáть пост || **~-by** *ad.* вóзле сáмого || **~-day** *s.* пóстный день || **-en** (фā'сн) *va.* прикреп-лять, -úть; (*to nail*) при-бивáть, -бúть; (*to lock*) за-пирáть, -перéть; (*to bind*) свя́зывать, связáть; (*to make fast*) закреп-лять, -úть || ~ *vn.* привя́зываться, -вязáться (к); при-ставáть, -стáть (к) || **-ener** *s.* застёжка || **-ening** *c.* запóр; засóв; застёжка.
fastidious (фäсти'диёс) *a.* разбóрчивый; презрúтельный.
fasting (фā'стинг) *s.* пост; пóстничание.
fastness (фā'стнис) *s.* (*quickness*) скóрость *f.*; быстротá; (*dissipation*) распýтство; (*fortress*) крéпость *f.*
fat (фäт) *s.* жир; сáло; тýчность *f.* || ~ *a.* (*fatty*) жúрный; (*plump*) тóлстый; дорóдный; (*fertile*) плодорóдный || ~ *va.* откáрмливать, -кормúть.
fatal/ (фэй'тёл) *a.* роковóй; (*deadly*) смертéльный; (*ruinous*) пáгубный || **-ism** *s.* фаталúзм || **-ist** *s.* фаталúст || **-ity** (фётä'лити) *s.* фатáльность *f.*; (*fate*) судьбá, рок; (*calamity*) несчáстие.
fate/ (фэйт) *s.* судьбá; ýчасть *f.*; рок || **-d** *a.*, **ill-~** злополýчный || **-ful** *a.* фатáльный; роковóй.
fathead (фä'т-хэд) *s.* (*fam.*) блух, дурáк.
father/ (фā'ðёр) *s.* отéц, родúтель *m.*; бáтюшка; (*priest*) свящéнник || ~ *va.* усынов-лять, -úть; (*beget*) рождáть, родúть || **-hood** *s.* состоя́ние отцá || **~-in-law** *s.* (*wife's father*) тесть *m.*; (*husband's father*) свёкор || **-land** *s.* отéчество, отчúзна || **-less** *a.* не имéющий отцá, без отцá || **-ly** *a.* отéческий.
fathom/ (фä'ðём) *s.* сажéнь *f.* || ~ *va.* промéр-ивать, -ить глубинý чегó; (*comprehend*) по-нимáть, -нять || **-less** *a.* бездóнный; неизмерúмый.
fatigue (фётий'г) *s.* устáлость *f.*; утомлéние || ~ *va.* утом-лять, -úть; изнурúть.
fat/ling (фä'т-линг) *s.* откáрмливаемое на убóй || **-ness** *s.* жúрность *f.*; (*fertility*) плодорóдие || **-ten** *va.* от-кáрмливать, -кормúть || ~ *vn.* жирéть, о- || **-ty** *s.* толстя́к || ~ *a.* жúрный || **~ degeneration of the heart** ожирéние сéрдца.
fatu/ity (фётю'ити) *s.* глýпость *f.*; слабоýмие || **-ous** (фä'тюёс) *a.* глýпый, слабоýмный.
faugh (фō) *int.* тфу! фу!
fault/ (фōлт) *s.* винá; (*defect*) недостáток; (*blemish*) порóк; (*offence*) простýпок; (*geol.*) взброс || **to find ~ with** порицáть, хулúть || **to be in ~** быть виновáтым || **to be at ~** быть в затруднéнии || **to a ~** чрезмéрно || **~-finder** *s.* порицáтель *m.* || **-iness** *s.* непрáвильность *f.*; испóрченность *f.* || **-less** *a.* (*without error*) безошúбочный; (*not to blame*) безупрéчный; (*perfect*) совершéнный || **-lessness** *s.* безошúбочность *f.*; безупрéчность *f.*; совершéнство || **-y** *a.* имéющий недостáтки; плохóй; ошúбочный; виновáтый.
faun (фōн) *s.* фавн.
favour/ (*Am.* **favor**) (фэй'вёр) *s.* благосклóнность *f.*; расположéние; (*kindness*) одолжéние; (*comm.*) письмó; (*partiality*) пристрáстие; (*grace*) мúлость *f.*; (*badge*) знак, значóк || ~ *va.* благоприя́тствовать (комý); (*prefer*) предпо-читáть, -чéсть (когó комý); (*resemble*) походúть лицóм (на когó) || **-able** *a.* благосклóнный; (*wind*) попýтный; (*helpful*) вы́годный; (*suitable*) удóбный; (*auspicious*) благоприя́тный || **-ed** *a.*, **ill-~** невзрáчный, некрасúвый; **well-~** красúвый || **-ite** (-ит) *s.* любúмец; фаворúт || ~ *a.* любúмый.

fawn/ (фōн) *s.* молодáя лань || ~ *a.* бýрый || ~ *vn.* ласкáться; раболéпствовать || **-er** *s.* льстец; раболéпный угóдник; низкопоклóнник || **-ing** *s.* лесть *f.*; раболéпие, низкопоклóнство || ~ *a.* льсти́вый; раболéпный.
fay (фэй) *s.* фéя.
fealty (фий'ёлти) *s.* вéрность *f.*; верноподдáнство.
fear/ (фийр) *s.* страх; боя́знь *f.*; опасéние; (*dread*) ýжас; (*reverence*) благоговéние || ~ *va&n.* боя́ться, по-; страши́ться, у- || **-ful** *a.* боязли́вый; (*terrible*) стрáшный, ужáсный || **-fully** *ad.* (*fam.*) ужáсно, чрезвычáйно || **-less** *a.* бесстрáшный; (*brave*) хрáбрый.
feas/ible (фий'зибл) *a.* исполни́мый; возмóжный || **-ibility** (фийзёби'лити) *s.* исполни́мость *f.*; возмóжность *f.*
feast/ (фийст) *s.* (*holiday*) прáздник; прáзднество; (*banquet*) пир, пи́ршествó || ~ *va.* уго-щáть, -сти́ть; (*one's eyes*) услаждáть, -ди́ть; увесел-я́ть, -и́ть (взóры) || ~ *vn.* пировáть, по-; уго-щáться, -сти́ться; (*fig.*) наслаждáться || **-ing** *s.* пир; пи́ршествó.
feat (фийт) *s.* пóдвиг; (*trick*) штýка.
feather/ (фэ'ðёр) *s.* перó, пёрышко || **of a** ~ одногó сóрта || **to show the white** ~ вы́казать трýсость || **in high** ~ в хорóшем расположéнии дýха, вéсело || **a** ~ **bed** пери́на || ~ *va.* у-крашáть, -крáсить; покрывáть, -кры́ть пéрьями; (*an oar*) грести́ в разрéз || **to** ~ **one's nest** (*fig.*) наби́ть себé кармáн || ~**-brained** *a.* глýпый; (*flighty*) вéтреный, легкомы́сленный || **-ed** *a.* укрáшенный пéрьями; крылáтый || ~**-head** *s.* вéтреник; вертопрáх || **-ing** *s.* пéрья *npl.* (у пти́цы) || **-weight** *s.* лёгкий как пёрышко; лёгохонек || **-y** *a.* с пéрьями; перна́тый.
feature/ (фий'чёр) *s.* чертá; (*pl.*) лицó; (*appearance*) вид; (*characteristic*) отличи́тельная чертá || ~ *va.* изобра-жáть, -зи́ть; пред-ставля́ть, -стáвить || **-d** *a.*, **ill-**~ некраси́вый.
febri/fuge (фэ'брифюдж) *s.* противолихорáдочное срéдство || **-le** (фэ'брил) *a.* лихорáдочный.
February (фэ'бру-ёри) *s.* феврáль *m.*
feculent (фэ'кюлёнт) *a.* мýтный; нечи́стый.
fecund/ (фэ'кёнд) *a.* плодорóдный, плодови́тый || **-ate** *va.* дéлать, с- плодорóдным; оплодотвор-я́ть, -и́ть || **-ity** (фика'ндити) *s.* плодорóдность *f.*
fed (фэд) *cf.* **feed.**
feder/al (фэ'дёр-ёл) *a.* федерáльный; сою́зный || **-alist** *s.* федерали́ст || **-ate** *a.* сою́зный; соединённый || ~ (-эйт) *va&n.* заключ-áть, -и́ть сою́з || **-ation** *s.* федерáция || **-ative** *a.* федерати́вный; сою́зный.
fee (фий) *s.* гонорáр; плáта; вознаграждéние; (*inherited estate*) наслéдованное помéстье || ~ *va.* плати́ть гонорáр.
feeble/ (фий'бл) *a.* слáбый; нéмощный || ~**-minded** *a.* слабоýмный || **-ness** *s.* слáбость *f.*
feed/ (фийд) *s.* корм; стол || ~ *va.irr.* корми́ть, на-; питáть; (*to graze*) пасти́ || **to** ~ **up** (*fig.*) пре-сыщáть, -сы́тить || ~ *vn.irr.* корми́ться, на-; питáться; есть; (*to graze*) пасти́сь || **-er** *s.* едóк; питáтельная пóмпа || **-ing-bottle** *s.* рожóк || ~**-pipe** *s.* питáтельная трубá.
feel/ (фийл) *s.* осязáние; óщупь *f.* || ~ *va.irr.* (*by touching*) осязáть; ощýп-ывать, -ать; (*to search*) ис-пы́тывать, -пытáть; (*to perceive*) чýвствовать, по- || **to** ~ **one's way** итти́ óщупью || ~ *vn.irr.* чýвствовать, по-; (*to sympathize*) сочýвствовать || **I** ~ **like** мне хотéлось || **to** ~ **for, to** ~ **with** сочýвствовать || **-er** *s.* щýпальце; (*mil.*) развéдчик || **-ing** *s.* (*sense of touch*) осязáние; (*sensation*) чýвство; (*sensitiveness*) чувстви́тельность *f.*; (*sympathy*) сочýвствие || ~ *a.* чувстви́тельный; (*sympathetic*) симпати́чный; (*heart-felt*) и́скренний.
feet (фийт) *cf.* **foot.**
feign/ (фэйн) *vn.* притвор-я́ться, -и́ться || **to** ~ **illness** притворя́ться больны́м || **-ed** *a.* притвóрный, лóжный.
feint (фэйнт) *s.* притвóрство; лóжное движéние, нападéние; (*fencing*) финта.
feldspar (фэ'лдспāр) *s.* полевóй шпат.
felicit/ate (фили'сит-эйт) *va.* по-здравля́ть, -здрáвить || **-ations** *spl.* поздравлéние || **-ous** *a.* счастли́вый || **-y** *s.* счáстье; блажéнство.
feline (фий'лайн) *a.* кошáчий.
fell (фэл) *s.* (*hide*) мех, шкýра; (*mountain*) горá || ~ *a.* (*poet.*) жестóкий; свирéпый || ~ *va.* руби́ть, с-; свали́ть || ~ *vn. cf.* **fall.**
felloe (фэ'лоу) *s.* кося́к, óбод (колесá).
fellow/ (фэ'лоу) *s.* (*comrade*) товáрищ; (*equal*) рóвня; (*one of a pair*) пáрная вещь; (*fam.*) молодéц, пáрень *m.*; (*of a university, etc.*) член учёного óбщества; ад'ю́нкт-профéссор || **poor** ~ бедня́жка || ~ *a.*, ~ **countryman** соотéчественник || ~ **creature** бли́жний || ~ **traveller** спýтник || ~ **feeling** сочýвствие || **-ship** *s.* товáрищество; сообщество; (*intercourse*) сношéния *npl.*; отношéния *npl.*; (*membership*) члéнство; (*university*) мéсто ад'ю́нкт-профéссора.

felly (фэ'ли) *s.* = **felloe.**
felo de se (фэ'ло ди сий') *s.* самоубийство; (*person*) самоубийца.
felon/ (фэ'лён) *s.* преступник; осуждённый; (*on finger*) нарыв на пальце || **-ious** (филōу'ниёс) *a.* злой, преступный || **-y** *s.* преступлéние, уголóвное дéло.
felt (фэлт) *s.* вóйлок || ~ *a.* вóйлочный || ~ *va&n. cf.* **feel.**
female (фий'мэйл) *s.* (*of animals*) сáмка, мáтка; (*fam.*) жéнщина || ~ *a.* жéнский; жéнского пóла || ~ **screw** гáйка, винтовáя мáтка.
femin/ine(фэ'мин-ин)*a.*жéнский;(*gramm.*) жéнского рóда; (*unmanly*) бáбий, изнéженный; (*soft*) нéжный; (*womanly*) жéнственный || ~ **rhyme** жéнская рифма || **-ism** *s.* феминизм || **-ist** *s.* феминист.
femoral (фэ'мёрёл) *a.* бедрóвый; бéдренный.
fen (фэн) *s.* болóто; топь *f.*
fence/ (фэнс) *s.* огрáда; забóр; (*fencing*) фехтовáние; (*receiver*) укрывáтель *m.* || ~ *va.* загор-áживать, -одить; огор-áживать, -одить; (*bibl. to fortify*) укреп-лять, -ить || ~ *vn.* фехтовáть; (*to* ~ *with a question*) увёртываться || **-r** *s.* фехтовáльщик.
fencibless (фэ'нсиблз) *spl.* милиция.
fencing/ (фэ'нсинг) *s.* загорáживание; фехтовáние || ~**-master** *s.* учитель фехтовáния || ~**-school** *s.* школа фехтовáния.
fend/ (фэ'нд) *va.* (*to ward off*) отра-жáть, -зить; от-бивáть, -бить; от-вращáть, -вратить || ~ *vn.* (*to* ~ *for*) забóтиться о || **-er** *s.* каминная решётка; щит; (*mar.*) крáнцы *mpl.*
fennel (фэ'нёл) *s.* укрóп.
fenny (фэ'ни) *a.* болóтистый.
feoff (фэф) *s.* = **fief.**
feral (фий'рёл), **ferine** (фий'райн) *a.* дикий; свирéпый; звéрский.
ferment/ (фё'рмэнт) *s.* (*agent*) бродильный фермéнт; (*fermentation*) брожéние; (*fig. tumult*) волнéние, смятéние || ~ (фёрмэ'нт) *va.* произ-водить, -вести брожéние || ~ (фёрмэ'нт) *vn.* бродить; (*fig.*) волновáть, вз- || **-ation** (фёрмёнтэй'шн) *s.* брожéние; (*excitement*) волнéние.
fern/ (фё'рн) *s.* пáпоротник || **-ery** *s.* мéсто, засáженное пáпоротником.
feroc/ious (фирōу'шёс) *a.* лютый; свирéпый || **-ity** (фиро'сити) *s.* лютость *f.*; свирéпость *f.*
ferreous (фэ'риёс) *a.* железный.
ferret (фэ'рит) *s.* (африкáнский) хорёк || ~ *va.*, **to** ~ **out** (*to drive out*) выгонять, выгнать; (*to search out*) раз-ыскивать, -ыскáть || ~ *vn.* охóтиться на крóликов (с хорькóм); (*to rummage*) шáрить, об-.
ferrule (фэ'рёл) *s.* желéзный ободóк; (*on stick*) наконéчник.
ferry/ (фэ'ри) *s.* переправа, перевóз || ~ *va.* пере-возить, -везти на парóме || ~**-boat** *s.* парóм || ~**-man** *s.* перевóзчик.
fertil/e (фё'ртил) *a.* плодорóдный, плодонóсный; (*of plants, etc. and fig.*) плодовитый || **-ity** (фёрти'лити) *s.* плодорóдие, плодорóдность *f.*; плодовитость *f.* || **-ize** *va.* оплодотвор-ять, -ить; у-добрять, -дóбрить || **-izer** *s.* (искусственное) удобрéние.
ferule (фэ'рӯл) *s.* ферула.
ferv/ency (фё'рвёнси) *s.* усéрдие || **-ent** *a.* усéрдный; горячий, пылкий || **-id** *a.* усéрдный || **-our** *s.* усéрдие; горячность *f.*
festal (фэ'стёл) *a.* прáздничный; рáдостный.
fester (фэ'стёр) *s.* нагноéние; нагнóй *m.* || ~ *vn.* гноиться; на-гнáиваться, -гноиться.
festiv/al (фэ'стив-ёл) *s.* прáздник || **-e** (-) *a.* прáздничный || **-ity** (фэсти'вити) *s.* прáзднествó; (*gaiety*) весéлие.
festoon (фэстӯ'н) *s.* фестóн; гирлянда || ~ *va.* украшáть фестóнами.
fetch/ (фэч) *s.* штука; хитрость *f.*; (*wraith*) видéние, привидéние || ~ *va.* при-носить, -нести; при-водить, -вести; при-возить, -везти; (*a doctor*) сходить за; (*breath*) дышáть, перевести дух; (*mar.*) дост-игáть, -игнуть; (*fig. to move*) трóгать, трóнуть || **to** ~ **a sigh** вздохнуть || **to** ~ **a blow at** удáрить || **to** ~ **over** перехитрить || **to** ~ **up** настичь; остановиться; (*to vomit*) рвать, блевáть || **-ing** *a.* привлекáтельный.
fetich (фэ'тиш) *s. cf.* **fetish.**
fetid (фэ'тид) *a.* зловóнный, вонючий.
fetish/ (фэ'тиш) *s.* фéтиш || **-ism** *s.* фетишизм.
fetlock (фэ'тлок) *s.* щётка (у лóшади).
fetter (фэ'тёр) *s.* цепь *f.*; (*of horse*) путы *fpl.*; (*in pl.*) кандалы *mpl.*; цéпи *fpl.*; (*fig. captivity*) плен; (*restraint*) узы *fpl.* || ~ *va.* скóвывать, сковáть; закóвывать в кандалы; на-девáть, -дéть путы; (*to restrain*) стесн-ять, -ить.
fettle (фэтл) *s.* состояние.
fetus (фий'тёс) *s. cf.* **fœtus.**
feud/ (фю'д) *s.* ссóра; раздóр; враждá; междоусóбие; (*fief*) лен || **-al** *a.* лéнный, феодáльный || **-alism** *s.* феодализм || **-atory** *s.* лéнный владéлец, лéнник, вассáл.
fever/ (фий'вёр) *s.* (*hot*) горячка; (*cold*) лихорáдка; (*fig.*) волнéние || **-ed** *a.* (*fig.*) взволнóванный || **-ish** *a.* лихорáдочный.

few (фю) *a.* немно́гие; ма́ло || **a ~** не́сколько || **~ and far between** ре́дкий || **in a ~ words** в не́скольких слова́х || **the ~** меньшинство́.
fiancé/é (фионгсэ') *s.* обручённый; жени́х || **-ée** (-) *s.* обручённая.
fiasco (фиа́'скоу) *s.* неуда́ча, фиа́ско.
fiat (фай'ăт) *s.* декре́т, ука́з.
fib/ (фиб) *s.* ложь *f.*; (*boxing*) уда́р || **~ *vn.*** лгать || **-ber** *s.* лгун.
fibr/e (фай'бр) *s.* фи́бра, жи́лка; волокно́ || **-ous** *a.* фибро́зный, волокни́стый.
fibula (фи'бюлё) *s.* малоберцо́вая кость; (*archæology*) була́вка.
fickle/ (фи'кл) *a.* ве́треный, непостоя́нный || **-ness** *s.* ве́треность *f.*; непостоя́нство.
fict/ion (фи'кшён) *s.* вы́мысел; вы́думка; фи́кция || **-itious** (фикти'шёс) *a.* фикти́вный; (*not genuine*) подде́льный; (*imaginary*) вообража́емый, мни́мый; (*invented*) вы́мышленный.
fiddle/ (фи'дл) *s.* скри́пка || **to be as fit as a ~** быть соверше́нно здоро́вым || **~ *vn.*** игра́ть на скри́пке; (*to trifle*) занима́ться пустяка́ми || **~-faddle** (-фă'дл) *s.* пустяки́ *mpl.*; чепуха́, вздор || **-r** *s.* скрипа́ч || **-stick** *s.* смычо́к || **-sticks, ~-de-dee** (-ди-дий) *int.* вздор! пустяки́!
fiddling (фи'длинг) *a.* пустя́чный.
fidelity (фидэ'лити) *s.* ве́рность *f.*; пре́данность *f.*; (*accuracy*) то́чность *f.*
fidget/ (фи'джит) *s.* беспоко́йство; поры́вистое движе́ние; (*one who fidgets*) непосе́да *m.* || **~ *vn.*** ёрзать, ерзну́ть || **-y** *a.* беспоко́йный, вертля́вый.
fiduciary (фидю'шиёри) *s.* пове́ренный.
fie (фай) *int.* тфу! фу!
fief (фийф) *s.* ле́нное поме́стье.
field/ (фийлд) *s.* по́ле; поля́на; (*meadow*) луг; (*plain*) равни́на; (*fig. battle-field*) по́ле сраже́ния; (*expanse*) протяже́ние || **to take the ~** выступа́ть, вы́ступить в похо́д || **~-artillery** *s.* полева́я, лёгкая артилле́рия || **-er** *s.* (*at cricket*) полево́й || **~-glass** *s.* подзо́рная труба́; полево́й бино́кль || **~-marshal** *s.* фельдма́ршал || **-mouse** *s.* полева́я мышь || **-works** *spl.* ша́нцы *mpl.*
fiend/ (фий'нд) *s.* злой дух, бес; чорт, дья́вол || **-ish** *a.* дья́вольский.
fierce (фийрс) *a.* свире́пый, лю́тый; неи́стовый.
fier/iness (фай'ринэс) *s.* жар; пы́лкость *f.* || **-y** (фай'ёри) *a.* о́гненный; пы́лкий; (*of temper*) вспы́льчивый.
fife/ (файф) *s.* фле́йта, ду́дка || **-r** *s.* флейти́ст.
fif/teen (фи'фтий'н) *a.* пятна́дцать || **-teenth** (фи'фтий'нþ) *a.* пятна́дцатый || **-tieth** (фи'фти-иþ) *a.* пятидеся́тый || **-ty** *a.* пятьдеся́т.
fig/ (фиг) *s.* смо́ква, фи́га; (*dried*) ви́нная я́года; (*fig. valueless thing*) безде́лица || **-leaf** *s.* смоко́вный лист; фи́говый лист || **-tree** *s.* смоко́вница; фи́говое де́рево || **-wort** *s.* (*bot.*) пе́сья голова́.
fight/ (файт) *s.* (*battle*) би́тва; сраже́ние; (*combat*) поеди́нок; (*fighting*) дра́ка || **to show ~** не сдава́ться || **~ *va.&n.*** сража́ться, срази́ться (*for* за); дра́ться, поби́ться || **to ~ shy of** из-бега́ть, -бе́гнуть || **-er** *s.* бое́ц; забия́ка *m.* || **-ing** *s.* би́тва; дра́ка.
figment (фи'гмёнт) *s.* фи́кция; вы́мысел.
figur/ation (фигюрэй'шн) *s.* образова́ние; фо́рма || **-ative** (фи'гиёрётив) *a.* о́бразный; (*metaphorical*) перено́сный || **-e** (фи'гёр) *s.* фигу́ра; о́браз; (*external appearance*) вид; (*drawing*) рису́нок; (*person*) лицо́; (*geom. & of speech*) фигу́ра; (*arith.*) ци́фра; (*comm.*) цена́ || **~ *va.*** (*embellish with figures*) украша́ть, укра́сить фигу́рами; (*to imagine*) вообража́ть, -зи́ть себе́; (*to calculate*) вычисля́ть, вы́числить || **~ *vn.*** (*play a part*) игра́ть роль; (*to appear*) по-ка́зываться, -каза́ться || **-head** (фи'гёрхэд) *s.* корабе́льная носова́я фигу́ра.
filament (фи'лёмёнт) *s.* волокно́.
filbert (фи'лбёрт) *s.* большо́й лесно́й оре́х.
filch (филч) *va.* стащи́ть; стя́гивать, стяну́ть.
fil/e (файл) *s.* (*papers*) рее́стр; (*list*) спи́сок; (*mil.*) строй *m.*, шере́нга; (*instrument*) напи́льник || **in single, in Indian ~** гусько́м || **the rank and ~** ни́жние чины́ || **~ *va.*** (*tech.*) подпи́ливать; пили́ть; (*fig. to elaborate*) тща́тельно просма́тривая поправля́ть, -пра́вить; (*jur.*) пред'яви́ть (иск); (*papers*) подшива́ть дела́; регистрова́ть || **~ *vn.*** дефили́ровать || **-ings** *spl.* опи́лки *fpl.*
filial (фи'лиёл) *a.* сыно́вний.
filigree/ (фи'лигрий), **~-work** *s.* филигра́н.
fill (фил) *s.* дово́льство; доста́ток || **to eat one's ~** на-еда́ться, -е́сться до́сыта || **~ *va.*** (*to make full*) на-полня́ть, -по́лнить; (*with a liquid*) на-лива́ть, -ли́ть; (*to occupy*) за-нима́ть, -ня́ть; (*with astonishment, etc.*) ис-полня́ть, -по́лнить; (*to satisfy*) удовлетвор-я́ть, -и́ть; (*to distend*) на-дува́ть, -ду́ть; (*a pipe*) на-бива́ть, -би́ть; (*an office*) за-нима́ть, -ня́ть || **to ~ in** (*a ditch*) за-сыпа́ть, -сы́пать; (*write*) впи́сывать, вписа́ть || **to ~ up** по-полня́ть, -по́лнить || **~ *vn.*** на-полня́ться, -по́лниться.

fillet (фи'лит) *s.* головна́я ле́нта, повя́зка; (*of beef, etc.*) филе́й *m.*; (*arch.*) ва́лик, ли́стель *m.* || ~ *va.* об-вя́зывать, -вяза́ть ле́нтой.
filling (фи'линг) *s.* наполне́ние; налива́ние; набива́ние; (*of teeth*) пло́мба.
fillip (фи'лип) *s.* щелчо́к; (*stimulus*) поощре́ние; (*mere trifle*) безде́лица || ~ *va.* дать щелчо́к; (*to stimulate*) поощр-я́ть, -и́ть.
filly (фи'ли) *s.* кобы́лка; (*fam.*) девчо́нка.
film/ (филм) *s.* плёнка; перепо́нка; оболо́чка; (*fig.*) о́блако, мрак; (*phot.*) плёнка, фи́льма || **-y** *a.* состоя́щий из плевы́; (*of the eyes*) му́тный.
filter (фи'лтёр) *s.* фильтр || ~ *va.* фильтри́ровать, про- || ~ *vn.* про-са́чиваться, -сочи́ться; (*fig. of news, etc.*) про-рыва́ться, -рва́ться.
filth/ (фи'лþ) *s.* грязь *f.*; нечистота́; говно́; (*obscenity*) неблагопристо́йность *f.*; срамосло́вие || **-iness** *s.* нечистота́; грязь *f.* || **-y** *a.* нечи́стый; гря́зный; неблагопристо́йный || ~ **lucre** (*fam.*) де́ньги *fpl.*
filtrat/e (фи'лтрэйт) *va.* фильтри́ровать, про- || **-ion** *s.* фильтра́ция.
fin (фин) *s.* пла́вательное перо́; плавни́к.
final/ (фай'нёл) *a.* (*at the end*) коне́чный; оконча́тельный; (*decisive*) реши́тельный; (*last*) после́дний || **-e** (фина̄'ли) *s.* фина́л || **-ly** *ad.* наконе́ц.
financ/e (финä'нс) *s.* фина́нсы *mpl.* || ~ *va.* до-става́ть, -ста́ть де́ньги || **-ial** (финä'ншёл) *a.* фина́нсовый || **-ier** (-ийр) *s.* финанси́ст; знато́к фина́нсовой ча́сти.
finch (финч) *s.* зя́блик; (*hen* ~) зя́блица.
find/(файнд) *s.* нахо́дка || ~ *va.* на-ходи́ть, -йти́; (*to come upon*) за-става́ть, -ста́ть; (*to meet*) встреча́ть, встре́тить; (*to discover*) от-крыва́ть, -кры́ть; (*to judge*) при-знава́ть, -зна́ть; (*with food*) дава́ть кому́ стол || **to ~ fault with** быть недово́льным (чем) || **to ~ one's way** находи́ть, найти́ доро́гу || **all found** стол и кварти́ра да́ром || **to ~ out** от-крыва́ть, -кры́ть || **-er** *s.* (*optical instrument*) иска́тель *m.* || **-ing** *s.* (*verdict*) пригово́р (присяжных).
fine/ (файн) *s.* (де́нежный) штраф; (*fine weather*) хоро́шая пого́да || **in ~** наконе́ц, одни́м сло́вом || ~ *a.* (*thin*) то́нкий; (*of sugar, sand, etc.*) ме́лкий; (*of comb*) ча́стый; (*of metals*) чи́стый; (*good*) прили́чный; хоро́ший; (*sharp*) то́нкий, о́стрый, чу́ткий; (*beautiful*) прекра́сный, краси́вый; (*delicate*) не́жный; (*fam.*) великоле́пный; (*fastidious*) разбо́рчивый || **the ~ arts** изя́щные иску́сства || ~ *va.* штрафова́ть, о-; на-лага́ть, -ложи́ть на кого́ де́нежный штраф || **-drawn** *a.* то́нкий || **-ness** *s.* красота́; изя́щество; не́жность *f.*; чистота́; острота́; ме́лкость *f.* || **-ry** *s.* наря́д; убо́р || **-sse** (финэ'с) *s.* хи́трость *f.* || **-spoken** *a.* сладкоречи́вый.
finger/ (фи'нг-гёр) *s.* па́лец; перст || **to have a ~ in** быть заме́шанным в || **to slip through one's -s** ускольз-а́ть, -ну́ть || ~ *va.* каса́ться па́льцами; тро́гать па́льцами || **~-board** *s.* клавиату́ра || **-ing** *s.* (*mus.*) аппликату́ра || **~-post** *s.* путево́й указа́тель || **~-print** *s.* отпеча́ток па́льца. [разбо́рчивый.
finic/al (фи'никёл), **-king** *a.* жема́нный;
finish/ (фи'ниш) *s.* оконча́ние; (*in sport*) фи́ниш || ~ *va.* конча́ть, ко́нчить; око́нчить; (*to perfect*) соверше́нствовать || **-ed** *a.* око́нченный; (*perfect*) соверше́нный || ~ *vn.* пере-става́ть, -ста́ть.
finite/ (фай'найт) *a.* име́ющий коне́ц, грани́цы; определённый || **-ness** *s.* определённость *f.*
finny (фи'ни) *a.* с пла́вательными пе́рьями.
fiord (фйо̄'рд) *s.* фио́рд.
fir/ (фёр) *s.* ель *f.*; сосна́ || **-cone** *s.* ело́вая, сосно́вая ши́шка.
fire/ (фай'ёр) *s.* ого́нь *m.*; (*flame*) пла́мя *n.*; (*mil.*) пальба́, ого́нь *m.*; (*fig. passion*) пыл, пы́лкость *f.*; (*ardour*) жар; (*conflagration*) пожа́р || **~!** пали́! || **the ~ is out** ого́нь пога́с || **on ~** горя́щий || **to set on ~** под-жига́ть, -же́чь || **to open ~** стреля́ть, вы́стрелить || ~ *va.* под-жига́ть, -же́чь; за-жига́ть, -же́чь || **to ~ off** стреля́ть, вы́стрелить из || **to ~ out** выта́лкивать, вы́толкнуть; отпус-ка́ть, -ти́ть || ~ *vn.* (*mil.*) стреля́ть, вы́стрелить; пали́ть, вы́палить || **to ~ up** вспыли́ть || **~-alarm** *s.* пожа́рная трево́га || **-arm** *s.* огнестре́льное ору́жие || **~-ball** *s.* о́гненный шар; метео́р || **~-box** *s.* огнева́я коро́бка || **-brand** *s.* головня́; (*fig.*) подстрека́тель *m.* || **~-brick** *s.* огнеупо́рный кирпи́ч || **~-brigade** *s.* пожа́рная кома́нда || **-clay** *s.* огнеупо́рная гли́на || **~-damp** *s.* рудни́чный газ || **~-dog** *s.* тага́н || **~-eater** *s.* фо́кусник; огнеед; (*fig.*) забия́ка, буя́н, хвасту́н || **~-engine** *s.* пожа́рная труба́ || **~-escape** *s.* пожа́рная складна́я ле́стница || **-fly** *s.* светя́щаяся му́ха, светля́к || **-man** *s.* пожа́рный; (*Am.*) кочега́р || **-place** *s.* оча́г || **-policy** *s.* поли́с страхово́го от огня́ о́бщества || **-proof** *a.* несгора́емый, огнеу-

по́рный || **-side** *s.* оча́г || **-wood** *s.* дрова́ *npl.* || **-works** *spl.* фейерве́рк.
firing (фай'ринг) *s.* (*fuel*) то́пливо.
firkin (фё'ркин) *s.* ка́дочка.
firm (фёрм) *s.* фи́рма; торго́вый дом || ~ *a.* твёрдый; (*strong*) кре́пкий; (*steady*) постоя́нный; (*unshakeable*) непоколеби́мый; (*resolute*) реши́тельный.
firmament (фё'рмёмэнт) *s.* свод небе́сный; небе́сная твердь.
firmness (фё'рмнэс) *s.* твёрдость *f.*; кре́пость *f.*; постоя́нство; ве́рность *f.*; реши́тельность *f.*
first/ (фёрст) *a.* пе́рвый; пре́жний; (*original*) первобы́тный || ~ *ad.* во-пе́рвых; пре́жде; вперёд; сперва́ || **at** ~ снача́ла || ~ **or last** ра́но или по́здно || ~ **of all** во-пе́рвых; пре́жде всего́ || **-begotten, -born** *s.* пе́рвенец || ~ *a.* перворо́дный || **~-class** *a.* первокла́ссный; (*fam.*) превосхо́дный || **~-comer** *s.* пе́рвый попа́вшийся || **~-fruits** *spl.* пе́рвенцы *mpl.* || **~-hand** *a.* из пе́рвых рук || **-ling** *s.* пе́рвенец || **-ly** *ad.* во-пе́рвых.
firth (фёрѳ) *s.* лима́н.
fiscal (фи'скёл) *a.* казённый.
fish/ (фиш) *s.* ры́ба; (*fam.*) па́рень *m.* || **neither ~ nor flesh** ни то, ни сё || **to feed the -es** тону́ть, у- || **that's a pretty kettle of ~** (*fig.*) вот сла́вная исто́рия || **I have other ~ to fry** (*fig.*) у меня́ есть други́е дела́ || ~ *va.* лови́ть ры́бу || ~ *vn.* уди́ть; (*fig.*) иска́ть; домога́ться || **~-bone** *s.* ры́бья кость || **~-carver** *s.* ры́бный нож || **-er, -erman** *s.* рыболо́в; рыба́к || **-ery** *s.* ры́бная ло́вля; (*fishing-ground*) рыболо́вня; то́ня || **~-hook** *s.* рыболо́вный крючо́к, удово́й крючо́к || **-iness** *s.* ры́бный вкус *или* за́пах; (*fam.*) подозри́тельность *f.* || **-ing** *s.* ры́бная ло́вля || **-ing-boat** *s.* рыба́чья ло́дка || **-ing-gear** *s.* рыболо́вный снаря́д || **-ing-line** *s.* леса́ || **-ing-net** *s.* рыболо́вная сеть || **-ing-rod** *s.* у́дочка || **-ing-tackle** *s.* рыболо́вный снаря́д || **-market** *s.* ры́бный ры́нок || **-monger** *s.* ры́бный торго́вец, продаве́ц ры́бы || **~-tail** *s.* ры́бий хвост || **-y** *a.* ры́бный; (*fam.*) подозри́тельный.
fissure (фи'шёр) *s.* щель *f.*; тре́щина.
fist/ (фист) *s.* кула́к; (*fam.*) рука́; (*handwriting*) по́черк || **the mailed ~** си́ла || **-icuffs** (-пкафс) *spl.* кула́чный бой.
fistula (фи'стюлё) *s.* фи́стула, свищ.
fit/ (фит) *s.* (*paroxysm*) припа́док, парокси́зм; (*caprice*) капри́з || **a cold ~** озно́б || **by -s (and starts)** уры́вками || **to be a good ~** (*of clothes*) быть впо́ру, итти́ || ~ *a.* (*suitable*) соотве́тствующий; удо́бный; (*proper*) прили́чный, присто́йный; (*competent*) спосо́бный; (*prepared*) гото́вый; (*healthy*) здоро́вый || ~ *va.* (*adapt*) при-гоня́ть, -гна́ть; при-ла́живать, -ла́дить; (*to suit*) итти́, быть впо́ру; (*equip*) экипирова́ть; (*qualify*) де́лать, с- спосо́бным || ~ *vn.* соотве́тствовать; схо́дствовать с; быть го́дным; (*of clothes*) итти́, быть впо́ру || **-ful** *a.* (*changeable*) непостоя́нный, поры́вистый; (*capricious*) капри́зный || **-ness** *s.* соотве́тственность *f.*; удо́бство; спосо́бность *f.* || **-ter** *s.* монтёр || **-ting** *s.* снабже́ние, снаряже́ние; (*in pl.*) монтиро́вка || ~ *a.* (*suitable*) соотве́тствующий; го́дный; удо́бный; (*proper*) прили́чный.
five/ (файв) *a.* пять; пя́теро; (*at cards*) пятёрка || **-fold** *a.* пятерно́й; пятери́чный || **-r** *s.* (*fam.*) биле́т в пять фу́нтов || **-s** *spl.* род игры́ в мяч.
fix/ (фикс) *s.* (*fam.*) тру́дность *f.*; затрудни́тельное положе́ние || ~ *va.* (*to make firm*) укреп-ля́ть, -и́ть; прикреп-ля́ть, -и́ть; (*to appoint*) наз-нача́ть, -на́чить; (*to decide*) реши́ть; определ-я́ть, -и́ть; (*one's eye on*) напра́вить; при́стально смотре́ть на; не своди́ть глаз с; (*phot.*) фикси́ровать || ~ *vn.* сгусти́ться; затверде́ть || **to ~ up** (*fam.*) у-стра́ивать, -стро́ить; при-води́ть, -вести́ в поря́док || **to ~ on** вы́брать || **-ed** *a.* неподви́жный || **a ~ star** неподви́жная звезда́ || **-ing-bath** *s.* (*phot.*) фикса́ж || **-ity** *s.* неподви́жность *f.* || **-ture** (-чёр) *s.* неподви́жность *f.*; (*in pl.*) недви́жимое име́ние.
flabbergast (флӓ'бёргаст) *va.* (*fam.*) изумля́ть, -и́ть; сму-ща́ть, -ти́ть.
flabby (флӓ'би) *a.* дря́блый; (*fig.*) сла́бый.
flaccid (флӓ'ксид) *a.* дря́блый.
flag (флӓг) *s.* флаг; зна́мя *n.*; (*flagstone*) плита́, плитня́к; (*bot.*) шпа́жник, ме́чник || **a ~ of truce** бе́лый, парламентёрный флаг || ~ *vn.* ослаб-ева́ть, -е́ть; опус-ка́ться, -ти́ться.
flagell/ant (флӓ'джил-ӓнт) *s.* самобичева́тель *m.*; (*in Russia*) хлыст || **-ate** (-эйт) *va.* бичева́ть.
flageolet (флӓ'джолэт) *s.* флажоле́т.
flagging (флӓ'гинг) *a.* ослабленный, рассла́бленный; вя́лый.
flagitious (флӓджи'шёс) *a.* гну́сный; злоде́йский.
flagon (флӓ'гён) *s.* фля́жка, буты́ль *f.*
flagrant (флэй'грёнт) *a.* вопию́щий; (*notorious*) гла́сный, ве́домый всем.

flag/ship (флäг-шип) *s.* флáгманское сýдно || **–staff** *s.* флагштóк.
flail (флэйл) *s.* цеп; молотúло.
flake (флэйк) *s.* (*of snow*) снежúна, хлопóк; (*layer*) слой *m.*; ряд || ~ *vn.* (**to ~ off**) лупúться; слоúться. [слоúстый.
flaky (флэй'ки) *a.* хлопковáтый; (*in layers*)
flam (флäм) *s.* вы́думка, вы́мысел.
flambeau (флä'мбоу) *s.* фáкел.
flamboyant (флäмбой'ëнт) *a.* пы́шный; богáто укрáшенный.
flam/e (флэйм) *s.* плáмя *n.*; (*fire*) огóнь *m.*; (*love*) любóвь *f.*; (*sweetheart*) возлю́бленная || ~ *vn.* пламенéть; пылáть; (*to gleam*) сверкáть; (*get angry*) вспылúть || **–e-thrower** *s.* (*mil.*) огнемëт || **–ing** *a.* горя́щий я́рким огнëм; пылáющий.
flamingo (флëми'нг-гоу) *s.* фламúнго.
flange (флäндж) *s.* флáнец; закрáина.
flank (флäнгк) *s.* подвздóхи *mpl.*; (*side*) бок, сторонá; (*mil.*) фланг || ~ *va.* фланкировáть; примыкáть(-ся) (к).
flannel (флä'нëл) *s.* фланéль *f.* || ~ *a.* фланéлевый.
flap/ (флäп) *s.* взмах (крылóм); (*of a coat*) полá, фáлда; (*of a hat*) отворóт || ~ *va.* удáрить; дать тумакá; хлóпать (кры́льями) || ~ *vn.* хлóпать || **–per** *s.* клáпан; захлóпка; (*fam. young girl*) дéвушка.
flar/e (флäр) *s* неровный огóнь || ~ *vn.* блистáть, сверкáть || **to ~ up** (*fig.*) вспы́х-ивать, -нуть; вспылúть || **–ing** *s.* ослепúтельный, блестя́щий; (*gaudy*) пы́шный.
flash/ (флäш) *s.* внезáпный свет, блеск; сверкáние; вспы́шка; (*fig. instant*) мгновéние || ~ **of lightning** мóлния || ~ **of wit** úскра умá || **in a ~** вдруг || ~ *a.* (*gaudy*) пы́шный; (*counterfeit*) поддéльный || ~ *va.* (*to emit*) сверкнýть; (*a glance*) брóсить; (*to telegraph*) телеграфúровать || ~ *vn.* сверкнýть; блеснýть || **–ing** *s.* блеск, сверкáние; сия́ние || **~-light** *s.* (*phot.*) мáгниевая лáмпа || **–y** *a.* повéрхностный, блестя́щий, пустóй; легкомы́сленный.
flask (флäск) *s.* фля́га, фля́жка; (*gunpowder*) пороховнúца.
flat/ (флäт) *s.* плóскость *f.*; (*plain*) равнúна; (*storey*) этáж; (*duffer*) дурáк, глупéц || ~ *a.* плóский; (*level*) рóвный; (*prostrate*) распростëртый; (*dull*) нелéпый, пóшлый; (*of beer*) вы́дохлый; (*spiritless*) уны́лый || **to give a ~ refusal** отказáть комý в чëм наотрéз || **~-fish** *s.* плоскýша || **~-iron** *s.* утю́г || **–ly** *ad.* наотрéз || **–ness** *s.* плóскость *f.* || **–ten** *va.* вырáвнивать, вы́ровнять || ~ *vn.* вырáвниваться, вы́ровняться.

flatter/ (флä'тëр) *va.* льстить, по- комý; ласкáть, при- || **–er** *s.* льстец, льстúтель *m.* || **–ing** *a.* льстúвый || **–y** *s.* лесть *f.*; ласкáтельство.
flatul/ence (флä'тюл-ëнс) *s.* (*med.*) вéтры *mpl.*; (*fig.*) надýтость *f.*; высокопáрность *f.* || **–ent** *a.* страдáющий от вéтров; (*fig.*) надýтый; высокопáрный. [вáжничать.
flaunt (флōнт) *vn.* щеголя́ть; красовáться;
flavour/ (*Am.* **flavor**) (флэй'вëр) *s.* вкус; (*smell*) зáпах, аромáт || ~ *va.* придавáть зáпах *или* вкус (чемý-либо); (*to season*) при-правля́ть, -прáвить || **–less** *a.* безвкýсный.
flaw/ (флō) *s.* трéщина; (*defect*) изъя́н; (*blemish*) недостáток, порóк; (*squall*) шквал || **-less** *a.* без трéщины, без изъя́на.
flax/ (флäкс) *s.* лëн || **–en** *a.* льнянóй; (*of hair*) белокýрый.
flay (флэй) *va.* сдирáть, содрáть кóжу; обдирáть, ободрáть кóжу; лупúть, об-.
flea/ (флий) *s.* блохá || **–bite** *s.* укушéние блохú; (*fig.*) бездéлица.
fleck (флэк) *s.* пятнó || ~ *va.* пятнáть, за-.
fled (флэд) *cf.* **flee.**
fledg/e (флэдж) *va.* опер-я́ть, -úть || **–ed** *a.* оперëнный || **–(e)ling** *s.* птенéц; слëток; (*fig.*) новичóк.
flee (флий) *va.irr.* бéгать; из-бегáть, -бéгнуть || ~ *vn.irr.* бежáть, у-.
fleec/e (флийс) *s.* рунó; шерсть *f.* || ~ *va.* (*shear*) стричь; (*fig.*) об-ирáть, -рáть || **–y** *a.* шерстúстый; клочковáтый.
fleer (флийр) *vn.* насмехáться (над).
fleet/ (флийт) *s.* флот || ~ *a.* быстронóгий || ~ *vn.* бы́стро про-ходúть, -йтú || **–ing** *a.* проходя́щий; скоротéчный || **–ness** *s.* быстротá; скоротéчность *f.*
flesh/ (флэш) *s.* мя́со; (*the body*) плоть *f.*; тéло || ~ *va.* обагр-я́ть, -úть, на-сыщáть, -сы́тить крóвью || **~-colour** *s.* телéсный цвет || **–er** *s.* мяснúк || **–ly** *a.* плóтский || **–meat** *s.* мя́со || **–y** *a.* мясúстый; телéсный; плóтский.
flew (флӯ) *cf.* **fly.**
flex/ible (флэ'ксибл) *a.* гúбкий; устýпчивый; (*fig.*) послýшный || **–ibility** (флэксиби'лити) *s.* гúбкость *f.*; послýшность *f.* || **–ion** *s.* (*gramm.*) флéксия.
flick (флик) *s.* щелчóк, лëгкий удáр || ~ *va.* щëлк-ать, -нуть.
flicker (фли'кëр) *vn.* порх-áть, -нýть; трепетáть, за-. [лëтчик.
flier (флай'ëр) *s.* (*fugitive*) беглéц; (*aviator*)
flight/ (флайт) *s.* полëт; (*running away*) бéгство, побéг; (*of time*) течéние; (*distance*) расстоя́ние полëта; (*flock*) стáя; (*of stairs*) лéстница || **to take to ~** бежáть,

убегáть || **to put to ~** обращáть, обратúть в бéгство || **-y** *a.* (*fig.*) легкомы́сленный.
flimsy (фли'мзи) *a.* лёгкий, неплóтный; непрóчный.
flinch (флинч) *vn.* отступ-áть, -úть.
fling (флинг) *s.* бросáние, метáние; (*jeer*) злáя насмéшка; (*dance*) шотлáндский тáнец || **to have one's ~** уходúться || ~ *va.* бросáть, брóсить; швыр-я́ть, -нýть; кидáть, кúнуть || ~ *vn.* бросáться, брóситься; кидáться, кúнуться || **to ~ away** от-брáсывать, -брóсить || **to ~ open** (*a door*) распахнýть || **to ~ down** сбрáсывать, сбрóсить.
flint/ (флинт) *s.* кремéнь *m.*; голы́ш || **~-glass** *s.* флинтглáс || **-y** *a.* кремнúстый; (*fig.*) бесчýвственный || **-lock** *s.* курóк; кремнёвое ружьё.
flip (флип) *s.* лёгкий удáр; щелчóк || ~ *va.* дать щелчóк; щёлк-ать, -нуть.
flippan/cy (фли'пёнси) *s.* легкомы́сленность *f.*; непочтúтельность *f.* || **-t** *a.* легкомы́сленный; болтлúвый; небрéжный; непочтúтельный.
flipper (фли'пёр) *s.* плавнúк; (*fam.*) рукá.
flirt/ (флёрт) *s.* кокéтка || ~ *vn.* кокéтничать; занимáться флúртом || **-ation** *s.* кокéтничание; флирт.
flit/ (флит) *s.* перехóд на другýю квартúру || ~ *vn.* порх-áть, -нýть; пролет-áть, -éть; (*change one's abode*) пере-бирáться, -брáться на другýю квартúру; (*migrate*) пере-селя́ться, -селúться || **-ting** *s.* порхáние.
flitch (флич) *s.* лопáтка, пóлоть *f.* (ветчины́).
float/ (флōут) *s.* (*fishing*) поплавóк; (*raft*) плот; (*cart*) повóзка; (*of a paddle-wheel*) лáпа, лопáтка || ~ *va.* сплавля́ть; за-ставля́ть, -стáвить плáвать; (*a rumour*) распростран-я́ть, -úть; (*comm.*) основáть || ~ *vn.* плыть, плáвать; держáться на водé || **-ing** *a.* плавающий, плавýчий.
flock (флок) *s.* стáдо; (*eccl.*) пáства; (*of birds*) стáя; (*crowd*) толпá; (*of wool*) клок || ~ *vn.* собирáться; толпúться.
floe (флōу) *s.* ледянóе пóле, сплошнóй лёд.
flog/ (флог) *va.* сечь, вы́-; порóть, вы́пороть; хлес-тáть, -нýть || **-ging** *s.* сечéние; хлестáние; пóрка.
flood/ (флад) *s.* потóк; наводнéние; (*tide*) прилúв; (*fig.*) (*of tears, words, etc.*) потóк || **the F-** (*bibl.*) потóп || ~ *va.* заливáть, -лúть. навод-ня́ть, -нúть; зато-п-ля́ть, -úть || **-gate** *s.* шлюз; творúло в шлю́зах.
floor/ (флōр) *s.* (*of a room*) пол; (*of a building*) этáж || **to take the ~** на-чинáть, -чáть говорúть || ~ *va.* наст-илáть, -лáть пол; (*knock down*) сшиб-áть, -úть, свалúть когó с ног; (*defeat*) по-беждáть, -бедúть: (*fam.*) смущáть, смутúть; стáвить, по- в тупúк || **-ing** *s.* настúлка полóв; пóлы *mpl.*
flop (флоп) *s.* шлёпание || ~ *ad.* бултых, бряк || ~ *va.* шлёп ать, -нуть || ~ *vn.* шлёп-аться, -нуться; плю́х-аться, -нуться.
flor/a (флō'р-ё) *s.* флóра || **-al** *a.* цветóчный || **-iculture** *s.* цветовóдство || **-id** *a.* (*red*) крáсный, румя́ный; (*ornate*) цветúстый, богáто украшенный || **-idity** *s.* цветúстость *f.*; свéжий цвет лицá.
florin (фло'рин) *s.* флорúн (монéта в 2 шúллинга); гýльден.
florist (фло'рист) *s.* цветóчник, цветóчница.
floss/ (флос) *s.* пух; пушóк; (*silk*) флорéтовый шёлк *mpl.*; шёлк-сырéц || **-y** *a.* шелковúстый.
flot/ation (флоутэй'шн) *s.* плáвание || **-illa** (флоти'лё) *s.* флотúлия || **-sam** *s.* вы́кидки *fpl.*; облóмки, плáвающие на повéрхности воды́ пóсле кораблекрушéния.
flounce (флаунс) внезáпный поры́в *или* толчóк; (*on dress*) обóрка, фалборá || ~ *vn.* брóситься; шлёпнуться.
flounder (флау'ндёр) *s.* кáмбала || ~ *vn.* барáхтаться, за-; спот-ыкáться, -кнýться.
flour/ (флау'ёр) *s.* мукá || **~-mill** *s.* мукомóльная мéльница.
flourish (фла'риш) *s.* (*brandishing*) размáхивание; (*ostentation*) пы́шность *f.*; (*in writing*) рóсчерк; (*of trumpets*) трýбный глас; (*mus.*) прелю́дия || ~ *va.* махáть (чем); раз-мáхивать, -махнýть (чем) || ~ *vn.* цвестú; (*fig.*) процветáть.
floury (флау'ри) *a.* мучнúстый.
flout/ (флаут) *s.* насмéшка || ~ *va.* насмехáться над; осм-éивать, -eя́ть; пренебрегáть, -брéчь || **-ingly** *ad.* насмéшливо.
flow (флōу) *s.* течéние; (*abundance*) изобúлие; (*fluency*) плáвность *f.* || ~ *vn.* течь, по-, с-; (*of tide*) прибывáть; (*to abound*) изобúловать.
flower/ (флау'ёр) *s.* цветóк; (*embellishment*) украшéние; (*the best*) цвет; (*the prime*) процветáние, цветýщие летá || **-s** *spl.* (*med.*) мéсячные (очищéния); рéгулы *fpl.* || ~ *vn.* цвестú; цветáть || **-ing** *a.* цветýщий, в цветý || **-y** *a.* цветúстый; с цветóчками || **~-pot** *s.* цветóчный горшóк; горшóк для цветóв. [плáвный.
flowing (флōуинг) *a.* текýщий; (*of language*)
flown (флōун) *cf.* **fly.**
fluctuat/e (фла'к-чуэйт, -тюэйт) *vn.* колебáться; флуктуúровать || **-ion** *s.* колебáние.

flu(e) (флӯ) *s.* (*fam.*) = **influenza.**
flue (флӯ) *s.* дымовая труба; (*fluff*) пух, пушок.
fluen/cy (флӯ'-ёнси) *s.* гладкость *f.*; плавность *f.* || **-t** *a.* гладкий, плавный.
fluff/ (флаф) *s.* пух || **-y** *a.* пушистый; мягкий.
fluid/ (флӯ'-ид) *s.* жидкость *f.* || ~ *a.* жидкий; текучий || **-ity** (флу-и'дити) *s.* жидкость *f.*; текучесть *f.*
fluke (флӯк) *s.* (*fish*) камбала; (*of anchor*) лапа, рог; (*lucky chance*) случайное попадение; (*at billiards*) фукс.
flummery (фла'мёри) *s.* овсянка; фламри; (*cajolery*) лесть *f.*; (*nonsense*) вздор.
flung (фланг) *cf.* **fling.**
flunkey (фла'нг-ки) *s.* лакей *m.*; (*toady*) льстец, приживалец.
fluor/ (флӯ'-ор) *s.* фтор; флюор || **-escence** (флӯорэ'сёнс) *s.* флюоресценция.
flurry (фла'ри) *s.* (*agitation*) смятение; (*squall*) порыв ветра, шквал.
flush (флаш) *s.* (*blush*) румянец; краска; (*elation*) гордость успехом; (*of water*) приток; (*abundance*) изобилие || ~ *a.* (*abundant*) обильный; (*even*) ровный || **to be ~ of money** быть при деньгах || ~ *va.* (*redden*) делать, с- красным в лице; (*elate*) делать, с- гордым; (*with water*) пус-кать, -тить струю (воды) || ~ *vn.* (*to blush*) краснеть, по-; (*of water*) быстро течь.
fluster (фла'стёр) *s.* возбуждение; смятение || ~ *va.* возбу-ждать, -дить; сму-щать, -тить || ~ *vn.* сму-щаться, -титься.
flute (флӯт) *s.* флейта; (*arch.*) канелюра.
flutter (фла'тёр) *s.* порхание; трепетание; (*waving*) развевание; (*haste*) торопливость *f.*; (*excitement*) волнение; (*confusion*) смущение, смятение; (*gamble*) спекуляция || ~ *va.* махать (чем); приводить, -вести в замешательство; волновать || ~ *vn.* порхать; раз-веваться, -веяться.
fluvial (флӯ'виёл) *a.* речной.
flux/ (флакс) *s.* течение; (*of tide*) прилив; (*med.*) понос || **-ion** (фла'кшён) *s.* (*math.*) диференциал.
fly/ (флай) *s.* (*insect*) муха; (*flight*) лёт, полёт; (*cab*) одноконный экипаж || **the flies** *spl.* (*theat.*) софиты *mpl.* || ~ *a.* (*fam.*) хитрый; сведущий || ~ *va.irr.* (*to cause to ~*) за-ставлять, -ставить лететь; (*to flee from*) из-бегать, -бегнуть; (*a flag*) под-нимать, -нять || **to ~ a kite** пус-кать, -тить летучий змей || ~ *vn.irr.* лет-ать, -еть; (*of a flag*) развеваться; (*run away*) бежать, убегать; (*of time*) про-ходить, -йти; (*of news*) распростран-яться, -иться; раз-носиться, -нестись || **to ~ at** налет-ать, -еть || **to let ~** бросаться, броситься на кого; выстреливать, выстрелить || **to ~ high** быть честолюбивым || **to ~ in the face of** ослушаться || **to ~ into a passion** разгневаться; сердиться, рас- || **to ~ open** распахнуться || **-bitten** *a.* запачканный мухами || **-blown** *a.* засиженный мухами || **-catcher** *s.* мухоловка || **~-fishing** *s.* ужение мухой.
flying/ (флай'инг) *a.* летучий; (*of flags*) развевающийся || **~ buttress** контрфорс, подпора || **~ column** летучий отряд || **~ fish** летучая рыба || **~-machine** аэроплан || **~-man** лётчик.
fly/leaf (флай'-лийф) *s.* чистый листок бумаги в начале *или* конце книги || **-sheet** *s.* циркуляр || **-wheel** *s.* маховое колесо; маховик.
foal (фоул) *s.* жеребёнок || ~ *vn.* жеребиться, о-.
foam (фоум) *s.* пена; (*on horse*) мыло || ~ *vn.* пениться; быть в мыле || **to ~ with rage** кипеть яростью; беситься.
fob (фоб) *s.* маленький карман (для часов) || ~ *va.* дурачить; обманывать || **to ~ off** попусту обнадёживать; надуть || **to ~ off on one** на-вязывать, -вязать.
foc/al (фоу'кёл) *a.* фокусный || **-us** *s.* фокус || ~ *va.* ставить в фокус; устан-авливать, -овить на фокус.
fo'c'sle (фоу'ксл) *s.* (*mar.*) бак.
foe (фоу) *s.* враг, неприятель *m.*
fodder (фо'дёр) *s.* корм.
foet/al (фий'тёл) *a.* зародышевый; утробный || **-us** *s.* зародыш; зачаток.
fog (фог) *s.* туман || ~ *va.* туманить, за-.
fogey (фоуги) *s.* старомодный человек || ~ **strange old ~** чудак.
fog/giness (фо'г-инэс) *s.* туманность *f.* || **-gy** (-и) *a.* туманный; неясный || **~-horn** *s.* сирена || **~-signal** *s.* (*mar.*) туманный сигнал; (*rail.*) сигнальная петарда.
foible (фой'бл) *s.* слабость *f.*; слабая сторона.
foil (фойл) *s* (*metal*) оловянная *или* металлическая пластинка; (*of a gem*) фольга; (*in fencing*) рапира; (*fig.*) всё, что увеличивает блеск *или* возвышает красоту || ~ *va.* по-беждать, -бедить; уничт-ожать, -ожить; (*plans*) раз-рушать, -рушить.
foist (фойст) *va.*, **to ~ on one** на-вязывать, -вязать.
fold (фоулд) *s.* складка, сгиб; (*for cattle*) загородка; (*fig.*) паства || ~ *va.* (*of sheep*) вгонять, вогнать в загородку; (*double*) складывать, сложить; сгибать, согнуть; (*clasp*) об-нимать, -нять; (*one's arms*) скрещивать, скрестить.

folding/ (фо̄у'лдинг) *a.* складно́й || **~-bed** складна́я крова́ть || **~-chair** складно́й стул || **~-doors** *spl.* ство́рчатая дверь || **~-screen** складны́е ши́рмы || **~-stool** складно́й стул.

fol/iage (фо̄у'ли-идж) *s.* листва́; ли́стья *pl.* || **-iation** (-эй'шн) *s.* выбива́ние в листы́ || **-io** (-оу) *s.* фолиа́нт.

folk/ (фо̄ук) *s.* наро́д; лю́ди *mpl.* || **-lore** *s.* фо́льклор.

follow/ (фо'лоу) *va.* сле́довать, следи́ть (за кем); (*pursue*) пресле́довать; (*watch*) наблю-да́ть, -сти́; (*understand*) по-нима́ть, -ня́ть; (*side with*) станови́ться, стать на чью сто́рону; (*result from*) сле́довать, по-; (*obey*) слу́шаться, по-; (*a calling*) занима́ться (чем) || **to ~ up** (*an advantage*) испо́льзовать || **to ~ suit** (*at cards*) ходи́ть, пойти́ в ту́ же масть || **~** *vn.* происходи́ть, произойти́; (*result*) вытека́ть, вы́течь || **as -s** сле́дующим о́бразом || **-er** *s.* после́дователь *m.*; подража́тель *m.*; партиза́н || **-ing** *s.* сви́та; дружи́на.

folly (фо'ли) *s.* безрассу́дство, безу́мие; глу́пость *f.*

foment (фоумэ'нт) *va.* (*med.*) припа́р-ивать, -ить; при-ма́чивать, -мочи́ть; (*fig.*) (*to instigate*) подстрек-а́ть, -ну́ть.

fond/ (фонд) *a.* (*loving*) лю́бящий, стра́стный; (*indulgent*) не́жный; (*foolish*) дура́цкий || **-le** *va.* ласка́ть; не́жить || **-ling** *s.* люби́мец; ба́ловень *m.* || **-ness** *s.* не́жность *f.*; стра́стная любо́вь; снисходи́тельность *f.*

font (фонт) *s.* купе́ль *f.*

food (фӯд) *s.* пи́ща; (*for animals*) корм.

fool/ (фӯл) *s.* глупе́ц; дура́к; (*mediæval*) шут || **to make a ~ of** дура́чить, о- кого́ || **to make a ~ of o.s.** де́латься, с- посме́шищем || **to play the ~** дура́читься || **~'s paradise** обма́нчивое сча́стие || **~** *va.* дура́чить, о-; (*to cheat*) на-дува́ть, -ду́ть || **to ~ away** (*one's money*) транжи́рить, рас- || **-ery** *s.* глу́пость *f.*; дура́чество || **-hardiness** *s.* безрассу́дная сме́лость || **-hardy** *a.* безрассу́дно сме́лый; безу́мно отва́жный || **-ish** *a.* дура́цкий; глу́пый; (*ill-judged*) неблагоразу́мный; (*contemptible*) смешно́й || **-ishness** *s.* глу́пость *f.* || **-scap** *s.* бума́га большо́го форма́та.

foot/ (фут) *s.* (*pl.* **feet,** фийт) нога́; (*measure*) фут; (*poetry*) стопа́; (*fig.*) (*base*) подно́жие; (*of a mountain*) подо́шва; (*of a bed*) изно́жье; (*of a table, chair, etc.*) но́жка; (*mil.*) пехо́та, инфанте́рия || **on ~** пешко́м || **to put one's ~ in it** (*fig.*) ошиба́ться; осрам-ля́ть, -и́ть себя́ || **~** *va.* (*to tread*) ступ-а́ть, -и́ть на; ста́вить, поно́гу на; (*to add up*) сос-чи́тывать, -чита́ть || **to ~ a bill** у-пла́чивать, -плати́ть по счёту || **to ~ it** (*fam.*) итти́ пешко́м || **-ball** *s.* (*the game*) игра́ в фу́тбол; (*the ball*) фу́тбол || **-board** *s.* подно́жка || **~brake** *s.* ножно́й то́рмоз || **-bridge** *s.* пешехо́дный мост || **-er** *s.* (*fam.*) игра́ в фу́тбол || **-fall** *s.* шаг, звук шаго́в || **-hill** *s.* (*Am.*) подго́рок; предго́рие || **-hold** *s.* ме́сто куда́ мо́жно поста́вить но́гу || **-ing** *s.* ме́сто, опо́ра для ног; (*foundation*) основа́ние; (*state*) положе́ние || **on a good ~** на хоро́шей ноге́ || **on a war ~** на вое́нном положе́нии || **-lights** *spl.* (*theat.*) ра́мпа || **-man** *s.* (*servant*) лаке́й; (*mil.*) пехоти́нец, инфантери́ст || **-mark** *s.* след (ноги́) || **-pad** *s.* разбо́йник || **-path** *s.* тропа́, тропи́нка; тротуа́р || **-print** *s.* след (ноги́), стопа́ || **-soldier** *s.* пехоти́нец, инфантери́ст || **-step** *s.* след (ноги́) || **-stool** *s.* скаме́йка; подно́жка || **-warmer** *s.* гре́лка для ног || **-way** *s.* пешехо́дная доро́га.

fop/ (фоп) *s.* франт, фат; щёголь *m.* || **-pery** *s.* фатовство́; щегольство́ || **-pish** *a.* фатова́тый; щеголева́тый.

for (фо̄р) *prp.* для; (*instead of*) за; (*with a view to*) для; (*notwithstanding*) несмотря́ на что; (*considering*) в уваже́ние; (*towards*) к, в; (*from*) из; о; (*during*) в продолже́ние, в тече́ние || **~ all the world** то́чно как || **~ your sake** ра́ди вас || **~ fear** из стра́ха || **~ the most part** бо́льшею ча́стью || **~** *c.* потому́ что; так как.

forage/ (фо'ридж) *s.* фура́ж || **~** *vn.* фуражи́ровать || **~-cap** *s.* фура́жка.

forasmuch (форӑзма'ч) *c.*, **~ as** потому́ что.

foray (фо'рэй) *s.* набе́г; вторже́ние || **~** *vn.* гра́бить о-; вторга́ться, вто́ргнуться.

forbad(e) (форбӑ'д) *cf.* **forbid.**

forbear/ (форбӑ'р) *vn.* воз-де́рживать, -держа́ть || **-ance** *s.* снисходи́тельность *f.*; возде́ржность *f.* || **-ing** *a.* терпели́вый; снисходи́тельный; кро́ткий.

forbears (фо̄'рбӑрз) *spl.* пре́дки *mpl.*

forbid/ (форби'д) *va.irr.* запре-ща́ть, -ти́ть; воспре-ща́ть, -ти́ть || **-ding** *a.* (*repulsive*) отврати́тельный.

forbore (форбо̄'р) *cf.* **forbear.**

force/ (фо̄рс) *s.* си́ла, кре́пость *f.*; (*violence*) наси́лие; (*coersion*) принужде́ние; (*meaning*) значе́ние; (*mil.*) ро́та; (*jur.*) си́ла, де́йствие || **-s** *spl.* (*mil.*) войска́ *npl.* || **the ~** городовы́е *mpl.* || **by ~** си́лой; наси́льно || **by main ~** всёю си́лою || **in ~** (*jur.*) де́йствующий; име́ющий зако́нную си́лу; (*numerous*) многочи́сленный || **~** *va.* (*constrain*) при-нужда́ть, -ну́дить;

(*a confession*) вынужда́ть, вы́нудить; (*push*) толк-а́ть, -ну́ть; (*ravish*) наси́ловать, из-; (*distort*) перековéрк-ивать, -ать; (*break open*) взла́мывать, взлома́ть || **to ~ back** отброса́ть || **to ~ open** взлома́ть || **-d march** форси́рованный марш || **-ful** *a.* си́льный; кре́пкий; стреми́тельный || **-meat** *s.* мясно́й фарш. [пинцéт.

forceps (фо̄'рсэпс) *s.* щи́пчики *mpl.*;

forcible (фо̄'рсибл) *a.* (*powerful*) си́льный; (*by force*) наси́льственный; (*impressive*) побуди́тельный; имéющий си́льное дéйствие.

forcing-house (фо̄'рсинг-хаус) *s.* тепли́ца.

ford/ (фо̄'рд) *s.* брод || **~** *va.* пере-ходи́ть, -йти́ в брод || **-able** *a.* переходи́мый в брод.

fore/ (фо̄'р) *s.* перéдняя ча́сть; ((*of ship*) носова́я часть; нос || **to the ~** вперёд || **~** *a.* перéдний, передово́й || **~** *ad.* (*mar.*) с но́са || **~** *int.* (*golf*) берегíсь! || **-arm** *s.* предплéчье || **~** *va.* вооружа́ть зара́нее || **-bode** (форбо̄у'д) *va.* (*foretell*) пред-веща́ть, -вести́ть; (*to portend*) предзнаменова́ть; (*foreknow*) предчу́вствовать || **-boding** (форбо̄у'динг) *s.* предзнаменова́ние; предчу́вствие || **-cast** *s.*, **weather ~** бюллетéнь метеорологи́ческий || **~** *va.* (*foretell*) пред-ска́зывать, -сказа́ть: (*to plan*) за-мышля́ть, -мы́слить || **-castle** *s.* (*mar.*) бак; полуба́к || **-closure** *s.* отка́з за про́пуском сро́ка || **-father** *s.* прéдок || **~-fathers** *spl.* пра́отцы *mpl.*; прароди́тели *mpl.* || **-fend** *va.*, **Heaven ~!** не дай Бог! || **-finger** *s.* указа́тельный па́лец || **-foot** *s.* перéдняя нога́ || **-gather** *vn.* со-бира́ться, -бра́ться || **-go** *va.irr.* от-ка́зываться, -каза́ться от чего́ || **-going** *a.* предыду́щий || **-gone** *cf.* **forego: a ~ conclusion** дéло извéстное || **-ground** *s.* перéдняя часть; пéрвый план || **-head** (фо'рид) *s.* лоб.

foreign/ (фо'рин) *a.* иностра́нный; чужо́й; загрaни́чный; (*irrelevant*) посторо́нний || **the Foreign Office** министéрство иностра́нных дел || **-er** *s.* иностра́нец, иностра́нка.

fore/knowledge (фо̄рно'лидж) *s.* предви́дение; предведéние || **-land** (фо̄'рлӓнд) *s.* мыс, нос || **-leg** *s.* перéдняя нога́ || **-lock** *s.*, **to take time by the ~** воспо́льзоваться слу́чаем || **-man** *s.* (*overseer*) надсмо́трщик; (*of a jury*) старшина́ || **-mast** *s.* фокма́чта || **-mentioned** *a.* вышеупомя́нутый, вышеименóванный || **-most** *a.* пéрвый, первéйший; передово́й || **first and ~** во-пéрвых || **head ~** вниз, торчмя́ голово́ю || **-noon** *s.* у́тро; врéмя до полу́дня.

forensic (форэ'нсик) *a.* юриди́ческий; судéбный.

fore/ordain (фо̄р-ордэ̄й'н) *va.* предопредел-я́ть, -и́ть; предназ-нача́ть, -на́чить || **-part** *s.* перéдняя часть; перéд || **-runner** *s.* (*messenger*) предвéстник; (*harbinger*) предзнаменова́ние; (*ancestor*) пра́отец || **-sail** *s.* фок || **-see** *va.&n.irr.* предви́деть || **-shadow** *va.* предзнаменова́ть || **-shore** *s.* взмо́рье || **-sight** *s.* предведéние; предусмотри́тельность *f.*; (*of gun*) му́шка || **-skin** *s.* кра́йняя плоть.

forest (фо'рист) *s.* лес.

fore/stall (фо̄рсто̄'л) *va.* предупре-жда́ть, -ди́ть || **-stay** (фо̄'рстэ̄й) *s.* фокшта́г.

forest/er (фо'рист-ёр) *s.* лесни́к, лесни́чий, лесовщи́к || **-ry** *s.* лесово́дство.

fore/taste (фо̄'ртэ̄йст) *s.* предвкушéние || **-tell** (фо̄ртэ'л) *va.&n.irr.* пред-ска́зывать, -сказа́ть; пред-веща́ть, -вести́ть || **-thought** *s.* предусмотри́тельность *f.*; предведéние || **-told** (фо̄рто̄у'лд) *cf.* **-tell** || **-top** *s.* форма́рс.

forever (форэ'вёр) *ad.* навсегда́. [-éчь.

forewarn (фо̄руо̄'рн) *va.* предостер-ега́ть,

forewoman (фо'руума̄н) *s.* надсмо́трщица, надзира́тельница.

foreword (фо̄'руёрд) *s.* предисло́вие.

forfeit/ (фо̄'рфит) *s.* (*deprivation*) потéря, конфиска́ция; (*fine*) штраф, пéня; (*in games*) фант; (*in pl.*) игра́ в фа́нты || **~** *a.* конфиско́ванный; приговорённый к штра́фу || **~** *va.* потеря́ть пра́во на; лиш-а́ться, -и́ться; пожéртвовать || **-ure** (-чёр) *s.* конфиска́ция: лишéние; штраф.

forgave (форгэ̄й'в) *cf.* **forgive.**

forg/e (фо̄'рдж) *s.* ку́зница, кова́льня || **~** *va.* кова́ть, с-; (*fig. to counterfeit*) поддéл-ывать, -ать; (*to invent*) выду́мывать, вы́думать || **~** *vn.*, **to ~ ahead** по-двига́ться, -дви́нуться вперёд || **-er** *s.* поддéлыватель *m.*; (*coiner*) фальши́вый монéтчик, монéтный поддéльщик || **-ery** *s.* поддéлка; подло́г; фальсифика́ция.

forget/ (фёргэ'т) *va.&n.irr.* за-быва́ть, -бы́ть || **-ful** *a.* забы́вчивый || **-fulness** *s.* забы́вчивость *f.*; (*oblivion*) забвéние; (*negligence*) невнима́ние || **~-me-not** *s.* незабу́дка.

forgiv/able (фёрги'в-ёбл) *a.* прости́тельный || **-e** (-) *va.&n.irr.* про-ща́ть, -сти́ть; (*sins*) отпус-ка́ть, -ти́ть || **to ~ a debt** проща́ть, -сти́ть долг || **-eness** *s.* прощéние; отпущéние || **-ing** *a.* снисходи́тельный, милосéрдый.

forgot (фёрго'т), **forgotten** (фёрго'тн) *cf.* **forget.**

fork/ (фōрк) *s.* (*table*) ви́лка; (*small*) ви́лочка; (*for hay, etc.*) ви́лы *fpl.*; (*bifurcation*) разветвле́ние, раздвое́ние || ~ *va.* под-нима́ть, -ня́ть на ви́лы || **to ~ out** (*fam.*) дава́ть, дать де́ньги || ~ *vn.* раздва́иваться, -дво́иться; разветв-ля́ться, -и́ться || **-ed** *a.* раздвое́нный; развили́стый.

forlorn (фёрлō'рн) *a.* (*abandoned*) поки́нутый; одино́кий; (*helpless*) беспо́мощный; (*miserable*) уны́лый || **~ hope** отво́дный карау́л.

form/ (фōрм) *s.* фо́рма; (*shape*) о́браз; (*arrangement*) распоряже́ние; (*mould*) лите́йная фо́рма; (*blank* ~) бланк; (*order*) поря́док; (*appearance*) вид; (*ceremony*) обря́д, форма́льность *f.*; (*mode*) обы́чай; (*seat*) скамья́; (*class*) класс || **for ~'s sake** для фо́рмы, для ви́да || **in due ~** надлежа́ще || **to be in good ~** быть здоро́вым || ~ *va.* (*to shape*) формирова́ть; образ-о́вывать, -ова́ть; (*to arrange*) устра́ивать, -о́ить; (*to create*) созд-ава́ть, -а́ть; произ-води́ть, -вести́; (*a design*) принима́ть, -ня́ть; (*to train*) вос-пи́тывать, -пита́ть || ~ *vn.* образ-о́вываться, -ова́ться; соста́виться || **-al** *a.* форма́льный; (*ceremonious*) церемо́нный; (*precise*) аккура́тный || **-ality** (формӑ'лити) *s.* форма́льность *f.*; обря́д, церемо́ния || **-ation** *s.* образова́ние, составле́ние; (*geol.*) форма́ция.

former/ (фō'рмēр) *a.* (*preceding*) пе́рвый, пре́жний, предыду́щий; (*past*) бы́вший || **-ly** *ad.* пре́жде; не́когда.

formic (фō'рмик) *a.* муравьи́ный || **~ acid** муравьи́ная кислота́.

formidable (фō'рмидēбл) *a.* гро́зный, стра́шный.

formul/a (фō'рмюл-ē), (*pl.* **-æ**, -ий) *s.* фо́рмула || **-ate** (-эйт) *va.* формули́ровать.

fornicat/e (фō'рникэйт) *vn.* блуди́ть || **-ion** *s.* блуд.

forsake (фёрсэ̆й'к) *va. irr.* (*abandon*) о-ставля́ть, -ста́вить; по-кида́ть, -ки́нуть; (*habits, etc.*) бро́сить.

forsooth (форсӯ'ҍ) *ad.* пои́стине.

forswear (фёрсуӑ'р) *va.irr.* за-ка́иваться, -ка́яться; от-река́ться, -ре́чься; от-ка́зываться, -каза́ться || **to ~ o.s., to be forsworn** ло́жно кля́сться; учини́ть ло́жную прися́гу.

fort (фōрт) *s.* кре́пость *f.*

forte (фōрт, фō'рти) *s.* си́льная сторона́.

forth/ (фōрҍ) *ad.* (*further*) да́лее; (*outside*) вон; (*forwards*) вперёд || **and so ~** и так да́лее || **from now ~** отны́не || **~!** прочь! || **-coming** (-ка'минг) *a.* гряду́щий; гото́вый предста́ть || **to be ~** проявл-ля́ться, -и́ться || **-with** *ad.* то́тчас.

fortieth (фō'ртиёҍ) *a.* сороково́й.

fortif/ication (фōртификэ̆й'шн) *s.* укрепле́ние; (*science*) фортифика́ция; (*fortress*) кре́пость *f.* || **-y** (фō'ртифай) *va.* укреп-ля́ть, -и́ть; подкреп-ля́ть, -и́ть; (*fig. to encourage*) обод-ря́ть, -ри́ть.

fortitude (фō'ртитӣд) *s.* му́жество, си́ла души́.

fortnight/ (фō'ртнайт) *s.* две неде́ли || **a ~ ago** две неде́ли тому́ наза́д || **this day ~** че́рез две неде́ли || **-ly** *a.* двухнеде́льный.

fortress (фō'ртрис) *s.* кре́пость *f.*

fortuitous (фортӣ'итёс) *a.* случа́йный.

fortunate/ (фō'рчёнёт) *a.* счастли́вый; уда́чный || **-ly** *ad.* к сча́стию.

fortune/ (фō'рчён) *s.* (*luck*) сча́стье; (*chance*) случа́йность *f.*; (*success*) уда́ча; (*fate*) судьба́, у́часть *f.*; (*wealth*) доста́ток, бога́тство; (*dowry*) прида́ное || **good ~** сча́стье || **ill ~** несча́стье, неуда́ча || **by good ~** к сча́стью || **to make one's ~** нажива́ть состоя́ние || **~-hunter** *s.* челове́к, гоня́ющийся за бога́той неве́стой; авантюри́ст || **~-teller** *s.* ворожея́; гада́льщик || **~-telling** *s.* гада́ние.

forty (фō'рти) *a.* со́рок.

forum (фō'рём) *s.* фо́рум.

forward/ (фō'руёрд) *a.* (*advanced*) вы́двинутый; (*early*) скоросп́елый; преждевре́менный; (*pert*) де́рзкий || ~ *ad.* вперёд, впереди́; успе́шно || **from this time ~** отны́не || **~!** вперёд! || ~ *va.* (*urge on*) торопи́ть, по-; ускор-я́ть, -и́ть; (*promote*) спосо́бствовать, по-; (*to send*) от-правля́ть, -пра́вить || **-ing** *s.* отправле́ние || **~-agent** отправи́тель *m.*; экспеди́тор || **-ness** *s.* поспе́шность *f.*; скоросп́елость *f.*; (*pertness*) де́рзость *f.* || **-s** *ad.* вперёд.

fosse (фос) *s.* ров, кана́ва.

fossil/ (фо'сил) *a.* ископа́емый || ~ *s.* ископа́емое; (*fig.*) отупе́вший челове́к || **-ize** *va.&n.* камене́ть; (*fig.*) тупе́ть, о-.

foster/ (фо'стēр) *va.* (*nourish*) корми́ть; (*bring up*) воспи́тывать, -пита́ть; (*promote*) спосо́бствовать, по-; (*harbour*) пита́ть || **~-brother** *s.* моло́чный брат || **~-child** *s.* приёмыш || **~-father** *s.* воспита́тель *m.*; приёмный оте́ц || **~-mother** *s.* приёмная мать; корми́лица || **~-parents** *s.* воспита́тели *mpl.* || **~-sister** *s.* моло́чная сестра́.

fought (фōт) *cf.* **fight.**

foul (фаул) *s.* (*in racing*) столкнове́ние || ~ *a.* нечи́стый; гря́зный; (*muddy*) му́тный; (*smelling*) воню́чий; (*obscene*) непристо́йный; (*odious*) га́дкий; гну́сный;

(*dishonest*) нечестный; (*stormy*) дурной; (*of a wind*) противный || **to fall, to run ~ of** набегать, набежать на || **~ copy** черновик || **~ dealings** низость *f.*; предательство || **by fair means or ~** волей-неволей || **~ weather** буря, непогода || **~** *va.* пачкать, ис-; марать, за-; (*mar.*) набегать, набежать на что || **~** *vn.* (*to collide*) столкнуться.

foulard (фула'рд) *s.* фуляр.

foul/mouthed (фау'лмаубид) *a.* сквернословный || **-ness** *s.* грязь *f.*; скверность *f.*; гнусность *f.*

found/ (фаунд) *cf.* **find** || **~** *va.* (*metals*) лить; (*establish*) учре-ждать, -дить; основывать, -новать; (*base*) основывать, основать || **-ation** *s.* учреждение; (*arch.*) фундамент; (*basis*) основание; (*origin*) источник; (*institution*) заведение, институт || **~-stone** краеугольный камень || **-er** *s.* основатель *m.*; учредитель *m.* || **~** *vn.* пойти ко дну; (*of horses*) иметь разбитые ноги || **-ling** *s.* найдёныш || **-ress** *s.* основательница, учредительница || **-ry** *s.* плавильня; литейная.

fount (фаунт) *s.* (*poet.*) фонтан; источник.

fountain/ (фау'нтин) *s.* фонтан; источник || **~-head** источник; (*fig.*) начало || **~-pen** неиссякаемое перо (с резервуаром для чернил).

four/ (фōр) *s.*, **on all -s** на четвереньках || **~** *a.* четыре || **-fold** *a.* четверной || **~** *ad.* вчетверо; четырежды || **~-in-hand** *s.* четвёрка (лошадей) || **~-legged** *a.* четвероногий || **-pence** *s.* четыре пенса || **~-poster** *s.* кровать с балдахином || **-score** *a.* восемьдесят || **-teen** *a.* четырнадцать || **-teenth** *s.* четырнадцатый || **-th** *s.* четверть *f.*; четвёртая часть || **~** *a.* четвёртый || **-thly** *ad.* в четвёртых || **~-wheeler** *s.* четырёхколёсный экипаж.

fowl/ (фау'л) *s.* (*pl.* ~) (*bird*) птица, курица; (*poultry*) домашние птицы, живность *f.* || **~** *vn.* стрелять птиц || **-er** *s.* птицелов || **-ing-piece** *s.* охотничье ружьё.

fox/ (фокс) *s.* лиса, лисица || **cunning, sly ~** (*fig.*) хитрый человек, хитрец, лукавец || **-glove** *s.* напёрсточная трава || **-hound** *s.* гончая собака для охоты на лисиц || **-hunt** *s.* охота на лисиц || **-tail** *s.* лисий хвост || **-y** *a.* лисий; (*cunning*) лукавый, хитрый.

fraction/ (фрä'кшён) *s.* (*breakage*) ломание; (*piece*) частица, доля; (*math.*) дробь *f.* || **-al** *a.* дробный.

fractious (фрä'кшёс) *a.* сердитый; готовый на ссору, сварливый.

fracture (фрä'кчёр) *s.* (*med.*) перелом; (*min.*) излом || **~** *va.* переломить.

fragil/e (фрä'-джайл, -джил) *a.* (*brittle*) ломкий, хрупкий; (*weak*) слабый || **-ity** (фрäджи'лити) *s.* ломкость *f.*; хрупкость *f.*; слабость *f.*

fragment/ (фрä'гмёнт) *s.* обломок, осколок; отрывок || **-ary** *a.* отрывочный; состоящий из обломков *или* отрывков.

fragran/ce (фрэй'грёнс) *s.*, **-cy** *s.* благоухание, благовоние, аромат || **-t** *a.* душистый, благовонный.

frail/ (фрэй'л) *a.* (*brittle*) ломкий, хрупкий; (*fig.*) слабый, бренный || **-ness, -ty** *s.* слабость *f.*; бренность *f.*; (*fig.*) непостоянство.

frame/ (фрэйм) *s.* сруб; (*fabric*) остов; (*body*) тело; телосложение; (*skeleton*) остов; (*system*) система; (*case*) корпус; (*of a picture*) рама; (*of a window*) оконница || **~ of mind** расположение духа || **~** *va.* (*construct*) сооружать, -дить; строить; (*express*) сочин-ять, -ить; (*plan*) за-мышлять, -мыслить; (*conceive*) выдумывать, выдумать; (*a picture*) вставлять, вставить в рамку || **-work** *s.* остов, рама.

franc (фрäнгк) *s.* франк.

franchise (фрä'нчайз) *s.* привилегия; избирательное право.

frangible (фрä'нджибл) *a.* ломкий, хрупкий.

frangipane (фрä'нджипэйн) *s.* (*perfume*) жасминные духи; (*pastry*) миндальное пирожное.

frank/ (фрäнгк) *a.* откровенный; искренний || **~** *va.* франкировать || **-ness** *s.* откровенность *f.*; прямодушие.

frankincense (фрä'нгкинсэнс) *s.* ладан.

frantic (фрä'нтик) *a.* бешеный; неистовый.

frater/nal (фрётё'рнёл) *a.* братский || **-nity** *s.* братство; братия || **-nize** (фрä'тёрнайз) *vn.* брататься.

fratricide (фрä'трисайд) *s.* (*crime*) братоубийство; (*murderer*) братоубийца *m.*

fraud/ (фрōд) *s.* обман; (*person*) мошенник || **-ulence** (-юлёнс) *s.* обман; мошенничество || **-ulent** (-юлёнт) *a.* мошеннический; (*forged*) подложный; (*of a bankrupt*) злостный.

fraught (фрōт) *a.* (*laden*) нагружённый; (*abounding*) полный.

fray (фрэй) *s.* ссора; (*brawl*) драка; (*fight*) битва || **~** *va.* тереть, по-; (*clothes*) изнашивать, -носить.

frazzle (фрä'зл) *s.* (*fam.*) истощение || **to a ~** доупаду.

freak/ (фрийк) *s.* (*caprice*) прихоть *f.*; каприз || **~ of nature** урод || **-ish** *a.* причудливый; прихотливый.

freckle (фрэкл) *s.* веснушка || ~ *va.* покрывать веснушками.

free/ (фрий) *a.* свободный, вольный; (*independent*) независимый; (*open*) доступный; (*public*) публичный; (*gratuitous*) даровой; бесплатный; (*voluntary*) добровольный; (*of manners*) свободный, развязный; (*candid*) откровенный; открытый; (*liberal*) щедрый; (*impudent*) дерзкий || **to set ~** освобо-ждать, -дить || **~ from care** беззаботный || **to make ~ with** распоряжаться без разрешения || **~ and easy** без стеснения || **a ~ fight** драка || ~ *va.* освобо-ждать, -дить; отпус-кать, -тить на волю || **-booter** *s.* разбойник; пират || **-born** *a.* свободорождённый || **-dman** *s.* отпущенник || **-dom** *s.* (*liberty*) свобода; воля; (*familiarity*) фамильярность *f.*; (*exemption*) освобождение (от чего), льгота; (*privilege*) привилегия || **~ of a city** права гражданства, почётное гражданство || **-hand** *a.*, **~ drawing** рисование от руки || **-handed** *a.* щедрый || **-hearted** *a.* (*frank*) откровенный; (*liberal*) щедрый || **-hold** *s.* белое поместие || **-holder** *s.* владелец белого поместия || **-man** *s.* свободный человек; (*of a city*) гражданин || **-mason** *s.* масон || **-masonry** *s.* масонство || **-ness** *s.* свобода; откровенность *f.*; щедрость *f.* || **-spoken** *a.* откровенный || **-stone** *s.* плитняк; песчаник || **-thinker** *s.* вольнодумец || **-thought** *s.* вольнодумство || **~-trade** *s.* свободная торговля || **~-wheel** *s.* свободное колесо || **~-will** *s.* свободная воля.

freez/e (фрийз) *va.irr.* замор-аживать, -озить; морозить || ~ *vn.* мёрзнуть; замерзать, -мёрзнуть || **to ~ on to** (*fam.*) держать, не выпускать || **-ing** *s.* замерзание || **~ machine** машина для замораживания || **~ mixture** охлаждающая смесь || **~ point** точка замерзания || ~ *a.* (*fig.*) ледяной, морозный.

freight/ (фрэйт) *s.* (*cargo*) груз; фрахт; (*carriage*) плата за провоз, фрахт, фрахтовые деньги || ~ *va.* зафрахтовать; (*to load*) грузить, на- || **~-train** *s.* товарный поезд.

French/ (фрэнч) *s.* французский язык || ~ *a.* французский || **to take ~ leave** уйти не простившись || **-ify** (-ифай) *va.* офранцузить || **-man** *s.* француз || **~-window** *s.* стеклянные двустворчатые двери *fpl.*

frenz/ied (фрэ'нзид) *a.* бешеный; безумный || **-y** *s.* безумие; бешенство.

frequen/cy (фрий'куёнси) *s.* частость *f.*; многократность *f.* || **-t** *a.* частый; многократный || ~ (фрикуэ'нт) *va.* часто посещать || **-er** (фрикуэ'нтёр) *s.* постоянный, обычный посетитель, завсегдатай.

fresco (фрэ'скоу) *s.* фреск.

fresh/ (фрэ'ш) *a.* свежий; (*new*) новый; (*of weather*) прохладный; (*recent*) недавний; (*of water*) пресный; (*not salted*) несолёный; (*fam.*) подпивший; (*Am.*) наглый || **-en** *va.* освеж-ать, -ить || ~ *vn.* свежеть || **-et** *s.* прилив, полноводие || **-man** *s.* (*Univ.*) новопоступивший студент; новичок || **-ness** *s.* свежесть *f.*; прохлада || **-water** *a.* пресноводный.

fret/ (фрэт) *s.* раздражение; (*fig.*) беспокойство; (*mus.*) лад || ~ *va.* пере-тирать, -тереть; раз'едать; (*ornament*) высекать; (*fig.*) беспокоить || ~ *vn.* беспокоиться || **to ~ and fume** кипеть яростью || **-ful** *a.* раздражительный; сердитый || **-saw** *s.* пила для ажурной работы, волосная пила || **-work** *s.* ажурная работа.

friable (фрай'ёбл) *a.* рассыпчатый; рыхлый.

friar/ (фрай'ёр) *s.* монах, чернец, инок || **-y** *s.* монастырь *m.*

fricassee (фрикёсий') *s.* фрикассе.

friction (фри'кшён) *s.* трение; (*fig.*) разлад, разногласие.

Friday (фрай'ди) *s.* пятница || **Good ~** Страстная пятница.

fried (фрайд) *cf.* **fry.**

friend/ (фрэ'нд) *s.* друг; подруга; приятель *m.* || **bosom ~** запазушный друг || **Society of Friends** квакеры *mpl.* || **-less** *a.* без друзей, не имеющий друзей || **-liness** *s.* дружелюбие, дружеское расположение || **-ly** *a.* дружеский; благосклонный; (*favourable*) благоприятный, доброжелательный || **-ship** *s.* дружба.

frieze (фрийз) *s.* фриз.

frigate/ (фри'гит) *s.* фрегат || **~-bird** *s.* фрегат (птица).

fright/ (фрайт) *s.* испуг; страх; ужас; (*fig.*) страшилище || **to take ~** пугаться, ис- || **to give one a ~** пугать, пугнуть || **-en** *va.* пугать, ис-; стращать, по- || **to ~ away, off** про-гонять, -гнать; спугивать, спугать || **-ful** *a.* страшный; ужасный || **-fulness** *s.* ужас.

frigid/ (фри'джид) *a.* холодный; ледяной || **-ity** (фриджи'дити) *s.*, **-ness** *s.* холодность *f.*

frill (фрил) *s.* брыжи *fpl.*

fringe (фриндж) *s.* бахрома; кайма; (*edge*) край.

frippery (фри'пёри) *s.* безделицы *fpl.*; дрянь *f.*

frisk/ (фри'ск) *s.* прыжок, скачок || ~ *vn.* прыгать; скакать || **-iness** *s.* весёлость

f.; ре́звость *f.* || **-y** *a.* весёлый; ре́звый; (*playful*) игри́вый; (*of a horse*) горя́чий.
frith (фриþ) *s.* у́стье, лима́н.
fritter (фри'тёр) *s.* ола́дья; (*fragment*) кусо́чек || **~** *va.* кроши́ть, на-, по-, ис- || **to ~ away** расточ-а́ть, -и́ть; (*the time*) губи́ть, по-.
frivol/ity (фриво'лити) *s.* ничто́жность *f.*; легкомы́слие || **-ous** (фри'вёлёс) *a.* (*of persons*) легкомы́сленный; (*of things*) ничто́жный, пусто́й.
frizz/(le) (фриз, фри'зл) *s.* ло́кон; кудря́ || **~** *va.* за-вива́ть, -ви́ть || **~** *vn.* за-вива́ться, -ви́ться; ви́ться || **-ly** *a.* зави́тый, взби́тый.
fro' (фро) = **from.**
fro (фрōу) *ad.*, **to and ~** взад и вперёд, туда́ и сюда́.
frock/ (фрок) *s.* (*of monks*) ря́са; (*dress*) пла́тье; (*child's*) де́тское пла́тьице || **~-coat** *s.* сюрту́к.
frog/ (фрог) *s.* (*zool.*) лягу́шка; (*horse's*) стре́лка || **~-eater** *s.* (*fam.*) францу́з.
frolic/ (фро'лик) *s.* прока́зы *fpl.*; ша́лость *f.* || **~** *vn.* шали́ть, на-; резви́ться, по- || **-some** *a.* весёлый, игри́вый, шаловли́вый.
from (фром) *prp.* из; от; по; с; (*since*) со вре́мени; (*on account of*) о, об || **~ above** све́рху || **~ beneath** сни́зу || **~ a child** с де́тства || **~ home** вне до́ма || **~ hence** отсю́да || **~ thence** отту́да || **~ within** изнутри́ || **~ without** извне́ || **~ time to time** от вре́мени до вре́мени.
frond (фронд) *s.* лист; листва́.
front/ (франт) *s.* (*of a building*) фаса́д; (*forehead*) лоб; (*face*) лицо́; (*mil.*) фронт || **in ~** впереди́ || **in ~ of** напро́тив || **~** *a.* пере́дний; лицево́й; (*of doors, stairs, etc.*) пара́дный || **~** *va.* (*to face*) стать лицо́м к лицу́; сме́ло наступ-а́ть, -и́ть || **~** *vn.* пря́мо находи́ться напро́тив (чего́) || **-age** *s.* фаса́д || **-al** *s.* (*arch.*) фронто́н || **-ier** *s.* грани́ца || **-ispiece** *s.* (*of book*) загла́вная карти́на; (*of buildiug*) фаса́д || **-let** *s.* повя́зка.
frost/ (фрōст) *s.* моро́з; (*fig.*) холо́дность *f.*; (*fam.*) (*failure*) неуда́ча, фиа́ско || **~** *va.* по-крыва́ть, -кры́ть и́неем; (*of hair*) де́лать, с-седы́м || **-bite** *s.* отмора́живание; отморо́женное ме́сто || **-bitten** *a.* отморо́женный || **-bound** *a.* замёрзлый || **-ed** *a.* покры́тый и́неем; (*of glass*) ма́товый || **-iness** *s.* моро́зность *f.*; (*fig.*) холо́дность *f.* || **-y** *a.* моро́зный: (*of hair*) седо́й; (*fig.*) холо́дный.
froth/ (фрōþ) *s.* пе́на; (*idle talk*) пуста́я болтовня́ || **~** *vn.*, **to ~ up** пе́ниться, вс- || **-y** *a.* пе́нистый; (*fig.*) пусто́й.
froward (фрōу'уёрд) *a.* своенра́вный, упря́мый, непослу́шный.
frown/ (фраун) *s.* нахму́ривание (брове́й); нахму́ренный вид || **~** *vn.* хму́риться; нахму́риваться; име́ть угрю́мый вид || **to ~ at, upon** не одобря́ть, одо́брить || **-ing** *a.* (*fig.*) угрю́мый.
frowzy (фрау'зи) *a.* неря́шливый, неопря́тный.
froze (фрōуз) *cf.* **freeze.**
frozen (фрōу'зн) *a.* замёрзший; отморо́женный; (*fig.*) холо́дный, ледяно́й.
fructify (фра'ктифай) *va.* оплодотвор-я́ть, -и́ть || **~** *vn.* при-носи́ть, -нести́ плоды́.
frugal/ (фрӯ'гёл) *a.* уме́ренный, возде́ржный; (*economical*) бережли́вый || **-ity** (фрӯга̄'лити) *s.* уме́ренность *f.*; возде́ржность *f.*; бережли́вость *f.*
fruit/ (фрӯт) *s.* плод, фрукт; (*fig.*) (*produce*) произведе́ние; (*result*) после́дствие || **to bring, to bear ~** (*fig.*) при-носи́ть, -нести́ по́льзу || **-s** *spl.* (*fig.*) дохо́ды *mpl.* || **-erer** *s.* торго́вец фру́ктами || **-ful** *a.* плодоно́сный; (*of soil, year*) плодоро́дный; (*fig.*) плодови́тый || **-fulness** *s.* плодоро́дие; плодоро́дность *f.*; плодови́тость *f.* || **-ion** (фру-и'шн) *s.* по́льзование; (*of hopes*) реализа́ция || **-less** *a.* беспло́дный; (*useless*) бесполе́зный; (*vain*) напра́сный || **~-tree** *s.* фрукто́вое де́рево.
frump (фрамп) *s.* безвку́сно оде́тая же́нщина.
frustrat/e (фра'стрэйт) *va.* помеша́ть (чему́); (*plans*) разру́шить, сде́лать тще́тным || **-ion** *s.* пораже́ние; расстро́йство.
fry/ (фрай) *s.* (*culinary*) жа́реное; (*of fish*) мелюзга́, ры́бья мо́лодь || **small ~** (*fig.*) нева́жные лю́ди || **~** *va.* жа́рить, из- || **~** *vn.* жа́риться, из- || **-ing-pan** *s.* сковорода́ || **out of the ~ into the fire** из огня́ да в по́лымя.
fuchsia (фю'шё) *s.* фу́ксия.
fuddle (фадл) *va.&n.* напои́ть; напи́ться до́пьяна.
fudge (фадж) *s.* вздор, чепуха́ || **~** *int.* вздор! пустяки́!
fuel/ (фю'ил), **-ling** (фю'ёлинг) *s.* то́пливо.
fugitive (фю'джитив) *s.* бегле́ц || **~** *a.* бе́глый; (*transient*) скороте́чный, проходя́щий.
fugue (фюг) *s.* (*mus.*) фу́га.
fulcrum (фа'лкрём) *s.* (*tech.*) то́чка опо́ры.
fulfil/ (фулфи'л) *va.* ис-полня́ть, -по́лнить; выполня́ть, вы́полнить || **-ment** *s.* соверше́ние, исполне́ние.
fulgent (фа'лджёнт) *a.* блиста́ющий, блестя́щий, лучеза́рный.
full/ (фул) *s.* полнота́; вы́сшая сте́пень || **~** *a.&ad.* по́лный, напо́лненный, наби́тый; (*plentiful*) изоби́льный; (*satisfied*) на-

сы́щенный; сы́тый по го́рло; (*plump*) большо́й; то́лстый; (*complete*) совершенный, подро́бный; (*sonorous*) зву́чный, звонкий || ~ *va.* валя́ть (сукно́) || **~-blown** *a.* вполне́ распусти́вшийся, в по́лном бле́ске || **~-dress** *a.* пара́дный мунди́р || **-er** *s.* валя́льщик, сукнова́л || **-ing-mill** *s.* валя́льная ме́льница || **~-moon** *s.* полнолу́ние || **-ness** *s.* полнота́, избы́ток; сы́тость *f.*; доро́дство; це́лость *f.* || **~-stop** *s.* то́чка || **to come to a ~** пере-става́ть, -ста́ть || **-y** *ad.* по́лно, вполне́; (*completely*) соверше́нно; (*quite*) совсе́м.

fulmin/ant (фа'лминёнт) *a.* грему́чий; взры́вчатый || **-ate** *va&n.* взрыва́ть (-ся); греме́ть; (*fig.*) грози́ть.

ful/ness = fullness || **-some** (фу'лсём) *a.* отврати́тельный, проти́вный; возбужда́ющий тошноту́.

fumbl/e (фа'мбл) *vn.* де́лать ко́е-как; вахля́ть, кропа́ть; щу́пать, ша́рить || **-ing** *a.* нело́вкий.

fume (фю́м) *s.* дым; пар, испаре́ние; (*fig.*) гнев, вспы́льчивость *f.* || ~ *va.* копти́ть; о-ку́ривать, -кури́ть || ~ *vn.* серди́ться; гне́ваться.

fumigat/e (фю'мигэйт) *va.* о-ку́ривать, -кури́ть || **-ion** *s.* оку́ривание, куре́ние || **-or** *s.* жаро́вня для оку́ривания.

fun (фан) *s.* шу́тка, заба́ва, весе́лие || **for, in ~** ра́ди шу́тки || **to make ~ of** смея́ться, по- над кем.

function/ (фа'нгкшён) *s.* (*duty*) до́лжность *f.*; (*profession*) заня́тие, профе́ссия; (*ceremony*) церемо́ния; (*math.*) фу́нкция || *vn.* отправля́ть обя́занности; ис-правля́ть, -пра́вить до́лжность; де́йствовать || **-al** *a.* относя́щийся к отправле́ниям (органи́зма); функциона́льный || **-ary** *s.* должностно́е лицо́; чино́вник.

fund/ (фанд) *s.* (де́нежный) фонд, капита́л || **-s** *spl.* фо́нды; (*fam.*) де́ньги *fpl.* || **sinking ~** капита́л для погаше́ния долго́в || ~ *va.* консолиди́ровать.

fundament/ (фа'ндёмёнт) *s.* фунда́мент, за́дница || **-al** (фандёмэ'нтёл) *a.* основно́й, фундамента́льный.

funeral (фю'нёрёл) *s.* по́хороны *fpl.*; погребе́ние || ~ *a.* похоро́нный, погреба́льный || **~ oration, ~ sermon** надгро́бное сло́во || **~ procession** погреба́льное ше́ствие. [ный.

funereal (фюнии'риёл) *a.* печа́льный, мрач-

fungus (фа'нг-гёс) *s.* (*pl.* **fungi**, фа'нджай) гриб: грибови́дный наро́ст.

funicular (фюни'кюлёр) *a.*, **~ railway** кана́тная желе́зная доро́га.

funk/ (фангк) *s.* (*fear*) страх, испу́г; трусли́вость *f.*; (*coward*) трус || **blue ~** (*fam.*) испу́г || ~ *va&n.* боя́ться (чего́); пуга́ться || **-y** *a.* трусли́вый. [труба́.

funnel (фа'нл) *s.* воро́нка; (*mar.*) дымова́я

funny (фа'ни) *a.* (**funnily** *ad.*) смешно́й, заба́вный. [языка́; (*tech.*) на́кипь *f.*

fur (фёр) *s.* мех; шку́ра; (*med.*) обложе́ние

furbelow (фё'рбёлоу) *s.* обо́рка; фалбора́.

furbish (фё'рбиш) *va.* чи́стить, полирова́ть.

furcation (фёркэй'шн) *s.* раздвое́ние; разви́лина.

furious (фю'риёс) *a.* я́ростный, бе́шеный.

furl (фёрл) *va.* у-бира́ть, -бра́ть, крепи́ть (паруса́). [ской ми́ли.

furlong (фё'рлонг) *s.* восьма́я часть англи́й-

furlough (фё'рлоу) *s.* (*mil.*) о́тпуск || ~ *va.* дать о́тпуск.

furnace (фё'рнис) *s.* больша́я печь, горни́ло, горн || **blast ~** до́менная печь.

furnish/ (фё'рниш) *va.* (*rooms*) меблирова́ть; (*equip*) снаря-жа́ть,-ди́ть; (*provide*) снаб-жа́ть,-ди́ть (чем) || **-ed rooms** меблиро́ванные ко́мнаты || **-er** *s.* поставщи́к.

furniture (фё'рничёр) *s.* ме́бель *f.*; меблиро́вка; дома́шние принадле́жности *fpl.*

furore (фуро̄'ри) *s.* фуро́р; восто́рг.

furrier (фа'риёр) *s.* скорня́к, меховщи́к.

furrow (фа'роу) *s.* борозда́; (*on face*) морщи́на || ~ *va.* борозди́ть; мо́рщить.

furry (фа'ри) *a.* подби́тый ме́хом; мехово́й.

further/ (фё'рдёр) *a&ad.* бо́лее да́льний; дальне́йший; (*remote*) отдалённый; (*additional*) сверх того́, при том, кро́ме того́ || **~ particulars** *spl.* подро́бности де́ла || ~ *va.* споспе́шествовать; помога́ть; спосо́бствовать; благоприя́тствовать || **-ance** *s.* поспешествова́ние || **-more** *ad.* сверх того́, кро́ме того́ || **-most** *a.* са́мый отдалённый. [дальне́йший.

furthest (фё'рдист) *a.* са́мый отдалённый,

furtive (фё'ртив) *a.* скры́тый, та́йный; сде́ланный укра́дкой.

fury (фю'ри) *s.* я́рость *f.*; бе́шенство; (*woman*) фу́рия. [по́вник.

furze (фёрз) *s.* ди́кий тёрн, ди́кий тер-

fus/e (фю́з) *s.* тру́бка (грана́тная) || ~ *va.* (*melt*) пла́вить; рас-плавля́ть, -пла́вить; (*unite*) соедин-я́ть, -и́ть || ~ *vn.* пла́виться; рас-плавля́ться, -пла́виться || **-ee** (-ий') *s.* больша́я спи́чка; кони́ческий ва́лик в часа́х.

fusel-oil (фю'зил-ойл) *s.* при́гарь *f.*

fusible (фю'зибл) *a.* пла́вкий.

fusil/ier (фю́зилий'р) *s.* пехоти́нец || **-lade** *s.* расстре́ливание большо́го коли́чества люде́й.

fusion (фю'жён) *s.* плавле́ние, пла́вка; (*coalition*) соедине́ние.
fuss/ (фас) *s.* сумя́тица, шум; суета́; хло́поты *fpl.* || ~ *vn.* хлопота́ть, суети́ться || **–iness** *s.* суетли́вость *f.* || **–y** *a.* (*ad.* **fussily**) суетли́вый, хлопотли́вый.
fusty (фа'сти) *a.* спёртый, за́тхлый.
futil/e (фю'тил) *a.* пусто́й, ничто́жный; тще́тный || **–ity** (фюти'лити) *s.* тще́тность *f.*; бесполе́зность *f.*; пустота́.
future (фю'чёр) *s.* бу́дущее; гряду́щее; (*gramm.*) бу́дущее вре́мя || **in the** ~ в бу́дущем || ~ *a.* бу́дущий; гряду́щий.
fuzzy (фа'зи) *a.* пуши́стый, зави́тый.
fy (фай) *int.* тфу! фу!

G

G (джий) *s.* музыка́льная нота и ключь Ге [или Соль.
gab (гäб) *s.* болтовня́.
gabble/ (гäбл) *s.* гогота́ние; болтовня́ || ~ *vn.* болта́ть; гогота́ть, за- || **–r** *s.* болту́н, болту́нья.
gabion (гэй'биён) *s.* тур; габио́н.
gable/ (гэй'бл) *s.* щипе́ц || **~-roof** остроконе́чная кры́ша.
gad/ (гäд) *s.* зуби́ло; остриё; резе́ц || ~ *vn.*, **to ~ about** бродя́жничать; слоня́ться; шата́ться || **~-fly** *s.* о́вод; слепе́нь *m.*
gaff/ (гäф) *s.* (*hook*) баго́р; (*mar.*) га́фель *f.* || ~ *va.* зацеп-ля́ть, -и́ть багро́м || **–er** *s.* де́душка.
gag (гäг) *s.* кляп, заты́чка; (*fig.*) намо́рдник || ~ *va.* заткну́ть рот; (*fig.*) заста́вить молча́ть. [ва́ть, дать в зало́г.
gage (гэйдж) *s.* зало́г, закла́д || ~ *va.* да-
gai/ety (гэй'ити) *s.* весёлость *f.*; жи́вость *f.* || **–ly** *ad.* ве́село.
gain/ (гэйн) *s.* при́быль *f.*; вы́года; вы́игрыш || ~ *va.* приоб-рета́ть, -рести́; выи́грывать, вы́играть; добыва́ть; (*to attain*) дост-ига́ть, -и́гнуть || **to ~ ground** подвига́ться вперёд || **to ~ over** привле́чь на свою́ сто́рону || ~ *vn.* одолева́ть; богате́ть || **to ~ on** превосходи́ть; настига́ть || **–say** *va.* противоре́чить; отверга́ть.
gait (гэйт) *s.* похо́дка; (*of a horse*) аллю́р.
gaiter (гэй'тёр) *s.* гама́ша.
gala (гэй'лё) *s.* торжество́; пара́д || ~ **dress** пара́дное пла́тье. [блестя́щее собра́ние.
galaxy (гä'лäкси) *s.* мле́чный путь; (*fig.*)
gale (гэйл) *s.* си́льный ве́тер; што́рм.
gall/ (гōл) *s.* жёлчь *f.*; го́речь *f.*; (*bot.*) черни́льный оре́х; (*fig.*) зло́ба, гнев || ~ *va.* ссади́ть, натере́ть; (*to irritate*) раздража́ть; му́чить || **~-stone** *s.* жёлчный ка́мень.
gallant/ (гёлä'нт) *s.* волоки́та || ~ (гä'лёнт) *a.* (*brave*) хра́брый; (*polite*) любе́зный; (*noble*) благоро́дный; (*beautiful*) краси́вый || ~ (& гёлä'нт) *a.* (*amorous*) любо́вный || **–ry** (гä'лёнтри) *s.* хра́брость *f.*; гала́нтность *f.*
gallery (гä'лёри) *s.* галере́я.
galley/ (гä'ли) *s.* гале́ра; (*on ships*) ку́хня || **~-slave** *s.* со́сланный на гале́ры; ка́торжник.
gallinaceous (гäлинэй'шёс) *a.* кури́ный.
galling (гō'линг) *a.* неприя́тный; раздража́ющий.
gallon (гä'лён) *s.* галло́н (ме́ра жи́дкостей).
galloon (гёлӯ'н) *s.* галу́н.
gallop (гä'лёп) *s.* гало́п || **at full ~** на по́лном скаку́ || ~ *vn.* скака́ть; галопи́ровать.
gallows/ (гä'лоуз) *s.* ви́селица || **~-bird** *s.* ви́сельник.
galoche (гёло'ш) *s.* гало́ша.
galvan/ic (гäлвä'ник) *a.* гальвани́ческий || **–ism** (гä'лвёнизм) *s.* гальвани́зм || **–oscope** (гä'лвёноскоуп) *s.* гальваноско́п.
gambl/e (гä'мбл) *s.* аза́ртная игра́; спекуля́ция || ~ *vn.* игра́ть в аза́ртные и́гры; аза́ртно спекули́ровать || **to ~ away** прои́грывать, -игра́ть || **–er** *s.* записно́й игро́к; картёжник || **–ing** *s.* игра́ || **–ing-house** иго́рный дом.
gambol (гä'мбёл) *s.* прыжо́к, скачо́к || ~ *vn.* пры́гать от ра́дости; скака́ть; резви́ться.
game/ (гэйм) *s.* игра́; па́ртия; (*fun*) заба́ва; (*hunting*) дичь *f.* || **to make ~ of** надсмеха́ться над (кем) || **~-bag** *s.* ягта́ш || **~-cock** *s.* боево́й пету́х || **~-keeper** *s.* лесни́чий || **–ly** *ad.* хра́бро. [ный дом.
gaming/ (гэй'минг) *s.* игра́ || **~-house** иго́р-
gammon (гä'мён) *s.* о́корок; (*fam.*) вздор.
gamut (гä'мёт) *s.* (*mus.*) га́мма.
gander (гä'ндёр) *s.* гуса́к.
gang/ (гäнг) *s.* ку́ча; толпа́; (*of robbers*) ша́йка || **–er** *s.* ста́рший (рабо́чий) || **–way** *s.* шкафу́т; ступе́ни по бо́рту.
ganglion (гä'нг-глиён) (*pl.* **ganglia**, -глиё) *s.* не́рвный у́зел; (*surgery*) костный нарост. [то́нов ого́нь.
gangrene (гä'нг-гриин) *s.* гангре́на; ан-
gaol (джэйл) *s.* = **jail.**
gap (гäп) *s.* отве́рстие; проло́м, щель *f.*; (*omission*) про́пуск.
gape/ (гэйп) *s.* зева́ние; зево́к || ~ *vn.* (*to yawn*) зева́ть; (*to open*) открыва́ться, зия́ть; (*to stare*) глазе́ть, по- (на что) || **–r** *s.* зева́ка *m&f.*
garage (гä'ридж) *s.* гара́ж.
garb (гäрб) *s.* оде́жда || **in the ~ of** под ви́дом || ~ *va.* одева́ть, оде́ть.
garbage (гä'рбидж) *s.* отбро́сы *mpl.*

garble (гā'рбл) *va.* от-бирáть, -обрáть; иска-жáть, -зи́ть.
garden/ (гā'рдн) *s.* сад ‖ **common or ~** (*fam.*) обыкновéнный ‖ ~ *a.* садóвый ‖ ~ *vn.* занимáться садовóдством ‖ **-er** *s.* садóвник ‖ **-ing** *s.* садовóдство.
gargle (гāргл) *s.* полоскáтельное ‖ ~ *va&n.* полоскáть гóрло.
gargoyle (гā'ргойл) *s.* ры́льце (у водостóчной трубы́).
garish (гā'риш) *a.* я́ркий; пы́шный; (*of colours*) кричáщий.
garland (гā'рлёнд) *s.* гирля́нда; венóк ‖ ~ *va.* у-крашáть, -крáсить гирля́ндой.
garlic (гā'рлик) *s.* чеснóк.
garment (гā'рмёнт) *s.* плáтье; одéжда.
garner (гā'рнёр) *s.* жи́тница ‖ ~ *va.* класть в жи́тницу; за-пасáть, -пасти́.
garnet (гā'рнит) *s.* гранáт.
garnish (гā'рниш) *va.* у-крашáть, -крáсить; (*dish of food*) гарни́ровать.
garniture (гā'рнитюр) *s.* гарниту́ра.
garret (гā'рит) *s.* чердáк; мансáрда.
garrison (гā'рисён) *s.* гарнизóн ‖ ~ *va.* стáвить, по- гарнизóн. [за-.
garotte (гёро'т) *s.* гаррóт ‖ ~ *va.* души́ть,
garrul/ity (гёрӯ'лити) *s.* болтли́вость *f.* ‖ **-ous** (гā'рёлёс) *a.* болтли́вый.
garter (гā'ртёр) *s.* подвя́зка ‖ **the Garter** óрден Подвя́зки.
gas/ (гāс) *s.* газ ‖ ~ *vn.* (*fam.*) болтáть, на-, по- ‖ **~-bracket** *s.* гáзовая лю́стра ‖ **~-burner** *s.* гáзовый рожóк.
gasconade (гāскёнэй'д) *s.* хвастовствó.
gas/-engine (гā'с-энджин) *s.* гáзовый дви́гатель ‖ **-eous** (гэй'сиёс) *a.* гáзовый, газообрáзный. [глубóкую рáну.
gash (гāш) *s.* рáна; шрам ‖ ~ *va.* нанести́
gasify (гā'сифай) *va.* превра-щáть, -ти́ть в газ.
gasket (гā'скит) *s.* (*mar.*) сéзень *m.*; линёк.
gas/-lamp (гā'с-лāмп) *s.* гáзовый фонáрь ‖ **~-light** *s.* гáзовый свет ‖ **~-meter** *s.* газомéр ‖ **-olene** (-ёлийн) *s.* газоли́н; (*Am.*) бензи́н ‖ **-ometer** (-о'митёр) *s.* газоёмъ.
gasp (гāсп) *s.* су́дорожный вздох ‖ **the last ~** послéдний вздох, послéднее издыхáние ‖ ~ *vn.* открывáть рот, чтóбы вздохну́ть ‖ **to ~ for breath** с трудóм дышáть. [бá.
gas-pipe (гā'спайп) *s.* газопровóдная тру-
gastric (гā'стрик) *a.* гастри́ческий, желу́дочный.
gastronom/ic(al) (гāстрёно'микёл) *a.* гастрономи́ческий ‖ **-ist** (гāстро'нёмист) *s.* гастронóм ‖ **-y** (гāстро'нёми) *s.* гастронóмия.
gate/ (гэйт) *s.* ворóта *npl.*; кали́тка; (*entrance*) вход ‖ **~-keeper** *s.* приврáтник; стóрож у переéзда.
gather/ (гā'ðёр) *va.* со-бирáть, -брáть; накоп-ля́ть, -и́ть; (*to infer*) вы-води́ть, вы́вести заключéние ‖ ~ *vn.* скоп-ля́ться, -и́ться; сгу-щáться, -сти́ться; (*to suppurate*) гнои́ться ‖ **to ~ together** со-бирáться, -брáться ‖ **-ing** *s.* собирáние; (*of people*) собрáние; (*suppuration*) нагноéние.
gatling-gun (гā'тлинг-ган) *s.* пулемёт.
gaud/ (гōд) *s.* украшéние; бездéлка ‖ **-iness** *s.* пы́шность *f.*; пустóй блеск ‖ **-y** *a.* пы́шный; пёстрый.
gauge (гэйдж) *s.* укáзная мéра; (*of gun-barrel*) калибр; (*rail.*) колея́ ‖ ~ *va.* вымéривать, вы́мерить; калибровáть. [вый.
gaunt (гōнт) *a.* сухощáвый, худóй, худощá-
gauntlet (гō'нтлит) *s.* лáтная рукави́ца ‖ **to throw down the ~** (*fig.*) вызывáть, вы́звать на поеди́нок ‖ **to take up the ~** (*fig.*) при-нимáть, -ня́ть вы́зов ‖ **to run the ~** пройти́ сквозь строй.
gauz/e (гōз) *s.* газ; флёр ‖ **-y** *a.* гáзовый.
gave (гэйв) *cf.* **give.**
gawk/ (гōк) *s.* куку́шка; глупéц, болвáн ‖ **-y** *a.* неуклю́жий, глу́пый. [я́ркий.
gay (гэй) *a.* весёлый; живóй; (*of colours*)
gaze (гэйз) *s.* при́стальный взгляд ‖ ~ *vn.* (**to ~ at** *или* **on**) при́стально смотрéть ‖ **to ~ after one** следи́ть глазáми за кем.
gazelle (гёзэ'л) *s.* газéль *f.*
gazette (гёзэ'т) *s.* газéта. [лексикóн.
gazetteer (гāзитий'р) *s.* географи́ческий
gear/ (гийр) *s.* (*apparel*) одéжда; (*tackle, etc.*) прибóр; (*harness*) сбру́я; (*rigging*) таклáж; (*techn.*) сцеплéние, передáча ‖ ~ *va.* сцепля́ть ‖ **-ing** *s.* передáча (дви-
geese (гийс) *cf.* **goose.** [жéния).
gelatin/e (джэ'лётин) *s.* желати́н ‖ **-ous** (джилā'тинёс) *a.* студени́стый.
geld/ (гэлд) *va.* холости́ть ‖ **-ing** *s.* мéрин.
gelid (джэ'лид) *a.* óчень холóдный.
gem (джэм) *s.* драгоцéнный кáмень; драгоцéнность *f.*
gemin/ate (джэ'минит) *a.* двойнóй ‖ **-ation** (джэминэй'шн) *s.* удвоéние ‖ **Gemini** (джэ'минай) *spl.* (*astron.*) Близнецы́ *mpl.*
gendarme (джэндā'рм) *s.* жандáрм.
gender (джэ'ндёр) *s.* род ‖ **masculine, feminine, neuter ~** му́жеский, жéнский, срéдний род.
genealog/ical (джийниёло'джикёл) *a.* генеалоги́ческий ‖ **-ist** (джийниā'лоджист) *s.* генеалóг ‖ **-y** (джийниā'лоджи) *s.* генеалóгия.

genera (джэ'пёрё) *cf.* **genus.**

general/ (джэ'нёрёл) *s.* (*mil.*) генерáл; (*servant-girl*) служáнка || ~ *a.* óбщий, всеóбщий; (*usual*) обыкновéнный; (*mil.*) генерáльный; (*vague*) неопределённый || **in a ~ way, in ~** обыкновéнно || **–issimo** (-и'симоу) *s.* генерали́ссимус || **–ity** (джэнёрä'лити) *s.* óбщность *f.*; (*majority*) большинствó || **–ize** *vn.* обоб-щáть, -щи́ть || **–ly** *ad.* вообщé, обыкновéнно; (*vaguely*) неопределённо || **–ship** *s.* генерáльство, воéнная тáктика.

gener/ate (джэ'нёр-эйт) *va.* произ-води́ть, -вести́; ро-ждáть, -ди́ть || **–ation** *s.* (*procreation*) (за)рождéние; (*production*) произведéние: (*formation*) образовáние; (*in pedigree*) поколéние, род || **–ator** *s.* роди́тель *m.*; (*tech.*) генерáтор || **–ic** (джинэ'рик) *a.* родовóй || **–ous** *a.* великоду́шный; (*liberal*) щéдрый; (*copious*) оби́льный, богáтый; (*fertile*) плодонóсный || **–osity** (-о'сити) *s.* великоду́шие; щéдрость *f.*

genesis (джэ'нисис) *s.* происхождéние || **Genesis** (*bibl.*) кни́га Бытия́.

geneva (джиний'вё) *s.* можжевéловая вóдка.

genial/ (джий'ниёл) *a.* (*of climate*) умéренный; (*merry*) весёлый; (*joyful*) рáдостный || **–ity** (джийниä'лити) *s.* весёлость *f.*

genie (джий'ни) *s.* (*pl.* **genii** [джий'ниай]) гéний.

genit/al (джэ'нит-ёл) *a.* деторóдный || **–als** *spl.* деторóдные чáсти *fpl.* || **–ive** *s.* роди́тельный падéж.

genius (джий'ниёс) *s.* (*pl.* **genii** [джий'ниай]) дух; гéний || ~ (*pl.* **geniuses** [джий'ниёсиз]) гéний; талáнт, даровáние || **a man of ~** гениáльный человéк.

gent (джэнт) *s.* (*vulg.*) = **gentleman.**

genteel (джэнтий'л) *a.* элегáнтный, изя́щный.

gentian (джэ'ншён) *s.* горечáвка.

gentile (джэ'нтайл) *s.* язы́чник.

gentility (джэнти'лити) *s.* благорóдное происхождéние; благорóдство поведéния.

gentle/ (джэ'нтл) *a.* (*well-born*) благорóдный; (*kind*) ми́лый; крóткий; (*of horses*) сми́рный; (*moderate*) умéренный || **~ reader** благосклóнный читáтель || **–folk(s)** *s.* благорóдное сослóвие || **–man** *s.* (*pl.* **–men**) дворяни́н; бáрин || **–manly** *a.* благорóдный; чéстный || **–ness** *s.* крóтость *f.*; мя́гкость *f.* || **–woman** *s.* бáрыня, дáма. [поти́ше.

gently (джэ'нтли) *ad.* сми́рно, ти́хо || **~!**

gentry (джэ'нтри) *s.* благорóдное сослóвие; (*fam.*) лю́ди *mpl.*

genu/flect (джэню-флэ'кт) *vn.* преклон-я́ть, -и́ть колéни || **–flexion** (-флэ'кшён) *s.* коленопреклонéние.

genuine/ (джэ'нюин) *a.* настоя́щий, пóдлинный; (*not sham*) неподдéльный || **–ness** *s.* пóдлинность *f.*; неподдéльность *f.*

genus (джий'нёс) *s.* (*pl.* **genera** [джэ'нёрё]) род, класс.

geo/desy (джио'-диси) *s.* геодéзия || **–graphic(al)** (джий-оугрä'фикёл) *a.* географи́ческий || **–graphy** *s.* геогрáфия || **–logy** *s.* геолóгия || **–metric(al)** (джийоумэ'трикёл) *a.* геометри́ческий || **–metry** *s.* геомéтрия.

George (джōрдж), **by ~!** бóже мой!

geranium (джирэй'ниём) *s.* гéрань *f.*

germ/ (джёрм) *s.* зарóдыш; зачáток || **–an** *a.* роднóй, бли́зкий || **–inate** (-инэйт) *vn.* за-рождáться, -роди́ться; пускáть ростки́.

gerund (джэ'рёнд) *s.* (*gramm.*) деепричáстие.

gestation (джэстэй'шн) *s.* берéменность *f.*

gesticul/ate (джэсти'кюлэйт) *va.* жестикули́ровать || **–ation** *s.* жестикуля́ция.

gesture (джэ'счёр) *s.* жест; телодвижéние.

get (гэт) *va.irr.* (*obtain*) приоб-ретáть, -рести́; (*procure*) до-ставáть, -стáть; (*to earn*) до-бывáть, -бы́ть; (*beget*) произ-води́ть, -вести́ || ~ *vn.* до-ходи́ть, -йти́ (до чегó); (*to become*) дéлаться || **~ along with you!** прочь! долóй! || **to ~ at** добрáться (до), дости́гнуть (чегó) || **to ~ away** избéгнуть, убежáть || **to ~ back** получи́ть обрáтно || **to ~ back one's own on** мстить, от- (комý) || **to ~ by heart** вы́учить наизу́сть || **to ~ down** слезть, сойти́ вниз || **to ~ drunk** напи́ться пья́ным || **to ~ into** (*one's clothes*) одевáться || **to ~ off** убежáть || **to ~ on** успевáть || **to ~ over** утéшиться (в) || **to ~ ready** приготóвиться || **to ~ rid of** отдéлаться (от) || **to ~ through** окóнчить || **to ~ together** собрáть, собрáться || **to ~ with child** оберéменить.

gewgaw (гю'гō) *s.* бездéлка, игру́шка.

ghastl/iness (гä'стли-нэс) *s.* смертéльная блéдность; ужáсный вид || **–y** (-) *a.* стрáшный; смертéльно блéдный.

ghost/ (гōуст) *s.* дух; (*soul*) душá; (*apparition*) привидéние || **to give up the ~** скончáться || **the Holy Ghost** Святóй Дух || **–ly** *a.* духóвный; душéвный; в ви́де привидéния.

giant/ (джай'ёнт) *s.* великáн || **~** *a.* гигáнтский, исполи́нский || **–ess** *s.* великáнша.

gibberish (ги'бёриш) *s.* тарабáрщина.

gibbet (джи'бит) *s.* ви́селица.

gibbous (ги'бёс) *a.* выпуклый, горбатый.
gib/e (джайб) *s.* насмешка || ~ *vn.* издеваться, насмехаться (над кем) || **–ingly** *ad.* насмешливо; колко. [*mpl.*
giblets (джи'блитс) *spl.* птичие потроха
gidd/iness (ги'д-инэс) *s.* головокружение; непостоянство; (*flightiness*) легкомыслие || **–y** *a.* головокружительный; непостоянный; (*frivolous*) легкомысленный.
gift/ (гифт) *s.* дар, подарок; (*in pl.*) способности *fpl.* || **–ed** *a.* одарённый природой; талантливый.
gig (гиг) *s.* одноколка, гиг; (*mar.*) гичка.
gigantic (джайгä'нтик) *a.* гигантский; исполинский.
giggle (гигл) *s.* хихиканье || ~ *vn.* хихик-ать, -нуть.
gild/ (гилд) *va.* золотить, по-; позлащать || **–ing** *s.* золочение, позолота.
gill (гил) *s.* мера ($^1/_4$ пинты), чарка; (*in pl.*) жабры *pl.*
gillyflower (джи'лифлауёр) *s.* (*bot.*) левкой.
gimcrack (джи'мкрäк) *s.* безделушка; дурной механизм.
gimlet (ги'млит) *s.* бурав.
gin (джин) *s.* (*drink*) можжевеловая водка, джин; (*snare*) западня.
ginger/ (джи'нджёр) *s.* инбирь *m.* || **~-bread** *s.* пряник || **–ly** *ad.* робко, осторожно.
gipsy (джи'пси) *s.* цыган, цыганка.
giraffe (джирä'ф) *s.* жираф.
gird/ (гёрд) *va.* опояс-ывать, -ать || **–er** *s.* ферма || **–le** *s.* пояс.
girl/ (гёрл) *s.* девочка; девица || **–hood** *s.* девичество || **–ish** *a.* девический.
girth/ (гёрþ) *s.* окружность *f.*; обхват || **~-strap** *s.* подпруга.
gist (джист) *s.* суть *f.*; главный пункт.
give/ (гив) *va.irr.* давать, дать; от-давать, -дать; при-давать, -дать || ~ *vn.* уступ-ать, -ить (силе); смяг-чаться, -читься; отступ-ать, -ить; (*of road, etc.*) вести (куда) || **to ~ one a piece of one's mind** (*fig.*) намылить голову || **to ~ away** (*a secret*) выдавать, выдать || **to ~ birth to** рождать, родить || **to ~ ear to** выслушивать || **to ~ forth** распростран-ять, -ить || **to ~ ground** уступ-ать, -ить || **to ~ in** сдаваться, сдаться || **to ~ out** сообщать, об'являть || **to ~ over** переставать || **to ~ rise to** причинять || **to ~ up** оставить, бросить || **to ~ way** уступать (кому) || **to be –n to** быть склонным к.
gizzard (ги'зёрд) *s.* зоб.
glac/ial (глэй'шиёл) *a.* ледяной; ледниковый || **~ epoch** ледниковый период || **–iation** (глэйши-эй'шн) *s.* замерзание || **–ier** (глэй'шёр) *s.* ледник; глетчер.
glacis (глэй'сис) *s.* гласис, скат.
glad/ (глäд) *a.* (*pleased*) рад; (*joyful*) весёлый || **–den** (глäдн) *va.* веселить.
glade (глэйд) *s.* лужайка; прогалина; просека.
gladiator/ (глä'ди-эйтёр) *s.* гладиатор || **–ial** (глäдиётō'риёл) *a.* гладиаторский.
glad/ness (глä'днис) *s.* радость *f.*; веселие || **–some** (глä'дсём) *a.* весёлый.
gladstone (глä'дстён) *s.* дорожная сумка.
glair (глä'р) *s.* белок (яичный).
glamour (глä'мёр) *s.* чара; очарование; обаяние.
glance (глäнс) *s.* (*flash*) блеск, луч; (*look*) взгляд || ~ *vn.* блистать; сверк-ать, -нуть; (*to look at*) взглядывать; (*to touch lightly*) слегка коснуться.
gland/ (глä'нд) *s.* железа || **–ers** *spl.* сап || **–ular, –ulous** *a.* железистый || **–ule** *s.* маленькая железка.
glar/e (глäр) *s.* ослепительный блеск; яркий свет; (*fierce look*) грозный взгляд || ~ *vn.* сиять, блистать; сверкать глазами || **–ing** *a.* ослепительный; (*palpable*) очевидный, бросающийся в глаза.
glass/ (глäс) *s.* стекло; (*vessel*) стакан, рюмка; (*telescope*) зрительная труба; (*barometer*) барометр; (*in pl.*) очки *npl.* || **~-blower** *s.* выдувальщик стекла || **~-cutter** *s.* стекольщик || **~-house** *s* теплица || **~-paper** *s.* шкурка || **~-works** *spl.* стеклянный завод || **–y** *a.* стеклянный; стекловидный.
glaucous (глō'кёс) *s.* серовато-синий.
glaz/e (глэйз) *s.* глазурь *f.*; лак; мурава || ~ *va.* (*a window*) вставлять, вставить стёкла; (*to cover with* ~) наводить глазурь; (*pottery*) муравить, за-, по- || **–ier** *s.* стекольщик.
gleam (глийм) *s.* луч; блеск || ~ *vn.* блистать; сиять.
glean (глийн) *va.* подбирать остатки с поля жатвы; (*fig. to hear*) узнавать, узнать.
glebe (глийб) *s.* церковная земля; (*poet.*) земля, почва.
glee/ (глий) *s.* веселие; радость *f.*; (*mus.*) хороводная песня || **–ful** *a.* весёлый; радостный.
gleet (глийт) *s.* гной.
glen (глэн) *s.* долина.
glib/ (гли'б) *a.* текучий, гладкий; развязный || **–ness** *s.* развязность *f.*
glide (глайд) *vn.* про-текать, -течь; скольз-ать, -ить.
glimmer (гли'мёр) *s.* мерцание; слабый свет || ~ *vn.* мерцать; слабо светить.

glimpse (глимпс) *s.* мимолётный свет || **to catch a ~ of** видеть мельком || ~ *va.* видеть мельком, не совсем ясно.
glint (глинт) *s.* луч; блеск || ~ *vn.* блистать.
glisten (гли'сн) *vn.* блистать; сверкать, блестеть.
glitter/ (гли'тёр) *s.* блеск, сияние; мишура || ~ *vn.* блестеть; сверкать || **-ing** *a.* блестящий. [*fpl.*
gloaming (глōуминг) *s.* полусвет; сумерки
gloat (глōут) *vn.* (*to ~ upon или over*) жадно смотреть на; пожирать глазами.
glob/e (глōуб) *s.* шар; сфера; (*terrestrial*) глобус; (*of lamp*) колпак || **-ular** (гло'бюлёр) *a.* шарообразный; круглый || **-ule** (гло'бюл) *s.* шарик. [танный в шар.
glomerate (гло'мёрёт) *a.* (*bot.,anat.*) скаgloom/ (глӯм) *s.* мрак; пасмурность *f.*; (*fig.*) мрачность *f.*; печаль *f.* || **-iness** *s.* мрачность *f.*; унылость *f.* || **-y** *a.* мрачный, пасмурный; (*downcast*) унылый.
glor/ify (глō'р-ифай) *va.* про-славлять, -славить || **-ious** *a.* славный; знаменитый; (*magnificent*) великолепный, (*fam. drunk*) пьяный || **-y** *s.* слава; известность *f.*; великолепие || ~ *vn.* гордиться; величаться.
gloss/ (глос) *s.* лоск; (*explanation*) толкование || ~ *va.* наводить лоск || **-ary** *s.* словарь *m.* || **-iness** *s.* лоск; глянец || **-y** *a.* глянцевитый.
glottis (гло'тис) *s.* голосовая щель. [ник.
glove/ (глав) *s.* перчатка || **-r** *s.* перчаточ-
glow/ (глōу) *s.* жар; яркость *f.*; румянец || ~ *vn.* гореть; (*shine*) блистать; (*of face*) краснеть || **-ing** *a.* накалённый добела; горячий; пылкий; (*vivid*) яркий || **~-worm** *s.* светляк. [грозно, гневно.
glower (глау'ёр) *vn.* (**to ~ at**) смотреть
gloze (глōуз) *vn.* льстить, ласкать.
glue/ (глӯ) *s.* клей || ~ *va.* клеить, с- || **-y** *a.* клейкий.
glum/ (глам) *a.* хмурый, угрюмый; (*dejected*) унылый || **-ness** *s.* угрюмость *f.*; унылость *f.*
glut/ (глат) *va.* изобилие; (*satiety*) пресыщение; (*excess*) излишество || ~ *va.* пожирать; наедаться; (*overstock*) наводн-ять, -ить || **-en** (глӯ'тён) *s.* клейковина || **-inous** (глӯ'тинёс) *a.* клейкий || **-ton** (гла'тн) *s.* обжора; (*animal*) росомаха || **-tonous** (гла'тёнёс) *a.* прожорливый || **-tony** (гла'тёни) *s.* обжорство; прожорливость *f.*
glycerine (гли'сёрин) *s.* глицерин.
gnarl/ed (нāрл-д), **-y** *a.* сучковатый.
gnash (нäш) *va.* скрежетать (зубами).
gnat (нäт) *s.* комар. [грызущий.
gnaw/ (нō) *va.* грызть; глодать || **-ing** *a.*
gneiss (найс) *s.* гнейс. [ский.
gnom/e (нōум) *s.* гном || **-ic** *a.* гномиче-
gnostic (но'стик) *a.* гностический.
go (гōу) *vn.irr.* итти; (*to walk*) ходить; (*to go away*) уходить; (*to pass by*) проходить; (*to ride, to drive*) ехать; (*be current*) быть в обращении; (*intend*) намереваться || **to ~ about** на-чинать, -чать || **to ~ against** противиться || **to ~ astray** заблудиться || **to ~ back on one's word** не сдержать своего слова || **to ~ bad** гнить, с- || **to ~ back** возвращаться || **to ~ between** быть посредником || **to ~ by** проходить; брать за образец || **to ~ down** спускаться; (*of sun*) заходить; (*of ship*) пойти ко дну || **to ~ for** (*fam.*) на-падать, -пасть || **to ~ in for** заниматься (чем) || **to ~ off** от-, у-ходить; (*explode*) взрываться || **to ~ on** *fig.*) продолжать || **to ~ out** (*of a light*) по-тухать, -тухнуть || **to ~ over** (*a book*) просматривать; (*to change sides*) перебегать || **to ~ through** (*to experience*) испытывать || **to ~ through with** исполнить || **~ to hell! ~ to blazes! ~ to Jericho!** поди к чорту! || **to ~ to the bottom** пойти ко дну || **to ~ under** под-даваться, -даться || **to ~ without** обойтись без чего. [*horse*) бег, ход.
go (гōу) *s.* энергия, деятельность *f.*; (*of*
goad (гōуд) *s.* бодило; стрекало || ~ *va.* колоть бодилом; (*to irritate*) раздражать; (*to incite*) подстрекать.
go-ahead (гōу'-ёхэ'д) *a.* предприимчивый.
goal (гōул) *s.* цель *f.*; (*destination*) точка отправления; (*end*) конец.
goat/ (гōут) *s.* козёл, коза || **-ee** (-ий') *s.* эспаньолка || **-herd** *s.* пастух, пасущий коз || **-ish** *a.* козий; козлиный.
gob (гоб) *s.* глоток.
go-between (гōу'-битуийн) *s.* посредник.
gobble/ (го'бл) *va.* жадно глотать || ~ *vn.* кулдыкать как индюк || **-r** *s.* обжора.
goblet (го'блит) *s.* кубок.
goblin (го'блин) *s.* домовой.
go-cart (гōу'-кāрт) *s.* детская колясочка.
God/ (год) *s.* Бог || **my God!** Боже мой! || **-child** *s.* крестник || **-daughter** *s.* крестница || **-father** *s.* крестный отец || **-fearing** *s.* богобоязненный || **~-forsaken** *a.* заунывный || **-head** *s.* божество || **-less** *a.* безбожный || **-lessness** *s.* безбожие || **-like** *a.* богоподобный || **-ly** *a.* благочестивый; святой || **-mother** *s.* крестная мать || **-send** *s.* дар божий; счастливый случай || **-son** *s.* крестник.

goggle/ (гогл) *vn.* выпу́чивать глаза́ || **~-eyed** *a.* пучегла́зый || **-s** (го'глз) *spl.* предохрани́тельные очки́ *npl.*
gold/ (гōулд) *s.* зо́лото || ~ *a.* золото́й || **~-beater** *s.* золотоби́т || **-en** (гōу'лдн) *a.* золото́й; золоти́стый || **-finch** *s.* щеглёнок || **-fish** *s.* золота́я ры́бка || **-smith** *s.* золоты́х дел ма́стер.
golf (голф, гōф) *s.* (игра́ в) гольф.
gondol/a (го'ндолё) *s.* гондо́ла || **-ier** (гондолий'р) *s.* гондолье́р.
gong (гонг) *s.* гонг.
gonorrhoea (гонорий'ё) *s.* гонорре́я.
good/ (гуд) *s.* добро́; бла́го; (*advantage*) вы́года; (*well-being*) благополу́чие || **for ~ and all** навсегда́ || ~ *a.* хоро́ший; (*kind*) до́брый; (*benevolent*) ми́лостивый; (*suitable*) го́дный || ~ **morning,** ~ **evening,** ~ **afternoon** здра́вствуйте! || ~ **night** поко́йной но́чи || **as ~ as** почти́; как бу́дто || **a ~ deal** мно́го || **a ~ while** до́лго || **a ~ many** мно́го || ~ **God!** ~ **gracious!** ~ **heavens!** Бо́же мой! || **Good Friday** Вели́кая Пя́тница || **~-bye** *int.* проща́йте || **~-fellowship** *s.* това́рищество || **~-for-nothing** *s.* негодя́й || **-looking** *a.* краси́вый || **-ly** *a.* поря́дочный; (*handsome*) краси́вый || **~-natured** *a.* доброду́шный || **-ness** *s.* доброта́ || **-will** *s.* благоскло́нность *f.*; (*comm.*) клие́нты *mpl.*
goods/ (гудз) *spl.* това́ры *mpl.* || **-train** *s.* това́рный по́езд.
goose/ (гӯс) (*pl.* **geese** [гийс]) *s.* гусь *m.*; гуси́ня; (*flesh of* ~) гуся́тина; (*tailor's*) утю́г; (*fig. simpleton*) проста́к, дура́к || **-berry** (гӯ'збёри) *s.* крыжо́вник || **~-flesh** *s.* гуси́ная ко́жа || **~-step** *s.* ход гу́сем.
gore (гōр) *s.* кровь *f.*; запёкшаяся кровь || ~ *va.* бода́ть, за-; про-ка́лывать, -коло́ть (копьём).
gorge (гōрдж) *s.* (*throat*) го́рло; (*narrow pass*) уще́лье || ~ *va.* жрать; накорми́ть по го́рло || ~ *vn.* наеда́ться. [пы́шный.
gorgeous (гō'рджёс) *a.* великоле́пный;
gorget (гō'рджит) *s.* нагру́дник.
gorilla (гори'лё) *s.* гори́лла.
gormandize (гō'рмёндайз) *vn.* об'еда́ться; обжира́ться.
gorse (гōрс) *s.* ди́кий тёрн.
gory (гō'ри) *a.* окрова́вленный; крова́вый.
gosh (гош) *int.*, **by ~!** (*fam.*) Бо́же мой!
goshawk (го'схōк) *s.* я́стреб.
gosling (го'злинг) *s.* гусёнок.
gospel/ (го'спёл) *s.* Ева́нгелие || **-ler** *s.* евангели́ст, чтец Ева́нгелия.

gossamer (го'сёмёр) *s.* паути́на лета́ющая в во́здухе; то́нкая ткань.
gossip/ (го'сип) *s.* (*person*) болту́н, болту́нья; (*talk*) болтовня́; спле́тни *fpl.* || ~ *vn.* болта́ть: спле́тничать || **-y** *a.* болтли́вый.
got (гот) *cf.* **get.**
Gothic (го'фик) *a.* готи́ческий.
gotten (готн) *cf.* **get.**
gouge (гаудж) *s.* долби́ло, кру́глое долото́ || ~ *va.* выда́лбливать; (*a person's eye*) вы́бить глаз па́льцем. [буты́лка.
gourd (гӯрд) *s.* ты́ква; (*bottle*) ты́квенная
gourmand (гӯ'рмёнд) *s.* ла́комка; обжо́ра || ~ *a.* прожо́рливый.
gout (гаут) *s.* пода́гра; ломо́та.
govern/ (га'вёрн) *va.* пра́вить; госпо́дствовать || **-ance** *s.* управле́ние || **-ess** *s.* гуверна́нтка || **-ment** *s.* управле́ние, прави́тельство; (*province*) губе́рния || **-mental** (гавёрнмэ'нтёл) *a.* прави́тельственный || **-or** *s.* прави́тель; губерна́тор; (*regulator*) регуля́тор; (*fam.*) оте́ц, су́дарь *m.* || **-orship** *s.* губерна́торство.
gowk (гаук) *s.* дура́к.
gown/ (гаун) *s.* пла́тье; ма́нтия || **-sman** *s.* студе́нт университе́та.
grab (грӓб) *va.* схвати́ть; пойма́ть.
grabble (грӓбл) *vn.* ощу́пываться.
grace/ (грэ̄йс) *s.* гра́ция; (*favour*) ми́лость *f.*; (*pardon*) поми́лование; (*mercy*) милосе́рдие; (*prayer*) моли́тва пе́ред обе́дом и по́сле обе́да; (*title of duke*) ми́лость *f.* || **good -s** расположе́ние || **days of ~** льго́тные дни || **with a bad ~** не любе́зно, неохо́тно || ~ *va.* укр-аша́ть, -а́сить; удосто́ить || **-ful** *a.* грацио́зный || **-less** *a.* (*corrupt*) поро́чный.
gracious (грэ̄й'шёс) *a.* ми́лостивый, благоскло́нный. [пе́нность *f.*
gradation (грёдэ̄й'шн) *s.* града́ция; посте-
grad/e (грэ̄йд) *s.* сте́пень *f.*; чин, сан; (*slope*) накло́н || ~ *va.* ура́внивать; нивели́ровать || **-ient** *s.* скат (доро́ги) || **-ual** *a.* постепе́нный || **-uate** *s.* име́ющий учёную сте́пень || ~ *va.* раздел-я́ть, -и́ть на гра́дусы || ~ *vn.* получа́ть учёную (университе́тскую) сте́пень.
graft (гра̄фт) *s.* приви́вок; черено́к || ~ *va.* привива́ть (дере́вья).
grain/ (грэ̄йн) *s.* зерно́; зерново́й хлеб; (*a single* ~) крупи́нка; (*of sand*) песчи́нка; (*of leather*) мере́я; (*weight*) гран || **against the ~** про́тив ше́рсти, про́тив во́ли || ~ *va.* наводи́ть мере́ю на ко́жу; раскра́шивать под де́рево, под мра́мор || **-ed** *a.* зерни́стый; шерохова́тый; мере́йчатый.

gram (грäм) *s.* грамм.
graminivorous (грäмини'вёрёс) *a.* травоядный.
gramm/ar (грä'мёр) *s.* грамма́тика || ~ **school** классическая гимна́зия || **-arian** *s.* грамма́тик || **-atical** *a.* граммати́ческий.
gramme (грäм) *s.* грамм.
gramophone (грä'мофōун) *s.* граммофо́н.
grampus (грä'мпёс) *s.* каса́тка.
granary (грä'нёри) *s.* жи́тница; хле́бный амба́р.
grand/ (грäнд) *a.* большо́й; (*great*) вели́кий; (*magnificent*) великоле́пный; (*fam. excellent*) хоро́ший; (*high*) высо́кий; (*majestic*) велича́ественный; (*famous*) сла́вный; (*chief*) гла́вный || **G-Duke** (*in Russia*) вели́кий князь || **-ad, -dad** *s.* де́душка || **-child** *s.* внук, вну́чка || **-daughter** *s.* вну́чка || **-ee** (-ий') *s.* вельмо́жа; зна́тный челове́к; (*in Spain*) гранд || **-eur** (-йёр) *s.* вели́чие; великоле́пие || **-father** *s.* дед || **-iloquent** (-и'локуёнт) *a.* высокопа́рный || **-iose** (-иōус) *a.* грандио́зный || **-ma(mma), -mother** *s.* ба́бушка, ба́бка || **-ness** *s.* вели́чие; грандио́зность *f.* || **-son** *s.* внук.
grange (грэ̄йндж) *s.* ху́тор; мы́за, фе́рма.
granite (грä'нит) *s.* грани́т.
granny (грä'ни) *s.* ба́бушка.
grant/ (грäнт, грāнт) *s.* пожа́лование; дар || ~ *va.* жа́ловать, по-; (*to concede*) соглаша́ться, -си́ться (на что); дозволя́ть || **God ~!** дай Бог! || **-ee** (-ий') *s.* тот, кому́ что́-либо пожа́ловано || **-or** *s.* тот, кто жа́лует.
granul/ar (грä'нюл-ёр) *a.* зерни́стый || **-ate** *va.* зерни́ть; дроби́ть, раз- || ~ *vn.* зерни́ться, дроби́ться || **-e** (-) *s.* зёрнышко.
grape/ (грэйп) *s.* виногра́дина; (*collective*) виногра́д || **bunch of -s** кисть виногра́да || **-ry** *s.* виногра́дник || **~-shot** *s.* карте́чь *f.* || **~-vine** *s.* виногра́дная лоза́.
graphic/ (грä'фик) (**-ally** *ad.*) *a.* графи́ческий; пи́сьменный; живопи́сный; (*vivid*) живо́й, вырази́тельный.
graphite (грä'файт) *s.* графи́т.
grapnel (грä'пнёл) *s.* ма́лый я́корь; дрек, ко́шка.
grappl/e (грäпл) *s.* (*grapnel*) дрек, ко́шка; (*contest*) схва́тка, борьба́ || ~ *va.* зацепи́ть (за) || ~ *vn.* схвати́ться; (*contend with*) боро́ться, дра́ться || **-ing-iron** *s.* = **grapnel.**
grasp/ (грāсп) *s.* захва́т руко́ю; завладе́ние; (*fig.*) власть *f.* || ~ *va.* схвати́ть; захвати́ть || ~ *vn.* хвата́ться (за) || **-ing** *a.* жа́дный.
grass/ (грāс) *s.* трава́; (*pasture*) па́стбище || **-hopper** *s.* кузне́чик || **-land** *s.* па́стбище || **-plot** *s.* лужа́йка || **-widow** *s.* соло́менная вдова́ || **-y** *a.* травяни́стый.
grate (грэйт) *s.* решётка || ~ *va.* тере́ть; скобли́ть, по- || ~ *vn.* хрусте́ть; треща́ть; (*irritate*) раздража́ть.
grat/eful (грэ̄й'тфул) *a.* призна́тельный; благода́рный; (*pleasant*) прия́тный || **-ification** (грäтификэ̄й'шн) *s.* удовлетворе́ние; награжде́ние || **-ify** (грä'тифай) *va.* удовлетвор-я́ть, -и́ть; угожда́ть, угоди́ть; (*to please*) нра́виться, по-; (*to remunerate*) награ-жда́ть, -ди́ть.
grating (грэ̄й'тинг) *s.* решётка || ~ *a.* ре́зкий; неприя́тный.
gratis (грэ̄й'тис) *ad.* да́ром.
gratitude (грä'титю̄д) *s.* благода́рность *f.*; призна́тельность *f.*
gratu/itous (грётю̄'-итёс) *a.* дарово́й; (*voluntary*) доброво́льный || **-ity** *s.* пода́рок; (де́ньги) на чай.
gratulatory (грä'тюлётёри) *a.* поздрави́тельный.
grave/ (грэ̄йв) *s.* моги́ла || ~ *a.* серьёзный; тяжёлый; (*important*) ва́жный || ~ *va.* гравирова́ть, на- || **~-digger** *s.* моги́льщик || **-ness** *s.* серьёзность *f.*, ва́жность *f.* || **-r** *s.* гравёр; (*tool*) резе́ц || **-stone** *s.* надгро́бный ка́мень || **-yard** *s.* кла́дбище.
gravel (грä'вл) *s.* гра́вий; кру́пный песо́к; (*disease*) ка́менная боле́знь || ~ *va.* усыпа́ть песко́м, гра́вием; (*fig.*) затрудня́ть.
gravid (грä'вид) *a.* бере́менная.
gravit/ate (грä'вит-эйт) *vn.* тяготе́ть || **-ation** *s.* тяготе́ние || **-y** *s.* серьёзность *f.*
gravy (грэ̄й'ви) *s.* мясна́я подли́вка.
gray (грэ̄й) = **grey.**
graz/e (грейз) *va.* пасти́; (*to touch lightly*) слегка́ косну́ться, заде́ть || ~ *vn.* пасти́сь || **-ier** (грэ̄й'жёр) *s.* пра́сол; тот, кто отка́рмливает скоти́ну на прода́жу || **-ing** *s.* па́ства.
greas/e (гриӣс) *s.* жир, са́ло; (*lubricant*) сма́зка || ~ *va.* (гриӣз) сма́з-ывать, -ать жи́ром; заса́лить || **to ~ the palm of** подкупа́ть кого́ || **like -ed lightning** с быстрото́ю мо́лнии || **-y** (грий'зи, грий'си) *a.* жи́рный, са́льный; (*dirty*) гря́зный.
great/ (грэ̄йт) *a.* вели́кий, большо́й; (*famous*) знамени́тый; (*important*) ва́жный || **-coat** *s.* пальто́ || **-granddaughter** *s.* пра́внучка || **-grandfather** *s.* пра́дед || || **-grandmother** *s.* праба́бка || **-grandson** *s.* пра́внук || **-ly** *ad.* о́чень, мно́го; си́льно.
greaves (гриӣвз) *spl.* ножны́е ла́ты.
greed/ (гриӣд), **-iness** *s.* жа́дность *f.*; прожо́рливость *f.* || **-y** *a.* жа́дный; прожо́рливый.

green/ (грийн) *s.* зелёный цвет; (*meadow*) луг; *mpl.* зе́лень *f.* || ~ *a.* зелёный; (*fresh*) све́жий; (*not ripe*) неспе́лый; (*inexperienced*) нео́пытный || **-gage** *s.* ренкло́д || **-grocer** *s.* зеленщи́к || **-horn** *s.* новичо́к || **-house** *s.* оранжере́я || **-ish** *a.* зеленова́тый || **-ness** *s.* зе́лень *f.*; (*fig.*) незре́лость *f.*; нео́пытность *f.*
greet/ *va.* приве́тствовать; кла́няться, поклони́ться || ~ *vn.* кла́няться (при встре́че) || **-ing** *s.* приве́тствие; приве́т; покло́н.
gregarious (григӓ'риёс) *a.* ста́дный.
grenad/e (гринэ̄й'д) *s.* грана́та || **-ier** (грэнёдий'р) *s.* гренаде́р || **-ine** (грэ'нёдин) *s.* гренади́н.
grew (грӯ) *cf.* **grow.**
grey/ (грэ̄й) *s.* се́рый цвет || ~ *a.* се́рый; седо́й || **-beard** *s.* ста́рый хрыч || **-haired** *a.* седовла́сый; седо́й || **-hound** *s.* борза́я соба́ка || **-ish** *a.* седова́тый, с про́седью || **-ness** *s.* се́рый цвет.
grid (грид), **griddle** (гридл), **gridiron** гри'дайёрн) *s.* ра́шпер.
grief (грийф) *s.* го́ре; печа́ль *f.*
griev/ance (грий'в-ёнс) *s.* вред; жа́лоба, неудово́льствие || **-e** (**-**) *va.* огорч-а́ть, -и́ть; печа́лить || ~ *vn.* огорч-а́ться, -и́ться; печа́литься; грусти́ть, вз-; горева́ть, по- || **-ous** *a.* го́рестный; (*oppressive*) мучи́тельный; (*heinous*) гну́сный.
griffin (гри'фин) *s.* гриф.
grill (грил) *s.* ра́шпер; (*grating*) решётка || ~ *va.* жа́рить на ра́шпере.
grim (грим) *a.* стра́шный; суро́вый.
grimace (гримэ̄й'с) *s.* грима́са; ро́жа.
grimalkin (гримо̄'лкин) *s.* ста́рая ко́шка; (*old hag*) хрычо́вка.
grim/e (грайм) *s.* грязь *f.* || **-y** *a.* гря́зный.
grin (грин) *s.* усме́шка; зубоска́льство || ~ *vn.* ска́лить зу́бы; смея́ться.
grind/ (грайнд) *s.* зубре́ние, зубрёжка || ~ *va.* (*meal*) моло́ть, с-; (*a knife*) точи́ть, на-; (*glass*) шлифова́ть; (*to oppress*) угнета́ть || ~ *vn.* зубри́ть, вы́- || **-stone** *s.* точи́льный ка́мень.
grip (грип) *s.* захва́т руко́й; пожа́тие; (*of poverty*) угнете́ние || ~ *va.* схвати́ть; прижима́ть.
gripe (грайп) *s.* захва́т руко́й; пожа́тие; *pl.* ко́лика || ~ *va.* схвати́ть; прижима́ть.
griping (грай'пинг) *a.* скупо́й; ре́зущий.
grisl/iness (гри'зл-инэс) *s.* у́жас; отврати́тельность *f.* || **-y** *a.* стра́шный.
grist (грист) *s.* помо́л. [ва́тый.
gristl/e (грисл) *s.* хрящ || **-y** *a.* хрящева́тый.
grit (грит) *s.* кру́пный песо́к; (*pluck*) му́жество.
grits (гритс) *spl.* овся́ная крупа́.
gritty (гри'ти) *a.* песча́ный.
grizzl/ed (гризлд), **-y** *a.* серова́тый; с про́седью.
groan (гро̄ун) *s.* стон; стена́ние || ~ *vn.* стона́ть, за-; вздыха́ть.
groat (гро̄ут) *s.* (*obsol.*) моне́та в четы́ре пе́нса.
groats (гро̄утс) *spl.* (овся́ная) крупа́.
grocer/ (гро̄у'сёр) *s.* бакале́йщик, торго́вец колониа́льными това́рами || **-y** *s.* (*shop*) бакале́йная ла́вка *или* торго́вля; (**-ies**) *pl.* бакале́я, бакале́йный това́р.
grog/ (грог) *s.* грог || **-gy** (-и) *a.* хмельно́й || **-shop** *s.* каба́к.
groin (гройн) *s.* (*arch.*) кресто́вый свод; (*part of body*) пах.
groom (грӯм) *s.* грум, ко́нюх || ~ *va.* холи́ть, чи́стить (ло́шадь).
groove (грӯв) *s.* углубле́ние; желобо́к; вы́емка; наре́зка || ~ *va.* желоби́ть.
grope (гро̄уп) *vn.* ощу́пываться; итти́ о́щупью.
gross/ (гро̄ус) *s.* грос (двена́дцать дю́жин) || ~ *a.* то́лстый, большо́й, кру́пный; (*coarse*) гру́бый; (*comm.*) опто́вый, це́льный, гуртово́й || **in** ~ гурто́м || **-ness** *s.* толстота́; гру́бость *f.*
grotesque (гротэ'ск) *a.* стра́нный; чудно́й.
grotto (гро'тоу) *s.* грот, пеще́ра.
ground/ (граунд) *s.* земля́; по́чва; (*basis*) основа́ние; (*cause*) причи́на; (*of a picture*) фон || ~ *va.* ста́вить на́ землю; (*mar.*) поста́вить на́ мель || ~ *vn.* стать на́ мель || **~-floor** *s.* ни́жний эта́ж || **-less** *a.* необосно́ва́тельный || **~-plan** *s.* горизонта́льная прое́кция || **~-rent** *s.* земе́льная аре́нда || **-work** *s.* фунда́мент; основа́ние.
group (грӯп) *s.* гру́ппа; ку́ча || ~ *va.* группи́рова́ть || ~ *vn.* группи́роваться.
grouse (граус) *s.* шотла́ндский ря́бчик || ~ *vn.* ворча́ть.
grove (гро̄ув) *s.* ро́ща, лесо́к.
grovel/ (гро'вл) *vn.* по́лзать, по-; пресмыка́ться || **-ling** (гро'вёлинг) *a.* пресмыка́ющийся; по́длый.
grow/ (гро̄у) *va.irr.* расти́ть; засева́ть || ~ *vn.* расти́; (*to increase*) увели́ч-иваться, -иться; (*to become gradually*) де́латься, с-; станови́ться || **to ~ out of use** вы́йти из употребле́ния || **-er** *s.* разводи́тель *m.*
growl/ (граул) *s.* ворча́ние || ~ *vn.* ворча́ть; бормота́ть || **-er** *s.* ворчу́н; (*cab*) четырёхколёсная каре́та.
grown/ (гро̄ун) *cf.* **grow** || **~-up** *a.* взро́слый.
growth (гро̄уþ) *s.* рост; произроста́ние.
grub (граб) червя́к; (*larva*) личи́нка; (*fam. food*) с'естны́е припа́сы, пи́ща || ~ *va.* распа́хивать; (*to root up*) вырыва́ть с ко́рнем || ~ *vn.* рыть, копа́ть; (*fam. to feed*) есть.

grudg/e (гpадж) *s.* злоба, вражда; зависть *f.* || ~ *va.* завидовать (чему); неохотно делать || **-ingly** *ad.* неохотно.
gruel/ (гру'ёл) *s.* каша; (*fam. thrashing*) побои *mpl.* || **-ling** *s.* побои *mpl.*
gruesome (гру'сём) *a.* страшный; отвратительный.
gruff (граф) *a.* сурбвый; угрюмый.
grumbl/e (гра'мбл) *s.* ворчание; (*rumble*) бурчание || ~ *vn.* ворчать; бурчать; (*of thunder*) грохотать || **-er** *s.* ворчун || **-ing** *a.* ворчливый.
grumpy (гра'мпи) *a.* брюзгливый; ворчливый.
grunt (грант) *s.* хрюканье || ~ *vn.* хрюкать, -нуть.
guano (гуа'ноу) *s.* гуано.
guarant/ee (гäрёнтий') *s.* (*person*) поручитель *m.*; (*guaranty*) гарантия; порука || ~ *va.* ручаться (за); гарантировать || **-y** (гä'рёнти) *s.* гарантия; порука.
guard/ (гäрд) *s.* стража; караул; (*protection*) защита; (*protector*) защитник; (*sentry*) часовой; (*on train*) кондуктор; (*escort*) конвой; *pl.* гвардия || **advance** ~ авангард || **to be on** ~ быть настороже || **be on your** ~! берегитесь! || ~ *va.* беречь; охран-ять, -ить; (*to protect*) защи-щать, -тить || ~ *vn.* беречься; остерегаться || **-ed** *a.* осторожный; (*of speech*) сдержанный || **-ian** *s.* хранитель *m.*; блюститель *m.*; (*legal*) опекун || ~ *a.* охранительный || **a** ~ **angel** ангел хранитель *m.* || **-ianship** *s.* опекунство || **~-room** *s.* гауптвахта || **-sman** *s.* гвардеец.
gudgeon (га'джён) *s.* (*fish*) пескарь *m.*; (*simpleton*) простак.
guerdon (гё'рдён) *s.* награда.
Guernsey (гё'рнзи) *s.* шерстяная вязаная фуфайка.
guerrilla (гэри'лё) *s.* (~ **war**) партизанская война.
guess/ (гэс) *s.* догадка; (*conjecture*) предположение || ~ *va&n.* до-гадываться, -гадаться (о чём) || **~-work** *s.* догадки *fpl.*
guest (гэст) *s.* гость *m.*
guffaw (гафо') *s.* громкий смех.
guidance (гай'дёнс) *s.* руководство, управление.
guide/ (гайд) *s.* проводник, руководитель *m.*, путеводитель *m.* || ~ *va.* вести; управлять; руководить || **~-post** *s.* указательный столб.
guild/ (гилд) *s.* цех; гильдия || **-hall** *s.* ратуша.
guile/ (гай'л) *s.* коварство; обман || **-ful** *a.* коварный || **-less** *a.* бесхитростный; искренний || **-lessness** *s.* простодушие; искренность *f.*
guillemot (ги'лимот) *s.* кайра (птица).
guillotine (ги'лётий'н) *s.* гильотина || ~ *va.* гильотинировать.
guilt/ (гилт) *s.* вина; виновность *f.* || **-less** *a.* невинный, невиновный || **-y** *a.* виновный; преступный.
guinea/ (ги'ни) *s.* гинея (монета) || **~-fowl** *s.* цесарка || **~-pig** *s.* морская свинка.
guise (гайз) *s.* вид; (*pretence*) предлог.
guitar (гитä'р) *s.* гитара.
gulf (галф) *s.* залив; (*chasm*) бездна.
Gulf-stream (га'лф-стриим) *s.* гольфштром.
gull (гал) *s.* (*bird*) чайка; (*fool*) дурак, простофиля || ~ *va.* (*fam.*) обманывать; проводить.
gullet (га'лит) *s.* горло; глотка.
gullible (га'либл) *a.* легковерный.
gully (га'ли) *s.* расселина; (*drain*) канава.
gulp (галп) *s.* глоток || ~ *va.* жадно глотать.
gum/ (гам) *s.* десна; (*for sticking*) гумми арабик || ~ *va.* склеивать гумми арабиком || **-boil** *s.* язва на деснах || **-my** *a.* липкий.
gumption (га'мшён) *s.* (*fam.*) здравый смысл.
gun/ (га'н) *s.* ружьё; (*cannon*) пушка, орудие || **~-boat** *s.* канонерка || **~-carriage** *s.* пушечный лафет || **~-cotton** *s.* огнестрельная хлопчатая бумага.
gunnel (га'нёл) *cf.* **gunwale.**
gunner/ (га'нёр) *s.* артиллерист || **-y** *s.* артиллерийская наука.
gunny (га'ни) *s.* джут.
gun/powder (га'н-паудёр) *s.* порох || **-shot** *s.* расстояние выстрела || **-smith** *s.* оружейный мастер || **-stock** *s.* ружейное ложе || **-wale** (га'нёл) *s.* планшир; шкафут.
gurgle (гёргл) *s.* журчание, булькание || ~ *vn.* булькать, журчать.
gurnard (гё'рнёрд), **gurnet** (гё'рнёт) *s.* тригла (рыба).
gush/ (га'ш) *s.* быстрое излияние; (*effusiveness*) излияние чувств || ~ *vn.* хлынуть || **-ing** *a.* (*fig.*) экспансивный.
gusset (га'сит) *s.* ластовица; наугольник.
gust/ (га'ст) *s.* порыв; (*burst of anger*) припадок || **-o** *s.* вкус; удовольствие || **-y** *a.* бурный.
gut (гат) *s.* кишка; (*catgut*) кишечная струна; (*mar.*) узкий пролив; *pl.* внутренности *fpl.* || ~ *va.* потрошить, вы-; (*to destroy*) опустошить.
gutta-percha (га'тё-пё'рчё) *s.* гуттаперча.
gutter (га'тёр) *s.* жёлоб, выемка; канавка || ~ *va.* желобить || ~ *vn.* стекать, оплывать.
guttle (гатл) *va&n.* глотать, жрать, набивать брюхо.
guttural (га'тёрёл) *a.* гортанный.
guy (гай) *s.* (*mar.*) штагтали *fpl.*; (*fig.*) чучело || ~ *va.* (*to ridicule*) осмеивать || ~ *vn.* убежать.

guzzle/ (га'зл) *vadn.* жадно пить и есть || **–r** *s.* обжора.

gym (джим) *s.* (*fam.*) = **gymnasium & gymnastics.**

gymnas/ium (джимнэй'зиём) *s.* (*school*) гимназия; (*for gymnastics*) гимнастический зал || **–tic** (джимна'стик) *a.* гимнастический || **–tics** *spl.* гимнастика.

gypsum (джи'псём) *s.* гипс.

gypsy (джи'пси) *cf.* **gipsy.**

gyr/ate (джай'рэйт) *vn.* кружиться || **–ation** *s.* круговое движение.

gyves (джайвз) *spl.* оковы *fpl.*

H

ha (ха) *int.* а! ах! ага!

Habeas Corpus (хэй'биёс ко'рпёс) *s.* (**~ ~ Act**) закон о неприкосновенности личности.

haberdasher/ (ха'бёрдашёр) *s.* мелочной торговец (нитками, и пр.) || **–y** *s.* мелочной товар.

habiliments (хаби'лимэнтс) *spl.* одежда.

habit/ (ха'бит) *s.* привычка; обыкновение; (*constitution*) состояние; (*riding-~*) платье для верховой езды, амазонка; (*obsol.*) платье; (*of clergy*) ряса || **~** *va.* о-девать, -деть || **to be in the ~ of doing (something)** обыкновенно делать (что); иметь привычку делать (что) || **–able** *a.* жилой || **–ation** *s.* жилище; жительство || **–ual** (хаби'тюёл) *a.* обычный, привычный || **–uate** (хаби'тюэйт) *va.* привыкнуть || **–ude** *s.* привычка, обычай || **–ué** (хаби'тюэй) *s.* постоянный посетитель, завсегдатай.

hack/ (хак) *s.* зарубка; (*hired horse*) наёмная лошадь; (*mattock*) мотыка; (**~** *writer*) наёмный писатель || **~** *va.* рубить, из-; зазубривать || **–ing** *a.*, **a ~ cough** слабый и частый кашель.

hackle (хакл) *s.* чесалка || **~** *va.* чесать (лён).

hackney/ (ха'кни) *s.* наёмная лошадь || **~ coach, ~ cab** наёмная карета || **–ed** (-д) *a.* избитый, опошленный.

hacksaw (ха'ксо) *s.* ножёвка.

had (хад) *cf.* **have.**

haddock (ха'дёк) *s.* вахня.

Hades (хэй'дийз) *s.* ад.

hæm/atite, hematite (хий'мётайт) *s.* красный железняк, гематит || **–orrhage** (хэ'моридж) *s.* кровоизлияние || **–orrhoids** (хэ'мёройдз) *spl.* геморрой.

haft (хафт) *s.* ручка, рукоятка || **~** *va.* приделать рукоятку.

hag/ (хаг) *s.* ведьма; (*witch*) баба-яга || **–ridden** *a.* находящийся под влиянием кошмара.

haggard (ха'гёрд) *a.* худой; дикий.

haggis (ха'гис) *s.* (*Sc.*) род колбасы.

haggle (хагл) *vn.* торговаться.

hail/ (хэйл) *s.* град; (*greeting*) приветствие, оклик || **within ~** в расстоянии оклика || **~** *int.* здравствуй! || **~** *va.* приветствовать; окликать, окликнуть || **~** *vn.* итти (о граде); (*fig.*) сыпаться (градом) || **it –s** град идёт || **to ~ from** быть (откуда) || **–fellow, –fellow-well-met** *a.*, **to be ~ with** фамильярничать с || **–stone** *s.* градина || **–storm** *s.* буря с градом.

hair/ (хар) *s.* волос; шерсть *f.* || **to keep one's ~ on** (*fam.*) быть спокойным || **my ~ stands on end** волосы дыбом становятся || **to a ~** точь в точь || **–breadth** *s.*, **by a ~** на волосок || **–brush** *s.* головная щётка || **–dresser** *s.* парикмахер || **–iness** *s.* волосатость *f.* || **–less** *a.* безволосый; лысый || **–oil** *s.* масло для волос || **–pin** *s.* шпилька || **–splitting** *s.* спор о пустяках || **–y** *a.* волосатый; волосистый.

hake (хэйк) *s.* дорш.

halberd (ха'лбёрд) *s.* алебарда.

halcyon (ха'лсиён) *s.* зимородок || **~** *a.* тихий; счастливый.

hale (хэйл) *a.* здоровый; бодрый || **~** *va.* тащить; тянуть.

half/ (хаф) (*pl.* **halves** хавз) *s.* половина || **to go halves** делиться пополам || **your better ~** (*fam.*) Ваша дражайшая половина || **by ~** (*fam.*) гораздо || **by halves** несовершенно || **~** *a.* половинный || **~ past one** половина второго || **~** *ad.* на половину; полу . . . || **not ~** чрезмерно || **~-and-~** *s.* смесь пополам портера с пивом || **–breed** *a.* нечистокровный || **~-brother** *s.* сводный брат || **–crown** *s.* англ. монета = два шилл. шесть пенс. || **–hearted** *a.* слабодушный || **–moon** *s.* полумесяц || **–penny** (хэй'пни) (*pl.* **–pennies, –pence** хэй'пёнс) *s.* полпенса || **–pennyworth** (хэй'пниуёрѳ, хэй'пёрѳ) *s.* на полпенса || **~-seas-over** *a.* подвыпивший || **~-sister** *s.* сводная сестра, сведёная сестра || **–sovereign** *s.* (золотая монета в) десять шиллингов || **–way** *ad.* на полдороге || **–witted** *a.* полоумный || **–yearly** *a.* полугодичный.

halibut (ха'либат), **holibut** (хо'либат) *s.* род палтуса.

hall/ (хол) *s.* зала, зал; присутственное место; (*entrance*) передняя; (*gentleman's residence*) двор || **–mark** *s.* проба.

Hallelujah! (халилу'йё) *s.* аллилуия!

hallo! (хёлоу') = **hullo!**

halloo (хёлу') *s.* возглас; оклик || **~** *int.* эй ты! ау!; (*to dogs*) ату! || **~** *vn.* аукать.

hallow (хä'лоу) *va.* освятить, освящать || ~ *s.* **All Hallows** = **Hallowmas.**
Hallowmas (хä'ломäс) *s.* день всех Святых.
hallucination (хäлӯсинэй'шн) *s.* галлюцинация.
halm (хōм) *s. cf.* **haulm.**
halma (хä'лмё) *s.* гальма (шашечная игра).
halo (хэй'лоу) *s.* венец; ореол.
halt (хōлт) *s.* остановка; (*mil.*) привал || ~ *a.* хромой || ~ *va.* остановить || ~ *vn.* (*to hesitate*) колебаться; (*to stop*) остан-авливаться, -овиться; (*mil.*) делать, с- привал.
halter (хō'лтёр) *s.* недоуздок; верёвка.
halve (хāв) *va.* разделить пополам *или* надвое.
halves (хāвз) *cf.* **half.**
halyard, halliard (хä'лйёрд) *s.* (*mar.*) фал.
ham (хäм) *s.* окорок; ветчина.
hamlet (хä'млит) *s.* деревушка; посёлок.
hammer/ (хä'мёр) *s.* молот, молоток; (*of a gun*) курок || **to bring under the ~** про-давать, -дать с молотка || **~ and tongs** *ad.* изо всех сил || ~ *va.* бить молотом; ковать; (*fig. defeat*) побить || **to ~ (away) at** упорно заниматься (чем) || **to ~ out** (*to devise*) изобретать || **–cloth** *s.* чехол на козлы.
hammock (хä'мёк) *s.* койка; гамак.
hamper (хä'мпёр) *s.* корзина || ~ *va.* стесн-ять, -ить.
hamstring (хä'мстринг) *s.* подколенная жила || ~ *va.* подрезывать подколенную жилу.
hand/ (хäнд) *s.* рука; (*right ~, left ~*) сторона; (*manual worker*) рабочий; (*writing*) почерк; (*of clock*) стрелка; (*measure of horse's height*) ладонь *f.*; (*mar.*) матрос; (*at cards*) игра || ~ *va.* подать; вручить; вести за руку || **at ~** под рукой || **to bear a ~** помочь || **to lay –s on** захватить || **out of ~, off ~** *ad.* экспромтом || **at first ~** из первых рук || **in the turn of a ~** вдруг, сразу || **by ~** ручным способом || **from ~ to mouth** с хлеба на квас; со дня на день || **to be ~ and** (*или* **in**) **glove with** быть в очень близких отношениях с || **to shake –s** по-давать, -дать руку || **with a high ~** высокомерно || **–s off!** не трогать || **~ to ~ fight** рукопашный бой || **–barrow** *s.* носилки *fpl.* || **~-basket** *s.* ручная корзина || **~-bell** *s.* колокольчик || **–bill** *s.* афиша || **–book** *s.* руководство || **–cuff** *va.* надеть ручные оковы || **–cuffs** *spl.* наручни *mpl.*; ручные кандалы *mpl.* || **–ful** *s.* (*& fig.*) горсть *f.* || **–gallop** *s.* курцгаллоп.
handicap (хä'ндикäп) *s.* гандикап.
handi/craft (хä'нди-крäфт) *s.* ремесло; рукоделие || **–ly** *ad.* искусно; удобно || **–work** *s.* рукоделие.
handkerchief (хä'нгкёрчиф) *s.* носовой платок.
handl/e (хäндл) *s.* ручка; рукоятка; (*of knife*) черенок || **a ~ to one's name** титул || ~ *va.* управлять; трогать рукой; обходиться (с кем) || **–ing** *s.* управление; ведение; обхождение (с кем).
hand/maid(en) (хä'нд-мэйдн) *s.* служанка || **–rail** *s.* перила || **~-saw** *s.* ручная пила.
handsel (хä'нсёл) *s.* почин.
handsome (хä'нсём) *a.* красивый; (*generous*) щедрый.
hand/work (хä'нд-уёрк) *s.* ручная работа || **–writing** *s.* почерк.
handy (хä'нди) *a.* ловкий; (*convenient*) удобный.
hang (хäнг) *s.*, **to get the ~ of** по-нимать, -нять || **I don't care a ~** это для меня безразлично *or* всё равно || ~ *int.*, **~ him!** чорт его побери! || ~ *va.irr.* вешать || ~ *va.* (*to execute*) повесить || ~ *vn.irr.* висеть || **to ~ back** не решаться || **to ~ fire** выстреливать медленно.
hangar (хä'нг-гёр) *s.* сарай; ангар.
hang/dog (хä'нг-дог) *a.* стыдливый, застенчивый || **–er** *s.* подвеска; крюк || **~ on** блюдолиз || **–ings** *spl.* драпировка || **–man** *s.* палач || **–nail** *s.* = **agnail.**
hank (хäнгк) *s.* моток.
hanker/ (хä'нгкёр) *vn.*, **to ~ after** страстно желать; жаждать (чего) || **–ing** *s.* сильное желание; склонность *f.*
hanky/ (хä'нгки) *s.* (*fam.*) носовой платок || **~-panky** *s.* фокусы *mpl.*; обман, плутовство.
hansom (хä'нсем) *s.* двухместный кеб.
hap/hazard (хä'пхäзёрд) *s.* случай || **at** *или* **by ~** случайно || ~ *ad.* случайно || **–less** *a.* несчастный.
ha'p'orth (хэй'пёрþ) = **halfpennyworth.**
happen/ (хä'пн) *vn.* случиться || **to ~ on** *или* **upon** случайно напасть на || **I –ed to be out** случилось так, что меня не было дома.
happ/ily (хä'п-или) *ad.* к счастию; благополучно || **–iness** *s.* счастие || **–y** *a.* счастливый; (*content*) довольный; (*glad*) рад; (*felicitous*) удачный || **–y-go-lucky** *a.* случайный || **in a ~ sort of way** на удачу.
harangue (хёрä'нг) *s.* ораторская речь; многословие || ~ *va.&n.* обращаться с речью; произносить речь.
harass (хä'рёс) *va.* утомлять; изнурять.
harbinger (хā'рбинджёр) *s.* предвестник.
harbour/ (хā'рбёр) *s.* гавань *f.*; порт; (*fig.*) убежище, приют || ~ *va.* приютить,

укры́ть; (*to entertain*) таи́ть, пита́ть || **–age** *s.* (*fig.*) покрови́тельство.

hard/ (ха̄рд) *a.* твёрдый; (*difficult*) тру́дный; (*harsh*) суро́вый, стро́гий, гру́бый || ~ *ad.* си́льно, кре́пко; насто́ятельно || ~ **at hand,** ~ **by** вблизи́ || ~ **lines** (*fig.*) несча́стие, беда́ || **a** ~ **nut** тру́дный вопро́с || ~ **of hearing** кре́пкий на у́хо || ~ **put to it** в затрудни́тельном положе́нии || ~ **up** си́льно нужда́ющийся в де́ньгах || **–en** *va.* де́лать, с- твёрдым; ожесточ-а́ть, -и́ть; (*to temper*) за-ка́ливать, -кали́ть; (*fig.*) де́лать, с- нечувстви́тельным || **–fisted** *a.* скупо́й || **~-fought** *a.*, **a** ~ **battle** упо́рный || **–hearted** *a.* жестокосе́рдный || **–ihood** *s.* сме́лость *f.*; (*impudence*) де́рзость *f.* || **–ly** *ad.* едва́, с трудо́м || **–ness** *s.* твёрдость *f.*; (*severity*) суро́вость *f.*; (*difficulty*) тру́дность *f.* || **–ship** *s.* утомле́ние; притесне́ние || **–ware** *s.* желе́зный и ме́дный това́р || **–y** *a.* сме́лый; (*robust*) дю́жий, здоро́вый; (*enduring*) выно́сливый.

hare/ (ха̄р) *s.* за́яц || **–brained** *a.* легкомы́сленный; (*rash*) безрассу́дный || **–lip** *s.* за́ячья губа́ || **–lipped** *a.* трегу́бый.

harem (ха̄'рём) *s.* гаре́м.

haricot (ха̄'рико̄у) *s.* (*of mutton*) рагу́; (~ *bean*) туре́цкий боб.

hark (ха̄рк) *int.* слу́шай! || ~ *vn.* (*to* ~ *back*) возвра-ща́ться, -ти́ться.

harlequin/ (ха̄'рликин) *s.* арлеки́н || **–ade** (ха̄рликинэ̄й'д) *s.* арлекина́да.

harlot (ха̄'рлёт) *s.* проститу́тка, публи́чная же́нщина.

harm/ (ха̄'рм) *s.* вред, зло || **out of ~'s way** находя́щийся вне опа́сности || ~ *va.* вреди́ть || **–ful** *a.* зловре́дный || **–less** *a.* безвре́дный; (*fig.*) простоду́шный.

harmon/ic (хармо'н-ик) *a.* гармони́ческий, стро́йный; (*of sound*) созву́чный; (*in agreement*) согла́сный || **–ics** *spl.* уче́ние о гармо́нии || **–ious** (хармо̄у'ниёс) *a.* согла́сный; соразме́рный; (*sound*) созву́чный || **–ium** (хармо̄у'ниём) *s.* фисгармо́ника, гармо́ниум || **–ize** (ха̄'рмёнайз) *va.&n.* гармони́ровать; ла́дить, по-; согласова́ться || **–y** (ха̄'рмёни) *s.* гармо́ния, созву́чие; соразме́рность *f.*; (*agreement*) согла́сие.

harness (ха̄'рнис) *s.* сбру́я, у́пряжь *f.*; (*armour*) ла́ты *fpl.* бро́ня || ~ *va.* надева́ть, -де́ть сбру́ю; за-пряга́ть, -пре́чь; (*fig.*) по́льзовать.

harp/ (ха̄рп) *s.* а́рфа || ~ *vn.* игра́ть на а́рфе; (*fig. to* ~ *on*) ску́чно распространя́ться о || **–ist** *s.* арфи́ст, арфи́стка.

harpoon (ха̄рпӯ'н) *s.* гарпу́н, острога́ || ~ *va.* бить острого́ю.

harpsichord (ха̄'рпсико̄рд) *s.* клавико́рды [*fpl.*

harpy (ха̄'рпи) *s.* га́рпия; живодёр.

harridan (ха̄'ридён) *s.* кля́ча; хрычо́вка.

harrier (ха̄'риёр) *s.* го́нчая соба́ка.

harrow (ха̄'роу) *s.* борона́ || ~ *va.* борони́ть; (*fig.*) беспоко́ить; терза́ть.

harry (ха̄'ри) *va.* му́чить; гра́бить.

harsh (ха̄рш) *a.* жёсткий; (*to taste*) те́рпкий; (*rough*) гру́бый; (*severe*) суро́вый.

hart (ха̄рт) *s.* оле́нь *m.*

harum-scarum (ха̄'рём-ска̄'рём) *a.* безрассу́дный.

harvest/ (ха̄'рвист) *s.* жа́тва; сбор, урожа́й; (*fig.*) результа́т || ~ *va.* жать, собира́ть || **–er** *s.* жа́тель *m.*, жнец; (*machine*) жа́твенная маши́на.

has (хӓз) *cf.* **have.**

hash (хӓш) *s.* ру́бленное мя́со || **to make a** ~ **of** (*fig.*) по́ртить, ис- || ~ *va.* кроши́ть, руби́ть, на-.

hasp (хӓсп) *s.* засо́в, застёжка крючо́к.

hassock (хӓ'сёк) *s.* поду́шка под коле́ни (в це́ркви).

hast (хӓст) *cf.* **have.**

hast/e (хэ̄йст) *s.* поспе́шность *f.*; спе́шность *f.*; (*hurry*) торопли́вость || **more** ~ **the less speed** (*prov.*) ти́ше е́дешь, да́льше бу́дешь || **make** ~! торопи́! спеши́! || ~ *vn.* спеши́ть || **–en** (хэ̄й'сн) *va.* торопи́ть; (*accelerate*) у-скоря́ть, -ско́рить || ~ *vn.* спеши́ть, поспе-ша́ть, -ши́ть; торопи́ться, по- || **–ily** *ad.* торопли́во, спе́шно, поспе́шно || **–iness** *s.* поспе́шность *f.*; (*of temper*) запа́льчивость *f.* || **–y** *a.* поспе́шный; (*quick*) ско́рый; (*rash*) необду́манный; (*quick-tempered*) запа́льчивый || ~ **pudding** заварно́й пу́динг.

hat/ (хӓт) *s.* (*gentleman's*) шля́па; (*lady's*) шля́пка || **high** ~, **top** ~ цили́ндр || **opera** ~ складно́й цили́ндр, шапо-кля́к || **–band** *s.* ле́нта вокру́г шля́пы, шля́пная ле́нта || **~-box** *s.* карто́н на шля́пу, коро́бка для шля́пы || **~-brush** *s.* шля́пная щётка.

hatch (хӓч) *s.* (*brood*) вы́вод; (*half-door*) полудве́рь *f.*; (*mar.*) люк || ~ *va.* выси́живать, вы́сидеть; выводи́ть, вы́вести; (*fig.*) вымышля́ть, вы́мыслить; за-мышля́ть, -мы́слить; (*to engrave*) гравирова́ть.

hatchet (хӓ'чит) *s.* топо́р || **to bury the** ~ мири́ться (с кем, чем).

hatchment (хӓ'чмёнт) *s.* тра́урный герб.

hate/ (хэ̄йт) *s.* не́нависть *f.* || ~ *va.* ненави́деть || **–ful** *a.* ненави́стный; гну́сный; (*odious*) проти́вный.

hatred (хэ̄й'трид) *s.* не́нависть *f.*

hatter (хӓ'тёр) *s.* фабрика́нт *или* продаве́ц шляп.

hauberk (хо̄'бёрк) *s.* па́нцырь *m.*

haught/iness (хō'тинэс) *s.* спесь *f.*; высокомéрие || **–y** *a.* спеси́вый, надмéнный.
haul (хōл) *s.* вытя́гивание; (*of fish*) улóв; (*booty*) добы́ча || ~ *va.* тащи́ть, тяну́ть; (*to tow*) буксировáть, бечевáть || **to ~ over the coals** дéлать вы́говор (комý).
haulm (хōм) *s.* стéбель *m.*
haunch (хōнч) *s.* ля́жка; (*of animals*) бедрó.
haunt/ (хōнт) *s.* мéсто, чáсто посещáемое; убéжище || ~ *va.* посещáть; чáсто бывáть (где) || **–ed** *a.* посещáемый привидéниями || **this place is ~** здесь чéрты вóдятся, здесь нечи́сто.
hautboy (хōу'бой) *s.* гобóй, обóй.
Havana (хёвä'нё) *s.* гавáнна, гавáнская сигáра.
have (хäв) *va.irr.* (**I've** [айв] = **I ~** || **we've** [уийв] = **we ~** || **he's** [хийз] = **he has** || **haven't** [хä'вёнт] = **have not** || **hasn't** [хä'зёнт] = **has not**) имéть, владéть; держáть; (*possess, usually expressed by* у + *Gen.*) || **he has a good heart** у негó дóброе сéрдце || **he has no time** у негó нет врéмени || **I ~ a request to make** у меня́ до Вас прóсьба; (*to ~ to*) долженствовáть || **I ~ to** мне должнó || **I shall ~ to** я дóлжен бýду; (*to cheat*) об-мáнывать, -манýть; (*to cause to be done*) заставля́ть, -стáвить когó || **~ better, ~ rather** препо-читáть, -чéсть || **to ~ at** напáсть (на) || **~ done!** пóлно! || **to ~ it out with** об'ясни́ться (с) || **to ~ one up** домогáться (чегó).
haven (хэ̄й'вн) *s.* порт, гáвань *f.*; (*refuge*) приют.
haven't (хä'внт) *cf.* **have.**
haversack (хä'вёрсäк) *s.* котóмка; рáнец.
havoc (хä'вёк) *s.* разрушéние, опустошéние || **to make ~ of, to play ~ among** опусто-шáть, -ши́ть.
haw (хō) *s.* я́года боя́рышника.
hawk/ (хō'к) *s.* сóкол; я́стреб || ~ *va.* продавáть по ýлицам || ~ *vn.* охóтиться с пóмощью сóколов || **–er** *s.* сокóльник; (*street trader*) разнóщик.
hawse/ (хōз) *s.* (*mar.*) клюз || **–r** *s.* (*mar.*) канáт, кáбельтов.
hawthorn (хō'þōрн) *s.* боя́рышник.
hay/ (хэ̄й) *s.* сéно || **to make ~** коси́ть сéно || **to make ~ while the sun shines** (*fig.*) пóльзоваться, вос- слýчаем || **–cock** *s.* копнá сéна || **–fever** *s.* сеннáя лихорáдка || **–loft** *s.* сеновáл || **–maker** *s.* косéц || **–rick, –stack** *s.* стог сéна.
hazard/ (хä'зёрд) *s.* слýчай; (*risk*) риск; (*danger*) опáсность *f.*; (*billiards*) лýза || ~ *va&n.* риск-овáть, -нýть (чем); отвáжиться (на что) || **–ous** *a.* рискóванный.
haz/e (хэ̄йз) *s.* тумáн; ды́мка || **–y** *a.* тумáнный; (*fam.*) сéренький (день); (*vague*) смýтный.
hazel/ (хэ̄й'зл) *s.* орéшина || ~ *a.* свéтло-кáрий || **~-nut** *s.* орéх.
he/ (хий) *prn.* он || ~ *s.* (*pl.* **hes** [хийз]) самéц || ~ *a.* мýжеского рóда || **a ~-goat** козёл.
head/ (хэд) *s.* головá, главá; (*top*) верхýшка; (*mar.*) нос; (*of coin*) лицевáя часть; (*promontory*) мыс; (*individual*) лицó; (*of nail*) шля́пка; (*of cabbage*) кочáн; (*foam on beer, etc.*) пéна; (*headmaster*) дирéктор шкóлы; (*category*) категóрия; (*culmination*) вы́сшая тóчка || **neither ~ nor tail** ни начáла, ни концá || **you have hit the nail on the ~** вы попáли, угадáли || **to come to a ~** назрéть || **~ foremost** головóй вниз || **off one's ~** помéшанный || **~ over heels** верх днóм || ~ *va.* итти́ во главé; озаглáвить || **to ~ for** направля́ться на || **–ache** *s.* головнáя боль || **–dress** *s.* головнóй убóр || **–er** *s.* погружéние в водý || **–ing** *s.* заглáвие, заголóвок || **–land** *s.* мыс || **–less** *a.* безголóвый || **–long** *a.* опромéтчивый || ~ *ad.* стремглáв || **–master** *s.* дирéктор шкóлы || **–piece** *s.* кáска || **–quarters** *spl.* глáвная квартúра; штаб-квартúра || **–sman** *s.* палáч || **–stall** *s.* оглáвль *f.* || **–stone** *s.* моги́льный кáмень || **–strong** *a.* непреклóнный || **–way** *s.* ход вперёд; постýпательное движéние || **–y** *a.* горя́чий; (*apt to intoxicate*) крéпкий.
heal/ (хийл) *s.* лечи́ть, из-; исцеля́ть, -и́ть; вылéчивать, вы́лечить || ~ *vn.* исцел-я́ться, -и́ться; вылéчиваться, вы́лечиться; за-живáть, -жи́ть || **–ing** *a.* целéбный.
health/ (хэлþ) *s.* здорóвье; (*toast*) тост || **good ~! your ~!** за вáше здорóвье || **bad ~** нездорóвье || **–y** *a.* здорóвый.
heap (хийп) *s.* кýча; (*fig.*) мнóжество || **to be struck all of a ~** изуми́ться || ~ *va.* класть *или* собирáть в кýчу; накоп-ля́ть, -и́ть; (*to ~ up*) наполня́ть дóверху || **to ~ someone with favours** осыпáть когó ми́лостями.
hear/ (хийр) *va&n.irr.* (*listen to*) слýшать; (*to perceive by hearing*) слы́шать; (*to be informed*) слыхáть; выслýшивать, вы́слушать || ~ *int.*, ~ ~! урá! || **–ing** *s.* слух; слýшание || **give me a ~** вы́слушайте меня́ || **–ken** (хä'ркн) *vn.* слýшать || **–say** (хий'рсэ̄й) *s.* слух, наслы́шка.
hearse (хёрс) *s.* (погребáльные) дрóги *fpl.*
heart/ (хäрт) *s.* сéрдце; (*affection*) любóвь *f.*; (*centre*) середи́на, центр; (*courage*)

хра́брость *f.* || with all one's ~ от всей души́ || -s *pl.* (*at cards*) че́рви *fpl.* || to give, to lose one's ~ to влюб-ля́ться, -и́ться в || to take ~ собра́ться с ду́хом || by ~ наизу́сть || (with) ~ and soul по́лный энтузиа́зма все́ю душо́ю || -breaking *a.* надрыва́ющий се́рдце || -burn *s.* изжо́га || -ed *a.*, stout-~ хра́брый || hard-~ жестокосе́рдый || light-~ весё-лый || -en *va.* ободря́ть, оживля́ть, поощря́ть || -felt *a.* и́скренний.

hearth/ (ха̄рþ) *s.* под (в печи́); оча́г; (*techn.*) печь *f.* || -rug *s.* ками́нный ко́врик || -stone *s.* оча́жный ка́мень.

heart/ily (ха̄'рт-или) *ad.* и́скренне, серде́чно, усе́рдно; (*very*) о́чень || -less *a.* безду́шный; малоду́шный || -rending *a.* раздира́ющий се́рдце || -y *a.* серде́чный, душе́вный; здоро́вый, дю́жий; бо́дрый || to eat a ~ meal сы́тно пое́сть.

heat/ (хийт) *s.* жар; теплота́; пыл, горя́чность *f.*; (*anger*) гнев; (*sport*) круг, коне́ц || at a white ~ накалённый добела́ || ~ *va.* нагрева́ть, топи́ть || -ed *a.* (*fig.*) гне́вный.

heath/ (хийþ) *s.* (*heather*) ве́реск; (*place*) ме́сто, заро́сшее ве́реском *или* куста́рником; степь *f.* || -cock *s.* глуха́рь *m.*; те́терев || -en (хий'ðн) *s.* язы́чник || ~ *a.* язы́ческий || -enish (хий'ðёниш) *a.* язы́ческий; жесто́кий || -enism (хий'ðёнизм) *s.* язы́чество || -er (хэ'ðёр) *s.* ве́реск.

heave (хийв) *s.* поднима́ние; (*of the sea*) волне́ние || ~ *va.irr.* поднима́ть, приподнима́ть; (*a sigh*) испуска́ть || to ~ in sight появи́ться на горизо́нте.

heaven/ (хэ'вн) *s.* не́бо, небеса́ || good -s! Бо́же мой! || -ly (хэ'вёнли) *a.* небе́сный, боже́ственный.

heav/ily (хэ'в-или) *ad.* тяжело́, тру́дно; (*slowly*) ме́дленно || -iness *s.* тя́жесть *f.*, тяжелове́сность *f.*; тя́гость *f.* || -y *a.* тяжёлый, тяжелове́сный; тру́дный; (*of rain*) си́льный; (*drowsy*) со́нный; (*dull*) тупо́й || ~ fire си́льная перестре́лка || ~ sea бу́рное мо́ре.

hecatomb (хэ'кётом) *s.* гекато́мба.

heckle (хэкл) *va.* стро́го распра́шивать; (*flax*) = hackle.

hectic (хэ'ктик) *a.* гекти́ческий; изнури́тельный; чахо́точный; (*excited*) взволно́ванный.

hector/ (хэ'ктёр) *s.* хвасту́н, храбре́ц || ~ *vn.* грози́ть, храбри́ться || -ing *s.* угро́за || ~ *a.* на́глый, хвастли́вый.

hedge/ (хэдж) *s.* и́згородь *f.* || ~ *va.* огор-а́живать, -оди́ть; (*to enclose*) окруж-а́ть, -и́ть || -hog *s.* ёж || -row *s.* жива́я и́згородь || -school *s.* шко́ла на откры́том во́здухе || -sparrow *s.* травни́к.

heed/ (хийд) *s.* внима́ние; (*caution*) осторо́жность *f.* || to pay ~ to обраща́ть внима́ние || ~ *va.* обра-ща́ть, -ти́ть внима́ние; замеча́ть || -ful *a.* внима́тельный; осторо́жный || -less *a.* невнима́тельный, неосторо́жный.

heel/ (хийл) *s.* пя́тка; (*of a boot*) каблу́к || down at ~ со сто́птанными каблука́ми; (*fig.*) в дурно́м положе́нии || to cool one's -s ждать || to go head over -s кати́ться ку́барем || to lay by the -s заключи́ть в тюрьму́ || to take to one's -s бро́ситься бежа́ть, убежа́ть || ~ *va.* при-де́лывать, -де́лать каблуки́ || ~ *vn.* (*to ~ over*) крени́ть(-ся).

hefty (хэ'фти) *a.* си́льный, сме́лый, хра́брый.

heifer (хэ'фёр) *s.* тёлка.

heigh-ho (хэ̆й'хо̆у') *int.* ах! ох!

height/ (хайт) *s.* вышина́, высота́; вы́сшая сте́пень || in the ~ of the storm среди́ са́мой си́льной бу́ри || -en *va.* воз-выша́ть, -вы́сить; (*to improve*) улуч-ша́ть, -ши́ть.

heinous (хэ̆й'нёс) *a.* гну́сный, ужа́сный.

heir/ (а̄р) *s.* насле́дник || ~ apparent предполага́емый насле́дник || -ess (-ис, -эс) *s.* насле́дница || -loom *s.* запове́дное иму́щество.

held (хэлд) *cf.* hold.

helical (хэ'ликёл) *a.* спира́льный.

heliograph (хий'лиогра̄ф) *s.* гелиогра́ф.

heliotrope (хий'лиётро̆уп) *s.* гелиотро́п.

hel/ix (хэ'ликс, хий'ликс), (*pl.* -ices [-исийз]) *s.* спира́ль *f.*; винтообра́зная ли́ния, конхо́ида.

he'll (хийл) = he will.

hell/ (хэл) *s.* ад; (*gaming house*) иго́рный дом || I don't care a ~ мне всё равно́ || ~ for leather *ad.* на́скоро, второпя́х || -ish *a.* а́дский.

hello! (хэло̆у') *cf.* hallo!

helm/ (хэ'лм) *s.* (*of ship*) руль *m.*; (*head piece*) шлем || ~ *va.* пра́вить; управля́ть || -et *s.* шлем || -sman *s.* рулево́й.

helot (хэ'лот) *s.* ило́т, раб.

help/ (хэлп) *s.* по́мощь *f.*; посо́бие; (*helper*) помо́щник, помо́щница; слуга́ || with the ~ of при по́мощи || ~ *va.* по-мога́ть, -мо́чь (+ *Dat.*) || to ~ forward соде́йствовать (чему́) || to ~ out вы́вести из затрудне́ния || I could not ~ . . . я не мог удержа́ться от . . . || ~ yourself бери́те са́ми || -er *s.* помо́щник, помо́щница || -ful *a.* поле́зный, помога́ющий || -ing *s.* по́рция || -less *a.* беспо́мощный || -mate *s.* помо́щник, помо́щница.

helter-skelter (хэ'лтёр-скэ'лтёр) *ad.* как ни попало, в беспорядке.
helve (хэлв) *s.* ручка, рукоятка; (*of axe*) [топорище.
hem (хэм) *s.* рубец, кайма ‖ ~ *va.* подруб-лять, -ить; об-шивать, -шить ‖ **to ~ in** окру-жать, -жить ‖ ~ *int.* гм!
hematite *cf.* **haematite.**
hemi/sphere (хэ'мисфийр) *s.* полушарие ‖ **–stich** (-стик) *s.* полустишие.
hemlock (хэ'млок) *s.* болиголов.
hemo/rrhage (хэ'моридж) *s.* кровоизлияние ‖ **–rrhoids** (хэ'мёройдз) *spl.* геморрой.
hemp/ (хэмп) *s.* конопля; пенька ‖ **–en** *a.* пеньковый ‖ **~-seed** *s.* конопляное семя.
hem-stitch (хэ'мстич) *s.* сквозная строчка.
hen/ (хэн) *s.* курица ‖ **–bane** *s.* белена ‖ **–coop, –house** *s.* курятник ‖ **–pecked** *a.* (*fig.*) находящийся под башмаком у жены.
hence/ (хэнс) *ad.* отсюда; от сих пор ‖ **–forward** *ad.* отныне, впредь.
hepatic (хипä'тик) *a.* печёночный.
heptagon/ (хэ'птёгон) *s.* семиугольник ‖ **–al** (хэптä'гонёл) *a.* семиугольный.
her (хёр) *prn.* её, ей, ту.
herald/ (хэ'рёлд) *s.* герольд; глашатай ‖ ~ *va.* воз-вещать, -вестить; (*to ~ in*) вв-одить, -ести ‖ **–ic** (хирä'лдик) *a.* геральдический ‖ **–ry** *s.* геральдика.
herb/ (хёрб) *s.* зелие; трава ‖ **–age** *s.* трава, зелень *f.* ‖ **–arium** (хёрбä'риём) *s.* гербарий ‖ **–ivorous** (хёрби'вёрёс) *a.* травоядный.
herculean (хёркю'лиён) *a.* геркулесовский.
herd/ (хёрд) *s.* стадо; (*of horses*) табун; (*of deer*) стая; (*a crowd*) толпа; (*herdsman*) пастух ‖ ~ *va.* собирать в стадо; (*to graze*) пасти ‖ ~ *vn.* стадиться ‖ **–sman** *s.* пастух.
here/ (хийр) *ad.* здесь, тут ‖ **~ and there** там и сям ‖ **~ is, ~ are** вот ‖ **–after** (-ä'фтёр) *s.* будущая жизнь ‖ ~ *ad.* отныне, впредь ‖ **–by** (-бай') *ad.* сим, этим; через это.
hered/itament (хэриди'тёмёнт) *s.* наследство ‖ **–itary** (хирэ'дитёри) *a.* наследственный ‖ **–ity** (хирэ'дити) *s.* наследственность *f.*
herein (хийри'н) *ad.* в этом, этим.
here/sy (хэ'риси) *s.* ересь *f.* ‖ **–tic** (хэ'ритик) *s.* еретик, еретичка ‖ **–tical** (хирэ'тикёл) *a.* еретический.
here/tofore (хийр-тёфо'р) *ad.* прежде, перед этим; некогда ‖ **–upon** (-апо'н) *ad.* тогда; затем, после того ‖ **–with** (-уи'ð) *ad.* с этим, через это.
herit/age (хэ'рит-идж), **–ance** *s.* наследство.
hermaphrodite (хёрмä'фрёдайт) *s.* гермафродит.
hermetic/ (хёрмэ'тик), **–al** (*ad.* **–ally**) *a.* герметический.
hermit/ (хё'рмит) *s.* отшельник, пустынник ‖ **–age** *s.* жилище пустынника.
hero/ (хий'роу) *s.* герой ‖ **–ic** (хиро'у'ик) *a.* героический ‖ **–ine** (хэ'роуин) *s.* героиня ‖ **–ism** (хэ'роу-изм) *s.* героизм.
heron (хэ'рён) *s.* цапля.
herring (хэ'ринг) *s.* сельдь *f.*, селёдка ‖ **red** ~ копчёная селёдка.
hers (хёрз) *prn.* её.
herself (хёрсэ'лф) *prn.* себя, себе, она сама.
hesit/ancy (хэ'зит-ёнси), **–ation** *s.* нерешительность *f.*; колебание; (*in speech*) запинание, запинка ‖ **–ate** (-эйт) *vn.* не решаться; запинаться, запнуться; затрудняться.
hetero/clite (хэ'тёроклайт) *a.* неправильный ‖ **–dox** (хэ'тёрёдокс) *a.* иноверный ‖ **–doxy** (хэ'тёрёдокси) *s.* ересь *f.* ‖ **–geneous** (хэтёроджий'ниёс) *a.* разнородный.
hew/ (хю) *va.* рубить, из-; (*wood*) колоть, на-, рас-; (*stone*) тесать, с- ‖ **–er** *s.* (*of wood*) дровосек; (*of stone*) каменотёс.
hex/agon (хэ'ксёгон) *s.* шестиугольник ‖ **–ameter** (хэксä'митёр) *s.* гекзаметр.
hey/ (хэй) *int.* эй! гей! ‖ **–day** *s.* веселие (юности) ‖ ~ *int.* эй! гей! как! ура!
hi (хай) *int.* алло!
hiatus (хайэй'тёс) *s.* отверстие, пропуск; зияние.
hibernate (хай'бёрнэйт) *vn.* проводить зиму в спячке; зимовать.
hiccup (хи'кап) *s.* икота ‖ ~ *vn.* икать.
hickory (хи'кёри) *s.* американская орешина.
hidden (хидн) *a.* тайный, скрытый *cf.* **hide.**
hide/ (хайд) *s.* кожа; шкура ‖ ~ *va.irr.* прятать ‖ ~ *vn.irr.* прятаться ‖ **~-and-seek** *s.* игра в прятки.
hideous (хи'дйёс) *a.* мерзкий, гнусный.
hiding/ (хай'динг) *s.* прятание; (*a beating*) трёпка ‖ **to give someone a good ~** отколотить кого ‖ **~-place** *s.* убежище; тайник.
hie (хай) *vn.* спешить.
hierarch/ (хай'ёрäрк) *s.* иерарх ‖ **–ical** *a.* иерархический ‖ **–y** *s.* иерархия.
hieroglyphic (хайёроглп'фик) *s.* иероглиф ‖ ~ *a.* иероглифический.
higgle (хигл) *vn.* торговаться.
higgledy-piggledy (хи'глди-пи'глди) *ad.* в беспорядке.
high/ (хай') *a.* высокий, возвышенный; (*eminent*) великий; (*noble*) знатный; (*strong*) сильный; (*of game, etc.*) с душ-

ко́м || ~ **and dry** на су́ше, на берегу́ || **on** ~ на высоте́, на не́бе || ~ **time** пора́ || ~ **tea** чай с мя́сными ку́шаньями || **-born** *a.* высокоро́дный || **-flown** *a.* высокопа́рный || **-handed** *a.* самоупра́вливающий || **-land** *s.* го́рная страна́ || **-lander** *s.* го́рец || **-ly** *ad.* высоко́; си́льно; (*extremely*) о́чень || **-minded** *a.* великоду́шный || **-ness** *s.* высота́; (*title*) высо́чество || **~-priced** *a.* дорого́й || **~-priest** *s.* первосвяще́нник || **~-road** *s.* больша́я доро́га || **~-sea** *s.* откры́тое мо́ре || **~-souled** *a.* высо́кой души́ || **~-sounding** *a.* напы́щенный || **~-spirited** *a.* пы́лкий, сме́лый || **~-strung** *a.* не́рвный || **~-water** *s.* высо́кая вода́ (прили́ва); по́лная вода́ || **~-treason** *s.* госуда́рственная изме́на || **~-way** *s.* больша́я доро́га || **-wayman** *s.* разбо́йник на большо́й доро́ге.

hilar/ious (хилӓ'риёс) *a.* весёлый || **-ity** (хилӓ'рити) *s.* весёлость *f.*

hill/ (хил) *s.* холм, приго́рок || **-ock** (-ёк) *s.* хо́лмик; ко́чка || **-y** *a.* холми́стый.

hilt (хилт) *s.* рукоя́тка; (*of a sword*) эфе́с.

him/ (хим) *prn.* его́, ему́; того́, тому́ || **-self** (-сэ'лф) *prn.* он сам, себя́, самого́ себя́; (*to* ~) самому́ себе́.

hind/ (хайнд) *s.* лань *f.*; оле́нья са́мка; (*serf*) рабо́тник || ~ *&* **-er** *a.* за́дний || **-er** (хи'ндёр) *va.* меша́ть, по- кому́; препя́тствовать; (*to prevent*) задержа́ть || **-most** *a.* за́дний, после́дний || **-rance** (хи'ндрёнс) *s.* поме́ха, препя́тствие.

hinge (хиндж) *s.* пе́тля (дверна́я); шалне́р, крюк || ~ *vn.* (*to* ~ *upon*) зави́сеть от.

hint (хинт) *s.* намёк || ~ *va.* намек-а́ть, -ну́ть; надоу́мить.

hinterland (хи'нтёрлӓнд) *s.* ме́стность, зави́сящая в хозя́йственном отноше́нии от како́го-нибу́дь го́рода.

hip/ (хип) *s.* седа́лище; (*bot.*) плод шипо́вника; (*in pl.*) бёдра *npl.* || **~-bath** *s.* сидя́чая ва́нна.

hippo/drome (хи'пёдрōум) *s.* гипподро́м || **-potamus** (хипёпо'тёмёс) *s.* гиппопота́м.

hire/ (хай'ёр) *s.* наём, прока́т; (*payment*) пла́та за наём || ~ *va.* на-нима́ть, -ня́ть || **-ling** *s.* наёмник; (*fig.*) прода́жная душа́.

hirsute (хё'рсют) *a.* волоса́тый.

his (хиз) *prn.* его́, свой.

hiss (хис) *s.* шипе́ние, свист || ~ *vn.* шипе́ть; свист-а́ть, -е́ть || ~ *va.* освиста́ть (кого́).

hist (хист) *int.* тс! чу!

histor/ian (хисто̄'риён) *s.* исто́рик || **-ic** (хисто'рик) *a.*, **-ical** (хисто'рикёл) *a.* истори́ческий || **-y** (хи'стёри) *s.* исто́рия.

histrionic (хистрио'ник) *a.* комедиа́нтский, актёрский.

hit (хит) *s.* уда́р; (*satire*) насме́шка; (*success*) успе́х, уда́ча || ~ *va.* уда́рить, натолкну́ть || ~ *vn.* уда́риться, натолкну́ться || **to** ~ **on** (*to find*) находи́ть || **to** ~ **it off with** соглаша́ться (с), жить согла́сно || ~ **or miss** на уда́чу || **to** ~ **upon** случа́йно встре́титься с.

hitch (хич) *s.* заце́пка; (*mar.*) у́зел; (*impediment*) препя́тствие || ~ *va.* скрепи́ть, зацепи́ть.

hither/ (хи'ðёр) *ad.* сюда́ || ~ **and thither** туда́ и сюда́ || **-to** (-тӯ) *ad.* до сих пор.

hive (хайв) *s.* у́лей; рой || ~ *va.* сажа́ть, собира́ть в у́лей || ~ *vn.* рои́ться.

hives (хайвз) *spl.* (*med.*) жа́ба, круп.

h'm *int.* гм.

ho (хōу) *int.* эй! алло́!

hoar (хо̄р) *s.* и́ней || ~ *a.* седо́й, бе́лый.

hoard (хо̄рд) *s.* клад || ~ *va.* копи́ть; накоп-ля́ть, -и́ть.

hoarfrost (хо̄'рфрост) *s.* и́ней.

hoarding (хо̄'рдинг) *s.* доща́тый забо́р.

hoarse/ (хо̄рс) *a.* хри́плый, охри́плый; оси́плый, си́плый || **to shout o.s.** ~ охри́пнуть от кри́ка, драть го́рло || **-ness** *s.* хрипота́, сипота́, си́плость *f.*

hoary (хо̄'ри) *a.* бе́лый, седо́й.

hoax (хōукс) *s.* обма́н || ~ *va.* обма́нывать.

hob (хоб) *s.* ме́сто для разогрева́ния в оча́ге *или* ками́не.

hobble/ (хо'бл) ковыля́ние || ~ *va.* затрудня́ть, надева́ть пу́ты || ~ *vn.* хрома́ть || **-dehoy** (-дихой') *s.* подро́сток, нело́вкий молодо́й челове́к || **~-skirt** *s.* у́зкая ю́бка.

hobby/ (хо'би) *s.* конёк; (*fig.*) люби́мая страсть; сла́бость *f.* || **-horse** *s.* конёк.

hobgoblin (хо'бгоблин) *s.* домово́й, ле́ший.

hobnail (хо'бнэйл) *s.* гвоздь с широ́кой шля́пкой; подко́вный гвоздь.

hob-nob (хо'бноб) *vn.* (*to* ~ *with*) чо́каться; де́йствовать сообща́.

hobo (хōу'бōу) *s.* (*Am.*) бродя́га.

hock (хок) *s.* = **hough**; (*wine*) ре́йнское, бе́лое вино́; рейнве́йн.

hockey (хо'ки) *s.* го́ки (игра́ в мяч).

hocus/ (хōу'кёс) *va&n.* обма́нывать; опои́ть и обобра́ть кого́ || **-pocus** (-пōу'кёс) *s.* фо́кус || ~ *va&n.* фо́кусничать; (*to hoax*) обма́нывать.

hodge-podge (хо'дж-по'дж) *s. cf.* **hotchpotch.**

hoe (хōу) *s.* моты́ка || ~ *va.* вскопа́ть.

hog/ (хо'г) *s.* свинья́ || **-get** *s.* двухгодова́лый бара́н || **-gish** *a.* сви́нский || **-shead** *s.* англи́йская ме́ра жи́дкостей (= 52 $^1/_2$ галло́но́в); (*cask*) бо́чка.

hoicks (хойкс) *int.* (*in hunting*) ату́!

hoist (хойст) *s.* под'ёмная маши́на; лифт || ~ *va.* под-нима́ть, -ня́ть.

hoity-toity (хой'ти-тойти) *a.* игри́вый; (*haughty*) надме́нный || ~ *int.* тфу про́пасть!

hold/ (хо̄улд) *s.* взя́тие; захва́т; (*for cargo*) трюм || **to have a ~ on** *или* **over** име́ть власть над (кем) || **to take ~ of** схвати́ть || **to let go one's ~ of** вы́пустить из рук || ~ *va.irr.* держа́ть; (*possess*) владе́ть; (*to contain*) содержа́ть; (*engross*) прико́вывать к себе́; (*a meeting, etc.*) устр-а́ивать, -о́ить; (*to celebrate*) пра́здновать; (*to restrain*) у-де́рживать, -держа́ть; (*to compel*) принужда́ть, -ну́дить; (*to believe*) ду́мать; (*to consider*) счита́ть за || ~ *vn.irr.* держа́ться; (*to continue*) про-должа́ться, -до́лжиться; (*to stop*) остан-а́вливаться, -ови́ться || **to ~ aloof (from)** сде́рживаться; отдаля́ться || **to ~ back** уде́рживать || **to ~ dear** люби́ть || **to ~ forth** говори́ть речь, разглаго́льствовать || **to ~ good** быть действи́тельным || **to ~ one's ground** не отступа́ть; отста́ивать || **to ~ in** уде́рживать || **to ~ on** продолжа́ть, держа́тсья (за) || **~ on** посто́й! погоди́! || **~ hard!** держи́! стой! || **to ~ out** *vn.* не сдава́ться || **to ~ over** *va.* отложи́ть || **to ~ one's own** не отступа́ть || **to ~ together** не выдава́ть друг дру́га || **to ~ one's tongue** не вы́болтать || **to ~ up** подде́рживать || **to ~ with** брать сто́рону || **~-all** *s.* доро́жная су́мка || **-er** *s.* держа́тель *m.*; (*pen ~*) ру́чка; (*cigar ~*) мундшту́к || **~-fast** *s.* скоба́ || **-ing** *s.* аре́нда.

hole/ (хо̄ул) *s.* дыра́; (*gap*) отве́рстие; (*burrow*) нора́; (*fam. wretched hovel*) лачу́га || **to be in a ~** (*fam.*) быть в затрудни́тельном положе́нии || **to pick -s in** хули́ть, порица́ть || **~-and-corner** *a.* та́йный; не прямо́й.

holiday (хо'лиди) *s.* пра́здник; *pl.* вака́ция, кани́кулы *fpl.*

holiness (хо̄у'линэс) *s.* свя́тость *f.*; (*title*) святе́йшество.

holla (хола̄') *cf.* **hollo.**

Hollands (хо'лёндз) *s.* голла́ндская можжеве́ловая во́дка.

hollo (хо'ло̄у'), **holloa** (холо̄у'), **holla** (хо'ла̄') *s.* во́зглас, о́клик || ~ *int.* эй! гей! слу́шай! а́ло́!; (*hunting*) ату́! гичи́!

hollow (хо'лоу) *s.* вы́емка; впа́дина; ложби́на: (*valley*) доли́на || ~ *a.* по́лый; впа́лый; (*fig.*) (*empty, false*) пусто́й, фальши́вый; (*of sound*) глухо́й || ~ *ad.* (*completely*) соверше́нно || ~ *va.*, **to ~ out** выда́лбливать, вы́долбить.

holly/ (хо'ли) *s.* остроли́ст || **-hock** *s.* ма́льва.

holm (хо̄ум) *s.* острово́к (в реке́) || **~ & ~-oak** *s.* вечнозелёный дуб.

holo/caust (хо'ло-ко̄ст) *s.* всесожже́ние || **-graph** *s.* собственнору́чный акт.

holster (хо̄у'лстёр) *s.* пистоле́тная кобу́ра.

holt (хо̄улт) *s.* леси́стый холм.

holy/ (хо̄ули) *a.* свято́й, свяще́нный || **the ~ see** па́пский престо́л || **the ~ of holies** Свята́я Святы́х, святи́лище || **the H- Spirit, the H- Ghost** Свято́й дух || **H- Thursday** Вознесе́ние Госпо́дне || **H- Writ** би́блия || **~-water** *s.* свята́я вода́ || **H-- Week** *s.* страстна́я неде́ля.

homage (хо'мидж) *s.* (*feudal*) пови́нность *f.*; (*fig.*) почте́ние, благогове́ние.

home/ (хо̄ум) *s.* дом, жили́ще; (*native land*) отчи́зна, ро́дина || **long** *или* **last ~** гроб || **at ~** до́ма || **at-~** *s.* журфи́кс || ~ *a.* дома́шний; свой; родно́й; (*not foreign*) вну́тренний || **H- Office** Министе́рство Вну́тренних Дел; (*in Russia*) Внуде́л || **H- Secretary** Мини́стр Вну́тренних Дел || **H- Rule** самоуправле́ние || **~ thrust** убеди́тельный до́вод || ~ *ad.* ме́тко, то́чно, соверше́нно; (*at ~*) до́ма; (*to one's ~*) домо́й || **that comes ~ to** э́то пря́мо каса́ется || **to bring a charge ~ to one** об'яви́ть вино́вным || **~-coming** *s.* возвраще́ние домо́й || **~-felt** *a.* серде́чный || **-less** *a.* бездо́мный || **-ly** *a.* некраси́вый; (*plain*) просто́й || **~-sickness** *s.* тоска́ по ро́дине || **-spun** *a.* домотка́нный || **-stead** *s.* поме́стье, двор || **-wards** *ad.* домо́й, во свояси.

homicide (хо'мисайд) *s.* (*crime*) человекоуби́йство; (*person*) уби́йца *m&f.*

homily (хо'мили) *s.* поуче́ние, про́поведь *f.*

hominy (хо'мини) *s.* (*Am.*) ма́ис, отва́ренный на воде́.

homœopathic (хо̄умиопа̄'ђик) *a.* гомеопати́ческий.

homo/geneous (хомоджий'ниёс) *a.* одноро́дный || **-logous** (хомо'логёс) *a.* соотве́тственный || **-nym** (хо'моним) *s.* омони́м.

homy (хо̄у'ми) *a.* прия́тный, как до́ма.

hone (хо̄ун) *s.* осе́лок || ~ *va.* точи́ть, на-.

honest/ (о'нист) *a.* че́стный, прямо́й; правди́вый; (*unadulterated*) чи́стый; (*of women*) целому́дренный || **-y** *s.* че́стность *f.*; правди́вость *f.*

honey/ (ха'ни) *s.* мёд; (*darling*) голу́бчик; (*sweetness*) сла́дость *f.* || **~-bee** *s.* медоно́сная пчела́ || **-comb** *s.* медо́вый сот || **-combed** *a.* с отве́рстиями || **-ed** *a.* медо́вый || **-moon** *s.* медо́вый ме́сяц || ~ *vn.*, **to ~ at, in** про-води́ть, -вести́ медо́вый ме́сяц в || **-suckle** *s.* жи́молость *f.*

honk (хонгк) *s.* звук автомобильного гудка.
honor/arium ([х]онёрä'риём) *s.* гонорар || **–ary** (о'нёрёри) *a.* почётный.
honour/ (о'нёр) *s.* честь *f.*; (*respect*) почтение; (*title*) милость *f.*; (*distinction*) отличие; (*at cards*) онёр, фигура || **upon my ~, ~ bright, I give you my word of ~** честное слово || **to do the –s** занимать гостей || ~ *va.* почитать; чтить, по–; (*comm.*) акцептировать || **–able** *a.* честный; почтенный || **right ~** высокопочтенный (титул перов).
hood/ (худ) *s.* капор; шапочка; (*of cloak*) капюшон; (*monk's*) клобук; (*of carriage*) верх || **–wink** *va.* обманывать.
hoof (хӯф) *s.* (*pl.* **hoofs** хӯфс & **hooves** хӯвз) копыто.
hook/ (хук) *s.* крючок; (*reaping ~*) серп; (*boat ~*) багор || **by ~ or by crook** так или иначе || **on one's own ~** на свой счёт и риск || **to take one's ~** (*fam.*) удаляться || **~ and eye** крючок и петелька || ~ *va.* зацеп-лять, -ить; (*to steal*) украсть || **to ~ it** (*fam.*) убежать || ~ *vn.* зацеп-ляться, -иться || **–ed** *a.* крючковатый || **–er** *s.* гукар || **~-nose** *s.* орлиный нос.
hooligan (хӯ'лигён) *s.* хулиган.
hoop/ (хӯп) *s.* обруч; обод || ~ *va.* на-бивать, -бить обручи || ~ *vn.* кричать || **–ing-cough** *s.* коклюш.
hoopoe (хӯ'пӯ) *s.* удод; пустошка.
hoot/ (хӯт) крик, презрительный крик || ~ *vn.* выть, кричать || **–er** *s.* гудок; (*motor ~*) автомобильный рожок.
hop (хоп) *s.* скачок; (*plant*) хмель *m.* || ~ *vn.* прыг-ать, -нуть; скакать.
hope/ (хōуп) *s.* надежда; упование || ~ *va&n.* надеяться, уповать || **–ful** *a.* надеющийся (на что); подающий надежды || **–less** *a.* безнадёжный, отчаянный.
hop-o'-my-thumb (хо'п-ё-май-ҫа'м) *s.* карлик.
hopper (хо'пёр) *s.* прыгун, скакун; (*flea*) блоха; (*for grain*) мельничная воронка.
hopple (хопл) *cf.* **hobble.**
horde (хōрд) *s.* орда; толпа.
horizon/ (хорай'зён) *s.* горизонт || **–tal** (хоризо'нтёл) *a.* горизонтальный.
horn/ (хōрн) *s.* рог || **–book** *s.* азбука || **–ed** *a.* рогатый || **–et** *s.* шершень *m.* || **–pipe** *s.* народный танец || **–y** *a.* роговатый; (*toil hardened*) мозолистый.
horoscope (хо'роскōуп) *s.* гороскоп.
horr/ible (хо'рибл) *a.* ужасный, страшный || **–id** (хо'рид) *a.* ужасный, гнусный || **–ific** (хори'фик) *a.* ужасный || **–or** (хо'рёр) *s.* ужас; отвращение || **~-struck, ~-stricken** объятый ужасом.
hors d'œuvre (хōрдо'вр) *s.* закуска.
horse/ (хōрс) *s.* лошадь *f.*; (*steed*) конь *m.*; (*cavalry*) конница; (*for clothes*) сушильный станок || **to ride the high ~** (*fig.*) важничать || **a thoroughbred ~** кровная лошадь || **saddle ~** лошадь верховая || **a miserable ~** кляча || **race-~** конь-скакун, конь скаковой || **to ride a ~** ехать верхом || **to break in a ~** выезжать, выездить лошадь || **~-back** *s.*, **on ~** верхом; **to be on ~** сидеть верхом || **–box** *s.* вагон для перевозки лошадей || **–chestnut** *s.* конский каштан || **–flesh** *s.* конина.
Horse-Guards (хō'рс-гä'рдз) *spl.* конная гвардия.
horse/-hair (хō'рс-хäр) *s.* конский волос || || **–laugh** *s.* громкий хохот || **–man** *s.* всадник, кавалерист || **–manship** *s.* искусство ездить верхом || **–play** *s.* грубая шутка || **–power** *s.* лошадиная сила || **–race** *s.* скачка || **–radish** *s.* хрен || **–shoe** *s.* подкова || **–whip** *s.* хлыст, кнут || ~ *va.* хлестать, хлеснуть || **–woman** *s.* всадница, жокей.
horsy (хō'рси) *a.* конный; лошадиный; как
hortat/ive (хō'ртёт-ив), **–ory** *a.* увещательный, поучительный.
horticulture (хō'ртикалчёр) *s.* садоводство.
hose (хōуз) *s.* (*no pl.*) (*stockings*) чулки *mpl.*; (*for watering pl.* **hoses**) рукав, резиновая труба, кишка.
hosier/ (хōу'жёр) *s.* торговец чулками || **–y** *s.* чулочные товары.
hospice (хо'спис) *s.* госпиция (гостеприимный дом).
hospit/able (хо'спитёбл) *a.* гостеприимный, хлебосольный || **–al** (хо'спитёл) *s.* больница; госпиталь *m.* || **–ality** (хоспитä'лити) *s.* гостеприимство, хлебосольство.
host/ (хōуст) *s.* хозяин; (*landlord of inn*) трактирщик; (*large number*) множество; толпа; (*army*) войско; (*at Eucharist*) Святые Дары *mpl.*; (*in Greek church*) просфора || **–age** (хо'стидж) *s.* заложник || **–ess** *s.* хозяйка; трактирщица || **–el** (хо'стэл) *s.* гостиница для студентов || **–elry** (хо'стёлри) *s.* гостиница, постоялый двор || **–ile** (хо'стайл) *a.* враждебный, неприязненный || **–ility** (хости'лити) *s.* враждебность *f.*; *pl.* враждебные поступки || **to commence hostilities** начинать военные действия.
hostler (о'слёр) *s.* конюх.
hot/ (хот) *a.* горячий, жаркий; (*pungent*) острый; (*of news*) свежий, новый; (*angry*) сердитый; (*excited*) раздражённый || **to give it one ~** (*fig.*) отвалять кого || **he has got into ~ water over it** (*fig.*) его

осуждают за то || **-bed** *s.* парник; рассадник || **-foot** *ad.* наскоро, второпях.
Hotchkiss (хо'чкис) *s.* пулемёт.
hotchpotch (хо'чпо'ч) *s.* всякая всячина.
hotel (хоутэ'л) *s.* отель *m.*; гостиница.
hothead/ (хо'тхэд) *s.* горячий человек || **-ed** *a.* горячий.
hot/house (хо'т-хаус) *s.* теплица || **-ness** *s.* жар; горячность *f.* || **~-press** *va.* атласить, декатировать || **-spur** *s.* опрометчивый человек.
hough (хок) *s.* подколенок.
hound (хаунд) *s.* гончая собака || ~ *va.* (*to drive away*) отогнать; (*to urge on*) спешить.
hour/ (ау'ёр) *s.* час || **to ask the ~** спрашивать который час || **to keep good -s** во-время ложиться спать || **the small -s** час, два, три часа утра || **-glass** *s.* песочные часы *mpl.* || **~-hand** *s.* часовая стрелка || **-ly** *a.* ежечасный; *ad.* ежечасно.
house/ (хаус) *s.* (*pl.* **houses** хау'зиз) дом, жилище; (*building*) здание; (*business firm*) торговый дом, фирма; (*family*) род; (*theatre*) театр; (*audience*) слушатели *mpl.* (в театре) || **H- of Commons, the Lower H-** палата общин || ~ *va.* давать, дать пристанище; укрывать, укрыть || ~ *vn.* укрываться, укрыться; жить || **~-agent** *s.* квартирный агент || **-boat** *s.* жилой бот || **-breaker** *s.* совершающий кражу со взломом || **-hold** *s.* дом, хозяйство; (*domestics*) домашние *mpl.* || ~ **word** ходячее слово || ~ **troops** лейбгвардия || **~-dog** *s.* дворовая собака || **-holder** *s.* домохозяин; глава семьи || **-keeper** *s.* экономка || **-keeping** *s.* занятие хозяйством, домоводство || **-maid** *s.* горничная, служанка || **-warming** *s.* угощение на новосельи || **-wife** *s.* хозяйка; (*housekeeper*) экономка; (*for sewing*) (ха'зиф) дамский рабочий несессер || **-work** *s.* домашняя работа.
housing (хау'зинг) *s.* чапрак.
hove (хōув) *cf.* **heave.**
hovel (хо'вёл) *s.* лачуга; шалаш.
hover (хо'вёр) *vn.* висеть (над чем); носиться; (*to loiter about*) шататься.
how/ (хау) *ad.* как, каким образом; (*that*) что || ~ **old is he?** сколько ему лет || ~ **are you?**, ~ **do you do?**, ~ **d'ye do?** как поживаете? || ~ **happy I am!** как я счастлив! || **-beit** (-бий'ит) *ad.* (*arch.*) не смотря на то, однако || **-ever** (-э'вёр) *ad.* каким бы то образом ни; не смотря на то, тем не менее, всё-таки.
howitzer (хау'итсёр) *s.* гаубица.
howl/ (хаул) *s.* вой; завывание || ~ *vn.* выть, завывать; вопить || **-er** *s.* (*fam.*) грубая ошибка || **-ing** *a.* (*fam.*) ужасный || **a ~ wilderness** мрачная пустыня.
hoyden (хой'дён) *s.* девушка с резкими манерами.
hub (хаб) *s.* ступица.
hubbub (ха'баб) *s.* шум, гвалт.
hubby (ха'би) *s.* (*fam.*) муж.
huckaback (ха'кёбäк) *s.* камчатное полотно.
huckle-bone (ха'кл-бōун) *s.* подвздошная кость.
huckster (ха'кстёр) *s.* торгаш, разносчик || ~ *vn.* (*to haggle*) торговаться; (*to hawk*) торговать по мелочам.
huddle (хадл) *s.* беспорядок; толпа || ~ *va.* валить в беспорядке; (*one's clothes*) надевать, -деть второпях || ~ *vn.* толпиться.
hue (хю) *s.* цвет; (*tint*) оттенок || ~ **and cry** крики *mpl.*; гиканье; (*proclamation*) сыскная статья, объявление о бежавшем.
huff/ (хаф) *s.* вспышка, заносчивость *f.* || ~ *va.* относиться заносчиво (к кому); (*at draughts*) фукнуть || ~ *vn.* надуваться || **-ish, -y** *a.* задорный; надутый; заносчивый.
hug (хаг) *s.* объятие || ~ *va.* об-нимать, -нять; заключ-ать, -ить в объятия; (*to caress*) ласкать || **to ~ the shore** (*mar.*) держаться берега || **to ~ o.s.** поздравлять себя, радоваться.
huge/ (хюдж) *a.* огромный, громадный || **-ness** *s.* громадность *f.*
hugger-mugger (ха'гёр-ма'гёр) *s.* (*confusion*) беспорядок; (*secrecy*) секретность *f.* || ~ *a.* секретный; беспорядочный || ~ *ad.* тайком, украдкою.
hulk/ (халк) *s.* блокшиф; корпус (старого корабля) || **-ing** *a.* огромный; (*clumsy*) неуклюжий.
hull (хал) *s.* шелуха, скорлупа; (*of vessel*) корпус судна || ~ *va.* шелушить, лущить.
hullo! (халōу') *int.* эй! алло!
hullabaloo (халёбёлӯ') *s.* суматоха, шум.
hum (хам) *s.* жужжание; гудение || ~ *int.* гм! || ~ *vn.* жужжать; гудеть || **to ~ and haw** мямлить || ~ *va.* (*a tune*) напевать сквозь зубы.
human/ (хю'мён) *a.* человеческий; людской || **-e** (хюмэй'н) *a.* человечный, гуманный, сострадательный || **-ist** *s.* гуманист || **-ity** (хюмä'нити) *s.* человечество; (*humaneness*) человеколюбие, человечность *f.* || **-ize** *va.* смяг-чать, -чить нравы; очеловеч-ивать, -ить || **~-kind** *s.* род человеческий.

humble/ (ха'мбл) *a.* покорный; смиренный; (*modest*) скромный; (*lowly*) низкий || **your ~ servant** Ваш покорный слуга || **to eat ~ pie** смиренно переносить оскорбления || ~ *va.* смир-ять, -ить; у-нижать, -низить; (*to abase*) посрамлять, -ить || **~-bee** *s.* шмель *m.*
humbly (ха'мбли) *ad.* кротко, скромно.
humbug (ха'мбаг) *s.* (*deception*) обман, шарлатанство; (*nonsense*) вздор; (*impostor*) обманщик, шарлатан || ~ *va.* обманывать; врать; дурачить.
humdrum (ха'мдрам) *a.* однообразный, надоедливый; пошлый.
humid/ (хю'мид) *a.* влажный; сырой; мокрый || **-ity** (хюми'дити) *s.* сырость *f.*; влажность *f.*
humil/iate (хюми'л-иэйт) *va.* уничижать; у-нижать, -низить || **-iation** *s.* унижение, уничижение || **-ity** *s.* смирение, покорность *f.*
humming/ (ха'минг) *s.* жужжание || **~-bird** *s.* колибри *f.indecl.*
hummock (ха'мёк) *s.* холмик; кочка.
humor/ist (хю'мёрист) *s.* юморист || **-ous** *a.* юмористический, причудливый.
humour/ (хю'мёр) *s.* юмор, нрав; (*caprice*) каприз; (*fluid*) мокрота, влага || **good ~** хорошее расположение духа || **ill, bad ~** дурное расположение духа || **out of ~** не в духе || **in the ~ for** расположенный к || ~ *va.* угождать (кому); подчиняться капризам || **-some** *a.* капризный, раздражительный.
hump/ (хамп) *s.* горб; (*fig. depression*) угнетение || **-back** *s.* горбун || **-backed** *a.* горбатый.
hunch/ (ха'нш) *s.* горб; (*thick piece*) большой кусок || **-back** *s.* горбун || **-backed** *a.* горбатый.
hundred/ (ха'ндрид) *s.* сотня || **by -s** сотнями || ~ *a.* сто || **-fold** *a.* стократный || **-th** *a.* сотый || **-weight** *s.* (*abbr.* **cwt.**) центнер.
hung (ханг) *cf.* **hang.**
hunger/ (ха'нг-гёр) *s.* голод; (*fig.*) алчность *f.* || ~ *vn.* голодать || **to ~ for** (*fig.*) жаждать || **-strike** *s.* голодовка.
hungry (ха'нг-гри) *a.* голодный; тощий.
hunk (хангк) *s.* большой кусок.
hunks (хангкс) *s.* скряга, скаред.
hunt/ (хант) *s.* охота; травля; (*search*) отыскивание || ~ *va.* гоняться, гнаться (за); охотиться || ~ *vn.* ходить *или* ездить на охоту; охотиться || **to ~ up** *или* **out** отыскивать, -ыскать || **-er** *s.* ловчий, охотник; (*horse*) охотничья лошадь; (*watch*) карманные часы (с футляром) || **-ing** *s.* охота; ловля || **~ box** небольшой охотничий домик || **-ress** *s.* охотница || **-sman** *s.* егермейстер.
hurdle (хёрдл) *s.* плетёнка; плетень *f.*
hurdy-gurdy (хё'рди-гё'рди) *s.* шарманка.
hurl (хёрл) *va.* швыр-ять, -нуть.
hurly-burly (хё'рли-бё'рли) *s.* суматоха, сумятица.
hurrah (хёрā', хурā'), **hurray** (хёрэй', хурэй') *int.* ура.
hurricane (ха'рикэйн) *s.* ураган.
hurr/ied (ха'р-ид) *a.* поспешный, торопливый || **-iedly** *ad.* второпях; поспешно || **-y** *s.* торопливость *f.*; суетливость *f.* || **in a ~** второпях || ~ *va.* торопить || ~ *vn.* торопиться, спешить, по- || **-y-scurry** *s.* беспорядок и суета || ~ *a.&ad.* в беспорядке и второпях.
hurt (хёрт) *s.* вред; ущерб; (*wound*) рана; ушиб; (*injury*) повреждение || ~ *va.* вредить; на-носить, -нести ущерб; (*to injure*) повре-ждать, -дить; (*to offend*) оскорб-лять, -ить || **-ful** *a.* вредный || **-le** (-л) *vn.* стукнуть.
husband/ (ха'збёнд) *s.* муж, супруг || **-man** *s.* землепашец || **-ry** *s.* хлебопашество; (*economy*) бережливость *f.*
hush/ (хаш) *s.* тишина, молчание || ~ *int.* тс! тише! || ~ *va.* заставить умолкнуть; утишить || **to ~ up** затушить (дело) || ~ *vn.* молчать || **~-money** *s.* взятки, даваемые с целью замять дело.
husk/ (хаск) *s.* шелуха, луска; скорлупа; (*of bran, etc.*) отруби *fpl.* || ~ *va.* шелушить, чистить || **-y** *s.* эскимос; род собаки у эскимосов || ~ *a.* шелуховатый; (*hoarse*) хриплый.
hussar (хазā'р) *s.* гусар.
hussy (ха'си), **huzzy** (ха'зи) *s.* плутовка; распутная девка.
hustings (ха'зтингз) *spl.* (*obsol.*) избирательные собрания.
hustle (хасл) *va.* толкать; (*to hurry*) торопить || ~ *vn.* торопиться, спешить.
hut (хат) *s.* хижина, лачуга.
hutch (хач) *s.* ларь *m.*, закром; клетка для кроликов.
huzza (хазā') *int.* ура!
hyacinth (хай'ёсинѳ) *s.* гиацинт.
hyæna *cf.* **hyena.**
hybrid (хай'брид) *a.* ублюдок; помесь *f.* || ~ *a.* помесный, гибридный.
hydra (хай'дрё) *s.* гидра.
hydrant (хай'дрёнт) *s.* водопроводный кран.
hydrate (хай'дрёт) *s.* гидрат.
hydraulic/ (хайдро'лик) *s.* гидравлический || **-s** *spl.* гидравлика.
hydro/dynamics (хайдро-дайнӓ'микс) *spl.* гидродинамика || **-gen** (хай'дроджэн) *s.* водород || **-graphy** (хайдро'грёфи) *s.* гидрография || **-phobia** (-фōу'биё) *s.* во-

добоя́знь *m.* || **–plane** (хай'дропләйн) *s.* гидропла́н || **–statics** (-стӓ'тикс) *spl.* гидроста́тика.
hyena (хай-ий'нё) *s.* гие́на.
hygien/e (хай'джи-ийн) *s.* гигие́на || **–ic** (хайджи-э'ник) *a.* гигиени́ческий.
hygro/meter (хайгро'митёр) *s.* гигро́ме́тр || **–scope** (хай'грёскоуп) *s.* гигроско́п.
hymen/ (хай'иён) *s.* брак || **–eal** (хаймё-ний'ёл) *a.* бра́чный.
hymn/ (хи'м) *s.* гимн || ~ *va.* славосло́вить || **–al** (-нёл) *s.* кни́га ги́мнов || ~ *a.* относя́щийся к ги́мну.
hyperbol/a (хайпё'рбол-ё) *s.* гипе́рбола || **–e** (-и) *s.* преувеличе́ние.
hyphen (хай'фин) *s.* че́рточка, тире́.
hypnot/ic (хипно'тик) *a.* гипноти́ческий || || **–ism** (хи'пнотизм) *s.* гипноти́зм || **–ize** (хи'пнотайз) *va.* гипнотизи́ровать.
hypochondria (хипохо'ндриё) *s.* ипохо́ндрия, хандра́.
hypocr/isy (хайпо'криси) *s.* лицеме́рие; ханжество́ || **–ite** (хи'пёкрит) *s.* лицеме́р, ханжа́.
hypo/tenuse (хайпо'-тёнюс) *s.* гипотену́за || **–thesis** (-ђисис) *s.* гипо́теза.
hyssop (хи'соп) *s.* исо́п.
hyster/ical (хистэ'рик-ёл) *a.* истери́чный || **–ics** (-с) *spl.* исте́рика.

I

I (ай) *prn.* я. [~ *a.* ямби́ческий.
iambic (ай-ӓ'мбик) *s.* ямб (стопа́ ◡ –) ||
iambus (айӓ'мбёс) *s.* ямб.
ibex (ай'бэкс) *s.* ка́менный козёл.
ibis (ай'бис) *s.* и́бис.
ice/ (айс) *s.* (*no pl.*) лёд; (*for eating, pl. ices* [ай'сис]) моро́женое || **an** ~ (*for eating*) по́рция моро́женого || ~ *va.* замор-а́живать, -о́зить; (*to cool*) охла-жда́ть, -ди́ть; (*cakes, etc.*) обса́харить || **–berg** (-бёрг) *s.* ледяна́я гора́ || **–bound** *a.* затёртый *или* покры́тый льдом || **–breaker** *s.* ледоко́л || **–cream** *s.* сли́вочное моро́женое || **–house** *s.* ле́дник.
ichneumon (икню'мён) *s.* ихневмо́н, фарао́нова кры́са.
ichthyology (икђи-о'лоджи) *s.* ихтиоло́гия.
ici/cle (ай'си-кл) *s.* ледяна́я сосу́лька || **–ness** *s.* ледяно́й хо́лод || **–ng** *s.* обса́харенное.
icon/ (ай'кён) *s.* ико́на, о́браз || **–oclast** (айко'ноклӓст) *s.* иконобо́рец.
icy (ай'си) *a.* (*ad.* **icily** [ай'сили]) ледяно́й; холо́дный (как лёд).
I'd (айд) *abbr.* = **I would, I had.**

idea/ (айдий'ё) *s.* иде́я; (*conception*) поня́тие; (*thought*) мысль *f.*; (*intention*) наме́рение || **–l** *s.* идеа́л; образе́ц || ~ *a.* идеа́льный; мы́сленный || **–lism** *s.* идеали́зм || **–list** *s.* идеали́ст || **–lize** *va.* идеализи́ровать.
ident/ical (айдэ'нт-икёл) *a.* тож(д)ественный, одина́ковый; оди́н и тот же || **–ification** *s.* отож(д)ествле́ние; установле́ние по́длинности *или* ли́чности || **–ify** *va.* отождеств-ля́ть, -и́ть; установ-ля́ть, -и́ть по́длинность *или* ли́чность || **–ity** *s.* то́ждество, тож(д)ественность *f.*; по́длинность *f.*
idio/cy (и'дйёси) *s.* идиоти́зм; слабоу́мие || **–m** (и'диём) *s.* идио́м || **–matic(al)** (идиёмӓ'тик[ёл]) *a.* сво́йственный да́нному идио́му; идиомати́ческий; (*colloquial*) разгово́рный || **–syncrasy** (идиёси'нгкрёси) *s.* идиосинкра́зия || **–t** (и'диёт) *s.* идио́т; слабоу́мный челове́к || **–tic** (идио'тик) *a.* идио́тский, глу́пый, слабоу́мный.
idle/ (айдл) *a.* пра́здный; (*lazy*) лени́вый; (*profitless*) бесполе́зный; (*empty*) пусто́й || **an ~ fellow** лени́вец, лентя́й || ~ *va.* (*to ~ away*) пра́здно про-води́ть, -вести́ (вре́мя) || ~ *vn.* лени́ться || **–ness** *s.* пра́здность *f.*; лень *f.*; бесполе́зность *f.*; пустота́ || **–r** *s.* лентя́й, -ка; праздноша-та́ющийся.
idly (ай'дли) *ad.* пра́здно; лени́во.
idol/ (ай'дёл) *s.* и́дол; куми́р || **–ater** (айдо'лётёр) *s.* идолопокло́нник || **–atress** (айдо'лётрэс) *s.* идолопокло́нница || **–atrous** (айдо'лётрёс) *a.* идолопокло́ннический || **–atry** (айдо'лётря) *s.* идолопокло́нничество, идолослуже́ние || **–ize** *va.* (*fig.*) обожа́ть.
idyl(l)/ (ай'дил, и'дил) *s.* иди́ллия || **–ic** (айди'лик, и-) *a.* идилли́ческий; пасту́шеский. [то есть (т. е.).
i. e. (ай-ий *или* ðат из) *contr.* (= **id est**)
if (иф) *c.* е́сли; е́сли бы то́лько; е́сли бы да́же || ~ **not** е́сли не || **as** ~ как бу́дто бы.
ign/eous (и'гниёс) *a.* о́гненный; огневи́дный || **–ite** (игнай'т) *va.* за-жига́ть, -же́чь; раскал-я́ть, -и́ть || ~ *va.* загор-а́ться, -е́ться || **–ition** (игни'шён) *s.* зажига́ние; воспламене́ние.
igno/ble (игно̄у'бл) *a.* (*of low birth*) неблагоро́дный; (*mean, base*) ни́зкий, по́длый || **–minious** (игноми'ниёс) *a.* позо́рный, бесче́стный || **–miny** (и'гномини) *s.* стыд, позо́р.
ignor/amus (игнорэ̄й'мёс) *s.* неве́жда || **–ance** (и'гнёрёнс) *s.* неве́жество; неве́дение || **–ant** (и'гнёрёнт) *a.* неве́-

жественный; несве́дущий (в чём); (*not knowing*) не зна́ющий || **to be ~ of** не знать (чего́) || **–e** (игно́'р) *va.* не хоте́ть знать; не обраща́ть внима́ния на; пренебрега́ть (+ *I.*).
ilex (ай'лико) *s.* паду́б; остроли́ст.
Iliad (и'лиёд) *s.* Илиа́да.
I'll (айл) *abbr.* = **I shall, I will.**
ill/ (ил) *s.* зло; беда́ || ~ *a.* худо́й, дурно́й; (*wicked*) злой; (*sick*) больно́й || **to fall ~** заболе́ть || ~ *ad.* ду́рно, ху́до; с трудо́м || **~-advised** *a.* неблагоразу́мный || **~-bred** *a.* ду́рно воспи́танный; (*not polite*) неве́жливый || **~-conditioned** *a.* в дурно́м положе́нии || **~-disposed** *a.* нерасполо́женный || **~-fated** *a.* злополу́чный || **~-featured** *a.* некраси́вый || **~-gotten** *a.* ду́рно нажито́й || **~-humour** *s.* дурно́е расположе́ние духа́ || **~-luck** *s.* несча́стие || **~-natured** *a.* злопра́вный || **~-temper** *s.* дурно́е расположе́ние ду́ха || **~-timed** *a.* сде́ланный *или* ска́занный невпопа́д || **~-use** *va.* изби́ть || **~-will** *s.* зложела́тельство.
illegal/ (илий'гёл) *a.* незако́нный; противозако́нный || **–ity** (илига́'лити) *s.* незако́нность *f.*; противозако́нность *f.*
illegib/ility (илэджёби'лити) *s.* нечёткость *f.*; неразбо́рчивость *f.* || **–le** (илэ'джёбл) *a.* нечёткий, неразбо́рчивый.
illegitim/acy (илиджи'тимёси) *s.* незако́нность *f.*; (*of birth*) незаконнорождённость *f.* || **–ate** *a.* незако́нный; (*out of wedlock*) незаконнорождённый, внебра́чный.
illiberal (или'бёрёл) *a.* скупо́й; нелибера́льный.
illicit (или'сит) *a.* недозво́ленный; запрещённый; (*illegal*) противозако́нный.
illimitable (или'митёбл) *a.* неограни́ченный, беспреде́льный.
illiterate (или'тёрёт) *s.* необразо́ванный; безгра́мотный.
illness (и'лнис) *s.* боле́знь *f.*; нездоро́вье.
illogical (ило'джикёл) *a.* нелоги́чный.
illumin/ate (илю'минэйт) *va.* осве-ща́ть, -ти́ть; озар-я́ть, -и́ть; (*festivities*) иллюминова́ть; (*with colours*) раскра́-шивать, -сить || **–ation** *s.* освеще́ние; иллюмина́ция.
illus/ion (илю'-жн) *s.* иллю́зия, заблужде́ние || **–ive** (-сив) *a.*, **–ory** (-сёри) *a.* обма́нчивый; при́зрачный; иллюзо́рный.
illustr/ate (и'лёстр-эйт) *va.* иллюстри́ровать; (*to explain*) об'ясн-я́ть, -и́ть || **-ation** *s.* иллюстра́ция; об'ясне́ние || **–ative** (ила'стрётив) *a.* поясни́тельный || **–ator** *s.* иллюстра́тор || **–ious** (ила'стриёс) *a.* сла́вный, знамени́тый.

imag/e (и'мидж) *s.* о́браз; (*likeness*) подо́бие; (*statue*) ста́туя; (*in mirror*) изображе́ние || **–ery** *s.* изображе́ние; о́бразы; *mpl.* || **–inable** (има́'джинёбл) *a.* вообрази́мый || **–inary** (има́'джинёри) *a.* вообража́емый; мни́мый || **–ination** (има́джинэй'шн) *s.* воображе́ние; фанта́зия; мысль *f.* || **–inative** (има́'джинётив) *a.* по́лный фанта́зий, изобрета́тельный || **–ine** (има́'джин) *va.&n.* вообра-жа́ть, -зи́ть себе́; пред-ставля́ть, -ста́вить себе́ || **you surely don't ~, that . . .** неуже́ли ты ду́маешь, что . . . изо-брета́ть, -брести́.
imbecil/e (и'мбисил) *a.* слабоу́мный || **–ity** (имбиси'лёти) *s.* слабоу́мие.
imbibe (имбай'б) *va.* впи́тывать, впита́ть; вс-а́сывать, -оса́ть; (*fam.*) пить.
imbrue (имбру́') *va.* ом-а́чивать, -очи́ть; обагр-я́ть, -и́ть (кро́вью).
imbue (имбю́') *va.* см-а́чивать, -очи́ть; про-пи́тывать, -пита́ть.
imit/ate (и'мит-эйт) *va.* подража́ть (чему́) || **–ation** *s.* подража́ние; имита́ция || ~ *a.* подде́льный, фальши́вый || **–ative** *a.* подража́тельный, сде́ланный по образцу́ || **–ator** *s.* подража́тель, -ница.
immaculate (има́'кюлёт) *a.* чи́стый; беспоро́чный; незапя́тнанный || **Immaculate Conception** непоро́чное зача́тие.
imman/ence (и'мён-ёнс) *s.* прису́щность *f.*; вну́треннее ка́чество || **–ent** *a.* прису́щий.
immaterial (имётий'риёл) *a.* невеще́ственный, беспло́тный; (*not important*) несуще́ственный; нева́жный.
immature (имётю́'р) *a.* незре́лый; преждевре́менный.
immeasurable (имэ'жёрёбл) *a.* неизмери́мый.
immediate/ (имий'днёт) *a.* неме́дленный, безотлага́тельный; непосре́дственный || **–ly** *ad.* то́тчас.
immemorial (имимо́'риёл) *a.* незапа́мятный || **from time ~** издре́вле, с незапа́мятных времён.
immens/e (имэ'нс) *a.* грома́дный; необ'я́тный || **–ity** *s.* грома́дность *f.*; необ'я́тность *f.* || **–urable** (-юрёбл) *a.* неизмери́мый.
immerge (имё'рдж) *va.* погру-жа́ть, -зи́ть; потоп-ля́ть, -и́ть.
immers/e (имё'рс) *va.* погру-жа́ть, -зи́ть; потоп-ля́ть, -и́ть || **–ion** *s.* погруже́ние.
immigr/ate (и'мигр-эйт) *vn.* пересел-я́ться, -и́ться (куда́) || **–ation** *s.* переселе́ние (куда́); иммигра́ция.
immin/ence (и'минёнс) *s.* неминуе́мость *f.* || **–ent** *a.* немину́емый; (*threatening*) грозя́щий, угрожа́ющий.

immobile (имо̄у′бил) *a.* неподви́жный; недви́жимый.
immoderat/e (имо′дёрёт) *a.* неуме́ренный, чрезме́рный || **–ion** (имодёрэ̄й′шн) *s.* неуме́ренность *f.*; чрезме́рность *f.*
immodest/ (имо′дист) *a.* нескро́мный || **–y** *s.* нескро́мность *f.*
immol/ate (и′мол-эйт) *va.* умер-щвля́ть, -тви́ть; при-носи́ть, -нести́ в же́ртву || **–ation** *s.* закла́ние; принесе́ние в же́ртву; же́ртва.
immoral/ (имо′рёл) *a.* безнра́вственный || **–ity** (иморӓ′лити) *s.* безнра́вственность *f.*
immortal/ (имо̄′ртёл) *a.* бессме́ртный || **–ity** (имортā′лити) *s.* бессме́ртие || **–ize** *va.* обессме́ртить.
immovable/ (имӯ′вёбл) *a.* неподви́жный; недви́жимый || **–s** *spl.* недви́жимость *f.*
immure (имю́′р) *va.* окруж-а́ть, -и́ть сте́нами; посади́ть в тюрьму́.
immut/ability (имю̄тёби′лити) *s.* неизме́нность *f.* || **–able** (имю́′тёбл) *a.* неизме́нный.
imp (имп) *s.* чертёнок.
impact (и′мпäкт) *s.* толчо́к, столкнове́ние.
impair (импā′р) *va.* по́ртить; у-худша́ть, -ху́дшить; (*to lessen*) умень-ша́ть, -ши́ть.
impale (импэ̄й′л) *va.* на-тыка́ть -ткну́ть; сажа́ть, посади́ть на кол; огора́живать, огороди́ть ко́льями.
impalpable (импä′лпёбл) *a.* неосяза́емый.
imparity (импа̄′рити) *s.* нера́венство; несоразме́рность *f.*
impart (импā′рт) *va.* надел-я́ть, -и́ть (чем); сооб-ща́ть, -щи́ть.
impartial/ (импā′ршёл) *a.* беспристра́стный || **–ity** (импāршиä′лити) *s.* беспристра́стие.
impassable (импā′сёбл) *a.* непроходи́мый.
impassible (импä′сибл) *a.* бесстра́стный; бесчу́вственный.
impassioned (импä′шёнд) *a.* стра́стный.
impassive (импä′сив) *a.* бесчу́вственный.
impatien/ce (импэ̄й′шён-с) *s.* нетерпе́ние || **–t** *a.* нетерпели́вый.
impeach/ (импий′ч) *va.* обвин-я́ть, -и́ть || **–ment** *s.* обвине́ние; порица́ние.
impeccable (импэ′кёбл) *a.* безгре́шный.
impecunious (импикю̄′ниёс) *a.* не име́ющий де́нег.
imped/e (импий′д) *va.* препя́тствовать; заде́рживать || **–iment** (импэ′димэнт) *s.* препя́тствие; заде́ржка.
impel (импэ′л) *va.* побу-жда́ть, -ди́ть; заставля́ть, -ста́вить.
impend/ (импэ′нд) *vn.* угрожа́ть, предстоя́ть || **–ing** *a.* предстоя́щий; угрожа́ющий.
impenetrable (импэ′нитрёбл) *a.* непроница́емый; (*impassable*) непроходи́мый.
impenit/ence (импэ′нит-ёнс) *s.* нераская́нность *f.* || **–ent** *a.* нераска́янный.
imperative (импэ′рётив) *s.* повели́тельное наклоне́ние || ~ *a.* повели́телный; настоя́тельный.
imperceptible (импёрсэ′птибл) *a.* незаме́тный.
imperfect/ (импē′рфикт) *a.* несоверше́нный; (*not full*) непо́лный; (*insufficient*) недоста́точный || **–ion** (импёрфэ′кшён) *s.* несоверше́нство; неполнота́; недоста́ток.
imperial/ (импий′риёл) *s.* (*beard*) эспаньо́лка; (*coin*) империа́л || ~ *a.* импера́торский; импе́рский; госуда́рственный || **–ist** *s.* империали́ст.
imperil (импэ′рил) *va.* под-верга́ть, -ве́ргнуть опа́сности; риск-ова́ть, -ну́ть (чем).
imperious (импий′риёс) *a.* повели́тельный; (*proud*) надме́нный; (*tyrannical*) деспоти́ческий.
imperishable (импэ′ришёбл) *a.* нетле́нный.
impermeable (импē′рмиёбл) *a.* непроница́емый.
imperson/al (импē′рсён-ёл) *a.* безли́чный || **–ate** (-эйт) *va.* олицетвор-я́ть, -и́ть; изобра-жа́ть, -зи́ть (кого́) || **–ation** *s.* олицетворе́ние; изображе́ние || **–ator** *s.* тот, кто олицетворя́ет, изобража́ет.
impertin/ence (импē′ртин-ёнс) *s.* де́рзость *f.*; назо́йливость *f.* || **–ent** *a.* де́рзкий; назо́йливый; (*irrelevant*) посторо́нний.
imperturbable (импёртē′рбёбл) *a.* невозмути́мый; (*cool*) хладнокро́вный.
impervious (импē′рвиёс) *a.* непроница́емый; непроходи́мый.
impetu/osity (импэтюо′сити) *s.* стреми́тельность *f.*; пы́лкость *f.* || **–ous** (импэ′тюёс) *a.* стреми́тельный; пы́лкий.
impetus (и′мпитас) *s.* си́ла движе́ния; напо́р.
impi/ety (импай′ёти) *s.* нече́стие || **–ous** (и′мпиёс) *s.* нечести́вый.
impinge (импи′ндж) *vn.* у-даря́ться, -да́риться; ста́лкиваться, столкну́ться.
implacab/ility (имплэ̄йкёби′лити) *s.* неумоли́мость *f.*; непримири́мость *f.* || **–le** (имплэ̄й′кёбл) *a.* неумоли́мый.
implant (импла̄′нт) *va.* вкорен-я́ть, -и́ть; всел-я́ть, -и́ть.
implement (и′мплимэнт) *s.* ору́дие; инструме́нт || ~ *va.* (*jur.*) исполня́ть контра́кт.
implic/ate (и′мпликэйт) *va.* запу́т-ывать, -ать; впу́т-ывать, -ать; (*to imply*) подразумева́ть || **–ation** *s.* запу́тывание; прикоснове́нность *f.*; (*deduction*) вы́вод.
implicit (импли′сит) *a.* подразумева́емый; безусло́вно доверя́ющий; (*of belief*) слепо́й.

implied (имплай'д) *a.* подразумева́емый.
implore (имплō'р) *va.&n.* умоля́ть.
imply (имплай') *va.* подразумева́ть; заключа́ть в себе́.
impolit/e (и'мполай'т) *a.* неве́жливый || **–eness** *s.* неве́жливость *f.* || **–ic** (импо'лётик) *a.* неполити́чный; неблагоразу́мный. [мый.
imponderable (импо'ндёрёбл) *a.* невесо́-
import/ (и'мпōрт) *s.* ввоз; (*meaning*) значе́ние; (*importance*) ва́жность *f.* || **–s and exports** ввоз и вы́воз || **~ duty** ввозна́я по́шлина || **~** (импō'рт) *va.* вв-ози́ть, -езти́; (*to mean*) означа́ть || **–ance** (импō'ртёнс) *s.* ва́жность *f.*; значи́тельность *f.* || **–ant** (импō'ртёнт) *a.* ва́жный; значи́тельный || **–ation** *s.* ввоз || **–ter** (импō'ртёр) *s.* импортёр.
importun/acy (импō'ртюн-ёси), **–ity** (импортю'нити) *s.* доку́чливость *f.*; назо́йливость *f.* || **–ate** *a.* доку́чливый; назо́йливый || **–e** (импортю'н) *va.* до-куча́ть, -ку́чить (+ *D.*) || **–er** (импортю'нёр) *s.* доку́чливый, назо́йливый челове́к.
impos/e (импōу'з) *va.* на-лага́ть, -ложи́ть; (*a tax*) об-лага́ть, -ложи́ть || **to ~ upon a person** об-ма́нывать, -ману́ть (кого́) || **–ing** *a.* внуша́ющий уваже́ние; вели́чественный || **–ition** (импози'шён) *s.* наложе́ние; (*impost*) нало́г; (*~ of hands*) возложе́ние рук; (*school ~*) штрафна́я рабо́та; (*deception*) обма́н.
impossib/ility (импосиби'лёти) *s.* невозмо́жность *f.* || **–le** (импо'сёбл) *a.* невозмо́жный.
impost (и'мпōуст) *s.* нало́г; по́шлина.
impost/or (импо'стёр) *s.* обма́нщик; самозва́нец || **–ure** (импо'стюр) *s.* обма́н; самозва́нство.
impot/ence (и'мпот-ёнс), **-ency** *s.* беси́лие || **–ent** *a.* беси́льный.
impound (импау'нд) *va.* за-гоня́ть, -гна́ть (скоти́ну).
impoverish (импо'вёриш) *va.* де́лать, с- бе́дным; истощи́ть.
impracticab/ility (импрӓктикёби'лёти) *s.* неисполни́мость *f.* || **–le** (импрӓ'ктикёбл) *a.* неисполни́мый; (*impassable*) непроходи́мый, непрое́здный.
imprecation (имприкэй'шн) *s.* прокля́тие.
impregn/able (импрэ'гнёбл) *a.* непристу́пный || **–ability** (импрэгнёби'лити) *s.* непристу́пность *f.* || **–ate (-эйт)** *va.* оплодотвор-я́ть, -и́ть; (*to saturate*) на-пи́тывать, -пита́ть || **–ation** *s.* оплодотворе́ние; напи́тывание.
impressario (импрэса̄'рибу) *s.* импреса́рио.

impress/ (и'мпрэс) *s.* отпеча́ток; печа́ть *f.*; (*stamp*) ште́мпель *m.*; (*impression*) впечатле́ние || **~** (импрэ'с) *va.* от-печа́тывать, -печа́тать; (*to stamp*) клейми́ть; (*to make an impression*) впечатлева́ть || **–ion** (импрэ'шён) *s.* о́ттиск; отпеча́ток; (*mental*) впечатле́ние; (*belief*) мне́ние: (*edition*) изда́ние || **to be under the ~ that** ду́мать что || **–ionable** (импрэ'шёнёбл) *a.* впечатли́тельный || **–ionism** (импрэ'шёнизм) *s.* импрессиони́зм || **–ive** (импрэ'сив) *a.* производя́щий впечатле́ние.
imprimatur (имприм э̄й'тёр) *s.* одобре́ние цензу́ры, позволе́ние печа́тать.
imprint (и'мпринт) *s.* печа́ть *f.*; и́мя изда́теля, вре́мя изда́ния (на загла́вном листе́) || **~** (импри'нт) *va.* печа́тать, от-; (*on the mind*) запечат-лева́ть, -ле́ть.
imprison/ (импри'зён) *va.* сажа́ть, посади́ть в тюрьму́; (*to confine*) за-пира́ть, -пере́ть || **–ment** *s.* заключе́ние в тюрьму́, в тюрьме́.
improbab/ility (импробёби'лити) *s.* невероя́тность *f.* || **–le** (импро'бёбл) *a.* невероя́тный.
improbity (импро'бити) *s.* бесче́стность *f.*
impromptu (импро'мптю) *s.* экспро́мт || **~** *ad.* экспро́мтом.
improper (импро'пёр) *a.* неприго́дный; (*unseemly*) неприли́чный.
impropriate (импрōу'приэйт) *va.* превра-щáть, -ти́ть духо́вное владе́ние в све́тское.
impropriety (импропрай'ёти) *s.* (*unfitness*) неприго́дность *f.*; (*inaccuracy*) непра́вильность *f.*; (*unseemliness*) неприли́чие.
improve/ (импрӯ'в) *va.* у-лучша́ть, -лу́чшить; (*make use of*) воспо́льзоваться (+ *I.*) || **~** *vn.* у-лучша́ться, -лу́чшиться; (*of prices*) увели́ч-иваться, -иться; (*to progress*) де́лать успе́хи || **–ment** *s.* улучше́ние, усоверше́нствование.
improvid/ence (импро'вид-ёнс) *s.* непредусмотри́тельность *f.* || **–ent** *a.* непредусмотри́тельный; (*thriftless*) расточи́тельный.
improvis/ation (импровизэ̄й'шн) *s.* импровиза́ция || **–e** (и'мпровай'з) *va.* импровизи́ровать.
imprud/ence (импрӯ'д-ёнс) *s.* неблагоразу́мие; неосторо́жность *f.* || **–ent** *a.* неблагоразу́мный; неосторо́жный.
impud/ence (и'мпюд-ёнс) *s.* на́глость *f.*; бессты́дство || **–ent** *a.* на́глый; бессты́дный.
impugn (импю̄'н) *va.* оспа́ривать; опроверга́ть, -ве́ргнуть.

impuls/e (и'мпалс) *s.* импу́льс; толчо́к || **-ive** (импа'лсив) *a.* импульси́вный. [*f.*
impunity (импю'нити) *s.* безнака́занность
impur/e (импю'р) *a.* нечи́стый; (*unchaste*) нецелому́дренный || **-ity** *s.* нечистота́; нецелому́дрие.
imput/able (импю'т-ёбл) *a.* вменя́емый; припи́сываемый || **-ation** (импютэ́й'шн) *s.* вмене́ние; обвине́ние; порица́ние || **-e** (-) *va.* вмен-я́ть, -и́ть (кому́ что) в вину́; при-пи́сывать, -писа́ть; (*to accuse*) обвин-я́ть, -и́ть (кого́ в чём).
in (ин) *prp.* в, во; на; из, с; ра́ди || ~ **the night** но́чью || ~ *ad.* внутри́, внутрь; в до́ме, у себя́; домо́й || ~ **as much as**, ~ **that** потому́ что, так как. [бесси́лие.
inability (инёби'лёти) *s.* неспосо́бность *f.*;
inaccessible (инäксэ'сёбл) *a.* непристу́пный; недосяга́емый.
inaccur/acy (инä'кюр-ёси) *s.* нето́чность *f.*; непра́вильность *f.* || **-ate** *a.* нето́чный, неве́рный.
inact/ion (инä'кшён) *s.* безде́йствие || **-ive** *a.* не де́ятельный, безде́йствующий || **-ivity** (инäкти'вёти) *s.* безде́йствие.
inadequ/acy (инä'дику-ёси) *s.* недоста́точность *f.*; несоотве́тственность *f.* || **-ate** *a.* недоста́точный, несоотве́тственный.
inadmissible (инäдми'сёбл) *a.* недопуска́емый; недопусти́мый.
inadvert/ence (инäдвё'рт-ёнс), **-ency** *s.* неосторо́жность *f.*; опло́шность *f.* || **-ent** *a.* неосторо́жный; невнима́тельный.
inalienable (инэ́й'лиёнёбл) *a.* неотчужда́емый.
inamorata (инäмора̄'тё) *s.* влюблённая.
inan/e (инэ́й'н) *a.* пусто́й; (*senseless*) бессмы́сленный || **-ity** (инä'нити) *s.* пустота́; су́етность *f.* [ный; безжи́зненный.
inanimate (инä'нимёт) *a.* неодушевлён-
inapplicable (инä'пликёбл) *a.* неприме-ни́мый. [ве́тственный; неуме́стный.
inappropriate (инёпрбу'приёт) *a.* несоот-
inaptitude (инä'птитю̄д) *s.* неспосо́бность *f.*; неприго́дность *f.*
inarticulate (инарти'кюлёт) *a.* невня́тный; бессуста́вчатый; (*dumb*) безгла́сный.
inasmuch (инäзма'ч) *c.*, ~ **as** потому́ что, так как.
inattent/ion (инётэ'н-шён) *s.* невнима́ние; невнима́тельность *f.* || **-ive** (-тив) *a.* невнима́тельный. [вня́тный.
inaudible (ино̄'дибл) *a.* неслы́шный, не-
inaugur/al (ино̄'гиёр-ёл) *a.* освяти́тельный || ~ **speech** вступи́тельная речь || **-ate** (-эйт) *va.* освя-ща́ть, -ти́ть; посвяща́ть, -ти́ть (кого́); от-крыва́ть, -кры́ть || **-ation** *s.* освяще́ние, посвяще́ние; откры́тие.
inauspicious (ино̄'спишёс) *a.* неблагоприя́тный; злове́щий.
in/born (и'нбо̄'рн), **-bred** (и'нбрэд) *a.* врождённый; приро́дный. [мый.
incalculable (инкä'лкюлёбл) *a.* неисчисли́-
incandesc/ence (инкäндэ'с-ёнс) *s.* бе́лое кале́ние || **-ent** *a.* раскалённый до́бела || ~ **lamp** ла́мпочка нака́ливания, кали́льная ла́мпа || ~ **mantle** кали́льная се́тка.
incantation (инкäнтэ́й'шн) *s.* ча́ры *mpl.*; колдова́ние; маги́ческое изрече́ние.
incapab/ility (инкэ́йпёби'лити) *s.* неспосо́бность *f.*; бесси́лие || **-le** (инкэ́й'пёбл) *a.* неспосо́бный (к).
incapacitate (инкёпä'ситэйт) *va.* сде́лать неспосо́бным; (*legal*) лиши́ть пра́ва.
incarcerate (инка̄'рсёрэйт) *va.* сажа́ть, посади́ть в тюрьму́; зато-ча́ть, -чи́ть в темни́цу.
incarnat/e (инка̄'рнёт) *a.* воплощённый || **a devil** ~ настоя́щий бес || **-ion** (инка̄рнэ́й'шн) *s.* воплоще́ние; олицетворе́ние.
incautious (инко̄'шёс) *a.* неосторо́жный.
incendiar/ism (инсэ'ндиёр-изм) *s.* поджига́тельство || **-y** *s.* поджига́тель *m.* || ~ *a.* воспали́тельный.
incens/e (и'нсэнс) *s.* ла́дон; фимиа́м; (*flattery*) лесть *f.* || ~ *va.* кури́ть фимиа́мом || **-ory** *s.* кади́ло фимия́мник.
incentive (инсэ'нтив) *s.* побуди́тельная причи́на; побужде́ние || ~ *a.* побуди́тельный. [на́ние.
inception (инсэ'пшён) *s.* нача́ло; начи-
incertitude (инсё'ртитю̄д) *s.* неизве́стность *f.*; неопределённость *f.*
incessant/ (инсэ'сёнт) *a.* непреры́вный; беспреры́вный; постоя́нный || **-ly** *ad.* беспреры́вно; беспреста́нно.
incest/ (и'нсэст) *s.* кровосмеше́ние || **-uous** (инсэ'стюёс) *a.* кровосмеси́тельный.
inch/ (инч) *s.* дюйм || ~ **by** ~, **by -es** ма́ло по ма́лу.
incid/ence (и'нсид-ёнс) *s.* (*geom.*) паде́ние || **-ent** *s.* инциде́нт; слу́чай; побо́чное обстоя́тельство || **-ental** (инсидэ'нтёл) *a.* случа́йный; побо́чный.
inciner/ate (инси'нёр-эйт) *va.* испепел-я́ть, -и́ть || **-ation** *s.* испепеле́ние; превраще́ние в пе́пел.
incipient (инси'пиёнт) *a.* начина́ющий; зарожда́ющийся.
incis/e (инсай'з) *va.* надре́з-ывать, -ать || **-ion** (инси'жн) *s.* надре́з || **-ive** (инсай'сив) *a.* ре́жущий; (*fig.*) о́стрый || **-or** *s.* резе́ц.

incite/ (инсай'т) *va.* побу-ждáть, -дúть; подстрек-áть, -нýть || **–ment** *s.* подстрекáтельство; наущéние; побудúтельная причúна || **–r** *s.* подстрекáтель *m.*; побудúтель *m.*

incivility (инсиви'лити) *s.* невéжливость *f.*

inclem/ency (инклэ'м-ёнси) *s.* (*of weather*) сурóвость *f.* || **–ent** *a.* сурóвый.

inclin/ation (инклинэй'шн) *s.* наклонéние; (*slope*) наклóн; (*fig.*) наклóнность *f.*; склóнность *f.* || **–e** (инклай'н) *va.* склон-я́ть, -и́ть || ~ *vn.* склон-я́ться, -и́ться; (*to be disposed to*) имéть располож́ение (к) || **–ed** (инклай'нд) *a.* наклонённый; располóженны (к).

inclose/ (инклōу'з) *va.* окруж-áть, -и́ть; заключ-áть, -и́ть; (*to wall round*) огор-áживать, -одúть; (*to contain*) заключáть в себé || **herewith –d** прилóженный при сем.

includ/e (инклӯ'д) *va.* заключáть в себé; (*to reckon in*) включ-áть, -и́ть || **–ing** *ad.* включáя, со включéнием.

inclus/ion (инклӯ'-жн) *s.* включéние || **–ive** (-сив) *a.* заключáющий в себé; включáющий || ~ **of** включáя, со включéнием.

incog (инко'г), **incognito** (инко'гнитоу) *ad.* инкóгнито.

incoheren/ce (инкохий'р-ёнс) *s.* несвя́зность *f.*, бессвя́зность *f.* || **–t** *a.* несвя́зный; непослéдовательный.

incombustible (инкомба'стибл) *a.* несгорáемый.

income/ (и'нкам) *s.* дохóд; (*salary*) жáлованье || **–tax** *s.* подохóдный налóг.

incoming (и'нкаминг) *s.* вход.

incommensur/able (инкомэ'нсюр-ёбл) *a.* несоизмерúмый || **–ate** *a.* непропорционáльный.

incommod/e (инкомōу'д) *va.* беспокóить; стесн-я́ть, -и́ть || **–ious** *a.* неудóбный; стеснúтелный.

incommunicative (инкомю̄'никётив) *a.* несообщúтельный.

incommutable (инкомю̄'тёбл) *a.* неизменúмый; неот'éмлемый.

incomparable (инко'мпёрёбл) *a.* несравнéнный; бесподóбный.

incompatible (инкомпä'тибл) *a.* несовместúмый.

incompetent (инко'мпитёнт) *a.* некомпетéнтный; неспосóбный.

incomplete (и'нкомплий'т) *a.* непóлный; несовершéнный.

incomprehens/ible (и'нкомприхэ'нс-ибл) *a.* непоня́тный || **–ion** *s.* непоня́тливость *f.* || **–ive** *a.* ограни́ченный.

incompressible (инкомпрэ'сибл) *a.* несжимáемый.

inconceivable (и'нкёнсий'вёбл) *a.* непостижúмый.

inconclusive (и'нкёнклӯ'сив) *a.* неубедúтельный, недоказáтельный.

incongru/ity (инконгру'ити) *s.* несоответственность *f.*; несообрáзность *f.* || **–ous** (инко'нгтруёс) *a.* несоответственный, несообрáзный.

inconsequent/ (инко'нсикуёнт), **–ial** (инконсикуэ'ншёл) *a.* непослéдовательный; нелогúчный; невáжный.

inconsider/able (инконси'дёр-ёбл) *a.* незначúтельный, невáжный || **–ate** *a.* невнимáтельный; неосмотрúтельный, необдýманный.

inconsistent (инконси'стёнт) *a.* непослéдовательный; несовместúмый; несообрáзный.

inconsolable (инконсōу'лёбл) *a.* неутéшный.

inconspicuous (инконспи'кюёс) *a.* незамéтный.

inconstan/cy (инко'нстён-си) *s.* непостоя́нство || **–t** *a.* непостоя́нный.

incontestable (инконтэ'стёбл) *a.* неоспорúмый; бесспóрный.

incontin/ence (инко'нтин-ёнс) *s.* невоздержáние; нецеломýдренность *f.* || **–ent** *a.* невоздéржный; нецеломýдренный.

incontrovertible (инконтрёвё̄'ртибл) *a.* неоспорúмый, неопровержúмый.

inconvenien/ce (инкёнвий'ний-ён-с) *s.* неудóбство; затруднéние || ~ *va.* затрудн-я́ть, -и́ть; беспокóить, о- || **–t** *a.* неудóбный.

inconvertible (инкёнвё̄'ртибл) *a.* непревратúмый.

incorpor/ate (инкō'рпёрэйт) *va.* соедин-я́ть, -и́ть в однó цéлое; присоедин-я́ть, -и́ть || **–eal** (инкорпō'риёл) *a.* бестелéсный; невещéственный.

incorrect (и'нкёрэ'кт) *a.* непрáвильный, невéрный.

incorrigible (инко'риджибл) *a.* неисправúмый.

incorruptible (инкёра'птибл) *a.* неподвéрженный пóрче; (*not to be bribed*) неподкýпный.

increase (и'нкрийс) *s.* приращéние; (*addition*) прибавлéние || ~ (инкрий'с) *va.* увели́ч-ивать, -ить || ~ (инкрий'с) *vn.* увели́ч-иваться, -иться; растú; развивáться.

incredible (инкрэ'дибл) *a.* невероя́тный.

incredul/ity (инкридю̄'лити) *s.* невéрие || **–ous** (инкрэ'дюлёс) *a.* невéрующий; недовéрчивый.

increment (и'нкримэнт) *s.* прибавлéние; приращéние; (*profit*) прúбыль *f.*

incriminate (инкри'минэйт) *va.* обвин-я́ть, -и́ть в преступлéнии.

incrust/ (инкра'ст) *va.* инкрустúровать; по-крывáть, -кры́ть нáкипью, корóю *или* ржа́вчиной || **–ation** *s.* инкруста́ция; кора́, на́кипь *f.*

incubat/e (и'нкюбэйт) *va.* выси́живать, вы́сидеть || **–ion** *s.* инкуба́ция.

incubus (и'нгкюбёс) *s.* кошма́р.

inculcate (и'нкалкэйт) *va.* вд-а́лбливать, -олби́ть в го́лову. [в чём.

inculpate (и'нкалпэйт) *va.* обвин-я́ть, -и́ть

incumb/ency (инка'мб-ёнси) *s.* прихо́дское ме́сто || **–ent** *s.* свяще́нник, име́ющий прихо́д || ~ *a.* обяза́тельный, до́лжный || **it is ~ on me** я до́лжен.

incunabula (инкю́нä'бюлё) *spl.* первопеча́тные кни́ги (до 1500-ого го́да).

incur (ингкё'р) *va.* на-влека́ть, -вле́чь на себя́; под-верга́ться, -ве́ргнуться (чему́-либо) || **to ~ debts** де́лать, с- долги́.

incurable (инкю́'рёбл) *a.* неизлечи́мый, неисцели́мый. [ние.

incursion (инкё'ршён) *s.* набе́г; вторже́-

incurvation (инкёрвэ́й'шн) *s.* во́гнутость *f.*; вы́гнутость *f.*

indebted (индэ'тид) *a.* обя́занный; (*in debt*) находя́щийся в долгу́.

indecent (индий'сёнт) *a.* неприли́чный; непристо́йный. [разбо́рчивый.

indecipherable (индисай'фёрёбл) *a.* не-

indecis/ion (индиси'жн) *s.* нереши́тельность *f.* || **–ive** (индисай'сив) *a.* нереши́тельный, неопределённый. [ня́емый.

indeclinable (индиклай'нёбл) *a.* несклo-

indecor/ous (индэ'кёрёс, индико̄'рёс) *a.* неприли́чный || **–um** (-ём) *s.* неприли́чие.

indeed (индий'д) *ad.* действи́тельно; коне́чно; пра́вда; да. [ми́мый.

indefatigable (индифä'тигёбл) *a.* неуто-

indefeasible (индифий'зибл) *a.* неотчужда́емый; неот'е́млемый.

indefensible (индифэ'нсибл) *a.* чего́ нельзя́ удержа́ть, защити́ть.

indefin/able (индифай'нёбл) *a.* неопредели́мый || **–ite** (индэ'финит) *a.* неопределённый.

indelible (индэ'либл) *a.* неизглади́мый; (*stains*) несмыва́емый; (*ink*) нестира́емый. [(*coarse*) гру́бый.

indelicate (индэ'ликёт) *a.* неделика́тный;

indemni/fication (индэмнификэ́й'шн) *s.* вознагражде́ние (за убы́тки); удовлетворе́ние || **–fy** (индэ'мнифай) *va.* вознагра-жда́ть, -ди́ть (кого́ за что) || **–ty** (индэ'мнити) *s.* вознагражде́ние; (*exemption*) освобожде́ние от отве́тственности || **Bill of ~** зако́н о безнака́занности.

indent/ (индэ'нт) *va.* насека́ть; зазу́бривать, -ть; (*typ.*) отста́вить строку́ || **–ation** *s.* зубе́ц, вы́емка || **–ure** *s.* контра́кт.

independ/ence (индипэ'нд-ёнс) *s.* незави́симость *f.* || **–ent** *a.* незави́симый.

indescribable (индискрай'бёбл) *a.* неопису́емый; неизобрази́мый. [руши́мый.

indestructible (индистра'ктибл) *a.* нераз-

indetermin/able (индитё'рмин-ёбл) *a.* неопредели́мый || **–ate** *a.* неопределённый || **–ation** *s.* нереши́мость *f.*

index (и'ндэкс) *s.* указа́тель *m.*; (*of contents*) оглавле́ние; (*pointer*) стре́лка; (*math.*) показа́тель *m.*; (*Roman Catholic*) спи́сок запрещённых для като́ликов книга́м.

Indian (и'ндиён) *a.*, ~ **ink** тушь *f.*; ~ **summer** ба́бье ле́то || **in ~ file** гусько́м || ~ **corn** маи́с. [рези́на.

india-rubber (и'ндиёра'бёр) *s.* каучу́к;

indicat/e (и'ндикэйт) *va.* у-ка́зывать, -каза́ть; (*to point out*) по-ка́зывать, -каза́ть || **–ed horse-power** индика́торная лошади́ная си́ла || **–ion** (индикэ́й'шн) *s.* указа́ние; (*sign*) при́знак || **–ive** (инди'кётив) *s.* (*gramm.*) из'яви́тельное наклоне́ние || ~ *a.* ука́зывающий; свиде́тельствующий || **–or** *s.* указа́тель *m.*; (*techn.*) индика́тор || **–ory** (и'ндикётёри) *a.* ука́зывающий, дока́зывающий.

indict/ (индай'т) *va.* пре-дава́ть, -да́ть суду́; обвин-я́ть, -и́ть || **–ment** *s.* обвине́ние || **Bill of ~** обвини́тельный акт.

indiffer/ence (инди'фёрёнс) *s.* равноду́шие; беспристра́стие || **–ent** *a.* равноду́шный; (*impartial*) беспристра́стный; (*mediocre*) посре́дственный; (*unimportant*) нева́жный.

indig/ence (и'ндидж-ёнс) *s.* бе́дность *f.*; нужда́ || **–ent** *a.* бе́дный.

indigenous (инди'джёнёс) *a.* тузе́мный, ме́стный, коренно́й.

indigest/ible (индиджэ'с-тибл) *a.* неудобовари́мый (желу́дком) || **–ion** (-чён) *s.* неваре́ние (желу́дка).

indign/ant (инди'гн-ёнт) *a.* негоду́ющий || || **–ation** (индигнэ́й'шн) *s.* негодова́ние, вознегодова́ние || **–ity** *s.* оскорбле́ние.

indigo/ (и'ндигоу) *s.* и́ндиго, ку́бовая кра́ска || **~-blue** *a.* индигово-си́ний.

indirect (и'ндирэ'кт) *a.* не прямо́й; ко́свенный.

indiscr/eet (и'ндискрий'т) *a.* нескро́мный; (*not thought out*) необду́манный; (*incautious*) неосторо́жный || **–etion** (индискрэ'шн) *s.* нескро́мность *f.*; неосторо́жность *f.*

indiscriminate (индискри'минёт) *a.* неразбира́ющий; сме́шанный. [ди́мый.

indispensable (индиспэ'нсёбл) *a.* необхо-

indispos/ed (и'ндиспо̄у'зд) *a.* нерасположённый; (*ill*) нездоро́вый || **–ition** (индиспози'шн) *s.* нерасположе́ние; (*illness*) нездоро́вье. [мый.
indisputable (индиспю̄'тёбл) *a.* неоспори́мый.
indissoluble (индисо'любл) *a.* нерастворимый: (*fig.*) неразры́вный.
indistinct (и'ндисти'нгт) *a.* нея́сный; (*of speech*) невня́тный.
indite (индай'т) *va.* сочин-я́ть, -и́ть; диктова́ть; (*fam.*) писа́ть, на-.
individual/ (индиви'дюёл) *s.* ли́чность *f.*; индиви́дуум, лицо́, осо́ба || ~ *a.* ли́чный, индивидуа́льный || **–ity** (индивидюӓ'лити) *s.* индивидуа́льность *f.* [неразде́льный.
indivisible (индиви'зёбл) *a.* недели́мый;
indocile (индо'сил) *a.* непослу́шный, непоко́рный. [*a.* лени́вый.
indol/ence (и'ндол-ёнс) *s.* ле́ность *f.* || **–ent**
indomitable (индо'митёбл) *a.* неукроти́мый.
indoor/ (и'ндо̄р) *a.* находя́щийся внутри́ до́ма, вну́тренний || **–s** *ad.* внутри́ до́ма.
indorse *cf.* **endorse.** [ный.
indubitable (индю̄'битёбл) *a.* несомне́нный.
induc/e (индю̄'с) *va.* побужда́ть; (*to bring about*) причин-я́ть, -и́ть; (*to infer*) выводи́ть заключе́ние || **–ment** *s.* побужде́ние; по́вод; причи́на.
induct/ (инда'кт) *va.* вводи́ть; помести́ть || **–ion** *s.* введе́ние; инду́кция || **–ive** *a.* индукти́вный || **–or** *s.* инду́ктор.
indulg/e (инда'лдж) *va.* снисходи́ть; потво́рствовать (кому́-либо); удовлетворя́ть || ~ *vn.*, **to ~ in** предава́ться (чему-нибу́дь) || **–ence** *s.* снисходи́тельность *f.*; потво́рство; удовлетворе́ние; (*eccl.*) индульге́нция (у като́ликов) || **–ent** *a.* снисходи́тельный.
indurate (и'ндюрэйт) *va.* де́лать, с- твёрдым; закал-я́ть, -и́ть || ~ *vn.* де́латься, с- твёрдым; раскал-я́ться, -и́ться.
industr/ial (инда'стр-иёл) *a.* промы́шленный || **–ious** *a.* трудолюби́вый || **–y** (и'ндастри) *s.* промы́шленность *f.*; (*diligence*) прилежа́ние, трудолю́бие.
inebri/ate (иний'бри-ёт) *s.* пья́ница || ~ (-эйт) *va.* опьян-я́ть, -и́ть || **–ation** *s.*, **–ety** (инибрай'ёти) *s.* опьяне́ние.
inedible (инэ'дибл) *a.* не с'едо́бный.
inedited (инэ'дитид) *a.* неи́зданный.
ineffable (инэ'фёбл) *a.* невырази́мый.
ineffect/ive (инифэ'ктив), **–ual** *a.* бесполе́зный, напра́сный.
inefficac/ious (инэфикэ̄й'шёс) *a.* бесполе́зный || **–y** (инэ'фикёси) *s.* недействи́тельность *f.*; бесполе́зность *f.*
inefficient (иннфи'шёнт) *a.* бесси́льный, неспосо́бный.
inelastic (инилӓ'стик) *a.* неэласти́чный.
inelegant (инэ'лигёнт) *a.* неизя́щный.
ineligible (инэ'лиджёбл) *a.* неизбира́емый.
inept/ (инэ'пт) *a.* непригодный; (*absurd*) неле́пый || **–itude** *s.* неприго́дность *f.*; неле́пость *f.* [неро́вность *f.*
inequality (иникуо'лити) *s.* нера́венство;
inequitable (инэ'куитёбл) *a.* несправедли́вый. [рени́мый.
ineradicable (инирӓ'дикёбл) *a.* неискоре-
inert/ (инё'рт) *a.* ине́ртный, ко́сный || **–ia** (инё'р-шиё) *s.* ине́рция; безде́йствие || **–ness** *s.* ине́ртность *f.*; ко́сность *f.*; неподви́жность *f.*
inestimable (инэ'стимёбл) *a.* неоцени́мый.
inevitable (инэ'витёбл) *a.* неизбе́жный.
inexact (инигзӓ'кт) *a.* нето́чный, неисправный. [щи́мый.
inexhaustible (инигзо̄'стибл) *a.* неисто-
inexorable (инэ'ксорёбл) *a.* неумоли́мый.
inexped/iency (иникспий'д-иёнси) *s.* нецелесообра́зность *f.*; неуме́стность *f.* || **–ient** *a.* нецелесообра́зный; неуме́стный.
inexperience/ (иникспий'риёнс) *s.* нео́пытность *f.* || **–d** *a.* нео́пытный.
inexpert (иникспё'рт) *a.* неиску́сный, несве́дующий (в).
inexpiable (инэ'кспиёбл) *a.* неискупи́мый.
inexplicable (инэ'кспликёбл) *a.* необ'ясни́мый.
inexpressible/ (иникспрэ'сибл) *a.* невырази́мый || **–s** *spl.* (*fam.*) брю́ки *fpl.*
inextinguishable (инексти'нг-гуишёбл) *a.* неугаси́мый; (*of thirst*) неутоли́мый.
inextricable (инэ'кстрикёбл) *a.* не распута́емый; безвы́ходный.
infallible (инфӓ'либл) *a.* непогреши́мый; непреме́нный.
infam/ous (и'нфём-ёс) *a.* бесче́стный; позо́рный; гну́сный || **–y** *s.* посты́дность *f.*; позо́р; гну́сность *f.*
infan/cy (и'нфён-си) *s.* младе́нчество; де́тство; (*legal*) несовершеннолетие || **–t** *s.* младе́нец; дитя́; (*legal*) несовершенноле́тний || **–ticide** (инфӓ'нтисайд) *s.* детоуби́йство; (*person*) детоуби́йца *m&f.* || **–tile** (-тайл) *a.* младе́нческий, де́тский || **–try** (-три) *s.* пехо́та, инфанте́рия.
infatuat/e (инфӓ'тюэйт) *va.* свести́ с ума́; увле́чь || **–ion** *s.* безу́мие; ослепле́ние; пристра́стие.
infect/ (инфэ'кт) *va.* зара-жа́ть, -зи́ть || **–ion** *s.* зараже́ние, зара́за || **–ious** (инфэ'кшёс) *a.* зарази́тельный, инфекцио́нный || **–iousness** *s.* зарази́тельность *f.*

infelicity (инфили'сити) *s.* несча́стие.
infer/ (инфё'р) *va.* выводи́ть, вы́вести; за-ключ-а́ть, -и́ть; (*to imply*) подразумева́ть || **-ence** (и'нфёрёнс) *s.* вы́вод, заключе́ние || **-ential** (инфёрэ'ншёл) *a.* дедукти́вный. [ский || **-o** (-оу) *s.* ад.
infern/al (инфё'рн-ёл) *a.* а́дский, дья́воль-
infertil/e (инфё'ртайл) *a.* неплодоро́дный, беспло́дный || **-ity** (инфёрти'лити) *s.* беспло́дие, беспло́дность *f.*
infest (инфэ'ст) *va.* му́чить, беспоко́ить.
infidel/ (и'нфидэл) *s.&a.* неве́рный, неве́рующий || **-ity** (инфидэ'лити) *s.* неве́рность *f.*; неве́рие.
infiltration (инфилтрэ́й'шн) *s.* проса́чивание, инфильтра́ция.
infinit/e (и'нфинит) *a.* бесконе́чный; несме́тный || **-esimal** (инфинитэ'симёл) *a.* бесконе́чно ма́ло || **-y** (инфи'нити) *s.* бесконе́чность *f.* || **-ive** (инфи'нитив) *s.* (*gramm.*) неопределённое наклоне́ние.
infirm/ (инфё'рм) *a.* не́мощный; (*from age*) дря́хлый; (*weak*) сла́бый || **-ary** *s.* больни́ца || **-ity** *s.* не́мощь *f.*; дря́хлость *f.*; сла́бость *f.*
inflam/e (инфлэ́й'м) *va.* воспламен-я́ть, -и́ть; (*med.*) воспал-я́ть, -и́ть; (*to excite*) возбу-жда́ть, -ди́ть; (*to exasperate*) раздраж-а́ть, -и́ть || ~ *vn.* воспламен-я́ться, -и́ться; воспал-я́ться, -и́ться; рассерди́ться || **-mable** (инфлä'мёбл) *a.* воспламеня́емый, горю́чий; (*easily excited*) вспы́льчивый || **-mation** (инфлёмэ́й'шн) *s.* инфлама́ция, воспале́ние; пыл || **-matory** (инфлä'мётёри) *a.* воспали́тельный.
inflat/e (инфлэ́й'т) *va.* на-дува́ть, -ду́ть; раз-дува́ть, -ду́ть || **-ion** *s.* надува́ние, раздува́ние; инфля́ция; (*fig.*) надме́нность *f.*
inflect/ (инфлэ'кт) *va.* гнуть; отклон-я́ть, -и́ть; (*gramm.*) склоня́ть || **-ion** *s.* сгиб; наклоне́ние, склоне́ние.
inflexible (инфлэ'ксибл) *a.* непрекло́нный; непоколеби́мый.
inflict/ (инфли'кт) *va.* на-лага́ть, -ложи́ть; (*to cause*) причин-я́ть, -и́ть || **-ion** *s.* наложе́ние (наказа́ния); доку́чливость *f.*
influen/ce (и'нфлуэнс) *s.* влия́ние, вес; (*power*) власть *f.* || ~ *va.* име́ть влия́ние (на + *A.*); влия́ть, по- (на); склон-я́ть, -и́ть (к чему́-либо) || **-tial** (инфлу-э'ншёл) *a.* влия́тельный; влия́ющий; с бо́льши́м влия́нием, с бо́льши́м ве́сом || **-za** (инфлу-э'нзё) *s.* грипп, инфлюэ́нца. [плы́в.
influx (и'нфлакс) *s.* втече́ние; прили́в; на-
inform/ (инфо̄'рм) *va.* науч-а́ть, -и́ть; (*to communicate*) сообщ-а́ть, -и́ть; у-ведомля́ть, -ве́домить || **-al** *a.* не форма́льный; отступа́ющий от пра́вил || **-ant** *s.* тот, кто уведомля́ет || **-ation** (информэ́й'шн) *s.* уведомле́ние; све́дения *npl.*; (*news*) изве́стия; (*charge*) доно́с || **-er** *s.* доно́счик; обвини́тель *m.* [досто́инства.
infra dig (ин'фрё диг) *ad.* ни́же своего́
infraction (инфрä'кшён) *s.* наруше́ние; несоблюде́ние.
infringe/ (инфри'ндж) *va.* на-руша́ть, -ру́шить; не соблюда́ть || **-ment** *s.* наруше́ние, несоблюде́ние. [-и́ть.
infuriate (инфю̄'риэйт) *va.* раз'яр-я́ть,
infus/e (инфю̄'з) *va.* (*to instil*) вну-ша́ть, -и́ть; (*to steep*) на-ста́вить, -стоя́ть || **-ion** *s.* насто́й, насто́йка; (*fig.*) внуше́ние.
ingathering (ингä'ђёринг) *s.* сбор.
ingen/ious (инджий'ниёс) *a.* изобрета́тельный; остроу́мный || **-uity** (инджиню̄'ити) *s.* изобрета́тельность; остроу́мие || **-uous** (инджэ'нюёс) *a.* чистосерде́чный; (*frank*) и́скренний.
inglorious (ингло̄'риёс) *a.* бесcла́вный; посты́дный; (*ignominious*) позо́рный.
ingoing (и'нгоу-инг) *s.* вход; вступле́ние || ~ *a.* входя́щий.
ingot (и'нг-гот) *s.* сли́ток.
ingrate (и'нгрэ́й'т) *a.* неблагода́рный.
ingrat/iate (ингрэ́й'шиэйт), **to ~ o.s.** вкра́сться в ми́лость || **-itude** (ингрä'титю̄д) *s.* неблагода́рность *f.*
ingredient (ингрий'диёнт) *s.* составна́я часть сме́си.
ingress (и'нгрёс) *s.* вход.
inhabit/ (инхä'бит) *va.* обита́ть (в); жить (в) || **-ant** *s.* (*of a country*) обита́тель *m.*; (*of a town*) жи́тель *m.*; (*of a house*) жиле́ц; (*woman*) обита́тельница, жи́тельница, жили́ца || **-ation** *s.* жи́тельство; жили́ще.
inhal/ation (инхёлэ́й'шн) *s.* вдыха́ние || **-e** (инхэ́й'л) *va.* в-дыха́ть, -дохну́ть; в-са́сывать, -соса́ть.
inharmonious (инхармоу'ниёс) *a.* негармони́чный, нестро́йный.
inher/e (инхий'р) *vn.* быть сво́йственным; пристава́ть; быть прису́щим || **-ence** *s.* прису́щность *f.*; нераздéльность *f.* || **-ent** *a.* прису́щий; сво́йственный; врождённый.
inherit/ (инхэ'рит) *va.* насле́довать, у- || **-ance** *s.* насле́дство || **-or** *s.* насле́дник || **-ress, -rix** *s.* насле́дница.
inhesion (инхий'жн) *s.* прису́щность *f.*
inhibit/ (инхи'бит) *va.* запре-ща́ть, -ти́ть; (*to hinder*) препя́тствовать || **-ion** (инхиби'шн) *s.* запреще́ние, воспреще́ние.

inhospit/able (инхо'спитёбл) *a.* негостеприимный || **-ality** (инхоспита'лити) *s.* негостеприимность *f.*
inhuman (инхю'мён) *a.* бесчеловечный; (*barbarous*) варварский.
inhum/ation (инхюмэй'шн) *s.* погребение || **-e** (инхю'м) *va.* хоронить, по-; погребать, -грести.
inimical (ини'микёл) *a.* враждебный.
inimitable (ини'митёбл) *a.* неподражаемый.
iniquit/ous (ини'куит-ёс) *a.* неправедный || **-y** *s.* неправедность *f.*; беззаконие.
init/ial (ини'шёл) *s.* заглавная буква, начальная буква || ~ *a.* начальный; первоначальный || **-iate** (ини'ши-эйт) *va.* на-чинать, -чать; (*to introduce*) посвящать, -тить (во что); (*to make known*) ознакомить (с чем) || **-iative** (-йётив) *s.* инициатива || **-iatory** (-йётёри) *a.* посвятительный; начальный.
inject/ (инджэ'кт) *va.* впрыск-ивать, -ать, впрыснуть; шпри(н)цовать || **-ion** *s.* впрыскивание, шпри(н)цовка || **-or** *s.* инжектор.
injudicious (инджуди'шёс) *a.* неблагоразумный.
injunction (инджа'нг-кшён) *s.* повеление; предписание.
injur/e (и'нджёр) *va.* повредить; (*to wrong*) об-ижать, -идеть || **-ious** (инджу'риёс) *a.* вредный; оскорбительный; обидный || **-y** *s.* вред; обида. [вость *f.*; неправда.
injustice (инджа'стис) *s.* несправедливость
ink/ (ингк) *s.* чернила *npl.* || ~ *va.* пачкать чернилами || **-stand** *s.* чернильница || **-y** *a.* чернильный; (*black*) чёрный.
inkling (и'нг-клинг) *s.* намёк.
inlaid (и'нлэй'д) *a.* с инкрустациями || ~ **floor** паркет. [щийся внутри страны.
inland (и'нлёнд) *a.* внутренний; находя-
inlay (и'нлэй) *s.* инкрустация, наборная работа || ~ (инлэй') выкладывать, выложить.
inlet (и'нлэт) *s.* вход; лазейка; (*of sea*) заливчик; (*piece inserted*) вкладка.
inmate (и'нмэйт) *s.* жилец, жилица; житель *m.*
inmost (и'нмоуст) *a.* (*fig.*) сокровенный.
inn/ (ин) *s.* гостиница; постоялый двор || **-keeper** *s.* содержатель (*m.*) гостиницы, постоялого двора.
innate (и'н-нэйт) *a.* врождённый.
inner/ (и'нёр) *a.* внутренний; (*fig.*) скрытый, сокровенный || **-most** = **inmost.**
innings (и'нингз) *spl.* черёд (в крикете).
innoc/ence (и'нёс-ёнс) *s.* невинность *f.* || **-ent** *s.* простофиля || ~ *a.* невинный; невиновный.
innocuous (ино'кюёс) *a.* безвредный.
innovat/e (и'новэйт) *va.* делать нововведения || **-ion** (иновэй'шн) *s.* нововведение.
innuendo (инюэ'ндоу) *s.* намёк; инсинуация.
innumerable (иню'мёрёбл) *a.* бесчисленный.
inobserv/ance (инобзё'рв-ёнс) *s.* необращение внимания; несоблюдение (правил); неисполнение || **-ant** *a.* не обращающий внимания, невнимательный; не соблюдающий.
inocul/ate (ино'кюлэйт) *va.* при-вивать, -вить || **-ation** *s.* прививка.
inodorous (иноу'дёрёс) *a.* непахучий.
inoffensive (инофэ'нсив) *a.* безобидный; неоскорбительный.
inofficial (инофи'шёл) *a.* неофициальный.
inoperative (ино'пёрётив) *a.* не оказывающий действия; недействительный.
inopportune (ино'пёртюн) *a.* несвоевременный, неблаговременный, неуместный.
inordinate (ино'рдинёт) *a.* чрезмерный.
inorganic (и'норгä'ник) *a.* неорганический.
inquest (и'нкуэст) *s.* исследование; судебный допрос, осмотр; судебное следствие.
inquietude (инкуай'ётюд) *s.* беспокойство.
inquir/e (инкуай'ёр) *va&n.* спр-ашивать, -осить; осв-едомляться, -едомиться || **to** ~ **of** спрашивать у кого || **to** ~ **for** спрашивать о || **to** ~ **into** исследовать (что) || **-y** *s.* осведомление; (*question*) вопрос; (*legal*) допрос, судебное следствие.
inquis/ition (инкуизи'шн) *s.* исследование; расследование; инквизиция || **-itive** (инкуи'зитив) *a.* пытливый; любопытный, любознательный || **-itor** (инкуи'зитёр) *s.* исследователь *m.*; инквизитор.
inroad (и'нроуд) *s.* набег, нашествие.
insan/e (инсэй'н) *a.* безумный, сумасшедший || **-ity** (инсä'нити) *s.* умопомешательство, безумие.
insatiable (инсэй'шйёбл) *a.* ненасытный.
inscribe (инскрай'б) *va.* записать, вписать; (*to dedicate*) посвятить.
inscription (инскри'пшён) *s.* надпись *f.*
inscrutable (инскру'тёбл) *a.* неисповедимый.
insect/ (и'нсэкт) *s.* насекомое || **-icide** (инсэ'ктисайд) *s.* порошок для истребления насекомых || **-ivorous** (инсэкти'вёрёс) *a.* насекомоядный.
insecur/e (инсикю'р) *a.* небезопасный; неверный; (*not to be trusted*) ненадёжный || **-ity** *s.* небезопасность *f.*
insens/ate (инсэ'нс-ёт) *a.* безумный, глупый; нечувствительный || **-ible** *a.* нечувствительный; (*emotionless*) бесчувст-

венный; (*unconscious*) в обмороке, без памяти; (*imperceptible*) незаметный || **to become ~** лишиться чувств, падать в обморок || **-ibly** *ad.* мало-по-малу, незаметно. [нераздельный.
inseparable (инсэ'пёрёбл) *a.* неразлучный,
insert/ (инсё'рт) *va.* вставить; включить || **-ion** *s.* включение; вставка.
inside (и'нсай'д) *s.* внутренность *f.*; (*of material*) оборотная сторона || **~ out** наизнанку, наизворот; (*fam. stomach*) желудок; (*~ passenger*) пассажир, сидящий внутри вагона || **~** (и'нсайд) *a.* внутренний || **~** (инсай'д) *ad.* внутри || **~ of** в течение, в продолжение (+ *Gen.*) || **~** (инсай'д) *prp.* в; внутри (+ *Gen.*).
insidious (инси'диёс) *a.* коварный; предательский. [ние; прозорливость *f.*
insight (и'нсайт) *s.* усмотрение; уразуме-
insignia (инси'гниё) *spl.* знаки (*mpl.*) отличия или достоинства.
insignificant (инсигни'фикёнт) *a.* незначительный; неважный. [фальшивый.
insincere (и'нсинсий'р) *a.* неискренний;
insinuat/e (инси'ню-эйт) *va.* незаметно вв-одить, -ести || **~** *vn.* (*to ~ o.s.*) вкрадываться (в); приласкиваться (к); (*to hint*) инсинуировать || **-ion** (инсиню-э̄й'шн) *s.* вкрадчивость *f.*; приласкивание; инсинуация. [скучный; пошлый.
insipid (инси'пид) *s.* безвкусный; (*dull*)
insist/ (инси'ст) *va.&n.* наст-аивать, -оять (на); упорствовать (в чём); (*demand persistently*) неотступно требовать || **-ence** *s.* настоятельность *f.*; настойчивость *f.* || **-ent** *a.* настойчивый, настоятельный.
insobriety (инсобрай'ёти) *s.* нетрезвость *f.*; пьянство.
insol/ence (и'нсол-ёнс) *s.* нахальство || **-ent** *a.* нахальный; (*insulting*) оскорбительный.
insolub/ility (инсолюби'лити) *s.* (*chem.*) нерастворимость *f.*; (*fig. of riddles, etc.*) неразрешимость *f.* || **-le** (инсо'любл) *a.* нерастворимый; неразрешимый.
insolv/ency (инсо'лв-ёнси) *s.* несостоятельность *f.* || **-ent** *a.* несостоятельный.
insomnia (инсо'мниё) *s.* бессонница.
inspect/ (инспэ'кт) *va.* о-сматривать, -смотреть || **-ion** *s.* инспекция, осмотр; просмотр || **-or** *s.* инспектор; смотритель *m.*; (*of police*) околоточный (надзиратель).
inspir/ation (инспирэ̄й'шн) *s.* вдыхание; вдохновение; внушение || **-e** (инспай'ёр) *va.* (*air*) вдыхать, вдохнуть; (*fig. to infuse*) вдохнов-лять, -ить; внуш-ать, -ить.
inspirit (инспи'рит) *va.* одушев-лять, -ить; (*to encourage*) о-бодрять, -бодрить.
inst. (*abbr.*) = **instant.**
instability (инстёби'лити) *s.* непостоянство; непрочность *f.*, превратность *f.*
install/ (инсто̄'л) *va.* поместить; (*an official*) определять, -ить (к должности); (*techn.*) уст-анавливать, -ановить || **-ation** *s.* помещение; определение; установка.
instalment/ (инсто̄'лмёнт) *s.* (*of payment*) часть *f.*; рата; (*of story, etc.*) отдельный выпуск || **to pay in -s** платить, у- по частям или в рассрочку.
instan/ce (и'нстёнс) *s.* (*example*) пример; (*particular case*) случай; (*legal*) инстанция; (*request*) прошение || **for ~** например || **in the first ~** во-первых || **~** *va.* при-водить, -вести в пример || **-t** *s.* минута, мгновение || **in an ~** мигом || **~** *a.* (*pressing*) настоятельный, нетерпящий отлагательства; (*immediate*) немедленный; (*of the month*) (*abbr.* **inst.**) настоящий || **-taneous** (инстёнтэ̄й'ниёс) *a.* мгновенный || **-tly** *ad.*, **-ter** (инстä'нтёр) *ad.* (*fam.*) тотчас, безотлагательно.
instead (инстэ'д) *ad.*, **~ of** вместо (+ *Gen.*); на место || **~ of working** вместо того, чтобы работать.
instep (и'нстэп) *s.* под'ём (ноги).
instigat/e (и'нстигэйт) *va.* под-стрекать, -стрекнуть || **-ion** (инстигэ̄й'шн) *s.* наущение; подстрекательство || **-or** *s.* подстрекатель *m.*
instil(l) (инсти'л) *va.* впус-кать, -тить по капельке; (*ideas, etc.*) внуш-ать, -ить.
instinct (и'нстингкт) *s.* инстинкт; (*intuition*) интуиция || **~** (инсти'нгкт) *a.* побуждаемый; оживляемый.
institut/e (и'нститю̄т) *s.* институт; (*institution*) учреждение; установление || **~** *va.* учредить, установить, основать; (*to set on foot*) назначить; (*to commence*) начать || **-ion** (инститӯ'шн) *s.* учреждение; установление; учебное заведение; закон, устав.
instruct/ (инстра'кт) *va.* обуч-ать, -ить; (*to inform*) у-ведомлять, -ведомить; (*to order*) при-казывать, -казать; предписывать, -писать || **-ion** *s.* обучение; наставление; просвещение; предписание, инструкция || **-ive** *a.* поучительный, наставительный || **-or** *s.* наставник, учитель *m.*; инструктор || **-ress** *s.* наставница; учительница.
instrument/ (и'нструмэнт) *s.* инструмент; орудие; (*legal*) документ, акт || **-al** (инструмэ'нтёл) *s.* (*gramm.*) творительный

падёж || ~ *a.* служа́щий ору́дием; (*useful*) поле́зный; (*music*) инструмента́льный; (*gramm.*) твори́тельный || **-ality** (инструмёнтä'лити) *s.* де́йствие; посре́дство || **-ation** *s.* инструменто́вка, аранжиро́вка для орке́стра.

insubordin/ate (инсабо́'рдин-ёт) *a.* ослу́шный || **-ation** *s.* ослуша́ние, неповинове́ние.

insufferable (инса'фёрёбл) *a.* несно́сный; нестерпи́мый.

insufficient (инсафи'шёнт) *a.* недоста́точный; неспосо́бный.

insular/ (и'нсюлёр) *a.* островно́й || **-ity** (инсюлä'рити) *s.* островно́е положе́ние.

insulat/e (и'нсюлэйт) *va.* изоли́ровать || **-or** *s.* изоля́тор.

insult/ (и'нсалт) *s.* оскорбле́ние, оби́да || ~ (инса'лт) *va.* оскорб-ля́ть, -и́ть; об-ижа́ть, -и́деть || **to feel -ed** обижа́ться || **-ing** (инса'лтинг) *a.* оскорби́тельный, оби́дный.

insuperable (инсю'пёрёбл) *a.* непреодоли́мый.

insupportable (инсёпо́'ртёбл) *a.* невыноси́мый; несно́сный.

insur/ance (иншу́'р-ёнс) *s.* страхова́ние; (~ *premium*) страхова́я пре́мия || ~ **company** страхово́е о́бщество || ~ **policy** страхово́й по́лис || **fire** ~ страхова́ние от огня́ || **-e** (–) *va.* страхова́ть, за- || **-er** *s.* страховщи́к.

insurgent (инсё'рджёнт) *s.* инсурге́нт; бунтовщи́к, мяте́жник.

insurmountable (инсёрмау'нтёбл) *a.* непреодоли́мый.

insurrection/ (инсарэ'кшён) *s.* восста́ние, инсурре́кция; мяте́ж || **-ary** *a.* мяте́жный || **-ist** *s.* мяте́жник, бунтовщи́к, инсурге́нт.

insusceptible (инсасэ'птибл) *a.* нечувстви́тельный, невосприи́мчивый.

intact (интä'кт) *a.* нетро́нутый; (*entire*) це́лый.

intangible (интä'нджибл) *a.* неосяза́емый.

intaglio (интä'лйоу) *s.* резно́й ка́мень с вы́емчатою резьбо́ю; вы́емчатая резьба́.

integ/er (и'нтиджёр) *s.* це́лое; (*whole number*) це́лое число́ || **-ral** (и'нтигрёл) *a.* це́лый; це́льный; (*math.*) интегра́льный || **-rate** (и'нтигрэйт) *va.* до-полня́ть, -по́лнить; (*math.*) интегри́ровать; находи́ть, найти́ интегра́л || **-rity** (интэ'грити) *s* це́лость *f.*; неприкоснове́нность *f.*; (*honesty*) че́стность *f.*; правди́вость *f.*

integument (интэ'гюмэнт) *s.* покро́в, обо-ло́чка.

intellect/ (и'нтилэкт) *s.* ум; ра́зум || **-ual** (интилэ'ктюёл) *a.* интеллектуа́льный, мысли́тельный, у́мственный.

intellig/ence (интэ'лидж-ёнс) *s.* ум, ра́зум, интеллиге́нция; (*news*) све́дения *npl.*; изве́стия *npl.* || **-ent** *a.* интеллиге́нтный, у́мный, разу́мный; поня́тливый; смышлё-ный || **-entzia** (интэлиджэ'нсиё) *s.* интеллиге́нция || **-ible** *a.* вразуми́тельный, я́сный, поня́тный; вня́тный.

intemper/ance (интэ'мпёр-ёнс) *s.* невозде́ржность *f.*; (*excess*) неуме́ренность *f.* || **-ate** *a.* невозде́ржный; неуме́ренный; (*addicted to drinking*) пре́данный пья́нству.

intend/ (интэ'нд) *va.* намерева́ться || **-ant** *s.* интенда́нт || **-ed** *s.* су́женый, су́женая; (*betrothed*) жени́х, неве́ста || ~ *a.* наме́ренный.

intens/e (интэ'нс) *a.* си́льный; (*strenuous*) напряжённый || **-ity** *s.* напряжённость (*f.*); си́ла || **-ify** *va.* уси́л-ивать, -ить || **-ive** *a.* интенси́вный; напряжённый; уси́ленный.

intent/ (интэ'нт) *s.* наме́рение || **to all -s and purposes** во всех отноше́ниях || ~ *a.* забо́тящийся (о чём); стремя́щийся (к); (*absorbed*) погружённый; (*eager*) при́стальный || **-ion** *s.* умышле́ние, наме́рение || **-ional** *a.* наме́ренный, умы́шленный || **-ionally** *ad.* с наме́рением, наро́чно.

inter (интё'р) *va.* по-греба́ть, -грести́; хорони́ть, по-.

intercal/ary (интёркä'лёри) *a.* високо́сный; вста́вочный, приба́вочный || **-ate** (интё'ркёлэйт) *va.* вставля́ть, вста́вить.

intercede (интёрсий'д) *vn.* хода́тайствовать, по- (за).

intercept/ (интёрсэ'пт) *va.* пре-рыва́ть, -рва́ть путь; пре-гражда́ть, -гради́ть путь; (*to stop*) остан-а́вливать, -ови́ть; (*a letter*) пере-хва́тывать, -хвати́ть || **-ion** *s.* перегражде́ние; преломле́ние (луче́й); поме́ха; перехва́тывание.

intercession (интёрсэ'шн) *s.* хода́тайство, засту́пничество || **to make ~ for** хода́тайствовать за.

interchange/ (и'нтёрчӭйндж) *s.* ме́на, обме́н, проме́н; переме́на || ~ (интёрчӭй'ндж) *va.* меня́ть; об-ме́нивать, -меня́ть; про-ме́нивать, -меня́ть; (*compliments*) об-ме́ниваться, -меня́ться (+ *D.*) || **-able** (интёрчӭй'нджёбл) *a.* взаи́мный; обою́дный; менов́ой.

intercommunication (интёркомю́никӭй'-шн) *s.* взаи́мное сообще́ние.

intercourse (и'нтёркорс) *s.* сноше́ние; сообще́ние; (*sexual*) полово́е сообще́ние *or* сноше́ние.

interdict/ (и'нтёрдикт) *s.* запреще́ние; запре́т; (*eccl.*) интерди́кт; запреще́ние богослуже́ния || ~ (интёрди'кт) *va.* запреща́ть, -прети́ть; (*to restrain*) у-де́рживать, -держа́ть; возбран-я́ть, -и́ть || **–ion** (интёрди'кшён) *s.* возбране́ние, запреще́ние.

interest/ (и'нтёрэст, и'нтрист) *s.* интере́с; (*participation*) уча́стие; (*share*) часть *f.*; (*advantage*) по́льза, вы́года; интере́с; (*personal influence*) влия́ние; (*comm.*) проце́нты *mpl.* || **compound** ~ проце́нты на проце́нты, сло́жные проце́нты || ~ *va.* возбу-жда́ть, -ди́ть уча́стие; интересова́ть || **–ed** (и'нтристид) *a.* уча́ствующий; заинтересо́ванный; (*not impartial*) пристра́стный || **an ~ party** уча́стник, уча́стница || **–ing** (и'нтристинг) *a.* интере́сный, занима́тельный.

interfer/e (интёрфий'р) *vn.* вм-е́шиваться, -еша́ться; (*to clash*) ста́лкиваться; интерфери́ровать || **–ence** *s.* вмеша́тельство; столкнове́ние; интерфере́нция.

interim (и'нтёрим) *s.* промежу́ток || **in the ~** ме́жду тем, в э́то вре́мя || ~ *a.* вре́менный.

interior (интий'риёр) *s.* вну́тренность *f.*; вну́тренний вид || **Minister of the Interior** мини́стр вну́тренних дел || ~ *a.* вну́тренний.

interjection (интёрджэ'кшён) *s.* междоме́тие.

interlace (интёрлэ̄й'с) *va.&n.* перепле-та́ть, -сти́; переплета́ться.

interlard (интёрла̄'рд) *va.* пере-ме́шивать, -меша́ть.

interleave (интёрлий'в) *va.* про-кла́дывать, -ложи́ть (кни́ги) бе́лой бума́гой.

interline/ (интёрлай'н) *va.* писа́ть ме́жду строк || **-ar** (интёрли'ниёр) *a.* междустро́чный, подстро́чный.

interlocut/ion (интёр-локю̄'шн) *s.* разгово́р || **–or** (-ло'кютёр) *s.* собесе́дник, собесе́дница.

interlope/ (интёрло̄у'п) *vn.* вме́шиваться (в де́ло) || **–r** (и'нтёрло̄упёр) *s.* вме́шивающийся в чужи́е дела́.

interlude (и'нтёрлӯд) *s.* интерме́дия; антра́кт.

intermarriage (интёрма̄'ридж) *s.* брак ме́жду двумя́ чле́нами одно́й семьи́.

intermed/iary (интермий'д-пёри) *s.* посре́дник || **–iate** *a.* промежу́точный || **–iation** (-иэ̄й'шн) *s.* посре́дничество.

interment (интё'рмёнт) *s.* погребе́ние.

intermezzo (интёрмэ'дзоу) *s.* интерме́дия, интерме́ццо.

interminable (интё'рминёбл) *a.* бесконе́чный; (*tedious*) ску́чный.

inter/mingle (интёрми'нг-гл) *va.* переме́шивать, -меша́ть || **–mission** *s.* переры́в; остано́вка || **–mit** *va.* перерыва́ть; остана́вливать || ~ *vn.* перемеж-а́ться, -и́ться || **–mittent** *a.* перемежа́ющийся, переме́жный || **–mix** *va.* пере-ме́шивать, -меша́ть.

intern/ (интё'рн) *va.* удал-я́ть, -и́ть во внутрь госуда́рства || **–al** *a.* вну́тренний.

international (интёрна̄'шёнёл) *s.* интернациона́л || ~ *a.* междунаро́дный.

interpellat/e (интёрпэ'лэйт) *va.* тре́бовать, по- отве́та *или* об'ясне́ния; де́лать, сде́лать запро́с || **–ion** (-пэлэ̄й'шн) *s.* интерпелля́ция, тре́бование в суд.

interpolat/e (интё'рполэйт) *va.* вставля́ть, вста́вить в те́ксте; иска-жа́ть, -зи́ть текст вста́вкою слов, предложе́ний и пр.; (*math.*) интерполи́ровать || **–ion** (интёрполэ̄й'шн) *s.* вста́вка, припи́ска (в те́ксте); (*math.*) интерполя́ция.

interpose (интёрпо̄у'з) *va.* ста́вить, поме́жду (чем); вст-авля́ть, -а́вить || ~ *vn.* быть посре́дником; (*in conversation*) перебива́ть, -би́ть (чью речь).

interpret/ (интё'рприт) *va.* толкова́ть, ис-; об'ясн-я́ть, -и́ть || **–ation** (интёрпритэ̄й'шн) *s.* толкова́ние; об'ясне́ние, интерпрета́ция || **–er** *s.* толкова́тель *m.*; (*translator*) толма́ч, драгома́н, перево́дчик.

interregnum (интёр-рэ'гнам) *s.* междуца́рствие; (*interval*) промежу́ток.

interrogat/e (интэ'рогэйт) *va.* до-пра́шивать, -проси́ть; спра́шивать || **–ion** (интэрогэ̄й'шн) *s.* вопро́с, допро́с || **note of ~** вопроси́тельный знак || **–ive** (интёро'гётив) *s.* вопроси́тельное местоиме́ние || ~ *a.* вопроси́тельный || **–ory** (интёро'гётёри) *s.* допро́с || ~ *a.* вопроси́тельный.

interrupt/ (интёра'пт) *va.* пере-рыва́ть, -рва́ть; (*conversation*) пере-бива́ть, -би́ть; (*to hinder*) помеша́ть || **–ion** *s.* переры́в; перебива́ние; поме́ха, помеша́тельство.

intersect/ (интёрсэ'кт) *va.&n.* пере-сека́ть (-ся), -се́чь (-ся) || **–ion** *s.* пересече́ние; то́чка пересече́ния.

intersperse (интёрспё'рс) *va.* пере-ме́шивать, -меша́ть; усыпа́ть.

interstice (интё'рстис) *s.* сква́жина; щель *f.*

interval (и'нтёрвёл) *s.* промежу́ток; расстоя́ние; (*mus.*) интерва́л.

interven/e (интёрвий'н) *vn.* попа́сть ме́жду; (*to occur*) случа́ться; (*to interpose*) вступа́ться, -и́ться; вме́шиваться, вмеша́ться в де́ло || **–tion** (интёрвэ'ншён) *s.* вмеша́тельство (в де́ло); (*mediation*) посре́дничество.

interview (и'нтёрвю) *s.* интервью || ~ *va.* по-сещать, -сетить с целью распрашивания; интервьюировать.

intestate (интэ'стёт) *a.&s.* умерший без завещания.

intestin/al (интэ'стин-ёл) *a.* кишечный || **-e** (–) *a.* междоусобный || **-es** (-з) *spl.* кишки *fpl.*

intim/acy (и'нтим-ёси) *s.* интимность *f.*; задушевная дружба || **-ate** *s.* задушевный друг || ~ *a.* интимный; задушевный || ~ (-эйт) *va.* (*make known*) об'яв-лять, -ить; (*to hint*) намек-ать, -нуть || **-ation** *s.* об'явление; намёк.

intimid/ate (инти'мидэйт) *va.* запугивать; устраш-ать, -ить || **-ation** *s.* запугивание, устрашение.

into (и'нту, и'нтё) *prp.* в, во; на.

intoler/able (инто'лёр-ёбл) *a.* невыносимый || **-ance** *s.* нетерпимость *f.* || **-ant** *a.* нетерпимый.

inton/e (интôу'н), **-ate** (и'нтонэйт) *va.* провозглашать на распев; зап-евать, -еть || **-ation** (интонэй'шн) *s.* интонация; запев.

intoxic/ant (инто'ксик-ёнт) *s.* крепкий напиток || **-ate** (-эйт) *va.* напоить до-пьяна; упоить || **-ating** *a.* опьяняющий || **-ation** *s.* опьянение, упоение.

intractable (интрâ'ктёбл) *a.* несговорчивый. [миримый.

intransigent (интрâ'нзиджёнт) *a.* непри-

intransitive (интрâ'нситив, интрâ'нситив) *a.* (*gramm.*) средний (глагол).

intrench (интрэ'нч) = **entrench.**

intrepid/ (интрэ'пид) *a.* неустрашимый; храбрый || **-ity** (интрипи'дити) *s.* неустрашимость *f.*

intric/acy (и'нтрик-ёси) *s.* запутанность *f.*; сложность *f.* || **-ate** *a.* запутанный; сложный.

intrigue/ (интрий'г) *s.* интрига; кляуза; каверза; (*amour*) любовная связь || ~ *va.* интриговать; кляузничать, каверзничать || ~ *va.* (*rouse curiosity*) задорить любопытством || **-r** *s.* интригант, интригантка; кляузник.

intrinsic (интри'нсик) *a.* внутренный; (*essential*) существенный.

introduc/e (интрёдю'с) *va.* вв-одить, -ести; давать, дать ход (чему): (*make known*) знакомить, по-; представить || **allow me to ~ you to . . .** позвольте представить вам . . . || **-tion** (интрёда'кшён) *s.* введение; ввод; (*in book*) предисловие; (*presentation*) представление || **a letter of ~** рекомендательное письмо || **-tory** (интрёда'ктёри) *a.* вступительный; предварительный.

introit (интрôу'-ит) *s.* (*eccl.*) входная (начало службы), вступительные слова литургии. [нее рассматривание.

introspection (интроспэ'кшён) *s.* внутрен-

intru/de (интрӯ'-д) *va.* вв-одить, -ести; вс-овывать, -унуть || ~ *vn.* втираться, втереться (в) || **-der** *s.* втёршийся без права; входящий без позволения || **-sion** *s.* вход без позволения; навязчивость *f.*; вторжение || **-sive** *a.* навязчивый; нескромный; докучливый.

intrust (интра'ст) = **entrust.**

intuit/ion (интюи'шн) *s.* интуиция; липезрение || **-ive** (интю'ётив) *a.* интуитивный.

intwine (интуай'н) = **entwine.**

inundat/e (и'нандэйт) *va.* наводн-ять, -ить || **-ion** (инандэй'шн) *s.* наводнение.

inure (иню'р) *va.* приуч-ать, -ить.

inutility (инюти'лёти) *s.* бесполезность *f.*; тщетность *f.*

invade/ (инвэй'д) *va.* напасть (на); нарушать; вторгаться || **-r** *s.* завоеватель *m.*; нарушитель *m.*

invalid/ (и'нвёлийд) *s.* инвалид; больной || ~ *a.* нездоровый; неспособный к службе || ~ (инвâ'лид) *a.* недействительный || **-ate** (инвâ'лидэйт) *va.* уничтожить; делать, с-недействительным.

invaluable (инвâ'люёбл) *a.* неоценимый.

invariable (инвâ'риёбл) *a.* неизменный; (*math.*) постоянный, неизменяющийся.

invasion (инвэй'жн) *s.* набег; вторжение; (*encroachment*) захват. [поношение.

invective (инвэ'ктив) *s.* обида, брань *f.*;

inveigh (инвэй') *vn.*, **to ~ against** поносить. [оболь-щать, -стить.

inveigle (инвий'гл) *va.* за-влекать, -влечь;

invent/ (инвэ'нт) *va.* изо-бретать, -брести; (*fabricate, e.g. a story*) выдумывать, выдумать || **-ion** *s.* изобретение; выдумка, вымысел || **-ive** *a.* изобретательный; находчивый || **-or** *s.* изобретатель *m.* || **-ory** (и'нвёнтёри) *s.* инвентарь *m.*; опись *f.*

invers/e (и'нвёрс, инвё'рс) *a.* оборотный; противный || **-ion** (инвё'ршён) *s.* оборачивание; (*gramm.*) перестановка слов; (*chem.*) инверсия (сахара).

invert/ (инвё'рт) *va.* перевёртывать, -вернуть; переставлять, -ставить; (*chem.*) инвертировать || **-ed commas** кавычки *fpl.*

invertebrate (инвё'ртибрёт) *a.* беспозвоночный.

invest/ (инвэ'ст) *va.* облач-ать, -ить во (что); (*endue*) об-лекать, -лечь; жаловать, по-(чем); (*lay siege to*) о-саждать, -садить;

окруж-áть, -и́ть; (*money*) по-мещáть, -мести́ть; (*a bishop*) воз-води́ть, -вести́ в сан || **to ~ in** (*fam.*) покупáть, купи́ть || **-iture** (-итюр) *s.* инвеститýра; пожáлование (чем); облечéние; введéние в сан || **-ment** *s.* (*siege*) осáда; (*comm.*) помещéние.
investig/ate (инвэ'стиг-эйт) *va.* исслéдовать, расслéдовать; разузнавáть (о) || **-ation** *s.* исслéдование, расслéдование; испытáние. [застарéлый.
inveterate (инвэ'тёрёт) *a.* закоренéлый,
invidious (инви'диёс) *a.* ненави́стный; возмути́тельный; гнýсный.
invigorate (инви'гёрэйт) *va.* укреп-ля́ть, -и́ть; ожив-ля́ть, -и́ть.
invincible (инви'нсёбл) *a.* непобеди́мый.
inviol/able (инвай'ёл-ёбл) *a.* ненаруши́мый, неприкосновéнный || **-ate** *a.* ненарýшенный. [ви́дный, незри́мый.
invisible (инви'зёбл) *a.* неви́димый, не-
invit/ation (инвитэ̄й'шн) *s.* приглашéние || **-e** (инвай'т) *va.* при-глашáть, -гласи́ть; проси́ть, по-; (*to attract*) при-влекáть, -влéчь || **-ing** (инвай'тинг) *a.* (*attractive*) привлекáтельный. [взывáние.
invocation (инвокэ̄й'шн) *s.* призывáние,
invoice (и'нвойс) *s.* фактýра.
invoke (инвō'у'к) *va.* (*God*) взывáть, возвáть, (к); моли́ться (*& dat.*); (*to ask*) проси́ть (когó о чём) || **to ~ a person's assistance** при-зывáть, -звáть когó на пóмощь || **to ~ Heaven and Earth** кля́сться, по- нéбом и землёю.
involuntary (инво'лёнтёри) *a.* невóльный, непроизвóльный.
invol/ution (инволю'шн) *s.* завёртывание; запýтанность *f.*; (*math.*) возвышéние в стéпень || **-ve** (инво'лв) *va.* завёртывать, завернýть; (*to entangle*) запýт-ывать, -ать; (*to implicate*) впýт-ывать, -ать; (*to imply*) заключ-áть, -и́ть || **-vement** *s.* затрудни́тельное положéние. [мый.
invulnerable (инва'лнёрёбл) *a.* неуязви́-
inward/ (и'нуёрд) *a.* внýтренний || **-s** *spl.* внýтренности *fpl.*; кишки́ *fpl.* || **~** *ad.* внутрь, внýтренно. [ком).
inwrought (и'нрō'т) *a.* зáтканный (рисýн-
iod/ine (ай'ёдайн) *s.* иóд || **-oform** (ай-ō'у'дёфōрм) *s.* иодофóрм.
iota (ай-ōу'тё) *s.* иóта.
I.O.U. (ай-ōу-ю') *s.* долговáя распи́ска.
ir/ascible (айрä'сибл) *a.* гневли́вый; вспы́льчивый || **-ate** (ай'рэ̄й'т) *a.* гнéвный, серди́тый || **-e** (ай'ёр) *s.* гнев; я́рость *f.*
iridescent (иридэ'сёнт) *a.* рáдужный.
iris (ай'рис) *s.* (*bot.*) и́рис; (*of eye*) рáдужная оболóчка; раёк; рáдужница.
irk/ (ёрк) *va.* доса-ждáть, -ди́ть || **-some** *a.* скýчный; досáдный.
iron/ (ай'ёрн) *s.* желéзо; (*for ironing*) утю́г; (*pl.*) кандалы́ *mpl.*; окóвы *fpl.* || **~** *a.* желéзный; желéзистый; (*fig.*) твёрдый, сурóвый || **~** *va.* утю́жить; глáдить, вы́гладить; (*to shackle*) окóвывать, островáть || **-clad** *s.* броненóсец || **~** *a.* броненóсный || **~-foundry** *s.* железоплави́льный завóд || **-monger** *s.* торгóвец желéзом || **-mongery** *s.* мéлкие желéзные товáры *mpl.* || **~-ore** *s.* желéзная рудá || **-stone** *s.* железня́к || **-works** *spl.* железодéлательный завóд.
iron/ic(al) (айро'ник[ёл]) *a.* ирони́ческий || **-y** (ай'рёни) *s.* ирóния.
irrad/iance (ирэ̄й'д-иёнс) *s.* лучезáрность *f.* || **-iate** (-иэйт) *va.* осве-щáть, -ти́ть; озар-я́ть, -и́ть || **~** *vn.* блестéть.
irrational (ирä'шёнёл) *a.* неразýмный; (*math.*) иррационáльный, несоизмери́мый. [ви́мый; невозврáтный.
irreclaimable (ириклэ̄й'мёбл) *a.* неиспра-
irreconcilable (ирэ'кёнсай'лёбл) *a.* непримири́мый; (*incompatible*) несовмести́мый.
irrecoverable (ирика'вёрёбл) *a.* невозврати́мый, невозврáтный, безвозврáтный.
irredeemable (иридий'мёбл) *a.* неискупи́мый; (*comm.*) непогашáемый, не подлежáщий погашéнию. [непревратимый.
irreducible (иридю'сёбл) *a.* несократи́мый,
irre/fragable (ирэ'фрёгёбл), **-futable** (ирифю'тёбл) *a.* неопровержи́мый.
irregular/ (ирэ'гюлёр) *a.* непрáвильный, нерегуля́рный; (*disorderly*) беспоря́дочный; (*abnormal*) ненормáльный; (*of troops*) иррегуля́рный || **-ity** (ирэгюлä'рити) *s.* непрáвильность *f.*; уклонéние; беспоря́дочность *f.* || **-s** *spl.* иррегуля́рное вóйско. [ношéния *или* свя́зи.
irrelative (ирэ'лётив) *a.* неимéющий соот-
irrelevant (ирэ'ливёнт) *a.* несущéственный, посторóнний. [вый, безбóжный.
irreligious (ирили'джёс) *a.* неблагочести́-
irremediable (иримий'диёбл) *a.* неизлечи́мый. [(с дóлжности).
irremovable (иримӯ'вёбл) *a.* несменя́емый
irreparable (ирэ'пёрёбл) *a.* невозврáтный; непоправи́мый.
irrepressible (ирипрэ'сибл) *a.* неукроти́мый, неподавля́емый.
irreproachable (ирипрōу'чёбл) *a.* безупрéчный, безукори́зненный.
irresistible (иризи'стёбл) *a.* непреодоли́мый; неудержи́мый, неотрази́мый.

irresolut/e (ирэ'золют) *a.* нерешительный || **-ion** (ирэзолю'шн) *s.* нерешительность *f.*
irrespective (ириспэ'ктив) *a.*, ~ **of** не смотря на, не взирая на, не обращая внимания на.
irresponsible (ириспо'нсибл) *a.* неответственный, безответственный.
irretrievable (иритрий'вёбл) *a.* невозвратимый, невознаградимый, безвозвратный.
irreveren/ce (ирэ'вёрён-с) *s.* неуважение; непочтительность *f.* || **-t** *a.* непочтительный.
irrevocable (ирэ'вокёбл) *a.* неотменяемый; безвозвратный.
irrigat/e (и'ригэйт) *va.* оро-шать, -сить || **-ion** (иригэй'шн) *s.* орошение, ирригация.
irrit/able (и'рит-ёбл) *a.* раздражительный || **-ant** *s.* раздражающее средство || **-ate** (-эйт) *va.* раздра-жать, -жить || **-ation** *s.* раздражение.
irruption (ира'пшён) *s.* вторжение.
is (из) *cf.* **be.**
isinglass (ай'зинг-глас) *s.* рыбий клей.
island/ (ай'лёнд) *s.* остров || **-er** *s.* островитянин, островитянка.
isle/ (айл) *s.* остров || **-t** (-эт) *s.* островок.
isolat/e (ай'сёлэйт) *va.* отдел-ять, -ить; обо-соблять, -собить; разоб-щать, -щить || **-ion** (айсёлэй'шн) *s.* разобщение; уединение.
issue (и'сю) *s.* выход, исход; (*outflow*) излияние; (*outcome*) результат; (*dispute*) спор; (*of coins, etc.*) выпуск; (*of newspapers, etc.*) издание; (*children*) потомство; (*mouth of river*) устье || ~ *va.* издавать, -дать; выпускать, выпустить || ~ *vn.* выходить, выйти; (*to proceed from*) исходить, изойти; происходить, произойти (от).
isthmus (и'стмёс, и'смёс) *s.* перешеек.
it (ит) *prn.* это; он, она, оно.
italic/ (итä'лик) *a.*, ~ **type, -s** курсивное письмо; (*printing*) курсив, курсивный шрифт.
itch/ (ич), **-iness, -ing** *s.*, чесота, зуд; чесотка; (*fig.*) непреодолимое желание || ~ *vn.* чесаться; свербеть; зудеть; (*fig.*) иметь непреодолимое желание.
item (ай'тём) *s.* статья || ~ *ad.* также.
iterat/e (и'тёрэйт) *va.* повтор-ять, -ить || **-ive** (и'тёрётив) *a.* повторительный.
itiner/ant (айти'нёр-ёнт, и-) *a.* странствующий; скитающийся || **-ary** *s.* дорожник; путеводитель *m.* (книга) || ~ *a.* путевой.
its (итс) *prn.* его, её.
it's (итс) = **it is.**
itself (итсэ'лф) *prn.* сам, сама, само, себя || **by** ~ особняком.
ivory (ай'вёри) *s.* слоновая кость || ~ *a.* из слоновой кости.
ivy (ай'ви) *s.* (*bot.*) плющ.

J

jab (джäб) *s.* тычок; удар || ~ *va.* тыкать, ткнуть: дать тычка; пих-ать, -нуть.
jabber/ (джä'бёр) *s.* болтовня || ~ *vn.* болтать; тараторить || **-er** *s.* болтун || **-ing** *s.* болтовня.
jabot (жäбо́у') *s.* жабо (*indecl.*).
jack/ (джäк) *s.* (*sailor*) моряк; (*for raising*) под'ём, ворот; под'ёмный винт; (*for roasting*) вертел; (*for sawing*) козлы *mpl.*; (*mar.*) домкрат; (*at cards*) валет; (*flag*) флаг || ~ *va.* под-нимать, -нять || **to be ~ of all trades** быть мастером на все руки || **before you could say J- Robinson** мигом || **every man** ~ всякий || **J--a-dandy** фат; денди || **J--in-office** суетливый чиновник || **~-in-the-box** человечек, выпрыгивающий из коробочки || **the Union J-** английский флаг || **J-Johnson** (*fam.*) большая граната || **J-Ketch** палач || **~-o'-lantern** блудящий огонь || **J- Pudding** шут, паяц || ~ **tar** моряк || **-al** (-öл) *s.* шакал || **-anapes** (-ёнэйпс) *s.* нахал; фат || **-ass** *s.* осёл; (*blockhead*) глупец || **-boots** *spl.* ботфорты *mpl.* || **-daw** (-дӧ) *s.* галка || **-et** *s.* куртка; жакетка; (*of potatoes*) **boiled in their -s** картофель в мундире || **-knife** *s.* (большой карманный) складной нож || **~-plane** *s.* драчковый струг.
jade (джэйд) *s.* кляча, одёр; (*hussy*) распутная женщина; (*mineral*) нефрит || ~ *va.* утом-лять, -ить.
jag/ (джäг) *s.* зазубрина || ~ *va.* на-секать, -сечь; зубрить || **-ged, -gy** *a.* зубчатый.
jaguar (джä'гюäр) *s.* ягуар.
jail/ (джэйл), **gaol** (джэйл) *s.* тюрьма, острог || ~ *va.* сажать, посадить в тюрьму || **-bird** *s.* острожник || **-er, -or & gaoler** *s.* тюремщик.
jalap (джä'лёп, джо'лёп) *s.* ялапа.
jalousie (жä'лузий) *s.* жалюзи (*fpl.indecl.*).
jam (джäм) *s.* варенье; мармелад; (*crowded mass*) толпа, давка; (*stoppage*) засорение || ~ *va.* давить, при-; теснить, прищемить.
Jamaica (джёмэй'кё) *s.* ром.
jamb (джäм) *s.* косяк (у дверей, у камина).
jamboree (джäмбёрий') *s.* (*Am.*) празднование, увеселение; кутёж.

jangle (джä'нг-гл) *s.* расстрóенный звук; (*dispute*) ссóра || ~ *va.&n.* нестрóйно звучáть; бренчáть; (*to wrangle*) ссóриться.
janitor (джä'нитёр) *s.* привратник.
Janizary (джä'низёри) *s.* янычáр.
January (джä'нюёри) *s.* январь *m.*
Japan (джёпä'н) *s.* лакирóванные издéлия, лак || ~ *a.* лакирóванный || ~ *va.* покрывáть, -крыть лáком (чёрным).
jape (джэйп) *va.&n.* шутúть.
jar (джāр) *s.* дрожáние; (*disagreement*) ссóра, разлáд; (*vessel*) кувшúн; (*mus.*) нестрóйный звук || **on the ~** (= **ajar**) полуоткрытый || ~ *va.* сотрясáть || ~ *vn.* дрожáть; сотрясáться; (*fig.*) ссóриться; (*mus.*) фальшúвить.
jargon (джā'ргён) *s.* гóвор; жаргóн.
jarvey (джā'рви) *s.* кýчер, извóзчик.
jasmine (джä'смин) *s.* жасмúн.
jasper (джā'спёр) *s.* яшма.
jaundice/ (джō'ндис) *s.* желтýха || **-d** *a.* больнóй желтýхой; (*fig.*) ревнúвый.
jaunt/ (джō'нт) *s.* прогýлка || **-y** *a.* весёлый, живóй, бóдрый.
javelin (джä'влин) *s.* дрóтик.
jaw/ (джō) *s.* чéлюсть *f.*; (*fam.*) разговóрчивость *f.* || **hold your ~** молчúте || ~ *vn.* ругáться; кричáть || **-s** *spl.* рот; пасть *f.* || **-bone** *s.* чéлюсть *f.* || **~-tooth** *s.* креннóй зуб || **~-vice** *s.* тискú *mpl.*
jay (джэй) *s.* сóйка, рóнжа; (*fig.*) болтýн.
jazzband (джä'збä'нд) *s.* яцбáнд.
jealous/ (джэ'лёс) *a.* ревнúвый, завúстливый; (*suspicious*) недовéрчивый; (*watchful*) бдúтельный, заботливый || **-y** *s.* рéвность *f.*; зáвисть *f.*; недовéрчивость *f.*
jean (джэйн) *s.* кúпорная ткань.
jeer (джийр) *s.* насмéшка, осмеяние || ~ *vn.*, **to ~ at** насмехáться, смеяться; издевáться.
jejune (джиджӯ'н) *a.* пустóй, сухóй, лишённый интерéса; бéдный.
jelly (джэ'ли) *s.* желé; стýдень *m.*
jemmy (джэ'ми) *s.* корóткий лом.
jennet (джэ'нит) *s.* испáнский жеребéц.
jenny (джэ'ни) *s.* прядúльная машúна.
jeopard/ize (джэ'пёрд-айз) *va.* под-вергáть, -вéргнуть опáсности || **-y** *s.* опáсность *f.*; риск.
jeremiad (джэримай'ёд) *s.* постоянные жáлобы *fpl.*
Jericho (джэ'рикоу) *s.*, **go to ~!** подú к чóрту!
jerk/ (джёрк) *s.* толчóк, дёргание || ~ *va.* дёр-гать, -нуть; швыр-ять, -нýть || **-y** *a.* (*fig.*) неровный.
jerkin (джё'ркин) *s.* (кóжаная) кýртка.
Jerry (джэ'ри) *s.* немéцкий солдáт.
jerry/ (джэ'ри) *s.* (*fam.*) ночнóй горшóк || **~-built** *a.* не прóчно построенный.
jersey (джё'рзи) *s.* кýртка, фуфáйка из шерстянóй ткáни.
jessamine (джэ'сёмин) *s. cf.* **jasmine.**
jest/ (джэст) *s.* шýтка || **in ~** шутя || ~ *vn.* шутúть || **-er** *s.* шутнúк; (*buffoon*) шут || **-ing** *a.* насмéшливый || **-ingly** *ad.* шутя.
Jesuit/ (джэ'зюит) *s.* иезуúт || **~'s bark** хúнная коркá || **-ical** (джэзюи'тикёл) *a.* иезуúтский; (*fig.*) хúтрый.
jet/ (джэ'т) *s.* струя; (*nozzle*) носóк, сóпло; (*mineral*) гагáт || ~ *vn.* выдавáться; выступáть || **~-black** *a.* чёрный как смоль || **-sam** *s.* выкидки (*fpl.*) из мóря; вéщи (*fpl.*), брóшенные в мóре с корабля || **-tison** *s.* бросáние в мóре товáров с корабля во врéмя бýри || ~ *va.* бросáть, брóсить в мóре || **-ty** *s.* выступ; мол, дáмба || ~ *a.* гагáтовый.
Jew/ (джӯ') еврéй; (*fam.*) жид || **-ess** (-эс, -ис) *s.* еврéйка; (*fam.*) жидóвка || **-ish** *a.* еврéйский; жидóвский || **-ry** *s.* еврéйство; (*Ghetto*) жидóвская часть гóрода || **-s-harp** *s.* варгáн.
jewel/ (джӯ'ил) *s.* драгоцéнный кáмень || **-ler** *s.* ювелúр || **-lery, -ry** *s.* драгоцéнности *fpl.*; ювелúрные издéлия.
jib/ (джиб) *s.* (*mar.*) клúвер || ~ *va.* перенестú пáрус с одногó бóрта на другóй || ~ *vn.* (*of horses*) топтáться на однóм мéсте || **~-boom** *s.* утлéгерь *m.*; утлегáрь *m.* || **~-door** *s.* обóйная дверь.
jibe (джайб) *s. cf.* **gibe.**
jiffy (джи'фи) *s.* (*fam.*) миг || **in a ~** мúгом.
jig (джиг) *s.* джиг (род тáнца) || ~ *vn.* танцовáть джиг, плясáть.
jiggered (джи'гёрд) *a.*, **I'm ~** (*fam.*) чорт возьмú!
jilt (джилт) *s.* кокéтка || ~ *va.* покúнуть; перестáть ухáживать.
Jim Crow/ (джим крōу) *s.* (*Am.*) негр || **~-car** вагóн для нéгров.
jingle (джи'нг-гл) *s.* звон || ~ *va.&n.* звонúть, бряцáть.
jingo (джи'нг-гōу) *s.* шовинúст || **by (the living) ~!** ей Бóгу!
jinks (джинкс) *s.* шýмная шýтка.
jiu-jitsu (джӯ-джи'тсу) *s. cf.* **ju-jutsu.**
job/ (джоб) *s.* рабóта; (*affair*) дéло; (*undertaking*) предприятие || **to do a person's ~** разрýшить || **it's a bad ~** это плохóе дéло || **odd -s** случáйные рабóты || **by the ~** на подряд, поштýчно || ~ *va.* поражáть óстрым орýдием; вонзáть || ~ *vn.* нанимáть на срок; рабóтать частями, на урóк; (*comm.*) барышничать || **-ber** *s.* мáклер; барышник || **-bery** *s.* сомнúтельные оперáции; взяточничество.

jockey (джо'кп) *s.* жокей || ~ *va.* обманывать, надувать, проводить.
jocko (джо'коу) *s.* шимпанзе, жоко.
jocose (джо'кōус), **jocular** (джо'кюлёр) *a.* забавный.
jocularity (джокюлă'рити) *s.* шутливость *f.*
jocund/ (джо'кёнд) *a.* весёлый, радостный || **-ity** (джока'ндити) *s.* весёлость *f.*
Joe Miller (джōу' ми'лёр) *s.* избитая острота.
jog/ (джог) *s.* толчок; (*nudge*) толчок локтем; (*slow pace*) медленный ровный шаг || ~ *va.* толк-ать, -нуть; (*to push*) подвигать кого вперёд || **to ~ one's memory** напомнить кому || ~ *vn.* итти медленным шагом; подвигаться вперёд || **I must be -ging** я должен пускаться в путь || **-gle** *s.* ушки (особый род скрепления) || ~ *va&n.* трясти; двигать (-ся) потрясая || **~-trot** *s.* лёгкая рысь, медленный ровный шаг.
Johnny (джо'ни) *s.* парень *m.* || ~ **Raw** [новичок.
join/ (джойн) *s.* соединение, связь *f.*; паз || ~ *va.* соедин-ять, -ить; присоедин-ять, -ить; складывать; спл-ачивать, -отить || **to ~ battle** начинать сражение || **to ~ issue with** вступить в тяжбу, в спор || ~ *vn.* соедин-яться, -иться; быть смежным || **-er** *s.* столяр || **-ery** *s.* столярное ремесло; столярная работа.
joint/ (джойнт) *s.* сустав; соединение; паз; (*of rails*) стык; (*hinge*) шалнер; (*bot.*) колено; (*culinary*) часть *f.* (мяса), жаркое; (*splice*) место срощения || **out of ~** вывихнутый; (*fig.*) в беспорядке || ~ *a.* соединённый, общий || ~ *va.* сочленять, соедин-ять, -ить; при-гонять, -гнать (одну часть к другой); (*divide*) раз-делять, -делить; раз-резывать, -резать (по частим, суставам || **~-heir** *s.* сонаследник || **-ing** *s.* сустав, паз || **-ly** *ad.* совокупно || **~-stock** *a.* акционерный || ~ **company** акционерное общество || **-ure** (-чёр) *s.* вдовья часть имущества *или* денег.
joist (джойст) *s.* балка; стропило; накатина, переводина.
jok/e (джōу'к) *s.* шутка || **he cannot take a ~** он не понимает шутки || ~ *vn.* шутить, по- || **-er** *s.* шутник; балагур, насмешник; (*at cards*) старший козырь || **-ingly** *ad.* шутя, в шутку.
jolly/ (джо'ли) *a.* весёлый, шумный; живой || **~-boat** *s.* ялик; (*mar.*) четвёрка.
jolt (джōулт) тряска || ~ *va&n.* трясти; расковать. [шок.
jordan (джō'рдён) *s.* (*slang*) ночной горшок.
jorum (джō'рём) *s.* стакан пива; пунш.
jostle (джō'сл) *va.* толкать || ~ *vn.* толкаться.
jot (джот) *s.* йота || **not a ~** ни крошки || ~ *va.*, **to ~ down** за-писывать, -писать.
journal/ (джё'рнёл) *s.* (*diary*) дневник; (*paper*) журнал, газета; (*log-book*) шканечный журнал; (*techn.*) шейка вала *или* оси || **-ist** *s.* журналист.
journey/ (джё'рни) *s.* путешествие || ~ *vn.* путешествовать || **-man** *s.* подёнщик.
joust (джӯст) *s.* турнир.
Jove (джōув) *s.* Юпитер || **by ~!** ей Богу!
jovial (джōу'виёл) *a.* весёлый.
jowl (джаул) *s.* (*jaw*) челюсть *f.*; (*cheek*) щека.
joy/ (джой) *s.* радость *f.*; ликование; веселие || ~ *vn.* (*poet.*) радоваться || **-ful** *a.* радостный; весёлый || **-less** *a.* безрадостный, печальный || **-ous** *a.* весёлый, радостный.
jubil/ant (джӯ'бил-ёнт) *a.* ликующий || **-ation** *s.* ликование || **-ee** *s.* юбилей.
judaic (джудэй'-ик) *a.* иудейский.
judge (джадж) *s.* судья; (*expert*) знаток || ~ *va&n.* судить; о-ценивать, -ценить.
judg(e)ment (джа'джмёнт) *s.* суд; (*sentence*) решение, приговор; (*opinion*) мнение; суждение; благоусмотрение.
judic/atory (джӯ'дикётёри) *a.* судейский || **-ature** (джӯ'дикэйтюр) *s.* суд, судилище; судейское звание || **-ial** (джуди'шёл) *a.* судебный, судейский || **-ious** (джуди'шёс) *a.* рассудительный, благоразумный.
jug (джаг) *s.* кружка, кувшин; (*fam.*) тюрьма || ~ *va.* душить (мясо).
juggle/ (джа'гл) *s.* фокус; обман || ~ *va&n.* делать фокусы; обманывать; надувать || **-r** *s.* фокусник || **-ry** *s.* фокусничество.
jugular (джу'гюлёр) *s.* яремная жила || ~ *a.* яремный, шейный.
jujube (джӯ'джуб) *s.* (*fruit*) грудная ягода.
July (джулай') *s.* июль *m.*
jumble (джамбл) *s.* смешение; беспорядок; суматоха || ~ *va.* перемешивать; бросать в беспорядочную кучу.
jump/ (джамп) *s.* скачок, прыжок || **the -s** (*fam.*) белая горячка || ~ *va.* пере-прыгивать, -прыгнуть || ~ *vn.* прыгать, скакать || **-er** *s.* скакун; (*garment*) куртка.
junct/ion (джа'нгк-шён) *s.* соединение; (*of rivers*) слияние; (*of roads*) скрещение || **railway ~** узловая станция || **-ure** (-чёр) *s.* соединение; (*fig.*) обстоятельство.
June (джӯн) *s.* июнь *m.*
jungle (джа'нг-гл) *s.* джунгли *fpl.*
junior (джӯ'ниёр) *a.* младший, меньший.
juniper (джӯ'нипёр) *s.* можжевельник.

junk (джангк) *s.* (*lump*) кусо́к; (*mar.*) ста́рый кана́т; (*salt meat*) солони́на; (*Chinese*) джо́нка (кита́йская).
junket (джа'нгкит) *s.* ла́комство, негла́сная пиру́шка || ~ *vn.* кути́ть, пирова́ть.
juridical (джури'дикёл) *a.* юриди́ческий; суде́бный.
juris/diction (джӯрис-ди'кшён) *s.* юрисди́кция; ве́домство (суда́); подве́домственность *f.* || **–prudence** *s.* законове́дение, юриспруде́нция || **–t** (джӯ'рист) *s.* юри́ст, законове́д.
jur/or (джӯ'рёр) *s.* прися́жный (заседа́тель) || **–y** *s.* суд прися́жных || **–yman** = **juror** || **–ymast** *s.* (*mar.*) вре́менная ма́чта.
jussive (джа'сив) *a.* повели́тельный.
just/ (джаст) *s.* = **joust** || ~ *a.* справедли́вый; пра́ведный, правди́вый; (*exact*) то́чный || ~ *ad.* то́чно; и́менно; то́лько что || **but ~** то́лько что || **~ like** соверше́нно схо́дный || **let us ~ see** вот посмо́трим || **~ as, ~ when** в то са́мое вре́мя, как || **~ so** то́чно так || **–ice** *s.* справедли́вость *f.*; (*judge*) судья́ || **J– of the Peace (J.P.)** мирово́й судья́ || **–iciary** (-и'шиёри) *s.* гла́вный судья́ || **–ifiable** (-ифайёбл) *a.* опра́вдываемый || **–ification** *s.* оправда́ние || **–ify** *va.* о-пра́вдывать, -правда́ть.
jut (джат) *s.* вы́ступ || ~ *vn.*, **to ~ out** выдава́ться, выступа́ть.
jute (джӯт) *s.* джут, инде́йская конопля́.
juvenile (джӯ'винайл) *s.* ю́ноша || ~ *a.* ю́ный, ю́ношеский.
juxtaposition (джакстёпози'шн) *s.* соприкоснове́ние; сме́жность *f.*

K

kail (кэ̄йл), **kale** (кэ̄йл) *s.* кудря́вая капу́ста.
kaleidoscope (кёлай'дёскоуп) *s.* калейдоско́п.
kangaroo (кäнг-гёрӯ') *s.* кенгуру́.
kaolin (кэ̄й'ёлин) *s.* каоли́н; фарфо́ровая гли́на.
kedge (кэдж) *s.* (*mar.*) верп || ~ *va.* верпова́ть.
kedgeree (кэ'джёрий) *s.* инди́йское блю́до.
keel/ (кийл) *s.* (*mar.*) киль *m.* || ~ *va.* килева́ть; кренгова́ть на́ бок || ~ *vn.* опроки́дываться, -нуться || **–haul** *va.* про-та́скивать, -тащи́ть под ки́лем; килева́ть || **–son** (-сён, кэ'лсён) *s.* (*mar.*) ке́льсон.
keen/ (кийн) *a.* о́стрый; (*fig.*) ре́зкий; (~ *on*) па́дкий (на *or* к) || **–sighted** *a.* дальнозо́ркий.
keep/ (кийп) *s.* охра́на, опе́ка; (*food*) прокормле́ние, пропита́ние; (*fortress*) кре́пость *f.* || **for –s** (*Am.*) навсегда́ || ~ *va.irr.* держа́ть, со-; (*books, a diary, etc.*) вести́; (*to guard*) храни́ть; (*preserve*) бере́чь; (*to observe*) соблюда́ть; (*provide food for*) содержа́ть; (*to celebrate*) пра́здновать; (*have for sale*) держа́ть; (*a shop, etc.*) вести́ || **a kept woman** содержа́нка || ~ *vn.irr.* держа́ться; остава́ться; быть, жить; (*of meat, etc.*) сохран-я́ться, -и́ться (све́жим) || **to ~ away** *vn.* держа́ться в отдале́нии || **to ~ back** *va.* скрыва́ть, скрыть; (*vn.*) держа́ться в отдале́нии || **to ~ one's bed** лежа́ть в посте́ли || **to ~ down** подавля́ть, укроща́ть || **to ~ one's feet** не пасть || **to ~ from** уде́рживать (-ся) || **to ~ house** вести́ хозя́йство || **to ~ in sight** име́ть в виду́ || **to ~ off** удаля́ть || **to ~ on** продолжа́ть || **to ~ up** *vn.* не ложи́ться спать; (*va.*) продолжа́ть || **–er** *s.* содержа́тель *m.*; храни́тель *m.*; сто́рож || **–ing** *s.* держа́ние, хране́ние, охра́на; (*maintenance*) содержа́ние; (*harmony*) соотве́тственность (*f.*) часте́й, согла́сие, гармо́ния || **–sake** *s.* сувени́р, пода́рок на па́мять.
keg (кэг) *s.* бочо́нок.
kelp (кэлп) *s.* (*bot.*) соля́нка (трава́).
kelpie (кэ'лпи) *s.* (*Sc.*) водяно́й дух (по пове́рью представля́емый в ви́де ло́шади).
kelson (кэ'лсён) *cf.* **keelson.**
ken (кэн) *s.* зре́ние, позна́ние; (*range of vision*) кругозо́р || ~ *va.* (*Sc.*) знать; узнава́ть.
kennel (кэ'нёл) *s.* кону́ра; (*gutter*) кана́вка; сток воды́ на у́лице; сто́чный жо́лоб || ~ *va.* держа́ть в кону́ре.
kept (кэпт) *cf.* **keep.**
kerb/ (кёрб) *s.*, **~-stone** *s.* кра́йний ка́мень мостово́й.
kerchief (кё'рчиф) *s.* головно́й плато́к.
kerf (кёрф) *s.* зару́бка; прохо́д пило́ю.
kermes (кё'рмиз) *s.* черве́ц; древе́сный клоп.
kernel (кё'рнёл) *s.* ядро́; зерно́; (*of cherries, plums, etc.*) ко́сточка; (*fig.*) су́щность *f.*; са́мая суть.
kerosene (кэ'рёсийн) *s.* кероси́н.
kestrel (кэ'стрил) *s.* пустельга́ (пти́ца).
ketch (кэч) *s.* кеч (су́дно).
ketchup (кэ'чёп) *s.* грибно́й экстра́кт, соус.
kettle/ (кэ'тл) *s.* котёл, котело́к || **–drum** *s.* лита́вра.
key/ (кий) *s.* ключ; (*small ~*) клю́чик; (*mar.*) риф; (*of piano*) кла́виш; (*of musical instruments*) кла́пан || ~ *va.* укрепля́ть чека́ми || **to ~ up** воз-бужда́ть, -буди́ть || **–board** *s.* клавиату́ра || **–hole** *s.* замо́чная сква́жина || **–less** *a.*, ~

watch ремонтуáр || **~-note** *s.* тóника || **-stone** *s.* свóдный кáмень; (*of a vault*) замóк, замкóвый кáмень.

khaki (кā'ки) *s.* англи́йский мунди́р.

kibosh (кай'бош) *s.* (*fam.*) вздор.

kick (кик) *s.* удáр, толчóк ногóю, пинóк; (*of horse*) лягáние; (*of a gun*) отдáча; (*of a cannon*) откáт || **~** *va.* удари́ть, удáрить, толк-áть, -нýть ногóй; пинáть, пнуть; ляг-áть, -нýть || **~** *vn.* брыкáться, лягáться; (*to recoil*) отдавáть || **to ~ the bucket** (*fam.*) умерéть || **to ~ against** сопротивля́ться || **to ~ up a row** шумéть.

kickshaw (ки'кшō) *s.* лáкомый кусóчек; (*trifle*) безде́лица.

kid/ (кид) *s.* козлёнок; (*leather*) лáйка; (*fam.*) дитя́, ребёнок; (*hoax*) обмáн || **~** *va.* (*fam.*) обмáнывать || **-dy** *s.* дитя́, ребёнок || **-nap** *va.* пох-ищáть, -и́тить (детéй, людéй).

kidney (ки'дни) *s.* пóчка; (*kind*) род || **~ bean** турéцкий боб.

kill (кил) *va.* у-бивáть, -би́ть; умерщвля́ть, -тви́ть; рéзать; (*pain*) успок-áивать, -бить.

kiln (килн, кил) *s.* суши́льня || **lime-~** печь для обжигáния и́звести *или* кирпичéй.

kilo/gram (ки'лёгрём) *s.* килогрáмм || **-meter** *s.* киломéтр.

kilt (килт) *s.* корóтенкая ю́бка, носи́мая Шотлáндцами.

kin (кин) *s.* родня́; рóдственники *mpl.* || **next of ~** ближáйший закóнный наслéдник || **~** *a.* рóдственный; схóдный.

kind/ (кайнд) *s.* род, сорт || **~** *a.* дóбрый, любéзный || **-hearted** *a.* добросердéчный || **-ness** *s.* доброта́, добросердéчие; благосклóнность *f.*; (*service*) услýга || **-ly** *a.* дóбрый; благотвóрный.

kindle (киндл) *va.* за-жигáть, -жéчь; (*fig.*) воспал-я́ть, -и́ть; (*to excite*) возбу-ждáть, -ди́ть || **~** *vn.* за-жигáться, -жéчься; воспламеня́ть.

kindred (ки'ндрид) *s.* родствó; родня́, рóдственники *mpl.* || **~** *a.* рóдственный.

kine (кайн) *spl.* корóвы *fpl.*

kinematics (кайнёмä'тикс) *spl.* кинемáтика.

kinetic (кайнэ'тик) *a.* кинети́ческий.

king/ (кинг) *s.* корóль *m.* || **-'s evil** золотýха || **-dom** *s.* королéвство || **the ~ of Heaven** цáрство небéсное || **-fisher** *s.* зи́мородок (пти́ца) || **-like, -ly** *a.* королéвский, цáрский.

kink (кингк) *s.* колы́жка.

kins/folk (ки'нз-фōук) *s.* родня́, рóдственники *mpl.* || **-man** *s.* рóдственник || **-woman** *s.* рóдственница.

kipper (ки'пёр) *s.* копчёная селёдка.

kirk (кёрк) *s.* (*Sc.*) цéрковь *f.*

kirtle (кёртл) *s.* (*obsol.*) вéрхняя одéжда; кýртка.

kiss (кис) *s.* поцелýй || **~** *va.* целовáть, по-; (*solemnly*) лобзáть, об-; (*to touch*) при-касáться, -коснýться || **to ~ a person's hand** целовáть комý рýку || **to ~ the dust** умерéть || **to ~ hands to** посылáть воздýшный поцелýй; дéлать комý рýчку || **to ~ the ground** раболéпствовать.

kit (кит) *s.* (*obsol.*) кармáнная скри́пка; (*kitten*) котёнок; (*soldier's*) амуни́ция; (*outfit*) снаряжéние.

kitchen/ (ки'чин) *s.* кýхня || **~-garden** *s.* огорóд || **-maid** *s.* кухáрка; судомóйка || **~-range** *s.* кýхонная плитá.

kite (кайт) *s.* (*bird*) кóршун; (*toy*) летýчий змей; (*comm.*) дýтый (поддóжный) вéксель.

kith (киþ) *s.*, **~ and kin** бли́зкие и родня́.

kitten (китн) *s.* котёнок || **~** *vn.* коти́ться.

kittiwake (ки'тиуэйк) *s.* морскáя чáйка (пти́ца).

kittle (китл) *a.* щекотли́вый; упря́мый.

kleptomania (клэптомэй'ниё) *s.* клептомáния (болéзненная наклóнность к крáже).

knack (нäк) *s.* (*trick*) сноровка, улóвка; (*adroitness*) лóвкость *f.*; (*habit*) привы́чка.

knacker (нä'кёр) *s.* живодёр.

knag (нäг) *s.* нарóст (на дéреве).

knap/ (нäп) *va.* ломáть || **-sack** (-сäк) *s.* рáнец || **-weed** (-уийд) *s.* белоли́ст, лоскýтница.

knar (нāр) *s.* сук, ýзел, нарóст (на дéреве).

knav/e (нэйв) *s.* плут, мошéнник; (*at cards*) валéт || **-ery** *s.* плутовствó || **-ish** *a.* плутовскóй, плутовáтый.

knead (нийд) *va.* меси́ть, валя́ть (тéсто); (*to massage*) масси́ровать.

knee/ (ний) *s.* колéно || **~-breeches** *spl.* корóткие штаны́ *mpl.* || **~-cap** *s.* наколéнник || **~-deep** *a.* доходя́щий до колéн, по колéно.

kneel (нийл) *vn.irr.* преклон-я́ть, -и́ть колéни; стоя́ть на колéнях || **to ~ down** брóситься на колéни, стать на колéни.

knell (нэл) *s.* звон по усóпшем.

knelt (нэлт) *cf.* **kneel.**

knew (ню) *cf.* **know.**

knicker/bockers (ни'кёр-бокёрз), **-s** *spl.* ширóкие шаровáры до колéн.

knick-knacks (ни'кнäкс) *spl.* безде́лки *fpl.*

knife/ (найф) *s.* (*pl.* **knives** [найвз]) нож, нóжик; (*surgeon's*) скальпéль *m.*; резéц || **~-board** *s.* доскá для чи́стки ножéй || **~-grinder** *s.* точи́льщик || **~-rest** *s.* подстáвка для ножá.

knight/ (найт) *s.* кавалéр; ры́царь *m.*; (*at chess*) конь *m.* || ~ **errant** стрáнствующий ры́царь || ~ *va.* посвя-щáть, -ти́ть (когó) в ры́цари || **-hood** *s.* ры́царство || **-ly** *a.* ры́царский.

knit/ (нит) *va.irr.* вязáть, с-; (*to tie together*) свя́зывать, связáть; (*fig. to unite*) соедин-я́ть, -и́ть; (*one's brows*) хму́рить (брóви) || ~ *vn.irr.* сростáться, соединя́ться || **-ting** *s.* вязáние; вязáльная рабóта || **-ting-needle** *s.* вязáльная иглá *or* спи́чка; спи́ца.

knob/ (ноб) *s.* кнóпка; ши́шка; нарóст; (*of door*) ру́чка; (*of walking stick*) набалдáшник || **-bly** *a.*, **-by** *a.* шишковáтый; узловáтый, суковáтый.

knock/ (нок) *s.* удáр, стук || ~ *va.&n.* ударя́ть(-ся), удáрить(-ся); стучáть(-ся), сту́кнуть(-ся); (*fam. to amaze*) изумля́ть, -и́ть || **to ~ about** шля́ться || **to ~ off** пре-рывáть, -рвáть; (*from price*) сбивáть, сбить || **to ~ against** столкну́ться, случáйно встрéтить || **to ~ down** присуждáть (на аукциóне) || **to ~ under** подчиня́ться || **-er** *s.* молотóк, сту́кальце (у двéри) || **-kneed** (-нийд) *a.* кривонóгий.

knoll (нóул) *s.* холм, хóлмик.

knot/ (нот) *s.* у́зел; бант; (*bot.*) сук; (*mar.*) морскáя ми́ля, у́зел; (*fig. difficulty*) затруднéние || ~ *va.* за-вя́зывать, -вязáть узлóм; (*one's brow*) хму́рить (брóви) || **-ty** *a.* суковáтый, узловáтый; (*fig.*) запу́танный, тру́дный.

knout (наут, нӯт, кнӯт) *s.* кнут.

know/ (нōу) *va.&n.irr.* знать; по-знавáть, -знáть; вéдать || **-ing** *a.* знáющий, свéдующий; (*cunning*) хи́трый || **-ingly** *ad.* завéдомо; хитрó || **-ledge** (но'лидж) *s.* знáние, свéдение || **to my ~** наскóлько мне извéстно.

knuckle/ (накл) *s.* сустáв (пáльца); (*of a ham*) небольшóй óкорок || ~ *vn.* **to ~ under** *или* **down** подчиня́ться, поддавáться || **-duster** *s.* кастéт; кистéнь *m.*; накулáчник.

kodak (кōу'дäк) *s.* кóдак.

kudos (кю'дос) *s.* слáва.

L

label (лэйбл) *s.* этикéтка; ярлы́к; ярлычóк || ~ *va.* на-клéивать, -клéить ярлы́к.

labial (лэй'биёл) *s.* губнóй звук || ~ *a.* губнóй.

laboratory (лä'брётёри) *s.* лабораторíя.

laborious (лёбо̄'риёс) *a.* (*industrious*) старáтельный, трудолюби́вый; (*difficult*) тру́дный; (*of style*) натя́нутый.

labour/ (*Am.* **labor**) (лэй'бёр) *s.* (*work*) труд, рабóта; (*exertion*) старáние; (*travail*) му́ки *fpl.*; поту́ги *mpl.*; (*labour class*) рабóчий класс || **forced ~** бáрщина, бáрщинная пови́нность || **hard ~** кáторжная рабóта, кáторга || **~ Exchange** контóра указáния трудá || ~ *vn.* труди́ться; рабóтать; с трудóм дви́гаться; (*mar.*) имéть си́льную кáчку || **-ed** *a.* (*of breath*) тяжёлый; (*of style*) натя́нутый || **-er** *s.* рабóчий; чернорабóчий || **-ing** *a.*, **~ breath** тяжёлое дыхáние || **~ man** рабóчий, чернорабóчий.

laburnum (лёбё'рнём) *s.* раки́тник.

labyrinth/ (лä'бёринþ) *s.* лабири́нт || **-ine** (лäбёри'нþайн) *a.* лабири́нтовый.

lac (лäк) *s.* гуммилáк; лак.

lace/ (лэйс) *s.* (*string*) шнурóк; (*lacework*) кру́жево; (*of gold*) галу́н || ~ *va.* шнуровáть, за-; обш-ивáть, -и́ть кру́жевом || **to ~ into** колоти́ть, от-; отваля́ть когó || **-maker** *s.* фабрикáнт кру́жев.

lacerat/e (лä'сёрэйт) *va.* раз-дирáть, -одрáть; раз-рывáть, -орвáть || **-ion** (лäсёрэй'шн) *s.* раздирáние; разры́в.

lacework (лэй'суёрк) *s.* кружевнáя рабóта

lachrym/al (лä'крим-ёл) *a.* слёзный || **-ose** (-бус) *a.* многослёзный, слезли́вый.

lacing (лэй'синг) *s.* шнуровáние; шнур.

lack (лäк) *s.* недостáток; нуждá || ~ *va.&n.* недоставáть; нуждáться; терпéть нужду́.

lackadaisical (лäкёдэй'зикёл) *a.* сентиментáльный, чóпорный, без энтузиáзма.

lackey (лä'ки) *s.* лакéй; слугá.

laconic(al) (лäко'никёл) *a.* лакони́ческий.

lacquer (лä'кёр) *s.* лак || ~ *va.* покр-ывáть, -ы́ть лáком; лакировáть, на-.

lacquey (лä'ки) = **lackey.**

lacrosse (лäкро̄'с) *s.* америкáнская игрá в мяч.

lacuna (лäкю'нё) *s.* пустóе мéсто; прóпуск, пробéл.

lacustral (лäка'стрёл) *a.* озёрный.

lad (лäд) *s.* пáрень *m.*; мáлый.

ladder (лä'дёр) *s.* лéстница.

laddie (лä'ди) *s.* = **lad.**

lade (лэйд) *va.irr.* нагру-жáть, -зи́ть.

la-di-da (лäдидä') *a.* чóпорный, жемáнный.

lading (лэй'динг) *s.* нагру́зка; груз || **Bill of ~** коносамéнт.

ladle/ (лэйдл) *s.* черпáк; черпáло; ковш.

lady/ (лэй'ди) *s.* госпожá, бáрыня; дáма; лéди || **young ~** бáрышня || **ladies and gentlemen!** ми́лостивые госудáри! господá! || ~'s man дáмский кавалéр || ~-bird s. бóжья корóвка || ~-day s. Благовéщение || -like a. подóбный дáме || ~-love s. возлюбленная || -ship s. тúтул лéди || your Ladyship! вáша мúлость! мúлостивая государыня! || ~'s-maid s. камерúстка.

lag/ (лäг) s. (fam.) кáторжник || ~ vn. отст-авáть, -áть; мéшкать || -gard (лä'гёрд) s. отстáлый; мéшкотный.

lagoon (лёгӯ'н) s. лагýна.

laid/ (лэйд) cf. lay || ~-up (-а'п) a. больнóй, нездорóвый.

lain (лэйн) cf. lie.

lair (лäр) s. лóгово, лóговище, берлóга, [норá.

laird (лäрд) s. (Sc.) лорд; помéщик.

laity (лэй'-ити) s. мирянé mpl.

lake/ (лэйк) s. óзеро; (colour) бáкан, лáковая крáска || ~-dwellers spl. жúтели в строéнии на свáях || ~-settlement s. строéния на свáях.

lakh (лäк) s. лак.

lamb (лäм) s. ягнёнок, барáшек; (eccl.) [áгнец.

lambent (лä'мбёнт) a. лёгкий, скользящий; (flickering) мерцáющий.

lambkin (лä'мкин) s. ягнёночек.

lamb/like (лä'м-лайк) a. (fig.) крóткий || -skin (-скин) s. ягнячья шкýра, мерлýха.

lame/ (лэйм) a. хромóй; увéчный; (of excuse, etc.) неудовлетворúтельный; (fig.) плохóй || ~ va. дéлать, с- хромы́м; изувéч-ивать, -ить || -ness s. хромотá; увéчье.

lament/ (лёмэ'нт) s. плач; рыдáния npl. || ~ va. оплáк-ивать, -ать || ~ vn. жáловаться, плáкать; вопúть, вз-, вопиять || -able (лä'мёнтёбл) a. плачéвный; (sorrowful) гóрестный; (pitiful) жáлкий || -ation (лäмёнтэй'шн) s. плач; вопль m.; жáлоба || -ed a. покóйный || the late ~ покóйник.

lamina/ (лä'минё) s. (pl. laminae) пластúна, пластúнка || -ted (лä'минэйтид) a. покры́тый тóнкой пластúнкой; (of a spring) листовóй.

Lammas(-day) (лä'мёс-дэй) s. день пéрвого Áвгуста.

lamp/ (лäмп) s. лáмпа, лампáда; (street ~) ýличный фонáрь || -black s. кóпоть f.; сáжа || ~-glass s. лáмповое стеклó || -light s. лáмповый свет || -lighter s. лáмповщик.

lampoon/ (лäмпӯ'н) s. пáсквиль m. || ~ va. осм-éивать, -еять || -ist s. пáсквильник.

lampry (лäмпри) s. минóга.

lamp-shade (лä'мп-шэйд) s. абажýр.

lance/ (лāнс) s. пúка, копьё, дрóтик || ~ va. прорéз-ывать, -ать ланцéтом || ~-corporal s. ефрéйтор.

lance/olate (лā'нс-йёлёт) a. копьелúстный || -r s. копьенóсец, копéйщик, улáн || -rs spl. (a dance) лансьé || -t (лā'нсит) s. ланцéт; (arch.) стрéлка свóда.

land/ (лäнд) s. землá; (country) странá, край; (seen from sea) бéрег; (native ~) отéчество; (ground) пóчва; (landed property) помéстье || dry ~ сýша || by ~ сухúм путём || ~ va. (disembark, wares) выгружáть, вы́грузить; (people) высáживать, вы́садить; (catch) лáвливать, ловúть; (place) наносúть, нанестú; (fam. to win) добивáться, добúться || ~ vn. сходúть, сойтú на бéрег; (arrive) при-езжáть, -éхать; (fig.) достигáть, достúгнуть || ~-agent s. управляющий имéнием.

landau (лä'ндō) s. ландó; раскиднáя карéта.

land/-crab (лä'нд-крäб) s. полевóй краб || -ed a. имéющий помéстия; помéстный || ~ gentleman помéщик; сéльский дворянúн || ~ property поземéльное владéние || -fall s. (mar.) усмотрéние бéрега || -grave s. ландгрáф || -holder s. землевладéлец || -ing s. (disembarking) вы́грузка на бéрег; вы́садка; (pier) прúстань f.; (of stairs) площáдка || -ing-net s. ручнáя сéтка || -ing-place s. прúстань f. || -lady s. помéщица; содержáтельница гостúницы; трактúрщица || -less a. беспомéстный || -locked a. окружённый берегáми || -lord s. помéщик; (of a house) домовладéлец; (of an inn) содержáтель (m.) гостúницы || -lubber s. (mar.) обитáтель (m.) твёрдой землú || -mark s. межá; (mar.) бáкен || -owner s. землевладéлец || -rail s. (bird) дергáч || -scape s. ландшáфт; пейзáж || -slide s. обвáл (в горáх) || -sman s. землáк || ~-surveying s. межевáние; землемéрное искýсство || ~-surveyor s. землемéр || ~-tax s. поземéльная пóдать || -wards ad. к бéрегу || ~-wind s. береговóй вéтер.

lane (лэйн) s. (country) просёлок; (town) переýлок; прохóд мéжду двумя рядáми.

lang-syne (лäнгсай'н) s&ad. (Sc.) давнó ужé.

language (лä'нг-гуидж) s. язы́к; речь f.; нарéчие || bad ~ клятва, божбá.

languid/ (лä'нггуид) a. вя́лый, тóмный; (weak) бессúльный || -ness s. вя́лость f.; тóмность f.

languish (лä'нггуиш) vn. чáхнуть; томúть; (of business) иттú вя́ло.

languor (ла̄'нгуёр) *s.* то́мность *f.*; томле́ние.
lank/ (ла̄нгк) *a.* худоща́вый; (*thin*) то́щий; (*of hair*) гла́дкий ‖ **-ness** *s.* худоща́вость *f.* ‖ **-y** *a.* худо́й ‖ **a ~ person** (*vulg.*) ды́лда.
lantern/ (ла̄'нтёрн) *s.* фона́рь *m.*; мая́к ‖ **dark ~** потаённый фона́рь ‖ **magic ~** маги́ческий фона́рь ‖ **~-jaws** *spl.* у́зкое худо́е лицо́, впа́лые щеки́.
lanyard (ла̄'нйёрд) *s.* (*mar.*) та́льреп.
lap/ (ла̄п) *s.* (*coat*) пола́; (*of body*) ло́но, коле́ни *npl.*; (*in racing*) круг ‖ **~** *va.* (*fold*) за-вёртывать, -верну́ть; (*of water*) обмыва́ть ‖ **to ~ up** слизывать, слиза́ть ‖ **~** *vn.* (**to ~ over**) загиба́ться; выдава́ться; (*of water*) плёскивать ‖ **-dog** *s.* ма́ленькая соба́чка, посте́льная соба́чка ‖ **-el** *s.* отворо́т, обшла́г ‖ **-ful** *s.* по́лные коле́ни чего́-либо.
lapidary (ла̄'пидёри) *s.* грани́льщик.
lapis-lazuli (лэ̄й'пис-ла̄'зюлай) *s.* лазу́ревый ка́мень.
lappet (ла̄пит) *s.* ло́пасть *f.*; фа́лда.
lapse (ла̄пс) *s.* (*sliding*) паде́ние; (*passing*) тече́ние, промежу́ток; (*fault*) вина́; оши́бка; (*deviation*) уклоне́ние ‖ **~** *vn.* впада́ть, впасть; протека́ть, истека́ть ‖ (*fig.*) просту-па́ться, -пи́ться; греши́ть.
lapwing (ла̄'пуинг) *s.* пи́галица, чи́без, чи́бис.
larboard (ла̄'рбо̄рд) *s.* (*mar.*) ба́кборт.
larcen/ous (ла̄'рсин-ёс) *a.* скло́нный к воровству́ ‖ **-y** *s.* воровство́, кра́жа.
larch (ла̄рч) *s.* ли́ственница.
lard/ (ла̄рд) *s.* свино́е са́ло; жир ‖ **-er** *s.* кладова́я, чула́н.
large/ (ла̄рдж) *a.* широ́кий; большо́й, вели́кий; (*extensive*) обши́рный; то́лстый ‖ **as ~ as life** в есте́ственной величине́ ‖ **at ~** на свобо́де; на просто́ре ‖ **-hearted** *a.* великоду́шный ‖ **-minded** *a.* либера́льный ‖ **-ness** *s.* величина́; обши́рность *f.*
largess(e) (ла̄'рджэс) *s.* дар; щедро́ты *fpl.*
lark/ (ла̄рк) *s.* (*orn.*) жа́воронок; (*fam. joke*) заба́ва, шу́тка; поте́ха; ша́лость *f.* ‖ **-spur** *s.* кавале́рские шпо́ры *fpl.*
larva (ла̄'рвё) *s.* личи́нка, гу́сеница.
laryng/itis (ла̄ринджай'тис) *s.* ларинги́т, воспале́ние горта́ни ‖ **-oscope** (лёри'нгго̄скоуп) *s.* ларингоско́п.
larynx (ла̄'рингкс) *s.* горта́нь *f.*
lascivious/ (ла̄си'виёс) *a.* похотли́вый; любостра́стный; сладостра́стный ‖ **-ness** *s.* похотли́вость *f.*; сладостра́стие.
lash/ (ла̄ш) *s.* (*whip*) бич, кнут; плеть *f.*; (*thong*) ко́нчик бича́; (*stroke*) уда́р пле́тью; уда́р кнуто́м; (*satire*) насме́шка; (*eyelash*) ресни́ца ‖ **~** *va.* (*to whip*) хлеста́ть, хлестну́ть; бичева́ть; (*dash*) хле-ста́ть, -сну́ть; (*to tie*) свя́з-ывать, -а́ть; (*mar.*) найто́вить ‖ **to ~ out at** (*of a horse*) ляга́ться за́дними нога́ми ‖ **-ing** *s.* (*mar.*) найто́в, ву́линг ‖ **-ings** *spl.* (*fam.*) изоби́лие.
lass (ла̄с, ла̄с) *s.* девушка.
lassitude (ла̄'ситюд) *s.* утомле́ние; ослабле́ние, расслабле́ние.
lasso (ла̄'соу) *s.* арка́н.
last/ (ла̄ст) *s.* (*latest*) после́дний; (*end*) коне́ц; (*shoemaker's*) коло́дка ‖ **at ~** наконе́ц ‖ **to the very ~** до конца́ ‖ **~** *a.* после́дний; (*at end*) оконча́тельный; (*extreme*) кра́йний; (*past*) проше́дший ‖ **~ of all** в конце́ концо́в ‖ **~ but one** предпосле́дний ‖ **~ but two** тре́тий с конца́ ‖ **to be on one's ~ legs** быть в кра́йности ‖ **~ night** вчера́ но́чью, ве́чером ‖ **~ week** на про́шлой неде́ле ‖ **~** *vn.* (*continue*) продолжа́ться, дли́ться; (*hold out*) держа́ться ‖ **-ing** *a.* продолжи́тельный; (*durable*) про́чный; (*permanent*) постоя́нный ‖ **-ly** *ad.* в заключе́ние, наконе́ц.
latch/ (ла̄ч) *s.* защёлка, щеко́лда ‖ **~** *va.* защёлкнуть; за-пира́ть, -пере́ть щеко́лдою ‖ **~-key** *s.* ключ от двере́й ‖ **-et** *s.* ремешо́к; башма́чный реме́нь.
late/ (лэ̄йт) *a.* (*tardy*) по́здний; (*delayed*) запозда́вший; запозда́лый; (*former*) пре́жний; бы́вший, мину́вший; (*deceased*) уме́рший, поко́йный; (*recent*) неда́вний; но́вый ‖ **~, of ~, -ly** неда́вно ‖ **-ness** *s.* по́зднее вре́мя; запозда́лость *f.*
latent (лэ̄й'тёнт) *a.* скры́тый.
later (лэ̄й'тёр) *a.*, **~ on** по́сле ‖ **no ~ than yesterday** не да́лее как вчера́.
lateral (ла̄'тёрёл) *a.* боково́й.
lath (ла̄þ), *pl.* **laths** (ла̄þс & ла̄ðз) *s.* ре́йка, дра́нка.
lathe (лэ̄йð) *s.* тока́рный стано́к ‖ **screw-cutting ~** винторе́зный стано́к.
lather (ла̄'ðёр) *s.* мы́льная пе́на; (*horses*) мы́ло ‖ **~** *va.* мы́лить.
latish (лэ̄й'тиш) *a.* поздновáтый.
latitud/e (ла̄'титюд) *s.* (*geog.*) широта́; (*extent*) ширина́, обши́рность *f.*; (*freedom*) просто́р, свобо́да; во́льность *f.* ‖ **to give o.s. great ~** быть сли́шком сме́лым ‖ **-inarian** (-ина̄'риён) *s.* вольноду́мец ‖ **~** *a.* вольноду́мный.
latten (ла̄тн) *s.* лату́нь *f.*
latter/ (ла̄'тёр) *a.* после́дний; (*modern*) совреме́нный ‖ **Latter-day Saints** (*Am.*) мормо́ны ‖ **-ly** *ad.* в после́днее вре́мя, неда́вно.
lattice (ла̄'тис) *s.* решётка.

laud/ (лōд) *s.* хвале́ние, хвала́ || ~ *va.* восхваля́ть; восп-ева́ть, -е́ть; (*eccl.*) сла́вить || **-ability** *s.* похва́льность *f.* || **-able** *a.* похва́льный; достохва́льный.
laudanum (лō'днём) *s.* лавда́н; ма́ковый сок; о́пий.
laud/ation (лōдэ̄й'шн) *s.* похвала́; восхвале́ние || **-atory** (лō'дётёри) *a.* похва́льный.
laugh/ (ла̄ф) *s.* смех, хо́хот || ~ *vn.* смея́ться; хохота́ть, за- || **to burst out -ing** расхохота́ться; раската́ться сме́хом || **to ~ in one's sleeve** смея́ться исподтишка́ || **to ~ on the wrong side of one's face** пла́кать || **-able** *a.* смешно́й || **-ing** *s.* смех; смея́ние || ~ *a.* смею́щийся || **it's no ~ matter** де́ло идёт не на шу́тку; де́ло ва́жное || **-ing-gas** *s.* веселя́щий газ || **-ing-stock** *s.* посме́шище || **-ter** *s.* смех, хо́хот.
launch (лōнч) *s.* (*of a vessel*) спуск на́ воду; (*boat*) барка́с || ~ *va.* (*a vessel*) спусти́ть на́ воду; броса́ть, бро́сить; пус-ка́ть, -ти́ть || ~ *vn.* броса́ться, бро́ситься; пус-ка́ться, -ти́ться || **to ~ forth, out** распространя́ться.
laundr/ess (ла̄'ндрис) *s.* пра́чка || **-y** *s.* пра́чечная, пра́чечное заведе́ние.
laureate (лō'риёт) *a.* уве́нчанный ла́врами.
laurel (лō'рёл, ло'рёл) *s.* лавр, лавро́вое де́рево.
lava (ла̄'вё) *s.* ла́ва.
lavatory (лӓ'вётёри) *s.* умыва́льня; убо́рная; (*fam.*) ну́жник, ретира́да.
lave (лэ̄йв) *va&n.* мыть(-ся); купа́ть(-ся).
lavender (лӓ'вёндёр) *s.* лаве́нда.
lavish/ (лӓ'виш) *a.* расточи́тельный; ще́дрый || ~ *va.* расточ-а́ть, -и́ть; мота́ть || **-ness** *s.* мотовство́; расточи́тельность *f.*
law/ (лō) *s.* зако́н; пра́во; (*jurisprudence*) правове́дение; (*rule*) пра́вило || **at ~** суде́бный || **by ~** зако́нно || **to go to ~** суди́ться, иска́ть суда́ || **to lay down the ~** толкова́ть зако́н || **to take the ~ into one's own hands** распоряжа́ться по сво́ему || **~-abiding** *a.* послу́шный зако́ну, ми́рный || **~-breaker** *s.* наруши́тель *m.* (-ница) зако́на || **-ful** *a.* зако́нный || **-fulness** *s.* зако́нность *f.* || **-giver** *s.* законода́тель *m.*, -ница *f.* || **-less** *a.* (*illegal*) беззако́нный; (*wild*) необу́зданный || **-lessness** *s.* беззако́ние, беззако́нность *f.*; (*wildness*) необу́зданность *f.* || **~-maker** *s.* законода́тель *m.*; -ница *f.* || **~-making** *s.* законода́тельство.
lawn/ (лōн) *m.* (*grass*) дёрн, ме́сто поро́сшее траво́ю; лужа́йка; (*fabric*) линоба́тист || **~-mower** *s.* коса́рь *m.*; маши́нка для стри́жки травы́ || **~-tennis** *s.* лаун-те́ннис.
lawsuit (лō'сю̄т) *s.* тя́жба; проце́сс, иск.
lawyer (лō'йёр) *s.* стря́пчий; адвока́т, юри́ст.
lax/ (лӓкс) *a.* сла́бый; (*loose*) непло́тный; (*not strict*) распу́щенный; (*slack*) сла́бо натя́нутый || **-ative** (-ётив) *s.* слаби́тельное (лека́рство) || **-ity, -ness** *s.* сла́бость *f.*; ослабле́ние; распу́щенность *f.*
lay (лэ̄й) *s.* (*layer*) ряд, слой; (*song*) песнь *f.*; мело́дия || **the ~ of the land** положе́ние дел || ~ *a.* (*non-clerical*) мирско́й, све́тский; (*non-professional*) несве́дущий || ~ *va.irr.* класть, положи́ть; на-лага́ть, -ложи́ть; (*allay*) утиш-а́ть, -и́ть; (*exorcise*) изгоня́ть; за-клина́ть, -кля́сть; (*a trap*) рас-ставля́ть, -ста́вить; (*a plot*) умышля́ть, умы́слить; (*impose*) на-лага́ть, -ложи́ть; (*eggs*) нести́ (я́йца); (*wager*) би́ться об закла́д || **to ~ about one** би́ться; раздава́ть уда́ры || **to ~ aside** от-ставля́ть, -ста́вить || **to ~ at the door of** обвиня́ть; от-носи́ть, -нести́ к чему́ || **to ~ bare** от-крыва́ть, -кры́ть || **to ~ before one** пред-ставля́ть, -ста́вить || **to ~ by** откла́дывать || **to ~ by the heels** за-пира́ть, -пере́ть (в тюрьму́) || **to ~ claim to** за-явля́ть, -яви́ть пра́во || **to ~ down one's arms** сд-ава́ться, -а́ться || **to ~ hands on** на-пада́ть, -па́сть на || **to ~ hold of** захвати́ть, завладе́ть || **to ~ in** скла́дывать; запас-а́ть, -ти́; копи́ть, с- || **to ~ into** (*fam.*) поколоти́ть || **to ~ on** (*gas, etc.*) пров-оди́ть, -ести́ || **to ~ it on thick** преувели́чивать || **to ~ open** откры́ть; обнару́жить; вскрыть || **to ~ out** выложить; (*expose*) вы́ставить; (*spend*) тра́тить, ис- || **to ~ o.s. out to** постара́ться; напря́чь все свои́ си́лы || **to ~ siege to** осади́ть || **to ~ stress on** об-раща́ть, -рати́ть осо́бое внима́ние на || **to ~ the table** стлать ска́терть || **to ~ to heart** принима́ть к се́рдцу || **to ~ to rest** зар-ыва́ть, -ы́ть || **to ~ under an obligation** одолжи́ть; заста́вить || **to ~ up** запира́ть; укла́дывать, уложи́ть в посте́ль || **to ~ waste** опустош-а́ть, -и́ть.
layer (лэ̄й-ёр) *s.* ряд, слой; (*hen*) несу́чая ку́рица; отво́док.
lay/-figure (лэ̄йфи'гёр) *s.* манеке́н || **-ing** *s.* кла́дка; несе́ние яиц || ~ *a.* несу́чий || **-man** *s.* миряни́н; нео́пытный, не специали́ст.
lazaret (лӓзёрэ'т) *s.* лазаре́т; больни́ца.
laz/e (лэ̄йз) *vn.* лентя́йничать, лени́ться || **-ily** *ad.* лени́во || **-iness** *s.* лень *f.* || **-y** *a.* лени́вый || **-y-bones** *s.* лентя́й, -ка.

lea (лий) *s.* луг; пóле.
lead (лэд) *s.* (*min.*) свинéц; (*mar.*) лот, грýзило || **~** (лийд) *s.* (*precedence*) пéрвое мéсто; пéрвенство; (*guidance*) предводи́тельство; (*at games*) ход; (*billiards*) вы́ставка шарá || **to take the ~** итти́ впереди́ || **~** (лийд) *va.irr.* води́ть, вести́; (*conduct*) руководи́ть; укáзывать, указáть (дорóгу); (*precede*) предводи́тельствовать; (*induce*) причин-я́ть, -и́ть; (*spend*) вести́; (*at cards*) ходи́ть; (*music*) дирижи́ровать || **to ~ by the nose** води́ть зá нос || **to ~ captive** вести́ в плен || **to ~ off** уводи́ть, увести́; нач-инáть, -áть || **to ~ on** примáнивать, -мани́ть || **to ~ to** вести́ к || **to ~ to the altar** жени́ться || **~** (лийд) *vn. irr.* (*go before*) итти́ впереди́; предводи́тельствовать; (*of roads.etc.*) вести́; (*command*) комáндовать; начáльствовать; (*at cards*) ходи́ть; пойти́ с || **lead on!** вперёд! ступáй! || **he led with his last trump** он пошёл с послéднего своегó кóзыря.
leaden (лэ'дн) *a.* (*of lead*) свинцóвый; (*lead-coloured*) свинцóвого цвéта; (*fig.*) тяжёлый.
leader/ (лий'дёр) *s.* вождь *m.*; (*race*) перéдняя лóшадь; (*pol. & sport*) ли́дер; (*in newspapers*) передовáя статья́; (*mus.*) рéгент || **-ette** (лийдёрэ'т) *s.* корóткая передовáя статья́ || **-ship** *s.* предводи́тельство; управлéние.
leading/ (лий'динг) *s.* ведéние; указáние || **~** *a.* глáвный; передовóй || **~ article** передовáя статья́ || **~ question** суггести́вный вопрóс || **~-strings** пóмочи *fpl.* (на котóрых вóдят детéй).
lead/-mine (лэ'д-майн) *s.* свинцóвый рудни́к || **-pencil** *s.* карандáш.
leaf/ (лийф), (*pl.* **leaves** лийвз) *s.* лист; (*book*) листóк; (*window*) створка; (*of table*) полá || **to turn over a new ~** перемени́ть óбраз жи́зни || **to turn over the leaves of** перели́стывать || **-age** *s.* ли́стья; листвá || **-less** *a.* безли́стный; безли́ственный || **-let** *s.* ли́стик; брошю́ра || **-y** *a.* покры́тый ли́стьями.
league/ (лийг) *s.* (*distance*) ли́га; (*alliance*) союз, ли́га || **~** *va&n.* заключ-áть, -и́ть сою́з || **-r** *s.* сою́зник.
leak/ (лийк) *s.* течь *f.*; тéча || **to spring a ~** получи́ть течь || **~** *vn.* течь || **to ~ out** (*fig.*) выходи́ть, вы́йти нарýжу; дéлаться глáсным || **-age** *s.* утéчка || **-y** *a.* текýчий; ýтлый.
lean/ (лийн) *s.* мя́со без жи́ра, любови́на || **~** *a.* худóй; худощáвый; (*sterile*) тóщий; (*of meat*) пóстный, без жи́ра, нежи́рный || **~** *va.irr.* наклон-я́ть, -и́ть; прислон-я́ть, -и́ть || **~** *vn.irr.* наклон-я́ться, -и́ться; прислон-я́ться, -и́ться; (*have a tendency*) быть склóнным к || **to ~ out** высóвываться, вы́сунуться || **-ing** *s.* наклонéние, наклóнность *f.* || **-ness** *s.* худощáвость *f.*; (*fig.*) бéдность *f.* || **~-to** (-тў) *s.* пристрóйка.
leap/ (лийп) *s.* прыжóк, скачóк || **~** *va.irr.* перепры́гнуть || **~** *vn.irr.* пры́г-ать, -нуть; скак-áть, -нýть || **~-frog** *s.* козли́ный прыжóк, чехардá || **~-year** *s.* високóсный год.
leapt (лэпт) *cf.* **leap.**
learn/ (лёрн) *va&n.irr.* (*acquire*) учи́ться, на-; учи́ть, вы́-; (*ascertain*) узн-авáть, -áть || **to ~ by heart** вы́учить наизýсть || **-ed** *a.* учёный; свéдущий || **-er** *s.* учáщийся, учени́к || **-ing** *s.* учéние, изучéние; (*erudition*) учёность *f.*, знáние, наýка.
lease/ (лийс) *s.* отдáча в арéнду; óткуп || **to take a ~ of** взять в арéнду; арендовáть || **~** *va.* от-давáть, -дáть в арéнду || **-holder** *s.* арендáтор || **-holding** *s.* арéнда.
leash (лийш) *s.* свóра, ремéнь *m.*; при́вязь *f.*; (*hunting*) трóе || **~** *va.* свóрить.
least/ (лийст) *a.* мéньший, малéйший || **~ of all** мéньше всегó || **at ~** по крáйней мéре || **not in the ~** ничýть, совсéм не || **-ways** (-уэйз) *ad.* (*fam.*) по крáйней мéре.
leather/ (лэ'ðёр) *s.* кóжа || **~** *va.* (*fam.*) отколоти́ть || **-n** *a.* кóжаный || **-y** *a.* кожеобрáзный.
leave (лийв) *s.* (*permission*) позволéние; (*departure*) прощáние || **~ of absence** óтпуск || **ticket of ~** свидéтельство, предоставля́ющее арестáнту извéстные льгóты || **by your ~** с вáшего позволéния || **on ~** в отпускý || **to ask ~** проси́ть, по- позволéния || **to take ~ of** прощáться, прости́ться с || **I beg ~ to** осмéливаюсь || **~** *va.irr.* о-ставля́ть, -стáвить; (*bequeath*) оставля́ть, остáвить; (*desert*) по-кидáть, -ки́нуть; (*to go away*) удал-я́ться, -и́ться; (*entrust*) предо-ставля́ть, -стáвить || **to ~ behind** остáвить за собóй || **to ~ off** (*a habit*) остáвить, поки́нуть; (*one's coat, etc.*) снимáть, снять; (*cease*) пере-ставáть, -стáть || **to ~ alone** оставля́ть, остáвить в покóе || **to ~ out** вы́пустить, пропусти́ть.
leaven/ (лэ'вн) *s.* заквáска || **-ed bread** ки́слый хлеб.
leaves (лийвз) *spl. cf.* **leaf.**
leavings (лий'вингз) *spl.* об'éдки *mpl.*; остáтки *mpl.*

leavetaking (лий'втэйкинг) *s.* прощáние.
lecherous (лэ'чёрёс) *a.* разврáтный; похотли́вый.
lectern (лэ'ктёрн) *s.* налóй, кáфедра.
lecture/ (лэ'кчёр) *s.* (*discourse*) лéкция, преподавáние; (*reproof*) вы́говор, головомóйка || **to read one a ~** дéлать, с- комý стрóгий вы́говор; шкóлить, про- || **to attend a course of -s** слýшать лéкции || **~** *va&n.* (*instruct*) читáть лéкции; преподавáть; (*reprove*) дéлать вы́говор; шкóлить, про- || **-r** *s.* (*at universities*) лéктор, профéссор || **-ship** *s.* состáв преподавáтелей; кáфедра, профессýра.
led (лэд) *cf.* **lead.**
ledge (лэдж) *s.* край; закрáина; вы́ступ; [(*rocky*) риф.
ledger (лэ'джёр) *s.* глáвная книга.
lee (лий) *s.* (*mar.*) подвéтренная сторонá; (*fig. protection*) укры́тие || **~** *a.* подвéтренный.
leech (лийч) *s.* пия́вица, пия́вка; (*doctor*) [лéкарь *m.*
leek (лийк) *s.* порéй.
leer (лийр) *s.* взгляд и́скоса || **~** *vn.* коси́ть; смотрéть и́скоса.
lees (лийз) *spl.* поддóнки *mpl.*; осáдок.
lee/shore (лий'-шōр) *s.* подвéтренный бéрег || **-side** *s.* подвéтренная сторонá || **-ward** (лий'уёрд) *s.* подвéтренная сторонá || **-wards** (лий'уёрдз) *ad.* под ветр || **-way** *s.* дрейф || **to make up ~** навёрстывать, -верстáть.
left/ (лэфт) *s.* лéвая сторонá; лéвая рукá; (*parl.*) лéвая || **to the ~, on the ~** налéво || **~** *a.* лéвый; (*abandoned*) поки́нутый; (*remaining*) остальнóй; остáточный || **what is ~ to me?** что мне тепéрь дéлать? || **to be ~ till called for** до востребовáния || **~-hand** *a.* на лéвой рукé || **~-handed** *a.* (*clumsy*) нелóвкий; (*of marriage*) морганати́ческий || **a ~ person** левшá.
leg/ (лэг) *s.* ногá; гóлень *f.*; (*animal's*) лáпка; (*table, etc.*) нóжка, подстáвка || **he is on his last -s** емý плóхо прихóдится || **not to leave one a ~ to stand upon** (*fig.*) стáвить, по- когó в безвы́ходное положéние || **to put one's best ~ forward** поспеши́ть; постарáться || **to take to one's -s** убежáть.
legacy (лэ'гёси) *s.* завéщанное имýщество, наслéдство.
legal/ (лий'гёл) *a.* закóнный || **~ tender** закóнное срéдство платежá || **-ity** (лигä'лити) *s.* закóнность *f.*; легáльность *f.* || **-ization** *s.* узаконéние || **-ize** *va.* придавáть, -дáть закóнную фóрму; узаконя́ть.
legate (лэ'гёт) *s.* пáпский посóл; легáт.
legatee (лэгётий') *s.* получáющий по завещáнию; наслéдник.
legation (лигэй'шн) *s.* посóльство; легáция.
legend/ (лий'джёнд, лэ'джёнд) *s.* (*fable*) легéнда, скáзка; (*inscription*) нáдпись *f.* || **-ary** (лэ'джёндёри) *a.* легендáрный, скáзочный.
legerdemain (лэджёрдимэй'н) *s.* лóвкое [фóкусничество.
leggings (лэ'гингз) *spl.* гамáши *fpl.*
legib/ility (лэджиби'лёти) *s.* чёткость *f.*; разбóрчивость *f.* || **-le** (лэ'джибл) *a.* чёткий; разбóрчивый.
legion/ (лий'джён) *s.* (*mil.*) легиóн; (*vast number*) мнóжество, тьма || **-ary** *s.* легиóнный солдáт.
legis/late (лэ'джис-лэйт) *vn.* из-давáть, -дáть закóны || **-lation** (-лэй'шн) *s.* законодáтельство || **-lative** (-лэйтив) *a.* законодáтельный || **-lator** (-лэйтёр) *s.* законодáтель *m.*, -ница *f.* || **-lature** (-лэйчёр) *s.* законодáтельная власть.
legitim/acy (лиджи'тим-ёси) *s.* закóнность *f.*; (*of children*) законнорождённость *f.*; (*fig.*) действи́тельность *f.* || **-ate** (*children*) законнорождённый; (*lawful*) закóнный; (*genuine*) настоя́щий; (*of arguments*) логи́чный; логи́ческий || **-ize** *va.* узаконя́ть || **-ist** *s.* легитими́ст.
leguminous (лигю'минёс) *a.* бобóвый.
leisure/ (лэ'жёр, лий'жёр) *s.* досýг || **at one's ~** на досýге, в свобóдное врéмя || **to do at one's ~** дéлать при слýчае || **-ly** *ad.* на досýге, не спешá.
leman (лэ'мён) *s.* (*poet. & obsol.*) возлю́бленная, люби́мица; любóвница.
lemon/ (лэ'мён) *s.* лимóн, цитрóн; (*colour*) лимóновый цвет || **-ade** *s.* лимонáд || **~-peel** *s.* лимóнная кóрка || **~-squash** *s.* лимóнный сок.
lend/ (лэнд) *va&n.* ссу-жáть, -ди́ть; одолж-áть, -и́ть; давáть, дать взаймы́ || **to ~ an ear (to)** вслýшиваться || **to ~ a hand** помóчь || **-ing-library** библиотéка-читáльня.
length/ (лэнгþ) *s.* длинá; (*extent*) прострáнство; (*distance*) расстоя́ние; (*duration*) продолжéние || **at ~** наконéц; в длинý || **at full ~** (*portraits*) во весь рост; (*fig.*) прострáнно || **to carry to great -s** при-стращáться, -страсти́ться к чемý || **-en** *va&n.* удлин-я́ть(-ся), -и́ть(-ся); увели́ч-ивать(-ся), -ить(-ся) || **-iness** *s.* длинá, долготá || **-ways** (-уэйз), **-wise** (-уайз) *ad.* в длинý, вдоль || **-y** *a.* дли́тельный; протя́жный.
lenien/cy (лий'ниён-си) *s.* снисходи́тельность *f.*; мя́гкость *f.*; крóтость *f.* || **-t** *a.* снисходи́тельный; смягчáющий.

lens (лэнз) *s.* линза; чечевица; (*phot.*) об'ектив.
lent/ (лэнт) *s.* пост, великий пост || **-en** *a.* постный, великопостный || **~** *va. cf.* **lend.**
lenticular (лэнти'кюлёр) *a.* чечевицеобразный.
lentil (лэ'нтил) *s.* (*bot.*) чечевица.
leo/nine (лий'ёнайн) *a.* львиный; (*poet.*) леонинский || **-pard** (лэ'пёрд) *s.* леопард.
lep/er (лэ'пёр) *s.* прокажённый, прокажённая; прокажённик || **-rosy** (лэ'прёси) *s.* проказа, лепра || **-rous** (лэ'прёс) *a.* прокажённый; лепрозный.
lesion (лийжн) *s.* повреждение; поранение.
less (лэс) *a.* меньший || **~** *ad.* менее || **much ~** не говоря о том; гораздо менее.
lessee (лэсий') *s.* арендатор, наёмщик.
lessen (лэсн) *va.&n.* уменьш-ать(-ся), -ить(-ся); умал-ять(-ся), -ить(-ся); у-бавлять(-ся), -бавить(-ся).
lesser (лэ'сёр) *ad.* меньший, малый.
lesson (лэсн) *s.* урок; наставление; (*reading*) чтение.
lest (лэст) *c.* чтобы не ...; как бы не ...
let (лэт) *s.* препятствие; помеха || **without ~ or hindrance** беспрепятственно, свободно || **~** *va.&n.irr.* пус-кать, -тить; (*permit*) поз-волять, -волить; (*to lease*) от-давать, -дать внаймы; (*to hire out*) от-давать, -дать напрокат || **to ~! to be ~!** отдаётся в наём! || **to ~ alone, to ~ be** оставить в покое || **to ~ down** опус-кать, -тить || **to ~ go** выпустить || **to ~ into a secret** посвятить в тайну || **to ~ loose** отвязать; пустить на волю || **to ~ off** спускать || **to ~ out** выпустить; (*a secret*) разболтать || **~ us go!** пойдёмте!
lethal (лий'ђёл) *a.* смертоносный.
letharg/ic(al) (лиђа'рджик) *a.* летаргический || **-y** (лэ'ђёрджи) *s.* летаргия.
letter/ (лэ'тёр) *s.* буква; (*print*) литера, шрифт; (*communication*) письмо; (*pl.*) беллетристика, литература || **to the ~** буквально || **~ of attorney** доверенность *f.* || **~-box** *s.* почтовый ящик || **-ed** *a.* учёный || **-ing** *s.* вставление букв || **-press** *s.* печать *f.*; напечатаное || **~-weight** *s.* пресс-папье || **~-writer** *s.* (*book*) письмовник.
lettuce (лэ'тис) *s.* латук.
levant (лива'нт) *s.* постыдное бегство || **~** *vn.* убегать постыдным образом.
levee (лэ'ви) *s.* выход (при дворе).
level/ (лэ'вл) *s.* уровень *m.*; (*plane*) плоскость *f.*; (*instrument*) ватерпас || **~** *a.* (*horizontal*) горизонтальный; (*even*) гладкий; (*flat*) ровный, плоский; (*equal*) равный **to do one's ~ best** употре-блять, -бить все старания || **~** *va.* (*make horizontal*) нивелировать; (*smooth*) гладить, делать, с- гладким; (*aim*) целить || **~-headed** *a.* разумный || **-ler** *s.* нивелировщик || **-ling** *s.* нивелировка || **-ness** *s.* равность *f.*
lever/ (лий'вёр) *s.* рычаг; под'ём; (*watch*) анкерные часы *mpl.* || **-age** *s.* действие рычага.
leveret (лэ'вёрэт) *s.* зайчёнок, молодой заяц.
leviathan (ливай'ёђён) *s.* левиафан.
levitation (лэвитэй'шн) *s.* лёгкость *f.*
levity (лэ'вити) *s.* лёгкость *f.*; (*fig.*) легкомыслие.
levy (лэ'ви) *s.* сбор; (*troops*) набор || **~** *va.* наб-ирать, -рать; соб-ирать, -рать || **to ~ a fine** на-лагать, -ложить на кого денежный штраф || **to ~ war** начать войну.
lewd/ (люд) *a.* распутный, бесстыдный, похотливый || **-ness** *s.* распутство; похотливость *f.*
lexicograph/er (лэксико'грёф-ёр) *s.* лексикограф || **-y** *s.* лексикография.
lexicon (лэ'ксикён) *s.* лексикон; словарь *m.*
liab/ility (лайёби'лити) *s.* ответственность *f.*; подверженность *f.*; склонность *f.*; (*in pl.*) долги *mpl.*; обязательства *npl.* || **-le** (лай'ёбл) *a.* (*obliged*) подверженный; (*responsible*) ответственный; (*inclined*) склонный.
liaison (ли-эй'зн) *s.* связь *f.*; (*amour*) любовная связь.
liar (лай'ёр) *s.* лгун, лгунья; лжец.
libation (лайбэй'шн) *s.* либация, возлияние.
libel/ (лай'бёл) *s.* пасквиль *m.*; клевета || **~** *va.&n.* клеветать (на кого); оклеветать (кого) || **-ler** *s.* клеветник || **-lous** *a.* клеветнический.
liberal/ (ли'бёрёл) *s.* либерал || **~** *a.* (*generous*) щедрый; (*ample*) обильный; (*open-minded*) свободномыслящий; великодушный; (*parl.*) либеральный || **-ism** *s.* либерализм || **-ity** (либёра'лити) *s.* щедрость *f.*; либеральность *f.*
liberat/e (ли'бёрэйт) *va.* освобо-ждать, -дить; отпус-кать, -тить на волю || **-ion** (либёрэй'шн) *s.* освобождение || **-or** *s.* освободитель *m.*
libertine (ли'бёртин) *s.* распутник.
liberty (ли'бёрти) *s.* свобода; воля; вольность *f.*; (*leave*) позволение; (*privilege*) привилегия; (*breach of decorum*) дерзость *f.* || **at ~** свободный || **you are at ~ to do so** вам позволено это сделать || **~ of the Press** свобода печатания || **to take the ~** осмел-иваться, -иться.

libidinous (либи'динёс) *a.* похотли́вый, сладостра́стный.
librar/ian (лайбрэ̄'риён) *s.* библиоте́карь *m.* || **–y** (лай'брёри) *s.* библиоте́ка.
libretto (либрэ'тоу) *s.* либре́тто.
lice (лайс) *cf.* **louse.**
licence (лай'сёнс) *s.* своево́лие; конце́ссия; (*leave*) позволе́ние; разреше́ние (на что); (*document*) пате́нт, свиде́тельство; (*profligacy*) распу́тство, развра́тность *f.* || **poetic** ~ поэти́ческая во́льность.
license (лай'сёнс) *va.* доз-воля́ть, -во́лить; разреш-а́ть, -и́ть.
licentiate (лайсэ'ншиёт) *s.* лиценциа́т.
licentious/ (лайсэ'ншёс) *a.* беспу́тный; непристо́йный; сластолюби́вый || **–ness** *s.* беспу́тство; необу́зданность *f.*
lichen (лай'кён) *s.* (*bot. & med.*) лиша́й.
licit (ли'сит) *a.* дозво́ленный.
lick/ (лик) *s.* лиза́ние; (*fam.*) уда́р || ~ *va.* лиза́ть, лизну́ть; об-ли́зывать, -лиза́ть; (*fam.*) поколоти́ть; (*overcome*) по-бежда́ть, -беди́ть || **to ~ into shape** прида́ть вид || **to ~ the dust** быть уби́тым || **–ing** *s.* лиза́ние; (*fam.*) поря́дочные побо́и *mpl.* || **–spittle** *s.* ни́зкий льстец; похле́бщик.
lickerish (ли'кёриш) *a.* ла́комый; (*greedy*) жа́дный; (*lecherous*) похотли́вый.
licorice *cf.* **liquorice.**
lid (лид) *s.* (*cover*) кры́шка, покры́шка; (*eyelid*) ве́ко.
lie (лай) *s.* (*position*) положе́ние; (*untruth*) ложь *f.*; непра́вда || **a white ~** ложь по необходи́мости || **to give the ~ to** обвини́ть во лжи́ || ~ *vn.* (*tell lies*) лга́ть, со- || ~ *vn.irr.* (*recline*) лежа́ть; (*be situated*) находи́ться; (*remain*) стоя́ть; (*mar. at anchor*) стоя́ть на я́коре || **to ~ close** пря́таться || **to ~ down** ложи́ться, лечь || **to ~ with** (*sexually*) совокуп-ля́ться, -и́ться; (*depend on*) зави́сеть от || **to ~ in ambush** быть в заса́де || **to ~ up** слечь; заболе́ть || **to ~ waste** быть необрабо́танным.
lief/ (лийф) *ad.* охо́тно || **I would as ~ go as not** мне всё равно́ идти́ и́ли нет || **I would –er . . . than** я лу́чше . . . чем.
liege (лийдж) *s.* (*vassal*) васса́л; (*lord*) влады́ка, ле́нный владе́лец; (*subject*) по́дданный.
lien (лий'ён) *s.* (*jur.*) закладно́е пра́во по зако́ну.
lieu (лю) *s.*, **in ~ of** вме́сто (чего́).
lieuten/ancy (лэфтэ'н-ёнси) *s.* чин пору́чика || **–ant** *s.* (*mil.*) пору́чик; (*mar.*) лейтена́нт || **lord-~** ви́це-коро́ль *m.* || **~-colonel** подполко́вник || **~-general** генера́л-лейтена́нт || **~-governor** ви́це-наме́стник.

life/ (лайф) *s.* жизнь *f.*; (*animation*) жи́вость *f.*; (*mode of life*) о́браз жи́зни; (*biography*) биогра́фия || **early ~** мо́лодость *f.* || **single ~** холоста́я жизнь || **still ~** (*in painting*) нату́р-морт || **for ~** на всю жизнь || **for the ~ of me** ни за что на све́те || **to the ~** как живо́й || **~-annuity** *s.* пожи́зненная ре́нта || **~-insurance** *s.* страхова́ние жи́зни || **~-boat** *s.* спаса́тельная ло́дка || **~-buoy** *s.* спаса́тельный круг || **~-giving** *a.* животворя́щий || **~-interest** *s.* пожи́зненное по́льзование || **–less** *a.* безжи́зненный, мёртвый; (*fig.*) бесси́льный; безду́шный || **–lessness** *s.* безжи́зненность *f.*; безду́шность *f.* || **–like** *a.* как бу́дто живо́й || **~-long** *a.* продолжа́ющийся всю жизнь; пожи́зненный || **~-preserver** *s.* кисте́нь *m.* || **~-size** *s.* натура́льная величина́ || ~ *a.* во весь рост || **–time** *s.* продолже́ние жи́зни.
lift (лифт) *s.* (*raising*) подня́тие, возвыше́ние; (*assistance*) по́мощь *f.*; (*machine*) под'ёмная маши́на, под'ёмник, лифт || ~ *va.* под-нима́ть, -ня́ть; воз-выша́ть, -вы́сить; (*steal*) кра́сть, у-.
lig/ament (ли'гёмэнт) *s.* (*anat.*) свя́зка || **–ature** (ли'гёчур) *s.* (*med.*) перевя́зка, лигату́ра; (*mus.*) соедине́ние (нот), слива́ние; (*typ.*) двойны́е бу́квы.
light/ (лайт) *s.* свет; (*illumination*) освеще́ние; (*fig. enlightenment*) просвеще́ние; (*knowledge*) све́дение; (*match*) спи́чка; (*candle*) свеча́; (*mar.*) ого́нь *m.* || **to bring to ~** от-крыва́ть, -кры́ть || **give me a ~ please** позво́льте огня́ || ~ *a.* лёгкий; (*slight*) ма́лый, то́нкий; (*unencumbered*) пусто́й; (*nimble*) прово́рный; (*loose*) развя́занный; (*easy*) лёгкий; (*not serious*) не ва́жный; малова́жный; (*frivolous*) легкомы́сленный; (*unchaste*) нецелому́дрый; (*merry*) весёлый; (*bright*) я́сный, све́тлый; (*fair*) белоку́рый || **to make ~ of** презира́ть || **to think –ly of** ма́ло цени́ть || ~ *va.irr.* за-жига́ть, -же́чь; осве-ща́ть, -ти́ть || ~ *vn.irr.* сади́ться || **to ~ upon** (*fig.*) встре́тить случа́йно || **~-armed** *a.* легко́ вооружённый || **–en** *va.* ос-веща́ть, -вети́ть; (*make light*) облег-ч-а́ть, -и́ть || ~ *vn.* блиста́ть, сверка́ть; (*become bright*) проясн-я́ться, -и́ться || **it –ens** мо́лния блиста́ет, мо́лния сверка́ет || **–er** *s.* (*boat*) ли́хтер || **~-fingered** *a.* (*fig.*) ло́вкий, иску́сный в воровстве́ || **–headed** *a.* легкомы́сленный; (*delirious*) бре́дящий || **–hearted** *a.* весёлый || **–house** *s.* мая́к || **–minded** *a.* легкомы́сленный,

вѐтреный || **–ness** *s.* лёгкость *f.*; вѐтреность *f.*; свѐтлость *f.* || **–ning** *s.* мо̀лния || **–ning-conductor** *s.* громоотво̀д || **–s** *spl.* (*lungs*) лёгкие *npl.* || **–ship** *s.* плову̀чий мая̀к || **–some** *a.* весёлый, ло̀вкий || **–spirited** *a.* весёлый || **~-weight** *s.* недовѐс.

ligneous (ли'гниёс) *a.* деревя̀нный.

lignite (ли'гнайт) *s.* лигни̇̀т, бу̀рый у̀голь.

like/ (лайк) *s.* подо̀бное; склонно̀сть *f.* || **~** *a.* (*similar*) подо̀бный, похо̀жий; (*likely*) вероя̀тный; (*disposed*) склонный || **they are as ~ as two peas** они̇̀ похо̀жи друг-на-дру̀га как две ка̀пли воды̀ || **to look ~** каза̀ться, имѐть вид || **I feel ~** я хотѐл бы || **what is he ~?** како̀в он собо̀ю? || **~** *ad.* как; подо̀бно; вероя̀тно || **~** *va&n.* люби̇̀ть; нра̀виться; жела̀ть; хотѐть || **I ~ him** он мне нра̀вится || **I should ~ to** я хотѐл бы || **as you ~** как хоти̇̀те, как вам уго̀дно || **–lihood** *s.* вероя̀тность *f.* || **in all ~** по всей вероя̀тности || **–liness** *s.* вероя̀тность *f.* || **–ly** *a.* (*probable*) вероя̀тный; (*credible*) достовѐрный; (*suitable*) удо̀бный; го̀дный; (*handsome*) краси̇̀вый; (*Am. talented*) дарови̇̀тый || **–n** *va.* уподобля̀ть, -до̀бить; (*to compare*) сра̀внивать, сравни̇̀ть || **–ness** *s.* (*resemblance*) схо̀дство; подо̀бие; (*portrait*) портрѐт || **to get one's ~ taken** снима̀ться || **–wise** *ad.* та̀кже.

liking (лай'кинг) *s.* (*taste*) вкус; (*predilection*) склонно̀сть *f.* || **to have a ~ for** люби̇̀ть || **to take a ~ to** на-ходи̇̀ть, -йти̇̀ удово̀льствие в.

lilac (лай'лёк) *s.* сирѐнь *f.*; синѐль *f.* || **~** *a.* лило̀вый.

lilt (лилт) *s.* напѐв || **~** *va&n.* на-пева̀ть, -пѐть.

lily (ли'ли) *s.* ли̇̀лия || **~ of the valley** ла̀ндыш.

limb/ (лим) *s.* член; конѐчность *f.*; (*of a tree*) ветвь *f.*; (*fam.*) шалу̀н, шалу̀нья || **a ~ of the law** городово̀й *или* стря̀пчий || **–er** (ли'мбёр) *s.* лафѐтный передо̀к || **~** *a.* ги̇̀бкий; (*of persons*) прово̀рный, ло̀вкий || **~** *va.*, **to ~ up** прикрепля̀ть (пу̀шку); ста̀вить, по- пу̀шки на передки̇̀.

limbo (ли'мбоу) *s.* преддвѐрие а̀да.

lime/ (лайм) *s.* (*chem.*) и̇̀звесть *f.*; извёстка; (*birdlime*) клей (пти̇̀чий); (*bot.*) ли̇̀па || **–juice** *s.* лимо̀нный сок || **–kiln** *s.* печь для обжига̀ния и̇̀звести || **–light** *s.* друммо̀ндов свет || **–stone** (-сто̀ун, -стён) *s.* известня̀к || **~-tree** *s.* ли̇̀па || **~-water** *s.* известко̀вая вода̀.

limit/ (ли'мит) *s.* предѐл; грани̇̀ца || **~** *va.* (*set bounds to*) ограни̇̀ч-ивать, -ить; определ-я̀ть, -и̇̀ть; (*restrain*) у-дѐрживать, -держа̀ть || **–ation** *s.* ограничѐние; (*jur.*) да̀вность *f.* || **–ed** *a.* ограни̇̀ченный; (*scanty*) ску̀дный || **~ liability company** о̀бщество с ограни̇̀ченною отвѐтственностью (пору̀кою) || **–less** *a.* безграни̇̀чный, бесконѐчный.

limn (лим) *va.* рисова̀ть.

limp (лимп) *s.* хрома̀ние; прихра̀мывание || **~** *a.* сла̀бый; ги̇̀бкий || **~** *vn.* хрома̀ть; прихра̀мывать.

limpet (ли'мпит) *s.* блю̀дечко.

limpid (ли'мпид) *a.* свѐтлый, прозра̀чный.

limy (лай'ми) *a.* клѐйкий; известко̀вый.

linage (лай'нидж) *s.* пла̀та за строку̀.

linchpin (ли'нчпин) *s.* чека̀.

linden (ли'ндён) *s.* ли̇̀па.

line/ (лайн) *s.* ли̇̀ния; (*cord*) верёвочка; (*fishing*) леса̀; (*boundary*) грани̇̀ца; (*branch of activity*) род заня̀тия, часть *f*; (*contour*) очерта̀ние; (*the Equator*) эква̀тор; (*rail.*) путь *m.*; (*short note*) письмецо̀; (*fam.*) род; (*row*) ряд; (*in a book*) строка̀; (*measure*) ли̇̀ния; (*mil.*) линѐйные войска̀ *npl.* || **that is not in his ~** э̀то не по его̀ ча̀сти || **to read between the –s** чита̀ть мѐжду строк || **~** *va.* линева̀ть; (*provide a lining*) выкла̀дывать, вы̀ложить (чем); под-бива̀ть, -би̇̀ть; (*one's stomach, one's purse*) напо̀лнить || **–age** (ли'ни-идж) *s.* род; поколѐние || **–al** (ли'ниёл) *a.* происходя̀щий от прѐдков по прямо̀й ли̇̀нии || **–ament** (ли'ниёмэнт) *s.* черта̀ || **–ar** (ли'ниёр) *a.* линѐйный.

linen (ли'нин) *s.* полотно̀, холст; (*shirts etc.*) бельё || **~** *a.* полотня̀ный; холсти̇̀нный.

liner (лай'нёр) *s.* пассажи̇̀рное су̀дно.

ling (линг) *s.* морско̀й нали̇̀м.

linger/ (ли'нг-гёр) *vn.* мѐдлить, мѐшкать; коснѐть || **–ing** *a.* мѐдленный; (*protracted*) продолжи̇̀тельный.

lingo (ли'нг-гоу) *s.* речь *f.*; жарго̀н.

lingu/al (ли'нг-гуёл) *a.* язы̀чный || **–ist** *s.* лингви̇̀ст || **–istic** (линг-гуи'стик) *a.* лингвисти̇̀ческий.

liniment (ли'нимэнт) *s.* мягчи̇̀тельная мазь.

lining (лай'нинг) *s.* подкла̀дка, подво̀й; (*of furs*) подби̇̀вка; (*fig.*) (*contents*) содержи̇̀мое.

link (лингк) *s.* звено̀: (*of hair*) колѐчко; (*a torch*) фа̀кел; (*cuff-~*) за̀понка; (*fig.*) связь *f.* || **~** *va.* свя̀зывать, звяза̀ть; сцеп-ля̀ть, -и̇̀ть.

linnet (ли'нит) *s.* конопля̀нка.

linoleum (лино̀у'лиём) *s.* линолѐум.

linseed (ли'нсийд) *s.* льняно̀е сѐмя || **~ oil** льняно̀е ма̀сло.

linstock (ли'нсток) *s.* фити̇̀льный пальни̇̀к.

lint (линт) *s.* корпия.
lintel (ли'нтёл) *s.* притолка (у дверей).
lion/ (лай'ён) *s.* лев; (*astr.*) Лев; (*fig.*) герой || **the ~'s share** львиная часть || **-ess** *s.* львица || **~-hearted** *a.* храбрый как лев || **-ize** *va.* отличать кого.
lip/ (лип) *s.* губа; (*of a jug, etc.*) край; (*fam.*) наглость *f.* || **a stiff upper ~** (*fig.*) упрямство || **~** *a.* (*insincere*) неискренный || **~-salve** *s.* (*fig.*) лесть *f.*
lique/faction (ликуифа'кшён) *s.* плавка, плавление; превращение в жидкое состояние; разжижение || **-fy** (ли'куифай) *va.* плавить; расплав-ливать, -ить; разжижать, -жидить || **~** *vn.* расплав-ливаться, -иться; раз-жижаться, -жидиться.
liqueur (ликю'р, ликё'р) *s.* ликёр.
liquid/ (ли'куид) *s.* жидкость *f.* || **~** *a.* жидкий; (*flowing*) текучий; (*smooth*) плавный || **-ate** (-эйт) *va.* ликвидировать || **-ation** *s.* ликвидация || **-ator** *s.* ликвидатор.
liquor (ли'кёр) *s.* напиток; крепкие напитки || **in ~, the worse for ~** пьяный.
liquorice (ли'кёрис) *s.* солодка; лакрица.
lisp (лисп) *s.* лепет; шепеляние || **~** *va.&n.* шепел-явить, -ять; пришепётывать.
lissom (ли'сём) *a.* гибкий, проворный.
list (лист) *s.* список; роспись *f.*; (*selvedge*) кромка, кайма; (*stripe*) полоса; (*mar.*) кривой бок; (*pl.*) арена || **~** вн-осить, -ести в список || **~** *vn.* записываться в солдаты; наклоняться. [-ать.
listen (лисн) *va.* слушать; подслуш-ивать,
listless (ли'стлис) *a.* вялый; равнодушный;
lit (лит) *cf.* **light.** [нерадивый.
litany (ли'тёни) *s.* молебствие; литания.
liter/al (ли'тёр-ёл) *a.* буквальный || **-acy** *s.* грамотность *f.* || **-ary** *a.* литературный || **-ate** *s.* грамотей || **~** *a.* грамотный || **-ati** (литёрэй'тай) *spl.* литераторы *mpl.* || **-atim** (литёрэй'тим) *ad.* буквально || **-ature** (ли'трёчур) *s.* литература.
lithe (лайд) *a.* гибкий, поворотливый.
lithograph/ (ли'þёграф) *s.* литография || **~** *va.* литографировать || **-er** (лиþо'грёфёр) *s.* литограф.
litig/ant (ли'тигёнт) *s.* тяжущийся || **-ate** (ли'тигэйт) *vn.* тягаться, по- || **-ation** *s.* тяжба; иск || **-ious** (лити'джёс) *a.* сварливый.
litmus/ (ли'тмёс) *s.* лакмус || **~-paper** *s.* лакмусовая бумага.
litter (ли'тёр) *s.* (*conveyance*) носилки *fpl.*; (*bedding*) подстилка; (*disorder*) беспорядок; (*brood*) помёт || **~** *va.* стлать подстилку (для скота); сорить, на-.
little (литл) *s.* малое || **~ by ~** мало-по-малу || **~** *a.* малый; маленький, небольшой || **~ Mary** (*fam.*) желудок.
littoral (ли'тёрёл) *s.* приморье, приморская земля || **~** *a.* береговой, прибережный.
liturg/ical (литё'рджикёл) *a.* литургийный, литургический || **-y** (ли'тёрджи) *s.* литургия.
live/ (лайв) *a.* живой; (*of coal*) красный || **~-stock** скот || **~** (лив) *vn.* жить; существовать; (*dwell*) обитать || **-lihood** *s.* пропитание || **-liness** *s.* живость *f.*; весёлость *f.* || **-long** (ли'влонг) *a.* долговечный || **the ~ day** целый день || **-ly** *a.* живой; весёлый || **-n** *va.* развесел-ять, -ить.
liver (ли'вёр) *s.* печень *f.*; печёнка.
livery/ (ли'вёри) *s.* ливрея || **~-man** *s.* ливрейный лакей; отдающий лошадей на прокат || **~-stable** *s.* двор с наёмными экипажами и лошадьми. [вый.
livid (ли'вид) *a.* бледный; синевато-багро-
living (ли'винг) *s.* житьё; (*livelihood*) пропитание, средства жизни; (*benefice*) духовное место; церковный приход с его
lizard (ли'зёрд) *s.* ящерица. [доходами.
lo (лоу) *int.* вот! смотрите!
load/ (лоуд) *s.* груз; тяжесть *f.*; (*burden*) бремя *n.* || **~** *va.* грузить; нагру-жать, -зить; (*to burden*) обремен-ять, -ить; (*a gun*) заря-жать, -дить || **~-line** *s.* грузовая ватерлиния || **~-stone** *s.* магнит.
loaf/ (лоуф) *s.* (*pl.* **loaves** лоувз) хлеб, каравай; (*of sugar*) голова (сахару) || **~** *vn.* шататься || **-er** *s.* бродяга *m&f.*; праздношатающийся, шалопай.
loam/ (лоум) *s.* глина || **-y** *a.* глинистый.
loan (лоун) *s.* ссуда; заём || **~** *va.* (*Am.*) давать, дать взаймы. [thing ~ хотеть.
loath, loth (лоуþ) *a.* неохотный || **to be no-**
loath/e (лоуð) *vn.* ненавидеть; гнушаться (чем); иметь отвращение || **-ing** *s.* омерзение, отвращение || **-some** (лоуþсём) *a.* омерзительный, отвратительный; нена-
loaves (лоувз) *cf.* **loaf.** [вистный.
lob (лоб) *va.* бросать, бросить; вывалить.
lobby (ло'би) *s.* передняя; сени *fpl.*
lobe (лоуб) *s.* доля, лопасть *f.*; (*of ear*) мочка.
lobster (ло'бстёр) *s.* омар.
local/ (лоу'кёл) *a.* местный || **-ity** (лоука'лити) *s.* местность *f.* || **-ize** *va.* локализировать.
locat/e (локэй'т) *va.* по-мещать, -местить; водвор-ять, -ить; на-значать, -значить место || **-ion** *s.* местоположение; помещение || **-ive** (ло'кётив) *s.* местный падеж.

loch (лок, лох) *s.* (*Sc.*) óзеро.
lock/ (лок) *s.* замóк; (*of hair*) лóкон; (*of canal*) шлюз; (*pl.*) вóлосы *mpl.* || **under ~ and key** взапертú || **~, stock and barrel** со всéми пожúтками || **~** *va.* за-п-ирáть, -ерéть; за-мыкáть, -мкнýть || **to ~ out** исключ-áть, -úть || **–er** *s.* шкáфчик, я́щик || **–et** *s.* медальóн || **–jaw** *s.* столбня́к, чéлюстная сýдорога || **–out** *s.* локáут || **–smith** *s.* слéсарь *m.* || **–up** *s.* арестáнтская при полúции.
locomot/ion (лōукēмōу'шн) *s.* перемéна мéста; сúла движéния || **–ive** (лōу'кēмōутив) *s.* локомотúв, паровóз.
locum-tenens (лōу'кēм-тий'нēнз) *s.* заступáющий чьё-либо мéсто; исправля́ющий дóлжность.
locust (лōу'кēст) *s.* саранчá.
locution (локю'шн) *s.* выражéние, оборóт рéчи.
lode/ (лōуд) *s.* рýдная жúла || **–star** *s.* поля́рная звездá.
lodg/e (лодж) *s.* хúжина; дóмик; сторóжка; (*porter's*) швейцáрская; (*freemasons'*) лóжа || **~** *va.* по-мещáть, -местúть; (*a dagger*) вонз-áть, -úть; (*deposit*) от-давáть, -дáть на хранéние; (*a complaint*) принестú (жáлобу) || **~** *vn.* жить; (*at a hotel*) стоя́ть; (*to stop*) остановúться; (*of corn*) быть прибúтым к землé || **–er** *s.* жилéц || **–ing** *s.* квартúра || **–ing-house** *s.* меблирóванные кóмнаты; пансиóн || **–ment** *s.* квартировáние; (*comm.*) помещéние дéнег; (*mil.*) ложемéнт.
loft/ (лōфт) *s.* чердáк || **–y** (ло'фти, лō'фти) *a.* высóкий; величáвый; (*haughty*) надмéнный; (*high-flown*) высокопáрный.
log (лог) *s.* (*of wood*) колóда, чурбáн; (*mar.*) лаг.
logarithm (ло'гēриþм) *s.* логарúфм.
loggerheads (ло'гēрхэдз) *spl.*, **to be at ~** ссóриться, быть в дурнúх отношéниях с.
logic/ (ло'джик) *s.* лóгика || **–al** *a.* логúческий.
logwood (ло'г-уд) *s.* кампéшевое дéрево.
loins (лойнз) *spl.* пояснúца, чрéсла *mpl.*
loiter/ (лой'тēр) *va.*, **to ~ away** трáтить (врéмя) || **~** *vn.* мéшкать, мéдлить; шатáться || **–er** *s.* праздношатáющийся, мéшкающий.
loll (лол) *va.*, **to ~ the tongue** высóвывать || **~** *vn.* облокáчиваться; развáливаться; валя́ться.
lollipop (ло'липоп) *s.* род леденцá.
lone/ (лōу'н) *a.* одинóкий; пустынный; безлю́дный || **–liness** *s.* уединéние; уединённость *f.*; одинóкость *f.* || **–ly** *a.* уединённый; одинóкий; безлю́дный || **–some** *a.* уединённый || **–someness** *s.* уединéние.
long/ (лонг) *a.* длúнный; дóлгий; (*dilatory*) мéдленный; (*tedious*) продолжúтельный; скýчный || **not by a ~ chalk** совсéм нет || **in the ~ run** в концé концóв || **the ~ and the short of it is** однúм слóвом || **~** *ad.* **before ~, ere ~** вскóре || **not ~ ago** недáвно || **~ ago** ужé давнó || **as ~ as, so ~ as** покá, докóле || **all my life ~** в продолжéние всей моéй жúзни || **~** *vn.* желáть; имéть сúльное, стрáстное желáние || **–boat** *s.* (*mar.*) баркáс || **–bow** *s.*, **to draw the ~** (*fig.*) преувелúчивать || **–evity** (лонджэ'вити) *s.* долговéчность *f.*; долгодéнствие || **~-headed** *a.* прозóрливый || **–ing** *s.* сúльное желáние || **~** *a.* стрáстный || **–ish** *a.* длинновáтый, долговáтый || **–itude** (ло'нджитюд) *s.* долготá || **–shore-man** *s.* вы́грузчик, нагрýзчик товáров || **~-sighted** *a.* дальнозóркий; проницáтельный; (*comm.*) долгосрóчный || **~-suffering** *a.* долготерпелúвый || **–ways** *ad.* в длинý || **–winded** *a.* нескончáемый; скýчный || **–wise** *ad.* в длинý.
loo (лӯ) *s.* мýшка (игрá в кáрты).
looby (лӯ'би) *s.* блух.
look/ (лук) *s.* (*glance*) взгляд; (*aspect*) вид || **good –s** *spl.* красотá || **to give a ~ in** заглянýть мимохóдом || **~** *va.* смотрéть; глядéть || **to ~ out** искáть || **to ~ over** смотрéть чрез; просмотрéть || **to ~ up** (*seek*) искáть; от-ы́скивать, -ыскáть; (*visit*) по-сещáть, -сетúть || **~** *vn.* смотрéть; глядéть; (*appear*) имéть вид || **to ~ about** смотрéть вокрýг себя́; осмáтриваться || **to ~ after** следúть глазáми; присмотрéть за; (*take care of*) забóтиться (о) || **to ~ at** смотрéть; обращáть внимáние || **to ~ back** смотрéть назáд || **to ~ down on** презирáть, пренебрегáть || **to ~ for** (*seek*) искáть; от-ы́скивать, -ыскáть; (*anticipate*) ожидáть, надéяться || **to ~ forward to** ожидáть, надéяться || **to ~ in** заглянýть || **to ~ into** исслéдовать || **to ~ out** (*a window, etc.*) смотрéть в; (*be careful*) быть насторожé || **~ out!** берегúтесь! || **to ~ out for** ожидáть || **to ~ over** смотрéть чрез; про-смáтривать, -смотрéть || **to ~ to** забóтиться о; полагáть надéжду || **~ to yourself!** берегúтесь! || **to ~ up to** смотрéть с чýвством уважéния, почтéния на когó || **to ~ sharp** торопúться, спешúть || **–eron** (лукēр-о'н) *s.* зрúтель *m.* || **~-in** (луки'н) *s.* шанс || **–ing-glass** *s.* зéркало || **–out** *s.* тóчка зрéния; (*mil.*) часовóй; (*mar.*) вáхта || **to be on the ~** быть насторожé || **that is his ~** э́то егó дéло.

loom (лўм) *s.* ткáцкий станóк || ~ *vn.* покáзываться неясно, в тумáне.
loon (лўн) *s.* негодя́й.
loony (лў'ни) *s.* (*fam.*) сумасшéдший.
loop/ (лўп) *s.* пéтля, петли́ца || ~ *va.* снабжáть, укрепля́ть пéтлями || **-hole** *s.* бойни́ца; амбразýра; (*fig.*) увёртка || **~-line** *s.* (*rail.*) соедини́тельная ветвь; обвóдная желéзная дорóга.
loose/ (лўс) *a.* развя́занный, неприкреплённый; (*free*) свобóдный; (*vague*) смýтный; (*dissolute*) распýтный || **to break** ~ освободи́ться; отвязáться || **to let** ~ освободи́ть из заключéния || ~ *va.* от-вя́зывать, -вязáть; от-пускáть, -пусти́ть || ~ *vn.* от-вя́зываться, -вязáться || **-n** *va.&n.* развя́зывать, -вязáть || **-ness** *s.* ослаблéние; слáбость *f.*; распýтствс; смýтность *f.*; (*med.*) понóс.
loot (лўт) *s.* добы́ча || ~ *va.* грáбить, о-.
lop/ *va.* под-рéзывать, -рéзать || **~-eared** *a.* вислоýхий || **~-sided** *a.* имéющий перевéс на однý стóрону; неровный, криволобкий.
lope (лóуп) *vn.* скакáть.
loquac/ious (локуэ́й'шёс) *a.* болтли́вый, говорли́вый || **-ity** (локуа́'сити) *s.* болтли́вость *f.*
lord/ (лōрд) *s.* лорд; господи́н, влады́ка || **the L–** Госпóдь, Бог || **the L–s, the House of L–s** палáта лóрдов || **in the year of our L–** в лéто по Рождествé Христóве || **oh L–! L– bless me!** Бóже мой! || **to ~ it (over)** влады́чествовать || **the L–'s day** воскресéнье || **the L–'s prayer** Отче наш (моли́тва) || **L– Lieutenant** ви́це-корóль *m.* || **~!** *int.* Бóже мой! || **-ling** *s.* мáленький лорд; госпóдчик || **-ly** *a.* благорóдный; (*haughty*) гóрдый, надмéнный || **-ship** *s.* (*dominion*) госпóдство, власть *f.*; (*dignity*) ти́тул лóрда || **Your L–ship** вáша ми́лость.
lore (лōр) *s.* учéние; знáние; учёность *f.*
lorgnette (лōрнйэ'т) *s.* лорнéт.
lorry (ло'ри) *s.* большáя ни́зкая телéжка, товáрный вагóн.
lory (лō'ри) *s.* рáйский попугáй.
lose (лўз) *va.irr.* терять, по-; лиш-áться, -и́ться (чегó); (*a bet, at cards, etc.*) прои́грывать, -игрáть; (*to miss*) пропус-кáть, -ти́ть || **to ~ ground** уступ-áть, -и́ть || **to ~ one's head** приходи́ть в замешáтельство || **to ~ heart** пáдать, упáсть дýхом || **to ~ one's heart to** влюб-ля́ться, -и́ться в || **to ~ patience** теря́ть, по- терпéние || **to ~ o.s.** за-блуждáться, -блуди́ться || **to ~ sight of** теря́ть, по- из ви́ду || **to ~ one's temper** раз-ражáться, -рази́ться гнéвом || **to ~ one's way** сбивáться, сби́ться с дорóги; за-блуждáться, -блуди́ться.
loss (лōс) *s.* потéря; убы́ток; (*at games*) прóигрыш; (*of a ship*) ги́бель *f.* || **dead ~** чи́стая потéря || **to be at a ~** быть в затруднéнии.
lost (лōст) *a.* потéрянный; поги́бший; заблуди́вшийся; (*bewildered*) смущённый; (*hidden*) скры́тый; (*deeply engaged*) погружённый.
lot/ (лот) *s.* жрéбий; (*destiny*) судьбá, дóля; (*piece of land*) учáсток; (*comm.*) пáртия || **a bad ~** (*fam.*) негодя́й; беспýтник || **the ~** (*fam.*) всё || **a ~ of** большóе коли́чество, мнóго || **to cast, to draw -s** бросáть, брóсить жрéбий || **to fall to one's ~** выпадáть, вы́пасть на дóлю || **-s of money** кýча дéнег.
loth (лóуþ) *cf.* **loath.**
Lothario (лоþа̄'риоу), **a gay ~** развратник, беспýтник.
lotion (лóу'шн) *s.* умывáние.
lottery (ло'тëри) *s.* лотерéя.
lotto (ло'тоу) *s.* лотó (игрá).
lotus (лóу'тёс) *s.* лóтос.
loud (лауд) *a.* грóмкий, звóнкий; (*of colour*) кричáщий.
lough (лок, лох) *s.* óзеро.
lounge (лаундж) *s.* (*theat.*) фойé; (*sofa*) софá; (*armchair*) крéсла *npl.* || ~ *vn.* лени́ться, прáздно шатáться; валáндаться.
louse (лаус) *s.* (*pl.* **lice** лайс) вошь *f.*; вóшка.
lout/ (лаут) *s.* деревéнщина; нелóвкий человéк || **-ish** *a.* грýбый, мужиковáтый.
lovable (ла'вёбл) *a.* достóйный люби́; любéзный.
love/ (лав) *s.* любóвь *f.*; (*sweetheart*) возлю́блен-ный, -ая; (*sport*) ничтó || **for the ~ of God** рáди Бóга || **give my ~ to** передáйте . . . мой сердéчный привéт || **in ~** влюблённый || **to fall in ~** влюб-ля́ться, -и́ться || **to make ~ to** ухáживать за || **my ~!** душá моя́! голýбушка! || **a ~ affair** любóвная интри́га || ~ *va.&n.* люби́ть || **~-child** *s.* незаконнорождённое дитя́ || **~-knot** *s.* ýзел в ви́де ци́фры вóсемь || **-less** *a.* не лю́бящий; нелюби́мый || **~-letter** *s.* любóвное письмó || **-liness** *s.* красотá || **~-lorn** *a.* томя́щийся любóвью || **-ly** *a.* прекрáсный, краси́вый || **~-sick** *a.* томя́щийся любóвью.
lover (ла'вёр) *s.* любóвник; (*pl.*) влюблённые.
loving (ла'винг) *a.* лю́бящий, нéжный.
low/ (лóу) *s.* мычáние; рёв || ~ *a.* ни́зкий; ни́зменный; (*deep*) глубóкий; (*of price*) ни́зкий; дешёвый; (*small*) мáлый; небольшóй; (*of sound*) ти́хий; глухóй;

(*dejected*) унылый; (*feeble*) слабый; (*humble*) убогий; (*base*) подлый; низкий; (*coarse*) плоский; гнусный || **the L- Countries** Нидерланды || **the -er world** ад || ~ **neck** декольте || **L- Sunday** Фомино воскресенье || ~ **tide**, ~ **water** морской отлив; (*fig.*) плохое состояние || **in ~ water** без денег || **~-born** *a.* низкого происхождения || ~ **down** *a.* (*fam.*) подлый; презренный || ~ *vn.* мычать; реветь.
lower (лау'ёр) *cf.* **lour.**
low/er (лоу'ер) *va.* (*let down*) опус-кать, -тить; спус-кать, -тить; (*humble*) у-нижать, -низить; (*reduce*) умень-шать, -шить; (*one's voice*) по-нижать, -низить; (*a flag*) спус-кать, -тить || **-ermost** *a.* самый низкий, нижайший || **-land** *s.* низменность *f.* || **-liness** *s.* смирение; низость *f.* || **-ly** *a.* смиренный; скромный || **-ness** *s.* низкость *f.*; низменность *f.*; малость *f.*; подлость *f.*; плоскость *f.* || ~ **of spirits** упадок духа.
loyal/ (лой'ёл) *a.* лояльный, верный || **-ist** *s.* лоялист; верноподданный.
lozenge (ло'зиндж) *s.* (*geom.*) ромб; (*sweet*) лепёшка.
L.s.d. (эл эс дий') *s.* (*fam.*) деньги *fpl.*
lubber/ (ла'бёр) *s.* блух; неловкий человек || **-ly** *a.* неловкий.
lubricant (лу'брикёнт) *s.* смазка.
lubricat/e (лу'брикэйт) *va.* смаз-ывать, -ать || **-ion** (лубрикэй'шн) *s.* смазывание || **-or** *s.* смазчик; маслёнка.
lucerne (лусё'рн) *s.* люцерна.
lucid/ (лу'сид) *a.* светлый; прозрачный; ясный || **-ity** (луси'дити) *s.* светлость *f.*; прозрачность *f.*; ясность *f.*
lucifer (лу'сифёр) *s.* (*vulg.*) спичка.
luck/ (лак) *s.* счастие; удача || **bad ~, ill ~** несчастие, неудача || **as ~ would have it** (*fortunately*) по счастию; (*unfortunately*) к несчастию || **good ~!** желаю счастия! || **worse ~!** очень жаль! || **down on one's ~** в затруднительных обстоятельствах; (*dispirited*) унылый || **-iness** *s.* счастие; удача || **-less** *a.* несчастливый, неудачный || **-ily** *ad.* по счастию || **-y** *a.* счастливый; удачный || **a ~ dog** (*fam.*) счастливец.
lucrative (лу'крётив) *a.* прибыльный, доходный, выгодный.
lucre (лу'кёр) *s.* барыш, денежный прибыток.
ludicrous (лу'дикрёс) *a.* смешной; (*absurd*) нелепый.
luculent (лу'кюлёнт) *a.* ясный, светлый.
luff (лаф) *s.* наветренная сторона || ~ *vn.* (*mar.*) придерживаться к ветру.
lug (лаг) *s.* (*fam.*) ухо || ~ *va.* тащить, по-.
luggage/ (ла'гидж) *s.* багаж || **article of ~** место || **~-office** *s.* багажная касса || **~-ticket** *s.* багажная квитанция || **~-van** *s.* багажный вагон.
lugger (ла'гёр) *s.* люгер.
lugubrious (лугю'бриёс) *a.* плачевный.
lukewarm (лу'куорм) *a.* тепловатый; (*fig.*) равнодушный.
lull/ (лал) *s.* затишье || ~ *va.* убаю-кивать, -кать || ~ *vn.* затихать, затихнуть || **-aby** (ла'лёбай) *s.* колыбельная песня; баюшки-баю.
lumbago (ламбэй'гоу) *s.* прострел; невралгия поясничных нервов.
lumber/ (ла'мбёр) *s.* хлам; (*timber*) лес, брёвна *npl.* || ~ *va.* громоздить, за- || ~ *vn.* тяжело двигаться || **-man** *s.* дровосек || **~-room** *s.* чулан для разного хлама.
luminary (лу'минёри) *s.* светило.
luminous (лу'минёс) *a.* светлый, блестящий.
lump (ламп) *s.* кусок; ком, глыба || **in the ~** гуртом, оптом || ~ *va.* складывать в кучу; брать гуртом || **-y** *a.* состоящий из комков, кусков.
lun/acy (лу'нёси) *s.* сумасшествие, умопомешательство || **-ar** (лу'нёр) *a.* лунный; месячный || **-atic** (-ётик) *s.&a.* помешанный, сумасшедший || **~-asylum** дом умалишённых.
lunch(eon) (ла'нч-ён) *s.* второй завтрак || ~ *vn.* завтракать, по-.
lunette (лунэ'т) *s.* люнет.
lung (ланг) *s.* лёгкое.
lunge (ландж) *s.* нападение || ~ *vn.* делать нападение.
lupine (лу'пин) *s.* лупин, волчий боб.
lupus (лу'пёс) *s.* (*med.*) волчанка.
lurch (лёрч) *s.* (*mar.*) накренивание || **to leave in the ~** оставить в трудном положении || ~ *vn.* уклоняться; крениться.
lure (люр) *s.* приманка || ~ *va.* при-манивать, -манить.
lurid (лю'рид) *a.* бледный; (*fig.*) мрачный.
lurk (лёрк) *vn.* подстерегать; прятаться.
luscious (ла'шёс) *a.* очень сладкий; приторный.
lush (лаш) *a.* сочный.
lust/ (ласт) *s.* сильное желание; вожделение, похоть *f.*; похотливость *f.* || ~ *vn.* сильно желать || **-ful** *a.* похотливый, сладострастный.
lustily (ла'стили) *ad.* *cf.* **lusty.**
lustration (ластрэй'шн) *s.* очищение, люстрация.
lustr/e (ла'стёр) *s.* блеск; (*gloss*) лоск, глянец; (*chandelier*) люстра || **-ous** (ла'стрёс) *a.* блистательный; лоснистый || **-um** (ла'стрём) *s.* пятилетие.
lusty (ла'сти) *a.* дюжий; здоровый.
lute (лут) *s.* лютня.
Lutheran (лу'фёрён) *s.* лютеранин.
luxur/iancy (лагжу'р-иёнси) *s.* обилие, изобилие; излишество || **-iant** *a.* обиль-

ный, изоби́льный, плодови́тый || **–iate** (-иэйт) *vn.* произроста́ть в изоби́лии; изоби́ловать (чем) || **–ious** *a.* роско́шный; пы́шный; сластолюби́вый || **–y** (ла'кшёри) *s.* ро́скошь *f.*; пы́шность *f.*

lye (лай) *s.* щёлок.

lying/ (лай'инг) *s.* ложь *f.* || **~ down** лежа́ние || **~-in** ро́ды *mpl.* || **~ hospital** роди́льный дом, повива́льное заведе́ние.

lymph/ (лимф) *s.* ли́мфа || **–atic** (-ä'тик) *a.* лимфати́ческий.

lynch/ (линш) *va.* нака́зывать зако́ном ли́нча; линчева́ть || **~-law** *s.* суд ли́нча, наро́дный суд, самосу́д.

lynx (лингкс) *s.* рысь *f.*

lyr/e (лай'ёр) *s.* ли́ра || **–ic** (ли'рик) *s.* ли́рик || **~ & –ical** *a.* лири́ческий.

M

ma (мā) = **mamma.**

ma'am (мäм, мäм) = **madam.**

macadam (мёкä'дём) *s.* шоссе́; макада́м || **–ize** *va.* шосси́ровать.

macaroni (мäкёрō'уни) *s.* макаро́ны *fpl.*

macaroon (мäкёру'н) *s.* макаро́н.

mace/ (мэйс) *s.* жезл, булава́, ски́петр; (*war*) па́лица || **–bearer** *s.* булавоно́сец.

macer/ate (мä'сёр-эйт) *va.* истощ-а́ть, -и́ть; (*mortify*) умерщвля́ть; (*tech.*) выма́чивать || **–ation** *s.* умерщвле́ние; выма́чивание.

machin/ate (мä'кин-эйт) *va&n.* злоумышля́ть; интригова́ть || **–ation** *s.* злоумышле́ние, интри́ги *fpl.* || **–ator** *s.* загово́рщ-ик, -ица; интриг-а́н, -а́нка.

machine/ (мёший'н) *s.* маши́на; (*rail.*) парово́з || **~** *a.* маши́нный || **~-gun** *s.* пулемёт || **–made** *a.* сде́ланный маши́ной.

machinery (мёший'нёри) *s.* механи́зм; маши́ны *fpl.*

machinist (мёший'нист) *s.* машини́ст.

mackerel (мä'кёрёл) *s.* макре́ль *f.* || **~-sky** *s.* не́бо, покры́тое ме́лкими облачка́ми *или* бара́шками.

mackintosh (мä'кинтош) *s.* макинто́ш, непромока́емый плащ.

macula (мä'кюлё) *s.* (*pl.* **maculae** [мä'кюлий]) пятно́.

mad (мäд) *a.* сумасше́дший; бе́шенный; поме́шанный; безрассу́дный; (*with anger*) взбешённый || **to drive one ~** свести́ с ума́ || **to go ~** сойти́ с ума́ || **~ for** поме́шанный на; жа́дный к . . ., стра́стный к. [(*servants*) ба́рыня.

madam (мä'дём) *s.* госпожа́, суда́рыня;

madcap (мä'дкäп) *s.* сумасше́дший челове́к, сумасбро́д, -ка; сорване́ц || **~** *a.* сумасше́дший.

madden/ (мä'дн) *va.* своди́ть с ума́; беси́ть, вз-; выводи́ть кого́ из себя́ || **–ing** (мä'дёнинг) *a.* своди́щий с ума́.

madder (мä'дёр) *s.* марена́, крап.

made (мэйд) *cf.* **make** || **ready ~** гото́вый || **~ up** *a.* иску́сственный; вы́мышленный.

mad/house (мä'дхаус) *s.* дом умалишённых || **–man** *s.* сумасше́дший, безу́мец || **–ness** *s.* безу́мие, сумасше́ствие; бе́шенство, я́рость *f.* || **~ for** жа́дность *f.*; приcтра́стие к.

madrigal (мä'дригёл) *s.* мадрига́л.

maelstrom (мэ'йлстрём) *s.* водоворо́т.

maffick (мä'фик) *vn.* невозде́ржно ликова́ть.

magazine/ (мäгёзи'йн) *s.* (*shop*) магази́н; (*periodical*) (литерату́рный) сбо́рник; (*mil. & mar.*) крю́йтка́мера; (*of a gun*) казённик, магази́н || **~-gun** *s.*, **~-rifle** *s.* магази́нка, магази́нное ружьё.

maggot/ (мä'гёт) *s.* червя́к; (*fig.*) причу́ды *fpl.*, при́хоть *f.* || **–y** *a.* черви́вый; (*fig.*) причу́дливый. [*mpl.*

magi (мэй'джай) *spl.* ма́ги *mpl.*, волхвы́

magic/ (мä'джик) *s.* ма́гия, чароде́йство || **~ & –al** *a.* маги́ческий, волше́бный || **~ lantern** *s.* маги́ческий фона́рь || **–ian** (мёджи'шн) *s.* маг, ма́гик, волше́бник, колду́н.

magis/terial (мäджисти'йриёл) *a.* суде́йский; (*domineering*) повели́тельный || **–tracy** (мä'джистрёси) *s.* нача́льство; магистра́т || **–trate** (мä'джистрёт) *s.* мирово́й судья́.

magnanim/ity (мäгнёни'мити) *s.* великоду́шие || **–ous** (мёгнä'нимёс) *a.* великоду́шный.

magnate (мä'гнэйт) *s.* магна́т, вельмо́жа.

magnes/ia (мäгний'шё) *s.* магне́зия || **–ium** (мäгний'шём) *s.* ма́гний.

magnet/ (мä'гнит) *s.* магни́т || **–ic** (мäгнэ'тик) *a.* магни́тный, магнети́ческий || **–ic needle** магни́тная стре́лка || **–ic pole** магни́тный по́люс || **–ism** *s.* магнети́зм || **–ize** *va.* магнетизи́ровать, на-; (*phys.*) намагн-и́чивать, -и́тить || **–o** (мёгний'тоу) *s.* магне́то || **~ ignition** зажига́ние от магне́то.

magni/ficence (мäгни'-фисёнс) *s.* великоле́пие || **–ficent** (-фисёнт) *a.* великоле́пный || **–fier** (мä'гнифайёр) *s.* панегири́ст; (*glass*) увеличи́тельное стекло́ || **–fy** (мä'гнифай) *va.* (*increase*) увели́ч-ивать,

-ить; (*exaggerate*) преувелич-ивать, -ить; (*extol*) превозносить || **-fying** (мä'гнифайинг) *a.*, ~ **glass** увеличительное стекло || **-loquence** (-локуэнс) *s.* бахвальство, высокопарность *f.* || **-loquent** (-локуэнт) *a.* надутый, хвастливый, бахвальный || **-tude** (мä'гнитюд) *s.* величина, величие; (*importance*) важность *f.*

magnolia (мäгноу'лиё) *s.* магнолия.

magnum (мä'гнём) *s.* половина галлона.

magpie (мä'гпай) *s.* сорока; (*chatterer*) болту-н, -нья.

mahogany (мёхо'гёни) *s.* красное дерево, акажу-дерево.

mahout (мёхау'т) *s.* вожатый слона, слоновщик.

maid/ (мэ'йд) *s.* (*girl*) девушка, девица; (*virgin*) дева, девица; (*servant*) девка, служанка, горничная || ~ **of honour** фрейлина || ~ **of all work** служанка за всё || **old** ~ старая девушка || **-en** (мэ'йдн) *s.* девушка, девица || ~ *a.* девичий, девический; (*unmarried*) незамужняя; (*fig.*) свежий, первый, новый || ~**-name** девичья фамилия || **-en hair** *s.* женский волос || **-enhood** (мэ'йднхуд) *s.* девичество || **-enly** *a.* девичий; (*modest*) скромный || **-servant** (мэй'дсёрвёнт) *s.* горничная, служанка.

mail/ (мэйл) *s.* (*armour*) панцырь *m.*; броня, кольчуга; (*post*) почта || ~ *va.* (*armour*) общ-ивать, -ить бронею; (*post*) отправлять на почту || ~**-bag** *s.* почтовая сумка || ~**-cart** *s.* детская колясочка || ~**-clad** *a.* одетый в латы || ~**-coach** *s.* почтовая карета || ~**-train** *s.* почтовый поезд.

maim (мэйм) *va.* увечить, из-; калечить, ис-; уродовать, из-.

main/ (мэй'н) *s.* (*chief part*) главное, большая часть; (*ocean*) открытое море; (*pipe*) магистральная труба, главный провод || **in the** ~ большею частью || **with might and** ~ изо всех сил || ~ *a.* главный || **by** ~ **force** всеми силами || **-land** *s.* материк || **-line** *s.* главный путь || **-ly** *ad.* главнейше, особенно || **-mast** *s.* грот-мачта || **-sail** *s.* грот || **-spring** *s.* (*watch*) часовая пружина; (*fig.*) главная побудительная причина || **-stay** *s.* (*fig.*) главная опора; (*mar.*) гротштаг || **-tain** (мёнтэ'йн) *va.&n.* под-держивать, -держать; (*keep*) сохран-ять, -ить; (*support*) содержать; (*assert*) утверждать || **to** ~ **one's ground** держаться твёрдо || **-tenance** (мэй'нтёнёнс) *s.* (*sustenance*) содержание; поддержка; (*of order, etc.*) поддержание; (*assertion*) утверждение || **-top** *s.* (*mar.*) гротмарс || **-yard** *s.* гротарея.

maize/ (мэйз) *s.* маис, кукуруза || **-na** (мэйзий'нё) *s.* кукурузная мука.

majes/tic(al) (мёджэ'стикёл) *a.* величественный, величавый || **-ty** (мä'джисти) *s.* величественность *f.*, величавость *f.*; (*title*) Величество.

majolica (мёджо'ликё) *s.* майолика.

major/ (мэй'джёр) *s.* (*jur.*) совершеннолетний, -няя; (*mil.*) майор || ~ *a.* больший; значительнейший; старший || ~ **key** (*mus.*) мажор || **-domo** (-доу'моу) *s.* дворецкий || **-general** *s.* генерал-майор || **-ity** (мёджо'рити) *s.* большинство; (*jur.*) совершеннолетие; (*mil.*) майорский чин || **-ship** *s.* майорский чин.

make (мэйк) *s.* делание; (*form*) рост, строение; (*tailoring*) покрой, фасон; (*tech.*) работа, изделие, фабрикат.

make (мэйк) *va.irr.* делать, с-; творить, со-; (*produce*) произв-одить, -ести; составлять, составить; (*prepare*) приготовлять, -готовить; (*cause*) причин-ять, -ить; (*compel*) заставлять, заставить; (*acquire*) до-бывать, -быть; приобре-тать, -сти; (*estimate*) ценить; (*mar.*) достигать, достигнуть || ~ *vn.irr.* стремиться, направляться к || **to** ~ **amends** возме-щать, -стить || **to** ~ **a clean breast of** призн-аваться, -аться в чём || **to** ~ **a clean sweep of** уничт-ожать, -ожить || **to** ~ **a fool of** одурачить || **to** ~ **after** побежать за || **to** ~ **as if** притвор-яться, -иться || **to** ~ **away with** уб-ивать, -ить; уничт-ожать, -ожить || **to** ~ **believe** притвор-яться, -иться; показывать что || **to** ~ **faces** корчить лицо, корчить рожи || **to** ~ **fun of, to** ~ **game of** осме-ивать, -ять || **to** ~ **good** исполнить; (*repair*) возме-щать, -стить; (*one's word*) сдержать; (*succeed*) усп-евать, -еть || **to** ~ **haste** торопиться || **to** ~ **it up** примир-яться, -иться || **to** ~ **light of** не ценить, не ставить ни во что, пренебрегать || **to** ~ **love to** ухаживать за; волочиться за кем || **to** ~ **much of** баловать кого; уважать; дорожить кем || **to** ~ **nothing of** считать ни во что; (*not understand*) не пон-имать, -ять || **to** ~ **off** удирать; уходить || **to** ~ **off with** красть, у- || **to** ~ **one's escape** спастись || **to** ~ **over** перед-авать, -ать; уступ-ать, -ить || **to** ~ **out** (*understand*) понимать; уразуметь; (*decipher*) разбирать; (*a list, etc.*) составлять; (*prove*) доказывать || **to** ~ **sure of** удостоверяться

|| **to ~ up** до-, вос-по́лнить; (*quarrel*) помири́ть, ула́дить; (*concoct*) выду́мывать, вы́думать; (*theat.*) наря-жа́ть, -ди́ть; (*typ.*) верста́ть; свёрстывать || **to ~ up for** заменя́ть || **to ~ up one's mind** реши́ться на что || **to ~ up to** уха́живать за || **to ~ use of** по́льзоваться, вос- (чем) || **to ~ way** дава́ть доро́гу.

make/r (мэ̄й'к-ёр) *s.* (*eccl.*) творе́ц; созда́тель *m.*; (*manufacturer*) фабрика́нт || **–shift** *s.* после́днее сре́дство || **~-up** (-а'п) *s.* грим || **~-weight** *s.* дове́сок.

making (мэ̄й'кинг) *s.* соверше́ние; изде́лие || **that was the ~ of him** э́то сде́лало его́ бога́тым; э́то вы́двинуло его́ в лю́ди.

malachite (мä'лёкайт) *s.* малахи́т.

mal/administration (мäлёдминистрэ̄й'шн) *s.* дурно́е управле́ние || **–adroit** (мä'лёдройт) *a.* нело́вкий; неиску́сный || **–adroitness** (мä'лёдройтнэс) *s.* нело́вкость *f.*; неуклю́жесть *f.* || **–ady** (мä'лёди) *s.* боле́знь *f.* || **–apropos** (мäлёпропо̄у') *a.&ad.* некста́ти, не во́-время.

malaria (мёлā'риё) *s.* маля́рия.

malcontent (мä'лкёнтэнт) *a.&s.* недово́льный.

male (мэ̄йл) *s.* саме́ц; (*man*) мужчи́на || **~** *a.* му́жеский, мужско́й; му́жеского по́ла || **a ~ screw** *s.* винт.

male/diction (мäлиди'кшн) *s.* прокля́тие || **–factor** (мä'лифä'ктёр) *s.* злоде́й, престу́пник || **–ficent** (мёлэ'фисэнт) *a.* зловре́дный, вре́дный || **–volence** (мёлэ'волёнс) *s.* зложела́тельство || **–volent** (мёлэ'волёнт) *a.* злора́дный; злой.

mal/feasance (мäл-фий'зёнс) *s.* (*jur.*) злодея́ние || **–formation** (мäлформэ̄й'шн) *s.* уро́дливое сложе́ние || **–ice** (мä'лис) *s.* зло́ба; злора́дство; зложела́тельство || **–icious** (мёли'шёс) *a.* зло́бный, злой; злонаме́ренный || **–ign** (-ай'н) *a.* злой, зло́бный, злонаме́ренный; (*med.*) злока́чественный || **~** *va.* злосло́вить; бесчести́ть || **–ignancy** (мёли'гнёнси), **–ignity** (мёли'гнити) *s.* зло́ба, зло́бность *f.*; (*med.*) злока́чественность *f.* || **–ignant** (мёли'гнёнт) *a.* злой, зловре́дный, злонаме́ренный; (*med.*) злока́чественный || **–inger** (мä'лингёр) *vn.* притвор-я́ться, -и́ться больны́м.

mallard (мä'лäрд) *s.* ди́кая у́тка.

malle/ability (мäлиёби'лити), **–ableness** (мä'лиёблнэс) *s.* ко́вкость *f.* || **–able** (мä'лиёбл) *a.* ко́вкий || **–ate** (мä'лиэйт) *va.* кова́ть.

mallet (мä'лит) *s.* колоти́ло, колоту́шка.

mallow (мä'ло̄у) *s.* (*bot.*) ма́льва.

malmsey (мā'мзи) *s.* мальва́зия.

mal/odorous (мäло̄у'дёрёс) *a.* злово́нный, воню́чий || **–practice** (мäлпрä'ктис) *s.* противозако́нное дея́ние.

malt/ (мо̄лт) *s.* со́лод || **~** *va.&n.* де́лать со́лод || **~-kiln** *s.* солодосуши́льня || **–ster** (мо̄'лстёр) *s.* солодо́вщик.

maltreat/ (мäлтрий'т) *va.* ду́рно обраща́ться с; ду́рно обходи́ться с || **–ment** *s.* дурно́е обраще́ние.

mamm/a (мёмā', мā'мё) *s.* ма́ма || **–al** (мä'мёл) *s.*, (*pl.* **mammalia** [мäмэ̄й'лиё]) млекопита́ющее живо́тное || **–on** (мä'мон) *s.* мамо́на || **–oth** (мä'моѳ) *s.* ма́монт || **~** *a.* грома́дный, гига́нтский.

mammy (мä'ми) *s.* = **mamma.**

man (мäн), (*pl.* **men** [мэн]) *s.* челове́к; мужчи́на; (*chess*) пе́шка; (*mankind*) челове́чество; (*vassal*) ле́нник; (*servant*) слуга́ || **~ and wife** муж и жена́ || **to a ~** все до еди́ного || **~** *va.* снаб-жа́ть, -ди́ть людьми́; (*mar.*) вооруж-а́ть, -и́ть || **~-eater** *s.* людое́д || **~-of-war** *s.* вое́нное су́дно.

manacle/ (мä'нёкл) *va.* сковывать кого́ по рука́м || **–s** *spl.* ручны́е кандалы́ *mpl.*

manage/ (мä'нидж) *va.&n.* пра́вить, управля́ть; (*a business*) вести́; (*treat*) обраща́ться, обходи́ться с; (*horse*) пра́вить; (*use*) владе́ть; (*contrive*) де́йствовать, уме́ть взя́ться за || **to ~ very well** ло́вко поступа́ть || **–able** *a.* легко́ управля́емый; (*tractable*) послу́шный; пода́тливый || **–ment** (*administration*) управле́ние; (*managers*) дире́кция; (*use*) управле́ние (чем) || **household ~** домохозя́йство || **–r** *s.* управля́ющий; дире́ктор.

mandamus (мäндэ̄й'мёс) *s.* (*jur.*) пи́сьменный прика́з.

mandarin/ (мä'ндёрин) *s.* мандари́н || **~ & ~-orange** *s.* мандари́нка.

mand/ate (мä'ндёт) *s.* повеле́ние; прика́з; поруче́ние; полномо́чие || **–atory** *a.* повели́тельный; уполномо́чивающий.

mandolin (мä'ндёлин) *s.* мандоли́на.

mandrel (мä'ндрёл) *s.* тока́рная ба́бка, пробо́йник.

manducate (мä'ндюкэйт) *va.* жева́ть.

mane (мэ̄йн) *s.* гри́ва.

manful (мä'нфул) *a.* отва́жный, хра́брый.

manganese (мä'нгёнийз) *s.* ма́рганец.

mange (мэ̄йндж) *s.* чесо́тка, парш, коро́ста.

manger (мэ̄й'нджёр) *s.* я́сли *mpl.*; кормово́е коры́то.

mangle (мäнгл) *s.* като́к || **~** *va.* (*linen*) ката́ть; (*mutilate*) изуро́довать.

mango (мä'нгоу) (*pl.* **–oes**) *s.* ма́нговое де́рево.

mangy (мэй'нджи) *a.* чесоточный; паршивый; (*fig.*) скупой.
manhood (мä'нхуд) *s.* возмужалость *f.*; мужество; храбрость *f.*
mania/ (мэй'ниё) *s.* мания, безумие; (*fig.*) пристрастие к чему-либо || **-c** *s.* маниак || ~ *a.* безумный, помешанный.
manicur/e (мä'никюр) *s.* маникюр, уход за руками || **I should like to be -ed** прошу почистить и поправить мне ногти || **-ist** *s.* маникюрист, -ка.
manifest/ (мä'нифэст) *a.* очевидный, явный, ясный || ~ *s.* манифест || ~ *va.* обнаруж-ивать, -ить; прояв-лять, -ить || ~ *vr.* прояв-ляться, -иться || **-ation** *s.* обнаружение, проявление; манифест || **-o** (мäнифэ'сто) (*pl.* **-os**) *s.* манифест.
manifold (мä'нифоулд) *a.* многоразличный, многообразный.
manikin (мä'никин) *s.* карла, человечек; манекен.
manipul/ate (мёни'пюл-эйт) *va.* манипулировать || **-ation** *s.* манипуляция || **-ator** *s.* манипулятор.
man/kind (мäнкай'нд) *s.* человечество, род человеческий || ~ (мä'нкайнд) *s.* мужчины *mpl.* || **-like** (мä'нлайк) *a.* мужественный; (*brave*) храбрый || **-liness** (мä'нлинэс) *s.* мужество; храбрость *f.* || **-ly** (мä'нли) *a.* мужественный; (*brave*) храбрый.
manna (мä'нё) *s.* манна.
mannequin (мё'нёкин) *s.* манкен, манекен.
manner/ (мä'нёр) *s.* манер, образ; приёмы *mpl.*; (*custom*) обыкновение, привычка || **-s** *spl.* нравы *mpl.* || **-ed** *a.* манерный || **well -ed** чинный || **-ism** *s.* манерность *f.* || **-liness** *s.* вежливость *f.* || **-ly** *a.* вежливый.
mannish (мä'ниш) *a.* мужеский, мужеподобный, наглый.
manœuvre (мёню'вёр) *s.* манёвр, уловка || ~ *va.&n.* маневрировать; делать манёвры.
manometer (мёно'митёр) *s.* манометр.
manor/ (мä'нёр) *s.* поместье; господский дом, усадьба || **~-house** барский дом, замок.
mansard (мä'нсёрд) *s.* мансарда.
manse (мäнс) *s.* дом священника.
mansion/ (мäншн) *s.* жилище, дом, хоромы *fpl.* || **the M--House** дворец лорд-мера в Лондоне.
manslaughter (мä'нслотёр) *s.* смертоубийство; (*jur.*) непреднамеренное убийство.
mantelpiece (мä'нтлпийс) *s.* карниз над камином, каминный карниз.
mantle (мäнтл) *s.* мантия, плащ; (*woman's*) мантилья; манто, салоп; (*gas*) колпачок; (*fig.*) покров || ~ *va.* покр-ывать, -ыть; обл-екать, -ечь || ~ *vn.* (*of blood*) броситься к лицу; (*blush*) зарумяниться; краснеть, по-.
manual (мä'нюёл) *s.* руководство; (*piano*) клавиатура, клавиши *mpl.* || ~ *a.* ручной ~ **exercise** ружейные приёмы.
manufac/tory (мäнюфä'ктёри) *s.* фабрика, завод || **-ture** (-чёр) *s.* фабрикация, производство, делание; фабричное изделие || ~ *va.* выделывать, выделать; делать || **-tured** *a.* мануфактурный || ~ **goods** фабричный товар || **-turer** *s.* фабрикант, заводчик.
manure (мёню'р) *s.* навоз; назём; удобрение || **artificial** ~ искусственное удобрение || ~ *va.* унав-аживать, -озить; удабривать, удобрить.
manuscript (мä'нюскрипт) *s.* манускрипт, рукопись *f.* || ~ *a.* рукописный.
many (мä'ни) *a.* многие || ~ *s.* множество || ~ **people** много народа || ~ **a man** много людей || ~ **a time** часто || **how ~?** сколько || **too ~** слишком много || **he is one too ~ for me** он для меня слишком силён.
map (мäп) *s.* ландкарта, карта || ~ *va.* чертить план.
maple (мэйпл) *s.* клён.
mar (мāр) *va.* портить, ис-; иска-жать, -зить.
maraud/ (мёрō'д) *vn.* мародёрствовать, грабить || **-er** *s.* мародёр, грабитель *m.* || **-ing** *s.* мародёрство, грабёж.
marble/ (мāрбл) *s.* мрамор; (*boy's game*) шарики *mpl.* || ~ *a.* мраморный || ~ *va.* мраморить, на- || **~-cutter** *s.* мраморщик.
March (мāрч) *s.* март || **he is as mad as a ~ hare** он сумасшедший, он рехнулся.
march/ (мāрч) *s.* (*mil.*) марш, переход, поход; (*mus.*) марш; (*progress*) ход || **~!** *int.* марш! вперёд! ступай! || ~ *vn.* маршировать; двигаться, двинуться || ~ *va.* заставлять, заставить маршировать || **to ~ in** вступать, входить || **to ~ off** уходить || **to ~ on** подвигаться вперёд || **to ~ up** под-ходить, -ойти || ~ **past** *s.* парад.
marches (мā'рчиз) *spl.* границы *fpl.*; окраина.
marchioness (мā'ршёнэс) *s.* маркиза.
marchpane (мā'рчпэйн) *s.* марципан.
marconigram (маркōу'ниграм) *s.* маркониграмма, радиотелеграмма.
mare (мāр) *s.* кобыла, кобылица.
margarine (мā'ргёрин) *s.* маргарин.
margin/ (мā'рджин) *s.* край; (*book*) поле; (*comm.*) барыш; излишек || **-al** *a.* краевой; написанный на полях || ~ **note** выноска (на полях).

margrav/e (мā'ргрэйв) *s.* маркграф || **–iate** (маргрэй'виёт) *s.* маркграфство || **–ine** (мā'ргрёвин) *s.* маркграфиня.
marigold (мā'ригоулд) *s.* (*bot.*) ноготки *mpl.*, желтоголовник.
marine/ (мёрий'н) *a.* морской; флотский || ~ *s.* флот; морской солдат; марина || **the –s** *pl.* морская пехота || **–r** (мā'ринёр) *s.* матрос, моряк.
marionette (мāриёнэ'т) *s.* марионетка.
marital (мā'ритёл) *a.* супружеский.
maritime (мā'ритим) *a.* морской; приморский.
marjoram (мā'рджёрём) *s.* маеран; душица.
mark/ (мāрк) *s.* знак; метка, отметка, заметка; (*trace*) след; (*impression*) отпечаток; (*sign*) признак; (*proof*) доказательство; (*German coin*) марка; (*aim*) цель *f.*; (*school*) отмета || **trade-~** фабричное клеймо || **man of ~** известный человек || **to hit the ~** попасть в цель || **to miss one's ~** промахнуться || **up to the ~** хороший || **below the ~** низший || ~*va.* от-мечать, -метить; (*observe*) за-мечать, -метить || **to ~ time** бить такт || ~ *vn.* обращать внимание || **–ed** *a.* заметный || **–er** *s.* маркёр; (*book*) закладка.
market/ (мā'ркит) *s.* рынок, базар; (*sale*) сбыт, торг, продажа; (*place*) площадь *f.* || ~ *va.* торговать || **–able** *a.* продажный || **~-day** *s.* базарный день || **~-garden** *s.* огород || **~-gardener** *s.* огородник || **~-place** *s.* рынок, базарная площадь || **~-price** *s.* рыночная цена.
marking (мā'ркинг) *s.* мечение, метка || **~-ink** чернила для меток.
marksman (мā'рксмāн) *s.* меткий стрелок.
marl/ (мāрл) *s.* мергель *m.* || **–ine** (-ин) *s.* (*mar.*) марлинь *m.*
marmalade (мā'рмёлэйд) *s.* мармелад.
marmoset (мā'рмозэт) *s.* мартышка.
marmot (мāрмот) *s.* сурок.
maroon (мёрӯ'н) *s.* каштановый цвет; род фейерверка || ~ *va.* покинуть кого на необитаемый остров.
marque (мāрк) *s.*, **letters of ~** (*mar.*) каперское свидетельство.
marquee (маркий') *s.* большая палатка.
marquetry (мā'ркитри) *s.* выкладная работа, мозаика.
marquis, marquess (мā'ркуис) *s.* маркиз.
marriage/ (мā'ридж) *s.* (*of a man*) женитьба; (*of woman*) выход замуж; брак, брачный союз; супружество; (*wedding*) свадьба || **–able** *a.* возмужалый || **~-certificate, ~-lines** *s.* свидетельство о бракосочетании || **~-settlement** *s.* брачный договор.
married (мā'рид) *a.* (*of man*) женатый; (*of woman*) замужняя; (*life, etc.*) брачный || **to get ~** (*of man*) жениться; (*of woman*) выйти замуж.
marrow/ (мā'роу) *s.* мозг; (*fig.*) сущность *f.* || **vegetable-~** род тыквы || **~-bone** *s.* мозговая кость; (*pl. fam.*) колени || **–less** *a.* безмозгий; (*fig.*) бессильный || **–y** *a.* полный мозга.
marry (мā'ри) *int.* конечно! право! || ~ *va.* (*a son, etc.*) женить, по-; (*a daughter*) выдавать, выдать замуж за; (*to marry a woman*) жениться на; (*to marry a man*) выходить, выйти замуж за; (*of the priest*) венчать, об- || ~ *vn.* (*of the man*) жениться; (*of the woman*) выходить, выйти замуж.
marsh (мāрш) *s.* болото, топь *f.*
marshal (мā'ршёл) *s.* маршал; церемониймейстер || ~ *va.* приводить в порядок; (*to conduct*) водить.
marsh/-mallow (мā'рш-мā'лоу) *s.* (*bot.*) проскурняк || **–y** *a.* болотистый, топкий.
mart (мāрт) *s.* рынок.
marten (мā'ртин) *s.* куница.
martial (мā'ршёл) *a.* военный, воинственный, марциальный || **~ law** военное положение.
martin (мā'ртин) *s.* косатка.
martyr/ (мā'ртёр) *s.* мученик, мученица || ~ *va.* мучить, за-; пытать || **–dom** *s.* мученичество; мучение.
marvel/ (мā'рвёл) *s.* чудо, диво, удивительная вещь || ~ *vn.* дивиться; удивляться || **–lous** *a.* чудесный, дивный.
masculine (мā'скюлин) *a.* мужеский, мужественный; (*gramm.*) мужеского рода.
mash/ (мāш) *s.* смесь *f.*; всякая всячина; отрубяная вода || ~ *va.* смеш-ивать, -ать || **–ed** *a.*, **~ potatoes** протёртый картофель || **–er** *s.* (*fam.*) фат, франт.
mask (мāск) *s.* маска; (*fig.*) личина; предлог; (*masked ball*) маскарад; (*mil.*) прикрытие || ~ *va.* на-девать, -деть на кого маску; (*fig.*) маскировать; (*conceal*) скрывать, скрыть.
mason/ (мэйсн) *s.* мурник, каменщик; (*freemason*) масон || **–ic** (мёсо'ник) *a.* масонский || **–ry** (мэй'сёнри) *s.* каменная работа; (*freemasonry*) масонство.
masquerade (мā'скёрэйд) *s.* маскарад || ~ *vn.* (*fig.*) притвор-яться, -иться.
mass (мāс, мāс) *s.* масса, груда; (*pile*) куча; (*eccl.*) обедня; (*fig.*) большинство, бо́льшая часть || ~ *va.* копить, собирать.
massacre (мā'сёкёр) *s.* резня; избиение || ~ *va.* рубить, из-; резать, за-; избивать.

massage (мăсā'ж) *s.* массáж || ~ *va.* массировáть.
mass/ive (мă'сив) *a.* масси́вный; сплошнóй; плóтный; (*gold, etc.*) чи́стый || **–iveness** *s.* масси́вность *f.*; громáдность *f.* || **–y** *a.* громáдный, громóздкий.
mast (мāст) *s.* (*mar.*) мáчта; (*acorns, etc.*) плод вся́кого леснóго дéрева.
master/ (мā'стёр) *s.* хозя́ин, владéлец; мáстер; знатóк; бáрин, господи́н, молодóй бáрин; (*school*) учи́тель *m.*, преподавáтель *m.*; (*mar.*) шки́пер || ~ **of Arts** маги́стр изя́щных наýк || ~ **of the hounds** егермéйстер || **the old –s** стáршие мастерá, вели́кие худóжники || **to be ~ of** владéть, обладáть || ~ *va.* обладáть (чем); (*to worst*) одол-евáть, -éть || **–ful** *a.* мастерскóй; повели́тельный || **–key** *s.* глáвный ключ || **–ly** *a.* мастерскóй; искýсный, отли́чный || **–piece** *s.* шедéвр || **–stroke** *s.* мастерскóй ход; лóвкий манéвр || **–y** *s.* госпóдство; (*the upper hand*) превосхóдство.
mastic (мă'стик) *s.* масти́ка.
masticat/e (мă'стикэйт) *va.* жевáть || **–ion** (мăстикэ̄й'шн) *s.* жевáние.
mastiff (мă'стиф) *s.* бульдóг.
masturbation (мăстёрбэ̄й'шн) *s.* онани́зм; рукоблýдие.
mat (мăт) *s.* рогóжа, рогóжка, цынóвка || ~ *a.* мáтовый, тýсклый || ~ *va.* переплетáть, -плести́.
matador (мă'тёдор) *s.* матадóр.
match/ (мăч) *s.* спи́чка; (*marriage*) женúтьба, пáртия; (*equal*) рáвное; подходя́щее; (*football*) состязáние, матч || **a love ~** брак по любви́ || **to make a good ~** вы́годно жени́ться || **to be a ~ for** быть равноси́льным комý || ~ *va.* под-ходи́ть, -ойти́ (к); соразм-еря́ть, -éрить (с); состязáться (с) || ~ *vn.* быть рáвным; гармони́ровать || **–box** *s.* спи́чечница || **–less** *a.* несравнéнный || **–lock** *s.* фити́льное ружьё || **–maker** *s.* сват || **–wood** *s.* занóзы, щéпки.
mate (мэ̄йт) *s.* товáрищ; друг, подрýга; (*husband*) супрýг; (*wife*) супрýга; (*animals*) самéц, сáмка; (*mar.*) штýрман; (*chess*) мат || ~ *va.* сочетáть брáком; (*animals*) спáр-ивать, -ить; (*in chess*) дéлать, с- мат || ~ *vn.* совокуп-ля́ться, -и́ться.
material/ (мётий'риёл) *s.* матéрия, веществó; материáл; (*in pl. requisites*) принадлéжности *fpl.* || ~ *a.* (*of matter*) материáльный, вещéственный; (*important*) вáжный; (*necessary*) сущéственный || **–ism** *s.* материали́зм || **–ist** *s.* материали́ст || **–istic** (-и'стик) *a.* материалисти́ческий || **–ize** *vn.* материализи́ровать || **–s** *spl.* материáл || **raw ~** сырьё.
mater/nal (мётё'рнёл) *a.* матери́нский || **–nity** (-нити) *s.* матери́нство, мáтерство || **~-hospital** повивáльное заведéние.
mathematic/al (мăþимă'тикёл) *a.* математи́ческий || **–ian** (мăþимёти'шн) *s.* матемáтик || **–s** *spl.* матемáтика.
matin/al (мă'тин-ёл) *a.* ýтренний || **–ée** (мă'тинэй) *s.* послеобéденное представлéние, матинé || **–s** *spl.* ýтреня, заýтреня.
matricide (мă'трисайд) *s.* (*person*) матереуби́йца; (*crime*) матереуби́йство.
matricul/ate (мётри'кюлэйт) *va.* вноси́ть, внести́ в спи́сок студéнтов (в матри́кул) || ~ *vn.* записáться студéнтом; матрикуловáть || **–ation** (мётрикюлэ̄й'шн) *s.* внесéние в спи́сок студéнтов, имматрикуля́ция.
matrimon/ial (мăтримōу'ниёл) *a.* супрýжеский, брáчный || **–y** (мă'тримёни) *s.* супрýжество, брак.
matrix (мэ̄й'трикс) *s.* (*typ.*) матри́ца; (*min.*) жи́льная порóда.
matron/ (мэ̄й'трён) *s.* пожилáя жéнщина, почтéнная жéнщина; (*school, etc.*) хозя́йка || **–ly** *a.* почтéнный, матери́нский.
matter/ (мă'тёр) *s.* матéрия, веществó; (*subject*) предмéт, дéло; (*cause*) причи́на; (*med.*) гной || ~ *vn.* знáчить, имéть значéние || **a ~ of** óколо || **a ~ of form** чи́стая формáльность || **no ~** ничегó, нужды́ нет || **that is a ~ of course** э́то самó собóю разумéется || **what's the ~?** в чём дéло? что происхóдит? || **a ~ of fact** факт, действи́тельность *f.* || **~-of-fact** (-офă'кт) *a.* прозаи́ческий, деловóй.
matting (мă'тинг) *s.* цынóвка, рогóжи *fpl.*
mattock (мă'тёк) *s.* моты́ка.
mattress (мă'трис) *s.* матрáц, тюфя́к.
matur/e (мётю̄'р) *a.* зрéлый; (*ripe*) спéлый; (*fig.*) основáтельный || ~ *va.* давáть созрéть || ~ *vn.* зреть; созр-евáть, -éть; (*comm.*) истекáть, истéчь || **–ity** *s.* зрéлость *f.*, спéлость *f.*; (*comm.*) срок, наступлéние срóка.
maudlin (мō'длин) *a.* слащáво-сентиментáльный; (*drunk*) подвы́пивший, пья́ный.
maul (мōл) *va.* бить, колоти́ть.
maunder (мō'ндёр) *vn.* попрошáйничать; ворчáть.
Maundy-Thursday (мō'нди þё'рзди) *s.* Вели́кий Четвéрг.
mausoleum (мōсолий'ём) *s.* мавзолéй; гробни́ца.
mauve (мōв) *a.* лилóвый цвет.
maw (мō) *s.* брю́хо, пýзо; зоб.
mawkish (мō'киш) *a.* при́торный, омерзи́тельный; (*sentimental*) слащáвый.

maxillary (мáкси'лӭри) *a.* чéлюстный.
maxim/ (мá'ксим) *s.* (*gun.*) пулемёт; (*wise saying*) прáвило; положéние || **–um** *s.* (*pl.* **–a**) мáксимум || ~ **price** вы́сшая ценá || ~ **thermometer** максимáльный [термóмéтр.
May (мӭй) *s.* май.
may/ (мӭй) *vn.irr.* (*possibility*) мочь; (*permission*) имéть позволéние, имéть прáво, сметь || ~ **be** мóжет-быть || **come what come** ~ будь, что бу́дет.
May-day (мӭй'дӭй) *s.* пéрвое мáя.
mayor/ (мӭй'ё̈р) *s.* мер гóрода, городскóй головá || **–alty** (мӭ'рӭлти) *s.* дóлжность (*f.*) мéра || **–ess** (мӭ'рис) *s.* женá мéра.
maz/e (мӭйз) *s.* лабири́нт; (*fig.*) пу́таница, смущéние || ~ *va.* смущáть, смути́ть || **–y** *a.* запу́танный.
me (мий) *prn.* меня́; мне.
mead/ (мийд) *s.* мёд, питéйный мёд || **–ow** (мэ'доу) *s.* луг.
meagre (мий'гё̈р) *a.* худóй; (*insufficient*) ску́дный; (*poor*) бéдный.
meal/ (мийл) *s.* (*corn, etc.*) мукá; (*dinner, etc.*) стол, обéд, едá || **make a** ~ **of** с'едáть, с'есть || ~**-time** *s.* врéмя еды́ || **–y** *a.* мучнóй, мучни́стый || **–y-mouthed** *a.* сладкоречи́вый.
mean (мийн) *a.* (*low*) ни́зкий; (*insignificant*) маловáжный; (*pitiful*) ску́дный; (*miserly*) скупóй, скáредный; (*unfair*) несправедли́вый; (*despicable*) презрéнный; (*average*) срéдний || ~ *s.* среди́на; (*math.*) срéднее числó || ~ *va&n.irr.* хотéть, ду́мать; (*intend*) намеревáться; (*signify*) знáчить. [ги́бáться.
meander (миá'ндӭр) *vn.* извивáться; из-
mean/ing (мий'нинг) *s.* (*thought*) мнéние; (*significance*) смысл, значéние; (*intention*) намéрение || **what is the** ~ **of that?** что э́то знáчит? || **–ingless** *a.* бессмы́сленный, незначи́тельный || **–ness** *s.* ни́зость *f.*; пóдлость *f.*; ску́пость *f.* || **–s** *spl.* срéдства *npl.*; (*fortune*) состоя́ние || **a man of** ~ богáтый человéк || **by** ~ **of** посрéдством (+*G.*), пóмощью (+*G.*) || **by all** ~ конéчно || **by no** ~ совсéм нет, вóвсе не || **–time** *s.* промежу́ток врéмени || **in the** ~ *ad.* мéжду тем || **–while** = **meantime.**
measl/es (мий'зл-з) *spl.* корь *f.*; (*in pigs*) угри́ *mpl.* || **he has** ~ он в кори́ || **–y** *a.* (*fam.*) ску́дный, негóдный.
measur/able (мэ'жё̈р-ё̈бл) *a.* измери́мый; (*moderate*) умéренный || **–e** (–) *s.* мéра, размéр, мéрка; (*standard*) мери́ло; (*degree*) стéпень; (*mus.*) такт; (*parl.*) билль *f.*, постановлéние парлáмента || **in some** ~ нéкоторым óбразом || **a yard** ~ ярд (= 0,91 мéтра) || **to take –s** принимáть мéры || **made to** ~ сдéланный по мéрке || ~ *va.* мéрить, с-; из-меря́ть, -мéрить; (*land*) межевáть || **to** ~ **one's length** обру́шиться; повали́ться || **to** ~ **o.s. against** конкури́ровать || ~ *vn.* имéть в длину́, ширину́, вышину́, *etc.* || **–ed** *a.* мéрный, рóвный; (*deliberate*) осторóжный, обду́манный; (*mus.*) рифми́ческий || **–eless** *a.* безмéрный || **–ement** *s.* мéряние, мéра || **–ing** *s.* измерéние; мéра.
meat/ (мийт) *s.* мя́со; (*food*) пи́ща || **roast** ~ *s.* жаркóе || **salt** ~ *s.* солони́на || **–y** *a.* мяси́стый; (*fig.*) богáтый содержáнием.
mechan/ic, –ical (микá'ник, -ё̈л) *a.* механи́ческий || **–ic** *s.* ремéсленник || **–ician** (мэкё̈ни'шн), **–ist** (мэ'кё̈нист) *s.* механик; машини́ст || **–ics** *spl.* механика || **–ism** (мэ'кё̈низм) *s.* механи́зм.
medal/ (мэ'дё̈л) *s.* медáль *f.* || **–lion** (мидá'лиё̈н) *s.* медальóн || **–list** *s.* нумизмáтик; тот, кто удостóился медáли.
meddle/ (мэ'дл) *vn.* вмéшиваться, вмешáться, впу́тываться (*with* = в) || **–r** *s.* вмéшивающийся в чужи́е делá || **–some** *a.* вмéшивающийся; дéрзкий.
meddling (мэ'длинг) *s.* вмешáтельство || ~ *a.* вмéшивающийся. [кóвый.
mediæval (мийди-ий'вё̈л) *a.* средневе-
medi/al (мий'ди-ё̈л) *a.* срéдний || **–an** *a.* среди́нный || **–ate** (мий'диӭйт) *vn.* быть посрéдником, посрéдничать; (*intercede*) ходáтайствовать (у когó о чём) || **–ation** *s.* посрéдничество; ходáтайство, ходáтайствование || **–ative** *a.* посрéднический, ходáтайственный || **–ator** *s.* посрéдник; ходáтай; (*placemaker*) примири́тель *m.* || **–atrix** *s.* посрéдница.
medic/al (мэ'дикё̈л) *a.* медици́нский, врачéбный || ~ **man** лéкарь *m.*; врач || ~ **student** студéнт-мéдик || **–ament** (мидикё̈мэнт) *s.* медикамéнт, лекáрство || **–inal** (миди'синё̈л) *a.* лекáрственный, цели́тельный || **–ine** (мэ'дсн, мэ'дисин) *s.* (*science*) медици́на; (*drugs*) лекáрство.
mediocr/e (мий'диоукё̈р) *a.* посрéдственный || **–ity** (мийдио'крити) *s.* посрéдственность *f.*
medit/ate (мэ'дит-эйт) *vn.* (*consider*) размышля́ть (о чём), созерцáть; (*intend*) намеревáться, имéть в виду́ || ~ *va.* заду́мывать || **–ation** *s.* размышлéние, созерцáние, обду́мывание || **–ative** *a.* размышля́ющий; заду́мчивый.
mediterranean (мэдитё̈рӭй'ниё̈н) *a.* средизéмный.

medium (мий'диём) *s.* середи́на; сре́днее; (*intermediary*) посре́дник; (*fig.*) среда́; (*means*) сре́дство; (*spiritualism*) ме́диум.
medlar (мэ'длёр) *s.* мушмула́, ча́шковое де́рево.
medley (мэ'дли) *s.* смесь *f.*, смеше́ние, вся́кая вся́чина; (*mus.*) попурри́.
meed (мийд) *s.* награ́да; вознагражде́ние.
meek/ (мийк) *a.* кро́ткий; (*of animals*) сми́рный || **–ness** *s.* кро́тость *f.*
meerschaum (мий'ршём) *s.* морска́я пе́нка; (*pipe*) пе́нковая тру́бка.
meet/ (мийт) *a.* прили́чный || ~ *s.* сбо́рное ме́сто охо́тников || ~ *va.* встр-еча́ть(ся), -е́тить(ся); ви́деть; (*duel*) дра́ться; (*find*) на-ходи́ть,-йти́; (*experience*) испы́т-ывать, -а́ть || ~ *vn.* сви́деться; (*to gather*) соб-ира́ться, -ра́ться; (*agree*) сходи́ться || **to ~ with** встре́титься; (*experience*) испы́тывать, -а́ть || **to ~ with a loss** понести́ поте́рю || **to ~ a bill** уплати́ть по счёту || **–ing** *s.* встре́ча; (*interview*) свида́ние; (*duel*) дуэ́ль *f.*; (*gathering*) собра́ние, ми́тинг; (*confluence*) слия́ние || **~-house** *s.* часо́вня нонконформи́стов.
megalomania (мэгёломэ̄й'ниё) *s.* ма́ния вели́чия.
megaphone (мэ'гёфоун) *s.* мегафо́н.
megrim (мий'грим) *s.* мигре́нь *f.*, головокруже́ние.
melanch/olia (мэлёнкōу'лиё) *s.* меланхо́лия || **–olic** (мэлёнко'лик) *a.* меланхоли́ческий, гру́стный || **–oly** (мэ'лёнколи) *s.* меланхо́лия; грусть *f.*; печа́ль *f.* || ~ *a.* меланхоли́ческий; печа́льный.
meliorat/e (мий'лйёрэйт) *va.&n.* (*Am. for ameliorate*) улучш-а́ть, -и́ть; улучша́ться, -и́ться || **–ion** (мийлйёрэ̄й'шн) *s.* улучше́ние.
melli/fluence (мэли'флуёнс) *s.* (*of speech*) сла́дость *f.* (зву́ка) || **–fluent, –fluous** *a.* (*fig.*) сла́дкий (как мёд).
mellow/ (мэ'лоу) *a.* (*ripe*) зре́лый, спе́лый; (*soft*) мя́гкий; (*drunk*) подвы́пивший || ~ *vn.* зреть || ~ *va.* при-води́ть, -ести́ в зре́лость; (*soften*) мя́кнуть || **–ness** *s.* мя́гкость *f.*, спе́лость *f.*, зре́лость *f.*
melo/deon (милōу'-дион) *s.* гармо́ника, (*fam.*) гармо́шка || **–dious** (-диёс) *a.* мелоди́чный, мелоди́ческий, благозву́чный || **–diousness** *s.* мелоди́чность *f.* || **–drama** (мэ'лёдрā'мё) *s.* мелодра́ма || **–dy** (мэ'лёди) *s.* мело́дия; напе́в.
melon (мэ'лён) *s.* ды́ня || **water ~** арбу́з.
melt/ (мэлт) *va.&n.* (*butter, wax, etc.*) рас-т-а́пливать(-ся), -опи́ть(-ся); (*in liquid*) распус-ка́ть(-ся), -ти́ть(-ся); (*metals*) пла́вить(-ся); (*fig.*) смягч-а́ть(-ся), -и́ть(-ся) || ~ *vn.* та́ять || **to ~ away** у-гаса́ть, -га́снуть || **–ing** *s.* (*metals*) плавле́ние; (*snow*) та́яние; (*fig.*) умиле́ние || **–ing** *a.* (*snow*) та́ющий; (*fig.*) тро́гательный || **~ point** то́чка плавле́ния.
member/ (мэ'мбёр) *s.* член, сочле́н; (*of Parliament*) депута́т || **–ship** *s.* чле́нство.
membrane/ (мэ'мбрэйн) *s.* плева́, перепо́нка, мембра́на || **–ous** (мэмбрэ̄й'ниёс) *a.* перепо́нчатый, плеви́стый.
memento (мимэ'нтоу) *s.* воспомина́ние; сувени́р.
memo (мэ'моу) *s.* мемора́ндум.
memoir (мэ'муор) *s.* запи́ска, мемуа́р; (*in pl.*) мемуа́ры *mpl.*, запи́ски *fpl.*
memor/able (мэ'мёр-ёбл) *a.* достопа́мятный || **–andum** (-ä'ндём) *s.* заме́тка; мемора́ндум || **–ial** (мимо̄'риёл) *a.* напомина́ющий || ~ *s.* па́мятник; мемориа́л || **–ize** *va.* выу́чивать, вы́учить наизу́сть || **–y** *s.* па́мять *f.*; воспомина́ние || **to call to ~** вспомина́ть.
men (мэн), (*pl. of* **man**) *s.* лю́ди *mpl.*
menac/e (мэ'нис) *s.* угро́за || ~ *va.* грози́ть, по- || **–ing** *a.* гро́зный.
menagerie (минä'джёри) *s.* звери́нец.
mend/ (мэнд) *va.* чини́ть; почи́н-ивать, -и́ть; (*stockings*) што́пать || ~ *va.&n.* исправля́ть, -пра́вить; ис-правля́ться, -пра́виться; (*health*) по-правля́ть(-ся), -пра́вить(-ся); (*improve*) у-лучша́ть(-ся), -лу́чшить(-ся) || **–ing** *s.* почи́нка.
mendac/ious (мэндэ̄й'шёс) *a.* лжи́вый || **–ity** (мэндä'сити) *s.* лжи́вость *f.*, ложь *f.*
mendic/ancy (мэ'ндикёнси) *s.* ни́щенство, нищета́ || **–ant** *s.* ни́щий, ни́щая || ~ *a.* ни́щенский, ни́щенствующий || **~ friar** ни́щенствующий мона́х.
menial (мий'ниёл) *a.* дворо́вый; лаке́йский; ни́зкий || ~ *s.* слуга́, служа́нка.
meningitis (мэнинджай'тис) *s.* воспале́ние мозговы́х оболо́чек; менинги́т.
menses (мэ'нсийз) *spl.* ре́гулы *fpl.*; менструа́ция; ме́сячные.
menstru/al (мэ'нстру-ёл) *a.* ме́сячный, ежеме́сячный; (*med.*) менструа́льный || **–ation** *s.* ре́гулы *fpl.*; менструа́ция; ме́сячные.
mensur/able (мэ'ншёрёбл) *a.* измери́мый || **–ation** *s.* измере́ние, выме́ривание.
mental/ (мэ'нтёл) *a.* мы́сленный, у́мственный || **~ reservation** та́йное наме́рение || **–ity** (мэнтä'лити) *s.* ка́чество ума́.
mention (мэншн) *s.* упомина́ние, поми́н || ~ *va.* помина́ть, помяну́ть о; упомина́ть, упомяну́ть о || **not to ~** не говоря́ || **don't ~ it!** не́ за что! не сто́ит (благода́рности).

menu (мэ'ню) *s.* меню́.
mephitic (мифи'тик) *a.* зловóнный; уду́шливый.
mercantile (мё'ркёнтайл) *a.* торгóвый; купéческий || ~ **marine** торгóвый флот.
Mercator (мёркэ́й'тёр), **~'s chart** Меркáторская кáрта.
mercenary (мё'рсинёри) *a.* корыстолюби́вый; наёмный || ~ *s.* наёмник.
mercer/ (мё'рсёр) *s.* торгу́ющий шёлковыми матéриями; торгóвец шёлком || **-ized** *a.* шелкови́стый.
merchandise (мё'рчёндайз) *s.* товáр.
merchant/ (мё'рчёнт) *s.* купéц; торгóвец || **-able** *a.* продáжный; сбы́тный || **-man** *s.* купéческое су́дно.
merci/ful (мё'рсифул) *a.* милосéрдный; сострадáтельный || **-fulness** *s.* милосéрдие; сострадáние || **-less** *a.* немилосéрдный; безжáлостный || **-lessness** *s.* безжáлостность *f.*; немилосéрдие.
mercur/ial (мёркю'риёл) *a.* рту́тный; (*fig.*) живóй || **-y** (мё'ркюри) *s.* ртуть *f.*; живóе серебрó; мерку́рий.
mercy/ (мё'рси) *s.* милосéрдие; ми́лость *f.*; (*pity*) сострадáние; (*quarter*) пощáда || **to be at the ~ of** быть во влáсти || **to cry ~** моли́ть о пощáде || **to have ~ on** ми́ловать, по- || **~ on us!** Бóже мой! || **for ~'s sake!** рáди Бóга!
mere/ (мийр) *a.* простóй; (*undiluted*) чи́стый; настоя́щий || ~ *s.* óзеро || **-ly** *ad.* (*simply*) прóсто; (*only*) тóлько, еди́нственно || **not ~, but** не тóлько, но и.
meretricious (мэритри'шёс) *a.* блу́дный; (*fig.*) фальши́вый.
merge (мёрдж) *va.* погло-щáть, -ти́ть; (*fig.*) соедин-я́ть, -и́ть || ~ *va.&n.* погрузи́ть(-ся).
meridi/an (мири'дийён) *s.* меридиáн; (*noon*) пóлден; (*acme*) вы́сшая тóчка || **-onal** *a.* меридионáльный; (*south*) ю́жный.
merino (мёрий'ноу) *s.* меринóс || ~ *a.* меринóсовый.
merit/ (мэ'рит) *s.* заслу́га; (*worthiness*) достóинство || ~ *va.* за-слу́живать, -служи́ть; быть достóйным чегó || **-orious** (-ō'риёс) *a.* похвáльный, достохвáльный.
merle (мёрл) *s.* чёрный дрозд.
mermaid (мё'рмэйд) *s.* сирéна; водянáя ни́мфа.
merri/ly (мэ'ри-ли) *ad.* вéсело || **-ment** *s.* весёлость *f.* || **-ness** *s.* весéлие; весёлость *f.*
merry/ (мэ'ри) *a.* весёлый; (*funny*) забáвный; (*laughable*) смешнóй || **to make ~** весели́ться || **as ~ as a lark** превесёлый || **-go-round** (-гōу-раунд) *s.* карусéль *f.* || **-making** (-мэйкинг) *s.* увеселéние || **-thought** (-þōт) *s.* хлупь *f.*
mesh/ (мэш) *s.* пéтля; ячея́ || **-es** *pl.* (*fig.*) сéти || ~ *va.* поймáть в сеть.
mesmer/ism (мэ'змёр-изм) *s.* месмери́зм || **-ize** *va.* магнетизи́ровать.
mess (мэс) *s.* мéсиво; (*untidiness*) беспоря́док; (*dirt*) грязь *f.*; (*of food*) блю́до; (*army & navy*) óбщий стол || **to be in a ~** быть в бедé || **to make a ~ of** пóртить, ис-; изгáдить || ~ *va.* пу́тать; изгáдить || ~ *vn.* обéдать артéлью.
message (мэ'сидж) *s.* поручéние; извéстие; уведомлéние.
messenger (мэ'синджёр) *s.* гонéц; пóсланный; вéстник.
Messiah (мэсай'ё) *s.* месси́я.
messmate (мэ'смэйт) *s.* застóльник.
mess-room (мэ'срӯм) *s.* офицéрский клуб.
Messrs. (мэ'сёрз) *spl.* господá; (*in letters*) ми́лостивые госудáри.
messuage (мэ'суидж) *s.* (*jur.*) дом со всéми принадлéжностями; имéние.
met (мэт) *cf.* **meet.**
metal/ (мэ'тёл) *s.* метáлл; (*for roads*) щéбень *m.*; (*in pl.*) рéльсы || ~ *va.* щебени́ть, за- || **-lic** (митä'лик) *a.* металли́ческий; метáлловый || **-liferous** (мэтёли'фёрёс) *a.* металлонóсный; ру́дный || **-loid** *s.* металлóид || **-lurgical** (мэтёлё'рджикёл) *a.* металлурги́ческий || **-lurgy** (мэ'тёлёрджи) *s.* металлу́ргия.
metamorphos/e (мэтёмō'р-фоуз) *va.* превра-щáть, -ти́ть; перемен-я́ть, -и́ть || **-is** (-фёсис) *s.* превращéние; изменéние; метаморфóз(а).
metaphor/ (мэ'тёфёр) *s.* метáфор(а); перенóс слов || **-ic(al)** (мэтёфо'рикёл) *a.* метафори́ческий; метафóрный; перенóсный.
metaphysic/al (мэтёфи'зикёл) *a.* метафизи́ческий || **-s** *s.* метафи́зика.
metathesis (митä'þисис) *s.* перестанóвка (зву́ка в слóве).
mete (мийт) *va.*, **to ~ out** прису-ждáть, -суди́ть; опре-деля́ть, -дели́ть.
metempsychosis (митэмсикōу'сис) *s.* переселéние душ, метемпсихóз.
meteor/ (мий'тиёр) *s.* метеóр || **-ic** (мийтио'рик) *a.* метеóрный; (*fig.*) мимолётный || **-ologic(al)** (мийтиёрёло'джикёл) *a.* метеорологи́ческий || **-ologist** (мийтиёро'лоджист) *s.* метеорóлог || **-ology** (мийтиёро'лоджи) *s.* метеороло́гия; нау́ка о возду́шных явлéниях.
meter (мий'тёр) *s.* измери́тель *m.*
methinks (миþи'нгкс) *v.imp.* мне кáжется; ду́маю.

method/ (мэ'ѳёд) *s.* мéтод; метóда; спóсоб || **-ical** (миѳо'дикёл) *a.* методи́ческий; прáвильный || **-ist** *s.* методи́ст.
methyl/ (мэ'ѳил) *s.* мети́л || **-ated** (мэѳилэй'тид) *a.* денатурпрóванный.
meticulous (мити'кюлёс) *a.* черезчу́р тóчный; тщáтельный; аккурáтный.
metr/e (мий'тёр) *s.* метр || **-ic** (мэ'трик) *a.* мéтровый || **-ical** (мэ'трикёл) *a.* метри́ческий.
metro/nome (мэ'трёноум) *s.* метронóм || **-polis** (митро'полис) *s.* метропóлия; столи́ца || **-politan** (мэтрёпо'литён) *a.* столи́чный; (*eccl.*) епархиáльный || ~ *s.* митрополи́т, архиепи́скоп.
mettle/ (мэ'тл) *s.* рья́ность *f.*; горя́чность *f.* || **-d, -some** *a.* пы́лкий, рья́ный, рети́вый.
mew/ (мю) *s.* (*seabird*) чáйка; (*hawk's cage*) клéтка || ~ *va.* заключ-áть, -и́ть; заточ-áть, -и́ть || ~ *vn.* мяу́кать || **-s** *spl.* коню́шня.
mezzotint (мэ'дзоутинт) *s.* эстáмп, чёрный манéрой.
miasma/ (майä'змё) *s.* (*pl.* **miasmata**) миáзма, миáсма; зарази́тельное испарéние || **-tic** (майёзмä'тик) *a.* миазмати́ческий.
miaul (миō'л) *vn.* мяу́кать.
mica (май'кё) *s.* слюдá.
mice (майс) *cf.* **mouse.**
Michaelmas (ми'клмёс) *s.* день (*m.*) Михаи́ла Архáнгела; михáйлов день.
mickle (микл) *a.* (*Sc.*) мнóгий.
micro/be (май'кро-уб) *s.* микрóб || **-cosm** (-козм) *s.* микрокóсм || **-meter** (майкро'митёр) *s.* микромéтр || **-phone** (май'крёфоун) *s.* микрофóн || **-scope** (май'крёскоуп) *s.* микроскóп; увеличи́тельное стеклó || **-scopic(al)** (майкрёско'пикёл) *a.* микроскопи́ческий.
mid/ (мид) *a.* срéдний, среди́нный || **in ~ career** на всём бегу́ || **in ~ air** в вышинé || ~ *prp.* (*poet.*) среди́, мéжду || **-day** *s.* пóлдень || ~ *a.* полу́денный || **-den** (ми'дн) *s.* ку́ча золы́; навóзная ку́ча.
middle/ (ми'дл) *a.* среди́нный; срéдний; (*central*) центрáльный || **the Middle Ages** срéдние векá || **~-aged** *a.* срéдних лет, средовéчный || **~-class** *s.* срéднее состоя́ние || **-man** *s.* посрéдник
middling (ми'длинг) *a.* поря́дочный; посрéдственный; (*health*) так себé, кóе-как.
middy (ми'ди) *s.* = **midshipman.**
midge/ (мидж) *s.* комáр; мóшка || **-t** *s.* кáрла, кáрлик; карапу́з; мáлая фотогрáфия.
midland (ми'длёнд) *a.* вну́тренний; средизéмный || **the Midlands** Срéдняя Áнглия.
mid/night (ми'днайт) *s.* пóлночь *f.* || ~ *a.* полнóчный || **-riff** (-риф) *s.* грудобрю́шная преграда || **-shipman** (-шипмён) *s.* гардемари́н, морскóй кадéт || **-st** (мидст) *s.* среди́на || **in the ~ of** среди́ || ~ *prp.* (*poet.*) среди́ || **-summer** *s.* середи́на лéта; жары́ *mpl.* || **-way** *ad.* на полудорóге; посреди́ || **-wife** *s.* повивáльная бáбка; акушёрка || **-winter** *s.* середи́на зимы́.
mien (мийн) *s.* вид; нару́жность *f.*
might/ (майт) *s.* си́ла; мочь *f.* || **with ~ and main** и́зо всей мóчи, всéми си́лами || **-iness** *s.* си́ла, могу́щество; вели́чие || **-y** *a.* си́льный; могу́щественный; вели́кий || ~ *ad.* (*pop*) óчень, весьмá.
mignonette (минйёнэ'т) *s.* резедá.
migraine (мигрэй'н) *s.* мигрéнь *f.*; головокружéние.
migr/ant (май'гр-ёнт) *a.* стрáнствующий; кочу́ющий || ~ *s.* перелётная пти́ца || **-ate** (майгрэй'т) *vn.* пересел-я́ться, -и́ться; (*birds*) перелетáть; (*nomads*) кочевáть || **-ation** *s.* переселéние; (*birds*) перелёт || **-atory** *a.* переселя́ющий; (*people*) стрáнствующий, кочевóй; (*birds*) перелётный.
milch (милч) *a.* дóйный.
mild (майлд) *a.* крóткий; мя́гкий; (*temperate*) умéренный; (*taste*) лёгкий.
mildew (ми'лдю) *s.* ржáвчина.
mildness (май'лднис) *s.* мя́гкость *f.*; крóтость *f.*
mile/ (майл) *s.* ми́ля || **-stone** *s.* верстовóй столб; ми́льный столб.
milfoil (ми'лфойл) *s.* тысячели́стник.
milit/ant (ми'лит-ёнт) *a.* вои́нствующий || **-arism** (-ёризм) *s.* милитари́зм || **-ary** (-ёри) *a.* воéнный || ~ *spl.* воéнные, солдáты; вои́нские чины́ || **-ate** (-эйт) *vn.* воевáть, итти́ прóтив || **-ia** (мили'шё) *s.* мили́ция; зéмское вóйско.
milk/ (милк) *s.* молокó || ~ *va.* дои́ть; подбавля́ть молокó || **~-and-water** *a.* изнéженный; вя́лый || **-can** *s.* молóчник || **-maid** *s.* молóчница || **-man** *s.* молóчник || **-pot** *s.* молóчный горшóк || **-sop** *s.* (*fig.*) молокосóс; бáба, тря́пка || **-teeth** *spl.* молóчные зу́бы *mpl.* || **-white** *a.* молочнобéлый, бéлый как молокó || **-y** *a.* молóчный; (*like milk*) похóжий на молокó; (*fig.*) мя́гкий || **the Milky Way** млéчный путь.
mill/ (мил) *s.* мéльница, мукомóльня; (*factory*) фáбрика || ~ *va.* молóть; (*coins*) гурти́ть || **~-board** *s.* пáпка, картóн || ~-

course *s.* ме́льничный лото́к || ~**-dam** *s.* ме́льничная плоти́на.
millen/ary (ми'линёри) *a.* ты́сячный || **-nium** (милэ'ниём) *s.* тысячеле́тие.
millepede (ми'липийд) *s.* тысячено́г.
miller (ми'лёр) *s.* ме́льник.
millet (ми'лит) *s.* про́со, пшено́.
mill-/hand (мил-хäнд) *s.* фабри́чный, фабри́чница || ~**-hopper** *s.* ме́льничная ва́сыпь.
milli/ard (ми'лийäрд) *s.* миллиа́рд || **-gramme** (ми'лигрäм) *s.* миллигра́мм.
milliner/ (ми'линёр) *s.* моди́стка || **-y** *s.* мо́дный това́р.
million/ (ми'лйён) *s.* миллио́н || **-aire** (-ä'р) *s.* миллионе́р || **-th** *a.* миллио́нный.
mill/-race (ми'л-рэйс) *s.* ме́льничный лото́к || ~**-stone** *s.* жёрн, жёрнов || **he can see into a** ~ он слы́шит, как трава́ растёт.
milt (милт) *s.* (*of fish*) моло́ки *fpl.*
millwheel (ми'лхуийл) *s.* ме́льничное колесо́.
mimic/ (ми'мик) *a.* фальши́вый, притво́рный || ~ *s.* ми́мик, подража́тель *m.* || ~ *va.* подража́ть (кому́ в чём); передра́з-нивать, -ни́ть (кого́) || **-ry** *s.* ми́мика; подража́ние.
mimosa (мимо́у'зё) *s.* мимо́за; не-тро́нь-меня; недоты́ка.
minaret (ми'нёрэт) *s.* минаре́т.
minatory (ми'нётори) *a.* угрожа́ющий, грозя́щий.
mince/ (минс) *va.* кроши́ть || **not to** ~ **matters** говори́ть напрями́к, говори́ть без обиняко́в || **to** ~ **one's words** жема́нно говори́ть || **-meat** *s.* ру́бленное мя́со; кро́шево || **to make** ~ **of** руби́ть, из-; за-ка́лывать, -коло́ть || **-pie** *s.* паште́т с мя́сом; пирожо́к с мя́сом || **mincing** *a.* жема́нный.
mind/ (майнд) *s.* ум, ра́зум, рассу́док; (*thought*) мысль *f.*; (*intention*) наме́рение; (*desire*) жела́ние || **to call to** ~ напо́мнить || **out of** ~ забы́тый || **to be of one** ~ быть согла́сным || **to my** ~ по-мо́ему || **presence of** ~ прису́тствие ду́ха || **to be in two -s** колеба́ться || **to have a good** ~ **to, to have half a** ~ **to** быть располо́женным || **to make up one's** ~ **to** реши́ться на что || ~ *va.* зам-еча́ть, -е́тить; по́мнить || ~**!** по́мни! || **never** ~ ничего́, ну́жды нет || **I don't** ~ я согла́сен || **if you don't** ~ е́сли Вы согла́сны || ~ **your own business!** в чужи́е дела́ не меша́йся! || ~ **your eye!** (*eccl.*) береги́тесь! || ~ *vn.* смотре́ть (за); бере́чь; забо́титься о || **-ed** *a.* располо́женный || **high** ~ благоро́дный || **low** ~ ни́зкий, вульга́рный || **-ful** *a.* внима́тельный; забо́тливый || **-less** *a.* невнима́тельный, забы́вчивый.
mine/ (майн) *prn.* мой, моя́, моё, мои́; (*when referring to subject of sentence*) свой, своя́, своё, свои́ || ~ *s.* рудни́к, копь *f.*; (*mil.*) ми́на; (*fig.*) оби́льный исто́чник || ~ *va&n.* разраба́тывать копь; мини́ровать || ~ *va.* подк-а́пывать, -опа́ть; копа́ть || **-r** *s.* рудоко́п; (*mil.*) минёр.
mineral/ (ми'нёрёл) *s.* минера́л || ~ *a.* минера́льный || ~ **water** минера́льная вода́ || **-ogical** (минёрёло'джикёл) *a.* минералоги́ческий || **-logist** (минёрä'лоджист) *s.* минерало́г, рудосло́в || **-ogy** (минёрä'лоджи) *s.* минерало́гия; рудосло́вие.
mingle (мингл) *va&n.* меша́ть(-ся); см-е́шивать(-ся), -еша́ть(-ся).
miniatur/e (ми'нийётюр) *a.* миниатю́ра || **-ist** *s.* миниатюри́ст.
minikin (ми'никин) *a.* жема́нный || ~ *s.* карапу́з.
minim/ (ми'ним) *s.* (*mus.*) полуно́та || **-ize** *va.* до-води́ть, -вести́ до ми́нимума || **-um** (-ам) *s.* ми́нимум; наиме́ньшее || ~ **thermometer** минима́льный термо́метр.
mining (май'нинг) *s.* разрабо́тка ко́пей; го́рное де́ло || ~ *a.* го́рный, ми́нный.
minion (ми'ниён) *s.* люби́мец; (*typ.*) миньо́н || ~ **of the law** городово́й.
minis/ter (ми'нистёр) *s.* мини́стр; (*ambassador*) посла́нник; (*clergyman*) свяще́нник || ~ *va.* до-ставля́ть, -ста́вить || ~ *vn.* служи́ть; помога́ть || **-terial** (министи'риёл) *a.* министе́рский || **-tration** (министрэй'шн) *s.* служе́ние, слу́жба || **-try** (-три) *s.* министе́рство; (*eccl.*) свяще́нство.
mink (мингк) *s.* но́рка.
minnow (ми'ноу) *s.* пиеска́рь *m.*; песка́рь *m.*
minor/ (май'нёр) *a.* ме́ньший; ма́лый, ма́ленький; (*secondary*) второстепе́нный; (*under age*) несовершенноле́тний, малоле́тний; (*opposed to major*) меньшо́й; (*mus.*) мино́рный || ~ *s.* несовершенноле́тний || **-ity** (майно'рити) *s.* меньшинство́; (*age*) несовершенноле́тие; малоле́тство.
minster (ми'нстёр) *s.* кафедра́льный собо́р.
minstrel (ми'нстрёл) *s.* певе́ц, бард.
mint (минт) *s.* (*herb*) мя́та; (*money*) моне́тный двор || ~ *va.* чека́нить моне́ту || **a** ~ **of money** про́пасть де́нег.
minuet (ми'нюэт) *s.* менуэ́т.
minus (май'нёс) *ad.* ме́нее, ми́нус || ~ *s.* ми́нус.
minute/ (миню́'т) *a.* ма́ленький, миниатю́рный; (*exact*) подро́бный || ~ (ми'нит) *s.* мину́та; заме́тка; (*in pl.*) протоко́л ||

~-book (ми'нитбук) *s.* черновáя (тетрáдь) || **~-hand** (ми'нитхäнд) *s.* минýтная стрéлка, минýтник || **-ly** *ad.* мéлочно, тóчно; подрóбно || **-ness** *s.* тóчность *f.*
minutiae (миню'ши-ий) *spl.* подрóбности *fpl.* [дéвушка.
minx (мингкс) *s.* смéлая и дéрзкая молодáя
mirac/le (ми'рёкл) *s.* чýдо; дикóвина || ~ **play** мистéрия || **-ulous** (мирä'кюлёс) *a.* чудéсный.
mirage (мирā'ж) *s.* мирáж, мáрево.
mire (май'ёр) *s.* грязь *f.*
mirky = **murky.**
mirror (ми'рёр) *s.* зéркало; (*fig.*) образéц || ~ *va.* от-ражáть, -разúть.
mirth/ (мёрþ) *s.* рáдость *f.*; весéлье || **-ful** *a.* рáдостный, весёлый || **-less** *a.* грýстный, безотрáдный.
miry (май'ри) *a.* грязный.
mis/adventure (мис-ёдвэ'нчёр) *s.* злоключéние; неприятный слýчай || **-advise** *va.* давáть, дать дурнóй совéт || **-advised** *a.* ошúбочный || **-alliance** *s.* нерóвный брак; неприличная женúтьба || **-anthrope** (-ёнþрōуп) *s.* мизантрóп || **-anthropic(al)** (-ёнþро'пикёл) *a.* мизантропúческий || **-anthropy** (-ä'нþропи) *s.* мизантрóпия || **-application** *s.* злоупотреблéние || **-apply** *va.* употре-блять, -бúть некстáти || **-apprehend** *va.* недоразум-евáть, -éть || **-apprehension** *s.* недоразумéние || **-appropriate** *va.* несправедлúво присвó-ивать, -ить.
mis/become (мис-бика'м) *va.* не иттú; не прилúчествовать || **-becoming** *a.* неприлúчный || **-begotten** *a.* незаконнорождённый, побóчный || **-behave** *vn.* дýрно вестú себя || **-behaviour** *s.* дурнóе поведéние, неприлúчность *f.* || **-belief** *s.* лóжное вéрование; лжевéрие || **-believe** *va.* вéровать неправильно || **-believer** *s.* невéрный.
mis/calculate (мис-кä'лкюлэйт) *va.* обсчúтываться, -считáться; ошиб-áться, -úться в счёте || **-calculation** *s.* ошúбка в счёте || **-call** *va.* лóжно именовáть || **-carriage** *s.* безуспéшность *f.*, неудáча; (*med.*) вы́кидыш, недонóс || **-carry** *vn.* (*not succeed*) не удавáться, удáться; (*letters*) не доходúть, дойтú; (*med.*) вы́кинуть.
miscellan/ea (мисёлэй'н-иё) *spl.* смесь *f.* || **-eous** (-иёс) *a.* смéшанный, рáзный || **-y** (мисэ'лёни) *s.* смесь *f.*
mischance (мисчā'нс) *s.* несчáстие, бедá.
mischief/ (ми'счиф) *s.* зло; (*harm*) вред; убы́ток; (*pranks*) прокáзы *fpl.* || **to get into ~** попáсть в бедý || **to make ~** надéлать беды́; набедокýрить || **-maker** *s.* человéк сéющий раздóр.
mischievous/ (ми'счивёс) *a.* злой, злóбный, злонамéренный; (*of children*) шаловлúвый, рéзвый || **-ness** *s.* злóба, злóбность *f.*; зловрéдность *f.*; шáлость *f.*
miscible (ми'сибл) *a.* смесúмый.
mis/conceive (мис-кёнсий'в) *va.* состáвить себé ошúбочное поня́тие || **-conception** (-кёнсэ'пшн) *s.* лóжное поня́тие || **-conduct** (-ко'ндакт) *s.* дурнóе поведéние || ~ (-конда'кт) *va.* дýрно упр-авля́ть, -áвить || **to ~ o.s.** дýрно вестú себя́ || **-conjecture** *s.* лóжное предположéние || **-construction** *s.* лóжное истолковáние || **-construe** *va.* лóжно толковáть || **-count** *va.* непрáвильно считáть, до-.
miscreant (ми'скриёнт) *s.* злодéй, негодя́й.
mis/date (мис-дэй'т) *va.* выставля́ть, вы́ставить непрáвильно числó || **-deal** *va.* ошиб-áться, -úться в сдáче карт || **-deed** *s.* простýпок, злодея́ние || **-demean** *va.*, **to ~ o.s.** дýрно вестú себя́ || **-demeanour** *s.* простýпок; нарушéние закóнов || **-direct** *va.* лóжно напр-авля́ть, -áвить; непрáвильно показáть дорóгу; (*letter*) непрáвильно адресовáть || **-direction** *s.* непрáвильное указáние || **-doing** *s.* ошúбка, преступлéние, простýпок.
misemploy (мисимплой') *va.* злоупотре-б-ля́ть, -úть.
miser/ (май'зёр) *s.* скупóй, скря́га, скупéц, скря́жник || **-able** (ми'зёрёбл) *a.* несчáстный; жáлкий, бéдный, плачéвный; (*bad*) дурнóй || **-ly** *a.* скупóй || **-y** (ми'зёри) *s.* несчáстие; бéдствие; (*suffering*) страдáние; (*penury*) бéдность *f.*
mis/fit (мис-фи'т) *s.*, **to be a ~** плóхо сидéть || **-fortune** *s.* несчáстие; бедá, бéдствие.
mis/give (мис-ги'в) *va.irr.* вну-шáть, -шúть опасéние || **-giving** *s.* опасéние; предчýвствие || **-govern** *va.* дýрно управля́ть || **-guidance** *s.* лóжное направлéние || **-guided** *a.* лóжно напрáвленный.
mishap (мисхä'п) *s.* злоключéние, несчáстный слýчай.
mis/inform (мис-инфō'рм) *va.* сообщ-áть, -úть лóжные свéдения || **-interpret** *va.* лóжно толковáть || **-interpretation** *s.* лóжное истолковáние.
misjudge (мисджа'дж) *va.* лóжно судúть.
mis/lay (мис-лэй') *va.irr.* засóвывать, засýнуть; заложúть; затеря́ть || **-lead** *va.irr.* сводúть, свестú с путú; совращáть, -тúть; оболь-щáть, -стúть || **-like** *va.* не любúть.

mismanage/ (мисмӕ'нидж) *va.* ду́рно упра-вля́ть; ду́рно распоря-жа́ться, -ди́ться || **-ment** *s.* дурно́е управле́ние.
mis/name (мис-нэ̄й'м) *va.* ло́жно именова́ть || **-nomer** (-нōу'мёр) *s.* ло́жное и́мя; оши́бка в и́мени.
mis/ogamist (мис-о'гёмист) *s.* ненави́стник бра́ка || **-ogamy** (-о'гёми) *s.* не́нависть (*f.*) к бра́ку || **-ogynist** (-о'джинист) *s.* ненави́стник же́нщин || **-ogyny** (-о'дж-ини) *s.* отвраще́ние к же́нщинам.
mis/place (мис-плэ̄й'с) *va.* неуме́стно класть || **-placed** *a.* неуме́стный || **-print** *s.* опеча́тка, оши́бка в печа́ти || **-pronounce** *va.* непра́вильно произ-носи́ть, -нести́ || **-pronunciation** *s.* непра́вильное произноше́ние. [цити́ровать.
misquote (мискуōу'т) *va.* непра́вильно
mis/read (мис-рий'д) *va.* непра́вильно про-чита́ть, -че́сть || **-represent** *va.* переви-ра́ть, перекове́ркивать; иска-жа́ть, -зи́ть факт || **-representation** *s.* ло́жное представле́ние; перетолкова́ние || **-rule** *s.* дурно́е управле́ние || **~** *va.* ду́рно упра-вля́ть.
miss (мис) *s.* деви́ца; (*young lady*) суда́-рыня, ба́рышня; (*form of address*) гос-пожа́; (*loss*) поте́ря; (*failure*) про́мах || **~** *va&n.* пропус-ка́ть, -ти́ть; упус-ка́ть, -ти́ть; (*feel the want of*) чу́вствовать не-доста́ток, нужду́ в чём, чу́вствовать по-те́рю; (*not to meet, etc.*) не ви́деть, не заст-ава́ть, -а́ть, не на-ходи́ть, -йти́ || **to ~ an opportunity** упус-ка́ть, -ти́ть слу́-чай || **to ~ one's train** не посп-ева́ть, -е́ть к по́езду; опа́здывать, опозда́ть на по́езд || **to ~ one's way** сбива́ться, сби́ться с доро́ги || **to ~ the mark** не попа́сть в цель.
missal (ми'сёл) *s.* служе́бник.
misselthrush (ми'слþраш) *s.* желтоно́сый дрозд. [безобра́зный.
misshapen (мис-шэ̄й'пн) *a.* уро́дливый,
missile (ми'сил) *s.* мета́тельное ору́дие.
missing (ми'синг) *a.* (*lost*) пропа́вший; (*wanting*) недостаю́щий; (*mil.*) пропа́в-ший без ве́сти || **to be ~** недостава́ть.
mission/ (ми'шён) *s.* ми́ссия; (*embassy*) посо́льство; (*charge*) поруче́ние; (*missionary station*) ми́ссия || **-ary, -er** *s.* миссионе́р || **-ary-station** *s.* ми́ссия.
missis (ми'сиз) *s.* ба́рыня; хозя́йка до́ма.
missive (ми'сив) *s.* посла́ние, письмо́.
mis/spell (мис-спэ'л) *va.* непра́вильно писа́ть, на-; скла́дывать бу́квы || **-spend** *va.* тра́тить беспу́тно; (*squander*) рас-сточ-а́ть, -и́ть || **-statement** *s.* неве́рное показа́ние.
missy (ми'си) *s.* (*fam.*) молода́я ба́рышня.
mist (мист) *s.* тума́н; (*fig.*) темнота́.
mistak/able (мистэ̄й'к-ёбл) *a.* в чём мо́жно ошиби́ться || **-e** (**-**) *s.* оши́бка; заблужде́-ние; про́мах || **by ~** по недосмо́тру, по оши́бке || **to make a ~** ошиб-а́ться, -и́ться; де́лать, с- оши́бку || **you make a great ~!** вы жесто́ко ошиба́етесь! || **~** *va&n.irr.* ошиб-а́ться, -и́ться; заблуж-да́ться || **-en** *a.* заблужда́ющийся; оши́-бочный || **to be ~** обману́ться || **you are greatly ~!** вы жесто́ко ошиба́етесь!
mister (ми'стёр) *s.* господи́н.
mistimed (мистай'мд) *a.* неуме́стный.
mistiness (ми'стинёс) *s.* тума́нность *f.*
mistletoe (ми'слтōу) *s.* оме́ла.
mistook (мисту'к) *cf.* **mistake.**
mistress (ми'стрис) *s.* (*school*) учи́тель-ница; (*owner*) хозя́йка; владе́лица; (*title*) госпожа́; ба́рыня; (*concubine*) любо́вница, содержа́нка.
mistrust/ (мистра'ст) *s.* недове́рие, недо-ве́рчивость *f.* || **~** *va.* недоверя́ть; по-дозрева́ть; быть недове́рчивым к || **-ful** *a.* недове́рчивый.
misty (ми'сти) *a.* тума́нный; (*fig.*) тёмный.
misunderstand/ (мисандёрстӕ'нд) *va.* не-доразум-ева́ть, -е́ть; не пон-има́ть, -я́ть || **-ing** *s.* недоразуме́ние; (*dispute*) несо-гла́сие.
misus/age (мисю'з-идж) *s.* злоупотребле́-ние || **-e** (мисю'с) *s.* = **misusage** || **~** (**-**) *va.* злоупотреб-ля́ть, -и́ть; (*illtreat*) из-би́ть.
mite (майт) *s.* (*zool.*) клещ, кле́щик; (*fig.*) карапу́зик, кро́шка; (*small coin*) ле́пта.
mitigat/e (ми'тигэйт) *va.* смягч-а́ть, -и́ть; облег-ча́ть, -чи́ть; утол-я́ть, -и́ть || **-ion** (митигэ̄й'шн) *s.* смягче́ние; облегче́ние; утоле́ние. [ми́тру.
mitre/ (май'тёр) *s.* ми́тра || **-d** *a.* нося́щий
mitten (митн) *s.* рукави́ца.
mix/ (микс) *va.* меша́ть || **to ~ up** пере-м-е́шивать, -еша́ть; (*cards*) тасова́ть, с-; (*med.*) со-ставля́ть, -ста́вить || **~** *vn.* меша́ться; (*associate*) ходи́ть, дви́гаться || **-ed** *a.* сме́шанный || **-ture** (-тю̄р, -чёр) *s.* смесь *f.*; (*doctor's*) миксту́ра.
mizzen/ (мизн), **-mast** *s.* биза́нь *f.*; биза́нь-ма́чта.
mizzle (мизл) *s.* ме́лкий до́ждик.
mnemonic/ (нимо'ник) *a.* мнемони́ческий || **-s** *spl.* мнемо́ника.
moan/ (мōун) *s.* стон || **~** *vn.* стона́ть, горева́ть || **-ful** *a.* плаче́вный.
moat/ (мōут) *s.* ров с водо́й || **-ed** *a.* окру́-женный мо́крым рвом.

mob/ (моб) *s.* толпа́, чернь *f.* || ~ *va.* окружа́ть толпо́ю || **~-cap** *s.* у́тренний чепе́ц.
mobil/e (мо̄у'бил) *a.* подвижно́й, гото́вый к похо́ду || **–ity** (мо̄уби'лити) *s.* подви́жность *f.* || **–ization** *s.* мобилиза́ция || **–ize** *va.* мобилизи́ровать; ста́вить, по- на вое́нное положе́ние.
moccasin (мо'кёсин) *s.* мокасси́н.
mock/ (мок) *s.* насме́шка || **to make a ~ of** издева́ться над, насмеха́ться над || ~ *a.* ло́жный, мни́мый || ~ *va.* (*deride*) насмеха́ться, насмея́ться над; (*mimic*) передра́з-нивать, -ни́ть; (*deceive*) обма́-н-ывать, -у́ть || ~ *vn.* смея́ться || **–er** *s.* насме́шник, насме́шница || **–ery** *s.* насме́шка, насме́шливость *f.*; (*ridicule*) осмея́ние || **–ing** *a.* насме́шливый.
modal/ (мо̄у'дёл) *a.* относя́щийся к ви́ду, о́бразу || **–ity** (моуда̄'лити) *s.* род; ка́чество; сво́йство.
mode (мо̄уд) *s.* о́браз, род; (*manner*) обы́чай, обыкнове́ние, спо́соб; (*fashion*) мо́да.
model (модл) *s.* (*arts*) нату́рщик, нату́рщица; (*copy*) моде́ль *f.*; (*example*) образе́ц || ~ *a.* образцо́вый || ~ *va.* де́лать, с- моде́ль; лить в фо́рму; выле́пливать, вы́лепить.
moderat/e (мо'дёрэт) *a.* уме́ренный; (*drink, etc.*) возде́ржный; (*price*) скро́мный; (*mediocre*) посре́дственный || ~ (мо'дёрэйт) *va.&n.* у-меря́ть(-ся), -ме́рить (-ся); сде́рживать (-ся), сдержа́ть (-ся) || **–ion** (модёрэ̄й'шн) *s.* уме́ренность *f.*; возде́ржность *f.*; скро́мность *f.* || **–or** (мо'дёрэйтёр) *s.* утиши́тель *m.*; председа́тель *m.*; экзамена́тор; (*mech.*) регуля́тор.
modern/ (мо'дёрн) *a.* совреме́нный; мо́дный; но́вый || **–ism** *s.* но́вая мане́ра; но́вшество || **–ize** *va.* переде́л-ывать, -ать по но́вой мо́де.
modest/ (мо'дист) *a.* скро́мный || **–y** *s.* скро́мность *f.*
modicum (мо'дикём) *s.* ма́лость *f.*; ма́лая до́ля.
modif/ication (модификэ̄й'шн) *s.* измене́ние; ограни́чение; модифика́ция || **–y** (мо'дифай) *va.* (*change*) измен-я́ть, -и́ть; (*limit*) ограни́ч-ивать, -ить; (*moderate*) умеря́ть, уме́рить.
modish (мо̄у'диш) *a.* мо́дный, по мо́де.
modulat/e (мо'дюлэйт) *va.* регули́ровать; (*mus.*) модули́ровать || **–ion** (модюлэ̄й'шн) *s.* модуля́ция, перели́в го́лоса.
mohair (мо̄у'хэ̄р) *s.* шерсть (*f.*) анго́рской козы́; ткань (*f.*) из ше́рсти анго́рской козы́.
moiety (мой'-ёти) *s.* (*jur.*) полови́на.
moil (мойл) *vn.* ума́иваться, ума́яться; труди́ться.
moist/ (мойст) *a.* сыро́й, вла́жный || **–en** (мой'сн) *va.* вла́жить, у-; мочи́ть; сма́чивать, смочи́ть || **–ure** (мой'счёр) *s.* сы́рость *f.*; вла́жность *f.*
molar (мо̄у'лёр) *a.* коренно́й, жева́тельный || ~ *s.* коренно́й зуб.
molasses (мола̄'сиз) *spl.* мела́сса; са́харная па́тока.
mole (мо̄ул) *s.* (*mark*) ро́динка, роди́мое пятно́; (*breakwater*) мол; да́мба; (*zool.*) крот.
molecul/ar (молэ'кюлёр) *a.* молекуля́рный || **–e** (мо'ликюл) *s.* моле́кула, молеку́л, части́ца.
molehill (мо̄у'лхил) *s.* крото́вина.
molest/ (молэ'ст) *va.* беспоко́ить, о-; утружда́ть, -ди́ть; (*annoy*) доса-жда́ть, -ди́ть || **–ation** (молистэ̄й'шн) *s.* обеспоко́ивание, утружде́ние.
mollif/ication (моликфикэ̄й'шн) *s.* смягче́ние; (*fig.*) успокое́ние || **–y** (мо'лифай) *va.* смяг-ча́ть, -чи́ть; облегч-а́ть, -и́ть; (*fig.*) успок-о́ивать, -о́ить.
mollusc (мо'ласк) *s.* моллю́ск, слизня́к.
molly coddle (мо'ли-ко'дл) *va.* балова́ть.
molten (мо̄у'лтн) *a.* распла́вленный, лито́й.
moment/ (мо̄у'минт) *s.* моме́нт, мгнове́ние, миг; (*importance*) ва́жность *f.* || **in a ~** сейча́с || **not for a ~** совсе́м нет || **but this ~** то́лько-что || **–ary** (мо̄у'мёнтёри) *a.* момента́льный, мгнове́нный || **–ous** (мо̄умэ'нтёс) *a.* ва́жный, значи́тельный || **–um** (мо̄умэ'нтём) *s.* ско́рость (*f.*) движе́ния.
monarch/ (мо'нарк) *s.* мона́рх, госуда́рь *m.*, мона́рхиня || **–ic(al)** (мона̄'ркик) *a.* монархи́ческий || **–ism** (мо'нёркизм) *s.* монархи́зм || **–ist** (мо'нёркист) *s.* монархи́ст || **–y** (мо'нёрки) *s.* мона́рхия.
monast/ery (мо'нёстри) *s.* монасты́рь *m.*; ла́вра; оби́тель *f.* || **–ic(al)** (мона̄'стик) *a.* мона́шеский, и́ноческий || **–icism** (мона̄'стисизм) *s.* мона́шество.
Monday (ма'нди) *s.* понеде́льник.
monetary (ма'нитёри) *a.* моне́тный, де́нежный.
money/ (ма'ни) *s.* де́ньги *fpl.*; (*coin*) моне́та || **~-box** *s.* де́нежный сунду́к, копи́лка, кру́жка || **~-changer** *s.* меня́ла *m.* || **–ed** (ма'нид) *a.* с де́ньгами, де́нежный || **~-lender** *s.* ростовщи́к || **~-making** *s.* зараба́тывание де́нег || ~ *a.* вы́годный || **~-market** *s.* де́нежный ры́нок || **~-matters** *spl.* де́нежное де́ло || **~-order** *s.* де́нежный перево́д (по по́чте); переводна́я распи́ска; ассигно́вка.

mong (манг) = **among.**
monger (ма'нг-гёр) *s.* продавец; торговец; торгаш.
mongrel (ма'нг-грил) *s.* ублюдок, помесь *f.*; (*of men*) бастард, выблядок || ~ *a.* смешанной крови; двуродный.
monit/ion (мони'шн) *s.* совет; увещание; (*warning*) предостерегание || **–or** (мо'нитёр) *s.* увещатель *m.*; (*schools*) надзиратель *m.* (класса); (*mar.*) монитор || **–ory** (мо'нитёри) *a.* увещательный || **–ress** (мо'нитрис) *s.* надзирательница (класса).
monk (мангк) *s.* монах; инок; чернец.
monkey/ (ма'нгки) *s.* обезьяна, мартышка || **to get one's ~ up** при-ходить, -тти в гнев || **~-wrench** *s.* универсальный гаечный ключ.
monk/ish (ма'нг-киш) *a.* монашеский || **–shood** (мангксху'д) *s.* (*bot.*) борец.
mono/chord (мо'но-кōрд) *s.* монохорд, однострунка || **–cle** (мо'нокл) *s.* монокль *m.* || **–chromatic** *a.* одноцветный || **–gamy** (моно'гёми) *s.* одномужство, однобрачие || **–gram** (-грăм) *s.* монограмма; вензель *m.* || **–logue** (-лог) *s.* монолог || **–mania** (-мэй'ние) *s.* мономания || **–plane** (-плэйн) *s.* моноплан || **–polist** (моно'пёлист) *s.* монополист || **–polize** (моно'пёлайз) *va.* монополизировать || **–poly** (моно'пёли) *s.* монополия || **–syllable** (-си'лёбл) *s.* односложное слово || **–theist** (-þий-ист) *s.* монотеист || **–tonous** (моно'тёнёс) *a.* монотонный, единозвучный, однообразный || **–tony** (моно'тёни) *s.* монотонность *f.*; монотония.
monsoon (монсӯ'н) *s.* пассатный ветер, муссон.
monster (мо'нстёр) *s.* чудовище; урод; громадное животное; монстр.
monstrance (мо'нстрёнс) *s.* (*eccl.*) дароносица; ковчег.
monstr/osity (монстро'сити) *s.* громадность *f.*; уродство; отвратительность *f.* || **–ous** (мо'нстрёс) *a.* громадный; чудовищный; (*unnatural*) уродливый; (*horrible*) гнусный, отвратительный.
month/ (манþ) *s.* месяц || **–ly** *a.* месячный || ~ *ad.* ежемесячно.
monument/ (мо'нюмёнт) *s.* монумент, памятник || **–al** (монюмэ'нтёл) *a.* монументальный.
mood/ (мӯд) *s.* расположение духа, настроение; (*gramm.*) наклонение || **–iness** *s.* угрюмость *f.* || **–y** *a.* (*sad*) печальный; (*gloomy*) унылый, угрюмый.
moon/ (мӯн) *s.* месяц, луна || ~ *vn.* бредить, городить чепуху || **–beam** *s.* луч луны || **–calf** *s.* урод, дурак || **–less** *a.* безлунный || **–light** *s.* лунный свет || ~ *a.* лунный || **–shine** *s.* лунный свет || **–struck** *a.* лунатический, сумасшедший || **–y** *a.* (*fig.*) мечтательный.
moor/ (мӯр, мōр) *s.* болото, топь *f.*; (*heath*) степь *f.* || ~ *va(&n)*. при-ставать, -стать к берегу; причал-ивать, -ить к берегу || **–age** *s.* якорное место; (якорная) стоянка; пошлина за стояние на якоре || **–ing** *s.* (*mar.*) ошвартовление; швартов || **–ings** *spl.* якорное место; (якорная) стоянка || **–land** *s.* болото; степь *f.*
moose (мӯс) *s.* американский олень.
moot (мӯт) *a.* (*debatable*) спорный, сомнительный || ~ *va.* раз-бирать, -обрать; обсу-ждать, -дить.
mop (моп) *s.* швабра || ~ *va.* подтереть шваброй.
mop/e (мōуп) *vn.* притупляться; скучать || **–ing, –ish** *a.* тупой, унылый.
moraine (морэй'н) *s.* морена.
moral/ (мо'рёл) *s.* мораль *f.*; нравоучение || ~ *a.* нравственный, моральный || **–s** *spl.* нравственность *f.*; постоянство.
morale (морă'л) *s.* (*of troops*) дисциплина,
moral/ity (морă'лити) *s.* нравоучение, мораль *f.* || **–ize** (мо'рёлайз) *vn.* рассуждать нравоучительно.
morass (морă'с) *s.* болото; топь *f.*
morbid/ (мō'рбид) *a.* хворый; хилый; болезненный || **–ity** (морби'дити) *s.* болезненность *f.*; (*fig.*) язвительный.
mordant (мō'рдёнт) *a.* кусающийся, едкий;
more (мōр) *ad.* более, больше || **once ~** ещё раз || **~ than once** несколько раз || **no ~** больше не, довольно || **he is no ~** он скончался || **~ and ~** всё более и более || **the ~ . . ., the ~** чем больше . . . тем больше || **so much the ~** тем больше || **no ~ of that!** об этом ни слова более || **the ~ so, as** тем более.
moreover (мōрōу'вёр) *ad.* кроме того; да ещё; сверх того.
morganatic (мōргёнă'тик) *a.* морганатический.
morgue (мōрг) *s.* морг, камера для осмотра трупов.
moribund (мо'рибанд) *a.* умирающий.
morn (мōрн) = **morning.**
morning/ (мōрнинг) *s.* утро || **good ~!** здравствуйте! || **in the ~** утром || **this ~** сегодня утром || **~-gown** халат; (*of woman*) пеньюар || ~ *a.* утренний || **~-coat** утренний сертук || **~-performance** матинея, матинэ || **~-star** денница, Венера.
morose (мороу'с) *a.* угрюмый.
morphia (мō'рфиё) *s.* морфий; морфин.
morrow (мо'роу) *s.* завтрашний день, завтра.
morsel (мōрсл) *s.* кусок, кусочек.

mortal/ (мо̄'ртёл) *s.* сме́ртный, смерте́льный; (*fam.*) чрезвыча́йно, ужа́сно || ~ *s.* сме́ртный челове́к || **–ity** (морта̄'лити) *s.* сме́ртность *f.*; спи́сок уме́рших.
mortar (мо̄'ртёр) *s.* (*for grinding*) сту́пка; (*cement*) известко́вый раство́р, цеме́нт; (*mil.*) морти́ра.
mortgage (мо̄'ргидж) *s.* (г)ипоте́ка, закла́д || ~ *va.* за-кла́дывать, -ложи́ть.
mortif/ication (мо̄ртификэ̄й'шн) *s.* умерщвле́ние; уничиже́ние; (*med.*) гангре́на || **–y** (мо̄'ртифай) *va.* умерщвля́ть плоть; (*humiliate*) уничиж-а́ть,-и́ть; (*to chagrin*) огорч-а́ть, -и́ть || ~ *vn.* (*med.*) поража́ться гангре́ною; омертве́ть.
mortise (мо̄'ртис) *s.* гнездо́; долбёж; паз || ~ *va.* вда́лбливать, вдолби́ть.
mort/main (мо̄'рт-мэ̄йн) *s.* (*jur.*) мёртвая рука́ || **–uary** (-юёри) *s.* поко́йницкая; мертве́цкая; помеще́ние для сохране́ния мёртвых тел.
mosaic (мозэ̄й'ик) *s.* моза́ика.
moselle (мозэ'л) *s.* мо́зельское вино́.
mosque (моск) *s.* мече́ть *f.*
mosquito (моский'тоу) *s.* моски́т; моски́тос.
moss/ (мос) *s.* мох || **~-clad** *a.* покры́тый мхом || **–y** *a.* мши́стый; покры́тый мхом.
most/ (мо̄уст) *s.* большинство́; бо́льшая часть || **at** ~ в кра́йнем слу́чае || **to make the ~ of** испо́льзовать || **for the ~ part** по бо́льшей ча́сти || ~ *a.* наибо́льший || ~ *ad.* бо́льше всего́; в вы́сшей сте́пени; чрезвыча́йно, весьма́ || **the ~** (*with adj.*) са́мый, наи- || **–ly** *ad.* по бо́льшей ча́сти; обыкнове́нно, почти́ всегда́.
mote (мо̄ут) *s.* ато́м; пыли́нка.
moth/ (моþ) *s.* моль *f.* || **~-eaten** *a.* из'е́денный мо́лью; (*fig.*) устаре́вший.
mother/ (ма'ðёр) *s.* мать *f.*; ма́тушка || ~ *va.* прояв-ля́ть, -и́ть матери́нскую забо́тливость о ком || **~-country** *s.* оте́чество, ро́дина || **–hood** *s.* матери́нство || **~-in-law** *s.* (*wife's mother*) тёща; (*man's mother*) свекро́вь *f.* || **–less** *a.* не име́ющий ма́тери || **~ child** сирота́ || **–ly** *a.* матери́нский || **~-of-pearl** *s.* перламу́т(р) || ~ *a.* перламу́тровый || **~-tongue** *s.* оте́чественный язы́к; родно́й язы́к.
mothy (мо'þи) *a.* напо́лненный мо́лью, прото́ченный мо́лью.
motif (мо̄утий'ф) *s.* (*mus.*) моти́в.
motion/ (мо̄у'шн) *s.* движе́ние, дви́гание, передвиже́ние; (*impulse*) побужде́ние; (*parl.*) предложе́ние; (*med.*) испражне́ние || **to carry a ~** добива́ться, доби́ться приня́тия предложе́ния || **to set in ~** приводи́ть, -вести́ в движе́ние || ~ *va&n.* при-ка́зывать, -каза́ть зна́ком (сде́лать что́-либо) || **–less** *a.* неподви́жный.
motive/ (мо̄у'тив) *s.* моти́в; (*cause*) причи́на; (*inducement*) побужде́ние || ~ *a.* дви́гательный || **–less** неосновáтельный || **~-power** *s.* дви́жущая си́ла.
motley (мо'тли) *a.* пёстрый.
motor/ (мо̄у'тёр) *s.* дви́гатель *m.*; мо́тор; (*car*) автомоби́ль *m.* || ~ *a.* дви́жущий || *va&n.* е́хать на автомоби́ле; везти́ на автомоби́ле || **~-bicycle** *s.* мото́рный велосипе́д; мотоцикле́тка || **~-car** *s.* автомоби́ль *m.* || **~-cycle** *s.* = **motor-bicycle** || **~-goggles** (-гоглз) *spl.* предохрани́тельные очки́.
mottle/ (мо'тл) *va.* кра́пить || **–d** *s.* кра́пчатый; (*horse*) чуба́рый.
motto (мо'тоу) *s.* мо́тто, деви́з.
mould (мо̄улд) *s.* фо́рма; (*fungus*) пле́сень *f.*; (*shape*) шабло́н; (*soil*) земля́; перегно́й || ~ *va.* формова́ть; лепи́ть; образова́ть.
moulder (мо̄у'лдёр) *vn.* превраща́ться в пыль; тлеть, ис-.
mould/ing (мо̄у'лдинг) *s.* лепно́е украше́ние; гзымз || **–y** *a.* пле́сневелый; (*fig.*) устаре́вший.
moult (мо̄улт) *vn.* линя́ть, вы́линять.
mound (маунд) *s.* пригоро́к; вал.
mount/ (маунт) *s.* гора́, го́рка; (*phot.*) карто́н; (*horse*) ло́шадь *f.* || ~ *va.* (*horse*) посади́ть на́ ло́шадь; (*tree, etc.*) взл-еза́ть, -езть; (*a gun*) поста́вить на лафе́т; (*machine*) монти́ровать; (*gems*) оправля́ть, опра́вить; (*phot.*) на-кле́ивать, -клеи́ть || ~ *vn.* под-нима́ться, -ня́ться; восходи́ть, взойти́; сесть верхо́м || **–ain** (-ин) *s.* гора́ || **–aineer** (-иний'р) *s.* го́рец || **–ainous** (мау'нтинёс) *a.* гори́стый; (*huge*) грома́дный || **–ebank** (мау'нтиба̄нгк) *s.* шарлата́н; зна́харь *m.* || **–ed** *a.* верхо́м || **–ing** *s.* обде́лка; восхожде́ние; накле́йка.
mourn/ (мо̄рн) *va.* опла́кивать; (*loss*) печа́литься о чём || ~ *vn.* носи́ть тра́ур по ком; горева́ть || **–er** *s.* опла́кивающий; нося́щий тра́ур || **–ful** *a.* печа́льный; плаче́вный; (*fig.*) зауны́вный || **–ing** *s.* плачь *m.*; скорбь *f.*; (*for dead*) тра́ур || **deep, full ~** глубо́кий тра́ур || **half ~** полутра́ур || **to be in ~ for** носи́ть тра́ур по ком.
mouse/ (маус), *pl.* **mice** (майс) *s.* мышь *f.* **~-coloured** *a.* мыши́ного цве́та || **~-hole** *s.* мы́шья но́рка || **~-trap** *s.* мышело́вка.
moustache (мёста̄'ш) *s.* усы́ *mpl.*
mouth/ (мауþ) *s.* рот; уста́ *npl.*; (*animals*) пасть *f.*; (*cannon, etc.*) жерло́; (*jug*) но-

сбк; (*river*) ўстье, истбк; (*harbour*) вход в || **by word of** ~ изўстно || **down in the** ~ печа́льный, опеча́ленный || **to be in everybody's** ~ быть предме́том бо́щего разгово́ра || **to make -s at one** ко́рчить ро́жи, де́лать грима́сы || **to make one's** ~ **water** возбужда́ть охо́ту в ком || ~ (мауд) *va*. жева́ть || **-ful** *s*. глото́к; кусо́к || **-piece** *s*. мундшту́к || **-organ** *s*. варга́н.

movab/ility (мӯвёби'лити) *s*. подви́жность *f*. || **-le** (мӯ'вёбл) *a*. подвижно́й || ~ **feasts** перехо́дные пра́здники || **-les** (му'вёблз) *spl*. дви́жимое иму́щество; дви́жимость *f*.

move/(мӯв) *s*. движе́ние; (*step*) шаг; (*chess*) ход || **on the** ~ на ходу́ || **get a** ~ **on!** ступа́й! || ~ *va*. дви́гать, дви́нуть; (*stir*) шевели́ть, по-; (*incite*) побу-жда́ть, -ди́ть; (*prevail on*) сгов-а́ривать, -ори́ть; (*affect*) тро́гать, тро́нуть; (*propose*) предл-ага́ть -ожи́ть || ~ *vn*. дви́гаться, дви́нуться; (*stir*) шевели́ться, по-; (*change residence*) переезжа́ть с кварти́ры; (*propose*) де́лать, с- предложе́ние; (*take action*) бра́ться, взя́ться за де́ло; (*at chess*) ходи́ть; (*associate*) враща́ться || **to** ~ **away** *или* **off** уйти́ || **to** ~ **forward** итти́, пойти́ в ата́ку || **to** ~ **on** выступа́ть, вы́ступить вперёд || **-ment** *s*. движе́ние; (*excitement*) волне́ние; (*tech.*) ход || **-r** *s*. дви́гатель *m*.; (*of a resolution*) предлага́ющий.

movies (мӯ'виз) *spl*. (*fam.*) кинемато́граф; живы́е карти́ны *fpl*. [тро́гательный.

moving (мӯ'винг) дви́жущий; (*pathetic*)

mow/ (мо́у) *s*. копна́, скирд (се́на) || ~ *va*. коси́ть || **to** ~ **down** ска́шивать, скоси́ть || **-er** *s*. коса́рь *m*. || **-ing** *s*. косьба́; ска́шивание || ~ *a*., ~**-machine** коси́лка; жа́твенная маши́на.

Mr. (ми'стёр) господи́н.

Mrs. (ми'сиз) госпожа́.

much/ (мач) *a*. мно́гий || ~ *ad*. мно́го, гора́здо; о́чень, весьма́ || **as** ~ **as** сто́лько, ско́лько || **so** ~ **the better** тем лу́чше || **how** ~**?** ско́лько? || **ever so** ~ гора́здо || **as** ~ **as to say** так сказа́ть || **so** ~ **for that!** де́ло ко́нчено! коне́ц! || **too** ~ многова́то || **to make** ~ **of** обраща́ться с кем ла́сково; носи́ть на рука́х || **-ness** *s*., **much of a** ~ почти́ одно́ и то́же.

mucilage (мю́'силидж) *s*. слизь *f*.

muck/ (мак) *s*. наво́з; грязь *f*.; говно́ || ~ *va*. загряз-ня́ть, -ни́ть; (*fig. & fam.*) по́ртить; говня́ть, на- || **-iness** *s*. грязь *f*.; нечистота́ || **-y** *a*. гря́зный, говённый.

mucous (мю́'кёс) *a*. сли́зистый || ~ **membrane** сли́зистая оболо́чка.

mucus (мю́'кёс) *s*. слизь *f*.

mud/ (мад) *s*. ил; ти́на || **to throw** ~ **at** ун-ижа́ть, -и́зить; позо́рить || **-dle** (мадл) *s*. пу́таница; беспоря́док || ~ *va*. мути́ть; отума́нивать || **-dle-headed** *a*. глу́пый || **-dy** *a*. гря́зный, и́листый; (*liquids*) му́тный || **-guard** *s*. (*of motor-car, etc.*) щит, крыло́.

muff/ (маф) *s*. му́фта, му́фточка; (*fam.*) глу́пый || **to make a** ~ **of, to** ~ изга́дить; по́ртить, ис- || **-in** *s*. бу́лка для ча́я из ры́хлого те́ста.

muffle/ (ма'фл) *s*. (*tech.*) му́фель *m*. || ~ *va*. (*cover, conceal*) заку́-тывать, -тать; (*deaden*) понижа́ть, -ни́зить || **-r** *s*. га́лстук; ше́йный плато́к; шарф. [пла́тье.

mufti (ма'фти) *s*. му́фти || **in** ~ в шта́тском

mug/ (ма'г) *s*. кру́жка; (*vulg.*) лицо́; (*fam.*) глупе́ц || **-gy** *a*. сыро́й, мо́зглый || **-wort** *s*. чернобы́льник || **-wump** (-уамп) *s*. (*Am.*) значи́тельный челове́к.

mulatto (мюлӓ'тоу) *s*. мула́т.

mulberry (ма'лбёри) *s*. ту́товая я́года.

mulct (малкт) *va*. на-лага́ть, -ложи́ть на кого́ де́нежный штраф; штрафова́ть, о-.

mul/e (мюл) *s*. мул; меск; иша́к, лоша́к || **-eteer** (-тий'р) *s*. пого́нщик му́лов *или* лошако́в || **-ish** *a*. упря́мый; строптйвый.

mull/ (мал) *s*. (*headland*) мыс || ~ *va*. приправля́ть и вскипяти́ть вино́ || **-igatawny** (-игётō'ни) *s*. суп с ку́рри || **-ion** (ма'лйён) *s*. сре́дник (у окна́).

multi/coloured (ма'лти-ка'лёрд) *a*. разноцве́тный; пё́стрый || **-farious** (-фэй'-риёс) *a*. разнообра́зный; разли́чный || **-form** *a*. многообра́зный || **-ple** (ма'лтипл) *s*. сло́жное число́ || ~ *a*. многокра́тный; складно́й || **-plication** (малтипликэй'шн) *s*. умноже́ние, помноже́ние, размноже́ние || **-plication-table** табли́ца умноже́ния || **-plier** (-плайёр) *s*. мно́житель *m*. || **-plicity** (малтипли'сити) *s*. многочи́сленность *f*.; мно́жество || **-ply** (-плай) *vn*. умн-ожа́ть, -о́жить; размн-ожа́ть, -о́жить || ~ *vn*. размн-ожа́ться, -о́житься || **-tude** (-тю́д) *s*. мно́жество; толпа́ || **-tudinous** (малтитю́'динёс) *a*. многочи́сленный.

mum/ (мам) *a*. безмо́лвный, ти́хий, немо́й || ~ *int*. ти́ше! ст! цыц! || **-ble** (мамбл) *s*. бормота́ние || ~ *va&n*. бормота́ть, ворча́ть про себя́ || **-mer** (ма'мёр) *s*. комедиа́нт, ря́женый || **-mery** (ма'мёри) *s*. маскара́д; притво́рство.

mumm/ify (ма'мифай) *va*. мумифици́ровать || **-y** (ма'ми) *s*. му́мия || **to beat to a** ~ (поря́дочно) колоти́ть, от-, по-; из-бива́ть, -би́ть кого́ до полусме́рти.

mumps (мампс) *spl.* угрю́мость *f.*; (*med.*) сви́нка; зау́ш(н)ица.
munch (манч) *va&n.* ча́вкать, чмо́кать.
mundane (ма'ндэйн) *a.* мирско́й, земно́й; жите́йский.
muni/cipal (мюни'-сипёл) *a.* муниципа́льный, городско́й || **–cipality** (мюниси-па́'лити) *s.* муниципалите́т || **–ficence** (-фисёнс) *s.* ще́дрость *f.*; торова́тость *f.* || **–ficent** (-фисёнт) *a.* ще́дрый, торова́тый || **–ments** (мю'нимёнтс) *spl.* (*jur.*) по́длинные докуме́нты *mpl.*; гра́мота || **–tions** (-шнз) *spl.* вое́нный снаря́д, амуни́ция.
mural (мю'рёл) *a.* стенно́й.
murder/ (ма'рдёр) *s.* уби́йство; смертоуби́йство || ~ *va.* уб-ива́ть, -и́ть; (*language*) кове́ркать, ис- || **–er** *s.* уби́йца *m.* || **–ess** *s.* уби́йца || **–ous** *a.* уби́йственный.
muriat/e (мю'ри-эйт) *s.* солянокислая соль || **–ic** (мюри-а́'тик) *a.* солянокислый.
murk/iness (мё'рк-инэс) *s.* темнота́, мра́чность *f.* || **–y** *a.* тёмный, мра́чный.
murmur/ (мё'рмёр) *s.* бормота́ние; го́вор; ро́пот; (*of a stream, etc.*) журча́ние || ~ *vn.* ворча́ть, бормота́ть; (*grumble*) ропта́ть; (*of a stream*) журча́ть || **–ous** *a.* ро́пщущий.
murrain (ма'рин) *s.* падёж.
musc/le (масл) *s.* мы́шца, му́скул || **–ular** (ма'скюлёр) *a.* мы́шечный; (*strong*) мускули́стый, жи́листый || **–ularity** (маскюла́'рити) *s.* си́ла мышц.
muse (мюз) *s.* му́за || ~ *vn.* заду́мываться.
museum (мюзий'-ём) *s.* музе́й.
mushroom (ма'шрум) *s.* гриб; (*fig.*) вы́скочка.
music/ (мю'зик) *s.* му́зыка || **–al** *a.* музыка́льный || **–book** *s.* но́ты; тетра́дь (*f.*) с но́тами || **~-hall** *s.* варьете́ || **–ian** (мюзи'шн) *s.* музыка́нт || **~-master** *s.* учи́тель (*m.*) му́зыки || **~-stand** *s.* пюпи́тр || **~-stool** *s.* табуре́т для роя́ля.
musing (мю'зинг) *s.* размышле́ние; заду́мчивость *f.* || ~ *a.* заду́мчивый.
musk/ (маск) *s.* му́скус; (*zool.*) кабарга́ || **~-deer** *s.* кабарга́.
musket/ (ма'скит) *s.* мушке́т, ружьё || **–eer** (-ий'р) *s.* мушкетёр || **–ry** *s.* (*fire*) руже́йный ого́нь; (*instruction*) уче́бная стрельба́.
musk/iness (ма'скинэс) за́пах му́скуса || **~-rat** *s.* му́скусовая кры́са; вы́хухоль *f.* || **–y** *a.* му́скусовый.
muslin (ма'злин) *s.* кисе́я, мусли́н || ~ *a.* кисе́йный, мусли́нный.
mussel (масл) *s.* раку́шка, ра́ковина.
must (маст) *s.* виногра́дный морс, виногра́дный муст || ~ *v.aux.* долженствова́ть || **I** ~ мне должно́, я до́лжен || **you** ~ **be mistaken** вы должно́ быть ошиба́етесь.
mustang (ма'стэнг) *s.* муста́нг.
mustard/ (ма'стёрд) *s.* горчи́ца || **~-plaster** *s.* горчи́чник || **~-pot** *s.* горчи́чница.
muster/ (ма'стёр) *s.* (*inspection*) рассма́тривание; (*assembly*) сбор || **it will pass** ~ сойдёт! || ~ *va.* со-бира́ть, -бра́ть; де́лать, с- смотр; де́лать, с- перекли́чку; (*examine*) рас-сма́тривать, -смотре́ть; о-сма́тривать, -смотре́ть || ~ *vn.* со-бира́ться, -бра́ться || **~-roll** *s.* спи́сок всем рядовы́м; (*mar.*) судова́я роль.
must/iness (ма'стин-эс) *s.* за́дхлость *f.* || **–y** *a.* за́дхлый; мо́зглый; (*of wine*) вы́дохлый; (*mouldy*) пле́сневелый.
mut/ability (мют-ёби'лити) *s.* переме́нчивость *f.*; изме́нчивость *f.*; превра́тность *f.* || **–able** (мю'тёбл) *a.* переме́нчивый, изме́нчивый; (*fickle*) непостоя́нный || **–ation** *s.* измене́ние.
mute/ (мют) *s.* немо́й, нема́я; (*theat.*) стати́ст, стати́стка; (*mourner*) приглаша́ющий на по́хороны; (*gramm.*) немо́й звук; (*mus.*) де́мпфер, сурди́на || ~ *a.* немо́й; безгла́сный || **–ness** *s.* безгла́сность *f.*; немота́.
mutilat/e (мю'тилэйт) *va.* уве́чить; из-уро́дывать, -уро́довать; (*fig.*) иск-ажа́ть, -ази́ть || **–ion** (мютилэй'шн) *s.* изуро́дование, уве́чение.
mutin/eer (мютиний'р) *s.* мяте́жник, бунтовщи́к, крамо́льник || **–ous** (мю'тинёс) *a.* мяте́жный, бунтовско́й; (*inciting to mutiny*) возмути́тельный || **–y** (мю'тини) *s.* мяте́ж, бунт, крамо́ла || ~ *vn.* бунтова́ть, взбунтова́ться.
mutter (ма'тёр) *s.* ворча́ние; ро́пот; бормота́ние || ~ *vn.* бормота́ть, про-; ворча́ть; (*grumble*) ропта́ть.
mutton/ (ма'тн) *s.* бара́нина || **~-chop** *s.* бара́нья котле́та || **~-head** *s.* глупе́ц; дура́к.
mutual/ (мю'тю-ёл) *a.* взаи́мный, обою́дный; (*in common*) о́бщий || **–ity** (мютю-а́'лити) *s.* взаи́мность *f.*; обою́дность *f.*
muzzle/ (мазл) *s.* (*gag*) намо́рдник; (*snout*) мо́рда, ры́ло; (*of a gun*) жерло́ || ~ *va.* на-дева́ть, -де́ть намо́рдник; (*fig.*) зажа́ть кому́ рот || **~-loader** *s.* ружьё заряжа́емое с ду́ла.
muzzy (ма'зи) *a.* опьяне́лый, пья́ный.
my (май) *a.* мой, моя́, моё, мои́; (*when referring to subject of sentence*) свой, своя́, своё, свои́ || **oh** ~! *int.* ах, чёрт! бо́же мой!
myopic (май-о'пик) *a.* близору́кий.
myriad (ми'риёд) *s.* несме́тное число́, тьма || ~ *a.* несме́тный.

myrmidon/ (мё'рмидон) *s.* служитель *m.*; мирмидон || **-s of the law** (*fam.*) городовые.
myrrh (мёр) *s.* мирра.
myrtle (мёртл) *s.* мирта; миртовое дерево.
myself (майсэ'лф, мисэ'лф) *prn.* я сам; себя.
myster/ious (мистий'р-иёс) *a.* таинственный || **-iousness** (-иёснэс) *s.* таинственность *f.* || **-y** (ми'стёри) *s.* тайна.
mystic/al (ми'стикёл) *a.* мистический, таинственный || **-ism** (ми'стисизм) *s.* мистицизм.
mystif/ication (мистификэй'шн) *s.* мистификация; обман || **-y** (ми'стифай) *va.* мистифицировать; дурачить, одурачивать, -ить.
myth/ (миþ) *s.* миф; предание; басня || **-ical** (ми'þикёл) *a.* мифический; баснословный || **-ologic(al)** (миþоло'джикёл) *a.* мифологический || **-ology** (миþо'лоджи) *s.* мифология; баснословие.

N

nab (нӓб) *va.* поймать, цапнуть.
nacre (нэйкр) *s.* перламутр.
nag/ (нӓг) *s.* лошадёнка || ~ *va.&n.* пилить; прид-ираться, -раться (к + *D.*) || **-ging** *s.* придирки *fpl.* || ~ *a.* придирчивый.
naiad (нэ'йёд) *s.* наяда.
nail/ (нэйл) *s.* гвоздь *m.*; ноготь (*G.* -гтя) *m.*; (*of animals*) коготь (*G.* -гтя) *m.* || **on the** ~ на месте; тотчас-же || **to hit the** ~ **on the head** (*fig.*) попасть в самую точку || ~ *va.* приб-ивать, -ить гвоздями; пригвоздить || **to** ~ **up** заколачивать || **~-brush** *s.* ногтяная щёточка, ногтевая щётка || **~-scissors** *s.* ножницы (*fpl.*) для ногтей, ногтевые ножницы.
naïve/ (наи'в, нэй'ив) *a.* наивный; простодушный || **-té** (нэй'-ивти) *s.* наивность *f.*; простодушие.
naked/ (нэй'кёд) *a.* голый, нагой; (*uncovered*) обнажённый; (*defenceless*) беззащитный; (*clear*) чистый || **with the** ~ **eye** невооружённым глазом, простыми глазами || **stark** ~ голёхонек || **-ness** (нэй'киднес) *s.* нагота.
namby-pamby (нӓ'мби-пӓ'мби) *a.* жеманный, чопорный || ~ *s.* чопорность *f.*
name/ (нэйм) *s.* имя (*G.* -ени) *n.*; название; слава, репутация || **Christian, first** ~ крестное имя || **family** ~ фамилия || **to call one -s** ругать || **to send in one's** ~ доложить о себе || **take in my** ~! пожалуйста, доложите обо мне! || **what is your** ~? как Вас зовут? || ~ *va.* наз-ывать, -вать, звать; (на)именовать; (*appoint*) наз-начать, -начить; (*elect.*) выбирать, выбрать || **-less** *a.* безымённый; неизвестный; (*indescribable*) неописуемый || **-ly** *ad.* именно; то есть || **-sake** *s.* тёзка, однофамилец.
nankeen (нӓнкий'н) *s.* нанка.
nanny(-goat) (нӓ'ни-гōу'т) *s.* коза.
nap/ (нӓп) *s.* (*in cloth*) узелок (*G.* -лка) в шерсти; ворса; непродолжительный, лёгкий сон; послеобеденный сон; (*on plants*) пух, пушок || **to take a** ~ вздремнуть || **to catch -ping** застигнуть врасплох || **-less** *a.* истёртый, изношенный.
nape/ (нэйп) *s.* затылок; загеек || **-ry** *s.* (*arch.*) столовое бельё.
naphtha (нӓ'фта) *s.* нефть *f.*
napkin (нӓ'пкин) *s.* салфетка.
narcissus (нӓрси'сёс) *s.* (*bot.*) нарцисс.
narcosis (нӓркōу'сис) *s.* (*med.*) наркоз.
narcotic (нӓрко'тик) *a.* наркотический, усыпляющий || ~ *s.* наркотическое средство.
narrate (нӓрэй'т) *va.* расска́з-ывать, -ать, повествовать.
narra/tion (нӓрэй'-шн) *s.* рассказ, повествование || **-tive** (нӓ'рётив) *s.* рассказ, повесть *f.* || **-tive** *a.* повеств-овательный, -ующий || **-tor** *s.* рассказчик, повествователь *m.*
narrow/ (нӓ'ро) *a.* узкий, тесный; (*niggardly*) скупой, скудный; (*accurate*) точный || **to have a** ~ **escape** едва спастись || **~-gauge** *a.* (*rail.*) ускоколейный || **~-minded** *a.* узкий; узких взглядов || **-ly** *ad.* узко, тесно и т. д.; едва, еле еле, чуть чуть || **-s** *spl.* теснина; пролив || ~ *va.&n.* су-живать(-ся), -зить(-ся); стесн-ять(-ся), -ить(-ся), ограничи-вать, -ть; ссе-даться, -сться (после стирки) || **-ness** *s.* уз-ость *f.*, -кость *f.*; теснота *f.*, теснота, мелочность *f.*, скудность *f.*
narwhal (нӓ'руёл) *s.* (*zool.*) нарвал, морской единорог.
nasal (нэйзл) *a.* носовой || ~ *s.* (*gramm.*) носовой звук.
nastiness (нӓ'стинес) *s.* скверность *f.*, гадость *f.*; грязь *f.*; непристойность *f.*
nasturtium (нӓстё'ршём) *s.* настурций.
nasty (нӓ'сти) *a.* скверный, гадкий; грязный; непристойный; (*of temper*) ворчливый.
natal (нэйтл) *a.* родной, родимый.
nata/nt (нэй'тёнт) *a.* плавающий || **-tion** (нӓтэй'шн) *s.* плавание, искусство плавания.
nation/ (нэй'шн) *s.* нация, народ || **-al** (нӓ'шёнел) *a.* национальный, народный || ~ **air** *s.* народный гимн || ~ **debt** *s.* государственный долг || **-alize** (нӓ'шёнёлайз) *va.* национализировать || **-ality** (нӓшёнӓ'лити) *s.* национальность *f.*, народность *f.*

native (нэй'тив) *a.* природный; естественный; туземный, местный; самородный (металл) || ~ **country** *s.* отечество, родина || ~ *s.* туземец; уроженец; английская устрица.

nativity (нэти'вити) *s.* рождение; Рождество; место рождения, родина; (*horoscope*) гороскоп.

natty (нä'ти) *a.* чистенький, миленький, изящный.

natural/ (нä'чёрёл) *a.* естественный, натуральный; (*illegitimate*) побочный, незаконнорождённый || ~ **philosophy** физика || ~ **selection** естественный подбор || ~ *s.* идиот, дурак; (*mus.*) бекар || **–ization** *s.* натурализация || **–ize** *va.* натурализировать; принимать в подданство, в число граждан || **–ist** *s.* естествоиспытатель *m.*; натуралист.

nature/ (нэй'чёр) *s.* природа; натура; (*character*) нрав, характер; (*quality*) свойство, качество || **by** ~ от природы || **good –d** добродушный, добрый || **ill –d** злой || **in a state of** ~ голый.

naught/ (нот) *s.* ничто; нуль *m.* || **to set at** ~ пренебр-егать, -ечь || **to come to** ~ потерпеть неудачу || **–iness** *s.* негодность *f.*; (*children*) шаловливость *f.*, капризы *mpl.* || **–y** *a.* (**–ily** *ad.*) (*children*) непослушный, шаловливый; негодный, скверный.

nause/a (но'ши-ё) *s.* тошнота; отвращение; морская болезнь *f.* || **–ate** (-эйт) *vn.* тошнить || ~ *va.* возбу-ждать, -дить, причин-ять, -ить тошноту; питать отвращение (к + *D.*) || **–ous** (-ёс) *a.* отвратительный, мерзкий.

naut/ical (но'тикёл) *a.* морской, мореходный, [(*ship's*) корабельный. || **–ilus** (-лёс) *s.* (*zool.*) кораблик, ботик.

naval (нэйвл) *a.* морской, флотский;

nave (нэйв) *s.* (*wheel*) ступица; (*church*) неф; средняя, главная часть церкви.

navel (нэйвл) *s.* пуп, пупок || **~-string** *s.* пуповина.

naviga/ble (нä'виг-ёбл) *a.* судоходный || **–te** (-эйт) *vn.* плавать (на судне) || ~ *va.* править, управлять (судном) || **–tion** (-эй'шн) *s.* плавание, мореходство, навигация || **–tor** (-эйтёр) *s.* мореходец, мореплаватель *m.*

navvy (нäви) *s.* землекоп (рабочий); железнодорожный рабочий.

navy/ (нэй'ви) *s.* флот || ~ **office** *s.* морская контора || **~-yard** *s.* верфь *f.*

nay (нэй) *ad.* нет; (*in point of fact*) даже, [более того.

naze (нэйз) *s.* мыс.

neap/ (нийп) *a.* низкий || **~-tide** *s.* отлив.

near/ (нийр) *a.* близкий; родственный; соседний; (*niggardly*) скупой, скаредный; (*left*) левый || ~ *ad.* близко, недалеко; (*almost*) почти, едва, чуть; (*approximately*) приблизительно || ~ *prp.* вблизи, подле, около || ~ *va.&n.* близиться, прибли-жать(-ся), -зить(-ся) || **–ly** *ad.* близко; почти; точно; скупо || **–ness** *s.* близость *f.*; близкое родство; скупость *f.* || **~-sighted** *a.* близорукий.

neat/ (нийт) *a.* чистый, опрятный; (*elegant*) щеголеватый; (*clever*) искусный; (*unmixed*) чистый, беспримесный || ~ *s.* рогатый скот || **–ness** *s.* миловидность *f.*, опрятность *f.*, чистота.

nebul/a (нэ'бюл-ё) *s.* туманное пятно || **–ous** (-ёс) *a.* туманный, облачный.

necess/aries (нэ'сис-риз) *spl.* потребности *fpl.* || **–ariness** *s.* необходимость *f.* || **–ary** *a.* (**–ily** *ad.*) необходимый, нужный, потребный || **–itate** (нисэ'ситэйт) *va.* при-нуждать, -нудить || **–itous** (нисэ'ситёс) *a.* нуждающийся; (*poor*) убогий || **–ity** (нисэ'сити) *s.* необходимость *f.*; потребность *f.*; (*poverty*) нужда, бедность *f.*

neck/ (нэк) *s.* шея; (*bottle*) горло, горлышко; (*shirt*) ворот; (*fiddle*) шейка; грудь (женская) *f.*; (*geog.*) пере-шеек, -шейка || **–erchief** (нэ'кёрчиф) *s.* косынка (у женщин) || **–lace** *s.*, **–let** (-лит) *s.* ошейник, ожерелье || **–tie** *s.* галстук.

necro/logy (нэкро'-лёджи) *s.* список умершим; жизнеописание умершего, некролог || **–mancy** (нэ'кромäнси) *s.* некромантия, заклинание духов; чародейство, волшебство || **–polis** (-полис) *s.* кладбище, некрополь *f.*

nectar/ (нэ'ктёр) *s.* нектар || **–ine** *s.* (*hort.*) нектарин (персик).

need/ (нийд) *s.* (*poverty*) нужда, беднота, надобность *f.*, потребность *f.* || ~ *va.* нуждаться в; иметь надобность (в + *Pr.*) || ~ *vn.* нуждаться || **–ful** *a.* необходимый, нужный, потребный || ~ *s.* (*fam.*) деньги *fpl.* || **–fully** *ad.* по необходимости, неизбежно || **–iness** *s.* нужда, бедность *f.* || **–less** *a.* ненадобный, напрасный.

needle/ (ний'дл) *s.* игла, иголка; стрелка; (*of a magnet*) магнитная стрелка || **–woman** *s.* швея || **–work** *s.* шитьё.

needs (нийдз) *ad.* непременно, необходимо.

need/y (ний'ди) *a.* (**–ily** *ad.*) бедный, нуждающийся.

ne'er/ *cf.* **never**, **~-do-well** (нä'р-ду-уэ'л) *s.* негодяй, озорник, негодник, беспутник.

nefarious (нифӓ'риёс) *a.* отврати́тельный, ме́рзкий, гну́сный.

negati/on (нигэ̄й'шн) *s.* отрица́ние || **–ve** (нэ'тётив) *a.* отрица́тельный, отка́зный || *s.* отрица́ние; (*phot.*) негати́в; (*gramm.*) отрица́тельная части́ца || **~** *va.* отрица́ть, от-верга́ть, -ве́ргнуть.

neglect/ (ниглэ'кт) *s.* (*disregard*) небреже́ние, невнима́ние; (*carelessness*) упуще́ние; (*fig.*) презре́ние || **to fall into ~** выходи́ть из употребле́ния || **~** *a.* пренебрега́ть, -бре́чь; упус-ка́ть, -ти́ть (слу́чай); не раде́ть, не забо́титься (о + *Pr.*) || **–ful** *a.* небре́жный, неради́вый, невнима́тельный.

negligen/ce (нэ'глиджён-с) *s.* небре́жность *f.*, неради́вость *f.* || **–t** *a.* небре́жный, беспе́чный, беззабо́тный; неря́шливый; неради́вый.

negligée (нэглиджий', нэ'глижэ̄й) *s.* неглиже́, у́треннее пла́тье.

negotia/ble (ниго̄у'ши-ёбл) *a.* прода́жный || **not ~** без пра́ва переда́чи || **~ paper** *s.* ве́ксель (*m.*) соли́дных фирм || **–te** (-э̄йт) *va&n.* торгова́ть (*I.*), перегов-а́ривать, -ори́ть (о + *Pr.*); (*a fence*) пере-ска́кивать, -скочи́ть, -скакну́ть; (*a cape*) об'-езжа́ть, -е́хать (вокру́г чего́); (*a bill*) дисконти́ровать ве́ксель || **–tion** (нигоусиэ̄й'шн) *s.* (*bargain*) торг, торго́вая сде́лка, перегово́ры *mpl.* (диплома́тические) || **–tor** (-эйтёр) *s.* посре́дник, перегово́рщик.

negr/ess (ний'грэс) *s.* негритя́нка || **–o** (ний'гро̄у) *s.* негр, ара́п.

negus (ний'гёс) *s.* не́гус (*the title of the kings of Abyssinia*); (*beverage*) глинтве́йн.

neigh/ (нэ̄й) *vn.* ржать || **–ing** *s.* ржа́ние.

neighbour/ (*Am.* **neighbor**) (нэ̄й'бёр) *s.* сосе́д, -ка; (*bibl.*) бли́жний || **~** *va&n.* грани́чить, прилега́ть, быть в сосе́дстве || **–hood** *s.* сосе́дство, окре́стность *f.* || **–ing** *a.* сосе́дний, сме́жный, окре́стный || **–ly** *a.* сосе́дский, дру́жеский || **–ly** *ad.* по до́брому сосе́дству.

neither (най'ðёр, ний'ðёр) *prn.* никто́, никако́й; ни тот ни друго́й || **~** *c.* ни, та́кже не || **~ . . . nor** ни . . . ни.

neo/logism (нио'-лоджизм) *s.* неологи́зм, но́вое сло́во || **–logy** *s.* страсть (*f.*) к нововведе́ниям, неоло́гия || **–phyte** (ний'-офайт) *s.* неофи́т, новокрещённый; (*novice*) новичо́к.

nephew (нэ'вю) *s.* племя́нник.

nephriti/c (нэфри'тик) *a.* по́чечный || **–s** *s.* (*med.*) нефри́т, воспале́ние по́чек.

nepotism (нэ'потизм) *s.* непоти́зм, покрови́тельствование ро́дственникам.

nerv/e (нёрв) *s.* нерв; (*fig.*) си́ла, си́ла хара́ктера || **to strain every ~** употребля́ть все свои́ си́лы || **~** *va.* укреп-ля́ть, -и́ть; прид-ава́ть, -а́ть си́лу, бо́дрость *f.* || **–eless** *a.* бесси́льный || **–ous** *a.* си́льный; не́рвный, (*weak-nerved*) нерво́зный; слабоне́рвный || **to be ~** не́рвничать.

ness (нэс) *s.* мыс.

nest/ (нэст) *s.* гнездо́; (*of thieves*) прито́н || **~** *vn.* вить гнездо́, гнезди́ться || **~-egg** по́дкладень *m.*; (*fig.*) неразме́нный рубль *m.* || **–le** (нэсл) *vn.* гнезди́ться, приюти́ться || **~** *va.* приюти́ть, посади́ть (куда́); голу́бить || **–ling** (нэ'слинг) *s.* птен-чик, -е́ц.

net (нэт) *s.* сеть *f.*, се́тка, не́вод, тенёта *npl.*; тюль *m.*; филе́ *indecl.* || **~** *va.* пойма́ть в се́ти; вяза́ть филе́ *or* се́ткою; получ-а́ть, -и́ть чи́стый дохо́д || **~** *a.* чи́стый; (*comm.*) не́тто.

nether/ (нэ'ðёр) *a.* ни́жний || **–most** *a.* са́мый ни́жний.

netting/ (нэ'тинг) *s.* плетёная рабо́та, сеть *f.*, филе́ *indecl.*, сплете́ние || **~-needle** филе́йная иго́лка.

nettle/ (нэ'тл) *s.* крапи́ва || **~** *va.* раздраж-а́ть, -и́ть || **~-rash** *s.* крапи́вная лихора́дка.

neuralgia (нюрӓ'лджиё) *s.* невра́лгия, не́рвная боль.

neuter (ню'тёр) *a.* (*gramm.*) сре́днего ро́да.

neutral/ (ню'трёл) *a.* (*impartial*) нейтра́льный; беспристра́стный; (*indifferent*) равноду́шный || **~ tint** *s.* (неопределённый) голубова́тый *или* синева́тый цвет || **–ity** (нютра'лити) *s.* нейтралите́т || **–ize** *va.* де́лать, с- недействи́тельным; нейтрализова́ть; ура́внивать.

never/ (нэ'вёр) *ad.* никогда́, не, ни, нет, ни ко́им о́бразом || **~ mind!** нужды́ нет! || **well, I ~!** вот тебе́ на! неу́жто! неуже́ли! || **~ a** ни оди́н || **~-ceasing** непреста́нный || **–more** *ad.* никогда́ бо́льше || **–theless** (-ðёлэ'с) *ad.* не смотря́ на то, тем не ме́нее, одна́ко.

new/ (ню) *a.* но́вый; (*lately*) неда́вний; (*fresh*) све́жий; (*not used to*) нео́пытный; непривы́кший || **~** *ad.* сно́ва || **–born** *a.* новорождённый || **~-comer** *s.* вновь прибы́вший || **~-fangled, ~-fashioned** *a.* новомо́дный || **~-laid** *a.*, **~ egg** све́жее яйцо́ || **–ly** *ad.* неда́вно || **–ness** *s.* новизна́, но́вость *f.* || **~-year's day** пе́рвый день но́вого го́да || **~-year's eve** *s.* кану́н но́вого го́да.

news/ (нюз) *spl.* но́вость *f.*, но́вости *fpl.*, изве́стия *npl.*; газе́та || **–boy, –man** *s.* газе́тчик || **–paper** *s.* газе́та || **–room** *s.*

кабинёт для чтёния || ~-**vendor** *s.* продавёц газёт.
newt (нют) *s.* (*zool.*) ящерица.
next/ (нэкст) *a.* (*time*) слёдующий, будущий; (*place*) сосёдний, ближайший || ~ *ad.* потом, после того || **what** ~! что ещё! || ~ **to** почти || ~ **day** на другой день || ~-**door** рядом || **(the)** ~ **moment** тотчас, сейчас || ~ **time** в будущий раз.
nib (ниб) *s.* клюв, нос; кончик пера; (стальное) перо; остриё.
nibble/ (нибл) *va&n.* грызть, есть по маленьким кусочкам; (*of fish*) клевать; осуждать, пересуждать || -**r** *s.* грызун; пересудчик.
nice/ (найс) *a.* хороший, славный; тонкий, нежный; приятный; (*precarious*) щекотливый; (*exact*) аккуратный; (*fastidious*) разборчивый; хитрый, лукавый; незначительный || -**ness**, -**ty** *s.* деликатность *f.*, нежность *f.*; разборчивость *f.*; аккуратность *f.* || **to a** -**ty** как раз, точь-в-точь || -**ties** *spl.* лакомства *npl.*
niche (нич) *s.* ниша.
nick (ник) *s.* зарубка, рубец || **in the** ~ **of time** как раз вовремя || **Old** ~ чёрт || ~ *va.* заруб-ать, -ить; делать зарубки (на + *Pr.*).
nickel (никл) *s.* (*min.*) никель *m.* (*a.* никелевый); (*Am. coin*) монета в пять центов.
nicknacks (ни'кнä'кс) *spl.* безделки *fpl.*, игрушки *fpl.*
nickname (ни'кнэйм) *s.* прозвище || ~ *va.* давать, дать (*D.*) прозвище.
niece (нийс) *s.* племянница.
niggard/ (ни'гёрд) *s.* скряга *m&f.*; скупец || ~ *a.* (-**ly** *a&ad.*) скупой, скаредный || -**liness** *s.* скупость *f.*, скаредность *f.*
nigger (ни'гёр) *s.* (*vulg.*) негр, арап || (*nickname*) индеец || **to work like a** ~ работать как вол.
nigh (най) *a.* близкий, ближний || ~ *ad.* близко; (*almost*) почти || ~ *prp.* недалеко от || **to draw** ~ приближаться.
night/ (найт) *s.* ночь *f.*, вечер || **at, by** ~ ночью || **good** ~! спокойной ночи || **last** ~ вчера вечером || ~-**cap** *s.* спальный колпак; (*fam.*) пунш на сон грядущий || -**fall** *s.* наступление ночи || ~-**gown** *s.* ночная рубашка; халат || -**ingale** (най'тингэйл) *s.* соловей || -**ly** *a.* ночной || -**ly** *ad.* ночью; по ночам || -**mare** *s.* кошмар || -**shade** *s.* (*bot.*) псинка, паслён.
nihilis/**m** (най'хил-изм) *s.* нигилизм || -**t** (-ист) *s.* нигилист.
nil (нил) *s.* ничто, ноль *m.*, нуль *m.*
nim/**ble** (ни'мбл) *a.* (-**bly** *ad.*) живой, быстрый, проворный.
nimbus (ни'мбёс) *s.* сияние, венец; лучезарный венец; (*cloud*) дождевое облако.
nincompoop (ни'нкёмпуп) *s.* простак, остолоп.
nine/ (найн) *a.* девять || ~ *s.* девятка || -**fold** *a.* в девять раз || ~-**pins** *spl.* игра в кегли || -**teen** (най'нтий'н) *a.* девятнадцать || -**teenth** (най'нтий'нþ) *a.* девятнадцатый || -**tieth** (най'нтииþ) *a.* девяностый || -**ty** *a.* девяносто.
ninny (ни'ни) *s.* простофиля *sc.*, простак, дурак, дуралей, дурень *m. sc.*
ninth/ (найнþ) *a.* девятый || ~ *s.* (*mus.*) нона || -**ly** *ad.* в'девятых.
nip/ (нип) *va.* (*pinch*) щипать, ущипнуть; (*with cold*) повре-ждать, -дить морозом; (*nip off*) отщем-лять, -ить || **to** ~ **in the bud** истреб-лять, -бить (с самого [его] начала) || ~ *s.* щипок (*G.* -пка), ущип; (*sip*) глоточек (*G.* -чка) || -**per** *s.* (*fam.*) ребёнок || -**pers** *spl.* клещи *fpl.*, щипчики *mpl.* (*dim. of* щипцы) || -**ping** *a.* колющий, язвительный || -**ple** (нипл) *s.* грудной сосок (*G.* -ска).
nisi (най'сай), **decree** ~ предварительное бракоразводное решение.
nit/ (нит) *s.* гнида || -**id** (ни'тид) *a.* блестящий.
nitr/**ate** (най'трэйт) *s.* азотнокислая соль || -**e** (най'тёр) *s.* селитра || -**ic acid** (най'трик ä'сид) *s.* азотная кислота || -**ogen** (най'троджин) *s.* азот || -**o-glycerine** (найтрогли'сёрин) *s.* нитроглицерин || -**ous** (най'трёс) *a.* азотистый.
no (нōу) *ad.* нет, не || ~ *a.* никакой || ~ *s.* отказ, нет; отрицательный голос при балотировке || **by** ~ **means** ни в каком случае || ~ **one** никто || ~ **more**! довольно || **there is** ~ **understanding what he says** нет никакой возможности понять, что он говорит || **whether or** ~ во всяком случае.
nob/ (ноб) *s.* (*fam.*) голова, башка || **a big** ~ (*fam.*) высокопоставленная особа; франт || -**by** *a.* (*fam.*) франтовской.
nobility (ноби'лити) *s.* дворянство, дворянский род, дворяне *mpl.*; (*nobleness*) благородство.
nobl/**e** (нōубл) *a.* (-**y** *ad.*) (*of high birth*) дворянский, дворянского рода; (*magnanimous*) благородный, великодушный; (*magnificent*) великолепный || ~ *s.* дворянин || -**eman** *s.* дворянин, пер (в Англии) || -**eness** *s.* дворянство, великодушие, величие, благородство.
nobody (нōу'боди) *s.* никто || **he is** ~ он ничто.

nocturn/ (но'ктёрн) *s.* (*eccl.*) полуно́щница || **-al** (ноктёр'нёл) *a.* ночно́й || **-e** (*mus.*) *s.* ноктю́рн.

nod/ (нод) *va&n.* кив-а́ть, -ну́ть голово́й; дрема́ть, клева́ть но́сом || ~ *s.* киво́к, лёгкий покло́н; (*fig.*) приказа́ние || **-al** (но́удл) *a.* узлово́й || **-dle** (нодл) *s.* (*fam.*) башка́ || **-e** (но̄уд) *s.* у́зел; завя́зка (*intrigue of a play*); (*med.*) нако́сток (*G.*-тка), ко́стный наро́ст; артрити́ческий у́зел (*G.* -зла́), ломо́тная ши́шка || **-ule** (но'дюл) *s.* узело́к; (*lump*) комо́чек.

noggin (но'гин) *s.* кру́жечка, кувши́н.

nois/e (нойз) *s.* шум; молва́ || ~ *va&n.* шуме́ть; разгла-ша́ть, -си́ть слух || **-eless** (ной'злис) *a.* безшу́мный, ти́хий || **-ome** (ной'сём) *a.* вре́дный; (*disgusting*) отврати́тельный, ме́рзкий; (*stinking*) злово́нный || **-y** (ной'зи) *a.* шу́м-ный, -ли́вый, гро́мкий.

nomad/ (ноу'мёд) *s.* коче́вник || **-ic** (но̄ума́'дик) *a.* кочево́й, кочу́ющий.

nomenclature (ноу'менклӓчёр) *s.* номенклату́ра; пе́речень (*m.*) имён.

nomin/al (но'минл) *a.* номина́льный, именно́й || **a ~ king** коро́ль то́лько по и́мени || ~ **value** *s.* номина́льная, нарица́тельная цена́ || **-ate** (но'минэйт) *va.* (на) именова́ть; (*appoint*) на-знача́ть, -зна́чить || **-ation** *s.* наименова́ние; назначе́ние; предвари́тельный вы́бор || **-ative** *s.* (*gramm.*) имени́тельный паде́ж || **-nee** (номини') *s.* наимено́ванный; кандида́т (на до́лжность).

non/-acceptance (но'нӓксе'птёнс) *s.* непринятие || **-age** (но'нидж) *s.* несовершенноле́тие || **~-appearance** (нонёпий'-рёнс) *s.* нея́вка || **~-arrival** (нонёрай'вл) *s.* неприбы́тие, опозда́ние || **~-attendance** (нонётэ'ндёнс) *s.* отсу́тствие.

nonce (нонс) *s.*, **for the ~** на э́тот раз.

nonchal/ance (но'ншёлёнс) *s.* равноду́шие || **-ant** (но'ншёлёнт) *a.* равноду́шный.

non/-commissioned (но'нкёми'шёнд) *a.*, **~ officer** у́нтер-офице́р || **~-compliance** *s.* отка́з || **~-conducting** (нонкёнда'ктинг) *a.* (*phys.*) ду́рно проводя́щий.

nonconformist (нонкёнфо'рмист) *s.* (*eccl.*) инове́рец (*G.* -рца), нонконформи́ст.

nondescript (но'ндёскрипт) *a.* неопредели́мый; стра́нный.

none (нан) *s.*, *a&prn.* никто́, ничто́; никако́й, ни оди́н || **~ the less** тем не ме́нее, не смотря́ на то || **to be ~ the wiser** быть ничу́ть не умне́е.

nonentity (нонэ'нтити) *s.* небы́тие, небыли́ца; (*person*) ничто́жный челове́к.

non/-payment (нон-пэ̄й'мёнт) *s.* неплате́ж, неупла́та || **~-performance** *s.* неисполне́ние || **~-plus** (но'нплас) *s.* замеша́тельство || **~-plus** *va.* поста́вить в затрудни́тельное положе́ние || **~-resistance** *s.* слепо́е повинове́ние || **-sense** (но'нсёнс) безсмы́слица; глу́пость *f.*, чепуха́ || **-sensical** (-сэ'нсикл) *a.* (**-ly** *ad.*) безсмы́сленный, неле́пый || **~-smoker** (но'нсмо̄укёр) *s.* некуря́щий || **-suit** (но'нсют) *va.* (*jur.*) отка́з-ывать, -а́ть в и́ске || **-suit** *s.* прекраще́ние и́ска.

noodle/ (нудл) *s.* проста́к, дурале́й, олух || **-s** *pl.* (*Am.*) лапша́, макаро́ны *mpl.*

nook (нук) *s.* у́гол (*G.*-гла́), уголо́к(*G.*-лка́).

noon/,-day,-tide (нӯн, нӯ'ндэй, нӯн'тайд) *s.* по́лдень *m.* (*G.* -дня) || ~ *a.* полу́денный, меридиона́льный.

noose (нӯз) *s.* пе́тля; сило́к (*G.* -лка́) || ~ *va.* лови́ть силко́м; запу́т-ывать, -ать || **a running ~** арка́н.

nor (нор) *c.* не || **neither . . . ~ . . .** ни . . . ни . . .

normal/ (но̄'рмёл) *a.* (**-ly** *ad.*) норма́льный, пра́вильный; (*geom.*) перпендикуля́рный.

north/ (норþ) *s.* се́вер; норд || ~ *a&ad.* се́верный || **~-East** *s.* се́веро-восто́к; нордо́ст || **-erly** (но'рþёрли), **-ern** (но'рþёрн) *a.* се́верный || **-ern lights** *spl.* се́верное сия́ние || **~-pole** *s.* се́верный по́люс || **~-star** *s.* поля́рная звезда́ || **-ward(s)** (но'рþуёрд(з) *ad.* к се́веру, на се́вер || **~-West** *s.* се́веро-за́пад; нордве́ст.

nose/ (но̄уз) *s.* нос; (*fig.*) нюх, чутьё; (*animals*) мо́рда, ры́ло || ~ *va.* ню́хать; чу́ять || **-gay** (но̄у'згэ̄й) *s.* буке́т (цвето́в) || **turned-up ~** вздёрнутый нос || **to speak through the ~** гнуса́вить || **blow one's ~** вы́сморкнуться || **to lead by the ~** води́ть за́ нос || **to make one pay through the ~** содра́ть с кого́ за что втри́дорога.

nostalgia (ностӓ'лджиё) *s.* носта́лгия, тоска́ по ро́дине.

nostril (но'стрил) *s.* ноздря́.

nostrum (но'стрём) *s.* (секре́тное) лека́рственное сре́дство.

not (нот) *ad.* не, нет, ни || **~ at all** ниско́лько, совсе́м нет.

nota/ble (но̄у'тёбл) *a.* (**-bly** *ad.*) замеча́тельный || **-rial** (нотӓ'риёл) *a.* нотариа́льный || **-ry** (но̄у'тёри) *s.* нота́риус || **-tion** (ноутэ̄й'шн) *s.* заме́тка; изображе́ние зна́ками.

notch (ноч) *s.* зару́бка, зазу́брина || ~ *va.* де́лать зару́бки, зазу́бр-ивать, -ить.

note/ (но̄ут) *s.* знак, при́знак; (*mus.*) но́та, тон; заме́тка, отме́тка, примеча́ние, замечáние; (*letter*) запи́ска; (*importance*) вáжность *f.* || **men of ~** знáтные господá || **a town of ~** значи́тельный гóрод || **to take ~ of** обращáть внимáние на (*A.*) || **~ of hand** *s.* вéксель *m.* || **~** *va.* замечáть, -'тить, приме-чáть, -'тить; дéлать отмéтки, примечáния; запи́с-ывать, -áть; поме-чáть, -'тить; положи́ть на нóты || **~-book** *s.* записнáя кни́жка || **-d** (нōу'тёд) *a.* знамени́тый, извéстный || **~-paper** *s.* почтóвая бумáга || **-worthy** *a.* достóйный замечáния, заслýживающий внимáния.

nothing/ (но'-þинг) *s.* ничтó, ничегó || **for ~** напрáсно, тщéтно || **good for ~** *a.* негóдный || **~** *s.* негодя́й; негóдник || **-ness** *s.* ничтóжность *f.*, пустяки́ *mpl.*

notice/ (нōу'тис) *s.* замечáние; (*information*) уведомлéние, извещéние; при́знак, примéта || **to give ~** откáз-ывать, -áть (*D.*) || **at a moment's ~** тóтчас || **to take ~ of** обрати́ть внимáние на || **~** *va.* замечáть, -'тить, приме-чáть, -'тить; обра-щáть, -ти́ть внимáние; прин-имáть, -я́ть к свéдению || **-able** *a.* достóйный внимáния, заслýживающий внимáния || **~-board** *s.* доскá для об'явлéний.

noti/fication (нōутификэ̄й'шн) *s.* извещéние, об'явлéние || **-fy** (нōу'тифай) *va.* изве-щáть, -сти́ть, об'яв-ля́ть, -и́ть.

notion/ (нōушн) *s.* (*idea*) поня́тие, представлéние; идéя, мысль *f.*; (*opinion*) мнéние; (*inclination*) склóнность *f.*; (*whim*) при́хоть *f.* || **-s** *pl.* (*Am.*) мéлочный товáр.

notori/ety (нōутёрай'ити) *s.* глáсность *f.*, всеóбщая извéстность *f.* || **-ous** (нотō'риёс) *a.* общеизвéстный, от'я́вленный, закоренéлый.

notwithstanding (нотуиðстä'ндинг) *prp.*, *c.* & *ad.* не смотря́ на то, что; тем не мéнее, всё-таки, однáко.

nought (нот) *cf.* **naught.**

noun (наун) *s.* (*gramm.*) и́мя существи́тельное.

nourish/ (на'риш) *va.* питáть, корми́ть; ухáживать за (*I.*) || **-ing** *a.* питáтельный, сы́тный || **-ment** *s.* пи́ща, (про)питáние.

novel/ (но'вёл) *s.* ромáн, пóвесть *f.* || **~** *a.* нóвый; необыкновéнный || **-ist** *s.* романи́ст || **-ty** нóвость *f.*, нови́нка.

November (новэ'мбёр) *s.* ноя́брь *m.*

novi/ce (но'вис) *s.* нови-чóк, -чкá; (*eccl.*) послýшни-к *m.*, -ца *f.* || **-ciate** & **-tiate** (нови'шиэ̄йт) *s.* врéмя (*n.*) искýса.

now/ (нау) *ad.* тепéрь, ны́не, сейчáс, в настоя́щее врéмя, в скóром врéмени || **~-a-days** в нáши дни́, в ны́нешние временá || **~ and then** иногдá; от врéмени до врéмени; по временáм || **just ~** тóлько что, сейчáс || **~ high, ~ low** то высокó, то ни́зко || **how ~?** что такóе? || **come ~!** ну же, довóльно.

no/way(s) (нōу'уэ̄й[з]) *ad.* никáк не, отнюдь не, ничáло || **-where** (нōу'хуäр) *ad.* нигдé || **-wise** (нōу'уайз) *ad.* никóим óбразом, ни в какóм слýчае.

noxious/ (но'кшёс) *a.* (зло)врéдный, пáгубный, нездорóвый; винóвный || **-ness** *s.* вред, зловрéдность *f.*

nozzle (нозл) *s.* нос; носóк (у посýдины); (*of bellows*) сóпло.

nubile (ню'бил) *a.* возмужáлый.

nucleus (ню'клиёс) *s.* ядрó.

nud/e (нюд) *a.* гóлый, нагóй || **-ity** *s.* наготá.

nudge (надж) *s.* (лёгкий) толчóк (*G.* -чкá) лóктем, толчóк в бок || **~** *va.* толкнýть лóктем.

nugatory (ню'гётёри) *a.* вздóрный; (*futile*) пустóй.

nugget (на'гит) *s.* саморóдок.

nuisance (ню'сёнс) *s.* беспокóйство; неприя́тность *f.*; (*inconvenience*) неудóбство || **Commit no ~!** запрещенó загрязня́ть (*or* осквернять) э́то мéсто! || **what a ~!** что за несносная вещь! || **to be a ~** докучáть, надо-едáть, -éсть.

null/ (нал) *a.* недействи́тельный, бесси́льный, ничтóжный || **-ify** (на'лифай) *va.* (с)дéлать недействи́тельным, уничтож-áть, -'ить, отмен-я́ть, -и́ть; кассировáть || **-ity** (на'лити) *s.* ничтóжность *f.*, недействи́тельность *f.*

numb/ (нам) *a.* оцепенéлый, онемéлый, окоченéлый || **~** *va.* произв-оди́ть, -ести́ онемéние, оцепенéлость *f.* || **to be -ed with horror** замирáть от ýжаса || **-ness** *s.* оцепенéлость *f.*, оцепенéние, онемéние.

number/ (на'мбёр) *s.* числó; коли́чество; мнóжество; нóмер, нýмер; (*of a magazine*) вы́пуск; (*gramm.*) числó || **to take care of ~ one** забóтиться о своём я || **~** *va.* пере-числя́ть, -чи́слить; чи́слить; при-, за-, ис-числ-я́ть, -'ить; нумеровáть || **-er** *s.* счётчик || **-less** *a.* безчи́сленный, неисчисли́мый || **N-s** *spl.* (*eccl.*) кни́га чисел (четвёртая кни́га Моисéева).

numer/al (ню'мёр-ёл) *a.* чи́сленный, числовóй || **-ally** *ad.* по числý || **-al** *s.* и́мя числи́тельное, числовóй знак, ци́фра || **-ate** *va.* чи́слить, ис-числя́ть, -чи́слить || **-ation** *s.* исчислéние, счёт; (*arith.*) нумерáция || **-ator** *s.* (*arith.*) числи́тель *m.* || **-ical** (нюмэ'рикл) *a.* чи́сленный, числи́тельный, числовóй || **-ous** *a.* многочи́сленный.

numisma/tics (нюмисмӑ'тикс) *spl.* нумизма́тика || **–tist** (нюми'смӗтист) *s.* нумизма́тик.
numskull (на'мскал) *s.* дура́к, глупе́ц.
nun (нан) *s.* мона́хиня, мона́шенка, и́нокиня; (*ornith.*) сини́ца.
nunci/ature (на'ншёчёр) *s.* нунциату́ра || **–o** (на'ншиōу) *s.* ну́нций.
nunnery (на'нёри) *s.* же́нский монасты́рь.
nuptial/ (на'пшёл) *a.* сва́дебный; бра́чный || **–s** *spl.* сва́дьба, венча́ние.
nurse/ (нёрс) *s.* ня́ня, ня́н-ька, -юшка; (*for the sick*) сиде́лка || **wet-~** корми́лица, ма́мка || **~-maid** ня́нька || **~** *va.* (вы́)ня́нчить; корми́ть (гру́дью); (*sick people*) уха́живать (за больны́ми) || **–ry** (нё'рсёри) *s.* де́тская; (*garden*) расса́дник, пито́мник || **–ry governess** бо́нна || **–ryman** (нё'рсримӑн) *s.* учёный садо́вник, худо́жественный садово́д.
nursling (нё'рслинг) *s.* пито́мец; грудно́й младе́нец; ненагля́дное ди́тятко.
nurture (нё'рчёр) *s.* пи́ща, корм; (*training*) воспита́ние || **~** *va.* пита́ть, вск-а́рмливать, -орми́ть; воспи́т-ывать, -а́ть.
nut/ (нат) *s.* оре́х; (*tech.*) га́йка || **~** *vn.* собира́ть оре́хи || **–cracker** *s.* щи́пчики для раска́лывания оре́хов, оре́шные кле́щики *mpl.*; щелку́нчик, щелку́шка || **~-gall** *s.* черни́льный оре́шек (*G.* -шка) || **–meg** (на'тмэг) *s.* муска́тный оре́х.
nut/shell (на'тшэл) *s.* оре́ховая скорлупа́ || **~-tree** *s.* оре́ховое де́рево, оре́шина; оре́шник.
nutri/ment (ню'тримёнт), **–tion** (нютри'шн) *s.* пита́ние, пи́ща, корм || **–mental** (нютримэ'нтёл), **–tious** (нютри'шёс), **–tive** (ню'тритив) *a.* пита́тельный.
nymph/ (нимф) *s.* ни́мфа || **–like** (ни'мфлайк) *a.* похо́жий на ни́мфу.

O

oaf/ (ōуф) *s.* дура́к, блух || **–ish** (ōу'фиш) *a.* безмо́зглый, глу́пый.
oak/ (ōук) *s.* дуб || **evergreen ~** ка́менный дуб || **~-apple, ~-gall, ~-nut** черни́льный оре́шек || **–en** (ōу'кн) *a.* дубо́вый || **–um** (ōу'кам) *s.* ко́нопать *f.*, па́кля || **to pick –um** (*fig.*) сиде́ть в смири́тельном до́ме.
oar/ (ōр) *s.* весло́ || **~** *va.&n.* грести́ || **to put in one's ~** вме́шиваться || **–sman** (ō'рсмӑн) *s.* гребе́ц.
oasis (ōуэ̄й'сис), *pl.* **oases** (ōуэ̄й'сийз) *s.* оа́зис, оа́з.
oat/(s) (ōут[с]) *s.* (*bot.*) овёс || **to sow one's wild –s** (*fig.*) вести́ бу́йную жизнь ю́ности || **–meal** *s.* овся́ная мука́.
oath/ (ōуþ) *s.* (*pl.* **–s**, ōуðз) кля́тва, прися́га; божба́ || **(up) on (one's) ~** кля́твенный || **to take one's ~** дава́ть кля́тву, учиня́ть прися́гу.
obdur/acy (о'бдюр-ёси), **–ateness** (-ётнёс) *s.* упря́мство, упо́рство, закосне́лость *f.*, закосне́ние || **–ate** (-ёт) *a.* (**–ly** *ad.*) упря́мый; стропти́вый.
obedien/ce (обий'дйён-с) *s.* послуша́ние, повинове́ние || **–t** *a.* (**–ly** *ad.*) послу́шный, поко́рный || **Yours –ly** Ваш поко́рный слуга́.
obeisance (обэ̄й'сёнс) *s.* покло́н.
obelisk (о'бёлиск) *s.* (*arch.*) обели́ск; (*typ.*) крест.
obes/e (обий'с) *a.* то́лстый, доро́дный || **–ity** (обэ'сити) *s.* ту́чность *f.*, доро́дность *f.*
obey (обэ̄й') *va.* (по)слу́шаться (*G.*), повинова́ться (*D.*).
obfuscate (обфа'скэйт) *va.* заслоня́ть, помрача́ть.
obituary (оби'тюёри) *s.* некроло́г; спи́сок уме́ршим.
object/ (о'бджикт) *s.* предме́т, об'е́кт; (*aim*) цель *f.*; (*gramm.*) прямо́е дополне́ние || **~** (обджэ'кт) *va.* противопо-ставля́ть, -ста́вить (*D.*); возра-жа́ть, -зи́ть про́тив (*G.*) || **–ion** (обджэ'кшён) *s.* возраже́ние || **–ionable** (обджэ'кшёнёбл) *a.* предосуди́тельный; подве́рженный возраже́нию || **–ive** (обджэ'ктив) *a.* (**–ly** *ad.*) об'екти́вный || **–ive** *s.* об'екти́в; (*gramm.*) прямо́е дополне́ние.
objurgate (о'бджёргэйт) *va.* упрека́ть, жури́ть.
oblation (облэ̄й'шн) *s.* жертвоприноше́ние, же́ртва.
obliga/tion (облигэ̄й'шн) *s.* обяза́тельство, обя́занность *f.*; одолже́ние; (*comm.*) облига́ция || **–tory** (о'блигётёри) *a.* обяза́тельный.
oblig/e (облай'дж) *va.* обя́з-ывать, -а́ть, нал-ага́ть, -ожи́ть обяза́тельство; (*compel*) при-нужда́ть, -ну́дить, за-ставля́ть, -ста́вить; (с)де́лать одолже́ние (*D.*) || **–ing** *a.* (**–ly** *ad.*) обяза́тельный, услу́жливый, доброхо́тный.
obli/que (облий'к) *a.* косо́й; (*indirect*) ко́свенный || **–quity** (обли'куити) *s.* ко́свенное направле́ние; ко́свенность *f.*; (*fig.*) уклоне́ние.
oblitera/te (обли'тёрэйт) *va.* ст-ира́ть, -ере́ть; изгла́-живать, -дить; (*fig.*) унич-тожа́ть, -о́жить || **–tion** (облитёрэ̄й'шн) *s.* изгла́живание; (*of a stamp*) погаше́ние; (*fig.*) уничтоже́ние.

oblivi/on (обли'вийн) *s.* забвение || **act of ~** амнистия || **-ous** (обли'вийс) *a.* забывчивый, предающийся забвению || **to be -ous of** забыть.
oblong (о'блонг) *a.* продолговатый || ~ *s.* прямоугольный четвероугольник, прямоугольник.
obloquy (о'блокуи) *s.* клевета; поношение; [упрёк.
obnoxious (обно'кшёс) *a.* предосудительный, укоризненный; подлежащий (*D.*); достойный наказания.
obscen/e (обсий'н) *a.* неприличный, непристойный || **-ity** (обсэ'нити) *s.* непристойность *f.*
obscur/ation (обскюрэй'шн) *s.* помрачение || **-e** (обскю'р) *a.* мрачный, тёмный; (*humble*) незначительный, неизвестный; (*abstruse*) непонятный || ~ *va.* помрач-ать, -ить, затемн-ять, -ить, затм-евать, -ить || **-ity** (обскю'рити) *s.* мрак, тьма; непонятность *f.*; неизвестность *f.*
obsequi/es (о'бсикуиз) *spl.* похороны *fpl.*, погребение || **-ous** (обсий'куиёс) *a.* послушный; раболепный; покорный; доброхотный.
observ/able (обзё'рв-ёбл) *a.* заметный, видный; (*remarkable*) замечательный || **-ance** *s.* наблюдение; соблюдение, исполнение (обрядов); почтительность *f.*; обыкновение, обычай; предписание *n.* || **-ant** *a.* наблюдательный, внимательный; почтительный; покорный || **-ation** (обзёрвэй'шн) *s.* наблюдение; замечание || **-atory** *s.* обсерватория || **-e** *va.* наблюдать; соблюдать; за-мечать, -метить || **-er** наблюдатель *m.*; зритель *m.*; блюститель *m.* (*of law*).
obsolete (о'бсолийт) *a.* устарелый.
obstacle (о'бстёкл) *s.* препятствие, помеха.
obstetric/ (обстэ'трик) *a.* родовспомогательный, акушерский || **-ian** (обститри'шн) *s.* акушер || **-s** *spl.* акушерство.
obstin/acy (о'бстинёси) *s.* упрямство, упорство || **-ate** *a.* упрямый, упорный.
obstreperous (обстрэ'пёрёс) *a.* крикливый, шумный.
obstruct/ (обстра'кт) *va.* затыкать, заткнуть; засор-ять, -ить; прегра-ждать, -дить; (*hinder*) препятствовать, мешать || **-ion** (обстра'кшн) *s.* затыкание, засорение; (*med.*) запор; (*parl.*) обструкция *f.*; (*obstacle*) препятствие.
obtain/ (обтэй'н) *va.* получ-ать, -ить, до-бывать, -быть; достигнуть; одержать (победу) || ~ *vn.* существовать; утвердиться || **-able** *a.* достижимый || **-ment** *s.* получение, достижение.
obtru/de (обтру'-д) *va.* навязывать; (**o.s.**) (*upon*) навязываться || **-sion** *s.* навязчивость *f.* || **-sive** *a.* навязчивый, нахальный.
obtuse/ (обтю'с) *a.* тупой; (*stupid*) тупоумный || **~-angled** *a.* тупоугольный.
obverse (о'бвёрс) *s.* лицевая сторона (монеты и. т. д.); (*typ.*) первая страница (листа).
obvi/ate (о'бви-эйт) *va.* отвратить, предупредить, не допустить || **-ous** *a.* очевидный, ясный, открытый.
occasion/ (окэй'жн) *s.* случай, оказия; (*cause*) причина, повод; (*need*) надобность *f.* || ~ *va.* причин-ять, -ить (*A.*) || **-al** *a.* случайный || **-ally** *ad.* случайно, при случае, иногда.
occident/ (о'ксидёнт) *s.* запад || **-al** (оксидэ'нтл) *a.* западный.
occip/ital (окси'питл) *a.* (*an.*) затылочный || **-ut** (о'ксипат) *s.* (*an.*) затылок.
occult/ (ока'лт) *a.* (*hidden*) скрытный, сокровенный; (*mysterious*) мистический || **-ation** *s.* (*astr.*) скрывание.
occup/ancy (о'кюп-ёнси) *s.* овладение, вступление во владение; приз (морская добыча) || **-ant** *s.* владелец || **-ation** *s.* завладение; (*possession*) владение; (*employment*) занятие; (*mil.*) окупация || **-y** (-ай) *va.* занимать; завлад-евать, -еть (*I.*), вступ-ать, -ить во владение; (*mil*). окупировать || ~ *vn.* заниматься.
occur/ (окё'р) *vn.* случ-аться, -иться; (*to the mind*) приходить в голову, на ум; (*be met with*) встречаться || **-rence** (ока'рёнс) *s.* случай, приключение, случайность *f.*
ocean (оу'шн) *s.* океан.
ochre (*Am.* **ocher**) (оу'кёр) *s.* охра.
o'clock (ёкло'к), **what ~ is it?** который час? **it is five ~** пять часов.
oct/agon (о'ктёгон) *s.* восьмиугольник || **-agonal** (октä'гёнёл) *a.* восьмиугольный || **-ave** (о'ктэйв) *s.* (*mus.*) октава; (*relig.*) осьмидневник || **-avo** (октэй'воу) *s.* формат (книги) в осьмую долю листа, в осьмушку.
October (октоу'бёр) *s.* октябрь *m.*
oct/ogenarian (окт-оджинэй'риён) *s.&a.* восьмидесятилетний || **-oroon** (-ёру'н) *s.* дитя от европейца и мулатки в пятой степени.
ocul/ar (о'кюл-ёр) *a.* глазной; очевидный || **-ist** *s.* глазной врач, окулист. [гареме.
odalisk (оу'дёлиск) *s.* одалиска, рабыня в
odd/ (од) *a.* (*of numbers*) нечётный; непарный; разрозненный; (*peculiar, eccentric*) странный, чудной; (*casual*) случай-

ный || **fifty ~ roubles** пятьдеся́т рубле́й с чем то || **~ and even** чёт и нечёт || **at ~ moments** ме́жду де́лом; в свобо́дное вре́мя || **-ity, -ness** *s.* нера́вность *f.*; стра́нность *f.*, причу́дливость *f.*; (*discord*) раздо́р, несогла́сие || **-s** *spl.* нера́венство, разли́чие; (*advantage*) преиму́щество, переве́с; (*probability*) вероя́тность *f.*; шанс; нера́вный закла́д || **at ~** не в лада́х || **~ and ends** оста́тки *mpl.*

ode (оуд) *s.* о́да.

odi/ous (оу'диёс) *a.* ненави́стный, гну́сный, проти́вный, непопуля́рный || **-um** (оу'диём) *s.* не́нависть *f.*; гну́сность *f.*; ненави́стность *f.* [ный.

odorous (оу'дёрёс) *a.* души́стый, благово́нный.

odour (оу'дёр) *s.* за́пах; благоуха́ние, благово́ние || **in bad ~** непопуля́рный || **in good ~** популя́рный. [ский.

œcumenical (ийкюмэ'никёл) *a.* вселе́нский.

o'er (ор) = **over.**

of (ов) *prp.* от, из, с; на; пе́ред; в; о; из, по (с род. пад.) || **the house ~ the father** дом отца́ || (при собств. имена́х) **the city ~ London** го́род Ло́ндон || **the fourth ~ July** 4. Ию́ля || **~ late** за после́днее вре́мя || **~ old** и́скони || **all ~ a sudden** вдруг.

off/ (оф) *ad.* на расстоя́нии; (*mar.*) в откры́том мо́ре, на высоте́ || **to be ~** уе́хать || **be ~!** уходи́те! || **to be well ~** быть в хоро́шем положе́нии || **~ and on** кой-когда́, по времена́м || **~ colour** (*fam.*) нездоро́вый || **~** *prp.* с || **~!** *int.* прочь! доло́й! || **~-hand** *ad.* экспро́мтом || **~** *a.* бесцеремо́нный || **~-print** *s.* отде́льный о́ттиск || **~-side** *s.* пра́вая сторона́ || **~-time** *s.* свобо́дное вре́мя.

offal (о'фёл) *s.* оста́тки *mpl.*; (*vulg.*) па́даль *f.*; (*refuse*) брак.

offen/ce (*Am.* **offense**) (офэ'н-с) *s.* оскорбле́ние, оби́да; (*misdeed*) просту́пок, преступле́ние, злодея́ние; грех || **to give ~** оби́деть || **to take ~ at** обижа́ться, оби́деться чем || **no ~ meant!** не серди́тесь! || **-d** *va.* (*hurt*) оскорб-ля́ть, -и́ть, обижа́ть, -и́деть; (*make angry*) прогневи́ть || **~** *vn.* согреш-а́ть, -и́ть || **-der** *s.* оби́дчик; гре́шник; (*jur.*) престу́пник || **-sive** *a.* оби́дный, оскорби́тельный; (*mil.*) наступа́тельный, агресси́вный || **~** *s.* (*mil.*) наступле́ние || **to assume, take the ~** перейти́ в наступле́ние.

offer/ (о'фёр) *va.* (пре)под-носи́ть, -нести́; предл-ага́ть, -ожи́ть || **~ up** же́ртвовать || **~** *vn.* предст-авля́ться, -а́виться (слу́чаем); (*attempt*) по-куша́ться, -куси́ться (на) || **~** *s.* предложе́ние; (*attempt*) попы́тка; жертвоприноше́ние || **-ing** *s.* предложе́ние, (же́ртва) приноше́ние, пода́рок || **-tory** (о'фёртёри) *s.* дароприноше́ние; (*eccl.*) проскоми́дия.

office/ (о'фис) *s.* (*position*) до́лжность *f.*, слу́жба; (*eccl.*) (церко́вная) слу́жба; (*good, ill*) услу́га; (*business place*) конто́ра, бюро́, канцеля́рия, правле́ние; (*servant's room*) людска́я *f.*; (*War, Foreign, etc.*) министе́рство || **-red** (-ёрд) *a.* снабжённый офице́рами || **-r** *s.* чино́вник, должностно́е лицо́; (*mil. & mar.*) офице́р; (*policeman*) городово́й.

offici/al (офи'ш-ёл) *a.* официа́льный; обще́ственный, должностно́й, служе́бный || **~** *s.* должностно́е лицо́, чино́вник || **-aldom** (-ёлдом) *s.* бюрокра́тия || **-ate** (офи'шиэйт) *vn.* от-правля́ть, -пра́вить слу́жбу, богослуже́ние; служи́ть || **-ous** *a.* услу́жливый, уго́дливый; назо́йливый.

offing (о'финг) *s.* откры́тое мо́ре.

offish (о'фиш) *a.* (*fam.*) сде́ржанный, холо́дный.

off/scouring (о'ф-скауринг) *s.* (*fig.*) отре́бие; сор || **-set** *s.* о́тпрыск || **-shoot** *s.* отро́сток || **-spring** *s.* пото́мок; (*collectively*) пото́мство, пото́мки *mpl.*, де́ти (*npl. of* дитя́).

oft (офт), **often** (о'фн, о'фн) *ad.* ча́сто, мно́го раз.

ogle (оугл) *vn.* де́лать гла́зки || **~** *va.* смотре́ть (на кого́) укра́дкой || **~** *s.* косо́й [взгляд.

ogre (оу'гёр) *s.* велика́н-людое́д.

oh! (оу) *int.* ах! о!

oil/ (ойл) *s.* ма́сло (расти́тельное, минера́льное) || **~** *va.* (по)ма́слить, сма́з-ывать, -ать ма́слом || **~-can** *s.* маслёнка || **~-cloth** *s.* клеёнка || **~-colour** *s.* ма́сляная кра́ска || **-man** *s.* торго́вец ма́сляным това́ром || **to paint in -s** писа́ть ма́сляными кра́сками || **~-painting** *s.* карти́на, пи́санная ма́сляными кра́сками || **~-spring** *s.* нефтяно́й исто́чник || **~-shop** *s.* москате́льная ла́вка || **-y** *a.* маслени́стый, жи́рный, ма́сляный, ма́сленый; гря́зный.

ointment (ой'нтмёнт) *s.* мазь *f.*

old/ (оулд), **-en** (оулдн) *a.* ста́рый, ве́тхий; (*aged*) пожило́й; (*antique*) дре́вний, стари́нный; (*former*) да́вний || **~-fashioned** *a.* старомо́дный || **-ish** *a.* степова́тый.

ole/aginous (олиӓ'джинёс) *a.* маслени́стый || **-ander** (олиӓ'ндёр) *s.* олеа́ндр || **-ograph** (оу'лиогра̄ф) *s.* олеогра́фия.

olfactory (олфӓ'ктёри) *a.* обоня́тельный.

oligarchy (о'лига̄рки) *s.* олига́рхия.

olive/ (о'лив) *s.* оли́вка, ма́слина; оли́вковое де́рево || **~-oil** оли́вковое ма́сло || **~-tree** *s.* ма́слина.
omelet(te) (о'млит) *s.* яи́чница.
omen (ōу'мён) *s.* предзнаменова́ние.
ominous (о'минёс) *a.* злове́щий; неблагоприя́тный.
omission (оми'шн) *s.* упуще́ние, про́пуск.
omit (оми'т) *va.* упус-ка́ть, -ти́ть; пропус-ка́ть, -ти́ть.
omni/bus (о'мнибёс) *s.* о́мнибус || **–potence** (омни'потёнс) *s.* всемогу́щество || **–potent** (омни'потёнт) *a.* всемогу́щий, всемо́щный || **–present** (омнипрэ'зёнт) *a.* вездесу́щий || **–scient** (омни'шёнт) *a.* всеве́дущий || **–vorous** (омни'вёрёс) *a.* всея́дный, всепожира́ющий.
on (он) *prp.* на; при; в; у; о (об); по || ~ *ad.* (*on top*) наверху́, све́рху; (*forward*) вперёд, да́лее || **and so ~** и так да́лее || **~ the contrary** напро́тив || ~! *int.* иди́! вперёд! || **~ high** высоко́ || **~ the instant** то́тчас || **~ the minute** то́чно, аккура́тно || **a bit ~** (*fam.*) подвы́пивший.
once (уанс) *ad.* одна́жды; оди́н раз; не́когда, когда́-то || **at ~** то́тчас; ра́зом; вдруг; (*together*) в одно́ вре́мя || **~ more, ~ again** ещё раз || **~ upon a time there was, there was ~ a** жил-бы́л, быва́ло-жива́ло || **~ one is one** оди́ножды оди́н, оди́н || **~ for all** раз навсегда́.
oncoming (о'нкаминг) *s.* приближе́ние.
one/ (уан) *a.* оди́н; еди́ный, еди́нственный || ~ *prn.* не́кто, не́кий || **no ~** никто́ || **any ~** кто-нибу́дь; любо́й || **it is all ~** всё равно́ || **~-another** друг дру́га || **each ~, every ~** вся́кий, ка́ждый || **~'s self, oneself** себя́, самого́ себя́ || **~-sided** *a.* односторо́нний; (*fig.*) несправедли́вый. [обремени́тельный.
onerous (о'нёрёс) *a.* гру́зный; тя́гостный,
onfall (о'нфōл) *s.* при́ступ.
onion (а'ниён) *s.* лук. [тельница.
onlooker (о'нлукёр) *s.* зри́тель *m.*, зри́-
only (ōу'нли) *a.* еди́ный, еди́нственный || ~ *ad.* то́лько, еди́нственно || **~ just** то́лько что || **not ~, but also** не то́лько, но и . . . [подража́ние.
onomatopœia (ономӓтёпий'иё) *s.* звуко-
on/set (о'нсэт), **–slaught** (о'нслōт) *s.* нападе́ние; ата́ка; при́ступ; на́тиск.
onto (о'нтё) *prp.* на, в. [ность *f.*
onus (ōу'нёс) *s.* тя́гость *f.*; отве́тствен-
onward/ (о'нуёрд) *a.* подвига́ющийся, иду́щий вперёд; прогресси́вный || **–(s)** *ad.* вперёд, да́лее.
onyx (о'никс) *s.* о́никс.

ooz/e (ӯз) *s.* ти́на, ил; ти́хое тече́ние || ~ *vn.* сочи́ться, прос-а́чиваться, -очи́ться; (*fig. of secrets*) про-рыва́ться, -рва́ться || **–y** *a.* ти́нистый, илова́тый; то́пкий, сыро́й. [темнова́тость *f.*; тень *f.*
opacity (опӓ'сити) *s.* непрозра́чность *f.*;
opal/ (ōу'пёл) *s.* опа́л || **–escent** (ōупёлэ'сёнт) *a.* опализи́рующий.
opaque (опэ̄й'к) *a.* непрозра́чный.
open/ (ōу'пн) *a.* от-, рас-кры́тый, отво́ренный; публи́чный; (*clear*) я́сный, я́вный; открове́нный, чистосерде́чный; и́скренний || **in the ~ air** под откры́тым не́бом || ~ *va*(*&n.*) откр-ыва́ть (-ся), -ы́ть (-ся); отвор-я́ть (-ся), -и́ть (-ся); раскр-ыва́ть (-ся), -ы́ть(-ся); отп-ира́ть(-ся), -ере́ть(-ся); нач-ина́ть, -а́ть || ~ *vn.* раснус-ка́ться, -ти́ться; разверза́ться || **~-handed** *a.* ще́дрый || **–ing** *s.* отве́рстие; откры́тие, нача́ло; (*opportunity*) удо́бный слу́чай || **–ness** *s.* откры́тость *f.*; открове́нность *f.* || **~-work** *s.* сквозна́я (про́резна́я) рабо́та.
opera/ (о'пёрё) *s.* о́пера || **~-cloak** манто́ для теа́тра || **~-glass** *s.* бино́кль *f.* || **~-hat** *s.* шапокля́к, складна́я шля́па || **~-house** *s.* о́перный теа́тр || **–tic** (опёрӓ'тик) *a.* о́перный.
operat/e (о'пёрэйт) *va&n.* де́йствовать; прив-оди́ть, -ести в де́йствие; -произв-оди́ть, -ести́ опера́цию (над+*Pr.*); опери́ровать || **–ion** (опёрэ̄й'шн) *s.* де́йствие; опера́ция; произведе́ние, выполне́ние || **–ive** *a.* де́йствующий, действи́тельный || ~ *s.* реме́сленник, рабо́тник, рабо́чий *m.* || **–or** *s.* (*med.*) хиру́рг, опера́тор; (*workman*) рабо́тник.
operetta (опёрэ'тё) *s.* опере́тка.
ophthalmi/a (оффӓ'лми-ё) *s.* воспале́ние глаз || **–c** (-к) *a.* глазно́й.
opiate (ōу'пиёт) *s.* опиа́т, усыпи́тельное лека́рство || ~ *a.* усыпи́тельный.
opin/e (опай'н) *vn.* ду́мать, предпол-ага́ть, -ожи́ть || **–ion** (опи'ниён) *s.* мне́ние; мысль *f.*; взгляд || **–ionated** (опи'ниёнэйтид), **–ionative** (опи'ниёнётив) *a.* упо́рный, упря́мый.
opium (ōу'пиём) *s.* о́пиум, о́пий; дурма́н.
opossum (опо'сём) *s.* опо́ссум.
opponent (опōу'нёнт) *a.* проти́вный || ~ *s.* оппоне́нт, проти́вник; возража́тель *m.*
opportun/e (о'портюн) *a.* удо́бный, своевре́менный, прили́чный || **–ely** *ad.* кста́ти, во́-время || **–ity** (опёртю'нёти) *s.* (удо́бный) слу́чай, удо́бное вре́мя.
oppos/e (опōу'з) *va.* противопо-лага́ть, -ложи́ть, противопос-тавля́ть, -та́вить || ~ *vn.* возра-жа́ть, -зи́ть (против + *G.*)

|| (вос)противиться (*D.*) || **–ite** (о'пёзит) *a.* противоположный; находящийся против (*G.*), противный; (*reverse*) обратный; неприятельский; напротив, на противоположной стороне || **–ition** (опёзи'шн) *s.* опозиция; противоречие; сопротивление.

oppress/ (опрэ'с) *va.* придавить, обремен-ять, -ить; угнетать, притеснять || **–ion** (опре'шн) *s.* гнёт, угнетение, притеснение; давление; (*depression*) уныние || **–ive** *a.* обременительный; притеснительный, угнетающий; (*tyrannical*) жестокий, свирепый || **–or** *s.* притеснитель *m.*, угнетатель *m.*

opprobri/ous (опрōу'бри-ёс) *a.* позорный, бесчестный || **–um** (-ём) *s.* позор; бесчестие.

optative (о'птётив) *s.* (*gramm.*) желательное наклонение.

opti/c(al) (о'птик[ёл]) *a.* оптический, зрительный || **–cian** (опти'шн) *s.* оптик || **–cs** *spl.* оптика.

optim/ism (о'птим-изм) *s.* оптимизм || **–ist** *s.* оптимист || **–istic** (оптими'стик) *a.* оптимистический.

option/ (о'пшн) *s.* выбор; право *or* свобода выбора || **–al** (о'пшёнёл) *a.* произвольный, факультативный.

opulen/ce (о'пюлён-с) *s.* богатство; достаток || **–t** *a.* зажиточный, богатый || **–tly** *ad.* в изобилии.

or (ōр) *c.* или; либо || ~ **else** в противном случае, иначе.

orac/le (о'рёкл) *s.* оракул; прорицание; (*place*) прорицалище || **–ular** (орā'кюлёр) *a.* загадочный, двусмысленный.

oral (ō'рёл) *a.* устный, изустный, словесный.

orange/ (о'риндж) *s.* апельсин, апельсинное дерево; **bitter** ~ *s.* померанец || **–ade** (-эйд) *s.* апельсиновый лимонад || ~**-peel** *s.* апельсинная корка || **–ry** (-ёри) *s.* оранжерея.

Orang-outang (орā'нг-утā'нг) *s.* орангутанг.

orat/ion (орэй'шн) *s.* речь *f.*, слово, произносимое перед собранием || **–or** (о'рётёр) *s.* оратор || **–orical** (орёто'рикёл) *a.* ораторский, риторический || **–orio** (орётō'рио) *s.* оратория || **–ory** (о'рётёри) *s.* красноречие, риторика; (*eccl.*) часовня.

orb/ (ōрб) *s.* круг; шар, сфера; (*heavenly body*) небесное тело; (*astr.*) орбита; (*eye*) зеница, око || **–it** (ō'рбит) *s.* (*anat.*) орбита; (*astr.*) орбита, путь (*m.*) планеты.

orchard (ō'рчёрд) *s.* плодовый, фруктовый сад.

orchestra (ō'ркистрё) *s.* оркестр.

orchid (ō'ркид) *s.* орхидея.

ordain (ōрдэй'н) *va.* учре-ждать, -дить; (*order*) распоря-жаться, -диться; (*eccl.*) постр-игать, -ичь, посвя-щать, -тить в духовный сан.

ordeal (ō'рдиёл) *s.* суд Божий; (*fig.*) испытание, искус.

order/ (ō'рдёр) *s.* порядок; строй *m.*; устройство; распределение, расположение; (*mandate*) приказ, предписание; (*comm.*) ордер; (*regulation*) регламент (*m.*) правила *npl.*; (*class*) чин, класс; (*decoration*) орден; (*eccl.*) орден *m.*; даровой билет || (**holy**) **–s** *spl.* духовный сан || **to be out of** ~ быть в беспорядке || **money** ~, **postal** ~ перевод по почте || **in** ~ в порядке, в исправности || **in** ~ **to, that** для того чтобы, с целью || ~ *va.* прив-одить, -ести в порядок, прика-з-ывать, -ать; заказ-ывать, -ать || ~ *vn.* отдавать приказ || **–ing** *s.* устройство, распоряжение; приказ, приказания *npl.* || **–ly** *a.&ad.* порядочный, методичный; (*conduct*) благоправный, чинный || **–ly** *s.* (*mil.*) вестовой, ординарец.

ordin/al (ō'рдин-ёл) *s.* (*gramm.*) числительное порядковое; (*eccl.*) церковный служебник || **–ance** *s.* устав, регламент, распоряжение; предписание; указ || **–ary** *a.* (**–arily** *ad.*) (*usual*) обыкновенный, обычный; (*mediocre*) заурядный; (*simple*) простой; (*fam.*) некрасивый || **–ate** *s.* (*geom.*) ордината || **–ation** *s.* (*eccl.*) посвящение, рукоположение во священники.

ordnance/ (ō'рднёнс) *s.* тяжёлое орудие; артиллерия || ~**-map** *s.* карта главного штаба || ~**-survey** *s.* съёмка страны.

ordure (ō'рдюр) *s.* навоз, грязь *f.*

ore (ōр) *s.* руда.

organ/ (ō'ргён) *s.* (*instrument*) орудие, орган; (*mus.*) орган; шарманка || ~**-grinder** *s.* шарманщик || **–ic(al)** (ōргā'ник(ёл) *a.* органический || **–ism** *s.* организм || **–ist** *s.* органист || **–ization** (ōргёнизэй'шн) *s.* организация, устройство || **–ize** *va.* организ-ировать, -овать; устр-аивать, -оить || ~**-stop** *s.* органный регистр.

orgy (ō'рджи) *s.* оргия; попойка.

oriel (ō'риёл) *s.* (*arch.*) фонарь *m.*

orient/ (ō'риёнт) *a.* восточный || ~ *s.* восток; (*mar.*) ост || **–al** (ōриэ'нтёл) *a.* восточный || ~ *s.* обитатель (*m.*) восточных стран || **–alist** (ōриэ'нтёлист) *s.* ориенталист || **–ation** (ōриэнтэй'шн) *s.* ориентация.

orifice (о'рифис) *s.* отверстие.

origin/ (о'риджин) *s.* (*beginning*) начало; происхождение; (*source*) источник || **–al** (ори'джинёл) *a.* первобытный, первоначальный; (*genuine*) подлинный, оригинальный; ~ **sin** *s.* (*eccl.*) первородный грех || ~ *s*. оригина́л, по́длинник; (*fig.*) чуда́к || **–ality** (ориджинӓ'лити) *s*. самобы́тность *f.*; оригина́льность *f.*, по́длинность *f.* || **–ate** (ори'джинэйт) *va*. дава́ть, дать нача́ло, поро-жда́ть, -ди́ть || ~ *vn*. брать нача́ло, роди́ться; прои-сходи́ть, -зойти́.

orison (о'ризён) *s*. (*arch.*) моли́тва.

ormolu (ō'рмолу) *s*. листово́е зо́лото; суда́льное зо́лото; золоти́стая бро́нза.

ornament/ (ō'рнёмёнт) *s*. украше́ние; убра́нство, убо́р; (*arts*) орнаме́нт || ~ *va*. укр-аша́ть, -а́сить; у-бира́ть, -бра́ть || **–al** (ōрнёмэ'нтл) *a*. орнамента́льный || **–ation** (ōрнёмёнтэ̄й'шн) *s*. украше́ние.

ornate/ (ōрнэ̄й'т) *a*. укра́шенный; краси́вый, наря́дный || **–ness** *s*. наря́дность *f.*; краси́вость *f.*

ornithology (ōрниþо'лоджи) *s*. орнитоло́гия.

orphan/ (ō'рфн) *s*. сирота́ *sc.* || ~ *a*. сиро́тский || **–age** (ō'рфёнидж) *s*. сиро́тский дом, прию́т || **–ed** (ō'рфёнд) *a*. осироте́лый, си́рый.

orthodox/ (ō'рþодокс) *a*. правосла́вный; правове́рный || **–y** *s*. правосла́вие, правове́рие.

orthograph/ical (ō'рþогрӓ'фикёл) *a*. орфографи́ческий || **–y** (ōрþо'грёфи) *s*. правописа́ние, орфогра́фия.

orthopædic, orthopedic (ō'рþопэдик) *a*. ортопеди́ческий.

ortolan (ō'ртёлён) *s*. овся́нка.

oscilla/te (о'силэйт) *vn*. кача́ться, колеба́ться || **–tion** (осилэ̄й'шн) *s*. кача́ние, колеба́ние || **–tory** (о'силэйтёри) *a*. колеба́тельный, махово́й.

osier (ōу'жёр) *s*. и́ва, ве́рба || ~ *a*. и́вовый.

osmium (о'смиём) *s*. о́смий.

osprey (о'спри) *s*. морско́й *or* ры́бный орёл.

osseous (о'сиёс) *a*. костяно́й.

ossi/fication (осификэ̄й'шн) *s*. окостене́ние, окостене́лость *f.* || **–fy** (о'сифай) *va*. превра-ща́ть, -ти́ть в кость || ~ *vn*. превраща́ться, -ти́ться в кость, (о)костене́ть.

ossuary (о'сюёри) *s*. ко́стник.

osten/sible (остэ'нсибл) *a*. ви́димый; я́вный, очеви́дный; име́ющий вид || **–tation** (остёнтэ̄й'шн) *s*. тщесла́вие, хвастовство́; выставле́ние на пока́з, остента́ция || **–tatious** (остёнтэ̄й'шёс) *a*. хвастли́вый, остентати́вный.

osteology (остио'лоджи) *s*. уче́ние о костя́х.

ostler (о'слёр) *s*. ко́нюх; дво́рник.

ostrac/ize (о'стрёс-айз) *va*. (*fig.*) об'яви́ть в опа́ле || **–ism** *s*. острaки́зм; суд черепко́в в Афи́нах; изгна́ние, ссы́лка.

ostrich (о'стрич) *s*. стра́ус.

other/ (а'ðёр) *a*. друго́й, ино́й || **the ~ day** неда́вно || **on the ~ hand** с друго́й стороны́ || **–where** *ad*. в друго́м ме́сте || **–wise** *ad*. и́наче || ~ *c*. в проти́вном слу́чае.

otter (о'тёр) *s*. вы́дра.

ottoman (о'тёмӓн) *s*. ту́рок (отома́н), (*divan*) отома́нка.

ought (ōт) *vn.irr. def*. долженствова́ть, сле́довать, надлежа́ть || **I ~** я до́лжен || **for ~ I know** ско́лько мне изве́стно.

ounce (аунс) *s*. у́нция; (*zool.*) ягуа́р.

our/ (ау'ёр) *prn*. наш || **O– Lady** Богоро́дица || **–s** *prn*. наш, на́ши || **–self** (ауёрсэ'лф) *prn*. мы са́ми || **~-selves** (ауёрсэ'лвз) *prn.pl*. нас сами́х, сами́х себя́.

ousel (ӯзл) *s*. чёрный дрозд.

oust (ауст) *va*. прогна́ть, вы́гнать; (*supplant*) вытесня́ть, вы́теснить.

out/ (ау'т) *ad*. из; вне, за, вон, нару́жу; (*to the end*) до конца́; (*in error*) в заблужде́нии; (*of books*) и́зданый || **the ins and –s of a thing** подро́бности *fpl.* || **~ and ~** соверше́нный, от'я́вленный || **~ at elbows** с про́драннымп локтя́ми || **~ of hand** неме́дленно || **~ of print** из печа́ти || **~ of sorts** нездоро́вый || **~ of temper** не в ду́хе || **~ of the common** необыкнове́нный || **~ of tune** расстро́енный || **~ of work** безрабо́тный || **–balance** (аутбӓ'лёнс) *va*. пере-тя́гивать, -тяну́ть || **–bid** (аутби'д) *va.irr*. пере-бива́ть, -би́ть (це́ну) || **–break** *s*. взрыв, изверже́ние || **–building** *s*. пристро́йка || **–burst** *s*. взрыв || **–cast** *P.&a*. и́згнанный; отве́рженный || ~ *s*. изгна́нник || **–come** *s*. сле́дствие || **–cry** *s*. крик, вопль *m.*; шум || **–dare** *vn*. не страши́ться, отва́-живаться, -житься || **–do** (аутдӯ') *va.irr*. прев-осходи́ть, -зойти́ || **–door** *a*. на дворе́, на во́здухе || **–er** *a*. нару́жный, вне́шний || **–ermost** *a*. нару́жный, са́мый кра́йний || **–face** (аутфэ̄й'с) *va*. сме́ло, де́рзко говори́ть в лицо́; брать на́глостью || **–fit** *s*. вооруже́ние, снаряже́ние; экипиро́вка, снабже́ние || **–fitter** *s*. экипиро́вщик; (*mar.*) продаве́ц судово́го снаряже́ния || **–flank** (аутфлӓ'нгк) *va*. напада́ть с фла́нга || **–going** *s*. вы́ход; исхожде́ние || **–grow** (аутгрōу') *va.irr*. перерасти́; выроста́ть, вы́рости (из + *G.*) || **–growth** (аутгрōу'þ) *s*. (*fig.*) сле́дствие || **–guard** *s*. форпо́ст, аванпо́ст || **–house** *s*. пристро́йка || **–ing** пое́здка, экску́рсия || **–landish** (аутлӓ'ндиш) *a*. чужезе́мный, иностра́нный || **–last** (аутлӓ'ст) *va*. быть прочне́е (*G.*); пережи-ва́ть, -и́ть || **–law** *s*. изгна́нник, опа́льный || ~ *va*. об'яв-ля́ть, -и́ть кого́ опа́льным; налага́ть, наложить опалу || **-lawry** (ау'тлōри) *s.* опала, изгнание || **-lay** *s.* издержки *fpl.*, траты *fpl.* || **-let** *s.* выход, исход || **-line** *s.* очертание, абрис, очерк || ~ *va.* набрасывать, -бросить эскиз || **-live** (аутли'в) *va.* пере-живать, -жить || **-look** *s.* (*tower, etc.*) сторожевая башня, каланча; (*prospect*) вид, вид в будущее || **-lying** *P.&a.* внешний; отдалённый || **-march** (аутма'рч) *va.* опере-жать, -дить || **-number** (аутна'мбёр) *va.* прев-осходить, -зойти численностью, числом || **~-of-the way** *a.* необыкновенный; захолустный || **-post** *s.* аванпост || **-rage** *s.* оскорбление; насилие || ~ *va.* оскорбить; изнасиловать || **-rageous** (аутрэй'джёс) *a.* обидный; нейстовый; преувеличенный || **-reach** (аутрий'ч) *va.* превосходить; превышать || **-rider** *s.* форейтер; вершник; верховой || **-right** *ad.* вполне; прямо; немедленно, тотчас || **-run** (аутра'н) *va.* перегнать, опередить на бегу || **-sail** (аутсэй'л) *va.* обогнать (корабль) || **-set** *s.* начало || **-shine** (аутшай'н) *va.irr.* затм-евать, -ить || **-side** *s.* наружная сторона, наружность *f.*, внешность *f.* || **at the ~** в крайнем случае || ~ *ad.* снаружи || ~ *a.* наружный, внешний, крайний || **-sider** *s.* посторонний || **-skirts** *s.* окраина; (*suburb*) предместье || **-sleep** (аутслий'п) *va.irr.* проспать || **-spoken** *a.* откровенный, прямой || **-spread** (аутспрэ'д) *va.irr.* распростран-ять. -ить; распрост-ирать, -ереть (руки, *etc.*) || **-standing** *a.* выдающийся; (*of debts*) неуплаченный (*speak*: неуплоченный), несобранный || **-stare** (аутстā'р) *va.* смотреть нахально || **-step** (аутстэ'п) *va.* опередить, зайти (за) || **-stretched** (аутстрэ'чт) *a.* протянутый || **-strip** (аутстри'п) *va.* обогнать, опередить || **-vote** (аутвōу'т) *va.* побе-ждать, -дить *or* опроверг-ать, -'нуть большинством голосов || **-walk** (аутуō'к) *va.* опере-жать, -дить || **-ward** *a.* наружный, внешний || **~, wardly, -wards** *ad.* вне, наружу; заграницу || **-weigh** (аутуэй') *va.* перетя-гивать, -нуть; иметь перевес || **-wit** (аутуи'т) *va.* перехитрить || **-works** *spl.* (*fort.*) внешние верки *pl.*; наружные укрепления.

oval (ōувл) *s.* овал || ~ *a.* овальный, яйцеобразный.

ovary (ōу'вёри) *s.* (*anat.*) яичник.

ovation (овэй'шн) *s.* овация.

oven (авн) *s.* печь *f.*

over/ (ōу'вёр) *prp.* над, сверх, по, на; **за**; через; сквозь; по ту сторону; о (об) || ~ *ad.* выше, сверх (*G.*); кончено; вполне, совершенно; очень, чрезвычайно; (*too*) слишком, чересчур || **all ~** совершенно, совсем || **~ again** снова, опять, сызнова || **-awe** (оуверō') *va.* держать в страхе || **-balance** (оуверба'лёнс) *s.* перевес || ~ *va.* переве-шивать, -сить; превосходить || **-bear** (оуверба'р) *va.* осилить, побороть; побе-ждать, -дить || **-bearing** (оуверба'ринг) *a.* надменный; заносчивый || **-board** (оувербō'рд) *ad.* за борт, за бортом || **-burden** (оувёрбё'рдн) *va.* перегрузить, чересчур нагру-жать, -зить; обремен-ять, -ить || **-cast** (оуверка'ст) *va.irr.* затемн-ять, -ить; по-крывать, -крыть || ~ *a.* пасмурный, облачный || **-charge** (оуверча'рдж) *s.* чрезмерная тягость; слишком большая цена || ~ *va.* перегру-жать, -зить; перепла-чивать, -тить || **-cloud** (оуверклау'д) *va.* по-крывать, -крыть облаками; затемн-ять, -ить || **~-coat** *s.* пальто *indecl.* || **-come** (оуверка'м) *va.irr.* (пре)одо-левать, -леть; побе-ждать, -дить || **-confidence** (оуверко'нфидёнс) *s.* надменность *f.* || **-do** (оувёрдӯ') *va.irr.* утрировать; пережарить || ~ **o.s.** надрываться работою || **-done** (оувёрда'н) *P.&a.* пережаренный; переваренный || **-dress** (оувёрдрэ'с) *va.* слишком наряжать || **-drive** (оувёрдрай'в) *va.irr.* переутом-лять, -ить || **-due** (оувёрдю') *a.* запоздалый; (*comm.*) просроченный || **-eat** (оуверий'т) *v.irr.*, **to ~ o.s.** об'-едаться, -есться (*G.*) || **-excite** (оувериксай'т) *va.* слишком раздраж-ать, -ить || **-fatigue** (оуверфётий'г) *va.* переутом-лять, -ить; чрезмерно утом-лять, -ить || **-fill** (оуверфи'л) *va.* пере-полнять, -полнить || **-flow** (оуверфлōу') *va.* навод-нять, -нить; за-ливать, -лить || ~ *vn.* раз-ливаться, -литься, течь через край; выступать, выступить из берегов; изобиловать || ~ *s.* разлив, наводнение; избыток || **-grow** (оувёргрōу') *va.* зарос-тать, -ти; перерости || **-grown** (оувёргрōу'н) *P.&a.* достигший чрезмерного роста; обросший (чем-либо) || **-growth** (ōу'вёргрōуþ) *s.* чрезмерный рост || **-hang** (оувёрхā'нг) *va.irr.* вешать над (*I.*); обве-шивать, -сить || ~ *vn.* нависать над (*I.*) || **-head** (оувёрхэ'д) *ad.* над головою, наверху; на небе || **-hear** (оувёрхий'р) *va.irr.* подслушать; нечаянно услышать || **-joy** (оувёрджой') *va.* чрезвычайно обрадовать; привести в восторг || **-lade** (оувёрлэйд) *va.irr.* чересчур нагру-жать, -зить; перегрузить; обремен-ять, -ить || **-leap** (оувёрлий'п) *va.irr.* пере-скакивать, -скочить, -скокну́ть; пере-пры́гивать, -пры́гнуть || **-load** (оувёрлоу'д) *va. cf.* **-lade** || **-look** (оувёрлу'к) *va.* надсм-а́тривать, -отре́ть (за); обозр-ева́ть, -е́ть; просмотре́ть; снисходи́ть; пропусти́ть, не досмотре́ть || **-looker** (оувёрлу'кёр) *s.* надзира́тель *m.*, надсмо́трщик || **-match** (оувёрмä'ч) *a.* (пре-) одол-ева́ть, -е́ть; побе-жда́ть, -ди́ть || **-measure** (оувёрмэ'жёр) *s.* прида́ча, приба́вок || **-much** (оувёрма'ч) *a.* чрезме́рный || ~ *ad.* чрезме́рно, черезчу́р || **-pass** (оувёрпā'с) *va.* пройти́; престу-п-а́ть, -и́ть че́рез; не обрати́ть внима́ния || **-plus** *s.* изли́шек, избы́ток; оста́ток || **-poise** (оувёрпой'з) *va.* переве́-шивать, -сить; быть тяжеле́е чего́ || **-power** (оувёрпау'ёр) *va.* (пре-)одол-ева́ть, -е́ть; побе-жда́ть, -ди́ть || **-rate** (оувёррэй'т) *va.* сли́шком высоко́ оце́нивать *or* цени́ть; брать, взять сли́шком до́рого (с + *G.*); запр-а́шивать, -оси́ть сли́шком мно́го || || **-reach** (оувёррий'ч) *va.* перехитри́ть; превыша́ть || **-ride** (оувёррай'д) *va.irr.* зае́здить, надорва́ть (ло́шадь); перегна́ть || **-rule** (оувёррӯ'л) *va.* госпо́дствовать; превозм-ога́ть, -о́чь; (*reject*) не принима́ть || **-run** (оуверра'н) *va.irr.* обогна́ть; навод-ня́ть, -и́ть; де́лать набе́г; (*typ.*) верста́ть || ~ *vn.* течь че́рез край || **-see** (оувёрсий') *va.irr.* присма́тривать за || **-seer** (оувёрсий'ёр) *s.* надсмо́трщик; смотри́тель *m.*; (*of the poor*) попечи́тель *m.* (убо́гих); фа́ктор || **-set** (оувёрсэ'т) *va.irr.* опроки́-дывать, -нуть; ниспрове́ргнуть || ~ *vn.* опроки́-дываться, -нуться || **-shadow** (оувёршä'доу) *va.* омрач-а́ть, -и́ть; заст-ила́ть, -ла́ть || **-shoe** *s.* гало́ша; (высо́кий) бо́тик || **-shoot** (оувёршӯ'т) *va.&n.irr.* пролете́ть ми́мо (це́ли) || **-sight** *s.* (*supervision*) надзо́р; (*mistake*) недосмо́тр, опло́шность *f.* || **-sleep** (оувёрслий'п) *v.refl.irr.* заспа́ться, проспа́ть || **-spread** (оувёрспрэ'д) *va.irr.* по-крыва́ть, -кры́ть || **-stock** (оувёрсто'к) *va.* пере-полня́ть, -по́лнить; снаб-жа́ть, -ди́ть с избы́тком || **-strain** (оувёрстрэй'н) *va.* сли́шком напря-га́ть, -́чь, натя́-гивать, -ну́ть || ~*v.refl.* черезчу́р напря-га́ться, -чься.

overt (оу'вёрт) *a.* откры́тый, я́вный; публи́чный.

over/take (оувёр-тэй'к) *va.irr.* на-стига́ть, -сти́гнуть, дог-оня́ть, -на́ть; за-стига́ть, -сти́гнуть; пойма́ть || **-tax** *va.irr.* обремен-я́ть, -и́ть нало́гами || **-throw** *va.irr.* опроки́-дывать, -нуть; ниспроверг-а́ть, -́нуть; уничт-ожа́ть, -о́жить || ~ *s.* ниспроверже́ние; (*of states*) паде́ние; (*defeat*) пораже́ние || **-top** *va.* пре-выша́ть, -вы́сить; (*fig.*) затм-ева́ть, -и́ть || **-ture** (оу'вёрчёр, оу'вёртюр) *s.* вступле́ние; (*mus.*) увертю́ра || **-turn** *va.* опроки́дывать, -нуть; уничт-ожа́ть, -о́жить || **-value** *va.* сли́шком до́рого цени́ть *or* сли́шком высоко́ ста́вить || **-weening** *a.* тщесла́вный || **-weigh** *va.* переве́-шивать, -сить, быть тяжеле́е || **-weight** (оу'веруэ̄йт) *s.* переве́с || **-whelm** *va.* (*crush*) подав-ля́ть, -и́ть; (*with thanks*) осы́пать; за-лива́ть, -ли́ть (*e.g.* това́рами) || **-work** *va.* заму́чить рабо́той || ~ *s.* чрезме́рная рабо́та; сверхуро́чные (неуро́чные) часы́ *mpl.* || **-worn** *a.* изно́шенный; изнурённый.

oviparous (ови'пёрёс) *a.* яйцеро́дный.

ow/e (о̄у) *va.* быть до́лжным (кому́ что); быть обя́занным (кому́ чем); бы́ть в долгу́ || **-ing** (**to**) благодаря́ (чему́); ра́ди (чего́).

owl (аул) *s.* сова́; сыч, фи́лин || **barn** ~ пуга́ч.

own/ (о̄ун) *a.* со́бственный; свой || **my** ~ мой, мой люби́мый || ~ *va.* при-знава́ть, -зна́ть (*A.*); при-знава́ться, -зна́ться (в + *Pr.*); со-знава́ть, -зна́ть; (*to possess*) владе́ть, облада́ть (*I.*); име́ть || **-er** *s.* владе́лец, со́бственник; хозя́ин || **-ership** *s.* пра́во со́бственности; принадле́жность *f.*, владе́ние.

ox/ (окс) *s.* бык, вол || **-en** *pl.* волы́ *mpl.*; рога́тый скот || **-fly** *s.* слепе́нь *m.*

oxid/ate (о'ксидэйт) *va.* ок-исля́ть, -и́слить || ~ *vn.* ок-иса́ть, -ки́снуть || **-e** (о'ксайд) *s.* о́кись *f.*

oxygen (о'ксиджён) *s.* кислоро́д.

oyster/ (ой'стёр) *s.* у́стрица || ~**-bed** у́стричная мель.

ozone (о̄у'зо̄ун) *s.* озо́н.

P

pa (пā) = **papa.**

pace (пэ̄йс) *s.* шаг; (*of horses*) аллю́р, ход; (*speed*) быстрота́ || ~ *vn.* ходи́ть ме́рным ша́гом; итти́ и́ноходью || ~ *va.* ме́рить шага́ми.

pachyderms (пä'кидёрмз) *spl.* пахиде́рмы; толстоко́жие млекопита́ющие живо́тные.

pacif/ic (пёси'фик) *a.* миролюби́вый; примири́тельный; ми́рный || **-ication** (пäсификэ̄й'шн) *s.* усмире́ние, успокое́ние; миротво́рство || **-icator** (пёси'фикэйтёр), **-ier** (пä'сифайёр) *s.* миротво́рец, примири́тель *m.* || **-icatory** (пёси'фикётэри) *a.* миролюби́вый || **-y** (пä'сифай) *va.* усмир-я́ть, -и́ть; (у)миротвор-я́ть, -и́ть; (*appease*) успок-а́ивать, -о́ить.

pack/ (пäк) *s.* тюк, ки́па; вьюк; у́зел; (*cards*) коло́да; (*hounds*) ста́я соба́к; (*thieves, etc.*) ша́йка ‖ ~ *va.* упак-о́вывать(-ся), -ова́ть (-ся), укла́дыв-ать (-ся); подтасова́ть ка́рты ‖ ~ *vn.* уходи́ть, уйти́ ‖ **-age** *s.* тюк, укла́дка; упако́вка ‖ **-er** *s.* укла́дчик, упако́вщик ‖ **-et** (пä'кит) *s.* паке́т; па́чка ‖ **-et-boat** *s.* пакетбо́т ‖ **-man** *s.* разно́щик ‖ **~-thread** *s.* бичёвка (бечёвка), шнуро́к.

pact (пäкт) *s.* догово́р, усло́вие.

pad/ (пäд) *s.* (*cushion*) поду́шка, ва́лик; (*writing*) бюва́р ‖ ~ *va.* под-бива́ть, -би́ть ва́той; на-бива́ть, -би́ть ‖ **-ding** *s.* ватиро́вка, наби́вка.

paddle/ (пä'дл) *s.* весло́, гребо́к; (*tech.*) ло́пасть *f.*; перо́ ‖ ~ *vn.* грест-и́, -ь; плеска́ться (в воде́) ‖ **~-wheel** *s.* гребно́е колесо́.

paddock (пä'дёк) *s.* за́сека; загоро́женное ме́сто для лошаде́й; (*zool.*) жа́ба.

paddy (пä'ди) *s.* (*rice*) неочи́щенный рис; (*rage*) гнев; **P-** (*fam.*) ирла́ндец.

padlock (пä'длок) *s.* вися́чий замо́к.

pagan/ (пэ̄й'гён) *s.* язы́чник, язы́чница ‖ ~ *a.* язы́ческий ‖ **-ism** *s.* язы́чество.

page (пэ̄йдж) *s.* паж; (*of a book*) страни́ца.

pageant/ (пэ̄й'джёнт) *s.* пы́шное зре́лище ‖ **-ry** *s.* великоле́пие, пы́шность *f.*

paid (пэ̄йд) *cf.* **pay.**

pail (пэ̄йл) *s.* ведро́; ка́дка.

pain/ (пэ̄йн) *s.* боль *f.*; му́ка; скорбь *f.*; (*penalty*) ка́ра ‖ **on, under ~ of** под опасе́нием наказа́ния ‖ **to take (great) -s** стара́ться ‖ ~ *va.* причи-ня́ть, -ни́ть боль, скорбь; огорч-а́ть, -и́ть ‖ **-ful** *a.* мучи́тельный, приско́рбный; боле́зненный; причиня́ющий боль; (*laborious*) тру́дный ‖ **-less** *a.* безболе́зненный ‖ **-staking** (пэ̄й'нзтэ̄йкинг) *a.* стара́тельный, трудолюби́вый.

paint/ (пэ̄йнт) *s.* кра́ска; (*rouge*) румя́ны; *fpl.* ‖ ~ *va.* писа́ть кра́сками; рисова́ть, (по)кра́сить; румя́нить, на- ‖ **-er** *s.* (*artist*) живопи́сец; (*house-~*) маля́р; (*mar.*) фа́лень *m.* ‖ **-ing** *s.* жи́вопись *f.*; карти́на.

pair (пäр) *s.* па́ра; (*of persons*) чета́ ‖ ~ *va.* соедин-я́ть(-ся), -и́ть(-ся), совокуп-ля́ть(-ся), -и́ть(-ся) ‖ **to ~ off** (*parl.*) удали́ться попа́рно.

pal (пäл) *s.* (*fam.*) това́рищ, прия́тель *m.*

palace (пä'лис) *s.* дворе́ц; черто́ги *mpl.*

palæo/graphy (пäлио'грёфи) *s.* палеогра́фия ‖ **-logy** (пäлио'лоджи) *s.* палеоло́гия ‖ **-ntology** (пäлионто'лоджи) *s.* палеонтоло́гия.

palanquin (пäлёнки'н) *s.* палапки́н *m.*; носи́лки *fpl.*

palat/able (пä'лётёбл) *a.* вку́сный ‖ **-al** (пä'лётёл) *s.* нёбный звук ‖ ~ *a.* нёбный ‖ **-e** (пä'лит) *s.* (*anat.*) нёбо; (*fig.*) вкус.

palatial (пёлэ̄й'шёл) *a.* дворцо́вый; пы́шный.

palat/inate (пёлä'тинёт) *s.* фальцгра́фство ‖ **-ine** (пä'лётин) *s.* палати́н ‖ ~ *a.* фальцгра́фский.

palaver (пёла̄'вёр) *s.* перегово́ры *mpl.*; конфере́нция; (*fam.*) пуста́я болтовня́; (*cajolery*) лесть *f.* ‖ ~ *va.* льстить ‖ ~ *vn.* болта́ть, моло́ть вздор.

pale/ (пэ̄йл) *s.* кол; (*boundary*) грани́ца, рубе́ж ‖ ~ *a.* бле́дный ‖ **to turn ~** бледне́ть, по- ‖ **~-ale** (-э̄йл) *s.* лёгкое пи́во ‖ **-ness** *s.* бле́дность *f.*

palette (пä'лит) *s.* пали́тра.

palfrey (по̄'лфри) *s.* да́мская ло́шадь; иноходец.

pal/ing (пэ̄й'линг) *s.* частоко́л ‖ **-isade** (пäлисэ̄й'д) *s.* палиса́д ‖ ~ *va.* окруж-а́ть, -и́ть *or* обн-оси́ть, -ести́ палиса́дом.

pall (по̄л) *s.* ма́нтия, ря́са; (*for a coffin*) покро́в ‖ ~ *vn.* (*to ~ on one*) пре-сыща́ть, -сы́тить.

pallet (пä'лит) *s.* на́ры *fpl.*

palliasse (пä'лиäс) *s.* соло́менный тюфя́к.

pallia/te (пä'лиэйт) *va.* покр-ыва́ть, -ы́ть; скрыва́ть, скрыть; (*to ease*) облегч-а́ть, -и́ть; (*mitigate*) смягч-а́ть, -и́ть ‖ **-tion** (пäлиэ̄й'шн) *s.* уменьше́ние, извине́ние; облегче́ние ‖ **-tive** (пä'лиётив) *a.* паллиати́вный.

pall/id (пä'лид) *a.* бле́дный ‖ **-idness, -or** (пä'лёр) *s.* бле́дность *f.*

palm/ (па̄м) *s.* (*bot.*) па́льма; па́льмовое де́рево; (*of the hand*) ладо́нь *f.*; пя-дь, -день *f.*; (*sl.*) длань *f.* ‖ ~ *va.* брать рука́ми; стащи́ть (*A.*) ‖ **to ~ off on one** навя́зывать, -вяза́ть кому́ что ‖ **-ated** (пä'лмэйтид) *a.* (*bot.*) дланеви́дный; (*zool.*) лапчатоно́гий ‖ **-er** *s.* пало́мник ‖ **-ist** *s.* хирома́нтик ‖ **-istry** *s.* хирома́нтия ‖ **-y** *a.* заса́женный па́льмами; (*fig.*) победоно́сный, цвету́щий.

Palm-Sunday (па̄'м-са'нди) *s.* Ве́рбное Воскресе́нье.

palpa/ble (пä'лпёбл) *a.* (**-bly** *ad.*) осяза́тельный, ощути́тельный; (*obvious*) очеви́дный.

palpita/te (пä'лпитэйт) *vn.* би́ться, трепета́ть ‖ **-tion** (пäлпитэ̄й'шн) *s.* бие́ние, трепета́ние (се́рдца). ‖ **-y** *s.* парали́ч.

pals/ied (по̄'лз-ид) *a.* разби́тый параличём ‖

palt/er (по̄'лтёр) *vn.* хитри́ть; плутова́ть ‖ **-ry** (по̄'лтри) *a.* жа́лкий; ни́зкий.

pamper (пä'мпёр) *va.* (*fatten*) отк-а́рмливать, -орми́ть, пре-сыща́ть, -сы́тить; (*fig.*) балова́ть, из-; леле́ять, вз-.

pamphlet/ (пä'мфлит) *s.* памфлéт, брошю́ра || **–eer** (-ий'р) *s.* памфлети́ст.
pan (пäн) *s.* (*for frying*) сковородá; (*for milk*) кри́нка (кры́нка); (*of a flintlock*) [пóлка.
panacea (пäнёсий'ё) *s.* панацéя.
panama (пä'нёмā') *s.* панáмская шля́па.
pancake (пä'нкэйк) *s.* блин.
pancreas (пä'нкриёс) *s.* поджелу́дочная [железá.
pandemonium (пäндимōу'ниём) *s.* неистовый шум; суматóха.
pander (пä'ндёр) *s.* свóдник || ~ *vn.* свóдничать || **to** ~ (**to**) потак-áть, -ну́ть (*D.*).
pane (пэйн) *s.* окóнное стеклó.
panegyrist (пä'ниджирист) *s.* панегири́ст.
panel/ (пä'нёл) *s.* филёнка; (*jur.*) спи́сок прися́жных, прися́жные *mpl.* || ~ *va.* об-шивáть, -ши́ть дéревом, панéлями || **–led** (-д) *a.* обши́тый дéревом || **–ling** *s.* деревя́нная обши́вка стен (в кóмнате).
pang (пäнг) *s.* му́ка || **–s** *spl.* тоскá.
panic/ (пä'ник) *s.* пáника, пани́ческий страх, у́жас || ~ *a.*, **–ky** *a.* пани́ческий.
pannier (пä'ниёр) *s.* корзи́на, корзи́нка.
pannikin (пä'никин) *s.* чáшечка, кру́жечка.
panoply (пä'нёпли) *s.* пóлное вооружéние; [паноплия.
panorama (пäнёрā'мё) *s.* панорáма.
pansy (пä'нзи) *s.* (*bot.*) Аню́тины глáзки [*mpl.*
pant (пäнт) *s.* (*of heart*) биéние; (*respiration*) поры́вистое дыхáние || ~ *vn.* (*of heart*) би́ться, трепетáть; (*of breathing*) пыхтéть, задыхáться, тяжелó дышáть; (*fig. to* ~ *for, after*) стрáстно желáть (чегó-либо).
pantaloon/ (пäнтёлӯ'н) *s.* шут || **–s** *spl.* [шаровáры *mpl.*
pantechnicon (пäнтэ'кникён) *s.* повóзка для перевóзки мéбели.
pantheist (пä'нфи-ист) *s.* пантеи́ст.
panther (пä'нфёр) *s.* пантéра, барс.
pantomime (пä'нтомайм) *s.* пантоми́ма; пантоми́м.
pantry (пä'нтри) *s.* кладовáя, чулáн.
pants (пäнтс) *spl.* брю́ки *fpl.*; штаны́ *mpl.*
pap/ (пäп) *s.* кáшка (для детéй); мя́коть *f.*; (*teat*) груднóй сосóк || **–py** *a.* мя́гкий, сóчный.
papa (пёпā') *s.* пáпа, папáша.
pap/acy (пэй'пёси) *s.* пáпство || **–al** (пэйпл) *a.* пáпский.
paper/ (пэй'пёр) *s.* бумáга; (бумáжные) обóи *fpl.*; (*newspaper*) газéта; (*article*) статья́ || ~ *a.* бумáжный || ~ *va.* оклé-ивать, -ить обóями || **~-currency** *s.* бумáжные дéньги *fpl.* || **~-hanger** *s.* обóйщик || **~-knife** *s.* бумáжный нож || **~-mill** *s.* бумáжная фáбрика || **~-money** *s.* бумáжные дéньги *fpl.* || **~-ruler** *s.* линéйка || **~-weight** *s.* пресс-папьé *indecl.*
papist (пэй'пист) *s.* папи́ст, папи́стка.
papyrus (пёпай'рёс) *s.* папи́рус.
par (пāр) *s.* равноцéнность *f.*; (*fam.*) газéтная статья́ || **at** ~ (*comm.*) альпáри; наравнé || **above** ~ вы́ше номинáльной стóимости.
para/ble (пä'рёбл) *s.* при́тча, парáбола || **–bola** (пёрä'болё) *s.* (*geom.*) парáбола || **–bolic** (пäрёбо'лик) *a.* параболи́ческий.
parachute (пä'рёшӯт) *s.* парашю́т.
parade (пёрэй'д) *s.* пы́шность *f.*; парáд, плацпарáд || ~ *va.* паради́ровать (*I.*); рисовáться; щеголя́ть.
Paradise (пä'рёдайс) *s.* рай.
paradox/ (пä'рёдокс) *s.* парадóкс || **–ical** (пäрёдо'ксикл) *a.* парадоксáльный.
paraffin (пä'рёфин) *s.* парафи́н, кероси́н || ~ *a.* кероси́новый, парафи́новый.
paragon (пä'рёгён) *s.* образéц.
paragraph (пä'рёграф) *s.* парáграф, статья́.
parallel (пä'рёлэл) *s.* параллéль *f.*; схóдство; сравнéние || ~ *a.* параллéльный; (*similar*) схóдный || ~ *va.* срáвн-ивать, -и́ть; (*to correspond*) соотвéтствовать.
paraly/se (пä'рёлайз) *va.* парализ-óвывать, -овáть || **–sis** (пёрä'лисис) *s.* парали́ч || **–tic** (пäрёли'тик) *a.* паралити́чный.
paramount (пä'рёмаунт) *a.* верхóвный, глáвный.
paramour (пä'рёмӯр) *s.* любóвник, любóв[ница.
parapet (пä'рёпэт) *s.* парапéт; (*of bridge*) пери́ла *npl.*
paraphernalia (пäрёфёрнэй'лиё) *spl.* принадлéжности *fpl.*; пожи́тки *mpl.*
paraphrase (пä'рёфрэйз) *s.* парафрáз; описáтельное выражéние || ~ *va.* парафрази́ровать; об'ясн-я́ть, -и́ть други́ми словáми.
parasit/e (пä'рёсайт) *s.* парази́т; дармоéд; тунея́дец || **–ic** (пёрёси'тик) *a.* (*bot.*) чужея́дный; (*fig.*) блюдоли́знический.
parasol (пä'рёсол) *s.* зóнтик, парасóль *m.*
parboil (пä'рбойл) *va.* не довари́ть; обвáр-ивать, -и́ть горя́чей водóй.
parcel/ (пāрсл) *s.* пакéт; у́зел; часть *f.*; (*post*) посы́лка; (*quantity*) мнóжество, коли́чество || **bill of –s** накладнáя || **~ post** пакéтная пóчта || ~ *va.* (раз)дели́ть на чáсти; раздроб-ля́ть, -и́ть.
parch (пāрч) *va.* про-су́шивать, -су́шить; печь, жáрить || ~ *vn.* высыхáть.
parchment (пā'рчмёнт) *s.* пергáмент.
pard (пāрд) *s.* леопáрд; (*Am.*) товáрищ.
pardon/ (пā'рдн) *s.* извинéние; прощéние, поми́лование || **I beg your** ~ извини́те!

извиня́юсь! винова́т! || ~ *va.* извин-я́ть, -и́ть; про-ща́ть, -сти́ть; ми́ловать, по- || **–able** *a.* прости́тельный, извини́тельный.
par/e (пэ̄р) *va.* об-ре́зывать, -ре́зать; шелуши́ть, очища́ть || **–ing** *s.* об-, с-ре́зывание; шелуше́ние, очище́ние || **–ings** *pl.* обре́зки *mpl.*, ще́пки *fpl.*
parent/ (пэ̄'рёнт) *s.* роди́тель *m.*; роди́тельница || **–s** *pl.* роди́тели *pl.*, оте́ц и мать || **–age** *s.* родство́; происхожде́ние || **–al** (пёрэ'нтл) *a.* роди́тельский, оте́ческий.
parenthe/sis (пёрэ'нфисис) *s.* ско́бки *fpl.*; вво́дное предложе́ние || **–tical** (пэрёнфэ'тикёл) *a.* находя́щийся в ско́бках; вво́дный.
parish/ (пэ̄'риш) *s.* прихо́д, прихо́дская о́бщина || ~ *a.* прихо́дский || **–ioner** (пёри'шёнёр) *s.* прихожа́нин, прихожа́нка.
parity (пэ̄'рити) *s.* ра́венство, схо́дство.
park (па̄рк) *s.* парк || ~ *va.* огора́живать; в-гоня́ть, -огна́ть в загоро́дку.
parlance (па̄'рлёнс) *s.* разгово́р; спо́соб выраже́ния.
parley (па̄'рли) *s.* совеща́ние, перегово́ры *mpl.* || ~ *vn.* вести́ перегово́ры (о чём); (*fam.*) болта́ть.
parliament/ (па̄'рлимёнт) *s.* парла́мент || **–ary** (па̄рлимэ'нтёри) *a.* парла́ментский.
parlour (па̄'рлёр) *s.* гости́ная; приёмная.
parlous (па̄'рлёс) *a.* опа́сный; затрудни́тельный.
parochial (пёро̄у'киёл) *a.* прихо́дский.
parody (пэ̄'роди) *s.* паро́дия || ~ *va.* пароди́ровать. [че́стное сло́во.
parole (пёро̄у'л) *s.* паро́ль *m.*; ло́зунг;
paroxysm (пэ̄'рёксизм) *s.* пароксúзм, припа́док.
parquet (па̄'ркит) *s.* парке́т; парке́тный пол || ~ *va.* класть, положи́ть парке́т.
parricide (пэ̄'рисайд) *s.* (*murder*) отцеубийство; (*murderer*) отцеуби́йца *sc.*
parrot (пэ̄'рёт) *s.* попуга́й *m.*; (*imitator*) подража́тель *m.* || ~ *vn.* повтор-я́ть, -и́ть.
parry (пэ̄'ри) *s.* отбо́й *m.*; отраже́ние уда́ра || ~ *va.&n.* отра-жа́ть, -зи́ть уда́р; отвраща́ть; пари́ровать.
parse (па̄рс) *va.* (*gramm.*) де́лать, с- граммати́ческий разбо́р.
parsimon/ious (па̄рсимо̄у'ниёс) *a.* эконо́мный; уме́ренный; (*stingy*) скупо́й || **–iousness, –y** (па̄'рсимёни) *s.* бережли́вость *f.*; уме́ренность *f.*; ску́пость *f.*; скря́жничество.
parsley (па̄'рсли) *s.* (*bot.*) петру́шка.
parsnip (па̄'рснип) *s.* (*bot.*) пастерна́к.
parson/ (па̄'рсн) *s.* прихо́дский свяще́нник, па́стор; (*fam.*) свяще́нник || **–age** (па̄'рсёнидж) *s.* пастора́т, церко́вный дом, в кото́ром живёт свяще́нник.
part/ (па̄рт) *s.* часть *f.*; (*piece*) кусо́к; (*instalment*) вы́пуск; (*rôle*) роль *f.*; де́йствующее лицо́; (*duty*) обя́занность *f.*; (*mus.*) па́ртия; го́лос; (*participation*) уча́стие; (*side*) сторона́ || **–s** *spl.* (*talents*) спосо́бности *fpl.*; (*district*) ме́стность *f.*; (*fam.*) половы́е о́рганы || **foreign –s** чужи́е края́ || **for my ~** с мое́й стороны́ || **for the most ~** бо́льшею ча́стью || **in ~** ча́стью, отча́сти || **to take ~ in** уча́ствовать (в) || **to take in bad ~** обижа́ться, оби́деться чем || **to play a ~** притворя́ться || ~ *ad.* отча́сти || ~ *va.* дели́ть; раздел-я́ть, -и́ть; (*to separate*) от-деля́ть, -и́ть; раз'един-я́ть, -и́ть; разлуч-а́ть, -и́ть; (*one's hair*) рас-чёсывать, -чеса́ть во́лосы на о́бе стороны́ || ~ *vn.* расходи́ться, разойти́сь; рас-става́ться, -ста́ться с.
partake/ (па̄ртэ̄й'к) *vn.irr.* уча́ствовать; (*to eat*) есть, с'есть; (*to drink*) пить, вы́пить || **to ~ of the nature of** быть не́сколько похо́жим на || **–r** *s.* (со)уча́стник, (со)уча́стница. [ни́к.
parterre (па̄ртэ̄'р) *s.* (*hort.*) клу́мба, цвет-
partial/ (па̄'ршёл) *a.* части́чный; (*biassed*) пристра́стный || **to be ~ to** пристраща́ться к, осо́бенно люби́ть || **–ly** *ad.* ча́стью, отча́сти || **–ity** (па̄ршиэ̄'лити) *s.* пристра́стие.
particip/ant (па̄рти'сип-ёнт) *s.* уча́стник || ~ *a.* уча́ствующий || **–ate** (-эйт) *vn.* уча́ствовать; при-нима́ть, -ня́ть уча́стие в || **–ation** *s.* уча́стие || **–le** (па̄'ртисипл) *s.* (*gramm.*) прича́стие.
particle (па̄'ртикл) *s.* части́ца. [стрый.
parti-coloured (па̄'рти-ка'лёрд) *a.* пё-
particular/ (па̄рти'кюлёр) *s.* осо́бенность *f.*; (*circumstance*) обстоя́тельство || **–s** *spl.* подро́бности *fpl.* || ~ *a.* отде́льный; ча́стный; осо́бый; специа́льный; (*peculiar*) осо́бенный; (*circumstantial*) подро́бный, щепети́льный; (*fastidious*) разбо́рчивый || **in ~** осо́бенно || **–ity** (па̄ртикюлэ̄'рити) осо́бенность *f.*; подро́бность *f.* || **–ize** *va.* подро́бно расска́зывать || ~ *vn.* входи́ть, войти́ в подро́бности.
parting (па̄'ртинг) *s.* отделе́ние, разделе́ние; (*of persons*) разлу́ка; (*of ways*) разветвле́ние; (*of the hair*) пробо́р; (*of a cable*) разры́в || ~ *a.* проща́льный.
partisan (па̄'ртизэ̄н) *s.* партиза́н, приве́рженец па́ртии.
partit/ion (па̄рти'шн) *s.* отделе́ние, разделе́ние; (*boards*) перегоро́дка; (*mus.*) партиту́ра || ~ *va.* дели́ть, раздел-я́ть,

-и́ть; перегор-а́живать, -оди́ть (ко́мнату *etc.*) || **–ive** (па̄′ртитив) *a.* дро́бный; (*gramm.*) раздели́тельный.
partly (па̄′ртли) *ad.* отча́сти.
partner/ (па̄′ртнёр) *s.* уча́стник, уча́стница; (*at games*) това́рищ; партнёр; (*in dancing*) кавалёр || **–ship** *s.* това́рищество.
partridge (па̄′ртридж) *s.* куропа́тка.
parturition (партюри′шн) *s.* ро́ды *mpl.*; разреше́ние от бре́мени.
party/ (па̄′рти) *s.* па́ртия, сторона́; (*participant*) уча́стник, уча́стница; (*excursion*) пое́здка, прогу́лка; (*assembly*) собра́ние; (*fam.*) челове́к, лицо́ || **contracting ~** контраге́нт || **interested ~, ~ concerned** прикоснове́нное лицо́ || **to be a ~ to** принима́ть, -ня́ть уча́стие в || **~-coloured** *cf.* **parti-coloured.**
parvenu (па̄′рвиню̄) *s.* вы́скочка.
paschal (пӓ′скёл) *a.* пасха́льный.
pasha (пӓ′шё) *s.* паша́.
pasquinade (пӓскуинэ̄й′д) *s.* па́сквиль *m.*
pass/ (па̄с) *vn.* про-ходи́ть, -йти́; проезжа́ть, -е́хать; (*to ~ by*) минова́ть; идти́ (итти́); (*move*) дви́гаться; быть в обраще́нии || (*to ~ for*) слыть, почита́ться (за +*G.*); (*occur*) прои-сходи́ть, -зойти́; случ-а́ться, -и́ться; (*disappear*) из-чеза́ть, -че́знуть; (*die*) умере́ть, угаса́ть, уга́снуть; (*of candidates*) вы́держать экза́мен; (*at cards*) пасова́ть || **~** *va.* (*time*) пров-оди́ть, -ести́ (вре́мя); (*money*) пус-ка́ть, -ти́ть в обраще́ние; (*hand*) передава́ть; (*surpass*) пре-выша́ть, -вы́сить; (*let through*) пропус-ка́ть, -ти́ть || **~** прохо́д; прое́зд; (*defile*) тесни́на; уще́лье; (*passport*) па́спорт, вид, про́пуск; (*state of things*) состоя́ние, положе́ние || **~-book** *s.* па́спортная кни́жка; расхо́дная кни́га || **~-key** *s.* отмы́чка || **–able** *a.* проходи́мый; (*tolerable*) сно́сный || **–ably** *ad.* сно́сно, посре́дственно || **–age** (пӓ′сидж) *s.* прохо́д; прое́зд; доро́га; перехо́д, перее́зд; перепра́ва (че́рез реку́); коридо́р; (*in a book*) ме́сто; (*mus.*) пасса́ж || **bird of ~** перелётная пти́ца.
passenger/ (пӓ′синджёр) *s.* пассажи́р; путеше́ственник || **~-train** пассажи́рский по́езд. [жий; (*driving*) прое́зжий.
passer-by (па̄сёр-бай′) *s.* (*on foot*) прохо́-
passing/ (па̄′синг) *s.* прое́зд || **in ~** мимохо́дом; мимое́здом || **~** *a.* проходя́щий; преходя́щий; (*transient*) мимолётный || **~** *ad.* чрезвыча́йно, о́чень, весьма́ || **~-bell** *s.* погреба́льный звон.
passion/ (пӓ′шн) *s.* страсть *f.*; (*rage*) гнев; (*ardour*) пыл; (*suffering*) страда́ние; при-стра́стие || **to fly into a ~** разгне́ваться; беси́ться, вз- || **P– of Christ** стра́сти (*fpl.*) Христо́вы || **~-week** *s.* страстна́я неде́ля || **–ate** (пӓ′шёнит) *a.* стра́стный, пла́менный; вспы́льчивый; серди́тый.
passiv/e (пӓ′сив) *s.* (*gramm.*) страда́тельный зало́г || **~** *a.* пасси́вный; неде́ятельный; (*gramm.*) страда́тельный || **–ity** (пӓси′вити) *s.* пасси́вность *f.*; (*patience*) терпе́ние.
Passover (па̄′соувёр) *s.* пра́здник Па́схи (у евре́ев); (*lamb*) пасха́льный а́гнец.
passport (па̄′спо̄рт) *s.* па́спорт, вид.
past (па̄ст) *s.* проше́дшее *n.*; (*gramm.*) проше́дшее вре́мя; (*antecedents*) про́шлое *n.* || **~** *a.* про́шлый, проше́дший; мину́вший || **~** *prp.* по́сле, за || **half ~ two** полови́на тре́тьего || **a quarter ~ five** че́тверть шесто́го.
paste/ (пэ̄йст) *s.* (*dough*) те́сто; (*for gumming*) кле́йстер; (*for gems*) подде́льный (драгоце́нный) ка́мень; (*tooth ~, etc.*) па́ста || **~** *va.* клеи́ть, с- || **~-board** *s.* па́пка, карто́н.
pastel (пӓ′стёл) *s.* (*drawing*) пасте́ль *f.*; пасте́льная карти́на; (*crayon*) пасте́льный каранда́ш; (*bot.*) ва́йда, сини́льник.
pastern (па̄′стёрн) *s.* путова́я кость.
pastil(le) (пӓ′стил) *s.* (*sweet*) пасти́лка; (*fumigator*) кури́тельная свеча́.
pastime (па̄′стайм) *s.* время(пре)провожде́ние; заба́ва, развлече́ние.
pastor/ (па̄′стёр) *s.* па́стор, па́стырь *m.* || **–al** *s.* иди́ллия; пасту́шеская пе́сня || **~** *a.* (*of shepherds*) пасту́шеский; (*of a pastor*) па́сторский, па́стырский.
pastry (пэ̄й′стри) *s.* пиро́жное, пиро́г.
pastur/able (па̄′счёр-ёбл) *a.* (при)го́дный для па́стбища || **–age, –e** *s.* па́стбище; вы́гон || **–e** *va.* пасти́, выгоня́ть (скот) || **~** *vn.* пасти́сь.
pasty (пэ̄й′сти) *s.* паште́т || **~** *a.* тестова́тый.
pat (пӓт) *s.* лёгкий уда́р || **~** *a.* удо́бный, прише́дшийся кста́ти || **to have, to say a thing off ~** отли́чно знать || **~** *va.* хло-п-ать, -нуть || **to ~ on the shoulder** трепа́ть по плечу́.
patch/ (пӓч) *s.* (*on a garment*) запла́та, запла́тка; (*of ground*) месте́чко; (*on the face*) му́шка; (*stain*) пятно́ || **he is not a ~ on him** нельзя́ сра́внивать его́ с ним || **~** *va.* заплата́ть, чини́ть, почи́нивать || **to ~ up** стива́ть, стить; (*fig.*) у-ла́живать, -ла́дить || **–work** *s.* почи́нка; (*literary*) компиля́ция.
pate (пэ̄йт) (*fam.*) башка́, голова́.
paten (пӓ′тин) *s.* (*eccl.*) ди́скос.

patent/ (пэй'тёнт) *s.* патéнт; привилéгия; диплóм, грáмота || **to take out a ~** брать, взять патéнт || **~** *a.* (*manifest*) я́вный, очеви́дный; (*patented*) патентóванный || **~** (пэй'тёнт, пä'тёнт) *va.* патентовáть || **-ee** (пэйтёнтий') *s.* владéлец патéнта || **~-leather** *s.* лакирóванная кóжа.
pater/ (пэй'тёр) *s.* (*fam.*) отéц || **-familias** (-фёми'лиёс) *s.* (*fam.*) отéц семéйства.
pater/nal (пётё'р-нёл) *a.* отцóвский, отéческий || **-nity** (-нити) *s.* отéчество; отéческая любóвь || **-noster** (пä'тёрно'стёр) *s.* моли́тва Госпóдня, Óтче-наш.
path (пāþ) *s.* (*pl.* **paths,** пāðз) тропá, тропи́нка; дорóжка; путь *m.*
pathetic/ (пёþэ'тик) *a.* (**-ally** *ad.*) патети́ческий; (*moving*) трóгательный.
pathless (пā'þлис) *a.* непроходи́мый.
pathology (пёþо'лоджи) *s.* патолóгия.
pathos (пэй'þос) *s.* пáфос.
pathway (пā'þуэй) *s.* тропá, тропи́нка; (*pavement*) тротуáр.
patien/ce (пэй'шён-с) *s.* терпéние, терпели́вость *f.* || **-t** *s.* пациéнт, больнóй; (*woman*) пациéнтка, больнáя || **~** *a.* терпели́вый.
patriarch/ (пэй'триāрк) *s.* патриáрх || **-al** (пэйтриā'ркл) *a.* патриáрший; патриархáльный.
patri/cian (пётри'шн) *s.* патри́ций || **~** *a.* патрициáнский || **-mony** (пä'тримёни) *s.* (в)óтчина; родовóе имéние.
patriot/ (пэй'триёт) *s.* патриóт, патриóтка || **-ic** (пэйтрио'тик) *a.* патриоти́ческий || **-ism** (пэй'триотизм) *s.* патриоти́зм.
patrol (пётрōу'л) *s.* патрýль *m.*, дозóр || **~** *vn.* ходи́ть дозóром; патрули́ровать; (*go up and down*) ходи́ть взад и вперёд.
patron/ (пэй'трён, пä'-) *s.* патрóн, покрови́тель *m.*; (*saint*) святóй-застýпник *m.* **-age** *s.* покрови́тельство; (*eccl.*) патронáтство || **-ess** *s.* патронéсса, покрови́тельница || **-ize** *va.* покрови́тельствовать; (*a locality*) чáсто бывáть в.
patten (пäтн) *s.* деревя́нный башмáк; (*arch.*) поднóжие.
patter (пä'тёр) *s.* плеск; трескотня́; болтовня́; (*fam.*) жаргóн || **~** *vn.* ударя́ть (о дождé, о грáде); (*chatter*) болтáть.
pattern/ (пä'тёрн) *s.* (*model*) образéц; (*of stuff*) узóр, рисýнок || **dress-~** вы́кройка.
patty (пä'ти) *s.* пирожóк.
paucity (пō'сити) *s.* малочи́сленность *f.*; мáлое коли́чество. [ши́ть.
paunch (пōнч) *s.* брю́хо, пýзо || **~** *va.* потро-
pauper/ (пō'пёр) *s.* бедня́к; ни́щий; ни́щая || **-ism** *s.* ни́щенство, паупери́зм || **-ize** *va.* доводи́ть до ни́щенства.
pause (пōз) *s.* (*cessation*) останóвка; (*interruption*) переры́в; (*interval*) промежýток; (*mus.*) пáуза || **~** *vn.* остан-áвливаться, -ови́ться, дéлать, с- пáузу; (*cease speaking*) молчáть.
pave/ (пэйв) *va.* мости́ть; вы́мостить || **to ~ the way for** (*fig.*) подготóвить путь для (*G.*) || **-ment** *s.* мостовáя; (*sidewalk*) тротуáр. [палáтка.
pavilion (пёви'лйён) *s.* павильóн; (*tent*)
paving-stone (пэй'винг-стōун) *s.* булы́жник.
paw/ (пō) *s.* лáпа || **~** *va.* (*horse*) рыть зéмлю перéдней ногóй; (*handle*) цáпать лáпами; льстить || **-ed** (пōд) *a.* имéющий лáпы. [щёлка.
pawl (пōл) *s.* (*tech.*) храп; собáчка: за-
pawn/ (пōн) *s.* (*pledge*) заклáд; (*in chess*) пéшка *f.* || **~** *va.* за-клáдывать, -ложи́ть, от-давáть, -дáть в заклáд || **-broker** *s.* заимодáвец || **-er** *s.* заклáдчик || **~-ticket** *s.* закладнáя.
pay/ (пэй) *s.* плáта; (*wages*) жáлованье || **~** *va.irr.* плати́ть, за-; (*requite*) воздавáть, -дáть; отпл-áчивать, -ати́ть || **~** *vn.* (*be renumerative*) приноси́ть вы́году; оплáчиваться || **to ~ back** возвра-щáть, -ти́ть (дéньги); отпл-áчивать, -ати́ть || **to ~ in** (*comm.*) вноси́ть || **to ~ off (a debt)** уплати́ть || **to ~ out** вы́платить; (*mar.*) трави́ть канáт || **to ~ attention (to)** окáзывать, оказáть внимáние (*D.*), обращáть внимáние (на+*A.*) || **to ~ a visit (to)** на-вещáть, -вести́ть || **-able** *a.* плати́мый || **-ee** (пэй-ий') *s.* (*comm.*) пред'яви́тель *or* подавáтель (*m.*) вéкселя || **-er** *s.* плáтельщи-к, -ца || **-master** *s.* (*mil.*) казначéй || **-ment** *s.* (у)плáта; платёж; жáлованье.
pea/ (пи) *s.* горóх, горóшина || **as like as two -s** как две кáпли воды́ || **green -s** зелёный горóшек.
peace/ (пийс) *s.* мир; (*quiet*) тишинá; спокóйствие; (*rest*) покóй *m.*; (*concord*) соглáсие || **-able** *a.* (**-ably** *ad.*) миролюби́вый || **-ful** *a.* (**-ly** *ad.*) (*pacific*) ми́рный; (*quiet*) спокóйный || **-maker** *s.* мири́тель *m.*; примири́тель *m.*
peach (пийч) *s.* пéрсик; (*fam. & Am.*) красáвица || **~** *vn.* (*fam.*) до-носи́ть, -нести́ на когó.
pea/chick (пий'чик) *s.* молодóй павли́н || **-cock** *s.* павли́н || **-hen** *s.* пáва.
peak (пийк) *s.* пик; (*of a mountain*) верши́на; (*of a cap*) козырёк || *vn.* **to ~ and pine** чáхнуть, ис-.
peal (пийл) *s.* шум, треск; (*of thunder*)

гром; (*of guns*) грохот; (*of bells*) звон || **a ~ of laughter** громкий хохот || **~** *va.* раз-даваться, -даться; грохотать; греметь.
peanut (пий'нат) *s.* земляной орех.
pear (пäр) *s.* груша.
pearl/ (пё'рл) *s.* перл, жемчужина; (*false*) бусы *fpl.*; бисер; (*type*) жемчужный шрифт || **~-ash** (-äш) *s.* чистый американский поташ.
peasant/ (пэ'зёнт) *s.* крестьянин; мужик || **~** *a.* крестьянский; мужицкий || **-ry** *s.* крестьянство; крестьяне *mpl.*
pease (пийз) *spl.* горох.
peat (пийт) *s.* торф.
pebble (пэбл) *s.* голыш, кругляшка.
peccadillo (пэкёди'лоу) *s.* грешок.
peccary (пэ'кёри) *s.* пекари *m.*
peck (пэк) *s.* (*measure*) осьмина; (*of beak*) удар клюва || **~** *va.&n.* кл-евать, -юнуть.
pecker (пэ'кёр) *s.* (*fam.*) **to keep up one's ~** не упадать, упасть духом.
pectoral (пэ'ктёрёл) *a.* грудной.
peculation (пэкюлэй'шн) *s.* казнокрадство.
peculiar/ (пикю'лиёр) *a.* свойственный; собственный; (*special*) особенный; (*strange*) странный || **-ity** (пикюлиä'рити) *s.* особенность *f.*; странность *f.*
pecuniary (пикю'ниёри) *a.* денежный.
pedagogue (пэ'дёгог) *s.* педагог.
pedal (пэ'дёл) *s.* педаль *f.*
pedant/ (пэ'дёнт) *s.* педант || **-ic** (пидä'нтик) *a.* педантский || **-ry** *s.* педантизм.
peddle (пэдл) *vn.* разносить товары по домам.
pederasty (пэ'дёрäсти) *s.* мужеложство.
pedes/tal (пэ'дистёл) *s.* пьедестал; подножие || **-trian** (пидэ'стриён) *s.* пешеход || **~** *a.* пеший || **-trianism** (пидэ'стриёнизм) *s.* путешествование пешком.
pedigree (пэ'дигри) *s.* родословная.
pediment (пэ'димёнт) *s.* фронтон.
pedlar (пэ'длёр) *s.* разносчик, коробейник.
peel (пийл) *s.* кожа, кожица, кожура || **~** *va.* об-дирать, -одрать (содрать); о-чищать, -чистить || **~** *vn.* (об)лупиться; (*fam.*) раз-деваться, -деться.
peeler (пий'лёр) *s.* (*fam.*) городовой.
peep/ (пийп) *s.* (*glance*) взгляд украдкою; (*view*) вид; (*chirp*) писк; чириканье || **at the ~ of day** на рассвете || **~** *vn.* смотреть сквозь щель; появ-ляться, -иться; (*to chirp*) чирик-ать, -нуть || **~-hole** *s.* лазея, дырочка || **~-show** *s.* раёк, косморама.
peer/ (пийр) *s.* (*equal*) равный, ровня; (*nobleman*) пер (в Англии) || **~** *vn.* глядеть || **-age** *s.* (*rank*) достоинство пера; (*peers*) перы *mpl.*; (*book*) дворянская книга || **-ess** *s.* жена пера || **-less** *a.* несравненный, бесподобный.
peevish/ (пий'виш) *a.* раздражительный, брюзгливый || **-ness** *s.* раздражительность *f.*; брюзгливость *f.*
peewit (пий'уит) *s.* пигалица (птица).
peg/ (пэг) *s.* деревянный гвоздь; (*mus.*) колок || **~** *va.* при-бивать, -бить деревянными гвоздями; вкол-ачивать, -отить (бабою) || **-top** *s.* волчок; кубарь *m.*
pelf (пэлф) *s.* деньги *fpl.*; богатство.
pelican (пэ'ликён) *s.* пеликан.
pelisse (пилий'с) *s.* шуба; кожух; шёлковое платье.
pellet (пэ'лит) *s.* шарик; пуля.
pellicle (пе'ликл) *s.* кожица, плева.
pell-mell (пэ'л-мэ'л) *ad.* как ни попало; без разбора.
pellucid (пэлю'сид) *a.* светлый, прозрачный.
pelt/ (пэ'лт) *s.* (*fleece*) шкура; (*skin*) кожа; (*fur*) мех || **~** *va.* бросать, бросить || **~** *vn.* падать градом || **-ing** *a.*, **~ rain** проливной дождь || **-ry** *s.* пушной товар, меховой товар.
pelvis (пэ'лвис) *s.* таз.
pen/ (пэн) *s.* перо; крыло; (*enclosure*) загон; овчарня || **~** *vn.* (*write*) писать, на-; (*shut up*) заг-онять, -нать, в ограду; зап-ирать, -ереть || **~-case** пеннал || **~-holder** *s.* ручка || **~-knife** *s.* перочинный ножик || **-man** *s.* калиграф; писатель *m.* || **-manship** *s.* калиграфия, искусство писания.
penal/ (пий'нёл) *a.* уголовный || **~ servitude** *s.* каторга || **~settlement** *s.* исправительная колония || **-ty** (пэ'нёлти) *s.* наказание; кара; денежный штраф.
penance (пэ'нёнс) *s.* покаяние, раскаяние; (*eccl.*) эпитимия || **to do ~ for one's sins** каяться, по- в своих грехах.
pence (пэнс) *pl. of* **penny.**
penchant (пäнгшä'нг) *s.* склонность *f.*; наклонность *f.*
pencil (пэ'нсил) *s.* карандаш; кисть *f.*, кисточка || **~** *va.* рисовать *or* писать карандашом; рисовать.
pend/ant (пэ'ндёнт) *s.* подвеска; (*ear-ring*) серьга; (*mar.*) вымпел || **-ent** *a.* висячий, висящий || **-ing** *a.* нерешённый, текущий || **~** *prp.* в продолжение || **~ my return** пока я возвращусь || **-ulum** (пэ'ндюлём) *s.* маятник.
penetra/ble (пэ'нитрёбл) *a.* проницаемый || **-te** (пэ'нитрэйт) *va.&n.* про-никать, -никнуть, проницать || **-ting** (пэ'нитрэйтинг) *a.* (*of cold, voice, etc.*) пронзительный; (*of intelligence*) проницательный || **-tion** (пэнитрэй'шн) *s.* проникание, проницательность *f.*

penguin (пэ'нг-гуин) *s.* (*ornith.*) пингвйн.
peninsula (пини'нсюлё) *s.* полуостров.
penis (пий'нис) *s.* мужской половой член.
peniten/ce (пэ'нитён-с) *s.* покая́ние, раская́ние || **-t** *a.* ка́ющийся || **-tiary** (пэнитэ'ншёри) *s.* исправи́тельный *or* смири́тельный дом.
pennant (пэ'нёнт) *s.* (*mar.*) вы́мпел.
penniless (пэ'нилэс) *s.* без гроша́, бе́дный.
pennon (пэ'нён) *s.* ры́царское зна́мя; (*mar.*) вы́мпел.
penny/ (пэ'ни) *s.* (*pl.* **pence** & **pennies**) пе́нни *m.*; грош || **~-a-liner** *s.* газе́тный репортёр || **-weight** *s.* двадца́тая часть у́нции || **~-wise** *a.* соблюда́ющий грошеву́ю эконо́мию || **-worth** *s.* на грош.
pension/ (пэ'ншн) *s.* пе́нсия, пенсио́н || **-ary** (пэ'ншёнёри), **-er** (пэ'ншёнёр) *s.* пенсионе́р; инвали́д; (*at Cambridge*) студе́нт, не получи́вший ещё пе́рвой учёной сте́пени.
pensive (пэ'нсив) *a.* заду́мчивый; гру́стный.
Pentecost (пэ'нтикост) *s.* Тро́ица; Пятидеся́тница.
penthouse (пэ'нтхаус) *s.* наве́с.
penultimate (пина'лтимёт) *s.* предпосле́дний слог.
penumbra (пина'мбрё) *s.* (*astr.* & *paint.*) полуте́нь *f.*
penur/ious (пиню'риёс) *a.* ску́дный; бе́дный; (*stingy*) скупо́й || **-y** (пэ'нюри) *s.* нужда́; бе́дность *f.*
peony (пий'они) *s.* пио́н.
people (пийпл) *s.* наро́д; (*nation*) на́ция; лю́ди *mpl.*; люд; (*commonalty*) просто́й наро́д || **~** *va.* насел-я́ть, -и́ть.
pep (пэп) *s.* (*fam.*) эне́ргия.
pepper/ (пэ'пёр) *s.* пе́рец || **~** *va.* при-правля́ть, -пра́вить пе́рцем; (*fig.*) (*pelt*) забр-а́сывать, -оса́ть (*I*); (*beat*) колоти́ть || **-mint** *s.* пе́речная мя́та || **-y** *a.* перцо́вый; о́стрый; (*fig.*) горя́чий, вспы́льчивый.
per (пёр) *prp.* че́рез, чрез; по; за; в; на || **as ~** согла́сно (*D.*); в си́лу (*G.*) || **~cent** за сто, проце́нт.
peradventure (пэрёдвэ'нчёр) *ad.* (*by chance*) случа́йно; (*perhaps*) мо́жет-быть.
perambulat/e (пёрä'мбюлэйт) *va.* про-, об-ходи́ть; об'езжа́ть || **-or** *s.* де́тская коля́ска.
perceiv/able (пёрсий'в-ёбл) *a.* я́вственный; приме́тный; ощути́тельный || **-e** (**-**) *va.* ощу-ща́ть, -ти́ть; (*see*) усма́тривать; за-меча́ть, -ме́тить.
percentage (пёрсэ'нтидж) *s.* проце́нты *mpl.*
percepti/bility (пёрсептиби'лити) *s.* ви́димость *f.*; ощуща́емость *f.* || **-ble** (пёрсэ'птибл) *a.* (**-bly** *ad.*) ви́димый; заприме́тный || **-on** (пёрсэ'пшн) *s.* поня́тие, понима́ние; ощуще́ние; чу́вство.
perch (пёрч) *s.* (*fish*) о́кунь *m.*; (*measure*) ме́ра протяже́ния ($5^1/_2$ я́рдов); насе́ст; же́рдь *f.* || **~** *va.* посади́ть (на же́рдь) || **~** *vn.* (*of birds*) сади́ться.
perchance (пёрча̄'нс) *ad.* (*by chance*) случа́йно; (*perhaps*) мо́жет-быть.
percolate (пё'рколэйт) *va.* проце́живать; фильтрова́ть || **~** *vn.* про-са́чиваться, -сочи́ться.
percussion/ (пёрка'шн) *s.* уда́р; сотрясе́ние; толчо́к; (*med.*) высту́кивание || **~-cap** *s.* писто́н, ка́псюль *m.*
perdition (пёрди'шн) *s.* (по)ги́бель *f.*; па́губа; (*bibl.*) ве́чная му́ка.
peregrination (пэригринэ̄й'шн) *s.* стра́нствование; путеше́ствие.
peremptor/iness (пэ'римтёр-инэс) *s.* реши́тельность *f.* || **-y** *a.* (**-ily** *ad.*) реши́тельный, оконча́тельный.
perennial (пёрэ'ниёл) *a.* ве́чный; постоя́нный; (*bot.*) многоле́тний.
perfect/ (пё'рфикт) *a.* соверше́нный; отли́чный; по́лный || **~** (пёрфэ'кт) *va.* усоверше́нствовать; соверши́ть || **-ion** (пёрфэ'кшн) *s.* соверше́нство.
perfid/ious (пёрфи'диёс) *a.* вероло́мный || **-y** (пё'рфиди) *s.* вероло́мство.
perfora/te (пё'рфорэйт) *va.* про-бива́ть, -би́ть, про-све́рливать, -сверли́ть || **-tion** (пёрфорэ̄й'шн) *s.* перфора́ция; пробива́ние, просверле́ние; (*hole*) отве́рстие, дыра́.
perforce (пёрфо̄'рс) *ad.* си́лою, наси́льно.
perform/ (пёрфо̄'рм) *va*&*n.* де́лать, с-; соверша́ть; отправля́ть (*one's duties, etc.*); (*mus.*) ис-полня́ть, -по́лнить; (*theat.*) игра́ть, сыгра́ть || **-ance** *s.* соверше́ние; ис-, вы-полне́ние; отправле́ние; (*act*) де́йствие; (*action*) де́яние; (*mus.*) игра́; (*theat.*) представле́ние || **-er** *s.* исполни́тель *m.*; актёр, актри́са || **instrumental ~** музыка́нт, игра́ющий.
perfume/ (пё'рфюм) *s.* благово́ние; арома́т; (*scent*) духи́ *mpl.* || **~** (пёрфю̄'м) *va.* души́ть, на-; про-ку́ривать, -кури́ть || **-r** (пёрфю̄'мёр) *s.* парфюмёр || **-ry** (пёрфю̄'мёри) *s.* духи́ *mpl.*; парфюме́рия.
perfunctory (пёрфа'нгктёри) *a.* пове́рхностный.
perhaps (пёрха̄'пс) *ad.* мо́жет-быть; аво́сь.
peril/ (пэ'рил) *s.* опа́сность *f.* || **-ous** *a.* опа́сный, риско́ванный.
period/ (пий'риёд) *s.* пери́од; вре́мя *n.*; (*interval*) промежу́ток; эпо́ха; преде́л; (*gramm.*) пери́од; (*full-stop*) то́чка ||

–ical (пийрио'дикёл) *s.* периоди́ческое изда́ние || ~ *a.* периоди́ческий.
peripatetic (пэрипе̄тэ'тик) *a.* стра́нствующий; (*philos.*) перипатети́ческий.
peri/phery (пёрп'фёри) *s.* перифе́рия; (*geom.*) окру́жность *f.* || **–phrasis** (пёри'-фрёсис) *s.* перифра́за || **–phrastical** (пэрифрӕ'стикёл) *a.* перифрасти́ческий.
perish/ (пэ'риш) *vn.* по-гиба́ть, -ги́бнуть; ги́бнуть; (*to die*) ум-ира́ть, -ере́ть, у-гаса́ть, -га́снуть || **–able** *a.* бре́нный; тле́нный; преходя́щий.
peri/style (пэ'ристайл) *s.* перисти́ль *m.* || **–tonitis** (пэритонай'тис) *s.* (*med.*) воспале́ние брюши́ны.
periwig (пэ'риуиг) *s.* пари́к.
periwinkle (пэ'риуингкл) *s.* (*zool.*) сердави́к; (*bot.*) барви́нок.
perjur/e (пё'рджёр) *v. refl.* на-руша́ть, -ру́шить кля́тву, прися́гу; ло́жно кля́сться || **–er** *s.* клятвопресту́пник || **–y** *s.* клятвопреступле́ние; ло́жная кля́тва; (*jur.*) лжесвиде́тельство.
perk/ (пёрк) *va.* наряжа́ть || ~ *vn.* чва́ниться || **to ~ & to ~ up** ожив-ля́ться, -и́ться; со-бира́ться, -бра́ться с ду́хом || **–y** *a.* чва́нливый, кичли́вый.
permanen/ce (пё'рмёнёп-с) *s.* постоя́нство; бессме́нность *f.* || **–t** *a.* постоя́нный; долговре́менный || ~ **way** (*rail.*) полотно́ желе́зной доро́ги.
permea/ble (пё'рмиёбл) *a.* проница́емый || **–te** (пё'рмиэйт) *va.* про-ника́ть, -ни́кнуть.
permiss/ible (пёрми'сибл) *a.* позволи́тельный || **–ion** (пёрми'шн) *s.* поз-, дозволе́ние, разреше́ние.
permit/ (пё'рмит) *s.* про́пуск; позволе́ние || ~ (пёрми'т) *va.* поз-воля́ть, -во́лить; доз-воля́ть, -во́лить || **I am –ted** мне дозво́лено || **smoking is not –ted** кури́ть воспреща́ется.
permutation (пёрмютэ̄й'шн) *s.* об-, раз-, про-ме́н; (*math.*) переста́вка.
pernicious (пёрни'шёс) *a.* вре́дный; па́губный.
pernickety (пёрни'кёти) *a.* (*fam.*) разбо́рчивый.
peroration (пэрорэ̄й'шн) *s.* заключе́ние ре́чи.
perpendicular (пёрпенди'кюлёр) *s.* перпендикуля́р; перпендикуля́рная ли́ния || ~ *a.* перпендикуля́рный; отве́сный.
perpetra/te (пё'рпитрэйт) *va.* учин-я́ть, -и́ть; соверши́ть (преступле́ние) || **–tion** (пёрпитрэ̄й'шн) *s.* соверше́ние; преступле́ние, соде́яние || **–tor** *s.* вино́вник, престу́пник, соверши́тель *m.*
perpetu/al (пёрпэ'-чуёл, -тюёл) *a.* бесконе́чный; беспреста́нный; ве́чный || **–ate** (пёрпэ'чуэйт) увекове́чи-вать, -ть || **–ation** (пэрпэтюэ̄й'шн) *s.* увекове́чение || **–ity** (пэрпитю'ити) *s.* ве́чность *f.*
perplex/ (пёрплэ'кс) *va.* сму-ща́ть, -ти́ть; пу́тать; затрудн-я́ть, -и́ть || **–ed** *a.* смущённый || **–ing** *a.* тру́дный, затрудни́тельный || **–ity** *s.* смуще́ние; недоуме́ние.
perquisite (пё'ркуизит) *s.* посторо́нние дохо́ды *mpl.*; акциде́нции *fpl.*
perry (пэ'ри) *s.* грушо́вка.
persecut/e (пё'рсикют) *va.* пресле́довать; притесня́ть; надоеда́ть (*D.*) || **–ion** (пёрсикю'шн) *s.* гоне́ние, притесне́ние || **–or** *s.* пресле́дователь *m.*, гони́тель *m.*
persever/ance (пёрсивий'р-ёнс) *s.* постоя́нство; насто́йчивость *f.*; усе́рдчивость *f.* || **–e** *vn.* упо́рствовать, быть насто́йчивым; на-ста́ивать, -стоя́ть (на чём) || **–ing** *a.* насто́йчивый, постоя́нный.
persiflage (пёрсифлā'ж) *s.* насмея́ние, насме́шка.
persist/ (пёрси'ст) *vn.* упо́рствовать; наста́ивать, настоя́ть || **–ence** *s.* упо́рство; насто́йчивость *f.* || **–ent** *a.* насто́йчивый, упо́рный.
person/ (пё'рсн) *s.* осо́ба; лицо́; челове́к; персо́на; ли́чность *f.*; (*theat.*) де́йствующее лицо́ || **in ~** ли́чно || **–age** (пё'рсёнидж) *s.* осо́ба; лицо́; персо́на || **–al** (пё'рсёнёл) *a.* ли́чный || ~ **estate**, ~ **property** дви́жимое иму́щество || **–ality** (пёрсёнӕ'лити) *s.* ли́чность *f.* || **–alty** (пё'рсёнёлти) *s.* дви́жимое иму́щество || **–ate** (пё'рсёнэйт) *va.* пред-ставля́ть, -ста́вить (*A.*) || **–ation** (пёрсёнэ̄й'шн) *s.* лицеде́йствие || **–ification** (пёрсонификэ̄й'шн) *s.* олицетворе́ние || **–ify** (пёрсо'нифай) *va.* олицетвор-я́ть, -и́ть.
personnel (пёрсёнэ'л) *s.* ли́чный соста́в, персона́л.
perspective (пёрспэ'ктив) *s.* перспекти́ва; вид || ~ *a.* перспекти́вный.
perspic/acious (пёрспикэ̄й'шёс) *a.* прозо́рливый || **–acity** (пёрспикӕ'сити) *s.* прозо́рливость *f.* || **–uity** (пёрспикю'ити) *s.* я́сность *f.*; поня́тность *f.* || **–uous** (пёрспи'кюёс) *a.* я́сный; поня́тный.
perspir/ation (пёрспирэ̄й'шн) пот; испаре́ние, испа́рина || **–e** (пёрспай'ёр) *vn.* поте́ть; испаря́ться.
persua/de (пёрсуэ̄й'д) *va.* уго-ва́ривать, -вори́ть; убе-жда́ть, -ди́ть; у-веря́ть, -ве́рить || **–sion** (пёрсуэ̄й'жн) *s.* убежде́ние; уве́ренность *f.* || **–sive** (пёрсуэ̄й'-сив) *a.* убеди́тельный.
pert/ (пёрт) *a.* де́рзкий, сме́лый || **–ness** *s.* жи́вость *f.*; де́рзость *f.*
pertain (пёртэ̄й'н) *vn.*, **to ~ to** принадлежа́ть; каса́ться (*G.*).

pertinac/ious (пёртинэй'шёс) *a.* упря́мый, упо́рный || **-ity** (пёртинӓ'сити) *s.* упря́мство, упо́рство.
pertinen/cy (пё'ртинён-си) *s.* соотве́тсвенность *f.*; прили́чие, присто́йность *f.* || **-t** *a.* соотве́тствующий; де́льный.
perturb/ (пёртё'рб) *va.* сму-ща́ть, -ти́ть; (о)беспоко́ить; расстр-а́ивать, -о́ить || **-ation** (пёртёрбэй'шн) *s.* смуще́ние, трево́га; расстро́йство.
peruke (пёрӯ'к) *s.* пари́к.
perus/al (пёрӯ'зл) *s.* (про)чте́ние; рас-, ис-сле́дование || **-e** (пёрӯ'з) *va.* чита́ть; рассма́тривать || **-er** (пёрӯ'зёр) *s.* чита́тель *m.*; иссле́дователь *m.*
Peruvian bark (пёрӯ'виён ба̄рк) *s.* (*med.*) хи́па; хи́нная кора́.
pervade (пёрвэй'д) *va.* прон-ика́ть, -и́кнуть.
perver/se (пёрвё'рс) *a.* превра́тный; извращённый; (*stubborn*) упря́мый; (*corrupt*) развра́тный || **-sion** (пёрвё'ршн) *s.* извраще́ние; развраще́ние; развращённость *f.*, развра́тность *f.* || **-sity** *s.* извращённость *f.*; развра́т; упря́мство || **-t** (пё'рвёрт) *s.* вероотсту́пник || ~ (пёрвё'рт) *va.* извраща́ть; перевёртывать; развра-ща́ть, -ти́ть; (*the truth, etc.*) иска-жа́ть, -зи́ть.
pervious (пё'рвиёс) *a.* проница́емый; проходи́мый.
pessimist (пэ'симист) *s.* пессими́ст.
pest/ (пэ'ст) *s.* чума́; мор; зара́за; (*fig.*) бич; я́зва || **-er** *va.* надоеда́ть, досажда́ть || **-iferous** (пэсти'фёрёс) *a.* чу́мный; зара́зный; тлетво́рный || **-ilence** *s.* чума́, мор, зара́за; (*of cattle*) падёж || **-ilent** *a.* па́губный, зловре́дный || **-ilential** (пэстилэ'ншёл) *a.* моровой; чу́мный, зарази́тельный; (*foul smelling*) ужа́сно злово́нный.
pestle (пэсл) *s.* пест, пе́стик.
pet/ (пэт) *s.* (*temper*) доса́да || **-ted one** балови́-к, -ца; (*favourite*) люби́мец || ~ *va.* балова́ть; ласка́ть || **~-name** *s.* ласка́тельное и́мя.
petal (пэ'тёл) *s.* лепесто́к.
petard (пита̄'рд) *s.* петарда.
peter (пий'тёр) *vn.* (*fam.*), **to ~ out** конча́ться, ко́нчиться.
petition/ (питп'шн) *s.* (*written supplication*) пети́ция; проше́ние; (*prayer*) моли́тва || ~ *va.* проси́ть; по-дава́ть, -да́ть проше́ние || **-er** (питп'шёнёр) *s.* проси́тель *m.*, -ница.
petrel (пэ'трёл) *s.* (*ornith.*) буреве́стник.
petri/faction (пэтрифӓ'кшн) *s.* окамене́ние; окамене́лость *f.* || **-fy** (пэ'трифай) *va.* окаменя́ть, превра-ща́ть, -ти́ть в ка́мень || ~ *vn.* окамене́ть.
petrol (пэ'трол) *s.* бензи́н.
petroleum (питрӧу'лиём) *s.* кероси́н.
petticoat (пэ'тико̄ут) *s.* ю́бка || **~ government** госпо́дство же́нщин.
pettifogger/ (пэ'тифогёр) *s.* подпо́льный адвока́т; я́бедник, кля́узник || **-y** *s.* крючкотво́рство, кля́узничество.
pettiness (пэ'тинис) *s.* ма́лость *f.*; малова́жность *f.*
pettish (пэ'тиш) *a.* раздражи́тельный.
pettitoes (пэ'титӧуз) *spl.* поросячьи но́жки *fpl.*
petty (пэт'и) *a.* ма́ленький, ме́лкий; (*trivial*) малова́жный || **~ officer** у́нтер-офице́р.
petulan/ce (пэ'тюлён-с) *s.* ре́звость *f.*; де́рзость *f.*; дурно́е расположе́ние (ду́ха); капри́зы *mpl.* || **-t** *a.* ре́звый; де́рзкий; капри́зный.
petunia (питю'ниё) *s.* (*bot.*) пету́ния.
pew (пю) *s.* скамья́, ла́вка (в це́ркви).
pewit (пий'уит) *s.* пи́галица.
pewter (пю'тёр) *s.* о́лово; оловя́нная посу́да.
phaeton (фэ̄йтн) *s.* фаэто́н.
phalanx (фӓ'лёнгкс) *s.* фала́нга.
phant/asm (фӓ'нтёзм) *s.* при́зрак; мечта́ || **-asmagoria** (фёнтӓзмёгӧ'риё) *s.* фантасмаго́рия || **-om** (фӓ'нтём) *s.* привиде́ние; при́зрак.
Pharisee (фӓ'рисий) *s.* фарисе́й; (*fig.*) пустосвя́т, лицеме́р.
pharma/ceutics (фа̄рмё-сю'тикс) *spl.* фармаце́втика || **-ceutical** *a.*, **~ chemist** апте́карь *m.* || **-cy** (фа̄'рмёси) *s.* апте́карская нау́ка; (*shop*) апте́ка.
phase (фэйз) *s.* фа́за; фа́зис; видоизмене́ние.
pheasant (фэ'зёнт) *s.* фаза́н.
phenomen/al (фино'минёл) *a.* феномена́льный || **-on** (фино'минён) *s.* (*pl.* **phenomena** фино'миниё) фено́мен; явле́ние.
phew (фю) *int.* тфу! фу!
phial (фай'ёл) *s.* пузырёк, скля́нка.
philander (филӓ'ндёр) *vn.* уха́живать; коке́тничать.
philanthrop/ic (филёнӈро'пик) *a.* филантропи́ческий || **-ist** (филӓ'нӈропист) *s.* филантро́п || **-y** (филӓ'нӈропи) *s.* филантро́пия.
philatelist (филӓ'тилист) филатели́ст, собира́тель (*m.*) почто́вых ма́рок.
philolog/ical (филоло'джикёл) *a.* филологи́ческий || **-ist** (фило'лёджист) *s.* филолог || **-y** (фило'лёджи) *s.* филоло́гия.
philosoph/er (фило'сёфёр) *s.* фило́соф || **natural ~** естествоиспыта́тель *m.* || **-ical** (философо'фикёл) *a.* философи́ческий || **-ize** (фило'софайз) *vn.* филосо́фствовать || **-y** (фило'софи) *s.* филосо́фия.
philtre (фи'лтёр) *s.* любо́вный напи́ток.
phiz (физ) *s.* (*fam.*) физионо́мия; ха́ря; ро́жа.

phlegm/ (флэм) *s.* (*med.*) мокрóта; (*coolness*) флéгма; хладнокрóвие || **-atic(al)** (флэгмä'тик) *a.* флегматúческий; (*med.*) мокрóтный.
phone (фōун) *vn.* (*fam.*) телефонúровать, по-.
phonetic/ (фоунэ'тик) *a.* фонетúческий, звуковóй || **-s** *spl.* фонéтика.
phonograph (фōу'нёгрāф) *s.* фонóгрáф.
phosph/ate (фо'сфэйт) *s.* фосфорнокúслая соль || **-ite** (фо'сфайт) *s.* фосфористокúслая соль || **-oric** (фосфо'рик) *a.* фóсфор-ный, -úческий || **-orous** (фо'сфёрёс) *a.* фосфóристый || **-orus** (фо'сфёрёс) *s.* фóсфор.
photo/ (фōу'тоу) *s.* фотогрáфия || **-graph** (фōу'тёгрāф) *s.* фотогрáфия, фотографúческий снúмок || ~ *va.* (с)фотографúровать || **-grapher** (фоуто'грёфёр) *s.* фотóгрáф || **-graphic** (фоутёгрä'фик) *a.* фотографúческий || **-graphy** (фоуто'грёфи) *s.* фотогрáфия *f.* || **-type** (фōу'тётайп) *s.* фототúпия.
phrase/ (фрэ̄йз) *s.* фрáза || ~ *va.* выражáть, вы́разить || **-ology** (фрэ̄йзио'лоджи) *s.* фразеолóгия.
phrenolog/ist (френо'лёджист) *s.* френолóг || **-y** (френо'лёджи) *s.* френолóгия.
phthisis (тай'сис, ти'сис) *s.* чахóтка.
physic/ (фи'зик) *s.* медицúна; лекáрство || ~ *va.* лечúть, пóльзовать || **-al** *a.* физúческий || **-ian** (физи'шн) *s.* врач, лéкарь *m.* || **-s** *spl.* фúзика.
physiognomy (физио'нёми) *s.* (*face*) физионóмия; (*art.*) физиогнóмика.
physiology (физио'лоджи) *s.* физиолóгия.
pian/ist (пий'ёнист) *s.* пианúст, пианúстка || **-o** (пи-ä'ноу) *s.* фортепиáно; **grand** ~ роя́ль *m.*; **cottage** ~ пианúно.
pibroch (пий'брок) *s.* шотлáндская волы́нка.
pica (пай'кё) *s.* (*typ.*) цúцеро *indecl.*
picaroon (пикёрӯ'н) *s.* (морскóй) разбóйник.
pick/ (пик) *s.* (*choice*) отбóр; (*best*) отбóрное; (*instrument*) киркá, моты́ка || ~ *va.* долбúть; (*with the beak*) клевáть; (*pluck*) срывáть, сорвáть; (*a fowl*) ощúпывать, ощипáть; (*to gather*) со-бирáть, -брáть; (*the teeth*) ковыря́ть; (*a bone*) глодáть; (*to select*) выбирáть, вы́брать; отбирáть; (*pierce*) про-кáлывать, -колóть; (*rob*) воровáть; (*a lock*) от-мыкáть, -омкнýть крючкóм || **to ~ a quarrel with** за-тевáть, -тéять ссóру с || **-axe** *s.* моты́ка || **-ed** (-т) *a.* отбóрный || **-et** (-ит) *s.* пикéт; кол, колóк || **-lock** *s.* отмы́чка || **-pocket** *s.* кармáнщик, кармáнный вор, мазýрик || **beware of -s!** остерегáйтесь кармáнных ворóв!
pick-a-back (пи'к-ē-бäк) *ad.* на спинé.
pickerel (пи'кёрёл) *s.* (*ichth.*) щýчка.
pickle/ (пикл) *s.* рассóл; маринáд; (*fig.*) неприя́тное положéние || ~ *va.* солúть; засолúть; мариновáть || **-s** *spl.* пúкули *fpl.*
picnic (пи'кник) *s.* пикнúк.
pictorial (пиктō'риёл) *s.* иллюстрирóванная газéта || ~ *a.* картúнный, живопúсный; иллюстрирóванный.
picture/ (пи'кчёр) *s.* картúна; (*image*) портрéт || ~ *va.* писáть (крáсками); (*fig.*) о-пúсывать, -писáть; пред-ставля́ть, -стáвить || **to have one's ~ taken** снимáться (у фотóгрáфа) || **to take one's ~** снимáть когó-нибýдь || **~-book** *s.* кнúга с картúнками || **~-frame** *s.* картúнная рáмка || **~-gallery** *s.* картúнная галерéя || **~-palace** *s.* электро-теáтр || **~-postcard** *s.* откры́тка с вúдом || **-sque** (пикчёрэ'ск) *a.* живопúсный; картúнный.
piddle (пидл) *vn.* (*fam.*) мочúться.
pidgin (пи'джин) *a.*, ~ **English** смесь английйского языкá с китáйским.
pie/ (пай) *s.* пирóг; торт; (*ornith.*) сорóка || **-bald** (-бōлд) *a.* пёстрый; пéгий (*horse*).
piece/ (пийс) *s.* штýка; (*portion*) кусóк, часть *f.*; кусóчек; частúца; (*theat. & mus.*) пьéса; (*at chess*) фигýра; (*composition*) сочинéние; (*cannon*) пýшка; (*gun*) ружьё; (*coin*) монéта || **to break to -s** разбúть в дрéбезги || **to fall to -s** раз-вáливаться, -валúться || ~ *va.* почúнивать, -чинúть; соедин-я́ть, -úть; наставля́ть || **-meal** *a.&ad.* по кускáм; по частя́м || **~-work** *s.* поштýчная, подря́дная рабóта.
pied (пайд) *a.* пёстрый; (*horse*) пéгий.
pier/ (пийр) *s.* столб; (*jetty*) дáмба; мол; (*in a building*) простéнок || **~-glass** *s.* трюмó; простéночное зéркало.
pierc/e (пийрс) *va.* прок-áлывать, -олóть; прон-зáть, -зúть; пронимáть; (*with a drill*) бурáвить, про-; (*penetrate*) проникáть, -нúкнуть; (*affect*) растрóгать || ~ *vn.* вникáть || **-ing** *a.* проницáтельный; (*of sound*) пронзúтельный.
pierrot (пий'роу) *s.* пьерó.
piety (пай'ити) *s.* благочéстие.
piffle (пифл) *s.* вздор, дичь *f.* || ~ *vn.* молóть вздор, говорúть дичь.
pig/ (пиг) *s.* поросёнок, свинья́ || **to buy a ~ in a poke** купúть что за глазá || **-headed** *a.* упря́мый || **-sty** *s.* свинóй хлев || **-tail** *s.* косá.

pigeon/ (пи'джён) *s.* го́лубь *m.*; голу́бка || **~-hole** *s.* лазо́к в голубя́тне; я́щичек || **~-house** *s.* голубя́тня.
pig/gery (пи'-гёри) *s.* свино́й хлев || **-gish** *a.* (*fig.*) прожо́рливый; (*dirty*) гря́зный; га́дкий.
pigment (пи'гмёнт) *s.* пигме́нт; кра́ска.
pigmy (пи'гми) *s.* пигме́й; (*fig.*) ка́рлик.
pike/ (пайк) *s.* пи́ка; копьё; (*ichth.*) щу́ка || **-d** (-т) *a.* заострённый || **~-staff** *s.* дре́вко пи́ки *или* копья́ || **as plain as a ~** очеви́дный.
pilaster (пила́'стёр) *s.* пиля́стра, пиля́стр.
pilchard (пи'лчёрд) *s.* сарди́нка (ры́ба).
pile/ (пайл) *s.* сва́я; ку́ча, гру́да; грома́да; строе́ние, зда́ние; (*of cloth*) во́рса *f.*; (*fam.*) (*fortune*) состоя́ние || **funeral ~** костёр || **~-driver** *s.* сваебо́йная маши́на || **~** *va.* скла́дывать, сложи́ть; копи́ть || нава́л-ивать, -и́ть; вбива́ть сва́и || **to ~ up** громозди́ть || **to ~ it on** (*fig.*) преувели́чивать || **-s** *spl.* геморо́й.
pilfer/ (пи'лфёр) *va.&n.* ворова́ть, красть || **-er** *s.* вори́шка *m.*
pilgrim/ (пи'лгрим) *s.* пилигри́м, пало́мник; богомо́лец || **-age** *s.* пало́мничество, пилигри́мство.
pill/ (пил) *s.* пилю́ля || **-age** *s.* грабёж; расхище́ние || **~** *va.* гра́бить, разграбля́ть, -гра́бить || **-ager** *s.* граби́тель *m.*
pillar/ (пи'лёр) *s.* столб; коло́нна; (*fig.*) опо́ра || **~-box** *s.* почто́вый я́щик (в ви́де столба́).
pillion (пи'лйён) *s.* подседе́льная поду́шка; [же́нское седло́.
pillory (пи'лёри) *s.* позо́рный столб || **~** *va.* выставля́ть к позо́рному столбу́.
pillow/ (пи'лоу) *s.* поду́шка || **~-case, ~-slip** *s.* на́волочка.
pilot/ (пай'лёт) *s.* ло́цман; ко́рмчий *m.* || **~** *va.* пров-оди́ть, -ести́ кора́бль || **-age** *s.* ло́цманское иску́сство; прово́дка корабля́ (ло́цманом); (*fee*) пла́та ло́цману.
pimento (пимэ'нтоу) *s.* яма́йский пе́рец.
pimp (пимп) *s.* сво́дник || **~** *vn.* сво́дничать.
pimpernel (пи'мпёрнэл) *s.* бердене́ц.
pimple/ (пи'мпл) *s.* прыщ, у́горь *m.* || **-d** (-д) *a.* прыщева́тый, угрева́тый.
pin/ (пин) *s.* була́вка; (осева́я) чека́; гвоздь *f.*; (*mus.*) коло́к; ке́гля; (*fig.*) безде́лица || **~** *va.* прик-а́лывать, -оло́ть (була́вкой); прикреп-ля́ть, -и́ть || **-afore** (пи'нёфōр) *s.* де́тский пере́дник || **~-case** *s.* була́вочник.
pince-nez (па'нгснэ') *s.* пенснэ́.
pincers (пи'нсёрз) *spl.* щипцы́, щи́пчики *mpl.*; клещи́ *fpl.*; (*of crabs and lobsters*) клешни́ *fpl.*
pinch/ (пинш) *s.* щипо́к; (*of snuff*) щепо́ть *f.* (табаку́); (*fig.*) беда́, нужда́ || **~** *va.* щипа́ть, ущипну́ть; (*fig.*) угнета́ть, сж-има́ть, -ать; жать, щеми́ть || **~** *vn.* (*to stint*) лиша́ть себя́ необходи́мого; скупи́ться || **-beck** *s.* томпа́к || **~** *a.* подде́льный.
pin-cushion (пи'н-куши) *s.* поду́шечка для була́вок.
pine/ (пай'н) *s.* сосна́ || **~** *vn.* томи́ться, изнемога́ть; ча́хнуть || **to ~ away** изныва́ть || **~-apple** *s.* анана́с || **-ry** (-ёри) *s.* оранжере́я для анана́сов.
pinion (пи'нйён) *s.* оконе́чность (*f.*) пти́чего крыла́; прави́льное, махово́е перо́; (*tech.*) приводно́е колесо́; (*manacles*) ручны́е кандалы́ || **~** *va.* свя́з-ывать, -а́ть кры́лья; свя́зывать, связа́ть ру́ки.
pink (пинк) *s.* (*colour*) ро́зовый цвет; (*bot.*) гвозди́ка; (*fig.*) вы́сшая сте́пень (чего́-либо) || **~** *a.* ро́зовый || **~** *va.* прок-а́лывать, -оло́ть; прот-ыка́ть, -кну́ть.
pinnace (пи'нёс) *s.* пина́с.
pinnacle (пи'нёкл) *s.* (*arch.*) зубе́ц; верху́шка; (*fig.*) верх.
pint (пайнт) *s.* пи́нта (0,47 литра).
pioneer (пайёнии'р) *s.* пионе́р; сапёр.
pious (пай'ёс) *a.* на́божный, благочести́вый.
pip (пип) *s.* (*of fruit*) зёрнышко; (*disease*) типу́н (у птиц); (*on a card*) очко́.
pipe/ (пайп) *s.* (*tube*) труба́; тру́б-ка, -очка; (*for smoking*) тру́бка кури́тельная; (*mus.*) ду́дка, свире́ль *f.* || **~** *vn.* игра́ть на ду́дке, свире́ли; визжа́ть; (*of birds*) чири́кать || **~-clay** *s.* тру́бочная гли́на || **~-light** *s.* фи́дибус, зажига́тельная бума́жка || **-r** *s.* ду́дочник || **~-stem** *s.* чубу́к.
piping (пай'пинг) *s.* обши́вка || **~** *a.* сла́бый, боле́зненный; (*boiling*) кипя́щий.
pipkin (пи'пкин) *s.* горше́чек.
pippin (пи'пин) *s.* ране́т.
piquant (пий'кёнт) *a.* пика́нтный.
pique (пийк) *s.* неудово́льствие; негодова́ние, не́нависть *f.* || **~** *va.* раздраж-а́ть, -и́ть, (рас-)серди́ть; оби́деть || **~** *v.refl.* горди́ться, тщесла́виться (*I.*).
piquet (пикэ'т) *s.* пике́т.
pira/cy (пай'рёси) *s.* пира́тство; литерату́рное воровство́ || **-te** (пай'рит) *s.* пира́т; литерату́рный вор || **~** *vn.* разбо́йничать на мо́ре || **~** *va.* перепеча́тывать (кни́ги) || **-tical** (пайра́'тикёл) *a.* разбо́йнический; перепеча́танный без разреше́ния а́втора.
piscatorial (пискётō'риёл), **piscatory** (пи'скётёри) *a.* рыболо́вный; ры́бный.
pish (пиш) *int.* тфу! фу!
pismire (пи'смайёр) *s.* мураве́й.

piss/ (пис) *s.* (*vulg.*) моча́ || ~ *vn.* (*vulg.*) мочи́ться || **–pot** *s.* (*vulg.*) у́рильник, ночно́й горшо́к.
pistil (пи'стил) *s.* (*bot.*) пе́стик.
pistol (пи'стёл) *s.* пистоле́т.
piston (пи'стён) *s.* по́ршень *m.*; писто́н.
pit/ (пит) *s.* я́ма; (*grave*) моги́ла; (*min.*) копь *f.*; (*pock-mark*) ряби́на, ряби́нка, я́минка от о́спы; (*theat.*) парте́р || ~ *va.* (*mark*) де́лать (в + *Pr.*) я́мочки; (*oppose*) противопо-ставля́ть, -ста́вить; стра́вливать, страви́ть || **~-coal** *s.* ка́менный у́голь. [бие́ние, трепета́ние (се́рдца).
pit-a-pat (пит-ё-пä'т) *ad.* тик-так || ~ *s.*
pitch/ (пич) *s.* смола́, вар; (*height*) высота́; (*degree*) сте́пень *f.*, то́чка; (*declivity*) наклоне́ние; (*mus.*) диапазо́н; основна́я высота́ то́на || ~ *va.* смоли́ть, осм-а́ливать, -оли́ть; (*with a hayfork*) выбра́сывать; (*a tent*) раски́-дывать, -нуть; (*mus.*) дава́ть, -ть основно́й тон || ~ *vn.* броса́ться, бро́ситься; кида́ться, ки́нуться; па́дать; стать ла́герем; (*mar.*) име́ть килеву́ю ка́чку || **to ~ on** вы́брать || **~-dark** *a.* темнёхонький; соверше́нно тёмный || **–er** *s.* кувши́н || **~-fork** *s.* ви́лы *fpl.* || **–y** (-и) *a.* смоли́стый; тёмный; мра́чный.
piteous (пи'тйёс) *a.* жа́лостный; сострада́тельный; жа́лкий.
pit-fall (пи'т-фōл) *s.* западня́, лову́шка.
pith/ (пи'þ) *s.* сердцеви́на; мозг; жи́зненная си́ла; ва́жность *f.*; (*quintessence*) существо́ || **–iness** *s.* си́ла || **–y** *a.* си́льный; вырази́тельный.
piti/able (пи'ти-ёбл) *a.* жа́лкий; досто́йный сожале́ния || **–ful** *a.* жа́лостный; жа́лкий || **–fulness** *s.* сожале́ние; жа́лость *f.*; презре́нность *f.*; ничто́жество || **–less** *a.* безжа́лостный.
pittance (пи'тёнс) *s.* небольшо́е коли́чество; [по́рция.
pitted (пи'тид) *a.* рябо́й.
pity (пи'ти) *s.* сожале́ние; жа́лость *f.* || **it is a ~** жаль || ~ *va.* (по)жале́ть; соболе́зновать. [жень *m.*
pivot (пи'вёт) *s.* веретено́; ось *f.*; сте́р-
placable (плä'кёбл) *a.* умоли́мый; примири́мый.
placard (плä'кард) *s.* плака́т || ~ *va.* об'явля́ть, -и́ть (о + *Pr.*); публикова́ть.
place (плэ̆йс) *s.* (*spot*) ме́сто; (*town*) го́род; (*square*) пло́щадь *f.*; (*mil.*) кре́пость *f.*; (*position*) положе́ние; (*situation*) до́лжность *f.*; (*rank*) ранг || **in ~ of** вме́сто || **in the first ~** во-пе́рвых || **to take ~** име́ет быть || ~ *va.* поме-ща́ть, -сти́ть, (по)ста́вить; устро́ить, пристро́ить (к ме́сту); (*money*) отдава́ть на проце́нты.
placid (плä'сид) *a.* споко́йный; ти́хий, кро́ткий.
plagiar/ism (плэ̆й'джиёр-изм) *s.* плагиа́торство || **–ist** *s.* плагиа́тор.
plague (плэ̆йг) *s.* чума́; мор; (*fig.*) бич || ~ *va.* зарази́ть чумо́ю; (*fig.*) му́чить, надоеда́ть.
plaguy (плэ̆й'ги) *a.* проклятый; (*unbearable*) несно́сный.
plaice (плэ̆йс) *s.* (*ichth.*) ка́мбала *or* камбала́. [плащ.
plaid (плäд) *s.* плед; кле́тчатый шерстяно́й
plain/ (плэ̆й'н) *s.* равни́на, пло́скость *f.* || ~ *a.* (*level*) гла́дкий, ро́вный; (*flat*) пло́ский; (*open, direct*) откры́тый, прямоду́шный; (*evident*) очеви́дный; (*simple*) просто́й; (*not handsome*) некраси́вый || **~-dealing** *s.* и́скренность *f.* || **–ness** *s.* ро́вность *f.*; пло́скость *f.*; открове́нность *f.*; прямота́ *f.*; простота́ *f.*; простоду́шие; я́сность *f.*; очеви́дность *f.* || **~-spoken** *a.* прямо́й, открове́нный.
plaint/ (плэ̆йнт) *s.* жа́лоба || **–iff** *s.* (*jur.*) исте́ц, исти́ца; жа́лобщик, жа́лобщица || **–ive** *a.* (**–ly** *ad.*) жа́лобный, зауны́вный.
plait (плäт) *s.* скла́дка; коса́ || ~ *va.* скла́дывать, сложи́ть в скла́дки; плести́, за-.
plan (плäн) *s.* (*of a building, etc.*) план; чертёж; (*project*) прое́кт || ~ *va.* проекти́ровать; располага́ть; замышля́ть.
plane/ (плэ̆йн) *s.* пло́скость *f.*; пло́ская пове́рхность; (*tool*) струг, руба́нок; (*aeroplane*) аэропла́н || ~ *va.* выра́внивать; строга́ть, соструга́ть || **~-tree** *s.* плата́н.
planet/ (плä'нит) *s.* плане́та || **–ary** *a.* плане́тный. [вать.
planish (плä'ниш) *va.* гла́дить; плани́ро-
plank (плäнгк) доска́; брус; полови́ца || ~ *va.* наст-ила́ть, -ла́ть до́сками (*or* полови́цами); (*fam.*) класть.
plant/ (плäнт) *s.* расте́ние; (*machinery*) ору́дия *npl.*, обору́дывание || ~ *va.* сажа́ть, сади́ть, наса-жда́ть, -ди́ть; (*a flag*) водружа́ть, -зи́ть; (*establish*) установи́ть || **–ain** (плä'нтин) *s.* (*bot.*) подоро́жник || **–ation** (плёнтэ̆й'шн) *s.* планта́ция; расса́дник; насажде́ние; (*colony*) коло́ния || **–er** *s.* сажа́тель *m.*, сажа́льщик; планта́тор; колони́ст.
plash/ (плäш) *s.* лу́жа || ~ *va.* переплета́ть ве́тви || ~ *vn.* плеска́ться || **–y** *a.* с лу́жами.
plaster/ (плä'стёр) *s.* штукату́рка; (*med.*) пла́стырь *m.* || **~ of Paris** гипс || ~ *va.* штукату́рить; (*med.*) при-кла́дывать, -ложи́ть пла́стырь || **–er** *s.* штукату́р, штукату́рщик.
plastic (плä'стик) *a.* пласти́ч-еский, -ный.

plate/ (плэйт) *s.* таре́лка; пласти́нка; доска́ (металли́ческая); серебряная столо́вая у́тварь; (*engraving*) гравю́ра, эста́мп; (*of armour*) лист, плита́; (*in a book*) табли́ца || ~ *va.* накла́дывать серебро́м, зо́лотом; серебри́ть; плю́щить в листы́; око́вывать, окова́ть (бро́нею) || **~-glass** *s.* зерка́льное стекло́ || **~-layer** *s.* (*rail.*) кла́дчик ре́льсов || **~-powder** *s.* порошо́к для чи́стки серебра́.

plateau (плёто̄у') *s.* наго́рная равни́на.

platform (пла̄'тфо̄рм) *s.* платфо́рма; помо́ст; пло́ская кро́вля; терра́са || **turning ~** (*rail.*) поворо́тный круг.

platinum (пла̄'тинём) *s.* пла́тина.

platitude (пла̄'титю̄д) *s.* (*trite remark*) о́бщее ме́сто.

platoon (плётӯ'н) *s.* (*mil.*) взвод.

platter (пла̄'тёр) *s.* блю́до; таре́лка.

plau/dit (пло̄'-дит) *s.* одобре́ние; рукоплеска́ние || **-sibility** (пло̄зиби'лити) *s.* правдоподо́бие; вероя́тие || **-sible** *a.* (**-ly** *ad.*) правдоподо́бный; вероя́тный.

play/ (плэй') *s.* игра́; развлече́ние; (*theat.*) пье́са, спекта́кль *m.*; просто́р; (*tech.*) свобо́да движе́ния *or* де́йствия || ~ *va.* игра́ть, сыгра́ть; исполня́ть, испо́лнить роль; разы́гр-ывать, разыгра́ть из себя́ (*A.*); прив-оди́ть, -ести́ в де́йствие, в движе́ние || ~ *vn.* игра́ть; забавля́ться; шути́ть || **~-bill** *s.* афи́ша || **~-day** *s* свобо́дный день в шко́ле (назна́ченный для игр) || **-er** *s.* игро́к; (*actor*) актёр; музыка́нт || **-fellow, -mate** *s.* друг де́тства || **-ful** *a.* игри́вый; шутли́вый || **~-ground** *s.* ме́сто для игра́ния, рекреацио́нный двор || **-house** *s.* теа́тр || **-thing** *s.* игру́шка.

plea/ (плий') *s.* (*excuse*) предло́г; отгово́рка; (*jur.*) защи́та, защити́тельное сло́во (в суде́); иск || **-d** *vn.* защища́ть; тяга́ться; жа́ловаться в суде́; (*fig.*) проси́ть; умоля́ть || ~ *va.* представля́ть до́воды в оправда́ние; отста́ивать (*A.*) || **to ~ for** хода́тайствовать (о + *Pr.*) || **to ~ guilty** признава́ть, -зна́ть себя́ вино́вным || **-der** (-дёр) *s.* стря́пчий, адвока́т; защи́тник || **-dings** (-дингс) *spl.* пре́ния *npl.*

pleasant/ (плэ'зёнт) *a.* прия́тный; весёлый || **-ness** *s.* прия́тность *f.*; весёлость *f.* || **-ry** *s.* шу́тка.

please (плийз) *va&n.* (по)нра́виться; быть уго́дным, уго-жда́ть, -ди́ть (*D.*); ра́довать; соблаговоли́ть, (со)изво́лить || **if you ~!** пожа́луйста! || **~!** позво́льте! || **~ God!** дай Бог!

pleasing (плий'зинг) *a.* прия́тный, плени́тельный.

pleasur/able (плэ'жёр-ёбл) *a.* (**-ably** *ad.*) прия́тный || **-e** (-) *s.* удово́льствие; наслажде́ние; ра́дость *f.*; (*wish*) жела́ние.

pleb/eian (плибий'ён) *s.* плебе́й *m.*; плебе́янка; простолюди́н || ~ *a.* плебе́йский; простонаро́дный || **-iscite** (плэ'бисит, -сайт) *s.* плебисци́т, реше́ние наро́да.

pledge (плэдж) *s.* зало́г; закла́д; пору́ка, руча́тельство || ~ *va.* за-кла́дывать, -ложи́ть; (по)ручи́ться (*I.*), пить за здоро́вье (*G.*).

plenar/y (плий'нёри) *a.* (**-ily** *ad.*) по́лный; соверше́нный || **~ powers** полномо́чие.

plenipotentiary (плэнипотэ'ншёри) *s.* полномо́чный посо́л || ~ *a.* уполномо́ченный.

plen/itude (плэ'н-итю̄д) *s.* полнота́; избы́ток || **-teous** (-тиёс) *a.*, **-tiful** (-тифул) *a.* (из)оби́льный || **-ty** *s.* (из)оби́лие.

pleonasm (плий'ёнӓсм) *s.* плеона́зм.

plethor/a (плэ'ѳёрё) *s.* полнокро́вие; (*fig.*) изли́шество || **-ic** (плиѳо'рик) *a.* полнокро́вный.

pleurisy (плӯ'риси) *s.* плеври́т.

plia/ble (плай'ё-бл) *a.* (**-bly** *ad.*), **-nt** *a.* ги́бкий; (*yielding*) усту́пчивый || **-ncy** (плай'ёнси) *s.* ги́бкость *f.*; (*of metals*) ко́вкость *f.*

pliers (плай'ёрз) *spl.* клещи́, плоскогу́бцы *mpl.*

plight (плайт) *s.* состоя́ние; (затрудни́тельное) положе́ние || ~ *va.* закла́дывать, заложи́ть; дать сло́во || **to ~ one's faith, troth** обеща́ться.

plod/ (пло'д) *vn.* труди́ться; томи́ться || **-der** *s.* тру́женик.

plot/ (плот) *s.* площа́дка; (*conspiracy*) за́говор; (*scheme*) план; (*of a play, etc.*) завя́зка, интри́га || ~ *vn.* составля́ть за́говор || ~ *va.* за-мышля́ть, -мы́слить; умышля́ть || **-ter** *s.* загово́рщик; зачи́нщик.

plough/ (плау') *s.* плуг; саба́н; соха́ *f.* (*a sort of ~ used by the Russian peasants*) || ~ *va.* паха́ть, вспа́хивать, вспаха́ть; борозди́ть (мо́ре) || **-man** *s.* па́харь *m.*; ора́тай || **-share** *s.* плужни́к, сошни́к.

plover (пла'вёр) *s.* (*ornith.*) зуёк.

pluck/ (плак) *s.* (*of an animal*) потроха́ *mpl.*; (*fam.*) (*courage*) му́жество || ~ *va.* (*pull*) дёр-гать, -нуть; (*a fowl*) ощи́пывать, ощипа́ть; (*in examinations*) провали́ться на экза́мене; (*gather*) срыва́ть, сорва́ть || **to ~ up courage** ободри́ться || **-y** *a.* сме́лый, хра́брый.

plug (плаг) *s.* заты́чка, вту́лка; (*dent.*) пло́мба || ~ *va.* зат-ыка́ть, -кну́ть; заку́пори-вать, -ть; (*dent.*) пломбирова́ть.

plum/ (пла'м) *s.* сли́ва; (*raisin*) изю́минка || (*fig.*) су́мма в £100,000 || **dried -s** черно́слив || ~-**pudding** *s.* плю́м-пудинг, пу́динг с изю́мом || ~-**tree** *s.* сли́вное де́рево.

plumage (плӯ'мидж) *s.* пе́рья *npl.*

plumb/ (плам) *s.* отве́с || ~ *ad.* пря́мо по отве́су || ~ *va.* (по)ста́вить по отве́су; броса́ть лот; из-меря́ть, -ме́рить глубину́ || **-er** *s.* свинцо́вых дел ма́стер; водопрово́дчик.

plume (плӯм) *s.* перо́; (*on a hat*) плюма́ж, султа́н || ~ *va.* украша́ть, укра́сить пе́рьями; ощи́пывать; (*of birds*) оправля́ть (на себе́) пе́рья; чи́ститься || ~ *v. refl.* горди́ться (*I.*).

plummet (пла'мит) *s.* отве́с; лот.

plump/ (пла'мп) *a.* по́лный; нело́вкий, неуклю́жий || **-ly** *ad.* тяжелове́сно; (*suddenly*) бух, шлёп || ~ *va.&n.* толсте́ть; отка́рмливать; (*to fall*) бу́хнуться || **-ness** *s.* полнота́; доро́дность *f.*

plunder/ (пла'ндёр) *s.* добы́ча; грабёж || ~ *va.* гра́бить; о-грабля́ть, -гра́бить || **-er** *s.* граби́тель *m.*

plunge/ (пла'нж) *s.* погруже́ние (в во́ду); ныря́ние || ~ *va.&n.* окун-у́ть (-ся), -а́ть (-ся); погру-жа́ть (-ся), -зи́ть (-ся); нырну́ть; впасть в (*A.*) || **-r** *s.* водола́з; (*tech.*) ныря́ло, плу́нжер.

pluperfect (плӯ'пёрфэкт) *s.* (*gramm.*) давнопроше́дшее вре́мя.

plural/ (плӯ'рёл) *s.* (*gramm.*) мно́жественное число́ || **-ity** (плурӓ'лити) *s.* многочи́сленность *f.*; большинство́.

plus (плас) *s.&ad.* плюс || ~ **fours** широ́кие шарова́ры до коле́н.

plush (плаш) *s.* плюш, плис.

ply (плай) *s.* сгиб, скла́дка || ~ *va.&n.* труди́ться (над + *I.*); занима́ться (*I.*); стреми́ться (к + *D.*); де́лать постоя́нные перехо́ды || **to ~ one's oars** си́льно грести́ || **to ~ one's legs** мно́го бе́гать || **the ship plies from one port to another** кора́бль хо́дит от одного́ по́рта к другому́.

P.M. (пий эм) = **post meridiem** пополу́дни.

pneu/matic (нюмӓ'тик) *a.* пневмати́ческий || **-monia** (нюмӯ'ниё) *s.* воспале́ние лёгких.

po (пōу) *s.* (*fam.*) ночно́й горшо́к.

poach/ (пōу'ч) *va.* (*eggs*) вари́ть я́йца в мешо́чек; (*game*) красть дичь || ~ *vn.* охо́титься на чужо́й земле́ || **-ed eggs** я́йца всмя́тку || **-er** *s.* браконье́р; охо́тящийся на чужо́й земле́.

pock/ (по'к) *s.* о́спа || ~-**mark** *s.* рябинка || ~-**marked**, ~-**pitted** *a.* рябо́й.

pocket/ (по'кит) *s.* карма́н; (*at billiards*) лу́за || ~ *va.* класть в карма́н || ~-**book** *s.* бума́жник || ~-**dictionary** карма́нный слова́рь || ~-**handkerchief** *s.* носово́й плато́к.

pod (под) *s.* струк, стручо́к.

podgy (по'джи) *a.* (*fam.*) коро́ткий и то́лстый.

poe/m (пōу'им) *s.* поэ́ма || **-sy** *s.* поэ́зия.

poet/ (пōу'ит) *s.* поэ́т, стихотво́рец || **-aster** (-ӓ'стер) *s.* рифмоплёт, плохо́й стихотво́рец || **-ess** *s.* поэте́сса || **-ic(al)** (поу-э'тик[ёл]) *a.* поэти́ческий || **-ry** *s.* поэ́зия; стихи́ *mpl.*

poignan/cy (пой'нён-си) *s.* острота́; (*fig.*) ко́лкость *f.* || **-t** *a.* о́стрый; (*fig.*) ко́лкий, е́дкий.

point/ (пой'нт) *s.* то́чка; (о́стрый) коне́ц, ко́нчик; остриё; (*promontory*) мыс, коса́; (*tip*) верху́шка; (*gist*) соль *f.*, суть *f.* (расска́за); ме́ткое выраже́ние; ме́тка (сде́ланная о́стрым концо́м); положе́ние; (*aim*) цель *f.*; (*in games*) очко́ || ~ *va.* (за)остри́ть; (*sharpen*) (на)точи́ть || (*mark with points*) отме́тить то́чками, пунктирова́ть; (*aim*) нав-оди́ть, -ести́; на-правля́ть, -пра́вить; прице́ливаться (из + *G.*); (*gramm.*) ста́вить зна́ки препина́ния || **to ~ out** ука́зывать, указа́ть (на + *A.*) || ~-**blank** *a.* прямо́й || ~ *ad.* напрями́к || **-ed** (-ид) *a.* остроконе́чный; о́стрый; (*fig.*) ко́лкий || **-er** *s.* указа́тель *m.*, показа́тель *m.*; (*of dial*) стре́лка; (*dog*) лега́вая соба́ка || **-less** *a.* без ко́нчика; тупо́й || **-sman** *s.* (*rail.*) стре́лочник.

poise (пойз) *s.* (*weight*) вес; (*equilibrium*) равнове́сие || ~ *va.* ве́сить; уравнове́-шивать, -сить; держа́ть в равнове́сии; отягоща́ть.

poison/ (пой'зн) *s.* яд; отра́ва || ~ *va.* отрав-ля́ть, -и́ть || **-er** (пой'зёнёр) *s.* отрави́тель *m.*, -ница *f.* || **-ous** *a.* ядови́тый, отра́вный; (*fig.*) развраща́ющий.

poke/ (пōу'к) *s.* карма́н; мешо́к || ~ *va.* (*of horned cattle*) бода́ть; (*the fire*) меша́ть у́гольях || **to ~ fun at** остри́ть над (кем) || **to ~ one's nose into** сова́ться в || **-r** *s.* кочерга́.

poky (пōу'ки) *a.* (*of a room*) те́сный, у́зкий.

polar/ (пōу'лёр) *a.* поля́рный || **-ity** (поулӓ'рити) *s.* поля́рность *f.*

pole/ (пōул) *s.* (*astr. & phys.*) по́люс; (*staff*) шест, жердь *f.*; (*of a carriage*) ды́шло || **up the ~** (*fam.*) в затрудни́тельном положе́нии || **-axe** *s.* секе́ра || **-cat** *s.* (*zool.*) хорёк || **-star** *s.* поля́рная звезда́.

polemic/ (поулэ'мик) *s.* поле́мик || ~, **-al** *a.* полеми́ческий || **-s** *spl.* поле́мика.

police/ (пёлий'с) *s.* поли́ция; городовы́е *mpl.* || ~-**court** *s.* полице́йский суд || **-man** *s.* городово́й || ~-**station** *s.* уча́сток.

policy (по'лиси) *s.* поли́тика; (*prudence*) хи́трость *f.* || **insurance** ~ поли́с.

polish/ (по'лиш) *s.* лоск, гля́нец; политу́ра; (*fig.*) изя́щество || ~ *va.* (от)полирова́ть; (от)шлифова́ть; (*boots*) чи́стить || **-er** *s.* полиро́вщик; шлифова́льщик; глади́ло.

polite/ (пёлай'т) *a.* учти́вый, ве́жливый; прили́чный || **-ness** *s.* ве́жливость *f.*; учти́вость *f.*

politic/ (по'литик) *a.* хи́трый; рассуди́тельный || **-al** (поли'тикёл) *a.* полити́ческий; госуда́рственный || ~ **economy** *s.* полити́ческая эконо́мия || **-ian** (полити'шн) *s.* поли́тик || **-s** *spl.* поли́тика.

polity (по'лити) *s.* правле́ние; конститу́ция.

poll/ (по̄ул) *s.* голова́; спи́сок избира́телей; (*votes*) счисле́ние голосо́в || ~ *va.* сруба́ть *или* сре́зать верху́шки у дере́вьев; под-ре́зывать, -ре́зать; (*enroll*) вн-оси́ть, -ести́ в спи́сок (и́мя) || ~ *vn.* (*to vote*) подава́ть го́лос || **-tax** *s.* поголо́вная по́дать; поду́шный сбор.

pollard (по'лёрд) *s.* подре́занное де́рево; безро́гий оле́нь.

pollen (по'лин) *s.* цвето́чная пыль.

polling/ (по̄у'линг) *s.* пода́ча голосо́в || ~-**booth** *s.* зал, где происхо́дят вы́боры.

pollut/e (полю́'т) *va.* оскверн-я́ть, -и́ть; зама́рывать || **-ion** (полю́'шн) *s.* оскверне́ние.

polo (по̄у'лоу) *s.* по́ло.

poltroon (полтрӯ'н) *s.* трус.

poly/gamy (поли'гёми) *s.* многожёнство || **-glot** (по'лиглот) *a.* многоязы́чный || **-gon** (по'лигон) *s.* многоуго́льник || **-gonal** (-гёнёл) *a.* многоуго́льный || **-pe** (по'лип) *s.* (*zool.*) поли́п || **-pus** (по'липёс) *s.* (*med.*) поли́п || **-syllabic** (полисила̄'бик) *a.* (*gramm.*) многосло́жный || **-technic** (политэ'кник) *a.* политехни́ческий || **-theism** (по'лиѳий-изм) *s.* политеи́зм.

pom (пом) *s.* (= **Pomeranian**) шпиц.

pom/ade (пома̄'д), **-atum** (помэ̄й'тём) *s.* пома́да || ~ *va.* пома́дить, на-.

pomegranate (па'мгра̄нит) *s.* грана́тное я́блоко.

Pomeranian (помёрэ̄й'ниён) *a.* помера́нский; ~ **dog** *s.* шпиц.

pommel (па'мёл) *s.* ши́шка; (*of a sword*) голо́вка; (*of a saddle*) седе́льная ши́шка || ~ *va.* толка́ть, дать тумака́, колоти́ть.

pomp/ (по'мп) *s.* пы́шность *f.*; великоле́пие || **-osity** (-о'сити) *s.* пы́шность *f.*; напы́щенность *f.*; хвастовство́; спесь *f.* || **-ous** *a.* пы́шный; напы́щенный; наду́тый, высокопа́рный, спеси́вый.

pom-pom (по'м-по'м) *s.* пулемёт.

pond (понд) *s.* пруд.

ponder/ (по'ндёр) *va&n.* размышля́ть; обду́м-ывать, -ать; взве́шивать || **-able** *a.* весо́мый || **-ous** *a.* тяжёлый, ве́ский; (*important*) ва́жный.

poniard (по'ниёрд) *s.* кинжа́л || ~ *va.* заколо́ть кинжа́лом.

ponti/ff (по'нтиф) *s.* первосвяще́нник; Па́па *m.* || **-fic** (понти'фик), **-fical** (понти'фикёл) *a.* первосвяще́ннический; па́пский || **-ficals** (понти'фикёлз) *spl.* архиере́йское, па́пское облаче́ние || **-ficate** (понти'фикёт) *s.* Па́пство; первосвяще́нство.

pontoon/ (понтӯ'н) *s.* понто́н || ~-**bridge** *s.* понто́нный мост.

pony (по̄у'ни) *s.* по́ни *m.* (*indecl.*); (*fam.*) два́дцат пять фу́нтов сте́рлингов.

poodle (пудл) *s.* пу́дель *m.*

pooh (пӯ) *int.* ба!

pool (пӯл) *s.* лу́жа; о́мут; глубо́кое ме́сто в пото́ке; (*in games*) ста́вка, пу́лька.

poop (пӯп) *s.* корма́.

poor/ (пӯ'р) *a.* бе́дный, неиму́щий; ску́дный; жа́лкий; убо́гий; (*barren*) неплодоро́дный; (*of wine, etc.*) скве́рный || **-ly** *a.* нездоро́вый, больно́й || **-ness** *s.* бе́дность *f.*; ску́дность *f.*; нищета́, убо́гость *f.* || ~-**house** *s.* богаде́льня || ~-**rate** нало́г в по́льзу бе́дных.

pop/ (поп) *s.* хлоп, щёлк; (*fam.*) шипу́чее питьё || ~ *ad.* внеза́пно, вдруг || ~ *vn.* щелка́ть, хло́пнуть; неожи́данно вы́скочить; (*fam.*) (*to pawn*) за-кла́дывать, -ложи́ть || ~-**gun** *s.* хлопу́шка.

pope/ (по̄уп) *s.* Па́па; поп (в Росси́и) || **-ry** (-ёри) *s.* папи́зм.

popinjay (по'пинджэ̄й) *s.* фат.

popish (поу'пиш) *a.* па́пский.

poplar (по'плёр) *s.* то́поль *m.*

poplin (по'плин) *s.* попли́н.

poppy (по'пи) *s.* мак.

popul/ace (по'пюл-ис) *s.* чернь *f.*, наро́д || **-ar** *a.* популя́рный; наро́дный || **-arity** (попюла̄'рити) *s.* популя́рность *f.* || **-arize** *va.* популяризи́ровать || **-ate** *va.* насел-я́ть, -и́ть; засел-я́ть, -и́ть || **-ation** *s.* населе́ние; народонаселе́ние || **-ous** *a.* многолю́дный, лю́дный || **-ousness** *s.* многолю́дность *f.*

porcelain (по̄'рслин) *s.* фарфо́р.

porch (по̄рч) *s.* по́ртик; (*of a church*) па́перть *f.*; (*of a house*) крыльцо́.

porcupine (по̄'ркюпайн) *s.* дикобра́з.

pore (по̄р) *s.* (*anat.*) по́ра, скважина || ~ *vn.* (**to ~ on, over**), **to ~ over books** внима́тельно изуча́ть кни́ги; углу-бля́ться, -би́ться во что.

pork/ (по̄'рк) *s.* свини́на || **-er** *s.* свинья́, моло́чный поросёнок.

por/osity (поро'сити) *s.* сква́жность *f.*; ноздрева́тость *f.* || **–ous** (по̄'рёс) *a.* ноздрева́тый; по́ристый.
porphyry (по̄'рфири) *s.* порфи́р.
porpoise (по̄'рпёс) *s.* морска́я свинья́.
porridge (по'ридж) *s.* ка́ша; похлёбка.
porringer (по'ринджёр) *s.* ми́ска.
port (по̄рт) *s.* (*harbour*) порт, га́вань *f.*; (*mien*) оса́нка; (*gate*) воро́та *npl.*; (*wine*) портве́йн; (*mar.*) ле́вый борт.
porta/ble (по̄'ртё-бл) *a.* переноси́мый || **–ge** *s.* перено́ска; во́лок; портовы́е *fpl.*
portal (по̄ртл) *s.* порта́л.
portcullis (по̄ртка'лис) *s.* спускна́я решётка.
porten/d (по̄ртэ'нд) *va.* предзнаменова́ть || **–t** (по̄'ртэнт) *s.* (плохо́е) предзнаменова́ние || **–tous** (по̄ртэ'нтёс) *a.* злове́щий; чудо́вищный.
porter/ (по̄'ртёр) *s.* (*gate-keeper*) швейца́р, привра́тник; дво́рник; (*rail.*) носи́льщик; (*liquor*) по́ртер || **–age** *s.* перено́ска; пла́та за перено́ску.
portfolio (по̄ртфо̄у'лиоу) *s.* портфе́ль *f.*; па́пка.
portico (по̄'ртикоу) *s.* по́ртик.
portion (по̄ршн) *s.* часть *f.*; до́ля; наде́л; по́рция; (*wife's fortune*) же́нино иму́щество; (*dowry*) прида́ное || ~ *va.* разде́л-я́ть, -и́ть; да-ва́ть, -ть прида́ное.
portl/iness (по̄'ртл-инэс) *s.* санови́тость *f.*; доро́дность *f.* || **–y** *a.* оса́нистый; доро́дный.
portmanteau (портма̄'нтоу) *s.* чемода́н.
portrait/ (по̄'ртрит) *s.* портре́т; изображе́ние || **~-painter** *s.* портрети́ст.
portray/ (портрэ̄й') *va.* (на)писа́ть портре́т; изобрази́ть || **–er** *s.* *s.* живопи́сец; изобрази́тель *m.*
portress (по̄'ртрис) *s.* привра́тница.
pose/ (по̄у'з) *s.* положе́ние (те́ла); по́за || ~ *va.* (по)ста́вить в по́зу; (*puzzle*) смуща́ть, -ти́ть || ~ *vn.* станови́ться в по́зу; жема́ниться || **–r** *s.* жема́нный челове́к; (*difficult question*) тру́дный вопро́с.
posi/tion (пози'шн) *s.* положе́ние; ме́сто, местоположе́ние; (*mil.*) пози́ция || **–tive** (по'зитив) *s.* (*gramm.*) положи́тельная сте́пень; (*phot.*) позити́в || ~ *a.* (**–ly** *ad.*) положи́тельный; уве́ренный; реши́тельный; (*phys. & electr.*) позити́вный.
posse (по'си) *s.* толпа́; мили́ция (в англи́йских гра́фствах).
possess/ (позэ'с) *va.* владе́ть, овладе́ть, облада́ть (*I.*), име́ть || **–ed** одержи́мый (бе́сом) || **what –ed me to go there** како́й чорт толкну́л меня́ итти́ туда́ || **–ion** *s.* владе́ние, облада́ние; име́ние || **–ive** *a.* (*gramm.*) притяжа́тельный || **–or** *s.* владе́-лец, -тель *m.*; облада́тель *m.*
posset (по'сит) *s.* напи́ток из молока́ с вино́м.
possi/bility (посиби'лити) *s.* возмо́жность *f.* || **–ble** (по'сибл) *a.* возмо́жный, сбы́точный || **as soon as** ~ как мо́жно скоре́е || **as much as** ~ ско́лько возмо́жно || **–bly** (по'сибли) *ad.* мо́жет-быть
possum (по'сём) *s.*, **to play** ~ (*fam.*) притворя́ться больны́м *или* мёртвым.
post/ (по̄у'ст) *s.* (*pole*) столб; (*situation*) до́лжность *f.*; (*station*) пост; (*letter-conveyance*) по́чта; (*post-office*) почта́мт; почто́вая конто́ра || ~ *va.* при-бива́ть, -би́ть (об'явле́ния); об'яв-ля́ть, -и́ть; (*station*) (по)ста́вить; рас-ставля́ть, -ста́вить; (*a letter*) отпра́вить по по́чте || ~ *vn.* путеше́ствовать на почто́вых; (*fig.*) спе́шно путеше́ствовать || **–age** *s.* весовы́е де́ньги *fpl.* || **–age-stamp** *s.* почто́вая ма́рка || **–al** *a.* почто́вый || **~-boy** *s.* форе́йтер || **~-card** *s.* откры́тое письмо́; откры́тка || **~-chaise** *s.* почто́вая каре́та || **~-haste** *ad.* на почто́вых, поспе́шно || **–man** *s.* почтальо́н, разно́счик (пи́сем) || **~-mark** *s.* почто́вый ште́мпель || **~-master** *s.* почтме́йстер || **~-office** *s.* почто́вая конто́ра || **~-office order** почто́вый де́нежный перево́д || **–paid** *a.* франкиро́ванный.
poster (поу'стёр) *s.* афи́ша.
poste-restante (по̄уст-рэста̄'нт) *ad.* до востребования.
posteri/or (пости'риёр) *s.* за́дница || ~ *a.* после́дующий; поздне́йший; (*hind*) за́дний || **–ty** (постэ'рити) *s.* пото́мство.
postern (по̄у'стёрн) *s.* кали́тка; потаённая две́рка.
posthumous (по'стюмёс) *a.* посме́ртный; рождённый по́сле сме́рти отца́.
postilion (пости'лйён) *s.* форе́йтер.
post/-mortem (по̄уст-мо̄'ртём) *s.* вскры́тие (тру́па) || **–pone** (-по̄у'н) *va.* откла́дывать, отл-ага́ть, -ожи́ть || **–ponement** (-по̄у'нмёнт) *s.* отсро́чка; отлага́тельство || **–script** (-скрипт) *s.* припи́ска.
postul/ant (по'стюлёнт) *s.* иска́тель *m.*, -ница *f.* || **–ate** (-ёт) *s.* предположе́ние || ~ (-эйт) *va.* предпо-лага́ть, -ложи́ть.
posture (по'стюр, по'счёр) *s.* положе́ние (те́ла), по́за; (*condition*) состоя́ние || ~ *va.* да-ва́ть, -ть положе́ние (те́лу); располага́ть.
posy (по̄у'зи) *s.* стих; на́дпись *f.*; (*flowers*) буке́т.
pot/ (пот) *s.* горшо́к; ба́нка; кру́жка; (*fig.*) **a** ~ **of money** ку́ча де́нег || **to go to** ~ (*fam.*) разори́ться || ~ *va.* сохран-я́ть, -и́ть в горшке́; (*hort.*) сажа́ть (посади́ть)

в горшо́к; (*fam.*) подстрели́ть (неприя́теля) || ~-**herb** *s.* о́вощи *mpl.* || ~-**house** *s.* каба́к || ~-**luck** *s.* то, что Бог посла́л (к обе́ду, *etc.*).

pota/ble (пōу'тёбл) *a.* го́дный для питья́ || **-tion** (потэ̄й'шн) *s.* (*drinking-bout*) попо́йка; (*draught*) напи́ток; по́лный глото́к.

potas/h (по'тӓш) *s.* пота́ш || **-sium** (потӓ'сиём) *s.* (*chem.*) ка́лий.

potato (пётэ̄й'тоу) *s.* карто́фель *m. coll.* || ~ **blight** *s.* карто́фельная боле́знь.

potency (пōу'тёнсн) *s.* си́ла; могу́щество.

potent/ (пōу'тёнт) *a.* си́льный; могу́щественный; держа́вный || **-ate** (-эйт) *s.* власти́тель *m.*, госуда́рь *m.*; мона́рх || **-ial** (поутэ'ншл) *a.* возмо́жный; (*gramm.*) предположи́тельный; (*phys.*) потенциа́льный.

pother (по'ðёр) *s.* шум; сумато́ха || ~ *vn.* шуме́ть || ~ *va.* надоеда́ть.

potion (пōушн) *s.* питьё.

pott/age (по'т-идж) *s.* суп; похлёбка || **-er** *s.* гонча́р; горше́чник || ~ *vn.* безде́льничать; слоня́ться, рабо́тать ко́е-как || **-ery** *s.* гли́няная посу́да; гонча́рня.

pouch (пауч) *s.* су́мка; карма́н; мешо́к.

poult/erer (пōу'лт-ёрёр) *s.* торго́вец ди́чью || **-ry** *s.* дома́шние пти́цы; жи́вность *f.*; ~-**yard** *s.* пти́чий двор.

poultice (пōу'лтис) *s.* припа́рка || ~ *va.* при-кла́дывать, -ложи́ть припа́рку.

pounce (паунс) *s.* пе́мзовый порошо́к; сандара́к; (*swoop*) налёт || ~ *va.* хвата́ть когтя́ми || ~ *vn.* налете́ть, устрем-ля́ться, -и́ться.

pound/ (пау'нд) *s.* фунт; фунт сте́рлингов (£); (*enclosure*) загоро́дка || ~ *va.* толо́чь; натоло́чь; раздроб-ля́ть, -и́ть || || **-age** *s.* (*comm.*) проце́нты с фу́нта сте́рлингов || **-er** *s.* пест.

pour/ (пōр) *va.* лить; из-, вы-, на-, разлива́ть; из-, вы́-, на-, раз-ли́ть || ~ *vn.* течь; излива́ться || **to ~ down** (*rain*) лить как из ведра́ || **it's -ing rain** идёт проливно́й дождь.

pout/ (пау'т) *s.* (*ichth.*) мино́га; наду́тые гу́бы *fpl.* || ~ *vn.* ду́ться, надува́ть гу́бы || **-er** *s.* (*pigeon*) го́лубь-ворку́н, зоба́стый го́лубь.

poverty/ (по'вёрти) *s.* бе́дность *f.*; нищета́ || ~-**stricken** *a.* весьма́ бе́дный; ни́щий.

powder/ (пау'дёр) *s.* порошо́к; (*dust*) пыль *f.*; (*hair-~*) пудра́; (*gun-~*) по́рох || ~ *va.* толо́чь; пу́дрить, на-; превраща́ть в порошо́к; (*salt*) (по)соли́ть || ~-**box** *s.* пу́дреница || **-y** *a.* порошистый; рассы́пчатый; (*dusty*) пы́льный.

power/ (пау'ёр) *s.* могу́щество; си́ла; (*mil.*) во́йско; власть *f.*; (*nation*) госуда́рство, держа́ва; (*talent*) спосо́бность *f.*; (*jur.*) полномо́чие; (*math.*) сте́пень *f.*; (*fam.*) большо́е коли́чество || **the great -s** вели́кие держа́вы *fpl.* || ~ **of attorney** дове́ренность *f.* || **-ful** *a.* могу́щественный; мо́щный || **-less** *a.* беcси́льный; сла́бый || **-loom** *s.* механи́ческий тка́цкий стано́к.

pow-wow (пау'-уау') *s.* (*fam.*) конфере́нция.

pox/ (покс) *spl.* (*vulg.*) венери́ческая боле́знь || **chicken-~** ве́тряная о́спа || **small-~** о́спа.

pract/icability (прӓктикёби'лити) *s.* исполни́мость *f.*; возмо́жность *f.* || **-icable** (прӓ'ктикёбл) *a.* (**-icably** *ad.*) осуществи́мый, удобоисполни́мый; (*road*) проходи́мый || **-ical** (прӓ'ктикёл) *a.* практи́ч-еский, -ный; о́пытный || **-ice** (прӓ'ктис) *s.* пра́ктика; о́пыт; на́вык; привы́чка; (*a doctor's*) клиенту́ра; (*mil.*) упражне́ния *npl.* || **-ise** (прӓ'ктис) *va.* применя́ть (к де́лу, в жи́зни); де́лать; употребля́ть || ~ *vn.* практикова́ть; практикова́ться (в + *Pr.*); упражня́ть(-ся) (в + *Pr.*) || **-itioner** (прӓкти'шёнёр) *s.* пра́ктик.

pragmatic (прӓгмӓ'тик) *a.* прагмати́ческий; (*officious*) су́ющийся.

prairie (прӓ'ри) *s.* пре́рия, степь (покры́тая траво́й).

praise/ (прэ̄й'з) *s.* хвала́: похвала́; восхвале́ние || ~ **be to God!** сла́ва Бо́гу! || ~ *va.* (по)хвали́ть; восхваля́ть; сла́вить, прославля́ть || **-r** *s.* (вос)хвали́тель *m.* || **-worthy** *a.* (**-worthily** *ad.*) похва́льный, достохва́льный.

pram (прӓм) = **perambulator.**

prance (прӓнс) *s.* скачо́к, прыжо́к || ~ *vn.* (*of horses*) стать на дыбы́; подпры́гивать; (*of persons*) ходи́ть го́голем.

prank (прӓнгк) *s.* прока́за, ша́лость *f.* || ~ *va.* украша́ть, укра́сить.

prat/e (прэ̄й'т) *s.* болтовня́, пустосло́вие || ~ *vn.* болта́ть, врать || **-er** *s.* бол-ту́н *m.*, -ту́нья *f.*; враль *m.* || **-tle** (прӓтл) *s.* болтовня́; ле́пет || ~ *va.* болта́ть, лепета́ть || **-tler** (прӓ'тлёр) *s.* болту́н *m.*; болту́шка *f.*

prawn (про̄н) *s.* креве́т.

pray/ (прэ̄й) *va.&n.* проси́ть, моли́ть || ~ *vn.* моли́ться || ~ **tell me!** скажи́те мне пожа́луйста || **-er** (прӓ'р) *s.* моли́тва; моле́ние; мольба́; (*entreaty*) про́сьба || **the Lord's ~** моли́тва Госпо́дня, О́тче-наш || **-er-book** *s.* моли́твенник.

preach/ (прий'ч) *va.&n.* пропове́дывать || **-er** *s.* пропове́дник.

preamble (прий'мбл) *s.* предислóвие ; вступлéние.
prebend/ (прэ'бёнт) *s.* пребéнда ; духóвное мéсто (с дохóдом) || **-ary** *s.* пребендáрий.
precarious/ (прикӑ'риёс) *a.* ненадёжный ; опáсный || **-ness** *s.* ненадёжность *f.*
precaution/ (прикō'шён) *s.* предосторóжность *f.* || **-ary** *a.*, **~ measures** *pl.* мéры предосторóжности.
precede/ (присий'д) *va.* предшéствовать (*D.*) ; (*in rank*) первенствовáть || **-nce** *s.* первенствó ; преимýщество || **-nt** (прэ'сидёнт) *s.* прецедéнт ; примéр.
precentor (присэ'нтёр) *s.* рéгент (хóра).
precept/ (прий'сэпт) *s.* постановлéние ; прáвило ; (*jur.*) предписáние ; (*commandment*) зáповедь *f.* || **-or** (присэ'птёр) *s.* настáвник.
precession (присэ'шн) *s.*, **the ~ of the equinoxes** прецéссия равнодéнствий.
precinct (прий'сингкт) *s.* óкруг ; (*in pl.*) окрéстность *f.*
precious/ (прэ'шёс) *a.* драгоцéнный || **~** *ad.* (*fam.*) необыкновéнно, чрезвычáйно || **-ness** *s.* драгоцéнность *f.*
precip/ice (прэ'сипис) *s.* прóпасть *f.* ; бéздна || **-itancy** (присн'питёнси) *s.* торопли́вость *f.* ; стреми́тельность *f.* ; (*overhaste*) опромéтчивость *f.* || **-itate** (приси'питэйт) *va.&n.* (*throw down*) низ-вергáть (-ся), -вéргнуть (-ся) ; (*hasten*) торопи́ть (-ся) ; (*chem.*) оса-ждáть (-ся), -ди́ть (-ся) || **~** *va.* ускор-я́ть, -ить || **~** (приси'питит) *a.* (**-ly** *ad.*) торопли́вый ; поспéшный ; стреми́тельный ; опромéтчивый || **~** (приси'питит) *s.* (*chem.*) осáдок || **-itation** (присипитэй'шн) *s.* низвержéние ; опромéтчивость *f.* || **-itous** (приси'питёс) *a.* крутóй, отвéсный ; поспéшный ; опромéтчивый.
précis (прэ'сий) *s.* резюмé, крáткий обзóр.
precis/e (присай'с) *a.* тóчный ; вéрный ; (*in dress, etc.*) аккурáтный ; (*pedantic*) педанти́ческий || **-ian** (присн'жн) *s.* педáнт, формали́ст || **-ion** (присн'жн) *s.* тóчность *f.* ; определённость *f.* ; аккурáтность *f.* ; мéлочность *f.*
preclu/de (приклӯ'-д) *va.* (*shut out*) исключ-áть, -и́ть ; (*hinder*) препя́тствовать ; предотвра-щáть, -ти́ть || **-sive** *a.* исключáющий ; исключи́тельный ; предотвращáющий.
preco/cious (прикōу'шёс) *a.* скороспéлый ; прéжде врéмени разви́тый, преждеврéменный || **-city** (прико'сити) *s.* скороспéлость *f.* ; рáннее разви́тие ; преждеврéменность *f.*
precon/ceive (прийкён-сий'в) *va.* напере́д суди́ть || **-ception** (-сэ'пшн) *s.* предубеждéние || **-certed** (-сё'ртид) *a.* зарáнее услóвленный.
precursor (прикё'рсёр) *s.* предтéча *m.* ; предвéстник.
predatory (прэ'дётёри) *a.* хи́щный ; хи́щнический.
predecessor (прий'дисэ'сёр) *s.* предшéственник ; предмéстник.
predestin/ation (прийдэстинэй'шн) *s.* предопределéние || **-e** (прийдэ'стин) *va.* предопредел-я́ть, -и́ть ; предна-значáть, -знáчить.
predic/ament (приди'кёмёнт) *s.* (*category*) разря́д, категóрия ; (*position*) положéние || **-ate** (прэ'дикэйт) *va.* утверждáть || **~** (прэ'дикит) *s.* (*gramm.*) сказýемое || **-ation** (прэдикэй'шн) *s.* утверждéние, подтверждéние.
predict/ (приди'кт) *va.* пред-скáзывать, -сказáть || **-ion** *s.* предсказáние ; прорóчество.
predilection (прийдилэ'кшн) *s.* пристрáстие ; предпочтéние (к + *D.*).
predispos/e (прийдиспōу'з) *va.* предраспо-лагáть, -ожи́ть || **-ition** (прийдиспози'шн) *s.* предрасположéние.
predomin/ance (придо'мин-ёнс) *s.* преобладáние || **-ant** *a.* преобладáющий ; госпóдствующий || **-ate** (-эйт) *vn.* преобладáть ; госпóдствовать.
pre/-eminence (прий-э'минёнс) *s.* превосхóдство ; преимýщество || **~-eminent** *a.* превосхóдный ; вы́сший || **~-emption** (-э'мшн) *s.* прáво покупáть пéред други́м.
preen (прийн) *va.* чи́стить пéрья (о пти́цах).
pre/-engage (прий-ингэй'дж) *va.* зарáнее брать (взять) обещáние || **~-engagement** *s.* зарáнее дáнное обещáние || **~-exist** (-игзи'ст) *vn.* существовáть прéжде || **~-existence** (-игзи'стёнс) *s.* преждеби́тие.
prefa/ce (прэ'фис) *s.* предислóвие || **~** *va.* вводи́ть || **-tory** (прэ'фётёри) *a.* вступи́тельный ; предислóвный.
prefect/ (прий'фэкт) *s.* префéкт || **-ure** (-чёр) *s.* префектýра.
prefer/ (прифё'р) *va.* предпоч-итáть, -éсть ; пред-ставля́ть, -стáвить || **-able** (прэ'фёрёбл) *a.* предпочти́тельный || **-ence** (прэ'фёрёнс) *s.* предпочтéние || **-ence-shares, -ence-stock** привилеги́рованные áкции || **-ment** *s.* произвóдство (в чин) ; предпочтéние.
prefix (прий'фикс) *s.* пристáвка || **~** (прифи'кс) *va.* (по)стáвить пéред (*I.*), во главé (*G.*).

pregnan/cy (прэ'гнён-си) *s.* берéменность *f.*; чревáтость *f.*; (*fig.*) вáжность *f.* || **–t** *a.* берéменная; (*fruitful*) плодовúтый; (*suggestive*) вáжный.
prehens/ile (прихэ'н-сил) *a.* цéпкий; хватáющий || **–ion** *s.* хватáние, захвáт.
prehistoric (прий'хисто'рик) *a.* доисторúческий.
prejudge (прийджа'дж) *va.* предреш-áть, -úть; осу-ждáть, -дúть не исслéдовав дéла.
prejud/ice (прэ'джудис) *s.* предубеждéние; предрассýдок; (*detriment*) вред || ~ *va.* предубе-ждáть, -дúть; вредúть || **–icial** (прэджуди'шл) *a.* врéдный; пáгубный.
prel/acy (прэ'л-ёси) *s.* прелáтство; епúскопство || **–ate** (-ит) *s.* прелáт; епúскоп.
preliminary (прили'минёри) *s.* предварúтельное дéйствие || ~ *a.* предварúтельный.
prelude (прэ'люд) *s.* прелюдия; вступлéние.
prematur/e (прэ'мётю̆р) *a.* преждеврéменный; (*hasty*) опромéтчивый || **–ity** (прэмётю̆'рити) *s.* преждеврéменность *f.*, опромéтчивость *f.*
premedita/te (примэ'дитэйт) *va.* обдýмывать; преду-мышлять, -мы́слить || **–tion** (примэдитэ̄й'шн) *s.* предумы́шленность *f.*
premier (прэ'миёр) *s.* премьéр; пéрвый минúстр.
premise/ (примай'з) *va.* предпо-сылáть, -слáть; (*log.*) стáвить посы́лки (в силлогúзме) || ~ (прэ'мис) *s.* (*log.*) пéрвая посы́лка || **–s** (прэ'мисиз) *spl.* дом со слýжбами; помещéние.
premium (прий'миём) *s.* прéмия; нагрáда.
premoni/tion (приймони'шн) *s.* предварúтельное замечáние; (*presentiment*) предчýвствие || **–tory** (примо'нитёри) *a.* предуведомля́ющий; предупреждáющий.
prentice (прэ'нтис) *s.* = **apprentice.**
preoccup/ation (прийокюпэ̄й'шн) *s.* озабóченность *f.* || **–y** (прио'кюпай) *va.* завладéть прéжде другúх; озабó-чивать, -тить. [л-я́ть, -úть.
preordain (прий-ōрдэ̄й'н) *va.* предопреде-
prepar/ation (прэпёрэ̄й'шн) *s.* приготовлéние; (*chem.*) препарáт || **–ative** (припā'рётив) *a.* приготовúтельный || ~ *s.* приготовлéние || **–atory** (припā'рётёри) *a.* приготовúтельный; (*previous*) предварúтельный || **–e** (припā'р) *va&n.* приготовля́ть (-ся), -готóвить (-ся); готóвить (-ся); из-готовля́ть (-ся́), -готóвить (-ся) || **–ed** (припā'рд) *a.* готóвый; за-, из-, при-готóвленный.
prepay/ (прий'пэ̄й, припэ̄й') *va.irr.* заплатúть вперёд; (*postage*) франкировáть (письмó) || **–ment** (прийпэ̄й'мёнт) *s.* внесéние дéнег вперёд; франкировáние.
prepense (припэ'нс) *a.* (*jur.*) предумы́шленный.
preponder/ance (припо'ндёр-ёнс) *s.* перевéс || **–ant** *a.* преобладáющий || **–ate** (-эйт) *va&n.* перевéшивать; превышáть.
preposition/ (прэпёзи'шён) *s.* (*gramm.*) предлóг || **–al** *a.* предлóжный.
prepossess/ (прийпозэ'с) *va.* владéть заpáнее || **–ing** *a.* пленúтельный || **–ion** *s.* предубеждéние. [превpáтный.
preposterous (припо'стёрёс) *a.* нелéпый,
prerogative (приро'гётив) *s.* прерогатúва; привилéгия.
presage (прэ'сидж) *s.* предзнаменовáние; (*presentiment*) предчýвствие || ~ (присэ̄й'дж) *va.* предзнамен-óвывать, -овáть; предчýвствовать.
presbyterian (пресбитий'риён) *a.* пресвитериáнский || ~ *s.* пресвитериáнин (*pl.* -áне).
prescien/ce (прий'шиён-с) *s.* предвéдение || **–t** *a.* предвéдующий.
prescri/be (прискрай'б) *va&n.* пред-пúсывать, -писáть || ~ *va.* (*med.*) про-пúсывать, -писáть; на-значáть, -знáчить || **–pt** (прий'скрипт) *s.* укáз, декрéт || **–ption** (прискрип'шн) *s.* предписáние; (*jur.*) прáво дáвности; (*med.*) рецéпт.
presen/ce (прэ'зён-с) *s.* присýтствие; (*appearance*) осáнка, вид || ~ **of mind** присýтствие дýха || **–ce chamber** *s.* приёмная кóмната || **–t** *a.* присýтствующий; (*time*) настоя́щий, ны́нешний || **at** ~ тепéрь || ~ *s.* (*time*) настоя́щее врéмя (*also gramm.*); (*gift*) дар, подáрок || ~ (призэ'нт) *va.* представля́ть, -стáвить; подавáть; препод-н-осúть, -естú; предъявля́ть (*a bill*); представля́ть, -стáвить на дóлжность || **to ~ arms** отдáть честь (орýжием) || **–table** (призэ'нтёбл) *a.* порядочный; представúтельный || **–tation** (прэзёнтэ̄й'шн) *s.* представлéние; поднесéние, дарéние || **–timent** (призэ'нтимёнт) *s.* предчýвствие || **–tment** (призэ'нтмёнт) *s.* представлéние.
preserv/ation (прэзёрвэ̄й'шн) *s.* сохранéние || **–ative** (призё'рвётив) *a.* предохранúтельный || ~ *s.* предохранúтельное срéдство; презервати́в || **–e** (призё'рв) *va.* сохран-я́ть, -úть; дéлать консéрвы (из фрýктов и.т.д.); охраня́ть, предохраня́ть || ~ *s.* (*of fruits*) варéнье; консéрвы *fpl.*; (*for game*) зверúнец, заказнóе мéсто для охóты || **–er** (призё'рвёр) *s.* хранúтель *m.*, охранúтель *m.*; предохранúтель *m.*

preside/ (призай'д) *vn.* председательствовать || **-ncy** (прэ'зидёнси) *s.* председательство || **-nt** (прэ'зидёнт) *s.* председатель *m.*; президент.

press/ (прэ'с) *s.* пресс; жом; тиски *fpl.*; (*journalism*) пресса, печать *f.*; (*furniture*) шкап; (*crush*) давка, теснота *f.*; (*urgency*) спешность *f.* || **to be in the ~** печататься, находиться в печати || **~** *va.* жать, сжимать; сдавливать, сдавить; (*embrace*) обн-имать,-ять; (*flowers, books*) прессовать; (*clothes*) гладить; (*oppress*) гнести || **to ~ a thing on one** навязывать, навязать || **~** *va&n.* давить; теснить (-ся); торопить (-ся) || **~** *vn.* напирать; толпиться; настаивать || **-er** *s.* прессовщик; давильщик (винограда) || **-ing** *a.* спешный, безотлагательный || **-ure** (прэ'шёр) *s.* давление, сжатие; напор; пожатие (руки); притеснение; бремя *n.*; (*urgency*) настоятельность *f.*; безотлагательность *f.*

prestige (прэстий'ж) *s.* престиж; влияние.

presum/able (призю'м-ёбл) *a.* предполагаемый; вероятный || **-e** *va&n.* предполагать, -ложить; (*to make bold*) осмеливаться; дерзать || **-er** *s.* высокомерный человек || **-ption** (приза'мшён) *s.* предположение; надменность *f.*; высокомерность *f.* || **-ptive** (приза'мтив) *a.* предполагаемый; надменный || **-ptuous** (приза'мчуёс) *a.* высокомерный, самонадеянный; дерзкий, заносчивый.

presuppos/e (прийсёпо̄у'з) *va.* предпо-лагать, -ложить || **-ition** (присапёзи'шн) *s.* предположение.

preten/ce (притэ'н-с) *s.* притворство; (*pretext*) предлог; (*claim*) претензия || **-d** *va.* притвор-яться, -иться; пок-азывать, -азать вид || **~** *vn.* претендовать на (*A.*), домогаться (*G.*) || **-der** *s.* притворщик; искатель *m.*; претендент || **-sion** (*claim*) претензия, притязание; (*pretext*) предлог || **-tious** *a.* требовательный; с большими претензиями.

preter/ite (прэ'тёрит) *s.* (*gramm.*) прошедшее время || **-natural** (прийтёрнä'чёрёл) *a.* противоестественный; сверхестественный.

pretext (прий'тэкст) *s.* предлог; отговорка.

pretor/ (прий'тёр) *s.* претор || **-ship** *s.* должность (*f.*) претора; претура.

prettily *ad. cf.* **pretty.**

prett/iness (при'тинэс) *s.* миловидность *f.* || **-y** *a.* миловидный; хорошенький || **~** *ad.* довольно.

pre/vail (привэ̄й'л) *vn.* взять *or* одержать верх; господствовать; преобладать || **to ~ on** убедить || **-vailing, -valent** (прэ'вёлёнт) *a.* преобладающий; господствующий || **-valence** (прэ'вёлёнс) *s.* преобладание; господство.

prevarica/te (привä'рикэйт) *vn.* лукавить; кривить душою; (*to lie*) лгать, со- || **-tion** (привäрикэй'шн) *s.* уловка; криводушие, ложь *f.* || **-tor** *s.* крючкотворец; интригант.

prevent/ (привэ'нт) *va.* предупре-ждать, -дить; (по)мешать; отвра-щать, -тить || **-ion** *s.* предупреждение; отвращение, предотвращение; препятствование || **-ive** *a.* предупредительный; предохранительный || **~** *s.* предохранительное средство.

previous (прий'вйёс) *a.* предшествующий; предварительный.

prevision (приви'жн) *s.* предвидение.

prey (прэй) *s.* добыча || **beast, bird of ~** хищное животное, хищная птица || **~** *vn.* грабить; (*fig.*) снедать.

price/ (прай'с) *s.* цена || **at any ~** сколько бы ни стоило || **~-current** *s.* прейскурант || **-less** *a.* неоцененный, бесценный.

prick/ (прик) *s.* колючка; укол; прокол; (*of conscience*) угрызение || **~** *va.* колоть; прок-алывать, -олоть; (*incite*) возбу-ждать, -дить || **to ~ up one's ears** навастривать уши || **~** *vn.* колоться || **-er** *s.* шило || **-le** (при'кл) *s.* колючка; шип || **-ly** *a.* колючий.

pride (прайд) *s.* гордость *f.*; спесь *f.*; (*pomp*) пышность *f.*; (*arrogance*) кичливость *f.* || **~** *v.refl.* кичиться; гордиться (*I.*).

priest/ (прий'ст) *s.* священник, иерей; (*of the pagans*) жрец || **-craft** *s.* поповские хитрости *fpl.* || **-ess** *s.* жрица || **-hood** *s.* священство; жречество || **-like, -ly** *a.* священнический; жреческий || **~-ridden** *a.* управляемый духовенством.

prig/ *s.* нахал; (*fam.*) вор || **~** *va.* (у)красть || **-gish** *a.* самодовольный; нахальный.

prim/ (при'м) *a.* жеманный || **-ness** *s.* жеманство.

prim/acy (прай'м-ёси) *s.* первенство; (*eccl.*) приматство, первосвятительство || **-arily** (-ёрили) *ad.* первоначально; сперва, сначала || **-ary** *a.* первичный; (*chief*) главный; (*school*) начальный; (*original*) первоначальный || **-ate** (-ит) *s.* первосвятитель *m.*; архиепископ.

prime/ (прай'м) *a.* первый; главный; отличный; (*comm.*) отборный || **~-cost** *s.* своя цена || **~** *s.* начало; (*spring*) весна *f.*; (*of life*) цвет; молодость *f.*; лучшая часть || **~** *va.* (*a gun*) насыпать порох на запал;

(*with paint*) грунтова́ть || **–r** (-ёр, при'мёр) *s.* буква́рь *m.* || **~** (при'мёр), **great ~** те́рция, **long ~** ко́рпус.
primeval (праймий'вл) *a.* первонача́льный, первобы́тный.
priming (прай'минг) *s.* по́рох (на по́лке); [пороховой прово́д.
primitive (при'митив) *a.* первонача́льный, первобы́тный; примити́вный.
primogeniture (праймоуджэ'нитюр) *s.* первоpо́дство. [вица.
primrose (при'мрӯз) *s.* (*bot.*) бе́лая бу́к-
prince/ (при'нс) *s.* госуда́рь *m.*; князь *m.*; принц || **–dom** *s.* кня́жество || **–ly** *a.&ad.* кня́жеский || **–ss** (-ис) *s.* принце́сса; княги́ня; (*prince's daughter*) княжна́.
principal/ (при'нсипёл) *s.* глава́ *m.*; нача́льник; принципа́л; (*comm.*) капита́л || **~** *a.* гла́вный || **–ity** (принсипӓ'лити) *s.* кня́жество.
principle (при'нсипл) *s.* нача́ло; при́нцип; пра́вило; (*moral*) убежде́ние.
print/ (при'нт) *s.* след; печа́ть *f.*; (*typ.*) шрифт; (*copy*) ко́пия; (*engraving*) гравиро́вка; (*newspaper*) газе́та; (*cotton cloth*) си́тец || **the book is out of ~** кни́га вся разошла́сь || **~** *va.* (на)печа́тать; отпеча́т-ывать, -ать; оставля́ть след || **~** *vn.* занима́ться печа́таньем || **–ed matter** *s.* произведе́ния (*npl.*) печа́ти || **–er** *s.* типогра́фщик || **–ing** *s.* (книго)печа́тание || **–ing-house** *s.* типогра́фия || **–ing-machine** *s.* скоропеча́тный стано́к.
prior/ (прай'ёр) *s.* при́ор, настоя́тель *m.* || **~** *a.* пре́жний || **–ess** *s.* настоя́тельница || **–ity** (прайо'рити) *s.* пе́рвенство.
prism (призм) *s.* при́зма.
prison/ (при'з-н) *s.* тюрьма́; темни́ца; остро́г || **–er** (-ёнёр) *s.* пле́нник; аресга́нт; у́зник. [ний; стари́нный..
pristine (прис'тин) *a.* первобы́тный; дре́в-
priva/cy (прай'в-ёси) *s.* та́йность *f.*; уедине́ние; прива́тность *f.* || **–te** (-ит) *s.* рядово́й (солда́т) || **~** *a.* ча́стный; та́йный; отде́льный (*room*) || **for –te reasons** по осо́бым причи́нам || **to speak in –te** говори́ть конфиденциа́льно || **–te hotel** *s.* меблиро́ванные ко́мнаты с пансио́ном || **–tely** *ad.* наедине́; ча́стным о́бразом || **–teer** (прайвётий'р) *s.* ка́пер, корса́р || **–tion** (прайвэ̄й'шн) *s.* лише́ние; (*need*) нужда́.
privet (при'вит) *s.* (*bot.*) бирю́чина.
privi/lege (при'ви-лидж) *s.* привиле́гия; исключи́тельное пра́во || **~** *va.* дать привиле́гию || **–ly** *ad.* та́йно; секре́тно || **–ty** *s.* та́йность *f.*; конфиденциа́льное сообще́ние.
privy (при'ви) *s.* отхо́жее ме́сто || **~** *a.* ча́стный; (*secret*) та́йный || **~ to** посвящённый во (что), зна́ющий о (*Pr.*) || **~ Council** та́йный сове́т.
prize/ (прай'з) *s.* приз; (*booty*) добы́ча; цена́; (*reward*) награ́да; (*in a lottery*) вы́игрыш || **~** *va.* цени́ть, оце́нивать, оцени́ть; высоко́ цени́ть || **~-fighter** *s.* кула́чный боец.
proba/bility (пробёби'лити) *s.* вероя́тность *f.*; правдоподо́бие || **–ble** (про'бёбл) *a.* (**–bly** *ad.*) вероя́тный; правдоподо́бный || **–te** (прӯу'бит) *s.* официа́льное утвержде́ние завеща́ния || **–tion** (проубэ̄й'шн) *s.* испыта́ние; иску́с || **–tioner** (проубэ̄й'шёнёр) *s.* испыту́емый; (*eccl.*) послу́шник.
probe (прӯуб) *s.* зонд || **~** *va.* зонди́ровать.
probity (про'бити) *s.* че́стность *f.*
problem/ (про'блим) *s.* зада́ча, пробле́ма || **–atic** (проблимӓ'тик) *a.* (**–atically** *ad.*) проблемати́ч-еский, -ный; (*doubtful*) сомни́тельный.
proboscis (пробо'сис) *s.* хо́бот.
procedure (просий'дюр) *s.* процеду́ра.
proceed/ (просий'д) *vn.* (*continue*) продолжа́ть; (*advance*) подвига́ться; (*to ~ to action*) приступи́ть (к + *D.*); поступа́ть; (*to ~ from*) происходи́ть от (*G.*), истека́ть; (*to ~ against*) пресле́довать (*A.*) суде́бным поря́дком || **–ing** *s.* движе́ние вперёд; посту́пок; о́браз де́йствия; приступле́ние (к де́лу) || **–s** (прӯу'сийдз) *spl.* вы́ручка; дохо́ды *mpl.*
process/ (прӯу'сэс, про'сис) *s.* проце́сс; процеду́ра; спо́соб; (*course*) тече́ние (вре́мени) || **–ion** (проусэ'шн) *s.* проце́ссия; ше́ствие; (*eccl.*) кре́стный ход || **funeral ~** похоро́нный корте́ж.
pro/claim (про-клэ̄й'м) *va.* провозгла-ша́ть, -си́ть || **–clamation** (-клёмэ̄й'шн) *s.* провозглаше́ние; проклама́ция.
proclivity (проукли'вити) *s.* накло́нность *f.*, скло́нность *f.*
procrastina/te (проукрӓ'стинэйт) *va.* откла́дывать, -ложи́ть, откла́дывать || **~** *vn.* ме́длить || **–tion** (проукрӓстинэ̄й'шн) *s.* отлага́тельство; ме́дление; проволо́чка.
procrea/te (прӯу'криэйт) *va.* (по)ро-жда́ть, -ди́ть; произв-оди́ть, -ести́ || **–tion** (проукриэ̄й'шн) *s.* порожде́ние.
proctor (про'ктёр) *s.* пове́ренный; (*at universities*) инспе́ктор.
procura/ble (прокю'рёбл) *a.* кото́рый мо́жно доста́ть || **–tion** (прокюрэ̄й'шн) *s.* полномо́чие; дове́ренность *f.* || **–tor** (про'кюрэйтёр) *s.* пове́ренный.

procure/ (прокю́'р) *va.* доставля́ть; до-става́ть, -ста́ть; до-быва́ть, -бы́ть; до-бива́ться, -би́ться (*G.*); исхода́тайствовать || **-ment** *s.* добыва́ние; доставле́ние (*D.*); (*agency*) посре́дство || **-r** *s.* достава́тель *m.*; (*pimp*) сво́дник.
prod (прод) *va.* пронза́ть, втыка́ть.
prodigal/ (про'дигёл) *s.* расточи́тель *m.*, расточи́тельница || ~ *a.* расточи́тельный || **the ~ son** блу́дный сын || **-ity** (продига̃'лити) *s.* расточи́тельность *f.*; мотовство́.
prodi/gious (produ'джёс) *a.* удиви́тельный; (*huge*) грома́дный; (*monstrous*) чудо́вищный || **-gy** (про'диджи) *s.* чу́до; ди́во.
produce/ (про'дю̅с) *s.* произведе́ние; проду́кт; (*fig.*) плоды́ *mpl.*; (*proceeds*) дохо́д || ~ (продю̅'с) *va.* произв-оди́ть, -ести́; (*bear*) ро-жда́ть, -ди́ть; (*show*) пред'я-в-ля́ть, -и́ть || **-r** *s.* производи́тель *m.*
product/ (про'дакт) *s.* произведе́ние; проду́кт; (*fig.*) результа́т || **-ion** (прода'кшн) *s.* произведе́ние; пред'явле́ние || **-ive** (прода'ктив) *a.* производи́тельный; (*fruitful*) плодоро́дный.
proem (про̅у'им) *s.* предисло́вие.
profan/ation (профёнэ̅й'шн) *s.* профана́ция; оскверне́ние || **-e** (профэ̅й'н) *a.* нечести́вый; (*secular*) све́тский || ~ *va.* профани́ровать; оскверн-я́ть, -и́ть || **-er** (профэ̅й'нёр) *s.* осквернИ́тель *m.* || **-ity** (профа̃'нити) *s.* нече́стие.
profess/ (профэ'с, прёфэ'с) *va.* откры́то об'явля́ть, учи́ть; признава́ть; испове́дывать; уверя́ть || **-edly** (-идли) *ad.* я́вно; призна́тельно || **-ion** *s.* испове́дание; заявле́ние; увере́ние; (*calling*) зва́ние; профе́ссия; мастерство́; сосло́вие || **-ional** *a.* профессиона́льный || **-or** *s.* (*of a faith*) испове́дник; (*at colleges*) профе́ссор || **-orship** *s.* профессу́ра.
proffer (про'фёр) *s.* предложе́ние || ~ *va.* предл-ага́ть, -ожи́ть.
proficien/cy (профи'шён-си) *s.* успе́х || **-t** *s.* ма́стер || ~ *a.* иску́сный; зна́ющий.
profile (про̅у'файл) *s.* про́филь *m.*; (*arch.*) разре́з, про́филь *m.*
profit/ (про'фит) *s.* бары́ш, при́быль *f.*; по́льза; (*advantage*) вы́года; (*winnings*) вы́игрыш || ~ *va.* прин-оси́ть, -ести́ по́льзу || ~ *vn.* (*make use of*) по́льзоваться (*I.*); (*to win*) вы́играть; (*to gain*) име́ть при́быль *f.*; (*improve*) у-лучша́ться, -лучши́ться || **-able** *a.* (**-ably** *ad.*) вы́годный, при́быльный, поле́зный || **-less** *a.* бесполе́зный; невы́годный.
profliga/cy (про'флиг-ёси) *s.* распу́тство, беспу́тство; развра́тность *f.* || **-te** (-ёт) *s.* развра́тник, распу́тник || ~ *a.* распу́тный, беспу́тный; развра́тный.
pro/found (про-фау'нд) *a.* глубо́кий; глубокомы́сленный; (*fig.*) основа́тельный || **-fundity** (-фа'ндити) *s.* глубина́; глубокомы́слие; (*fig.*) основа́тельность *f.* || **-fuse** (-фю̅'с) *a.* (*exuberant*) (из)оби́льный; изли́шний; (*lavish*) расточи́тельный || **-fusion** (-фю̅'жн) *s.* изоби́лие; изли́шество; расточи́тельность *f.*
progen/itor (проджэ'нитёр) *s.* прароди́тель *m.*; пре́док || **-y** (про'джини) *s.* пото́мство; пото́мки *mpl.*
prognostic/ (прогно'стик) *s.* предсказа́ние || **-ate** (-эйт) *va.* пред-ска́зывать, -сказа́ть, предвеща́ть; предзнамен-о́вывать, -ова́ть || **-ation** *s.* предсказа́ние; предзнаменова́ние.
programme (про̅у'гра̃м) *s.* програ́мма.
progress/ (про'грис) *s.* прогре́сс; ход; успе́х || ~ (проугрэ'с, прогрэ'с) *vn.* дви́гаться, подвига́ться; (*improve*) успева́ть; (*in learning*) соверше́нствоваться || **-ion** (проугрэ'шн) *s.* ход; движе́ние вперёд; (*math.*) прогре́ссия || **-ive** (проугрэ'сив) *a.* прогресси́вный; возраста́ющий; постепе́нный || **-ively** (проугрэ'сивли) *ad.* прогресси́вно.
prohibit/ (прохи'бит) *va.* запре-ща́ть, -ти́ть, возбран-я́ть, -и́ть; (*hinder*) препя́тствовать || **-ion** (проухиби'шн) *s.* воспреще́ние, запреще́ние; запре́т || **-ory** *a.* запрети́тельный.
project/ (про'джикт) *s.* прое́кт; начерта́ние, вы́думка || ~ (проуджэ'кт) *va.* (*throw*) броса́ть, бро́сить; (*plan*) со-ставля́ть, -ста́вить план; проекти́ровать *or* проектирова́ть; (*devise*) из-мышля́ть, -мы́слить || ~ *vn.* выдава́ться || **-ile** (проджэ'ктил) *s.* мета́тельный снаря́д; (*bullet*) пу́ля || **-ion** *s.* броса́ние, мета́ние; прое́кт; вы́ступ; (*tech.*) полёт; (*geom.*) прое́кция || **-or** *s.* прожектёр; (*opt.*) проже́ктор.
proletar/ian (проулита̃'р-иён) *a.* пролета́рский || ~ *s.* пролета́рий || **-iat** (-иёт) *s.* пролетариа́т.
prolific/ (проули'фик) *a.* (**-ally** *ad.*) (*of animals*) плодови́тый; (*of trees*) плодоно́сный.
prolix/ (про̅у'ликс) *a.* многосло́вный || **-ity** (проули'ксити) *s.* многосло́вие.
prologue (про̅у'лог) *s.* проло́г; вступле́ние.
prolong/ (проуло'нг) *va.* продолжи́ть, продли́ть || **-ation** (проулонгэ̅й'шн) *s.* отсро́чка; продле́ние, продолже́ние.
promenade (промёна̅'д) *s.* гуля́нье; прогу́лка || ~ *vn.* прогу́ливаться.

prominen/ce (про'минён-с) *s.* выпуклость *f.*; возвышенность *f.*; (*conspicuous place*) видное место || **-t** *a.* выступающий; выпуклый; (*distinguished*) известный.
promiscuous (проуми'скюёс) *a.* смешанный; беспорядочный; неразборчивый.
promis/e (про'мис) *s.* обещание; (*hope*) надежда || ~ *va.* (по)обещать; да-вать, -ть обещание; (по)сулить || **-sory** *a.* заключающий в себе обещание || ~ **note** *s.* письменное обязательство.
promontory (про'мёнтёри) *s.* мыс, нос.
promot/e (промбу'т) *va.* способствовать; содействовать; споспешествовать; (*in rank*) произв-одить, -ести || **-er** *s.* производитель *m.* (в чины); основатель *m.*; споспешествователь *m.* || **-ion** *s.* произвбдство (в чин), повышение.
prompt/ (про'мт) *a.* готовый; скорый, быстрый || ~ **payment** платёж наличными || ~ *va.* подсказывать; (*theat.*) суфлировать; побу-ждать, -дить (*A.*, к + *D.*) || ~**-book** *s.* тетрадь (*f.*) суфлёра || **-er** *s.* подсказчик; (*theat.*) суфлёр || **-itude** (-итюд), **-ness** *s.* готовность *f.*; быстрота.
promulga/te (про'мёлгэйт) *va.* обнародовать || **-tion** (прбумёлгэй'шн) *s.* обнародование.
prone/ (прбу'н) *a.* лежащий ничком; (*disposed*) наклонный, склонный (к + *D.*) || **-ness** *s.* наклонность *f.* (к + *D.*), склонность *f.*
prong (пронг) *s.* (*spike*) зубец вилки; (*of a hay-fork*) рожён; (*fork*) вилы *fpl.*
pro/nominal (проуно'минёл) *a.* в виде местоимения || **-noun** (прбу'наун) *s.* местоимение.
pronounce/ (прёнау'нс) *va.* произн-осить, -ести; выговаривать, выговорить; (*sentence*) постанов-лять, -ить || **-able** *a.* удобопроизносимый || **-ment** *s.* изречение, прорицание; приговбр.
pronunciation (проунанси-эй'шн) *s.* произношение, выговаривание.
proof/ (пру'ф) *s.* проба; доказательство; довод; (*typ.*) корректура || ~ *a.* непроницаемый; (*fig.*) твёрдый || ~**-print** *s.* первый оттиск || ~**-sheet** *s.* корректурный лист.
prop (проп) *s.* подпбра, подпорка || ~ *va.* подп-ирать, -ереть.
propaga/ndist (пропёга'ндист) *s.* распространитель *m.*; пропагандист, -ка || **-te** (про'пёгэйт) *va.* распростран-ять, -ить; разв-одить, -ести || ~ *vn.* (рас)плодиться || **-tion** *s.* расплождение, разведение; распространение || **-tor** (про'пёгэйтер) *s.* разводитель *m.*; распространитель *m.*

propel/ (проупэ'л, пропэ'л) *va.* двигать || **-ler** (пропэ'лёр) *s.* двигатель *m.*; пропеллер; гребной винт.
propensity (проупэ'нсити) *s.* наклонность *f.*; склонность *f.*
proper/ (про'пёр) *a.* (*own*) собственный; (*peculiar*) свойственный; (*becoming*) приличный; (*decent*) пристойный; (*suitable*) подходящий; (*real*) настоящий, надлежащий; (*correct*) точный || **-ly** *ad.* как следует; собственно || **-ty** *s.* свойство; собственность *f.* || **-ties** (-тийз) *spl.* (*theat.*) бутафорские вещи *fpl.*
prophe/cy (про'фиси) *s.* пророчество; предсказание || **-sy** (про'фисай) *va.* (на)пророчить; пред-сказывать, -сказать || **-t** (про'фит) *s.* пророк || **a false** ~ лжепророк || **-tic** (профэ'тик) *a.* (**-tically** *ad.*) пророческий.
prophylactic (профила'ктик) *a.* предохранительный.
propinquity (проупи'нг-куити) *s.* близость *f.* (родства).
propiti/ate (пропи'ши-эйт) *va.* у-милостивлять, -милостивить || **-ation** (пропиши-эй'шн) *s.* умилостивление || **-atory** (пропи'шиётёри) *a.* умилостивительный || **-ous** (пропи'шёс) *a.* благосклонный; благоприятный.
proportion/ (пропо'ршн) *s.* пропорция; (*symmetry*) соразмерность *f.* || ~ *va.* соразм-ерять, -ерить; надел-ять, -ить соразмерно || **-able** (пропо'ршёнёбл) *a.* (**-ably** *ad.*) соразмеримый; пропорциональный || **-ate** (пропо'ршёнит) *a.* соразмерный.
propos/al (пропбу'зл) *s.* предложение || **-e** (-пбу'з) *va.* предл-агать, -ожить || ~ *vn.* иметь намерение, намереваться; (*marriage*) предложить вступить в брак || **-ition** (пропёзи'шн) *s.* предложение; (*math.*) теорема; (*fam.*) дело.
propound (пропау'нд) *va.* предл-агать, -ожить.
proprie/tary (пропрай'-ётёри) *a.* составляющий собственность; (*patent*) патентованный || ~, **-tor** (-ётёр) *s.* собственник, хозяин, владелец || **-tress** (-итрэс) *s.* собственница, хозяйка, владелица || **-ty** *s.* приличие; (благо)пристойность *f.*; правильность *f.*
propulsion (пропа'лшн) *s.* движение вперёд; толчок.
proro/gation (прбурогэй'шн) *s.* отсрочка; откладывание; отлагательство || **-gue** (проурбу'г) *va.* отсрочивать; откладывать; отлагать.
prosaic (прозэй'ик) *s.* прозаический; (*fig.*) обыденный, тривиальный; (*commonplace*) банальный.

proscenium (просий'ниём) *s.* авансцена.
proscri/be (проскрай'б) *va.* (*outlaw*) осуждать, -дить на изгнание; под-вергать, -вергнуть кого опале; (*forbid*) запрещать, -тить || **-ption** (проскри'пшён) *s.* опала; ссылка; изгнание.
prose/ (проуз) *s.* проза || ~ *vn.* скучно рассказывать || **~-writer** *s.* прозаик.
prosecu/te (про'сикют) *va.* преследовать (план); продолжать; (*jur.*) обвинять || **-tion** (просикю'шн) *s.* преследование (плана и т. п.); продолжение; (*jur.*) обвинение || **-tor** *s.* преследователь *m.*; обвинитель *m.*; истец || **-trix** (просикю'трикс) *s.* обвинительница; истица.
prosely/te (про'силайт) *s.* прозелит || **-tism** (про'силитизм) *s.* прозелитизм.
prosody (про'соди) *s.* просодия.
prospect/ (про'спэкт) *s.* перспектива; вид; проспект; (*of a building*) фасад || **-ive** (проспэ'ктив) *a.* прозорливый || **-us** (проспэ'ктёс) *s.* проспект.
prosper/ (про'спёр) *vn.* (пре)успевать; (пре)успеть; процветать; у-даваться, -даться; благоденствовать || ~ *va.* благоприятствовать || **-ity** (проспэ'рити) *s.* преуспеяние; благосостояние; благоденствие || **-ous** *a.* благоденствующий; удачный; (*favourable*) благоприятный.
prostitu/te (про'ститют) *va.* от-давать, -дать на позор; бесчестить || ~ *s.* проститутка; распутная женщина || **-tion** (проститю'шн) *s.* проституция; распутство; продажность *f.*
prostra/te (про'стрёт) *s.* распростёртый || ~ (про'стрэйт) *va.* по-вергать, -вергнуть ниц || **-tion** (прострэй'шн) *s.* коленопреклонение; упадок; (*med.*) изнеможение.
prosy (проу'зи) *a.* скучный, банальный.
protagonist (проутä'гёнист) *s.* защитник.
protect/ (протэ'кт) *va.* покровительствовать (*D.*); защи-щать, -тить; у-крывать, -крыть || **-ion** *s.* защита; покровительство; охранение || **-ionist** *s.* протекционист || **-ive** *a.* защитительный; покровительственный || ~ **duty** *s.* охранительная пошлина || **-or** *s.* защитник; покровитель *m.*; протектор || **-orate** (-ёрит) *s.* протекторат || **-ress** *s.* защитница; покровительница.
protest/ (протэ'ст) *va.* опротест-овывать, -овать (*a bill of exchange*) || ~ *vn.* протестовать; уверять (в + *Pr.*) || ~ (проу'тэст) *s.* протест || **-ant** (про'тистёнт) *a.* протестантский || ~ *s.* протестант, -ка; протестующий || **-antism** (про'тистёнтизм) *s.* протестантство || **-ation** *s.* (о)протестование; уверение.
proto/col (проу'тё-кол) *s.* протокол || **-plasm** (-плäзм) *s.* протоплазма || **-type** (-тайп) *s.* прототип; первообраз.
protract/ (протрä'кт) *va.* проволакивать; про-тягивать, -тянуть; (*defer*) отл-агать, -ожить; отсроч-ивать, -ить || **-ion** *s.* продление; отлагательство || **-or** *s.* медлитель *m.*; (*tech.*) круг, разделённый на градусы.
protru/de (протру'д) *va*(*&n.*) прос-овывать (-ся), -унуть (-ся); высовывать (-ся), высунуть (-ся) || ~ *vn.* выступать, выступить || **-ding** *a.* выпуклый || **-sion** *s.* просовывание, высовывание.
protuberan/ce (протю'бёрён-с) *s.* выпуклость *f.*; возвышение || **-t** *a.* выпуклый; выдающийся.
proud (прауд) *a.* гордый; спесивый; надменный || ~ **flesh** (*med.*) дикое мясо.
prove (прув) *va.* до-казывать, -казать; (*show*) по-казывать, -казать; (*test*) испытывать, -пытать; (*try*) пробовать || ~ *vn.* о-казываться, -казаться.
provenance (про'вёнёнс) *s.* источник, происхождение.
provender (про'вёндёр) *s.* фураж; корм.
proverb/ (про'вёрб) *s.* пословица; (*bibl.*) притча || **-ial** (провё'рбиёл) *a.* по пословице.
provide/ (провай'д) *va.* снаб-жать, -дить (*I.*); запасать; заго-товлять, -товить; при-готовлять, -товить || ~ *vn.* (по)заботиться (о + *Pr.*); прин-имать, -ять меры (к) || **-d** (-ид) *c.*, ~ **that** ежели только; предполагая, что || **-nce** (про'видёнс) *s.* предвидение; предусмотрительность *f.*; (*divine*) Провидение || **-nt** (про'видёнт) *a.* предусмотрительный; запасливый || **-ntial** (провидэ'ншёл) *a.* происходящий от воли Провидения || **-r** *s.* поставщик.
provinc/e (про'винс) *s.* область *f.*; провинция; (*fig.*) дело || **-ial** (прови'ншл) *a.* областной; провинциальный.
provision/ (прови'жн) *s.* заготовление; (*store*) запас; (*measures*) распоряжение, меры *fpl.* || **-s** *pl.* съестные припасы *mpl.*; (*mil.*) провиант || ~ *va.* снабдить провиантом || **-al** *a.* временный.
proviso/ (провай'зоу) *s.* условие; уговор || **-ry** (провай'зёри) *a.* (*conditional*) условный; (*provisional*) временный.
provo/cation (про-вокэй'шн) *s.* вызов; возбуждение; (*angering*) раздражение; провокация || **-ke** (-воу'к) *va.* вызывать, вызвать; (*excite*) возбудить; (*anger*) сердить; провоцировать || **-king** (-воу'кинг) *a.* досадный.

provost (про'вёст, *mil.* провбу') *s.* профос; старшина́ *m.*; председа́тель *m.*
prow (прау) *s.* нос (корабля́). [блесть *f.*
prowess (прау'ис) *s.* хра́брость *f.*; до́-
prowl/ (праул) *vn.* броди́ть; шата́ться || **-er** *s.* бродя́га *m.*; (*plunderer*) граби́тель *m.*
proxim/ate (про'ксимит) *a.* ближа́йший, непосре́дственный || **-ity** (прокси'мити) *s.* бли́зость *f.*; сосе́дство || ~ **of blood** бли́зость родства́.
proxy (про'кси) *s.* полномо́чие, уполномо́чение; (*document*) дове́ренность *f.*; (*agent*) пове́ренный; (*substitute*) замести́тель *m.*
prud/e (прӯд) *s.* недосту́пная же́нщина || **-ery** (-ёри) *s.* недосту́пность *f.*; жема́нство || **-ish** *a.* жема́нный; недосту́пный (о же́нщине).
pruden/ce (прӯ'дён-с) *s.* благоразу́мие; осторо́жность *f.* || **-t** *a.* у́мный; благоразу́мный; осторо́жный || **-tial** (прудэ'ншл) *a.* благоразу́мный.
prun/e (прӯн) *s.* чернослйв; сли́ва || ~ *va.* подре́з-ывать, -ать, под-стрига́ть, -стри́чь (де́рево) || **-ing-hook, -ing-knife** *s.* серп; садо́вничий нож. [(*bot.*) горля́нка.
prunello (прӯнэ'лё) *s.* (*stuff*) прюне́ль *f.*;
prurient (прӯ'риёнт) *a.* зудя́щий; (*fig.*) похотли́вый. [сини́льная кислота́.
Prussic acid (пра'сик ӓ'сид) *s.* (*chem.*)
pry/ (прай') *vn.* подгля́дывать; вника́ть; допы́тываться || **-ing** *a.* пытли́вый; любопы́тный.
psal/m (са̄м) *s.* псало́м || **-mist** *s.* псало́мщик || **-mody** (сӓ'лмоди) *s.* псалмопе́ние || **-ter** (со̄'лтёр) *s.* псалты́рь *m.*
pseudo- (сю̄'дё-) *prefix* лже-, ло́жный, фальши́вый.
pseudonym/ (сю̄'дёним) *s.* псевдони́м || **-ous** (сюдо'нимёс) *a.* псевдони́мный.
pshaw! (шо̄) *int.* по́лно! по́лноте!
psycholog/ical (сайколо'джикёл) *a.* психологи́ческий || **-y** (сайко'лоджи) *s.* психоло́гия. [па́тка.
ptarmigan (та̄'рмигён) *s.* бе́лая куро-
pub (паб) *s.* (*fam.*) пивна́я; по́ртерная; каба́к.
pu/berty (пю̄'бёрти) *s.* возмужа́лость *f.* || **-bescent** (пюбэ'сёнт) *a.* возмужа́лый.
public/ (па'блик) *s.* пу́блика || ~ *a.* публи́чный; обще́ственный; наро́дный; общеизве́стный || **to make** ~ объяви́ть || ~**-house** *s.* каба́к || ~ **spirit** *s.* сочу́вствие к обще́ственным интере́сам || **-an** (-ён) *s.* тракти́рщик, каба́тчик; (*eccl.*) мы́тарь *m.* || **-ation** *s.* обнаро́дование; (*of a book, etc.*) изда́ние || **-ist** (па'блисист) *s.* публици́ст || **-ity** (пабли'сити) *s.* публи́чность *f.*; гла́сность *f.*
publish/ (па'блиш) *va.* обнаро́довать; (о)публикова́ть; (*a book, etc.*) из-дава́ть, -да́ть; (*announce*) объяв-ля́ть, -и́ть; (*reveal*) огла-ша́ть, -си́ть, разгла-ша́ть, -си́ть || **-er** *s.* публику́ющий; (*of books, etc.*) изда́тель *m.*
puce (пю̄с) *a.* тёмнокра́сный, бурокра́сный.
puck (пак) *s.* дух; домово́й.
pucker (па'кёр) *va.* (на)мо́рщ-ивать, -ить; скла́дывать || ~ *vn.* (на)мо́рщиться || ~ *s.* морщи́на; (*fold*) скла́дка. [колбаса́.
pudding (пу'динг) *s.* пу́динг; (*sausage*)
puddle (падл) *s.* лу́жа || ~ *va.* грязни́ть, мути́ть; (*min.*) пудлингова́ть. [*fpl.*
pudenda (пю̄дэ'ндё) *spl.* детоpо́дные ча́сти
pueril/e (пю̄'ёрил) *a.* ребя́ческий || **-ity** (пюёри'лити) *s.* ребя́чество.
puerperal (пюё'рпёрёл) *a.* роди́льный.
puff/ (па'ф) *s.* дунове́ние; (*gust*) поры́в; (*culin.*) пы́шка; (*on a dress*) бу́фа; (*advertisement*) рекла́ма || ~ *va.* дуть; (*swell*) опуха́ть; (*breathe*) пыхте́ть || ~ *va(&n.)* на-дува́ть (-ся), -ду́ть (-ся); преувели́ченно хвали́ть || ~**-ball** *s.* (*bot.*) дождеви́к || **-er** *s.* хвасту́н || **-iness** *s.* одутлова́тость *f.*; наду́тость *f.* || **-ing** *s.* хвастовство́ || ~**-paste** *s.* слоёное те́сто || **-y** *a.* одутлова́тый; наду́тый.
pug/ (паг) *s.* мо́ська, мопс, мо́псик || ~**-nose** *s.* вздёрнутый нос. [боксёр.
pugilis/m (пю̄'джилизм) *s.* бокс || **-t** *s.*
pugnac/ious (пагнэ̄й'шёс) *a.* драчли́вый || **-ity** (пагнӓ'сити) *s.* драчли́вость *f.*
puisne (пю̄'ни) *a.* мла́дший (по во́зрасту, по зва́нию); сла́бый, неразви́тый.
puissant (пю̄'исёнт) *a.* могу́щественный;
puke (пю̄к) *vn.* рвать, тошни́ть. [си́льный.
pule (пю̄л) *vn.* пища́ть.
pull (пул) *va(&n.)* тащи́ть (-ся), тяну́ть; потащи́ть; вытаскивать, вы́тащить; дёр-гать, -нуть; (*pluck*) срыва́ть, сорва́ть || ~ *vn.* (*row*) грести́ || **to** ~ **down** (*demolish*) сл-а́мывать, -ома́ть; (*weaken*) о-слабля́ть, -сла́бить || **to** ~ **off** ста́-скивать, -щи́ть; (*one's hat*) сн-има́ть, -ять || **to** ~ **up** (**short**) остан-а́вливать (-ся), -ови́ть (-ся) || ~ *s.* дёргание; (*drink*) глото́к; (*struggle*) борьба́.
pullet (пу'лит) *a.* ку́рочка. [борьба́.
pulley (пу'ли) *s.* (*tech.*) блок; ве́кша.
pulmon/ary (па'лмёнёри), **-ic** (палмо'ник) *a.* лёгочный || **-ary consumption** *s.* лёгочная чахо́тка.
pulp/ (па'лп) *s.* мя́гкая ма́сса; (*of a fruit*) мя́гкоть *f.*; (*marrow*) мозг || **-ous, -y** *a.* мя́гкий; мяси́стый.

pulpit (пу'лпит) *s.* налбй; кафедра.
puls/ation (палсэй'шн) *s.* пульсация; биение (сердца) || **–e** (палс) *s.* пульс; биение, пульсация; (*bot.*) шелушный, стручковый плод.
pulver/ization (палвёризэй'шн) *s.* растирание в порошок, пульверизация || **–ize** (па'лвёрайз) *va.* раст-ирать, -ереть в порошок.
pumice (па'мис) *s.* пемза.
pummel (па'мёл) *va.* колотить, бить кулаком.
pump (памп) *s.* помпа; насос; (*shoe*) танцовальный башмак || ~ *va.&n.* качать; (*fig.*) выведывать (у + *G.*).
pumpkin (па'мкин) *s.* (*bot.*) тыква.
pun/ (па'н) *s.* игра слов, каламбур || ~ *vn.* каламбурить, острить || **–ster** *s.* каламбурист.
punch/ (панш) *s.* (*tech.*) пробойник; (*beverage*) пунш; (*punchinello*) полишинель *m.*; (*fam.*) тумак || ~ *va.* проб-ивать, -ить дыры (пробойником); бить кулаком || **–eon** (паншн) *s.* чекан; бочёнок в 84 галлонов || **–inello** (паншинэ'лоу) *s.* полишинель *m.* || **–y** (па'нши) *a.* коренастый, плотный.
punct/ilio (пангкти'лиоу) *s.* излишняя формальность; щепетильность *f.* || **–ilious** (пангкти'лиёс) *a.* церемонный; излишне формальный; мелочный || **–ual** (па'нгкчуёл) *a.* пунктуальный, точный, аккуратный || **–uality** (пангкчуа'лити) *s.* пунктуальность *f.*; точность *f.* || **–uation** (пангкчуэй'шн) *s.* расстановка знаков препинания || **–ure** (па'нгкчёр) *s.* прокол, укол; (*med.*) прободение || **–ure** *va.* уколоть, проколоть.
pungen/cy (па'нджёнси) *s.* едкость *f.*; острота || **–t** (па'нджёнт) *a.* (**–ly** *ad.*) едкий; острый.
puniness (пю'нинэс) *s.* малость *f.*, ничтожность *f.*
punish/ (па'ниш) *va.* на-казывать, -казать; (по)карать || **–able** *a.* наказуемый || **–er** *s.* каратель *m.* || **–ment** *s.* наказание; кара || **capital** ~ смертная казнь.
punt (пант) *s.* (*mar.*) плоскодонная лодка || ~ *vn.* (*gamble*) понтировать.
puny (пю'ни) *a.* слабый, ничтожный.
pup (пап) *s.* собачка; щенок || ~ *vn.* ощениться.
pupil/ (пю'пил) *s.* (*an.*) зрачок; (*scholar*) воспи-танник, -танница, учени-к, -ца; пито-мец, -мица, -мка; (*ward*) находящийся (-щаяся) *or* состоя-щий (-щая) под опекою || **–age** *s.* малолетство; ученичество || **–ary** *a.* зрачковый; опекунский.
puppet/ (па'пит) *s.* кукла, марионетка || ~**-show** *s.* кукольная комедия.
puppy (па'пи) *s.* щенок; (*fig.*) молокосос.
purblind (пё'рблайнд) *a.* близорукий; подслеповатый; (*fig.*) недальновидный.
purchas/e (пё'рчис) *s.* покупка, приобретение || ~ *va.* купить; покупать || **–er** *s.* покупатель *m.*, -ница; покупщи-к, -ца.
pure/ (пюр) *a.* чистый; (*innocent*) непорочный; (*genuine*) настоящий || **–ly** *ad.* совсем, совершенно.
pur/gation (пёргэй'шн) *s.* очищение, прочищение || **–gative** (пё'ргётив) *a.* очистительный; (*med.*) слабительный || ~ *s.* (*med.*) слабительное || **–gatory** (пё'ргётёри) *s.* чистилище || **–ge** (пёрдж) *va.* (о)чистить, очищать; про-чищать, -чистить || ~ *s.* (*med.*) слабительное.
puri/fication (пюрификэй'шн) *s.* очищение; очистка || **–fy** (пю'рифай) *va.*(*&n.*) оч-ищать(-ся), -истить(-ся) || **–sm** (пю'ризм) *s.* пуризм || **–st** (пю'рист) *s.* пурист || **–tan** (пю'ритён) *s.* пуритан-ин, -ка || **–ty** (пю'рити) *s.* чистота; (*innocence*) непорочность *f.*; (*chastity*) целомудрие.
purl (пёрл) *s.* (*fringe*) бахрома; (*murmur*) журчание || ~ *vn.* (*of water*) журчать; струиться; рябить.
purlieu/ (пё'рлю) *s.* предместье || **–s** *spl.* окрестности *fpl.*
purloin (пёрлой'н) *va.* по-хищать, -хитить; (у)красть.
purple/ (пёрпл) *s.* пурпур, багрец; (*royal robe*) порфира || **–s** *pl.* (*med.*) скарлатина || ~ *a.* багряный, пурпуровый || ~ *va.*(*&n.*) обагрить(-ся).
purport (пё'рпёрт) *s.* (*meaning*) смысл; (*significance*) значение; (*aim*) намерение, цель *f.*; (*contents*) содержание || ~ *va.* содержать; означать.
purpose/ (пё'рпёс) *s.* умысел; намерение; цель *f.* || **on** ~, **of set** ~ нарочно || **to the** ~ кстати || **to what** ~ для чего? с какой целью? || **to no** ~, **to little** ~ напрасно || ~ *va.&n.* намереваться, вознамериться || **–less** *a.* бесцельный; сделанный без намерения || **–ly** *ad.* нарочно, с умыслом.
purr (пёр) *s.* мурлыкание || ~ *vn.* мурлыкать.
purse/ (пё'рс) *s.* кошелёк || ~ *va.* класть в кошелёк; (*to contract in wrinkles*) сморщи-вать, -ть || **–r** *s.* казначей.
purslane (пё'рслин) *s.* (*bot.*) портулак.
pursu/ance (пёрсю'-ёнс) *s.* преследование; (*continuation*) продолжение || **–ant** (*to*) *ad.* согласно (с + *I.*); вследствие (*G.*) || **–e** (–) *va.* преследовать; гнаться (за); следовать;

стреми́ться (к+*D.*); продолжа́ть || **-it** (-т) *s.* пресле́дование; пого́ня; продолже́ние || **-its** (-тс) *spl.* заня́тия *npl.*
pursy (пё'рси) *a.* одышливый; с запа́лом.
purulen/ce (пю'рулён-с) *s.* (на)гное́ние; гной || **-t** *a.* гно́йный.
purvey/ (пёрвэ́й') *va.*(*&n.*) снаб-жа́ть(-ся), -ди́ть(-ся); запаса́ть(-ся) || **-ance** *s.* снабже́ние (чем); запа́сы *mpl.* || **-or** *s.* поставщи́к.
purview (пё'рвю) *s.* об'ём, преде́л; сфе́ра.
pus (пас) *s.* гной.
push/ (пу'ш) *va&n.irr.* толк-а́ть(-ся), -ну́ть (-ся), пих-а́ть(-ся), -ну́ть(-ся); понужда́ть || **to ~ off** (*mar.*) отвали́ть || **to ~ on** погоня́ть; поощря́ть || ~ *s.* толчо́к; пиха́ние; (*fig.*) уси́лие, стара́ние; (*impulse*) побужде́ние || **~-bike** *s.* (*fam.*) бици́кл, велосипе́д || **-ing** *a.* предприи́мчивый.
pusillanim/ity (пюсилёни'мити *&* пюз-) *s.* малоду́шие || **-ous** (пюсила́'нимёс) *a.* малоду́шный.
puss/ (пус), **-y** (пу'си) *s.* ко́шечка; (*hare*) за́йчик; (*coquettish girl*) коке́тка.
pustule (па'стюл) *s.* пузырёк; прыщ.
put (пут) *va.irr.* класть, ста́вить, положи́ть, поста́вить; (*a question*) предл-ага́ть, ожи́ть; вв-оди́ть, -ести́; (*throw*) броса́ть, бро́сить || **to ~ about** (*disturb*) обеспоко́ить || **to ~ away** спря́тать || **to ~ back** отста́вить || **to ~ by** сберега́ть, сбере́чь || **to ~ down** сложи́ть; (*repress*) усмири́ть, подави́ть (восста́ние); (*write down*) записа́ть || **to ~ in** вста́вить, вложи́ть; (*mar.*) зайти́ в га́вань || **to ~ off** снять, ски́нуть; (*mar.*) отча́ливать; (*defer*) от-кла́дывить, -ложи́ть, отсро́чи-вать, -ть || **to ~ on** наде́ть, обле́чься (во что); возложи́ть (на кого́) || **to ~ out** вы́ставить; (*eject*) вы́гнать; (*one's eyes*) вы́колоть; (*disconcert*) расстро́ить; (*a candle*) потуши́ть; (*one's tongue*) вы́сунуть; (*money*) помести́ть; (*dislocate*) вы́вихнуть || **to ~ out of action** (*mil.*) выводи́ть, вы́вести из стро́я || **to ~ to** (*horses*) запр-яга́ть, -я́чь, -е́чь || **to ~ up** подня́ть; вы́ставить (на прода́жу); (*a guest*) устро́ить (кого́ у себя́) || **to ~ up with** (с)терпе́ть; переноси́ть.
putative (пю'тётив) *a.* мни́мый.
pu/trefaction (пютрифа́'кшн), **-trescence** (пютрэ'сёнс) *s.* гние́ние; гни́лость *f.* || **-trefy** (пю'трифай) *vn.* гнить || ~ *va.* гнои́ть || **-trescent** (пютрэ'сёнт) *a.* гнию́щий || **-trid** (пю'трид) *a.* гнило́й; (*stinking*) воню́чий.
putty (па'ти) *s.* зама́зка.
puzzle (пазл) *va.* (по)ста́вить в тупи́к, привести́ в замеша́тельство || ~ *s.* недоуме́ние, затрудне́ние; (*riddle*) зага́дка.
pygmy (пи'гми) *s.* пигме́й.
pyjamas (пиджа́'мёз) *spl.* ночно́е (спа́льное) пла́тье.
pyramid/ (пи'рёмид) *s.* пирами́да || **-al** (пира́'мидёл) *a.* пирамида́льный.
pyre (пай'ёр) *s.* костёр.
pyrotechni/cs (пиротэ'кни-кс) *spl.* пиро-те́хника || **-st** *s.* пироте́хник.
python (пай'ѳён) *s.* (*zool.*) пифо́н.
pyx (пикс) *s.* дароно́сица.

Q

quack/ (куа́к) *s.* шарлата́н, зна́харь *m.* || ~ *vn.* ква́кать, кря́кать; шарлата́нить; хва́статься || **-ery** *s.* шарлата́нство || **~-salver** *s.* = **quack.**
quad (куод) *s.* = **quadrangle.**
quadragesima/ (куодрёджэ'симё) *s.* вели́кий пост || **-l** *a.* великопо́стный.
quadrangle (куо'дрäнг-гл) *s.* четыреуго́льник.
quadr/ant (куо'дрёнт) *s.* че́тверть (*f.*) кру́га; (*astr.*) квадра́нт || **-ate** (куо'дрёт) *a.* квадра́тный || ~ *s.* квадра́т || **-ature** (куо'дрётюр) *s.* квадрату́ра || **-ennial** (куодрэ'ниёл) *a.* четырёхле́тний (пери́од) || **-ilateral** (куодрила́'тёрёл) *a.* четырёхсторо́нний || **-ille** (куодри'л) *s.* кадри́ль *f.* || **-oon** (куодрӯ'н) *s.* квартеро́н.
quadru/ped (куо'друпэд) *a.* четвероно́гий || ~ *s.* четвероно́гое живо́тное || **-ple** (куо'друпл) *a.* (**-ply** *ad.*) четверно́й.
quaff/ (куа̄'ф) *s.* большо́й глото́к || ~ *va&n.* запи́ть; пить больши́ми глотка́ми || **-er** *s.* пья́ница *m.*
quag/ (куäг), **-mire** *s.* тряси́на; топь *f.*
quail (куэ́йл) *s.* (*ornith.*) пе́репел, перепёлка || ~ *vn.* (*to ~ before, at*) па́дать ду́хом, робе́ть; отступа́ть.
quaint/ (куэ́й'нт) *a.* наря́дный, причу́дливый; изы́сканный; оригина́льный || **-ness** *s.* причу́дливость *f.*; стра́нность *f.*
quake/ (куэ́й'к) *vn.* дрожа́ть, трясти́сь; трепета́ть; (*of the earth*) колеба́ться || **-r** *s.* ква́кер.
quali/fication (куолификэ́й'шн) *s.* квалифика́ция *f.*; сво́йство; приго́дность *f.*; спосо́бность *f.*; (*restriction*) ограни́че́ние || **-fied** (куо'лифайд) *a.* го́дный; (*competent*) компете́нтный; облада́ющий потре́бными ка́чествами; (*limited*) ограни́ченный || **-fy** (куо'лифай) *va.* квалифици́ровать; приспособля́ть (к+*D.*); при-го-товля́ть, -то́вить; дава́ть, дать пра́во;

(*to soften*) смягчи́ть; (*to limit*) ограни́-чивать, -чить; у-меря́ть, -ме́рить || **–tative** (куо'литётив) *a.* качественный || **–ty** (куо'лити) *s.* ка́чество; досто́инство; (*property*) сво́йство; (*rank*) ти́тул; зна́тный род || **people of –ty** знать *f.* (*coll.*)
qualm/(куа̄м) *s.* (*illness*) дурнота́, тошнота́; (*scruple*) угрызе́ние (со́вести) || **–ish** *a.* чу́вствующий тошноту́.
quandary (куонда̄'ри) *s.* сомне́ние, недоуме́ние; затрудне́ние.
quant/itative (куо'нт-итётив) *a.* коли́чественный || **–ity** (-ити) *s.* коли́чество; мно́жество; (*gramm.*) разме́р; (*mus.*) продолжи́тельность *f.* (зву́ка) || **–um** (-ём) *s.* коли́чество; су́мма; по́рция.
quarantine (куо'рёнтийн) *s.* каранти́н || ~ *va.* подверга́ть каранти́ну.
quarrel/ (куо'рёл) *s.* ссо́ра, ра́спря || ~ *vn.* ссо́риться, брани́ться || **–ler** *s.* сварли́вый челове́к; спо́рщик || **–some** *a.* сварли́вый; вздо́рный.
quarry/ (куо'ри) *s.* каменоло́мня; (*hunting*) дичь *f.*, добы́ча || ~ *va.* извле-ка́ть, -чь, до-быва́ть, -бы́ть (ка́мень из каменоло́мни) || **–man** *s.* каменоло́мщик.
quart (куо̄рт) *s.* ква́рта (ме́ра).
quarter/ (куо̄'ртёр) *s.* че́тверть *f.*; четве́ртая часть *or* до́ля; четверту́шка *or* четвёртка (листа́ бума́ги); (*of a town*) кварта́л; (*of the year*) триме́стр; (*mercy*) поща́да || **–s** *pl.* кварти́ра; (*mil.*) посто́й || ~ *va.* (раз)дели́ть на четы́ре ча́сти; четвертова́ть (престу́пника); (*mil.*) расквартиро́в-ывать, -а́ть || **~-day** *s.* день (*m.*) платежа́ за триме́стр || **–ly** *a.&ad.* трёхме́сячный || **~-master** *s.* (*mil.*) квартирме́йстер.
quartet(te) (куортэ'т) *s.* кварте́т.
quarto (куо̄'ртоу) *s.* четвёртка (листа́); (*volume*) кни́га в четвёртку.
quartz (куо̄ртс) *s.* кварц.
quash (куош) *va.* сокруш-а́ть, -и́ть; уничт-ожа́ть, -о́жить; замя́ть; (*jur.*) прекраща́ть, -ти́ть (де́ло).
quasi (куэ̄й'си) *ad.* я́кобы, ква́зи; име́ющий вид.
quatrain (куо'трэйн, куо'трин) *s.* четверости́шие.
quaver (куэ̄й'вёр) *s.* (*in speech*) дрожа́ние в го́лосе || ~ *vn.* дрожа́ть; де́лать тре́ли || ~ (*mus.*) одновя́зная но́та; трель *f.*
quay (кий) *s.* на́бережная.
queas/iness (куий'зинэс) *s.* тошнота́ || **–y** *a.* чу́вствующий, вызыва́ющий тошноту́; проти́вный.
queen/ (куийн) *s.* короле́ва; цари́ца; (*cards*) да́ма; (*draughts*) да́мка; (*of bees*) ма́тка || **~-dowager** *s.* вдо́вствующая короле́ва || **~-mother** *s.* короле́ва-мать || **–like, –ly** *a.* короле́вский.
queer/ (куийр) *a.* стра́нный, чудно́й; причу́дливый || **I feel ~** мне нездоро́вится || **in Queer Street** (*fam.*) находя́щийся в долгу́ *или* в затрудне́нии || **–ness** *s.* стра́нность *f.*; причу́дливость *f.*
quell (куэл) *va.* укро-ща́ть, -ти́ть, подав-ля́ть, -и́ть; (*to calm*) утиш-а́ть, -и́ть.
quench/ (куэнш) *va.* (*extinguish*) (по)туши́ть, (по)гаси́ть; (*thirst*) утол-я́ть, -и́ть (жа́жду); (*allay*) утиш-а́ть, -и́ть; притуп-ля́ть, -и́ть (боль) || **–er** *s.* (*fam.*) напи́ток || **–less** *a.* (*poet.*) неутоли́мый, неугаси́мый.
querist (куий'рист) *s.* спра́шиватель *m.*; вопроша́тель *m.*
quern (куёрн) *s.* ручна́я ме́льница.
querulous (куэ'рёлёс) *a.* ню́щий; жа́лобный; (*grumbling*) ворча́щий.
query (куий'ри) *s.* вопро́с; спра́вки *fpl.* || ~ *va.* спр-а́шивать, -оси́ть, вопроша́ть; допы́тываться; (*doubt*) подверга́ть сомне́нию.
quest (куэст) *s.* иска́ние; по́иски *mpl.*; ро́зыски *mpl.*; (*petition*) проше́ние; (*investigation*) иссле́дование || **to be in ~ of** раз-ы́скивать, -ыска́ть || ~ *vn.* разы́скивать.
question/ (куэ'стйён) *s.* вопро́с; зада́ча; (*inquiry*) разбира́тельство, допро́с; (*torture*) пы́тка; (*parl.*) запро́с; (*doubt*) сомне́ние || **in ~** упомя́нутый || **the case in ~** настоя́щий слу́чай || **it is out of the ~, beyond ~, past ~, without ~** несомне́нно || **it is out of the ~** об э́том не́чего и ду́мать; э́то соверше́нно невозмо́жно || ~ *va.* распр-а́шивать, -оси́ть; (*to doubt*) подверг-а́ть, -́нуть сомне́нию; (*examine*) экзаменова́ть; пыта́ть || ~ *vn.* де́лать *or* задава́ть вопро́сы; спра́шиваться; подлежа́ть сомне́нию || **–able** *a.* подлежа́щий сомне́нию; сомни́тельный || **–er** *s.* спра́шиватель *m.*; вопроша́тель *m.*
questor/ (куэ'стёр) *s.* казначе́й; (древн.) кве́стор || **–ship** *s.* квесту́ра.
queue (кю) *s.* (*pigtail*) коса́ || **to stand in a ~, to ~ up** стоя́ть в о́череди.
quibble/ (куибл) *s.* увёртка; (*pun*) игра́ слов || ~ *vn.* увёртываться, уклоня́ться (от предме́та) || **–r** *s.* (*punster*) каламбури́ст.
quick/ (куи'к) *a.* бы́стрый, ско́рый; (*lively*) живо́й; прово́рный; остроу́мный; то́нкий || ~ *s.* живо́е; живо́е те́ло || **be ~!** жи́во! || **–en** (куи'кн) *va.* у-скоря́ть, -ско́рить; торопи́ть; ожив-ля́ть, -и́ть,

оживотвор-я́ть, -и́ть; возбу-жда́ть, -ди́ть || ~ *vn.* оживл-я́ться, -и́ться || ~-**lime** *s.* негашёная известь || -**ness** *s.* быстрота́; жи́вость *f.*; прово́рство; проница́тельность *f.*; то́нкость *f.* || ~-**sand** *s.* зыбу́чий песо́к || ~**set-hedge** *s.* жива́я и́згородь || ~-**sighted** *a.* зо́ркий; (*fig.*) проница́тельный || -**silver** *s.* ртуть *f.*

quid/ (куи'д) *s.* жва́чка табаку́; (*fam. pl.* quid) фунт сте́рлингов || -**dity** *s.* су́щность *f.*; (*quibble*) увёртка || -**nunc** (-нангк) *s.* разно́счик но́востей; политика́н.

quiescen/ce (куайэ'сён-с) *s.* поко́й, споко́йствие || -**t** *a.* споко́йный, неподви́жный.

quiet/ (куай'ёт) *a.* (с)поко́йный; ти́хий; ми́рный || ~, -**ness**, -**ude** (куай'ётйюд) *s.* поко́й; споко́йствие; тишина́ || ~ *va.* успок-а́ивать, -о́ить; утиш-а́ть, -и́ть; усмир-я́ть, -и́ть || -**ism** (куай'ётизм) *s.* душе́вное споко́йствие; квиети́зм || -**ist** (куай'ётист) *s.* квиети́ст.

quill/ (куил) *s.* перо́ (гуси́ное); (*of a porcupine*) игла́; шпу́лка (ткача́) || ~ *va.* плои́ть || ~-**driver** *s.* (*fam.*) писа́ка *m.*

quilt (куилт) *s.* стёганое одея́ло || ~ *va.* стега́ть; (*fam.*) на-бива́ть, -би́ть.

quince (куинс) *s.* (*bot.*) айва́.

quincunx (куи'нкангкс) *s.* (*hort.*) расса́дка дере́вьев в ша́хматном поря́дке; поса́дка сам-пя́т.

quinine (куинай'н) *s.* хини́н.

quinquennial (куинквэ'ниёл) *a.* пятиле́тний (перио́д).

quinsy (куи'нзи) *s.* (*med.*) жа́ба; круп.

quint/al (куи'нтёл) *s.* це́нтнер (= 100 фу́нтам тамо́женным = 120 ф. русск.) || -**essence** (куинтэ'сёнс) *s.* квинтэссе́нция; су́щность *f.* || -**et(te)** (куинтэ'т) *s.* (*mus.*) квинте́т || -**uple** (куи'нтюпл) *a.* пятери́чный.

quip (куип) *s.* ко́лкость *f.*; язви́тельная насме́шка.

quire (куайёр) *s.* десть *f.* (бума́ги); хо́ры (це́ркви) *mpl.*

quirk (куёрк) *s.* увёртка, уло́вка; острота́.

quit/ (куит) *a.* квит || ~ *va.* о-ставля́ть, -ста́вить; пок-ида́ть, -и́нуть; (*discharge*) заплати́ть, расквита́ться; освободи́ть; оправда́ть || -**s** (куитс) *ad.* квит || -**tance** (куи'тёнс) *s.* упла́та; квита́нция, росписка, возме́здие.

quite (куайт) *ad.* совсе́м, соверше́нно.

quiver (куи'вёр) *s.* колча́н || ~ *vn.* дрожа́ть, трепета́ть.

Quixotic (куиксо'тик) *a.* донкихо́тский; сумасбро́дный.

quiz (куиз) *va.* дразни́ть, подтру́н-ивать, -и́ть (над + *I.*) || ~ *s.* зага́дка.

quod (куод) *s.* (*fam.*) тюрьма́.

quodlibet (куо'длибёт) *s.* вся́кая вся́чина; смесь *f.*

quoin (койн) *s.* у́гол (до́ма).

quoit (куойт) *s.* мета́тельный диск.

quondam (куо'ндём) *a.* бы́вший.

quorum (куо̄'рём) *s.* колле́гия; кво́рум (надлежа́щее число́ чле́нов).

quot/a (куо̄у'тё) *s.* до́ля; часть *f.* || -**ation** (куоутэ̄й'шн) *s.* цита́та; (*comm.*) биржева́я цена́ това́рам; цена́ де́ньгам; котиро́вка || -**e** (куо̄ут) *va.* цити́ровать; приводи́ть (а́втора); (*comm.*) отмеча́ть, назнача́ть це́ну, котирова́ть.

quoth (куо̄уþ, куоþ) *v.def.*, ~ **I** говорю́ я || ~ **he** говори́т он.

quo/tidian (куоти'диён) *a.* ежедне́вный || -**tient** (куо̄у'шёнт) *s.* (*math.*) ча́стное (число́).

R

rabbet (рӓ'бит) *s.* (*tech.*) фальц, шпунт || ~ *va.* де́лать фальц, шпунт; прила́-живать, -дить в закро́й.

rabbi/ (рӓ'би, рӓ'бай) *s.* ра́ввин || -**nical** (рӓби'никёл) *a.* ра́ввинский.

rabbit/ (рӓ'бит) *s.* кро́лик || -**hutch** *s.* клётка для кро́ликов || -**warren** *s.* кро́личий садо́к.

rabble (рӓбл) *s.* просто́й наро́д, чернь *f.*; беспоря́дочная толпа́.

rabid (рӓ'бид) *a.* бе́шеный; нео́истовый, я́рый.

rabies (рэ̄й'би-ийз) *s.* (*med.*) водобоя́знь *f.*, соба́чье бе́шенство.

raccoon (рёкӯ'н) *s.* (*zool.*) ено́т.

race/ (рэ̄й'с) *s.* ра́са, род (челове́ческий и пр.); пле́мя *n.*; поколе́ние; (*of animals*) поро́да; (*contest*) ска́чка, бег; (*of horses*) го́нка; (*of water*) бы́строе тече́ние; ме́льничный лото́к || -**s** *pl.* ска́чки *fpl.* || ~ *vn.* (*run*) бе́гать, бежа́ть; (*contend*) состяза́ться в бегу́, го́нке || ~-**course** *s.* ме́сто для бе́га *or* ска́чки; гиппо́дро́м || -**r** *s.* рыса́к, скакова́я ло́шадь || ~-**horse** *s.* скакова́я ло́шадь.

rachitis (рёкай'тис) *s.* рахити́зм (англи́йская боле́знь).

racial (рэ̄й'шёл) *a.* ра́совый.

raciness (рэ̄й'синис) *s.* (*of wine*) буке́т, вкус; (*of a description*) си́ла; пика́нтность *f.*

rack/ (рӓ'к) *s.* (*for torture*) пы́точная скамья́; (*fig.*) пы́тка; (*frame*) ра́ма; (*for hay, etc.*) решётка; (*tech.*) зубча́тая ре́йка || **to go to** ~ **and ruin** соверше́нно разори́ться || ~ *va.* (*stretch*) рас-тя́гивать,

-тяну́ть; (*torture*) пыта́ть; (*torment*) терза́ть || **to ~ one's brains** лома́ть го́лову || **-et** (рӓ'кит) *s.* (*noise*) шум, гро́хот; (*for tennis*) раке́та; (*snow-shoe*) лы́жа || ~ *vn.* шуме́ть, вози́ться || **-ety** (рӓ'кити) *a.* шу́мный; бу́йный || **-ing** *a.* мучи́тельный || **~-railway** *s.* зубча́то-колёсная (*or* зубча́тая) желе́зная доро́га.

racy (рэ̄й'си) *a.* си́льный; о́стрый.

radi/al (рэ̄й'ди-ёл) *a.* (*geom.*) радиа́льный; (*an.*) лучево́й || **-ance** *s.* сия́ние; блеск || **-ant** *a.* сия́ющий, блиста́ющий, лучеза́рный || **-ate** (-эйт) *va.&n.* сия́ть, блиста́ть; испуска́ть лучи́ || **-ation** *s.* лучеиспуска́ние; лучеза́рность *f.*; сия́ние || **-ator** *s.* радиа́тор.

radi/cal (рӓ'дикл) *a.* радика́льный; корено́й; фундамента́льный || ~ *s.* радика́л || **-calism** (рӓ'дикёлизм) *s.* радикали́зм || **-o** (рэ̄й'диоу) *s.* ра́дио || **-um** (рэ̄й'диём) *s.* (*chem.*) ра́дий || **-us** (рэ̄й'диёс), (*pl.* **radii** рэ̄й'диай), *s.* ра́диус.

radish (рӓ'диш) *s.* реди́ска; ре́дька || **horse-~** *s.* хрен.

raff (ра̄ф) *s.* толпа́; подо́нки о́бщества.

raffle (рӓфл) *s.* лотере́я || ~ *va.* раз-ы́грывать, -ыгра́ть (*A.*) в лотере́ю.

raft/ (ра̄фт) *s.* плот, паро́м || **-er** (ра̄'фтёр) *s.* стропи́ло, ба́лка || **-sman** (ра̄'фтсмён) *s.* спла́вщик, го́нщик плото́в.

rag/ (рӓ'г) *s.* тря́пка, вето́шка; лоску́т; (*ragged dress*) отре́пье; (*spree*) кутёж || **-s** *pl.* тряпьё || ~ *va.* (*to scold*) руга́ть, брани́ть; (*to tease*) му́чить || **-amuffin** (рӓ'гёма'фин) *s.* оборва́нец; негодя́й || **-ged** (рӓ'гид) *a.* обо́дранный; в лохмо́тьях; обо́рванный; (*jagged*) зазу́бренный || **~-school** *s.* учи́лище для бе́дных || **-man, -picker** *s.* тряпи́чник || **-time** *a.*, ~ **music** яц-му́зыка || ~ **band** я́ц-банд.

rag/e (рэ̄й'дж) *s.* бе́шенство; я́рость *f.*; гнев; (*enthusiasm*) восто́рг || **all the ~** по мо́де || ~ *vn.* беси́ться, неи́стовствовать; гне́ваться; (*of wind, etc.*) бушева́ть; свире́пствовать || **-ing** *a.* бе́шеный, я́ростный; неи́стовый; жесто́кий (*of thirst, etc.*); ужа́сный (*of pain*).

ragout (рёгӯ') *s.* рагу́ *n. indecl.*

raid/ (рэ̄й'д) *s.* набе́г, вторже́ние || ~ *va.&n.* вторга́ться, вто́ргнуться; на-пада́ть, -па́сть (на + *A.*) || **-er** *s.* мародёр.

rail/ (рэ̄й'л) *s.* полоса́; перекла́дина (и́згороди); пери́ла *npl.*; (*rail.*) рельс; (*bird*) дерга́ч || **by ~** по желе́зной доро́ге || ~ *va.* обн-оси́ть, -ести́ решёткою || ~ *vn.* (*to ~ at, against*) брани́ться, руга́ться || **-er** поноси́тель *m.*; зубоска́л || **-ing** *s.* балюстра́да, пери́ла *npl.*; (*barrier*) огра́да; (*abuse*) брань *f.*; поноше́ние || **-road, -way** *s.* желе́зная доро́га || **-way-guard** *s.* конду́ктор || **-way-guide** *s.* указа́тель (*m.*) железнодоро́жных сообще́ний || **-way-station** *s.* вокза́л.

raillery (рэ̄й'лёри) *s.* насме́шка; издева́тельство.

raiment (рэ̄й'мёнт) *s.* оде́жда; одея́ние.

rain/ (рэ̄й'н) *s.* дождь *m.*; до́ждик || **heavy ~** ли́вень *m.* || ~ *va.* осыпа́ть, осы́пать || ~ *vn.* па́дать дождём; (*fig.*) посы́паться || **it -s, it is -ing** дождь идёт || **it -ed, it was -ing** дождь шёл || **it will soon ~** ско́ро пойдёт дождь || **it is -ing cats and dogs** дождь льёт как из ведра́ || **-bow** *s.* ра́дуга || **-drop** *s.* дождева́я ка́пля || **~-gauge** *s.* дождеме́р || **-y** *a.* дождли́вый; нена́стный.

raise (рэ̄йз) *va.* подыма́ть, (при)подн-има́ть, -я́ть; (*the voice*) воз-выша́ть, -вы́сить; (*construct*) воздви-га́ть, -дви́гнуть, соору-жа́ть, -ди́ть; (*from the dead*) воскреша́ть, -си́ть; (*promote*) произв-оди́ть, -ести́; (*excite*) возбу-жда́ть, -ди́ть; (*breed*) разв-оди́ть, -ести́; (*money*) до-става́ть, -ста́ть де́нег; (*a ghost*) вызыва́ть, вы́звать привиде́ние; (*a siege*) сн-има́ть, -ять оса́ду; (*price*) на-бива́ть, -би́ть; (*troops*) наб-ира́ть, -ра́ть, соб-ира́ть, -ра́ть.

raisin (рэ̄йзн) *s.* изю́м, изю́мина.

rajah (рӓ'джа̄) *s.* ра́джа.

rak/e (рэ̄й'к) *s.* (*hort.*) гра́бли *fpl.*; (*man*) распу́тник, беспу́тник || **-e** *va.* грести́; с-, за-, раз-греба́ть; взрыть; ша́рить; (*mar.*) стреля́ть вдоль корабля́ || ~ *vn.* (*slope*) наклон-я́ться, -и́ться || **-er** *s.* гра́бельщик, гребе́ц || **-ish** *a.* распу́тный, беспу́тный.

rally (рӓли) *va.* (*to chaff*) издева́ться, надсмеха́ться (над + *I.*) || ~ *va.*(*&n.*) *mil.* собира́ть(-ся) (о́коло, вокру́г + *G.*) || ~ *vn.* (*fig.*) по-правля́ться, -пра́виться || ~ *s.* насме́шка; собира́ние; поправле́ние.

ram (рӓм) *s.* бара́н; (*tech.*) тара́н || ~ *va.* вкол-а́чивать, -оти́ть; вбива́ть, вбить; (*earth*) трамбова́ть, у-.

rambl/e (рӓм'бл) *vn.* броди́ть; скита́ться; шля́ться || ~ *s.* (пра́здно) шата́ние; прогу́лка, пое́здка || **-er** *s.* бродя́га; праздношата́ющийся || **-ing** *a.* бродя́чий, скита́ющийся; (*eye*) блужда́ющий; (*of speech*) бессвя́зный.

ramif/ication (рӓмификэ̄й'шн) *s.* разветвле́ние; ветвь *f.* || **-y** (рӓ'мифай) *va.* (*&n.*) разветвля́ть(-ся).

rammer (рӓ'мёр) *s.* трамбо́вка; ба́ба; (*of a gun*) шо́мпол.

ramp/ (рӓ'мп) *vn.* прыгать, скакать; (*of plants*) виться || ~ *s.* прыжок, скачок; (*fort.*) насыпь с откосами, скат || **-age** (-5й'дж) *vn.* свирепствовать || **-ant** *a.* обильный; (*vegetation*) роскошный; (*unrestrained*) неудержимый || **lion** ~ (*in heraldry*) лев, стоящий на задних лапах || **-art** (-āрт) *s.* (*fort.*) вал; (*fig.*) оплот || **-ion** (-иён) *s.* (*bot.*) ранункул.

ramrod (рӓ'мрод) *s.* шомпол.

ramshackle (рӓ'мшӓкл) *a.* разваливающийся.

ran (рӓн) *cf.* **run.**

ranch (рӓнч) *s.* (*Am.*) ферма.

rancid/ (рӓ'нсид) *a.* прогорьклый || **-ity** (рӓнси'дити) *s.* прогорьклость *f.*

ranc/orous (рӓ'нг-кёрёс) *a.* озлобленный; мстительный || **-our** (рӓ'нг-кёр) *s.* озлобление; мстительность *f.*

random (рӓ'ндём) *a.* случайный || **at** ~ на авось, на обум; на удачу.

rang (рӓнг) *cf.* **ring.**

range/ (р5й'нж) *s.* (*row*) ряд, серия; (*order*) строй; (*grate*) плита; (*extent*) протяжение; пространство; (*mil.*) дальность (*f.*) полёта снаряда; (*of mountains*) горная цепь, цепь гор || **out of** ~ вне выстрела || ~ *vn.* выстраиваться, выстроиться, стоять, стать в ряд; (*extend*) простираться || ~ *va.* (по)ставить в ряд, рядом; (*soldiers*) строить; (*roam over*) (по)бродить || **~-finder** *s.* дальномер || **-r** *s.* бродяга *m.*; (*keeper*) лесничий; (*dog*) ищейка.

rank/ (рӓ'нгк) *s.* ряд, строй *m.*; линия; (*class*) класс; (*grade*) чин, ранг; (*degree*) степень *f.*; (*cab* ~) извозчичья биржа || **a man of** ~ высокопоставленное лицо || **of first** ~ первоклассный || ~ **and file, the -s** рядовые солдаты *mpl.* || ~ *va.* (по)ставить в ряд; размещать, -стить || ~ *vn.* стоять в ряду || ~ *va(&n.)* причислять(-ся), -числить(-ся) || ~ *a.* (*excessive*) чрезмерный; (*luxuriant*) роскошный; (*rancid*) прогорьклый || **-ness** *s.* тучность *f.*; прогорьклость *f.*

rankle (рӓнг-кл) *vn.* гноиться; воспал-яться, -иться; раздраж-аться, -иться.

ransack (рӓ'нсӓк) *va.* обшаривать; грабить; раз-граблять, -грабить.

ransom (рӓ'нсём) *s.* выкуп || ~ *va.* выкупать, выкупить.

rant/ (рӓ'нт) *s.* напыщенность *f.* (речи) || ~ *vn.* говорить напыщенно; говорить в сердцах || **-er** *s.* говорун, крикун.

ranunculus (рёнa'нг-кюлёс) *s.* (*bot.*) лютик.

rap/ (рӓ'п) *va&n.* у-дарять, -дарить, стучать, стукнуть || **to** ~ **on the door** постучать в дверь || ~ *s.* стук; щелчок || **I don't care a** ~ мне всё равно || **-per** *s.* молоток у дверей.

rapaci/ous (рёп5й'шёс) *a.* жадный; хищный || **-ty** (рёпӓ'сити) *s.* жадность *f.*; хищность *f.*

rape/ (р5йп) *s.* похищение; (*jur.*) изнасилование; (*bot.*) полевая репа || ~ *va.* по-хищать, -хитить; (*violate*) изнасиловать || **~-oil** *s.* репное масло || **~-seed** *s.* репное семя.

rapid/ (рӓ'пид) *a.* быстрый, скорый || **-s** *spl.* пороги *mpl.* (*of a river*), быстрина || **-ity** (рёпи'дити) *s.* быстрота, скорость *f.*

rapier (р5й'пиёр) *s.* рапира.

rapine (рӓ'пин) *s.* грабёж, похищение; насилие.

rapt/ (рӓпт) *a.* восхищённый, упоённый || **-ure** (рӓ'пчёр) *s.* восхищение, упоение || **-ured** (рӓ'пчёрд) *a.* восхищённый, восторженный || **-urous** (рӓ'пчёрёс) *a.* восхитительный, прелестный.

rare/ (рāр) *a.* редкий; жидкий; (*unusual*) необыкновенный || **-faction** (рāрифӓ'кшн) *s.* разрежение; разрежённость *f.*, разжижение || **-fy** (рӓ'рифай) *va(&n.)* разре-жать(-ся), -дить(-ся); разжижать(-ся), -жидить(-ся).

rarity (рӓ'рити) *s.* редкость *f.*; (*thing*) редкая вещь.

rascal/ (рāскл) *s.* негодяй *m.*; мошенник; плут || **-ity** (рāскӓ'лити) *s.* мошенничество || **-lion** (рāскӓ'лйён) *s.* негодяй *m.* || **-ly** (рā'скёли) *a&ad.* бездельнический; плутовской.

rase *va. cf.* **raze.**

rash/ (рӓ'ш) *s.* (*med.*) сыпь *f.*; прыщи *mpl.* || ~ *a.* (*hasty*) опрометчивый; (*incautious*) неосторожный; (*foolhardy*) безрассудно смелый || **-er** *s.* ломтик свиного сала || **-ness** *s.* опрометчивость *f.*; безрассудство.

rasp/ (рāсп) *s.* тёрка; терпуг; рашпиль *m.* || ~ *va.* тереть тёркой; сглаживать терпугом || **-berry** (рā'збёри) *s.* малина || **-berry-bush** *s.* малиновый куст.

rat/ (рӓт) *s.* крыса; (*parl.*) перебежчик || ~ *vn.* (*parl.*, *fig.*) измен-ять, -ить своей партии || **to smell a** ~ (*fig.*) пронюхивать || **~-catcher** *s.* крысолов || **-sbane** *s.* мышьяк || **~-trap** *s.* крысоловка.

ratable (р5й'тёбл) *a.* оценимый; облагаемый.

rataplan (рӓтёплӓ'н) *s.* барабанный бой.

ratchet/ (рӓ'чит) *s.* собачка || **~-wheel** *s.* храповое колесо.

rate/ (р5йт) *s.* (*price*) цена, стоимость *f.*; (*tax*) налог, оклад; (*portion*) паёк; (*speed*) скорость *f.*; ход; (*degree*) степень *f.*; разряд; мера || **at any** ~ во всякомъ случаѣ || **at this ~** такимъ образомъ || **~ of interest** размѣръ процентовъ || **first-~** первоклассный, первого сорта || ~ *va.* цѣнить, оцѣнять; (*scold*) бранить; намылить голову (*D.*).

rather (рā'ðёр) *ad.* (*sooner*) скорѣе, охотнѣе; (*better*) лучше; (*somewhat*) довольно, нѣсколько; (*in answers*) да, конечно || **I would ~ die, than . . .** я лучше умру, чѣмъ . . .

ratif/ication (рāтификэй'шн) *s.* утвержденіе; ратификація || **-y** (рā'тифай) *va.* утвер-ждать, -дить; ратификовать.

rating (рэй'тинг) *s.* оцѣнка; (*scolding*) головомойка.

ratio (рэй'шиоу) *s.* пропорція; отношеніе.

ration/ (рэйшн, рā'шён) *s.* раціонъ; паёкъ || **-al** (рā'шёнёл) *a.* разумный; раціональный || **-alism** (рā'шёнёлизм) *s.* раціонализмъ || **-ality** (рāшёнā'лити) *s.* разумность *f.*; раціональность *f.*

ratlines (рā'тлинз) *spl.* выбле(и)нки.

rattan (рётā'н) *s.* (*bot.*) испанскій тростникъ; трость *f.*

ratteen (рётий'н) *s.* ратинъ (матерія).

rat-tat (рāт-тā'т) *s.* стукотня.

rattle/ (рā'тл) *s.* трескъ; трескотня *f.*; (*of arms, chains, etc.*) бряцаніе; (*empty talk*) тараторѣніе; (*instrument*) трещётка; (*a child's*) погремушка; (*in the throat*) хрипъ, хрипѣніе || ~ *va.&n.* бренчать (*I.*); трещать; грохотать; дребезжать; гремѣть || **~-snake** *s.* гремучая змѣя.

ratty (рā'ти) *a.* запальчивый, раздражительный.

raucous (рō'кёс) *a.* хриплый, грубый.

ravage (рā'виджъ) *va.* опустош-ать, -ить; раз-рушать, -рушить || ~ *s.* опустошеніе, разореніе.

rav/e (рэй'в) *vn.* безумствовать; неистовать; (*med.*) бредить || **-ing** *s.* бредъ || ~ *a.* неистовый, бѣшеный.

ravel (рāвл) *va(&n.)* запут-ывать(-ся), -ать(-ся), путать(-ся).

raven/ (рэйвн) *s.* воронъ; (*as a.*) чёрный || ~ (рāвн) *va&n.* жрать, пожирать; похищать, -хитить силою || **-ous** (рā'вёнёс) *a.* прожорливый, обжорливый, ненасытный.

ravine (рёвий'н) *s.* разсѣлина; лощина.

ravish/ (рā'вишъ) *va.* по-хищать, -хитить, ув-озить, -езти силою; (*violate*) изнасиловать; (*delight*) восхи-щать, -тить || **-er** *s.* похититель *m.*; насилующій (женщину) || **-ingly** (-ингли) *ad.* восхитительно || **-ment** (-мёнт) *s.* похищеніе; восхищеніе; изнасилованіе.

raw/ (рō') *a.* сырой: (*in a natural state*) необработанный; (*undiluted, of spirits*) безъ примѣси; (*inexperienced*) неопытный; (*of troops*) необучённый; (*unripe*) незрѣлый; (*weather*) суровый; (*sensitive*) чувствительный || **~ silk** сырецъ || **~ hide** невыдѣланная кожа || **~ meat** сырое мясо || **~ materials** *spl.* сырьё || **~-boned** *a.* сухощавый || **-ness** *s.* сырость *f.*; суровость *f.*; неопытность *f.*

ray (рэй) *s.* лучъ; (*ichth.*) скатъ || **X-rays, Röntgen rays** рентгеновскіе лучи || ~ *vn.* сіять || ~ *va.* бросать *or* испускать лучи.

raze (рэйз) *va.* (*to ~ to the ground*) равнять съ землёю; срывать, срыть; (*to wipe out*) уничт-ожать, -ожить.

razor/ (рэй'зёр) *s.* бритва || **~-strop** *s.* бритвенный ремень.

razzle (рāзл) *s.* (*excitement*) волненіе; (*spree*) кутёжъ; (*merry-go-round*) карусель *f.*

reach/ (рийчъ) *va.* про-тягивать, -тянуть, прост-ирать, -ереть; (*attain*) дос-тигать, -тигнуть; (*catch up*) на-стигать, -стигнуть; (*with a bullet, etc.*) по-падать, -пасть; (*pass*) по-, пере-давать, -дать || ~ *vn.* простираться, тянуться; (*in quantity*) доходить; (*in height*) до-ставать, -стать (до + *G.*) || ~ *s.* (*extent*) протяженіе, пространство; достиженіе; способность *f.*; пониманіе; (*of a river*) часть (*f.*) рѣки между двумя изгибами || **beyond, out of (one's) ~** недосягаемый || **~-me-down** *s.* готовое платье (не сдѣланное по мѣркѣ).

react/ (ри-ā'кт) *vn.* реагировать; противодѣйствовать; дѣйствовать обратно; (*chem., to ~ upon*) реактировать на (+ *A.*) || **-ion** (ри-ā'кшн) *s.* реакція; воздѣйствіе; противодѣйствіе; обратное дѣйствіе || **-ionary** (риā'кшёнёри) *s.* реакціонеръ || ~ *a.* реакціонный.

read/ (рий'д) *va.irr.* читать; прочитывать; (*decipher*) раз-бирать, -обрать; (*typ.*) корректировать || ~ *vn.irr.* учиться; (*of texts*) гласить || **well-~** *a.* начитанный || **-able** (-ёбл) *a.* стоящій прочтенія; (*legible*) чёткій, разборчивый || **-er** *s.* читатель *m.*; чтецъ; (*university ~*) лекторъ; (*proof ~*) корректоръ || **-ing** *s.* чтеніе; начитанность *f.*; (*version*) версія; (*typ.*) корректура || **-ing-room** *s.* читальня.

read/ily (рэ'дили) *ad.* охотно; готово; тотчасъ || **-iness** (рэ'диніс) *s.* готовность *f.*; (*obligingness*) услужливость *f.*; (*skill*) ловкость *f.*; (*ease*) лёгкость *f.*

readjust (рий-ёджа'ст) *va.* по-правля́ть, -пра́вить снова; привести́ в поря́док; снова нала́дить.
read/mission (рий-ёдми'шн) *s.* втори́чное допуще́ние || **-mit** (рий-ёдми'т) *va.* вновь допус-ка́ть, -ти́ть.
ready/ (рэ'ди) *a.* гото́вый; при-, из-гото́вленный; (*willing*) охо́тный; (*obliging*) услу́жливый; (*quick*) бы́стрый; (*skilful*) ло́вкий; (*easy*) лёгкий || **~-reckoner** кни́га с гото́выми вычисле́ниями || **~-made** *a.* гото́вый (не сде́ланный по ме́рке) || **~ money** *s.* нали́чные де́ньги || **~-witted** *a.* нахо́дчивый.
reagent (рий-эй'джёнт) *s.* реакти́в, реаге́нт.
real/ (рий'ёл) *a.* реа́льный, веще́ственный; су́щный; (*true*) и́стинный; (*genuine*) настоя́щий; (*authentic*) по́длинный; (*of estate*) недви́жимый || **-ly** *ad.* в са́мом де́ле; то́чно || **-ization** (рийёлайзэй'шн) *s.* осуществле́ние; исполне́ние; реализа́ция || **-ize** (рий'ёлайз) *va.* осуществ-ля́ть, -и́ть; реализ-и́ровать, -ова́ть; (*comprehend*) поня́ть; (*convert into money*) превра-ща́ть, -ти́ть в де́ньги || **-istic** (рий-ёли'стик) *a.* реалисти́ческий || **-ity** (рий-ä'лити) *s.* действи́тельность *f.*; реа́льность *f.* || **-ty** (рий'ёлти) *s.* недви́жимое иму́щество; недви́жимость *f.*
realm (рэлм) *s.* госуда́рство; ца́рство; короле́вство.
ream (рийм) *s.* стопа́ (бума́ги).
reanimate (рий-ä'нимэйт) *va.* оживотвор-я́ть, -и́ть; *revive*) прив-оди́ть, -ести́ в чу́вство; ожив-ля́ть, -и́ть.
reap/ (рий'п) *va.* жать, сж-ина́ть, -ать (хлеб); (*fig.*) пожина́ть; соб-ира́ть, -ра́ть || **-er** *s.* жнец || **-ing-hook** *s.* серп || **-ing-machine** *s.* жнея́, жа́твенная маши́на || **-ing-time** *s.* жа́тва.
reappear/ (рийёпий'р) *vn.* вновь появ-ля́ться, -и́ться || **-ance** *s.* втори́чное появле́ние.
rear/ (рий'р) *s.* зад; за́дний план; за́дняя часть; (*mil.*) арьерга́рд, тыл || **to take in the ~** с ты́лу на-пада́ть, -па́сть (на) || **~** *a.* за́дний || **~** *va.* вос-пи́тывать, -пита́ть; (*plants, animals*) разв-оди́ть, -ести́; (*erect*) воз-двига́ть, -дви́гнуть || **~** *vn.* (*of horses*) станови́ться на дыбы́, дыби́ться || **~-admiral** *s.* контр-адмира́л || **~-guard** *s.* арьерга́рд || **-ward** *ad.* с ты́лу, в тылу́.
reascend (рийёсэ'нд) *va&n.* снова всходи́ть, взойти́; вновь восходи́ть.
reason/ (рий'зн) *s.* ра́зум; рассу́док; (*cause*) причи́на, по́вод; основа́ние || **by ~ of** по той причи́не, что; потому́ что || **in all ~** по справедли́вости || **it stands to ~ that** это само́ собо́й разуме́ется || **he has lost his ~** он сумасше́дший || **~** *vn.* рассу-жда́ть, -ди́ть; спо́рить (о + *Pr.*) || **~** *va.* (*persuade*) убе-жда́ть, -ди́ть (*A.*) до́водами || **-able** *a.* (благо-)разу́мный, рассуди́тельный; резо́нный; (*moderate*) уме́ренный || **a ~ price** схо́дная цена́ || **-ing** *s.* рассужде́ние; аргуме́нт.
reas/semble (рийёсэ'мбл) *va(&n.)* вновь соб-ира́ть(-ся), -ра́ть(-ся); воссоедин-я́ть(-ся), -и́ть(-ся) || **-sert** (рийёсё'рт) *va.* снова подтвер-жда́ть, -ди́ть; снова утвержда́ть, -ди́ть || **-sure** (рийёшу́'р) *va.* (*calm*) успок-о́ивать, -о́ить; (*assure anew*) перестрах-о́вывать, -ова́ть.
rebaptise (рийбäптай'з) *va.* пере-кре́щивать, -крести́ть; втори́чно крести́ть.
rebate (рибэй'т) *s.* (*comm.*) ски́дка, сба́вка; усту́пка; (*tech.*) фальц, шпунт || **~** *va.* де́лать, с- фальц.
rebel/ (рэбл) *s.* бунтовщи́к, мяте́жник || **~** (рибэ'л) *vn.* бунтова́ть, вос-става́ть, -ста́ть || **-lion** (рибэ'лйён) *s.* мяте́ж; возмуще́ние; восста́ние; бунт || **-lious** (рибэ'лйёс) *a.* мяте́жный; бунту́ющий; (*fig.*) непоко́рный.
rebound (рибау'нд) *vn.* отск-а́кивать, -очи́ть; от-пры́гивать, -пры́гнуть; (*of rays*) отража́ться; (*of sound*) отдава́ться.
rebuff (риба'ф) *s.* отпо́р; (*refusal*) неожи́данный отка́з || **~** *va.* отт-а́лкивать, -олкну́ть; дава́ть, дать отпо́р; от-ка́зывать, -каза́ть (*D.* & в + *Pr.*).
rebuild (рийби'лд) *va.r&irr.* вновь сооруж-а́ть, -и́ть; перестр-а́ивать, -о́ить.
rebuke (рибю́'к) *s.* вы́говор; порица́ние || **~** *va.* (с)де́лать вы́говор; порица́ть.
rebus (рий'бёс) *s.* ре́бус; зага́дка, предста́вленная в фигу́рах.
rebut (риба'т) *va.* от-верга́ть, -ве́ргнуть; отра-жа́ть, -зи́ть (до́водами, рассужде́нием).
recalcitrant (рикä'лситрёнт) *a.* упря́мый, упо́рный, стропти́вый.
recall (рико̄'л) *s.* о́тзыв; отозва́ние; (*revocation*) отме́на || **~** *va.* от-зыва́ть, -озва́ть; (*recollect*) при-помина́ть, -по́мнить (*A.*); (*revoke*) отмен-я́ть, -и́ть.
recant/ (рикä'нт) *va.* брать (взять) наза́д || **~** *vn.* от-река́ться, -ре́чься, от-ка́зываться, -каза́ться (от + *G.*) || **-ation** (рийкёнтэй'шн) *s.* отрече́ние.
recapitula/te (рийкёпи'тюлэйт) *va.* вкра́тце повтор-я́ть, -и́ть, резюми́ровать || **-tion** (рийкёпитюлэй'шн) *s.* резюме́ *indecl.*; кра́ткое обозре́ние; пе́речень *f.*

recapture (рийкä'пчёр) *s.* вторичный захват || ~ *va.* вторично за-хватывать, -хватить, отбивать приз.

recast (рийкā'ст) *va.* снова бросить; пере-плавлять, -плавить; передел-ывать, -ать; снова набрасывать (план).

recede (рисий'д) *vn.* удал-яться, -иться; отступ-ать, -ить; от-казываться, -казаться (от + *G.*).

receipt (рисий'т) *s.* получение; (*acceptance*) приём; доход (с имения, *etc.*); (*quittance*) квитанция, расписка (в получении чего); (*recipe*) рецепт || ~ *va.* расписаться в получении чего-нибудь.

receiv/able (рисий'вёбл) *a.* приёмлемый; получаемый || **-e** (рисий'в) *va.* получ-ать, -ить; прин-имать, -ять; встр-ечать, -етить; оказ-ывать, -ать приём || ~ *vn.* принимать (гостей) || **-er** (рисий'вёр) *s.* получатель *m.*; приёмщик; (*of taxes*) сборщик (податей); (*of stolen goods*) утайщик; (*of telephone*) телефонный приёмник || **-ing-house** *s.* почтовое отделение.

recent/ (рий'сёнт) *a.* недавний; новый; свежий; (*modern*) современный || **-ly** *ad.* недавно.

recept/acle (рисэ'птёкл) *s.* вместилище || **-ion** *s.* получение; принятие; приём || **-ive** (рисэ'птив) *a.* восприимчивый.

recess/ (рисэ'с) *s.* (*alcove*) альков; ниша; (*secret place*) тайник; (*parl.*) вакация || **-ion** (рисэ'шн) *s.* отступление.

recip/e (рэ'сипи) *s.* рецепт || **-ient** (риси'-пиёнт) *s.* получатель *m.*; приёмник.

reciproc/al (риси'прокёл) *a.* взаимный, обоюдный; (*gramm.*) возвратный || **-ate** (риси'прокэйт) *va.* воз-давать, -дать, от-плачивать, -платить (тем же) || ~ *vn.* чередоваться || **-ation** (рисипрокэ̄й'шн), **-ity** (рэсипро'сити) *s.* взаимность *f.*; обоюдность *f.*

recit/al (рисай'тл), **-ation** (рэситэ̄й'шн) *s.* рассказ; повесть *f.*; повествование; (*of lessons*) сказывание, повторение (чего) наизусть || **-ative** (рэситётий'в) *s.* речитатив || **-e** (рисай'т) *va.* рас-сказывать, -сказать; повтор-ять, -ить; сказывать (что) наизусть || **-er** (рисай'тёр) *s.* рассказчик, повествователь *m.*; сказыватель *m.*; декламатор.

reck/ (рэ'к) *vn.* заботиться (о чём) || **-less** *a.* беспечный; (*rash*) отважный.

reckon/ (рэ'кн) *va.* считать; (*calculate*) вычислять, вычислить || ~ *vn.* рас-считывать, -считать (на); (*think*) полагать || **to ~ on** полагаться на, уповать на || **-er** (рэ'кёнёр) *s.* счётчик || **-ing** *s.* (рас-)счёт; вычисление.

reclaim/ (риклэ̄й'м) *va.* требовать обратно; ис-правлять, -править || **-able** *a.* исправимый.

reclamation (рэклёмэ̄й'шн) *s.* требование о возврате, о выдаче (*G.*); исправление.

recline (риклай'н) *va(&vn.)* прислон-ять (-ся), -ить(-ся) (к); оп-ирать(-ся), -ереть (-ся) (обо что).

reclus/e (риклӯ'с) *a.* уединённый; замкнутый || ~ *s.* затворни-к *m.*, -ца *f.*; пустынник || **-ion** (риклӯ'жн) *s.* замкнутость *f.*; уединение.

recognition (рэкёгни'шн) *s.* узнавание, признавание; признание.

recogniz/e (рэ'кёгнайз) *va.* у-знавать, -знать; при-знавать, -знать || **-ance** (рико'гнизёнс) *s.* признание, признавание; (*jur.*) обязательство; (*deposit*) залог.

recoil (рикой'л) *vn.* отступ-ать, -ить; (*rebound*) отпрянуть; (по)пятиться; (*of a cannon*) откатываться || ~ *s.* отскок; быстрое отступление назад; (*of a cannon*) откат; (*of a gun*) отдача.

recoin (рийкой'н) *va.* перечекан-ивать, -ить.

recollect/ (рийколэ'кт) *va.* вновь соб-ирать, -рать || ~ (рэкёлэ'кт) *va.* вс-поминать, -помнить, при-поминать, -помнить || **-ion** (рэкёлэ'кшн) *s.* воспоминание; память *f.* || **to the best of my ~** насколько я помню.

recommence (рийкёмэ'нс) *va(&vn.)* на-ч-инать(-ся), -ать(-ся) снова.

recommend/ (рэкёмэ'нд) *va.* рекомендовать, (по)советовать || **-able** *a.* достойный рекомендации || **-ation** (рэкёмёндэ̄й'шн) *s.* рекомендация; рекомендательное письмо || **-atory** (-ётёри) *a.* рекомендательный.

recommit (рийкёми'т) *va.* (*jur.*) снова заключить в тюрьму; (*parl.*) вновь возвращать, -тить в комиссию.

recompense (рэ'кёмпэнс) *va.* возме-щать, -стить (за убытки); (воз)награ-ждать, -дить || ~ *s.* возмещение; вознаграждение.

recompose (рийкёмпо̄у'з) *va.* снова составлять, -ставить; снова сочин-ять, -ить; (*typ.*) снова наб-ирать, -рать; снова успокоить.

reconcil/able (рэ'кёнсайлёбл) *a.* примиримый; (*of things*) совместимый (*with*, с + *I.*) || **-e** (рэ'кёнсайл) *va.* примир-ять, -ить, помирить; (*harmonize*) согласовать (*with*, с + *I.*) || **to ~ o.s.** покориться || **-iation** (рекёнсилиэ̄й'шн) *s.* примирение.

recondite (рэ'кёндайт) *a.* (*secret*) тайный; (*abstruse*) тёмный.

recondition (риикёнди'шн) *va.* (*mar.*) вновь снаря-жать, -дить.
reconduct (риикёнда'кт) *a.* прово-жать, -дить; вести назад.
reconnaissance (рико'нисёнс) *s.* (*mil.*) рекогносцировка; разведка.
reconnoitr/e (рэкёнои'тёр) *va.* (*mil.*) рекогносцировать; раз-ведывать, -ведать || **-ing** *s.* рекогносцировка; разведка.
reconquer (риико'нгкёр) *va.* обратно, вновь за-воёвывать, -воевать.
reconsider (риикёнси'дёр) *va.* снова обсуждать, -дить; вновь расси-атривать, -отреть; передум-ывать, -ать.
reconstruct (риикёнстра'кт) *va.* вновь построить.
record/ (рико̄'рд) *va.* (*remember*) приводить, -вести па память; рассказ-ывать, -ать; (*register*) за-писывать, -писать, вписывать, вписать; вносить в протокол, в список || ~ (рэ'кёрд) *s.* реестр, протокол; (*in sport*) рекорд || **to make a** ~ установить рекорд || **to beat a** ~ побить рекорд || **-s** *pl.* архив; (*historical*) летопись *f.*; анналы *fpl.* || **-er** *s.* (*jur.*) регистратор; (*of a city*) синдик; архивариус.
recount (рикау'нт) *va.* рассказ-ывать, -ать.
recoup (рикӯ'п) *va.* вознагра-ждать, -дить || **to** ~ **o.s.** на-вёрстывать, -верстать свои убытки.
recourse (рико̄'рс) *s.* прибежище, обращение (к + *D.*); взыскание убытков || **to have** ~ **to** при-бегать, -бегнуть (к чему-либо); обра-щаться, -титься к.
recover/ (рика'вёр) *va.* получ-ать, -ить обратно; вернуть (себе); вылечивать, вылечить || ~ *vn.* выздоравливать, выздороветь, по-правляться, -правиться || **-able** *a.* возвратимый; излечимый || **-y** *s.* возвращение; (*from illness*) выздоровление, исцеление; поправление.
recreant (рэ'криёнт) *a.* труслйвый; подлый || ~ *s.* подлец; (*apostate*) отступник.
recreat/e (рэ'криэйт) *va*(*&n.*) оживлять; -ить; раз-влекать (-ся), -влечь (-ся); забавлять (-ся), -бавить (-ся) || **-ion** (рэкриэ̄й'шн) *s.* отдых; развлечение; рекреация || **-ive** (рэ'криётив) *a.* развлекающий, увеселительный; рекреационный.
recriminat/e (рикри'минэйт) *va&n.* взаимно обвинять; упрекать друг друга || **-ion** (риикриминэ̄й'шн) *s.* взаимное обвинение, встречный иск.
recrudescen/se (риикрудэ'сён-с) *s.* усиление (болезни) || **-t** *a.* усиливающий.
recruit/ (рикрӯ'т) *va&n.* по-правлять (-ся), править (-ся); подкреп-лять (-ся), -ить (-ся); (*renew*) возобнов-лять, -ить; (*mil.*) по-полнять, -полнить (ряды войска); набирать, -брать рекрут || ~ *s.* рекрут, новобранец || **-er** *s.* вербовщик || **-ing** *s.* рекрутский набор.
rectan/gle (рэ'ктäнгл) *s.* прямоугольник || **-gular** (ректä'нг-гюлёр) *a.* прямоугольный.
recti/fication (рэктификэ̄й'шн) *s.* исправление, поправка; (*chem.*) очищение, перегонка, ректификация || **-fy** (рэ'ктифай) *va.* ис-правлять, -править; по-правлять, -править; (*chem.*) о-чищать, -чистить; пере-гонять, -гнать.
rectilinear (рэктили'пиёр) *a.* прямолинейный.
rectitude (рэ'ктитю̄д) *s.* правдивость *f.*
rector/ (рэ'ктёр) *s.* (*of school*) начальник, директор (школы); (*university*) ректор (университета); (*clergyman*) приходский священник || **-ship** *s.* ректорство; должность (*f.*) священника || **-y** *s.* пасторат.
recumbent (рика'мбёнт) *a.* прислонённый, лежащий; (*fig.*) почивающий.
recuperate (рикю̄'пёрэйт) *va&n.* возвращать; (*after illness*) по-правлять, -править своё здоровье; (*after a loss*) вознаграждать, -градить свои убытки.
recur/ (рикё̄'р) *vn.* возвра-щаться, -титься; опять при-ходить, -тти (на ум, на память); (*be repeated*) повтор-яться, -иться || **to** ~ **to** (*fig.*) при-бегать, -бегнуть к || **-rence** (рика'рёнс) *s.* возвращение; повторение; обращение || **-rent** (рика'рёнт) *a.* повторяющийся, возвращающийся периодически.
red/ (рэ'д) *a.* красный; (*of hair, beard*) рыжий; (*of cheeks, lips*) румяный || ~ **tape** бюрократический формализм || ~ *s.* красный цвет; румянец || **to get** ~ **in the face** покраснеть || **-breast** *s.* (*ornith.*) красношейка, реполов || **-coat** *s.* (*fam.*) английский солдат || **-den** (-н) *va.* делать красным, румянить || ~ *vn.* (по)краснеть || **-dish** *a.* красноватый; рыжеватый || **-handed** *ad.*, **to catch** *or* **to take** ~ поймать на самом деле || ~**-hot** *a.* раскалённый || ~**-lead** *s.* сурик || ~**-letter**, ~**-letter-day** *s.* счастливый день; праздник || **-ness** *s.* краснота, краска.
redaction (ридä'кшён) *s.* редакция; новое издание.
redeem/ (ридии'м) *va.* (*a thing*) выкупать, выкупить; (*a person*) спасать, спасти; (*atone for*) искуп-ать, -ить; (*compensate*) вознагра-ждать, -дить; (*a promise*) исполнить обещание || **-able** *a.* выкупае-

мый; искупа́емый || **-er** *s.* избави́тель *m.*; искупи́тель *m.*; (*eccl.*) Спаси́тель *m.*

redemption (ридэ'мшн) *s.* вы́куп; (*eccl.*) искупле́ние; освобожде́ние; обра́тное приобрете́ние (про́данной *или* зало́женной ве́щи).

redolen/ce (рэ'дол-ёнс) *s.* благоуха́ние, арома́т || **-t** (-ёнт) *a.* благово́нный; души́стый; паху́чий.

redouble (рида'бл) *va(&n.)* удв-а́ивать (-ся), -о́ить (-ся); усугуб-ля́ть, -и́ть; (*to increase*) увели́ч-ивать(-ся), -ить(-ся).

redoubt/ (ридау'т) *s.* (*fort.*) реду́т || **-able** *a.* стра́шный, гро́зный.

redound/ (ридау'нд) *vn.* (*to one's credit, etc.*) при-носи́ть, -нести́; приобр-ета́ть, -ести́ чем сла́ву || **it -ed greatly to his credit** э́тим он приобре́л сла́ву.

redress/ (ридрэ'с) *va.* по-правля́ть, -пра́вить, ис-правля́ть, -пра́вить; (*a wrong*) загла́-живать, -дить || ~ *s.* улучше́ние; удовлетворе́ние || **-er** *s.* исправи́тель *m.*

redskin (рэ'дскин) *s.* краснокóжий (инде́ец).

reduc/e (ридю'с) *va.* прив-оди́ть, -ести́ (к чему́), дов-оди́ть, -ести́ (до чего́); обра-ща́ть, -ти́ть (*to nothing*); (*diminish*) уменьш-а́ть, -и́ть, сокра-ща́ть, -ти́ть; (*conquer*) покор-я́ть, -и́ть || **to ~ to the ranks** (*mil.*) разжа́ловать (кого́) в солда́ты || **-ible** *a.* приводи́мый; преврати́мый || **-tion** (рида'кшён) *s.* приведе́ние; превраще́ние; уменьше́ние, сокраще́ние; (*in price*) сба́вка; покоре́ние.

redundan/cy (рида'ндён-си) *s.* изли́шество, избы́ток || **-t** *a.* изоби́льный; (*in words*) многоречи́вый.

reduplica/te (ридю'пликэйт) *va.* удв-а́ивать, -о́ить || **-tion** (ридюпликэ̄й'шн) *s.* удв-а́ивание, -ое́ние.

re-echo (рий-э'коу) *va.* отра-жа́ть, -зи́ть звук || ~ *vn.* раздава́ться, от-дава́ться.

reed/ (рийд) *s.* камы́ш, тростни́к; (*mus.*) свире́ль *f.*; (*of wind-instruments*) мундшту́к || **-y** *a.* заро́сший камыше́м, изоби́лующий тростнико́м.

reef/ (рий'ф) *s.* риф || **to take in a ~** взять риф || ~ *va.* (*mar.*) брать, взять ри́фы; ри́фить || **-er** *s.* (*mar.*) ми́чман.

reek/ (рий'к) *s.* (*smoke*) дым; (*vapour*) пар; (*exhalation*) испаре́ние || ~ *vn.* дыми́ть (-ся), кури́ться; испуска́ть пар || **-ing with blood** окрова́вленный.

reel (рийл) *s.* мотови́ло; шпу́лька, кату́шка; (*dance*) род та́нца || ~ *va.* мот-а́ть, -ну́ть; намота́ть на кату́шку || ~ *vn.* шата́ться, пошатну́ться; верте́ться (*before the eyes*); (*to rock*) колеба́ться. [избра́ние.

re-election (рий-илэ'кшн) *s.* втори́чное

re-embark (рий-имба̄'рк) *va(&n.)* сно́ва посади́ть (сесть) на кора́бль.

re-enact (рий-ина'кт) *va.* вновь по-, у-станов-ля́ть, -и́ть.

re-engage (рий'-ингэ̄й'дж) *va.* вновь на-н-има́ть, -я́ть || ~ *vn.* сно́ва вступа́ть на слу́жбу.

re-enter (рий-э'нтёр) *va.* вновь вступ-а́ть, -и́ть; опя́ть входи́ть, войти́ (куда́).

re-establish/ (рий-иста'блиш) *va.* восстанов-ля́ть, -и́ть; по-правля́ть, -пра́вить || **-ment** *s.* восстановле́ние, поправле́ние.

re-examination (рий-игзаминэ̄й'шн) *s.* переэкзамено́вка. [река́мбио.

re-exchange (рий-иксчэ̄й'ндж) *s.* (*comm.*)

re-export (рий'икспо̄'рт) *va.* обра́тно вывози́ть.

refect/ion (рифэ'к-шн) *s.* заку́ска; (*in a convent*) тра́пеза || **-ory** (-тёри) *s.* тра́пезная, столо́вая.

refer/ (рифё'р) *va&n.* ссыла́ться, сосла́ться на; (*hand over*) предо-ставля́ть, -ста́вить (кому́ что); при-пи́сывать, -писа́ть, отн-оси́ть (-ся), -ести́ (-сь); (*appeal*) обра-ща́ться, -ти́ться (к кому-нибу́дь за чем); (*allude*) намека́ть || **-ee** (рэфёрий') *s.* посре́дник; трете́йский судья́ || **-ence** (рэ'фёрёнс) *s.* переда́ча (де́ла); ссы́лка; (*allusion*) намёк; (*relation*) отноше́ние; све́дения *npl.*; спра́вки *fpl.*; (*in pl.*) рекоменда́ции *fpl.* || **with ~ to** относи́тельно (чего́) || **book of ~** спра́вочная кни́га.

refine/ (рифай'н) *va(&n.)* утонч-а́ть (-ся), -и́ть (-ся); у-лучша́ть (-ся), -лучши́ть (-ся); о-чища́ть (-ся), -чи́стить (-ся); рафини́ровать (са́хар) || **-ment** *s.* очище́ние; утончённость *f.*; рафини́рование; (*fig.*) лоск || **-r** (-ёр) *s.* очища́тель *m.*; сахарова́р || **-ry** (-ёри) *s.* са́харный заво́д.

refit (рифи'т) *va.* сно́ва по-правля́ть, -пра́вить; сно́ва снаб-жа́ть, -ди́ть; (*mar.*) почин-я́ть, -и́ть (су́дно).

reflect/ (рифлэ'кт) *va(&n.)* отра-жа́ть (-ся), -зи́ть (-ся); отсве́чивать (-ся) || ~ *vn.* рассужда́ть; раз-мышля́ть, -мы́слить; (*reproach*) порица́ть || **-ion** *s.* отраже́ние; о́тсвет, о́тблеск; отсве́чивание; рефле́ксия; размышле́ние; порица́ние, осужде́ние || **-ive** *a.* отража́ющий; рассуди́тельный; рассужда́ющий || **-or** (рифле'ктёр) *s.* (*opt.*) рефле́ктор.

reflex/ (рий'флэкс) *s.* отраже́ние; рефле́кс || **-ive** (рифлэ'ксив) *a.* обращённый наза́д; отража́ющий; (*gramm.*) возвра́тный.

reform/ (рифо̄'рм) *va.* преобраз-о́вывать, -ова́ть || ~ *va(&n.)* ис-правля́ть (-ся), -пра́вить (-ся); у-лучша́ть (-ся), -лучши́ть (-ся) || ~ *s.* преобразова́ние; исправле́ние; рефо́рма || **-ation** (рэфёрмэ̄й'шн) *s.* улучше́ние; (*eccl.*) реформа́ция || **-atory** (-ётёри) *s.* исправи́тельное заведе́ние || **-ed** (-д) *a.* реформи́рованный; (*eccl.*) реформа́тский || **-er** *s.* исправи́тель *m.*; реформа́тор.

refract/ (рифрӓ'кт) *va.* преломля́ть (луче́й) || **-ion** *s.* преломле́ние (луче́й) || **-oriness** (-ёринэс) *s.* упря́мство; стропти́вость *f.* || **-ory** *a.* (**-ily** *ad.*) упря́мый; стропти́вый; (*of metals*) тугопла́вкий.

refrain (рифрэ̄й'н) *va(&n.)* обу́зд-ывать, -ать; у-де́рживаться, -держа́ться; сде́рживаться, сдержа́ться || ~ *s.* припе́в.

refrangible (рифрӓ'нджёбл) *a.* преломля́емый.

refresh/ (рифрэ'ш) *va.* освеж-а́ть, -и́ть; подкреп-ля́ть, -и́ть || **-ment** *s.* освеже́ние; (*food*) подкрепле́ние || **~-room** *s.* ресторáн; буфе́т.

refrigerator (рифри'джёрэйтёр) *s.* холоди́льник.

refuge/ (рэ'фю̄дж) *s.* убе́жище, прибе́жище || **to take ~ in** (*fig.*) при-бега́ть, -бе́гнуть к || **-e** (рэфюджий') *s.* бегле́ц; эмигра́нт.

refulgen/ce (рифа'лджён-с) *s.* блеск; блиста́ние || **-t** *a.* блестя́щий; блиста́тельный.

refund (рифа'нд) *va.* от-дава́ть, -да́ть; за-, у-плати́ть.

refus/al (рифю̄'з-л) *s.* отка́з; (*comm.*) пра́во предпочте́ния при поку́пке || **-e** (–) *va.* отка́зывать, -каза́ть; от-верга́ть, -ве́ргнуть || ~ (рэ'фю̄с) *a.* забрако́ванный, него́дный || ~ (рэ'фю̄с) *s.* отбро́сы *mpl.*, брак.

refut/ation (рэфютэ̄й'шн) *s.* опроверже́ние || **-e** (рифю̄'т) *va.* опро-верга́ть, -ве́ргнуть.

regain (ригэ̄й'н) *va.* возвра-ща́ть, -ти́ть, верну́ть, опя́ть приобре-та́ть, -сти́ || **to ~ consciousness** приходи́ть, притти́ в себя́.

regal/ (рийгл) *a.* короле́вский, ца́рский; ца́рственный || **-e** (ригэ̄й'л) *va.* уго-ща́ть, -сти́ть; по́тчевать, по-; (*fig.*) усла-жда́ть, -ди́ть || ~ *vn.* пирова́ть || **-ia** (ригэ̄й'лиё) *spl.* коро́нные драгоце́нные ка́мни *mpl.*; рега́лии *fpl.*; коро́нное пра́во.

regard/ (рига̄'рд) *va.* смотре́ть, гляде́ть; (*esteem*) уважа́ть, поч-ита́ть, -ти́ть; (*concern*) каса́ться (*G.*); (*observe*) соблюда́ть, -сти́ (пост и т. п.) || ~ *s.* (*look*) взгляд, взор; (*esteem*) уваже́ние; (*reference*) отноше́ние; (*consideration*) внима́ние || **-s** *pl.* покло́н *m.*, приве́т || **give my -s to him** поклони́тесь ему́ от меня́ || **-ful** *a.* внима́тельный; уважи́тельный || **-ing** *prp.* относи́тельно, каса́тельно (*G.*) || **-less** *a.* невнима́тельный, не обраща́ющий внима́ния; равноду́шный.

regatta (ригӓ'тё) *s.* го́нка (яхт).

regency (рий'джёнси) *s.* прави́тельство; реге́нтство.

regenerat/e (риджэ'нёр-эйт) *va.* перерo-жда́ть, -ди́ть; возр-ажда́ть, -оди́ть || ~ (-ёт) *a.* возрождённый || **-ion** (-э̄й'шн) *s.* возрожде́ние, перерожде́ние.

regent (рий'джёнт) *s.* реге́нт; прави́тель *m.*

regicide (рэ'джисайд) *s.* (*murder*) цареубийство; (*murderer*) цареуби́йца *m.*

regild (рийги'лд) *va.* сно́ва вызола́чивать, вы́золотить.

regimen/ (рэ'джимён) *s.* режи́м; (*med.*) дие́та || **-t** *s.* правле́ние; (*mil.*) полк || **-tals** (реджимэ'нтлз) *spl.* (*mil.*) полково́й мунди́р.

region/ (рий'джён) *s.* о́бласть *f.*; страна́; ме́стность *f.* || **the lower -s** ад || **the upper -s** ца́рство небе́сное, рай.

regist/er (рэ'джистёр) *s.* рее́стр; ро́спись *f.*; протоко́л; (*mus.*) реги́стр || ~ *va.* вноси́ть в спи́сок, в журна́л; за-пи́сывать, -писа́ть || **-ered** (-д) *a.* заказно́е (письмо́) || **-rar** (рэ'джистрёр) *s.* регистра́тор в прису́тствии гражда́нского состоя́ния || **-ration** (рэджистрэ̄й'шн) *s.* внесе́ние (запи́сывание) в рее́стр, в кни́гу || **-ry** (рэ'джистри) *s.* регистрату́ра || **~-office** прису́тствие для веде́ния метри́ческих книг || **marriage at a ~-office** сочета́ние гражда́нским бра́ком.

regress/ion (ригрэ'шн) *s.* возвраще́ние, возвра́т || **-ive** (ригрэ'сив) *a.* возвраща́ющийся, возвра́тный.

regret/ (ригрэ'т) *s.* сожале́ние; (*remorse*) раска́яние; (*sorrow*) печа́ль *f.*, скорбь *f.* || **with ~** с сожале́нием || ~ *va&n.* (со)жале́ть; (*repent*) раска́иваться || **-ful** *a.* по́лный сожале́ния, печа́льный || **-table** *a.* неприя́тный; жа́лкий.

regul/ar (рэ'гюлёр) *a.* пра́вильный, регуля́рный; (*usual*) обы́чный || **-ar** *s.* (*eccl.*) мона́х како́го-либо о́рдена || **-ars** *pl.* (*mil.*) строевы́е солда́ты || **-arity** (рэгюлӓ'рити) *s.* пра́вильность *f.*; испра́вность *f.*; регуля́рность *f.* || **-ate** (рэ'гюлэйт) *va.* (у)регули́ровать; прив-оди́ть, -ести́ в поря́док || **-ation** (рэгюлэ̄й'шн) *s.* приведе́ние в поря́док, в систе́му; (у)регули́рование; постановле́ние; регла́мент || **-ator** (рэ'гюлэйтёр) *s.* распоряди́тель *m.*; (*tech.*) регуля́тор.

rehabilit/ate (рийхăби'литэйт) *va.* восстанов-ля́ть, -и́ть || **–ation** (рийхăбилитэ̄й'шн) *s.* восстановле́ние.
rehears/al (рихē'рсл) *s.* повторе́ние; расска́з; (*theat.*) репети́ция || **–e** (рихē'рс) *va.* повтор-я́ть, -и́ть; рас-ска́зывать, -сказа́ть; (*theat.*) репети́ровать.
reign/ (рэ̄й'н) *vn.* ца́рствовать, ца́рить; госпо́дствовать || **–ing prince** владе́тельный князь || ~ *s.* ца́рствование, правле́ние; госпо́дствование; верхо́вная власть || **in** *or* **under the ~ of** в ца́рствование (*G.*).
reimburse/ (рий-имбē'рс) *va.* упл-а́чивать, -ати́ть; возме-ща́ть, -сти́ть (изде́ржки) || **–ment** *s.* упла́та; возмеще́ние (изде́ржек).
reimport/ (рий-импо̄'рт) *va.* сно́ва вв-ози́ть, -езти́ || **–ation** *s.* втори́чный ввоз.
rein/ (рэ̄йн) *s.* возжа́; по́вод; узда́; (*of government*) бразды́ *fpl.* || **to give –s to** дать (кому́) во́лю, просто́р || **to take the –s** взять на себя́ управле́ние || ~ *va.* пра́вить во́зжами; держа́ть в поводу́; (*fig.*) сде́рживать, сдержа́ть.
reindeer (рэ̄й'ндийр) *s.* (*zool.*) се́верный оле́нь.
reinforce/ (рий-инфо̄'рс) *va.* подкреп-ля́ть, -и́ть || **–ment** *s.* подкрепле́ние; усиле́ние || **–ments** *spl.* (*mil.*) подкрепле́ние, вспомога́тельные войска́.
reins (рэ̄йнз) *spl.* (*arch.*) по́чки *fpl.*; поясни́ца.
rein/sert (рий-инсē'рт) *va.* вновь включи́ть, вновь вста́вить || **–state** (рий-инстэ̄й'т) *va.* сно́ва ввести́ во владе́ние; сно́ва определ-я́ть, -и́ть (на до́лжность); (*health, etc.*) восстанов-ля́ть, -и́ть || **–sure** (рий-иншӯ'р) *va.* пере-страхо́вывать, -страхова́ть.
reinvest/ (рий-инвэ'ст) *va.* сно́ва облач-а́ть, -и́ть; (*comm.*) вновь поме-ща́ть, -сти́ть (де́ньги) || **–ment** *s.* одева́ние вновь, восстановле́ние; но́вое помеще́ние де́нег.
reissue (рий-и'шу) *s.* но́вый вы́пуск; но́вое изда́ние || ~ *va.* вновь из-дава́ть, -да́ть, сно́ва выпуска́ть, вы́пустить.
reitera/te (рий-и'тёрэйт) *va.* повтор-я́ть, -и́ть; тверди́ть всё одно́ и то́же || **–tion** (рий-итёрэ̄й'шн) *s.* повторе́ние.
reject/ (риджэ'кт) *va.* отт-а́лкивать, -олкну́ть; от-верга́ть, -ве́ргнуть; не прин-има́ть, -я́ть || **–ion** *s.* отверже́ние; отрица́ние; непринятие.
rejoice (риджой'с) *va*(*&n.*) ра́довать (-ся), обра́довать (-ся), весели́ть (-ся).
rejoin/ (риджой'н) *va.* воссоедин-я́ть, -и́ть; вновь присоедин-я́ться, -и́ться (к + *D.*) || ~ *vn.* возра-жа́ть, -зи́ть || **–der** (-дёр) *s.* возраже́ние; отве́т; (*jur.*) отве́т на возраже́ние.
rejuvenate (рийджӯ'винэйт) *va.* молоди́ть; при-дава́ть, -да́ть кому́ вид мо́лодости.
relapse (рила̄'пс) *vn.* вновь вп-ада́ть, -асть (в грех); втори́чно забол-ева́ть, -е́ть || ~ *s.* возвра́т боле́зни; рециди́в.
rela/te (рилэ̄й'т) *va.* расска́з-ывать, -а́ть, повествова́ть || ~ *vn.* относи́ться (к), каса́ться (до), име́ть отноше́ние (к) || **–ted** (-ид) *a.* ро́дственный || **–tion** *s.* расска́з, повествова́ние; отноше́ние; сноше́ние; (*kinship*) родство́ *n.*, родня́ *f.*; (*relative*) ро́дственник, ро́дственница || **–tionship** *s.* родство́; (*by marriage*) свойство́ || **–tive** (рэ'лётив) *a.* относи́тельный || ~ *s.* родня́ *f.*, ро́дственни-к *m.*, -ца *f.* || ~ *ad.*, ~ **to** относи́тельно (*G.*).
relax/ (рила̄'кс) *va*(*&n.*) о-слабля́ть, -сла́бить; опус-ка́ть (-ся), -ти́ть (-ся) || ~ *vn.* осла-бева́ть, -бе́ть; смягч-а́ться, -и́ться; (*rest*) отд-ыха́ть, -охну́ть || **–ation** (рийлёксэ̄й'шн) *s.* ослабле́ние, опуска́ние; смягче́ние; (*recreation*) о́тдых.
relay (рилэ̄й') *s.* подста́ва; перекладны́е (ло́шади) *fpl.*; сме́на лошаде́й.
release (рилий'с) *va.* освобо-жда́ть, -ди́ть, выпуска́ть, вы́пустить на во́лю; (*a rope*) отпус-ка́ть, -ти́ть; (*from evil*) из-бавля́ть, -ба́вить || ~ *s.* освобожде́ние, отпуще́ние на во́лю; льго́та; (*from pain*) облегче́ние.
relegate (рэ'лигэйт) *va.* изг-оня́ть, -на́ть (из университе́та); высыла́ть, вы́слать (из го́рода).
relent/ (рилэ'нт) *vn.* смягч-я́ться, -и́ться; (*of anger, etc.*) укро-ща́ться, -ти́ться; осла-бева́ть, -бе́ть || **–less** *a.* безжа́лостный; неумоли́мый, непрекло́нный.
relevant (рэ'ливёнт) *a.* ва́жный, значи́тельный; име́ющий бли́зкое отноше́ние (к).
relia/ble (рилай'ёбл) *a.* (благо)надёжный; достове́рный || **–nce** (рилай'ёнс) *s.* дове́рие.
relic/ (рэ'лик) *s.* оста́ток; (*of a corpse*) оста́нки *mpl.*; (*eccl.*) рели́квия; мо́щи (святы́х) *fpl.* || **–t** *s.* вдова́.
relie/f (рилий'ф) *s.* (*alleviation*) облегче́ние; (*of pain*) успокое́ние; (*of one's sorrow*) утеше́ние; (*assistance*) по́мощь *f.*; (*mil.*) сме́на (часовы́х); (*arts*) релье́ф || **–ve** (рилий'в) *va.* (*mitigate*) облегч-а́ть, -и́ть, уменьш-а́ть, -и́ть, утеша́ть, уте́шить; (*free*) освобо-жда́ть, -ди́ть, избавля́ть, -ба́вить; (*assist*) по-мога́ть, -мо́чь; (*mil.*) снять оса́ду (с кре́пости, *etc.*); (*a sentry*) смен-я́ть, -и́ть || **to ~**

nature удовлетворить потребность *f.* || **to ~ a person of** брать, взять у кого что || **-ving-officer** *s.* попечитель (*m.*) над бедными.

relight (рилай'т) *va.irr.* вновь заж-игать, -ечь.

religi/on (рили'джён) *s.* религия; вера; вероисповедание; закон || **to enter into ~** постригаться, постричься в монахи, -ни; вступить в монашество || **-osity** (рилиджио'сити), **-ousness** (рили'джёснис) *s.* религиозность *f.* || **-ous** (рили'джёс) *a.* религиозный; набожный; добросовестный.

relinquish (рили'нгкуиш) *va.* о-ставлять, -ставить; от-казываться, -казаться (от); (*something to someone*) пере-давать, -дать (другому); уступ-ать, -ить.

reliquary (рэ'ликуёри) *s.* ковчег с мощами, рака.

relish/ (рэ'лиш) *s.* вкус, смак; (*sauce*) сбя; (*liking*) склонность *f.*, охота (к чему-либо) || **~** *va.* находить вкусным, смаковать; (*enjoy*) наслаждаться (*I.*) || **~** *vn.* быть по вкусу; отзываться (чем); нравиться || **-able** *a.* вкусный, смачный.

reload (риилōу'д) *va.* снова нагру-жать, -зить; (*a gun*) вновь заря-жать, -дить.

reluctan/ce (рила'кт-ёнс) *s.* нежелание; неохота; отвращение || **-t** (-ёнт) *a.* неохотный; вынужденный.

rely (рилай') *vn.* доверять; пол-агаться, -ожиться, уповать (на).

remain/ (римэй'н) *vn.* оставаться, остаться; пребывать || **-der** (-дёр) *s.* остаток || **-s** (-з) *spl.* (*corpse*) смертные останки *mpl.*; (*remainder*) остатки *mpl.*

remand/ (рима'нд) *va.* (*jur.*) от-сылать, -ослать обратно под следственный арест || **-ment** *s.* (*jur.*) отсылка назад под следственный арест.

remark/ (рима'рк) *va.&n.* зам-ечать, -етить, при-мечать, -метить; (*make a remark*) делать, с- замечание, заметку || **~** *s.* замечание; (*comment*) примечание, заметка || **-able** *a.* за-, при-мечательный; достопримечательный; удивительный.

remarry (рий-мä'ри) *vn.* (*of a man*) снова жениться; (*of a woman*) снова выйти замуж.

reme/diable (римий'диёбл) *a.* поправимый; излечимый || **-dial** (римий'диёл) *a.* исправляющий, исцеляющий || **-dy** (рэ'миди) *s.* лекарство; (*fig.*) средство || **past -dy** неизлечимый || **~** *va.* (*repair*) исправлять, -править; устран-ять, -ить (зло); вылечивать, вылечить (болезнь).

remem/ber (римэ'м-бёр) *va.* помнить; припоминать, -помнить; всп-оминать, -омнить || **-ber me to him** передайте ему мой поклон || **-brance** (-брёнс) *s.* память *f.*; воспоминание || **-brancer** (-брёнсёр) *s.* напоминающий; (*secretary*) секретарь (*m.*) казначейства (в Англии). [нить.

remind (римай'нд) *va.* на-поминать, -помнить.

reminisc/ence (рэмини'с-ёнс) *s.* воспоминание || **-ent** *a.* напоминающий.

remiss/ (рими'с) *a.* (*careless*) нерадивый, оплошный; (*slow*) вялый || **-ion** (рими'шн) *s.* (*abatement*) уменьшение; ослабление; (*pardon*) прощение; (*of sins*) отпущение; (*of a fine*) сложение.

remit/ (рими'т) *va.* (*send back*) пос-ылать, -лать назад; (*transmit*) перев-одить, -ести (деньги); (*an offence*) про-щать, -стить, отпус-кать, -тить (грехи); (*abate*) о-слаблять, -слабить; (*a debt*) прощать, простить || **~** *vn.* смягчаться, уменьшаться || **-tance** (рими'тёнс) *s.* пересылка; перевод (денежный); римесса || **-ter** *s.* отправитель (*m.*) (денежного) перевода; ремитент.

remnant (рэ'мнёнт) *s.* остаток; остальная часть; кусочек. [-ать.

remodel (риимо'дл) *va.* передел-ывать,

remonstra/nce (римо'нстрёнс) *s.* протест; увещание, представление || **-te** (римо'нстрэйт) *vn.* увещевать, делать представления.

remorse/ (римо̄'рс) *s.* угрызение совести || **-ful** *a.* кающийся; сокрушённый || **-less** *a.* безжалостный; жестокий.

remote/ (римо̄у'т) *a.* у-, от-далённый; дальний; далёкий; (*slight*) слабый || **-ness** *s.* дальность *f.*, даль *f.*; отдалённость *f.*

remount (римау'нт) *s.* (*mil.*) ремонт || **~** *vn.* снова садиться (на лошадь); снова взлезать, взлезть.

remov/able (римӯ'вёбл) *a.* сменяемый || **-al** (римӯ'вл) *s.* у-, от-даление; пере-, с-мещение; (*changing house*) переезд (с квартиры); (*dismissal*) отрешение (от должности) || **-e** (римӯ'в) *va.* сн-имать, -ять; удал-ять, -ить; ун-осить, -ести, уб-ирать, -рать; пере-, с-, ото-двигать, -двинуть; сме-щать, -стить; (*dismiss*) от-ставлять, -ставить (от должности); устран-ять, -ить || **~** *vn.* переме-щаться, -ститься; (*change domicile*) перемен-ять, -ить квартиру, пере-езжать, -ехать || **~** *s.* переход; перевод (на другую должность); степень *f.*

remunera/te (римю̄'нёрэйт) *va.* (воз)награ-ждать, -дить || **-tion** (римю̄нёрэй'шн) *s.* (воз)награждéние; возмéздие || **-tive** (римю нёрётив) *a.* вознаграждáющий; воздающий (по заслýгам); вы́годный.

renaissance (ринэ̄й'сёнс) *s.* ренессáнс; возрождéние.

renard (рэ'нёрд) *s.* лисица, лисá.

rencounter(рэнкау'нтёр), **rencontre** (рэнко'нтёр) *s.* встрéча; схвáтка; столкновéние.

rend (рэнд) *va&n.irr.* (*tear*) рвать; разрывáть; раз-дирáть, -одрáть; (*lacerate*) (рас)терзáть; (*split*) расщеп-ля́ть, -и́ть.

render/ (рэ'ндёр) *va.* от-давáть, -дáть; пере-давáть, -дáть; (*justice*) воз-давáть, -дáть; (*a fortress, etc.*) сдавáть, сдать; (*translate*) перев-оди́ть, -ести́; (*a service*) о-кáзывать, -казáть; (*make*) дéлать, сдéлать || **-ing** *s.* (*translation*) перевóд; (*interpretation*) передáча.

rendezvous (рэ'ндивӯ, ро'н-) *s.* свидáние; (*place*) сбóрное мéсто; мéсто свидáния || ~ *vn.* со-бирáться, -брáться (в сбóрное мéсто).

renegade (рэ'нигэйд) *s.* (*apostate*) ренегáт; вероотсту́пник; (*deserter*) дезерти́р.

renew/ (риню̄') *va(&n.)* возобнов-ля́ть(-ся), -и́ть(-ся); восстанов-ля́ть(-ся), -и́ть(-ся) || **-able** *a.* возобнови́мый || **-al** (-ёл) *s.* возобновлéние.

rennet (рэ'нит) *s.* сычужóк, сычу́жная заквáска; (*apple*) ранéт.

renounce (ринау'нс) *va.* от-рекáться, -рéчься, от-кáзываться, -казáться (от чегó-либо); от-вергáть, -вéргнуть.

renova/te (рэ'новэйт) *va.* (воз)обнов-ля́ть, -и́ть; восстанов-ля́ть, -и́ть; реставри́ровать || **-tion** *s.* (воз)обновлéние; восстановлéние, реставрáция.

renown/ (ринау'н) *s.* слáва, извéстность *f.* || **-ed** (-д) *a.* слáвный; знамени́тый; извéстный.

rent/ (рэ'нт) *s.* трéщина; щель *f.*; (*tear*) разры́в; (*in clothes*) дырá; (*in the church*) раскóл; (*payment*) кварти́рная *or* наёмная плáта; плáта за наём; (*for land*) арéнда; обрóк; рéнта || ~ *va.* (*let*) от-давáть, -дáть в наём, в арéнду; (*hire*) нан-имáть, -я́ть, арендовáть || **-able** *a.* наёмный; арендýемый || **-al** (рэнтл) *s.* рóспись (*f.*) дохóдам || **-er** *s.* квартирáнт; арендáтор; нанимáтель *m.*

renunciation (ринанси-э̄й'шн) *s.* отречéние; откáз.

reopen (рий-ōу'пн) *va.* вновь от-крывáть, -кры́ть.

reorganiz/ation (рий-ōргёнизэ̄й'шн) *s.* реорганизáция; преобразовáние || **-e** (рий-ō'ргёнайз) *va.* реорганиз-и́ровать, -овáть; преобраз-óвывать, -овáть.

repair (рипā'р) *va.* (*renovate*) (по)чини́ть; ис-, по-правля́ть, -прáвить; (*a house*) ремонти́ровать; (*a mistake*) заглá-живать, -дить; (*a loss*) вознагра-ждáть, -ди́ть || ~ *vn.* итти́, от-правля́ться, -прáвиться (кудá-нибу́дь) || ~ *s.* исправлéние; попрáвка, почи́нка; ремóнт || **in good** ~ в хорóшем состоя́нии || **out of** ~ вéтхий.

repara/ble (рэ'пёр-ёбл) *a.*, (**-bly** *ad.*) по-, ис-прави́мый; почини́мый || **-tion** *s.* (*restoration*) исправлéние, восстановлéние; (*compensation*) удовлетворéние; (*for a loss*) вознаграждéние.

repartee (рэпартий') *s.* нахóдчивый *or* лóвкий отвéт. [у́жин.

repast (рипā'ст) *s.* едá; зáвтрак, обéд,

repay/ (рипэ̄й') *va.irr.* упл-áчивать, -ати́ть (долг); воз-давáть, -дáть; удовлетвор-я́ть, -и́ть || **-able** *a.* подлежáщий уплáте.

repeal/ (рипий'л) *va.* отмен-я́ть, -и́ть; уничт-ожáть, -óжить || **-able** *a.* отменя́емый.

repeat/ (рипий'т) *va.* повтор-я́ть, -и́ть; (*recite*) пере-скáзывать, -сказáть; (*a lesson*) тверди́ть || **-ing watch** = **repeater** || **-ing rifle** магази́нное ружьё || **-edly** (-идли) *ad.* неоднокрáтно || **-er** *s.* (*watch*) часы́ (*mpl.*) с репети́цией; (*math.*) периоди́ческая десяти́чная дробь.

repel/ (рипэ'л) *va.* отт-áлкивать, -олкну́ть; отра-жáть, -зи́ть; (*fig.*) опро-вергáть, -вéргнуть (*an assertion, etc.*) || ~ *vn.* о-кáзывать, -казáть сопротивлéние || **-lent** *a.* оттáлкивающий.

repent/ (рипэ'нт) *va&n.* кáяться, раскáиваться, -яться (в + *Pr.*); сожалéть (о + *Pr.*) || **-ance** *s.* раскáяние, покаяние; сожалéние || **-ant** *a.* раскáивающийся, кáющийся; сожалéющий.

repeople (рийпий'пл) *va.* снóва на-, заселя́ть, -и́ть. [ние; противоудáр.

repercussion (рийпёрка'шн) *s.* отражé-

repertory (рэ'пёртёри) *s.* репертуáр; (*store*) храни́лище. [петиция; перескáз.

repetition (рэпити'шн) *s.* повторéние; ре-

repin/e (рипай'н) *vn.* сéтовать; тужи́ть (о + *Pr.*); (*murmur*) роптáть || **-ing** *s.* рóпот; сéтование.

replace (риплэ̄й'с) *va.* опя́ть (по)стáвить на прéжнее мéсто; заме-щáть, -сти́ть; замен-я́ть, -и́ть. [-сади́ть.

replant (рийплā'нт) *va.* пере-сáживать,

replenish (риплэ'ниш) *va.* вновь на-, пополня́ть, -пóлнить; пере-полня́ть, -пóлнить.

replet/e (риплӣ'т) *a.* наполненный, пóлный || **-ion** *s.* переполнéние; (*surfeit*) пресыщéние; (*in eating*) об'едéние; (*med.*) полнокрóвие.
replica (рэ'пликё) *s.* кóпия.
reply/ (риплай') *va.* от-вечáть, -вéтить; возра-жáть, -зи́ть || ~ *s.* отвéт; возражéние || **~-card** *s.* откры́тое письмó с отвéтом.
repolish (риипо'лиш) *va.* вновь (от)полировáть.
report/ (рипō'рт) *va&n.* рас-скáзывать, -сказáть; давáть, дать свéдения (о + *Pr.*); (*denounce*) дон-оси́ть, -ести́; (*mil.*) до-клáдывать, -ложи́ть, рапортовáть; от-зывáться, -озвáться (о + *Pr.*); пред-ставля́ть, -стáвить отчёт || ~ *vn.* (*for a newspaper*) репорти́ровать || ~ *s.* доклáд, донесéние; (*rumour*) слух, молвá; (*reputation*) слáва; (*noise*) шум; вы́стрел (*of a gun, etc.*) || **-er** *s.* доклáдчик; разглашáтель *m.*; (*on a newspaper*) корреспондéнт.
repose (рипōу'з) *va.* (*to place*) положи́ть, постáвить || **to ~ trust** *или* **confidence in** имéть довéрие к || ~ *vn.* от-дыхáть, -дохну́ть; (*sleep*) почивáть; покóиться || ~ *s.* óтдых; покóй; почивáние.
repository (рипо'зитёри) *s.* склад; храни́лище; депó *indecl.*
reposses (риипозэ'с) *va.* вновь обладáть.
reprehen/d (рэприхэ'н-д) *va.* дéлать вы́говор; порицáть || **-sible** (-сибл) *a.* (**-bly** *ad.*) предосуди́тельный || **-sion** *s.* вы́говор; порицáние || **-sive** *a.* порицáтельный.
represent/ (репризэ'нт) *va.* пред-ставля́ть, -стáвить; изобра-жáть, -зи́ть; (*set forth*) о-пи́сывать, -писáть || **-ation** *s.* представлéние; изображéние; (*acting for*) представи́тельство || **-ative** (-ётив) *s.* представи́тель *m.*, депутáт, уполномóченный; повéренный || ~ *a.* изображáющий; представи́тельный.
repress/ (рипрэ'с) *va.* пода-вля́ть, -и́ть; (*check*) об-у́здывать, -уздáть; у-дéрживать, -держáть || **-ion** *s.* подавлéние || **-ive** *a.* репресси́вный, пону́ди́тельный.
reprieve (рипрӣ'в) *va.* отсрóч-ивать, -ить (исполнéние пригово́ра); поми́ловать || ~ *s.* отсрóчка; поми́лование.
reprimand (рэ'примāнд) *s.* вы́говор; увещáние || ~ *va.* (с)дéлать вы́говор; брани́ть.
reprint (рипри'нт) *s.* перепечáтка; нóвое издáние || ~ *va.* перепечáт-ывать, -ать.
reprisal (рипрай'зл) *s.* репрессáлия; возмéздие.
reproach/ (рипроу'ч) *va.* упрек-áть, -ну́ть; укоря́ть || ~ *s.* (*blame*) упрёк, укори́зна, укóр, порицáние; (*shame*) позóр || **-ful** *a.* укори́зненный.
reprobat/e (рэ'пробёт) *s.* негодя́й; бессты́дник || ~ *a.* пóдлый, гну́сный || ~ (рэ'пробэйт) *va.* осуждáть; от-вергáть, -вéргнуть || **-ion** (рэпробэ́й'шн) *s.* осуждéние.
reproduc/e (риипродю'с) *va.* воспроиз-в-оди́ть, -ести́ || **-tion** (риипрода'кшн) *s.* воспроизведéние; репроду́кция || **-tive** (риипрода'ктив) *a.* воспроизводи́тельный.
reproof (рипрӯ'ф) *s.* упрёк; вы́говор, замечáние.
reprov/able (рипрӯ'вёбл) *a.* заслу́живающий упрёка *or* вы́говора || **-e** (рипрӯ'в) *va.* дéлать, с- вы́говор *or* замечáние (*D.*); порицáть || **he was severely -ed for ...** он получи́л стрóгий вы́говор за . . .
reptile (рэ'птил, рэ'птайл) *s.* пресмыкáющееся живóтное; гад || ~ *a.* пресмыкáющийся; (*fig.*) раболéпный, рáбски покóрный.
republic/ (рипа'блик) *s.* респу́блика || **-an** (-ён) *s.* республикáнец || ~ *a.* республикáнский || **-anism** (-ёнизм) *s.* республикани́зм || **-ation** (риипабликэ́й'шн) *s.* нóвое издáние.
republish (риипа'блиш) *va.* выпускáть, вы́пустить (кни́гу) нóвым издáнием.
repudiat/e (рипю̄'диэйт) *va.* от-вергáть, -вéргнуть || **-ion** *s.* откáз от обязáтельства; (*divorce*) развóд (с женóй).
repugnan/ce (рипа'г-нёнс) *s.* отвращéние (*to,* к) || **-t** (-нёнт) *a.* проти́вный; отврати́тельный.
repuls/e (рипа'лс) *s.* отражéние; откáз || ~ *va.* от-бивáть, -би́ть, отра-жáть, -зи́ть; (*refuse*) от-вергáть, -вéргнуть || **-ion** *s.* оттáлкивание; отражéние; (*disgust*) отвращéние || **-ive** *a.* (*repellent*) оттáлкивающий; (*disgusting*) отврати́тельный.
repurchase (риипё'рчис) *s.* вы́куп || ~ *va.* выкупáть, вы́купить.
reput/able (рэ'пют-ёбл) *a.* (**-bly** *ad.*) уважáемый, почтéнный || **-ation** *s.* слáва; извéстность *f.*; репутáция || **-e** (рипю̄'т) *s.* слáва, извéстность *f.* || ~ *va.* считáть; почитáть || **to be -ed** слыть.
request (рикуэ'ст) *s.* прóсьба; прошéние; ходáтайство; (*demand*) спрос (на что); трéбование || **in ~** в спрóсе, ну́жный || ~ *va.* (*a thing of one*) проси́ть, попроси́ть когó (о + *Pr.*).
requiem (рий'куиём) *s.* панихи́да.
require/ (рикуай'ёр) *va.* трéбовать; (*need*) нуждáться (в + *Pr.*) || **-ment** *s.* трéбование; нáдобность *f.*

requisit/e (рэ'куизит) *a.* потрéбный; нýжный || **-ion** (рэкуизи'шн) *s.* трéбование; (*mil. & jur.*) реквизи́ция.
requit/al (рикуай'тл) *s.* возмéздие; воздая́ние; отплáта || **-e** (рикуай'т) *va.* воздавáть, -дáть (за); от-плáчивать, -платить.
resale (рийсэй'л) *s.* перепродáжа.
rescind (риси'нд) *va.* отмен-я́ть, -и́ть; уничт-ожáть, -óжить.
rescript (рий'скрипт) *s.* рескри́пт; (*edict*) укáз.
rescue (рэ'скю) *s.* спасéние, спасáние; избавлéние; освобождéние || ~ *va.* освобождáть, -ди́ть; спас-áть, -ти́; из-бавля́ть, -бáвить.
research (рисё'рч) *s.* исслéдование || ~ *va.* исслéдовать.
reseat (рийсий'т) *va.* посади́ть снóва.
resembl/ance (ризэ'мбл-ёнс) *s.* схóдство; подóбие || **to bear a ~ to** быть похóжим на || **-e** (—) *va.* походи́ть (на), имéть схóдство (с); быть похóжим на || **I -e my father** я похóж на моегó отцá.
resent/ (ризэ'нт) *va.* обижáться, оби́деться (*I.*), при-нимáть, -ня́ть что в худýю стóрону; серди́ться, рас- на что || **-ful** *a.* злóбный; злопáмятный || **-ment** *s.* чувстви́тельность *f.*; злóба; злопáмятность *f.*
reserv/ation (рэзёрвэй'шн) *s.* оговóрка; услóвие || **mental ~** мы́сленная оговóрка || **-e** (ризё'рв) *va.* удержáть за собóю; прибер-егáть, -éчь; запас-áть, -ти́; у-дéрживать, -держáть; (*save*) от-клáдывать, -ложи́ть; (*seats, etc.*) за-нимáть, -ня́ть || **to ~ to o.s.** предо-ставля́ть, -стáвить себé || ~ *s.* (*stock*) резéрв, запáс; (*of behaviour*) скрóмность *f.*; (*caution*) осторóжность *f.*; (*mil.*) резéрвное вóйско; (*exception*) исключéние || **-ed** (ризё'рвд) *a.* запáсный; скрóмный; осторóжный; (*of seats, etc.*) зáнятый; (*uncommunicative*) сдéржанный, скры́тный || **-oir** (рэ'зёвуōр) *s.* вмести́лище, резервуáр; водоём, водохрани́лище.
reset (рийсэ'т) *va.* (*jewels*) снóва вставля́ть, встáвить; (*typ.*) снóва наб-ирáть, -рáть.
resid/e (ризай'д) *vn.* жить, пребывáть || **-ence** (рэ'зидёнс) *s.* жи́тельство, местопребывáние; (*house*) жили́ще; резидéнция; резидéнтство || **-ent** (рэ'зидёнт) *s.* жи́-тель *m.*, -тельница; резидéнт || ~ *a.* живýщий, жи́тельствующий.
residu/al (ризи'дюёл) *a.* остáточный || **-e** (рэ'зидю), **-um** (ризи'дюём) *s.* остáток; (*arrears*) недои́мка; недоплáченная сýмма; (*chem.*) осáдок.
resign/ (ризай'н) *va.* от-кáзываться, -казáться (от + *G.*); (*a position*) сл-агáть, -ожи́ть с себя́ дóлжность; (*entrust*) уступ-áть, -и́ть || **to ~ o.s. to** (*one's fate, etc.*) покор-я́ться, -и́ться (судьбé) || ~ *vn.* выходи́ть, вы́йти в отстáвку || **-ation** (рэзигнэй'шн) *s.* отречéние (от + *G.*); (*patience*) покóрность *f.*; предáние себя́ в вóлю Бóжию || **-ed** (-д) *a.* покóрный.
resil/ience (ризи'лйёнс) *s.* упрýгость *f.* || **-ient** (ризи'лйёнт) *a.* упрýгий, отскáкивающий.
resin/ (рэ'зин) *s.* смолá || **-ous** *a.* смоли́стый.
resist/ (ризи'ст) *va.&n.* сопротивля́ться; проти́виться (*D.*); не поддавáться || **-ance** *s.* сопротивлéние.
resolut/e (рэ'золют) *a.* реши́тельный, твёрдый || **-ion** (рэзолю'шн) *s.* (*solution*) решéние; (*determination*) реши́тельность *f.*, реши́мость *f.*, твёрдость *f.*; (*proposition*) резолю́ция, постановлéние; (*chem.*) разложéние, растворéние.
resolv/able (ризо'лв-ёбл) *a.* реши́мый; раствори́мый || **-e** (—) *va.* (раз)реш-áть, -и́ть; об'ясн-я́ть, -и́ть; постанов-ля́ть, -и́ть; (*to disintegrate*) раствор-я́ть, -и́ть; раз-лагáть, -ложи́ть || ~ *vn.* реш-áться, -и́ться || ~ *s.* (*fixed purpose*) решéние; (*character*) реши́мость *f.* || **-ed** (-д) *a.* реши́тельный.
resonan/ce (рэ'зонён-с) *s.* резонáнс; отголóсок || **-t** *a.* звýчный, звóнкий.
resort (ризō'рт) *s.* (*concourse*) собрáние; (*recourse*) убéжище || **in the last ~** (*jur.*) в послéдней инстáнции || ~ *vn.* (*repair*) итти́, от-правля́ться, -прáвиться; (*frequent*) ходи́ть, бывáть; (*have recourse*) при-бегáть, -бéгнуть (*to*, к + *D.*).
resound (ризау'нд) *vn.* от-давáться, -дáться; отзывáться; раздавáться.
resource/ (рисō'рс) *s.* ресýрс; срéдство; убéжище || **-s** *pl.* срéдства *npl.*
respect/ (риспэ'кт) *va.* (*esteem*) чтить, уважáть, почитáть; (*refer to*) относи́ться (к + *D.*), касáться (*G.*); (*have regard to*) обра-щáть, -ти́ть внимáние на (*A.*) || ~ *s.* (*esteem*) уважéние, почтéние; (*relation*) отношéние || **-s** *pl.* поклóн || **in all -s, in every ~** во всех отношéниях || **in some -s** нéкоторым óбразом || **-ability** (риспэктёби'лити) *s.* почтéнность *f.*; прили́чие || **-able** *a.* (**-ably** *ad.*) почтéнный; уважáемый; прили́чный || **-ful** *a.* почти́тельный || **-ing** *prp.* что касáется (до + *G.*), по отношéнию (к + *D.*), на счёт (*G.*) || **-ive** *a.* соотвéтствующий; (со)относи́тельный; касáющийся (до + *G.*).
respir/ation (рэспирэй'шн) *s.* дыхáние || **-ator** (рэ'спирэйтёр) *s.* респирáтор || **-atory** (риспай'рётёри, рэ'спирётёри) *a.*

дыхательный || **-e** (риспай'ёр) *va&n.* дышать; вд-ыхать, -охнуть.
respite (рэ'спит) *s.* отсрочка; передышка; отдых || ~ *va.* отсрочить.
resplenden/ce (рисплэ'нд-ёнс) *s.* сияние; блеск || **-t** (-ёнт) *a.* сияющий, блестящий.
respon/d (риспо'нд) *vn.* соответствовать; от-вечать, -ветить || **-dent** (-ёнт) *s.* (*jur.*) ответчи-к, -ца || **-se** (риспо'нс) *s.* ответ || **-sibility** (риспонсиби'лити) *s.* ответственность *f.*; (*comm.*) состоятельность *f.* || **-sible** *a.* (**-bly** *ad.*) ответственный; состоятельный || **-sive** *a.* отвечающий.
rest/ (рэ'ст) *s.* отдых; покой; (*sleep*) сон; (*support*) подпорка; точка опоры; (*pause*) пауза; (*remainder*) остаток; остальные *mpl.* || **day of ~** воскресенье || **to lay to ~** хоронить, по- || **to set a person's mind at ~** успокоить || ~ *vn.* (*repose*) отд-ыхать, -охнуть; (*sleep*) почивать; (*lie*) покоиться, лежать; (*lean*) опираться, -ереться; (*remain*) оставаться || ~ *va.* у-кладывать, -ложить спать; (*lean*) уп-ирать, -ереть || **-ing-place** *s.* место отдыха; площадка (лестницы) || **-less** *a.* бессонный; беспокойный; тревожный.
restaurant (рэ'стёронт) *s.* ресторан; трактир.
restitution (рэститю'шн) *s.* возвращение, возврат; восстановление.
restive (рэ'стив) *a.* ртачливый (*horse*); упрямый.
restor/ation (рэсторэй'шн) *s.* восстановление; возобновление; реставрация || **-ative** (ристо'рётив) *a.* укрепительный, подкрепительный || ~ *s.* укрепляющее средство || **-e** (ристо'р) *va.* восстанов-лять, -ить; по-правлять, -править; реставрировать; (*give back*) возвра-щать, -тить || **-er** (ристо'рёр) *s.* реставратор; восстановитель *m.*; укрепляющее средство.
restrain/ (ристрэй'н) *va.* у-держивать, -держать; сдерживать, сдержать; ограничивать, -чить || **-t** *s.* ограничение; сдержанность *f.*
restrict/ (ристри'кт) *va.* ограни-чивать, -чить; сокра-щать, -тить || **-ion** *s.* ограничение || **-ive** *a.* ограничительный.
result (риза'лт) *vn.* проис-текать, -течь, вытекать, вытечь; следовать, по- || ~ *s.* результат; следствие, последствие; вывод || **without ~** напрасно.
resum/e (ризю'м) *va.* (*take back*) брать, взять назад *or* обратно; (*go on with*) снова нач-инать, -ать, возобнов-лять, -ить; (*summarize*) вкратце повторять, резюмировать || **-ption** (риза'мшн) *s.* взятие обратно *or* назад.
resurrection/ (рэзёрэ'кш-н) *s.* воскресение || **~-man, -ist** (-ёнист) *s.* гробокрадец, гробокрад.
resuscitate (риса'ситэйт) *va.* воскре-шать, -сить; возбу-ждать, -дить.
retail/ (ритэй'л) *va.* продавать в розницу; (*a story*) передавать (сплетни) || ~ (рий'тэйл) *s.* розничная продажа, мелочная торговля || **-er** *s.* мелочной торговец, лавочник.
retain/ (ритэй'н) *va.* держать; у-держивать, -держать; за-держивать, -держать || **-er** *s.* приверженец, сторонник; клиент.
retake (риитэй'к) *va.irr.* брать обратно; снова завладеть.
retaliat/e (рита'лиэйт) *vn.* воз-давать, -дать || **-ion** *s.* воздаяние.
retard/ (рита'рд) *va.* за-медлять, -медлить, за-держивать, -держать || **-ation** *s.* замедление; проволочка.
retch (риич) *vn.* силиться вызвать рвоту; чувствовать позыв на рвоту.
retenti/on (ритэ'н-шн) *s.* у-, за-держивание; сохранение || **-ve** (-тив) *a.* у-, задерживающий || ~ **memory** *s.* хорошая память.
reticen/ce (рэ'тисён-с) *s.* умолчание || **-t** *a.* молчаливый; скрытный.
reticule (рэ'тикюл) *s.* ридикюль *m.*; сумочка.
retina (рэ'тинё) *s.* сетчатая оболочка глаза.
retinue (рэ'тиню) *s.* свита.
retire/ (ритай'ёр) *vn.* (*withdraw*) уда-ляться, -литься; уедин-яться, -иться (*retreat*) отступ-ать, -ить; (*go to bed*) итти спать; (*from occupation*) выходить, выйти в отставку || **-d** *a.* (*of places*) уединённый; (*officers, etc.*) отставной, в отставке || **-ment** *s.* уединение; (*retreat*) отступление; (*from office*) выход в отставку.
retort (рито'рт) *va&n.* резко возра-жать, -зить || ~ *s.* (резкое) возражение; (*chem.*) реторта.
retouch (риита'ч) *va.* под-правлять, -править; ретушировать.
retrace (ритрэй'с) *va.* (*arts*) перечер-чивать, -тить; проследить || **to ~ one's steps** возвра-щаться, -титься по своим стопам.
retract/ (ритра'кт) *va&n.* брать назад; отменять, -нить (приказание); взять назад (свои слова); (*to pull back*) тянуть назад || **-ation** (риитрактэй'шн) *s.* отвержение; отмена.
retreat (ритрий'т) *s.* уединение, покой; (*mil.*) отступление; (*signal*) вечерняя

зо́ря; (*place*) убе́жище || **to sound the ~** труби́ть к отступле́нию || **to be in ~** от-ступа́ть || ~ *vn.* удал-я́ться, -и́ться; (*mil.*) отступ-а́ть, -и́ть.

retrench/ (ритрэ'нш) *va.* уре́з-ывать, -ать, сокра-ща́ть, -ти́ть; (*fort.*) укрепля́ть око́пами || ~ *vn.* сокра-ща́ть, -ти́ть расхо́ды, жить эконо́мно; ограни́чи-ваться, -ться || **-ment** *s.* уре́зывание; сокраще́ние, уба́вка; сокраще́ние расхо́дов; (*mil.*) ретраншаме́нт, око́п для защи́ты.

retribution (рэтрибю́'шн) *s.* возме́здие, отпла́та.

retriev/able (ритрий'в-ёбл) *a.* возврати́мый; восстанови́мый || **-e** (-) *va.* восстанов-ля́ть, -и́ть; по-правля́ть, -пра́вить; воз-враща́ть, -ти́ть || **-er** *s.* соба́ка, подаю́щая дичь.

retro/active (рийтроу-ä'ктив) *a.* обра́тно де́йствующий || ~ **law** зако́н, име́ющий обра́тную си́лу || **-cession** (рийтрёсэ'шн) *s.* обра́тная усту́пка || **-grade** (рэ'трогрэйд) *a.* возвра́тный, попя́тный, иду́щий вспять, ретрогра́дный || ~ *vn.* итти́ вспять || **-gression** (рэтрогрэ'шн) *s.* обра́тное движе́ние, возвраще́ние наза́д || **-spect** (рий'троспэкт) *s.* взгляд наза́д; взгляд на проше́дшее; размышле́ние о про́шлом || **-spective** (рийтроспэ'ктив) *a.* обра́тно де́йствующий; огля́дывающийся наза́д; каса́ющийся мину́вших собы́тий, ретроспекти́вный.

return/ (ритё'рн) *vn.* возвра-ща́ться, -ти́ться, верну́ться; (*to answer*) от-веча́ть, -ве́тить; возра-жа́ть, -зи́ть || ~ *va.* возвра-ща́ть, -ти́ть, верну́ть; (*give back*) от-дава́ть, -да́ть наза́д; (*requite*) воз-награ-жда́ть, -ди́ть; от-пла́чивать, -плати́ть; (*report*) доноси́ть, рапортова́ть, докла́дывать; (*elect.*) выбира́ть, вы́брать; на-знача́ть, -зна́чить || ~ *s.* возвраще́ние; возвра́т; (*recompense*) награ́да, вознагражде́ние; отпла́та; (*election*) вы́бор; (*account*) донесе́ние, докла́д; ра́порт; (*profit*) дохо́д, бары́ш; при́быль *f.*; вы́года; (*of feeling*) взаи́мность *f.* (чувств) || **many happy -s of the day** поздравле́ния (со днём рожде́ния и т. д.) || **in ~ for** взаме́н; за э́то || **by ~ of post** с пе́рвою по́чтою || **~-ticket** *s.* обра́тный биле́т || **-able** *a.* возврати́мый.

reuni/on (рий-ю'ниён) *s.* (*reuniting*) воссоедине́ние; присоедине́ние; соедине́ние, (*gathering*) собра́ние, схо́дка || **-te** (рийюнай'т) *va*(*&n.*) вос-, при-, соедин-я́ть(ся), -и́ть(ся).

reveal (ривий'л) *va.* от-крыва́ть, -кры́ть; рас-крыва́ть, -кры́ть; обнару́ж-ивать, -ить; разоблач-а́ть, -и́ть.

reveille (ривэ'ли) *s.* (*mil.*) у́тренняя зо́ря || **to sound the ~** труби́ть у́треннюю зо́рю.

revel/ (рэвл) *vn.* пирова́ть; кути́ть; упива́ться, наслажда́ться || ~ *s.* пир; кутёж || **-ler** (рэ'вёлёр) *s.* кути́ла *m.* || **-ry** (рэ'вёлри) *s.* шу́мное весе́лье, бу́йный разгу́л; пирова́ние.

revelation (рэвёлэй'шн) *s.* откры́тие, раскры́тие; разоблаче́ние; (*eccl.*) открове́ние || **St. John's ~** Апока́липсис.

revenge/ (ривэ'ндж) *s.* месть *f.*; лице́ние, отлице́ние; (*in games*) рева́нш || ~ *va.* мстить; отом-ща́ть, -сти́ть || **-ful** *a.* мсти́тельный.

revenue/ (рэ'виню) *s.* дохо́д || **~-officer** *s.* тамо́женный чино́вник || **~-cutter** *s.* тамо́женное су́дно.

reverberat/e (ривё'рбёр-эйт) *va.* отра-жа́ть, -зи́ть, от-дава́ть, -да́ть (звук) || ~ *vn.* отра-жа́ться, -зи́ться, от-дава́ться, -да́ться || **-ion** *s.* отраже́ние || **-ory** (-ётёри) *a.* отража́тельная печь.

rever/e (ривий'р) *va.* уважа́ть, чтить, почита́ть || **-ence** (рэ'вёрёнс) *s.* почте́ние, уваже́ние; (*bow*) покло́н, рева́ранс; (*title*) преподо́бие || **-end** (рэ'вёрёнд) *a.* уважа́емый; (*title*) преподо́бный || **right ~** высокопреподо́бный || **most ~** преосвяще́ннейший || **-ent** (рэ'вёрёнт), **-ential** (рэвёрэ'ншл) *a.* почти́тельный, благогове́йный || **-er** *s.* почита́тель *m.*

reverie (рэ'вёри) *s.* грёза, мечта́, мечта́ние.

revers/al (ривё'рс-л) *s.* отмене́ние; отме́на пригово́ра || **-e** (-) *va.* опроки́-дывать, -нуть; повали́ть, переверну́ть вверх дном; ниспро-верга́ть, -ве́ргнуть; (*jur.*) отмен-я́ть, -и́ть; (*mech.*) дать маши́не обра́тный ход || ~ *s.* пере-ме́на, -ме́нчивость *f.*; (*contrary*) противополо́жность *f.*, проти́вное; (*back*) оборо́тная сторона́ (меда́ли, моне́ты) || **~ of fortune** несча́стный переворо́т судьбы́ || **-ible** *a.* отмени́мый || **-ion** *s.* возвраще́ние, возвра́т (вы́морочного име́ния; пра́во на насле́дство || **-ionary** (ривё'ршёнёри) *a.* прее́мственный.

revert/ (ривё'рт) *va.* поверну́ть обра́тно; обра-ща́ть, -ти́ть, повор-а́чивать, -оти́ть наза́д || ~ *vn.* возвра-ща́ться, -ти́ться; верну́ться || **-ible** *a.* возврати́мый.

revetment (ривэ'тмёнт) *s.* облицо́вка.

revictual (рийви'тл) *va.* вновь снаб-жа́ть, -ди́ть съестны́ми припа́сами, провиа́нтом.

review/ (ривю́') *va.* о-, пере-, про-сма́тривать, -смотре́ть; обозр-ева́ть, -е́ть; критиковать; делать смотр войскам || ~ *s.* пересмотр; ревизия; (*criticism*) критика, рецензия; (*of a book*) критический разбор; (*publication*) обозрение; (*mil. & mar.*) смотр || **-er** *s.* критик, рецензент.

revile (ривай'л) *va.* бранить, ругать, поносить.

revis/al (ривай'з-л) *cf.* **revision** || **-e** (-) *va.* пере-, про-сматривать, -смотреть || ~ *s.* (*typ.*) вторая корректура || **-er** *s.* ревизор; корректор || **-ion** (риви'жн) *s.* о-, пере-, про-смотр; расмотрение; ревизия.

revisit (риви'зит) *va.* снова посе-щать, -тить; вновь наве-щать, -стить.

reviv/al (ривай'в-ёл) *s.* оживление; возрождение, возобновление; восстановление; возвращение к жизни || **-e** (-) *vn.* воскресать; оживать, ожив-ляться, -иться; возро-ждаться, -диться || ~ *va.* воскре-шать, -сить; ожив-лять, -ить; возро-ждать, -дить || **-er** *s.* оживитель *m.*; оживительное средство.

revo/cable (рэ'вокёбл) *a.* отменяемый || **-cation** (рэвокэй'шн) *s.* отозвание; отмена, уничтожение; отрешение; отречение || **-ke** (ривоу'к) *va.* от-зывать, -озвать; (*annul*) уни-чтожать, -чтожить, отмен-ять, -ить.

revolt (ривоу'лт) *vn.* возму-щаться, -титься; вос-ставать, -стать; бунтоваться, из- || ~ *s.* возмущение, восстание, бунт, мятеж.

revolution/ (рэволю'шн) *s.* обращение (планеты); оборот (колеса и. т. п.); перемена, переворот; революция || **-ary** (рэволю'шёнёри) *s.* революционер, мятежник || ~ *a.* революционный, революционерный || **-ize** (рэволю'шёнайз) *va.* произ-водить, -вести революцию.

revolv/e (риво'лв) *va.* вращать, обращать; (*fig.*) обдумывать; соображать || ~ *vn.* вращаться, вертеться, обращаться || **-er** *s.* револьвер || **-ing** *a.* вращающийся, вертящийся, поворотный.

revulsion (рива'лшн) *s.* отвращение; (*med.*) отвлечение.

reward (ри-уо'рд) *va.* награ-ждать, -дить, вознагра-ждать, -дить; от-плачивать, -платить || ~ *s.* награда, награждение, вознаграждение.

rewrite (рийрай'т) *va. irr.* вторично писать; переписывать; (*revise*) переработывать, -ботать.

rhapsod/ist (рä'псод-ист) *s.* рапсод, певец рапсодий || **-y** (-и) *s.* рапсодия; отрывок.

rhetoric/ (рэ'торик) *s.* риторика, красноречие || **-al** (рито'рикёл) *a.* риторический || **-ian** (рэтори'шн) *s.* ритор, учитель (*m.*) риторики; краснобай, -ка; краснослов.

rheum/ (рӯм) *s.* насморк || **-atic** (румä'тик) *a.* ревматический || **-atism** (рӯ'мётизм) *s.* ревматизм, ломота.

rhino (рай'ноу) *s.* (*fam.*) деньги *fpl.*

rhinoceros (райно'сёрёс) *s.* носорог.

rhododendron (роудёдэ'ндрён) *s.* каппара, голубичник.

rhomb/ (ром) *s.* (*geom.*) ромб || **-oid** (ро'мбойд) *s.* ромбоид || **-oidal** (ромбой'дёл) *a.* ромбоидальный.

rhubarb (рӯ'бäрб) *s.* (*bot.*) ревень *m.*

rhyme/ (райм) *s.* рифма; стихи *mpl.* || **neither ~ nor reason** ни складу, ни ладу || ~ *va.&n.* рифмовать; писать стихи || **-r, rhym(st)er** (рай'м[ст]ёр) *s.* рифмоплет, рифмач.

rhythm/ (ридм) *s.* ритм; размер, гармония || **-ical** (ри'дмикёл) *a.* ритмический, мерный.

rib (риб) *s.* (*anat.*) ребро; (*arch.*) стрелки (в своде) *fpl.*; стропило; (*bot.*) жилки (в листе) *fpl.*; (*fam.*) жена || ~ *va.* делать ребристым.

ribald/ (ри'бёлд) *a.* подлый; срамный, похабный; непристойный || ~ *s.* развратник, распутник || **-ry** (-ри) *s.* сквернословие; распутство, разврат.

riband (ри'бёнд), **ribbon** (ри'бн) *s.* лента, тесьма, тесёмка.

rice/ (райс) *s.* рис || **~-paper** *s.* рисовая бумага.

rich/ (рич) *a.* богатый; (*valuable*) великолепный, драгоценный; (*abundant*) (из-) обильный; (*fertile*) плодородный; (*of food*) сочный, жирный; питательный; (*of colours*) яркий, густой || **-es** (ри'чиз) *spl.* богатство; богатства *npl.* || **-ness** *s.* богатство; изобилие.

rick (рик) *s.* стог, скирд *or* скирда, копна.

ricket/s (ри'кит-с) *spl.* английская болезнь || **-y** (-и) *a.* шаткий; слабый, расслабленный.

ricochet (ри'кошэй) *s.* рикошет; рикошетный выстрел || ~ *vn.* от-скакивать, -скочить.

rid/ (рид) *va.irr.* освобо-ждать, -дить; избавлять, -бавить || ~ *a.* избавленный || **to get ~ of** отделаться (от + *G.*), отвязаться || **-dance** (ри'дёнс) *s.* освобождение, избавление.

riddle (ридл) *s.* (*puzzle*) загадка; (*sieve*) сито, решето || ~ *va.* про-севать, -сеять через решето; изрешетить || ~ *vn.* говорить загадками.

ride/ (райд) *vn&a.irr.* éхать, éздить, катáться (верхóм, в экипáже) ‖ **to ~ at anchor** стоя́ть на я́коре ‖ ~ *s.* прогýлка *or* поéздка верхóм, в экипáже; верховáя ездá; (*way*) аллéя, дорóга для верховóй езды́ ‖ **-r** (рай'дёр) *s.* верховóй, всáдник, ездóк, наéздник; берéйтор; (*leg.*) приложéние (к докумéнту); добáвочная оговóрка.

ridge (ридж) *s.* (*anat.*) хребéт, хребéтный столб; (*of mountains*) хребéт, кряж; (*of a roof*) конёк; (*furrow*) бороздá ‖ ~ *va.* борозди́ть.

ridicul/e (ри'дикю̄л) *s.* смешнóе; насмéшка ‖ ~ *va.* насмехáться, осмé-ивать, -я́ть, под-ымáть, -ня́ть (когó) на смех ‖ **-ous** (риди'кюлёс) *a.* смешнóй.

riding/ (рай'динг) *s.* ездá верхóм *или* в экипáже; катáние; (*district*) уéзд ‖ **~-house, ~-school** *s.* манéж ‖ **~-whip** *s.* хлыст.

rife (райф) *a.* госпóдствующий; обыкновéнный; чáстый; (*abundant*) изоби́льный.

riffraff (ри'фрэф) *s.* сброд, свóлочь *f.*; отбрóсы (óбщества).

rifle/ (рай'фл) *va.* по-, рас-хищáть, -хи́тить; грáбить, огрáбить; красть; (*a gun*) винтовáть ‖ ~ *s.* винтóвка ‖ **-man** *s.* стрелóк ‖ **~-range** *s.* тир.

rift (рифт) *s.* трéщина; щель *f.*, сквáжина.

rig/ (риг) *s.* наря́д; (*prank*) шýтка, прокáза ‖ ~ *va.* наря-жáть, -ди́ть, разодéть; (*mar.*) вооруж-áть, -и́ть, оснá-щивать, -сти́ть ‖ **-ging** (ри'гинг) *s.* оснáстка; такелáж, снáсти *fpl.*

right/ (рай'т) *a&ad.* прáвый; прямóй; прáвильный; вéрный, настоя́щий; справедли́вый; закóнный; правди́вый, чéстный ‖ **to be ~** быть прáвым ‖ **all ~!** хорошó; лáдно! всё благополýчно! ‖ **quite ~** совершéнно вéрно ‖ ~ *s.* прáво; правотá, справедли́вость *f.*; преимýщество; прáвая сторонá, прáвая рукá ‖ ~ *va.* о-прáвдывать, -правдáть (*A.*); выпрямля́ть, вы́прямить; стáвить, по- (*A.*) прямо ‖ **-eous** (рай'чёс) *a.* чéстный; справедли́вый, правди́вый ‖ **-eousness** (рай'чёснэс) *s.* чéстность *f.*; справедли́вость *f.*, правди́вость *f.* ‖ **-ful** (рай'тфул) *a.* закóнный; справедли́вый ‖ **-ness** *s.* правотá; правди́вость *f.*; справедли́вость *f.*, прямотá.

rigid/ (ри'джид) *a.* неги́бкий; непреклóнный, стрóгий ‖ **-ity** (риджи'дити) *s.* неги́бкость *f.*; окоченéлость *f.*, непреклóнность *f.*; стрóгость *f.*

rigmarole (ри'гмёрōул) *s.* пустословие, болтовня́.

rigo/rous (ри'гёрёс) *a.* стрóгий, сурóвый, жестóкий; (*precise*) тóчный ‖ **-ur** (ри'гёр) *s.* стрóгость *f.*, сурóвость *f.*, жестóкость *f.*; тóчность *f.*

rile (райл) *va.* серди́ть, рас-; раздра-жáть, -и́ть.

rill (рил) *s.* ручéй; ручеёк.

rim (рим) *s.* край, каймá; (*of a wheel*) обод; (*of a hat*) пóле (шля́пы); кольцó, круг (вокрýг чегó).

rime (райм) = **rhyme.**

rim/e (райм) *s.* и́ней ‖ ~ *vn.* и́ндеветь ‖ **-y** (рай'ми) *a.* покры́тый и́неем.

rind (райнд) *s.* кóрка, кóжа, кóжица (плодóв), корá (дерéвьев).

rinderpest (ри'ндёрпэст) *s.* чумá (скотá).

ring/ (ри'нг) *s.* кольцó, пéрстень *m.*; (*circle*) кольцó, круг; (*area*) беговóй круг; (*tingle*) звук, звучáние, звенéние; (*of bells*) звон, трезвóн ‖ ~ *va.* (по)звони́ть; трезвóнить ‖ ~ *vn.* звенéть, звони́ть; звучáть, раздавáться, -дáться ‖ **~-finger** *s.* безымённый пáлец ‖ **~-leader** *s.* зачи́нщик, начáльник, главá, предводи́тель *m.* ‖ **-let** (ри'нглит) *s.* колéчко; (*of hair*) лóкон ‖ **~-worm** *s.* (*med.*) лишáй.

rink (рингк) *s.* мéсто для спóрта; катóк.

rinse (ринс) *va.* полоскáть, вы́полоскать.

riot/ (рай'ёт) *s.* (*tumult*) бунт, мятéж, восстáние; (*revelry*) шýмное пиршествó, разгýл, кутёж ‖ ~ *vn.* (*make a riot*) бунтовáться, производи́ть мятéж, восставáть; (*revel*) кути́ть, пировáть, распýтничать ‖ **-er** *s.* бунтовщи́к, мятéжник, повстáнец; (*wanton*) разврáтник, кути́ла *m.* ‖ **-ous** (-ёс) *a.* бýйный; (*turbulent*) шýмный; (*seditious*) мятéжный.

rip (рип) *va.* от-, раз-, с-рывáть, раз-, с-дирáть; порóть, расп-áрывать, -орóть; от-крывáть, -кры́ть; рас-крывáть, -кры́ть; разоблач-áть, -и́ть ‖ ~ *s.* разры́в, дырá; (*scamp*) распýтный человéк, негодя́й.

ripe/ (рай'п) *a.* спéлый, зрéлый ‖ **-n** (рай'пн) *va.* дов-оди́ть, -ести́ до зрéлости ‖ ~ *vn.* спеть, поспевáть, зреть, до-зревáть, -зрéть ‖ **-ness** *s.* зрéлость *f.*, спéлость *f.*

ripping (ри'пинг) *a.* (*fam.*) отли́чный, превосхóдный.

ripple (рипл) *vn.* струи́ться, подёргиваться ря́бью; (*murmur*) журчáть, бурли́ть ‖ ~ *va.* (*water*) ряби́ть; (*flax*) мы́кать, чесáть ‖ ~ *s.* рябь *f.*; (*murmur*) журчáние; (*flax-comb*) чесáлка, мы́каница.

rise (райз) *vn.irr.* вставáть, встать; под-н-имáться, -я́ться; (*of the sun*) восходи́ть, взойти́; воз-вышáться, -вы́ситься; (*be produced*) прои-сходи́ть, -зойти́, проис-текать, -течь; (*increase*) увели-ч-иваться, -иться, возрас-тать, -ти; (*of the tide*) прибывать; (*in prices*) повышаться, -выситься; (*rebel*) вос-ставать, -стать || ~ *s.* вставание; (*of the sun*) восход (солнца); (*elevation*) возвышение, под'ём; (*source*) начало, происхождение; (*in prices*) повышение; (*of the tide*) прибывание.

risible (ри'зибл) *a.* смешливый; (*laughable*) смешной.

rising (рай'зинг) *s.* вставание, восхождение; (*of the sun*) восход; (*resurrection*) воскресение; (*insurrection*) восстание, бунт; (*ascent*) возвышение, под'ём; повышение (цены), прибыль *f.* (воды); (*tumour*) опухоль *f.*, нарыв; (*of a session*) закрытие, распущение.

risk/ (ри'ск) *s.* риск, страх; (*danger*) опасность *f.* || ~ *va.* риск-овать, -нуть (*I.*); отважиться || **-y** *a.* рискованный; опасный.

rit/e (райт) *s.* (церковный) обряд || **funeral -es** похороны *fpl.* || **-ual** (ри'тюёл) *a.* ритуальный, обрядный || **-ualist** (ри'тюёлист) *s.* приверженец обрядности.

rival/ (райвл) *s.* соперник; конкурент || ~ *a.* сопернический || ~ *va.* соперничать; соревновать (*D.* & в + *Pr.*) || ~ *vn.* быть соперниками || **-ry** (рай'вёлри) *s.* соперничество, соревнование.

rive (райв) *va.irr.* колоть, раск-алывать, -олоть || ~ *vn.* раск-алываться, -олоться.

river/ (ри'вёр) *s.* река || **~-bed, ~-channel** русло.

rivet (ри'вит) *s.* заклёпка || ~ *va.* за-, при-клёпывать, -клепать; у-, с-креп-лять, -ить.

rivulet (ри'вюлит) *s.* речка, ручеёк.

roach (рōуч) *s.* (*ichth.*) язь *m.*, плотва.

road/ (рōуд) *s.* дорога, путь *m.* || ~, **-stead** (рōу'дстэд) *s.* (*mar.*) рейд, рейда || **-ster** (рōу'дстёр) *s.* дорожная лошадь; (*mar.*) судно, стоящее на рейде.

roam (рōум) *s.* прогулка || **to go for a ~** прогуливаться || ~ *vn.&a.* бродить, скитаться, странствовать; блуждать.

roan (рōун) *a.* рыжечалый || ~ *s.* (*horse*) рыжечалая лошадь; (*in bookbinding*) овечья кожа (для книжных переплётов).

roar/ (рō'р) *vn.* орать, кричать; мычать, реветь, рычать; шуметь, бушевать; греметь, грохотать || ~ *s.* крик, вопль *m.*; мычание, рев, рычание; шум, бушевание; гром, грохот || **-er** *s.* запалённая лошадь.

roast/ (рōу'ст) *va.* жарить, поджар-ивать, -ить; печь || ~ *a.* жареный; печёный || ~ *s.* жаркое || **-beef** (рōу'стбиф) *s.* ростбиф || **-er** *s.* рашпер; жаровня (для кофея).

rob/ (роб) *va.* грабить, о-граблять, -грабить; (у)красть || **-ber** (ро'бёр) *s.* разбойник, грабитель *m.*; вор || **-bery** (ро'бёри) *s.* грабёж, разбой; кража.

robe (рōуб) *s.* (*dress*) одежда, платье; мантия; облачение || ~ *va.&n.* одевать(ся), облекать(ся).

robin (ро'бин) & ~ **redbreast** *s.* (*orn.*) реполов.

robust/ (роба'ст) *a.* крепкий, сильный, здоровый, дюжий || **-ness** *s.* крепость *f.*; сила, крепкое телосложение и здоровье.

rock/ (ро'к) *s.* скала; утёс; (*distaff*) прялка || ~ *va*(*&n.*) качать(-ся), колыхать(-ся), колыхнуть(-ся) || **-ing-chair** *s.* качалка || **-ing-horse** *s.* конёк на качалке || **~-salt** *s.* каменная соль || **-y** *a.* скалистый, каменистый; (*hard*) каменный.

rocket (ро'кит) *s.* ракета.

rod (род) *s.* розга; (*wand*) прут, лоза; жезл, посох; (*fishing-rod*) рыболовная уда.

rode (рōуд) *cf.* **ride.**

rodent (рōу'дёнт) *s.* (*zool.*) грызун.

rodomontade (родёмонтэй'д) *s.* хвастовство.

roe (рōу) *s.* (*zool.*) козуля; лань *f.*; (*hard* ~) икра; (*soft* ~) молоки *fpl.*

rogation/ (рогэй'шн) *s.* моление; прошение, мольба || **~-week** *s.* неделя о слепом.

rogu/e (рōу'г) *s.* плут, мошенник; шалун, проказник || **-ery** *s.* плутовство, мошенничество; шалости, проказы *fpl.* || **-ish** *a.* плутовской, мошеннический.

roisterer (рой'стёрёр) *s.* буян, горлан.

role (рōул) *s.* (*theat.*) роль *f.*

roll/ (рōу'л) *va.* катать, катить; рас-, прокатывать (*metals*); (*press*) трамбовать катком; (~ *one's eyes*) ворочать глазами; свёртывать, свернуть || ~ *vn.* катиться, кататься, валяться; вращаться, вертеться; (*of a ship*) качаться; (*of thunder*) греметь || ~ *s.* катание; (*of a ship*) качка; (*of paper*) свиток, свёрток, трубка; (*roller*) цилиндр, вал; (*bread*) булка; (*register*) реестр, роспись *f.*; список; (*of a drum*) дробь *f.* || **~-call** *s.* (*mil.*) перекличка || **-er** *s.* барабан, цилиндр, каток, вал; (*med.*) перевязка, бинт, бандаж || **-er-blind** *s.* жалюзи *fpl. indecl.* || **-er film** *s.* плёнка в катушках || **-ing-mill** *s.* прокатный завод || **-ing-pin** *s.* скалка (для раскатывания теста) || **-ing-stock** *s.* (*rail.*) подвижной состав.

rollick (ро'лик) *vn.* весело проводить жизнь.

roly-poly (рōу'ли-пōу'ли) *s.* род пудинга с вареньем; (*as a.*) пухлый, толстый.

roman/ce (роума́'нс) *s.* рома́нс; (*novel*) рома́н ‖ ~ *vn.* преувели́чивать; расска́зывать небыли́цы ‖ **–cer** (роума́'нсёр) *s.* романи́ст ‖ **–tic** (роума́'нтик) *a.* (**–ally** *ad.*) романи́ческий, романти́ческий.

Rom/anist (рōу'мёнист) *s.* като́лик ‖ **–ish** (рōу'миш) *a.* ри́мский; католи́ческий.

romp (ромп) *s.* (*girl*) резву́шка; (*play*) шу́мная игра́, возня́ ‖ ~ *vn.* резви́ться, подыма́ть возню́.

rood (рӯд) *s.* (*cross*) крест, распя́тие; (*measure*) = $1/_4$ а́кра (ме́ра земли́).

roof/ (рӯф) *s.* кры́ша, кров, кро́вля; свод, потоло́к; (*of the mouth*) нёбо; (*of a carriage*) верх ‖ ~ *va.* крыть кро́влею, покрыва́ть ‖ **–ing** *s.* кры́ша, кро́вля, покры́шка.

rook/ (рук) *s.* (*ornith.*) грач; (*at chess*) ба́шня, ладья́; (*cheater*) обма́нщик, плут, моше́нник ‖ ~ *va.* об-ма́нывать, -ману́ть ‖ **–ery** *s.* граче́вник, гнездо́вья граче́й; прито́н.

room/ (рӯм) *s.* (*place*) ме́сто, простра́нство; (*apartment*) ко́мната, помеще́ние, го́рница, поко́й; (*in a hotel*) но́мер ‖ **–iness** *s.* просто́р, помести́тельность *f.* ‖ **–y** *a.* просто́рный, обши́рный, поместительный, вмести́тельный.

roost (рӯст) *s.* насе́ст, насе́сток ‖ ~ *vn.* сади́ться на насе́ст; (*fig.*) пригнезди́ться, приюти́ться.

root/ (рӯт) *s.* ко́рень *m.*, корешо́к; (*source*) основа́ние, исто́чник ‖ ~ *vn.* пус-ка́ть, -ти́ть ко́рни, вкорен-я́ться, -и́ться; укорен-я́ться, -и́ться ‖ **to ~ out** *va.* вырыва́ть, вы́рвать ‖ **–ed** (рӯ'тид) *a.* у-, в-корени́вшийся, закорене́лый.

rope/ (рōуп) *s.* верёвка; кана́т; (*mar.*) трос ‖ **~-dancer, ~-walker** *s.* кана́тный плясу́н, акроба́т ‖ **~-maker, –r** *s.* кана́тчик ‖ **~-walk** *s.* кана́тный заво́д.

rop/iness (рōу'пи-нэс) *s.* ли́пкость *f.*, вя́зкость *f.* ‖ **–y** *a.* ли́пкий, вя́зкий.

rosary (рōу'зёри) *s.* ро́зовая гряда́, ро́зовый сад; (*eccl.*) чётки *fpl.*

rose/ (рōуз) *s.* ро́за, ро́зан; розе́тка; голо́вка, голова́ (у ле́йки) ‖ **–ate** (рōу'зиэйт) *a.* ро́зовый ‖ **–bud** *s.* ро́зовый буто́н ‖ **–mary** (рōу'змёри) *s.* (*bot.*) розмари́н ‖ **–tte** (роузэ'т) *s.* розе́тка.

rosin (ро'зин) *s.* смола́; (*for violin*) канифо́ль *f.*

ros/iness (рōу'з-инэс) *s.* розова́тость *f.*; ро́зовый цвет; румя́ность *f.* ‖ **–y** *a.* ро́зовый; румя́ный; пунцо́вый.

rot (рот) *vn.* гнить, тлеть ‖ ~ *s.* гниль *f.*; гни́лость *f.*; (*fam.*) вздор.

rotat/e (роутэ́й'т) *va*(*&n.*) враща́ть(-ся), верте́ть(-ся) ‖ **–ion** *s.* враще́ние, коловраще́ние; обраще́ние; переме́на, переворо́т ‖ **in ~, by ~** попереме́нно.

rote (рōут) *s.*, **by ~** наизу́сть, в зубре́жку.

rotten/ (ро'тн) *a.* гнило́й; испо́рченный; скве́рный; (*fam.*) неприя́тный ‖ **~ egg** *s.* ту́хлое яйцо́ ‖ **–ness** *s.* гни́лость *f.*; испо́рченность *f.* ‖ **~-stone** *s.* (*min.*) тре́пел.

rotter (ро'тёр) *s.* (*fam.*) гну́сный, по́длый челове́к.

rotund/ (рота'нд) *a.* кру́глый ‖ **–a** (-ё) *s.* рото́нда ‖ **–ity** (-ити) *s.* кру́глость *f.*; окру́глость *f.*, полнота́.

rouble (рӯбл) *s.* рубль *m.*

rouge (рӯж) *s.* румя́ны *fpl.* ‖ ~ *va&n.* кра́сить(-ся).

rough/ (ра'ф) *a.* (*not even*) неро́вный, негла́дкий; (*of the voice*) гру́бый; (*of taste*) те́рпкий; (*of manners*) гру́бый, неве́жливый; (*unfeeling*) суро́вый; (*unfinished*) в сыро́м ви́де; (*of hair*) всклоко́ченный; (*of fur*) мохна́тый; (*shaggy*) шерохова́тый, шерша́вый ‖ ~ *s.* грубия́н ‖ **–s** *pl.* сброд ‖ **~-cast** *s.* оболва́ненная ста́туя; гру́бая штукату́рка, подма́зка ‖ ~ *va.* оболва́ни-вать, -ть; обма́з-ывать, -ать гру́бой штукату́ркой ‖ **–en** (рафн) *va.* шерши́ть ‖ **–ly** *ad.* приблизи́тельно ‖ **–ness** *s.* гру́бость *f.*; шерохова́тость *f.* ‖ **~-rider** *s.* бере́йтор.

round/ (рау'нд) *a.* кру́глый; прямо́й, откры́тый, открове́нный, и́скренний; большо́й, кру́пный; свобо́дный, лёгкий, пла́вный ‖ ~ *ad&prn.* круго́м, вокру́г ‖ ~ *s.* круг; кругообраще́ние, ход, тече́ние; (*dance*) кругова́я пля́ска; (*mus.*) хорово́д; (*of a ladder*) ступе́нька; обхо́д, объе́зд, дозо́р, рунд, патру́ль *f.*; (*salvo*) залп ‖ ~ *va.* о-, за-кругл-я́ть, -и́ть; окруж-а́ть, -и́ть ‖ ~ *vn.* о-, за-кругл-я́ться, -и́ться, кругле́ть; шепта́ть ‖ **–about** (рау'ндёбаут) *a.* обхо́дный, око́льный; **~ way** *s.* око́льный путь ‖ **–about** *s.* карусе́ль *f.* ‖ **–elay** (рау'ндилэй) *s.* хорово́дная песнь; (*mus.*) рондо́ *indecl.* ‖ **–ers** (рау'ндёрз) *s.* игра́ в мяч ‖ **–ish** *a.* круглова́тый, кругле́нький ‖ **–ly** *a.* кру́гло; пря́мо; открове́нно ‖ **–ness** *s.* кру́глость *f.*; круглота́; прямота́, открове́нность *f.*

rouse (рауз) *va.* буди́ть, разбу-жа́ть, -ди́ть; подня́ть, вы́гнать (зве́ря) ‖ ~ *vn.* (*to ~ up*) пробу-жда́ться, -ди́ться, просыпа́ться.

rout (раут) *s.* (*mil.*) пораже́ние; бе́гство; (*party*) ра́ут, собра́ние, ве́чер; (*brawl*) ско́пище, толпа́ ‖ **to put to ~** обраща́ть, обратить в бегство || ~ *va*. раз-бивать, -бить; поражать, обра-щать, -тить в бегство.

route (рӯт) *s*. дорога, путь *m*.; маршрут.

routine (рутий'н) *s*. навык, рутина.

rove/ (рōув) *vn*. блуждать, бродить, скитаться, рыскать || **-r** (рōу'вёр) *s*. бродяга *m*., скиталец; (*pirate*) морской разбойник.

row/ (рōу) *s*. ряд || ~ *va&n*. грест-и, -ь || **-er** (рōу'ёр) *s*. гребец || **-lock** (ра'лёк) *s*. (*mar*.) уключина.

row/ (рау) *s*. шум, суматоха; свалка, ссора || ~ *va*. делать, с- кому выговор; давать, дать кому нагоняй || **-dy** (рау'ди) *s*. буян, хулиган || **-ing** (рау'инг) *s*. выговор; брань *f*.

rowan/ (рау'ён) *s*. & ~**-tree** рябина.

rowel (рау'ёл) *s*. колесцо (в шпорах).

royal/ (рой'ёл) *a*. царский, королевский || **-ist** (рой'ёлист) *s*. роялист || **-ty** (рой'ёлти) *s*. царское, королевское достоинство.

rub/ (раб) *va*. тереть, вытирать, вытереть; чистить || ~ *vn*. прокладывать себе путь в жизни, успевать в жизни || ~ *s*. трение; стирание; (*fig*.) препятствие; затруднение || **-ber** (ра'бёр) *s*. напильник; (*at whist*) роббер; (*india-rubber*) резина || **-bers** *spl*. галоши *fpl*.

rubbish (ра'биш) *s*. (*waste matter*) мусор, сор, дрянь *f*.; (*nonsense*) чепуха, вздор.

rubble (рабл) *s*. щебень *m*.

rubric (рӯ'брик) *s*. рубрика; (*passage*) статья.

rubicund (рӯ'бикaнд) *a*. красноватый.

ruby (рӯ'би) *s*. рубин, красный яхонт.

ruck/ (ра'к) *s*. складка, морщина || ~ *va*. со-бирать, -брать в складки || **-sack** *s*. ранец.

ruction (ракшн) *s*. (*fam*.) шум; возня; (*dispute*) ссора.

rudder (ра'дёр) *s*. руль *m*.; правило.

rud/diness (ра'динэс) *s*. краснота, румяность *f*. || **-dle** (радл) *s*. (*min*.) вап, красный мел || **-dy** (ра'ди) *a*. красноватый, с лёгким румянцем; (*fam*.) проклятый.

rude/ (рӯ'д) *a*. грубый; невежливый, неучтивый; наглый, дерзкий; невежественный, необразованный; строгий, суровый; бурный, свирепый || **-ness** *s*. грубость *f*.; невежливость *f*.; неучтивость *f*.; наглость *f*.; дерзость *f*.; невежественность *f*.; необразованность *f*.; строгость *f*.; суровость *f*.; бурность *f*.; свирепость *f*.

rudiment/ (рӯ'димёнт) *s*. начало, основание || **-s** *pl*. начальные правила *npl*.; первые начала || **-ary** (рӯдимэ'нтёри) *a*. зачаточный; неразвитый; слабо развитый.

rue/ (рӯ') *s*. (*bot*.) рута || ~ *va*. раскаиваться, -яться (в + *Pr*.); сожалеть (о + *Pr*.) || **-ful** *a*. печальный, плачевный, грустный.

ruff/ (раф) *s*. брыжи *fpl*.; (*at cards*) козырь *m*. || ~ *va&n*. козырять, козырнуть || **-ian** (ра'фиён) *s*. забияка; злодей; разбойник; грабитель *m*.; убийца *m*. || **-ianly** (ра'фиёнли) *a*. злодейский, разбойнический || **-le** (рафл) *va*. гофрировать; мять, измять; (*fig*.) беспокоить, расстр-аивать, -оить || ~ *vn*. (*grow turbulent*) свирепствовать, буянить; (*flutter*) развеваться || ~ *s*. манжета; (*disturbance*) беспорядок, тревога.

rug/ (раг) *s*. одеяло; (*carpet*) мохнатый ковёр || **-ged** (ра'гид) *a*. грубый, суровый, неровный; (*shaggy*) мохнатый, косматый; (*crabbed*) резкий, неучтивый, невежливый.

Rugby (ра'гби) *s*. & ~ **football, rugger** (ра'гёр) *s*. (*fam*.) род игры в футбол.

ruin/ (рӯ'ин) *s*. падение, разрушение; (*fig*.) гибель *f*., погибель *f*., разорение || **-s** *pl*. развалины *fpl*. || ~ *va*. раз-рушать, -рушить; (*fig*.) губить, погубить, разор-ять, -ить, уничт-ожать, -ожить || **-ous** *a*. (*ruined*) ветхий; (*destructive*) гибельный, пагубный.

rule/ (рӯл) *s*. правило; устав, закон; статут, регламент, порядок; (*instrument*) линейка; масштаб; (*government*) господство, правление || **as a** ~ *ad*. обыкновенно || ~ *va*. линевать; установ-лять, -ить, определ-ять, -ить; властвовать; у-правлять, -править || **-r** (рӯ'лёр) *s*. правитель *m*.; властелин; (*instrument*) линейка.

rum (рам) *s*. ром || ~ *a*. (*fam*.) странный, чудной.

rumble (рамбл) *vn*. шуметь, грохотать || ~ *s*. (*sound*) гул, шум; (*of thunder*) грохот; (*of a carriage*) сиденье для лакея назади экипажа.

ruminat/e (рӯ'минэйт) *va&n*. пережёвывать, отрыгать жвачку; (*fig*.) размышлять (*upon*, о + *Pr*.) || **-ion** (рӯминэй'шн) *s*. пережёвывание; (*fig*.) размышление.

rummage (ра'мидж) *s*. остатки *mpl*., хлам || ~ *va*. искать, рыться, шарить; перешаривать, -шарить; пере-рывать, -рыть.

rummer (ра'мёр) *s*. кубок вина.

rummy (ра'ми) *a*. (*fam*.) странный, чудной.

rumour/ (ру́'мёр) *s.* слух, молва́ || ~ *va.* распус-ка́ть, -ти́ть слух, разгла-ша́ть, -си́ть || **it is -ed (that), ~ has it (that)** слух но́сится, слух идёт, говоря́т.
rump/ (ра'мп) *s.* кресте́ц, зад, за́дница || **-steak** *s.* бифште́кс, вы́резка, румсте́к.
rumple (рампл) *s.* морщи́на; скла́дка || ~ *va.* мять, измя́ть, смять.
rumpus (ра'мпёс) *s.* (*fam.*) ссо́ра; сумато́ха, шум.
run/ (ра'н) *vn.irr.* бежа́ть, бе́гать; скака́ть; течь, ли́ться; пробе-га́ть, -жа́ть, проходи́ть, -йти́; (*of a train*) ходи́ть; (*leak*) ка́пать; (*of wounds*) сочи́ться; (*of paper*) протека́ть; (*melt*) та́ять, расплыва́ться; (*read*) гласи́ть; быть, сде́латься, стать, станови́ться || ~ *va.* (*pursue*) пресле́довать, гоня́ться (за); прон-за́ть, -зи́ть, вонз-а́ть, -и́ть; проде-ва́ть, -́ть; подверга́ться, -ве́ргнуться || **to ~ aground (ashore)** наскочи́ть на́ мель, вы́кинуться на́ берег || **to ~ down** (*mar.*) потоп-ля́ть, -и́ть (су́дно); загна́ть (оле́ня); (*fig.*) уничиж-а́ть, -и́ть || **to ~ off** убежа́ть, удра́ть || **to ~ on** продолжа́ться || **to ~ out** ис-тека́ть, -те́чь; ок-а́нчиваться, -о́нчиться; выходи́ть, вы́йти || **to ~ out the guns** вы́двинуть пу́шки || **to ~ up** подн-има́ть, -я́ть; торопли́во сооруди́ть; расти́; накопля́ться || ~ *s.* бег, беготня́; (*trip*) пое́здка; тече́ние, ход; (*on a bank*) наплы́в || **in the long ~** в конце́ концо́в || **to have a long ~** быть до́лго в ходу́, име́ть продолжи́тельный успе́х || **-about** *s.* откры́тый ваго́н || **-away** *s.* бегл-е́ц, -я́нка; дезерти́р.
rundle (рандл) *s.* ступе́нька (у ле́стницы).
rune (рӯн) *s.* ру́на. [*cf.* **ring.**
rung (ранг) *s.* ступе́нька (у ле́стницы);
runic (рӯ'ник) *a.* ру́нный, руни́ческий.
run/let (ра'нлит) *s.* ручеёк || **-nel** (ра'нёл) *s.* ручеёк; (*gutter*) кана́вка, сток.
runner (ра'нёр) *s.* бегу́н; гоне́ц; (*messenger*) рассы́льный; (*horse*) рыса́к; (*bot.*) побе́г; (*of a sleigh*) по́лоз (*pl.* поло́зья).
running (ра'нинг) *a.* бегу́чий; (*flowing*) теку́щий.
rupee (рӯпий') *s.* ру́пия (моне́та).
rupture (ра'пчёр) *s.* разры́в; разла́д; (*med.*) гры́жа || ~ *va.* разрыва́ть, разорва́ть; лома́ть || ~ *vn.* раз-рыва́ться, -орва́ться, ло́пнуть.
rural (рӯ'рёл) *a.* дереве́нский, се́льский.
ruse (рӯз) *s.* хи́трость *f.*; уло́вка.
rush (раш) *s.* (*bot.*) си́тник, камы́ш; (*run*) ско́рый бег; на́тиск, напо́р, наплы́в, поры́в || ~ *vn.* кида́ться, ки́нуться, броса́ться, бро́ситься, стреми́ться, хлы́нуть.
rusk (раск) *s.* суха́рь *m.*, грено́к.
russet (ра'сит) *a.* красно-бу́рый.
Russia-leather (ра'шёлэ'ðёр) *s.* юфть *f.*, юхть *f.*
rust/ (ра'ст) *s.* ржа́вчина; (*on plants*) ржа || ~ *vn.* ржа́веть, за- || **-iness** *s.* ржа́вость *f.*; заржаве́лость *f.* || **-y** *a.* ржа́вый, заржа́велый.
rustic/ (ра'стик) *a.* (**-ally** *ad.*) дереве́нский, мужи́цкий, мужикова́тый || ~ *s.* мужи́к || **-ate** (-эйт) *vn.* жить в дере́вне || ~ *va.* удали́ть *or* сосла́ть в дере́вню || **-ation** *s.* дереве́нская жизнь; исключе́ние из университе́та || **-ity** (расти'сити) *s.* се́льский быт; (*simplicity*) простота́; гру́бость *f.*
rustle (расл) *vn.* шуме́ть, шелести́ть.
rut/ (рат) *s.* (*of deer*) те́чка; (*groove*) коле́я || ~ *vn.* бе́гаться, быть в те́чке || **-ting-season** *s.* вре́мя те́чки.
ruthless (рӯ'þлис) *a.* безжа́лостный, жесто́кий.
rye/ (рай') *s.* (*bot.*) рожь *f.* || **~-grass** *s.* англи́йский ра́йграс, многоле́тний пле́вел.

S

sabba/tarian (сӓбёта̄'риен) *s.* суббо́тник || **-th** (сӓ'бёþ) *s.* день отдохнове́ния; суббо́та (у евре́ев), воскресе́нье (у христиа́н).
sable (сэ̄йбл) *s.* (*zool.*) со́боль *m.*; (*fur*) собо́лий мех || ~ *a.* чёрный; мра́чный; тра́урный.
sabre (сэ̄й'бёр) *s.* са́бля || ~ *va.* руби́ть, изруби́ть са́блею.
saccharin (сӓ'кёрин) *s.* сахари́н.
sacerdotal (сӓсёрдо̄у'тёл) *a.* свяще́ннический; жре́ческий.
sack/ (сӓ'к) *s.* (*bag*) мешо́к, куль *m.*, сак; (*pillage*) разграбле́ние (го́рода); (*wine*) кре́пкое испа́нское вино́ || **to give one the ~** отказа́ть от ме́ста || **to get the ~** получи́ть отста́вку || ~ *va.* класть, положи́ть в мешо́к; ссып-а́ть, -ать в куль; (*to pillage*) гра́бить, разор-я́ть, -и́ть (го́род); (*fam.*) от-ка́зывать, -каза́ть (*D.*) от ме́ста || **~-cloth** *s.* дерю́га, мешо́чный холст || **in ~ and ashes** в вре́тище и пе́пле || **-ing** *s.* дерю́га; мешо́чный холст; мешкови́на.
sacrament/ (сӓ'крёмэнт) *s.* та́инство; прича́стие; Святы́е Дары́ *mpl.* || **-al** (сӓкрёмэ'нтёл) *a.* относя́щийся к та́инству.
sacred/ (сэ̄й'крид) *a.* свято́й, свяще́нный, духо́вный; посвящённый (*D.*); (*inviolable*) ненаруши́мый || **-ness** *s.* свя́тость *f.*; ненаруши́мость *f.*
sacrific/e (сӓ'крифайс) *va.&n.* приноси́ть же́ртву; же́ртвовать, поже́ртвовать (*I.*); при-носи́ть, -нести́ в же́ртву; посвяща́ть, -ти́ть (*D.*) || ~ *s.* же́ртва, жерт-

воприношéние || **-er** *s.* жертвоприноси́тель *m.* || **-ial** (сäкрифи'шёл) *a.* жéртвенный.

sacrileg/e (сä'крилидж) *s.* святотáтство; богохýльство, богохулéние || **-ious** (сäкрили́й'джёс) *a.* святотáтственный; богохýльный; нечести́вый.

sacrist/an (сä'крист-ён) *s.* сакристáн, ри́зничий, пономáрь *m.*, ключáрь *m.* || **-y** *s.* ри́зница. [вéнный.

sacrosanct (сä'кросäнгкт) *a.* неприкосно-

sad/ (сä'д) *a.* печáльный, уны́лый, мрáчный; (*colour*) густóй, тёмный; серьёзный, степéнный || **-den** *va.* печáлить || **-ness** *s.* гóре, печáль *f.*; грусть *f.*

saddle/ (сä'дл) *s.* седлó; (*of a mountain*) седлови́на || **~-horse** верховáя лóшадь || **~** *va.* седлáть, о- || **to ~ one with** навью́ч-ивать, -ить; (*fig.*) обремен-я́ть, -и́ть || **-r** *s.* седéльник, шóрник || **-ry** *s.* шóрный товáр; (*trade*) седéльная *or* шóрная мастерскáя || **~-tree** *s.* арчáк.

safe/ (сэй'ф) *a.* цéлый, здрáвый, невреди́мый; (*not dangerous*) безопáсный; находя́щийся вне опáсности; благополýчный || **~** *s.* сейф, несгарáемая кáсса || **~-conduct** *s.* охрáнный вид, прóпуск || **-guard** *s.* охрáна; защи́та; (**~**-*conduct*) охрáнная грáмота; вид || **~** *va.* защищáть, -ти́ть || **-ness** *s.* безопáсность *f.* || **-ty** *s.* невреди́мость *f.*; (**~** *custody*) надёжное мéсто, надзóр || **-ty-valve** предохрани́тельный клáпан.

saffron (сä'фрён) *s.* шафрáн || **~** *a.* шафрáнный.

sag (сäг) *vn.* склоня́ться, отклоня́ться; поддавáться.

sagaci/ous (сёгэй'шёс) *a.* прозóрливый, проницáтельный || **-ty** (сёгä'сити) *s.* проницáтельность *f.*; остроýмие, рассуди́тельность *f.*

sage/ (сэй'дж) *a.* мýдрый, ýмный; благоразýмный || **~** *s.* мудрéц; (*bot.*) шалфéй || **-ness** *s.* мýдрость *f.*; благоразýмие.

sago (сэй'гоу) *s.* сáго.

said (сэд) *cf.* **say.**

sail/ (сэй'л) *s.* пáрус; (*ship*) корáбль *m.*, сýдно; (*excursion*) плáвание; (*of a mill*) мéльничное крылó || **to crowd (press) all -s** подня́ть все парусá || **~** *va&n.* плыть, отплы́ть, катáться по мóрю || **-er** *s.* пáрусное сýдно || **-or** *s.* моря́к, матрóс; (*navigator*) мореплáватель *m.*

sainfoin (сэй'нфойн) *s.* (*bot.*) эспарцéт, ося́нка (кормовáя травá).

saint/ (сэй'нт) *a.* святóй || **~** *s.* святóй, святáя || **-ed** *a.* священный, святóй; (*dead*) покóйный, умéрший || **-ly** *a.* нáбожный, безгрéшный.

saith (сэþ) *cf.* **say.**

sake (сэйк) *s.* причи́на; цель *f.* || **for God's ~** рáди Бóга || **for the ~ of** рáди (*G.*) || **for my ~** рáди меня́ || **for pity's ~** из жáлости.

sal (сäл) *s.*, **~ volatile** *s.* (*chem.*) ню́хательная соль || **~ ammoniac** нашаты́рь *m.*

salaam (сёлā'м) *vn.* поклон-я́ться, -и́ться.

salacious (сёлэй'шёс) *a.* сладострáстный.

salable *cf.* **saleable.**

salad/ (сä'лёд) *s.* салáт || **~-bowl** *s.* салáтник || **~-oil** *s.* провáнское мáсло.

salamander (сä'лёмä'ндёр) *s.* саламáндра.

salary (сä'лёри) *s.* жáлованье, оклáд.

sale/ (сэй'л) *s.* продáжа, распродáжа, сбыт || **for ~** продáжный || **on ~ or return** на комми́сию || **-able** *a.* хóдкий (товáр) || **-sman** *s.* продавéц, торгóвец.

salient (сэй'лиёнт) *a.* скáчущий, пры́гающий; бьющийся; выступáющий; выдаю́щийся.

saline (сёлай'н, сэй'лайн) *a.* солёный; соляно́й || **~** *s.* солевáрня, соляно́й истóчник.

saliva/ (сёлай'вё) *s.* слюнá || **-te** (сä'ливэйт) *va.* произв-оди́ть, -ести́ слюнотечéние || **-tion** (сäливэй'шн) *s.* слюнотечéние, саливáция; лечéние слюногóнными срéдствами. [желтовáтый.

sallow (сä'лоу) *s.* и́ва || **~** *a.* блéдный,

sally (сä'ли) *s.* вы́ходка; (*of wit*) затéя, остротá; (*mil.*) вы́лазка || **~** *vn.* (*mil.*) сдéлать вы́лазку.

salmagundi (сäлмёга'нди)) *s.* винегрéт; (*medley*) вся́кая вся́чина. [*m.*, лососи́на.

salmon (сä'мён) *s.* (*ichth.*) сёмга, лóсось

saloon/ (сёлȳ'н) *s.* зáла, гости́ная; (*Am.*) тракти́р, кабáк || **~-car** *s.* вагóн-буфéт.

salsify (сä'лсифай) *s.* (*bot.*) кóзья борóдка.

salt/ (сō'лт) *s.* соль *f.*; (*fig.*) прия́тный вкус, аромáт, букéт; остротá; (*fam. old sailor*) стáрый моря́к || **Epsom ~** англи́йская соль || **~** *a.* солёный; соляно́й; (*fig.*) éдкий, рéзкий || **~** *va.* соли́ть; прос-áливать, -оли́ть || **~-cellar** *s.* солóнка || **-ish, -y** *a.* солоновáтый || **-ness** *s.* солёность *f.* || **-petre** *s.* сели́тра || **~-works** *spl.* солевáрня.

salu/brious (сёлȳ'бриёс) *a.* целéбный, здорóвый || **-brity** (сёлȳ'брити) *s.* целéбность *f.*; здорóвые свóйства *npl.* || **-tary** (сä'лютёри) *a.* цели́тельный, целéбный || **-tation** (сäлютэй'шн) *s.* поклóн, привéтствие || **-te** (селю́'т) *va.* (*greet*) привéтствовать, клáняться, поклони́ться;

(*mil. & mar.*) салютовáть; (*kiss*) целовáть, по- || ~ *s.* (*greeting*) поклóн, привéт; (*kiss*) поцелýй.
salva/ge (сä'лвидж) *s.* спасённая часть грýза; (*money*) вознаграждéние за спасéние корабля́ *или* грýза || **-tion** (сäлвэ̄й'шн) *s.* спасéние, спасéние души́; блажéнство || **Salvation Army** *s.* áрмия спасéния.
salve (сāв, сäлв) *s.* мазь *f.*; (*fig.*) лекáрство || ~ *va.* мáзать мáзью.
salver (сä'лвёр) *s.* поднóс.
salvo (сä'лвоу) *s.* оговóрка; (*mil.*) залп.
same/ (сэ̄й'м) *a.* сáмый; тот сáмый; одинáковый, тождéственный || **it is all the ~ to me** э́то мне всё равнó || **-ness** *s.* тождествó; (*monotony*) однообрáзие.
samovar (сäмёвā'р) *s.* самовáр.
samphire (сä'мфайёр) *s.* (*bot.*) морскóй укрóп.
sample/ (сä'мпл) *s.* обрáзчик; образéц, примéр || ~ *va.* покáз-ывать, -áть обрáзчики; покáз-ывать, -áть примéр || **-r** *s.* узóр для вышивáния.
sanator/y (сä'нётёри) *a.* гигиени́ческий || || **-ium** (сäнётō'риём) *s.* санатóрия.
sanct/ification (сäнгктификэ̄й'шн) *s.* освящéние, посвящéние || **-ify** (сä'нгктифай) *va.* святи́ть, освя-щáть, -ти́ть; посвя-щáть, -ти́ть; о-чищáть, -чи́стить (дýшу от грехóв) || **-imonious** (сäнгктимōу'ниёс) *a.* ханжескóй || **-imony** (сä'нгктимёни) *s.* ханжествó || **-ion** (сä'нгкшн) *s.* сáнкция; утверждéние || ~ *va.* доз-воля́ть, -вóлить; утвер-ждáть, -ди́ть || **-ity** (сä'нгктити) *s.* свя́тость *f.* || **-uary** (сä'нгктюёри) *s.* святи́лище, святы́ня; (*refuge*) убéжище.
sand/ (сä'нд) *s.* песóк || **-s** *pl.* пески́ *mpl.*; мель *f.* || **-bag** *s.* мешóк с пескóм || **-bank** *s.* мель *f.* || **-ed** *a.* песчáный, песóчный; по-, у-сы́панный пескóм || **-stone** *s.* песчáник || **-y** *a.* песчáный, песóчный; (*colour*) ры́жий.
sandal (сäндл) *s.* сандáлия.
sandwich/ (сä'ндуич) *s.* сáндвич, тарти́нка || ~ *va.* помещáть в перемéжку || **~-man** *s.* человéк, котóрый нóсит на себé об'явлéния по ýлицам.
sane (сэ̄йн) *a.* здравомы́слящий.
sang (сäнг) *cf.* **sing.**
sanguin/ary (сä'нг-гуинёри) *a.* кровáвый, кровопроли́тный; (*cruel*) кровожáдный || **-e** (сä'нг-гуин) *a.* (*plethoric*) полнокрóвный; (*confident*) сангвини́ческий || **-eous** (сäнг-гуи'ниёс) *a.* кровянóй, полнокрóвный. || *s.* здрáвость (*f.*) рассýдка.
sanit/ary (сä'нит-ёри) *a.* санитáрный || **-y**
sank (сäнгк) *cf.* **sink.**
sap/ (сä'п) *s.* (*bot.*) сок; мезгá, зáболонь *f.* (дéрева); (*mil.*) сáпа, подкóп || ~ *va.&n.* под-кáпывать, -копáть; под-рывáть, -оррвáть; (*mil.*) сапировáть; подв-оди́ть, -ести́ подкóпы || **-less** *a.* сухóй; (*fig.*) вя́лый || **-ling** *s.* молодóе деревцó || **-per** *s.* (*mil.*) сапёр || **-py** *a.* сóчный; нéжный || **~-wood** *s.* мезгá, зáболонь *f.*
sapid/ сä'пид) *a.* вкýсный || **-ity** (сäпи'дити) *s.* вкýсность *f.*, вкус, смак.
sapien/ce (сэ̄й'пиён-с) *s.* мýдрость *f.*; премýдрость *f.* || **-t** *a.* мýдрый.
saponaceous (сäпонэ̄й'шёс) *a.* мы́льный, мыловáтый.
sapphire (сä'файёр) *s.* са(п)фи́р, си́ний я́хонт.
sarcas/m (сā'ркäзм) *s.* саркáзм || **-tic** (сāркä'стик) *a.* саркасти́ческий, язви́тельный, кóлкий.
sarcenet (сā'рснит) *s.* сарсенéт, тафтá.
sarcophagus (сāрко'фёгёс) *s.* саркофáг.
sardine (сāрдий'н) *s.* (*ichth.*) сарди́нка, сардéль *f.*
sardonic (сāрдо'ник) *a.* сардони́ческий.
sarsaparilla (сāрсёпёри'лё) *s.* (*bot.*) сассапари́ль *f.*
sarsenet *cf.* **sarcenet.**
sartorial (сартō'риёл) *a.* портня́жный.
sash/ (сä'ш) *s.* (*scarf*) шарф; (*of a window*) окóнная рáма || **~-window** *s.* под'ёмное oкнó.
sat (сäт) *cf.* **sit.**
satan/ (сэ̄йтн) *s.* сатанá *m.*; дья́вол, бес || **-ic** (сётä'ник) *a.* сатани́нский, дья́вольский.
satchel (сä'чёл) *s.* сýмка, рáнец.
sate (сэ̄йт) *va.* на-сыщáть, -сы́тить.
satellite (сä'тёлайт) *s.* (*astr.*) спýтник; (*fig.*) привéрженец.
sati/ate (сэ̄й'шиэйт) *va.* на-сыщáть, -сы́тить; (*glut*) пре-сыщáть, -сы́тить || **-ety** (сётай'ити) *s.* насыщéние; пресыщéние; отвращéние.
satin/ (сä'тин) *s.* атлáс || ~ *a.* атлáсный || **-et** *s.* полуатлáс, сати́н.
satir/e (сä'тайёр) *s.* сати́ра || **-ical** (сёти'рикёл) *a.* сатири́ческий || **-ist** (сä'тёрист) *s.* сати́рик || **-ize** (сä'тирайз) *va.* осмéивать, осмея́ть.
satis/faction (сäтисфä'кшн) *s.* удовлетворéние; удовóльствие, наслаждéние || **-factory** (сäтисфä'ктёри) *a.* (**-ily** *ad.*) удовлетвори́тельный, уважи́тельный (дóвод, причи́на) || **-fy** (сä'тисфай) *va.&n.* удовлетвор-я́ть, -и́ть; вознагра-ждáть, -ди́ть; возме-щáть, -сти́ть; (*convince*) убе-ждáть, -ди́ть.
saturate (сä'тюрэйт) *va.* (*chem.*) на-сыщáть, -сы́тить.
Saturday (сä'тёрди) *s.* суббóта

saturnine (са́'тёрнайн) *a.* (*fig.*) мра́чный, уны́лый.
sauc/e (со̄'с) *s.* со́ус, подли́вка; (*fig.*) припра́ва || **–epan** *s.* кастрю́лька || **–er** *s.* ча́йное блю́дечко || **–iness** *s.* де́рзость *f.*, наха́льство || **–y** *a.* де́рзкий, наха́льный.
saunter/ (со̄'нтёр) *vn.* шата́ться, шля́ться || **–er** *s.* праздношата́ющийся.
sausage (со̄'сидж, со'сидж) *s.* соси́ска, колбаса́.
savage/ (са́'видж) *a.* ди́кий, свире́пый; жесто́кий || ~ *s.* дика́рь *m.* || **–ness, –ry** *s.* ди́кость *f.*; свире́пость *f.*, ва́рварство.
save/ (сэ̄й'в) *va.* спас-а́ть, -ти́; охран-я́ть, -и́ть; бере́чь, сбере́чь; эконо́мничать || ~ *prp.* кро́ме; за исключе́нием (*G.*) || **~-all** *s.* подога́рочник || **–r** *s.* спаси́тель *m.*; избави́тель *m.*; скопидо́м.
saveloy (са́'вёлой) *s.* цервела́тная колбаса́.
saving/ (сэ̄й'винг) *a.* бережли́вый, эконо́мный || ~ *s.* спасе́ние; сбереже́ние, эконо́мия || ~ *prp.* кро́ме, за исключе́нием (*G.*) || **–s-bank** *s.* сберега́тельная ка́сса.
Saviour (сэ̄й'вйёр) *s.* Спаси́тель *m.*
savour/ (сэ̄й'вёр) *s.* вкус; (*smell*) за́пах, дух || ~ *vn.* име́ть вкус; па́хнуть, отзыва́ться || **–iness** *s.* прия́тный вкус; благово́ние || **–y** *a.* вку́сный; благоуха́ющий.
saw/ (со̄') *s.* (*tool*) пила́; (*saying*) погово́рка || ~ *va.&n.irr.* пили́ть || **–dust** *s.* опи́лки *mpl.* || **~-mill** *s.* лесопи́льная ме́льница, лесопи́льный заво́д || **–yer** (-йёр) *s.* пи́льщик.
say/ (сэ̄й') *va.&n.irr.* говори́ть, ска́з-ывать, -а́ть; повтор-я́ть, -и́ть (уро́к); чита́ть (моли́твы) || **I ~!** позво́льте! посто́йте! || **that is to ~** то есть || ~ *s.* сло́во, речь *f.* || **–ing** погово́рка, посло́вица; выраже́ние.
scab/ (ска́'б) *s.* (*med.*) струп; чесо́тка, парши́ *mpl.* || **–biness** *s.* парши́вость *f.*; струпова́тость *f.* || **–by** *a.* парши́вый || **–ious** (скэ̄й'биёс) *a.* чесо́точный || ~ *s.* (*bot.*) коро́стовик, скабио́за.
scabbard (ска́'бёрд) *s.* но́жны́ *fpl.*
scaffold/ (ска́'фёлд) *s.* эшафо́т; (*arch.*) подмо́стки *mpl.*; леса́ (при постро́йке) *mpl.* || ~ *va.* стро́ить, постро́ить подмо́стки, леса́; под-де́рживать, -держа́ть || **–ing** *s.* подмо́стки *mpl.*; вре́менная сце́на, эстра́да.
scald/ (ско̄'лд) *s.* (*burn*) ожо́г, обжо́г; (*scab*) парша́ || ~ *va.* обжига́ть, об-ва́ривать, -вари́ть || **–ing-hot** *a.* горя́чий, как кипято́к; кипя́щий.
scale/ (скэ̄йл) *s.* (*of a balance*) ча́ша весо́в; (*astr.*) Весы́ *mpl.*; (*mus.*) га́мма; (*math., etc.*) ска́ла; (*series*) ряд; (*instrument & fig.*) масшта́б, ме́ра; (*mil.*) при́ступ, штурм; (*anat.*) чешуя́; (*in a kettle*) на́кипь *f.* || **pair of –s** весы́ *mpl.* || **on a large ~** в большо́м масшта́бе; на широ́кую но́гу || ~ *va.* (*climb*) вз-бира́ться, -обра́ться, под-ыма́ться, -ня́ться по ле́стнице; (*weigh*) ме́рить; (*a fish*) счи-ща́ть, -сти́ть чешую́; (*pare off*) лущи́ть.
scaling-ladder *s.* штурмова́я *or* при́ступная ле́стница.
scallion (ска́'лиён) *s.* (*bot.*) шарло́т.
scallop (ска́'лёп, ско'лёп) *s.* фесто́н, зубе́ц; (*zool.*) гребе́нчатая ра́ковина || ~ *va.* выр-е́зывать, -еза́ть фесто́ны.
scalp/ (ска́'лп) *s.* скальп || ~ *va.* скальпирова́ть || **–el** *s.* ска́льпель *m.*
scaly (скэ̄й'ли) *a.* чешу́йчатый; чешуеобра́зный.
scamp/ (ска́мп) *s.* негодя́й; безде́льник || **–er** *vn.* (*away, off*) удира́ть; убега́ть со всех ног; дать тя́гу.
scan (ска́н) *va.* рас-сма́тривать, -смотре́ть; (*gramm.*) скандова́ть (стих).
scandal/ (ска́'ндл) *s.* сканда́л, собла́зн; позо́р, стыд; злосло́вие, клевета́ || **–ize** *va.* причин-я́ть, -и́ть собла́зн; клевета́ть || **–ous** *a.* сканда́льный, соблазни́тельный, позо́рный.
scant/ (ска́'нт) *a.* ску́дный, ре́дкий; ограни́ченный || ~ *va.* ограни́-чивать, -чить || **–ily** *ad.* ску́дно, ограни́ченно, ску́по || **–iness** *s.* недоста́точность *f.*; ску́дность *f.*, ограни́ченность *f.* || **–y** *a.* ску́дный, ска́редный, скупо́й, недоста́точный.
scantling (ска́'нтлинг) *s.* (*pattern*) обра́зчик; (*small quantity*) кусо́чек; (*beam*) брус.
scape/goat (скэ̄й'п-го̄ут) *s.* козёл отпуще́ния || **–grace** *s.* пове́са *m.*
scapulary (ска́'пюлёри) *s.* (*eccl.*) напле́чник.
scar (ска̄р) *s.* рубе́ц, шрам || ~ *va.* де́лать рубцы́, шра́мы.
scarab (ска́'рёб) *s.* жук.
scarc/e (ска́'рс) *a.* ре́дкий, ску́дный || ~, **–ely** *ad.* едва́; с трудо́м || **–ity** *s.* ре́дкость *f.*; недоста́ток, недоста́точное коли́чество.
scare/ (ска́'р) *va.* пуга́ть, испуга́ть; спугну́ть (отку́да) || ~ *s.* испу́г || **–crow** *s.* пу́гало, чу́чело.
scarf/ (ска̄'рф) *s.* шарф || **~-pin** *s.* була́вка, носи́мая на га́лстуке.
scarif/ication (ска̄рификэ̄й'шн) *s.* (*med.*) насе́чка ко́жи, скарифика́ция, ставле́ние ба́нок || **–y** (ска́'рифай) *va.* на-се́ка́ть, -се́чь; над-ре́зывать, -реза́ть, -ре́зать.
scarlatina (ска̄рлётий'нё) *s.* (*med.*) скарлати́на.

scarlet/ (ска̄'рлит) *s.* шарла́х, багре́ц, че́рвлень *f.* || ~ *a.* червлёный, а́лый || **~-fever** скарлати́на.
scarp (ска̄рп) *s.* (*fort.*) эска́рп.
scath/eless (скэ̄й'ð-лис) *a.* безвре́дный || || **-ing** *a.* уничтожа́ющий.
scatter (ска̄'тёр) *va*(*&n.*) рас-сыпа́ть (-ся), -сы́пать (-ся); рас-сева́ть(ся), -се́ять(ся) || **to ~ about** раз-бра́сывать, -броса́ть.
scavenger (ска̄'винджёр) *s.* му́сорщик, подмета́тель (*m.*) у́лиц.
scen/e (сий'н) *s.* сце́на, декора́ции *fpl.*; сце́на, явле́ние (а́кта); ме́сто де́йствия; (*fig.*) де́йствие, происше́ствие || **-ery** *s.* (*landscape*) вид, пейза́ж; (*theat.*) декора́ции *fpl.*, кули́сы *fpl.* || **-ical** (сэ'никёл) *a.* сцени́чный, сцени́ческий, театра́льный.
scent/ (сэ'нт) *s.* за́пах; обоня́ние, чутьё; нос (соба́ки); (*fig.*) след || ~ *va.* надуши́ть; чу́ять || **-less** *a.* без за́паха.
sceptic/ (скэ'пт-ик) *a.* скепти́ческий || ~ *s.* ске́птик || **-ism** (-исизм) *s.* скептици́зм.
sceptre (сэ'птёр) *s.* ски́петр.
schedule (шэ'дю̄л, скэ'дю̄л) *s.* запи́ска; спи́сок; о́пись *f.*; доба́вочный лист (к а́кту); расписа́ние.
scheme/ (скийм) *s.* план; прое́кт; диагра́мма; схе́ма || ~ *va&n.* составля́ть пла́ны, проектирова́ть; интригова́ть || **-r** *s.* прожектёр; интрига́нт, интрига́нтка.
schism/ (сизм) *s.* раско́л || **-atic** (-а̄'тик) *s.* раско́льник || **-atical** (-а̄'тикёл) *a.* раско́льнический.
schol/ar (ско'лёр) *s.* (*pupil*) учени́к, учени́ца; (*man of letters*) учёный || **-arship** *s.* учени́чество; учёность *f.*; (*exhibition*) стипе́ндия || **-astic** (скола̄'стик) *a.* схоласти́ческий; (*pertaining to schools*) шко́льный.
school/ (ску'л) *s.* шко́ла; учи́лище, уче́бное заведе́ние || ~ *va.* учи́ть, на-ставля́ть, -ста́вить || **~-board** *s.* шко́льное нача́льство || **-boy** *s.* учени́к, шко́льник || **~-fellow** *s.* това́рищ || **-ing** *s.* уче́ние, обуче́ние; (*money*) пла́та за уче́ние; (*reprimand*) вы́говор || **-man** *s.* схола́стик **-master** *s.* учи́тель *m.* || **-mistress** *s.* учи́тельница || **-room** *s.* кла́ссная ко́мната.
schooner (скӯ'нёр) *s.* (*mar.*) шху́на.
sciatica (сайа̄'тикё) *s.* и́шиас, седа́лищная невра́лгия.
scien/ce (сай'ёнс) *s.* нау́ка; зна́ние || **-tific** (сай-ёнти'фик) *a.* нау́чный.
scimitar (си'митёр) *s.* туре́цкая са́бля.
scintilla/te (си'нтилэйт) *vn.* сверка́ть, мерца́ть || **-tion** *s.* сверка́ние, мерца́ние.
scion (сай'ён) *s.* (*bot.*) приви́вок; (*fig.*) пото́мок, о́тпрыск.
scissors (си'зёрз) *spl.* но́жницы *fpl.*
scoff/ (ско'ф) *va.* подыма́ть на́ смех, осме́ивать || ~ *s.* насме́шка, глумле́ние (над + *I.*) || **-er** *s.* насме́шник, зубоска́л || **-ingly** *ad.* в насме́шку, насме́шливо.
scold/ (ско̄у'лд) *va&n.* брани́ть(-ся), руга́ть(-ся) || ~ *s.* брань *f.*, ру́гань *f.*; (*woman*) сварли́вая же́нщина || **-ing** *s.* брань *f.* || **to give a person a good ~** вы́бранить кого́.
scollop (ско'лёп) *cf.* **scallop.**
sconce (сконс) *s.* (*candle-holder*) канделя́бр; (*of a candle-stick*) подсве́чная тру́бка; (*fam. head*) башка́.
scone (ско̄ун) *s.* род то́рта.
scoop (скӯп) *s.* ковш, черпа́к; лопа́точка || ~ *va.* черпа́ть, вы́черпать; (*to hollow out*) долби́ть, вы́долбить.
scope (ско̄уп) *s.* простра́нство, протяже́ние, просто́р, свобо́да; (*purpose*) цель *f.*
scorbutic (скорбю̄'тик) *a.* цынго́тный, скорбу́тный.
scorch (ско̄рч) *va.* приж-ига́ть, -е́чь, припа́л-ивать, -и́ть, опал-я́ть, -и́ть || ~ *vn.* пригор-а́ть, -е́ть; (*fam.*) е́хать сломя́ го́лову.
score/ (ско̄р) *s.* (*notch*) зару́бка; (*twenty*) два́дцать; (*reckoning*) счёт, долг; (*in a game*) за́пись в игре́; (*sake, account*) по́вод; (*mus.*) партиту́ра || ~ *va.* заруб-а́ть, -и́ть; де́лать ме́тки (на би́рке); отмеча́ть, -ме́тить; ста́вить на счёт || **-r** *s.* маркёр.
scoria (ско̄'риё) *s.* шлак, вы́гарки *mpl.*
scorn/ (ско̄'рн) *s.* презре́ние; (*mockery*) издева́тельство, насме́шка || ~ *va&n.* презира́ть, пренебрега́ть; глуми́ться (над + *I.*) || **-er** *s.* насме́шник || **-ful** *a.* презри́тельный; насме́шливый.
scorpion (ско̄'рпиён) *s.* скорпио́н.
scotfree (скотфрий') *a.* беспо́шлинный; здра́вый и невреди́мый; (*unpunished*) безнака́занный.
scotch (скоч) *va.* (*notch*) над-ре́зывать, -реза́ть; (*wound*) слегка́ ра́нить || ~ *s.* надре́з, цара́пина.
scoundrel/ (скау'ндрёл) *s.* негодя́й; моше́нник || **-ly** *a.* по́длый, ни́зкий.
scour/ (скау'р) *va&n.* чи́стить, о-, от-, про-чища́ть; шва́брить, мыть (пол); (*run over*) про-, о-бега́ть; убе-га́ть, -жа́ть || **-er** *s.* чисти́льщик; бродя́га *m.*
scourge (скёрдж) *s.* бич; (*fig.*) наказа́ние || ~ *va.* сечь, бичева́ть; (*fig.*) нака́зывать, наказа́ть.

scout (скаут) *s.* разве́дчик; (*in universities*) слуга́ *m.*, прислу́жник || ~ *vn.* разве́д-ывать, -ать, производи́ть рекогносциро́вку || ~ *va.* от-верга́ть, -ве́ргнуть с презре́нием, насмеха́ться (над + *I.*).
scowl (скаул) *s.* нахму́ренное лицо́; мра́чный вид || ~ *vn.* хму́риться, хму́рить бро́ви.
scrag/ (скрӓ'г) *s.* осто́в, скеле́т || **-giness** *s.* худоба́; неро́вность *f.*, шерохова́тость *f.* || **-gy** *a.* худо́й, то́щий; неро́вный, шерохова́тый.
scramble (скрӓмбл) *vn.* кара́бкаться; домога́ться (*G.*) || ~ *s.* кара́бкание; схва́тка, сва́лка для получе́ния чего́-либо.
scrap/ (скрӓ'п) *s.* кусо́к, кусо́чек; лоскуто́к || ~ *s. pl.* оста́тки *mpl.*, обре́зки *mpl.* || **~-book** *s.* альбо́м, альбо́м для вы́резок || **~-iron** *s.* лом желе́за.
scrape/ (скрэйп) *va&n.* скрести́, скобли́ть; собра́ть, накопля́ть; ша́ркать || ~ *s.* скобле́ние; ша́ркание (ног); нело́вкий покло́н; (*fix*) затрудне́ние, беда́ || **-r** *s.* скребо́к; скобли́льный но́жик; пилика́льщик, дурно́й скрипа́ч.
scratch (скрӓч) *va.* чеса́ть, цара́пать, на- || ~ *s.* цара́пина.
scrawl/ (скро̄л) *va.* цара́пать, мара́ть, намара́ть || ~ *s.* цара́пание, мара́ние || **-er** *s.* пачку́н, бумагомара́тель *m.*
scream (скрийм) *vn.* крича́ть, визжа́ть, вопи́ть || ~ *s.* крик, визг; вопль *m.*
screech (скрийч) *vn.* крича́ть, визжа́ть; вскри́кивать.
screen (скрийн) *s.* ши́рмы *pl.*, экра́н, щит (пе́ред огнём); (*fig.*) прикры́тие, убе́жище || ~ *va.* при-крыва́ть, -кры́ть, защи-ща́ть, -ти́ть; (*sift*) про-сева́ть, -се́ять.
screw/ (скрӯ') *s.* винт; (*miser*) скря́га *m.*; (*horse*) кля́ча || **female ~** га́йка || ~ *va.* винти́ть, приви́нчивать; (*fig.*) притесн-я́ть, -и́ть, угнета́ть || **~-driver** *s.* отвёртка || **-ed** *a.* (*fam.*) пья́ный || **~-propeller** *s.* винт (парохо́да) || **~-steamer** *s.* винтово́й парохо́д.
scribble/ (скри'бл) *vn&a.* писа́ть кара́кули; мара́ть бума́гу || ~ *s.* мара́ние, кара́кули *mpl.* || **-r** *s.* писа́ка *m.*, бумагомара́тель *m.*
scribe (скрайб) *s.* пи́сарь *m.*; писе́ц; (*eccl.*) кни́жник.
scrimmage (скри'мидж) *s.* сва́лка.
scrip (скрип) *s.* запи́ска; квита́нция; (*wallet*) мешо́чек, су́мочка.
script (скрипт) *s.* рукопи́сный шрифт.
scriptu/ral (скри'пчёр-ёл) *a.* библе́йский, относя́щийся к Св. Писа́нию || **S-re** *s.* Св. Писа́ние, би́блия.
scrivener (скри'внёр) *s.* писе́ц, нота́риус.
scroful/a (скро'фюлё) *s.* (*med.*) золоту́ха || **-ous** (скро'фюлёс) *a.* золоту́шный.
scroll (скро̄ул) *s.* (*of paper*) сви́ток, свёрток; (*list*) ро́спись *f.*
scrotum (скро̄у'тём) *s.* мошо́нка.
scrub/ (скра'б) *va.* тере́ть, стира́ть; мыть щёткой || ~ *s.* жёсткая щётка; шва́бра; (*brushwood*) куста́рник || **-by** *a.* жа́лкий, ничто́жный; (*of beard, etc.*) щети́нистый.
scruff (скраф) *s.* заты́лок.
scrup/le (скрӯ'п-л) *s.* беспоко́йство (со́вести), сомне́ние || ~ *vn.* колеба́ться, недоумева́ть || **-ulous** *a.* сомнева́ющийся, недоумева́ющий; (*conscientious*) добросо́вестный, то́чный.
scrutin/eer (скрӯтиний'р) *s.* испыта́тель *m.*, иссле́дователь *m.* || **-ize** (скрӯ'тинайз) *va&n.* ис-пы́тывать, -пыта́ть; иссле́довать || **-y** (скрӯ'тини) *s.* испыта́ние, тща́тельное иссле́дование; голосова́ние.
scud (скад) *vn.* убега́ть; мча́ться; (*mar.*) идти́ по волне́нию || ~ *s.* бе́гство; (*cloud*) лёгкое о́блачко гони́мое ве́тром.
scuffle (скафл) *s.* схва́тка, дра́ка || ~ *vn.* боро́ться, дра́ться.
scull (скал) *s.* че́реп; кормово́е весло́.
scull/ery (ска'лёри) *s.* судомо́йня при ку́хне || **-ion** (ска'лйён) *s.* (*arch.*) ку́хонный слуга́.
sculpt/or (ска'лптёр) *s.* ску́льптор, ва́ятель *m.* || **-ure** (ска'лпчёр) *s.* скульпту́ра, ва́яние; скульпту́рное произведе́ние || ~ *va.* вая́ть, изваять.
scum (скам) *s.* пе́на; на́кипь *f.*; шлак; (*fig.*) поддо́нки *mpl.*
scupper (ска'пёр) *s.* (*mar.*) шпига́т.
scurf/ (скёрф) *s.* пе́рхоть *f.*; струп || **-y** *a.* шелуди́вый, парши́вый.
scurril/ity (скёрри'лити) *s.* гру́бость *f.*; гру́бая шу́тка, непристо́йность *f.* || **-ous** (ска'рилёс) *a.* гру́бый, непристо́йный.
scurry (ска'ри) *vn.* мча́ться.
scurv/iness (скё'рвинэс) *s.* недосто́йность *f.*, позо́рность *f.* || **-y** (скё'рви) *s.* (*med.*) цынга́, скорбу́т || ~ *a.* (*med.*) цынго́тный; (*fig.*) ни́зкий, презре́нный.
scutcheon (ска'чён) *s.* гербо́вый щит.
scuttle (скатл) *s.* корзи́на; я́щик для у́гля; (*mar.*) люк || ~ *va.* (*mar.*) топи́ть, потопи́ть су́дно, просве́рливая в нём ды́ры || ~ *vn.* (*run*) спеши́ть.
scythe (сайð) *s.* коса́.
sea/ (сий') *s.* мо́ре; (*ocean*) океа́н; (*wave*) волна́ || **heavy, high ~** бу́рное мо́ре ||

on the high –s в открытом мо́ре || half –s over (*fam.*) подвыпивший || ~-bathing *s.* морско́е купа́нье || ~-board *s.* морско́й бе́рег || ~-breeze *s.* морско́й ветеро́к || ~-chart *s.* морска́я ка́рта || ~-coast *s.* морско́е побере́жье || –farer *s.* морепла́ватель *m.*, морехо́дец, моря́к || ~-fight *s.* морско́е сраже́ние, морска́я би́тва, морско́й бой || ~-going *a.* морехо́дный || ~-green *a.* цве́та морско́й воды́, зеленова́тый || ~-gull *s.* ча́йка || ~-horse *s.* (*zool.*) морж; (*ichth.*) морско́й конёк || ~-level *s.* у́ровень (*m.*) мо́ря || –man *s.* моря́к, матро́с || –manship *s.* морехо́дство, морско́е иску́сство || ~-piece *s.*, –scape *s.* морско́й вид (карти́на) || –port *s.* портово́й го́род || ~-sickness *s.* морска́я боле́знь || –ward *ad.* по направле́нию к мо́рю || –weed *s.* (*bot.*) морска́я во́доросль || –worthy *a.* го́дный к пла́ванию.

seal/ (сий'л) *s.* печа́ть *f.*; отпеча́ток; (*zool.*) тюле́нь *m.*, не́рпа || ~ *va&n.* прикла́дывать, приложи́ть печа́ть, запеча́т-ывать, -ать || to ~ up опеча́т-ывать, -ать || –ingwax *s.* сургу́ч || –skin *s.* ко́тиковый мех.

seam/ (сий'м) *s.* шов; рубе́ц || ~ *va.* сшива́ть, сшить; де́лать рубцы́ || –less *a.* без шва || –stress (сэ'мстрис) *s.* швея́, портни́ха || –y *a.*, the ~ side изна́нка; (*fig.*) худа́я сторона́.

sear (сийр) *va.* (*dry*) суши́ть, вы́сушить; (*burn*) жечь, обж-ига́ть, -е́чь.

search/ (сё'рч) *va&n.* иска́ть; об-ы́скивать, -ыска́ть; ис-пы́тывать, -пыта́ть; иссле́довать || ~ *s.* по́иск; о́быск; иссле́дование || –er *s.* иска́тель *m.*; тамо́женный осмо́трщик || –ing *s.*, –s of heart угрызе́ние со́вести || ~-light проже́ктор.

season/ (сий'зн) *s.* вре́мя (*n.*) го́да; сезо́н; вре́мя *n.*, пора́ || ~ *va(&n).* приуч-а́ть (-ся), -и́ть(-ся) (к + *D.*); акклиматизи́ровать(-ся); (*cookery*) при-правля́ть, -пра́вить; у-меря́ть, -ме́рить || –able *a.* благовре́менный, своевре́менный || –ing *s.* припра́ва || ~-ticket *s.* сезо́нный, абоне́нтный биле́т.

seat/ (сий'т) *s.* седа́лище; стул, скамья́; ме́сто; сиде́нье; поса́дка (на ло́шади); местопребыва́ние; местоположе́ние; (*buttocks*) за́дница; (*country-~*) поме́стье || to keep one's ~, to remain –ed не встать || take a ~, be –ed прошу́ сади́ться! || ~ *va.* сажа́ть, посади́ть; помеща́ть, помести́ть || te be –ed сиде́ть.

sece/de (сисий'д) *vn.* разлуч-а́ться, -и́ться; отступ-а́ть, -и́ть (от + *G.*) || –ssion (сисэ'шн) *s.* разлуче́ние; отступле́ние.

seclu/de (сиклӯ'д) *va.* уедин-я́ть, -и́ть; удал-я́ть, -и́ть, исключ-а́ть, -и́ть || –ded *a.* уединённый; укро́мный || to lead a ~ life жить вдали́ от све́та || –sion *s.* уедине́ние; исключе́ние.

second/ (сэ'кёнд) *a.* второ́й; друго́й; сле́дующий; (*inferior*) ни́зший || ~ cousin трою́родный брат, трою́родная сестра́ || ~ lieutenant подпору́чик || ~ hand секу́ндная стре́лка || ~ *s.* (*in a duel*) секунда́нт; (*supporter*) помо́щник; (*of time*) секу́нда || ~ *va.* по-мога́ть, -мо́чь; (*a motion*) под-де́рживать, -держа́ть; (*in a duel*) быть секунда́нтом || –ary *a.*, (–ily *ad.*) второстепе́нный; (*subordinate*) подчинённый || ~ school сре́днее уче́бное заведе́ние || ~-hand *a.* подде́ржанный; из вторы́х рук; (*books*) антиква́рный || –ly *ad.* во-вторы́х.

secre/cy (сий'крёси) *s.* секре́тность *f.*; та́йность *f.*; (*retirement*) уединённость *f.* || –t (сий'крит) *s.* секре́т, та́йна || ~ *a.* секре́тный, та́йный; уединённый || –tary (сэ'критёри) *s.* секрета́рь *m.*; (*Foreign ~, Home ~*) мини́стр || –te (сикрий'т) *va.* пря́тать, спря́тать; (*med.*) выделя́ть, вы́делить, отдел-я́ть, -и́ть || –tion (сикрий'шн) *s.* (*med.*) вы-, отделе́ние || –tive (сикрий'тив, сий'критив) *a.* скры́тный.

sect/ (сэ'кт) *s.* се́кта; раско́л || –arian (сэкта̄'риён) *s.* секта́нт, раско́льник || ~ *a.* секта́нтский || –ion (сэ'кшн) *s.* (*act*) разре́зывание, разсече́ние; (*part*) отде́л, отделе́ние; (*branch*) се́кция; (*diagram*) разре́з; (*anat.*) вскры́тие || –or *s.* се́ктор.

secular/ (сэ'кюлёр) *a.* столе́тний, веково́й; (*eccl.*) све́тский, мирско́й || the ~ clergy бе́лое духове́нство || –ity (сэкюля̄'рити) *s.* све́тскость *f.* || –ize *va.* секуляризова́ть.

secur/e (сикю̄'р) *a.* в безопа́сности; обеспе́ченный; наде́жный; ве́рный || ~ *va.* обеспе́ч-ивать, -ить; спас-а́ть, -ти́; де́лать безопа́сным; укреп-ля́ть, -и́ть; задержа́ть || –ity *s.* безопа́сность *f.*; беззабо́тность *f.*; охра́на, защи́та; (*jur. & comm.*) пору́ка || –ities *pl.* облига́ции *fpl.*

sedan (сида̄'н) *s.* & ~-chair носи́лки *fpl.*

sedat/e (сидэ̄й'т) *a.* споко́йный; степе́нный || –eness *s.* споко́йствие; степе́нность *f.* || –ive (сэ'дётив) *a.* успока́ивающий.

sedentar/iness (сэ'дньтёри-нэс) *s.* сидя́чий о́браз жи́зни || –y (–) *a.* сидя́чий; осе́длый.

sedge (сэдж) *s.* (*bot.*) осо́ка.

sediment (сэ'димёнт) *s* оса́док; подо́нки *mpl.*
sediti/on (сиди'ш-н) *s.* бунт, мяте́ж, восста́ние || **–ous** *a.* мяте́жный.
seduc/e (сидю'с) *va.* соблазн-я́ть, -и́ть, обоcль-ща́ть, -сти́ть || **–tion** (сида'кшн) *s.* собла́зн, обольще́ние || **–tive** (сида'ктив) *a.* соблазни́тельный, обольсти́тельный, плени́тельный.
sedul/ity (сидю'лити) *s.* прилежа́ние, усе́рдие || **–ous** (сэ'дюлёс) *a.* приле́жный, усе́рдный.
see (сий) *s.* епа́рхия; епи́скопский престо́л || **the Holy See** па́пский престо́л.
see/ (сий') *va&n.irr.* ви́деть, уви́деть; смотре́ть, посмотре́ть; наблюда́ть; замеча́ть, -ме́тить; посе-ща́ть, -ти́ть; забо́титься, позабо́титься; прово-жа́ть, -ди́ть || **let me ~** посмо́трим! || **to go to ~** навеща́ть || **–ing** *c.* (*~ that*) в виду́ э́того; потому́ что.
seed/ (сийд) *s.* се́мя *n.*; (*progeny*) пото́мство || *~ vn.* семени́ться || **–y** *a.* зерни́стый, семени́стый; (*shabby*) изно́шенный, поте̂ртый; (*unwell*) нездоро́вый.
seek (сийк) *va&n.irr.* иска́ть; оты́скивать; домога́ться, добива́ться.
seem/ (сий'м) *vn.* каза́ться, показа́ться || **it –s** ка́жется || **–ing** *s.* нару́жный вид; ви́димость *f.* || *~ a.* ка́жущийся; притво́рный; ло́жный; мни́мый || **–ingly** *ad.* пови́димому || **–liness** *s.* благопристо́йность *f.*, прили́чие || **–ly** *a.* благопристо́йный, прили́чный.
seer (сий'ёр) *s.* проро́к, ясновид́ец.
see-saw (сий'сō) *s.* кача́ние; каче́ль *f.*, доска́ для кача́ния || *~ vn.* кача́ться.
seethe (сийð) *va&n.irr.* кипяти́ть; вари́ть, свари́ть.
segment (сэ'гмёнт) *s.* отре́зок; (*math.*) сегме́нт.
seine (сэ̄йн) *s.* не́вод.
segregate (сий'григэйт) *va.* отдел-я́ть, -и́ть; разлуч-а́ть, -и́ть; разобщ-а́ть, -и́ть.
seiz/able (сий'зёбл) *a.* на что мо́жно наложи́ть запреще́ние *или* аре́ст || **–e** (сийз) *va.* хвата́ть, схвати́ть; за-хва́тывать, -хвати́ть; (*jur.*) нал-ага́ть, -ожи́ть аре́ст на иму́щество; конфискова́ть || **–ure** (сий'жёр) *s.* взя́тие, захва́т; арестова́ние; наложе́ние аре́ста; (*med.*) припа́док.
seldom (сэ'лдём) *ad.* ре́дко, и́зредка.
select/ (силэ'кт) *va.* выбира́ть, вы́брать; изб-ира́ть, -ра́ть || *~ a.* и́збранный, отбо́рный || **–ion** *s.* вы́бор.
self/ (сэ'лф), *pl.* **selves** (сэлвз) *prn.* сам, -а́, -о́; себя́ || **~-command** *s.* самооблада́ние || **~-conceit** *s.* самодово́льство, самомне́ние || **~-conceited** *a.* самодово́льный, тщесла́вный || **~-confidence** *s.* самоуве́ренность *f.* || **~-denial** *s.* самоотверже́ние || **~-evident** *a.* очеви́дный || **~-interest** *s.* ли́чный интере́с; эгои́зм || **–ish** *a.* самолюби́вый, эгоисти́ческий || **–ishness** *s.* эгои́зм || **~-respect** *s.* самоуваже́ние || **~-same** *a.* тот са́мый, тожде́ственный || **~-styled** *a.* называ́ющий себя́; самозва́нный || **~-taught** *a.*, **a ~ person** *s.* самоу́чка *m&f.* || **~-will** *s.* своево́лие, своепра́вие.
sell/ (сэ'л) *va(&n.)irr.* прод-ава́ть(-ся), -а́ть(-ся); торгова́ть; (*fam.*) об-ма́нывать, -ману́ть || *~ s.* (*fam.*) обма́н; надува́тельство || **–er** *s.* продаве́ц || **–ing-off** *s.* распрода́жа.
selvage (сэ'лвидж) *s.* кро́мка.
selves *cf.* **self.**
semaphore (сэ'мёфōр) *s.* семафо́р.
semblance (сэ'мблёнс) *s.* вид; подо́бие; схо́дство.
semi/breve (сэ'ми-брийв) *s.* (*mus.*) бе́лая но́та || **–circle** *s.* полукру́г || **–circular** *a.* полукру́глый || **–colon** *s.* то́чка с запято́й.
seminary (сэ'минёри) *s.* расса́дник, пито́мник; семина́рия.
semi/quaver (сэ'ми-куэ̄йвёр) *s.* (*mus.*) двувя́зная но́та || **–tone** *s.* полуто́н.
semolina (сэмолий'нё) *s.* ма́нная крупа́.
sempiternal (сэмпитё̄'рнёл) *a.* ве́чный, ковове́чный.
sempstress (сэ'мстрис) *s.* швея́, портни́ха.
senat/e (сэ'нит) *s.* сена́т || **–or** *s.* сена́тор || **–orial** (сэнётō'риёл) *a.* сена́торский.
send/ (сэнд) *va&n.irr.* по-сыла́ть, -сла́ть; от-правля́ть, -пра́вить; ниспос-ыла́ть, -ла́ть; дарова́ть; жа́ловать, пожа́ловать || **to ~ for** по-сыла́ть, -сла́ть за кем, чем, звать кого́ || **–er** *s.* отправи́тель *m.*; (*comm.*) экспеди́тор.
sen/ile (сий'найл) *a.* ста́рческий || **–ility** (сини'лити) *s.* ста́рческая дря́хлость || **–ior** (сий'нийёр) *s.* ста́рший, старе́йший || **–iority** (сийнио'рити) *s.* старшинство́.
sennight (си'найт) *s.* неде́ля.
sensation/ (сэнсэ̄й'шн) *s.* ощуще́ние; впечатле́ние; шум, сенса́ция || **–al** *a.* возбужда́ющий удивле́ние; порази́тельный.
sense/ (сэ'нс) *s.* чу́вство; (*reason*) ра́зум, ум; (*meaning*) значе́ние, смысл || **–less** *a.* нечувстви́тельный, бесчу́вственный; без па́мяти; бессмы́сленный.
sens/ibility (сэнсиби'лити) *s.* чувстви́тельность *f.* || **–ible** (сэ'нсибл) *a.* чувстви́тельный, ощути́тельный; (*not foolish*) у́мный,

разу́мный || **–itive** (сэ'нситив) *a.* чувстви́тельный.
sensual/ (сэ'ншуёл) *a.* чу́вственный; сладостра́стный || **–ism** *s.*, **–ity** (сэншуӑ'лити) *s.* чу́вственность *f.*, сластолю́бие || **–ist** *s.* сластолю́бец.
sensuous (сэ'ншуёс) *a.* чу́вственный.
senten/ce (сэ'нтёнс) *s.* сенте́нция; изрече́ние; при́говор, реше́ние суда́; (*gramm.*) фра́за, предложе́ние || ~ *va.* осу-жда́ть, -ди́ть (на что); пригов-а́ривать, -ори́ть (к чему́) || **–tious** (сэнтэ'ншёс) *a.* бога́тый изрече́ниями; сжа́тый.
senti/ent (сэ'нти-ёнт) *a.* чу́вствующий, мы́слящий || **–ment** *s.* чу́вство; чувстви́тельность *f.*; мне́ние; тост || **–mental** (сэнтимэ'нтл) *a.* сентимента́льный, чувстви́тельный || **–mentality** (сэнтимёнтӑ'лити) *s.* сентимента́льность *f.*
sentinel (сэ'нтинёл), **sentry** (сэ'нтри) *s.* часово́й || **sentry-box** *s.* карау́льная бу́дка.
separa/ble (сэ'пёр-ёбл) *a.* раз-, от-дели́мый || **–ate** (-эйт) *va*(*&n.*) раз-, от-дел-я́ть (-ся), -и́ть(-ся); разлуч-а́ть(-ся), -и́ть (-ся); разв-оди́ться, -ести́сь || **–ate** *a.* отде́льный; раз'единённый; отделённый || **–ation** *s.* разлу́ка; разво́д; расторже́ние бра́ка.
sepia (сий'пиё) *s.* се́пия.
sepoy (сий'пой) *s.* сипа́й (инде́йский солдат).
September (сэптэ'мбёр) *s.* сентя́брь *m.*
septennial (сэптэ'ниёл) *a.* семиле́тний.
septic (сэ'птик) *a.* септи́ческий.
septuagenarian (сэптюёджинӑ'риён) *s.* семидесятиле́тний стари́к, семидесятиле́тняя стару́ха.
sepul/chral (сипа'лкрёл) *a.* надгро́бный, моги́льный || **–chre** (сэ'палкёр) *s.* моги́ла, склеп, гробни́ца || **–ture** (сэ'пёлчёр) *s.* погребе́ние; по́хороны *fpl.*
sequel (сий'куёл) *s.* сле́дствие, после́дствие; (*to a book*) продолже́ние.
sequence (сий'куёнс) *s.* поря́док, ряд; сле́дствие.
seques/ter (сикуэ'с-тёр), **–trate** (-трэйт) *va.* отдел-я́ть, -и́ть, удал-я́ть, -и́ть; (*jur.*) секвестрова́ть || **–tration** (сэкуёстрэ̄й'шн) *s.* удале́ние, уедине́ние; (*jur.*) секвестра́ция, секве́стр || **–trator** (сэ'куэстрэйтёр) *s.* секвестра́тор, управля́ющий секвестро́ванным име́нием.
seraglio (сирӑ'лйоу) *s.* сера́ль *m.*, гаре́м.
seraph/ (сэ'рёф) *s.* серафи́м || **–ic** (сёрӑ'фик) *a.* серафи́мский.
sere (сийр) *a.* сухо́й, засо́хший, завя́лый.
serenade (сэринэ̄й'д) *s.* серена́да.
seren/e (сёрий'н) *a.* све́тлый, я́сный; (*calm*) ти́хий, споко́йный || **S– Highness** *s.* (*title*) (Ва́ша) Све́тлость || **–ity** (сирэ'нити) *s.* я́сность *f.*; споко́йствие, тишина́; невозмути́мость *f.*
serf/ (сёрф) *s.* крепостно́й; раб || **–dom** *s.* крепостно́е состоя́ние.
serge (сёрдж) *s.* са́ржа.
sergeant (сӑ'рджёнт) *s.* (*mil.*) сержа́нт; (*police*) уря́дник.
seri/al (сий'риёл) *a.* периоди́ческий || ~ *s.* периоди́ческое изда́ние || **–es** (сий'риз) *s.* ряд, се́рия.
serious (сий'риёс) *a.* серьёзный; ва́жный.
serjeant = **sergeant.**
sermon (сё'рмён) *s.* про́поведь *f.*
serous (сий'рёс) *a.* серо́зный, сы́вороточный.
serpent/ (сё'рпёнт) *s.* змея́ *f.*, змей *m.* || **–ine** *a.* змеи́ный, змееви́дный; изви́листый || ~ *s.* (*min.*) серпенти́н, змееви́к || **The S–ine** пруд в Ло́ндонском Ха́йдпа́рке.
serried (сэ'рид) *a.* сжа́тый, со́мкнутый.
serum (сий'рём) *s.* (*med.*) сы́воротка.
serv/ant (сё'рв-ёнт) *s.* слуга́ *m.*, служи́тель *m.*; (~*-girl*, ~*-maid*) го́рничная; прислу́жница; служа́нка || **civil** ~ госуда́рственный чино́вник || **your obedient** ~ (*in letters*) поко́рнейший слуга́ || **the –s** прислу́га, лю́ди *mpl.* || **–e** (–) *va&n.* служи́ть; прислу́живать; подава́ть (на стол); быть поле́зным, послужи́ть в по́льзу; обраща́ться, обходи́ться (с кем-нибу́дь); удовлетворя́ть, быть доста́точным, годи́ться; за-, об'-, пред'явля́ть; сообразова́ться, согласова́ться || **–ice** *s.* слу́жба, служе́ние; вое́нная слу́жба; (*divine* ~) богослуже́ние; (*kindness*) услу́га; почте́ние, серви́з; сервиро́вка; (*advantage*) по́льза, вы́года || **–iceable** (-исёбл) *a.* услу́жливый; го́дный, приго́дный, поле́зный || **–ile** *a.* ра́бский, рабо́ле́пный, подобостра́стный; по́длый || **–ility** (сёрви'лити) *s.* ра́бство, раболе́пство, подобостра́стие || **–ing-maid** *s.* служа́нка || **–ing-man** *s.* слуга́ || **–itor** (-итёр) *s.* служи́тель *m.* || **–itude** *s.* ра́бство, порабоще́ние || **penal** ~ ка́торга.
session (сэшн) *s.* се́ссия, заседа́ние; собра́ние.
set/ (сэ'т) *s.* подбо́р, прибо́р; убо́р; (*of sun*) зака́т; (*direction*) направле́ние, тече́ние; (*of plate, etc.*) серви́з; (*collection*) собра́ние, колле́кция, компле́кт; (*of persons*) компа́ния; (*gardening*) са́женец; (*row*) ряд || ~ *a.* устано́вленный; неподви́жный; определённый; пра́вильный; твёрдый; постоя́нный; предпи́санный; сверну́в-

ший || **on ~ purpose** преднамеренно || ~ *va.irr.* ставить, поставить; поме-щать, -стить; посадить; положить, наложить, приложить; (*plant*) сажать, посадить; (*appoint*) наз-начать, -начить, установ-лять, -ить; (*gems*) оправлять, оправить; (*a clock*) поверять; (*a razor*) править; (*type*) наб-ирать, -рать; (*med.*) вправить; (*adorn*) укр-ашать, -асить || ~ *vn.irr.* (*of the sun*) за-ходить, -йти; садиться, сесть; (*become solid*) свёртываться, свернуться; сгу-щаться, -ститься; (*tend*) на-правляться, -правиться || **to ~ to work** прин-иматься, -яться за работу || **to ~ about** нач-инать, -ать; прин-иматься, -яться (за что-либо); (*a report*) распростран-ять, -ить || **to ~ an example** по-давать, -дать пример || **to ~ against** противопоставить || **to ~ aside** от-кладывать, -ложить; (*to annul*) отмен-ять, -ить || **to ~ apart** откладывать, -ложить || **to ~ at** на-падать, -пасть; (*a dog*) травить (на) || **to ~ at defiance** бравировать || **to ~ at ease** успокоить || **to ~ at liberty** освобо-ждать, -дить || **to ~ at naught** прене-брегать, -бречь || **to ~ back** препятствовать || **to ~ before** из'ясн-ять, -ить || **to ~ bounds to** назначить пределы || **to ~ by** запас-ать, -ти || **to ~ by the ears** ссорить, по- || **to ~ down** (*note down*) за-писывать, -писать; (*a passenger*) высаживать, высадить; (*snub*) отделывать (кого) || **to ~ eyes on** увидеть || **to ~ one's face against** воспротивиться || **to ~ fire to** за-жигать, -жечь; воспламен-ять, -ить || **to ~ forth** (*exhibit*) выставлять, выставить; по-казывать, -казать; об'яв-лять, -ить; из'ясн-ять, -ить || **to ~ forward** подвигать вперёд; произв-одить, -ести, по-вышать, -высить; отлич-ать, -ить || ~ *vn.* от-правляться, -правиться || **to ~ free** освобо-ждать, -дить || **to ~ going, to ~ in motion** пус-кать, -тить в ход || **to ~ in order** при-водить, -вести в порядок || **to ~ in** нач-инаться, -аться; наступ-ать, -ить || **to ~ off** (*adorn*) укр-ашать, -асить; выставлять, выставить на показ || ~ *vn.* от-правляться, -правиться в путь || **to ~ on** (*instigate*) подстрекать; (*dogs*) травить (собак) || **to ~ on fire** за-жигать, -жечь; воспламен-ять, -ить || **to ~ on foot** начинать, назначить || **to ~ out** выставлять, выставить; наз-начать, -начить; об'яв-лять, -ить; укр-ашать, -асить; по-казывать, -казать || ~ *vn.* отправляться, -правиться в путь; нач-инаться, -аться || **to ~ sail** от-плывать, -плыть; итти, уйти в море || **to ~ the Thames on fire** отличаться || **to ~ store by** высоко ценить || **to ~ to** прин-иматься, -яться || **to ~ to rights** привести в порядок || **to ~ up** воз-двигать, -двигнуть; учре-ждать, -дить; (*typ.*) наб-ирать, -рать; под-нимать, -нять (крик, шум) || **to ~ up for** выдавать себя за || **to ~ upon** на-падать, -пасть || **~-back** *s.* препятствие; неудача; возврат (болезни) || **~-down** *s.* оскорбительный выговор; короткая расправа (с + *I.*) || **~-off** *s.* контраст; (*decoration*) украшение; (*compensation*) вознаграждение || **~-out** *s.* выставка, наряд || **~-to** *s.* (*fam.*) спор, ссора, брань *f.*; схватка.

seton (сийтн) *s.* (*med.*) заволока.

settee (сэтий') *s.* диванчик, канапе.

setter/ (сэ'тёр) *s.* (*dog*) сетер; (*type-~*) наборщик || **~-on** *s.* подстрекатель *m.*

setting (сэ'тинг) *s.* помещение; по-, у-становление; (*of a jewel*) оправа; (*of the sun*) закат солнца; (*typ.*) набор; (*of a play*) обстановка.

settle/ (сэ'тл) *s.* скамья || ~ *va&n.* помещать (-ся); -стить (-ся); установ-лять (-ся), -ить (-ся); водвор-ять (-ся), -ить (-ся), посел-ять (-ся), -ить (-ся); устр-аивать (-ся), -оить (-ся); (*with a creditor*) уплатить, расквитаться; (*to colonize*) колонизировать; оседать, опускаться; женить (-ся); (*to arrange*) привести в порядок || **–ment** *s.* установление; определение, назначение; (*colony*) поселение, колония; (*agreement*) примирение, соглашение; (*payment*) уплата, расплата || **–r** колонист, поселенец.

seven/ (сэ'вн) *num.* семь || **–fold** *a&ad.* семикратный || **–teen** (-тий'н) *num.* семнадцать || **–teenth** (-тий'нþ) *num.* семнадцатый, в семнадцатых || **–th** *num.* седьмой || ~ *ad.* в-седьмых || ~ *s.* седьмая || **–tieth** (-ти-иþ) *num.* семидесятый || **–ty** *num.* семьдесят.

sever/ (сэ'вёр) *va(&n.)* от-, раз-дел-ять (-ся), -ить (-ся); разлуч-ать (-ся), -ить (-ся) || **–ance** *s.* от-, раз-деление; разлучение.

several/ (сэ'вёрёл) *a.* несколько; разные, различные *pl.*; (*distinct*) особый, отдельный || **–ly** *ad.* особенно, в отдельности.

sever/e (сивий'р) *a.* строгий, суровый, жестокий || **–ity** (сивэ'рити) *s.* строгость *f.*; сурвость *f.*; жестокость *f.*

sew/ (соу') *va&n.* шить || **–er** *s.* портниха || **–ing-machine** *s.* швейная машина || **–ing-needle** *s.* иголка.

sew/age (сю'-пдж) *s.* сточная жидкость; стоки *mpl.* || **–er** *s.* клоака; водосточная

труба́ || **–erage** (-ёридж) *s.* канализа́ция; систе́ма сто́чных труб; сто́чная жи́дкость.
sewn (со́ун) *cf.* **sew.**
sex (сэкс) *s.* пол; (*the* ~) же́нский пол.
sex/agenarian (секс-ёджина́'риен) *s.* шестидесятиле́тн-ий, -яя || **–ennial** (-э'ниёл) *a.* шестиле́тный || **–tant** (-тёнт) *s.* секста́нт || **–tuple** (-тюпл) *a.* шестери́чный.
sexton (сэ'кстён) *s.* дьячо́к, понама́рь *m.*; (*grave-digger*) моги́льщик.
sexual (сэ'ксюёл) *a.* полово́й.
shabb/iness (шä'би-нэс) *s.* скря́жничество; ску́дность *f.*; обо́дранность *f.* || **–y** (–) *a.* ни́зкий, жа́лкий; (*of clothes*) изно́шенный; (*mean*) ска́редный.
shack (шäк) *s.* (*Am.*) хи́жина, избу́шка.
shackle/ (шäкл) *va.* за-ко́вывать, -кова́ть; на-дева́ть, -де́ть кандалы́; на-лага́ть, -ложи́ть око́вы || **–s** *spl.* око́вы *fpl.*; кандалы́ *fpl.*
shad (шäд) *s.* (*ichth.*) бе́шенка, желе́зница.
shaddock (шä'дёк) *s.* (*bot.*) помпельму́с, ра́йское я́блоко.
shad/e (шэ̄й'д) *s.* тень *f.*; (*fig.*) сень *f.*; защи́та; (*of lamp, etc.*) абажу́р; (*trace*) отте́нок || ~ *va.* по-крыва́ть,-кры́ть те́нью; при-крыва́ть, -кры́ть; оттеня́ть; (*fig.*) защи-ща́ть, -ти́ть || **–iness** *s.* тень *f.*, тени́стость *f.* || **–ow** (шä'доу) *s.* тень *f.*; мрак || ~ *va.* покрыва́ть те́нью; оттеня́ть; (*fig.*) защища́ть || **–owy** (шä'доуи) *a.* тени́стый, тёмный; бестеле́сный; тума́нный, при́зрачный || **–y** *a.* тени́стый, тёмный; (*fig.*) сомни́тельный.
shaft/ (шā'фт) *s.* ствол, сте́ржень *m.*; (*arrow*) стрела́; (*of a carriage*) ды́шло, огло́бля; (*min.*) ша́хта; (*of a chimney*) труба́ || **~-horse** *s.* коренна́я ло́шадь.
shag/ (шä'г) *s.* плюш; сорт табаку́ || **–gy** *a.* косма́тый, волоса́тый, шерохова́тый, ширша́вый || **–reen** (-рий'н) *s.* шагре́невая ко́жа.
shak/e (шэ̄йк) *va&n.irr.* трясти́(-сь); потряса́ть(-ся); колеба́ть || ~ *vn.* колеба́ться; дрожа́ть; (*mus.*) бить трель *f.* || **to –e hands with one** пода́ть, пож-има́ть, -а́ть ру́ку || **to –e one's head** кача́ть голово́й || ~ *s.* трясе́ние; потрясе́ние; торчо́к; киво́к; пожа́тие (руки́); (*mus.*) трель *f.* || **–e-down** (-дау'н) *s.* импровизиро́ванная посте́ль || **–y** *a.* расще́ленный, растре́скавщийся, тря́ский, трясу́щийся; ша́ткий.
shall (шäл) *vn.def.irr.* (*must*) долженствова́ть, надлежа́ть; (*will*) означа́ет в пе́рвом лице́ бу́дущее вре́мя || **I ~ write** я бу́ду писа́ть, (*Pf.*) я напишу́.
shallop (шä'лёп) *s.* (*mar.*) шлю́пка.
shallow/ (шä'лоу) *a.* ме́лкий, не́глубо́кий, мелково́дный; (*fig.*) ограни́ченный, пове́рхностный || ~ *s.* мелково́дие; мелково́дное ме́сто; мель *f.* || **–ness** *s.* ме́лкость *f.*; (*fig.*) ограни́ченность *f.*, у́зкость(*f.*) ума́.
sham/ (шä'м) *a.* подло́жный, притво́рный, фальши́вый, фикти́вный || ~ *s.* подло́г, обма́н, мистифика́ция || ~ *va&n.* притвор-я́ться, -и́ться; об-ма́нывать, -ману́ть; разы́грывать коме́дию || **to ~ illness** притворя́ться больны́м || **~-fight** *s.* (*mil.*) ло́жный бой, приме́рное сраже́ние.
shambl/es (шäмблз) *spl.* мясно́й ряд || **–ing** (шä'мблинг) *a.* име́ющий неуклю́жую похо́дку, волоча́щий но́ги.
shame/ (шэ̄й'м) *s.* стыд, срам; позо́р || **for ~!, ~!, its a ~!** сты́дно! || ~ *va.* стыди́ть, пристыди́ть; бесче́стить, позо́рить || **-faced** *a.* стыдли́вый, засте́нчивый || **–ful** *a.* посты́дный, позо́рный; бесче́стный || **–less** *a.* бессты́дный || **–lessness** *s.* бессты́дство.
shammy/ (шä'ми) *&* **~-leather** *s.* за́мша.
shampoo (шäмпу́') *va.* мыть го́лову; рас-т-ира́ть, -ере́ть те́ло.
shamrock (шä'мрок) *s.* (*bot.*) трили́стник.
shank (шäнгк) *s.* го́лень *f.*; сте́бель *m.*; сте́ржень *m.*; труба́; чубу́к (кури́тельной тру́бки) || **to ride ~'s mare** е́хать на вороны́х сапо́жника.
shan't (шāнт) = **shall not.**
shanty (шä'нти) *s.* хи́жина, лачу́га.
shape/ (шэ̄й'п) *s.* о́браз, фо́рма; стан; оса́нка; фигу́ра; фасо́н || ~ *va.* образ-о́вывать, -ова́ть; твори́ть; соз-дава́ть, -да́ть || **–less** *a.* бесфо́рменный; безобра́зный || **–ly** *a.* ста́тный, пропорциона́льный; стро́йный, благови́дный.
shard (шāрд) *s.* черепо́к; (*wing-case*) надкры́лие.
shar/e (шä'р) *s.* до́ля, часть *f.*; (*contribution*) уча́стие; (*comm.*) а́кция; (*plough-*) сошни́к || **preference-~** (*comm.*) а́кция с преиму́щественным пра́вом на получе́ние дивиде́нда || **to have a ~ in** при-нима́ть, -ня́ть уча́стие в || ~ *va&n.* дели́ть (-ся), раздел-я́ть, -и́ть; уча́ствовать в (*Pr.*); получа́ть до́лю || **–holder** *s.* акционе́р.
shark (шāрк) *s.* аку́ла: (*fig.*) плут, моше́нник || ~ *va.* моше́нничать.
sharp/ (шā'рп) *a.* о́стрый; остроконе́чный; ре́зкий, пронзи́тельный; ко́лкий; проница́тельный; бди́тельный; (*clever*) хи́трый, у́мный; жесто́кий, суро́вый || **to look ~** торопи́ться, остерега́ться || ~ *s.* (*mus.*) дие́з || **~-shooter** *s.* стрело́к || **–en** *va.* точи́ть; остри́ть; обостр-я́ть, -и́ть;

(*fig.*) изощр-ять, -ить || **-er** *s.* обманщик, плут; мошенник; (*at cards*) шулер || **-ness** *s.* острота; остроконечность *f.*; резкость *f.*; пронзительность *f.*; едкость *f.*; проницательность *f.*; бдительность *f.*; хитрость *f.*; сметливость *f.*; жестокость *f.*; суровость *f.* || **~-set** *a.* голодный; (*eager for*) падкий (на) || **~-witted** *a.* остроумный, проницательный.

shatter/ (ша'тёр) *va&n.* раз-бивать (-ся), -бить (-ся) в дребезги; растр-апывать, -бить || **~-brained** *a.* безрассудный, безмозглый.

shav/e (шэй'в) *s.* бритьё; (*instrument*) струг || **~** *va.irr.* брить (бороду); стричь, обрезывать; скоблить; строгать || **~** *vn.* бриться || **to get -ed** пойти побриться || **-eling** *s.* насмешливое прозвище монахов || **-er** *s.* (*fam.*) малый, юноша || **-ing** *s.* бритьё || **-ings** *spl.* стружки *fpl.* || **~-brush** *s.* кисточка для бритья || **~-dish** *s.* брильное блюдце, мыльница.

shawl (шол) *s.* шаль *f.*

shawm (шом) *s.* дуда, дудка.

she/ (ший') *s.* самка; женщина || **~** *prn.* она || **~-bear** *s.* медведица || **~-cat** *s.* кошка || **~-goat** *s.* коза || **~-wolf** *s.* волчица.

sheaf (шийф) *s.* (*pl.* **sheaves** шийвз) сноп, вязанка || **~** *va.* вязать в снопы.

shear/ (ший'р) *va.irr.* стричь; резать, срезать || **-s** *spl.* стригальные ножницы *fpl.* || **-er** *s.* стригущий овец, стригач || **-ing** *s.* стрижка (шерсти), стрижение || **-ings** *pl.* стриженная шерсть.

sheath/ (шийþ) *s.* (*pl.* **-s** шийðз) ножны *fpl.*; футляр || **-e** (шийð) *va.* вл-агать, -ожить в ножны, в футляр; на-девать, -деть футляр.

sheaves (шийвз) *spl. cf.* **sheaf.**

shed (шед) *s.* сарай; навес || **~** *va.irr.* проливать, -лить; ронять, скидывать.

sheen/ (шийн) *s.* блеск, сияние || **-y** *a.* блестящий, сияющий.

sheep/ (ший'п) *s.* (*pl.* **~**) баран, овца; (*fool*) глупец || **~-cot(e)**, **~-fold** *s.* овчарня, овечий загон || **~-dog** *s.* овчарка || **~-hook** *s.* пастушеский посох || **~'s-eye** *s.* (*fig.*) нежный взгляд; глазки *mpl.* || **~-skin** *s.* овчина; руно || **-ish** *a.* овечий; (*shy*) застенчивый, робкий; (*foolish*) глупый || **-ishness** *s.* застенчивость *f.*; глупость *f.*

sheer (шийр) *a.* чистый; настоящий, истинный; (*of cliff, etc.*) перпендикулярный, отвесный || **~** *ad.* прямо, совершенно, напрямик || **~** *vn.* уб-ираться, -раться || **to ~ off** (*mar.*) уклон-яться, -иться от курса; рыскать || **to ~ up** (*mar.*) прибывать, причаливать.

sheet/ (ший'т) *s.* (*for bed*) простыня; (*of metal, paper, etc.*) лист; (*layer*) слой; (*expanse*) плоскость *f.*; (*mar.*) шкот || **three -s in the wind** (*fam.*) пьяный || **main-~** *s.* (*mar.*) гротшкот || **winding-~** *s.* саван || **in -s** (*of books*) в листах || **~-almanac** *s.* отрывной календарь || **~-anchor** *s.* (*mar.*) шварт; (*fig.*) последняя надежда || **-ing** *s.* простынный холст; покрытие листами || **~-iron** *s.* листовое железо || **~-lightning** *s.* зарница.

shelf (шэлф) *s.* (*pl.* **shelves** шэлвз) полка; доска; (*mar.*) мель *f.*, риф.

shell/ (шэ'л) *s.* раковина; (*of egg*) скорлупа, шелуха; (*mil.*) бомба, граната; лира; (*of house, etc.*) остов || **~** *va(&n.)* шелушить (-ся), сн-имать, -ять скорлупу; (*mil.*) бомбардировать || **~-hole** *s.* (*mil.*) воронка || **explosive ~-hole** воронка, образовавшаяся от разрыва артиллерийского снаряда || **-back** *s.* старый моряк || **~-fire** *s.* пальба гранатами || **~-fish** *s.* скорлупняк.

shellac (шэла'к) *s.* брусковая камедь, шеллак.

shelter/ (шэ'лтёр) *s.* убежище, приют; (*shed*) навес; (*protection*) защита || **~** *va.* при-крывать, -крыть; у-крывать, -крыть; защи-щать, -тить || **~** *vn.* у-крываться, -крыться || **-less** *a.* бесприютный, беззащитный.

shelv/e (шэлв) *va.* ставить, класть на полку; (*fig.*) положить под сукно || **~** *vn.* наклоняться, склоняться || **-es** *cf.* **shelf** || **-ing** *s.* наклон, покатость *f.* || **~** *a.* наклонный, покатый.

shepherd/ (шэ'пёрд) *s.* пастух, овчар; (*fig. pastor*) пастырь || **~'s dog** овчарка || **-ess** *s.* пастушка.

sherbet (шё'рбит) *s.* шербет.

sherd (шёрд) *s.* черепок.

sheriff (шэ'риф) *s.* шериф.

sherry (шэ'ри) *s.* херес (вино).

shew (шоу) *cf.* **show.**

shield/ (ший'лд) *s.* щит; (*fig.*) защита || **~** *va.* при-крывать, -крыть; защи-щать, -тить || **~-bearer** *s.* щитоносец.

shift/ (ши'фт) *s.* средство, способ; (*change*) перемена; (*of workmen*) смена; (*chemise*) женская рубашка; (*contrivance*) уловка; (*trickery*) хитрость *f.* || **to make ~ to live** кое-как перебиваться || **~** *va(&n.)* менять (-ся), перемен-ять (-ся), -ить (-ся), переме-щать, (-ся), -стить (-ся) || **-er** *s.* плут, хитрец || **-ing** *a.* оборотливый; хитрый || **-y** *a.* переменчивый; хитрый, лукавый.

shilling (ши'линг) *s.* ши́ллинг (англ. моне́та) || **a ~ in the pound** пять проце́нтов.
shilly-shally (ши'лли-ша́'лли) *s.* нереши́тельность *f.* || ~ *a.* нереши́тельный || ~ *vn.* колеба́ться; не реша́ться.
shimmer (ши'мёр) *s.* мерца́ние || ~ *vn.* мерца́ть.
shimmy (ши'ми) *s.* (*fam.*) же́нская руба́шка.
shin/ (шин) & **~-bone** *s.* бе́рце, берцо́вая кость; го́лень *f.*; голя́шка || ~ *va.* (*to ~ up*) кара́бкаться.
shindy (ши'нди) *s.* шум, дра́ка.
shin/e (шай'н) *s.* сия́ние, блеск; (*fam.*) = **shindy** || ~ *vn.irr.* сия́ть; блесте́ть, блиста́ть; све́тить (-ся) || **–er** *s.* (*fam.*) золото́й || **–ing** *s.* сия́ние, блеск || **–ing, –y** *a.* сия́ющий, блестя́щий, све́тлый.
shingle/ (ши'нг-гл) *s.* гонт, драни́ца; (*on seashore*) га́лька || **–s** *pl.* (*med.*) поясно́й лиша́й || ~ *va.* крыть, покры́ть го́нтом.
ship/ (ши'п) *s.* кора́бль *m.*, су́дно || ~ *va.* нагру-жа́ть, -зи́ть на борт; отправля́ть на корабле́ || **~ the oars** положи́ть весла́ в уключи́ны || **~-agent** *s.* морско́й аге́нт || **~-board** *ad.* на су́дне, на корабле́ || **~-boy** *s.* ю́нга *m.* || **~-broker** *s.* судо́вый ма́клер || **–builder** *s.* кораблестро́итель *m.*, судостро́итель *m.* || **–building** *s.* кораблестрое́ние, судострое́ние || **–load** *s.* корабе́льный груз || **–ment** *s.* нагру́зка; корабе́льный груз || **~-owner** *s.* судохозя́ин; судовщи́к || **–per** *s.* отправи́тель *m.*; фрахтовщи́к || **–ping** *s.* суда́ (*pl.* of су́дно), флот || ~ *a.* корабе́льный, судово́й || **–ping-agent** *s.* судо́вый ма́клер || **–shape** *s.*, **in ~** по морско́му; в поря́дке || **–wreck** *s.* кораблекруше́ние || ~ *va.* причини́ть кораблекруше́ние; (*fig.*) погуби́ть || ~ *vn.* потерпе́ть кораблекруше́ние || **–yard** *s.* верфь *f.*
shire (шайр) *s.* гра́фство (прови́нция в Англии.
shirk (шёрк) *va.&n.* из-бега́ть, -бе́гнуть; уклон-я́ться, -и́ться; увёртываться.
shirt/ (шёрт) *s.* руба́шка (мужска́я) || **~-front** *s.* мани́шка || **–ing** *s.* ше́ртинг.
shiver/ (ши'вёр) *s.* (*fragment*) оско́лок, обло́мок; (*trembling*) дрожь *f.*, озно́б || ~ *va*(*&n.*) раз-бива́ть (-ся), -би́ть (-ся), раздробля́ть (-ся) || ~ *vn.* дрожа́ть; вздра́гивать; содрог-а́ться, -ну́ться || **–ing** *s.* дрожь *f.*; (*med.*) озно́б || **–y** *a.* хру́пкий; дрожа́щий.
shoal/ (шо́ул) *s.* толпа́, ма́сса; (*of fish*) ста́я; (*shallow*) мель *f.*, ме́лкое ме́сто || ~ *vn.* (*crowd*) толпи́ться, кише́ть; (*become shallow*) меле́ть || **~, –y** *a.* ме́лкий || **~ water** мелково́дие.
shock/ (шок) *s.* потрясе́ние; столкнове́ние; уда́р; (*attack*) нападе́ние; (*med.*) шок; (*of grain*) копна́; (*dog*) пу́дель *m.* || ~ *va.* толк-а́ть, -ну́ть; потряс-а́ть, -ти́; пора-жа́ть, -зи́ть у́жасом, оскорб-ля́ть, -и́ть || **–ing** *a.* возмути́тельный, неприли́чный || ~ *ad.* о́чень; (*fam.*) страх.
shod (шод) *cf.* **shoe**.
shoddy (шо'дди) *s.* брак; дрянь *f.* || ~ *a.* дрянно́й.
shoe/ (шӯ') *s.* башма́к; (*horse-~*) подко́ва || ~ *va.irr.* об-ува́ть, -у́ть; (*a horse*) подко́вывать, -кова́ть || **~-black, ~-boy** *s.* чисти́льщик башмако́в || **~-blacking** *s.* (башма́чная) ва́кса || **~-horn** *s.* башма́чный рог || **~-lace, ~-string** *s.* шнуро́к для башмако́в || **–ing** *s.* обува́ние; подко́вывание || **–less** *a.* босо́й || **–maker** *s.* сапо́жник, башма́чник.
shone (шон) *cf.* **shine**.
shoo (шӯ) *va.* (*to ~ away*) пуга́ть.
shook (шук) *cf.* **shake**.
shoot/ (шӯ'т) *s.* (*discharge*) вы́стрел; (*branch*) о́тпрыск, побе́г || ~ *va.irr.* стреля́ть; мета́ть, броса́ть; застр-е́ливать, -ели́ть || ~ *vn.* бро́ситься стремгла́в; лете́ть; расти́; (*of pains*) коло́ть || **–er** *s.* стрело́к || **–ing** *s.* стрельба́; (*med.*) стреля́ние || ~ *a.* охо́тничий, стреля́ющий; (*of pain*) колю́щий, дёргающий || **–ing-gallery, –ing-ground** *s.* тир, стре́льбище || **–ing-jacket** *s.* охо́тничья ку́ртка || **–ing-lodge, –ing-box** *s.* охо́тничий до́мик || **–ing-star** па́дающая звезда́.
shop/ (шо'п) *s.* ла́вка, магази́н; мастерска́я || **all over the ~** в беспоря́дке || ~ *vn.* (*to go –ping*) де́лать поку́пки || **~-bill** *s.* вы́веска || **~-boy** *s.* ма́льчик при ла́вке || **~-front** *s.* выставно́е (*or* вы́ставочное) окно́; магази́нная витри́на || **–keeper** *s.* ла́вочник || **–lifter** *s.* ла́вочный вор || **–man** *s.* прика́щик, ла́вочник || **–ping** *s.* закупа́ние || **–woman** *s.* ла́вочница.
shore (шо̄р) *s.* бе́рег; примо́рье; (*arch.*) подпо́ра || **to stand in ~** (*mar.*) итти́ к бе́регу || ~ *va.* (*to ~ up*) подп-ира́ть, -ере́ть.
shorn (шо̄рн) *cf.* **shear** || **to be ~ of** быть лишённым.
short/ (шо̄'рт) *a.* коро́ткий; кра́ткий; небольшо́го ро́ста, малоро́слый; (*insufficient*) недоста́точный; ску́дный; круто́й, ре́зкий || **–ly** *ad.* ско́ро || **I am ~ of money** у меня́ недостаёт де́нег || **to cut ~** прерва́ть, останови́ть (кого-нибу́дь в ре́чи) || **to fall ~ of** быть ни́же ожида́ния || **to make ~ work of** поступ-а́ть, -и́ть с кем без церемо́ний || **in ~** одни́м сло́вом; вкра́тце ||

to run ~ истощáться || **–age** *s.* недостáток || **~-circuit** *s.* корóткое замыкáние (тóка) || **–coming** *s.* недостáток || **~-lived** *a.* скоротéчный || **~-sighted** *a.* близорýкий || **~-sightedness** *s.* близорýкость *f.* || **~-winded** *a.* имéющий одышку || **–en** *va(&n.)* укор-áчивать (-ся), -отить (-ся); у-бавлять (-ся), -бáвить (-ся) || **–hand** *s.* стенография || **–hand-writer** *s.* стенóгрáф || **–ly** *ad.* (*soon*) скóро, вскóре, в скóром врéмени || **–ness** *s.* крáткость *f.*, корóткость *f.* || **~-tempered** *a.* вспыльчивый.

shot/ (шот) *s.* выстрел; (*missile*) пýля, ядрó; (*marksman*) стрелóк; (*in cpds.*) расстояние выстрела || **small-~** дробь *f.* || **like a ~** срáзу, скóро || **~** *a.* отливáющий, переливчатый; (*of stuffs*) с отливом; *cf.* **shoot.**

should (шуд) *cf.* **shall.**

shoulder/ (шōу'лдёр) *s.* плечó || **to give one the cold ~** хóлодно об-ходиться, -ойтись с кем || **~** *va.* толкáть плечáми; взять на плечó || **~ arms!** (*mil.*) на плечó! || **~-blade** *s.* (*an.*) лопáтка || **~-strap** *s.* наплéчник.

shout (шаут) *s.* крик, восклицáние || **~** *vn.* кричáть; вос-клицáть, -кликнуть.

shove (шав) *s.* толчóк || **~** *va(&n.)* пихáть(-ся), -нýть(-ся); толк-áть(-ся), -нýть (-ся); сажáть, посадить || **to ~ off** (*mar.*) от-чáливать, -чáлить.

shovel (шавл) *s.* лопáта, лопáтка || **~** *va.* сгре-бáть, -сти лопáткой; копáть, выкопать лопáтою.

show/ (шōу') *s.* вид, нарýжность *f.*; выставка; пышность *f.*; зрéлище || **~** *va.irr.* по-, у-кáзывать, -казáть; выставлять, выставить; яв-лять, -ить || **~** *vn.* являться; имéть вид, казáться || **to ~ off** выставлять на покáз; (*vn.*) вáжничать || **–iness** *s.* пышность *f.* || **–y** *a.* пышный, блестящий, великолéпный.

shower/ (шау'ёр) *s.* дождь *m.*, ливень *m.*; (*fig.*) изобилие || **~** *va.* из-ливáть, -лить || **~** *vn.* лить || **~-bath** *s.* душ || **–y** *a.* дождливый.

shown (шōун) *cf.* **show.**

shrank (шрäнгк) *cf.* **shrink.**

shrapnel(-shell) (шрä'пнёл-шэл) *s.* (*mil.*) шрапнéль *f.*

shred (шрэд) *s.* обрéзок, лоскутóк; кусóк || **~** *va.* разрéз-ывать, -ать.

shrew/ (шрӯ') *s.* сварливая жéнщина || **–d** (шрӯд) *a.* (*sly*) хитрый; (*sagacious*) проницáтельный; (*biting*) язвительный || **–dness** *s.* лукáвство, хитрость *f.* || **–ish** *a.* ворчливый, бранливый || **~-mouse** *s.* (*zool.*) землерóйка.

shriek (шрийк) *s.* пронзительный крик; визг || **~** *vn.* визжáть, визгнуть; кричáть.

shrievalty (шрий'вёлти) *s.* дóлжность (*f.*) шéрифа.

shrift (шрифт) *s.* (*obs.*) исповедь *f.*

shrike (шрайк) *s.* (*ornith.*) сорокопýт, девятисмéрть *f.*

shrill (шрил) *a.* пронзительный, рéзкий.

shrimp (шримп) *s.* (*zool.*) кревéт; (*fig.*) карапýзик.

shrine (шрайн) *s.* рáка, ковчéг; (*altar*) алтáрь *m.*

shrink/ (шри'нгк) *vn.irr.* сж-имáться, -áться; с'ёж-иваться, -иться; смóрщ-иваться, -иться; сседáться; (*of cloth*) сýживаться, сýзиться || **to ~ at** ужасáться || **to ~ from** уклоняться от, избегáть || **–age** *s.* сседáние, сýживание; сокращéние.

shrive (шрайв) *va.irr.* (*obs.*) исповéд-ывать, -ать.

shrivel (шривл) *va(&n.)* мóрщить (-ся), сморщить (-ся); с'ёжи-вать (-ся), -ть(-ся).

shriven (шривн) *cf.* **shrive.**

shroud (шрауд) *s.* савáн; покрóв (*pl. mar.*) вáнты *fpl.* || **~** *va.* за-вёртывать, -вернýть в савáн; по-, при-, у-крывáть, -крыть.

shrove (шрōув) *cf.* **shrive.**

Shrove/-tide *s.* (шрōу'в-тайд) *s.* мáсленица, карнавáл || **~-Tuesday** *s.* заговенье; канýн пóста.

shrub/ (шра'б) *s.* (*bot.*) куст, кустáрник; (*drink*) лимонáд с рóмом || **–bery** *s.* кустáрник || **–by** *a.* кустовóй; кустовидный.

shrug (шраг) *s.* пожимáние плечáми || **~** *va.* (*to ~ one's shoulders*) пожимáть плечáми.

shrunk/ (шрангк), **–en** *cf.* **shrink.**

shudder (ша'дёр) *s.* дрожь *f.*, содрогáние || **~** *vn.* содрог-áться, -нýться; дрожáть, задрожáть.

shuffl/e (шафл) *s.* мешáние, смешéние; тасóвка (карт); (*fig.*) уловка || **~** *va.* мешáть, смéш-ивать, -áть; (*cards*) тасовáть (кáрты) || **~** *vn.* вилять; шáркать ногáми || **–er** *s.* плутовáтый человéк, кляузник || **–ing** *s.* тасовáние карт; улóвка, лукáвство || **~** *a.* уклóнчивый.

shun (шан) *va.* избегáть.

'shun (шан) *int.* = (*mil.*) **attention!**

shunt (шант) *s.* (*rail.*) запаснóй путь || **~** *va.* (*rail.*) маневрировать; переходить на запаснóй путь.

shut/ (ша'т) *va(&n.)irr.* за-крывáть (-ся), -крыть (-ся), затвор-ять (-ся), -ить (-ся); зап-ирáть (-ся), -ерéть (-ся) || **to ~ off** исключ-áть, -ить || **~ up!** (*fam.*) молчи! || **to ~ up** (*va.*) застáвить молчáть; (*vn.*) молчáть || **–ter** *s.* (*of a window*) стáвня; (*phot.*) затвóр.

shuttle/ (шатл) *s.* челнок (ткацкий) || **-cock** *s.* волан (игра).
shy/ (шай') *va.* (*fam.*) бросать, бросить || ~ *vn.* (*of horses*) бросаться, броситься в сторону, пугаться || ~ *a.* боязливый, застенчивый, стыдливый; (*cautious*) осторожный; (*of horses*) пугливый || **to fight ~ of** избегать || **-ness** *s.* застенчивость *f.*, стыдливость *f.*; пугливость *f.*
sibilant (си'билёнт) *s.* (*gramm.*) шипящая [буква.
sibyl (си'бил) *s.* сивилла; пророчица.
siccative (си'кётив) *a.* высушивающий || ~ *s.* сикатив.
sick/ (си'к) *a.* (*ill*) больной, нездоровый; (*inclined to vomit*) чувствующий тошноту || **~-list** *s.* список больных || **~-ward** *s.* больничная палата || **-en** *va.* внуш-ать, -ить отвращение || ~ *vn.* забол-евать, -еть; чувствовать отвращение || **-ening** *a.* отвратительный || **-liness** *s.* болезненность *f.* || **-ly** *a.* болезненный, хилый; (*of climate*) нездоровый || **-ness** *s.* болезнь *f.*, (*nausea*) тошнота.
sickle (сикл) *s.* серп.
side/ (сай'д) *s.* сторона, бок; (*border*) край; (*descent*) склон; (*party*) сторона, партия || ~ *a.* боковой; косвенный; косой || ~ *vn.* (*to ~ with*) прин-имать, -ять, держать сторону || **on one ~** с одной стороны || **on all -s** со всех сторон || **to take one's ~** ста-новиться, -ться на (чью) сторону || **-board** *s.* буфет || **~-box** *s.* (*theat.*) боковая ложа || **~-dish** *s.* кушанье, подаваемое к главному блюду || **~-face** *s.* профиль *m.* || **~-glance** *s.* косой взгляд || **-long** *a.* боковой || ~ *ad.* боком, с боку || **-r** *s.* сторонник, приверженец || **~-saddle** *s.* дамское седло || **~-scene** *s.* кулиса || **~-walk** *s.* (*Am.*) тротуар || **-ways** *ad.* в сторону, боком, наискось. [путь.
siding (сай'динг) *s.* (*rail.*) сортировочный
sidle (сайдл) *vn.* итти боком.
siege (сийдж) *s.* осада || **to lay ~ to** осаждать, -дить || **to raise a ~** снять осаду || **state of ~** осадное положение.
sieve (сив) *s.* решето, сито.
sift (сифт) *va.* про-севать, -сеять. [нуть.
sigh (сай) *s.* вздох || ~ *vn.* взд-ыхать, -ох-
sight/ (сай'т) *s.* (*faculty*) зрение; (*fig.*) глаза *mpl.*; (*spectacle*) зрелище; (*of a gun*) прицел, мушка || **at ~** (*comm.*) по предъявлении || **at . . . days' ~** (*comm.*) чрез . . . дней по предъявлении || **to hate the ~ of one** ненавидеть || **out of ~** из виду || **to lose ~ of** потерять из виду || **~-seeing** *s.* любопытство || **-less** *a.* слепой || **-ly** *ad.* благовидный.

sign/ (сай'н) *s.* знак; (*signature*) подпись *f.*; (*mark*) признак; (*forecast*) предзнаменование; (*track*) след; (*wink*) намёк || ~ *va.* под-писывать, -писать; обозн-ачать, -ачить || ~ *vn.* делать знаки || **~-board** *s.* вывеска || **~-manual** *s.* собственноручная подпись || **~-post** *s.* столб с вывеской; указательный столб || **-al** (си'гнёл) *s.* сигнал, знак || ~ *va.* делать знак; давать, дать сигнал; пере-давать, -дать сигналами || ~ *a.* замечательный, славный || **-al-light** *s.* сигнальный огонь || **-alize** (си'гнёлайз) *va.* ознамен-овывать, -овать || **-alman** (си'гнёлмэн) *s.* сигнальщик || **-atory** (си'гнётёри) *s.* подписчик || **-ature** (си'гнёчёр) *s.* подпись *f.*; (*typ.*) сигнатура || **-er** *s.* подписывающийся || **-et** (си'гнит) *s.* печать *f.*
signif/icance (сигни'ф-икёнс) *s.* (*meaning*) значение, смысл; (*importance*) важность *f.* || **-icant** *a.* значительный, выразительный; важный || **-ication** *s.* смысл, значение || **-y** (си'гнифай) *va&n.* озн-ачать, -ачить, выражать, выразить; иметь значение; (*to intimate*) давать, дать понять, (*to make known*) сооб-щать, -щить.
silen/ce (сай'лён-с) *s.* молчание; (*stillness*) безмолвие, тишина; (*taciturnity*) молчаливость *f.* || ~! молчи! || ~ *va.* за-ставлять, -ставить замолчать; (*quiet*) успок-оивать, -оить || **-t** *a.* молчаливый; безмолвный, тихий; (*gramm.*) немой.
sil/ex (сай'дикс) *s.* (*min.*) кремнезём || **-icious** (силп'шёс) *a.* кремнистый.
silhouette (силу-э'т) *s.* силуэт.
silicate (си'ликёт) *s.* силикат.
silk/ (силк) *s.* шёлк || ~ *a.* шёлковый || **-en** *a.* шелковистый; (*fig.*) мягкий || **-iness** *s.* шелковидность *f.*; мягкость *f.* || **~-goods** *spl.* шёлковый товар || **~-growing** *s.* шелководство || **~-mill** *s.* шелкопрядильня || **-worm** *s.* шелковичный червь || **-worm-nursery** *s.* питомник для разведения шелковичных червей || **-y** *a.* шелковистый.
sill (сил) *s.* порог; (*of window*) подоконник.
sill/iness (си'л-инис) *s.* глупость *f.*; простота; дурачество, нелепость *f.* || **-y** (си'ли) *a.* глупый, вздорный, нелепый, дурачливый.
silver/ (си'лвёр) *s.* серебро; (*money*) серебряная монета || **German ~** сребровид, нейзильбер || ~ *a.* серебряный || ~ *va.* посеребр-ять, -ить; серебрить, по-, вы- || **-ing** *s.* посеребрение, высеребрение || **~-mountede** *a.* из накладного серебра || **~-plate** *s.* серебряная посуда || **-smith** *s.*

серébряных дел мáстер || **–y** *a.* серебрúстый, серéбряный.

simil/ar (си'милёр) *a.* подóбный; похóжий; однорóдный || **–arity** (симилӓ'рити) *s.* схóдство, подóбие; однорóдность *f.* || **–e** (си'мили) *s.* уподоблéние, сравнéние || **–itude** (сими'литю̈д) *s.* подóбие, схóдство.

simmer (си'мёр) *vn.* кипéть потихóньку; вскипáть.

simony (си'мёни) *s.* симонúя, святокýпство.

simoom (симӯ'м) *s.* самýм.

simper (си'мпёр) *s.* жемáнная *or* глýпая улы́бка || ~ *vn.* глýпо *or* афектирóванно улыбáться.

simpl/e (си'мпл) *s.* целéбная травá || ~ *a.* простóй; (*innocent*) невúнный; (*stupid*) глýпый || **–e-minded** *a.* простодýшный || **–eness** *s.* простотá; простодýшие; глýпость *f.* || **–eton** (-тён) *s.* простáк, простофúля *m.* || **–icity** (-и'сити) *s. cf.* **simpleness** || **–ification** *s.* упрощéние || **–ify** *va.* упро-щáть, -стúть || **–y** *ad.* прóсто; самó по себé.

simul/ate (си'мюл-эйт) *va.* притвор-я́ться, -úться; симулúровать || **–ation** *s.* притвóрство, симуля́ция.

simultane/ity (сималтёнэ̄й'ити) *s.* одноврéменность *f.* || **–ous** (симёлтэ̄й'ниёс) *a.* одноврéменный.

sin/ (си'н) *s.* грех || ~ *va,* грешúть, согреш-áть, -úть || **besetting** ~ обы́чный (заобы́чный) грех || **~-offering** *s.* искупúтельная жéртва || **–ful** *a.* грéшный, грехóвный || **–fulness** *s.* грехóвность *f.*; непрáведность *f.* || **–less** *a.* безгрéшный || **–ner** *s.* грéшни-к, -ца.

since (синс) *c.* с тех пор; (*because*) потомý что; так как || ~ *prp.* с || **ever** ~ с дáвнего врéмени; всегдá || **long** ~ давнó || **two years** ~ два гóда томý назáд || ~ **then** с тех пор.

sincer/e (синсий'р) *a.* úскренний || **yours –ely** с úскренним почтéнием || **–eness, –ity** (синсэ'рити) *s.* úскренность *f.*

sine (сайн) *s.* (*math.*) сúнус.

sinecure (сай'никю̈р) *s.* синекýра.

sine die (сай'ни дай'-ий) *ad.* (*legal*) на неопределённое врéмя.

sinew/ (си'ню̈) *s.* (*an.*) сухáя жúла, сухожúлие; нерв || **the –s of war** дéньги *fpl.* || **–y** *a.* мускулúстый; (*fig.*) сúльный.

sing/ (си'нг) *va&n.irr.* петь, спеть; воспевáть, -пéть; (*of the ears*) звенéть || **~-song** *s.* монотóнное пéние || **–er** *s.* певéц, певúца || **–ing** *s.* пéние || ~ *a.* пéвчий || **–ing-boy** *s.* пéвчий || **–ing-master** *s.* учúтель (*m.*) пéния.

singe (синдж) *va.* опал-я́ть, -úть.

single/ (си'нг-гл) *a.* едúнственный, едúный; одúн; одинóчный; (*unmarried*) холостóй (мужчúна), незамýжняя (жéнщина); одинóкий; (*simple*) простóй || ~ **combat** *s.* единобóрство; поедúнок || ~ **file** *s.* ход гýсем *or* гуськóм || ~ *va.* (*to ~ out*) выбирáть, вы́брать || **~-handed** *a.* однорýкий || **~-hearted, ~-minded** *a.* úскренний, чистосердéчный || **–ness** *s.* одинóчность *f.*; úскренность *f.*

singly (си'нг-гли) *ad.* (*one by one*) отдéльно, по одинóчке; (*alone*) одúн, сам собóю.

singlestick (си'нгтлстик) *s.* деревя́нная сáбля для фехтовáния.

singular/ (си'нг-гюлёр) *s.* (*gramm.*) едúнственное числó || ~ *a.* (*separate*) едúнственный; (*special*) осóбенный; (*strange*) стрáнный; (*eminent*) замечáтельный; (*unusual*) чрезвычáйный || **–ity** (сингтюлӓ'рити) *s.* осóбенность *f.*; стрáнность *f.*

sinister (си'нистёр) *a.* (*on the left*) лéвый; злополýчный; (*evil*) злой.

sink/ (си'нгк) *s.* (*sewer*) стóчная трубá; клоáка; (*in the kitchen*) рáковина || ~ *va&n.irr.* по-нижáть(-ся), -нúзить(-ся); убывáть; уменьш-áть (-ся), -úть (-ся); погру-жáть (-ся), -зúть (-ся); (*a ship*) топúть, потопúть; (*money*) поме-щáть, -стúть; (*a well*) рыть, копáть; пá-дать, пасть; садúться, оседáть; уничт-ожáть, -óжить; (*a debt*) пога-шáть, -сúть долг || **to ~ into** про-никáть, -нúкнуть; в-никáть, -нúкнуть || **~-hole** *s.* помóйная я́ма; стóчная я́ма || **–ing-fund** *s.* фонд погашéния.

sinu/osity (синюо'сити) *s.* извúлина || **–ous** (си'нюёс) *a.* извúлистый || **–s** (сай'нёс) *s.* (*bay*) бýхта, залúв; (*an.*) пáзуха.

sip (сип) *s.* небольшóй глотóк || ~ *va&n.* пить мáленькими глоткáми; хлебáть, отхлебáть.

siphon (сай'фён) *s.* сифóн.

sippet (си'пит) *s.* кусóчек хлéба, пропúтанный бульóном.

sir (сёр) *s.* сýдарь *m.*, господúн; (*title*) сер || **Dear S–** мúлостивый государь.

sire (сай'ёр) *s.* отéц, родúтель *m.*; (*ancestor*) прéдок; (*title*) государь *m.*

siren (сай'рён) *s.* сирéна.

sirloin (сё'рлойн) *s.* рóстбиф, филéй; огýзок.

siskin (си'скин) *s.* (*ornith.*) чиж, чижóвка.

sister/ (си'стёр) *s.* сестрá; (*nun*) монáхиня; (*nurse*) сидéлка || **~-in-law** *s.* (*wife's sister*) свояченица; (*husband's sister*) золóвка; (*brother's wife*) невéстка || **–ly** *a.* сéстрин, сéстринский.

sit/ (сит) *va&n.irr.* сидеть; садиться; (*hold a session*) заседать; (*of hens*) сидеть на яйцах || **to ~ down** садиться, сесть || **-ting** *s.* сидение; (*session*) заседание; (*in a church*) место; (*incubation*) высиживание || **-ting-room** *s.* гостиная. [место.
site (сайт) *s.* местоположение; местность *f.*,
situat/e(d) (сит'тюэйт[ид]) *a.* лежащий, расположенный || **-ion** (ситюэй'шн) *s.* положение, состояние; местоположение; (*post*) место, должность *f.*
six/ (си'кс) *a.* шесть || ~ *s.* шестёрка || **-teen** (си'кстий'н) *a.* шестнадцать || **-teenth** (си кстий'нѳ) *s.* шестнадцатая (часть) || ~ *a.* шестнадцатый || **-tieth** (-тиѳ) *a.* шестидесятый || **-th** (-ѳ) *s.* шестая (часть) || ~ *a.* шестой || **-thly** (-ѳли) *ad.* в-шестых || **-ty** *a.* шестдесят.
sizar/ (сай'зёр) *s.* (*univ.*) стипендиат || **-ship** *s.* стипендия.
size (сайз) *s.* величина, размер; (*bulk*) об'ём; формат; номер; (*glue*) клей || ~ *va.* сораз-мерять, -мерить; определ-ять, -ить размер; по-крывать, -крыть клеем, прокле-ивать, -ить.
skat/e (скэйт) *s.* конёк; (*ichth.*) скат || ~ *vn.* кататься на коньках || **-er** *s.* конькобежец || **-ing-rink** *s.* каток.
skedaddle (скидä'дл) *vn.* убежать.
skein (скэйн) *s.* моток. [**key** *s.* отмычка.
skeleton/ (скэ'литён) *s.* скелет, остов || ~-
sketch/ (скэч) *s.* эскиз, очерк; набросок || ~ *va.* набр-асывать, -осить очерки, эскизы; очерчивать, очертить || **-y** *a.* слегка набросанный; незаконченный, эскизный.
skew/ (скю) *ad.* косо, наискось, накось || **-er** *s.* вертел || ~ *va.* на-саживать, -садить на вертел. [поскольз-аться, -нуться.
skid (скид) *s.* тормаз || ~ *va.* тормазить;
skiff (скиф) *s.* ялик.
skil/ful (ски'л-фул) *a.* искусный, ловкий, опытный || **-l** *s.* искусство, ловкость *f.* || **-led** (-д) *a.* искусный, опытный.
skillet (ски'лит) *s.* плавильник, тигель *m.*
skim/ (ским) *s.* пена, сливки *fpl.* || ~ *va.* сн-имать, -ять сливки *or* пену *or* накипь; (*to ~ over*) пробе-гать, -жать книгу || **-mer** *s.* уполовник, шумовка, снималка.
skin/ (ски'н) *s.* кожа; шкура; (*bot.*) кожица || ~ *va.* сн-имать, -ять, сдирать, содрать кожу; лущить || ~ *vn.* покрываться кожицею; (*of wound*) заживать || ~**-deep** *a.* поверхностный || ~**-flint** *s.* скряга; скаредник || **-ner** *s.* живодёр; кожевник || **-ny** *a.* кожаный; (*emaciated*) худощавый, худой.
skip/ (скип) *va.* (*to ~ over*) пропус-кать, -тить || ~ *vn.* прыгать, скакать || ~ *s.* прыжок, скачок || **-per** *s.* прыгун; (*mar.*) шкипер.
skirmish/ (скё'рмиш) *s.* стычка, схватка || ~ *vn.* (*mil.*) иметь стычку *or* схватку; перестреливаться || **-er** *s.* (*mil.*) застрельщик.
skirt (скёрт) *s.* юбка; пола, подол; (*border*) край, оторочка; (*of a forest*) опушка; (*an.*) грудобрюшная преграда; диафрагма || ~ *va.* обш-ивать, -ить; итти вдоль (чеголибо).
skit/ (скит) *s.* насмешка || **-tish** (ски'тиш) *a.* пугливый; причудливый; (*of horses*) упрямый, ртачливый || **-tle** (скитл) *s.* кегля || **-tles** *spl.* игра в кегли || **to play at ~** играть в кегли || **-tle-alley** *s.* кегельбан.
skulk (скалк) *vn.* прятаться, укрываться.
skull/ (скал) *s.* череп || ~**-cap** *s.* ермолка.
skunk (скангк) *s.* (*zool.*) вонючка; (*fig.*) негодяй; подлец.
sky/ (скай') *s.* небо || ~**-high** *a&ad.* до небес || **-lark** *s.* луговой жаворонок || ~ *vn.* шумно шалить || **-light** *s.* фонарь *m.*, потолочное окно.
slab/ (слäб) *s.* плита || **-ber** *va&n.* слюниться, пускать слюну || **-berer** *s.* слюняй || **-by** *a.* липкий; грязный.
slack/ (слäк) *a.* слабо натянутый; слабый; (*fig.*) вялый, ленивый, медленный || **-en** *va.* опус-кать, -тить (канаты); замедл-ять, -ить; осл-аблять, -абить; (*lime*) гасить (известь) || ~ *vn.* слабеть, ослабеть, ослабнуть; уменьш-аться, -иться; замедл-яться, -иться || **-er** *s.* лентяй, лени- [вец.
slag (слäг) *s.* шлак, окалина.
slain (слэйн) *cf.* **slay.**
slake (слэйк) *va.* тушить, потушить; (*thirst, etc.*) утол-ять, -ить (жажду); (*lime*) гасить.
slam (слäм) *va.* (сильно) хлопнуть (дверью), захлопнуть (дверь) || ~ *s.* хлопание; (*at whist*) шлем.
slander/ (слä'ндёр) *s.* клевета, злословие || ~ *va.* клеветать (на), оклеветать; злословить (о) || **-er** *s.* клеветни-к, -ца || **-ous** *a.* клеветнический, злословный.
slang/ (слäнг) *s.* жаргон; простонародные выражения *npl.* || ~ *va.* выбранивать, выбранить || **-y** *a.* употребляющий простонародные выражения.
slant/ (слä'нт) *s.* склон, покатость *f.* || ~ *va.* на-правлять, -править вкось || ~ *vn.* уклон-яться, -иться; итти вкось || ~, **-ing** *a.* косой, косвенный; отклонный; уклонённый || **-wise** *ad.* вкось, косо; наклонно

slap/ (слä'п) *int.* бац! || ~ *s.* удáр ладóнью; шлепóк || ~ **in the face** пощёчина || ~ *va.* шлёп-ать, -нуть || ~-**bang** *int.* бац! || ~-**dash** *a&ad.* торопли́вый; не заду́мываясь; (*superficial*) повéрхностный.

slash/ (слäш) *va.* сечь; дéлать рубéц, прорéз || ~ *s.* рубéц, шрам; (*in old dresses*) прорéха || -**ing** *a.* суро́вый, безжáлостный.

slate/ (слӭй'т) *s.* ши́фер, áспид, слáнец; áспидная доскá || ~ *a.* ши́ферный, слáнцевый || ~ *va.* крыть áспидными до́сками; (*fam.*) суро́во критиковáть || ~-**pencil** *s.* гри́фель *m.* || -**r** *s.* кро́вельщик, кроющий ши́фером.

slating (слӭй'тинг) *s.* суро́вая кри́тика; головомо́йка.

slattern/ (слä'тёрн) *s.* неря́ха || -**ly** *a.* неря́шливый, неопря́тный.

slaughter/ (слō'тёр) *s.* избиéние, резня́, по́боище; (*of cattle*) убо́й || ~ *va.* бить (скот); у-бивáть, -би́ть; рéзать || -**er** *s.* мясни́к; (*fig.*) уби́йца *m.* || ~-**house** *s.* скотобо́йня.

slav/e (слӭй'в) *s.* раб, раб́ыня, нево́ль-ник, -ница || ~ *vn.* рабо́тать как нево́льник, му́читься || -**er** *s.* торгу́ющий нево́льниками; су́дно для то́рга нево́льниками || || -**ery** *s.* рáбство, нево́ля || -**e-trade** *s.* торг нево́льниками || -**ish** *a.* рáбский; (*fig.*) рабо́лéпный.

slaver/ (слä'вёр) *s.* слюнá || ~ *va.* заслюн-ивáть, -и́ть || ~ *vn.* пускáть, слюну́; слюни́ться || -**ing** *a.* слюня́вый.

slay/ (слӭй) *va.irr.* уби́ть, умертви́ть || -**er** *s.* уби́йца *m.*

sled/ (слэд) *s.* (*Am.*) сáни *fpl.* || -**ge** (слэдж) *s.* сáни, сáнки *fpl.*; салáзки *fpl.* || ~ & -**ge-hammer** *s.* кузнéчный мо́лот, ковáло.

sleek (слийк) *a.* глáдкий, ро́вный; мя́гкий; (*fig.*) елéйный.

sleep/ (слий'п) *vn.irr.* спать, почивáть || ~ *s.* сон; спя́чка (живо́тных) || -**er** *s.* со́ня *m&f.*; спя́щий, -ая; (*rail.*) шпáла || -**iness** *s.* сонли́вость *f.* || **S-ing-Beauty** *s.* Спя́щая Красáвица || -**ing-car** *s.* спáльный вагóн || -**ing-partner** *s.* (*comm.*) командитéр; неглáсный компаньóн || -**ing-room** *s.* спáльня || -**ing-sickness** *s.* спя́чка, со́нная болéзнь || -**less** *a.* бессо́нный || -**lessness** *s.* бессо́нница || ~-**walker** *s.* лунáтик; снобро́д || -**y** *a.*, (-**ily** *ad.*) со́нный, сонли́вый, усыпи́тельный; (*dull*) вя́лый.

sleet/ (слийт) *s.* крупá (снег с дождём) || ~ *vn.* крупи́ть || **it -s** на дворé крупи́т; идёт крупá.

sleeve/ (слий'в) *s.* рукáв || **to laugh in one's** ~ смея́ться исподтишкá || -**less** *a.* без рукаво́в || **a** ~ **dress** безрукáвка.

sleigh/ (слӭй) *s.* сáни, сáнки *fpl.*; салáзки *fpl.* || -**ing** *s.* катáние на сáнках.

sleight (слайт) *s.* хи́трость *f.*, ло́вкость *f.* || ~ **of hand** *s.* фо́кус.

slender/ (слэ'ндёр) *a.* то́нкий, стро́йный; слáбый, нéжный; ску́дный || -**ness** *s.* то́нкость *f.*; слáбость *f.*; нéжность *f.*; ску́дность *f.*

slept (слэпт) *cf.* **sleep.**

slew (слӯ) *cf.* **slay.**

slice (слайс) *s.* ло́моть *m.*; ло́мтик; (*spatula*) лопáточка || ~ *vn.* рéзать ломтя́ми; разрезáть на ло́мтики.

slid/e (слайд) *vn.irr.* скольз-и́ть, -ну́ть; поскользну́ться, катáться по льду || ~ *va.* тихо́нько всу́нуть || ~ *s.* скольжéние; като́к; ро́вный, плáвный ход; (*tech.*) золотни́к; (*lantern-*~) карти́нка для волшéбного фонаря́ || -**er** *s.* скользя́щий || -**ing** *s.* скольжéние || -**ing-knot** *s.* затяжнáя пéтля.

slight/ (слай'т) *a.* мáлый, незначи́тельный; (*slender*) то́нкий; (*feeble*) слáбый || ~ *s.* неуважéние, пренебрежéние || ~ *va.* окáз-ывать, -áть неуважéние || -**ingly** *ad.* с пренебрежéнием, небрéжно || -**ness** *s.* слáбость *f.*; то́нкость *f.*

slily (слай'ли) *ad.* исподтишкá; лукáво; *cf.* **sly.**

slim (слим) *a.* то́нкий, ги́бкий; слáбый; незначи́тельный.

slim/e (слай'м) *s.* слизь *f.*; ил, ти́на || -**iness** *s.* слизи́стость *f.*; вя́зкость *f.* || -**y** *a.* слизи́стый; вя́зкий; иловáтый, ти́нистый.

sling (слинг) *s.* размáх, си́льный удáр; (*for stones*) пращá; (*med.*) повя́зка || ~ *va.irr.* метáть из пращи́; кидáть, ки́нуть; бросáть, бро́сить; швыр-я́ть, -ну́ть.

slink (слингк) *vn.irr.* уходи́ть, уйти́ укрáдкой; ускольз-áть, -ну́ть.

slip/ (сли'п) *vn.* скользи́ть, поскользну́ться; соскочи́ть (с+*G.*); (*commit an error*) впадáть, впасть в оши́бку || ~ *va.* (*convey secretly*) незамéтно всу́нуть; (*let loose*) опус-кáть, -ти́ть; (*throw off*) сбр-áсывать, -о́сить || ~ *s.* скольжéние; (*error*) оши́бка, про́мах; (*narrow piece*) поло́ска, кусо́чек; (*leash*) сво́ра; (*typ.*) грáнка, столбéц || ~ **of the pen** *s.* опи́ска || **to give the** ~ ускользну́ть || ~-**knot** *s.* затяжнáя пéтля || -**per** *s.* ту́фель *m.*, ту́фля || -**periness** *s.* ско́льзкость *f.* || -**pery** (сли'пёри) *a.* ско́льзкий, глáдкий || ~-**shod** *a.* имéющий сто́птанные башмаки́; (*fig.*) небрéжный.

slipslop (сли'пслоп) *s.* дрянно́й *or* жи́дкий напи́ток.

slipt (слипт) *cf.* **slip.**
slit (слит) *va.irr.* расщеп-ля́ть, -и́ть, рас-к-а́лывать, -оло́ть || ~ *s.* тре́щина; разре́з; щель *f.*
slither (сли'ðёр) *vn.* скольз-и́ть, -ну́ть.
sliver (слай'вёр, сли'вёр) *s.* (*strip*) полоса́; (*slice*) ло́моть *m.*; кусо́к; оско́лок; прядь *f.*; (*splinter*) зано́за.
slobber (сло'бёр) *s.* *cf.* **slabber.** [тёрн.
sloe (сло̄у) *s.* (*fruit*) терно́вая я́года; (*tree*)
sloop (слӯп) *s.* (*mar.*) шлюп, шлю́пка || ~ **of war** *s.* корве́т.
slop/ (сло'п) *va.* па́чкать; про-, раз-лива́ть, -ли́ть || ~ *s.* (*puddle*) лу́жа || **-s** *spl.* помо́и *mpl.*, (*clothes*) дешёвое гото́вое пла́тье || **~-basin** *s.* полоска́тельница, полоска́тельная ча́шка || **~-pail** *s.* помо́йное ведро́ || **-py** *a.* гря́зный, мо́крый || **~-seller** *s.* торгу́ющий ста́рым пла́тьем; вето́шник.
slop/e (сло̄уп) *s.* склон; отко́с, накло́н; пока́тость *f.* || ~ *vn.* наклон-я́ться, -и́ться; име́ть скат || ~ *va.* ста́вить, по- в накло́нное положе́ние; наклон-я́ть, -и́ть || **-ing** *a.* накло́нный; пока́тый; косо́й || ~ *ad.* вкось, ко́со, кри́во.
slot (слот) *s.* (*of deer*) след; (*of a door*) задви́жка; (*slat*) перекла́дина; (*slit*) проре́з, щель *f.*
sloth/ (сло̄уþ) *s.* ле́ность *f.*; ме́дленность *f.*; (*zool.*) тихохо́д; (*fig.*) лени́вец || **-ful** *a.* лени́вый; ме́дленный.
slouch (слауч) *vn.* ходи́ть опустя́ го́лову || ~ *va.* надви́нуть на глаза́ (шля́пу) || ~ *s.* (*droop*) наклоне́ние головы́; (*gait*) тяжёлая по́ступь.
slough (слау) *s.* топь *f.*; трясина, ти́на.
slough (слаф) *s.* линови́ще; (*med.*) струп.
sloven/ (сла'вн) *s.* неря́ха *m.*; замара́шка || **-liness** *s.* неопря́тность *f.*; неря́шливость *f.* || **-ly** *a&ad.* неопря́тный; неря́шливый.
slow/ (сло̄у') *a.* ме́дленный, ме́шкотный; (*late*) запозда́вший; отста́лый; (*stupid*) тупо́й; (*of watch*) отстаю́щий || **to be five minutes** ~ (**of a watch**) отстава́ть на пять мину́т || **the watch is** ~ часы́ назади́ || ~ *vn.* (*to ~ down*) за-медля́ть, -ме́длить || **-ness** *s.* ме́дленность *f.*; отста́лость *f.*; ту́пость *f.* || **-train** *s.* пассажи́рский по́езд ма́лой ско́рости || **~-match** *s.* фити́ль *m.* || **~-worm** *s.* (*zool.*) медяни́ца.
sludge (сладж) *s.* ти́на; грязь *f.*; сля́коть *f.*; (*of snow*) та́лый снег.
slug/ (сла'г) *s.* (*zool.*) сли́зень *f.*; (*fig.*) лентя́й, -ка; (*for shooting*) карте́чина || **-gard** (сла'гёрд) *s.* лентя́й || **-gish** *a.* лени́вый, неповоро́тливый, ме́дленный.
sluice (слӯс) *s.* шлюз || ~ *va.* выпуска́ть, вы́пустить че́рез шлюз; оро-ша́ть, -си́ть.
slum (слам) *s.* закоу́лок; прито́н, трущо́ба.
slumber/ (сла'мбёр) *s.* дремо́та || ~ *vn.* дрема́ть, спать || **-er** *s.* дре́млю-щий, -щая.
slump (сламп) *s.* внеза́пное пониже́ние [ку́рсов.
slung (сланг) *cf.* **sling.**
slunk (слангк) *cf.* **slink.**
slur (слёр) *va.* пятна́ть, запятна́ть; понос-и́ть, черни́ть; (*mus.*) соблюда́ть лега́то || ~ *s.* пятно́; упрёк; (*mus.*) лега́то.
slush (слаш) *s.* грязь *f.*, сля́коть *f.*; та́лый снег.
slut/ (слат) *s.* шлю́ха; неря́ха || **-tish** *a.* гря́зный, неря́шливый, неопря́тный.
sly/ (слай') *a.* (**slily** *ad.*) хи́трый, лука́вый || **on the** ~ исподтишка́, потихо́ньку || **~-boots** *s.* хитре́ц, прока́зник || **-ness** *s.* хи́трость *f.*; лука́вство.
smack (смäк) *s.* (*taste*) вкус; (*smattering*) пове́рхностное зна́ние; (*noise*) чмо́кание; (*kiss*) гро́мкий поцелу́й; (*slap*) шлепо́к || ~ *vn.* отзыва́ться (чем) || ~ *va.* (*slap*) шлёп-ать, -нуть; (*kiss*) гро́мко целова́ть, чмо́к-ать, -нуть; щёлкать; хло́пать.
small/ (смо̄'л) *a.* ма́лый, ма́ленький; то́нкий; сла́бый; жи́дкий, ре́дкий; (*unimportant*) незначи́тельный || ~ *s.* то́нкая *или* сла́бая часть (чего́) || ~ **of the back** кресте́ц || **~-clothes** *spl.* штаны́ || **-ish** *a.* малова́тый || **-ness** *s.* ма́лость *f.*, ме́лкость *f.*; то́нкость *f.*, сла́бость *f.*; незначи́тельность *f.* || **~-pox** *s.* о́спа || **~-talk** *s.* болтовня́, пусто́й разгово́р.
smart/ (смā'рт) *s.* о́страя, жгу́чая боль || ~ *a.* о́стрый, жгу́чий; (*lively*) живо́й, прово́рный; (*energetical*) энерги́чный; ко́лкий; (*witty*) остроу́мный, ре́зкий; (*elegant*) наря́дный; франтовско́й; (*clever*) хи́трый || ~ *vn.* боле́ть, страда́ть || **he shall** ~ **for this** он до́рого попла́тится за э́то || **-en** *va.* (*to ~ up*) выряжа́ть, вы́рядить || **-ness** *s.* жи́вость *f.*; си́ла; то́нкость *f.*; изя́щество; щегольство́.
smash/ (смäш) *s.* раска́лывание, раздробле́ние: круше́ние; (*bankruptcy*) банкру́тство || ~ *va.* раз-бива́ть, -и́ть, в дре́безги; раздроб-ля́ть || ~ *vn.* обанкру́титься || **-er** *s.* си́льный уда́р.
smatter/er (смä'тёр-ёр) *s.* недоу́чка || **-ing** *s.* пове́рхностное позна́ние. [пятно́.
smear (смиийр) *va.* ма́зать, па́чкать || ~ *s.*
smell/ (смэл) *va.irr.* обоня́ть, ню́хать; чу́ять || ~ *vn.* па́хнуть || **to ~ bad** воня́ть || ~ *s.* обоня́ние; (*scent*) за́пах || **-ing-bottle** *s.* с(т)кля́ночка с духа́ми; флако́нчик (с ню́хательным спи́ртом).

smelt/ (смэлт) *va.* плáвить, расплавля́ть; *cf.* **smell** || ~ *s.* (*ichth.*) кóрюшка || **-er** *s.* плави́льщик.
smil/e (смай'л) *vn.* улыб-áться, -ну́ться || ~ *s.* улы́бка || **-ing** *a.* улыбáющийся || **-ingly** *ad.* улыбáясь, с улы́бкой.
smirch (смёрч) *va.* пáчкать, запáчкать; марáть, замарáть.
smirk (смёрк) *vn.* дéлать глáзки, нéжно улыб-áться, -ну́ться.
smite (смайт) *va.irr.* уд-ря́ть, -áрить; поражáть, -зи́ть; разби́ть, у-бивáть, -би́ть; воспламен-я́ть, -и́ть.
smith/ (смиþ) *s.* кузнéц || **-y** (сми'ði) *s.* ку́зница || **-ereens** (смиðёрий'из) *spl.*, **to break (smash) into ~, to make ~ of** разби́ть в дрéбезги.
smitten (смитн) *a.*, ~ **with a person** влюблённый || *cf.* **smite.**
smock/ (смок) *s.* жéнская рубáшка || **~-frock** *s.* блу́за (у рабóтников).
smok/e (смōу'к) *s.* дым; (*vapour*) пар || ~ *vn.* дыми́ться, кури́ться; коптéть || ~ *va.* кури́ть (табáк); (*meat*) копти́ть, вы́- || **no -ing allowed** кури́ть воспрещáется || **-er** *s.* куря́щий, кури́льщик || **-y** *a.* ды́мный, дымя́щийся; закоптéлый.
smooth/ (смӯ'ð) *a.* глáдкий, рóвный; мя́гкий; нéжный; лосня́щийся; ти́хий; любéзный || ~ *va.* глáдить; дéлать, сдéлать глáдким; приглá-живать, -дить; полировáть; (*fig.*) смягч-áть, -и́ть; успок-óивать, -óить || **-ness** *s.* глáдкость *f.*, рóвность *f.*, плáвность *f.*, любéзность *f.*
smote (смōут) *cf.* **smite.**
smother (сма'ðёр) *va.* души́ть, задуши́ть; туши́ть (огóнь); заглуши́ть || ~ *vn.* чади́ть, дыми́ться || ~ *s.* чад.
smoulder (смōу'лдёр) *vn.* тлеть; дыми́ться.
smudge (смадж) *s.* грязь *f.*; пятнó || ~ *va.* пáчкать, запáчкать.
smug (смаг) *a.* чи́стый, опря́тный, наря́дный; самодовóльный.
smuggl/e (смагл) *va.&n.* вв-ози́ть, -езти́ запрещённые товáры; занимáться контрабáндою || **-er** *s.* контрабанди́ст || **-ing** *s.* контрабáнда.
smut/ (сма'т) *s.* сáжа; (*ribaldry*) сáльность *f.*, непристóйность *f.*; (*on corn*) ржа, ржáвчина || ~ *va.* копти́ть; черни́ть; пáчкать сáжей || **-tiness** *s.* чернотá; грязь *f.*; бессты́дство; сáльность *f.*; непристóйность *f.* || **-ty** *a.* закоптéлый, чёрный; (*ribald*) бессты́дный, непристóйный, похáбный, сáльный.
snack (снäк) *s.* заку́ска; (*share*) дóля.
snaffle/ (снä'фл) *s.* уздéчка; трéнзель *m.* || ~ *va.* вести́ за трéнзель || **~-bit** *s.* уди́ло, мундшту́к.
snag/ (снäг) *s.* корóткий сук; нарóст, ши́шка; (*Am.*) каря́га || **-gy** *a.* шишковáтый, суковáтый.
snail (снэ̄йл) *s.* ули́тка. [(*fig.*) ковáрный.
snak/e (снэ̄йк) *s.* змея́ || **-y** *a.* змеи́ный;
snap/ (снä'п) *va.&n.* разломи́ть (-ся), расколóть (-ся) с трéском; лóпнуть; хлóпнуть; схвати́ть зубáми || ~ *s.* треск, щёлк; (*bite*) уку́с; (*of a bracelet*) застёжка; (*of weather*) рéзкая перемéна погóды || **-pish** *a.* (*of dogs*) кусли́вый; (*of persons*) сварли́вый, гру́бый || **~-shot** *s.* (*phot.*) моментáльный сни́мок. [пасть.
snapdragon (снä'пдрäгён) *s.* (*bot.*) льви́ная
snare (снäр) *s.* силóк, пéтля, тенёта *npl.* || ~ *va.* поймáть в сéти.
snarl/ (снäрл) *vn.* рычáть; ворчáть; огрызáться || **-er** *s.* брюзгá *m.*; ворчу́н; злáя собáка.
snatch/ (снäч) *va.* хватáть, схвати́ть; хáпнуть; утащи́ть || ~ *vn.* ухвати́ться за (что) || ~ *s.* хватáние, захвáт; кусóчек; отры́вок || **-y** *a.* непостоя́нный.
sneak (снийк) *vn.* подкрáдываться; раболéпствовать || ~ *s.* пóдлый человéк; проны́ра, пролáза; трус; вор.
sneer/ (снийр) *vn.* (язви́тельно) насмехáться, зубоскáлить || ~ *s.* (язви́тельная) насмéшка, зубоскáльство || **-ingly** *ad.* насмéшливо, презри́тельно; глуми́тельно.
sneez/e (снийз) *vn.* чихáть, чихну́ть || **not to be -ed at** достóйный внимáния || ~ *s.* чихáние. [врéз-ывать, -ать.
snick (сник) *s.* врéзка; зару́бка || ~ *va.*
snicker (сни'кёр) *vn.* хихи́кать; ржать.
snide (снайд) *a.* поддéльный.
sniff (сниф) *vn.* фы́ркать, сопéть; обню́хивать; ню́хать, чу́ять.
snigger (сни'гёр) *vn.* хихи́кать.
snip (снип) *va.* обрéзать; рéзать, отрéзать || ~ *s.* кусóчек, части́ца; обрéзок; (*fam.*) портнóй. [кули́к.
snipe (снайп) *s.* (*pl.* **snipe**) (*ornith.*) бекáс,
snippet (сни'пит) *s.* обрéзок.
snivel/ (сни'вл) *s.* сопля́; всхли́пывание || ~ *vn.* течь из нóсу; хны́кать, всхли́пывать || **-ling** *a.* сопли́вый; плакси́вый.
snob/ (сноб) *s.* сноб; вы́скочка *m.* || **-bish** *a.* чвáнный.
snood (снӯд) *s.* (*Sc.*) головнáя лéнта.
snooze (снӯз) *s.* (не дóлгий) сон, дремóта || ~ *vn.* сону́ть; дремáть, вздремну́ть.
snore (снōр) *vn.* храпéть; всхрáпывать || ~ *s.* храпéние.
snort (снōрт) *vn.* фы́ркать; храпéть.

snot/ (снот) *s.* сопли *fpl.*; сап || **~-rag** *s.* (*vulg.*) носовой платок || **-ty** *a.* сопливый.
snout (снаут) *s.* рыло; хрюкало (свиньи); хобот (слона); дульце; (*of vessels*) носок; носик, рыльце.
snow/ (снōу') *s.* снег || **~** *vn.*, **it -s, it is -ing** снег идёт || **-bound** *a.* заваленный *or* занесённый снегом || **~-drift** *s.* снежный сугроб || **~-drop** *s.* (*bot.*) подснежник || **~-flake** *s.* снежинка || **~-white** *a.* белый как снег || **-y** *a.* снежный, белоснежный; (*fig.*) чистый.
snub/ (сна'б) *s.* выговор, головомойка || **~** *va.* бранить; грубо закричать на кого; вымыть голову || **~-nosed** *a.* курносый.
snuff/ (сна'ф) *s.* нюхательный табак; нюхание || **~** *vn.* сопеть, нюхать табак || **~** нюхать, понюхать; (*a candle*) сн-имать, -ять нагар (на свече) || **~-box** *s.* табакерка || **-ers** *spl.* щипцы для свечей || **-le** *vn.* гнусавить, говорить в нос || **~-taker** *s.* нюхающий табак.
snug/ (снаг) *a.* удобный; уютный, тихий || **~**, **-gle** (снагл) *vn.* при-жиматься, -жаться (к + *D.*); приютиться.
so/ (сōу) *ad.* так; таким образом; и так; (*also*) также, тоже; следовательно, поэтому || **~** *c.* лишь бы; если только || **~-~** так себе, ничего себе || **quite, just ~** точно так || **~ long!** до свидания! || **or ~** около || **~ far as** насколько || **~ long as** ежели только || **~ and ~** такой-то || **~ much the better** тем лучше || **~ sorry!** простите! извините! виноват! || **and ~ on** и так далее || **~-called** так называемый.
soak (сōук) *va.* обм-ачивать, -очить; напитывать, -питать || **~** *vn.* мокнуть, промокнуть; всасываться, всосаться; (*fam.*) напиваться.
soap/ (сōу'п) *s.* мыло || **~** *va.* мылить; намыл-ивать, -ить || **~-ball** *s.* круглое мыло || **~-boiler** *s.* мыловар || **~-bubble** *s.* мыльный пузырь || **~-suds** *spl.* мыльная вода; мыльный щёлок || **-y** *a.* мыльный.
soar/ (сōр) *vn.* взлететь; парить, носиться (в воздухе) || **-ing** *a.* (*fig.*) высокопарный.
sob (соб) *vn.* рыдать, всхлипывать || **~** *s.* рыдание, всхлипывание.
sob/er (сōу'бёр) *a.* трезвый; умеренный; сдержанный, скромный || **~** *va.* отрезвлять, -ить || **-riety** (собрай'ити) *s.* трезвость *f.*; умеренность *f.*; степенность *f.*
soci/ability (соушёби'лити) *s.* общительность *f.* || **-able** (соу'шёбл) *a.* общительный, обходительный || **~** *s.* фаэтон || **-al** (сōу'шёл) *a.* общественный, социальный || **-alism** (сōу'шёлизм) *s.* социализм || **-ialist** (сōу'шёлист) *s.* социалист || **-ality** (соушиа'лити) *s.* общественность *f.*; уживчивость *f.* || **-ety** (сосай'ёти) *s.* общество; собрание; товарищество; компания; (*upper classes*) свет.
sock/ (сок) *s.* носок; (*ploughshare*) лемех, сошник; (*blow*) удар || **to give a person -s** поколотить || **~** *ad.* прямо.
socker (со'кёр) *s.* род игры в футбол.
socket (со'кит) *s.* углубление; (*of a candlestick*) трубка; (*an.*) чашка; впадина.
socle (сокл) *s.* (*arch.*) цоколь *m.*
sod (сод) *s.* дёрн, дернина; (*vulg.*) мужеложник || **~** *va.* обкладывать дёрном.
soda/ (сōу'дё) *s.* (*chem.*) сода || **~-water** содовая вода.
sodden (содн) *a.* промокший; *cf.* **seethe.**
sodium (сōу'диём) *s.* натрий.
sodomy (со'доми) *s.* мужеложство.
soever (сōу-э'вёр) *ad.*, **who-** кто бы то ни был; **what-** что бы то ни было.
sofa (сōу'фё) *s.* софа *indecl.*, диван.
soft/ (со'фт) *a.&ad.* мягкий; (*tender*) нежный; (*of voice*) тихий; (*effeminate*) изнеженный || **~!** *int.* тихонько! тише! || **-en** *va.&n.* мягчить; смяг-чать (-ся), -чить (-ся); тро-гать, -нуть сердце || **~-hearted** *a.* мягкосердечный || **-ness** *s.* мягкость *f.*; нежность *f.*; изнеженность *f.* || **~-spoken** *a.* мягкоречивый.
soil (сойл) *s.* земля, почва; (*dirt*) грязь *f.*; (*stain*) пятно || **~** *va.* пачкать, запачкать, марать, замарать; осквер-нять, -нить; (*to manure*) удобрять.
sojourn (са'джёрн) *s.* пребывание || **~** *vn.* пребывать, проживать.
solace (со'лис) *s.* утешение, утеха, успокоение || **~** *va.* у-тешать, -тешить.
solar (сōу'лёр) *a.* солнечный.
solatium (солэй'шиём) *s.* вознаграждение.
sold (сōулд) *cf.* **sell.**
solder (со'дёр, со'лдёр) *va.* сп-аивать, -аять; соедин-ять, -ить || **~** *s.* припой, пайка, спайка || **soft ~** (*fig.*) лесть *f.*
soldier/ (сōу'лджёр) *s.* солдат, военный || **-ly** *a.* солдатский, военный || **-ship** *s.* военные качества *npl.* || **-y** *s.* военщина, солдаты *mpl.*
sole (сōул) *a.* единый, единственный; (*exclusive*) исключительный; (*unmarried*) холостой, незамужняя || **~** *s.* (*of the foot*) подошва; (*of a boot*) подмётки *fpl.*; (*fish*) морская камбала || **~** *va.* под-шивать, -шить (подки-дывать, -нуть) подмётки; под-мётывать, -метать.
solecism (со'лисизм) *s.* солецизм; (*fig.*) промах, ошибка.

solemn/ (со'лём) *a.* торже́ственный; степе́нный; форма́льный || **-ity** (соле'мнити) *s.* торже́ственность *f.*; церемо́ния || **-ization** (солёмнайзэй'шн) *s.* торжествова́ние, пра́зднование || **-ize** (со'лёмнайз) *va.* торжествова́ть, пра́здновать.

solicit/ (соли'сит) *va.* проси́ть, хода́тайствовать (о + *Pr.*) || **-ation** *s.* про́сьба, хода́тайство || **-or** *s.* проси́тель *m.*; хода́тай; (*jur.*) стря́пчий || **-ous** *a.* забо́тливый; (*anxious*) озабо́ченный || **-ude** *s.* забо́тливость *f.*

solid/ (со'лид) *a.* твёрдый, пло́тный; (*of metals, etc.*) масси́вный; соли́дный; основа́тельный || **-ify** (соли'дифай) *va.* де́лать, сде́лать твёрдым || ~ *vn.* тверде́ть || **-ity** (соли'дити) *s.* твёрдость *f.*; соли́дность *f.*; пло́тность *f.*

soliloquy (соли'локуи) *s.* моноло́г.

solit/aire (*Fr.*) (со'литāр) *s.* (*hermit*) пусты́нник, -ница; отше́ль-ник, -ница; солите́р (брилиа́нт) || **-ariness** (со'литёринэс) *s.* одино́чество, уединённость *f.* || **-ary** (со'литёри) *a.* уединённый; одино́чный; одино́кий || **-ary** *s.* отше́ль-ник, -ница || **-ude** (со'литюд) *s.* уединённость *f.*; уедине́ние; (*desert*) пусты́ня.

solstice (со'лстис) *s.* (*astr.*) поворо́т со́лнца; солнцестоя́ние.

sol/ubility (солюби'лити) *s.* раствори́мость *f.* || **-uble** (со'любл) *a.* раствори́мый || **-ution** (солю́'шн) *s.* реше́ние, разреше́ние; (*chem.*) раство́р, растворе́ние || **-vable** (со'лвёбл) *a.* разреши́мый || **-ve** (солв) *va.* реш-а́ть, -и́ть; разреш-а́ть, -и́ть || **-vency** (со'лвёнси) *s.* состоя́тельность *f.* || **-vent** *a.* (*chem.*) растворя́ющий; (*comm.*) состоя́тельный || ~ *s.* растворя́ющее вещество́.

sombre (со'мбёр) *a.* мра́чный, тёмный; [па́смурный.

some/ (са'м) *a.* не́который, не́кий, како́й-нибу́дь; не́сколько, немно́жко; о́коло || **-body** кто-нибу́дь, не́кто || **-how** как-нибу́дь || **-one** кто-нибу́дь, не́кто || **-thing** что-нибу́дь, не́что || **-time** не́когда, когда́-то || **-times** иногда́ || **-what** немно́го, не́сколько || **-where** где-нибу́дь, где́-то.

somer/sault (са'мёр-со̄лт), **-set** (-сэт) *s.* кувыро́к || **to turn a ~** перекувырну́ться.

somnambul/ism (сомнā'мбюл-изм) *s.* сомнамбули́зм || **-ist** *s.* снобро́д, -ка.

somnol/ence (со'мнол-ёнс) *s.* сонли́вость *f.* || **-ent** *a.* сонли́вый, со́нный.

son/ (сан) *s.* сын || **~-in-law** *s.* зять *m.*

sonata (сонā'тё) *s.* (*mus.*) сона́та.

song/ (со'нг) *s.* песнь *f.*, пе́сня; пе́ние; (*poem*) стихотворе́ние || **for a ~** за бесце́нок, за-да́ром || **-ster** (-стёр) *s.* (*person*) пев́ец; (*bird*) певу́н || **-stress** (-стрис) *s.* певи́ца.

sonnet (со'нит) *s.* соне́т.

sonorous (соно̄'рёс) *a.* звучный, зво́нкий.

soon/ (сӯ'н) *ad.* ско́ро; ра́но || **no -er than** лишь то́лько || **as ~ as** как ско́ро || **-er** *ad.* скоре́е; (*more willingly*) охо́тнее || **-est** *ad.* в скоре́йшее вре́мя.

soot/ (сут) *s.* са́жа || **-y** *a.* закопчённый, покры́тый са́жею; (*black*) чёрный.

sooth/ (сӯþ) *s.* пра́вда || **-sayer** *s.* предсказа́тель *m.*, гада́тель *m.*, -ница.

soothe (сӯð) *va.* успок-о́ивать, -о́ить; ласка́ть; смягч-а́ть, -и́ть.

sop (соп) *s.* кусо́к с'естно́го намо́ченный в чём || ~ *va.* об-ма́кивать, -макну́ть.

sophis/m (со'физм) *s.* софи́зм || **-t** (со'фист) *s.* софи́ст || **-tical** (софи'стикёл) *a.* софисти́ческий || **-ticate** (софи'стикэйт) *va.* извра-ща́ть, -ти́ть; по́ртить; подде́л-ывать, -ать || **-tication** (софистикэй'шн) *s.* извраще́ние || **-try** (со'фистри) *s.* лжему́дрствование.

soporific (сопори'фик) *a.* снотво́рный.

sorb (со̄рб) *s.* (*bot.*) ряби́на.

sorcer/er (со̄'рсёр-ёр) *s.* колду́н, чароде́й || **-ess** *s.* колду́нья, чароде́йка || **-y** *s.* колдовство́, чароде́йство; волшебство́.

sordid (со̄'рдид) *a.* (*mean*) ни́зкий, по́длый; (*avaricious*) ска́редный.

sore (со̄р) *a.* больно́й; чувстви́тельный; жесто́кий || ~ *s.* ра́на; боль *f.*

sorrel (со'рёл) *a.* гнедо́й || ~ *s.* (*bot.*) щаве́ль *f.*; (*colour*) гнеда́я масть.

sorr/iness (со'р-инэс) *s.* жа́лкое, плаче́вное состоя́ние || **-ow** (со'роу) *s.* печа́ль *f.*, скорбь *f.* || ~ *vn.* горева́ть, печа́литься || **-owful** (со'роуфул) *a.* печа́льный, гру́стный; (*pitiful*) жа́лостный || **-y** *a.*, (**-ily** *ad.*) гру́стный, печа́льный || **I am -y for it** мне жаль э́того || **so ~! ~!** извини́те!

sort/ (со̄рт) *s.* (*kind*) сорт, вид, род; (*manner*) о́браз || **out of -s** не в ду́хе || ~ *va.* сортирова́ть || ~ *vn.* итти́ (к чему́); соедин-я́ться, -и́ться; согла-ша́ться, -си́ться || **-er** *s.* сортиро́вщик || **-ing** *s.* сортирова́ние, сортиро́вка.

sortie (со̄'рти) *s.* вы́лазка, вы́ходка.

sot/ (со'т) *s.* пья́ница *m.* || **-tish** *a.* (*stupid*) глу́пый; (*tippling*) пья́нствующий.

sough (сӯ, саф, сау) *s.* шум; завыва́ние ве́тра, ро́пот || ~ *vn.* свисте́ть, завыва́ть.

sought (со̄т) *cf.* **seek.**

soul (со̄ул) *s.* душа́, дух; (*essence*) существо́.

sound/ (саунд) *a.&ad.* здоро́вый; кре́пкий; здра́вый, че́стный || **safe and ~** здрав и невреди́м || ~ *s.* (*noise*) звук, шум, звон;

(*geog.*) проли́в; (*med.*) зонд || ~ *vn.* звуча́ть, звене́ть, раздава́ться || ~ *va.* звони́ть (в ко́локол); иссле́довать зо́ндом; (*fig.*) выве́дывать, зондирова́ть; (*mar.*) измеря́ть ло́том || **-ing** *a.* зву́чный, зво́нкий || ~ *s.* звон, звук, звуча́ние; зондирова́ние || **-ing-board** *s.* (*mus.*) резона́нс, де́ка; (*eccl.*) наве́сь ка́федры || **-less** *a.* беззву́чный || **-ness** *s.* здоро́вье; кре́пость *f.*; си́ла; (*comm. of firms*) соли́дность *f.*

soup (сӯп) *s.* суп, похлёбка.

sour/ (сау'ёр) *a.* ки́слый; (*cross*) угрю́мый; язви́тельный || ~ *va.* о-кисля́ть, -ки́слить; (*fig.*) раздраж-а́ть, -и́ть; отр-авля́ть, -а́вить || ~ *vn.* ки́снуть || **-ish** *a.* кислова́тый || **-ness** *s.* кислота́; (*fig.*) угрю́мость *f.*; язви́тельность *f.*

source (сō̄рс) *s.* исто́чник, родни́к; ключ; (*fig.*) происхожде́ние, исто́чник.

souse (саус) *va.* маринова́ть, соли́ть || ~ *vn.* кида́ться, ки́нуться на; стреми́тельно броса́ться, бро́ситься на || ~ *s.* рассо́л; (*meat*) солони́на.

south (сау'þ) *s.* юг || ~ *a.* ю́жный || ~ *ad.* к ю́гу, на юг || **~-east** *s.* юговосто́к || ~ *a.* юговосто́чный || **-ern** (са'ðёрн) *a.* ю́жный || **-ernmost** (са'ðёрнмōуст) *a.* са́мый ю́жный || **-ward** *ad.* к ю́гу, на юг || **~-west** югоза́пад || ~ *a.* югоза́падный || **~-wester** *s.* югоза́падный ве́тер.

sovereign/ (со'вёрин, са'вёрин) *a.* нача́льный, верхо́вный || ~ *s.* (*ruler*) мона́рх, -хиня; госуда́рь *m.*, -рыня; (*coin*) соверéн || **-ty** (со'вёринти, са'-) *s.* верхове́нство, верхо́вная власть *f.*; суверените́т, сюзере́нная власть.

sow (сау) *s.* свинья́ (са́мка).

sow/ (сōу) *va.r.&irr.* се́ять, посе́ять; засева́ть, -се́ять || **-er, -ing-machine** *s.* се́ялка, самосе́вка.

sown (сōун) *cf.* **sow.**

spac/e (спэ̄йс) *s.* простра́нство; (*place*) ме́сто; (*interval*) промежу́ток || **-ious** (спэ̄й'шёс) *a.* простра́нный, обши́рный, просто́рный; вмести́тельный; укла́дистый; ёмкий.

spade/ (спэ̄йд) *s.* лопа́та, за́ступ || **-s** *spl.* [(*at cards*) пи́ки *fpl.*

span/ (спан) *s.* пядь *f.*, ладо́нь *f.*; (*of animals*) па́ра *f.*; (*arch.*) пролёт а́рки || ~ *va.* (*measure*) из-меря́ть, -ме́рить || **~-new** *a.* повёхонький; (то́лько-что) с иго́лочки.

spangle (спа́нгл) *s.* блёстка *f.* || ~ *va.* укр-аша́ть, -а́сить *or* ус-ева́ть, -е́ять блёстками.

spaniel (спа́'ниёл) *s.* боло́нка; лягава́я собака.

Spanish-fly (спа́'ниш-флай) *s.* шпа́нская му́шка.

spank (спа́нгк) *s.* уда́р || ~ *va.* бить, уда́рить; хлоп-ать, -нуть.

spanner (спа́'нёр) *s.* разво́дный ключ.

spar (спа̄р) *s.* (*min.*) шпат; плавико́вый шпат; (*mar.*) лисельспи́рты *mpl.*; (*boxing-match*) кула́чный бой || ~ *vn.* дра́ться на кулака́х, боксирова́ть.

spar/e (спа̄р) *va&n.* бере́чь; сберега́ть, сбере́чь; щади́ть, пощади́ть; обходи́ться без || ~ *a.* (*scanty*) бережли́вый, ску́дный; (*thin*) худоща́вый; (*superfluous*) ли́шний; (*reserve*) запасно́й || **-e-room** *s.* гости́ная || **-ing** *a.* бережли́вый; ску́дный.

spark/ (спа̄рк) *s.* и́скра, луч; (*fam.*) щёголь *m.*, франт; волоки́та *m.* || **-le** *s.* и́скра, блеск || ~ *vn.* и́скриться, блесте́ть, блиста́ть.

sparrow/ (спа́'роу) *s.* воробе́й || **~-hawk** *s.* я́стреб.

sparse (спа̄рс) *a.* ре́дкий, разбро́санный, рассе́янный.

spasm/ (спа́зм) *s.* ко́рча, спа́зма, су́дорога || **-odic(al)** (-о'дик) *a.* су́дорожный, корчево́й.

spat (спа́т) *cf.* **spit.**

spats (спа́тс) *spl.* коро́ткие гама́ши.

spatter (спа́'тёр) *va.* бры́згать; за-, о-бры́згать; (*dirty*) грязни́ть, мара́ть || ~ *vn.* бры́згать слюня́ми; плева́ться (говоря́).

spatula (спа́'тюлё) *s.* шпа́тель *m.*, лопа́точка.

spavin (спа́'вин) *s.* наколе́нный гриб (лошади́ная боле́знь).

spawn/ (спо̄н) *s.* икра́ (ры́бья); (*fig.*) отро́дие, исча́дие || ~ *vn.* мета́ть икру́, икри́ться || ~ *va.* поро-жда́ть, -ди́ть; произв-оди́ть, -ести́ || **-er** *s.* ры́бья са́мка; икря́ная ры́ба || **-ing-time** *s.* вре́мя мета́ния икры́.

speak/ (спийк) *va&n.irr.* говори́ть; сказывать; (*make a speech*) произноси́ть речь; выража́ться, вы́разиться || **to ~ for** вступи́ться за || **to ~ a ship** оклика́ть (су́дно) || **-er** *s.* говоря́щий; ора́тор; спи́кер (президе́нт пала́ты общи́н [в А́нглии]) || **-ing-trumpet** *s.* (*mar.*) ру́пор.

spear (спийр) *s.* копьё, пи́ка; (*for fish*) острога́ || ~ *va.* пронз-а́ть, -и́ть копьём; про-ка́лывать, -коло́ть; (*fish*) бить острого́й.

special/ (спэшл) *a.* осо́бенный, специа́льный; чрезвыча́йный, отли́чный; (*separate*) отде́льный, ча́стный || **~ train** *s.* э́кстренный по́езд || **-ist** (спэ'шёлист) *s.* специали́ст || **-ity** (спэшиа́'лити), **-ty** (спэ'шёлти) *s.* специа́льность *f.*, осо́бенность *f.*

specie (спий'ши-ий) *s.* зво́нкая моне́та; нали́чные (де́ньги) *fpl.*

species (спий'шиз) *s.* вид, род, поро́да, сорт.

specif/ic (списи'фик) *a.* (**–ally** *ad.*) особенный; специфический; свойственный || **–ication** (спэсификэй'шн) *s.* спецификация *f.* || **–y** (спэ'сифай) *va.* подробно определ-ять, -ить *or* обо-значать, -значить.
specimen (спэ'симин) *s.* образец; пример; экземпляр || ~ *a.* образцовый.
specious (спий'шёс) *a.* очевидный, явный; правдоподобный; (*deceptive*) обманчивый.
speck/ (спэк) *s.* пятно, пятнышко; крапина || ~ *va.* пятнать; испещр-ять, -ить || **–le** *s.* крапина, мушка || ~ *va.* испещр-ять, -ить; крапить, на-.
spect/acle (спэ'ктёкл) *s.* зрелище; спектакль *m.*; вид || **–acles** *spl.* очки *npl.* || **–ator** (спэктэй'тёр) *s.* зритель *m.*, -ница.
spectr/al (спэ'ктрёл) *a.* призрачный; (*phys.*) спектральный || **–e** (спэ'ктёр) *s.* привидение, призрак; дух || **–um** (спэ'ктрём) *s.* спектр.
specul/ate (спэ'кюл-эйт) *vn.* размышлять, обдумывать; (*comm.*) спекулировать || **–ation** *s.* размышление; умозрение; обдумывание; созерцание; (*comm.*) спекуляция || **–ative** *a.* умозрительный; теоретический; (*comm.*) спекулятивный || **–ator** *s.* наблюдатель *m.*; теоретик; (*comm.*) спекулянт; спекулятор. [зеркало.
speculum (спэ'кюлём) *s.* (*med. & phys.*)
sped (спэд) *cf.* **speed.**
speech/ (спий'ч) *s.* речь *f.*; слово || **–ify** *vn.* ораторствовать; говорить речь || **–less** *a.* немой; лишённый языка; бессловесный.
speed/ (спий'д) *vn.irr.* спешить, поспешить; торопиться, поторопиться || ~ *va.* торопить; у-скорять, -скорить; от-сылать, -ослать || ~ *s.* (*swiftness*) быстрота, скорость *f.*; (*hurry*) поспешность *f.*; (*success*) успех || **–iness** *s.* скорость *f.*; быстрота; поспешность *f.* || **–y** *a.* (**–ily** *ad.*) скорый, поспешный.
spell/ (спэ'л) *va&n.r&irr.* (*charm*) очаровать; (*a word*) читать по складам; правильно писать; (*fig. to mean*) значить || ~ *s.* (*charm*) чары *fpl.*, колдовство; (*turn*) смена || ~**-bound** *a.* заколдованный || **–ing** *s.* чтение по складам; (*orthography*) правописание || **–ing-book** *s.* азбука, букварь *m.*
spelt (спэлт) *s.* (*bot.*) полба || ~ *va. cf.* **spell.**
spend/ (спэ'нд) *va&n.irr.* тратить, истратить; расходовать, израсходовать; (*waste*) расточ-ать, -ить || **–thrift** *s.* расточитель *m.*, -ница || ~ *a.* расточительный.
spent (спэнт) *a.* истраченный; истощённый, изнурённый || **a ~ bullet** пуля на излёте || *cf.* **spend.** [(*fam.*) рвать.
spew (спю) *va.* блев-ать, -нуть || ~ *vn.*
spher/e (сфийр) *s.* шар, сфера || **–ical** (сфэ'рикёл) *a.* сферический, шарообразный.
spic/e (спайс) *s.* пряность *f.*; приправа; (*piquancy*) пикантность *f.* || ~ *va.* приправлять, -править || **–y** *a.* пряный; (*piquant*) пикантный.
spick-and-span (спи'кёнспä'н) *a.* (только-что) с иголочки.
spider/ (спай'дёр) *s.* паук || ~**'s-web** *s.* паутина. [бочке).
spigot (спи'гёт) *s.* затычка, гвоздь *m.* (в
spik/e (спайк) *s.* большой гвоздь; (*point*) остриё; (*of corn*) колос || ~ *va.* у-саживать, -садить гвоздями *or* остриями; заклепать || **–y** *a.* усаженный остриями.
spill (спил) *va.r&irr.* про-ливать, -лить; сыпать, просыпать || ~ *s.* (*of paper, etc.*) зажигательная бумажка; фидибус; (*fall*) падение.
spin/ (спи'н) *va.irr.* прясть; (*a top*) пус-кать, -тить волчок || ~ *vn.* прясть; вертеться, кружиться || **–dle** *s.* веретено; (*axle*) ось *f.*; (*stalk*) стержень *m.* || **–dle-shanks** *spl.* журавлиные ноги *fpl.* || **–ner** *s.* прядиль-щик, -щица || **–ning-wheel** *s.* прялка, самопрялка.
spinach (спи'нидж) *s.* (*bot.*) шпинат.
spin/al (спай'н-ёл) *a.* спинной; хребтовый, хребетный || ~ **column** *s.* (*an.*) позвоночный столб || **–e** (–) *s.* (*an.*) хребет, позвоночный столб; (*bot.*) игла, колючка.
spinet (спи'нит) *s.* (*mus.*) шпинет.
spinney (спи'ни) *s.* заросль *f.*, колючий кустарник. [женщина.
spinster (спи'нстёр) *s.* (*jur.*) незамужняя
spir/al (спай'рёл) *a.* спиральный || ~ *s.* спираль *f.* || **–e** (спай'ёр) *s.* (*twist*) спираль *f.*; (*arch.*) шпиц, стрелка (башни) || ~ *vn.* подниматься остроконечно *or* шпицем.
spirit/ (спи'рит) *s.* дух; душа; ум; (*spectre*) привидение; (*vivacity*) пыл; живость *f.*; (*courage*) мужество, бодрость *f.*; (*chem.*) спирт || **–s** *spl.* расположение духа; (*alcoholic liquor*) спиртные напитки *mpl.* || **in high –s** в весёлом расположении духа || **in low –s, out of –s** в унынии, в худом расположении духа, унылый || ~ *va.* воодушев-лять, -ить; ободр-ять, -ить || **to ~ away** прибрать тайком в сторону || **–ed** (-ид) *a.* (*animated*) оживлённый; (*fiery*) пылкий; мужественный || ~**-lamp** *s.* спиртовая лампа || **–less** *a.* унылый;

безжизненный || ~-**level** s. ватерпас || –**ual** (-юёл, -чуёл) a. духовный; (*intellectual*) умственный || –**ualism** s. спиритуализм; (*spirit-rapping, etc.*) спиритизм || –**uality** s. духовность f. || –**uous** a. спиртный, спиритуозный.
spirt = **spurt.**
spit/ (спит) *va&n.irr.* пл-евать, -юнуть; харк-ать, -нуть || ~ *va.* на-саживать, -садить на вертел || ~ s. вертел; (*spittle*) слюна, плевок || –**chcock** (спи'чкок) s. угорь (m.) жаренный кусками || –**fire** s. горячий человек || –**tle** (спитл) s. слюна || –**toon** (спиту'н) s. плевательница, плевальница.
spite/ (спай'т) s. досада; злоба; злопамятство; (*hate*) ненависть f. || **in ~ of** не смотря на; вопреки || ~ *va.* доса-ждать, -дить; сер-дить, рас- || –**ful** a. злой, злобный; враждебный.
spitz (спитс) s. (*dog*) шпиц.
splash/ (сплă'ш) *va.* плес-кать, -нуть; брызгать, -нуть || ~ s. брызги *mpl.*; (*mil.*) всплеск (от снаряда) || ~-**board** s. крыло от грязи (экипажа).
splay/ (сплэй) *va.* (*arch.*) ск-áшивать, -осить; (*a horse*) вывихнуть плечо у лошади || ~-**footed** a. кривоногий, косолапый.
spleen/ (сплийн) s. (*an.*) селезёнка; (*fig.*) (*anger*) жёлчь f.; (*melancholy*) хандра, сплин || –**y** a. гипохондрический.
splend/id (сплэ'нд-ид) a. блестящий, великолепный; славный || –**our** s. блеск; великолепие; роскошь f.
splenetic (сплинэ'тик) a. жёлчный, гипохондрический.
splice/ (сплайс) *va.* (*mar.*) сплеснивать; (*a rope*) сращивать || **to get –d** (*fam.*) венчаться || ~ s. (*mar.*) сплёсень f.; место срощения.
splint/ (сплинт) s. (*med.*) лубок || –**er** s. осколок, обломок, заноза || ~ *va.* расщеп-лять, -ить; раз-бивать, -бить в щепки, в осколки.
split/ (сплит) *va.irr.* расщеп-лять, -ить; раз-рывать, -орвать || ~ *vn.* разщеп-ляться, -иться; раск-áлываться, -олоться; (*differ*) рассориться; (*with laughter*) надрываться от смеха; (*fam.*) проболтаться || –**ting headache** сильная головная боль || ~ s. трещина; (*fig.*) ссора || ~-**ring** s. кольцо для ключей.
splotch (сплоч), **splodge** (сплодж) *va.* пачкать, за-.
splutter (спла'тёр) s. брызгание || ~ *vn.* брызгаться (слюнями); плеваться (говоря).
spoil/ (спойл) *va.* портить, испортить; (*pillage*) грабить; (*indulge*) баловать || ~ *vn.* портиться || ~ s. добыча; грабёж || –**er** s. грабитель m.; (*pillager*) опустошитель m., разоритель m.
spoke/ (спōук) s. спица; (*rung of ladder*) ступенька || **to put a ~ in one's wheel** (*fig.*) расстроить планы чего || –**n** *cf.* **speak.** [мён) говорящий; оратор.
spokes/man (спōу'ксмăн) s. (*pl.* –**men**
spoliat/e (спōу'лиэйт) *va&n.* грабить; ограблять, ограбить || –**ion** (спōулиэй'шн) s. грабёж, разграбление; расхищение.
spong/e (спа'ндж) s. губка; (*fig.*) паразит; (*mil.*) банник || ~ *va.* мыть, вымыть губкой || ~ *vn.* впитывать, вбирать в себя (как губка); (*fig.*) блюдолизничать || –**e-cake** s. род бисквита || –**er** s. (*fig.*) блюдолиз || –**iness** s. губчатость f.; ноздреватость f. || –**y** a. губчатый; ноздреватый.
sponsor (спо'нсёр) s. поручитель m.; (*godparent*) крестный отец; крестная мать.
spontane/ity (спонтăний'ити) s. добровольность f.; самопроизвольность f. || –**ous** (спонтэй'ниёс) a. добровольный; самопроизвольный || ~ **combustion** самовозгорание.
spoof (спўф) s. (*fam.*) обман || ~ a. поддельный || ~ *va.* обманывать, обмануть.
spook (спўк) s. привидение, призрак, дух.
spool (спўл) s. шпулька, катушка.
spoon/ (спўн) s. ложка; (*fam.*) ухаживание || ~ *vn.* хлебать ложкою; (*fam.*) ухаживать за; любезничать (с кем) || –**y** a. влюблённый.
spoon-drift s. = **spindrift.**
spoor (спўр) s. (*of an animal*) след.
sporadic (спёрă'дик) a. спорадический.
sporran (спо'рён) s. (*Sc.*) сумка.
sport/ (спō'рт) s. спорт; игра; развлечение; (*diversion*) забава; (*jest*) шутка; (*fam.*) славный парень; (*hunting*) охота; (*plaything*) игрушка || **to make ~ of** осм-еивать, -еять; подсмеиваться (над кем) || ~ *va&n.* играть, забавляться; (*exhibit*) делать на показ; щеголять || –**ive** a. игривый; весёлый || –**sman** s. спортсмен.
spot/ (спо'т) s. (*mark*) пятно; (*place*) место, местечко; (*at billiards*) мушка || (**up**)**on the ~** немедленно; тотчас || ~ **cash** чистоган || ~ *va.* пятнать, запятнать; марать, замарать; (*fam.*) избирать || –**less** a. незапятнанный, беспорочный; чистый || –**ted** a. с пятнами, запятнанный || –**ty** a. пятнистый, запятнанный.
spouse (спауз) s. (*husband*) супруг; (*wife*) супруга.

spout/ (спаут) *s.* (*of a vessel*) рыльце, носок; (*of a roof*) (водосточная) труба || **up the ~** (*fam.*) заложенный || ~*va&n.* бить, струиться; (*fam. & fig.*) декламировать || **–er** *s.* (*fam.*) оратор.

sprain (спрэйн) *va.* вывихнуть || ~ *s.* вывих.

sprang (спрäнг) *cf.* **spring.**

sprat (спрäт) *s.* (*ichth.*) салакушка, шпрот; (*fam.*) ребёнок.

sprawl (спрōл) *vn.* растянуться; валяться; барахтаться.

spray (спрэй) *s.* брызги (волн) *mpl.*; (*mist*) пена; (*twig*) ветка, побег || ~ *va.* окроп-лять, -ить; обрызг-ивать, -ать.

spread/ (спрэ'д) *va(&n.)irr.* распростра-нять (-ся), -нить (-ся); (*extend*) прост-ирать (-ся), -ереть (-ся); (*be propagated*) разн-оситься, -естись || **to ~ the table** на-крывать, -крыть стол || ~ *s.* протяжение; распространение; (*fam.*) пир, пиршество || **~-eagle** *s.* (*her.*) орёл с распущенными крыльями || **–er** *s.* распространитель *m.*

spree (сприй) *s.* кутёж, попойка || **to go, to be on the ~** праздношататься; кутить; пьянствовать.

sprig (сприг) *s.* ветка, веточка; побег; (*brad*) штифтик; (*fig.*) (*scion*) потомок.

spright/liness (спрай'т-линэс) *s.* живость *f.*; весёлость *f.* || **–ly** *a&ad.* бодрый, бойкий, игривый, живой.

spring/ (спри'нг) *vn.irr.* прыг-ать, -нуть; скакать; (*issue*) прои-сходить, -зойти; проистекать; брать начало || ~ *va.* (*explode*) вз-рывать, -орвать; (*a leak*) дать трещину; (*rouse game*) под-нимать, -нять || ~ *s.* (*bound*) прыжок; (*tech.*) пружина; (*elasticity*) эластичность *f.*, упругость *f.*; (*of water*) ключ, родник; (*source*) источник; (*season*) весна || **~-blind** *s.* штора с пружиной || **~-board** *s.* трамплин || **–e** (сприндж) *s.* силок; петля || **–iness** *s.* эластичность *f.*, упругость *f.* || **~-tide** *s.* (*mar.*) большой прилив; (*poet.*) = **spring-time** || **~-time** *s.* весеннее время || **~-water** *s.* ключевая вода || **–y** *a.* эластичный, упругий.

sprinkl/e (спри'нгкл) *va&n.* кропить; обрызг-ивать, -ать; по-сыпать, -сыпать; (*rain*) накрапывать, моросить || **–ing** *s.* кропление; обрызгивание; (*fig.*) маленькое количество (чего) || **a ~ of rain** мелкий дождь.

sprit (сприт) *s.* (*mar.*) шпринтов.

sprite (спрайт) *s.* дух, призрак, привидение; (*goblin*) домовой.

sprocket (спро'кит) *s.* (*of a wheel*) зубец.

sprout/ (спраут) *vn.* всходить, взойти; пус-кать, -тить росток || ~ *s.* отросток, побег || **Brussels –s** *spl.* (*bot.*) брюссельская капуста.

spruce/ (спрӯс) *s.* (канадская) сосна || ~ *a.* щеголеватый; нарядный || **–ness** *s.* щеголеватость *f.*

sprung (спранг) *cf.* **spring.**

spry (спрай) *a.* живой, проворный; бойкий.

spud (спад) *s.* (*fam.*) картофелина.

spue (спю) *cf.* **spew.**

spum/e (спюм) *s.* пена || **–y** *a.* пенистый.

spun (спан) *cf.* **spin.**

spunk (спангк) *s.* (*spirit*) пылкость *f.*; бодрость *f.*; (*courage*) мужество, храбрость *f.*

spur (спёр) *s.* шпора; (*fig.*) побуждение; поощрение || **on the ~ of the moment** безрассудно, экспромптом || ~*va.* шпорить; (*fig.*) побу-ждать, -дить; подстрек-ать, -нуть || ~ *vn.* спешить, торопиться.

spurious (спю'риёс) *a.* (*false*) подложный, поддельный; (*bastard*) побочный, незаконнорождённый.

spurn (спёрн) *va.* дать пинка; ударить ногой, топтать ногами; (*reject*) пренебрегать; (*fig. scorn*) презирать.

spurt (спёрт) *vn.* брызг-ать, -нуть; бить ключём || ~ *s.* (*of water*) струя; брызгание.

sputter (спа'тёр) *va.* брызгать, бормотать; извергать || ~ *vn.* брызгать слюнями; плеваться (говоря) || ~ *s.* плевок, слюна; бормотание, брызгание.

spy/ (спай') *s.* шпион; (*a woman*) шпионка; лазутчик || ~ *va&n.* шпионить; высматривать, высмотреть; наблюдать за (*I.*) || **~-glass** *s.* подзорная труба.

squab/ (скуоб) *a.* (*plump*) жирный, полный; (*unfledged*) неоперившийся || ~ *s.* (*person*) толстяк, толстуха; (*pigeon*) молодой голубь || **–ble** *vn.* ссориться; драться || ~ *s.* ссора; драка || **–by** *a.* жирный; тяжёлый.

squad/ (скуо'д) *s.* (*mil.*) взвод || **–ron** (-рён) *s.* (*mil.*) эскадрон; (*mar.*) эскадра.

squalid (скуо'лид) *a.* грязный, сальный.

squall/ (скуōл) *s.* громкий крик; (*of wind*) шквал || ~ *vn.* кричать во всё горло; орать || **–er** *s.* крикун: крикунья || **–y** *a.* с порывистым ветром и дождём; бурный.

squalor (скуо'лёр) *s.* грязь *f.*, нечистота; гадость *f.*

squander/ (скуо'ндёр) *va.* расточ-ать, -ить; пром-атывать, -отать; терять (время) || **–er** *s.* расточитель *m.*, мот.

square (скуäр) *a.* квадратный; (*at right angles*) прямоугольный; четыреугольный; (*honest*) честный; (*well-set*) коренастый;

(*math.*) квадра́тный; (*satisfying*) сы́тный || ~ **root** квадра́тный ко́рень || **to get things** ~ привести́ в поря́док || ~ *ad.* пря́мо; че́стно || ~ *s.* квадра́т; прямоуго́льник, четыреуго́льник; (*in a town*) пло́щадь *f.*, сквер; (*math.*) квадра́т; (*mil.*) каре́ (*indecl.*) || **on the** ~ (*fam.*) че́стно || ~ *va.* (*make* ~) де́лать, сде́лать квадра́тным; (*math.*) возвы́сить в квадра́т; (*bribe*) подкуп-а́ть, -и́ть; (*accounts*) сальди́ровать || ~ *vn.* соотве́тствовать.

squash (скуош) *va.* раздав-ливать, -и́ть || ~ *s.* разда́вливание; (*crowd*) да́вка.

squat/ (скуот) *vn.* сиде́ть на ко́рточках || ~ *a.* сидя́щий на ко́рточках; (*dumpy*) корена́стый || **–ter** *s.* (*Am.*) поселе́нец; сква́ттер (особ. в Австра́лии).

squaw (скуо̄) *s.* жена́ (у инде́йцев).

squeak/ (скуий'к) *vn.* крича́ть, визжа́ть; пища́ть; скрипе́ть || ~ *s.* крик, писк, визг; скрип || **by a narrow** ~ наси́лу, едва́, с больши́м трудо́м || **–er** *s.* крику́н, визгу́н. [визг.

squeal (сквуийл) *vn.* визжа́ть; ора́ть || ~ *s.*

squeamish (скуий'миш) *a.* разбо́рчивый; брезгли́вый; щепети́льный.

squeeze (скуийз) *va.* (*press*) сж-има́ть, -ать; ти́скать, сти́снуть; (*a lemon, etc.*) выжима́ть; (*embrace*) обн-има́ть, -я́ть || ~ *vn.* тесни́ться, жа́ться || ~ *s.* (*pressure*) сжима́ние; пожа́тие (руки́); (*embrace*) об'я́тие; (*crowd*) да́вка.

squib (скуиб) *s.* (*firework*) шути́ха; (*lampoon*) пасквиль *m.*

squid (скуид) *s.* (*ichth.*) карака́тица.

squiffy (скуи'фи) *a.* (*fam.*) пья́ный.

squill (скуил) *s.* (*bot.*) морско́й лук.

squint/ (скуинт) *vn.* коси́ть глаза́ (глаза́ми); гляде́ть укра́дкою || ~ *s.* косогла́зие || **~-eyed** *a.* косо́й, раско́сый, косогла́зый || **–ing** *s.* косогла́зие.

squire (скуай'ёр) *s.* поме́щик; дворяни́н; (*knight's attendant*) оруженосец; (*gallant*) кавале́р.

squirm (скуёрм) *vn.* ви́ться, обвива́ться, извива́ться; кара́бкаться.

squirrel (скуи'рёл) *s.* (*zool.*) бе́лка, ве́кша.

squirt (скуёрт) *va.* бры́згать струе́й || ~ *s.* (*of water*) струя́; (*instrument*) шприц, шприцо́вка.

stab/ (стӓ'б) *s.* уда́р о́стрым ору́дием; ра́на || ~ *va.&n.* заколо́ть; повреди́ть репута́цию; язви́ть || **-ility** (стёби'лити) *s.* сто́йкость *f.*; постоя́нство || **–ilize** *va.* стабилизи́ровать || **–le** (стэ̄й'бл) *a.* сто́йкий, постоя́нный || ~ *s.* коню́шня; хлев || ~ *va.&n.* ста́вить скот в коню́шню, в хлев; жить в коню́шне, в хлеву́ || **–le-yard** *s.* ско́тный двор || **–ling** *s.* помеще́ние для скота́.

stack (стӓк) *s.* стог (се́на); (*of corn*) скирд, кла́дка (дров) || ~ *va.* скла́дывать стог, скирд, кле́тку (дров). [ста́дий, ста́дия.

stad/ium (стэ̄й'дпём) *s.* (*pl.* **–ia** -иё)

stadtholder (стӓ'тхо̄улдёр) *s.* штатга́льтер (прави́тель в Голла́ндии).

staff/ (ста̄ф) *s.* (*pl.* **–s**, *mus.* **staves** стэ̄йвз) по́сох, жезл; (*stick*) па́лка, трость *f.*; (*fig.*) подде́ржка, опо́ра; (*mil.*) штаб, сви́та; (*mus.*) но́тная систе́ма; (*of an institution, etc.*) (ли́чный) соста́в, персона́л || **~-officer** *s.* штаб-офице́р, штабно́й.

stag/ (стӓ'г) *s.* оле́нь *m.* || **~-beetle** *s.* рога́ч, жук-оле́нь *m.* || **~-hound** *s.* борза́я соба́ка.

stage/ (стэ̄й'дж) *s.* сце́на; театра́льные подмо́стки *mpl.*; теа́тр; аре́на; (*fig.*) по́прище; (*station*) ста́нция; (*condition*) положе́ние || **~-coach** *s.* почто́вая каре́та, дилижа́нс || **~-manager** *s.* режиссёр || **–r**, *s.*, **an old** ~ о́пытный челове́к.

stagger/ (стӓ'гёр) *vn.* шата́ться; (*fig.*) колеба́ться || ~ *va.* изум-ля́ть, -и́ть; сму-ща́ть, -ти́ть || **–s** *pl.* верче́ние головы́; ко́лер (у лошаде́й).

stagn/ancy (стӓ'гн-ёнси) *s.* засто́й *m.* || **–ant** *a.* стоя́чий; (*comm.*) сла́бый || **–ate** (-эйт) *va.&n.* застаиваться; (*fig.*) косне́ть || **–ation** *s.* засто́й; (*fig.*) косне́ние. [ный.

staid (стэ̄йд) *a.* тре́звый, степе́нный, серьёз-

stain/ (стэ̄йн) *s.* пятно́; (*fig.*) грязь *f.*, бесче́стие; кра́ска, цвет || ~ *va.* пятна́ть, па́чкать; (*fig.*) черни́ть, бесче́стить || **–ed window** цветно́е окно́ || **–less** *a.* незапя́тнанный; (*fig.*) безупре́чный.

stair/ (стӓ'р) *s.* ступе́нька || **–s** *pl.* ле́стница || **~-carpet** *s.* ковёр на ле́стнице || **–case** *s.* ле́стница.

stake (стэ̄йк) *s.* кол; ста́вка (в игре́); (*fig.*) му́ченичество || **to be at** ~ зави́сеть от || ~ *va.* подпира́ть, защища́ть ко́льями; ста́вить на ка́рту; рискова́ть.

stalactite (стӓ'лӓктайт) *s.* сталакти́т.

stale (стэ̄йл) *s.* (*of horses*) моча́ || ~ *a.* (*not fresh*) не све́жий; (*of drinks*) вы́дохшийся; (*of bread*) чёрствый, черстве́лый; (*tasteless*) безвку́сный; (*uninteresting*) неинтере́сный.

stalemate (стэ̄йлмэ̄й'т) *s.* пат (в шахм. игре́) || ~ *va.* де́лать пат (в шахм. игре́).

stalk/ (сто̄к) *s.* сте́бель *m.*, ствол; надме́нная, го́рдая по́ступь || ~ *va.&n.* го́рдо ше́ствовать, выступа́ть; подкра́дываться; (*hunting*) вы́следить || **–ing-horse** заслоня́ая ло́шадь (при охо́те).

stall/ (стол) *s.* стойло, конюшня, хлев; ярмочная лавка, прилавок; (*theat.*) кресло || ~ *va.* откармливать в стойле || **–ion** (ста'лйён) *s.* (заводский) жеребец

stalwart (сто'луёрт) *a.* храбрый, доблестный; крепкий, дюжий.

stam/en (стэй'мин) *s.* (*bot.*) тычинка || **–ina** (ста'минё) *s.* жизненная сила; усидчивость *f.*

stammer/ (ста'мёр) *vn.* заик-аться, -нуться, лепетать; запинаться || **to ~ out** пробормотать || **~, –ing** *s.* заикание, лепетание || **–er** *s.* заика *m&f.*

stamp/ (ста'мп) *s.* (*postal*) марка; (*seal*) печать *f.*; (*mark*) штемпель *m.*; клеймо; (*imprint*) отпечаток; (*character*) характер; (*tool*) штамп, толчея; (*in minting*) чекан; (*of feet*) топание, топот || ~ *va.* у-дарять, -дарить; (*with feet*) топать, (*with a mark*) штемпелевать, клеймить; (*a letter*) наклеивать марки; (*to crush*) толочь; (*fig.*) (*on memory*) запечат-левать, -леть || **to ~ out** (*fire, rebellion, etc.*) подав-лять, -ить || ~ *vn.* топтать (ногами) || **~-duty** *s.* гербовая пошлина || **–ing** *s.* топание (ногами); чеканка (монеты).

stampede (стёмпий'д) *s.* панический страх (овладевающий стадами), паника || ~ *vn.* броситься стремглав.

stanch/ *cf.* **staunch** || **–ion** (станшн) *s.* стойка, пилястр, столб, косяк.

stand/ (ста'нд) *s.* место; (*halt*) стоянка, остановка; (*cab-~*) биржа; (*support*) подпора, подставка; (*book-~, etc.*) этажерка, полка; (*at races*) трибуна || **to come to a ~** прекратиться; остановиться || **to make a ~** защищаться || ~ *va.irr.* ставить, по- (*to bear*) терпеть; выносить, вынести || **to ~ a dinner** угостить обедом || ~ *vn.irr.* стоять; становиться, стать; (*to stop*) остан-авливаться, -овиться; (*mar.*) (*to sail*) итти, держаться || **to ~ back** отступ-ать, -ить || **to ~ by** присутствовать || **to ~ good** быть действительным || **to ~ one's ground** не уступ-ать, -ить || **to ~ up for** защищать || **–ard** (-ёрд) *s.* знамя *n.*; штандарт; норма; (*of precious metals*) проба; (*model*) образец; (*support*) подставка || ~ *a.* образцовый; нормальный || **–ing** *s.* положение; место; стояние || ~ *a.* стоячий; (*of troops*) постоянный || **–point** *s.* точка зрения || **–still** *s.* остановка || **to come to a ~** остановиться || **~-up** *a.*, **~ collar** стоячий воротник.

stank (стангк) *cf.* **stink.**

stann/ary (ста'нёри) *s.* оловянные копи || **–ic** *a.* оловянный.

stanza (ста'нзё) *s.* строфа, стих.

staple (стэйпл) *s.* скоба; (*fig.*) главный предмет промышленности *или* торговли; (*of wool, etc.*) качество || ~ *a.* главный; установленный.

star/ (стар) *s.* звезда; светило; (*fig. fate*) судьба, рок; (*on beast's forehead*) пятно; (*typ.*) звёздочка || ~ *va.* усыпать звёздами || ~ *vn.* (*theat.*) гастролировать, про- || **~-gazer** *s.* (*fam.*) астроном || **–less** *a.* беззвёздный.

starboard (ста'рбёрд) *s.* штирборд, правый [борт.

starch/ (старч) *s.* крахмал; (*fig.*) жеманство || ~ *va.* накрахмаливать; крахмалить, на- || **–y** *a.* крахмалистый; (*fig.*) натянутый.

star/e (стар) *s.* пристальный взор; изумлённый взгляд || ~ *vn.* (*to ~ at*) пристально смотреть (на); уставлять глаза (на) || **–ing** *a.* пристальный; (*fig.*) режущий глаза; бросающийся в глаза.

stark (старк) *a.* окоченелый; твёрдый || ~ *ad.* (*~ mad, ~ naked*) совсем, совершенно.

starling (ста'рлинг) *s.* скворец.

starry (ста'ри) *a.* звёздный; сверкающий.

start/ (старт) *s.* вздрагивание; (*spring*) вскакивание; (*beginning*) начало; (*sport*) старт || **to get the ~ of** предупре-ждать, -дить || **to make a ~** начинать || ~ *va.* (*to begin*) на-чинать, -чать; (*to frighten*) испугать; (*game*) поднять, вспугнуть; (*to set going*) пус-кать, -тить в ход, в действие; (*to initiate*) создать, заводить; (*to loosen*) опоражни-вать, -ть (бочки) || ~ *vn.* (*with terror, etc.*) вздр-агивать, -огнуть; (*spring up*) вск-акивать, -очить, -окнуть; (*to begin journey*) от-правляться, -правиться (в путь); (*to begin*) на-чинать, -чать || **–er** *s.* (*sport*) стартёр || **–ing-place** *s.* место отправления || **–ing-point** *s.* точка отправления.

startl/e (стартл) *va.* испугать; пора-жать, -зить || **–ing** *a.* поразительный.

starv/ation (старвэй'шн) *s.* голод, голодание || **–e** (старв) *vn.* голодать, умирать от голода *или* с голоду || ~ *va.* морить голодом; за-маривать, -морить; ослаблять, истощать || **–eling** (ста'рвлинг) *s.* животное *или* растение, умирающее от голода; заморыш.

state/ (стэй'т) *s.* положение; состояние; (*pomp*) пышность *f.*; (*country*) государство, штат; (*government*) правительство; (*dignity*) достоинство; чин || ~ *a.* государственный || ~ *va.* из-лагать, -ложить; (*to announce*) об'яв-лять, -ить; (*to specify*) определ-ять, -ить || **–liness** *s.* величие, пышность *f.*, величавая осанка, горделивость *f.*; величественность *f.* || **–ly** *a.* величественный, великолепный, величавый || **–ment** *s.* изложение, отчёт, донесение || **–sman** *s.* государственный муж, политический деятель || **–smanship** *s.* политическая мудрость.

statics (стä'тикс) *spl.* статика.

station/ (стэй'шн) *s.* стоянка; (*place*) место; (*situation*) должность *f.*; (*position*) положение; (*stopping place*) станция; (*rail.*) вокзал; (*rank*) ранг || ~ *va.* ставить на место, на пост || **–ary** *a.* неподвижный, постоянный; (*standing*) стоячий || **–er** *s.* продавец канцелярских принадлежностей || **–ery** *s.* канцелярские принадлежности || **~-master** *s.* начальник станции.

statistic/(al) (стëти'стик-[ëл]) *a.* статистический || **–ian** (стäтисти'шн) *s.* статистик || **–s** *spl.* статистика.

statu/ary (стä'тю-ëри) *s.* скульптура *f.*; статуи *fpl.*; (*sculptor*) скульптор || **–e** (-) *s.* статуя; (*small* ~) статуйка.

stature (стä'тиëр) *s.* стан, рост.

status (стэй'тëс) *s.* положение, состояние; (*rank*) ранг.

statut/e (стä'тют) *s.* статут, устав || **–ory** *a.* уставный, установленный законом; согласный со статутами, с законами.

staunch (стōнч), **stanch** (стäнч) *a.* верный; крепкий; стойкий; твёрдый || ~ *va.* (*blood*) остан-авливать, -овить.

stave (стэйв) *va.irr.* ломать, раз-бивать, -бить || **to ~ off** от-талкивать, -толкнуть; от-кладывать, -ложить || ~ *s.* лад, клёпка, бочарная доска; стих (псалма); (*mus.*) нотная система.

stay/ (стэй') *s.* пребывание; остановка; (*support*) опора, подпора; (*mar.*) штаг; (*pl.*) корсет || ~ *va.* у-держивать, -держать; остан-авливать, -овить; (*to support*) под-пирать, -переть || ~ *vn.* пребывать, -быть; (*to remain*) оставаться; остаться; (*to put up at*) остан-авливаться, -овиться || **to ~ up** не ложиться спать; просиживать (всю ночь) || **~-sail** *s.* стаксель *m.*

stead/ (стэ'д) *s.* место || **in his ~** на его месте || **in ~ of** вместо того || **–fast** *a.* стойкий, твёрдый, прочный; (*of glance*) пристальный || **–ing** *s.* дом фермера, усадьба || **–iness** *s.* стойкость *f.*, твёрдость *f.*, постоянство, степенность *f.* || **–y** *a.* (**–ily** *ad.*) твёрдый; постоянный; (*reliable*) надёжный; (*uniform*) неизменный; (*stable*) устойчивый || ~ *va.* делать, с-устойчивым, твёрдым, и. пр.; укреп-лять, -ить || ~ *vn.* становиться твёрдым, *etc.*

steak (стэйк) *s.* ломоть *m.* (мяса); котлета, бифштекс.

steal/ (стийл) *va.irr.* воровать, у-; красть, у-, по-хищать, -хитить || **to ~ away** *vn.* уходить, уйти тайком || **to ~ in** *vn.* вкрадываться, вкрасться || **–th** (стэлѳ) *s.* кража, воровство; **by ~** украдкой, тайком || **–thily** (стэ'лѳили) *ad.* потихоньку, тайком || **–thy** (стэ'лѳи) *a.* скрытный, тайный; незаметный.

steam/ (стий'м) *s.* пар, испарение; дым || ~ *va.* парить; варить с помощью пара || ~ *vn.* испар-яться, -иться; дымиться; (*of ship*) итти под парами || **~-bath** *s.* паровая ванна || **~-boat** *s.* пароход, паровое судно || **~-boiler** *s.* паровой котёл, паровик || **~-engine** *s.* паровая машина || **–er** *s.* пароход || **~-navigation** *s.* пароходство || **~-power** *s.* паровая сила || **~-press** *s.* паровой пресс || **~-tug** *s.* буксирный пароход || **~-whistle** *s.* паровой свисток || **–y** *a.* паровой, полный пара.

steed (стийд) *s.* конь *m.*, рысак.

steel/ (стий'л) *s.* сталь *f.*; всякое стальное оружие (сабля, шпага, кинжал); (*for striking fire*) огниво || ~ *a.* стальной, булатный || ~ *va.* навар-ивать, -ить сталью; за-каливать, -калить; (*fig.*) ожесточать, очерствлять, вооружать || **~-clad** *a.* одетый в сталь, броненосный || **~-engraving** *s.* гравюра на стали || **~-pen** *s.* стальное перо || **–y** *a.* стальной; (*fig.*) твёрдый, упорный || **–yard** *s.* безмен.

steep/ (стий'п) *a.* крутой, стремнистый, отвесный; (*fig. of demands, etc.*) чрезмерный || ~ *s.* (*poet.*) крутизна, обрыв || ~ *va.* мочить, смачивать; обмачивать; погру-жать, -зить || **–le** *s.* колокольня, шпиц || **–le-chase** *s.* скачка с препятствиями || **–ness** *s.* крутизна, обрывистость *f.*

steer/ (стий'р) *s.* молодой бык || ~ *va.* управлять, на-правлять, -править; вести || ~ *vn.* держать путь *или* курс; на-правлять, -править путь || **to ~ clear of** (*fig.*) избегать, не вмешиваться || **–age** *s.* управление; место рулевого; передняя каюта (3-яго класса); (*mar.*) сила руля || **–age-passenger** *s.* пассажир 3-яго класса || **–sman** *s.* рулевой; штурман.

stellar (стэ'лëр) *a.* звёздный.

stem (стэм) *s.* (*tree* ~) ствол; (*flower* ~) стебель *m.*; стебелё(че)к; (*fig. family*) род, племя *n.*; (*mar.*) форштевень *m.*;

нос || ~ *va.* (*make headway against*) итти́ про́тив тече́ния; (*hold back*) уде́рживать, остан-а́вливать, -ови́ть; (*to resist*) проти́виться.

stench (стэнш) *s.* вонь *f.*, злово́ние.

stencil (стэ'нсил) *s.* трафаре́т, шабло́н.

stenograph/er (стино'грэ́ф-ёр) *s.* стено́гра́ф || **-y** *s.* стеногра́фия.

stentorian (стэнто̄'риён) *a.* прегро́мкий, си́льный, могу́чий (го́лос).

step/ (стэ'п) *s.* шаг; (*in dancing*) па *n.indecl.*; (*door* ~) поро́г; (*carriage* ~) подно́жка; (*of stairs*) ступе́нь *f.*; (*distance*) расстоя́ние; (*fig.*) сте́пень *m.*; (*mus.*) темп || ~ **by** ~ шаг за ша́гом, ма́ло-по-ма́лу || ~ *vn.* шаг-а́ть, -ну́ть; ступ-а́ть, -и́ть; (*to go*) ходи́ть, итти́ || **to ~ in** войти́; (*to interfere*) вме́шиваться, вмеша́ться || **to ~ over** переступ-а́ть, -и́ть || **to ~ out** торопи́ться || **~-brother** *s.* сво́дный брат || **~-daughter** *s.* па́дчерица || **~-father** *s.* (в)о́тчим || **~-mother** *s.* ма́чиха || **~-motherly** *a.* ма́чихин; (*fig.*) ску́дный, суро́вый || **~-sister** *s.* сво́дная сестра́ || **~-son** *s.* па́сынок || **-ping-stone** *s.* ка́менная ступе́нька; (*fig.*) спо́соб, опо́ра.

steppe (стэп) *s.* степь *f.*

stereoscop/e (стэ'риоскоуп) *s.* стереоско́п || **-ic** (стэриоско'пик) *a.* стереоскопи́ческий.

stereotype (стэ'риотайп) *s.* стереоти́п || ~ *a.* стереоти́пный || ~ *va.* печа́тать, на- стереоти́пом.

steril/e (стэ'рил) *a.* беспло́дный; (*of soil*) неплодоро́дный || **-ity** (стэри'лити) *s.* беспло́дность *f.*; неплодоро́дность *f.* || **-ize** *va.* стерилиз(и́ро)ова́ть.

sterling (стё'рлинг) *s.* сте́рлинг (англ. моне́та) || **a pound ~** фунт сте́рлингов || ~ *a.* настоя́щий, чи́стый, без при́меси; (*genuine*) неподде́льный; (*reliable*) наде́жный.

stern/ (стё'рн) *a.* стро́гий, суро́вый, непреклонный || ~ *s.* (*mar.*) корма́; зад, за́дняя часть || **-most** *ad.* са́мый за́дний || **-ness** *s.* стро́гость *f.*, суро́вость *f.*, непрекло́нность *f.* || **~-post** *s.* (*mar.*) ахтерште́вень *m.*

stertorous (стё'ртёрёс) *a.* (*med.*) стерторо́зный, храпя́щий.

stethoscope (стэ'þоскоуп) *s.* (*med.*) стетоско́п.

stevedore (стий'видо̄р) *s.* грузи́льщик корабля́ (в Аме́р.).

stew/ (стю̄') *s.* рагу́, души́ное мя́со; (*fish-pond*) садо́к; (*brothel*) публи́чный дом; (*fig.*) замеша́тельство || ~ *va.* души́ть, па́рить || **-ed-fruit** *s.* компо́т из фру́ктов || **-ard** (стю'ёрд) *s.* управля́ющий; дворе́цкий, эконо́м; (*on steamer*) прислу́жник || **-ardess** *s.* судова́я служа́нка.

stick/ (сти'к) *s.* па́лка; па́лочка; (*branch*) прут; (*fig.*) глупе́ц || ~ *va.irr.* зака́лывать, коло́ть, за-; (*to shove in*) втыка́ть, воткну́ть; (*to paste*) клеи́ть, при-кле́ивать, -клеи́ть; (*to fasten*) прикреп-ля́ть, -и́ть; (*fam. to bear*) сноси́ть || ~ *vn.* ли́пнуть; при-липа́ть, -ли́пнуть; при-става́ть, -ста́ть || **to ~ down** (*fam.*) записа́ть || **to ~ fast** застр-ева́ть, -я́ть || **to ~ to** усе́рдно занима́ться; (*an opinion*) приде́рживаться || **to ~ to it** быть насто́йчивым || **to ~ up for** защища́ть || **to ~ up to** сопротивля́ться || **-iness** *s.* ли́пкость *f.*, кле́йкость *f.* || **~-up** *a.* (~ *collar*) стоя́чий (воротни́к) || **-y** *a.* ли́пкий, кле́йкий, вя́зкий.

stickleback (сти'клбäк) *s.* колю́шка.

stickler (сти'клёр) *s.* побо́рник, сторо́нник, защи́тник.

stiff/ (сти'ф) *a.* туго́й, жёсткий; окочене́лый; чо́порный; (*obstinate*) упря́мый; (*not free*) принуждённый; (*hard*) тру́дный; (*of breeze*) све́жий; (*of price*) высо́кий; (*fig.*) равноду́шный, сде́ржанный || **-en** (-н) *vn.* кочене́ть, о-; сгу-ща́ться, -сти́ться || **~-necked** *a.* упря́мый, упо́рный || **-ness** *s.* жёсткость *f.*, твёрдость *f.*; упо́рство; чо́порность *f.*

stifl/e (стай'фл) *va.* души́ть, за-; удуш-а́ть, -и́ть; (*a sound*) заглуш-а́ть, -и́ть; (*a sigh*) подав-ля́ть, -и́ть; (*fig. a rebellion, etc.*) усмир-я́ть, -и́ть || ~ *vn.* за-дыха́ться, -дохну́ться || **-ing** *a.* уду́шливый; ду́шный || ~ **heat** духота́.

stigma/ (сти'гмё) *s.* позо́р, бесче́стие; позо́рное пятно́ || **-tize** *va.* клейми́ть; (*fig.*) запятна́ть, опозо́рить.

stile (стайл) *s.* ступе́нька (у и́згороди).

stiletto (стилэ'тоу) *s.* стиле́т.

still/ (сти'л) *a.* ти́хий, споко́йный, безмо́лвный; стоя́чий (о воде́); (*motionless*) неподви́жный; (*not effervescent*) без игры́ || ~ *ad.* до сих пор; ещё; всё ещё; (*nevertheless*) тем не ме́нее, одна́ко || ~ *s.* тишина́, споко́йство, безмо́лвие; (*for spirits*) перего́нный куб || ~ *va.* заста́вить молча́ть; утиша́ть; (*a child*) унима́ть, уня́ть; успок-а́ивать, -о́ить; (*one's hunger, etc.*) утол-я́ть, -и́ть || **~-born** *a.* мертворождённый || **~-life** *s.* (*in painting*) натю́р морт, мёртвая приро́да || **-ness** *s.* тишина́, споко́йствие, безмо́лвие, поко́й; молчали́вость *f.* || **-y** *a.* ти́хий, споко́йный.

stilt/ (стилт) *s.* ходу́ля || **-ed** *a.* ходу́льный, напы́щенный (слог).

stimul/ant (сти'мюл-ёнт) *a.* возбужда́ющий || ~ *s.* возбужда́ющее сре́дство; *pl.* кре́пкие напи́тки *mpl.* || **–ate** (-эйт) *va.* возбужда́ть, поощря́ть || **–ation** *s.* возбужде́ние, поощре́ние; (*med.*) стимуля́ция || **–ative** *a.* возбуди́тельный || **–us** (-ёс) *s.* сти́мул, побужде́ние; дви́гатель *m.*; побуди́тель *m.*

sting/ (стинг) *va.irr.* жа́лить, коло́ть; (*fig.*) язви́ть || ~ *s.* жа́ло; уко́л; (*fig.*) язви́тельность *f.*; ядови́тость *f.*; (*of conscience*) угрызе́ние || **–er** (сти'нгёр) *s.* (*fam.*) си́льный уда́р || **–iness** (сти'нджинис) *s.* ску́пость *f.*; ска́редность *f.*; скря́жничество || **–y** (сти'нджи) *a.* скупо́й, ска́редный || **a ~ person** скря́га, скупец.

stink/ (стингк) *vn.irr.* воня́ть || ~ *s.* вонь *f.*, злово́ние || **–ing** *a.* воню́чий.

stint (стинт) *s.* преде́л, ограниче́ние || ~ *va.* ограни́ч-ивать, -ить; умеря́ть.

stipend/ (стай'пёнд) *s.* жа́лованье, пла́та || **–iary** (стайпэ'ндиёри) *a.* наёмный, получа́ющий жа́лованье || ~ *s.* наёмник.

stipul/ate (сти'пюл-эйт) *va.* догова́риваться, усло́вливаться || **to ~ for** наста́ивать на, тре́бовать || **–ation** *s.* усло́вие, догово́р, огово́рка.

stir/ (стёр) *va.* дви́гать; возбужда́ть; тро́гать; (*to rouse*) под-нима́ть, -ня́ть; (*to excite*) взволнова́ть || ~ *vn.* дви́гаться, шевели́ться; сме́шивать (ка́рты) || ~ *s.* шум, гам, сумато́ха; (*excitement*) волне́ние, шевеле́ние || **–rer** *s.* зачи́нщик || **–ring** *a.* подвижно́й, возбужда́ющий; (*interesting*) интере́сный || ~ *s.* движе́ние.

stirrup/ (сти'рёп) *s.* стре́мя *n.* || **~-cup** *s.* проща́льный ку́бок (вина́) || **~-leather** *s.* стремя́нный реме́нь.

stitch (стич) *va.&n.* шить, стега́ть; (*a book*) брошировать || ~ *s.* стежо́к; пе́тля; (*sharp pain*) ко́лотье || **without a dry ~ on** промо́кший.

stoat (стōут) *s.* ка́менная куни́ца.

stock/ (сто'к) *s.* (*of tree*) ствол; (*post*) столб; (*handle*) рукоя́тка; (*of a gun*) ло́же; (*race*) род, поро́да, ра́са; (*origin*) происхожде́ние; (*bot.*) левко́й; (*necktie*) га́лстук; (*store*) запа́с; (*live ~*) живо́й инвента́рь; (*comm.*) (основно́й) капита́л || **~ on hand** нали́чные това́ры *mpl.* || **in ~** в скла́де, в запа́се || **rolling ~** (*rail.*) подвижно́й соста́в || **to take ~** составля́ть инвента́рь *m.* || **to take ~ of** (*fig.*) разгля́дывать || **–s** *pl.* (*for punishment*) коло́да; (*comm.*) фо́нды, а́кции *fpl.*; (*ship-building*) шта́пель *m.*; э́линг || ~ *a.* запа́сный; (*hackneyed*) изби́тый, опо́шленный || ~ *va.* запас-а́ть, -ти́; снаб-жа́ть, -ди́ть || **–ade** (стокэй'д) *s.* забо́р из ко́льев; частоко́л, палиса́дник || **–broker** *s.* (биржево́й) ма́клер || **–broking** *s.* ма́клерство || **~-exchange** *s.* фо́ндовая би́ржа || **~-holder** *s.* акционе́р || **–ing** *s.* чуло́к || **~-jobber** *s.* биржеви́к, биржево́й игро́к || **~-jobbing** *s.* биржева́я игра́; ажиота́ж || **~-still** *a.* неподви́жный || **~-taking** *s.* инвента́рь *m.* || **–y** *a.* корена́стый.

stodgy (сто'джи) *a.* (*of food*) неудобовари́мый.

stoic/ (стōу'ик) *s.* сто́ик || **–al** *a.* стои́ческий || **–ism** (стōу'исизм) *s.* стоици́зм.

stoker (стōу'кёр) *s.* кочега́р.

stole (стōул) *s.* епитрахи́ль *f.*, ора́рь *m.* || **~, stolen** *cf.* **steal.**

stolid (сто'лид) *a.* глу́пый, тупоу́мный; (*stubborn*) упо́рный.

stomach/ (ста'мёк) *s.* желу́док, живо́т; (*appetite*) аппети́т || ~ *va.* выноси́ть || **~-ache** *s.* боль *f.*, резь (*f.*) в живо́те || **–er** (ста'мёчёр) *s.* набрю́шник, нагру́дник || **–ic** (стама̄'кик) *s.* сре́дство, укрепля́ющее желу́док || ~ *a.* желу́дочный.

stone/ (стоу'н) *s.* ка́мень *m.*; (*of fruit*) зерно́ (плода́); (*med.*) ка́менная боле́знь; (*weight*) вес в 16 фу́нтов || ~ *a.* ка́менный || ~ *va.* по-бива́ть, -би́ть камня́ми; устила́ть камня́ми; вынима́ть ко́сточки из плодо́в || **~-blind** *a.* соверше́нно слепо́й || **~-cutter** *s.* каменотёс || **~-dead** *a.* соверше́нно мёртвый || **~-fruit** *s.* плод с ко́сточкой || **~-pine** *s.* пи́ния, ка́менная сосна́ || **~-ware** *s.* фая́нсовая, гли́няная посу́да.

stony/ (стоу'ни) *a.* ка́менный, камени́стый; (*fig.*) бесчу́вственный, жесто́кий || **~ broke** (*fam.*) безде́нежный.

stood (студ) *cf.* **stand.**

stool (стӯл) *s.* скаме́йка, табуре́т; (*med.*) стул, испражне́ние.

stoop/ (стӯп) *vn.* на-гиба́ться, -гну́ться; наклон-я́ться, -и́ться; (*to condescend*) нисходи́ть, низойти́; (*to abase o.s.*) уни́зиться; (*in walk*) сго́рбиться; (*obs. of hawk, etc.*) налета́ть (на) || ~ *s.* наклоне́ние; (*fig.*) суту́ловатость *f.* || **–ing** *a.* наклонённый; сго́рбленный.

stop/ (сто'п) *s.* остано́вка, приостано́вка; (*stay*) пребыва́ние; (*obstruction*) заде́ржка; (*interruption*) переры́в; (*end*) коне́ц; (*cessation*) прекраще́ние; (*in writing*) знак препина́ния; (*mus.*) лад; (*of an organ*) реги́стр || **full ~** то́чка || **to put a ~ to** прекраща́ть || **without a ~** беспреры́вно || ~ *va.* остан-а́вливать, -ови́ть; (*to obstruct*) препя́тствовать; (*to ~ up*) за-тыка́ть, -ткну́ть || ~ *vn.* ост-

-ава́ться, -а́ться; пребыва́ть || **–page** *s.* остано́вка, заде́ржка; переры́в; засоре́ние || **–per** *s.* заты́чка; вту́лка; (*of bottle*) про́бка || ~ *va.* зат-ыка́ть, -кну́ть || **–ple** (стопл) *s.* заты́чка, про́бка || **~-watch** *s.* часы́ с механи́змом для остано́вки их по жела́нию.

storage (стō'ридж) *s.* скла́дывание в амба́р; (*payment*) скла́дочный сбор, амба́рные де́ньги *fpl.*

store/ (стō'р) *s.* (*plenty*) избы́ток, изоби́лие; (*supply*) запа́с; (*shop* особ. *Am.*) ла́вка; (*warehouse*) склад, амба́р || **–s** *spl.* припа́сы *mpl.* || **naval ~** морско́е снабже́ние || ~ *va.* запас-а́ть, -ти́; снаб-жа́ть, -ди́ть; скла́дывать, сложи́ть в амба́р || **–house** *s.* магази́н, склад, амба́р || **–keeper** *s.* амба́рщик; (*Am.*) ла́вочник || **~-room** *s.* кладова́я, чула́н.

storey, story (стō'ри) *s.* эта́ж, я́рус || **house of two (three) –s** двухэта́жный (трёхэта́жный) дом.

stork (стōрк) *s.* а́ист.

storm/ (стōрм) *s.* бу́ря, гроза́; (*mar.*) шторм; (*mil.*) штурм; (*fig.*) волне́ние || ~ *va.* (*mil.*) штурмова́ть || ~ *vn.* бушева́ть, за-; волнова́ться; (*fig.*) свире́пствовать, бесно́ваться || **–y** *a.* бу́рный; (*fig.*) я́ростный, вспы́льчивый.

story/ (стō'ри) *s.* расска́з, ска́зка; *cf.* **storey** || **the ~ goes** говоря́т || **~-teller** *s.* расска́зчик.

stout/ (стау'т) *a.* си́льный, кре́пкий, доро́дный; (*stubborn*) упо́рный || ~ *s.* по́ртер (англи́йское пи́во) || **~-hearted** *a.* му́жественный || **–ness** *s.* си́ла, кре́пость *f.*, полнота́.

stove (стōув) *s.* пе́чка, печь *f.* || ~ *va. cf.* [**stave.**

stow/ (стōу') *va.* на-кла́дывать, -класть; нагру-жа́ть, -зи́ть; при-бира́ть, -бра́ть || **to ~ away** спря́тать || **–age** *s.* скла́дочное ме́сто, амба́р; скла́дывание || **–away** *s.* за́яц (безбиле́тный пассажи́р).

straddle (стрӓдл) *vn.* растопы́ривать но́ги, ходи́ть с растопы́ренными нога́ми; сиде́ть верхо́м.

straggle/ (стрӓ'гл) *vn.* броди́ть, стра́нствовать, блужда́ть; (*of plants*) разраста́ться || **–r** *s.* бродя́га; (*mil.*) отста́лый.

straight/ (стрэ̄й'т) *a.* прямо́й; (*upright*) че́стный || ~ *ad.* пря́мо; сейча́с || **–en** *va.* выпрямля́ть, вы́прямить || **–forward** *a.* прямо́й, че́стный, справедли́вый || **–ness** *s.* прямота́, прями́зна́ || **–way** *ad.* пря́мо, неме́дленно.

strain/ (стрэ̄йн) *s.* (*breed*) род, поро́да; (*force*) уси́лие, нату́га; (*mental*) напряже́ние; (*injury*) надры́в; (*mus.*) мело́дия; (*mood*) расположе́ние || ~ *va.* на-прята́ть, -пря́чь; на-тя́гивать, -тяну́ть; (*a limb*) вы́вихнуть; (*to filter*) про-це́живать, -цеди́ть || ~ *vn.* (*to make a great effort*) стара́ться || **–er** *s.* цеди́ло; си́то; фильтр.

strait/ (стрэ̄й'т) *a.* у́зкий, те́сный || ~ *s.* проли́в, прохо́д; (*pl.*) затрудне́ние || **–en** *va.* сжима́ть, сжать; су́живать, су́зить || **to be in –ened circumstances** быть в нужде́ || **~-jacket, ~-waistcoat** *s.* смири́тельная руба́ха || **~-laced** *a.* (*fig.*) стро́гий, у́зкий во взгля́дах || **–ness** *s.* у́зость *f.*, теснота́.

strand/ (стрӓнд) *s.* бе́рег, на́бережная; (*mar.*) стре́нга || ~ *va.* вы́кинуть, вы́бросить на́ берег; разорва́ться || **–ed** (*fig.*) в нужде́, в затрудне́нии.

strange/ (стрэ̄й'ндж) *a.* стра́нный; инostра́нный; чужо́й; (*not known*) незнако́мый || **–ness** *s.* стра́нность *f.* || **–r** *s.* иностра́нец; незнако́мый челове́к; прие́зжий.

strang/le (стрӓнг-гл) *va.* души́ть, за-; дави́ть || **–les** *spl.* род са́па (у лошаде́й); желе́зница || **–ulation** (стрӓнгюлэ̄й'шн) *s.* удуше́ние, удавле́ние.

strap/ (стрӓп) *s.* реме́нь *m.*; полоса́ || ~ *va.* бить ремнём; (*to fasten*) за-вя́зывать, -вяза́ть ремнём || **–pado** (-эй'доу) *s.* стега́ние ремня́ми (род пы́тки) || **–ping** *a.* стро́йный, ста́тный, дю́жий.

stratagem (стрӓ'тёджим) *s.* вое́нная хи́трость, уло́вка.

strateg/ic (стрётэ'джик) *a.* стратеги́ческий || **–ist** (стрӓ'тиджист) *s.* страте́гик || **–y** (стрӓ'тиджи) *s.* страте́гия.

stratum (стрэ̄й'тём) *s.* слой, наслое́ние.

straw/ (стрō') *s.* соло́ма *f.*, соло́минка || **I don't care a ~, two –s** мне всё равно́ || **~-bed** *s.* соло́менный тюфя́к || **–berry** *s.* клубни́ка, земляни́ка *f.* || **~-cutter** *s.* соломоре́зка || **~-hat** *s.* соло́менная шля́па.

stray (стрэ̄й) *vn.* заблуди́ться, совраща́ться || ~ *a.* заблу́дший, зате́рянный; (*casual*) случа́йный, неча́янный || **a ~ bullet** шальна́я пу́ля || ~ *s.* блужда́ние, скита́ние; заблуди́вшее живо́тное.

streak/ (стрийк) *s.* черта́, полоса́ || ~ *va.* черти́ть, проводи́ть по́лосы || **–y** *a.* полоса́тый.

stream/ (стрийм) *s.* пото́к, руче́й, река́; (*current*) тече́ние || ~ *vn.* течь, струи́ться || **–er** *s.* флаг, вы́мпел; зна́мя *n.* || **–let** *s.* ручеёк.

street/ (стрий'т) *s.* у́лица || **~-arab** *s.* у́личный ма́льчишка || **~-band** *s.* у́личный оркестр || ~-**door** *s.* под'ѐзд, пара́дная дверь || ~-**lamp** *s.* у́личный фона́рь || ~-**sweeping** *s.* чи́стка у́лиц || ~-**walker** *s.* проститу́тка.

strength/ (стрэнгф) *s.* си́ла, кре́пость *f.*, мочь *f.* || **on the ~ of** в си́лу; вслѐдствие (чего́) || **-en** (стре'нгфн) *va.* укреп-ля́ть, уси́л-ивать || ~ *vn.* укрепля́ться, уси́ливаться || **-ener** *s.* то, что укрепля́ет; укрепля́ющее сре́дство.

strenuous/ (стрэ'нюёс) *a.* де́ятельный; ре́вностный || **-ness** *s.* рве́ние, усе́рдие.

stress (стрэс) *s.* ва́жность *f.*; си́ла *f.*; (*accent*) ударе́ние || ~ *va.* произнести́ с осо́бенным ударе́нием; (*fig.*) обраща́ть осо́бое внима́ние на.

stretch/ (стрэч) *s.* растяже́ние, натяже́ние; протяже́ние; (*expanse*) простра́нство; (*spell of work*) сме́на || **at a ~** сря́ду, не остана́вливаясь || ~ *va.* тяну́ть; рас-тя́гивать, -тяну́ть; (*to expand*) рас-ширя́ть, -ши́рить; на-прягáть, -пря́чь || **to ~ out** (*one's hand*) протяну́ть || ~ *vn.* простира́ться || **-er** *s.* носи́лки *fpl.*

strew (стрӯ) *va.irr.* се́ять, рассыпа́ть, разбра́сывать, -броса́ть.

striated (страйэ̄й'тид) *a.* бoрóздчатый, желобова́тый, вы́емчатый.

stricken (стрикн) *a.* поражённый; *cf.* [**strike.**

strict (стри'кт) *a.* то́чный, определённый, стро́гий || **-ness** *s.* то́чность *f.*; стро́гость *f.*; аккура́тность *f.* || **-ure** (стри'кчёр) *s.* намёк, осужде́ние; (*med.*) суже́ние *n.*, стрикту́ра.

stride (страйд) *s.* большо́й шаг || ~ *vn.irr.* шага́ть, ходи́ть больши́ми шага́ми; (*to bestride*) сиде́ть верхо́м, растопы́ря но́ги.

strident (страй'дёнт) *a.* ре́зкий, пронзи́тельный.

strife (страйф) *s.* ра́спря; спор, борьба́.

strike/ (страй'к) *s.* (*of workmen*) забасто́вка, ста́чка || ~ *va.irr.* ударя́ть, уда́рить; бить, про-; (*mar. to ~ a rock*) наткну́ться (на ка́мень); (*fig. terror, etc.*) пора-жа́ть, -зи́ть; (*medal, coin*) чека́нить; (*to find*) находи́ть, найти́; (*to surprise*) удив-ля́ть, -и́ть; (*to make an impression on*) производи́ть, -вести́ впечатле́ние; (*a match*) зажига́ть; (*a flag*) спуска́ть || ~ *vn.* (*to surrender*) сдава́ться, сда́ться; (*of workmen*) бастова́ть, за- || **it -s me** мне ка́жется || **to ~ out** вычёркивать, вы́черкнуть || **to ~ up** (*a tune*) заигра́ть, запе́ть || **three is striking** бьёт три || **it has just struck five** то́лько-что про́било пять (часо́в) || **stricken in years** престаре́лый || **to ~ the tents** снима́ться, сня́ться с ла́геря || ~-**breaker** *s.* разруши́тель (*m.*) ста́лки || **-r** *s.* забасто́вщик, басту́ющий.

striking (страй'кинг) *a.* ме́ткий; тро́гательный; порази́тельный.

string/ (стри'нг) *s.* верёвка; бичёвка; шнуро́к; ни́тка; (*mus.*) струна́; (*of a bow*) тетива́; (*fig. a row*) ряд; (*fibre*) волокно́ || ~ *va.* натяну́ть стру́ны; (*a violin*) настра́ивать, -стро́ить; (*pearls, etc.*) нани́зывать, -низа́ть || ~-**band** *s.* стру́нный оркéстр || **-ed** *a.* стру́нный || **-ency** (стри'нджёнси) *s.* стро́гость *f.*, суро́вость *f.* || **-ent** (стри'нджёнт) *a.* стро́гий || **-y** (стри'нги) *a.* волокни́стый; жи́листый.

strip/ (стрип) *va.* сдира́ть, снима́ть, облупля́ть, гра́бить; (*deprive*) лиш-а́ть, -и́ть; (*clothes*) раз-дева́ть, -де́ть || ~ *vn.* раздева́ться, -де́ться || ~ *s.* поло́ска, лоску́т || **-e** (страйп) *s.* полоса́, кайма́, рубе́ц; уда́р бичём || **-ed** (страйпт) *a.* полоса́тый || **-ling** (стри'плинг) *s.* ю́ноша; молокосо́с.

strive (страйв) *vn.irr.* си́литься, стара́ться; (*to ~ with*) состяза́ться; (*to ~ after, for*) до-бива́ться, -би́ться (чего́); домога́ться; стреми́ться (к чему́) || **-ing** *s.* уси́лие; стара́ние, домога́тельство.

strode (стро̄уд) *cf.* **stride.**

stroke (стро́ук) *s.* уда́р, взмах, полёт (мы́сли); черта́; большо́е коли́чество заня́тий, дела́; (*fig.*) си́ла, могу́щество; (*in painting*) штрих; (~-*oar*) загребно́й || ~ *va.* ласка́ть, гла́дить (руко́ю).

stroll/ (стро̄ул) *vn.* прогу́ливаться || ~ *s.* прогу́лка || **-er** *s.* бродя́га *m.*; гуля́ка *m.*; (*actor*) стра́нствующий актёр.

strong/ (стро'нг) *a.* си́льный, кре́пкий, энерги́чный, я́ркий, хмельно́й || ~-**box** *s.* де́нежный сунду́к || **-hold** *s.* кре́пость *f.*, тверды́ня || ~-**room** *s.* несгара́емый подва́л.

strop (строп) *s.* точи́льный реме́нь; (*mar.*) [строп на бло́ках.

strophe (стро̄у'фи) *s.* строфа́.

strove (стро̄ув) *cf.* **strive.**

strow (стро̄у) *s.* **strew.**

struck (страк) *cf.* **strike.**

structure (стра'кчёр) *s.* строе́ние, устро́йство; (*building*) постро́йка.

struggle (страгл) *vn.* си́литься, боро́ться, отбива́ться || ~ *s.* борьба́, большо́е уси́лие || ~ **for existence** борьба́ за существова́ние.

strum (страм) *va.* бренча́ть.

strumpet (стра'мпит) *s.* проститу́тка.

strung (странг) *cf.* **string.**

strut (страт) *vn.* чва́ниться, ва́жничать; (*to ~ about*) горде́ливо ходи́ть || ~ *s.* го́рдая ва́жная по́ступь; (*support*) подста́вка, подпо́ра.

strychnine (стри'книн) *s.* стрихни́н.
stub/ (ста'б) *s.* пень *m.*, поле́но; короты́шка; (*of cigar*) оку́рок; (*of candle*) ога́рок || ~ *va.* вырыва́ть (ко́рни, пни) || **–ble** *s.* жни́тва || **–born** (ста'бёрн) *a.* упря́мый, непреклóнный, упóрный || **–borness** *s.* упря́мство, непреклóнность *f.*, упóрность *f.* || **–by** *a.* корена́стый.
stucco (ста'коу) *s.* штукату́рка, гипс; штукату́рная рабóта || ~ *va.* штукату́рить.
stuck/ (стак) *cf.* **stick** || **~-up** *a.* гóрдый, напы́щенный.
stud (стад) *s.* гвоздь (*m.*) с большóй шля́пкой; (*shirt-~*) за́понка; (*of horses*) кóнский завóд || ~ *va.* обива́ть гвоздя́ми, укр-аша́ть, -а́сить; (*fig.*) усé-ивать, -ять.
studding-sail (ста'динг-сэйл) *s.* (*mar.*) ли́сель *m.*
stud/ent (стю'дёнт) *s.* студе́нт, студе́нтка, тот, кто занима́ется нау́ками || **non-resident –ent** вольнослу́шатель *m.*, -ница || **–ied** (ста'дид) *a.* зна́ющий, све́дующий; обду́манный || **–io** (стю'диоу) *s.* мастерска́я худóжника, сту́дия || **–ious** (стю'диёс) *a.* приле́жный, стара́тельный || **–y** (ста'ди) *s.* уче́ние, изуче́ние, стара́ние; (*room*) (рабóчий) кабине́т; (*paint*) этю́д || ~ *vn.* учи́ться, стара́ться; (*to ponder*) размышля́ть || ~ *va.* изуч-а́ть, -и́ть.
stuff/ (стаф) *s.* веществó, ткань *f.*; (*med.*) лека́рства *npl.*; (*nonsense*) глу́пость *f.*; вздор, пустяки́ *mpl.* || ~ *va.* на-полня́ть, -пóлнить; на-бива́ть, -би́ть; начиня́ть; (*cookery*) фарширова́ть || ~ *vn.* об'еда́ться || **–ing** *s.* материа́л для наби́вки, начи́нка, фарш. [де́лать, с- глу́пым.
stultify (ста'лтифай) *va.* притуп-ля́ть, -и́ть;
stumbl/e (ста'мбл) *vn.* оступ-а́ться, -и́ться; спотык-а́ться, -ну́ться; (*to ~ upon*) слу-ча́йно наткну́ться на || ~ *s.* лóжный шаг; просту́пок || **–ing-block** *s.* ка́мень (*m.*) преткнове́ния.
stump/ (стамп) *s.* пень *m.*, кочеры́жка; эстóмп; (*of a cigar*) оку́рок; (*of an arm, etc.*) культя́; кóнчик, оста́ток || ~ *va.* ударя́ть ногóй; сруба́ть, хрома́ть, отрé-з-ывать, -ать по пень || **to ~ up** (*fam.*) плати́ть, за- || **–er** *s.* тру́дный вопрóс, тру́дная зада́ча || **–y** *a.* покры́тый пня́ми; (*thickset*) корена́стый; корóткий и тóлстый.
stun/ (стан) *va.* оглуш-а́ть, -и́ть; изум-ля́ть, -и́ть; пора-жа́ть, -зи́ть || **–ning** *a.* порази́тельный; (*fam.*) отли́чный, превосхóдный.
stung (станг) *cf.* **sting.**
stunk (станк) *cf.* **stink.**

stunt/ (стант) *va.* остан-а́вливать, -ови́ть рост || **–ed** *a.* малорóслый; хи́лый.
stupef/action (стюпифа́'кшн) *s.* (*med.*) усыпле́ние, одурма́нивание; (*fig.*) остолбене́ние, удивле́ние || **–y** (стю'пифай) *va.* притуп-ля́ть, -и́ть; одурма́нивать; (*to astound*) изум-ля́ть, -и́ть.
stupendous (стюпэ'ндёс) *a.* огрóмный; (*astounding*) изуми́тельный, удиви́тельный.
stupid/ (стю'пид) *a.* глу́пый, тупоу́мный || **–ity** (стюпи'дити) *s.* глу́пость *f.*
stupor (стю'пёр) *s.* (*dazed state*) бессозна́тельное состоя́ние, оцепене́ние; (*amazement*) изумле́ние.
sturd/iness (стё'рд-инис) *s.* реши́тельность *f.*, си́ла, кре́пость *f.*, дю́жесть *f.* || **–y** *a.* (**–ily** *ad.*) реши́тельный, сме́лый, кре́пкий; (*robust*) здорове́нный.
sturgeon (стё'рджён) *s.* осётр; белу́га.
stutter/ (ста'тёр) *vn.* заика́ться, бормота́ть || ~ *va.* бормота́ть, про- || ~ *s.* заика́ние || **–er** *s.* заи́ка *m&f.*
sty (стай) *s.* (*pig-~*) свинóй хлев; (*hovel*) лачу́га; (*~ in the eye*) ячме́нь *m.* (на глазу́).
styl/e (стай'л) *s.* стиль *m.*, слог, тон, вкус; шти́хель *m.*, резе́ц; (*manner*) óбраз; мане́ра; (*title*) ти́тул || **in great ~** на широ́кую нóгу || ~ *va.* на-зыва́ть, -зва́ть; именова́ть, титулова́ть || **–ish** *a.* изя́щный, мóдный || **–o, –ograph** *s.* стилогра́ф.
suasion (суэйжн) *s.* сове́т.
suav/e (суэй'в) *a.* не́жный, сла́дкий || **–ity** (суа́'вити) *s.* прия́тность *f.*, не́жность *f.*, сла́дость *f.*
subaltern (са'бёлтёрн) *a.* подчинённый || ~ *s.* подчинённый.
sub/committee (саб-кёми'ти) *s.* подкоми́ссия || **–cuteaneous** (-кютэй'ниёс) *a.* подкóжный || **–deacon** *s.* поддиа́кон || **–divide** *va.* подраздел-я́ть, -и́ть || **–division** *s.* подразделе́ние.
subdu/al (сабдю'-ёл) *s.* покоре́ние, укроще́ние || **–e** *va.* покор-я́ть, -и́ть; пора-бoща́ть, овладева́ть || **–er** *s.* покори́тель *m.*, завоева́тель *m.*
sub-editor (сабэ'дитёр) *s.* помóщник издателя *или* реда́ктора.
subject/ (са'бджикт) *a.* пóдданный, подвéрженный, подчинённый || ~ *s.* пóдданный; суб'е́кт, челове́к, лицó; (*object*) предме́т, сюже́т, мате́рия; (*gramm.*) подлежа́щее || ~ (сабджэ'кт) *va.* покор-я́ть, -и́ть; подчиня́ть, подверга́ть || **–ion** (сабджэ'кшн) *s.* пóдданство, покоре́ние, подчине́ние; подчинённость *f.* || **–ive** (сабджэ'ктив) *a.*

суб'ективный || **–ivity** (сабджэкти'вити) *s.* суб'ективность *f.*
subjoin (сёбджой'н) *va.* прибавить, приложить.
subjug/ate (са'бджугэйт) *va.* покор-ять, -ить; порабо-щать, -тить || **–ation** *s.* покорение, порабощение.
subjunctive (сёбджа'нгктив) *a.* (*gramm.*) сослагательный || **~** *s.* (*gramm.*) сослагательное наклонение.
sublet (саблэ'т) *va.* пере-давать, -дать [(квартиру).
sublim/ate (са'блимэйт) *va.* возвышать; (*chem.*) сублимировать || **~** (са'блимёт) *s.* (*chem.*) сулема, сублимат || **–e** (сёблай'м) *a.* возвышенный, величественный, великолепный || **–ity** (сёбли'мити) *s.* возвышенность *f.*, величественность *f.*
sublunar (саблӯ'нёр) *a.* подлунный.
submarine (сёбмёрий'н) *a.* подводный || **~, ~ boat** *s.* подводная лодка, субмарина.
submer/ge (сёбмё̄'рдж) *va&n.* погру-жать, -зить; наводнять, затоплять || **–sion** (сёбмё̄'ршн) *s.* погружение, затопление.
submi/ssion (сёбми'шн) *s.* покорность *f.*; преданность *f.*; смирение; признание своей вины || **–ssive** (сёбми'сив) *a.* покорный, кроткий, смиренный || **–t** (сабми'т) *va.* подчинять; пред-лагать, -ложить; (*a document, etc.*) предо-ставлять, -ставить || **~** *vn.* подчин-яться, -иться; (*to surrender*) сдаваться, сдаться.
subordinat/e (сёбо̄'рдинёт) *a.* подначальный, подчинённый || **~** *s.* подчинённый, подначальный || **~** (сёбо̄'рдинэйт) *va.* подчин-ять, -ить || **–ion** (сёбординэй'шн) *s.* подчинённость *f.*, повиновение, субординация.
suborn/ (сёбо̄'рн) *va.* подкуп-ать, -ить; соблазнять; (*a witness*) подговорить || **–ation** *s.* подкуп.
subpoena (сёбпий'нё) *s.* (*leg.*) призыв (в суд), вызов к суду (под страхом штрафа).
subscri/be (сёбскрай'б) *va.* под-писывать, -писать || **~** *vn.* под-писываться, -писаться; (*agree*) соглашаться; (*to a newspaper*) абонироваться || **–ber** *s.* подписчик, абонент || **–ption** (сёбскри'пшн) *s.* подписка, абонемент.
subsequent/ (са'бсикуёнт) *a.* последующий || **–ly** *ad.* потом, после, затем; в последствии.
subserv/e (сёбсё̄'рв) *va.* служить орудием, быть полезным, содействовать || **–ience** (-иёнс) *s.* подчинение, содействие || **–ient** (-иёнт) *a.* полезный, пригодный, подчинённый, низший.
subside (сёбсай'д) *vn.* опадать, опасть; убывать; (*of ground*) оседать, осесть; (*of wind, etc.*) у-тихать, -тихнуть.
subsidiar/y (сёбси'диёри) *a.* вспомогательный, добавочный || **~** *s.* помощник || **–ies** *spl.* вспомогательные войска *npl.*
subsid/ize (са'бсид-айз) *va.* помогать деньгами; субсидировать || **–y** *s.* субсидия, денежное вспоможение, денежное пособие.
subsist/ (сёбси'ст) *va.* содержать, питать, прокармливать || **~** *vn.* существовать, жить || **–ence** существование, сущность *f.*; средства (*npl.*) существования; пропитание || **–ent** *a.* существующий.
subsoil (са'бсойл) *s.* подземелье, подпочва.
substan/ce (са'бстён-с) *s.* существо; (*essence*) сущность *f.*; суть *f.*; (*material*) материя; (*possession*) имущество || **–tial** (сёбста'ншл) *a.* существующий; вещественный; (*real*) действительный; (*nourishing*) питательный; (*considerable*) значительный; (*well-to-do*) зажиточный || **–tials** *spl.* существенные части || **–tiate** (сёбста'ншиэйт) *va.* доказывать, делать существующим || **–tive** (са'бстёнтив) *s.* (*gramm.*) имя существительное.
substitut/e (са'бститют) *va.* замен-ять, -ить; заме-щать, -стить || **~** *s.* заместитель *m.*, уполномоченный; вещь (*f.*) заменяющая другую; (*in office*) исправляющий должность *f.*, заступающий место || **–ion** (сабститю'шн) *s.* замена, замещение, подлог. [слой, подпочва.
substratum (сёбстрэй'тём) *s.* нижний
substruction (сёбстра'кшн) *s.* фундамент, основание. [говорка.
subterfuge (са'бтёрфюдж) *s.* увёртка, от-
subterranean (сабтёрэй'ниён) *a.* подземный, подземельный.
subtilize (са'тилайз) *va.* утончать, разжижать; хитрить.
subtle/ (са'тл) *a.* тонкий, утончённый, хитрый, вкрадчивый || **–ty** *s.* тонкость *f.*; хитрость *f.*
subtract/ (сёбтрӓ'кт) *va.* скидывать, сбавлять, сбавить; (*arith.*) вычитать, вычесть || **–ion** (сёбтрӓ'кшн) *s.* скидывание, сбавка; (*math.*) вычитание.
subtrahend (са'бтрёхэнд) *s.* (*math.*) вычитаемое (число). [ческий.
subtropical (сабтро'пикёл) *a.* подтропи-
suburb/ (са'бёрб) *s.* предместье, пригород; (*pl.*) окрестности *fpl.* || **–an** (сёбё̄'рбён) *a.* пригородный; предместный || **~** *s.* житель (*m.*) пригорода.
subvention (сабвэ'ншн) *s.* пособие; денежное вспоможение.

subver/sion (сёбвё'ршн) *s.* обрушéние, ниспровéржение, разрушéние || **–sive** (сёбвё'рсив) *a.* ниспровергáющий, разрушúтельный || **–t** (сёбвё'рт) *va.* ниспровергáть, разрушáть, извращáть.
subway (са'бузй) *s.* подзéмный ход.
succ/eed (сёксий'д) *va.* слéдовать за, наслéдовать || ~ *vn.* усп-евáть, -éть || **–ess** (сёксэ'с) *s.* успéх, удáча || **–essful** (сёксэ'сфул) *a.* успéшный, удáчный || **–ession** (сёксэ'шн) *s.* послéдовательность *f.*; (*series*) ряд; (*progeny*) потóмство; наслéдство; (*to a title*) наслéдование || **–essive** (сёксэ'сив) *a.* послéдовательный || **–essively** *ad.* сря́ду || **–essor** (сёксэ'сёр) *s.* преéмник, наслéдник.
succinct (сёкси'нгкт) *a.* крáткий, сжáтый.
succory (са'кёри) *s.* цикóрий.
succour (са'кёр) *s.* пóмощь *f.*, вспоможéние || ~ *va.* по-могáть, -мóчь; вспомоществовáть.
succulen/ce (са'кюлён-с) *s.* сок, сóчность *f.* || **–t** *a.* сóчный, питáтельный.
succumb (сёка'м) *vn.* изне-могáть, -мóчь; пáдать, пасть; под-давáться, -дáться; (*to die*) ум-ирáть, -ерéть.
such (сач) *a.&prn.* такóй, таковóй, такóв || ~ **a man** такóй человéк || **in ~ a case** в такóм слу́чае || ~ **like** подóбный; тому́ подóбный || ~ **as** так как; те, котóрые || **no ~ thing** нискóлько, ничегó подóбного.
suck/ (сак) *va.&n.* сосáть, вдыхáть, впитывать || **to ~ in, to ~ up** всáсывать, всосáть || ~ *s.* сосáние, поглощéние, груднóе молокó || **–er** *s.* сосу́н; пóршень *m.* (у насóса); (*of a plant*) отрóсток; (*fig.*) паразúт || **–ing-pig** *s.* молóчный поросёнок || **–le** *va.* кормúть гру́дью || **–ling** *s.* груднóй младéнец.
suction (сакшн) *s.* сосáние, всáсывание.
sudden/ (са'дн) *a.* внезáпный, нечáянный; (*quick*) бы́стрый || **on a ~, all of a ~, of a ~, –ly** вдруг, неожúданно, внезáпно || **–ness** *s.* внезáпность *f.*; неожúданность *f.*
sudorific (сюдёри'фик) *s.* потогóнное срéдство.
suds (садз) *spl.* мы́льный щёлок.
sue (сю) *vn.* преслéдовать (судóм); домогáться || ~ *va.* просúть, вестú тя́жбу.
suet (сю'ит) *s.* сáло, жир.
suffer/ (са'фёр) *va.&n.* страдáть, терпéть, выносúть; (*to allow*) дозвол-я́ть, -úть || **–able** *a.* терпúмый, снóсный || **–ance** *s.* терпéние, допущéние || **–er** *s.* больнóй; пациéнт || **–ing** *s.* страдáние.
suffic/e (сёфай'с) *vn.* быть достáточным, хватáть (на врéмя) || ~ *va.* удовлетвор-я́ть, -úть || **–iency** (сёфи'шёнси) *s.* довóльство, достáточность *f.* || **–ient** (сёфи'шёнт) *a.* достáточный.
suffix (са'фикс) *s.* настáвка.
suffoc/ate (са'фокэйт) *va.* заду-шáть, -шúть; тушúть, за- || ~ *vn.* задыхáться || **–ation** (сафокэй'шн) *s.* задушéние, тушéние.
suffragan (са'фрёгён) *s.*; (**~-bishop**) викáрий.
suffrage (са'фридж) *s.* гóлос (при баллотирóвке); (*approval*) одобрéние || **universal ~** всеóбщая подáча голосóв.
suffus/e (сёфю'з) *va.* об-ливáть, -лúть; покрывáть крáской || **–ion** (сёфю'жн) *s.* обливáние, покры́тие; румя́нец.
sugar/ (шу'гёр) *s.* сáхар || ~ *va.* обсáхар-ивать, -ить; подслащáть || **~-basin** *s.* сáхарница || **~-candy** *s.* леденéц || **~-cane** *s.* сáхарный тростнúк || **~-loaf** *s.* (*pl.* **~-loaves**) головá сáхару || **~-mill** *s.* машúна для выжимáния сáхарного тростникá || **~-of-lead** *s.* (*chem.*) свинцóвый сáхар || **~-plum** *s.* мéлкие конфéкты, облúтые сáхаром || **~-refiner** *s.* сахаровáр || **~-tongs** *spl.* щипчú (*mpl.*) для сáхару || **~-works** *spl.* сáхарный завóд || **–y** *a.* сáхарный; (*sweet*) слáдкий.
suggest/ (сёджэ'ст) *va.* внуш-áть, -úть; вдохновля́ть; (*to hint*) намекáть || **–ion** *s.* внушéние, намёк, соблáзн || **–ive** *a.* заключáющий в себé побуждéние, внушéние; суггестúвный.
suicid/al (сю-исай'дл) *a.* относя́щийся к самоубúйству || **–e** (сю'исайд) *s.* самоубúйство; (*person*) самоубúйца *m.*
suit/ (сют) *s.* (*set*) вы́бор; комплéкт; (*of clothes*) костю́м; (*of cards*) масть *f.* (в кáртах); (*petition*) прóсьба; (*at law*) тя́жба, иск; (*wooing*) ухáживание || ~ *va.* приспособ-ля́ть, -úть; удовлетвор-я́ть, -úть; уго-ждáть, -дúть || ~ *vn.* годúться; соотвéтствовать || ~ *va.&n.* (*of clothes*) иттú || **–able** *a.* соотвéтственный, подходя́щий, прилúчный || **–e** (суийт) *s.* свúта; (*of rooms*) ряд; (*mus.*) сю́íта || **–or** *s.* (*leg.*) истéц, просúтель *m.*; (*wooer*) вздыхáтель *m.*, искáтель (*m.*) рукú.
sulk/ (салк) *vn.* ду́ться, сердúться || **–s** *spl.* дурнóе расположéние ду́ха || **–iness** *s.* сердúтый, надýтый вид; угрю́мость *f.* || **–y** *a.* сердúтый, надýтый.
sull/en (са'лин) *a.* пáсмурный, угрю́мый, злóбный, сердúтый || **–enness** *s.* пáсмурность *f.*, угрю́мость *f.*, упря́мство, злóба || **–y** (са'ли) *va.* марáть, грязнúть; помрач-áть, -úть.
sulph/ate (са'лфит) *s.* (*chem.*) сернокúслая соль || **–ur** (са'лфёр) *s.* сéра || **–uric** (сёл-

фю'рик) *a.* сéрный || **-urous** (са'лфёрёс) *a.* сернйстый.
sultan/ (са'лтён) *s.* султáн || **-a** (сёлтā'нё) *s.* султáнша; (*kind of raisin*) султáнский изю́м.
sultr/iness (са'лтри-нэс) *s.* зной, духотá || **-y** (-) *a.* знóйный, дýшный.
sum/ (са'м) *s.* сýмма, итóг || ~ *va.* склáдывать, сложи́ть; считáть, своди́ть итóги || **to ~ up** под-водить, -вести́ итóг || **-marize** *va.* крáтко резюми́ровать || **-mary** *a.* крáткий, сокращённый; (*quick*) бы́стрый || ~ *s.* пéречень *m.*; крáткое изложéние; резюмé; оглавлéние.
summer/ (са'мёр) *s.* лéто; (*arch.*) перекла́дина || **St. Martin's ~, Indian ~** бáбье лéто || **~-house** *s.* (*in garden*) павильóн, бесéдка.
summersault *cf.* **somersault.**
summit (са'мит) *s.* верши́на, верх; (*fig.*) вы́сшая стéпень.
summon/ (са'мён) *va.* при-зывáть, -звáть; вызывáть, вы́звать в суд; (*to convene*) со-зывáть, -звáть || **to ~ up courage** ободр-я́ться, -и́ться || **-s** *spl.* вы́зов, приглашéние; (*leg.*) повéстка (о я́вке в суд) || ~ *va.* вызывáть, вы́звать в суд.
sumpter-horse (са'мтёр-хōрс) *s.* вью́чная лóшадь.
sumptu/ary (са'мтюёри) *a.* напрáвленный прóтив рóскоши || **-ous** (са'мтюёс) *a.* пы́шный, роскóшный.
sun/ (са'н) *s.* сóлнце; (*poet.*) звездá || ~ *va.*, **to ~ o.s.** грéться на сóлнце || **-beam** *s.* сóлнечный луч || **-burnt** *a.* загорéлый, вы́жженный сóлнцем || **-day** (са'нди) *s.* воскресéнье || **~-dial** *s.* сóлнечные часы́ || **-down** *s.* закáт сóлнца || **-flower** *s.* (*bot.*) подсóлнечник || **-light** *s.* сóлнечный свет || **-ny** *a.* сóлнечный, блестя́щий; (*fig.*) весёлый, счастли́вый || **-rise** *s.* восхóд сóлнца || **-set** *s.* захóд сóлнца, закáт сóлнца || **-shade** *s.* зóнтик || **-shine** *s.* сия́ние сóлнца, блеск || **-spot** *s.* пятнó на сóлнце || **-stroke** *s.* сóлнечный удáр || **~-worshipper** *s.* солнцепоклóнник.
sund/er (са'ндёр) *va.* (*obs.*) разделя́ть, раз-рывáть, -орвáть || **-ry** (са'ндри) *a.* рáзли́чный || **-ries** *spl.* вся́кая вся́чина; мéлкие расхóды.
sung (санг) *cf.* **sing.**
sunk/ (сангк), **-en** *cf.* **sink.**
sup (сап) *va.* прихлёбывать, всáсывать в себя́ || ~ *vn.* ýжинать || ~ *s.* глотóк.
super (сю'пёр) *s.* (*theat.*) статúст; (*in cpds.*) пристáвка в начáле слов означáющая "над-".
superable (сю'пёрёбл) *a.* преодоли́мый.
superab/ound (сюпёр-ёбау'нд) *vn.* быть бóлее чем достáточным; преизоби́ловать || **-undant** (-ёба'ндёнт) *a.* преизоби́льный.
superadd/ (сюпёрā'д) *va.* над-бавля́ть, -бáвить || **-ition** (сюпёрёди'шн) *s.* надбáвка.
superannuat/e (сюпёрā'нюэйт) *va.* у-вольня́ть, -вóлить; давáть, дать отстáвку за вы́слугой лет || **-ion** (сюпёрāнюэй'шн) *s.* отстáвка, пéнсия || **-ion-fund** *s.* пенсиóнные сýммы *fpl.*, пенсиóнный капитáл.
superb (супē'рб) *a.* великолéпный, прекрáсный, гóрдый.
supercargo (сю'пёркāргоу) *s.* судовóй прикáзчик, суперкáрг.
supercilious (сюпёрси'лиёс) *a.* надмéнный, гóрдый.
supererogat/ion (сюпёрэрёгэй'шн) *s.* дéйствие свы́ше тогó, что трéбует долг || **-ory** (сюпёрирo'гётёри) *a.* сверхдóлжный.
superfici/al (сюпёрфи'шёл) *a.* повéрхностный || **-es** (сюпёрфи'ши-ийз) *s.* повéрхность *f.*
superfine (сю'пёрфайн) *a.* тончáйший; (*comm.*) сáмый лýчший.
superflu/ity (сюпёрфлӯ'ити) *s.* изли́шество || **-ous** (супē'рфлуёс) *a.* изли́шний.
superhuman (сюпёрхю'мён) *a.* сверхчеловéческий.
superintend/ (сюпёринтэ'нд) *va.* надзирáть, смотрéть за чем || **-ence** *s.* глáвный надзóр || **-ent** *s.* глáвный надзирáтель, смотри́тель *m.*
superior/ (супий'риёр) *a.* вы́сший, превосхóдный || ~ *s.* начáльник; (*of monastery*) настоя́тель *m.*, -ница || **-ity** (супийрио'рити) *s.* превосхóдство.
superlative (супē'рлётив) *a.* вы́сший; в вы́сшей стéпени || ~ *s.* (*gramm.*) превосхóдная стéпень.
supernatural (сюпёрнā'чёрёл) *a.* сверхъестéственный.
supernumerary (сюпёрню'мёрёри) *a.* сверхштáтный, сверхкомплéктный.
superscription (сюпёрскри'пшн) *s.* нáдпись *f.*, áдрес.
supersede (сюпёрсий'д) *va.* замен-я́ть, -и́ть; отмен-я́ть, -и́ть.
superstit/ion (сюпёрсти'ш-н) *s.* суевéрие || **-ious** (-ёс) *a.* суевéрный.
superstructure (сюпёрстра'кчёр) *s.* надстрóйка.
supervene (сюпёрвий'н) *vn.* произойти́, случи́ться.
supervis/e (сюпёр-вай'з) *va.* наблюдáть, надзирáть; просмáтривать || **-ion** (-ви'жн) *s.* надзóр, просмóтр || **-or** (-вай'зёр) *s.* надзирáтель *m.*, инспéктор.
supine (сюпай'н) *a.* лежáщий на спинé; наклóнный, беспéчный; (*indolent*) лени́вый || ~ (сю'пайн) *s.* (*gramm.*) супи́н.

supper (са'пёр) *s.* ужин || **the Lord's ~** Тайная Вечеря.
supplant (сёпла'нт) *va.* за-нимать, -нять (чьё-либо) место; (*fig.*) вытеснять, вытеснить.
supple/ (са'пл) *a.* гибкий, уступчивый || **–ness** *s.* гибкость *f.*, уступчивость *f.*
supplement/ (са'плимёнт) *s.* прибавление, дополнение; (*newspaper ~*) приложение || ~ (саплимэ'нт) *va.* до-полнять, -полнить; до-бавлять, -бавить || **–al** (саплимэ'нтл), **–ary** (саплимэ'нтёри) *a.* дополнительный.
supplic/ant (са'плик-ёнт) *a.* просящий, умоляющий || ~ *s.* проситель *m.* || **–ate** (-эйт) *va.* просить, умолять || **–ation** *s.* моление, прошение || **–atory** *a.* умоляющий.
suppl/ier (сёплай'ёр) *s.* поставщик || **–y** (сёплай') *va.* снаб-жать, -дить; поставлять; заме-щать, -стить || ~ *s.* снабжение; припасы *mpl.*; помощь *f.*, пособие.
support/ (сёпо'рт) *va.* поддерживать; (*a family*) содержать; (*to help*) помогать; (*to bear*) выносить || ~ *s.* поддержка; подпора; (*sustenance*) пропитание || **–able** *a.* сносный || **–er** *s.* поддержка, покровитель *m.*; (*adherent*) приверженец.
suppos/able (сёпо'у'з-ёбл) *a.* предполагаемый || **–e** *va.* предпо-лагать, -ложить; думать || **–ition** (сапёзи'шн) *s.* предположение || **–ititious** (сёпозити'шёс) *a.* подложный.
suppress/ (сёпрэ'с) *va.* (*rebellion, etc.*) подав-лять, -ить; (*to keep secret*) скр-ывать, -ыть; (*a newspaper*) запр-ещать, -етить; (*one's anger, etc.*) превозмогать || **–ion** *s.* отмена, уничтожение; подавление; сдерживание.
suppur/ate (са'пюрэйт) *vn.* гноиться || **–ation** *s.* гноение.
suprem/acy (супрэ'мёси) *s.* первенство, верховная власть || **–e** (суприй'м) *a.* верховный, высший, высочайший || **–ely** *ad.* в высшей степени.
surcharge (сё'рчардж) *s.* перегрузка; (чрезмерное) обременение; (*comm., postal, etc.*) дополнительная плата.
surcoat (сё'ркоут) *s.* верхнее платье, сюртук.
surd (сёрд) *s.* (*math.*) иррациональная величина.
sure/ (шӯр) *a.&ad.* верный, надёжный, уверенный || **to be ~, ~ enough!** наверно, несомненно || **to make ~ of** обеспечить, увериться || **–ly** *ad.* наверно, конечно, несомненно || **–ness** *s.* уверенность *f.* || **–ty** *s.* (*obs.*) верность *f.*; (*bail*) порука; **of a ~** конечно, несомненно; **to stand ~ for** быть порукою за.
surf (сёрф) *s.* буруп, прибой.
surface (сё'рфис) *s.* поверхность *f.*; наружность *f.*
surfeit (сё'рфит) *s.* пресыщение, объедание || ~ *va.&n.* пре-сыщать (-ся), -сытить (-ся).
surge (сёрдж) *s.* волна, зыбь *f.*; (*mar.*) крутое волнение || ~ *vn.* волноваться.
surg/eon (сё'рдж-н) *s.* хирург || **–ery** *s.* хирургия; (*room*) хирургический кабинет || **–ical** *a.* хирургический.
surl/iness (сё'рли-нэс) *s.* угрюмость *f.*, грубость *f.*; ворчливость *f.* || **–y** *a.* угрюмый; (*churlish*) грубый.
surmise (сёрмай'з) *va.* подозревать, предполагать || ~ *s.* подозрение, догадка, предположение.
surmount/ (сёрмау'нт) *va.* (*fig.*) преодо-левать, -еть; (*obstacles, etc.*) побе-ждать, -дить || **–able** *a.* (*fig.*) преодолимый.
surname (сё'рнэйм) *s.* фамилия; прозвание || ~ *va.* давать, дать прозвание.
surpass/ (сёрпа'с) *va.* пре-восходить, -взойти; пре-вышать, -высить || **–ing** *a.* превосходный.
surplice (сё'рплис) *s.* стихарь *m.*, орарь *m.*
surplus (сё'рплёс) *s.* излишек, остаток.
surpris/al (сёрпрай'з-л), **–e** *s.* нечаянность *f.*; сюрприз, изумление || **–e** *va.* заставать врасплох, изум-лять, -ить; удив-лять, -ить || **–ing** *a.* удивительный; (*unexpected*) неожиданный.
surrender (сёрэ'ндёр) *va.* сдавать, сдать; оставлять, уступ-ать, -ить || ~ *vn.* сдаваться, сдаться; покоряться, предаваться || ~ *s.* сдача, уступка.
surreptitious/ (сарипти'шёс) *a.* подложный, утаённый || **–ly** *ad.* тайком, обманом.
surrogate (са'рогит) *s.* повереппый, заместитель *m.*, суррогат.
surround/ (сёрау'нд) *va.* окруж-ать, -ить; осаждать || **–ings** *spl.* обстановка.
survey/ (сёрвэй') *va.* обозревать, исследовать; (*land*) межевать || ~ (сё'рвэй) *s.* обозрение, исследование; межевание земли || **–or** (сёрвэй'ёр) *s.* инспектор, исследователь *m.*; (*land-~*) землемер.
surviv/al (сёрвай'в-л) *s.* переживание || **–e** *va.* пере-живать, -жить || ~ *vn.* остаться в живых после кого || **–or** *s.* переживающий || **the –ors** оставшиеся в живых || **there was only one ~** только один спасся.
susceptib/ility (сасэптиби'лити) *s.* восприимчивость *f.*; обидчивость *f.*; чувствительность *f.* || **–le** (сасэ'птибл) *a.* способный, доступный; чувствительный.

suspect/ (сёспэ'кт) *vn.* боя́ться, дога́дываться || ~ *va.* подозрева́ть || **-edly** *ad.* подозри́тельно.

suspend/ (сёспэ'нд) *va.* ве́шать, пове́сить; (*to cease*) прекра-ща́ть, -ти́ть; (*from office*) отреш-а́ть, -и́ть от до́лжности || **-ers** *spl.* подтя́жки *fpl.*; по́мочи *fpl.*

suspens/e (сёспэ'нс) *s.* нереши́мость *f.*; недоуме́ние || **-ion** (сёспэ'ншн) *s.* ве́шание, остано́вка, отсро́чка; ~ **of payments** прекраще́ние платеже́й || **-ion-bridge** *s.* вися́чий мост, цепно́й мост.

suspici/on (сёспи'ш-н) *s.* подозре́ние; (*fam.*) чу́точка || **-ous** *a.* подозри́тельный.

suspire (сёспай'ёр) *vn.* (*poet.*) вз-дыха́ть, [-дохну́ть.

sust/ain (сёстэ̄й'н) *va.* под-де́рживать, -держа́ть; помога́ть; претерпева́ть || **-ainable** *a.* спо́сный, терпи́мый || **-ainer** *s.* тот, кто подде́рживает, опо́ра *f.* || **-enance** (са'стинёнс) *s.* прокормле́ние, содержа́ние, с'естны́е припа́сы; (*fig.*) подде́ржка.

sutler (са'тлёр) *s.* маркита́нт.

suture (сю̄'чёр) *s.* шов.

suzerain/ (сю̄'зёрэйн) *s.* верхо́вный власти́тель, сюзере́н || **-ty** (сю̄'зёринти) *s.* сюзере́нство; верхо́вная власть.

swab (суоб) *s.* шва́бра || ~ *va.* подтира́ть, мести́ шва́брой.

swaddl/e (суо'дл) *va.* пелена́ть || ~ *s.* пелёнка || **-ing-band** *s.* свива́льник || **-ing-clothes** *spl.* пелёнка.

swagger/ (суӓ'гёр) *vn.* чва́ниться, храбри́ться; ходи́ть подбоче́нясь; фанфаро́нить || **-er** (суӓ'гёрёр) *s.* фанфаро́н, хвасту́н.

swain (суэ̄йн) *s.* па́рень *m.*, молоде́ц, пасту́шок.

swallow (суо'лоу) *va.* глота́ть; (*fig.*) принима́ть на ве́ру, отрека́ться || ~ *s.* го́рло, гло́тка; глото́к; (*bird*) ла́сточка.

swam (суӓм) *cf.* **swim.**

swamp/ (суомп) *s.* боло́то, топь *f.* || ~ *va.* погружа́ть в грязь, опроки́дывать; (*fig.*) смуща́ть || **-y** боло́тистый, то́пкий.

swan (суон) *s.* ле́бедь *m.*

swank (суӓнгк) *vn.* (*fam.*) ва́жничать; хва́статься; чва́ниться.

swap (суоп) *va.* меня́ть; об-ме́нивать, [-меня́ть.

sward (суо̄рд) *s.* газо́н, дёрн.

sware (суа̄р) *cf.* **swear.**

swarm (суо̄рм) *s.* рой, толпа́ || ~ *vn.* рои́ться, (*fig.*) кише́ть; (*of people*) толпи́ться.

swar/t (суо̄'рт), **-thy** (суо̄'рфи) *a.* сму́глый; загоре́лый; с зага́ром || **-thiness** *s.* сму́глость *f.*

swash/ (суо'ш) *s.* плеска́ние || ~ *vn.* плеска́ть || **-buckler** *s.* хвасту́н, забия́ка.

swa/th (суо̄ф, *pl.* **-ths** -ѳз) *s.* ряд (ско́шенного се́на).

swathe (свэ̄йѳ) *s.* пелёнка || ~ *va.* пелена́ть.

sway (свэ̄й) *va.* владе́ть, держа́ть; управля́ть; разма́хивать || ~ *vn.* наклоня́ться, кача́ться; вла́ствовать || ~ *s.* взмах, вес, влия́ние; управле́ние, власть *f.*; уда́ча.

swear (суа̄р) *vn.irr.* кля́сться, божи́ться || **to ~ at** руга́ть, вы́ругать || ~ *va.* присяга́ть, дава́ть кля́тву.

sweat/ (суэт) *s.* пот, испа́рина; (*fig.*) труд, рабо́та || ~ *vn.* поте́ть, вспоте́ть || ~ *va.* заставля́ть поте́ть; принужда́ть к чрезме́рной рабо́те || **-er** *s.* вя́заная фуфа́йка.

sweep/ (суий'п) *vn.irr.* стреми́ться, мча́ться, передвига́ться || ~ *va.* мести́, чи́стить, пробега́ть; уноси́ть, снима́ть || ~ *s.* мете́ние; (*chimney-~*) трубочи́ст; стремле́ние; (*fig.*) паре́ние, полёт; (*mar.*) весло́ || **-ing** (суий'пинг) *s.* мете́ние, чи́щение || **-ings** *spl.* сор, нечистота́, дрянь *f.* || **~-stake** *s.* игро́к, беру́щий все ку́ши.

sweet/ (суий'т) *a.* сла́дкий, души́стый, не́жный, прия́тный, кро́ткий, ми́лый, дорого́й || ~ *s.* сласть *f.*, ла́комство; прия́тность *f.* || **-s** *spl.* сла́дости *fpl.*; конфе́кты *fpl.* || **-bread** *s.* сла́дкое мя́со || **-en** *va.* де́лать сла́дким, надуши́ть, смягча́ть || **-heart** *s.* любо́вник; ми́л-ый, -ая || **-meats** *spl.* конфе́кты *fpl.*; сла́сти *fpl.* || **-ness** *s.* сла́дость *f.*, прия́тность *f.*, пре́лесть *f.*; благово́ние.

swell/ (суэ'л) *vn.irr.* пу́хнуть, поднима́ться, увели́чиваться; (*fig.*) чва́ниться || ~ *va.* на-дува́ть, -ду́ть; прибавля́ть, пу́чить || ~ *s.* о́пухоль *f.*; взду́тие; усиле́ние; волна́, зыбь *f.* || **-ing** *s.* опу́хлость *f.*, взду́тость *f.*; (*fig.*) поры́в, припа́док || **~-mob** *s.* щегольски́ оде́тые плуты́.

swelter (суэ'лтёр) *vn.* изнемога́ть; задыха́ться от жары́.

swerve (суёрв) *vn.* броди́ть, скита́ться; (*to deviate*) уклоня́ться, гну́ться.

swift/ (суи'фт) *a.* бы́стрый, ско́рый || ~ *s.* (*ornith.*) ка́менный стриж || **-ness** *s.* быстрота́, ско́рость *f.*

swig (суиг) *s.* глото́к.

swill (суил) *va&n.* пить помно́гу, упива́ться, пьяне́ть || ~ *s.* большо́й глото́к; неуме́ренное употребле́ние напи́тков.

swim/ (суи'м) *vn.irr.* пла́вать, плыть; (*of head*) кружи́ться || ~ *va.* (*a river*) переплыва́ть, -плы́ть || **-mer** *s.* плове́ц || **-mingly** *ad.* пла́вно, легко́, как нельзя́ лу́чше.

swindl/e (суиндл) *va.* об-ма́нывать, -ману́ть; выма́нивать: на-дува́ть, -ду́ть || ~

s. мошенничество, плутовство; обман || **-er** *s.* мошенник, плут.
swin/e (суайн) *s.* (*pl.* ~) свинья || **-ish** *a.* свинский, грязный.
swing (сунг) *va.irr.* колебать, качать, толкать, махать || ~ *vn.* колебаться, качаться, развеваться || ~ *s.* качание, колебание; качели *fpl.*; взмах, размах || **in full** ~ в полном ходу.
swinge (суиндж) *va.* бить, колотить, сечь.
swipe (суайп) *s.* тумак.
swipes (суайпс) *s.* дурное пиво.
swirl (суёрл) *vn.* быстро вертеться, кружиться, нестись вихрем.
switch/ (суи'ч) *s.* хлыст, тросточка, прут; розга; (*rail.*) стрелка; (*elect.*) включатель *m.*; выключатель *m.* || ~ *va.* хлестать, -нуть; (*rail.*) перевести с одного пути на другой || **to** ~ **off** (*elect.*) выключать || **-man** *s.* (*rail.*) стрелочник.
swivel/ (суи'вл) *s.* вертлюг || **~-bridge** *s.* разводный мост.
swollen (субулн) *cf.* **swell.**
swoon (суӯн) *vn.* падать, упасть в обморок, лишаться чувств || ~ *s.* обморок.
swoop (суӯп) *s.* налёт, удар; нападение || ~ *va&n.* налетать, похищать; устремляться, бросаться || **to** ~ **down on** нападать, -пасть на.
swop (суоп) *s.* обмен || ~ *va.* обменивать, [менять.
sword/ (сӧ'рд) *s.* шпага, сабля; меч || **~-arm** *s.* (*mil.*) правая рука || **~-belt** *s.* портупея || **-knot** (-нот) *s.* темляк || **~-fish** *s.* меч-рыба || **-sman** *s.* фехтовальщик.
swor/e (суӧр), **-en** *cf.* **swear.**
swum (суам) *cf.* **swim.**
swung (суанг) *cf.* **swing.**
sybarit/e (си'бёрайт) *s.* сибарит || **-ical** (сибёри'тикёл) *a.* сибаритский. [ковница.
sycamore (си'кёмӧр) *s.* (*bot.*) дикая смо-
sycophant (си'кофёнт) *s.* льстец.
syllab/ic(al) (силӓ'бик[ёл]) *a.* состоящий из слогов, силлабический || **-le** (си'лёбл) *s.* слог; (*fig.*) частица; **not a** ~ ни слова || **-us** (си'лёбёс) *s.* перечень *m.*
syllogism (си'лоджизм) *s.* силлогизм.
sylph (силф) *s.* сильф.
symbol/ (симбл) *s.* символ || **-ical** (симбо'ликёл) *a.* символический || **-ize** (си'мбёлайз) *va.* символизировать.
symmetr/ical (симэ'трикёл) *a.* симметрический || **-y** (си'мётри) *s.* симметрия.
sympath/etic (симпёѳэ'тик) *a.* симпатичный || **-etic-ink** *s.* симпатические чернила || **-ize** (си'мпёѳайз) *vn.* симпатизировать, сочувствовать || **-y** (си'мпёѳи) *s.* симпатия, сочувствие.
symphony (си'мфони) *s.* симфония.
symptom (си'мтём) *s.* признак, симптом.
synagogue (си'нёгог) *s.* синагога.
synchronism (си'нкрёнизм) *s.* одновременность *f.*
syncope (си'нгкопи) *s.* обморок; (*mus.*) синкопа; (*gramm.*) сокращение слова выпуском буквы или слога в средине.
syndic/ (си'ндик) *s.* синдик, старшина || **-ate** *s.* синдикат.
synod (си'нёд) *s.* синод.
synonym/ (си'нёним) *s.* синоним || **-ous** (сино'нимёс) *a.* синонимный; как синоним.
synop/sis (сино'псис) *s.* обзор, очерк, конспект || **-tical** (сино'птикёл) *a.* синоптический. [нение.
syntax (си'нтӓкс) *s.* синтаксис, словосочи-
synth/esis (си'нѳисис) *s.* синтезис || **-etic** (синѳэ'тик) *a.* синтетический.
syringe (си'ринджь) *s.* шприц || ~ *va.* вспрыскивать; шпри(н)цевать.
syrup (си'рёп) *s.* патока; сироп.
system/ (си'стём) *s.* система || **-atic(al)** (систёмӓ'тик[ёл]) *a.* систематический || **-atize** *va.* при-водить, -вести в систему.

T

T (тий), **to a** ~ чрезвычайно схоже; точь в точь.
tab (тӓб) *s.* ремённый шнур. [сверх лат.
tabard (тӓ'бёрд) *s.* платье, надевавшееся
tabby (тӓ'би) *s.* кошка, киска; (*gossip*) сплетница || ~ *a.* полосатый.
tabernacle (тӓ'бёрнӓкл) *s.* палатка; кивот; дарохранительница.
table/ (тэй'бл) *s.* стол; (*small* ~) столик; (*of figures*) таблица; (*of contents*) оглавление || ~ *va.* давать стол; кормить || **~-cloth** *s.* скатерть *f.* || **~-cover** *s.* покрышка стола || **~-land** *s.* плоскогорие || **~-linen** столовое бельё || **~-spoon** *s.* столовая ложка || **-t** (тӓ'блит) *s.* дощечка, плиточка; (*med.*) таблетка; лепёшка || **~-turning** *s.* столоверчение.
taboo (тёбӯ') *va.* запре-щать, -тить || ~ *s.* табу (слово, означающее запрещение на островах Тихого океана).
tabor (тэй'бёр) *s.* маленький барабан.
tabul/ar (тӓ'бюлёр) *a.* плоский || **-ate** (-эйт) *va.* внести в таблицы.
tacit/ (тӓ'сит) *a.* молчаливый || **-urn** (-ёрн) *a.* молчаливый, безмолвный || **-urnity** (-ё'рнити) *s.* безмолвие, молчаливость *f.*

tack/ (тäк) *s.* гвóздик (со шля́пкой); (*mar.*) галс, поворóт || ~ *va.* приби́ть гвóздиком; (*fig.*) взять другóе направлéние || ~ *vn.* (*mar.*) лави́ровать || **–le** *s.* под'ёмная блóковая маши́на, канáты *mpl.*, спáсти *fpl.* || ~ *va.* взя́ться (за когó); привя́зывать, снаряжáть; (*to attack*) на-падáть, -пáсть (на когó); (*to harness*) за-прягáть, -пря́чь.
tact/ (тä'кт) *s.* такт || **–ical** (-икёл) *a.* такти́ческий || **–ician** (-и'шн) *s.* тáктик || **–ics** *spl.* (*mil.*) тáктика.
tadpole (тä'дпōул) *s.* головáстик.
taffeta (тä'фитё) *s.* тафтá.
taffrail (тä'фрил) *s.* (*mar.*) такабóрт.
tag/ (тä'г) *s.* металли́ческий наконéчник; аксельбáнт; ярлычóк || ~ *va.* насáживать наконéчник; соединя́ть концáми || **~-rag** *s.* чернь *f.*; свóлочь *f.*
tail/ (тэй'л) *s.* хвост; кóнчик, оконéчность *f.*; (*of robe*) шлейф; (*of coin*) обрáтная сторонá || **heads or –s** орёл или решётка || **~-end** *s.* конéц; зад || **–or** *s.* портнóй || ~ *vn.* портня́жничать.
taint (тэйнт) *va.* пóртить, грязни́ть; заражáть; развра-щáть, -ти́ть || ~ *s.* (*fig.*) пятнó, пóрча; заражéние, бесчéстие; развращéние.
tak/e (тэйк) *va.irr.* брать, взять, держáть, заинтересовáть; (*to charm*) плен-я́ть, -и́ть; (*a photo*) сн-имáть, -ять; (*to hire*) на-нимáть, -ня́ть || **to ~ after** быть похóжим || **to ~ away** у-носи́ть, -нести́ || **to ~ down** сн-имáть, -ять; (*to write*) записáть || **to ~ fire** воспламени́ться || **to ~ in** брать, принимáть, вводи́ть, заключáть; (*to deceive*) обману́ть || **to ~ fright** пугáться || **to ~ heed, care** быть осторóжным; берéчься || **to ~ measures** принимáть мéры || **to ~ an oath** покля́сться || **to ~ to pieces** разбирáть || **to ~ place** случи́ться || **to ~ a walk** прогуля́ться || ~ *vn.* идти́, направля́ться, приниматься, нрáвиться || **–ing** *a.* привлекáтельный, плени́тельный.
talc (тäлк) *s.* тальк.
tale/ (тэй'л) *s.* расскáз, скáзка; (*invention*) вы́думка; (*number*) числó || **~-bearer** *s.* сплéтник, перескáзчик.
talent/ (тä'лёнт) *s.* талáнт || **–ed** *a.* дарови́тый, талáнтливый.
talisman (тä'лисмён) *s.* талисмáн.
talk/ (тō'к) *vn.* говори́ть, разговáривать, болтáть || ~ *s.* разговóр; болтовня́; бесéда; слу́хи *mpl.* || **–ative** *a.* разговóрчивый; болтли́вый || **–er** *s.* болту́н(-ья), говору́н(-ья); **a good ~** забáвный человéк.
tall/ (тō'л) *a.* большóй, высóкий; рóслый || **~ hat** *s.* цили́ндр || **–ness** *s.* высотá рóста.
tallow/ (тä'лоу) *s.* сáло, жир || **~-chandler** *s.* свечни́к || **–y** *a.* сáльный.
tally (тä'ли) *s.* би́рка || ~ *vn.* соответствовать; согласовáться; подходи́ть к.
talon (тä'лён) *s.* кóготь *m.*
tamable (тэй'мёбл) *a.* укроти́мый.
tamar/ind (тä'мёр-инд) *s.* тамари́нд || **–isk** (-иск) *s.* (*bot.*) тамари́ск.
tambour/ (тä'мбӯр) *s.* барабáн; пя́льцы (*mpl.*) для вышивáния || **–ine** (тäмбури́й'н) *s.* тамбури́н, бу́бен.
tame/ (тэй'м) *a.* ручнóй; домáшний; (*gentle*) сми́рный; бесцвéтный; (*spiritless*) труслúвый; (*insipid*) вя́лый || ~ *va.* приру́ч-áть,-и́ть; укро-щáть, -ти́ть || **–ness** *s.* приручённость *f.*, покóрность *f.*; бесцвéтность *f.* || **–r** *s.* укроти́тель *m.*, усми́ритель *m.*
tamper (тä'мпёр) *vn.* (*to ~ with*) вмéшиваться; (*to bribe*) подкупи́ть.
tan/ (тä'н) *s.* (*on face*) загáр; (*for tanning*) толчёная дубóвая корá; (*colour*) каштáновый цвет || ~ *va.* дуби́ть, про-, вы́-; (*the face*) загорáть от сóлнца; дéлать смýглым || **~-yard** *s.* дуби́льня, кожéвня, кожéвенный завóд.
tandem (тä'ндём) *s.* тáндем.
tang (тäнг) *s.* дурнóй вкус; (*of bell*) рéзкий звук; (*sea-weed*) морскáя травá.
tang/ent (тä'нджёнт) *s.* тáнгенс || **–ible** *a.* осязáемый.
tangle (тäнггл) *s.* пу́таница || ~ *va.* запу́тать; опу́тать.
tank/ (тä'нгк) *s.* резервуáр, цистéрна || **–ard** *s.* кувши́н с кры́шкой.
tann/er (тä'нёр) *s.* кожéвник || **–ery** *s.* кожéвенный завóд, дуби́льня, кожéвня || **–in** *s.* танни́н.
tansy (тä'нзи) *s.* (*bot.*) рябúнка.
tantalize (тä'нтёлайз) *va.* му́чить; терзáть; подвергáть му́кам Тáнтала.
tantamount (тä'нтёмаунт) *a.* равноси́льный, равноцéнный.
tantrum (тä'нтрём) *s.* вспы́шка гнéва.
tap/ (тä'п) *s.* лёгкий удáр; кран; тру́бка (крáна) || ~ *va.* слегкá удáрить; (*a barrel*) по-чинáть, -чáть || **~-room** *s.* пивнáя.
tape/ (тэй'п) *s.* тесьмá, тесёмка || **~-worm** *s.* лéнточная глистá.
taper (тэй'пёр) *s.* восковáя свечá || ~ *a.* су́живающийся, заостря́ющийся || ~ *vn.* заостр-я́ться, -и́ться к концу́ || ~ *va.* су́живать, сузи́ть к концу́; заостр-я́ть, -и́ть.
tapestry (тä'пистри) *s.* обóи *npl.*
tapioca (тäпиōу'кё) *s.* тапиóка.
tapir (тэй'пёр) *s.* тапи́р.
tar *s.* (тāр) *s.* смолá, дёготь *m.*; (*sailor*) моря́к, матрóс || ~ *va.* смоли́ть, мáзать дёгтем.

tarantula (тёрӓ'нтюлё) *s.* тарáнтул.
tard/iness (тӓ'рд-инэс) *s.* неповорóтливость *f.*, запоздáлость *f.*, мéшкотность *f.* || **-y** *a.* (**-ily** *ad.*) мéдленный; (*late*) запоздáлый.
tare (тӓр) *s.* (*comm.*) тáра; плéвел.
target/ (тӓ'ргит) *s.* мишéнь *f.*; цель *f.* || **~-practice** *s.* стрельбá в цель. [курáнт.
tariff (тӓ'риф) *s.* тарѝф; (*in hotel*) прейскурáнт.
tarn (тӓрн) *s.* гóрное óзеро.
tarnish (тӓ'рниш) *va.* дéлать тýсклым, помрач-áть, -ѝть; марáть, за- || ~ *vn.* тускнéть, помрач-áться, -ѝться.
tarpaulin (тӓрпо̄'лин) *s.* брезéнт.
tarry (тӓ'ри) *vn.* мéдлить; замéшкаться.
tart/ (тӓ'рт) *s.* торт; слáдкий пирóг || ~ *a.* тéрпкий, кѝслый, óстрый; (*fig.*) кóлкий || **-an** (тӓ'ртён) *s.* тартáн (клéтчатая матéрия) || **-ar** (-ёр) *s.* вѝнный кáмень || **to catch a -ar** (*fig.*) встрéтить отпóр; потерпéть неудáчу || **-ish** *a.* терпковáтый, кисловáтый || **-let** *s.* небольшóй торт, слáдкий пирожóк || **-ness** *s.* тéрпкость *f.*; кислотá *f.*; рéзкость *f*,
task (тӓск) *s.* урóк; рабóта; дéло; обязанность *f.*, задáча || ~ *va.* давáть урóк, поручѝть дéло; обремен-ять, -ѝть рабóтой.
tassel (тӓсл) *s.* кисть *f.* (шёлковая, золотáя).
taste/ (тэ̄й'ст) *s.* вкус; (*in dress, etc.*) шик; (*inclination*) склóнность *f.*; (*small portion*) кусóк; **-s differ** о вкýсе не спор; **that is not to my ~** э́то не по моемý вкýсу || ~ *va.* (*to perceive the ~*) за-мечáть, -мéтить; (*to try the ~ of*) от-вéдывать, -вéдать; прóбовать, по- || ~ *vn.* (*to have a certain ~*) имéть вкус || **-ful** *a.* шикáрный; со вкýсом || **-less** *a.* без вкýсу, безвкýсный; не вкýсный.
tasty (тэ̄й'сти) *a.* вкýсный.
ta-ta (тӓ тӓ') *int.* (*fam.*) до свидáния!
tatter/demalion (тӓтёрдимэ̄й'лиён) *s.* оборвáн-ец (-ца), лохмóт-ник (-ница) || **-ed** (тӓ'тёрд) *a.* обóрванный, в лохмóтьях || **-s** *spl.* лохмóтья.
tattle/ (тӓтл) *s.* болтовня́, сплетня́ || ~ *vn.* болтáть; сплéтничать || **-r** (тӓ'тлёр) *s.* болтýн (-ья); сплéтник.
tattoo (тётӯ') *s.* (*mil.*) зоря́; (*of the skin*) татуирóвка || ~ *va.* (*the skin*) татуѝровать.
taught (то̄т) *cf.* **teach.**
taunt (то̄нт) *s.* упрёк; укорѝзна; насмéшка || ~ *va.* упрек-áть, -нýть; укор-ять, -ѝть; язвѝть.
taut (то̄т) *a.* тýго натя́нутый, тугóй.
tavern (тӓ'вёрн) *s.* гостѝница, трактѝр.
tawdry (то̄'дри) *a.* мишýрный, обмáнчивый.
tawny (то̄'ни) *a.* смýглый, краснобýрый.
tax/ (тӓ'кс) *s.* тáкса; налóг; пóдать *f.* || ~ *va.* об-лагáть, -ложѝть налóгом; (*fig.*) обвиня́ть || **-able** *a.* подлежáщий оплáте налóгом *or* пóшлиною || **-ation** *s.* обложéние (налóгом); оцéнка || **~-collector** *s.* сбóрщик подáтей || **-payer** *s.* плательщик налóгов.
taxi/ (тӓ'кси) *s.* & **~-cab** наёмный автомобѝль || **-dermy** (-дёрми) *s.* таксидéрмия || **-meter** *s.* таксомéтр.
tea/ (тий') *s.* чай; **a cup of ~** чáш(еч)ка чáю || **~-caddy** *s.* чáйница || **~-cup** *s.* (чáйная) чáш(еч)ка || **-pot** *s.* чáйник || **~-service** *s.*, **~-set** *s.*, **~-things** *spl.* чáйный прибóр || **-spoon** *s.* чáйная лóжка || **~-urn** *s.* самовáр.
teach/ (тийч) *va.irr.* учѝть, по-; на-учáть, -учѝть; об-учáть, -учѝть || **-er** *s.* учѝтель *m.*; (*lady*) учѝтельница.
teak (тийк) *s.* тик (дéрево).
teal (тийл) *s.* дѝкая ýтка.
team/ (тийм) *s.* упря́жка; стая́; смéна || **-ster** (-стёр) *s.* возни́ца *m.*; погóнщик.
tear/ (тийр) *s.* слезá || **-ful** *a.* пóлный слёз.
tear/ (тӓр) *s.* разры́в, разрывáние; дырá; прорéха || ~ *va.irr.* раз-рывáть, -орвáть; драть, разо- || ~ *vn.irr.* рвáться, по-; раз-рывáться, -орвáться || **-ing** *a.* (*fam.*) ужáсный.
tease (тийз) *va.* надоедáть, дразнѝть, сердѝть; (*wool, etc.*) чесáть.
teat (тийт) *s.* сосóк.
techn/ical (тэ'к-никёл) *a.* технѝческий || **-ology** (-но'лёджи) *s.* технолóгия.
tedi/ous (тий'диёс) *a.* скýчный, утомѝтельный, мéдленный || **-um** *s.* скýка; тоскá; утомѝтельность *f.*; однообрáзие.
teem (тийм) *vn.* изобѝловать; кишéть.
teens (тийнз) *spl.* числа окáнчивающиеся на **-teen**; вóзраст от 13 до 19 лет.
teeny (тий'ни) *a.* (*fam.*) крóтечный.
teeth/ (тийþ) *pl.* of **tooth** || ~ (тийð) *vn.* дéлать зýбки || **the child is -ing** у ребёнка зýбы прорéзываются || **-ing** *s.* прорéзывание зубóв.
teetotal/ (тий'тōу'тл) *a.* принадлежáщий к óбществу трéзвости || **-(l)er** *s.* член óбщества трéзвости.
teetotum (тийтōу'ти) *s.* вертýшка.
tegular (тэ'гюлёр) *a.* черепѝчный.
tegument (тэ'гюмёнт) *s.* оболóчка.
teil (тийл) *s.* (*bot.*) лѝпа.
tele/gram (тэ'лигрём) *s.* телегрáмма || **-graph** (тэ'лигрёф) *s.* телегрáф || ~ *va.&n.* телеграфѝровать || **-graphic(al)** (тэлигрӓ'фик[л]) *a.* телеграфѝческий || **-graph-**

ist (тилэ'грёфист) *s.* телеграфист, -ка || **–graphy** (тилэ'грёфи) *s.* телеграфия || **–pathy** (тилэ'пёфи) *s.* телепатия || **–phone** (тэ'лифōун) *s.* телефон || **~** *va&n.* сооб-щать, -щить по телефону, телефонировать, по- || **–phonic** (тэлифо'ник) *a.* телефонный || **~ communication** сообщение по телефону || **–scope** (тэ'лискōуп) *a.* телескоп || **–scopic** (тэлиско'пик) *a.* телескопический; **~ table** раздвижной стол.

tell/ (тэ'л) *va&n.irr.* сказывать, рас-; говорить; (*inform*) дон-осить, -нести; (*declare*) об'яв-лять, -ить; (*explain*) об'ясн-ять. -ить || **~** *vn.* (*fig.*) попадать, попасть (в цель); прояв-ляться, -иться || **to ~ off** отсчитать, отбирать || **I am told that** мне говорили что || **I told you so!** я ведь говорил; ведь я тебе говорил || **to ~ from** отлич-ать, -ить от || **to ~ fortunes** гадать; ворожить || **–er** рассказчик; (*bank*) кассир; (*parl.*) счётчик голосов || **–ing** *a.* действительный, имеющий сильное действие, эффектный || **–tale** *s.* сплетн-ик, -ица; доносч-ик, -ица; (*tech.*) счётчик || **~** *a.* рассказывающий, ясно говорящий.

temer/arious (тэмёрā'риёс) *a.* отчаянный, отважный, безрассудно смелый || **–ity** (тимэ'рити) *s.* безрассудная смелость, отважность *f.*, отчаянность *f.*

temper/ (тэ'мпёр) *s.* темперамент; характер; расположение духа; (*anger*) раздражительность *f.*; (*met.*) закал || **in a ~** раз'ярённый || **to lose one's ~** выходить из себя || **~** *va.* (*moderate*) смягч-ать, -ить; у-мерять, -мерить; (*metals*) зак-аливать, -алить || **–ament** (-ёмэнт) *s.* темперамент, нрав, свойство || **–ance** (-ёнс) *s.* воздержание, воздержность *f.*; трезвость *f.* || **~ society** общество трезвости || **–ate** (-ит) *a.* (*climate, etc.*) умеренный; (*abstemious*) трезвый; (*cool*) хладнокровный || **–ature** (тэ'мпритюр) *s.* температура || **–ed** *a.* (*metals*) закалённый || **good-~, bad-~** добронравный, злонравный.

tempest/ (тэ'мпист) *s.* буря, шторм; (*fig.*) волнение || **–uous** (тэмпэ'стюёс) *a.* бурный, буйный.

templar (тэ'мплёр) *s.* храмовник, храмовой рыцарь; (*law*) студент правоведения (в Лондоне).

temple (тэмпл) *s.* храм; (*an.*) висок.

temporal/ (тэ'мперёл) *a.* временный; (*eccl.*) светский, мирской; (*an.*) височный || **–ity** (тэмпёрā'лити) *s.* бренность *f.*; временные блага *pl.*

temporar/iness (тэ'мпёрёр-инэс) *s.* временность *f.* || **–y** *a.* временный.

tempor/ize (тэ'мпёрайз) *vn.* затягивать, проволакивать; повременить, выжидать удобного времени || **–izer** *s.* (*fig.*) флюгер.

tempt/ (тэ'мт) *va.* иску-шать, -сить; прель-щать, -стить; соблазн-ять, -ить || **–ation** *s.* искушение, соблазн || **–er** *s.* соблазнитель *m.*, искуситель *m.* || **–ing** *a.* соблазнительный, заманчивый || **–ress** *s.* соблазнительница.

ten (тэн) *s.* десяток; (*cards*) десятка || **~** *a.* десять.

tenable (тэ'-нёбл, тий'-) *a.* могущий держаться, сопротивляться.

tenac/ious (тинэ̄'й'шёс) *a.* упорно отстающий; (*adhesive*) липкий, вязкий; (*obstinate*) упорный; (*of memory*) верный || **–ity** (тинā'сити) *s.* твёрдость *f.*; упорство; упорная привязанность *f.*

tenancy (тэ'нёнси) *s.* временное владение; аренда, наём.

tenant/ (тэ'нёнт) *s.* (*town*) наниматель *m.*, -ница; жилец; наёмщ-ик,-ица; (*country*) арендатор, -ша || **~** *va.* нан-имать, -ять; арендовать || **to ~ a house** обитать в доме || **–ry** *s.* наёмщики *pl.*; арендаторы, жильцы *pl.*

tench (тэнш) *s.* линь *m.*; (*dim.*) линёк.

tend/ (тэ'нд) *va.* (*guard*) стеречь, беречь; (*nurse*) ходить за; (*wait upon*) служить, прислуживать; заботиться о чём || **~** *vn.* (*move towards*) стремиться (к); (*contribute*) способствовать (чему); (*incline*) иметь расположение к || **–ency** *s.* тенденция; (*inclination*) расположение, влечение; стремление.

tender/ (тэ'ндёр) *s.* (*person*) прислужник; (*rail., mar.*) тендер; (*offer*) предложение, представление; (*comm.*) предложение на торгах по подряду; средство платежа || **~** *a.* нежный; (*soft*) мягкий; (*sensitive*) чувствительный; (*fig.*) щекотливый || **~ age** нежный возраст || **~** *va&n.* предлагать, -ложить; дорожить || **to ~ one's resignation** подать в отставку || **–foot** *s.* новичок || **–hearted** *a.* мягкосердый || **–ling** *s.* неженка || **–loin** *s.* филей || **–ness** *s.* нежность *f.*; мягкость *f.*; чувствительность *f.*; заботливость *f.*

tend/inous (тэ'ндинёс) *a.* сухожильный || **–on** (тэ'ндён) *s.* сухая жила, сухожилие || **–ril** (тэ'ндрил) *s.* усик, прицепка.

tenement/ (тэ'нимёнт) *s.* дом, жилище; (*jur.*) аренда, помещение || **~-house** *s.* дом дешёвых квартир для рабочих.

tenet (тэ'нит, тий'нит) *s.* правило, положение; догмат.

tenfold (тэ'нфōулд) *a.* десятеричный.

tenner (тэ'нёр) *s.* десятифунтовый кредитный билет.
tennis/ (тэ'нис) *s.* лаун-теннис || **-ball** *s.* мяч (для тенниса) || **-bat** *s.* ракет.
tenon/ (тэ'нён) *s.* шип || **~-saw** *s.* ножёвка с обухом.
tenor (тэ'нёр) *s.* (*purport*) смысл; (*jur.*) содержание: (*course*) продолжение, течение; (*mus.*) тенор; (*mus. instrument*) альт.
ten-pins (тэ'н-пинз) *s. cf.* **nine-pins.**
tense/ (тэ'нс) *s.* (*gramm.*) время *n.* (глагола) || **~** *a.* натянутый, тугой || **-ness** *s.* натянутость *f.*, тугость *f.*; напряжённость *f.*
tensile (тэ'нсил) *a.* растяжимый, тягучий, ковкий. [упругость *f.*
tension (тэ'ншён) *s.* напряжение, натуга,
tent (тэнт) *s.* палатка, шатёр; (*med.*) тампон.
tentacle (тэ'нтёкл) *s.* щупальце.
tentative (тэ'нтётив) *a.* пробный.
tenterhooks (тэ'нтёрхукс) *spl.*, **on ~** (*fig.*) на пытке, на иголках.
tenth/ (тэнþ) *s.* десятая доля *or* часть; (*mus.*) децима || **~** *a.* десятый || **-ly** *ad.* в-десятых.
tenu/ity (тэню'ити) *s.* тонкость *f.*; редкость *f.*; мелкость *f.* || **-ous** (тэ'нюёс) *a.* тонкий; (*of air*) редкий; (*slender*) мелкий; (*fig.*) бедный.
tenure (тэ'нюр) *s.* владение, лен, ленная зависимость; содержание.
tepid/ (тэ'пид) *a.* тепловатый || **-ity** (типи'дити) *s.* тепловатость *f.*
tergiversation (тёрдживёрсэй'шн) *s.* увёртки *fpl.*, уловки *fpl.*; (*fickleness*) непостоянство.
term/ (тёрм) *s.* (*limit*) предел, граница; (*end*) конец; (*time*) срок; (*school*) семестр; (*expression*) термин, выражение; (*jur.*) сессия; (*math.*) член || **-s** *pl.* (*conditions*) условия *npl.*; (*relations*) отношения *npl.*; (*comm.*) гонорар, плата || **to come to ~** сходиться || **we are not on speaking ~** мы друг с другом не говорим || **~** *va.* наз-ывать, -вать, именовать.
termagant (тё'рмёгёнт) *s.* сварливая, задорная баба.
termin/able (тё'рмин-ёбл) *a.* ограничимый, определённый || **-al** *s.* (*elect.*) зажимный винт || **-ate** (-эйт) *va.* (*limit*) ограничить; (*to end*) ок-анчивать, -ончить, прекра-щать, -тить || **~** *vn.* кончиться, прекратиться, совершиться || **-ation** *s.* прекращение, конец; (*limit*) предел; (*gramm.*) окончание (слов) || **-us** *s.* (*limit*) граница; (*rail.*) конечная станция.
termite (тё'рмайт) *s.* термит, белый муравей.
tern (тёрн) *s.* морская ласточка, чаграва.
terrace (тэ'рис) *s.* терасса; площадка.
terra-firma (тэ'рё-фёрмё) *s.* твёрдая земля.
terrestrial (тёрэ'стриёл) *a.* земной, земнородный.
terrible/ (тэ'рибл) *a.* ужасный, страшный; (*fam.*) чрезвычайный || **-ness** *s.* ужасность, *f.*
terrier (тэ'риёр) *s.* террьер, такса.
terrif/ic (тёри'фик) *a.* ужасный, страшный || **-y** (тэ'рифай) *va.* устраш-ать, -ить; ужас-ать, -нуть.
territor/ial (тэрито'риёл) *a.* территориальный, областной || **-y** (тэ'ритёри) *s.* территория; земля; (*region*) местность *f.*
terror/ (тэ'рёр) *s.* страх, ужас; террор || **to strike one with ~** навести страх на кого || **~-stricken, ~-struck** *a.* об'ятый ужасом || **-ism** *s.* терроризм || **-ist** *s.* террорист || **-ize** *va.* терроризировать, грозно управлять.
terse/ (тё'рс) *a.* краткий, сжатый; гладкий || **-ness** *s.* гладкость *f.*
tert/ian (тё'ршён) *a.* (*of fever*) трёхдневный || **-iary** (тё'ршиёри) *a.* третичный; (*geol.*) третичной формации.
tesselate/ (тэ'силэйт) *va.* выкладывать шахматами *or* клётками || **-d** *a.* мозаичный; клетчатый.
test (тэст) *s.* проба; (*experiment*) опыт; (*trial*) испытание; (*chem.*) реактив || **~** *va.* делать опыты с, исп-ытывать, -ытать, испробовать || **to put to the ~** подвергать испытанию. [кожное животное.
testacean (тэстэй'шн, -сиан) *s.* черепо-
testament/ (тэ'стёмэнт) *s.* (*eccl.*) Завет; (*last will and ~*) духовное завещание, духовная || **-ary** (тэстёмэ'нтёри) *a.* завещательный; завещанный; по духовному завещанию.
testat/e (тэ'стэйт) *a.* оставив завещания || **-or** (тэстэй'тёр) *s.* завещатель *m.* || **-rix** (тэстэй'трикс) *s.* завещательница.
tester (тэ'стёр) *s.* балдахин над кроватью.
testicle (тэ'стикл) *s.* яичко, ядро.
testif/ication (тэстификэй'шн) *s.* засвидетельствование, удостоверение || **-y** (тэ'стифай) *va&n.* свидетельствовать, за-; утвер-ждать, -дить.
testimon/ial (тэстимоу'ниёл) *s.* свидетельство; аттестат || **-y** (тэ'стимёни) *s.* удостоверение; засвидетельствование; (*proof*) доказательство; (*eccl.*) откровение.
testy (тэ'сти) *a.* брюзгливый, обидчивый, раздражительный.

tetanus (тэ'тёнёс) *s.* (*med.*) столбня́к.
tetchy (тэ'чи) *a.* раздражи́тельный; оби́дчивый; капри́зный.
tête-à-tête (тэй'т-а̄-тэй'т) *s.* разгово́р наедине́ || ~ *ad.* наедине́.
tether (тэ'ðёр) *s.* привя́зь *f.*; пу́ты *fpl.* || ~ *va.* при-вя́зывать, -вяза́ть.
tetra/gon (тэ'трёгон) *s.* четыреуго́льник || **-hedron** (тэтрёхий'дрон) *s.* четырегра́нник || **-meter** (титра̄'митёр) *s.* тетра́метр, четырёхсто́пный стих.
tetter (тэ'тёр) *s.* лиша́й.
text/ (тэ'кст) *s.* текст || **~-book** *s.* руково́дство || **-ile** (-ил) *a.* тка́льный; тка́ный; пряди́льный || **-ual** (-юёл) *a.* досло́вный; по те́ксту || **-ure** (-ю̄р, тэ'ксчёр) *s.* ткань *f.*; строе́ние, сложе́ние.
than (ðа̄н) *c.* не́жели, чем; (*or may be translated by G.*) **he is younger ~ my sister** он моло́же мое́й сестры́.
thane (þэйн) *s.* тан (дворя́нский ти́тул).
thank/ (þа̄'нгк) *va.* благодари́ть, по- (кого́ за что) || **~ God!** сла́ва Бо́гу! || **~ you!** спаси́бо! || **-ful** *a.* благода́рный; призна́тельный || **-fulness** *s.* благода́рность *f.*; призна́тельность *f.* || **-less** *a.* неблагода́рный || **~-offering** *s.* благода́рственная же́ртва || **-s** *spl.* благода́рность *f.* || **~ to** благодаря́ (+ *D.*) || **~!** *int.* спаси́бо! благодарю́! || **-sgiving** *s.* благода́рственный моле́бен || **-worthy** *a.* досто́йный благода́рности, призна́тельности.
that (ðа̄т) *dem. prn.* (*pl.* **those** ðо̄уз) тот, та, то; э́тот, э́та, э́то || **~ is to say** то есть || **~** *ad.* так || **~** *rel. prn.* (*pl.* **that**) кото́рый, кто, что || **~** *c.* что, что́бы || **so ~** таки́м о́бразом что || **in order ~** для того́ что́бы.
thatch (þа̄ч) *s.* кро́вельная соло́ма; соло́менная *или* тростнико́вая кры́ша || **~** *va.* крыть соло́мой *или* тростнико́м.
thaw/ (þо̄) *s.* о́ттепель *f.* || **~** *va.* растоп-ля́ть, -и́ть || **~** *vn.* та́ять, рас- || **it -s** наста́ла о́ттепель, на дворе́ та́ет.
the (ðи, ðё, ðий) *artic.* (э́той ча́сти ре́чи нет в ру́сском языке́); (*in Russian* **~ man** = челове́к) || **~** *ad.* **the . . . the** чем . . . тем || **~ more ~ better** чем бо́льше, тем лу́чше.
theatr/e (þий'-ётёр) *s.* теа́тр; (*fig.*) сце́на; по́прище || **-ical** (þи-а̄'трикёл) *a.* театра́льный.
thee (ðий) *prn.* тебя́, тебе́.
theft (þэфт) *s.* кра́жа, воровство́.
their/ (ðа̄р) *a.* их || **-s** *prn.* их.
theism (þий'-изм) *s.* деи́зм.
them/ (ðэм) *prn.* их, им || **-selves** (-сэ'лвз) *prn.* са́ми, они́ са́ми, себя́.
theme (þийм) *s.* те́ма; (*subject*) предме́т; (*school*) сочине́ние (задава́емое ученика́м).
then (ðэн) *ad.* (*at that time*) в то вре́мя, тогда́; (*after that*) пото́м, по́сле (того́); (*under those circumstances*) в тако́м слу́чае; (*accordingly*) сле́довательно || **~** *s.* то вре́мя, тогда́ || **~** *a.* тогда́шний.
thence/ (ðэнс) *ad.* отсю́да; (*in consequence*) поэ́тому, всле́дствие того || **-forth, -forward** *ad.* с тех пор, с того́ вре́мени.
theocracy (þи-о'крёси) *s.* теокра́тия.
theodolite (þи-о'долайт) *s.* теодоли́т.
theolog/ian (þий-ёло̄у'джиён) *s.* тео́лог || **-ical** (þий-ёло'джикёл) *a.* теологи́ческий || **-y** (þи-о'лоджи) *s.* теоло́гия.
theor/em (þий'ёр-им) *s.* теоре́ма || **-etical** (þий-ёрэ'тикёл) *a.* теорети́чный, теорети́ческий || **-ist** *s.* теоре́тик || **-y** *s.* тео́рия.
theosophy (þи-о'софи) *s.* теосо́фия.
therapeutic/ (þэрёпю̄'тик) *a.* терапевти́ческий || **-s** *spl.* терапе́втика.
there/ (ðа̄р; ðёр) *ad.* там; (*thither*) туда́; в э́том, в том || **all ~** *a.* (*fam.*) неглу́пый || **to get ~** (*fam.*) успева́ть || **~** *int.* вот! || **~** (ðёр) *particle,* **~ was once a king** жил-был коро́ль || **~ is** есть || **~ never was such a man** никогда́ не быва́ло тако́го челове́ка || **-about(s)** (-ёбау'тс) *ad.* о́коло, о́коло тех мест; (*approximately*) приблизи́тельно || **-after** (-а̄'фтёр) *ad.* пото́м, по́сле того́ || **-by** (-бай') *ad.* э́тим, чрез э́то || **-fore** (-фо̄р) *ad.* по э́тому, сле́довательно || **-upon** (-апо'н) *ad.* после того́; тогда́, зате́м; (*immediately*) то́тчас; (*in consequence of*) всле́дствие того́.
therm/al (þё'рмёл) *a.* тёплый || **-odynamics** (þёрмоу-дайна̄'микс) *spl.* термодина́мика || **-ometer** (þёрмо'митёр) *s.* термо́ме́тр; гра́дусник.
thesaurus (þисо̄'рёс) *s.* слова́рь *m.*
these (ðийз) *cf.* **this.**
thesis (þий'сис) (*pl.* **theses** þий'сийз) *s.* те́зис, предложе́ние.
thews (þю̄з) *spl.* му́скулы *mpl.*
they (ðэй) *prn.* они́.
they'd (ðэйд) = **they had** *или* **they would.**
thick/ (þи'к) *a.* то́лстый; (*dense*) густо́й; (*compact*) пло́тный; (*obstructing light*) му́тный; (*dull*) тупо́й; (*close*) бли́зкий, коро́ткий || **through ~ and thin** на проло́м || **-en** *va.* сгу-ща́ть, -сти́ть; утол-ща́ть, -сти́ть; де́лать, с- му́тным || **~** *vn.* густе́ть; сгу-ща́ться, -сти́ться; утол-ща́ться, -сти́ться || **-ening** (-ёнинг) *s.* сгуще́ние, утолще́ние || **-et** *s.* ча́ща; густо́й куста́рник || **~-head** *s.* тупи́ца ||

~-headed *a.* тупой || **-ness** *s.* толстота; густота; плотность *f.* || **~-set** *a.* густо, часто насаженный; (*of persons*) коренастый || **~-skinned** *a.* толстокожий || **~-skulled, -witted** (-уитид) *a.* тупой.
thief (фийф) (*pl.* **thieves** фийвз) *s.* вор, воровка.
thiev/e (фий'в) *va.* воровать, красть || **-ery** *s.* воровство || **-ish** *a.* воровской; вороватый. [бедреная кость.
thigh/ (фай) *s.* ляжка; бедро || **-bone** *s.*
thimble/ (фи'мбл) *s.* напёрсток || **-rigger** *s.* надувала, обманщик, шулер.
thin/ (фи'н) *a.* тонкий; (*of liquids*) жидкий; (*not close set*) редкий; (*lean*) худой; (*miserable*) скудный || **~** *va.* делать, с-тоньше; утонч-ать, -ить; раз-жижать, -жидить || **~** *vn.* худеть, по-; редеть, по- || **-ness** *s.* тонкость *f.*; жидкость *f.*; худоба.
thine (ðайн) *prn.* твой, твоя, твоё, твои.
thing (финг) *s.* вещь *f.*; предмет; дело; *pl.* платье, одежда || **the ~** по моде, модный || **poor ~!** бедняжка!
think/ (фингк) *va&n.irr.* думать, по-; считать, полагать; мыслить, помышлять; (*to intend*) намереваться; (*to imagine*) вообра-жать, -зить; (*to ponder*) раз-мышлять, -мыслить || **to ~ twice** не решаться || **to ~ of** намереваться || **not to ~ of** за-бывать, -быть || **-er** *s.* мыслитель *m.* || **-ing** *s.* мышление; обдумывание; (*opinion*) мнение.
third/ (фёрд) *s.* третий; треть *f.*; третья доля; (*mus.*) терция || **~** *a.* третий || **a ~ person** посторонее лицо || **-ly** *ad.* в-третьих.
thirst/ (фёрст) *s.* жажда || **~** *vn.* жаждать, иметь жажду; (*fig.*) (*to ~ for или after*) жаждать (*G.*), (*fig.*) алкать (*G.*) || **-y** *a.* жаждущий; (*fig.*) алчный (к); жадный (к); **I am ~** мне пить хочется.
thirt/een (фё'рт-ий'н) *num.* тринадцать || **-eenth** (-ий'нф) *s.* тринадцатая доля || **~** *a.* тринадцатый || **-ieth** (-и-иф) *s.* тридцатая доля || **~** *a.* тридцатый || **-y** (-и) *num.* тридцать.
this (ðис) *a&prn.* (*pl.* **these** ðийз) этот, эта, это; сей, сия, сиё; (**~** *year, etc.*) текущий || **~ evening** сегодня вечером || **~ day week** (*in future*) через неделю; (*past*) неделя тому назад.
thistle/ (фисл) *s.* чертополох || **-down** *s.* чертополошный пух.
thither (ðи'ðёр) *ad.* (*obs.*) туда || **hither and ~** туда и сюда, взад и вперёд.
tho' (ðōу) = **though.**
thole/ (фōул), **~-pin** *s.* уключина (для весла).
thong (фонг) *s.* ремень *m.*; (*of whip*) плеть *f.*
thorax (фō'ракс) *s.* грудная полость.
thorn/ (фō'рн) *s.* шип, колючка; (*bush*) тёрн || **crown of -s** терновый венец || **a ~ in one's side, a ~ in the flesh** (*fig.*) как бельмо на глазу || **~-bush** *s.* терновник || **-y** *a.* колючий; (*fig.*) тернистый, тяжёлый.
thorough/ (фа'рē) *a.* совершенный, полный; основательный; (*out-and-out*) от'явленный || **-bred** *s.* чистокровная лошадь || **~** *a.* чистокровный || **-fare** *s.* проход, проезд || **-ly** *ad.* основательно; совершенно; порядочно || **-paced** *a.* от'явленный || **a ~ rascal** тёртый калач.
those (ðōуз) *cf.* **that.**
thou (ðау) *prn.* ты.
though (ðōу) *c.* хотя; несмотря на; однако-же || **as ~** как будто.
thought/ (фō'т) *cf.* **think** || **~** *s.* мысль *f.*; дума; (*opinion*) мнение; (*intention*) намерение; помышление || **-ful** *a.* задумчивый; (*attentive*) внимательный || **-less** *a.* необдуманный; беззаботный; невнимательный. [*a.* тысячный.
thousand/ (фау'зёнд) *num.* тысяча || **-th**
thral/dom (фрō'лдём) *s.* рабство || **-l** (фрōл) *s.* раб.
thrash/ (фрä'ш) *va.* молотить, об-; бить; колотить, от- || **-er** *s.* молотильщик || **-ing** *s.* молотьба, (*fig.*) трёпка || **-ing-machine** *s.* молотилка.
thread/ (фрэ'д) *s.* нить *f.*; нитка; волокно; (*of a screw*) нарезка || **~** *va.* вдевать, вдеть, про-девать, -деть нитку (в иглу); (*beads*) на-низывать, -низать; (*one's way*) протесн-яться, -иться (сквозь что) || **-bare** *a.* протёртый; изношенный; (*fig.*) избитый.
threat/ (фрэт) *s.* угроза || **-en** (-н) *va&n.* грозить, по- (кому чем); стращать, по- (кого чем) || **danger -ens** грозит *or* угрожает опасность || **the house -ens to collapse** дом угрожает падением || **-ening** (-нинг) *s.* угрозы *fpl.* || **~** *a.* грозящий || **a ~ look** грозный вид || **~ danger** угрожающая опасность || **a ~ letter** угрозительное письмо.
three/ (фрий) *num.* три || **~-decker** *s.* трёхпалубный корабль || **-fold** *a.* тройной || **~** *ad.* втрое, трижды. [**thrash.**
thresh (фрэш) *va.* молотить, об-; *cf.*
threshold (фрэ'шоулд) *s.* порог.
threw (фрӯ) *cf.* **throw.**
thrice (фрайс) *ad.* трижды, три раза.

thrift/ (фрифт) *s.* бережли́вость *f.* || **–less** *a.* расточи́тельный || **–y** *a.* бережли́вый.
thrill (фрил) *s.* дрожь *f.*; (*mus.*) трель *f.* || ~ *va.* при-води́ть, -вести́ в содрога́ние; (*fig.*) увлека́ть || ~ *vn.* содрог-а́ться, -ну́ться.
thrive (фрайв) *vn.irr.* преуспева́ть; богате́ть; процвета́ть; развива́ться; урожда́ться.
throat (фрōут) *s.* го́рло; гло́тка.
throb (фроб) *s.* трепета́ние; бие́ние; пульса́ция || ~ *vn.* трепета́ть; би́ться; пульси́ровать.
throe (фрōу) *s.* (*us. in pl.*) му́ка, страда́ние; (*pl. of childbirth*) по́туги *fpl.*
throne (фрōун) *s.* трон, престо́л || ~ *va.* возвести́ на престо́л.
throng (фронг) *s.* толпа́; мно́жество (наро́да); теснота́ || ~ *va.* на-полня́ть, -по́лнить; тесни́ть || ~ *vn.* толпи́ться.
throstle (фросл) *s.* дрозд.
throttle (фротл) *s.* дыха́тельное го́рло; (*tech.*) горлово́й регули́рующий кла́пан || || ~ *va.* души́ть, за-; удави́ть; (*tech.*) су́зить; тормози́ть пар.
through/ (фрӯ) *prp.* сквозь (+ *A.*); чрез, че́рез (+ *A.*); по (+ *D.*); при по́мощи (+ *G.*); благодаря́ (+ *D.*); посре́дством (+ *G.*) || **to speak ~ one's nose** говори́ть в нос || ~ *ad.* (с нача́ла) до конца́; совсе́м; соверше́нно; (*of a book*) от доски́ до доски́ || **~ and ~** насквозь || **he is wet ~** он промо́к до косте́й || **he got ~** (*the examination*) он вы́держал экза́мен || ~ *a.* сквозно́й || **a ~-carriage, –train, –ticket, freight** ваго́н, по́езд, биле́т, груз прямо́го сообще́ния || **–out** (-ау'т) *prp.* в тече́ние (+ *G.*); в продолже́ние (+ *G.*) || **~ the year** весь год, кру́глый год || **~ the night** всю ночь || ~ *ad.* до конца́; вполне́, соверше́нно; повсю́ду, везде́.
throw (фрōу) *s.* швыро́к; броса́ние; (*distance*) расстоя́ние, про́йденное бро́шенным те́лом || ~ *va.irr.* броса́ть, бро́сить; кида́ть, ки́нуть; швыр-я́ть, -ну́ть; мет-а́ть, -ну́ть; (*in wrestling*) сбро́сить || **to ~ aside** отбро́сить в сто́рону || **to ~ away** расточи́ть || **to ~ down** сбро́сить; повали́ть || **to ~ in** дать в прида́чу || **to ~ dust in one's eyes** пуска́ть кому́ пыль в глаза́ || **to ~ into prison** посади́ть в тюрьму́ || **to ~ up** рвать, вы́рвать; (*fig.*) отказа́ться от.
thrum (фрам) *s.* кро́мка; то́лстая пря́жа || ~ *va.&n.* бренча́ть.
thrush (фраш) *s.* дрозд; (*disease*) моло́чница.
thrust (фраст) *s.* тычо́к; уда́р (рапи́рою); (*fig.*) нападе́ние || ~ *va.* толк-а́ть, -ну́ть; сова́ть, су́нуть; (*to stab*) про-ка́лывать, -коло́ть.
thud (фад) *s.* глухо́й уда́р; гул.
thumb (фам) *s.* большо́й па́лец || **to be under one's ~** быть во вла́сти кого́ || ~ *va.* па́чкать па́льцами.
thump/ (фамп) *s.* тума́к; си́льный уда́р || ~ *va.* тузи́ть; колоти́ть || **–er** *s.* (*fam.*) ложь *f.* || **–ing** *a.* то́лстый, большо́й.
thunder/ (фа'ндёр) *s.* гром || ~ *vn.* греме́ть; грохота́ть; **it –s** гром греми́т || **~-bolt** *s.* мо́лния || **–clap** *s.* громово́й уда́р || **–ing** *a.* громово́й; громогла́сный || **~-storm** *s.* гроза́ || **–struck** *a.* (*fig.*) поражённый гро́мом.
Thursday (фё'рзди) *s.* четве́рг.
thus (ðас) *ad.* так, таки́м о́бразом || **~ far** до сих пор || **~ much** сто́лько.
thwack (фуӓк) *s.* тума́к || ~ *va.* бить, тузи́ть.
thwart (фуōрт) *s.* ба́нка (на гребно́м су́дне) || ~ *va.* итти́ поперёк (чего́), перечи́ть (кому́); препя́тствовать; (*plans, etc.*) уничт-ожа́ть, -о́жить.
thy/ (ðай) *prn.* твой, твоя́, твоё, твои́ || **–self** (-сэ'лф) *prn.* сам, себя́, себе́.
thyme (тайм) *s.* тимья́н.
tiara (тайа̄'рэ) *s.* тиа́ра; па́пская коро́на.
tibia (ти'биё) *s.* большо́е бе́рце.
tick/ (тик) *s.* клещ; вошь *f.*; (*stuff*) тик; (*of a watch*) ти́кание; (*credit*) креди́т || **on ~** в долг, в креди́т || ~ *vn.* ти́кать || **the clock –s** часы́ чи́кают *or* ти́кают || **–er** *s.* (*fam.*) часы́ *mpl.*
ticket/ (ти'кит) *s.* биле́т; ярлы́к || ~ *va.* накл-е́ивать, -е́ить ярлы́к на || **~-collector** *s.* контролёр || **~-office** *s.* биле́тная ка́сса.
tickl/e (тикл) *va.* щекота́ть; (*fig.*) нра́виться || **–ish** *a.* щекотли́вый; (*fig.*) ненадёжный; тру́дный, крити́ческий.
tid/al (тай'д-ёл) *a.* относя́щийся к прили́ву и отли́ву || **–e** *s.* морско́й прили́в и отли́в; (*time*) вре́мя *n.*; (*current*) тече́ние || **flood ~** прили́в || **ebb ~** отли́в || **the ~ is coming in** вода́ прибыва́ет, мо́ре прилива́ет || ~ *va.* (*to ~ over*) преодол-ева́ть, -е́ть.
tidiness (тай'динэс) *s.* опря́тность *f.*; чистота́.
tidings (тай'дингз) *spl.* изве́стия *npl.*; но́вости *fpl.*
tidy (тай'ди) *s.* чи́стый, опря́тный; поря́дочный || ~ *va.* при-бира́ть, -бра́ть; (*to ~ up*) при-води́ть, -вести́ в поря́док.
tie/ (тай) *s.* га́лстук; бант; (*bond*) связь *f.*; завя́зка; (*rail.*) шпа́ла; (*mus.*) лега́то; (*sport*) игра́ че в чью; (*in voting*) ра́вное число́ голосо́в || **the –s of blood** у́зы родства́ || ~ *va.* свя́зывать, связа́ть; зав́язывать, -вяза́ть.

tier (тиир) *s.* ряд; (*theat.*) ярус.

tierce (тиирс) *s.* бочка; (*fencing, cards*) терц.

tiff (тиф) *s.* ссбра || ~ *vn.* ссбриться.

tiger (тай'гёр) *s.* тигр; (*Am.*) крик одобрения.

tight/ (тай'т) *a.* тугой; натянутый; обтянутый; крепкий; узкий, тесный; (*compact*) плотный; (*stingy*) скупой; (*drunk*) пьяный || **to be in a ~ place** быть в затруднительном положении || **–en** *va.* на-тягивать, -тянуть; с-жимать, -жать; подтягивать || **~-fisted** *a.* скупой || **–s** *spl.* трико.

tigress (тай'грис) *s.* тигрица.

tike (тайк) *s.* пёс.

tile (тайл) *s.* черепица; (*slang*) шляпа || ~ *va.* крыть черепицей.

till/ (тил) *s.* денежный ящик; выручка (в лавке) || ~ *prp.* до || **~ now** до сих пор || ~ *c.* до тех пор, пока; до того, что || ~ *va.* обрабатывать; пахать, вспахивать || **–er** *s.* пахарь *m.*; земледелец, хлебопашец; (*mar.*) румпель *m.*

tilt (тилт) *s.* наклонение вперёд; (*awning*) покрышка; кибитка; (*with lances*) турнир || ~ *va&n.* на-правлять, -править удар (копья); (*to incline*) наклон-ять (-ся), -ить (-ся) || **to ~ over** *va&n.* опрокидывать (-ся).

tilth (тилþ) *s.* пахание; хлебопашество; полеводство, земледелие.

timber/ (ти'мбёр) *s.* строевой лес; дерево; бревно || **–ed** *a.* покрытый лесами, деревьями || **~-merchant** *s.* лесопромышленник.

timbrel (ти'мбрёл) *s.* тамбурин.

time/ (тай'м) *s.* время *n.*; (~ *limit*) срок; (*three, four –s, etc.*) раз; (*mus.*) темп; такт || **what ~ is it?** который час? || **at –s** иногда || **from ~ to ~** по временам, временами || **in ~** во-время || **I have no ~** мне некогда || **in no ~** очень скоро || **it is ~** пора || **this ~ twelve months** через год || ~ *va.* согласовать со временем; (*a clock*) про-верять, -верить || **~-honoured** *a.* почтенный || **~-keeper** *s.* часы *mpl.* || **–ly** *a.* своевременный; пришедший кстати || **–piece** *s.* часы *mpl.* || **~-server** *s.* (*fig.*) флюгер || **~-table** *s.* расписание поездов || **~-worn** *a.* старый.

timid/ (ти'мид) *a.* робкий; застенчивый || **–ity** (тими'дити) *s.* робость *f.*; застенчивость *f.*

timorous (ти'мёрёс) *a.* боязливый; трусливый; робкий.

tin/ (ти'н) *s.* олово; жесть *f.*; (*box*) жестянка; (*fam. money*) деньги *fpl.* || ~ *a.* оловянный || ~ *va.* лудить, вы-; по-крывать, -крыть оловом; (*fruit, etc.*) консервировать || **~-foil** *s.* станиоль *m.*; листовое олово || **–man, –smith** *s.* жестянник || **~-plate** *s.* белая жесть || **~-ware** *s.* оловянная посуда.

tincture (ти'нгкчёр) *s.* цвет; оттенок; (*taste*) вкус; (*med.*) тинктура || ~ *va.* (слегка) окра-шивать, -сить; при-давать, -дать оттенок.

tinder/ (ти'ндёр) *s.* трут || **~-box** *s.* трутница; огнивица.

tinge (тиндж) *s.* оттенок; (*taste*) посторонний вкус || ~ *va.* (слегка) окра-шивать, -сить; при-давать, -дать лёгкий вкус (чего-либо).

tingl/e (тингл) *vn.* звенеть; (*to ache*) болеть; (*to itch*) зудеть || **–ing** *s.* звон; шум (в ушах); зуд.

tinker (ти'нгкёр) *s.* медник, котельник || ~ *vn.* работать копотно и дурно.

tinkle (тингкл) *s.* звон || ~ *vn.* звенеть.

tinsel (тинсл) *s.* мишура; (*fig.*) ложный блеск.

tint (тинт) *s.* оттенок, цвет || ~ *va.* (слегка) окра-шивать, -сить; тушевать.

tiny (тай'ни) *a.* крошечный; маленький.

tip/ (ти'п) *s.* кончик; оконечность *f.*; остриё; (*slight stroke*) лёгкий удар; (*gratuity*) подарок, (деньги) на чай; (*hint*) намёк; знак || **it was on the ~ of my tongue** я хотел-было уже сказать || ~ *va.* приде-л-ывать, -ать остриё; слегка ударить; да-вать, дать на чай || **to ~ over** опро-кидывать, -кинуть || **–toes** *spl.*, **on ~** на цыпочках || **~-top** (-то'п) *a.* первоклассный, самый лучший.

tippet (ти'пит) *s.* шарф; пелерина, меховой воротник.

tippl/e (типл) *vn.* пьянствовать || **–er** *s.* пьяница.

tipsy (типси) *a.* подвыпивший; пьяный.

tirade (тирэй'д) *s.* тирада.

tire/ (тай'ёр) *s.* шина, обод (колеса) || ~ *va.* утом-лять, -ить; надо-едать, -есть || ~ *vn.* у-ставать, -стать; утом-ляться, -иться || **–d** *a.* усталый; утомлённый || **–some** *a.* утомительный; (*tedious*) скучный, надоедливый.

tiring (тай'ринг) *a.* утомительный.

'tis (тиз) = **it is.**

tissue/ (ти'сю, ти'шӯ) *s.* ткань *f.*; парча || **a ~ of lies** сплетение небылиц || **~-paper** *s.* папиросная бумага.

tit/ (тит) *s.* синица (птица) || **to give ~ for tat** отплатить кому тем же || **~-bit** *s.* лакомый кусочек.

titanic (тайтӓ'ник) *a.* титанский; исполинский.

tithe (тайð) *s.* десятина (подать); (*tenth part*) десятая доля || ~ *va.* на-лагать, -ложить десятину на.

titillate (ти'тилэйт) *va.* (приятно) щекотать.

titivate (ти'тивэйт) *va&n.* наря-жа́ть (-ся), -ди́ть (-ся).
titlark (ти'тла̄рк) *s.* щеври́ца, лугова́я жа́воронок.
title/ (тайтл) *s.* ти́тул; (*of book*) загла́вие; (*right*) пра́во; основа́ние (пра́ва на со́бственность) || ~ *va.* на-зыва́ть, -зва́ть; титулова́ть || **-d** *a.* дворя́нский || **~-deed** *s.* владе́нная за́пись || **~-page** *s.* загла́вный лист.
titmouse (ти'тмаус) *s.* (*pl.* **titmice** ти'тмайс) сини́ца (пти́ца).
titter (ти'тёр) *s.* хихи́канье || ~ *vn.* хихи́кать.
tittle/ (титл) *s.* безде́лица; то́чка, то́чечка **not a ~** ни ка́пельки || **to a ~** точь в точь || **~-tattle** (-та̄тл) *s.* болтовня́ || ~ *vn.* болта́ть; сплётничать.
titular (ти'тюлёр) *a.* титуля́рный.
to (тӯ, ту. тё) *prp.* к; в; на; по; до; для; с; пред || **as ~** что каса́ется до || **two ~ one** два про́тив одного́ || **~ excess** чрезме́рно, че́рез ме́ру || **~ and fro** взад и вперёд || **ten (minutes) ~ five** без десяти́ мину́т пять (часо́в) || **to come ~** притти́ в себя́ || **~ all appearances** по всей вероя́тности || **~ all eternity** во ве́ки веко́в || **~ my mind, ~ my thinking** по-мо́ему || **~ no purpose** бесполе́зно, напра́сно || **~ the point** кста́ти || **~ wit** то-есть, и́менно || **this house is ~ let** э́тот дом отдаётся внаймы́.
toad/ (то̄уд) *s.* жа́ба || **~-stool** *s.* пога́нка.
toast (то̄уст) *s.* тост; (*bread*) поджа́ренный ло́мтик хле́ба || ~ *va.* (*bread*) поджа́р-ивать, -ить; (*a person*) пить за (чьё) здоро́вье; провозгласи́ть кому́ тост.
tobacco/ (тёба̄'коу) *s.* таба́к || **~-box** *s.* табаке́рка || **-nist** (тёба̄'кёнист) *s.* таба́чник || **~-pipe** *s.* кури́тельная тру́бка || **~-pouch** *s.* кисе́т.
toboggan (тёбо'гён) *s.* сала́зки *fpl.* || ~ *vn.* ката́ться на сала́зках; ката́ться с гор.
tocsin (то'ксин) *s.* наба́т; наба́тный ко́локол.
to-day (тёдэ̄й') *ad&s.* сего́дня; ны́нешний день || **~'s** *a.* сего́дняшний.
toddle (тодл) *vn.* ковыля́ть; кача́ться; перева́ливаться, -вали́ться; (*fam.*) прогу́ливаться.
toddy (то'ди) *s.* пунш, грог.
to-do (тёдӯ') *s.* шум; смяте́ние.
toe/ (то̄у) *s.* па́лец (на ноге́); (*of boot*) носо́к; **to turn up one's -s** умере́ть || **to tread on one's -s** (*fig.*) оскорбля́ть чу́вство.
toff (тоф) *s.* щёголь *m.*; франт.
toffee (то'фи) *s.* караме́ль *f.*
tog (тог) *va.* (*to ~ out*) (*fam.*) одева́ть, оде́ть.
together (тёгэ'дёр) *ad.* вме́сте; совоку́пно; (*simultaneously*) ра́зом, в одно́ вре́мя.
tog/gery (то'г-ёри) *s.*, **-s** *spl.* (*fam.*) пла́тье; ве́щи *fpl.*
toil/ (тойл) *s.* труд; рабо́та || ~ *vn.* труди́ться; му́читься || **-er** *s.* тру́женик; рабо́тник || **-some** *a.* хлопотли́вый, тру́дный; утоми́тельный.
toilet/ (той'лит) *s.* туале́т || **to make one's ~** одева́ться; наряди́ться || **~-paper** *s.* клозе́тная бума́га || **~-set** *s.* туале́тный прибо́р.
toils (тойлз) *spl.* тенёта *npl.*
token (то̄укн) *s.* знак; при́знак; (*keepsake*) пода́рок (на па́мять), сувени́р.
told (то̄улд) *cf.* **tell.**
toler/able (то'лёр-ёбл) *a.* сно́сный; (*fairly good*) поря́дочный, изря́дный || **-ance** *s.* терпи́мость *f.*; веротерпи́мость *f.*; толера́нтность *f.* || **-ant** *a.* толера́нтный; снисходи́тельный || **-ate** (-эйт) *va.* терпе́ть, по-; (*to endure*) выноси́ть, вы́нести; (*to permit*) до-пуска́ть, -пусти́ть || **-ation** *s.* терпи́мость *f.*
toll/ (то̄у'л) *s.* по́шлина || ~ *va&n.* звони́ть в ко́локол; благове́стить || **~-gate** *s.* шлагба́ум; заста́ва.
tomahawk (то'мёхо̄к) *s.* томага́ук (ору́жие инде́йцев Сев.-Аме́рики, род топо́ра).
tomato (тома̄'тоу) *s.* тома́т, помидо́р.
tomb/ (тӯ'м) *s.* моги́ла, гробни́ца; гроб || **-stone** *s.* надгро́бный ка́мень.
tom/boy (то'м-бой) *s.* резву́нья || **~-cat** *s.* кот || **-fool** (-фӯл) *s.* шут; дурачо́к || **-foolery** (-фӯ'лёри) *s.* дура́чество || **-tit** (-тит) *s.* сини́ца (пти́ца).
tome (то̄ум) *s.* том.
tommy (то'ми) *s.* англи́йский солда́т || **~ rot** вздор.
to-morrow (тёмо'роу) *s&ad.* за́втра.
ton (тан) *s.* то́нна.
tone (то̄ун) *s.* тон; звук; (*health*) здоро́вое состоя́ние || ~ *va.* задава́ть тон || **to ~ down** смягч-а́ть, -и́ть.
tongs (тонгз) *spl.* щипцы́ *mpl.*; щи́пчики *mpl.*; клещи́ *mpl.*
tongue (танг) *s.* язы́к; наре́чие; язычо́к; (*of land*) коса́; (*of balance*) стре́лка || **to hold one's ~** молча́ть.
tonic (то'ник) *s.* (*med.*) укрепля́ющее сре́дство || ~ *a.* (*mus.*) тони́ческий; (*med.*) укрепля́ющий.
to-night (тё-най'т) *s&ad.* сего́дня ве́чером; в ны́нешнюю ночь.
tonnage (та'нидж) *s.* тонна́ж.
tonsil/ (то'нсил) *s.* минда́лина; миндалеви́дная железа́ || **-itis** (-ай'тис) *s.* воспале́ние минда́лин.
tonsure (то'ншёр) *s.* гуме́нце; постриже́ние.
too (тӯ) *ad.* (*to an excessive degree*) сли́шком; (*in addition*) та́кже, то́же; кро́ме того́; при том.
took (тук) *cf.* **take.**

tool (тўл) *s.* орудие; инструмент || ~ *va.* работать инструментом.

toot (тўт) *va&n.* трубить.

tooth/ (тў'þ) *s.* (*pl.* **teeth** тийþ) зуб; (*of comb, wheel, etc.*) зубец || ~ **and nail** изо всех сил, что есть мочи || **–ache** *s.* зубная боль || **~-brush** *s.* зубная щёт(оч)ка, щётка для зубов || **–ed** *a.* зубчатый || **–pick** *s.* зубочистка || **~-powder** *s.* зубной порошок || **–some** *a.* приятный на вкус.

top/ (то'п) *s.* верх; (*summit*) вершина, верхушка; (*surface*) поверхность *f.*; (*head*) голова; (*chief*) глава; (*children's toy*) волчок; (*mar.*) марс || **from ~ to toe** с головы до ног || **at the ~ of one's voice** во всё горло || ~ **hole** *a.* (*fam.*) первоклассный || ~ *a.* верхний; главный || ~ *va.* крыть; у-венчивать, -венчать; (*cut off ~*) срез-ывать, -ать верхушку; (*to surpass*) прев-осходить, -зойти (других) || **~-boots** *spl.* сапоги с отворотами || **~-coat** *s.* пальто || **~-dressing** *s.* (*hort.*) унавоживание || **~-hat** *s.* цилиндр || **~-knot** *s.* головной убор; (*bird's ~*) хохолок || **–mast** *s.* стеньга || **–sail** (топсл) *s.* топсель *m.*

topaz (тōу'пäз) *s.* топаз.

toper (тōу'пёр) *s.* пьяница, ярыжник.

topic/ (то'пик) *s.* предмет, тема || **–al** *a.* местный; относящийся к теме.

topograph/ical (топёгрä'фикёл) *a.* топографический || **–y** (топо'грёфи) *s.* топография.

topp/er (то'п-ёр) *s.* (*fam.*) цилиндр || **–ing** *a.* (*fam.*) отличный, превосходный.

topple (топл) *vn.* валиться; (*to ~ over, to ~ down*) падать, упасть.

topsyturvy (топситё'рви) *ad&a.* вверх дном; (*in disorder*) в беспорядке.

toque (тōук) *s.* шляпка, берет, шапочка.

tor (тōр) *s.* (остроконечная) гора.

torch/ (тō'рч) *s.* факел; светоч || **~-bearer** *s.* факельщик || **~-light** *a.*, ~ **procession** факельное шествие, шествие при факелах.

tore (тōр) *cf.* **tear.**

torment (тō'рмёнт) *s.* мучение; мука || ~ (тōрмэ'нт) *va.* пытать; мучить; терзать; томить.

torn (тōрн) *cf.* **tear.**

tornado (торнэй'доу) *s.* торнадо; ураган.

torpedo/ (торпий'доу) *s.* (*fish*) электрический скат; (*weapon*) торпедо || **~-boat** *s.* миноноска || **~-tube** *s.* торпедное орудие.

torpid/ (тō'рпид) *a.* онемелый; окоченелый; (*dull*) тупой || **–ity** (торпи'дити) *s.* оцепенелость *f.*; окоченелость *f.*; онемение.

torpor (тō'рпёр) *s.* онемение; оцепенение.

torrent/ (то'рёнт) *s.* поток; (*of rain*) проливной дождь || **it's raining in –s** как из ведра льёт, дождь ливмя льёт, идёт проливной дождь.

torrid (то'рид) *a.* знойный, жаркий.

torsion (тō'ршён) *s.* скручивание; кручение.

torso (тō'рсоу) *s.* туловище (статуи), торс.

tort (тōрт) *s.* (*leg.*) вред, убыток.

tortoise/ (тō'ртёс) *s.* черепаха || **~-shell** *a.* черепаховый.

tortuous (тō'ртюёс) *a.* извилистый; кривой.

tortur/e (тō'рчёр) *s.* пытка; мука, мучение || ~ *va.* пытать; терзать || **–er** *s.* мучитель *m.*; палач.

tory (тō'ри) *s.* тори, приверженец консервативной партии.

tosh (тош) *s.* (*fam.*) вздор, чепуха.

toss (тос) *s.* бросание; подбрасывание || **with a ~ of the head** вскинув голову || ~ *va.* кидать, кинуть; бросать, бросить || ~ *vn.* качать; волноваться || **to ~ off** опорожнить одним глотком.

tot (тот) *s.* (*fam.*) ребёнок; (*of liquor*) глоток || ~ *va.* (*to ~ up*) под-считывать, -считать.

total/ (тōу'тёл) *s.* всё, целое; общий итог, общая сумма || ~ *a.* весь, целый; (*complete*) совершенный, полный || ~ **eclipse** полное затмение || **–ity** (тоута'лити) *s.* целость *f.*; совокупность *f.* || **–izator** (-айзэй'тёр) *s.* тотализатор.

totem/ (тōу'тём) *s.* тотем || **–ism** *s.* тотемизм.

tother (та'ðёр) *a.* другой.

totter/ (то'тёр) *vn.* шататься; итти шатаясь || **–y** *a.* шаткий.

toucan (тў'кён) *s.* тукан (птица)

touch/ (та'ч) *s.* осязание; ощупь *f.*; прикосновение; (*of illness*) припадок; (*of pen*) черта; (*mus.*) туше; (*test*) проба || **to give the finishing ~ to** доканчивать || **to be in ~ with** быть в сношении с кем || ~ *va&n.* тро-гать, -нуть; дотрогиваться, -нуться (до чего-либо); прикасаться, -коснуться (*D.*); касаться, коснуться (*G.*); (*to offend*) оскорб-лять, -ить чувство; (*a subject*) затро-гивать, -нуть (вопрос) || **to ~ up** освеж-ать, -ить || **to ~ (up)on** касаться, коснуться (*G.*) || **~-and-go** *a.* рискованный, щекотливый || **~-hole** *s.* запал || **–iness** *s.* раздражительность *f.*; обидчивость *f.* || **–ing** *a.* (*fig.*) трогательный || ~ *prp.* касательно || **~-me-not** *s.* (*bot.*) не-тронь-меня || **–stone** *s.* пробирный камень || **–wood** *s.* трут || **–y** *a.* раздражительный; обидчивый.

tough/ (таф) *s.* (*Am.*) забияка; злодей || ~ *a.* крепкий; (*of meat*) жёсткий; (*lasting*) прочный; долговечный; (*stubborn*) упрямый; (*difficult*) трудный || **–en** *va&n.* делать (-ся), с- твёрдым, жёстким.
toupet (ту'пэй) *s.* тупей.
tour/ (ту'р) *s.* путешествие; поездка; прогулка || **to make a ~ of** обходить; об'ехать (местность) || ~ *va.* обходить; об'ехать || ~ *vn.* путешествовать || **–ist** *s.* турист || **–nament** (-нёмэнт) *s.* турнир || **–niquet** (-никэт) *s.* турникет.
tousle (таузл) *va.* вз'ерош-ивать, -ить.
tout (таут) *s.* комиссионер при гостинице отыскивающий нанимателей; коммивояжёр || ~ *vn.* добывать покупщиков, и пр.
tow/ (тōу') *s.* (*of flax*) пакля; (*mar.*) буксир, буксирование || **to take in ~** буксировать || ~ *va.* буксировать || **~-boat** *s.* буксирное судно || **~-line** *s.* буксир; бичева || **~-path** *s.* бичевник.
towards (тōрдз) *prp.* к; по направлению к; по отношению к; (*about*) около; (*for*) для, с целью.
towel (тау'ёл) *s.* полотенце.
tower/ (тау'ёр) *s.* башня; крепость *f.* || ~ *vn.* (*to ~ above*) возвышаться над; выситься || **–ing** *a.* возвышенный; высокий; (*fig.*) сильнейший.
town/ (тау'н) *s.* город || **~-clerk** городской секретарь || **~-council** городская дума || **~-crier** глашатай || **~-hall** ратуша.
towns/folk (тау'нз-фōук), **–people** *s.* горожане *mpl.*; городские обыватели *mpl.* **–man** *s.* горожанин; городской обыватель.
township (тау'ншип) *s.* городской округ; городское общество.
toxic (то'ксик) *a.* ядовитый.
toy/ (той') *s.* игрушка; (*trifling thing*) безделица || ~ *vn.* играть; шалить || **~-shop** *s.* игрушечная лавка, магазин игрушек.
trac/e (трэй'с) *s.* след; (*of a car*) постромка; (*tinge*) оттенок || **not the slightest ~ of** совсем нет || ~ *va.* итти (за кем) по следам; выведывать; (*to detect*) за-мечать, -метить; (*a line*) чертить, на-; прорис-овывать, -овать || **–ery** *s.* каменная резьба || **–ing** *s.* прорись *f.*; прорисованный рисунок || **–ing-paper** *s.* сквозистая бумага.
tracheotomy (трэйкио'томи) *s.* трахеотомия; вскрытие дыхательного горла.
track/ (трäк) *s.* след; (*path*) путь *m.*; (*of wheels*) колея; (*cycle ~*) трек; (*railway*) полотно || ~ *va.* итти по следам; следить || **–less** *a.* непроходимый.
tract/ (трä'кт) *s.* пространство; (*region*) область *f.*; (*religious*) брошюра, листок; трактат || **–able** *a.* послушный, смирный || **–ability** *s.* покорность *f.* || **–ion** (трä'кшён) *s.* тащение; таскание; **~-engine** дорожный локомобиль || **–or** *s.* дорожный локомобиль.
trade/ (трэй'д) *s.* торговля, торг; (*craft*) ремесло; (*occupation*) профессия || **~-wind** пассат || **~-union** = **–s-union** || **~-mark** фабричная марка || ~ *va&n.* торговать; про-давать, -дать || **–r** *s.* торговец, купец || **–sman** *s.* лавочник, торговец; (*mechanic*) ремесленник || **–s-union** *s.* рабочий союз.
trading (трэй'динг) *s.* торг, торговля || ~ *a.* торговый.
tradition/ (трёди'шён) *s.* традиция; (устное) предание || **–al** *a.* традиционный; стародавний; исконный.
traduce/ (трёдю'с) *va.* оклеветать; клеветать (на кого); злословить || **–r** *s.* клеветник || **–ment** *s.* клевета, оклеветание; злословие.
traffic (трä'фик) *s.* (*trading*) торг, торговля; (*dealings*) сношения *npl.*; (*rail., on streets, etc.*) движение || ~ *vn.* торговать; вести торговлю.
tragacanth (трä'гёкäнþ) *s.* (*bot.*) трагант.
trag/edy (трä'дж-иди) *s.* трагедия || **–edian** (трёджий'диён) *s.* (*author*) трагик; (*actor*) трагический актёр || **–edienne** (трёджий'диэн) *s.* трагическая актриса || **–ic(al)** *a.* трагический || **–icomedy** *s.* трагикомедия.
trail/ (трэйл) *s.* след || ~ *va.* тащить; волочить; итти по следам, следить || ~ *vn.* виться; стлаться; тащиться || **–ing** *a.* (*of plants*) вьющийся.
train/ (трэй'н) *s.* (*rail.*) поезд; (*of a dress*) шлейф; (*suite*) свита; (*mil.*) обоз; (*of thoughts*) ход (мысли); (*series*) ряд; (*of gunpowder*) привод || ~ *va.* волочить, тащить за собой; (*to rear*) вос-питывать, -питать; (*to accustom*) приуч-ать, -ить; (*animals*) дрессировать, вы-; (*soldiers*) обуч-ать, -ить; (*a gun*) на-правлять, -править; на-водить, -вести || ~ *vn.* тренироваться || **~-band** *s.* милиция || **~-bearer** *s.* паж || **–er** *s.* инструктор; дрессировщик || **–ing** *s.* обучение; воспитание; дрессировка || **~-oil** *s.* ворвань *f.*
trait (трэй) *s.* черта.
traitor/ (трэй'тёр) *s.* изменник; предатель *m.* || **–ous** *a.* изменнический, предательский.
traitress (трэй'трис) *s.* изменница, предательница.
trajectory (трёджэ'ктёри) *s.* траектория.

tram/ (трӓ'м), **~-car** s. вагон конки *или* трамвая; городской трамвай || **~-line, ~-road, ~-way** s. трамвай.
trammel (трӓ'мёл) s. невод; сеть *f.*; (*hindrance*) препятствие || ~ *va.* мешать; стесн-ять, -ить.
tramp (трӓмп) s. бродяга, босяк; (~ *of feet*) топот, топотня; странствование (пешком); (*mar.*) грузовое судно || ~ *va.* пройти пешком || ~ *vn.* топтать; бродяжничать.
trample (трӓмпл) *va&n.* топтать; попирать ногами.
trance (трӓнс) s. восхищение; исступление; летаргия.
tranquil/ (трӓ'нгкуил) *a.* спокойный, тихий; мирный || **-ity** (трӓнгкуи'лити) s. спокойствие, тишина || **-ize** (-айз) *va.* успок-оивать, -оить.
transact/ (трӓнзӓ'кт) *va.* вести (дела) || **-ion** s. отправление дел; сделка; дело; (*pl.*) труды, протоколы (учёного общества).
trans/alpine (трӓнз-ӓ'лпайн) *a.* заальпийский || **-atlantic** (-ётлӓ'нтик) *a.* заатлантический.
transcend/ (трӓнсэ'нд) *va.* пре-вышать, -высить; прев-осходить, -зойти || **-ence, -ency** s. превосходство; преимущество || **-ental** (-э'нтёл) *a.* трансцендентальный.
transcr/ibe (трӓнскрай'б) *va.* пере-писывать, -писать; копировать, с- || **-ipt** (трӓ'нскрипт) s. копия || **-iption** (трӓнскри'пшён) s. переписывание, переписка.
transept (трӓ'нсэпт) s. трансепт; боковая часть (крестообразной церкви).
transfer/ (трӓ'нсфёр) s. перенос; перевод; передача; (*of a design*) перевод рисунка || ~ (трӓнсфё'р) *va.* пере-носить, -нести; пере-водить, -вести; уступ-ать, -ить || **-able** *a.* переводимый || **-ee** (трӓнсфёрий') s. лицо, которому передаётся что-либо || **-ence** s. уступка, передача.
transfigur/ation (трӓнс-фигюрэй'шн) s. преображение; (*eccl.*) Преображение Господне || **-e** (-фи'гёр) *va.* преобра-жать, -зить.
trans/fix (трӓнс-фи'кс) *va.* пронз-ать, -ить || **-form** *va.* преобраз-овывать, -овать; превра-щать, -тить || **-formation** s. преобразование, превращение || **-fuse** *va.* пере-ливать, -лить || **-fusion** s. переливание.
transgress/ (трӓнзгрэ'с) *va&n.* престу-п-ать, -ить; на-рушать, -рушить (закон); согрешить || **-ion** (трӓнзгрэ'шён) s. нарушение; проступок || **-or** s. нарушитель *m.*; грешник.
transient (трӓ'нзиёнт) *a.* кратковременный; преходящий.
transit/ (трӓ'нзит) s. транзит; провоз || in ~ при провозке || **~-trade** транзитная торговля || **-ion** (трӓнзи'шён) s. переход || **-ive** s. (*gramm.*) действительный глагол; ~ *a.* (*gramm.*) действительный || **-ory** *a.* преходящий.
translat/e (трӓнз-лэй'т) *va.* пере-водить, -вести; пере-мещать, -местить || **-ion** (-лэй'шён) s. перевод; перемещение || **-or** s. переводчик.
trans/lucent (трӓнз-лу'сёнт) *a.* прозрачный, просвечивающий || **-marine** *a.* заморский || **-migration** s. переселение || **-missible** (-ми'сибл) *a.* передаваемый || **-mission** s. передача; трансмиссия || **-mit** (-ми'т) *va.* пере-давать, -дать || **-mutation** s. превращение; изменение || **-mute** (-мю'т) *va.* превра-щать, -тить; измен-ять, -ить.
trans/om (трӓ'нс-ём) s. поперечный брус; переплёт (окна) || **-parent** (-пӓ'рёнт) *a.* прозрачный; ясный; (*fig.*) очевидный || **-piration** (-пирэй'шн) s. испарение, испарина, потение || **-pire** (-пай'ёр) *va&n.* испар-яться, -иться; потеть, вс-; (*fig.*) обнаруж-иваться, -иться; (*to happen*) случ-аться, -иться || **-plant** (-плӓ'нт) *va.* пере-саживать, -садить.
transport/ (трӓ'нспорт) s. перенос; (*of goods*) перевоз, перевозка, провоз; (*mil.*) транспорт; (*fig.*) восторг, порыв || ~ (трӓнспо'рт) *va.* пере-возить, -везти; транспортировать; (*a prisoner*) ссылать в ссылку; (*fig.*) восхи-щать, -тить || **-ation** s. перенесение; перевозка; пересылка.
transpos/e (трӓнс-поу'з) *va.* пере-ставлять, -ставить; пере-кладывать, -ложить; (*mus.*) пере-лагать, -ложить с одного тона на другой || **-ition** (-пози'шн) s. перенесение; переложение.
tran(s)ship/ (трӓнши'п) *va.* пере-гружать, -грузить || **-ment** s. перегрузка.
transubstantiation (трӓнсёбстӓншиэй'шн) s. пресуществление.
transverse (трӓнзвё'рс) *a.* поперечный; косой.
trap/ (трӓ'п) s. западня, ловушка; (*vehicle*) повозка || ~ *va.* поймать в западню, в ловушку || **~-door** s. люк || **-per** s. охотник на пушного зверя.
trapezium (трёпий'зиём) s. трапеция.
trappings (трӓ'пингз) *spl.* наряды *mpl.*; украшения *npl.*
trash (трӓш) s. дрянь *f.*; (*nonsense*) вздор, дребедень *f.*
travail (трӓ'вил) s. потуги *mpl.* || ~ *vn.* трудиться.
travel/ (трӓвл) s. путешествие; путешествование; поездка || ~ *va.* об'-езжать, -ез-

дить; про-езжáть, -éхать (прострáнство) || ~ *vn.* путешéствовать; éздить, éхать || **-ler** *s.* дорóжный человéк; путешéственник; проéзжий; (*rail.*) пассажи́р; **commercial** ~ коммивояжёр.

traverse (трä'вёрс) *s.* поперéчный брусóк; перекла́дина; (*fort.*) трáверс; (*leg.*) возражéние || ~ *va.* переезжáть; переходи́ть, проходи́ть; (*leg.*) возражáть.

travesty (трä'висти) *s.* парóдия || ~ *va.* пароди́ровать.

trawl/ (трō̄л), **~-net** *s.* трал || ~ *va&n.* трáлить, про- || **-er** *s.* трал; сýдно, занимáющееся трáленьем.

tray (трэ̄й) *s.* поднóс; лотóк.

treacher/y (трэ'чёр-и) *s.* измéна; предáтельство || **-ous** *a.* измéннический; верolóмный; предáтельский; (*deceptive*) обмáнчивый.

treacle (трийкл) *s.* пáтока.

tread (трэд) *s.* шаг; ход; (*of stairs*) ступéнь *f.* || ~ *va&n.* топтáть; по-пирáть, -прáть ногáми; (*grapes*) дави́ть, разминáть, -мя́ть; вы́топтать; ступ-áть, -и́ть; (*of birds*) топтáть || **to ~ water** держáться в водé стóя.

treadle (трэдл) *s.* поднóжка, педáль *f.*

treadmill (трэ'дмил) *s.* ступáльная мéльница.

treason/ (трий'зён) *s.* измéна || **high ~** госудáрственная измéна || **-able** *a.* измéннический; предáтельский.

treasur/e (трэ'жёр) *s.* сокрóвище; (*hidden* ~) клад; (*wealth*) богáтство; (*term of endearment*) ми́лый, ми́лая; голýбчик || ~ **trove** клад, находка || ~ *va.* дорожи́ть || **to ~ up** накоп-ля́ть, -и́ть || **-er** *s.* казначéй || **-y** *s.* казнá, казначéйство || ~ **note** креди́тный билéт.

treat/ (трий'т) *s.* угощéние; наслаждéние || ~ *va&n.* обходи́ться, обойти́сь (с кем); поступ-áть, -и́ть (с кем); (*a patient*) лечи́ть; пóльзовать; (*to entertain*) угощáть, -сти́ть; (*to negotiate*) вести́ переговóры || **to ~ of** рассуждáть (о), трактовáть (о) || **-ise** (-ис) *s.* трактáт || **-ment** *s.* обхождéние, обращéние; пóльзование, лечéние; обрабóтывание; трактовáние || **-y** *s.* договóр; **to be in ~ with** вести́ переговóры с; **to conclude a ~** заклю-ч-áть, -и́ть договóр || ~ **port** порт, откры́тый для свобóдной торгóвли всех нарóдов.

trebl/e (трэбл) *s.* (*mus.*) дискáнт || ~ *a.* тройнóй; (*mus.*) дискáнтовый || ~ *va&n.* у-трoя́ть (-ся), -трóить (-ся) || **-y** *ad.* втрóе, (*vulg.*) втройнé.

tree (трий) *s.* дéрево || **to be up a ~** (*fig.*) быть в безвы́ходном положéнии.

trefoil (трэ'фойл) *s.* трили́стник; клéвер.

trek (трэк) *s.* выселéние; трек || ~ *vn.* выселя́ться, вы́селиться; (*fam.*) у-езжáть, -éхать.

trellis (трэ'лис) *s.* решётка, шпалéры *fpl.*; трельяж.

trembl/e (трэ'мбл) *s.* дрожáние; трепетáние || ~ *vn.* дрожáть; трепетáть; пугáться || **-ing** (-инг) *s.* дрожáние; трепетáние.

tremendous (тримэ'ндёс) *a.* громáдный; стрáшный.

trem/or (трэ'м-ёр) *s.* дрожáние, трепетáние || **-ulous** (-юлёс) *a.* трепéщущий, дрожáщий.

trench/ (трэнч, трэнш) *s.* ров, канáва; (*mil.*) траншéя || ~ *va.* копáть; рыть траншéи, канáвы || **to ~ (up)on** посягáть на || **-ant** *a.* бстрый; рéзкий || **-er** *s.* доскá для рéзки мя́са || **-erman** *s.*, **a good ~** едýн, едóк, обжóра.

trend (трэнд) *s.* направлéние; наклóнность *f.* || ~ *vn.* тянýться; склоня́ться.

trepan (трипä'н) *s.* трепáн || ~ *va.* трепани́ровать; (*to decoy*) за-мáнивать, -мани́ть в ловýшку; за-влекáть, -влéчь.

trepidation (трэпидэ̄й'шн) *s.* трéпет, трепетáние.

trespass (трэ'спёс) *s.* нарушéние чужóй сóбственности; (*obs.* = **sin**) грех, простýпок || ~ *vn.* на-рушáть, -рýшить прáво грани́ц; преступ-áть, -и́ть; (*to sin*) грешить.

tress (трэс) *s.* лóкон; косá.

trestle (трэсл) *s.* козлы́ *mpl.*

triad (трай'ёд) *s.* (*mus.*) трезвýчие; трóйственность *f.*

trial (трай'ёл) *s.* испытáние; прóба; óпыт; (*attempt*) попы́тка; (*leg.*) судéбное разбирáтельство || **to bring up for ~** предавáть судý || ~ *a.* прóбный.

triang/le (трайä'нг-гл) *s.* треугóльник || **-ular** (трайä'нгюлёр) *a.* треугóльный || **-ulation** (трайäнг-гюлэ̄й'шн) *s.* триангуля́ция.

trib/al (трай'б-ёл) *a.* племеннóй || **-e** (трайб) *s.* плéмя *n.*; колéно (нарóдное); род.

tribulation (трибюлэ̄й'шн) *s.* напáсть *f.*; скорбь *f.*

tribun/al (трайбю̄'нёл) *s.* суди́лище, суд, трибунáл || **-e** (три'бюн) *s.* кáфедра, трибýна; (*person*) трибýн.

tribut/ary (три'бютёри) *s.* дáнник; (*of a river*) притóк || ~ *a.* платя́щий дань, обя́занный плати́ть дань || **-e** (три'бю̄т) *s.* дань *f.*; налóг.

trice (трайс) *s.*, **in a ~** ми́гом, в однó мгновéние.

triceps (трай'сэпс) *s.* трёхглáвая мы́шца.

trichinosis (трикинō̄у'сис) *s.* трихи́нная болéзнь, трихинóз.

trick/ (три'к) *s.* (*deceit*) обма́н; (*stratagem*) хи́трость *f.*; уло́вка; (*conjuring* ~) фо́кус; (*at cards*) взя́тка ‖ ~ *va.* обману́ть; провести́ ‖ **to ~ out, up** наря-жа́ть, -ди́ть ‖ **–ery** (-ёри) *s.* обма́н; плутовство́ ‖ **–ster** (-стёр) *s.* обма́нщик; плут.

trickle (трикл) *vn.* ка́пать; струи́ться; течь (по ка́плям).

tri/colour (трай'-калёр) *s.* трёхцве́тное зна́мя ‖ **–cycle** (-сикл) *s.* трёхколёсный велосипе́д ‖ **–dent** (-дёнт) *s.* трезу́бец ‖ **–ennial** (трай-э'ниёл) *a.* трёхле́тний.

trifl/e (трайфл) *s.* безде́лица; пустя́к ‖ ~ *vn.* за-бавля́ться, -ба́виться; игра́ть ‖ **–er** *s.* шутни́к ‖ **–ing** *a.* пустя́чный; малова́жный.

trig/ (триг) *va.* (*to ~ up, out*) наря-жа́ть, -ди́ть ‖ **–ger** *s.* соба́чка (ружья́).

trigonometr/ical (тригёнёмэ'трикёл) *a.* тригонометри́ческий ‖ **–y** (тригёно'митри) *s.* тригономе́трия.

trill/ (трил) *s.* трель *f.* ‖ ~ *va&n.* выде́лывать тре́ли ‖ **–ion** (-йён) *s.* триллио́н.

trim/ (трим) *s.* убо́р; наря́д ‖ ~ *a.* хорошо́ содержи́мый; краси́вый, опря́тный ‖ ~ *va.* отде́л-ывать, -ать; об-шива́ть, -ши́ть; по-правля́ть, -пра́вить; (*to clip*) подре́з-ывать, -ать ‖ **–mer** *s.* (*fig.*) флю́гер, ве́треный челове́к ‖ **–ming** (-нинг) *s.* отде́лка; обши́вка; (*rebuke*) нагоня́й.

trinit/y (три'нити) *s.* Тро́ица; триеди́нство ‖ **T– Sunday** Тро́ицын день ‖ **–arian** (тринитэ'риён) *s.* тринита́рий.

trinket (три'нгкит) *s.* безделу́шка; брело́к.

trio (трай'оу) *s.* три́о.

trip (трип) *s.* (*excursion*) экску́рсия, путеше́ствие; (*voyage*) рейс; (*stumble*) ло́жный шаг; (*light gait*) лёгкий шаг ‖ ~ *va.* (*to ~ up*) подста́вить но́гу (кому́); (*fig.*) улич-а́ть, -и́ть (в) ‖ ~ *vn.* ходи́ть лёгкими шага́ми, семени́ть; (*to stumble*) оступ-а́ться, -и́ться; спотыка́ться, споткну́ться; (*fig.*) погреш-а́ть, -и́ть; де́лать, с- оши́бку.

tripartite (трай'па̄'ртайт) *a.* разделённый на три ча́сти.

tripe (трайп) *s.* кишка́.

triplane (трай'плэйн) *s.* трипла́н.

tripl/e (трайпл) *a.* тройно́й; троя́кий ‖ **–ets** (три'плитс) *spl.* тро́йня.

tri/pod (трай'-под) *s.* трено́жник ‖ **–section** (-сэ'кшён) *s.* сече́ние на три ча́сти.

trite (трайт) *a.* по́шлый; обы́денный.

triton (трай'тён) *s.* трито́н.

triturate (три'тюрэйт) *va.* растере́ть.

triumph/ (трай'ёмф) *s.* триу́мф; побе́да; торжество́ ‖ ~ *vn.* торжествова́ть, вос-; (*to ~ over*) по-бежда́ть, -ди́ть ‖ **–al** (трайа'мфёл) *a.* триумфа́льный; торже́ственный ‖ **–ant** (трай-а'мфёнт) *a.* торжеству́ющий.

triumvir/ (трайа'мвёр) *s.* триумви́р ‖ **–ate** (-эйт) *s.* триумвира́т.

trivet (три'вит) *s.* трено́жник; тага́н.

trivial (три'вйёл) *a.* тривиа́льный; малова́жный; по́шлый, площадно́й.

trochaic (трокэ̄й'ик) *a.* трохеи́ческий.

trod/ (трод), **–den** (-н) *cf.* **tread.**

troglodyte (тро'глодайт) *s.* троглоди́т, пеще́рный жи́тель.

troll (тро̄ул) *s.* ко́больд ‖ ~ *va&n.* (*a song*) распева́ть; (*fishing*) уди́ть.

trollop (тро'лоп) *s.* развра́тная же́нщина; неря́ха.

trombone (тро'мбо̄ун) *s.* тромбо́н.

troop/ (трӯп) *s.* толпа́; (*of actors*) тру́ппа; (*of cavalry*) эскадро́н; (*pl.*) во́йска ‖ ~ *vn.* толпи́ться ‖ **to ~ off** убира́ться ‖ **–er** *s.* кавалери́ст.

trope (тро̄уп) *s.* троп; мета́фора.

trophy (тро̄у'фи) *s.* трофе́й.

tropic/ (тро'пик) *s.* тро́пик ‖ **~, –al** *a.* тропи́ческий.

trot/ (трот) *s.* рысь *f.* ‖ **an easy ~** рысца́ ‖ ~ *va.* пуска́ть ры́сью ‖ ~ *vn.* итти́ ры́сью ‖ **–ter** *s.* рыса́к; (*fam. & animal's*) нога́.

troth (тро̄þ, тро̄уþ) *s.*, **to plight one's ~** сгова́риваться, сговори́ться (с кем) ‖ **by my ~** (*obs.*) че́стное сло́во!

trouble/ (тра'бл) *s.* смяте́ние; трево́га; (*toil*) труд; стара́ние; (*anxiety*) беспоко́йство; (*affliction*) го́ре, печа́ль *f.*; (*ailment*) боле́знь *f.* ‖ ~ *va.* докуча́ть (кому́); трево́жить; беспоко́ить, о-; (*a liquid*) мути́ть ‖ **–some** *a.* доку́чливый; ску́чный; затрудни́тельный.

troublous (тра'блёс) *a.* беспоко́йный.

trough (тро̄ф) *s.* коры́то; (*dough-~*) кваши́я.

trounce (траунс) *va.* отколоти́ть.

troupe (трӯп) *s.* тру́ппа.

trousers (трау'зёрз) *spl.*, ~ *or* **a pair of ~** брю́ки *fpl.*; штаны́ *mpl.*

trousseau (трӯсо̄у') *s.* прида́ное.

trout (траут) *s.* форе́ль *f.*

trowel (трау'ёл) *s.* лопа́тка.

troy (трой) *s.*, **~ weight** весова́я систе́ма в Англии (употребля́ется при определе́нии ве́са зо́лота, драгоце́нных ка́меньев и пр.).

truant (трӯ'ёнт) *s.* лентя́й; праздношата́ющийся ‖ **to play ~** прогуля́ть шко́лу ‖ ~ *a.* лени́вый; праздношата́ющийся.

truce (трӯс) *s.* переми́рие.

truck (трак) *s.* (*vehicle*) теле́жка; ломовы́е дро́ги; (*barter*) менова́я торго́вля ‖ **~ system** распла́та с рабо́чими това́рами ‖ *va&n.* меня́ть, по-, про-.

truckle (тракл) *s.*, **~-bed** выдвижная кровать || ~ *vn.* подчиня́ться; (*to cringe*) раболе́пствовать.

truculent (тра'кюлёнт) *a.* свире́пый, жесто́кий.

trudge (традж) *vn.* ходи́ть пешко́м.

true/ (трӯ') *a.* ве́рный; и́стинный; (*genuine*) настоя́щий, по́длинный; (*honest*) че́стный; правди́вый; (*accurate*) то́чный || **~-love** *s.* возлю́бленный, возлю́бленная.

truffle (трафл) *s.* трю́фель *m.*

tru/ism (трӯ'-изм) *s.* труи́зм || **–ly** *ad.* и́стинно; и́скренно; **yours ~** пре́данный Вам.

trump/ (тра'мп) *s.* (*at cards*) ко́зырь *m.*; (*obs.* = **trumpet**) труба́; (*fam.*) молоде́ц, сла́вный ма́лый || ~ *va.&n.* крыть, брать ко́зырем; козыр-я́ть, -ну́ть || **to ~ up** выду́мывать, вы́думать; (*to forge*) подде́л-ывать, -ать || **–ery** *s.* мишура́, мишу́рный блеск || **–et** *s.* труба́ || ~ *va.* (*fig.*) раз-глаша́ть, -гласи́ть || ~ *vn.* труби́ть || **–eter** (-итёр) *s.* труба́ч.

truncate (трангкэ̄й'т) *va.* об-ре́зывать, -реза́ть.

truncheon (тра'нчён) *s.* жезл; дуби́на.

trundle (трандл) *va.* кати́ть || ~ *vn.* кати́ться.

trunk/ (тра'нгк) *s.* чемода́н, сунду́к; (*of body*) ту́ловище; (*main body*) гла́вная часть (чего́-либо); (*elephant's*) хо́бот; (*of a tree*) ствол || **~-line** *s.* (*rail.*) магистра́ль *f.*, гла́вный путь, гла́вная ли́ния.

trunnion (тра'нйён) *s.* ца́пфа.

truss (трас) *s.* свя́зка; (*of flowers*) пучо́к; (*med.*) банда́ж; (*arch.*) свя́зи *fpl.*; стропи́ло || ~ *va.* с-вя́зывать, -вяза́ть; (*to pack*) укла́дывать, уложи́ть.

trust/ (тра'ст) *s.* дове́рие; (*faith*) ве́ра; (*hope*) наде́жда; (*charge*) хране́ние; (*comm.*) трест; (*credit*) креди́т || **on ~** в долг || **to have, to put, to repose ~ in** ве́рить кому́, име́ть дове́рие к кому́ || ~ *va.&n.* по-лага́ться, -ложи́ться на (что, кого́) до-веря́ть, -ве́рить; ве́рить (кому́); (*to hope*) наде́яться; упова́ть || **–ee** (-ий') *s.* дове́ренный; душеприка́зчик; (*of museum, etc.*) кура́тор || **–ful, –ing** *a.* дове́рчивый || **–iness** *s.* ве́рность *f.*; надёжность *f.* || **–worthy** *a.* заслу́живающий дове́рие || **–y** *a.* ве́рный, надёжный; че́стный.

truth/ (трӯþ) *s.* (*pl.* **–s**, трӯðз) пра́вда; и́стина; (*accuracy*) справедли́вость *f.*; правди́вость *f.* || **to tell the ~** открове́нно говоря́; по пра́вде сказа́ть || **in ~** пра́во, действи́тельно || **–ful** *a.* правди́вый; ве́рный; и́стинный.

try/ (трай) *va.* ис-пы́тывать, -пыта́ть; (*to vex*) пыта́ть; (*to test*) про́бовать, по-; (*to tempt*) иску-ша́ть, -си́ть; (*leg.*) суди́ть || **to ~ on (a suit)** при-меря́ть, -ме́рить || ~ *vn.* пыта́ться, по- || **–ing** *a.* тру́дный: затрудни́тельный; (*exhausting*) утоми́тельный.

tryst (трист) *s.* свида́ние.

tsar, *etc. cf.* **czar.**

tub (таб) *s.* ка́дка; бо́чка; (*bath*) ва́нна.

tube (тю̄б) *s.* труба́, тру́бка, тру́бочка; (*in London*) подзе́мная желе́зная доро́га.

tuber/ (тю̄'бёр) *s.* клу́бень *m.* || **–cle** (-кл) *s.* тубе́ркул || **–culosis** (тю̄бёркюлō'сис) *s.* туберкулёз, бугорча́тка лёгких, чахо́тка || **–culous** (тюбё'ркюлёс) *a.* туберкулёзный.

tub/ing (тю̄'б-инг) *s.* тру́бы *fpl.* || **–ular** (-юлёр) *a.* тру́бчатый, трубообра́зный.

tuck/ (так) *s.* скла́дка; (*fam.*) ла́комства *npl.* || ~ *va.* под-гиба́ть, -огну́ть || **to ~ up** (*skirt*) под-тыка́ть, -откну́ть; (*sleeve*) засу́чивать, -сучи́ть || **to ~ in** заку́тать || **~-shop** *s.* конди́терская.

Tuesday (тю̄'зди) *s.* вто́рник.

tuft/ (та'фт) *s.* пук; клок; хохо́л, хохоло́к || **~-hunter** *s.* подлипа́ла.

tug (таг) *s.* дёргание; (*boat*) букси́рный парохо́д || ~ *va.* си́льно дёр-гать, -нуть; (*mar.*) буксирова́ть || ~ *vn.* напряга́ть си́лы.

tuition (тюи'шн) *s.* обуче́ние.

tulip (тю̄'лип) *s.* тюльпа́н.

tulle (тул) *s.* тюль *m.*

tumbl/e (тамбл) *s.* паде́ние; кувырo̓к; (*disorder*) беспоря́док || ~ *va.* вали́ть, по-, с-; (*to disarrange*) при-води́ть, -вести́ в беспоря́док; (*to rumple*) мять; ко́мкать, с- || ~ *vn.* па́дать, упа́сть; свали́ться; кувы́ркаться, кувырну́ться || **to ~ to** (*fam.*) поня́ть || **–er** *s.* стака́н; (*dove*) ту́рман; (*acrobat*) пая́ц, акроба́т.

tumbrel (та'мбрёл) *s.* теле́га; фурго́н.

tumid (тю̄'мид) *a.* разду́тый; (*of speech*) напы́щенный.

tummy (та'ми) *s.* (*fam.*) желу́док.

tumour (тю̄'мёр) *s.* о́пухоль *f.*

tumult/ (тю̄'малт) *s.* шум; волне́ние, сумато́ха; мятёж || **–uous** (тюма'лтюёс) *a.* шу́мный; сму́тный; мяте́жный.

tumulus (тю̄'мюлёс) *s.* курга́н.

tun (тан) *s.* бо́чка; чан.

tune/ (тю̄н) *s.* тон; гармо́ния; (*air*) моти́в пе́сня; (*fig.*) расположе́ние ду́ха || **to the ~ of . . .** (*fam.*) на су́мму . . . || **to sing in ~** петь ве́рно || **to sing out of ~** петь фальши́во || ~ *va.* на-стра́ивать, -стро́ить || **–ful** *a.* гармони́ческий, мелоди́чный || **–r** *s.* настро́йщик.

tungsten (та'нгстён) *s.* вольфра́м || **~ steel** вольфра́мовая сталь.

tuning/ (тю'нинг) *s.* настройка, настраивание || **~-fork** *s.* ключ тона, камертон.
tunic (тю'ник) *s.* туника; (*mil.*) мундир.
tunnel/ (та'нёл) *s.* туннель *m.*; подземный ход || **~** *va.* про-водить, -вести туннель || **-ing** *s.* проведение туннеля.
tunny (та'ни) *s.* тунец.
turban (тё'рбён) *s.* тюрбан, чалма.
turbid (тё'рбид) *a.* мутный.
turbine (тё'рбин) *s.* турбина.
turbot (тё'рбёт) *s.* палтус, морская камбала.
turbul/ence (тё'рбюл-ёнс) *s.* буйство; смута || **-ent** *a.* буйный, бурный; (*noisy*) шумный; (*restless*) беспокойный.
tureen (тюрий'н) *s.* суповая чаша; миса.
turf/ (тёрф) *s.* дёрн; (*peat*) торф; (*horse-racing*) скаковой спорт || **~** *va.* выстилать, обкладывать дёрном || **-y** *a.* дерни́стый.
turgid/ (тё'рджид) *a.* (*fig.*) надутый, напыщенный, высокопарный || **-ity** (терджи'дити) *s.* надутость *f.*; напыщенность *f.*; высокопарность *f.*
turkey/ (тё'рки) *s.* (*~-cock*) индюк; (*~-hen*) индейка, индюшка.
turmeric (тё'рмёрик) *s.* куркума.
turmoil (тё'рмойл) *s.* тревога; суматоха; шум.
turn/ (тё'рн) *s.* оборот, поворот; обращение; (*change*) перемена; (*mil. left ~, right ~*) оборот (налево, направо); (*vicissitude*) превратность *f.*; (*chance*) случай; (*a good ~*) услуга; (*crisis*) кризис; (*bend*) изгиб; (*your ~, my ~*) очередь *f.*; (*aptitude*) склонность *f.* || **it's your ~ now** теперь ваша очередь || **in -s** по очереди, попеременно || **to take -s with** чередоваться с || **to give one a ~** пугнуть || **~** *va.* вертеть; повор-ачивать, -отить; пере-вёртывать, -вернуть; выворачивать, выверпуть; (*to transform*) пре-вращать, -вратить; (*to change*) перемен-ять, -ить; (*at cards*) вскрывать, вскрыть; (*to direct*) на-правлять, -править; (*on lathe*) точить; (*to translate*) пере-водить, -вести; (*to convert*) обра-щать, -тить (во что) || **~** *vn.* вертеться; повор-ачиваться, -отиться; пере-вёртываться, -вернуться; (*to be transformed*) пре-вращаться, -вратиться; (*be changed*) перемен-яться, -иться; (*to become*) сделаться, становиться; (*of milk*) свёртываться, свернуться || **to ~ about** вертеться; поворачиваться || **to ~ aside, away** отвор-ачиваться, -отиться || **to ~ back** возвра-щаться, -титься || **to ~ in** (**for the night**) ложиться, лечь спать || **to ~ out** *va.* выгонять, выгнать || **it -ed out, that . . .** оказалось что . . . || **to ~ over a new leaf** переменить образ жизни || **to ~ turtle** опрокинуться || **~-coat** *s.* отступник || **-er** *s.* токарь *m.* || **-ery** *s.* токарное искусство, токарство || **-ing** *s.* оборот, поворот; (*of a street*) извилина || **-ing-point** *s.* перелом, кризис || **-key** *s.* тюремщик || **~-out** (-ау'т) *s.* (*strike*) стачка, забастовка; наряд; (*equipage*) экипаж; (*production*) производство || **-over** *s.* (*comm.*) оборот || **-pike** *s.* застава, шлагбаум || **-screw** *s.* отвёртка || **-stile** *s.* вертушка; рогатка || **~-table** *s.* (*rail.*) поворотная платформа.
turnip (тё'рнип) *s.* репа.
turpentine (тё'рпёнтайн) *s.* скипидар; терпентин. [зость *f.*
turpitude (тё'рпитюд) *s.* гнусность *f.*; мер-
turps (тёрпс) = **turpentine.** [зовый.
turquoise (тё'ркуойз) *s.* бирюза || **~** *a.* бирю-
turret (та'рит) *s.* башня, башенка.
turtle/ (тё'ртл) *s.* (морская) черепаха || **~ & ~-dove** *s.* горлица.
tusk (таск) *s.* клык. [бороться.
tussle (тасл) *s.* борьба; свалка || **~** *vn.*
tussock (та'сёк) *s.* клок, клочок (травы).
tut (тат) *int.* цыц!
tutel/age (тю'тил-идж) *s.* опека, опекунство; малолетство || **-ary** *a.* опекунский; охранительный.
tutor/ (тю'тёр) *s.* наставник; гувернёр; (*leg.*) опекун; (*for examinations*) репетитор; преподаватель *m.* || **~** *va.* учить, преподавать || **-ship** *s.* должность (*f.*) наставника, и пр.; опекунство. [тать.
twaddle (туодл) *s.* болтовня || **~** *vn.* бол-
twain (туэйн) *s.* двое, два; пара || **in ~** надвое, пополам.
twang (туанг) *s.* звук струны || **to speak with a nasal ~** говорить в нос || **~** *va.* из-влекать, -влечь пронзительный звук (из) || **~** *vn.* звучать.
'twas (туоз) = **it was** *cf.* **be.**
tweak (туийк) *s.* щипок || **~** *va.* щипать, ущипнуть.
tweed (туийд) *s.* полусукно.
'tween (туийн) = **between.**
tweet (туийт) *vn.* чирикать.
tweezers (туий'зёрз) *spl.* щипцы *mpl.*; щипчики *mpl.*
twelfth (туэлфѳ) *s.* двенадцатая часть || **~** *a.* двенадцатый || **T- Day** крещение Господне. [*s.* год.
twelve/ (туэлв) *num.* двенадцать || **-month**
twent/ieth (туэ'нт-ииѳ) *a.* двадцатый || **-y** *num.* двадцать.
'twere (туэр) = **it were** *cf.* **be.**

twice (туайс) *ad.* дважды, два раза || ~ **as much** вдвое . . .
twig (туиг) *s.* ветка, прутик || ~ *va&n.* (*fam.*) при-мечать, -метить; (*fam.*) (*to understand*) по-нимать, -нять.
twilight (туай'лайт) *s.* сумерки *fpl.*; (*in morning*) рассвет; полумрак.
twill (туил) *s.* кипор; диагональ *f.* (ткань).
'twill (туил) = **it will.**
twin/ (туи'н) *s.* близнец; двойник; (*fam.*) двойничник || **–s** *spl.* двойни *spl. m&f.* близнецы || ~ *a.* двойной; двойничный || ~ **brother** двойничный брат || ~**-screw** (-скру) *s.* (*of steamers*) с двумя винтами.
twine (туайн) *s.* бичёвка, верёвочка || ~ *va.* вить; об-вивать, -вить; свивать, свить || ~ *vn.* виться; об-виваться, -виться.
twinge/ (туиндж) *s.* острая боль || **–s of conscience** угрызение совести.
twinkl/e (туингкл), **–ing** *s.* сверкание; мерцание; (*of eye*) мигание || **in a –ing, in the –ing of an eye** мигом || **–e** (–) *vn.* сверк-ать, -нуть; мерцать; миг-ать, -нуть.
twirl (туёрл) *s.* верчение; пируэт || ~ *va.* вертеть; крутить, за- || ~ *vn.* вертеться.
twist (туист) *s.* плетение; кручение; (*yarn*) твист; (*of limb*) вывих || ~ *va.* крутить; скручивать; (*threads*) сучить; (*to distort*) иска-жать, -зить; (*to revolve*) вертеть || ~ *vn.* крутиться; вертеться.
twit (туит) *va.* упрекать.
twitch (туич) *s.* дёргание; (*med.*) судорога || ~ *va.* дёргать, дёрнуть; подёргивать.
twitter (туи'тёр) *s.* чириканье; (*in a* ~) нервный припадок || ~ *vn.* чирикать; щебетать.
'twixt (туикст) = **betwixt.**
two/ (ту') *s.* двойка; пара || **in** ~ надвое, пополам || **by –s** парами || ~ *num.* два, две; двое || **at** ~ **o'clock** в два часа || ~ **hundred** двести || ~**-edged** (-эджд) *a.* обоюдоострый || **–fold** *a.* двойной, двоякий || ~**-hundredth** *a.* двухсотый || **–pence** (та'пёнс) *spl.* два пенса || **–penny** (та'пёни) *a.* стоящий два пенса.
'twould (туд) = **it would.**
tying (тай'инг) *cf.* **tie.**
tyke (тайк) *s.* пёс.
tympanum (ти'мпёнём) *s.* (*an.*) барабанная перепонка.
type/ (тай'п) *s.* тип; (*model*) образец; (*typ.*) литера, шрифт || ~ *va.* писать на пишущей машине || ~**-setter** *s.* наборщик || ~**-setting** *s.* набор || ~**-writer** *s.* пишущая машина; & = **typist.**
typh/oid (тай'фойд) *s&a.*, ~ **fever** тифозная лихорадка || **–oon** (тайфу'н) *s.* тифон; ураган || **–us** (тай'фёс) *s.* тиф.
typ/ical (ти'п-икёл) *a.* типичный; образцовый || **–ify** (-ифай) *va.* олицетвор-ять, -ить || **–ist** (тай'пист) *s.* пишущий на машине || **–ography** (тайпо'грёфи) *s.* типография, книгопечатание.
tyran/nical (тирä'никёл), **–nous** (ти'рёнёс) *a.* тиранический || **–nize** (ти'рёнайз) *vn.* тиранствовать || **–ny** (ти'рёни) *s.* тиранство || **–t** (тай'рёнт) *s.* тиран.
tyre (тай'ёр) = **tire.**
tyro (тай'роу) = **tiro.**

U

ubiquitous (юби'куитёс) *a.* вездесущий.
udder (а'дёр) *s.* вымя *n.*; сосок.
ugl/iness (а'глинэс) *s.* безобразие || **–y** (а'гли) *a.* некрасивый, дурной; безобразный; скверный.
ukase (юкэй'с) *s.* указ.
ulcer/ (а'лсёр) *s.* язва, нарыв || **–ation** *s.* нарывание; изъязвление || **–ous** *a.* покрытый нарывами.
ullage (а'лидж) *s.* (*comm.*) утечка (у бочки).
ulster (а'лстёр) *s.* пальто.
ult. *abbr. of* **ultimo** (а'лтимоу) *ad.* прошлого месяца.
ult/erior (алтий'риёр) *a.* дальнейший; позднейший || **–imate** (а'лтимё.) *a.* последний; (*final*) окончательный || **–imatum** (алтимэй'тём) *s.* ультиматум || **–imo** (а'лтимоу) *ad. cf.* **ult.**
ultra/marine (а'лтрёмёрий'н) *s.* ультрамарин || ~ *a.* заморский || **–montane** (алтрёмо'нтэйн) *a.* ультрамонтанский || **–violet** (а'лтрёвай'-ёлёт) *a.* ультрафиолетовый.
umbelliferous (амбёли'фёрёс) *a.* зонтичный.
umber (а'мбёр) *s.* умбра.
umbilical (амби'ликёл) *a.* пупочный.
umbrage (а'мбридж) *s.* (*poet.*) тень *f.* || **to take** ~ **at** обидеться (чем) || **to give** ~ обидеть.
umbrella (амбрэ'лё) *s.* зонтик.
umpire (а'мпайёр) *s.* третейский судья; посредник || ~ *vn.* реш-ать, -ить третейским судом.
un/abashed (а'нёбä'шт) *a.* несмущённый; дерзкий || **–abated** (а'нёбэй'тид) *a.* неослабный || **–able** (а'нэй'бл) *a.* неспособный; **I am** ~ я не в состоянии, я не могу || **–abridged** (а'нёбри'джд) *a.* не сокращённый || **–accented** (а'нäксэ'нтид) *a.* не имеющий ударения || **–acceptable** (а'нäксэ'птёбл) *a.* неприемлемый; неприятный || **–accompanied** (а'нёка'мпёнид) *a.* не сопровождаемый; (*mus.*) без аккомпанимента || **–accomplished** (а'н-

ёко'мплишт) *a.* (*not finished*) неоконченный; (*not educated*) необразованный || **-accountable** (а'нёкау'нтёбл) *a.* необ'яснимый; (*not answerable*) неответственный || **-accustomed** (а'нёка'стёмд) *a.* непривычный, необычный || **-acquainted** (а'нёкуэй'нтид) *a.* незнакомый; (*ignorant*) незнающий || **-adorned** (а'нёдо'рнд) *a.* неукрашенный || **-adulterated** (а'нёда'лтёрэйтид) *a.* неподдельный; чистый || **-advised** (а'нёдвай'зд) *a.* неблагоразумный; безрассудный || **-affected** (а'нёфэ'ктид) *a.* непринуждённый; простой; равнодушный || **-aided** (а'нэй'дид) *a.* без помощи; (*of the eye*) невооружённый || **-alloyed** (а'нёлой'д) *a.* беспримесный, чистый || **-alterable** (а'но'лтёрёбл) *a.* неизменяемый.

unanim/ity (юнёни'мёти) *s.* единодушие; единогласие || **-ous** (юна'нимёс) *a.* единодушный, единогласный.

un/answerable (а'на'нсёрёбл) *a.* неопровержимый, неоспоримый || **-appalled** (а'нёпо'лд) *a.* бестрепетный.

un/appropriated (а'нёпроу'при-эйтид) *a.* свободный, незанятый || **-approved** (а'нёпру'вд) *a.* неодобренный || **-armed** (а'на'рмд) *a.* невооружённый; безоружный || **-asked** (а'на'скт) *a.* непрошенный || **-aspiring** (а'нёспай'ринг) *a.* не честолюбивый || **-assailable** (а'нёсэй'лёбл) *a.* неприступный || **-assuming** (а'нёсю'минг) *a.* скромный || **-attainable** (а'нётэй'нёбл) *a.* недостижимый || **-attended** (а'нётэ'ндид) *a.* несопровождаемый || **-authentic** (а'ноѳэ'нтик) *a.* неподлинный || **-authorized** (а'но'ѳёрайзд) *a.* недозволенный, неразрешённый || **-available** (а'нёвэй'лёбл) *a.* бесполезный || **-availing** (а'нёвэй'линг) *a.* бесполезный; напрасный || **-avoidable** (а'нёвой'дёбл) *a.* неизбежный, неминуемый || **-aware** (а'нёуа'р) *a.* незнающий || **-awares** (а'нёуа'рз) *ad.* неожиданно; врасплох.

un/bar (анба'р) *va.* снимать запоры; открывать, -крыть || **-bearable** (а'нба'рёбл) *a.* невыносимый, нестерпимый, несносный || **-becoming** (а'нбика'минг) *a.* неблагопристойный; неприличный; неуместный || **-belief** (а'нбилий'ф) *s.* неверие || **-believable** (а'нбилий'вёбл) *a.* невероятный || **-believer** (а'нбилий'вёр) *s.* неверующий || **-bend** (а'нбэнд) *va.&n.* разгибать (-ся); о-слаблять, -слабить || **-bending** (а'нбэ'ндинг) *a.* негибкий; непреклонный || **-biassed** (а'нбай'ёст) *a.* непредубеждённый || **-blemished** (а'нблэ'мишт) *a.* беспорочный || **-blushing** (а'нбла'шинг) *a.* бесстыдный || **-bolt** (анбоу'лт) *va.* от-пирать, -переть || **-born** (а'нбо'рн) *a.* нерождённый || **-bosom** (анбу'зём) *va.* поверить || **-bound** (а'нбау'нд) *a.* непереплетённый || **-bridled** (а'нбрай'длд) *a.* необузданный || **-broken** (а'нброу'кн) *a.* целый; беспрерывный || **-burden** (анбё'рдн) *va.* снять бремя; облегч-ать, -ить || **-button** (анба'тн) *va.* рас-стёгивать, -стегнуть (пуговицы).

un/called (а'нко'лд) *a.* незванный; ~ **for** ненужный || **-ceasing** (а'нсий'синг) *a.* беспрестанный; безостановочный || **-ceremonious** (а'нсэримоу'ниёс) *a.* бесцеремонный || **-certain** (а'нсё'ртин) *a.* ненадёжный; (*doubtful*) сомнительный; (*changeable*) переменчивый || **-changeable** (а'нчэй'нджёбл) *a.* неизменный, постоянный || **-charitable** (а'нча'ритёбл) *a.* немилосердный || **-chaste** (а'нчэй'ст) *a.* нецеломудренный || **-christian** (а'нкри'счён, -тйён) *a.* не христианский || **-circumcised** (а'нсё'ркёмсайзд) *a.* необрезанный || **-civil** (а'нси'вил) *a.* невежливый, неучтивый || **-civilized** (а'нсивилай'зд) *a.* нецивилизованный || **-clad** (а'нкла'д) *a.* неодетый || **-clasp** (анкла'сп) *va.* расстёгивать, -стегнуть; раз-жимать, -жать.

uncle (а'нг-кл) *s.* дядя, дядюшка.

un/clean (а'нклий'н) *a.* нечистый || **-cleanliness** (а'нклэ'нлинэс) *s.* нечистота || **-close** (анклоу'з) *va.* от-крывать, -крыть || **-clouded** (а'нклау'дид) *a.* безоблачный || **-coil** (анкой'л) *va.* раз-матывать, -мотать || **-comfortable** (а'нка'мфёртёбл) *a.* неудобный; неуютный || **-common** (а'нко'мён) *a.* необыкновенный || **-communicative** (а'нкомю'никётив) *a.* необщительный; сдержанный || **-complaining** (а'нкомплэй'нинг) *a.* безропотный || **-compromising** (а'нко'мпрёмайзинг) *a.* непримиримый || **-concern** (а'нкёнсё'рн) *s.* равнодушие || **-concerned** (а'нкёнсё'рнд) *a.* равнодушный || **-conditional** (а'нкёнди'шёнёл) *a.* безусловный || **-confirmed** (а'нконфё'рмд) *a.* неподтверждённый || **-congenial** (а'нкёнджий'нйёл) *a.* несимпатичный; неприятный || **-connected** (а'нкёнэ'ктид) *a.* несвязанный; бессвязный || **-conquerable** (а'нко'нгкёрёбл) *a.* непобедимый || **-conscious** (а'нко'ншёс) *a.* бессознательный; не сознающий; не замечающий || **-constitutional** (а'нконститю'шёнёл) *a.* неконституционный || **-constrained** (а'нкёнстрӯй'нд) *a.* непринуждённый || **–contested** (а'нкёнтэ'стид) *a.* неоспори́мый || **–controllable** (а'нкёнтрōу'лёбл) *a.* неудержи́мый || **–cork** (анкō'рк) *va.* откупор-ивать, -ить || **–corrupted** (а'нкёра'птид) *a.* неиспо́рченный || **–couple** (анка'пл) *va.* раз'един-я́ть, -и́ть; (*rail.*) отцеп-ля́ть, -и́ть || **–courteous** (а'нкё'рчёс) *a.* неве́жливый || **–couth** (а'нку'þ) *a.* неуклю́жий; (*strange*) стра́нный || **–cover** (анка'вёр) *va.* от-крыва́ть, -кры́ть; рас-крыва́ть, -кры́ть || ~ *vn.* снима́ть, снять ша́пку.

unct/ion (а'нгкшён) *s.* пома́зание; мазь *f.*; (*eccl.*) ми́ро || **Extreme U–** соббро́вание || **to give Extreme U– to a person** соббро́вать кого́ || **–uous** (а'нгктюёс) *a.* ма́сляны, са́льный, маслянистый; (*fig.*) еле́йный.

un/cultivated (а'нка'лтивэйтид) *a.* необрабо́танный; (*fig.*) необразо́ванный || **–curl** (анкё'рл) *va&n.* раз-вёртывать (-ся), -верну́ть(-ся).

un/damaged (а'н-дӓ'миджд) *a.* неповреждённый, невреди́мый || **–dated** *a.* бес числа́ || **–daunted** *a.* неустраши́мый; бесстра́шный || **–deceive** *va.* выводи́ть, вы́вести из заблужде́ния || **–decided** *a.* нерешённый || **–decisive** *a.* нереши́тельный || **–defiled** *a.* чи́стый, незапя́тнанный || **–definable** *a.* неопредели́мый; неиз'ясни́мый || **–deniable** *a.* неоспори́мый.

under/ *prp.* под, из-под; внизу́; сни́зу; в; при; (*less than*) ни́же; ме́нее || ~ **ten years of age** моло́же десяти́ лет || ~ **age** несовершенноле́тний || ~ **sail** под паруса́ми || ~ **way** на ходу́ || ~ *a.* ни́жний, ни́зший; подчинённый; (*in cpds.*) под- || **–bid** *vn.* пред-лага́ть, -ложи́ть сли́шком ни́зкую це́ну || **–clothes** *spl.* носи́лное бельё || **–cut** *s.* филе́й || **–done** *a.* недова́ренный; недожа́ренный || **–estimate** *va.* име́ть сли́шком ни́зкое мне́ние (о чём-либо) || **–go** *va.irr.* претерпева́ть; ис-пы́тывать, -пыта́ть || **–graduate** *s.* университе́тский студе́нт, не получи́вший ещё пе́рвой учёной сте́пени || **–ground** *s.* подзе́мная желе́зная доро́га || ~ *a.* подзе́мный || **–growth** *s.* ни́зкий куста́рник || **–hand** *a.* скры́тый || **–lie** *vn.* находи́ться, лежа́ть под || **–ling** *s.* подчинённый || **–mine** *va.* под-рыва́ть, -ры́ть; мини́ровать || **–most** *a.* са́мый ни́жний || **–neath** *prp.* под || ~ *ad.* внизу́; ни́же; сни́зу || **–rate** *va.* недоста́точно цени́ть || **~-secretary** *s.* помо́щник секретаря́ || **–shot** *a.* подливно́й || **–signed** *s.* нижеподписа́вшийся || **–stand** *va.irr.* по-нима́ть, -ня́ть; разуме́ть, у-; (*to imply*) подразумева́ть; уме́ть || **–standing** (-стӓ'ндинг) *s.* понима́ние, разуме́ние; ра́зум; уме́ние; (*common-sense*) здравомы́слие; (*agreement*) соглаше́ние; **with the ~ that** с усло́вием; **to come to an ~ with** соглаша́ться, -си́ться || **–strapper** (-стрӓ'пёр) *s.* подчинённый || **–take** (-тэй'к) *va.irr.* предпри-нима́ть, -ня́ть; бра́ться, взя́ться (за что) || ~ *vn.irr.* брать, взять на свою́ отве́тственность; руча́ться, поручи́ться || **–taker** (-тэй'кёр) *s.* (*funeral ~*) гробовщи́к || **–taking** (-тэй'кинг) *s.* предприя́тие || **–tone** (-тōун) *s.*, **in an ~** в полго́лоса || **–value** (-вӓ'лю) *va.* цени́ть ни́же сто́имости || **–wear** (-уӓр) *s.* носи́льное бельё || **–went** (-уэ'нт) *cf.* **undergo** || **–wood** (-уудь) *s.* куста́рник || **–write** (-рай'т) *va.irr.* (*insure*) страхова́ть, за- || **–writer** (-райтёр) *s.* страховщи́к.

un/deserved (а'ндизё'рвд) *a.* незаслу́женный || **–deserving** (а'ндизё'рвинг) *a.* недосто́йный || **–designing** (а'ндизай'нинг) *a.* бесхи́тростный || **–desirable** (а'ндизай'рёбл) *a.* нежела́тельный || **–determined** (а'ндитё'рминд) *a.* неопределённый, нереши́тельный || **–digested** (а'ндиджэ'стид) *a.* непервва́ренный || **–dignified** (анди'гнифайд) *a.* лишённый досто́инства || **–diluted** (а'ндилю'тид) *a.* не разба́вленный; чи́стый || **–disciplined** (а'нди'сиплинд) *a.* своево́льный || **–discovered** (а'ндиска'вёрд) *a.* неоткры́тый || **–disguised** (а'ндисгай'зд) *a.* нескрыва́емый; непритво́рный; просто́й || **–dismayed** (а'ндисмэй'д) *a.* неустраши́мый || **–disputed** (а'ндиспю'тид) *a.* неоспори́мый || **–disturbed** (а'ндистё'рбд) *a.* споко́йный.

undo/ (анду') *va.irr.* (*untie*) раз-вя́зывать, -вяза́ть; (*to open*) от-крыва́ть, -кры́ть; (*to destroy*) уничт-ожа́ть, -о́жить; губи́ть, по- || **–ing** (-инг) *s.* разоре́ние.

un/doubted (а'ндау'тид) *a.* несомне́нный || **–dress** (а'ндрэ'с) *s.* дома́шнее пла́тье; (*mil.*) виц-мунди́р || ~ (андрэ'с) *va&n.* раз-дева́ть(-ся), -де́ть(-ся) || **–due** (а'ндю') *a.* неподоба́ющий; (*improper*) непра́вильный; (*excessive*) чрезме́рный.

undulation (андюлэй'шн) *s.* волне́ние, колеба́ние; (*of ground*) неро́вность *f.*

un/duly (а'ндю'ли) *ad.* незаслу́женно; несправедли́во || **–dutiful** (а'ндю'тифул) *a.* непослу́шный; непочти́тельный || **–dying** (а'ндай'инг) *a.* бессме́ртный.

unearth/ (анӭ'рр̄) *va.* выка́пывать, вы́копать || **-ly** (анӭ'рр̄ли) *a.* неземно́й.

un/easy (аний'зи) *a.* беспоко́йный; неудо́бный || **-educated** (а'нэ'дюкэйтид) *a.* необразо́ванный || **-embarrassed** (а'нэмбӓ'рѐст) *a.* не стеснённый; непринуждённый, свобо́дный || **-employed** (а'нимплой'д) *a.* неза́нятый; безрабо́тный; без употребле́ния || **-equal** (а'ний'куёл) *a.* нера́вный; неро́вный || **-equalled** (а'ний'куёлд) *a.* бесподо́бный || **-equivocal** (а'никуи'вокёл) *a.* недвусмы́сленный || **-erring** (а'нӭ'ринг) *a.* безоши́бочный || **-even** (а'ний'вн) *a.* неро́вный; нера́вный; (*of numbers*) нечётный; **an ~ number** не́чет || **-exampled** (а'нигзӓ'мплд) *a.* беспримéрный.

unex/pected (а'никспэ'ктид) *a.* неожи́данный; нечаянный || **-plored** (а'никсплō'рд) *a.* неиссле́дованный.

un/fading (а'нфэ̄й'динг) *a.* неувяда́ющий **-failing** (а'нфэ̄й'линг) *a.* немину́емый; ве́рный || **-fair** (а'нфӓ'р) *a.* несправедли́вый; нечéстный || **-fairness** (а'нфӓ'рнис) *s.* несправедли́вость *f.*; нечéстность *f.* || **-fasten** (анфӓ'сн) *va.* раз-вя́зывать, -вяза́ть; от-стёгивать, -стегну́ть || **-fathomable** (а'нфӓ'ðёмёбл) *a.* неизмери́мый || **-favourable** (а'нфэ̄й'вёрёбл) *a.* неблагоприя́тный || **-feasible** (а'нфий'зёбл) *a.* неисполни́мый || **-feeling** (а'нфий'линг) *a.* нечувстви́тельный; бесчу́вственный || **-feigned** (а'нфэ̄й'нд) *a.* непритво́рный || **-fermented** (а'нфёрмэ'нтид) *a.* не переброди́вший; прéсный || **-finished** (а'нфи'ништ) *a.* неоко́нченный || **-fit** (а'нфи'т) *a.* неспосо́бный; неподходя́щий || **-fitting** (а'нфи'тинг) *a.* неподходя́щий; неприли́чный, непристо́йный || **-fix** (анфи'кс) *va.* отдел-я́ть, -и́ть || **-flagging** (а'нфлӓ'гинг) *a.* неутоми́мый || **-fledged** (а'нфлэ'джд) *a.* неоперённый || **-flinching** (а'нфли'нчинг) *a.* реши́тельный.

un/fold (анфōу'лд) *va.* раз-вёртывать, -верну́ть; рас-крыва́ть, -кры́ть; (*reveal*) открыва́ть, -кры́ть || ~ *vn.* раз-вёртываться, -верну́ться || **-foreseen** (а'нфорсий'н) *a.* непредви́денный || **-fortunate** (а'нфō'рчёнит) *a.* несча́стный, злополу́чный || **-fortunately** (анфō'рчёнитли) *ad.* несча́стным о́бразом; к сожале́нию || **-founded** (а'нфау'ндид) *a.* неосновáтельный || **-frequented** (а'нфрикуэ'нтид) *a.* уединённый || **-friendly** (а'нфрэ'ндли) *a.* недружелю́бный; неприя́тный || **-fruitful** (а'нфрӯ'тфул) *a.* неплодоро́дный; неплóдный || **-fulfilled** (а'нфулфи'лд) *a.* неиспо́лненный || **-furl** (анфӭ'рл) *va.&n.* раз-вёртывать(-ся), -верну́ть(-ся); (*sails*) распус-ка́ть(-ся), -ти́ть(-ся) || **-furnished** (а'нфӭ'рништ) *a.* не меблиро́ванный.

un/gainly (а'н-гэ̄й'нли) *a.* неуклю́жий; нело́вкий || **-gird** (ан-гӭ'рд) *va.* распоя́сать || **-godly** (а'н-го'дли) *a.* безбо́жный || **-governable** (а'н-га'вёрнёбл) *a.* неукроти́мый; необу́зданный || **-graceful** (а'н-грэ̄й'сфул) *a.* без гра́ции, без прéлести, не грацио́зный; неприя́тный || **-gracious** (а'н-грэ̄й'шёс) *a.* неми́лостивый || **-grateful** (а'н-грэ̄й'тфул) *a.* неблагода́рный || **-grounded** (а'н-грау'ндид) *a.* неосновáтельный || **-grudgingly** (а'нгра'джингли) *ad.* с ра́достью, охо́тно || **-guarded** (а'нгӓ'рдид) *a.* неосторо́жный.

unguent (а'нг-гуёнт) *s.* мазь *f.*

un/hallowed (а'н-хӓ'лоуд) *a.* нечести́вый || **-hand** (ан-хӓ'нд) *va.* с-нима́ть, -нять ру́ки с || **-handy** (а'нхӓ'нди) *a.* нело́вкий; неудо́бный || **-happily** (анхӓ'пили) *ad.* к сожале́нию, к несча́стию.

un/healthy (а'нхэ'лþи) *a.* нездоро́вый; болéзненный || **-heard** (а'нхӭ'рд) *a.*, **~ of** неслы́ханный || **-heeded** (а'нхий'дид) *a.* оста́вленный без внима́ния || **-heedful** (а'нхий'дфул) *a.* беспéчный || **-hewn** (а'нхю'н) *a.* неотёсанный || **-hinge** (анхи'ндж) *va.* снять с пéтель (дверь, и пр.); (*fig.*) своди́ть, свести́ кого́ с ума́; **his mind became -hinged** он сошёл с ума́ || **-hitch** (анхи'ч) *va.* отцеп-ля́ть, -и́ть || **-holy** (а'нхōу'ли) *a.* нечести́вый || **-hoped-for** (а'нхōу'пт-фор) *a.* нежда́нный; неча́янный || **-horse** (ан'хō'рс) *va.* сбить с ло́шади || **-hurt** (а'нхӭ'рт) *a.* невреди́мый; неповреждённый.

uni/corn (ю̄'никōрн) *s.* единоро́г || **-form** (ю̄'нифōрм) *s.* мунди́р; фо́рма; фо́рменная одéжда || ~ *a.* однообра́зный || **-formity** (юнифō'рмити) *s.* однообра́зие || **-fy** (ю̄'нифай) *va.* соедин-я́ть, -и́ть.

un/imaginable (а'нимӓ'джинёбл) *a.* невообрази́мый || **-important** (а'нимпō'ртёнт) *a.* не ва́жный, малова́жный.

un/inflammable (а'нинфлӓ'мёбл) *a.* невоспламеня́емый || **-inhabitable** (а'нинхӓ'битёбл) *a.* необита́емый || **-intelligent** (а'нинтэ'лиджёнт) *a.* непоня́тливый || **-intelligible** (а'нинтэ'лиджёбл) *a.* невня́тный; непоня́тный; (*of writing*) неразбо́рчивый || **-intentional** (а'нинтэ'ншёнёл) *a.* ненаро́чный; неумы́шленный

|| **-interrupted** (а'нинтёра'птид) *a.* беспреры́вный || **-invited** (а'нинвай'тид) *a.* неприглашённый.
union/ (ю'ниён) *s.* сою́з; соедине́ние; (*eccl.*) у́ния; (*concord*) согла́сие; гармо́ния || **U-Jack** англи́йский национа́льный флаг || **-ist** (-ист) *s.* унионист.
unique (юний'к) *a.* еди́нственный.
uni/son (ю'нисён) *s.* (*mus.*) созву́чие, унисо́н; (*fig.*) согла́сие || **-t** (ю'нит) *s.* едини́ца || **-tarian** (юнитā'риён) *s.* унита́рий || **-te** (юнай'т) *va&n.* соедин-я́ть (-ся), -и́ть (-ся); присоедин-я́ть (-ся), -и́ть (-ся); сочета́ть (-ся) || **-ty** (ю'нити) *s.* еди́нство; (*fig.*) единоду́шие || **-versal** (юнивё'рсёл) *a.* универса́льный; всео́бщий, всеми́рный || **-verse** (ю'нивёрс) *s.* вселе́нная || **-versity** (юнивё'рсити) *s.* университе́т.
unjust/ (а'нджа'ст) *a.* несправедли́вый || **-ifiable** (а'нджастифай'ёбл) *a.* непрости́тельный.
unkind (а'нкай'нд) *a.* нелюбе́зный.
unknow/ingly (ан-нōу'нингли) *ad.* не зна́я; по неве́дению; невзнача́й, неумы́шленно || **-n** (а'н-нōу'н) *a.* неизве́стный; неве́домый.
un/lace (анлэ̄й'с) *va.* расшнурова́ть || **-ladylike** (анлэ̄й'дилайк) *a.* не подоба́ющий да́ме || **-lamented** (а'нлёмэ'нтид) *a.* неопла́канный || **-latch** (анлā'ч) *va.* отпира́ть, -пере́ть || **-lawful** (а'нлō'фул) *a.* незако́нный, беззако́нный || **-leash** (анлий'ш) *va.* спус-ка́ть, -ти́ть со сво́ры; рассво́р-ивать, -ить || **-leavened** (а'нлэ'внд) *a.* не заква́шенный.
unless (анлэ'с, ёнлэ'с) *c.* ра́зве; е́жели; е́сли не; исключа́я.
un/lettered (а'нлэ'тёрд) *a.* неучёный || **-licensed** (а'нлай'сёнст) *a.* недозво́ленный || **-like** (а'нлай'к) *a.* несхо́дный || **-likelihood** (а'нлай'клихуд) *s.* невероя́тность *f.* || **-likely** (ан'лай'кли) *a.* невероя́тный || **-limited** (а'нли'митид) *a.* неограни́ченный || **-load** (анлōу'д) *va.* разгру-жа́ть, -зи́ть; выгружа́ть, вы́грузить; (*a gun*) раз-ряжа́ть, -ряди́ть || **-lock** (анло'к) *va.* от-пира́ть, -пере́ть; (*fig.*) откры-ва́ть, -кры́ть || **-looked-for** (а'нлу'кт-фōр) *a.* неожи́данный; непредви́денный || **-loose** (анлӯ'с) *va.* раз-вя́зывать, -вяза́ть.
unluck/y (а'нла'ки) *a.* несча́стный; злополу́чный || **-ily** (-ли) *ad.* к несча́стию.
unmake (анмэ̄й'к) *va.irr.* раз-руша́ть, -ру́шить; уничт-ожа́ть, -о́жить.
unman/ (анма̄'н) *va.* лиш-а́ть, -и́ть му́жества || **-ly** (а'нма̄'нли) *a.* нему́жественный.
un/mannerly (а'нма̄'нёрли) *a.* гру́бый; неве́жливый || **-manufactured** (а'нма̄нюфа̄'кчёрд) *a.* необрабо́танный || **-married** (а'нма̄'рид) *a.* (*of a man*) нежена́тый; (*of a woman*) незаму́жняя || **-mask** (анма̄'ск) *va.* снима́ть, снять ма́ску (с кого́); (*fig.*) облич-а́ть, -и́ть кого́; от-крыва́ть, -кры́ть || **-merciful** (а'нмё'рсифул) *a.* немилосе́рдный || **-merited** (а'нмэ'ритид) *a.* незаслу́женный || **-mindful** (а'нмай'ндфул) *a.* небре́жный; невнима́тельный; **~ of** не обраща́ющий внима́ния на || **-mistak(e)able** (а'нмистэ̄й'кёбл) *a.* очеви́дный || **-mitigated** (а'нми'тигэйтид) *a.* не смягчённый || **-mixed** (а'нми'кст) *a.* чи́стый, беспри́месный || **-molested** (а'нмолэ'стид) *a.* не обеспоко́енный || **-moor** (анмӯ'р) *va.* отча́л-ивать, -ить || **~** *vn.* сня́ться с я́коря.
un/named (а'н-нэ̄й'мд) *a.* нена́званный || **-natural** (а'н-на̄'чёрёл) *a.* неесте́ственный || **-necessary** (а'н-нэ'сисёри) *a.* нена́добный; нену́жный; (*superfluous*) ли́шний || **-nerve** (ан-нё'рв) *va.* изнур-я́ть, -и́ть; обесси́л-ивать, -ить || **-noticed** (а'н-нōу'тист) *a.* незаме́ченный || **-numbered** (а'н-на'мбёрд) *a.* не нумеро́ванный; (*countless*) бесчи́сленный.
un/objectionable (а'н-обджэ'кшёнёбл) *a.* безукори́зненный || **-observing** (а'нёбзё'рвинг), **-observant** (а'нёбзё'рвёнт) *a.* ненаблюда́тельный, не соблюда́ющий || **-obtrusive** (а'нобтрӯ'сив) *a.* скро́мный || **-occupied** (а'но'кюпайд) *a.* неза́нятый || **-official** (а'нофи'шёл) *a.* неофициа́льный || **-opposed** (а'нопōу'зд) *a.* без сопротивле́ния || **-organized** (а'нō'ргёнайзд) *a.* неорганизо́ванный.
unpack (анпа̄'к) *va.* распак-о́вывать, -ова́ть || **to ~ a trunk** вынима́ть, вы́нуть ве́щи из чемода́на.
un/palatable (а'нпа̄'лётёбл) *a.* невку́сный; (*fig.*) непри́ятный || **-paralleled** (а'нпа̄'рёлэлд) *a.* несравне́нный, бесподо́бный **-pardonable** (а'нпа̄'рдёнёбл) *a.* непрости́тельный || **-perceived** (а'нпёрсий'вд) *a.* незаме́ченный || **-pin** (анпи'н) *va.* отка́лывать, -коло́ть була́вку || **-pleasant** (а'нплэ'зёнт) *a.* непри́ятный || **-ploughed** (а'нплау'д) *a.* невспа́ханный || **-popular** (а'нпо'пюлёр) *a.* непопуля́рный || **-precedented** (а'нпрэ'сидэнтид) *a.* небыва́лый, бесприме́рный || **-prejudiced** (а'нпрэ'джёдист) *a.* не предубеждённый || **-premeditated** (а'нприма'дитэйтид) *a.* непредумы́шленный || **-prepared** (а'нприпа̄'рд)

a. неприготовленный; неготовый || **-prepossessing** (а'нприйпёзэ'синг) *a.* некрасивый || **-presuming** (а'нпризю'минг) *a.* скромный || **-principled** (а'нпри'нсиплд) *a.* беспринципный; бесхарактерный || **-productive** (а'нпрода'ктив) *a.* непроизводительный || **-profitable** (а'нпро'фитёбл) *a.* невыгодный; бесполезный || **-propitious** (а'нпропи'шёс) *a.* неблагоприятный || **-protected** (а'нпротэ'ктид) *a.* не защищённый || **-published** (а'нпа'блишт) *a.* неизданный || **-punished** (а'нпа'ништ) *a.* безнаказанный || **-qualified** (а'нкуо'лифайд) *a.* неспособный || **-quenchable** (а'нкуэ'нчёбл) *a.* неутолимый; неугасимый || **-questionable** (а'нкуэ'счёнёбл) *a.* несомненный; неоспоримый.

un/ravel (анрä'вл) *va.* распут-ывать, -ать; раз'ясн-ять, -ить || **-real** (а'нрий'л) *a.* ненастоящий || **-reasonable** (а'нрий'з(ё)нёбл) *a.* безрассудный; (*unjust*) несправедливый; (*excessive*) неумеренный || **-relenting** (а'нрилэ'нтинг) *a.* неослабный; непреклонный || **-reliable** (а'нрилай'ёбл) *a.* неблагонадёжный, ненадёжный || **-remitting** (а'нрими'тинг) *a.* неослабный; беспрерывный || **-reserved** (а'нризё'рвд) *a.* откровенный; безусловный || **-resisting** (а'нризи'стинг) *a.* несопротивляющийся || **-rest** (а'нрэ'ст) *s.* беспокойство; (*fig.*) волнение; забота || **-restrained** (а'нристрэ̄й'нд) *a.* несдержанный; беспрепятственный; необузданный || **-restricted** (а'нристри'ктид) *a.* неограниченный || **-revenged** (а'нривэ'нджд) *a.* неотмщённый || **-righteous** (а'нрай'чёс, -тйёс) *a.* неправедный; несправедливый || **-ripe** (а'нрай'п) *a.* незрелый.

un/rivalled (а'нрай'вёлд) *a.* бесподобный, несравненный || **-robe** (анроу'б) *va.&n.* разоблач-ать (-ся), -ить (-ся) || **-roll** (анрō'л) *va.* раз-вёртывать, -вернуть || **-roof** (анрӯ'ф) *va.* снимать, снять крышу с (дома) || **-ruffled** (а'нра'флд) *a.* спокойный || **-ruly** (а'нрӯ'ли) *a.* непослушный, ослушный; упрямый.

un/saddle (ансӓ'дл) *va.* рас-седлывать, -седлать; (*a rider*) вышибать, вышибить из седла || **-safe** (а'нсэ̄й'ф) *a.* опасный || **-said** (а'нсэ'д) *a.* несказанный || **-satisfactory** (а'нсäтисфӓ'ктёри) *a.* неудовлетворительный || **-savoury** (а'нсэ̄й'вёри) *a.* невкусный, безвкусный || **-say** (ансэ̄й') *va.* от-рекаться, -речься от || **-scathed** (а'нскэ̄й'ðид) *a.* невредимый || **-scientific** (а'нсайёнти'фик) *a.* ненаучный || **-screw** (анскрӯ') *va.* раз-винчивать, -винтить; от-винчивать, -винтить || **-scrupulous** (а'нскрӯ'пйёлёс) *a.* недобросовестный || **-seasonable** (а'нсий'з(ё)нёбл) *a.* несвоевременный; неуместный; неблаговременный || **-seemly** (а'нсий'мли) *a.* неприличный || **-seen** (а'нсий'н) *a.* невиденный; невидимый; незамеченный || **-selfish** (а'нсэ'лфиш) *a.* бескорыстный || **-serviceable** (а'нсё'рвисёбл) *a.* непригодный; бесполезный || **-settle** (ансэ'тл) *va.* расстр-аивать, -оить || **-settled** (а'нсэ'тлд) *a.* расстроенный; непостоянный; нерешительный; переменчивый; неспокойный || **-shackle** (аншӓ'кл) *va.* освобождать, -дить кого от оков; снимать, снять оковы с || **-shaken** (а'ншэ̄й'кн) *a.* непоколебимый || **-sheathe** (анший'ð) *va.* обнаж-ать, -ить || **-ship** (анши'п) *va.* выгружать, выгрузить || **-shod** (а'ншо'д) *a.* неподкованный || **-shorn** (а'ншō'рн) *a.* нестриженный || **-sightly** (а'нсай'тли) *a.* безобразный, уродливый || **-skilful** (а'нски'лфул) *a.* неискусный; несведущий; неловкий || **-slaked** (а'нслэ̄й'кт) *a.* неутолённый; (*of lime*) негашёный || **-soiled** (а'нсой'лд) *a.* незапятнанный || **-solvable** (а'нсо'лвёбл) *a.* неразрешимый || **-sophisticated** (а'нсофи'стикэйтид) *a.* неподдельный; нежеманный; искренний || **-sound** (а'нсау'нд) *a.* болезненный; некрепкий; испорченный; (*fig.*) ложный || **-sparing** (а'нспӓ'ринг) *a.* не бережливый; щедрый; (*merciless*) беспощадный || **-speakable** (а'нспий'кёбл) *a.* невыразимый || **-spoken** (а'нспōу'кн) *a.* несказанный || **-stable** (анстэ̄й'бл) *a.* непостоянный; неустойчивый; нестойкий || **-stained** (анстэ̄й'нд) *a.* чистый, незапятнанный || **-steady** (а'нстэ'ди) *a.* нетвёрдый; шаткий; (*of a boat*) валкий; (*fickle*) изменчивый || **-stinted** (а'нсти'нтид) *a.* безграничный || **-strung** (а'нстра'нг) *a.* расстроенный || **-substantial** (а'нсёбстӓ'ншёл) *a.* несущественный; невещественный || **-successful** (а'нсёксэ'сфул) *a.* безуспешный; неудачный || **-suitable** (а'нсю'тёбл) *a.* неудобный; неподходящий || **-suited** (а'нсю'тид) *a.* неподходящий; несоответственный || **-sullied** (а'нса'лид) *a.* чистый; незамаранный || **-supported** (а'нсёпō'ртид) *a.* без поддержки || **-suspected** (а'нсёспэ'ктид) *a.* неподозреваемый || **-suspicious** (а'нсёспи'шёс) *a.* неподозревающий; неподозрительный || **-swerving** (а'нсуё'рвинг) *a.* непреклонный.

un/tarnished (а'нта̄'рништ) *a.* незапя́тнанный || **-taxed** (а'нтӓ'кст) *a.* свобо́дный от нало́гов; беспо́шлинный || **-tenable** (а'нтэ'нёбл) *a.* незащити́мый || **-tenanted** (а'нтэ'нёнтид) *a.* пусто́й; без жильцо́в || **-tidy** (а'нтай'ди) *a.* неопря́тный || **-tie** (антай') *va.* раз-вя́зывать, -вяза́ть.
until (анти'л, ёнти'л) *prp.* до; по || ~ **then** до тех пор || ~ **now** до сих пор || ~ **when?** до ко́их пор? || ~ *c.* пока́; пока́ не || **wait** ~ **I come back** подожди́, пока́ я возвращу́сь.
un/tilled (а'нти'лд) *a.* невозде́ланный || **-timely** (а'нтай'мли) *a.* преждевре́менный; несвоевре́менный || ~ *ad.* невпопа́д; некста́ти.
unto (а'нту) *prp.* = **to.**
un/told (а'нто̄у'лд) *a.* неска́занный; (*numberless*) несме́тный || **-touched** (а'нта'чт) *a.* нетро́нутый || **-toward** (а'нто̄у'ёрд) *a.* упо́рный; стропти́вый; (*unlucky*) несча́стный || **-tractable** (а'нтрӓ'ктёбл) *a.* несговорчивый || **-trained** (а'нтрэ̄й'нд) *a.* не научённый; не приучённый || **-tried** (а'нтрай'д) *a.* неиспы́танный || **-trodden** (а'нтро'дн) *a.* нето́птанный || **-troubled** (а'нтра'блд) *a.* ти́хий; споко́йный || **-trustworthy** (а'нтра'стуёрди) *a.* ненадёжный || **-truth** (а'нтрӯ'þ) *s.* непра́вда; ло́жность *f.*; (*a lie*) ложь *f.* || **-twist** (антуи'ст) *va.* раз-вива́ть, -ви́ть; рас-кру́чивать, -крути́ть; рас-плета́ть, -плести́.
un/used (а'ню̄'зд) *a.* неупотреби́тельный; (*unaccustomed*) непривы́чный || **-usual** (а'ню̄'жуёл) *a.* необыкнове́нный; необыча́йный || **-utterable** (а'на'тёрёбл) *a.* невырази́мый.
un/varied (а'нва̄'рид) *a.* неизме́нный || **-varnished** (а'нва̄'рништ) *a.* не лакиро́ванный; (*fig.*) неприкра́шенный || **-varying** (а'нва̄'ри-инг) *a.* неизменя́ющийся || **-veil** (анвэ̄й'л) *va.* снять вуа́ль с; разоблач-а́ть, -и́ть; (*a secret, etc.*) от-крыва́ть, -кры́ть.
un/warrantable (а'нуо'рёнтёбл) *a.* непозволи́тельный || **-warranted** (а'нуо'рёнтид) *a.* недозво́ленный; без оправда́ния || **-wary** (а'нуа̄'ри) *a.* неосторо́жный || **-wavering** (ануэ̄й'вёринг) *a.* твёрдый, непоколеби́мый || **-wearied** (а'нуий'рид) *a.* неутоми́мый || **-welcome** (а'нуэ'лкём) *a.* нежела́нный; неприя́тный || **-well** (а'нуэ'л) *a.* нездоро́вый || **-wept** (а'нуэ'пт) *a.* неопла́канный || **-wholesome** (а'нхо̄у'лсём) *a.* нездоро́вый || **-wieldy** (а'нуий'лди) *a.* неповоро́тливый || **-willingly** (а'нуи'лингли) *ad.* неохо́тно; про́тив во́ли || **-wind** (ануай'нд) *va.* раз-ма́тывать, -мота́ть || **-wittingly** (а'нуи'тингли) *ad.* по неве́дению; нево́льно || **-wonted** (а'нуо̄у'нтид) *a.* необы́чный; необыкнове́нный; непривы́чный || **-worthy** (а'нуё̄'рди) *a.* недосто́йный || **-wrap** (анрӓ'п) *va.* раз-вёртывать, -верну́ть || **-written** (а'нри'тн) *a.* нepи́санный.
un/yielding (а'нйий'лдинг) *a.* непрекло́нный; неподатливый || **-yoke** (анйо̄у'к) *va.* снять ярмо́.
up/ (ап) *ad.* вверх; наве́рх; наверху́; на нога́х || **all is** ~ всё ко́нчено || ~ **and down** взад и вперёд || **his blood is** ~ он раздражён || ~ **to** *prp.* до; по || **the -s and downs of life** ра́дости и го́рести жи́зни.
up/braid (апбрэ̄й'д) *va.* упрек-а́ть, -ну́ть; укоря́ть; де́лать, с- кому́ вы́говор || **-bringing** (а'пбрингинг) *s.* воспита́ние || **-heaval** (апхий'вёл) *s.* подъём || **-hill** (а'пхил) *a.* (*fig.*) тру́дный || **-hold** (апхо̄у'лд) *va.irr.* под-де́рживать, -держа́ть.
upholster/ (апхо̄у'лстёр) *va.* обива́ть, оби́ть обо́ями; по-крыва́ть, -кры́ть || **-er** (-ёр) *s.* обо́йщик; ме́бельщик || **-y** (-и) *s.* обо́йная рабо́та.
upon (ёпо'н) *prp.* = **on.**
upper/ (а'пёр) *s.* (*pl.*) переды́, передки́ (сапо́жные) || ~ *a.* ве́рхний; вы́сший; перве́йший || **the** ~ **hand** (*fig.*) верх || **the U- House** ве́рхняя пала́та || **-most** (-мо̄уст) *a.* са́мый ве́рхний.
uppish (а'пиш) *a.* зано́счивый.
up/right (а'прайт) *s.* (*tech.*) сто́йка || ~ (а'прай'т) *a.* прямо́й; (*fig.*) че́стный || **-rising** (апрай'зинг) *s.* встава́ние; восста́ние || **-roar** (а'про̄р) *s.* сумато́ха, шум || **-roarious** (апро̄'риёс) *a.* шу́мный, буйды́жный || **-root** (апрӯ'т) *va.* искорен-я́ть, -и́ть || **-set** (апсэ'т) *va.* опроки-дывать, -нуть; расстр-а́ивать, -о́ить || **-shot** (а'пшот) *s.* заключе́ние; сле́дствие; результа́т || **-side** (а'псайд) *s.&ad.*, ~**-down** вверх дном || **-stairs** (а'пста̄'рз) *ad.* (*motion* ~) вверх, наве́рх; (*position* ~) наверху́ || **-start** (а'пста̄рт) *s.* вы́скочка; временщи́к || **-stroke** (а'пстро̄ук) *s.* (*in writing*) то́нкая черта́ || **-ward** (а'пуёрд) *a.* направля́ющийся вверх || ~ *ad.* вверх, наве́рх, кве́рху || **bottom** ~ вверх дном || **-wards** (а'пуёрдз) *ad.* вверх, наве́рх, кве́рху || ~ **of** бо́лее (+ *G.*) || ~ **of 100** бо́лее ста.

urban/ (ё'рбён) *a.* городской || **-e** (ёрбэй'н) *a.* вежливый, учтивый || **-ity** (ёрбä'нити) *s.* вежливость *f.*; учтивость *f.*
urchin (ё'рчин) *s.* мальчишка *m.*
urethra (юрий'þрё) *s.* мочеиспускательный [канал.
urg/e (ё'рдж) *va.* побу-ждать, -дить; спешить чем, торопить; погонять; подстрекать; настаивать на чем; просить неотступно; убеждать || **-ency** (-ёнси) *s.* крайность *f.*; безотлагательность *f.* || **-ent** (-ёнт) *a.* крайний, безотлагательный.
urin/al (ю'ринёл) *s.* урильник || **-e** (ю'рин) *s.* моча, урина || **-ate** (ю'ринэйт) *vn.* мочиться.
urn (ёрн) *s.* урна; (*for tea*) самовар.
ursine (ё'рсин) *a.* медвежий.
us (ac) [*D. & A. of* **we**] нас, нам || **by ~** [нами.
us/age (ю'зидж) *s.* употребление; обращение; (*custom*) обычай || **-ance** (ю'зёнс) *s.* (*comm.*) срок платежа по векселю.
use/ (ю'с) *s.* употребление; польза; (*custom*) обычай || **in ~** в употреблении || **out of ~** вышедший из употребления || **to make ~ of, to put to ~** пользоваться (чем) || **of ~** полезный || **of no ~** бесполезный || **~** (юз) *va.* употреб-лять, -ить; пользоваться, вос- (чем); (*to treat*) обращаться (с кем); (*a person's name*) ссылаться (на кого) || **to ~ up** истратить; истощить || **~** *vn.* [*only in past* **-d** (юст) *& Ppr.* **-d** (юст)] иметь обыкновение, привычку || **he -d to tell** бывало он рассказывает || **-ful** (-фул) *a.* полезный; годный, пригодный || **-less** (-лис) *a.* бесполезный; тщетный, напрасный. [(*to ~ in*) вводить.
usher (а'шёр) *s.* швейцар; пристав || **~** *va.*
usu/al (ю'жуёл) *a.* обыкновенный; обычный || **-fruct** (ю'зюфра'кт) *s.* пользование (вещью).
usur/er (ю'жёрёр) *s.* ростовщик || **-y** (ю'жёри) *s.* лихва, лихоимство; ростовщичество.
usurp/ (юзё'рп) *va.* за-хватывать, -хватить || **-er** *s.* самозванец; узурпатор; похититель (*m.*) (власти *или* престола).
utensils (ютэ'нсилз) *spl.* посуда; утварь *f.*; потребные для чего-либо орудия.
uter/ine (ю'тёр-айн) *a.* маточный || **-us** (-ёс, -ас) *s.* матка.
util/itarian (ютилитä'риён) *a.* утилитарный || **-ity** (юти'лити) *s.* польза, полезность *f.* || **-ize** (ю'тилайз) *va.* утилизировать; пользоваться, вос- (чем).
utmost (а'тмоуст) *a.* крайний; высочайший; величайший || **one's ~** всё возможное. [чтательный, мнимый.
utopian (ютōу'пиён) *a.* утопический, ме-
utter/ (а'тёр) *a.* крайний; совершенный || **~** *va.* произ-носить, -нести; говорить, сказать || **-ance** (-ёнс) *s.* произнесение; произношение; выговор, дикция || **-ly** *ad.* совершенно, вполне.
uvula (ю'вюлё) *s.* язычок (на зеве).
uxorious (агзō'риёс) *a.* слепо любящий свою жену.

V

vac/ancy (вэй'кёнси) *s.* пустота; (*unoccupied post*) вакансия, вакантное место || **-ant** (вэй'кёнт) *a.* пустой; порожний; свободный; незанятый; вакантный, незамещённый || **-ate** (вёкэй'т) *va.* о-ставлять, -ставить; (*lodgings*) с'езжать, с'ехать с (квартиры) || **-ation** (вёкэй'шн) *s.* вакация; каникулы *fpl.*
vaccin/ate (вä'ксин-эйт) *va.* при-вивать, -вить оспу (+ *D.*) || **-ation** (ваксинэй'шн) *s.* прививание, прививка, оспопрививание, вакцинация || **-e** *s.* коровья оспа; вакцина, прививательная материя.
vacillat/e (вä'силэйт) *vn.* колебаться, не решаться, быть нерешительным || **-ion** (василэй'шн) *s.* колебание, нерешимость *f.*
vacu/ity (вёкю'ити) *s.* пустота || **-ous** (вä'кюёс) *a.* пустой || **-um** (вä'кю-ём) *s.* пустота; безвоздушное пространство; **~ brake** пневматический тормоз. [водство.
vade-mecum (вэй'ди-мий'кам) *s.* руко-
vagabond/ (вä'гёбонд) *s.* бродяга; негодяй || **~** *a.* праздношатающийся; бродяжный, скитальческий || **-age** (-идж), **-ism** *s.* бродяжничество.
vagary (вёгä'ри) *s.* прихоть *f.*; фантазия.
vagina (вёджай'нё) *s.* (*an.*) влагалище.
vagran/cy (вэй'грён-си) *s.* бродяжничество || **-t** *s.* бродяга, скиталец || **~** *a.* бродяжнический, бродящий.
vague (вэйг) *a.* неопределённый; смутный.
vain/ (вэйн) *a.*, **in ~** напрасно || **to take God's name in ~** всуе употреблять имя Божие || **~** *a.* (*useless*) тщетный; бесполезный, напрасный; (*valueless*) пустой; (*conceited*) тщеславный; занятый собою; щеголеватый, франтоватый || **~ hopes** тщетные надежды; **to make a ~ effort to** тщетно трудиться || **-glorious** (-глō'риёс) *a.* тщеславный || **-glory** (-глō'ри) *s.* тщеславие.
valance (вä'лёнс) *s.* подзор (у кровати).
vale (вэйл) *s.* долина.
valedict/ion (вälиди'к-шён) *s.* прощание, прощальное слово || **-ory** (-тёри) *a.* прощальный.

valency (вэ́й'лёнси) *s.* (*chem.*) сродство́.
valentine (вä'лёнтайн) *s.* возлю́бленный; пода́рок; любо́вное письмо́.
valerian (вёлий'риён) *s.* валериа́на.
valet (вä'лит) *s.* слуга́, камерди́нер.
valetudinarian (вäлитю̆динā'риён) *s.* хво́рый челове́к || ~ *a.* хво́рый.
valiant (вä'лйёнт) *a.* до́блестный, хра́брый, му́жественный.
valid/ (вä'лид) *a.* действи́тельный; (*of arguments*) основа́тельный || **a passport, ~ till the 1st May** па́спорт сро́ком до пе́рвого ма́я || **the passport is no longer ~** срок па́спорту уже́ ми́нул; па́спорт уже́ просро́чен || **to remain ~** остава́ться в си́ле || **–ate** (-эйт) *va.* дать си́лу (*D.*) || **–ity** (вёли'дити) *s.* действи́тельность *f.*; зако́нность *f.*; си́ла, де́йствие.
valise (вёлий'с) *s.* чемода́н, су́мка.
valley (вä'ли) *s.* доли́на.
val/orous (вä'лёрёс) *a.* хра́брый || **–our** (*Am.* **–or**) [вä'лёр] *s.* хра́брость *f.*, до́блесть *f.*
valu/able (вä'лю-ёбл) *a.* це́нный, драгоце́нный; дорого́й || **–ation** (вäлюэ̄й'шн) *s.* оце́нка; цена́ || **–e** *s.* сто́имость *f.*; (*price*) це́нность *f.*; цена́; (*fig.*) значе́ние || ~ *va.* цени́ть; оцен-я́ть, -и́ть; (*to esteem*) уважа́ть; дорожи́ть || **–eless** (-лэс) *a.* ничего́ не сто́ящий; ничто́жный; бесце́нный.
valve (вäлв) *s.* кла́пан; (*an.*) затво́рка, засло́нка.
vamose, vamoos (вёмӯ'с) *vn. Am.* (*fam.*) удра́ть.
vamp (вäмп) *s.* передо́к сапога́ || ~ *va.* по-чи́нивать, -чини́ть.
vampire (вä'мпайёр) *s.* вампи́р; кровопи́йца.
van (вäн) *s.* фурго́н; (*railway* ~) ваго́н (това́рный); (*mil.*) аванга́рд || **in the ~** впереди́.
vandal/ (вä'ндёл) *s.* ванда́л || **–ism** *s.* вандали́зм.
vane (вэ̄йн) *s.* флю́гер; (*of a mill*) крыло́.
vanguard (вä'нгāрд) *s.* аванга́рд.
vanilla (вёни'лё) *s.* вани́ль *f.*
vanish/ (вä'ниш) *vn.* ис-чеза́ть, -че́знуть; скрыва́ться, скры́ться || **he –ed without leaving a trace** он бе́з вести пропа́л.
vanity (вä'нити) *s.* тщесла́вие; суета́.
vanquish (вä'нг-куиш) *va.* побе-жда́ть, -ди́ть; преодол-ева́ть, -е́ть.
vantage (вā'нтидж) *s.* вы́года, вы́годное положе́ние || ~ **ground, coign of ~** бо́лее вы́годное положе́ние.
vapid (вä'пид) *a.* вы́дохнувшийся; вы́дохлый; безвку́сный; (*fig.*) по́шлый.
vaporize (вэ̄й'пёрайз) *va.&n.* испар-я́ть (-ся), -и́ть (-ся.)
vapour/ (*Am.* **vapor**) [вэ̄й'пёр] *s.* пар; чад; тума́н || **~-bath** (-бāþ) *s.* парова́я ба́ня *или* ва́нна.
var/iable (вā'ри-ёбл) *s.* (*math.*) переме́нная величина́ || ~ *a.* переме́нный, переме́нчивый; изме́нчивый; непостоя́нный; нера́вноме́рный || **–iance** (-ёнс) *s.* несогла́сие; ссо́ра; **to be at ~** поссо́риться || **–iant** (-ёнт) *s.* вариа́нт || **–iation** (вāриэ̄й'шн) *s.* переме́на; измене́ние; (*mus.*) вариа́ция; (*astr.*) уклоне́ние.
varicose (вä'рикӯс) *a.* варико́зный || ~ **vein** расши́ренная ве́на.
varied (вā'рид) *a.* разнообра́зный.
var/iegate (вä'риёгэ̄йт) *va.* разнообра́зить; испещря́ть || **–iety** (вёрай'ёти) *s.* разнообра́зие, разли́чность *f.*; разнови́дность *f.*; ~ **theatre** теа́тр-варието́ || **–ious** (вā'риёс) *a.* различный; разнообра́зный.
varlet (вā'рлит) *s.* паж, слуга́; (*rascal*) плут.
varnish/ (вā'рниш) *s.* лак; (*fig.*) лоск || ~ *va.* лакирова́ть, от- || **–ing** *s.* лакиро́вка.
varsity (вā'рсити) *s.* (*fam.*) университе́т.
vary (вā'ри) *va.* измен-я́ть, -и́ть; перемен-я́ть, -и́ть; разнообра́зить; (*mus.*) варии́ровать || ~ *vn.* измен-я́ться, -и́ться; перемен-я́ться, -и́ться; ра́зниться.
vase (вāз, вэ̄йз) *s.* ва́за, сосу́д.
vaseline (вä'силин) *s.* вазели́н.
vassal/ (вä'сёл) *s.* васса́л || **–age** (-идж) *s.* васса́льство.
vast/ (вāст) *a.* обши́рный; огро́мный || **–ly** *ad.* (*fam.*) гора́здо.
vat (вäт) *s.* чан, уша́т.
vaticination (вäтисинэ̄й'шн) *s.* проро́чество.
vaudeville (вō'двил) *s.* водеви́ль *m.*
vault (вōлт) *s.* свод; подва́л; (*burial* ~) склеп; (*jump*) прыжо́к, скачо́к || **the ~ of heaven** свод небе́сный || ~ *va.* по-крыва́ть, -кры́ть сво́дом || ~ *vn.* пры́гать; перепры́г-ивать, -нуть.
vaunt (вōнт) *s.* хвастовство́ || ~ *vn.* хва́статься.
veal (вийл) *s.* теля́тина.
veer (вийр) *va.&n.* повор-а́чивать (-ся), -оти́ть (-ся), перемен-я́ть, -и́ть направле́ние.
veget/able (вэ'джи-тёбл) *s.* о́вощь *f.* || ~ *a.* расти́тельный || ~ **garden** огоро́д || **–arian** (вэджитā'риён) *s.* вегетариа́нец || **–ate** (-тэйт) *vn.* прозяба́ть || **–ation** (вэджитэ̄й'шн) *s.* расти́тельность *f.*; вегета́ция; прозяба́ние.
vehemen/ce (вий'[х]ёмён-с) *s.* пы́лкость *f.*; горя́чность *f.*; си́ла || **–t** *a.* пы́лкий, горя́чий; си́льный.
vehicle (вий'[х]икл) *s.* пово́зка; экипа́ж; (*medium*) переда́точное сре́дство.

veil (вэйл) *s.* вуа́ль *f.*; покрыва́ло; (*pretext*) предло́г || **to take the ~** постри́чься в мона́хини || **to draw a ~ over something** при-крыва́ть, -кры́ть что || ~ *va.* за-крыва́ть, -кры́ть покрыва́лом; (*fig.*) скрыва́ть, скрыть.

vein (вэйн) *s.* (*an.*) ве́на; (*bot.* & *met.*) жи́ла; (*fig.*) расположе́ние ду́ха, настрое́ние.

vellum (вэ'лём) *s.* веле́невая бума́га; перга́мен(т).

velocipede (вило'сипийд) *s.* велосипе́д.

velocity (вило'сити) *s.* быстрота́; ско́рость *f.*

velours (вэлӯ'р) *s.* велу́р.

velvet/ (вэ'лвит) *s.* ба́рхат || ~ *a.* ба́рхатный || **-een** (вэлвитий'н) *s.* бума́жный ба́рхат || **-y** *a.* бархати́стый.

venal (вий'нёл) *a.* прода́жный; (*fig.*) подкупно́й.

vend/ (вэнд) *va.* про-дава́ть, -да́ть || **-or** (-ёр) *s.* продаве́ц.

vendetta (вэндэ'тё) *s.* крова́вая месть, кровомще́ние.

veneer (виний'р) *s.* фане́рка; (*fig.*) нару́жный лоск || ~ *va.* о(б)-кле́ивать, -кле́ить фане́рой.

vener/able (вэ'нёр-ёбл) *a.* почте́нный, достопочте́нный; (*in address*) преподо́бный || **-ate** (-эйт) *va.* почита́ть; благогове́ть (пе́ред) || **-ation** (вэнёрэй'шн) *s.* почте́ние, благогове́ние.

venereal (виний'риёл) *a.* венери́ческий.

Venetian (виний'шн) *a.*, ~ **blind** жалюзи́ *n. indecl.*

venge/ance (вэ'нджёнс) *s.* месть *f.*; мще́ние || **with a ~** (*fam.*) стра́шно, ужа́сно || **-ful** (вэ'нджфул) *a.* мсти́тельный.

venial (вий'ниёл) *a.* прости́тельный.

venison (вэ'нзн) *s.* оле́нина.

venom/ (вэ'нём) *s.* яд; (*fig.*) зло́ба || **-ous** *a.* ядови́тый; (*fig.*) язви́тельный.

venous (вий'нёс) *a.* жи́льный; (*of blood*) вено́зный.

vent/ (вэ'нт) *s.* проду́шина; вы́ход || **to give ~ to** из-дава́ть. -да́ть (стон, звук, и пр.) || ~ *va.* дава́ть, дать свобо́дный ход; (*one's anger*) из-лива́ть, -ли́ть || **~-hole** *s.* отду́шина || **-ilate** (-илэйт) *va.* вентили́ровать, про-; прове́тр-ивать, -и́ть; освеж-а́ть, -и́ть во́здух (в ко́мнатах); (*fig.*) об-сужда́ть, -суди́ть что || **-ilation** (вэнтилэй'шн) *s.* вентиля́ция; прове́тривание || **-ilator** (-илэйтёр) *s.* вентиля́тор || **~-peg** (-пэг) *s.* заты́чка.

ventricle (вэ'нтрикл) *s.* желу́дочек.

ventriloquist (вэнтри'локуист) *s.* чревовеща́тель *m.*

venture/ (вэ'нчёр) *s.* риск; отва́га; уда́ча; (*undertaking*) предприя́тие || **at a ~** на уда́чу, на аво́сь || ~ *va.&n.* риск-ова́ть, -ну́ть; отва́ж-иваться, -иться || **-some** (-сём) *a.* отва́жный, сме́лый.

venturous (вэ'нчёрёс) *a.* отва́жный, сме́лый.

venue (вэ'ню) *s.* (*leg.*) ме́сто происше́ствия, де́йствия; (*fam.*) сбо́рное ме́сто, ме́сто свида́ния.

verac/ious (вёрэй'шёс) *a.* правди́вый || **-ity** (вёрӓ'сити) *s.* правди́вость *f.*

verandah (вёрӓ'ндӓ) *s.* вера́нда.

verb/ (вёрб) *s.* глаго́л || **-al** (-ёл) *a.* слове́сный; (*literal*) буква́льный; (*word for word*) досло́вный; (*gramm.*) отглаго́льный || **-atim** (вёрбэй'тим) *a.* досло́вный || ~ *ad.* досло́вно, сло́во в сло́во, буква́льно.

verbena (вёрбий'нё) *s.* железня́к.

verb/iage (вё'рби-идж) *s.* многосло́вие; пустосло́вие || **-ose** (вёрбо̄у'с) *a.* многоречи́вый || **-osity** (вёрбо'сити) *s.* многоречи́вость *f.*; многосло́вие.

verd/ancy (вё'рд-ёнси) *s.* зе́лень *f.* || **-ant** (-ёнт) *a.* зелёный; зелене́ющий; (*fam.*) нео́пытный || **-igris** (-игрис) *s.* ярь *f.*, медя́нка || **-ure** (-жёр) *s.* зе́лень *f.*; мурава́.

verdict (вё'рдикт) *s.* (суде́бное) пригово́р; реше́ние; (*opinion*) сужде́ние.

verg/e (вёрдж) *s.* край; преде́л || ~ *vn.* клони́ться; приближа́ться || **-er** (-ёр) *s.* жезлоно́сец; (*eccl.*) церко́вный привра́тник.

veriest *cf.* **very.**

verif/ication (вэрификэй'шн) *s.* пове́рка; све́рка; свиде́тельствование || **-y** (вэ'рифай) *va.* по-веря́ть, -ве́рить; за-веря́ть, -ве́рить; сверя́ть, све́рить.

veri/ly (вэ'ри-ли) *ad.* действи́тельно || **-similitude** (вэрисими'литю̄д) *s.* правдоподо́бие || **-table** (-тёбл) *a.* настоя́щий; действи́тельный || **-ty** *s.* и́стина; пра́вда.

vermi/celli (вёрмисэ'ли) *s.* вермише́ль *f.* || **-form** (вё'рмифо̄рм) *a.* червеобра́зный || **-fuge** (вё'рмифю̄дж) *s.* глистого́нное сре́дство.

vermilion (вёрми'лйён) *s.* ки́новарь *f.*; а́лая кра́ска || ~ *a.* кинова́рный.

vermin (вё'рмин) *s.* гад; вре́дные насеко́мые *npl.*; (*fig.*) га́дина.

vernacular (вёрнӓ'кюлёр) *s.* родно́й язы́к || ~ *a.* оте́чественный; тузе́мный.

vernal (вё'рнёл) *a.* весе́нний, ве́шний.

veronica (вёро'никё) *s.* (*bot.*) веро́ника.

versatil/e (вё'рсётайл) *a.* переме́нчивый, изме́нчивый; ги́бкий; облада́ющий обши́рными позна́ниями || **-ity** (вёрсёти'лити) *s.* переме́нчивость *f.*; изме́нчивость *f.*; ги́бкость *f.*

vers/e (вёрс) *s.* стих; стихотворе́ние; (*of Bible*) стих || **-ed** (-т) *a.* о́пытный; све́ду-

щий || **-ification** (-ификэй'шн) *s.* версификация; стихосложение || **-ify** (-ифай) *va.* пере-лагать, -ложить в стихи || ~ *vn.* писать стихи || **-ion** (вё'ршн) *s.* версия; (*translation*) перевод; переложение; [изложение.
verst (вёрст) *s.* верста.
vertebr/a (вё'ртибрё) *s.* (*pl.* **-ae**, -ий) позвонок || **-ate** (вё'ртибрёт) *s.* позвоночное животное.
vert/ex (вё'рт-экс) *s.* (*pl.* **-tices**, -тисийз) вершина || **-ical** (-икёл) *a.* вертикальный; отвесный || **-igo** (-игоу) *s.* головокружение.
verve (вёрв) *s.* сила; под'ём.
very (вэ'ри) *a.* истинный; настоящий; самый, тот самый; единственный; простой || ~ *ad.* очень, весьма || ~ **well** хорошо, ладно.
vesicle (вэ'сикл) *s.* пузырёк.
vesper/ (вэ'спёр) *s.* вечер || **~-bell** *s.* вечерний колокол || **-s** (-з) *spl.* вечерня || **-tine** (-тайн, -тин) *a.* вечерний.
vessel (вэсл) *s.* посудина; (*fig.*) сосуд; (*mar.*) судно, корабль *m.*
vest (вэст) *s.* фуфайка; (*waistcoat*) жилет || ~ *va.* одевать, одеть; облач-ать, -ить; (*with power*) об-лекать, -лечь (властью).
vesta (вэ'стё) *s.* восковая спичка.
vestal (вэ'стёл) *s.* весталка || ~ *a.* посвящённый Весте.
vest/ment (вэ'стмёнт) *s.* одежда; облачение; ризы *fpl.* || **-ry** (вэ'стри) *s.* ризница; (*parish representatives*) собрание прихожан || **-ure** (вэ'счёр) *s.* одеяние, одежда || ~ *va.* о-девать, -деть. [хожая.
vestibule (вэ'стибюл) *s.* сени *fpl.*; при-
vestige (вэ'стидж) *s.* след, признак.
vet (вэт) *s.* (*fam.*) ветеринар.
vetch (вэч) *s.* журавлиный горох.
veteran (вэ'тёрён) *s.* ветеран || ~ *a.* опытный; заслуженный.
veterinary (вэ'тёринёри) *s.* ветеринар || ~ *a.* ветеринарный || ~ **surgeon** ветеринар.
veto (вий'тоу) *s.* вето, запрещение || ~ *va.* пред'яв-лять, -ить запрещение относительно чего.
vex/ (вэкс) *va.* раздосадовать; раздраж-ать, -ить; доса-ждать, -дить; (*disturb*) беспокоить || **-ation** (-эй'шн) *s.* досада; огорчение || **-atious** (-эй'шёс) *a.* досадный; огорчительный; притеснительный.
via (вай'ё) *prp.* через (+ *A.*). [долину).
viaduct (вай'ёдакт) *s.* виадук(т) (мост через
vial (вай'ёл) *s.* склянка.
viands (вай'ёндз) *spl.* кушанье (мясное).
viaticum (вай-ä'тикём) *s.* (*eccl.*) напутствие.
vibrat/e (вайбрэй'т) *va.* колебать; махать || ~ *vn.* колебаться; дрожать; сотрясаться; вибрировать; (*of sound*) звучать, про- || **-ion** (вайбрэй'шн) *s.* вибрация; колебание; сотрясение; содрогание, дрожание.
vicar/ (ви'кёр) *s.* викарий; приходский священник; (*poet.*) наместник || **-age** (-идж) *s.* дом священника: церковный дом; пасторат; (*office*) должность (*f.*) священника, пасторство || **-ious** (викä'риёс) *a.* викарный; заступающий место другого; страдающий вместо другого.
vice (вайс) *s.* порок; (*tech.*) тиски *mpl.*
vice (вай'си) *prp.* вместо (+ *G.*) || ~ **versa** *ad.* наоборот. [вице-адмирал.
vice-/ (вайс) *in cpds.* = вице- || **~-admiral**
viceroy (вай'срой) *s.* вице-король. [ство.
vicinity (виси'нити) *s.* близость *f.*; сосед-
vicious (ви'шёс) *a.* порочный; злой, злобный. [*f.*; перемена.
vicissitude (виси'ситюд) *s.* превратность
victim/ (ви'ктим) *s.* жертва || **-ize** (-айз) *va.* при-носить, -нести в жертву; (*to swindle*) обманывать.
victor/ (ви'ктёр) *s.* победитель *m.* || **-ious** (виктō'риёс) *a.* победоносный || **-y** (ви'ктёри) *s.* победа.
victual/ (витл) *va.* снаб-жать, -дить с'естными припасами || **-ler** *s.* поставщик с'естных припасов || **-s** *spl.* с'естные припасы.
videlicet (видий'лисэт) *ad.* [*abbr.* **viz.** *and read as* **namely**, нэй'мли] а именно, то есть.
vie (вай) *vn.* [*Ppr.* **vying** (вай'инг)] (*to* ~ *with*) соревновать, соперничать (с).
view/ (вю) *s.* вид; взгляд; (*inspection*) рассмотрение; (*opinion*) мнение; (*purpose*) намерение || **point of** ~ точка зрения || ~ *va.* видеть; глядеть; смотреть (на); рас-сматривать, -смотреть || **~-finder** *s.* (*on camera*) видоискатель *m.*
vigil/ (ви'джил) *s.* бдение; (*of a feast*) канун (праздника) || **-ance** *s.* бдительность *f.* || **-ant** *a.* бдительный, неусыпный.
vignette (винйэ'т) *s.* виньетка.
vigorous (ви'гёрёс) *a.* сильный; дюжий.
vigour (ви'гёр) *s.* сила; дюжесть *f.*; энер-
viking (вай'кинг) *s.* викинг. [гия.
vil/e (вайл) *a.* гнусный; низкий, подлый || **-ify** (ви'лифай) *va.* у-нижать, -низить, позорить, о-.
vill/a (ви'л-ё) *s.* вилла; дача || **-age** (-идж) *s.* деревня; (*with a church*) село; (*small* ~) деревенька || ~ *a.* деревенский; сельский || **-ager** (-иджёр) *s.* деревенский (сельский) житель, поселянин.

villain/ (ви'лён) *s.* подлéц; злодéй || **-ous** *a.* злодéйский; гнýсный; (*fam.*) дурнóй || **-y** *s.* пóдлость *f.*; злодéйство.
villein/ (ви'лин) *s.* крепостнóй || **-age** (-идж) *s.* крепостнóе состоя́ние.
vim (вим) *s.* (*fam.*) энéргия.
vindic/ate (ви'ндикэйт) *va.* о-прáвдывать, -правдáть; защи-щáть, -тúть || **-ation** (виндикэ̄й'шн) *s.* оправдáние || **-tive** (винди'ктив) *a.* мстúтельный.
vine/ (вайн) *s.* виногрáд; виногрáдная лозá || **-gar** (ви'нигёр) *s.* ýксус || **-yard** (ви'ниёрд) *s.* виногрáдник.
vin/ous (вай'нёс) *a.* вúнный || **-tage** (ви'нтидж) *s.* сбор виногрáда || **-tner** (ви'нтнёр) *s.* виноторгóвец.
viol (вай'ёл) *s.* альт.
violat/e (вай'ёлэйт) *va.* на-рушáть, -рýшить; преступ-áть, -úть; (*a woman*) насúловать, из- || **-ion** (вай-ёлэ̄й'шн) *s.* нарушéние; насúлование.
violen/ce (вай'ёлён-с) *s.* насúлие; сúла; жестóкость *f.* || **to do ~ to** на-рушáть, -рýшить || **-t** *a.* сúльный; бýйный, неúстовый; (*by force*) насúльственный.
violet (вай'ёлит) *s.* фиáлка || ~ *a.* фиолéтовый.
violin/ (вай'ёли'н) *s.* скрúпка || **-ist** (вай'ёли'нист) *s.* скрипáч; (*lady* ~) скрипáчка.
violoncello (вай-ёлёнсэ'лоу, -чэ'лоу) *s.* виолончéль *f.*
viper (вай'пёр) *s.* гадюка, ехúдна; (*fig.*) злóбный человéк.
virago (вирэ̄й'гоу) *s.* бой-бáба.
virgin/ (вё'рджин) *s.* дéва, девúца || **the Blessed V~** Богорóдица || ~ *a.* дéвственный; девúческий; (*pure*) чúстый; (*of soil*) не пáханный; (*of metals*) саморóдный; (*of a wood*) первобы́тный, дéвственный || **-al** *a.* дéвственный || **-ity** (вёрджи'нити) *s.* дéвство, дéвственность *f.*
viril/e (ви'райл, вай'райл) *a.* мýжеский; мýжественный || **-ity** (вири'лити) *s.* возмужáлость *f.*; (*fig.*) мýжество.
virtual/ (вё'рчуёл) *a.* действúтельный || **-ly** *ad.* в сýщности.
virtu/e (вё'ртю, вё'рчў) *s.* добродéтель *f.*; (*characteristic*) свóйство, кáчество || **by ~ of** в сúлу (чегó) || **-oso** (вёртю-ōу'соу) *s.* виртуóз || **-ous** (вё'ртю-ёс, вё'рчуёс) *a.* добродéтельный; целомýдренный.
virul/ence (ви'рул-ёнс) *s.* ядовúтость *f.*; язвúтельность *f.* || **-ent** (-ёнт) *a.* ядовúтый; язвúтельный, злóбный, жестóкий.
visa (вий'зё) = **visé.**
visage (ви'зидж) *s.* лицó.
vis-à-vis (вий'з-ё-вий') *s.* напрóтив сидя́щая *или* стоя́щая осóба; визавú || ~ *ad.&prp.* напрóтив.
viscera (ви'сёрё) *spl.* внýтренности *fpl.*
visc/id (ви'сид) *a.* клéйкий; вя́зкий; лúпкий || **-osity** (виско'сити) *s.* клéйкость *f.*; лúпкость *f.*; вя́зкость *f.*
viscount/ (вай'каунт) *s.* викóнт || **-ess** *s.* виконтéсса.
viscous (ви'скёс) *a.* = **viscid.**
visib/le (ви'зибл) *a.* вúдимый; очевúдный || **-ility** (визиби'лити) *s.* вúдимость *f.*; очевúдность *f.*
visé (вий'зэ̄й) *s.* вúза || ~ *va.* визúровать.
vision/ (ви'жён) *s.* зрéние; (*dream*) мечтá; (*apparition*) привидéние, прúзрак || **-ary** (-ёри) *s.* мечтáтель *m.* || ~ *a.* прúзрачный.
visit/ (ви'зит) *s.* визúт; посещéние || **to pay a ~ to one** дéлать, с- визúт комý, посе-щáть, -тúть когó || ~ *va.* по-сещáть, -сетúть; на-вещáть, -вестúть; (*to inspect*) о-смáтривать, -смотрéть || **-ation** (визитэ̄й'шн) *s.* посещéние; осмóтр; визитáция; испытáние || **-ing-card** (-инг-кāрд) *s.* визúтная кáрточка || **-or** (-ёр) *s.* посетúтель *m.*; (*for inspecting*) осмóтрщик, визитáтор.
visor (вай'зёр) *s.* забрáло; (*obs.*) мáска.
vista (ви'стё) *s.* вид; проспéкт.
visual (ви'зюёл, ви'жуёл) *a.* зрúтельный.
vital/ (вай'тёл) *a.* жúзненный || **-ity** (вайтá'лити) *s.* жúзненность *f.* || **-ize** *va.* ожив-ля́ть, -úть || **-s** *spl.* жúзненные чáсти *fpl.*
vitiate (ви'ши-эйт) *va.* пóртить, ис-; развращáть, -вратúть.
viticulture (ви'тика'лчёр, вай'ти-) *s.* виногрáдарство, винодéлие.
vitr/eous (ви'тр-иёс) *a.* стекля́нный; стекловúдный || **-ify** (-ифай) *va.&n.* стекловáть (-ся) || **-iol** (-иёл) *s.* купорóс || **-iolic** (витрио'лик) *a.* купорóсный.
vituperation (вайтюпёрэ̄й'шн) *s.* порицáние; хулá; рýгань *f.*; ругáние.
vivacious (вайвэ̄й'шёс) *a.* живóй, весёлый.
viva voce (вай'вё вōу'си) *s.* ýстный экзáмен || ~ *a.* ýстный, словéсный || ~ *ad.* словéсно; на словáх.
vivid (ви'вид) *a.* я́ркий; (*lively*) живóй.
vivi/fy (ви'ви-фай) *va.* ожив-ля́ть, -úть; оживотвор-я́ть, -úть || **-parous** (вайви'пёрёс) *a.* живорóдный, живородя́щий || **-section** *s.* вивисéкция.
vixen (виксн) *s.* сáмка лисúцы; (*spiteful woman*) злáя жéнщина, крикýнья, фýрия.
viz. (нэ̄й'мли) *ad. cf.* **videlicet.**
vizier (визий'р) *s.* визúрь *m.*
voc/able (вōу'к-ёбл) *s.* (*gramm.*) слóво || **-abulary** (воукá'бюлёри) *s.* мáленький словáрь; спúсок слов || **-al** (-ёл) *a.* голосовóй; вокáльный; ~ **chords** *spl.* голосовы́е свя́зки || **-alist** (-ёлист) *s.* певéц ||

-ation (воукэй'шн) *s.* призвание || **-ative** (во'кётив) *s.* звательный падеж || ~ *a.* звательный || **-iferate** (воуси'фёрэйт) *va&n.* вопить, за-; кричать || **-iferation** (вŏусифёрэй'шн) *s.* вопль *m.*; крик || **-iferous** (воуси'фёрёс) *a.* кричащий; громкий.

vodka (во'дкё) *s.* водка.

vogue (вŏуг) *s.* временная мода || **to be the ~, to be in ~** быть в моде *или* в большом ходу.

voice/ (вой'с) *s.* голос; (*elevated style*) глас; (*sound*) звук; (*gramm.*) залог || **with one ~** единогласно || **to give ~ to** об'яв-лять, -ить || **the ~ of conscience** глас совести || ~ *va.* провозглашать; об'яв-лять, -ить || **-less** (-лис) *a.* безгласный, безголосый; немой.

void (войд) *s.* пустота; пустое место, пространство || ~ *a.* пустой; (*not valid*) недействительный || ~ **of** лишённый (чего) || ~ *va.* опор-ажнивать, -ожнить; опрастывать, опростать; (*invalidate*) делать, с- недействительным.

volatil/e (во'лётил, -тайл) *a.* летучий; (*fig.*) лёгкий, ветренный; непостоянный || **-ity** (волёти'лити) *s.* летучесть *f.*; ветренность *f.*; непостоянство || **-ize** (волă'тилайз) *va.* улетуч-ивать, -ить.

volcan/ic (волкă'ник) *a.* вулканический || **-o** (волкэй'ноу) *s.* вулкан.

vole (вŏул) *s.* полевая мышь; житник.

volition (воли'шён) *s.* воля; хотение.

volley (во'ли) *s.* залп; (*of words*) поток || **to fire a ~** выстрелить залпом.

volt/ (вŏулт, волт) *s.* вольт || **-aic** (волтэй'ик) *a.* вольтов.

voluble (во'любл) *a.* говорливый; беглый (в речи).

volum/e (во'люм) *s.* (*book*) книга, том; (*capacity*) вместимость *f.*; (*size*) об'ём, величина; (*mass*) масса || **in two -es** двухтомный || **-inous** (волю'минёс) *a.* об'ёмистый, обширный; (*of book*) многотомный.

volunt/arily (во'лёнтёрили) *ad.* охотно, добровольно; нарочно || **-ary** (во'лёнтёри) *a.* добровольный, самопроизвольный; доброхотный (*contribution, etc.*) || **-eer** (волёнтий'р) *s.* волонтёр; вольнослужащий, вольноопределяющийся; охотник || ~ *vn.* пред-лагать, -ложить свои услуги; по-ступать, -ступить на службу волонтёром.

volupt/uary (вола'п-чуёри) *s.* сластолюбец || **-uous** (-чуёс) *a.* сладострастный.

volute (волю'т) *s.* волюта (спиральный завиток у капителей колонн).

vomit/ (во'мит) *s.* рвотина, блевотина || ~ *va.* из-вергать, -вергнуть || ~ *vn.* рвать, вы- (кого чем); блевать, вы- || **he has -ed** его вырвало || **he is -ing** его рвёт.

vorac/ious (ворэй'шёс) *a.* обжорливый, прожорливый; (*greedy*) жадный || **-ity** (ворă'сити) *s.* обжорливость *f.*; прожорливость *f.*; жадность *f.*

vortex (вŏ'ртэкс) *s.* [*pl.* **vortices** (вŏ'ртисийз)] вихрь *m.*; (*whirlpool*) водоворот.

votary (вŏу'тёри) *s.* давший обет; последователь *m.*

vot/e (вŏу'т) *s.* голос; постановление (большинством голосов); (*right to ~*) право голоса || **to put to the ~** подвергнуть голосованию || ~ **of confidence** выражение доверия || ~ *va&n.* вотировать, по-давать, -дать голос; голосовать || **-er** *s.* подающий голос, избиратель *m.* || **-ing** *s.* голосование, подача голоса || **-ive** *a.* обетный.

vouch/ (вау'ч) *vn.*, **to ~ for** ручаться, поручиться за || **-er** *s.* поручная запись; (*person*) поручитель *m.* || **-safe** (-сэй'ф) *va.* поз-волять, -волить; благоволить, со-; снисходить, снизойти.

vow (вау) *s.* обет || ~ *va.* посвя-щать, -тить || ~ *vn.* обещать торжественно; обещаться; поклясться.

vowel (вау'ил) *s.* гласная буква.

voyage (вой'идж) *s.* путешествие (морем) || ~ *vn.* путешествовать (морем).

vulcanize (ва'лкёнайз) *va.* вулканизировать.

vulgar/ (ва'лгёр) *a.* вульгарный, простонародный; простой; грубый || **-ism** *s.* простонародное выражение || **-ity** (валгă'рити) *s.* вульгарность *f.*; пошлость *f.* || **-ize** *va.* делать, с- вульгарным.

Vulgate (ва'лгэйт) *s.* вульгата.

vulnerable (ва'лнёрёбл) *a.* уязвимый.

vulpine (ва'лпайн) *a.* лисий; (*crafty*) хитрый.

vulture (ва'лчёр) *s.* гриф.

vying (вай'инг) *cf.* **vie.**

W

wad/ (уод) *s.* клок; связка; (*in a gun*) пыж || ~ *va.* под-бивать, -бить ватой; (*to stuff*) на-бивать, -бить (чем) || **-ding** (-инг) *s.* (*act*) подбивание ватой; подкладка на вате; (*material*) вата.

waddle (уодл) *s.* переваливание с боку на бок; утиная походка || ~ *vn.* разгильдяить; переваливаться с боку на бок; ходить как утка.

wade/ (уэйд) *vn.* итти в брод; (*to* ~ *through*) про-ходить, -йти через || **–rs** *spl.* (*birds*) голенастые птицы.

wafer (уэй'фёр) *s.* облатка; вафля; (*eccl.*) просфора.

waft (уафт) *s.* порыв, дуновение || ~ *va.* носить, нести; перевозить, до-носить, -нести (по воздуху, по воде).

wag (уаг) *s.* (*motion*) виляние, махание; (*person*) шутник; забавник || ~ *va.* махать, качать || **to ~ the tail** махать, вилять хвостом.

wage/ (уэйдж) *s.*, **–s** (уэй'джиз) *spl.* жалованье; вознаграждение || ~ *va.* (*to* ~ *war*) вести (войну) || **–r** (уэй'джёр) *s.* пари; заклад || **to lay a ~, to ~** *vn.* держать пари, биться об заклад.

wagg/ery (уа'гёри) *s.* шутка; шутливость *f.* || **–ish** (уа'гиш) *a.* шутливый, игривый || **–le** (уагл) *va.* (*fam.*) качать, махать || **–ly** (уа'гли) *a.* шаткий.

wag(g)on/ (уа'гён) *s.* телега; фура; (*rail.*) вагон || **–er** (-ёр) *s.* извозчик || **–ette** (уагёнэ'т) *s.* род линейки.

wagtail (уа'гтэйл) *s.* трясогузка (птица).

waif (уэйф) *s.* вещь, никому не принадлежащая; вещь, неизвестно кому принадлежащая; (*person*) бездомный человек.

wail/ (уэйл) *s.* вопль *m.*; плачь *m.* || ~ *va&n.* рыдать; вопиять, возопить; (*to lament for*) горевать (о) || **–ing** *s.* вопль *m.*; рыдание.

wain (уэйн) *s.* (*poet.*) телега || **the W–** *или* **Charles' W–** (*astr.*) Большая Медведица.

wainscot/ (уэй'нскёт), **–ing** *s.* панель *f.*

waist/ (уэйст) *s.* талья || **–band** (-бэнд) *s.* пояс || **–coat** (уэй'скоут, уэ'скёт) *s.* жилет.

wait/ (уэй'т) *va&n.* ждать; ожидать; (*at table*) служить, прислуживать || **to ~ for one** ожидать кого || **to lie in ~** подкараўливать || **–er** *s.* половой, кельнер; (*in calling*) человек! || **–ing-maid** *s.* горничная || **–ing-room** *s.* зал для пассажиров || **–ress** (-рис) *s.* служанка, кельнерша (в гостинице) || **–s** *spl.* христославы *mpl.* (на Рождестве).

waive (уэйв) *va.* от-казываться, -казаться (от).

wake/ (уэйк) *s.* (*mar.*) след корабля, кильватер || **in the ~ of** по следам, за || ~ *va&irr.*, **–n** *va.* будить, раз-; пробуждать, -будить || ~ *vn.irr.* **–n** *vn.* просыпаться, -снуться; про-буждаться, -будиться; (*suddenly*) очнуться || **–ful** *a.* (*sleepless*) бессонный; (*vigilant*) бдительный.

wale (уэйл) *s.* полоса.

walk/ (уок) *s.* прогулка; (*gait*) походка; (*path*) дорожка; (*fig.*) путь *m.* || **to take a ~, to go for a ~** прогуливаться || ~ *vn.* ходить; гулять; итти, ходить пешком; (*of a horse*) итти шагом || **to ~ in** входить, войти || **to ~ into** (*fam.*) отколотить || **to ~ off with** украсть || **to ~ up to** подходить, подойти к || **–ing-stick** (-ингстик) *s.* тросточка; трость *f.*

wall/ (уо'л) *s.* стена || ~ *va.* об-водить, -вести, об-носить, -нести стеной || **~-eyed** (-айд) *a.* белоглазый || **–flower** *s.* желтофиоль *f.* || **–paper** *s.* обои *mpl.*

wallet (уо'лит) *s.* сумка; ранец.

wallop (уо'лёп) *va.* (*fam.*) тузить, от-; колотить, от-.

wallow (уо'лоу) *vn.* валяться.

walnut (уо'лнат) *s.* грецкий орех.

walrus (уо'лрас) *s.* морж.

waltz (уолс) *s.* вальс || ~ *vn.* вальсировать.

wan (уон) *a.* бледный; (*faint*) слабый.

wand (уонд) *s.* прут; жезл.

wander/ (уо'ндёр) *vn.* бродить; блуждать; странствовать; (*diverge*) удал-яться, -иться; (*be delirious*) бредить || **–er** *s.* путник, пешеход; странник || **–ing** *a.* бродячий; странствующий || **the ~ Jew** Вечный Жид.

wan/e (уэйн) *s.* ущерб (луны); уменьшение || ~ *vn.* убывать; уменьшаться || **–ing** *a.* убывающий, уменьшающийся.

want/ (уонт) *s.* неимение; недостаток; (*necessity*) нужда; (*poverty*) бедность *f.* || **to be in ~ of** нуждаться в (чем) || ~ *va.* нуждаться; (*to desire*) хотеть, желать || **–ing** *a.* недостаточный || **to be ~** недоставать.

wanton (уо'нтён) *s.* развратник, развратница || ~ *a.* распутный, беспутный; похотливый; (*playful*) резвый; (*luxurious*) роскошный.

war/ (уо'р) *s.* война || **to make, to wage, to levy ~ on** вести войну || ~ *vn.* воевать, вести войну || **~-office** *s.* военное министерство || **–horse** *s.* боевой конь || **–fare** (-фар) *s.* война.

warble/ (уо'рбл) *vn.* чирикать; журчать || **–r** *s.* певчая птица; певун; (*bird*) славка.

ward/ (уо'рд) *s.* хранение, охранение; (*minor*) несовершеннолетний, находящийся под опекой; (*custodianship*) опека; (*in prison*) камера; (*in a hospital*) палата; (*of a key, lock*) перемычка; (*of a city*) часть *f.*; квартал || ~ *va.*, **to ~ off** отражать, -зить; отвра-щать, -тить || **–en** *s.* хранитель *m.*; директор; губернатор || **–er** *s.* сторож; (*jailer*) тюремщик || **–robe** *s.* гардероб || **–room** *s.* (*mar.*) кают-компания || **–ship** *s.* опека, опекунство.

ware/ (уāр) *s.* посу́да; (*pl.*) това́ры *mpl.* || **–house** *s.* пакга́уз, амба́р; магази́н || ~ *va.* скла́дывать в амба́ры.
wari/ly (уā'ри-ли) *ad. cf.* **wary** || **–ness** *s.* осторо́жность *f.*; осмотри́тельность *f.*
warlike (уо̄'рлайк) *a.* вои́нственный.
warm/ (уо̄рм) *a.* тёплый; (*hot*) жа́ркий, горя́чий || **I feel** ~ мне тепло́ || ~ *va.* греть; со-грева́ть, -гре́ть; (*hands, feet*) ото-грева́ть, -гре́ть; (*a room*) на-грева́ть, -гре́ть; (*fam.*) отколоти́ть, нагре́ть кому́ бока́ || ~ *vn.* гре́ться; со-грева́ться, -гре́ться || **–ing** *s.* согрева́ние, нагрева́ние; (*thrashing*) побо́и *mpl.* || **–th** (-þ) *s.* теплота́, тепло́; (*fig.*) горя́чность *f.*; жар.
warn/ (уо̄рн) *va.* предупре-жда́ть, -ди́ть; предостер-ега́ть, -е́чь (*against* от чего́); (*to make aware of*) намек-а́ть, -ну́ть о || **–ing** *s.* предостерега́ние, предостереже́ние; намёк; (*notice to quit*) отка́з (от кварти́ры, от слу́жбы).
warp/ (уо̄рп) *s.* (*in textiles*) осно́ва; (*mar.*) букси́р || ~ *va.* (*a ship*) буксирова́ть; (*to distort*) иска-жа́ть, -зи́ть; (*wood*) коро́бить, по-, с- || ~ *vn.* (*of wood*) коро́биться, по-, с- || **the board has got –ed by the moisture** до́ску покоро́било от сы́рости.
warrant/ (уо'рёнт) *s.* полномо́чие; уполномо́чение || ~ *va.* гаранти́рова́ть; руча́ться (за что); уполномо́чить; (*to bear out*) опра́вдывать, оправда́ть || **–able** *a.* опра́вдываемый; позволи́тельный || **–or** *s.* упольнома́чивающий; поручи́тель *m.* || **–y** *s.* пору́ка; гара́нтия; полномо́чие.
warren (уо'рён) *s.* садо́к для кро́ликов.
warrior (уо'риёр) *s.* во́ин; ра́тник.
wart (уо̄рт) *s.* борода́вка.
wary (уā'ри) *a.* (**warily** *ad.*) осмотри́тельный; осторо́жный.
was (уоз) *cf.* **be.**
wash/ (уо'ш) *s.* мытьё; умыва́ние; (*lotion*) примо́чка; (*thin coat of paint*) то́нкий слой кра́ски; (*of sea*) прибо́й (мо́ря к бе́регу); (*washing*) сти́рка || **to send to the** ~ отда́ть в сти́рку || ~ *va.* мыть, вы́мыть; умыва́ть; (*clothes*) стира́ть, вы́стирать || ~ *vn.* о-мыва́ть, -мы́ть; умыва́ться, умы́ться || **to** ~ **away, off** смыва́ть, смыть || **to** ~ **down** (*with a drink*) за-пива́ть, -пи́ть (вино́м) || **to** ~ **up** *vn.* мыть посу́ду || **–er** *s.* (*tech.*) ша́йба || **–erwoman** *s.* пра́чка || **~-house** *s.* пра́чешная || **–ing** *s.* умыва́ние, омове́ние; вымыва́ние, обмыва́ние; (*of clothes*) стира́ние, сти́рка; (*of ores*) промы́вка || **–ing-stand** *s.* умыва́льник || **~-leather** *s.* за́мша; ~ **gloves** за́мшевые перча́тки || **~-out** *s.* (*fam.*) неуда́ча || **~-tub** *s.* коры́то (стира́льное) || **–y** *a.* вла́жный; (*watery*) водяни́стый; (*weak*) сла́бый.
wasp/ (уосп) *s.* оса́ || **–ish** *a.* (*fig.*) раздражи́тельный.
wassail (уосл) *s.* о́ргия, попо́йка, пиру́шка || ~ *vn.* пирова́ть.
waste/ (уэ̄й'ст) *s.* пусты́ня; (*wasting*) опустоше́ние; (*squandering*) расточе́ние; напра́сная тра́та; (*loss*) поте́ря; (*destruction*) истребле́ние; (*refuse*) отбро́сы *mpl.* || ~ *a.* пусты́нный, пусто́й; (*of land*) необрабо́танный, него́дный || **laid** ~ опустошённый || ~ *va.* опустош-а́ть, -и́ть; напра́сно тра́тить; расточ-а́ть, -и́ть; истощ-а́ть, -и́ть; изнур-я́ть, -и́ть || ~ *vn.* уменьш-а́ться, -и́ться; истощ-а́ться, -и́ться; (*with illness*) ча́хнуть || **~-book** *s.* черно́вая кни́га || **–ful** *a.* расточи́тельный, разори́тельный || **~-paper** *s.* макулату́ра || **~-pipe** *s.* спускна́я, сто́чная труба́.
watch/ (уо'ч) *s.* (*timekeeper*) карма́нные часы́ *mpl.*; (*watching*) бде́ние; (*observation*) наблюде́ние; надзо́р; (*guard*) стра́жа, карау́л; (*guardroom*) карау́льня; (*sentry*) часово́й; (*mar.*) ва́хта || **to be on the** ~ стоя́ть на часа́х; карау́лить || ~ *va.&n.* стере́чь; наблюда́ть; следи́ть; (*be on guard*) карау́лить; сторожи́ть || ~ *vn.* сиде́ть ночь с больны́м; (*to* ~ *for*) выжида́ть || **~-chain** *s.* часова́я цепо́чка || **~-dog** *s.* цепна́я соба́ка || **–er** *s.* сто́рож, наблюда́тель *m.* || **~-fire** *s.* бива́чный ого́нь || **–ful** *a.* бди́тельный, (*cautious*) осторо́жный; (*attentive*) внима́тельный || **~-key** *s.* часово́й клю́чик || **–maker** *s.* часовщи́к || **–man** *s.* сто́рож, стра́жник, карау́льщик; (*poet.*) часово́й; (*night-~*) ночно́й сто́рож || **~-pocket** *s.* часово́й карма́н || **~-tower** *s.* сторожева́я ба́шня || **–word** *s.* ло́зунг, паро́ль *m.*
water/ (уо̄'тёр) *s.* вода́; (*urine*) моча́; (*sea*) мо́ре; (*lake*) о́зеро; (*of diamonds*) вода́, блеск || **by** ~ мо́рем || **high–** прили́в || **of the first** ~ лу́чшей воды́; (*fig.*) пе́рвого со́рта; чисте́йшей воды́ || **to make** ~ мочи́ться || **it makes his mouth** ~ у него́ от э́того слю́нки теку́т || ~ *va.* (*flowers, etc.*) по-лива́ть, -ли́ть; (*to irrigate*) ороша́ть, -си́ть; (*silk*) де́лать, с- волни́стым; (*cattle*) пои́ть, на-; (*to dilute with* ~) разбавля́ть, -ба́вить водо́ю || **~-closet** *s.* ватерклозе́т || **~-colour** *s.* акваре́льная кра́ска; (*picture*) акваре́ль *f.* || **~-cress** *s.* водяно́й кресс || **–fall** *s.* водопа́д || **~-fowl** *s.* водяна́я пти́ца || **~-gauge** *s.* водоме́р || **–ing** *s.* ороше́ние;

поливáние; поéние (скотá) || **-ing-can** *s.* лéйка || **-ing-place** *s.* вóды *fpl.*; курóрт; морскíе купáнья *npl.* || **~-level** *s.* ватерпáс || **~-lily** *s.* кувшíнка || **~-line, ~-mark** *s.* (*mar.*) ватерлíния || **-logged** *a.* на половíну пóлный водóй || **-man** *s.* перевóзчик; лóдочник || **~-melon** *s.* арбýз || **~-mill** *s.* водянáя мéльница || **~-pot** *s.* кувшíн || **-proof** *s.* непромокáемый плащ || **~** *a.* непроницáемый (для воды́) || **-shed** *s.* водораздéл || **-spout** *s.* смерч || **-tight** *a.* непроницáемый (для воды́) || **~-wheel** *s.* водопод'ёмное колесó || **-works** *spl.* водопровóдная машíна; водопровóд || **-y** *a.* водянóй, водянíстый; мóкрый; (*fig.*) вя́лый, безвкýсный.

wattle (уотл) *s.* плетéнь *m.*; (*of cock*) серёжка.

waul (уóл) *vn.* мяýкать, за-, мяýкнуть.

wave (уэ́йв) *s.* волнá; (*a huge ~*) вал || **~** *va.* махáть, за-; качáть; (*to make wavy*) дéлать с- волнíстым; дéлать курчáвым || **~** *vn.* развевáться; качáться.

waver/ (уэ́й'вёр) *vn.* шатáться, катáться; (*be undecided*) колебáться; (*of a flame*) трепетáть || **-ing** *a.* (*fig.*) нерешíтельный.

wavy (уэ́й'ви) *a.* волнíстый; (*of hair*) курчáвый.

wax/ (уä'кс) *s.* воск; (*in ear*) сéра; (*shoemaker's*) вар; (*fam. anger*) гнев || **~** *va.* вощíть, на-; (*a floor*) вытирáть, вы́тереть вóском || **~** *vn.* увелíчиваться; (*of the moon*) при-бавля́ться, -бáвиться; нарождáться; (*fam. to become*) становíться || **~-candle** *s.* восковáя свечá || **-en** (-ён) *a.* восковóй || **-work** *s.* восковáя фигýра; (*pl.*) кабинéт восковы́х фигýр || **-y** *a.* похóжий на воск; восковóй, жёлтый; (*fam. angry*) сердíтый; (*easily vexed*) раздражíтельный.

way/ (уэ́й') *s.* дорóга; путь *m.*; (*means*) срéдство; спóсоб; (*direction*) направлéние; (*manner*) манéра; óбраз; (*custom*) обы́чай; привы́чка; (*mar.*) ход || **in this ~** такíм óбразом || **in no ~** никóим óбразом || **that's his ~** у негó такáя привы́чка || **over** *или* **across the ~** на(су́)прóтив || **a long ~ off** далёкó || **to be in the ~** мешáть, препя́тствовать || **on the ~** дорóгою || **by the ~** мéжду прóчим || **to make ~** подвигáться вперёд || **under ~** (*mar.*) на ходý || **~-in** *s.* вход || **~-out** *s.* вы́ход || **half-~** на полýпути; (*fig.*) кóе-как, как-нибýдь || **to be in the family ~** (*fam.*) быть берéменной || **in a ~, in such a ~, in a great ~** взволнóванный || **out of the ~** *a.* отдалённый || **~-bill** *s.* (*comm.*) накладнáя; спíсок седокóв *or* пассажíров || **-farer** *s.* путешéственник || **-faring** *a.* путешéствующий || **-lay** (-лэ́й') *va.* подстер-егáть, -éчь || **-side** *s.* край дорóги || **-ward** (-уёрд) *s* своенрáвный; (*capricious*) капрíзный.

we (уий) *prn.* мы.

weak/ (уий'к) *a.* слáбый, бессíльный || **-en** (-н) *va.* о-слабля́ть, -слáбить; обес-сíливать, -сíлить; (*to dilute*) раз-бавля́ть, -бáвить || **~** *vn.* слабéть, о- || **-ling** (-линг) *s.* хиля́к; человéк слáбого сложéния || **-ly** *a.* слáбый, хíлый, болéзненный || **-ness** *s.* слáбость *f.*; бессíлие; (*fault*) недостáток; (*liking for*) склóнность *f.*; (*weak side*) слáбая сторонá.

weal (уийл) *s.* блáго; (*of the state*) благосостоя́ние; (*mark caused by whip*) полосá.

wealth/ (уэ'лѳ) *s.* богáтство; (*abundance*) изобíлие || **-iness** (-инэс) *s.* зажíточность *f.* || **-y** *a.* богáтый.

wean (уийн) *s.* (*Sc.*) дитя́ || **~** *va.* от-нимáть, -ня́ть от грýди; (*fig.*) от-ýчивать, -учíть когó от.

weapon (уэпн) *s.* орýжие.

wear (уäр) *s.* ношéние; нóска || **~ and tear** изнáшивание || **~** *va.* носíть; (*to ~ out*) из-нáшивать, -носíть || **~** *vn.* носíться; из-нáшиваться, -носíться; (*to exhaust*) истощ-áть, -íть; изнур-я́ть, -íть; (*a ship*) ворóчать чéрез фóрдевинд, травíть || **to ~ out** ис-тáскивать, -таскáть; ис-тирáть, -терéть; (*a person*) утомля́ть, -íть || **to ~ away** *vn.* (*of time*) про-текáть, -тéчь.

wear/iness (уий'ри-нэс) *s.* устáлость *f.*; утомлéние; скýка || **-isome** (-сём) *a.* утомíтельный; (*tedious*) скýчный || **-y** *a.* утомлённый, устáлый; (*tiring*) утомíтельный, скýчный || **~** *va.* утом-ля́ть, -íть; (*fig.*) надо-кучáть, -кýчить || **~** *vn.* у-ставáть, -стáть.

weasel (уийзл) *s.* лáска, лáсица.

weather/ (уэ'ðёр) *s.* погóда; (*mar.*) навéтренная сторонá || **~** *va.* (*mar. a cape*) огибáть, обогнýть; (*to expose to atmosphere*) вывéтривать, вы́ветрить; (*fig.*) преодол-евáть, -éть || **~** *vn.* вывéтриваться, вы́ветриться || **~-beaten** *a.* вы́ветрелый || **~-board** *s.* (*mar.*) навéтренная сторонá || **~-bound** *a.* задéржанный непогóдой || **-cock** *s.* бáшенный петýх; флю́гер, вéтреница || **~-eye** *s.*, **to keep one's ~ open** (*fam.*) остерегáться || **~-forecast** *s.* бюллетéнь метеорологíческий || **~-gage** *s.* (*mar.*) навéтренная сторонá; преимýщество вéтра || **~-glass** *s.* барóметр || **~-wise** *a.* знáющий погóду.

weav/e (уийв) *va.irr.* ткать, со-; плесть; спле-тáть, -стú; (*fig.*) соз-давáть, -дáть || **-er** *s.* ткач || **-ing** *s.* ткáние.
web/ (уэ'б) *s.* ткань *f.*; тканúна; (*spider's*) паутúна; (*membrane of birds*) плáвательная перепóнка || **-bing** *s.* ремéнь *m.*, тесьмá (подбивáемая под мя́гкую мéбель) || **~-footed** (-футид) *a.* ластонóгий.
we'd (уийд) *abbr. of* **we would, we had.**
wed/ (уэд) *va.&n.* обвенчáть (-ся); повенчáть (-ся); женúться; (*fig.*) соедин-я́ть, -úть || **-ding** *s.* свáдьба, бракосочетáние, женúтьба || **-ding-ring** *s.* обручáльное кольцó.
wedge (уэдж) *s.* клин; слúток || **~** *va.* заклúнивать, -клúнить || **to ~ in** втúскивать, -нуть.
wedlock (уэ'длок) *s.* супрýжество, брак || **born out of ~** незаконнорождённый.
Wednesday/ (уэ'нзди) *s.* средá, середá || **~ evening** вéчер в срéду || **on -s** по средáм.
wee (уий) *a.* (*Sc.*) крóхотный, крóшечный.
weed/ (уийд) *s.* плéвел, сóрная травá; (*fam.*) сигáра || **the ~** табáк || **ill -s grow apace** худóе спóро, не сживёшь скóро || **~** *va.* полóть || **to ~ out** вы́браковать; выпáлывать, вы́полоть; искорен-я́ть, -úть || **-s** (-з) *spl.* трáурное плáтье || **-y** *a.* зарóсший травóй; (*fig.*) дряннóй.
week/ (уий'к) *s.* недéля || **~-day** *s.* бýдничный день, бýдень *m.* || **on ~-days** в бýдни || **-ly** *a.* (еже-)недéльный || **~** *ad.* (еже-)недéльно.
ween (уийн) *va.* дýмать.
weep/ (уийп) *va.irr.* оплáк-ивать, -ать || **~** *vn.* плáкать, проливáть слёзы || **-ing** *s.* плач, слёзы *fpl.* || **~** *a.* плакýщий; (**~** *willow*) плакýчий.
weevil (уийвл) *s.* (*zool.*) долгонóсик.
weft (уэфт) *s.* утóк; ткань *f.*
weigh/ (уэ̆й) *va.* свéсить; взвé-шивать, -сить; (*fig.*) обсу-ждáть, -дúть || **to ~ anchor** под-нимáть, -ня́ть я́корь || **to ~ down** угнетáть || **~** *vn.* вéсить || **to ~ two pounds** вéсить два фýнта || **~-bridge** *s.* весовóй помóст || **-ing-machine** *s.* весы́ *mpl.* || **-t** *s.* вес; тя́жесть *f.*; (*for weighing with*) гúря; (*fig.*) вес; вáжность *f.*; значéние; влия́ние || **deficiency in ~** провéс || **short ~** недовéс || **-tiness** (уэ̆й'тинэс) *s.* тя́жесть *f.*; (*fig.*) вáжность *f.*; вéскость *f.* || **-ty** (уэ̆й'ти) *a.* вéский; тяжёлый; (*fig.*) вáжный, влия́тельный.
weir (уийр) *s.* плотúна, запрýда; (*for fish*) закóл.
weird (уийрд) *a.* чарýющий; неземнóй; (*fam.*) стрáнный.
welcome (уэ'лкём) *s.* приём, привéт || **~** *a.* желáнный, приня́тный || **~** *va.* привéтствовать || **~** *int.* мúлости прóсим!
weld (уэлд) *va.* свáривать, сварúть; ковáть.
welfare (уэ'лфӑр) *s.* благополýчие; благосостоя́ние.
welkin (уэ'лкин) *s.* (*poet.*) нéбо, небéсный свод.
well/ (уэ'л) *s.* колóдец; истóчник || **~** *a.* здорóвый; счастлúвый || **~** *ad.* хорошó; лáдно; óчень || **~** *int.* ну! хорошó! || **~ then!** ну так что-же || **~** *vn.* (*to ~ up, out, forth*) хлы́нуть, бры́знуть || **~-behaved** (-бихэ̆йвд) *a.* благонрáвный || **~-being** *s.* благополýчие || **~-born** *a.* хорóшего происхождéния || **~-bred** *a.* благовоспúтанный || **~-disposed** *a.* благосклóнный || **~-favoured** *a.* красúвый || **~-intentioned, ~-meaning** *a.* благомы́слящий || **~-nigh** (-най) *ad.* почтú || **~-off** (-óф), **~-to-do** (-ту-дў) *a.* богáтый, состоя́тельный || **~-read** (-рэд) *a.* начúтанный || **~-regulated** *a.* в поря́дке || **~-timed** *a.* благоврéменный || **~-wisher** *s.* доброжелáтель *m.*
welt (уэлт) *s.* коймá; (*of boots*) стéлька.
welter (уэ'лтёр) *vn.* валя́ться; утопáть (в чём).
wen (уэн) *s.* шúшка.
wench (уэнш, уэнч) *s.* девчóнка, непотрéбная жéнщина.
wend (уэнд) *va.*, **to ~ one's way** на-правля́ть, -прáвить свой путь.
went (уэнт) *cf.* **go.**
wept (уэпт) *cf.* **weep.**
were (уёр) *cf.* **be** || **as it ~** так сказáть.
werewolf (уий'р-уулф) *s.* (*pl.* **werewolves** -уулвз) óборотень *m.*
west/ (уэ'ст) *s.* зáпад, вест || **-erly** (-ёрли), **-ern** *a.* зáпадный || **-ward(s)** (-уёрдз) *ad.* к зáпаду.
wet/ (уэ'т) *s.* мокротá; ненáстье; сы́рость *f.* || **~** *a.* мóкрый; влáжный; промóкший; (*rainy*) дождлúвый || **~ weather** ненáстная погóда || **he is ~ through** плáтье на нём мокрёхонько || **~** *va.* мочúть, про-; смáчивать, смочúть || **~-nurse** *s.* кормúлица || **-ting** *s.* намáчивание, смáчивание || **to get a ~** про-мокáть, -мóкнуть.
wether (уэðёр) *s.* барáн (клáденый).
whack/ (хуӑк, уӑк) *s.* удáр; (*portion*) дóля || **-ing** *s.* побóи *mpl.* || **~** *a.* (*fam.*) огрóмный.
whale/ (хуэ̆йл, уэ̆йл) *s.* кит || **~-boat** *s.* вельбóт || **~-bone** *s.* китóвый ус || **-r** *s.* китобóйное сýдно.
whang (хуӑнг, уӑнг) *s.* удáр.
wharf/ (хуóрф, уóрф) *s.* (*pl.* **-s & wharves** хуóрвз) прúстань *f.*; буя́н || **-age** (-идж)

s. буйнные дéньги ‖ **-inger** (-инджёр) *s*. буйнщик.
what/ (хуот, уот) *a*. *interrog*. какóй, котóрый, скóлько ‖ **in ~ way** какúм óбразом ‖ **at ~ time** в какóе врéмя ‖ ~ *a*. (*exclam*.) какóй; что за ‖ ~ **wonderful weather!** какáя хорóшая погóда! ‖ ~ **a man!** что за человéк! ‖ ~ *prn*., *interrog*. & *rel*. что; то, что ‖ ~ **is his name?** как егó зовýт? ‖ **-ever** (-э'вёр), **-soever** (-соу-э'вёр) *prn*., *interrog*. & *rel*. какóй бы ни, какóв бы ни ‖ **-not** *s*. этажéрка.
wheat/ (хуийт, уийт) *s*. пшенúца ‖ **-en** (-ён) *a*. пшенúчный.
wheedl/e (хуийдл) *va*. (*to ~ a person out of a thing*) лéстью вымáнивать, вы́манить; льстить ‖ **-ing** *s*. лесть *f*.
wheel/ (хуий'л) *s*. колесó; (*movement*) кругово́е движéние; оборóт; (*mar*.) штурвáл ‖ ~ *va*. кат-áть, -úть; повор-áчивать, -отúть; вертéть ‖ ~ *vn*. кат-áться, -úться; вертéться; кружúться ‖ **to ~ about** оборáчиваться, обернýться ‖ **-barrow** *s*. тáчка ‖ **-wright** *s*. колёсник.
wheez/e (хуий'з) *s*. храпéние, сопéние ‖ ~ *vn*. пыхтéть, сопéть ‖ **-y** *a*. оды́шливый; задыхáющийся.
whelk (хуэлк) *s*. труборóг, трубя́нка (рáковина).
whelm (хуэлм) *va*. (*poet*.) погру-жáть, -зúть.
whelp (хуэлп) *s*. щенóк; (*of bear*) медвежóнок ‖ ~ *vn*. щенúться.
when/ (хуэн, уэн) *c*. & *prn*. когдá; как ‖ **since ~?** с какúх пор? ‖ **-ever** (-э'вёр) *ad*. когдá бы то нú было.
whence (хуэнс, уэнс) *ad*. откýда; отчегó.
where/ (хуäр) *ad*. где ‖ **-about** (-ёбау'т) *ad*. где, óколо какúх мест ‖ **-abouts** (-ёбау'тс) *spl*. местопребывáние; **his ~** мéсто где нахóдится ‖ **-as** (хуäрä'з) *c*. мéжду тем, как; тогдá как; покá; потомý что ‖ **-fore** (-фо̄'р) *ad*. почемý, для чегó; зачéм, за что; по какóй причúне? ‖ **-(so)ever** (-соу-э'вёр) *ad*. где бы то нú было ‖ **-upon** (-ёпо'н) *ad*. пóсле чегó ‖ **-ver** (хуäрэ'вёр) *ad*. где бы ни, где бы то нú было ‖ **-withal** (-уиðо̄'л) *as s*. дéньги *или* срéдства для исполнéния намéрения.
wherry (хуэ'ри) *s*. я́лик, лóдка.
whet/ (хуэт) *va*. точúть, от-; острúть, за-; (*fig*.) возбу-ждáть, -дúть (аппетúт) ‖ **-stone** *s*. точúльный кáмень, осёлок.
whether (хуэ'ðёр) *c*. ли ‖ ~ . . . **or** ли . . . úли.
whey (хуэ̄й, уэ̄й) *s*. сы́воротка.
which/ (хуич, уич) *a*&*prn*. котóрый, кто, что ‖ **-ever** (-э'вёр) *a*&*prn*. кто, какóй, какóв бы ни, котóрый бы ни.
whiff (хуиф) *s*. клуб; (*of wind*) дуновéние.
whig (хуиг) *s*. виг (привéрженец пáртии прогрессúстов в Áнглии).
while (хуайл) *s*. нéсколько врéмени ‖ **a little ~** минýт(оч)ка ‖ **a ~ ago** недáвно ‖ **after a ~** (немнóго) погодя́ ‖ **to wait a ~** подождáть немнóго ‖ **a long ~ ago** давнó ‖ ~ *va*. (*to ~ away*) проводúть (врéмя) ‖ ~ *ad*&*c*. покá; мéжду тем как.
whilom (хуай'лём) *a*. бы́вший ‖ **his ~ teacher** бы́вший егó учúтель.
whim/ (хуи'м) *s*. прúхоть *f*.; каприз; причýды *fpl*. ‖ **-sical** (-зикёл) *a*. прихотлúвый, причýдливый, капрúзный ‖ **-sy** (-зи) *s*. прúхоть *f*.
whimper (хуи'мпёр) *s*. хны́канне, визжáние ‖ ~ *vn*. хны́кать, визжáть.
whin (хуин) *s*. (*bot*.) дрок, иглúшник.
whine (хуайн) *s*. визг ‖ ~ *vn*. визжáть; хны́кать.
whinny (хуи'ни) *vn*. ржать.
whip/ (хуи'п) *s*. бич; плеть *f*.; кнут; (*riding*) хлыст; (*Cossacks'*) нагáйка; (*parl*.) созывáтель *m*. ‖ ~ *va*. бить плéтью; бить кнутóм; хлестáть, хлеснýть; хлыстáть, хлыснýть; (*to flog*) сечь, вы́сечь; (*cream*) взбивáть (слúвки) ‖ **~-cord** *s*. бичёвка ‖ **~-hand** *s*. (*fig*.) преимýщество ‖ **-ping** *s*. сечéние; бичевáние ‖ **to give one a good ~** вы́сечь когó.
whirl/ (хуё'рл) *s*. круговóе движéние, бы́строе вращéние ‖ ~ *va*. кружúть, вертéть ‖ ~ *vn*. кружúться, вертéться ‖ **-igig** (-игиг) *s*. юлá, вертýшка ‖ **-pool** *s*. водоворóт ‖ **-wind** *s*. вихрь *m*.
whisk/ (хуиск) *s*. метёлка; (*for beating eggs*) вéничек ‖ ~ *va*. бы́стро двúгать (чем); сбивáть вéничком ‖ ~ *vn*. юркнуть ‖ **-ers** (-ёрз) *spl*. бакенбáрды *mpl*.; (*cat's*) усы́ ‖ **-y** *s*. вúски.
whisper/ (хуи'спёр) *s*. шёпот ‖ **in a ~** шёпотом ‖ ~ *va*&*n*. шептáть, про-; говорúть нá ухо ‖ **it is -ed** слух нóсится ‖ ~ *vn*. перешептáться, перешепнýться; наýшничать ‖ **-ing** *s*. шептáние ‖ **-ing-gallery** *s*. акустúческий свод.
whist (хуист) *s*. (*game*) вист.
whistle/ (хуисл) *s*. свист, свистóк ‖ ~ *va*&*n*. свист-áть, -éть; насвúстывать ‖ **-r** *s*. свистýн.
whit (хуит) *s*. крóшечка ‖ **not a ~, never a ~** нисколько, не, ничýть ‖ **every ~** во всех отношéниях.
white/ (хуайт) *s*. бéлый цвет; (*of an egg*) белóк ‖ ~ *a*. бéлый; (*pale*) блéдный; (*grey*) седóй; (*clean*) чúстый ‖ **~-lead** *s*. белúла *npl*. ‖ **~-livered** (-ливёрд) *a*. труслúвый ‖ **-n** *va*. белúть, по-; выбéливать, вы́белить ‖ ~ *vn*. белéть; (*to grow*

pale) бледнеть || **–ness** *s.* белизна́; бле́дность *f.* || **–smith** *s.* жестя́ник || **–thorn** *s.* (*bot.*) боя́рышник || **–wash** *s.* известко́вый раство́р || ~ *va.* бели́ть, вы́белить || **–washer** *s.* маля́р; бели́льщик.
whither/ (хуи'ðёр) *ad.* куда́ || **–soever** (-соу-э'ве́р) *ad.* куда́ бы то ни́ было.
whit/ing (хуай'тинг) *s.* испа́нские бели́ла *npl.*; (*fish*) мерла́н || **–ish** (хуай'тиш) *a.* белова́тый.
whitlow (хуи'тлоу) *s.* ногтое́да.
Whitsun/day (хуитса'нди) *s.* Тро́ицын день, Ду́хов день || **–tide** (хуи'тсн-тайд) *s.* Тро́ица.
whittle (хуитл) *va.* обре́зывать, строга́ть но́жиком.
whiz (хуиз) *s.* свист, жужжа́ние || ~ *vn.* свисте́ть; жужжа́ть.
who/ (хӯ) [*obj.* **whom** хӯм, *poss.* **whose** хӯз] *prn.* кто; кото́рый || **–ever** (-э'вёр), **–soever** (-соу-э'вёр) *prn.* кто бы то ни́ был; ~ **you are** кто бы вы ни́ были.
whole/ (хо̄у'л) *s.* це́лое; всё; це́лость *f.* || **on the** ~ при всём том; в о́бщем || ~ *a.* це́лый; весь; (*complete*) це́льный, по́лный; (*intact*) невреди́мый || **–sale** (-сэйл) *s.* опто́в-ый торг, -ая торго́вля || ~ *a.* огу́льный, опто́вый || ~ **merchant** оптовщи́к || ~ *ad.* огу́лом, гурто́м, о́птом || **–some** (-сём) *a.* здоро́вый; поле́зный.
wholly (хо̄ули) *ad.* соверше́нно; совсе́м.
whom (хӯм) *cf.* **who.**
whoop (хӯп) *cf.* **hoop.**
whopp/er (хуо'пёр) *s.* (*fam. lie*) ложь *f.*; (*big thing*) грома́дина || **–ing** (хуо'пинг) *a.* грома́дный, огро́мный.
whore/ (хо̄р) *s.* проститу́тка, распу́тница; непотре́бная же́нщина; блядь *f.* || **–dom** (-дём) *s.* блуд.
whortleberry (хуё'ртл-бэри) *s.* черни́ка.
whose (хӯз) *poss. prn. cf.* **who** || ~ *a. interrog.* чей, чья, чьё.
whosoever (хӯсоу-э'вёр) *prn.* кто бы то ни́ был.
why (хуай) *ad.* заче́м; почему́, для чего́, по како́й причи́не.
wick (уик) *s.* свети́льня; фити́ль *m.*
wicked/ (уи'кид) *a.* злоде́йский; зло́й; безбо́жный || **–ness** *s.* злость *f.*; безбо́жие.
wicker/ (уи'кёр) *a.* плетёный || **–work** *s.* корзи́ночное плете́нье.
wicket (уи'кит) *s.* кали́тка; фо́рточка.
wide/ (уай'д) *a.* широ́кий; просто́рный; (*far*) далёкий || **three feet** ~ ширино́й в три фу́та || **a** ~ **difference** больша́я ра́зница || ~ **awake** соверше́нно просну́вшийся || ~ **of the mark** оши́бочный || ~**-awake** *a.* хи́трый || **–n** *va&n.* расширя́ть(-ся), -ши́рить(-ся); распростран-я́ть(-ся), -и́ть(-ся) || **–spread** *a.* распространённый.
widgeon (уиджн) *s.* род ди́кой у́тки.
widow/ (уи'доу) *s.* вдова́ || **–er** *s.* вдове́ц || **–hood** (-худ) *s.* вдовство́.
width (уидþ) *s.* ширина́, широта́.
wield (уийлд) *va.* владе́ть, управля́ть (чем).
wife (уайф) *s.* (*pl.* **wives** уайвз) жена́; супру́га; (*obsol. woman*) же́нщина.
wig/ (уиг) *s.* пари́к || **–s on the green** (*fig.*) дра́ка || **–ging** *s.* (*fam.*) стро́гий вы́говор.
wigwam (уи'гуа̄м) *s.* инде́йская хи́жина или пала́тка.
wild/ (уайлд) *s.* пусты́ня || ~ *a.* ди́кий; одича́лый; свире́пый; (*mad*) безу́мный; (*angry*) серди́тый || ~ **boar** каба́н || **a** ~ **shot** случа́йный вы́стрел || **–erness** (уи'лдёрнэс) *s.* пусты́ня || ~**-fire** *s.* гре́ческий ого́нь || ~**-goose** *s.* ди́кий гусь || **to go on a** ~ **chase** иска́ть ве́тру в по́ле.
wil/e (уайл), **–iness** (-инэс) *s.* хи́трость *f.* || **–e** (уайл) *va.* соблазн-я́ть, -и́ть.
wilful (уи'лфул) *a.* своенра́вный; (*stubborn*) упря́мый.
will/ (уил) *s.* во́ля; жела́ние; (*intention*) наме́рение; (*last* ~) завеща́ние || ~ *va&n. irr.* хоте́ть, за-; жела́ть, по- || ~ *va.* веле́ть; (*to bequeath*) завеща́ть || ~ *v.aux.* означа́ет бу́дущее вре́мя || **–ing** *a.* охо́тный; гото́вый; услу́жливый; доброво́льный.
will-o'-the-wisp (уил-ё-ðё-уи'сп) *s.* блу-дя́щий ого́нь.
willow (уи'лоу) *s.* (*bot.*) и́ва.
willy-nilly (уи'ли-ни'ли) *ad.* во́лей-нево́лей.
wily (уай'ли) *a.* хи́трый, лука́вый.
win/ (уин) *va.irr.* вы́игрывать, вы́играть; до-быва́ть, -бы́ть; завоева́ть; (*to* ~ *over*) склон-и́ть на свою́ сто́рону || **to** ~ **back** от-ы́грывать, -ыгра́ть || **–nings** *spl.* вы́игрыш.
wince (уинс) *vn.* ёжиться; бры́каться.
winch (уинч) *s.* во́рот, кран; (*mar.*) шпиль *m.*
wind/ (уи'нд) *s.* ве́тер; (*breath*) дыха́ние; дух; (*med.*) ве́тры *mpl.*; (*hunting*) чутьё || **to get** ~ **of** проню́хать что || ~ *a.* духово́й || ~ *va.* чу́ять, по- || ~**-fall** *s.* па́далица; (*fig.*) неожи́данное насле́дство || ~**-mill** *s.* ве́тряная ме́льница || ~**-pipe** *s.* дыха́тельное го́рло || **–ward** (-уёрд) *s.* наве́тренная сторона́ || ~ *ad.* к ве́тру || **–y** *a.* ве́тренный; (*fig. empty*) пусто́й.
wind/ (уай'нд) *va.irr.* мота́ть; верте́ть; крути́ть || ~ *vn.* извива́ться || **to** ~ **up** сма́тывать, смота́ть; (*a watch*) завести́; (*a speech*) заключи́ть; (*comm.*) ликвидиро-

вать || **–ing** *a.* спира́льный; вью́щийся || **–ing-sheet** *s.* са́ван || **–ing-staircase** вита́я ле́стница || **–ing-up** (-инг-а'п) *s.* заключе́ние; (*comm.*) ликвида́ция || **–lass** (-лёс) *s.* во́рот; (*mar.*) бра́шпиль *m.*

window/ (уи'ндоу) *s.* окно́; око́шко || **~-frame** *s.* око́нница || **~-pane** *s.* око́нное стекло́ || **~-sill** *s.* подоко́нник.

wine/ (уай'н) *s.* вино́ || **~-cellar** *s.* ви́нный по́греб || **~-glass** *s.* рю́мка || **~-merchant** *s.* виноторго́вец || **~-press** *s.* виногра́дный пресс.

wing/ (уинг) *s.* крыло́; кры́лышко; (*of a building*) фли́гель *m.* || **on the ~** летко́м, на лету́ || **to take ~** улете́ть || **~** *va.* направля́ть, -пра́вить (полёт) || **~** *vn.* лете́ть || **–ed** (-д) *a.* крыла́тый; (*fig.*) бы́стрый.

wink/ (уингк) *s.* мига́ние; знак глаза́ми || **in a ~** ми́гом || **forty –s** лёгкий сон || **~** *va.* мигну́ть || **~** *vn.* миг-а́ть, -ну́ть; (*to twinkle*) мерца́ть || **–ing** *s.* мига́ние || **like ~** ми́гом.

winnow/ (уи'ноу) *va.* ве́ять; про-сева́ть, -се́ять; (*fig.*) иссле́довать || **–ing-machine** *s.* ве́ялка.

winsome (уи'нсём) *a.* привлека́тельный.

wint/er (уи'нтёр) *s.* зима́ || **in the ~** зимо́ю || **~** *a.* зи́мний || **~** *vn.* зимова́ть, про-, пере-; про-води́ть, -вести́ зи́му || **–ry** (уи'нтри) *a.* зи́мний; сво́йственный зи́мнему вре́мени.

winy (уай'ни) *a.* ви́нный.

wip/e (уайп) *s.* обтира́ние; утира́ние; (*fam.*) уда́р || **~** *va.* вытира́ть, вы́тереть; утира́ть, -тере́ть; под-тира́ть, -тере́ть || **–er** *s.* тря́пка.

wire/ (уай'ёр) *s.* про́волока; (*telegram*) телегра́мма || **~** *a.* про́волочный || **~** *va.* при-вя́зывать, -вяза́ть про́волокой; (*va&n.*) (*fam.*) телеграфи́ровать || **–less** (-лис) *a.* беспро́волочный; **~ telegraphy** радиотелегра́фия || **–puller** *s.* (*fig.*) закули́сный де́ятель; интрига́нт, -ка || **–pulling** *s.* интри́ги *fpl.*

wiry (уай'ри) *a.* жи́листый.

wisdom (уи'здём) *s.* му́дрость *f.*; ум; благоразу́мие.

wise/ (уайз) *s.* о́браз || **in no ~, no ~** нико́им о́бразом || **~** *a.* му́дрый; у́мный; (*sensible*) благоразу́мный || **–acre** (-эйкр) *s.* у́мник, у́мница.

wish/ (уиш) *s.* жела́ние || **~** *va&n.* жела́ть, по-; хоте́ть, за- || **what do you ~?** что Вам уго́дно? || **to ~ a person joy of** поздравля́ть кого́ с чем || **–ful** *a.* жела́ющий.

wishy-washy (уи'ши-уо'ши) *a.* водяни́стый; бесси́льный.

wisp (уисп) *s.* клок, пучо́к.

wistful (уи'стфул) *a.* заду́мчивый; гру́стный.

wit/ (уит) *s.* ум, ра́зум; остроу́мие; (*person*) остроу́мный челове́к; (*pl.*) здра́вый рассу́док || **to lose one's –s** потеря́ть го́лову || **to be at one's ~'s end** не знать что де́лать || **to frighten one out of one's –s** привести́ кого́ в у́жас || **to puzzle one's –s** лома́ть го́лову || **to ~** а и́менно, то есть.

witch/ (уич) *s.* колду́нья; ве́дьма; чаро-де́йка || **–craft, –ery** *s.* колдовство́; очарова́ние.

with/ (уиð) *prp.* (*us. translated by I.*) с, со; у || **~ child** бере́менная || **~ that** зате́м, по́сле того́ || **–al** (уиðо̄'л) *ad.* та́кже, вме́сте с тем, в то-же вре́мя.

withdraw/ (уиðдро̄') *va.irr.* брать, взять наза́д; от-нима́ть, -ня́ть; (*to recall*) отзыва́ть, -озва́ть || **~** *vn.irr.* отступ-а́ть, -и́ть; уходи́ть, уйти́ || **–al** (-ёл) *s.* отступле́ние; лише́ние; отня́тие.

withe (уиð, уи'ðи, уайð) *s.* и́вовый прут.

wither (уиðёр) *va.* иссуш-а́ть, -и́ть; вы́сушить; (*fig.*) истощ-а́ть, -и́ть || **~** *vn.* вя́нуть; увяда́ть, увя́нуть; бле́кнуть; засыха́ть.

withers (уи'ðёрз) *spl.* (*of horse*) загри́вок.

withhold (уиð-хоу'лд) *va.irr.* (*something from some one*) уде́рживать, удержа́ть что у кого́; не выдава́ть, вы́дать кому́ чего́; от-ка́зывать, -каза́ть (в чем); (*to restrain*) сде́рживать, сдержа́ть || **to ~ one's consent** не соглаша́ться.

within (уиðи'н) *s.* вну́тренность *f.* || **from ~** изнутри́ || **~** *ad.* внутри́; (*at home*) до́ма || **~** *prp.* в, во; (**~** *a year, etc.*) че́рез || **he was ~ an ace of being killed** его́ едва́ не уби́ли.

without (уиðау'т) *ad.* снару́жи; вне; извне́ || **~** *prp.* без; (*outside*) вне, за.

withstand (уиðстӓ'нд) *va.irr.* сопротивля́ться (*D.*), проти́виться (*D.*); противобо́рствовать.

withy (уи'ðи) = **withe.**

witness/ (уи'тнис) *s.* свиде́тельство; (*person*) свиде́тель *m.*, свиде́тельница; очеви́дец; (*proof*) доказа́тельство || **to call to ~** призыва́ть в свиде́тель || **~** *va.* быть очеви́дцем (чего́) || **~** *vn.* свиде́тельствовать, за- || **~-box** *s.* свиде́тельская скамья́.

witt/icism (уи'тисизм) *s.* острота́ || **–ingly** (уи'тингли) *ad.* умы́шленно || **–y** (уи'ти) *a.* остроу́мный.

wives (уайвз) *spl. cf.* **wife.**

wizard (уи'зёрд) *s.* колду́н, чаро-де́й.

wizen/ (уизн), **–ed** (уизнд) *a.* худо́й; смо́рщенный.

woad (уо̄уд) *s.* ва́йда.

wobble (уобл) *vn.* колебáться; перевáливаться.

woe/ (уōу) *s.* боль *f.*; гóре, печáль *f.*; (*pl.*) несчáстие || ~ *int.* гóре! || ~ **is me!** бедá мне || **–begone** (-бигон) *a.* угрю́мый, удручённый гóрем || **–ful** *a.* гóрестный, печáльный; жáлкий.

wold (уōулд) *s.* плоскогóрье.

wolf/ (уулф) *s.* (*pl.* **wolves** уулвз) волк; (*she-~*) волчи́ца || ~ *va.* по-жирáть, -жрáть || **–ish** *a.* вóлчий.

woman/ (уу'мён) *s.* (*pl.* **women** уи'мён) жéнщина || **–hater** *s.* ненави́стник жéнщин || **–ly** *a.* жéнственный, жéнский || **–ish** *a.* (*of a man*) женоподóбный || **–kind** *s.* жéнщины *pl.*; жéнский пол.

womb (уӯм) *s.* мáтка.

women *cf.* **woman.**

won *cf.* **win.**

wonder/ (уа'ндёр) *s.* удивлéние; чу́до; дикóвина || ~ *vn.* удив-ля́ться, -и́ться; (*be curious to know*) хотéть знать || **–ful** *a.* удиви́тельный; чудéсный || **–ment** (-мэнт) *s.* изумлéние || **~-struck** *a.* изумлённый.

wondrous (уа'ндрёс) *a.* удиви́тельный.

won't (уōунт) = **will not.**

wont/ (уōунт) *s.* обы́чай, обыкновéние || ~ *a.*, **to be** ~ имéть привы́чку || **–ed** (-ид) *a.* обы́чный, обыкновéнный, привы́чный.

woo/ (уӯ) *va.* свáтаться (за когó) || **–er** *s.* сват, жени́х || **–ing** *s.* свáтание.

wood/ (уу'д) *s.* лес; рóща; (*of conifers*) бор; (*timber*) лес, дéрево || **in the** ~ (*of wine*) в бóчке || **–bine** (-байн) *s.* (*bot.*) жимолость *f.* || **–cock** *s.* вáльдшнеп || **–cut** *s.* гравю́ра на дéреве || **–cutter** *s.* дровосéк || **–ed** (-ид) *a.* леси́стый || **–en** (-н) *a.* деревя́нный || **–louse** *s.* мокри́ца || **–pecker** *s.* дя́тел || **~-pigeon** *s.* ди́кий гóлубь || **~-screw** *s.* шуру́п || **–y** *a.* леси́стый, деревя́нный.

woof (уӯф) *s.* утóк.

wool/ (уу'л) *s.* шерсть *f.*; рунó || **–gathering** (гäбёринг) *s.* рассéянность *f.* || **–len** *s.* шерстянóй товáр, шерстянáя матéрия || ~ *a.* шерстянóй || **–ly** *a.* шерсти́стый || **–sack** *s.* мéсто председáтеля в палáте лóрдов (в Áнглии).

word/ (уёрд) *s.* слóво; речь *f.*; (*command*) прикáз; (*signal*) сигнáл; (*news*) извéстие; (*pass-word*) парóль *m.* || ~ **of honour** чéстное слóво || **to send** ~ извести́ть || **in a** ~, **in one** ~ одни́м слóвом || **hard –s** брань *f.* || **to have –s with** ссóриться || ~ **for** ~ слóво в слóво; (*as a.*) буквáльный || **by** ~ **of mouth** изу́стно || ~ *va.* выражáть, вы́разить словáми || **–y** *a.* многословный, пустослóвный.

wore (уōр) *cf.* **wear.**

work/ (уё'рк) *s.* рабóта; дéло; труд; (*production*) произведéние; (*pl. factory*) завóд, фáбрика; (*mil.*) вéрки *mpl.*; (*mechanism*) механи́зм || ~ *vn.* рабóтать; труди́ться; дéйствовать; (*of a machine*) ходи́ть; находи́ться в дéйствии; дви́гаться || ~ *va.* дви́гать; возбуждáть; за-ставля́ть, -стáвить рабóтать; (*to cause*) причин-я́ть, -и́ть; произ-води́ть, -вести́; (*to set going*) пус-кáть, -ти́ть в ход; (*metals, etc.*) об-раб-áтывать, -óтать; (*a ship*) управля́ть || **~-bench** *s.* верстáк || **–er** *s.* рабóтник, тру́женик; дéятель *m.* || **–house** *s.* богадéльня || **–day**, **–ingday** *s.* бу́день *m.*; бу́днишний день, рабóчий день || **–man** *s.* рабóтник; рабóчий || **–manlike** (-мёнлайк) *a.* иску́сный || **–manship** (-мёншип) *s.* издéлие; мáстерство || **–people** *spl.* рабóчие || **–room**, **–shop** *s.* мастерскáя || **–woman** *s.* рабóтница.

world/ (уёрлд) *s.* свет, мир; (*universe*) вселéнная; (*the earth*) земля́; свет; (*people*) лю́ди || **the** ~ **of dreams** мир грёз, цáрство мечт || **–ling** *s.* миряни́н || **–ly** *a.* свéтский; мирскóй.

worm/ (уё'рм) *s.* червь *m.*; червя́к; (*in intestines*) глистá; (*tech.*) нарéзка, змееви́к || ~ *va&n.* (*to* ~ *out*) вывéдывать, вы́ведать || **to** ~ **o.s. into a person's favour** приласкáться к комý, подласкáться к комý || **~-eaten** *a.* червотóчный || **–wood** *s.* (*bot.*) полы́нь *f.* || **–y** *a.* черви́вый.

worn (уōрн) *cf.* **wear.**

worry (уа'ри) *s.* гóре; забóта, беспокóйство || ~ *va.* терзáть, рас-; му́чить; беспокóить || ~ *vn.* беспокóиться; му́читься.

worse (уёрс) *a&ad.* (*comp. of* **bad**) ху́же || ~ *a.* ху́дший || **so much the** ~ тем ху́же.

worship/ (уё'ршип) *s.* поклонéние; богослужéние; (*title*) ми́лость *f.* || ~ *va.* обожáть; почитáть || **–ful** *a.* почтённый; благорóдный.

worst (уёрст) *s.* сáмое ху́дшее || ~ *a.* ху́дший, злéйший || ~ *va.* одолéть.

worsted (уё'рстид) *s.* шерстянáя, гребённая пря́жа.

worth/ (уёрþ) *s.* стóимость *f.*; цéнность *f.*; ценá; (*fig.*) достóинство || ~ *a.* достóйный; стóющий || **to be** ~ стóить || **–less** *a.* негóдный; ничегó не стóящий || **–y** (уёрðи) *s.* знамени́тый человéк || ~ *a.* достóйный.

would/ (ууд) *cf.* **will** || **~-be** (-бий) *a.* желáющий быть; так называ́емый.

wound (уӯнд) *s.* ра́на; я́зва; (*fig.*) оскорбле́ние || ~ *va.* ра́нить, по-; повреди́ть; (*fig.*) оскорб-ля́ть, -и́ть.
wound (ауунд) *cf.* **wind.**
wove(n) (уо̄ув-н) *cf.* **weave.**
wrack (ра̄к) *s. cf.* **rack.** [дух.
wraith (рэ̄йѳ) *s.* привиде́ние, при́зрак,
wrangle/ (ра̄нгл) *s.* спор, ссо́ра || ~ *vn.* спо́рить, ссо́риться || **-r** *s.* спо́рщик; (*univ.*) студе́нт пе́рвого разря́да по матема́тике.
wrap/ (ра̄п) *s.* капо́т; шаль *f.* || ~ *va.* завёртывать, -верну́ть; заку́т-ывать, -ать || **-per** *s.* обёртка; (*newspaper-~*) бандеро́ль *m.* [гне́вный, я́ростный.
wrath/ (ро̄ѳ) *s.* гнев, я́рость *f.* || **-ful** *a.*
wreak (рийк) *va.*, **to ~ vengeance on** мстить, от- (кому́ за кого́) || **to ~ one's anger on** изли́ть свой гнев.
wreath/ (рийѳ) *s.* (*pl.* **-s** рийѳс, рийѳз) вено́к, гирля́нда || **-e** (рийð) *va.* об-вива́ть, -ви́ть; окружи́ть; увенча́ть.
wreck/ (рэк) *s.* круше́ние; (*shipwreck*) кораблекруше́ние; поги́бель *f.*; (*ruin*) разоре́ние; (*remains of wrecked ship*) обло́мки (*mpl.*) корабля́; (*fig.*) разва́лина || ~ *va.* круши́ть; (*fig.*) разру́шить || ~ *vn.* потерпе́ть круше́ние || **-age** (-идж) *s.* обло́мки (*mpl.*), оста́тки (*mpl.*) корабля́.
wren (рэн) *s.* (*zool.*) королёк.
wrench (рэнч) *s.* дёргание; вы́вих; (*instrument*) винтово́й ключ || ~ *va.* вырыва́ть, вы́рвать; ис-торга́ть, -то́ргнуть.
wrest (рэст) *va.* ис-торга́ть, -то́ргнуть.
wrestl/e (рэсл) *vn.* боро́ться || **-er** *s.* боре́ц || **-ing** *s.* борьба́.
wretch/ (рэч) *s.* несча́стный челове́к; (*miscreant*) подле́ц || **poor ~** бедня́жка || **-ed** (-ид) *a.* несча́стный; жа́лкий; (*despicable*) по́длый; гну́сный; (*bad*) дурно́й.
wriggle (ригл) *vn.* извива́ться; изгиба́ться; верте́ться.
wright (райт) *s.* реме́сленник.
wring/ (ринг) *va.irr.* крути́ть, с-; (*to squeeze*) жать, с-; (*one's hands*) лома́ть; (*one's neck*) свёртывать, сверну́ть; (*linen*) выжима́ть, вы́жать; (*to extort*) ис-торга́ть, -то́ргнуть; (*the heart*) надрыва́ть || **-er** *s.* отжима́лка (для белья́) || **-ing** *a.*, **~ wet** насквозь промо́кший.
wrinkle (ринкл) *s.* морщи́на; скла́дка; (*useful hint*) поле́зное указа́ние || ~ *va.&vn.* мо́рщить(-ся); нахму́ривать.
wrist/ (рист) *s.* кисть *f.* (руки́) || **-band** *s.* рука́в руба́шки || **-let** (-лёт) *s.* запя́стье. [ве́стка.
writ (рит) *s.* писа́ние; прика́з; (*leg.*) по-
write/ (райт) *va.irr.* писа́ть, на-; сочин-я́ть, -и́ть || ~ *vn.* писа́ть || **-r** *s.* писа́тель *m.*; сочини́тель *m.*; писе́ц.
writhe (райð) *vn.* ко́рчиться; извива́ться.
writing/ (рай'тинг) *s.* писа́ние; письмо́; (*handwriting*) по́черк; (*composition*) сочине́ние || **~-book** *s.* тетра́дь *f.* || **~-desk** *s.* конто́рка || **~-master** *s.* учи́тель (*m.*) чистописа́ния || **~-paper** *s.* пи́счая бума́га.
written (ритн) *cf.* **write.**
wrong/ (ро'нг) *s.* несправедли́вость *f.*; оби́да; (*injury*) вред; (*mistake*) оши́бка || ~ *a.* непра́вный; (*not correct*) непра́вильный; (*mistaken*) оши́бочный; (*bad*) дурно́й || **~ side (of cloth, etc.)** изна́нка || **~ side out** наизна́нку || ~ *va.* де́лать, с- зло (*D.*); об-ижа́ть, -и́деть || **-doer** *s.* злоде́й || **-doing** *s.* дурно́е поведе́ние || **-ful** *a.* несправедли́вый.
wrote (ро̄ут) *cf.* **write.**
wroth (ро̄ѳ) *a.* серди́тый, гне́вный.
wrought (ро̄т) *a.* обрабо́танный; вы́деланный || **~ iron** сва́рочное, полосо́вое желе́зо.
wry (рай) *a.* криво́й; искривлённый; косо́й.

X

xebec (зий'бэк) *s.* шебе́ка.
xylonite (зай'лёнайт) *s.* целлуло́ид.
Xmas *abbr. of* **Christmas.** [ские лучи́.
X-rays (экс-рэ̄йз) *s.* х-лучи́; ре́нтгенов-

Y

yacht/ (йот) *s.* я́хта || **-ing** *s.* па́русный спорт || **-ing-jacket** *s.* ку́ртка *or* жаке́т для па́русного спо́рта.
yam (йа̄м) *s.* (*bot.*) ямс.
Yankee/ (йа̄'нг-ки) *s.* я́нки *m.* || **~-doodle** (-дӯ'дл) *s.* америка́нская наро́дная пе́сня.
yap (йа̄п) *vn.* ла́ять.
yard (йа̄рд) *s.* двор; (*mar.*) рей *or* ре́я; (*measure*) ярд (= 0,91 ме́тра).
yarn/ (йа̄рн) *s.* ни́тка, нить *f.*; пря́жа; (*fig.*) ска́зка || **to spin -s = to yarn** || ~ *vn.* расска́зывать ска́зки.
yarrow (йа̄'роу) *s.* (*bot.*) тысячели́стник.
yawl (йо̄л) *s.* я́лик, ялбо́т. [~ *s.* зево́к.
yawn (йо̄н) *vn.* зев-а́ть, -ну́ть; (*fig.*) зия́ть ||
ye (йий, йи) *prn.* вы, вас; ты.
yea (йэ̄й) *ad.* да, та́кже; да́же.
yean (йийн) *vn.* (*of sheep*) ягни́ться.
year/ (йий'р) *s.* год; ле́то || **~ by ~** год за́ год || **from ~ to ~** с го́ду на́ год || **~ in,**

~ **out** и́з году в год || ~-**book** *s.* ежего́дник || -**ling** *s.* годови́к || -**ly** *a.&ad.* ежего́дный; годово́й.
yearn (йёрн) *vn.* жела́ть; скуча́ть (по), грусти́ть, печа́литься. [-**y** *a.* пе́нистый.
yeast/ (йийст) *s.* дро́жжи *fpl.*; заква́ска ||
yell (йэл) *vn.* вопи́ть, крича́ть || ~ *s.* вой, крик.
yellow/ (йэ′лоу) *a.* жёлтый || ~ **amber** *s.* янта́рь *m.* || ~-**boy** *s.* (*fam.*) золота́я моне́та || ~-**fever** *s.* жёлтая лихора́дка || ~ *s.* жёлтый цвет; желтизна́ || -**ish** *a.* желтова́тый || -**ness** *s.* желтова́тость *f.*
yelp (йэлп) *s.* лай; визг || ~ *vn.* ла́ять, визжа́ть, ви́згнуть, тя́вк-ать, -нуть.
yeoman/ (йо̄у′мён) *s.* однодво́рец; землевладе́лец; со́бственник || -**ry** *s.* наро́дная мили́ция; крестья́не-землевладе́льцы *mpl.*; гва́рдия, телохрани́тели англи́йского короля́.
yes (йэс) *s.&ad.* да; (*in cases like: "waiter"! "yes, sir"*) слу́шаю-с; (*even*) да́же || ~ **indeed** коне́чно.
yesterday (йэ′стёрди) *ad.* вчера́ || ~ *s.* вчера́шний день || **the day before** ~ тре́тьего дня || ~ **evening** вчера́ ве́чером || ~ **morning** вчера́ у́тром.
yet (йэт) *c.* одна́ко; всётаки; ме́жду тем || ~ *ad.* ещё; да́же || **as** ~ пока́, до сих пор || **not** ~ ещё не. [де́рево.
yew/ (ю), ~-**tree** *s.* (*bot.*) тис; ти́совое
yield/ (йийлд) *va.* произв-оди́ть, -ести́; прин-оси́ть, -ести́ (плоды́); (*profits*) дост-авля́ть, -а́вить || ~ *vn.* (*surrender*) сдава́ться, сда́ться; уступ-а́ть, -и́ть; поддава́ться, -да́ться || ~ *s.* произведе́ние; проду́кт; дохо́д || -**ing** *a.* уступа́ющий, усту́пчивый.
yoke (йо̄ук) *s.* ярмо́; (*fig.*) и́го, ра́бство; (*pair*) па́ра; (*for buckets*) коромы́сло || ~ *va.* (*cattle*) запр-яга́ть, -я́чь; (*couple*) спа́рить, совокупи́ть; (*enslave*) поработи́ть.
yokel (йо̄у′кёл) *s.* мужи́к, дереве́нщина.
yolk (йо̄ук) *s.* желто́к (яи́чный).
yon/ (йон), -**der** (йо′ндер) *a.* вон тот, вон та, вон то || ~ *ad.* вон там.
yore (йо̄р) *s.*, **of** ~ пре́жде, быва́ло, не́когда || **in days of** ~ в старину́, в было́е времена́. [тебе́.
you (ю, ю, йё) *prn.* вы, вас, вам; ты, тебя́,
young/ (йанг) *a.* молодо́й, ю́ный || ~ *s.* детёныш || -**er** *a.* мла́дший; моло́же || -**er brother** меньшо́й брат || -**ish** *a.* дово́льно молодо́й || -**ster** (-стёр) *s.* молодо́й челове́к; ма́льчик || ~-**un** (-ан) *s.* (*fam.*) ма́льчик.
your/ (юр, уо̄р, уёр), -**s** *prn.* ваш, -а, -е, -и; тво-й, -я́, -ё, -и́ || -**self** (йёрсэ′лф) *prn.* вы са́ми; ты сам; сам себя́; себя́ || -**selves** (йёрсэ′лвз) *prn. pl.* вы са́ми; себя́; сами́х себя́.
youth/ (ю′þ) *s.* мо́лодость *f.*; ю́ность *f.*; (*poet.*) мла́дость *f.*; ю́ношество; молодёжь *f.*; (*a* ~) ю́ноша *m.* || -**ful** *a.* молодо́й, ю́ный || -**fulness** *s.* мо́лодость *f.*, ю́ность *f.* [*fpl.*
Yule/ (юл) *s.* Рождество́ || ~-**tide** *s.* Свя́тки

Z

zany (зэ̄й′ни) *s.* шут, га́ер, арлеки́н.
zeal/ (зийл) *s.* рве́ние; ре́вность *f.*; усе́рдие || -**ot** (зэ′лёт) *s.* ревни́тель *m.*; фана́тик || -**otry** (зэ′лётри) *s.* фанати́зм || -**ous** (зэ′лёс) *a.* ре́вностный.
zebra (зий′брё) *s.* (*zool.*) зе́бра.
zenith (зэ′ниþ) *s.* (*astr.*) зени́т.
zephyr (зэ′фёр) *s.* зефи́р.
zero (зий′роу) *s.* нуль *m.*, ноль *m.*; (*phys.*) то́чка замерза́ния || **above, below** ~ вы́ше, ни́же нуля́.
zest (зэст) *s.* припра́ва; (*fig.*) вкус, смак.
zigzag (зи′гзäг) *s.* зигза́г.
zinc/ (зингк) *s.* цинк || -**ography** (-о′грёфи) *s.* цинкогра́фия.
zodiac (зо̄у′диäк) *s.* зодиа́к.
zone (зо̄ун) *s.* зо́на; (*obs. poet.*) по́яс.
zoo (зӯ) *s.* (*fam.*) = **zoological garden.**
zoolog/ical (зо̄у-оло′джикёл) *a.* зоологи́ческий || ~ **garden** зоологи́ческий сад || -**ist** (зоу-о′лоджист) *s.* зоо́ло́г || -**y** (зоу-о′-лоджи) *s.* зооло́гия.
zounds (заундз) *int.* (*obs.*) чорт возьми́!

A List of the more usual Christian Names

Наиболее употребительные личные имена

Abe (эйб) *dim.* of **Abraham.**
Abel (эйбл) Авель.
Abraham (эй'брёхём) Авраáм.
Adolph (ä'долф), **Adolphus** (äдо'лфёс) Адóльф.
Agatha (ä'гёþё) Агáта.
Agnes (ä'гниз) Агнéса.
Alan (ä'лён) Алáн.
Albert (ä'лбёрт) Альбéрт.
Aleck (ä'лик) *dim.* of **Alexander.**
Alexand/er (äлигзä'ндёр) Алексáндр || **-ra** (äлигзä'ндрё) Алексáндра.
Alexis (äлэ'ксис) Алексéй.
Alfred (ä'лфрид) Альфрéд.
Alice (ä'лис) Али́са.
Alphons/o (äлфо'нс-оу), **-us** (-ёс) Альфóнс.
Ambrose (ä'мброуз) Амврóсий.
Amelia (ёмий'лиё) Амáлия.
Amy (эй'ми) Любóвь.
Andrew (ä'ндрӯ) Андрéй.
Andy (ä'нди) *dim.* of *prec.*
Ann (äн), **Anna** (ä'нё) Áнна.
Annie (ä'ни) *dim.* of *prec.*
Anthony (ä'нтёни) Антóний, Антóн.
Archibald (ā'рчи-бёлд, -бōлд) Арчибáльд.
Arnold (ā'рнёлд) Арнóльд.
Arthur (ā'рþёр) Артýр.
August/a (ога'ст-ё) Авгýста || **-us** (-ёс) Áвгуст.

Bab (бäб) *dim.* of **Barbara.**
Baptist (бä'птист) Бати́ст.
Barbara (бā'рбёрё) Варвáра.
Barnabas (бā'рнёбäс), **Barnaby** (бā'рнёби) Варнáва.
Bartholemew (барþо'лёмю) Варфоломéй.
Basil (бä'зил) Васи́лий.
Beatrice (бий'ётрис), **Beatrix** (бий'ётрикс) Беатри́са.
Bella (бэ'лё) *dim.* of **Arabella & Isabella.**
Ben (бэн) *dim.* of **Benjamin.**
Benedict (бэ'нидикт) Венеди́кт.
Benjamin (бэ'нджёмин) Вениами́н.
Bernard (бё'рнёрд) Бернáрд.
Bertha (бё'рþё) Бéрта.
Bertram (бё'ртрём) Бертрáм.
Bess (бэс), **Betsey** (бэ'ци), **Betty** (бэ'ти) *dims.* of **Elizabeth.**
Biddy (би'ди) *dim.* of **Bridget.**
Bill (бил), **Billy** (би'ли) *dims.* of **William.**
Bob (боб), **Bobby** (бо'би) *dims.* of **Robert.**
Boniface (бо'нифёс) Бонифáций.
Bridget (бри'джит) Бриги́тта.

Cain (кэйн) Кáин.
Caroline (кä'рёлайн) Кароли́на.
Catherine (кä'þёрайн) Екатери́на.
Cecilia (сэси'лиё), **Cecily** (сэ'сили) Цеци́лия.
Charles (чāрлз) Карл.
Charlie (чā'рли) *dim.* of *prec.*
Charlotte (шā'рлот) Шарлóтта.
Chris (крис), **Christy** (кри'сти) *dim.* of *foll.*
Christopher (кри'стёфёр) Христофóр.
Cicely (си'сили) Цеци́лия.
Cis (сис) *dim.* of *prec.*
Clara (клā'рё) Клáра.
Clarissa (клёри'сё) Клари́сса.
Clement (клэ'мёнт) Клемéнтий.
Conrad (ко'нрёд) Конрáд.
Constance (ко'нстёнс) Констáнция.
Constantine (ко'нстёнтайн) Константи́н
Cornelius (корний'лиёс) Корнéлий.
Cyril (сай'рил) Кири́лл.

Dan (дäн) *dim.* of *foll.*
Daniel (дä'нйёл) Даниил.
Dave (дэйв), **Davy** (дэй'ви) *dim.* of *foll.*
David (дэй'вид) Дави́д.
Denis (дэ'нис) Дени́с.
Dick (дик) *dim.* of **Richard.**
Dolly (до'ли) *dim.* of **Dorothea.**
Dominic/ (до'миник) Домини́к || **-a** (доми'ника) Домини́ка.
Dorothea (дорёþий'ё), **Dorothy** (до'рёþи) Доротéя, Дáрья.
Duncan (да'нкён) Дункáн.

Eddy (э'ди) *dim.* of **Edward.**
Edgar (э'дгар) Эдгáр.
Edmund (э'дмёнд) Эдмýнд.

Edward (э'дуёрд) Эдуа́рд.
Eleanor (э'линёр) Элеоно́ра.
Elizabeth (или'зёбэф) Елизаве́та.
Ellen (э'лён) *dim.* of **Eleanor.**
Emmeline (э'милайн) Эммели́на.
Emily (э'мили) Эми́лия.
Emma (э'мё) Э́мма.
Eric (э'рик) Э́рик.
Ernest (ё'рнист) Эрне́ст.
Esther (э'сфёр) Эсфи́рь.
Eugene (ю'джийн) Евге́ний.
Eustace (ю'стис) Евста́фий.
Eva (ий'вё), **Eve** (ийв) Е́ва.
Eveline (э'вилин) Эвели́на.
Everard (э'вёрёрд) Эберга́рд.

Fanny (фӓ'ни) *dim.* of **Frances.**
Felicia (фили'шиё) Фели́ция.
Felix (фий'ликс) Фе́ликс.
Ferdinand (фё'рдинёнд) Фердина́нд.
Flora (фло̄'рё) Фло́ра.
Florence (фло'ринс) Флора́нс.
Frances (фра̄'нсис, фрӓ'нсис) Франци́ска.
Francis (фра̄'нсис, фрӓ'нсис) Франци́ск, Франц.
Frank (фрӓнгк) *dim.* of *prec.*
Fred (фрэд), **Freddy** (фрэ'ди) *dim.* of *foll.*
Frederick (фрэ'дрик) Фри́дрих.
Frederica (фрэдёрий'кё) Фредери́ка.

Geoffrey (джэ'фри) Го́тфрид, Жорж.
George (джо̄рдж) Гео́ргий, Его́р, Ю́рий,
Georgie (джо̄'рджи) *dim.* of *prec.*
Gerald (джэ'рёлд) Гера́рд.
Gertie (гё'рти) *dim.* of *foll.*
Gertrude (гё'ртрӯд) Гертру́да.
Gilbert (ги'лбёрт) Ги́льберт.
Giles (джайлз) Эги́дий.
Godfrey (го'дфри) Го́тфрид.
Grace (грэ̄йс) Гра́ция.
Gregory (грэ'гёри) Григо́рий.
Guy (гай) Вит, Гви́до.

Hal (хӓл) *dim.* of **Henry.**
Hannah (хӓ'нё) А́нна.
Harold (хӓ'рёлд) Гаро́льд.
Harry (хӓ'ри) *dim.* of **Henry.**
Helen (хэ'лён) Еле́на.
Henrietta (хэнриэ'тё) Генрие́тта.
Henry (хэ'нри) Ге́нрих.
Herbert (хё'рбёрт) Ге́рберт.
Hetty (хэ'ти) *dim.* of **Henrietta.**
Hope (хо̄уп) Наде́жда.
Horace (хо'рис) Гора́ций.
Hubert (хю'бёрт) Гу́берт.
Hugh (хю) Гу́го.
Humphrey (ха'мфри) Ону́фрий.

Ida (ай'дё) И́да.
Ignatius (игнэ̄й'шёс) Игна́тий.
Ike (айк), **Ikey** (ай'ки) *dims.* of **Isaac.**
Irene (айрий'ни) Ири́на.
Iris (ай'рис) Ири́да.
Isaac (ай'зёк) Исаа́к.

Jack (джӓк), **Jacky** (джӓ'ки) *dims.* of **John.**
Jacob (джэ̄й'кёб), **James** (джэ̄ймз) Я́ков.
Jane (джэ̄йн) А́нна.
Janet (джӓнэ'т) *dim.* of *prec.*
Jasper (джӓ'спёр) Каспа́р.
Jem (джэм), **Jemmy** (джэ'ми) *dims.* of **James.**
Jeffrey (джэ'фри) Го́тфрид.
Jenny (джэ'ни) Жане́та.
Jeremiah (джэримай'ё), **Jeremy** (джэ'рими) Иереми́я, Ереме́й.
Jerome (джэ'рём) Иерони́м.
Jerry (джэ'ри) *dim.* of **Jeremiah.**
Jim (джим), **Jimmy** (джи'ми) *dims.* of **James.**
Joan (джо̄ун), **Joanna** (джо̄у-ӓ'нё), **Johanna** (джо̄ухӓ'нё) А́нна, Жа́нна, Ио́анна.
Job (джо̄уб) И́ов.
Jock (джок) *dim.* of **John.**
Joe (джо̄у) *dim.* of **Joseph.**
John (джон) Иоа́нн, Ива́н, Джон.
Johnny (джо'ни) *dim.* of *prec.*
Jonathan (джо'нёрён) Ионафа́н.
Joseph/ (джо̄у'зиф) Ио́сиф, О́сип ‖ **-ine** (джо̄у'зифин) Жозе́фа, Жозефи́на.
Julia/ (джӯ'лиё) Ю́лия ‖ **-na** (джӯлиӓ'нё) Юлиа́на.

Kate (кэ̄йт), **Kit** (кит), **Kitty** (ки'ти) *dims.* of **Catherine.**

Lambert (лӓ'мбёрт) Ла́мберт.
Laurence (ло̄'рёнс) Лавре́нтий.
Leonard (лэ'нёрд) Леона́рд.
Leonora (лий-ёно̄'рё) Леоно́ра.
Leopold (лий'-ёпоулд) Леопо́льд.
Lionel (лай'ёнэл) Лионе́ль.
Louis (лӯ'ис) Людо́вик.
Louisa (лӯ-ий'зё) Луи́за.
Lucy (лӯ'си) Лю́чия.
Luke (лӯк) Лука́.

Madeline (мӓ'дилайн) Магдали́на.
Madge (мӓдж), **Mag** (мӓг), **Maggie** (мӓ'ги) *dims.* of **Margaret.**
Magdalen (мӓ'гдёлин) Магдали́на.
Margaret (ма̄'ргрит) Маргари́та.
Margery (ма̄'рджёри) *dim.* of *prec.*

Maria (мёрай'ё) Мари́я.
Marianne (мäри-ä'н) Мариа́нна.
Mark (мäрк) Марк.
Martin (мä'ртин) Марты́н.
Martha (мä'рþё) Ма́рфа.
Mary (мä'ри) Мари́я.
Mat (мäт) *dim.* of **Matthew.**
Mat(h)ilda (мёти'лдё) Мати́льда.
Matthew (мä'þю) Матве́й.
Maud (мōд) *dim.* of **Mathilda.**
Maurice (мо'рис) Маври́кий, Мори́с.
May (мэй) *dim.* of **Mary.**
Meg (мэг) *dim.* of **Margaret.**
Michael (май'кёл) Михаи́л.
Mick (мик), **Mike** (майк) *dims.* of *prec.*
Molly (мо'ли) *dim.* of **Mary.**

Nan (нäн), **Nancy** (нä'нси), **Nanny** (нä'ни) *dims.* of **Ann.**
Ned (нэд), **Neddy** (нэ'ди) *dims.* of **Edward, Edmund.**
Nell (нэл), **Nellie** (нэ'ли) *dims.* of **Ellen, Eleanor.**
Nicholas (ни'кёлёс) Никола́й.
Nick (ник) *dim.* of *prec.*
Noah (нōу'ё) Ной.

Oliver (о'ливёр) Оливе́р.
Oscar (о'скар) Оска́р.
Oswald (о'суёлд) Осва́льд.

Paddy (пä'ди), **Pat** (пäт) *dim.* of *foll.*
Patrick (пä'трик) Патри́ций, Па́трик.
Paul (пōл) Па́вел.
Pauline (пōлий'н) Паули́на, Па́вла.
Peg (пэг), **Peggy** (пэ'ги) *dims.* of **Margaret.**
Pete (пийт) *dim.* of *foll.*
Peter (пий'тёр) Пётр.
Phil (фил) *dim.* of *foll.*
Philip (фи'лип) Фили́пп.
Pol (пол), **Polly** (по'ли) *dims.* of **Mary.**

Rachel (рэй'чёл) Рахи́ль.
Ralph (рäлф, рэйф) Рудо́льф.
Reginald (рэ'джинёлд) Регина́льд.
Richard (ри'чёрд) Рича́рд.
Rob (роб) *dim.* of **Robert.**
Robert (ро'бёрт) Робе́рт.
Roderick (ро'дёрик) Родри́г, Рю́рик.
Roger (ро'джёр) Ро́джер.
Rosa (рōу'зё) Ро́за.
Rosalie (ро'зёли) Роза́лия.
Rosalind (ро'зёлинд) Розали́нда.
Rudolph (рӯ'долф) Рудо́льф.
Ruth (рӯþ) Руфь.

Sal (сäл), **Sally** (сä'ли) *dims.* of **Sarah.**
Sam (сäм), **Sammy** (сä'ми) *dims.* of **Samuel.**
Samuel (сä'мюёл) Самуи́л.
Sandy (сä'нди) *dim.* of **Alexander.**
Sarah (сä'рё) Са́ра.
Sibyl (си'бил) Сиби́лла.
Silas (сай'лёс) Сильва́н.
Simon (сай'мён) Си́мон, Семён.
Sophia (сёфай'ё) Со́фья.
Sophy (сōу'фи) *dim.* of *prec.*
Stephen (стий'вн) Стефа́н, Степа́н.
Steve (стийв) *dim.* of *prec.*
Sue (сю), **Suzy** (сю'зи) *dims.* of *foll.*
Susan (сю'зён) Суса́нна.

Ted (тэд), **Teddy** (тэ'ди) *dims.* of **Edward.**
Theobald (þий'ёбōлд, þи'бёлд, ти'бёлд) Теоба́льд.
Theodor/a (þий-ёдō'рё) Феодо́ра ‖ **–e** (þий'-ёдōр) Фе́одор.
Theresa (þирий'зё) Тере́за.
Thomas (то'мёс) Фома́.
Tim (тим) *dim.* of *foll.*
Timothy (ти'мёþи) Тимофе́й.
Tobias (тёбай'ёс) То́вий.
Toby (тōу'би) *dim.* of *prec.*
Tom (том), **Tommy** (то'ми) *dims.* of **Thomas.**
Tony (тōу'ни) *dim.* of **Anthony.**

Ursula (ё'рсюлё) Урсу́ла.

Val (вäл) *dim.* of *foll.*
Valentine (вä'лёнтайн) Валенти́н.
Victor/ (ви'ктёр) Ви́ктор ‖ **–ia** (виктō'рие) Викто́рия.
Vincent (ви'нсёнт) Вике́нтий.
Vivian (ви'виён) Вивиа́н; Вивиа́на.

Walter (уō'лтёр) Ва́льтер.
Wat (уот), **Watty** (уо'ти) *dims.* of *prec.*
Will (уил), **Willy** (уи'ли) *dims.* of *foll.*
William (уи'лиём) Вильге́льм, Виллиа́м.

A List of the more important Geographical Names

Важнейшие географические имена

Abyssinia (ӑбиси'ниё) Абисси́ния || **Abyssinian** (*as s.*) абисси́нец, (*as a.*) абисси́нский.
the Adriatic (ӑдриӑ'тик) Адриати́ческое мо́ре.
Ægæan (иджий'ён), **the ~ Sea** Эгей'ское мо́ре.
Africa (ӑ'фрикё) А́фрика || **African** (*as s.*) африканец, (*as a.*) африка́нский.
Albania (ӑлбэй'ниё) Алба́ния || **Albanian** (*as s.*) алба́нец, (*as a.*) алба́нский.
Alexandria (ӑлигзā'ндриё) Александри́я.
Algiers (ӑлджий'рз) Алжи́р.
the Alps (ӑлпс) А́льпы || **Alpine** (ӑ'лпайн) альпи́йский.
Alsace (ӑлсā'с) Эльза́с || **Alsatian** (ӑлсэй'шн) (*as s.*) эльза́сец, (*as a.*) эльза́сский.
the Amazon (ӑ'мёзён) Амазо́нская река́.
America (ёмэ'рикё) Аме́рика || **American** (*as s.*) америка́нец, (*as a.*) америка́нский.
Andalusia (ӑндёлу'жё) Андалу́зия || **Andalusian** (*as s.*) андалу́вец, (*as a.*) андалу́зский.
the Andes (ӑ'ндиз) А́нды.
the Antilles (ӑнти'лиз) Анти́льские острова́.
Antioch (ӑ'нтиёк) Антиохи́я.
Antwerp (ӑ'нтуёрп) Антве́рпен.
the Apennines (ӑ'пинайнз) Апенни́ны.
Arabia (ёрэй'биё) Ара́вия || **Arab** (ӑ'рёб) ара́б || **Arabian** (ёрэй'биён) ара́бский.
Aragon (ӑ'рёгён) Араго́ния || **Aragonese** (ӑрёгёний'з) (*as s.*) араго́нец, (*as a.*) араго́нский.
the Archipelago (āркипэ'лёгоу) Архипела́г.
the Ardennes (āрдэ'н) Арде́нны.
Armenia (āрмий'ниё) Арме́ния || **Armenian** (*as s.*) армяни́н, (*as a.*) армя́нский.
Asia (эй'шиё) Азия || **Asiatic** (эйшиӑ'тик) (*ss s.*) азиа́т, (*as a.*) азиа́тский.
Asturias (ӑстӯ'риёз) Асту́рия || **Asturian** (*as s.*) астури́ец, (*as a.*) астури́йский.
Athens (ӑ'ѳинз) Афи́ны || **Athenian** (ёѳий'ниён) (*as s.*) афи́нянин, (*as a.*) афи́нский.
the Atlantic (ётлӑ'нтик) Атланти́ческий океа́н.

Australia (острэй'лйё) Австра́лия || **Australian** (*as s.*) австрали́ец, (*as a.*) австрали́йский.
Austria (о'стриё) А́встрия || **Austrian** (*as s.*) австри́ец, (*as. a.*) австри́йский.
the Azores (ёзо̄'рз) Азо́рские острова́.

Bale (бāл) Ба́зель.
Balearic (бӑлиӑ'рик), **the ~ Isles** Балеа́рские острова́.
the Baltic (бо̄'лтик) Балти́йское мо́ре.
Barbary (бā'рбёри) Бербе́рия.
Bavaria (бёвā'риё) Бава́рия || **Bavarian** (*as s.*) бава́рец, (*as a.*) бава́рский.
Belgium (бэ'лджём) Бе́льгия || **Belgian** (бэ'лджён) (*as s.*) бельги́ец, (*as a.*) бельги́йский.
Bengal (бэнго̄'л) Бенга́лия || **Bengalese** (бэнгёлий'з) (*as s.*) бенга́лец, (*as a.*) бенга́льский.
Bessarabia (бэсёрэй'биё) Бессара́бия.
Biscay (би'скэй) Бискайя || **Biscayan** (бискэй'ён) (*as s.*) биска́йец, (*as a.*) биска́йский.
the Black Forest Шварцва́льд.
the Black Sea Чёрное мо́ре.
Bœotia (бийу'шё) Бео́тия.
Bohemia (бохий'миё) Боге́мия || **Bohemian** (*as s.*) бо́гемец, (*as a.*) боге́мский.
Bosnia (бо'зниё) Бо́сния || **Bosnian** (*as s.*) босня́к, (*as a.*) босни́йский.
Bothnia (бо'ѳниё), **the Gulf of ~** Ботни́ческий зали́в.
Brazil (брёзи'л) Брази́лия || **Brazilian** (*as s.*) бразилья́нец, (*as a.*) бразилья́нский.
Britain (бри'тин), **Great ~** Великобрита́ния || **British** (бри'тиш) брита́нский || **Briton** (бри'тён) брита́нец.
Brittany (бри'тёни) Бретань || **Breton** (брэ'тён) (*as s.*) брето́нец, (*as a.*) брето́нский.
Bruges (брӯ'джиз *или* брӯж) Брю́гге.
Brunswick (брӑ'нзуик) Брау́ншвейг.
Brussels (брӑ'сёлз) Брю́ссель.

Bulgaria (балгӓ'рпё) Болгария || **Bulgarian** (*as s.*) болгарин, (*as a.*) болгарский.
Burgundy (бё'ргёнди) Бургундия || **Burgundian** (бёрга'ндиён) (*as s.*) бургундец, (*as a.*) бургундский.
Burmah (бё'рмё) Бирма || **Burmese** (бёрмий'з) (*as s.*) бирманец, (*as a.*) бирманский.
Byzantium (бизӓ'ншйём) Византия || **Byzantine** (бизӓ'нтайн) (*as s.*) византиец, (*as a.*) византийский.

Cadiz (кэ̄й'диз) Кадикс.
Calabria (кёлэ̄й'бриё) Калабрия || **Calabrian, Calabrese** (кӓлэ̄йбрӣ'з) (*as s.*) калабриец, (*as a.*) калабрийский.
California (кӓлифо̄'рниё) Калифорния || **Californian** (*as s.*) калифорнец, (*as a.*) калифорнский.
Cameroon (кӓмёрӯ'н) Камерун.
the Canaries, Canary Islands (кёнӓ'риз) Канарские острова.
Candian (кӓ'ндиён) (*as s.*) кандиец (критянин), (*as a.*) кандийский (критский).
Caribbee (кӓ'рибий), **the ~ Islands** карайбские острова.
Carinthia (кёри'нфиё) Каринтия.
Carniola (кӓ'рниоулё) Крайн.
the Carpathians (кӓ'рпэйфиёнз) Карпаты.
Cashmere (кӓ'шмийр) Кашмир.
Caspian (кӓ'спиён), **the ~ Sea** Каспийское море.
Castile (кёстий'л) Кастилия.
Catalonia (кӓтёло̄у'ниё) Каталония || **Catalonian** (*as s.*) каталонец, (*as a.*) каталонский.
the Caucasus (ко̄'кёсёс) Кавказ.
China (чай'нё) Китай || **Chinese** (чайний'з) (*as s.*) китаец, (*as a.*) китайский.
Circassia (сёркӓ'шйё) Черкесия || **Circassian** (*as s.*) черкес, (*as a.*) черкесский.
Cleves (клийвз) Клеве.
Cologne (кёло̄у'н) Кёльн.
Constance (ко'нстёнс), **the Lake of ~** Боденское озеро.
Copenhagen (ко̄упёнхэ̄й'гён) Копенгаген.
the Cordilleras (ко̄дилий'рёс) Кордильеры.
Corsican (ко̄'рсикён) (*as s.*) корсиканец, (*as a.*) корсиканский.
Courland (кӯ'рлӓнд) Курляндия.
Cracow (крӓ'коу) Краков.
Crete (крийт) Крит, Кандия || **Cretan** (крий'тён) (*as s.*) критянин, (*as a.*) критский.
the Crimea (краймий'ё) Крым.
Croatia (кроу-э̄й'шё) Хорватия || **Croatian** (*as s.*) хорват, (*as a.*) хорватский.
Cyprus (сай'прёс) Кипр.
Czecho-Slovakia (чэ'коу-слоувӓ'киё) Чехословакия.

Dalmatia (дӓлмэ̄й'шиё) Далматия || **Dalmatian** (*as s.*) далматинец, (*as a.*) далматский.
Dane (дэ̄йн) Датчанин || **Danish** (дэ̄й'ниш) датский.
the Danube (дӓ'нюб) Дунай.
Dauphiny (до̄'фини) Дофине.
the Dead Sea Мёртвое море.
Denmark (дэ'нмӓрк) Дания.
Dunkirk (да'нкёрк) Дюнкирхен (Дюнкерк).
Dutch (дач) голландский || **the ~** голландцы || **-man** голландец.

the East Indies (ийст и'ндийз) Ост-Индия.
Egypt (ий'джипт) Египет || **Egyptian** (иджи'пшён) (*as s.*) египтянин, (*as a.*) египетский.
England (и'нглёнд) Англия || **English** (и'нглиш) английский || **the ~** англичане || **the ~ Channel** Ламанш || **Englishman** англичанин.
Esthonia (эсфо̄у'ние) Эстония || **Esthonian** (*as s.*) эстонец, (*as a.*) эстонский.
Europe (ю'рёп) Европа || **European** (юрёпий'ён) (*as s.*) европеец, (*as a.*) европейский.

Flanders (флӓ'ндёрз) Фландрия.
Fleming (флэ'минг) фламандец || **Flemish** (флэ'миш) фламандский.
Florence (фло'рёнс) Флоренция || **Florentine** (фло'рентайн) (*as s.*) флорентинец, (*as s.*) флорентинский.
Flushing (фла'шинг) Флиссинген.
France (фрӓнс) Франция.
Franconia (фрӓнгко̄у'ниё) Франкония.
Frankfort (фрӓ'нгкфорт) Франкфурт.
French (фрэнш) французский || **the ~** французы || **-man** француз.
Frisian (фрий'зиён) (*as s.*) фриз, (*as a.*) фризский.

Gael (гэ̄йл) гэлец || **Gaelic** (гэ̄й'лик) гэльский.
Galicia (гёлий'шьё) Галиция || **Galician** (*as s.*) галичанин, (*as a.*) галицкий.
Galilee (гӓ'лилий) Галилея.
Gascony (гӓ'скёни) Гасконь || **Gascon** (гӓ'скён) (*as s.*) гасконец, (*as a.*) гасконский.
Gaul (го̄л) Галлия || (*as s.*) галл.

Geneva (джиний'вё) Женева || **Genevan** (джиний'вён), **Genevese** (джэнивий'з) (*as s.*) женевец, (*as a.*) женевский.
Genoa (джэ'ноё) Генуя || **Genoese** (джэноий'з) (*as s.*) генуэзец, (*as a.*) генуэзский.
Germany (джё'рмёни) Германия || **German** (джё'рмён) (*as s.*) немец, (*as a.*) немецкий.
Ghent (гэнт) Гент.
Goshen (гōу'шён) Гозен.
Greece (грийс) Греция || **Greek** (грийк) (*as s.*) грек, (*as a.*) греческий || **Grecian** (грийшн) греческий.
Greenland (грий'нлёнд) Гренландия.
the Grisons (грий'зёнз) Граубюнден.
Guelderland (гэ'лдёрлäнд) Гельдерн.

the Hague (хэйг) Гаага.
Hainault (эйнōу') Геннегау.
Hanover (хä'нёвёр) Ганновер || **Hanoverian** (хäнёвий'рён) (*as s.*) ганноверец, (*as a.*) ганноверский.
Hebrew (хий'брӯ) (*as s.*) еврей, (*as a.*) еврейский.
the Hebrides (хэ'бридийз) Гебриды.
Heligoland (хэ'лигёлäнд) Гельголанд.
Helvetia (хэлвий'шиё) Швейцария.
Hesse (хэс) Гессен || **Hessian** (хэшн) (*as s.*) гессенец, (*as a.*) гессенский.
Hindoo (хи'ндӯ) индус.
Hungary (ха'нгтёри) Венгрия || **Hungarian** (хангтä'риён) (*as s.*) венгерец, (*as a.*) венгерский.

Iceland (ай'слёнд) Исландия || **Icelander** исландец || **Icelandic** (айслä'ндик) исландский.
Illyria (или'риё) Иллирия.
India (и'ндиё) Индия || **the Indies** (и'ндийз) Индия || **Indian** (и'ндиён) (*as s.*) индеец, (*as a.*) индейский.
Ingria (и'нгтриё) Ингрия, Ингерманландия.
Ionia (айōу'ниё) Иония || **Ionian** (*as s.*) иониец, (*as a.*) ионийский.
Ireland (ай'ёрлёнд) Ирландия || **Irish** (ай'риш) ирландский || **the ~** ирландцы || **Irishman** ирландец.
Istria (и'стриё) Истрия.
Italy (и'тёли) Италия || **Italian** (итä'лиён) (*as s.*) итальянец, (*as a.*) итальянский.

Japanese (джäпёний'з) (*as s.*) японец, (*as a.*) японский.
Judea (джудий'ё) Иудея.

Lapland (лä'плёнд) Лапландия || **Lapp**, **Laplander** лапландец || **Lappish** лапландский.

the Lebanon (лэ'бёнён) Ливан.
the Leeward Isles (лий'уёрд) малые Антильские острова.
Leghorn (лэ'горн) Ливорно.
Leipsic (лай'псик) Лейпциг.
the Levant (ливä'нт) Левант.
Liege (лийдж) Льеж, Люттих.
Lisbon (ли'збён) Лиссабон.
Lisle (лийл) Лилль.
Lithuania (лифюэй'ниё) Литва || **Lithuanian** (*as s.*) литвин, (*as a.*) литовский.
Livonia (ливōу'ниё) Лифляндия || **Livonian** (*as s.*) лифляндец, (*as a.*) лифляндский.
Lombardy (ло'мбёрди) Ломбардия || **Lombard** (ло'мбёрд) (*as s.*) ломбардец, (*as a.*) ломбардский.
Lorraine (лорэй'н) Лотарингия.
Louvain (лувэй'н) Лувен.
the Low Countries Нидерланды.
Luzerne (лусё'рн) Люцерн || **the Lake of ~** Фирвальдштеттерское озеро.
Lyons (лай'ёнз) Лион.

Macedonia (мäсидōу'ниё) Македония || **Macedonian** (*as s.*) македонец, (*as a.*) македонский.
Madeira (мёдий'рё) Мадера.
Maltese (молтий'з) мальтиец, мальтийский.
Marseilles (мāрсэй'з) Марсель.
the Mediterranean (мэдитёрэй'ниён) Средиземное море.
Mentz (мэнтс) Майнц.
Milan (ми'лён, милä'н) Милан.
Mingrelia (мингрий'лиё) Мингрелия.
Moldavia (молдэй'виё) Молдавия.
the Moluccas (мола'кёз) Молуккские острова.
Mongolia (монгōу'лиё) Монголия || **Mongol** (мо'нгёл) (*as s.*) монгол, (*as a.*) монгольский.
Moor (мӯр) мавр || **Moorish** (мӯ'риш) мавританский.
Moravia (морэй'виё) Моравия || **Moravian** (*as s.*) моравец, (*as a.*) моравский || **the Moravian Brethren** моравские братья.
Morocco (моро'коу) Марокко || **Moroccan** (*as s.*) марокканец, (*as a.*) марокксский.
Moscovy (мо'скёви) Московское государство.
Moscow (мо'скоу) Москва.
the Moselle (мозэ'л) Мозель.
Munich (мю'ник) Мюнхен.

Naples (нэйплз) Неаполь || **Neapolitan** (нийёпо'литён) (*as s.*) неаполитанец, (*as a.*) неаполитанский.
the Netherlands (нэ'ðёрлäндз) Нидерланды.

Neu(f)chatel (нашäтэ'л) Нефшатéль.
Newfoundland (нюфау'ндлäнд) Нью-фаýндлэнд.
Nice (нийс) Ни́цца.
the Nile (найл) Нил.
Nimeguen (нимэ̄й'гён) Ни́мвеген.
Normandy (нō'рмёнди) Нормáндия || **Norman** (нō'рмён) (*as s.*) нормáндец, (*as a.*) нормáнский.
Norway (нō'руэй) Норвéгия || **Norwegian** (норуий'джён) (*as s.*) норвéжец, (*as a.*) норвéжский.
Nova Scotia (нōу'вё скōу'шиё) Нóвая Шотлáндия.
Nubia (ню'биё) Нýбия || **Nubian** (ню'-биён) (*as s.*) нуби́ец, (*as a.*) нуби́йский.
Nuremberg (ню'рёмбёрг) Ню́рнберг.

Orange (о'ринджь) Орáния.
the Orkneys (ō'ркнийз) Оркнéйские острова́.
Ostend (остэ'нд) Остэндэ.
Ottoman (о'тёмён), **the ~ Empire** Тýрция.

the Pacific (пёси'фик) Ти́хий океáн.
the Palatinate (пёлä'тинёт) Пфальц || **Palatine** (пä'лётин) (*as s.*) жи́тель Пфáльца, (*as a.*) пфáльцский.
Palestine (пä'листайн) Палести́на.
Patagonia (пäтёгōу'ниё) Патагóния || **Patagonian** (*as s.*) патагóнец, (*as a.*) патагóнский.
Pensylvania (пэнсилвэ̄й'ниё) Пенсильвáния.
Persia (пё'ршё) Пéрсия || **Persian** (*as s.*) перс, (*as a.*) перси́дский.
Peruvian (пёрӯ'виён) (*as s.*) перуáнец, (*as a.*) перуáнский.
Piedmont (пий'дмёнт) Пиэмóнт || **Piedmontese** (пийдмёнтий'з) (*as s.*) пиэмóнтец, (*as a.*) пиэмóнтский.
Poland (пōу'лёнд) Пóльша || **Pole** (пōул) поля́к || **Polish** (пōу'лиш) пóльский.
Pomerania (помёрэ̄й'ниё) Померáния || **Pomeranian** (*as s.*) померáнец, (*as a.*) померáнский.
Portuguese (пō'ртюгийз) (*as s.*) португáлец, (*as a.*) португáльский.
Prague (прэ̄йг) Прáга.
Prussia (пра'шё) Прýссия || **Prussian** (*as s.*) пруссáк, (*as a.*) прýсский.
the Pyrenees (пи'рини́йз) Пиренéи.

Ratisbon (рä'тизбон) Рéгенсбург.
Revel (рэ'вёл) Рéвель.
Rhenish (рэ'ниш) рей'нский.
the Rhine (райн) Рейн.
Rhodes (рōудз) Родóс.
the Rocky Mountains Скали́стые гóры (Сев. Амéрика).

Rome (рōум) Рим || **Roman** (*as s.*) ри́млянин, (*as a.*) ри́мский.
Roumania (румэ̄й'ниё) Румы́ния || **Roumanian** (*as s.*) румы́н, (*as a.*) румы́нский.
R(o)umelia (румий'лиё) Румéлия.
Russia (ра'шё) Рóссия || **Russian** (рашн) рýсский.

Saracen (сä'рёсин) (*as s.*) сараци́н, (*as a.*) сáраци́нский.
Sardinia (сāрди'ниё) Сарди́ния || **Sardinian** (*as s.*) сарди́нец, (*as a.*) сарди́нский.
Savoy (сёвой') Савóйя || **Savoyard** (сä-войä'рд) савоя́рд.
Saxony (сä'ксёни) Саксóния || **Saxon** (сäксн) (*as s.*) саксóнец, (*as a.*) саксóнский.
Scandinavia (скäндинэ̄й'виё) Скандинáвия || **Scandinavian** (*as s.*) скандинáвец, (*as a.*) скандинáвский.
the Scheldt (скэлт) Шéльда.
S(c)lavonia (с[к]лёвōу'ниё) Словéния || **S(c)lavonian** (*as s.*) славяни́н, словéнец, (*as a.*) славя́нский.
Scotland (ско'тлёнд) Шотлáндия || **Scotch** (скотш), **Scottish** (ско'тиш) шотлáндский || **the Scotch, Scots** шотлáндцы || **Scotchman, Scot** шотлáндец.
Servia (сё'рвиё) Сéрбия || **Servian** (*as s.*) серб, (*as a.*) сéрбский.
Siberia (сайбий'риё) Сиби́рь || **Siberian** (*as s.*) сибиря́к, (*as a.*) сиби́рский.
Sicily (си'сили) Сици́лия || **Sicilian** (сиси'лйён) (*as s.*) сицилия́нец, (*as a.*) сицили́йский.
Silesia (силий'жё) Силéзия || **Silesian** (*as s.*) силéзец, (*as a.*) силéзский.
Sleswick (слэ'зуик) Шлéзвиг.
Soudan (судä'н) Судáн.
the Sound (саунд) Зунд.
Spain (спэ̄йн) Испáния || **Spaniard** (спä'-ниёрд) испáнец || **Spanish** (спä'ниш) испáнский.
Spire (спай'ёр) Шпейер.
Styria (сти'риё) Шти́рия || **Styrian** (*as s.*) штири́ец, (*as a.*) штири́йский.
Sudetic (сюдэ'тик), **the ~ Mountains** Судéты, Судéтския гóры.
Swabia, Suabia (суэ̄й'биё) Швáбия || **Swabian, Suabian** (*as s.*) шваб, (*as a.*) швáбский.
Sweden (суий'дён) Швéция || **Swede** (суийд) швед || **Swedish** (суий'диш) швéдский.

Switzerland (суи'тсёрлӓнд) Швейца́рия || **Swiss** (суис) (*as s.*) швейца́рец, (*as a.*) швейца́рский.
Syracuse (си'рёкю̄с) Сираку́зы.
Syria (си'риё) Си́рия || **Syrian** (*as s.*) сири́ец, (*as a.*) сири́йский.

the Tagus (тэй'гёс) Та́хо.
Tangier (тӓнджий'р) Танже́р.
Tartary (та̄'ртёри) Тата́рия || **Tartar** (та̄'ртёр) (*as s.*) тата́рин, (*as a.*) тата́рский.
the Thames (тэмз) Те́мза.
Thermopylæ (ѳёрмо'пилий) Фермопи́лы.
Thessaly (ѳэ'сёли) Фесса́лия || **Thessalian** (ѳэсэ̄й'лиён) (*as s.*) фессали́ец, (*as a.*) фессали́йский.
Thrace (ѳрэ̄йс) Фракия || **Thracian** (*as s.*) фраки́ец, (*as a.*) фраки́йский.
Thuringia (ѳюри'нджиё) Тюри́нгия || **Thuringian** (*as s.*) тюри́нгец, (*as a.*) тюри́нгенский.
the Tigris (тай'грис) Ти́гр.
Transylvania (трӓнсилвэ̄й'ниё) Трансильва́ния.
Trent (трент) Тре́нто.
Treves (трийвз) Трир.
Troja (тро̄у'джё) Тро́я || **Trojan** (тро̄у'джён) (*as s.*) троя́нец, (*as a.*) троя́нский.
Turkey (тё'рки) Ту́рция || **Turk** (тёрк) ту́рок || **Turkish** (тё'ркиш) туре́цкий.
Tuscany (та'скёни) Toска́на || **Tuscan** (та'скён) (*as s.*) тоска́нец, (*as a.*) тоска́нский.
Tyre (тай'ёр) Тир.

the Tyrol (ти'рёл) Тиро́ль || **Tyrolese** (тирёлий'з) (*as s.*) тиро́лец, (*as a.*) тиро́льский.

Umbria (а'мбриё) У́мбрия.
the United States (ѳий юнай'тид стэ̄йтс) Соединённые Шта́ты.

Valais (вёлэ̄й') Валлис.
Vaud (во̄у) Во.
Venice (вэ'нис) Вене́ция || **Venetian** (виний'шн) (*as s.*) венециа́нец, (*as a.*) венециа́нский.
Vesuvius (висю̄'виёс) Везу́вий.
Vienna (ви-э'нё) Вена || **Viennese** (виэний'з) (*as s.*) ве́нец, (*as a.*) ве́нский.
the Vistula (ви'стюлё) Ви́сла.
the Vosges (во̄уж) Воге́зы.

Wallachia (уолэ̄й'киё) Вала́хия || **Wallachian** (уолэ̄й'киён) (*as s.*) вала́х, (*as a.*) вала́хский.
Walloon (уёлӯ'н) валло́нец.
Warsaw (уо̄'рсо̄) Варша́ва.
Welsh (уэлш) у́эльский || **the ~** жители У́эльса.
the West Indies (уэсти'ндийз) Вест-Индия || **West Indian** вест-индский.
Westphalia (уэстфэ̄й'лиё) Вестфа́лия || **Westphalian** (*as s.*) вестфа́лец, (*as a.*) вестфа́льский.
Wurtemberg (уё'ртёмбёрг) Вюртемб́ерг.

Zealand (зий'лёнд) Зела́ндия.
the Zuider Zee (зай'дёр зий) Зю́йдерзе.

Table of the Irregular Verbs*)

Неправильные глаголы*)

Present	Imperfect	Participle	Present	Imperfect	Participle
abide	abode	abode	**do**	did	done
arise	arose	arisen	**draw**	drew	drawn
awake	awoke*	awaked	**dream**	dreamt*	dreamt*
bear	bore	born, borne	**drink**	drank	drunk[en]
beat	beat	beaten	**drive**	drove	driven
become	became	become	**dwell**	dwelt*	dwelt*
befall	befell	befallen	**eat**	ate, eat	eaten
beget	begot	begotten	**engrave**	engraved	engraven*
begin	began	begun	**fall**	fell	fallen
begird	begirt*	begirt*	**feed**	fed	fed
behold	beheld	beheld	**feel**	felt	felt
bend	bent*	bent*	**fight**	fought	fought
bereave	bereft*	bereft*	**find**	found	found
beseech	besought	besought	**flee**	fled	fled
beset	beset	beset	**fling**	flung	flung
bestride	bestrode	bestridden	**fly**	flew	flown
betake	betook	betaken	**forbear**	forbore	forborne
bid	bid, bade	bid, bidden	**forbid**	forbade, forbid	forbidden
bind	bound	bound			
bite	bit	bitten	**forecast**	forecast	forecast
bleed	bled	bled	**forego**	forewent	foregone
blow	blew	blown	**foresee**	foresaw	foreseen
breaa	broke	broken	**foretell**	foretold	foretold
breed	bred	bred	**forget**	forgot	forgotten
bring	brought	brought	**forgive**	forgave	forgiven
build	built	built	**forsake**	forsook	forsaken
burn	burnt*	burnt*	**forswear**	forswore	forsworn
burst	burst	burst	**freeze**	froze	frozen
buy	bought	bought	**get**	got	got, gotten
can	could	—	**gild**	gilt*	gilt*
cast	cast	cast	**gird**	girt*	girt*
catch	caught	caught	**give**	gave	given
chide	chid	chidden	**go**	went	gone
choose	chose	chosen	**grave**	graved	graven*
cleave	cleft, clove	cleft, cloven	**grind**	ground	ground
cling	clung	clung	**grow**	grew	grown
clothe	clad*	clad*	**hang**	hung*	hung*
come	came	come	**have**	had	had
cost	cost	cost	**hear**	heard	heard
creep	crept	crept	**heave**	hove*	hove*
cut	cut	cut	**hew**	hewed	hewn*
dare	durst*	dared	**hide**	hid	hid, hidden
deal	dealt	dealt	**hit**	hit	hit
dig	dug*	dug*	**hold**	held	held
dip	dipt*	dipt*	**hurt**	hurt	hurt

*) Обозначенные звездочкой формы могут быть образованы и правильно.

Present	Imperfect	Participle	Present	Imperfect	Participle
inlay	inlaid	inlaid	**override**	overrode	overridden
interweave	interwove	interwoven	**overrun**	overran	overrun
keep	kept	kept	**oversee**	oversaw	overseen
kneel	knelt*	knelt*	**overset**	overset	overset
knit	knit*	knit*	**overshoot**	overshot	overshot
know	knew	known	**oversleep**	overslept	overslept
lade	laded	laden*	**overspread**	overspread	overspread
lay	laid	laid	**overtake**	overtook	overtaken
lead	led	led	**overthrow**	overthrew	overthrown
lean	leant*	leant*	**partake**	partook	partaken
leap	leapt*	leapt*	**pay**	paid	paid
learn	learnt*	learnt*	**pen** (включать)	pent*	pent*
leave	left	left			
lend	lent	lent	**put**	put	put
let	let	let	**read**	read	read
lie (лежать)	lay	lain	**rebuild**	rebuilt*	rebuilt*
light	lit*	lit*	**rend**	rent	rent
lose	lost	lost	**repay**	repaid	repaid
make	made	made	**rid**	rid	rid
may	might	—	**ride**	rode	ridden
mean	meant	meant	**ring**	rang, rung	rung
meet	met	met	**rise**	rose	risen
melt	melted	molten*	**rive**	rived	riven
methinks	methought	—	**run**	ran	run
misgive	misgave	misgiven	**saw**	sawed	sawn*
mislay	mislaid	mislaid	**say**	said	said
mislead	misled	misled	**see**	saw	seen
misshape	misshaped	misshapen*	**seek**	sought	sought
misspeak	misspoke	misspoken	**seethe**	seethed	sodden*
misspell	misspelt*	misspelt*	**sell**	sold	sold
mistake	mistook	mistaken	**send**	sent	sent
misunderstand	misunderstood	misunderstood	**set**	set	set
			sew	sewed	sewn
miswrite	miswrote	miswritten	**shake**	shook	shaken
mow	mowed	mown*	**shall**	should	—
must	must	—	**shape**	shaped	shapen*
—	ought	—	**shave**	shaved	shaven*
outbid	outbid	outbid, outbidden	**shear**	shore*	shorn
			shed	shed	shed
outdo	outdid	outdone	**shew**	shewed	shewn*
outgo	outwent	outgone	**shine**	shone	shone
outgrow	outgrew	outgrown	**shoe**	shod	shod
outride	outrode	outridden	**shoot**	shot	shot
outrun	outran	outrun	**show**	showed	shown*
outshine	outshone	outshone	**shred**	shred	shred
overbear	overbore	overborne	**shrink**	shrunk, shrank	shrunk
overcast	overcast	overcast			
overcome	overcame	overcome	**shrive**	shrove	shriven
overdo	overdid	overdone	**shut**	shut	shut
overdrive	overdrove	overdriven	**sing**	sang	sung
overeat	overate	overeaten	**sink**	sank	sunk
overhang	overhung	overhung	**sit**	sat	sat
overhear	overheard	overheard	**slay**	slew	slain
overlade	overladed	overladen*	**sleep**	slept	slept
overlay	overlaid	overlaid	**slide**	slid	slid, slidden

Present	Imperfect	Participle	Present	Imperfect	Participle
sling	slung	slung	thrive	throve*	thriven*
slink	slunk	slunk	throw	threw	thrown
slit	slit	slit	thrust	thrust	thrust
smell	smelt*	smelt*	tread	trod	trod, trodden
smite	smote	smitten	unbend	unbent*	unbent*
sow	sowed	sown*	unbind	unbound	unbound
speak	spoke	spoken	underbid	underbid	underbidden
speed	sped	sped	underdo	underdid	underdone
spell	spelt*	spelt*	undergo	underwent	undergone
spend	spent	spent	underlay	underlaid	underlaid
spill	spilt*	spilt*	undersell	undersold	undersold
spin	spun, span	spun	understand	understood	understood
spit	spit, spat	spit, spitten	undertake	undertook	undertaken
split	split	split	undo	undid	undone
spread	spread	spread	ungird	ungirt*	ungirt*
spring	sprang	sprung	unlade	unladed	unladen
stand	stood	stood	unsay	unsaid	unsaid
stay	staid*	staid*	unstring	unstrung	unstrung
steal	stole	stolen	unwind	unwound	unwound
stick	stuck	stuck	upbear	upbore	upborne
sting	stung	stung	uphold	upheld	upheld
stink	stank, stunk	stunk	uprise	uprose	uprisen
strew	strewed	strewn*	upset	upset	upset
stride	strode	stridden	wake	woke*	waked
strike	struck	struck	waylay	waylaid	waylaid
string	strung	strung	wear	wore	worn
strive	strove	striven	weave	wove	woven
strow	strowed	strown	weep	wept	wept
swear	swore	sworn	will	would	—
sweep	swept	swept	win	won	won
swell	swelled	swollen*	wind	wound	wound
swim	swam	swum	withdraw	withdrew	withdrawn
swing	swung	swung	withhold	withheld	withheld
take	took	taken	withstand	withstood	withstood
teach	taught	taught	work	wrought*	wrought*
tear	tore	torn	wring	wrung	wrung
tell	told	told	write	wrote	written
think	thought	thought			

WEIGHTS AND MEASURES

Although the metric system is the official system of the U.S.S.R., the following older units are occasionally found.

LINEAR

1 Arshin .... 71.12 cm. (28 in.)

1 Sazhen .... 2.134 m. (7 ft.)

1 Verst .... 1.067 km. (0.6629 miles)

WEIGHT

1 Funt .... 0.41 kg. (0.903 lb.)

1 Pood .... 16.38 kg. (36.113 lb.)

The Russian ton is a metric ton and therefore equals 2204.6 lbs.

AREA

Dessiatin .... 0.011 sq. km. (2.7 acres)

A CHECK-LIST OF RUSSIAN LANGUAGE DICTIONARIES

Unless otherwise indicated, all dictionaries listed employ the new orthography, with alphabetization following the first language listed in title.

General

NEW COMPLETE RUSSIAN-ENGLISH DICTIONARY. Louis Segal. 780 p. 4 to. Lund Humphries, London 1941.

A DICTIONARY OF THE RUSSIAN LANGUAGE. D. N. Ushakov. (Russian-Russian.) 4 vol. Over 85,000 entries. U.S.S.R., Moscow, 1934-1940.

COMPLETE RUSSIAN-ENGLISH DICTIONARY. A. Aleksandrov. 6th ed. rev. and enl. 765 p. Old orthography. Maisel, New York, 1919.

COMPLETE ENGLISH-RUSSIAN DICTIONARY. A. Aleksandrov. 7th ed. rev. and enl. 918 p. Old orthography. Hebrew Pub. Co., New York.

A NEW PRONOUNCING ENGLISH-RUSSIAN AND RUSSIAN-ENGLISH DICTIONARY. M. Golovinsky. 1462 p. Old orthography. McKay, Philadelphia.

ENGLISH IDIOMS. A. Koonin. A dictionary of English idioms with Russian equivalents. 468 p. U.S.S.R., Moscow 1937.

Technical—General

ENGLISH-RUSSIAN TECHNICAL DICTIONARY. A. E. Chernukhin. Over 100,000 terms. Extensive collection of tables. 2nd ed. 688 p. U.S.S.R., Moscow 1938.

TECHNICAL DICTIONARY. (Russian-Russian.) L. K. Martens. 8500 entries. 1500 illus. 958 p. U.S.S.R., Moscow 1939.

SHORT TECHNICAL DICTIONARY. Ed. by A. A. Armand and G. P. Brailo. (Russian-Russian.) 12,000 terms. Illus. 582 p. U.S.S.R., Moscow 1934.

Automobile

ENGLISH-RUSSIAN AUTOMOBILE DICTIONARY. Y. V. Chaikin. 8000 terms. 136 p. U.S.S.R., Moscow 1939.

Chemistry

CHEMICAL DICTIONARY. A. W. Mayer. (German-English-French-Russian.) (Alphabetized according to German.) 900 p. N. Y. Chemical Pub. Co.

Civil Engineering

ENGLISH-RUSSIAN DICTIONARY OF CIVIL ENGINEERING. P. G. Amburger. 369 p. Tables. U.S.S.R., Moscow, 1938.

Electricity—Radio—Electrical Engineering

ENGLISH - RUSSIAN ELECTRO - TECHNICAL DICTIONARY. E. A. Karpovich. 18,600 terms. 2nd ed. 376 p. U.S.S.R., Moscow 1939.

Forestry—Lumber Industry

TECHNICAL DICTIONARY OF FORESTRY. (English-German-French-Russian.) Alphabetized according to the English.) L. Linde. 408 p. U.S.S.R., Moscow 1936.

Geology

ENGLISH-RUSSIAN VOCABULARY OF GEOLOGY AND ASSOCIATED SCIENCES. G. S. Duchesne. 14,600 terms. 337 p. U.S.S.R., Moscow 1937.

Hydro-technology

ENGLISH-RUSSIAN HYDRO-TECHNOLOGICAL DICTIONARY. C. I. Lyagin. 10,000 terms. 275 p. U.S.S.R., Moscow 1935.

Maritime

ENGLISH-RUSSIAN AND RUSSIAN-ENGLISH MARINE DICTIONARY. 12,000 terms in each part. Tables. Scales. 318 p. U.S.S.R., Moscow 1937.

Military

ENGLISH-RUSSIAN MILITARY DICTIONARY. A. M. Taube. 638 p. 2nd ed. U.S.S.R., Moscow 1942.

MILITARY DICTIONARY. English-Russian, Russian-English. 610 p. U. S. Government Printing Office, Washington 1941.

Mining

ENGLISH-RUSSIAN DICTIONARY OF COAL MINES AND MINING. P. F. Kosmin. 219 p. U.S.S.R., Novosibirsk 1931.

Radio

DICTIONARY OF RADIO TERMINOLOGY. A. S. Litvinenko. (English - German - French - Russian.) (Alphabetized by each language.) 558 p. U.S.S.R., Moscow 1937.

Shop Terms

DICTIONARY OF SHOP TERMS. S. J. Kretchetnikov. (English-Russian.) 575 p. U.S.S.R., Moscow 1937.

Textiles

ENGLISH-RUSSIAN TEXTILE DICTIONARY. M. Obraztsov. 233 p. U.S.S.R., Moscow 1933.